D0305748

Les vins de
Bordeaux

ROBERT PARKER

Les vins de
Bordeaux

NOUVELLE ÉDITION

SOLAR

Du même auteur :
LES VINS DE BOURGOGNE ET DU BEAUJOLAIS
(Éditions Solar, 1993, 1994 - épuisé)
LES VINS DE BORDEAUX
(Éditions Solar, 1993, 1994)
GUIDE PARKER DES VINS DE FRANCE
(Éditions Solar, 1997)
LES VINS DE LA VALLÉE DU RHÔNE
(Éditions Solar, 1998)

Titre original de cet ouvrage
BORDEAUX : A COMPREHENSIVE GUIDE TO THE WINES SINCE 1961

Traduction-adaptation : Hanna Agostini
Cartographie : Jeanyee Wong
Dessins : Christopher Wormell

ISBN : 2-263-02724-6
Code éditeur : S02724
Dépôt légal : septembre 1999

Photocomposition : Nord Compo, Villeneuve-d'Ascq

Aux « Œnarques »
Roger Bessière, Henri Boyreau,
Pierre Castéja, Georges Chambarière,
Jacques Debayle, Jean-Bernard Delmas,
Bernard Ginestet et Jean-François Moueix,
experts en vin comme en amitié

Avertissement de l'éditeur

Sans la liberté de blâmer,
il n'est point d'éloge flatteur
(Beaumarchais)

Note générale

Les vins commentés dans cet ouvrage ont tous été, sans exception, goûtés personnellement par Robert Parker. Dans un souci d'objectivité et de professionnalisme, ils font tous, autant que possible, l'objet de plusieurs dégustations consécutives, à l'aveugle, sans que soit connu le nom des producteurs, et sont testés parmi des vins de niveau équivalent. La note attribuée reflète les qualités spécifiques d'un vin à son meilleur niveau. La cotation du producteur ou de la propriété tient compte de la moyenne des notes attribuées à ses vins.

Toutefois, dans certaines circonstances particulières, comme dans le cadre de dégustations effectuées sous l'égide d'organisations professionnelles, ou de dégustations à la propriété de grands crus limitant l'offre d'échantillons (la dégustation n'est alors pas à l'aveugle), ou enfin de dégustations de vieux millésimes ou de bouteilles rares, il peut arriver que les vins ne soient goûtés qu'une seule fois. Dans ce cas, leur cotation et celle du producteur ou de la propriété sont évidemment le résultat de cette unique dégustation.

Les commentaires contenus dans cet ouvrage sont faits dans un esprit de totale indépendance. Ils ne reflètent que l'opinion personnelle de leur auteur et sont émis dans les optiques morale et légale induites par la législation relative à la liberté de pensée et d'expression, principes constitutionnellement consacrés par toute société libérale. Cela comprend également, dans l'acception la plus large du terme, le « droit de critique » reconnu aux auteurs et aux journalistes.

S'il s'efforce de donner le maximum de détails sur les régions viticoles, les vignobles et leurs produits, il arrive que l'auteur ne puisse divulguer des éléments à caractère confidentiel ou qu'il ne puisse obvier à la rétention d'informations par ses interlocuteurs.

Depuis près de vingt ans maintenant, Robert Parker donne sans aucun parti pris des informations fiables et indépendantes sur les vins. Son cheval de bataille demeure la protection des droits du consommateur, et le but qu'il poursuit inlassablement est justement la dénonciation de négligences et de pratiques abusives ayant pour conséquence la présentation aux consommateurs de vins décevants, de mauvaise qualité ou encore endommagés.

Il va sans dire que Robert Parker n'a aucun intérêt direct ou indirect dans la production, l'importation ou la distribution de vins aux États-Unis ou ailleurs, si ce n'est dans un domaine de l'Oregon qui n'est jamais l'objet de ses cotations, pour des raisons évidentes de déontologie.

A propos du présent ouvrage

Certains lecteurs de ce livre sont aussi des familiers des publications américaines de Robert Parker, qu'il s'agisse du *Parker's Wine Buyer's Guide*, de la revue *The Wine Advocate* ou de l'édition originale du présent guide. Ils pourront déceler des différences, parfois notables, entre ces éditions et *Les Vins de Bordeaux*, tant pour ce qui est de l'évaluation générale des producteurs (bon, très bon, excellent, exceptionnel) qu'en ce qui concerne les notes ou les commentaires dont les vins font l'objet.

L'éditeur tient à préciser que, quelle que soit leur ampleur, ces variations sont toutes le fait de l'auteur, dûment vérifiées et confirmées, ne relevant que de son seul jugement. C'est là toute la valeur d'un critique de son envergure : l'honnêteté et la responsabilité seules le guident, fût-il nécessaire, parfois, de revenir sur ses propres appréciations et de convenir qu'il a pu méjuger un vin – ou le surestimer.

A propos des fiches techniques

Ces fiches ont été élaborées à partir de questionnaires détaillés adressés à tous les producteurs. Le manque de précision que l'on pourra constater concernant certains points n'est pas dû à une quelconque négligence de l'auteur ou de l'éditeur, mais à l'impossibilité où nous nous sommes trouvés d'obtenir ces renseignements – soit qu'il s'agisse d'un silence obstiné des maisons concernées, soit que les variations d'une année à l'autre (notamment de rendement) interdisent à celles-ci d'établir une moyenne.

Les chiffres s'entendent en effet comme des moyennes sur les *cinq dernières années*. Cela explique que, *pour un millésime donné*, la composition d'un vin puisse être notablement différente de l'encépagement du domaine, ou que le plateau de maturité puisse être supérieur à ce qui est indiqué globalement.

Lorsque deux vins sont cités, ce sont le plus souvent le premier et le second vins ; toutefois, il peut également s'agir d'une cuvée prestige – nous l'avons alors signalé.

Les précisions sur l'élevage et la maturité concernent toujours le seul grand vin, le second étant généralement vieilli différemment.

Enfin, il faut savoir que le millésime 1998, dégusté en mars 1999, l'a été au fût : c'est pourquoi l'estimation est souvent assez large (82-86, 85-88 ?, etc.), les différences pouvant être importantes, à ce stade de l'évolution, d'un fût à l'autre.

De même, lorsqu'il est dit d'un vin qu'il est, par exemple, « le meilleur produit au domaine *depuis* 1961 », le jugement concerne bien la période comprise entre 1961 et le millésime concerné, ne préjugeant en rien de la suite. Autrement dit, on ne s'étonnera pas que, après ce millésime, d'autres aient obtenu une note supérieure ou donné lieu à des commentaires plus laudatifs encore.

Quant aux estimations de maturité, elles ont toutes été actualisées. Ainsi, quand l'auteur juge qu'un vin est « à boire », c'est à l'heure de l'impression de l'ouvrage, et ce même si la date de la dernière dégustation est ancienne. Exemple : Angélus 1985 – « Ce vin opulent doit être apprécié maintenant. » (3/90). C'est bien fin 1999-début 2000 que l'Angélus 1985 est à boire ; l'expérience de l'auteur lui permet d'évaluer avec précision, d'après ses notes de 1990 – et, souvent, d'autres dégustations privées –, la longévité de ce vin.

SOMMAIRE

COMMENT UTILISER CE LIVRE

L'ouverture d'une grande bouteille de bordeaux issue d'une propriété prestigieuse est une opération poignante et fascinante, qui attire irrésistiblement par son aspect romantique, confinant au mystique. De nombreux auteurs ont tressé des lauriers aux vins du Bordelais, souvent avec davantage de respect et d'exaltation qu'ils ne le méritaient. En effet, il est arrivé plus d'une fois qu'un cru renommé d'un soi-disant bon millésime se révèle aqueux à la limite du buvable, parfois même carrément répugnant, et qu'un vin prestigieux ait, plus souvent qu'à son tour, déçu lors d'une dégustation. En revanche, un bordeaux peut aussi se montrer des plus plaisants et des plus gratifiants, alors même qu'il provient d'un millésime fortement décrié par l'ensemble des critiques, ou d'un château presque inconnu.

Cet ouvrage se veut précisément le reflet de telles constatations ; c'est le guide du consommateur dans les méandres du vignoble bordelais. Quels producteurs font les meilleurs ou les pires vins de la région ? Quelle a été l'évolution de telle ou telle propriété ces vingt ou trente dernières années ? Quels châteaux sont surcotés et surestimés, et lesquels sont, au contraire, sous-cotés et sous-estimés ? Autant de questions auxquelles ce livre apporte, autant que faire se peut, des réponses détaillées.

Les notes et commentaires contenus dans cet ouvrage sont le résultat de nombreuses dégustations aussi bien en France qu'outre-Atlantique. Depuis 1970, je viens à Bordeaux chaque année et, depuis 1978, je sillonne la région au moins deux fois par an en tant que professionnel pour goûter les vins en primeur et effectuer des dégustations comparées des différents crus et des différents millésimes après la mise en bouteille. C'est ainsi que, depuis près de trente ans, j'ai goûté la plupart des grands crus dans les meilleures années au moins une demi-douzaine de fois.

Pour bien évaluer un vin, il convient, à mon sens, de le déguster régulièrement au cours de son élevage de 16 à 24 mois, puis de le regoûter plusieurs fois après la mise en bouteille, pour vérifier qu'il tient les promesses qu'il affichait en fût. Bien entendu, certains vins et même certains millésimes sont relativement faciles à goûter et à évaluer, tandis que d'autres requièrent non seulement une attention et une concentration de tous les instants, mais aussi de multiples dégustations aussi bien comparatives qu'individuelles (à la propriété). C'est la seule manière de se faire une idée précise du potentiel et de

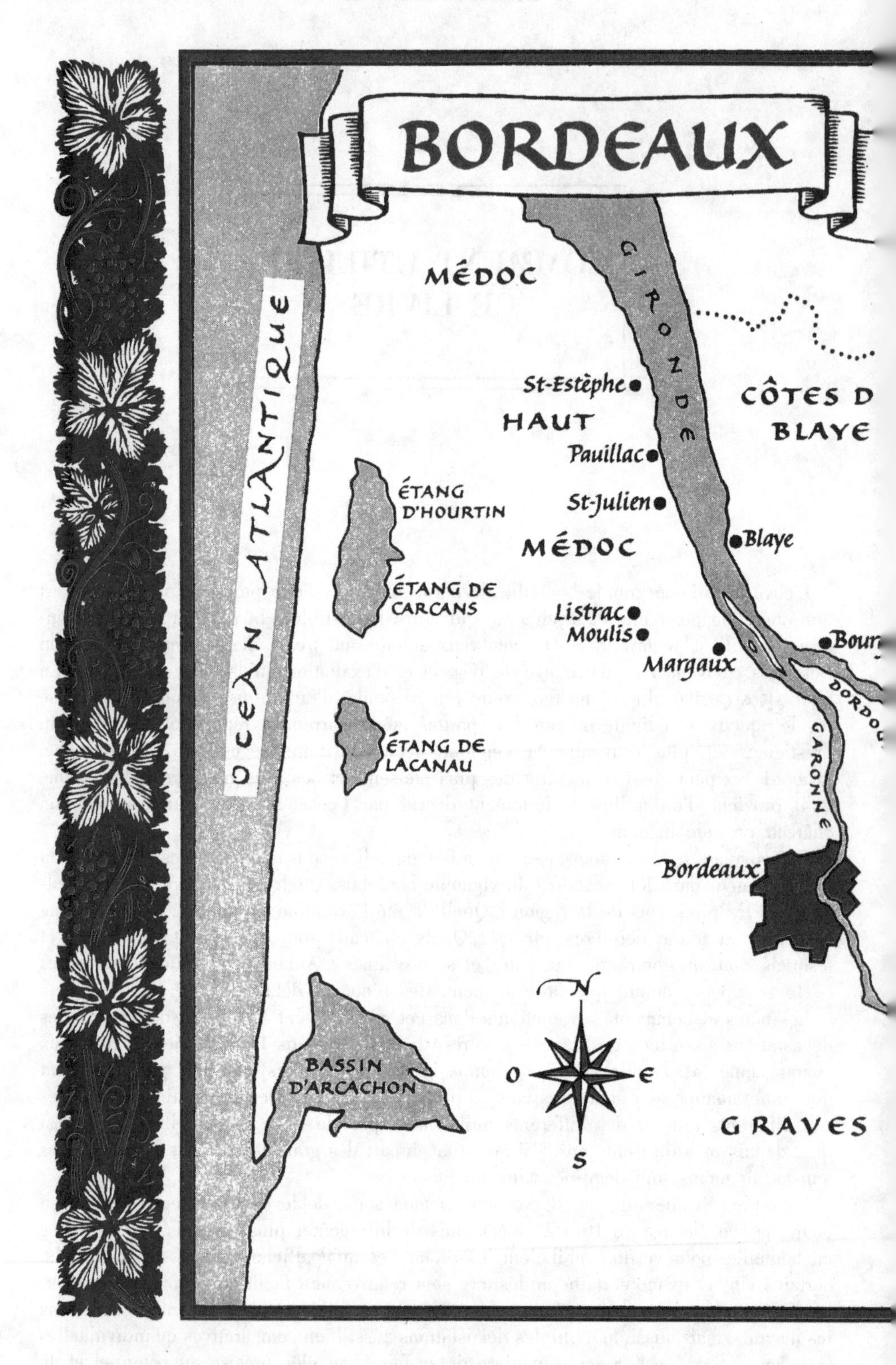
BORDEAUX
OCEAN ATLANTIQUE
MÉDOC
GIRONDE
St-Estèphe
HAUT
CÔTES D
BLAYE
Pauillac
ÉTANG D'HOURTIN
St-Julien
MÉDOC
Blaye
ÉTANG DE CARCANS
Listrac
Moulis
Margaux
Bour
DORDO
ÉTANG DE LACANAU
GARONNE
Bordeaux
N
O
E
S
BASSIN D'ARCACHON
GRAVES

FRANCE
OCEAN
ATLANTIQUE
Bordeaux
MÉDITERRANÉE
0 5 10 15 20 25
KILOMETRES
FRONSAC
Lalande-de-Pomerol
Montagne
Fronsac
Puisseguin
Pomerol
Libourne
Côtes de Castillon
St-Emilion
DORDOGNE
ENTRE-DEUX-MERS
Barsac
GARONNE
Langon
Sauternes

la qualité d'un cru, et c'est d'ailleurs pour cette raison que je passe tant de temps à visiter les plus importantes propriétés des principales appellations communales (Médoc, Graves, Sauternes, Saint-Émilion et Pomerol).

Les visites dans les châteaux et les discussions avec les viticulteurs ont leur importance, dans la mesure où elles permettent d'obtenir des informations clés sur l'évolution de la maturité et la date des vendanges, ainsi que sur les vinifications elles-mêmes. Les vinificateurs et les responsables de chais donnent généralement des réponses directes et honnêtes à mes questions ; les propriétaires, en revanche, se lancent souvent dans une présentation dithyrambique de leurs crus.

Outre les visites des différents châteaux (que le millésime soit médiocre, grandiose ou de bon niveau seulement), il est extrêmement important d'effectuer des dégustations comparatives des vins primeur. Pour cela, je fais appel à des négociants qui se chargent de la collecte d'échantillons et organisent ce que certains appellent des « dégustations-marathons », lors desquelles j'évalue 60 à 100 vins par jour, par groupes de 10 à 15 crus. Cela me permet, sur une période de deux semaines environ, de goûter plusieurs fois un vin donné, qu'il soit cru classé ou cru bourgeois, et de me faire une idée d'ensemble du millésime en question. Ces dégustations en série confirment ou, au contraire, infirment celles que j'ai faites lors de mes visites dans les différents châteaux. Je répète cette démarche au moins trois fois avant la mise en bouteille (au terme de 6, 9 et 18 mois d'élevage), ce qui me donne une image très précise de la qualité des produits.

S'il est avéré que les jeunes bordeaux changent et évoluent constamment pendant leur élevage en fût, les vins vraiment grandioses se distinguent d'emblée. Certes, je sais d'expérience que certains crus peu impressionnants, parfois très fermés au départ, peuvent se révéler bons ou très bons par la suite. Cependant, les vraies stars sont aussi sensationnelles à 6 mois qu'à 20 mois d'âge. Je préfère généralement déguster les bordeaux primeur juste après leur assemblage ; il est en effet primordial de pouvoir les jauger à ce stade de leur petite enfance (fin mars ou début avril suivant la vendange), quand ils sont encore peu marqués par leur vieillissement en bois neuf. A ce niveau de précocité, il est encore possible d'évaluer un cru uniquement sur la richesse et la maturité de son fruité, sur sa profondeur, sa concentration, sa corpulence, son acidité et ses tannins naturels, tandis que, par la suite, le boisé peut masquer le fruit tout en exaltant les tannins et les arômes propres du vin.

Le fruit est, à mon sens, la qualité principale d'un jeune bordeaux. Les grands millésimes, forgés par un climat ensoleillé et chaud, donnent généralement des vins riches, mûrs, au fruité profond, issus d'une vendange parfaitement mûre. Un cru dépourvu de fruit, ou dont le fruité est vert et manque de maturité, ne sera jamais digne d'intérêt. De même, une vendange trop mûre, restée trop longtemps sur pied par un temps excessivement chaud et humide, donnera des vins très faibles en acidité et à l'avenir incertain. Parmi les millésimes récents, marqués dès leur jeunesse par un fruit d'une grande pureté et par une maturité et une richesse d'un excellent niveau, on citera 1982, 1985, 1986, 1989, 1990, 1995 et 1996, tous de très haut vol. 1974, 1977 et 1984, assez médiocres, se distinguent quant à eux par leur fruité des plus maigres et par leur caractère végétal.

Je reviens généralement à Bordeaux dans le courant du printemps ou de l'été suivant le millésime pour redéguster les vins en fût. A ce stade de leur évolution (3 à 4 mois de vieillissement), ils sont en principe remis de l'entonnage, et leur fruité intense est plus marqué par le boisé. Alors que les dégustations de mars ou d'avril permettent de juger le niveau général d'un millésime donné, celles de juin et du printemps suivant le situent mieux par rapport aux années antérieures et donnent une meilleure idée du potentiel d'un cru spécifique par rapport à ses pairs.

Lorsque les vins sont en bouteille, je préfère de beaucoup les déguster à l'aveugle. Il existe deux types de dégustation à l'aveugle. La dégustation simple est celle où je sais, par exemple, que les vins sont du Bordelais, sans cependant connaître les châteaux ou les millésimes auxquels j'ai affaire. La dégustation est « doublement » à l'aveugle quand elle comprend des vins du monde entier, de différents millésimes, servis sans ordre défini.

Je goûte généralement les bordeaux selon la première formule, sans connaître l'identité des crus. Je préfère cependant évaluer un vin par rapport à ses pairs, et déguste côte à côte des spécimens d'un même millésime. De plus, je ne mélange jamais des crus de style totalement différent, comme des bordeaux et des Cabernet Sauvignon de Californie ou d'Australie. Si de telles comparaisons peuvent se révéler amusantes, voire intéressantes, les résultats ne sont jamais fiables et ne seront d'aucune utilité pour l'amateur sérieux qui recherche des informations précises. Qu'ils emploient la notation sur 100 ou sur 20, les critiques professionnels ont tous le même but : évaluer un vin par rapport à ses pairs, et estimer sa valeur et son potentiel sur le marché international.

Pour bien évaluer un vin dans un but strictement professionnel, il va sans dire que le choix des verres et la question de la température me paraissent d'une importance capitale. Le verre convenant le mieux à ce type d'exercice répond à la norme ISO (on l'appelle d'ailleurs le verre ISO) ; il est en forme de tulipe et spécialement conçu pour la dégustation. J'utilise aussi d'autres verres, et notamment l'Impitoyable, qui se révèle un outil d'excellente facture. Plus large que le verre ISO, il amplifie le bouquet du vin et permet ainsi d'en mieux déceler les éventuels défauts. Il ne convient cependant pas pour la dégustation courante, à cause de son col trop étroit. J'utilise également les superbes verres Riedel, de fabrication autrichienne, qu'il est relativement facile de se procurer.

Pour ce qui est de la température, une moyenne de 15-18 °C convient parfaitement tant pour les blancs que pour les rouges. Un vin servi plus chaud semblera mou et plat, avec un bouquet diffus, tandis qu'une fraîcheur excessive, en l'empêchant de pleinement exprimer ses arômes, le fera paraître muet.

Les vins que j'évalue sont tous jaugés de la manière suivante : tout d'abord, un examen de la *robe* sur un fond blanc permet d'en déterminer le brillant, l'intensité et la richesse. Un jeune bordeaux d'une couleur légère, brumeuse ou nuageuse, ou les deux à la fois, présente à coup sûr des défauts. La couleur est un élément d'importance lorsqu'il s'agit des vins rouges du Bordelais : ceux-ci arborent tous, dans les très grands millésimes, des robes d'un rubis foncé, profond et riche, mais semblent moins densément colorés dans les années médiocres desservies par la pluie et les mauvaises conditions climatiques. Les 1982, 1983, 1985, 1986, 1989, 1990, 1995 et 1996 de cette région étaient certainement très profondément colorés dans leur jeunesse, les 1975 et les 1978 un peu moins, tandis que les 1973, 1974, 1980 et 1984 présentaient des robes légères.

Quant aux vins plus vieux, ils présentent souvent une robe marquée, en bordure du verre, par des touches ambrées, orangées, rouille ou brunes. Ce sont là des indices classiques de maturité ou d'évolution, qui signent cependant la mauvaise facture lorsqu'on les constate dans un vin de moins de 6 ou 7 ans d'âge dans un bon millésime. Ainsi, les jeunes vins élaborés sans grand soin, ou vieillis dans des fûts ou des chais dont l'état de propreté laisse à désirer, évolueront relativement vite et paraîtront bien plus vieux qu'ils ne le sont en réalité.

J'examine aussi très attentivement les *jambes* ou les *larmes* du vin, c'est-à-dire les traces qu'il laisse le long de la paroi intérieure du verre. Dans les millésimes riches, les raisins regorgent de glycérol et de sucre, et produisent généralement des vins visqueux, qui tapissent l'intérieur du contenant d'une substance grasse qui prend, en retombant vers le fond, l'apparence de larmes : on dit alors de ces vins qu'ils ont « de la cuisse » ou « de la jambe ». Des années comme 1996, 1995, 1990, 1989, 1986, 1985, 1983, 1982, 1970 et 1961 ont donné des vins ayant une belle, voire une excellente cuisse.

A l'examen visuel succède un examen « technique », qui se décompose en deux parties : d'abord, l'étude des *arômes* qui stimulent le sens olfactif, ensuite celle du *goût* que l'on perçoit au palais. Il faut, après avoir légèrement fait tourner le verre, y introduire le nez, afin de déceler les arômes que libère ainsi le vin. Cette première étape est primordiale car elle permet de mesurer la maturité et la richesse du fruité sous-jacent et de détecter tout élément douteux qui l'affecterait. Les arômes d'un vin jeune ou vieux en disent long sur sa qualité, et jamais un dégustateur consciencieux ne sous-estimera l'importance de cet ensemble que nous appelons, dans notre jargon, *nez* ou *bouquet*. Dans son très classique ouvrage *Le Goût du vin*, Émile Peynaud distingue neuf grandes familles d'arômes :

1. Les odeurs animales : gibier, viande, venaison.
2. Les odeurs balsamiques : pin, résine, vanille.
3. Les odeurs boisées : bois neuf des fûts de chêne.
4. Les odeurs chimiques : acétone, mercaptan, levure, hydrogène sulfureux, odeurs lactées et de fermentation.
5. Les odeurs épicées : poivre, girofle, cannelle, noix muscade, gingembre, truffe, anis, menthe.
6. Les odeurs empyreumatiques : crème brûlée, fumé, grillé, cuir, café.
7. Les odeurs florales : fleurs, violette, rose, lilas, jasmin.
8. Les odeurs fruitées : cassis, framboise, cerise, prune, abricot, pêche, figue.
9. Les odeurs végétales : herbes, thé, champignons et autres légumes.

La présence ou l'absence de tous ces arômes, leur intensité, leur complexité et leur persistance sont autant d'éléments qui contribuent au bouquet d'un vin ; celui-ci peut être racé et intéressant, ou plat et affecté de défauts.

Une fois le nez bien identifié, il convient de goûter le vin, de le promener sur le palais tout en inspirant pour bien en capter les arômes. L'impression que l'on perçoit en bouche donne une idée de sa richesse, de sa profondeur, de sa longueur et même de son équilibre. On perçoit davantage les sensations sucrées sur le bout de la langue, le salé sur le milieu, l'acidité sur les côtés et l'âpreté sur l'arrière de la langue. Si les dégustateurs professionnels recrachent le plus souvent, ils avalent néanmoins de petites quantités de liquide. Ce sont sa finale et sa longueur – la ténacité de ses arômes alors qu'il n'est plus en bouche – qui différencient un jeune vin grandiose d'un jeune vin qui serait seulement très bon. Une très belle persistance en bouche est généralement la marque d'un vin luxuriant et riche. Les grands crus, dans les belles années, se distinguent toujours par la pureté, l'opulence, la richesse, la profondeur et la maturité de leur fruité. Et, s'ils recèlent encore l'acidité et les tannins adéquats, c'est alors l'équilibre parfait que l'on atteint. Ce sont précisément ces traits de caractère qui font les très grands vins.

MON BARÈME DE NOTATION

Autant que faire se peut, mes dégustations se font à l'aveugle ; les vins sont évalués par rapport à leurs pairs sans que je connaisse le nom des producteurs. Elles se déroulent à mon bureau, chez les producteurs ou dans les locaux des principales maisons de négoce bordelaises. Mes appréciations sont personnelles et totalement indépendantes, et le prix ou la réputation du vinificateur ne m'influencent aucunement. Je passe trois mois par an à déguster en propriété et je consacre le reste du temps (parfois sept jours par semaine) à goûter et à écrire. Je m'abstiens de participer aux dégustations commerciales, comme de faire partie de jurys pour de multiples raisons, dont voici les quatre principales : 1) je préfère goûter sur-le-champ une bouteille ouverte tout spécialement ; 2) je pense qu'il est primordial de disposer de verres adéquats qui ont été lavés dans les conditions requises ; 3) je souhaite une température idéale pour les vins ; 4) je tiens à décider moi-même du temps qui m'est nécessaire pour bien goûter les vins.

La note attribuée correspond à mon appréciation d'un vin par rapport à ses pairs. Les vins cotés au-dessus de 85 sont bons ou excellents, et ceux qui obtiennent une note supérieure à 90 sont exceptionnels dans leur catégorie. D'aucuns prétendent qu'il n'est guère convenable d'attribuer une note à une boisson de si haute noblesse, mais le vin n'en demeure pas moins un produit de consommation comme les autres. Il existe des critères de qualité spécifiques établis par les professionnels, et certains vins constituent des étalons (références permettant de juger les autres). Tout un chacun devant qui l'on place trois ou quatre vins différents, quel que soit leur niveau de qualité, dira : « C'est celui-ci que je préfère. » L'attribution d'une note à un vin suit le même processus. Il suffit d'appliquer les critères des professionnels en adoptant un système de notation fondé sur des éléments intangibles. Cette pratique permet de se faire comprendre immédiatement des experts comme des novices.

Le barème employé dans cet ouvrage est le même que celui utilisé dans mon bimestriel *The Wine Advocate*. Selon ce système, un vin n'est en fait évalué que sur une base de 50 points : même le plus répugnant n'obtiendra jamais une note inférieure, tandis que les plus fabuleux peuvent atteindre 100. Je préfère cette échelle, plus flexible, à la notation sur 20, qui manque à mon sens de souplesse et présente un risque d'excès de sévérité ou de générosité. Elle a cependant ses défauts, et nombreux sont les lecteurs qui peuvent se demander quelle différence il y a entre un cru noté 86 et un autre noté 87, tous deux étant d'un très bon niveau. La réponse est simple : on s'aperçoit, en les dégustant côte à côte, que le vin noté 87 est légèrement meilleur que l'autre.

La note attribuée reflète les qualités spécifiques d'un vin à son meilleur niveau. Je dis souvent qu'évaluer un vin et attribuer une note à une boisson comme celle-ci, qui va évoluer en profondeur pendant dix ans ou plus, fait penser à un photographe qui tente de figer sur la pellicule un coureur de marathon. Si l'instantané permet d'imaginer les choses, il ne rend pas compte du changement et de l'évolution qui se produiront. J'essaie de regoûter les vins défectueux ou bouchonnés, car une mauvaise bouteille ne signifie pas forcément qu'un lot tout entier soit abîmé. Si toutefois il m'est impossible de me procurer d'autres bouteilles, je réserve mon appréciation. La plupart des vins que j'évalue auront été dégustés plusieurs fois, et la note finale reflète la moyenne des notes qui leur ont été attribuées lors des dégustations successives.

Ajoutons encore que la seule attribution d'une note ne saurait tout dire d'un vin donné. En effet, les commentaires de dégustation décrivent la personnalité et le style du vin, situent son niveau de qualité et sa valeur par rapport à ses pairs, et définissent son potentiel de garde de manière infiniment plus explicite qu'une donnée numérique.

Voici le détail du barème que j'utilise :

90-100 Les vins ainsi notés sont extraordinaires et s'imposent comme les meilleurs dans leur catégorie. Ils méritent qu'on se donne beaucoup de mal pour se les procurer. Il y a certes une grande différence entre ceux notés 90 et ceux notés 99, mais tous sont d'excellents vins. Vous conviendrez que cette élite est peu nombreuse, tout simplement parce que les vins vraiment grandioses ne sont pas légion.

80-89 Ces vins sont en principe très bons, surtout ceux qui sont notés entre 85 et 89. Ils sont aussi les plus intéressants du point de vue du rapport qualité/prix. J'en ai plusieurs dans ma cave personnelle.

70-79 Ces vins sont de niveau moyen – le 79 étant évidemment nettement supérieur au 70. Les vins notés entre 75 et 79 sont généralement francs et plaisants, mais manquent simplement d'un peu de complexité, de caractère ou de profondeur. Lorsque leur prix n'est pas trop élevé, ils peuvent être intéressants pour l'amateur moyen.

Moins de 70 On est en dessous de la moyenne. Ceux qui ont de douloureux souvenirs d'école me comprendront. En général, ces vins manquent d'équilibre, sont défectueux, ternes et aqueux, et ne présentent aucun intérêt pour l'amateur averti.

Comme je l'ai signalé plus haut, avec ce barème de notation, un vin n'est en fait évalué que sur une base de 50 points.

La couleur et l'apparence comptent pour 5 points ; puisque, aujourd'hui, la plupart des vins sont bien vinifiés, grâce aux techniques modernes et à l'intervention accrue des œnologues, la plupart obtiennent 4 ou même 5 points. Le bouquet compte pour 15 points, en fonction de l'intensité et de la précision des arômes, et du caractère plus ou moins franc du nez. Les sensations et la finale en bouche comptent pour 20 points ; là encore, ce sont l'intensité des saveurs, l'équilibre, la pureté, ainsi que la profondeur et la persistance en bouche, qui déterminent ma décision. Enfin, l'impression d'ensemble et l'aptitude au bon vieillissement comptent pour les 10 points restants.

Les notes sont importantes, car elles permettent au lecteur de juger de la manière dont un critique professionnel classe un vin parmi ses pairs. Toutefois, il est également primordial de tenir compte des notes de dégustation, qui décrivent le style, la personnalité et le potentiel de garde d'un vin donné. Aucun système de notation n'est parfait, mais celui qui offre suffisamment de souplesse et qui est appliqué sans préjugé par un dégustateur expérimenté permet à l'amateur de se faire une idée de la qualité réelle d'un vin par rapport aux autres et lui offre une mine d'informations sûres et indépendantes cautionnées par un professionnel. Cependant, rien ne saurait remplacer une expérience personnelle, la meilleure formation consistant à déguster soi-même les vins.

ESTIMATION DE LA PÉRIODE DE MATURITÉ

Nombreux sont les amateurs qui m'interrogent sur l'évolution des bordeaux et le moment où ils seront prêts à boire ; c'est pour cette raison que j'indique, après chaque note de dégustation, la période durant laquelle j'estime que le vin sera à son meilleur niveau. Je tiens cependant à préciser les points suivants à ceux qui seraient tentés de prendre mes suggestions à la lettre :

1. Si vous appréciez un vin dans sa jeunesse, n'hésitez pas à faire fi de mes recommandations. Rien ne saurait remplacer votre goût et votre expérience personnelle.

2. La détermination de la période de maturité repose sur plusieurs présomptions, la principale étant que le vin a été acheté dans de bonnes conditions et qu'il a été conservé dans une cave fraîche, humide et sombre, et exempte de vibrations et de mauvaises odeurs.

3. Mon estimation est généralement étayée par mon expérience du mode de vieillissement d'un cru particulier, ainsi que par la qualité, l'équilibre et la profondeur du millésime en question.

4. Ces estimations sont faites sous toutes réserves. Elles sont fondées sur mes goûts personnels, sachant que je préfère les vins frais et exubérants à ceux qui entament leur déclin, même si ceux-ci se révèlent encore délicieux et complexes.

Pour résumer, si vous disposez d'une cave idéalement fraîche et humide, la première année de la période de maturité indiquée vous révélera peut-être un cru encore en pleine jeunesse. Je suppose cependant que la plupart des amateurs préfèrent ouvrir une bouteille trop tôt que trop tard. C'est d'ailleurs cette philosophie qui sous-tend la détermination de la période de maturité pour un vin donné.

EXEMPLES

A boire : désigne un vin parfaitement mûr, qui doit être consommé dans les toutes prochaines années suivant la date de la dernière dégustation.

Peut aussi désigner un vin d'ores et déjà sur le déclin. Il s'agit alors d'un vin à parfaite maturité, commenté dans la précédente édition, mais que je n'ai pas regoûté récemment. J'estime, d'après mon expérience du cru, de son âge et du millésime, qu'il a passé son apogée et qu'il a entamé son déclin. (Je le signale par la mention « peut-être en déclin ».)

Peut enfin se rapporter à un vin passé ou en voie de l'être. Déjà à la limite de sa maturité lors de la parution de la précédente édition, il n'a pas été redégusté depuis. Cependant, mon expérience du cru et du millésime m'indique que ce vin particulier est actuellement dans un état précaire. (Je le signale par la mention « sans doute en déclin ».)

Jusqu'en 2001 : désigne un vin déjà à son apogée lors de la dernière dégustation et qui se maintiendra à son meilleur niveau jusqu'en 2001, quand il entamera lentement son déclin.

Entre 2000 et 2010 : désigne la période durant laquelle j'estime que le vin se dégustera le mieux et sera à son apogée. Les amateurs se souviendront que les bordeaux des grands millésimes déclinent lentement (au contraire des bourgognes), et qu'un cru d'une excellente année peut parfois retenir son fruit et sa fraîcheur pendant 10 à 15 ans après la fin de la période de maturité indiquée.

Les amateurs désireux de s'informer sur les modes de conservation du vin se reporteront au « Guide de l'utilisateur », tandis que ceux qui souhaiteraient des précisions sur le vocabulaire employé se référeront au « Glossaire », en fin d'ouvrage.

ORGANISATION DE L'OUVRAGE

La construction de cet ouvrage suit les principales appellations communales du Bordelais. Pour chacune d'entre elles sont recensées et décrites les propriétés les plus prestigieuses, comme les moins renommées qui méritent cependant l'attention des amateurs. L'accent est bien évidemment mis sur les crus les plus connus, et les millésimes depuis 1961 sont présentés en détail. Le choix des châteaux moins prestigieux s'est fait selon deux critères : leur qualité et leur renommée. Les propriétés d'un haut niveau, mais peu connues, sont décrites au même titre que celles dont la renommée auprès du grand public ne peut masquer qu'elles inondent les marchés de produits de mauvaise facture. Ces vingt-cinq dernières années, je n'ai eu de cesse que de découvrir les châteaux mésestimés de la région. Les vieux millésimes de ces propriétés sont malheureusement difficiles à trouver, et, comme les crus bourgeois, dont le potentiel de garde ne dépasse pas 5 à 7 ans, ils sont présentés dans les années récentes. J'ai essayé de sélectionner les meilleurs d'entre eux, mais l'erreur est humaine, et il serait vain de prétendre que je n'ai pas laissé de côté quelque petite propriété produisant des vins absolument exquis.

En début de chaque chapitre figure mon classement des crus de l'appellation concernée, classement qui tient compte de leur qualité par rapport à leurs pairs. Ne vous attendez cependant pas que cet ouvrage stigmatise les différences de niveau par des euphémismes soigneusement choisis. Les propriétés sont présentées en ordre alphabétique. Les amateurs de « listes » se reporteront en fin d'ouvrage pour le classement général des meilleures propriétés du Bordelais.

L'accent est généralement mis sur les millésimes les mieux réussis. Les années comme 1991, 1977, 1972, 1968, 1965 et 1963 sont omises ; elles sont d'une piètre qualité et n'ont donné des vins acceptables que dans une poignée de propriétés. En outre, ceux-ci ne sont disponibles qu'en toutes petites quantités.

ULTIME AVERTISSEMENT

Lors de la mise à jour d'un ouvrage aussi important que celui-ci, il est difficile de faire le choix des commentaires de dégustation qui doivent y être conservés, surtout lorsqu'ils se rapportent à des vins que je n'ai pas regoûtés depuis environ treize ans (date de la première édition). Comme le constateront les lecteurs, la plupart des grands crus dans les meilleurs millésimes ont été redégustés en plusieurs occasions, et, bien entendu, les notes et les commentaires ont été modifiés lorsque cela s'est révélé nécessaire. Cependant, une note de dégustation établie sérieusement représente un instantané de la vie d'un cru, et c'est la raison pour laquelle j'ai pris le parti de conserver certains commentaires anciens (d'ailleurs datés) comme des témoignages du niveau des propriétés concernées à un moment particulier.

LES MILLÉSIMES DE 1998 À 1945

Ce chapitre est consacré à une présentation générale des millésimes 1945 à 1998 dans le Bordelais. Les crus les mieux réussis sont indiqués pour chaque année d'un bon niveau. On trouve cependant, dans des millésimes réputés médiocres, des vins de bonne facture, produits par des viticulteurs talentueux et issus de sélections sévères, de même que l'on découvre, dans les millésimes grandioses, des vins maigres, aqueux et dépourvus de caractère, proposés par des vignerons cupides et peu doués. Cette présentation générale aidera l'amateur à se faire une idée du niveau d'excellence et du potentiel que l'on peut attendre d'un producteur consciencieux dans un millésime donné.

1998 – BRÈVE PRÉSENTATION (17 septembre 1998)[1]

Il arrive souvent, dans un millésime donné, qu'une appellation réussisse particulièrement, ou qu'une région propose des vins plus étoffés et plus intéressants que les autres. Cependant, en vingt ans de métier, je n'avais jamais encore rencontré un millésime aussi hétérogène que 1998, avec des différences extrêmes entre les aires de production. Il serait certainement possible d'établir des comparaisons avec des années antérieures, mais l'analogie n'aurait pas de sens, car trop de choses ont changé. Ainsi, on trouve en 1975 pléthore de Pomerol tanniques et extrêmement puissants, ainsi qu'une petite poignée de Graves magnifiques, mais les autres régions du Bordelais ont généralement produit des vins relativement durs et dépourvus de charme. D'aucuns, et notamment les vignerons ayant le mieux réussi, rapprochent 1998 de 1964, qui avait d'ailleurs été proclamé « millésime du siècle » par le ministère de l'Agriculture avant même le début de la récolte. Si les terroirs précoces de Pomerol et, dans une moindre mesure, ceux de Saint-Émilion et des Graves réussirent magnifiquement cette année-là (Cheval Blanc, Petrus, Lafleur, Trotanoy, Figeac, La Mission Haut-Brion), le Médoc, en revanche, enregistra un véritable désastre, car le cabernet sauvignon, cépage dominant dans cette région,

1. Les dates entre parenthèses sont retenues par le ministère de l'Agriculture comme étant celles du début des vendanges dans le Bordelais.

ne put être rentré avant le déluge. On y trouve cependant quelques étonnantes surprises, notamment les Latour et Montrose 1964.

1998 se présente différemment. Aujourd'hui, les méthodes de culture de la vigne sont plus sophistiquées, les vignobles sont généralement plus sains, et les châteaux les plus sérieux pratiquent une sélection sévère pour leur grand vin. En outre, les producteurs bénéficient de techniques modernes telles que la thermorégulation ; ceux qui en ont les moyens peuvent aussi avoir recours aux concentrateurs. Ne serait-ce que pour ces raisons, 1998 est de meilleur niveau que 1964 et 1975. Cependant, avant que les lecteurs ne s'enivrent à la seule pensée que le millésime propose nombre de crus grandissimes, je leur conseille vivement de lire ce qui suit.

Un été étrange... et un mois de septembre pluvieux [1]

Exceptionnellement chaud, le mois de mars 1998 entraîna une croissance et un développement fulgurants de la vigne, et fut suivi d'un mois d'avril frais et pluvieux. Contrairement à la normale saisonnière, le début de mai fut froid et humide, mais, dès le milieu du mois, une zone de haute pression située au-dessus du sud-ouest de l'Hexagone ramena un temps sec et chaud. Déjà, les amateurs de statistiques prévoyaient que les vendanges commenceraient à la mi-septembre, à condition que l'été se passât « normalement ». Malgré un temps capricieux en juin, la floraison fut homogène, sans la coulure généralement redoutée par les viticulteurs. La fin du mois, merveilleusement chaude et ensoleillée, suscita l'optimisme dans tout le Bordelais.

Y a-t-il quelque chose de « normal » de nos jours ? Juillet se révéla des plus étranges pour la région. En Aquitaine, ce mois est généralement chaud, avec des orages occasionnels qui apportent un peu d'eau à la vigne, mais, en 1998, il fut plutôt froid, couvert, et, comme le dit Bill Blatch dans son exposé, morne. L'ensoleillement laissa à désirer, même si la moyenne des températures fut conforme à la normale saisonnière. L'averse de grêle qui s'abattit sur le plateau de Pomerol est certainement l'un des phénomènes climatiques qui contribuèrent à la réussite de cette appellation ; elle contraignit les vignerons à effectuer un éclaircissage plus précoce que de coutume, ce qui explique les rendements relativement bas (30-35 hl/ha). Les viticulteurs français disent toujours que « juin fait la quantité, septembre la qualité, et août le moût ». En fait, ce dernier mois forgea le millésime. Après un temps couvert en juillet, août apporta au Bordelais l'une des vagues de chaleur les plus torrides qu'ait connues la région. Pendant plus de deux semaines, les températures dépassèrent largement les 40 °C, pour battre des records entre le 7 et le 11 août en franchissant la barre des 45 °C (ce qui arrive souvent dans le nord de Napa Valley, en Californie, mais très rarement ici). Du fait des nouvelles techniques de culture comme l'effeuillage et l'éclaircissage, la forte chaleur brûla et rôtit les baies – encore une fois, c'est un phénomène que l'on rencontre plus souvent en Californie et dans la France méridionale que dans le sud-ouest de l'Hexagone. En outre, la sécheresse ambiante entraîna le stress de la vigne, dont les feuilles jaunirent – d'où le blocage de la photosynthèse et de la maturité. Beaucoup de producteurs l'ont dit : le millésime fut forgé par la grande vague de chaleur et par la sécheresse du mois d'août. Les baies se ratatinèrent, et leurs peaux devinrent épaisses, ce qui contribua largement au caractère puissant et tannique des 1998.

1. Mes remerciements vont à Bill Blatch, de Vintex, pour son rapport annuel des plus précis sur le millésime, et au Pr Pascal Ribéreau-Gayon, qui a gracieusement mis à ma disposition de précieuses données.

Au début du mois de septembre, la plupart des vignerons espéraient qu'un peu de pluie permettrait de débloquer le processus de maturation des raisins, inhibé par la chaleur et la sécheresse. Leur rêve se transforma en réalité puisque, en effet, la région bénéficia du 2 au 4 de ce mois d'une série d'averses légères. Le temps se remit au beau à compter du 5 jusqu'au 11. Pendant cette période, les cépages blancs de la région, tant ceux de la prestigieuse appellation de Pessac-Léognan que ceux de l'Entre-Deux-Mers, furent vendangés dans des conditions idéales. A partir du 11, le Bordelais subit trois jours consécutifs de pluies diluviennes. La situation eût été catastrophique si août avait été pluvieux, mais, en fait, les sols secs et la vigne supportèrent bien cet apport d'eau. A la grande surprise des observateurs, les analyses des baies effectuées après les pluies ne trahirent pratiquement aucun changement dans les taux de sucre, d'acides et d'extrait sec. Bref, les pluies de la première quinzaine de septembre et les averses légères des jours qui suivirent n'avaient pas compromis la qualité du millésime, et le temps redevint superbe entre le 15 et le 27. Ce fut pendant cette période idéale que fut rentré le merlot de Pomerol, du Médoc et de Saint-Émilion. Lorsque le temps commença à se dégrader, aux alentours des 26 et 27 septembre, les vendanges étaient achevées en Pomerol, et l'essentiel du merlot de Saint-Émilion et du Médoc était à l'abri dans les chais. Nul besoin d'être un génie pour comprendre que c'est ce climat idéal qui explique que Pomerol ait été l'appellation la plus favorisée en 1998, enregistrant les plus belles réussites.

Entre le 26 septembre et le 1er octobre, le Bordelais connut un véritable déluge – 70 mm de pluie. C'est d'ailleurs à cette dernière date que se déroulèrent les obsèques de Jean-Eugène Borie, de Ducru-Beaucaillou, et de nombreuses personnes m'ont confié qu'il leur avait été difficile d'arriver à Saint-Julien-Beychevelle, car la route du Vin menant au Médoc était pratiquement inondée. A ce moment, le cabernet sauvignon du Médoc n'était pas encore mûr. Combien d'eau pouvait-il encore absorber ? Détail intéressant : la pluviométrie à la fin de septembre 1998 était la même qu'en 1994. Les vendanges du cabernet franc s'achevèrent après les fortes pluies de la fin septembre, et, en Médoc, celles du cabernet sauvignon se poursuivirent jusqu'à la mi-octobre. Il est également important de se rappeler que, hormis les 3, 6 et 7 septembre, il plut tous les jours entre le 1er et le 12 octobre. Lorsque le temps s'éclaircit, le 13, la grande majorité du cabernet sauvignon du Médoc était déjà vendangé.

Les quantités produites

J'espérais que les chiffres officiels de la campagne 1998 auraient été publiés avant mon départ de Bordeaux, mais ce ne fut malheureusement pas le cas. Il semblerait cependant que les appellations les plus prestigieuses enregistrèrent des rendements plus que raisonnables, et que Pomerol, en particulier, connut une petite récolte (25 à 40 hl/ha). Dans le Médoc, les chiffres sont de l'ordre de 50 hl/ha environ. Tout bien considéré, les appellations de haut niveau auraient produit moins de vins en 1998 qu'en 1995, 1996 et 1997, voire 1994.

Les vins

On trouve dans les appellations du nord du Médoc – à Saint-Julien, Pauillac et Saint-Estèphe – de nombreuses propriétés de très haut vol qui proposent généralement des vins somptueux, même dans les millésimes difficiles. Cependant, si ces aires de production offrent bien quelques 1998 de bonne tenue, elles donnent surtout les vins les moins intéressants du millésime. Si les acheteurs devaient uniquement se fier à la couleur, ils investiraient de véritables fortunes dans les Médoc de la partie septentrionale, qui sont tous magnifiquement colorés en raison des peaux épaisses des baies. Malheureusement, les vins manquent autant de gras que de charme, et se révèlent plus souvent qu'à leur tour terriblement tanniques, atténués et comprimés. Bien sûr, ils sont extrêmement structurés et regorgent de tannins, mais ils n'atteignent pas – et de loin – le niveau de leurs aînés de 1995 et 1996, et n'ont pas non plus le charme des 1997 les mieux réussis. Cela ne veut pas dire que la région n'offre pas quelques crus d'excellent niveau, mais elle demeure la moins favorisée du Bordelais en 1998.

Dans la partie méridionale, l'appellation Margaux, qui est généralement la plus décevante pour ce qui est des crus de haut vol, se distingue avec des vins plus étoffés, aux tannins plus souples et au fruité plus mûr. Les vins vraiment grands sont rares, mais on en trouve beaucoup de bons. Plusieurs propriétés que ma critique n'a pas épargnées ces dernières années semblent avoir réussi. Dans l'ensemble, les sols bien drainés de cette région lui ont été bénéfiques.

A Pessac-Léognan, dans le sud de Bordeaux, 1998 est de très bon niveau. Cette aire de production compte à son actif quelques-uns des crus les plus élégants et les plus étoffés de l'année, et ses terroirs les plus précoces (Haut-Brion, La Mission Haut-Brion et Pape Clément) ont été particulièrement favorisés par le merlot, qui fut rapidement à maturité, comme par les excellentes conditions climatiques des trois premières semaines de septembre. Les vins blancs secs des Graves et de Pessac-Léognan sont également très bons, mais, curieusement, seule une petite poignée d'entre eux se révèlent vraiment exceptionnels.

Les points forts du millésime sont certainement Pomerol et Saint-Émilion. Nul besoin d'être un grand dégustateur pour reconnaître des vins souvent noirs de robe, extrêmement mûrs, épais et riches, mais également très tanniques. Loin de rappeler les 1989 ou les 1990, les Pomerol 1998 évoquent généralement leurs aînés de 1975. A Saint-Émilion, l'appellation la plus intéressante du Bordelais dans la mesure où elle produit un nombre extraordinaire de crus des plus sensuels, on ne rencontre que peu de déceptions. Cependant, s'il y a de nombreux vins d'excellente tenue, les grandes « stars » font défaut. Même ici, les vins souples et spectaculaires dans le style 1989 et 1990 sont rares ; on trouve plus facilement des ensembles amples, musclés, tanniques et concentrés.

Pour ce qui est des Sauternes et des Barsac, j'ai pris pour habitude d'attendre un an avant de porter un jugement sur ces « bombes sucrées ». En effet, ces vins acquièrent de la précision après un certain temps d'élevage et sont alors, de ce fait, plus faciles à jauger.

L'un des points forts du millésime est le nombre de petits vins savoureux qu'il offre, tant en bordeaux génériques que dans les appellations satellites. La réussite de Saint-Émilion a eu pour effet de susciter la compétitivité des appellations voisines moins connues, qui proposent désormais de délicieux vins de merlot. En particulier, elles ont produit en 1998 des vins terriblement séduisants, issus de merlot très concentré, mûr et savoureux. Les amateurs, commes les restaurateurs et les détaillants en quête de bonnes affaires, s'intéresseront donc aux crus des appellations de moindre renom.

Le marché

Bordeaux est actuellement à la croisée des chemins ; il se pourrait bien que le marché connaisse une crise très importante si les prix ne deviennent pas cohérents et réalistes. En effet, il est communément admis à l'heure actuelle que les vins de la région sont trop chers. L'argument ne vaut peut-être pas pour les crus les plus prestigieux, mais le consommateur qui s'intéresse aux vins d'un niveau à peine inférieur est vite effarouché. Au moment de la rédaction de ce texte, la plupart des grands châteaux n'avaient pas encore fait connaître leurs prix. Parmi ceux qui avaient déjà mis leur 1998 sur le marché, Cos d'Estournel proposait des prix inférieurs de 25 % à ceux de l'année précédente. Si cette réduction peut de prime abord paraître substantielle, il faut savoir qu'en réalité le 1998 de Cos vaut en primeur 80 % plus cher que son aîné de 1995, alors qu'il est loin d'atteindre en qualité le niveau de celui-ci – ou du 1996. Le marché requiert une baisse plus importante du prix des Médoc, mais je doute que les propriétaires aient le courage de franchir le pas. Serait-ce la « politique du voisin » – chaque château ne voulant pas vendre moins cher que ses homologues ? Toujours est-il qu'il est temps que les mentalités changent. Les vignerons oublient trop souvent qu'un vin n'est pas vraiment vendu tant qu'il n'est pas entre les mains du consommateur final.

Cela dit, il ne serait pas réaliste d'attendre des producteurs de Pomerol et de Saint-Émilion qu'ils proposent leurs 1998 à la baisse. En effet, les vignobles sont minuscules, les vins généralement stupéfiants, et, comme ils ne sont, le plus souvent, disponibles qu'en toutes petites quantités, la demande excède l'offre. Du fait de leur rareté, on ne peut donc raisonnablement espérer que les crus de très haut vol de la rive droite soient vendus moins chers. Tout bien considéré, il semblerait que seuls les Pomerol et les meilleurs Saint-Émilion, ainsi qu'une petite poignée de Médoc et quelques crus phares de Pessac-Léognan, vaillent la peine d'être achetés en primeur. Cependant, le négoce ne jouit pas d'une telle liberté de manœuvre. Que se passerait-il si 1999 était un millésime grandiose pour tout le Bordelais ? En effet, si, dans un millésime donné, un négociant, un importateur ou un détaillant n'est pas preneur de l'allocation qui lui est réservée, il perd son tour pour le suivant, au bénéfice des concurrents qui auraient joué le jeu. Il est donc à craindre que le négoce ne soit contraint d'acheter les 1998 sans distinction, y compris les Médoc tanniques et comprimés. Je ne saurais trop mettre en garde les consommateurs contre le battage que ne manqueront pas de faire les commerçants sur le caractère séduisant des Médoc. Mais, attention, 1998 n'est pas un millésime réussi dans cette région.

Les notes de dégustation

Pendant les neuf jours que j'ai passé à Bordeaux en mars 1999, j'ai eu la chance de pouvoir goûter la plupart des crus en plusieurs occasions et dans des contextes différents. Les notes que l'on trouvera dans cet ouvrage représentent la synthèse de ces différentes dégustations.

1997 – BRÈVE PRÉSENTATION (5 septembre 1997)

Saint-Estèphe***	Graves rouges***
Pauillac***	Graves blancs**
Saint-Julien***	Pomerol****
Margaux***	Saint-Émilion****
Médoc/Haut-Médoc crus bourgeois**	Barsac/Sauternes***

Récolte : abondante, mais bien moins importante qu'en 1995 et 1996.
Spécificités : 1997 est un millésime accessible, séduisant et souple (faible acidité et pH

élevé), mûr et fruité, qui fera quasiment l'unanimité grâce à ses vins précoces et bien évolués, au potentiel de 10 ans environ.
Maturité : hormis les spécimens les plus concentrés, les 1997 évolueront assez rapidement et entameront leur déclin d'ici 10 à 12 ans.
Prix : c'est un millésime terriblement surcoté au moment des ventes en primeur.

Le millésime 1997 s'annonçait sous les meilleurs auspices. Cela fait vingt ans environ que je passe les deux dernières semaines de mars dans le Bordelais : je n'avais encore jamais connu des températures aussi torrides qu'en 1997 – on se serait cru en juin. Ce temps chaud accéléra le cycle végétatif de la vigne, et la floraison battit des records de précocité ; d'ailleurs, de nombreux vignerons déclarèrent que les vendanges seraient déjà bien avancées au milieu du mois d'août. Malheureusement, la floraison, perturbée, traîna en longueur pendant près d'un mois et fut la cause d'une maturité hétérogène des raisins. L'été, au climat inhabituel, accentua ces problèmes. Il fit très chaud début juin, mais le temps se rafraîchit et devint pluvieux à la fin du mois. Quant à juillet, il fut totalement hors normes : cette période, qui est généralement la plus chaude de l'année dans le Bordelais, se révéla anormalement fraîche et humide ; puis, en fin de mois, le temps devint suffocant sous l'effet d'une haute pression atmosphérique. Août se distingua par des températures et une humidité très élevées, presque tropicales (certains producteurs ont évoqué Bangkok !). Une floraison difficile et un climat peu favorable se conjuguèrent pour entraîner une maturité hétérogène des baies d'une même grappe, et même l'éclaircissage et l'effeuillage important effectués par les meilleures propriétés ne purent pallier ce phénomène. De nombreux vignerons déplorèrent qu'une même grappe présentât à la fois des baies rouges, vertes et rosées – un véritable cauchemar !

Du fait d'un printemps et d'une floraison prématurés, certaines propriétés de Pessac-Léognan commencèrent les vendanges des cépages blancs dès le 18 août (sous l'œil des caméras de la télévision nationale), faisant ainsi de 1997 un millésime plus précoce encore que le légendaire 1893. Le temps se détériora juste après le début de la récolte des blancs, et le Bordelais fut frappé, entre le 25 août et le 1er septembre, par une succession de dépressions et par des pluies torrentielles. Celles-ci expliquent, d'ailleurs, le caractère souple et la faible acidité des 1997, dépourvus de la concentration et de la densité des meilleurs 1995 et 1996. Nul besoin d'être grand spécialiste pour comprendre que ce sont des vins issus de raisins gorgés d'eau. Pris de panique, certains viticulteurs vendangèrent dès le début de septembre, par crainte de la pourriture et d'une dégradation du temps ; ce sont ceux qui réussirent le moins bien. En revanche, ceux qui eurent le courage, ou la discipline, d'attendre furent récompensés par un fabuleux mois de septembre, qui se révéla l'un des plus secs et des plus ensoleillés de ce siècle, malgré quelques pluies éparses pendant deux jours (les 12 et 13 septembre). Plus un producteur pouvait attendre, mieux c'était pour les vignes, et donc pour les vins.

Le merlot fut généralement ramassé entre le 2 et le 23 septembre, le cabernet franc entre la mi-septembre et début octobre, alors que les vendanges du cabernet sauvignon traînèrent davantage, se prolongeant parfois jusqu'à la mi-octobre. L'un des traits les plus étranges de ce millésime est le temps écoulé entre la floraison et la vendange. On estime généralement celui-ci à 110 jours environ ; or, en 1997, il fut de 115-125 jours pour le merlot et de 140 jours (!) pour le cabernet sauvignon. Un tel phénomène est en principe le signe d'une concentration extraordinaire ; malheureusement, le mauvais temps de la fin août vint compromettre un millésime qui aurait pu être grandiose.

En 1997, les rendements furent plutôt modestes, et la production totale du Bordelais se révéla inférieure à celle de 1995 ou 1996. Il faut souligner l'importance des sélections : plus sévères cette année que dans toute autre, elles expliquent la grande qualité de certains crus classés. Très souvent, les propriétaires estimèrent que seuls 30 à 50 % de leur récolte totale étaient dignes du grand vin.

Après deux semaines passées à Bordeaux pour déguster les 1997, aussi bien les principaux crus que de nombreux petits vins (parfois en quatre occasions), je puis affirmer qu'il s'agit d'un bon millésime. Qu'ils soient de merlot ou de cabernet sauvignon, les vins se distinguent par leur grande maturité (ils présentent même un caractère de surmaturité), leur faible acidité, leur pH élevé et leurs tannins doux. Savoureux et séveux, ils promettent d'être accessibles, plaisants, faciles à boire, mais devront être consommés dans leur jeunesse. Certes, il existe des exceptions à la règle, et certains crus, profonds et concentrés, se révéleront aptes à une longue garde. Toutefois, la plupart des meilleurs « petits châteaux » (les crus bourgeois ou d'un niveau inférieur), déjà délicieux à 6 mois d'âge, seront des plus agréables au moment de leur diffusion, et au meilleur de leur forme dans les 2 à 6 ans qui suivront. Les grands crus classés, notamment les plus amples et les plus denses d'entre eux, se conserveront parfaitement 10 à 15 ans, mais seront eux aussi séduisants dès leur mise sur le marché.

Si, en 1996, les vins de cabernet sauvignon étaient mieux réussis que leurs homologues à base de merlot, il n'en va pas de même en 1997, où toutes les appellations sont sur un pied d'égalité, avec leur lot de vins souples, doux, ouverts et assez diffus. En règle générale, les Pomerol sont meilleurs que leurs aînés d'un an, et Saint-Émilion offre pléthore de spécimens intéressants. Il m'a été impossible, même après mûre réflexion, de rapprocher 1997 d'un autre millésime de ces vingt dernières années. Bien sûr, j'en ai connu, notamment le 1985, qui étaient aussi faciles à déguster du fût, aussi souples et aussi tendres, mais là s'arrêtent les similitudes. La plupart des 1997, loin d'être « énormes » et musclés, font plutôt dans l'élégance et la séduction, le charme et la grâce, avec, toutefois, une certaine fragilité. Ils conviendront en particulier aux restaurants et aux amateurs qui recherchent des vins à consommer immédiatement ; les spéculateurs n'ont, à mon sens, aucun intérêt à « investir » dans ce millésime et à en faire monter le cours. Cependant, le marché des bordeaux devient de plus en plus complexe, et la demande pour les meilleurs crus, déjà insatiable, croît et embellit encore.

Pour conclure, je dirai que tout individu qui apprécie un bon verre de vin sera séduit par les 1997. Sans être impressionnants par leur profondeur ou leur intensité aromatique, ils sont bien faits et accessibles, très complémentaires des 1996, 1995 et 1994, plus tanniques, qui requièrent une assez longue garde avant d'être prêts.

Le marché des bordeaux est actuellement des plus imprévisibles. L'année dernière, je pensais bien que le cours des 1996 serait identique à celui des 1995, et que les acheteurs s'intéresseraient aux grands Médoc en primeur ; j'avoue cependant n'avoir pas prévu la véritable hystérie suscitée par le millésime et les prix très élevés auxquels aboutirait une telle démesure. Les 1997 auraient dû être moins chers que les deux millésimes précédents ; je comprends néanmoins les impératifs financiers des viticulteurs sérieux, qui, du fait des sélections sévères, ont produit moins de grand vin que de coutume. On peut s'interroger sur l'évolution du prix des 1997. Sachant que la plupart des vins ne sont pas vendus – que ce soit chez les négociants de Bordeaux, chez les importateurs, les grossistes ou les détaillants de divers pays –, il me semblerait logique qu'ils soient soldés ou vendus à perte. Cela n'est qu'une question de temps, avec la crise financière asiatique, les problèmes monétaires en Amérique du Sud ou encore le conflit au Kosovo. Je doute que le cours des cuvées prestige ou des crus issus de microvinifications en Saint-Émilion et en Pomerol s'effondre, mais je suis certain qu'une baisse des prix relancera à coup sûr le marché. Mais quand ? Assurément, les 1997 ont été surévalués, donnant lieu à des spéculations injustifiées.

Je puis cependant affirmer une chose : nul ne se trompe en achetant, en primeur, les meilleurs bordeaux d'un millésime profond et extraordinaire, ni même les superbes réussites d'une excellente année. Comme l'indiquent mes notes de dégustation, les 1997 ne sont certes pas grandioses, mais ils sont nombreux à se révéler d'un bon niveau.

LES MEILLEURS 1997

Saint-Estèphe : Cos d'Estournel, Montrose
Pauillac : Lafite Rothschild, Latour, Lynch-Bages, Mouton Rothschild, Pichon-Longueville Baron
Saint-Julien : Branaire Ducru, Gloria, Gruaud Larose, Lagrange, Léoville Barton, Léoville Las Cases, Léoville Poyferré, Talbot
Margaux : D'Angludet, Château Margaux
Médoc/Haut-Médoc/Moulis/Listrac crus bourgeois : Sociando-Mallet
Graves rouges : Les Carmes Haut-Brion, Domaine de Chevalier, Haut-Brion, Pape Clément, Smith Haut Lafitte
Graves blancs : Domaine de Chevalier, De Fieuzal, Haut-Brion, Laville Haut-Brion, Smith Haut Lafitte
Pomerol : Clinet, Clos l'Église, L'Église-Clinet, L'Évangile, La Fleur-Petrus, Lafleur, Petrus, Le Pin, Trotanoy
Saint-Émilion : Angélus, Ausone, Cheval Blanc, Clos de l'Oratoire, Faugères, Gracia, Les Grandes Murailles, L'Hermitage, Monbousquet, La Mondotte, Moulin Saint-Georges, Pavie Decesse, Pavie Macquin, Troplong Mondot, De Valandraud
Barsac/Sauternes : je n'aime pas me prononcer sur ces vins avant qu'ils n'aient au moins 1 an d'âge ; je réserve donc mon jugement. Je subodore cependant, d'après mes dégustations, que le millésime mérite dans l'ensemble le niveau 3 étoiles.

1996 – BRÈVE PRÉSENTATION (16 septembre 1996)

Saint-Estèphe*****
Pauillac*****
Saint-Julien*****
Margaux****
Médoc/Haut-Médoc crus bourgeois***
Graves rouges****
Graves blancs***
Pomerol***
Saint-Émilion****
Barsac/Sauternes****

Récolte : extrêmement importante, à peine inférieure à celles, pourtant très abondantes, de 1995 et de 1986.
Spécificités : ce millésime grandiose pour les vins du Médoc et à dominante de cabernet sauvignon s'impose comme l'un des plus persistants, des plus riches et des plus pleins de ces dernières années.
Maturité : les Médoc puissants, issus de cabernet sauvignon, seront plus rapidement accessibles que leurs aînés de 1986 (le millésime récent qui ressemble le plus à 1996), mais ils requièrent tout de même une garde de 10 à 15 ans avant d'être prêts. Les vins des Graves et de la rive droite devront être consommés plus jeunes, vers 7 à 10 ans

d'âge. Les meilleurs 1996 sont parfaitement capables d'affronter une garde de 20 à 40 ans.
Prix : il s'agit de l'un des jeunes millésimes les plus chers de l'histoire du Bordelais, avec des prix en primeur de 50 à 100 % supérieurs à ceux des 1995.

Cela fait vingt ans maintenant que j'étudie, dans le détail, les données climatiques du printemps, de l'été et du début de l'automne dans le Bordelais. Je me suis également penché sur les conditions météorologiques qui ont présidé à tous les grands millésimes de ce siècle, et cela m'a inspiré les réflexions suivantes :
– d'abord, les plus grandes années de Bordeaux sont généralement celles d'un été exceptionnellement chaud et sec, avec une pluviométrie inférieure à la normale et des températures bien au-dessus des moyennes saisonnières ;
– ensuite, certains grands millésimes ont connu un mois de septembre légèrement mouillé, la qualité de la vendange n'étant vraiment affectée que par des apports d'eau assez importants à cette période ;
– enfin, si les viticulteurs de toutes les régions de France chantent tous la même chanson – « juin fait la quantité et septembre la qualité » –, certains en rajoutent en déclarant qu'« août fait le moût ».

Malgré des conditions météorologiques tout à fait inhabituelles depuis le mois de mars jusqu'à la mi-octobre, Bordeaux a enregistré de belles réussites en 1996.

L'hiver 1996 fut plutôt doux et pluvieux. Lorsque j'ai débarqué à Bordeaux, le 19 mars 1996, la région connaissait une telle vague de chaleur que l'on se serait cru au mois de juin. Celle-ci a duré pendant tout mon séjour, soit une douzaine de jours, et nombre de viticulteurs prévoyaient déjà une floraison précoce et, par conséquent, des vendanges qui le seraient aussi. Cette période chaude a été suivie, tout début avril, de quelques jours de froid, eux-mêmes suivis d'une autre vague de chaleur, avec des températures étonnamment élevées. En revanche, le mois de mai a été, de manière tout à fait inhabituelle, relativement frais.

Lorsque je suis revenu en France pour dix-sept jours à la mi-juin, le pays tout entier subissait depuis quelque temps déjà des températures très élevées, de l'ordre de 30 à 35 °C. Celles-ci avaient favorisé une floraison extrêmement rapide et homogène, qui s'était déroulée sur trois ou quatre jours seulement au lieu des sept à dix habituels. Un temps plutôt froid à la fin du mois de mai et au début du mois de juin avait été à l'origine d'un important millerandage dans les vignobles de Pomerol. Fin juin, tout le monde s'attendait à une vendange précoce et abondante (sauf dans la région de Pomerol, où elle était réduite du fait du millerandage), et, d'un point de vue viticole, tout allait pour le mieux dans le meilleur des mondes.

Si le temps fut à peu près conforme aux moyennes saisonnières entre le 11 juillet et le 19 août, les onze premiers jours de juillet et la période allant du 25 au 30 août furent anormalement pluvieux, et soudainement frais. Et, alors que la pluviométrie de Bordeaux pour le mois d'août est en moyenne de 53 mm, on enregistra en 1996 près de 144 mm pour ce même mois. Il ne faut cependant pas se fier aveuglément aux statistiques, qui peuvent parfois induire en erreur ; en effet, les pluies les plus importantes furent très localisées : Saint-Émilion et l'Entre-Deux-Mers enregistrèrent les plus fortes précipitations (plus de 120 mm), suivis de Margaux (60 mm), de Saint-Julien (50 mm), de Pauillac (45 mm) et enfin de Saint-Estèphe et du nord du Médoc, avec moins de 30 mm. En téléphonant à des amis bordelais au cours du week-end du 1er septembre, j'ai recueilli des avis tout à fait contradictoires sur les vendanges à venir. Ceux de la rive droite et de la partie sud des Graves étaient bien entendu dans tous leurs états, allant même jusqu'à dire que le millésime serait aussi désastreux que 1974, à moins qu'un mois de septembre miraculeux ne puisse le transformer en un 1988 ou un 1978. Au contraire, ceux du Médoc, en particulier ceux de Saint-Julien, étaient plutôt optimistes, espérant qu'un bon mois de septembre leur apporterait une année formidable. En effet, les pluies torrentielles qui avaient gorgé les raisins dans le sud et dans l'est du Bordelais avaient fort heureusement épargné le Médoc. Toutefois, cette région évitait, grâce à sa faible pluviométrie, les conditions de sécheresse qui avaient stressé la vigne en 1995 et en 1989, si bien que ses vignobles étaient florissants.

Si tous les millésimes de 1991 à 1994, et, dans une moindre mesure, 1995, ont été perturbés par des pluies au mois de septembre, ce cas de figure ne s'est pas reproduit en 1996. La période s'étalant entre le 31 août et le 18 septembre, merveilleusement ensoleillée, a été suivie de deux jours de pluies légères. Le 21 septembre fut également un peu mouillé, mais c'est seulement le 24 et le 25 septembre qu'il y eut d'assez importantes précipitations sur la région.

Les vents constants et secs, du nord-est et de l'est, qui ont balayé la région ont incontestablement aidé à assécher les vignobles après les pluies diluviennes de la fin août. Les producteurs leur reconnaissent encore le mérite d'avoir aidé à faire monter le taux de sucre dans les baies, et cela dans des proportions qui semblaient impossibles à atteindre. Enfin, les vents ont également joué un rôle d'antibiotique naturel, en ne permettant pas à la pourriture de ravager les vignes.

Le merlot a généralement été récolté pendant les deux dernières semaines de septembre, le cabernet franc à la fin de septembre et pendant les quatre ou cinq premiers jours d'octobre ; le cabernet sauvignon, à la peau plus épaisse et mûrissant plus tard que les autres cépages, a été vendangé entre la fin septembre et le 12 octobre. A l'exception d'une journée de pluie assez conséquente, le 4 octobre, ce mois a été plutôt ensoleillé et sec ; il offrait donc les conditions classiques d'un bon ramassage du cabernet sauvignon. La plupart des producteurs médocains avaient d'ailleurs établi un parallèle entre la récolte de ce cépage en 1996 et celle de 1986. Cette année-là, des pluies torrentielles avaient en effet compromis les vendanges du merlot et du cabernet franc, mais elles avaient été suivies d'une période de quatre semaines d'un temps venteux, sec et ensoleillé, qui avait permis de récolter le cabernet sauvignon dans des conditions idéales.

Compte tenu de ce qui précède, il n'est pas surprenant que les meilleurs 1996 soient issus du Médoc, où les cabernets ont été vendangés dix à dix-huit jours plus tard que dans les propriétés à forte dominante de merlot.

Comme on pouvait s'y attendre après une floraison bien réussie, la vendange 1996 fut relativement abondante (6,5 millions d'hectolitres), mais légèrement moins importante que celle de l'année précédente (6,89 millions d'hectolitres). Il faut cependant noter que les meilleures propriétés de Pomerol – notamment celles qui sont situées sur le plateau – ont vu leur production réduite de 30 à 50 %, tandis qu'à Saint-Émilion cette réduction était de l'ordre de 10 à 15 % seulement. Les propriétés les plus sérieuses du Médoc avaient des rendements moyens de 45 à 55 hl/ha, soit 20 à 30 % inférieurs à ceux de 1986.

Pour conclure, voici résumé en huit points ce qu'il faut retenir du millésime 1996.

1. 1996 est le millésime récent le plus cher du Bordelais : les prix en primeur sont de 50 à 100 % plus élevés que ceux des 1995.

2. Contrairement à 1995 (un été chaud suivi d'un mois de septembre pluvieux), le millésime 1996 subit des conditions climatiques tout à fait étranges. C'est en effet l'une des années les plus précoces de ce siècle ; elle fut forgée par un printemps presque

torride, suivi d'une période de froid, elle-même précédant un mois de juin extrêmement chaud. L'été fut à peu près normal, mais entrecoupé de périodes fraîches ; la fin d'août, mois pourtant généralement chaud et sec, se révéla au contraire pluvieuse, avec des températures inférieures à la moyenne saisonnière. Septembre fut quant à lui relativement sec et, fait plus important encore, très venteux. Les vents secs du nord contribuèrent à assécher les vignes après les trombes d'eau de la fin août, sauvant ainsi la récolte. Ces mêmes vents, avec le temps sec et ensoleillé, expliquent l'extraordinaire concentration de sucre dans les baies, notamment dans le cabernet sauvignon vendangé très tard.

3. Quoique énorme, la récolte fut légèrement moins importante que celle de 1995.

4. Ce millésime irrégulier ne présente pas l'homogénéité de 1995, mais il se distingue par ses excellents Médoc, à dominante de cabernet sauvignon.

5. En novembre 1997, pendant un assez long séjour à Bordeaux, j'ai pu redéguster la plupart des 1996. Depuis vingt ans que je sillonne cette région en goûtant chaque année les primeurs, je n'avais encore jamais rencontré de cabernet sauvignon aussi pur, aussi riche, aussi intense et aussi mûr que celui dont sont issus les meilleurs Médoc de ce millésime. Il me semble bien que 1996 a donné, dans cette partie de la rive gauche, des vins à base de ce cépage qui comptent au nombre des plus grandioses du Bordelais depuis cinquante ans.

6. Le millésime 1996 ressemble au 1986 ; tous deux furent forgés par le même type de climat et se distinguent par un cabernet sauvignon de belle qualité, vendangé tardivement. C'est le rapprochement immédiat que m'ont inspiré, au printemps 1997, mes premières dégustations des 1996. Cependant, les meilleurs Médoc à dominante de cabernet sauvignon présentent une douceur, une plénitude et une ampleur aromatique bien supérieures à celles des meilleurs 1986.

7. Du fait de leurs prix absolument démentiels dans un marché en pleine effervescence, de nombreux 1996 (hormis les premiers et les seconds crus classés) n'ont pas encore trouvé preneur chez le consommateur final. Nombreux furent les détaillants incapables d'honorer leurs factures, nombreux aussi furent ceux qui enregistrèrent des annulations de leurs propres clients. Cependant, d'autres acheteurs internationaux se sont précipités sur les stocks invendus, initialement destinés au marché américain. Il est incontestable que bien des crus sont beaucoup trop chers par rapport à leur qualité. Cependant, les amateurs se rendront compte, en les dégustant, que certains Médoc à base de cabernet sauvignon sont plutôt réussis cette année-là. Ce sont de grands classiques, aptes à une longue garde, capables de rivaliser avec des millésimes aussi prestigieux que 1990, 1989, 1982, 1961 et 1959. Cela dit, je préciserai également qu'il ne faut pas attendre des 1996 qu'ils se révèlent flamboyants, délicieux et opulents dans leur jeunesse. Même les plus irrésistibles d'entre eux requièrent une certaine garde.

8. Ce n'est pas un secret, les appellations Pomerol, Saint-Émilion et Graves (y compris la région de Pessac-Léognan) ont moins bien réussi que les autres ; elles ont néanmoins donné quelques vins extraordinaires, qui ne sont cependant pas aussi réguliers à haut niveau que les 1995.

LES MEILLEURS 1996

Saint-Estèphe : Calon-Ségur, Cos d'Estournel, Haut-Marbuzet, Lafon-Rochet, Montrose
Pauillac : D'Armailhac, Batailley, Clerc Milon, Duhart-Milon, Grand-Puy-Lacoste, Haut-Batailley, Lafite Rothschild, Latour, Lynch-Bages, Lynch-Moussas, Mouton Rothschild, Pichon-Longueville Baron, Pichon-Longueville Comtesse de Lalande, Pontet-Canet

Saint-Julien : Branaire Ducru, Ducru-Beaucaillou, Gloria, Gruaud Larose, Hortevie, Lagrange, Léoville Barton, Léoville Las Cases, Léoville Poyferré, Talbot
Margaux : D'Angludet, D'Issan, Kirwan, Malescot Saint-Exupéry, Château Margaux, Palmer, Rauzan-Ségla, Du Tertre
Médoc/Haut-Médoc/Moulis/Listrac crus bourgeois : Cantermerle, Charmail, Domaine de Chiroulet Réserve, Les Grands Chênes Cuvée Prestige, La Lagune, Lanessan, Reignac Cuvée Spéciale, Roc de Cambes, Sociando-Mallet
Graves rouges : Les Carmes Haut-Brion, Haut-Bailly, Haut-Brion, La Mission Haut-Brion, Pape Clément
Graves blancs : De Fieuzal, Haut-Brion, Laville Haut-Brion, Pape Clément, Smith Haut Lafitte
Pomerol : Beau Soleil, Le Bon Pasteur, Clinet, La Conseillante, La Croix du Casse, L'Église-Clinet, L'Évangile, La Fleur de Gay, La Fleur-Petrus, Gazin, Lafleur, Latour à Pomerol, Petrus, Le Pin, Trotanoy, Vieux Château Certan
Saint-Émilion : Angélus, L'Arrosée, Ausone, Beau-Séjour Bécot, Beauséjour Duffau, Canon-la-Gaffelière, Cheval Blanc, Clos Fourtet, Clos de l'Oratoire, La Couspaude, La Dominique, Ferrand Lartigue, La Gaffelière, La Gomerie, Grand Mayne, Grand-Pontet, Larmande, Monbousquet, La Mondotte, Moulin Saint-Georges, Pavie Macquin, Rol Valentin, Tertre Roteboeuf, Troplong Mondot, Trotte Vieille, De Valandraud
Barsac/Sauternes : ce millésime prometteur pourrait mériter le niveau 4 étoiles. Cependant, il me semble prématuré, au moment de la publication de cet ouvrage, d'évaluer les crus individuellement.

1995 – BRÈVE PRÉSENTATION (20 septembre 1995)

Saint-Estèphe****	Graves rouges****/*****
Pauillac****/*****	Graves blancs***
Saint-Julien****/*****	Pomerol*****
Margaux****	Saint-Émilion****
Médoc/Haut-Médoc crus bourgeois***	Barsac/Sauternes**

Récolte : énorme, à peine inférieure à celle de 1986, qui battit des records. Cependant, la plupart des propriétés pratiquèrent un éclaircissage important, et les rendements furent plus modestes. Les premiers et les deuxièmes crus, tout comme les châteaux soucieux de qualité, opérèrent également une sélection très sévère et produisirent moins de grand vin qu'en 1989 ou 1990, par exemple.
Spécificités : 1995 est le millésime le plus régulier à haut niveau depuis 1990. Les principales appellations proposent toutes des vins uniformément de haut vol.
Maturité : la rumeur voulait que les vins de merlot, extrêmement réussis, fussent précoces et aptes à être consommés rapidement. Mes dégustations montrèrent qu'ils étaient certes d'une excellente facture, mais qu'ils se révélaient encore, de même que leurs homologues issus de cabernet (franc et sauvignon), corpulents, tanniques et structurés. A quelques exceptions près, les meilleurs 1995 sont généralement des vins de garde classiques et tanniques, qui, quoique d'ores et déjà accessibles, se porteront bien d'une certaine garde. Les spécimens les plus énormes ne seront pas, à mon sens, prêts avant 2003 ou 2005.
Prix : c'est le deuxième millésime récent le plus cher du Bordelais, à la fois en primeur et en bouteille.

Le millésime 1995 fut forgé par les mois de juin, juillet et août, qui s'imposèrent comme les plus secs et les plus torrides de ces quarante dernières années. Cependant, exactement comme pour les quatre millésimes précédents, le temps se détériora dès la première semaine de septembre, alors que débutaient les vendanges. Les pluies ne durèrent que du 7 au 19 septembre, alors qu'elles avaient persisté pendant tout le mois les deux années précédentes. En effet, la pluviométrie du mois de septembre fut en 1993 de 275 mm, en 1994 de 175 mm et en 1995 de 145 mm. Dans le même temps, Pauillac, Saint-Julien et Pomerol ne recevaient que 91 à 134 mm d'eau cette dernière année.

Si la vendange 1995 fut énorme, de nombreux producteurs n'hésitèrent pas à effectuer des sélections sévères dès la fin des fermentations, obtenant ainsi des vins extrêmement réussis. Le merlot était mûr, et, pour la première fois depuis 1990, le cabernet sauvignon vendangé tardivement fut rentré à parfaite maturité. La plupart des propriétés qui attendirent la fin septembre pour récolter ce cépage furent récompensées par des raisins à bonne maturité physiologique.

Voici les sept points à retenir au sujet de 1995, un millésime régulier à un niveau exceptionnel.

1. 1995 est le deuxième jeune millésime le plus cher du Bordelais.

2. En dépit d'un mois de septembre pluvieux, la plupart des châteaux ont très bien réussi grâce à un été splendide. En effet, les mois de juin, juillet et août furent les plus chauds et les plus secs de ces quarante dernières années.

3. Malgré une vendange énorme, la plupart des crus classés produisirent moins de grand vin que dans des millésimes comme 1989 ou 1990, du fait d'une sélection extrêmement rigoureuse.

4. 1995 est un millésime homogène dans la plupart des appellations du Bordelais. Les Saint-Julien, Pauillac et Pomerol étaient déjà très prometteurs en fût, et les dégustations après la mise en bouteille n'ont pas révélé de faiblesses particulières, sinon, peut-être, que les Graves blancs et secs, ainsi que les vins liquoreux de Sauternes et Barsac, sont plaisants, mais d'une qualité moyenne.

5. Les amateurs qui ont acheté les 1995 avant que leurs prix ne s'emballent seront heureux de savoir que ces vins se révèlent, pour la plupart, encore plus prometteurs qu'ils ne l'étaient en fût. 1995 est au moins un excellent millésime, qui pourrait même (presque) rivaliser avec des années aussi grandioses que 1990 et 1982, du fait du grand nombre de crus extraordinaires qu'il offre.

6. Il est difficile de résumer le style d'ensemble d'un millésime donné, mais je me dois de détromper les amateurs qui penseraient que les vins issus de merlot (ce cépage fut particulièrement favorisé en 1995) sont précoces et destinés à être consommés rapidement. Il m'a semblé, au contraire, que les vins de merlot et de cabernet sauvignon s'étaient étoffés en développant davantage de chair et de gras pendant leur élevage en fût. Ils présentent aussi une meilleure précision et un caractère plus tannique. Certes, il existe des exceptions à la règle, mais, dans l'ensemble, les bordeaux rouges les mieux réussis de 1995 se présentent comme des vins de garde classiques, très tanniques, qui, quoique d'ores et déjà accessibles, se porteront bien de quelques années de garde en bouteille.

7. Pour résumer, 1995 est un excellent, voire un extraordinaire millésime, avec des vins rouges d'une qualité homogène et de très haut niveau dans toutes les appellations. Comme je l'avais signalé dès le départ, 1995 peut être considéré comme une répétition de 1970, mais il offre davantage de vins exceptionnels que cette dernière année, puisque les viticulteurs pratiquent désormais des vinifications et des sélections plus rigoureuses,

respectant des critères de qualité plus élevés. 1995 a aussi donné les vins les plus réguliers à haut niveau depuis 1990.

LES MEILLEURS 1995

Saint-Estèphe : Calon-Ségur, Cos d'Estournel, Cos Labory, Lafon-Rochet, Montrose
Pauillac : D'Armailhac, Clerc Milon, Grand-Puy-Lacoste, Haut-Batailley, Lafite Rothschild, Latour, Lynch-Bages, Mouton Rothschild, Pichon-Longueville Baron, Pichon-Longueville Comtesse de Lalande, Pontet-Canet
Saint-Julien : Branaire Ducru, Ducru-Beaucaillou, Gloria, Gruaud Larose, Lagrange, Léoville Barton, Léoville Las Cases, Léoville Poyferré, Talbot
Margaux : D'Angludet, Malescot Saint-Exupéry, Château Margaux, Palmer, Rauzan-Ségla
Médoc/Haut-Médoc/Moulis/Listrac crus bourgeois : Charmail, La Lagune, Roc de Cambes, Sociando-Mallet
Graves rouges : De Fieuzal, Haut-Bailly, Haut-Brion, La Mission Haut-Brion, Pape Clément, Smith Haut Lafitte, La Tour Haut-Brion
Graves blancs : De Fieuzal, Haut-Brion, Laville Haut-Brion, Pape Clément, Smith Haut Lafitte
Pomerol : Le Bon Pasteur, Bourgneuf, Certan de May, Clinet, La Conseillante, La Croix du Casse, L'Église-Clinet, L'Évangile, La Fleur de Gay, La Fleur-Petrus, Gazin, La Grave à Pomerol, Petrus, Le Pin, Trotanoy, Vieux Château Certan
Saint-Émilion : Angélus, L'Arrosée, Ausone, Beau-Séjour Bécot, Canon-la-Gaffelière, Cheval Blanc, Clos Fourtet, Clos de l'Oratoire, Corbin Michotte, La Couspaude, La Dominique, Ferrand Lartigue, Figeac, La Fleur de Jaugue, La Gomerie, Grand Mayne, Grand-Pontet, Larmande, Magdelaine, Monbousquet, Moulin Saint-Georges, Pavie Macquin, Tertre Roteboeuf, De Valandraud
Barsac/Sauternes : Rieussec, La Tour Blanche, Climens, Coutet

1994 – BRÈVE PRÉSENTATION (24 septembre 1994)

Saint-Estèphe***
Pauillac***/****
Saint-Julien***/****
Margaux***
Médoc/Haut-Médoc crus bourgeois**
Graves rouges****
Graves blancs*****
Pomerol****
Saint-Émilion***
Barsac/Sauternes*

Récolte : de nouveau très abondante pour le Bordelais. Dans les propriétés soucieuses de qualité, seules les meilleures cuvées firent le grand vin, suite à des sélections draconiennes. De ce fait, les très bons crus ne sont disponibles qu'en petites quantités.
Spécificités : un été chaud et sec annonçait une excellente année, qui fut malheureusement compromise par le mauvais temps de septembre et des pluies diluviennes entre le 7 et le 29 de ce mois (175 mm). Ne réussirent vraiment que les producteurs qui sacrifièrent entre 30 et 50 % de leur récolte. Ce millésime, le meilleur entre 1990 et 1995, est cependant assez peu homogène. Le merlot fut le cépage le plus réussi ; même les Médoc de haut niveau en contiennent davantage que de cabernet sauvignon, plutôt austère et herbacé, avec un caractère très tannique. Ce sont les vignobles les mieux drainés (dans les Graves, ou longeant le fleuve dans le Médoc) qui connurent le plus grand succès, lorsqu'ils effectuèrent une sélection sévère.

Maturité : du fait de leur caractère tannique, les 1994 évolueront lentement. Il s'agit de vins de garde classiques, les meilleurs se révélant profondément colorés, structurés et puissants. Ils requièrent une certaine garde.
Prix : proposés en primeur à un prix raisonnable, les 1994 semblent actuellement surcotés en regard de leur potentiel. Ils ont bénéficié de la forte demande internationale pour les bons millésimes de bordeaux.

A leur meilleur niveau, les 1994 sont excellents, voire extraordinaires, et de plus haut vol que les 1993. Cependant, de nombreux crus ont souffert, au moment de la mise en bouteille, d'un excès de collage et de filtration. En effet, ces manipulations les ont souvent dépouillés de leur fruité en exacerbant leurs défauts, notamment leur caractère creux et excessivement tannique. 1994 aurait pu être un excellent millésime, n'étaient les treize jours de pluies diluviennes entre le 7 et le 29 septembre. Comme pour toutes les années forgées par un été superbe et compromises par un temps pluvieux au moment des vendanges, les sélections furent déterminantes ; elles firent la différence entre les vins de haut niveau et ceux qui manquaient d'équilibre. Ne réussirent que les producteurs qui sacrifièrent 30 à 50 % de leur récolte.

Les 1994 se distinguent par leur caractère peu évolué, dû à leur niveau très élevé de tannins. Les crus les mieux réussis recèlent le fruité et la richesse en extrait leur permettant de contrebalancer leur caractère tannique. En revanche, les vins qui ne sont pas issus d'une sélection draconienne, ou qui ne contiennent pas suffisamment de merlot pour étoffer et atténuer le cabernet sauvignon, plutôt austère, se révèlent maigres et desséchés. Les 1994 sont incontestablement d'un niveau irrégulier, plus frustrants à déguster que leurs aînés d'un an, mais on y trouve quelques exemples extraordinaires. Les amateurs avisés pourront se faire plaisir en achetant des crus absolument stupéfiants, mais il convient – je ne saurais suffisamment répéter cette mise en garde – de choisir avec discernement.

Exactement comme les 1995, les 1994 les mieux réussis contiennent une forte proportion de merlot ou sont issus de vignobles bien drainés. Bien qu'elle traîne aussi son lot de déceptions, l'appellation la plus favorisée semble, cette fois encore, être Pomerol. Les propriétés des Graves et celles qui longent le fleuve en Médoc ont obtenu des vins riches et bien équilibrés, grâce à leurs sols profonds, graveleux et bien drainés. Pour réussir dans ce millésime, il était primordial d'effectuer des sélections très sévères (30 à 50 % de la récolte), notamment dans le Médoc, d'utiliser une forte proportion de merlot dans l'assemblage final et surtout de procéder à la mise en bouteille la plus douce possible, en évitant les excès de collage et de filtration, qui dépouillent les vins de leurs arômes.

LES MEILLEURS 1994

Saint-Estèphe : Cos d'Estournel, Lafon-Rochet, Montrose
Pauillac : Clerc Milon, Grand-Puy-Lacoste, Lafite Rothschild, Latour, Lynch-Bages, Mouton Rothschild, Pichon-Longueville Baron, Pichon-Longueville Comtesse de Lalande, Pontet-Canet
Saint-Julien : Branaire Ducru, Clos du Marquis, Ducru-Beaucaillou, Hortevie, Lagrange, Léoville Barton, Léoville Las Cases, Léoville Poyferré
Margaux : Malescot Saint-Exupéry, Château Margaux
Médoc/Haut-Médoc/Moulis/Listrac crus bourgeois : Roc de Cambes, Sociando-Mallet
Graves rouges : Bahans Haut-Brion, Haut-Bailly, Haut-Brion, La Mission Haut-Brion, Pape Clément

Graves blancs : Domaine de Chevalier, De Fieuzal, Haut-Brion, Laville Haut-Brion, Pape Clément, Smith Haut Lafitte, Latour-Martillac
Pomerol : Beauregard, Le Bon Pasteur, Certan de May, Clinet, La Conseillante, La Croix du Casse, La Croix de Gay, L'Église-Clinet, L'Évangile, La Fleur de Gay, La Fleur-Petrus, Gazin, Lafleur, Latour à Pomerol, Petrus, Le Pin
Saint-Émilion : Angélus, L'Arrosée, Beau-Séjour Bécot, Beauséjour Duffau, Canon-la-Gaffelière, Cheval Blanc, Clos Fourtet, La Dominique, Ferrand Lartigue, Les Forts de Latour, Grand-Pontet, Larcis Ducasse, Magdelaine, Monbousquet, Pavie Macquin, Tertre Roteboeuf, Troplong Mondot, De Valandraud
Barsac/Sauternes : aucun

1993 – BRÈVE PRÉSENTATION (26 septembre 1993)

Saint-Estèphe**
Pauillac**
Saint-Julien**
Margaux*
Médoc/Haut-Médoc crus bourgeois*
Graves rouges***
Graves blancs***
Pomerol***
Saint-Émilion**
Barsac/Sauternes*

Récolte : très abondante.
Spécificités : un autre millésime desservi par de mauvaises conditions climatiques, qui offre cependant quelques agréables surprises. Il propose notamment davantage de crus séduisants que 1991 et 1992.
Maturité : les meilleurs vins du millésime se maintiendront jusqu'aux environs de 2005-2006.
Prix : c'est le dernier millésime encore disponible sur le marché qui soit toujours proposé à des prix raisonnables.

D'aucuns ont condamné le millésime 1993 – qualifié de véritable désastre – à cause des pluies torrentielles du mois de septembre. En effet, si 1991 et 1992 furent marqués par une forte pluviométrie, 1993 battit les records, dépassant la moyenne des trente dernières années de 303 %. Il était donc tentant de conclure hâtivement qu'aucun vin de bon niveau ne pouvait être produit dans de telles conditions. En outre, le printemps précédent fut épouvantable, et les mois d'avril et de juin extrêmement pluvieux.

Cependant, les températures de juillet furent supérieures à la moyenne saisonnière, et août se révéla extrêmement chaud et ensoleillé. Avant que le temps ne se détériore à compter du 6 septembre, de nombreux producteurs entretenaient même l'espoir d'un millésime exceptionnel. Malheureusement, de mauvaises conditions climatiques balayèrent ensuite cet optimisme, quoique le temps frais et sec qu'il fit entre les averses ne permît pas la formation de la pourriture tant redoutée. La plupart des propriétés vendangèrent quand elles le purent et achevèrent leur récolte vers la mi-octobre.

Les meilleurs 1993 attestent qu'il s'agit d'un millésime plus profondément coloré, plus riche et peut-être meilleur que 1991 et 1992. Ces vins un peu aqueux, qui se distinguent par leurs robes sombres, leur caractère de cabernet sauvignon pas totalement mûr et leur bonne structure, manifestent aussi davantage de profondeur et de longueur que l'on n'en attendait.

LES MEILLEURS 1993

Saint-Estèphe : Cos d'Estournel, Montrose
Pauillac : Clerc Milon, Grand-Puy Ducasse, Grand-Puy-Lacoste, Latour, Mouton Rothschild
Saint-Julien : Clos du Marquis, Hortevie, Lagrange, Léoville Barton, Léoville Las Cases, Léoville Poyferré
Margaux : Château Margaux
Médoc/Haut-Médoc/Moulis/Listrac crus bourgeois : Sociando-Mallet
Graves rouges : Bahans Haut-Brion, De Fieuzal, Haut-Brion, La Mission Haut-Brion, Smith Haut Lafitte, La Tour Haut-Brion
Graves blancs : Haut-Brion, Laville Haut-Brion, Smith Haut Lafitte
Pomerol : Beauregard, Le Bon Pasteur, Clinet, La Conseillante, La Croix de Gay, L'Église-Clinet, L'Évangile, La Fleur de Gay, Gazin, Lafleur, Latour à Pomerol, Petrus, Le Pin, Trotanoy
Saint-Émilion : Angélus, L'Arrosée, Beau-Séjour Bécot, Beauséjour Duffau, Canon-la-Gaffelière, Cheval Blanc, La Dominique, Ferrand Lartigue, Grand-Pontet, Magdelaine, Monbousquet, Pavie Macquin, Tertre Rotebœuf, Troplong Mondot, De Valandraud
Barsac/Sauternes : aucun

1992 – BRÈVE PRÉSENTATION (21 septembre 1992)

Saint-Estèphe**
Pauillac**
Saint-Julien**
Margaux*
Médoc/Haut-Médoc crus bourgeois*
Graves rouges**
Graves blancs***
Pomerol***
Saint-Émilion**
Barsac/Sauternes*

Récolte : extrêmement abondante, mais les meilleures propriétés effectuèrent une sélection draconienne et les quantités disponibles sont souvent restreintes.
Spécificités : au meilleur niveau, les 1992 sont plaisants et souples, mais même les crus les mieux réussis ne sont pas tout à fait dépourvus du caractère aqueux et herbacé dû à des pluies excessives avant et pendant les vendanges.
Maturité : les 1992 devront être consommés avant qu'ils n'atteignent 10 à 12 ans d'âge.
Prix : ils sont très bas en raison de la réputation médiocre du millésime. Détail intéressant : certains premiers crus classés étaient disponibles aux environs de 150 F la bouteille, les autres crus classés pour moins de 100 F... ce qui est très peu cher dans le contexte du marché actuel !

Le millésime 1992 n'a pas été affecté par le gel, comme 1991, mais plutôt par des pluies extrêmement abondantes qui sont arrivées au moment le plus critique. Après une saison printanière plutôt précoce, très humide et chaude, la floraison était en avance de huit jours par rapport à la moyenne générale des trente dernières années. Déjà, on espérait vendanger tôt. Ensuite, l'été a été caniculaire. Le mois de juin, humide et chaud, a été suivi d'un mois de juillet aux températures légèrement supérieures à la normale, puis d'un mois d'août où celles-ci ont été bien au-dessus de la moyenne. Cependant, contrairement à ce qui s'était passé pour certains millésimes chauds et secs comme 1982, 1989 et 1990, il a beaucoup plu en août, presque trois fois plus que la moyenne saisonnière. Ainsi, on a enregistré 193 mm de pluie à Bordeaux en août 1992 (provenant essentiellement des violents orages des deux derniers jours de ce mois), alors qu'il n'y en avait eu que 22 mm en 1990 et 63 mm en 1989.

A la mi-août, il était clair que la récolte serait très abondante. Afin de réduire leurs rendements, les propriétés les plus sérieuses ont procédé à des vendanges en vert et ont ainsi produit des vins plus riches que celles qui n'en ont pas fait.

Les deux premières semaines de septembre ont été sèches, mais anormalement fraîches, si bien que le sémillon et le sauvignon ont pu être vendangés dans des conditions idéales. C'est pour cette raison que, malgré des rendements élevés, les vins blancs des Graves sont réussis et se révèlent même parfois excellents.

A compter du 20 septembre et pendant le mois d'octobre, le temps a été défavorable, avec des pluies diluviennes interrompues par de courtes périodes de beau temps. Dans la majorité des propriétés viticoles, les vendanges se sont étalées dans le temps, sauf celles du merlot, qui ont eu lieu sur les deux rives pendant trois jours clairs et secs, soit les 29 et 30 septembre et 1er octobre. Entre les 2 et 6 octobre, il y a eu davantage de pluie, avec de violents orages. Comprenant qu'il était inutile d'attendre encore, la plupart des châteaux ont récolté dans des conditions déplorables. Il était primordial, pour faire de bons vins, de vendanger à la main afin de ne ramasser que les baies saines, en laissant celles qui étaient abîmées sur pied. Une sélection plus stricte encore était nécessaire dans les chais.

Dans l'ensemble, 1992 est un meilleur millésime que 1991. En effet, aucune appellation n'a connu cette année-là une aussi forte proportion de mauvais vins que Pomerol et Saint-Émilion en 1991. Aujourd'hui, les 1992 rappellent les 1973, mais il faut préciser que, grâce à de meilleures techniques de vinification, à une sélection plus sévère, à un matériel plus sophistiqué et à des rendements mieux contrôlés, les vins des châteaux les plus sérieux sont plus concentrés, plus riches et en général de plus haute volée que les meilleurs 1973, ou même que les meilleurs 1987. Les 1992 les plus réussis sont ronds, fruités, faibles en acidité, avec des tannins modérés et une concentration moyenne ou bonne.

L'appellation qui réussit le mieux en 1992 est Pomerol. Les propriétés des Établissements Jean-Pierre Moueix pratiquèrent un éclaircissage sévère, et les vignobles de leurs deux fleurons, Trotanoy et Petrus, furent recouverts d'une bâche en plastique noir dès le début du mois de septembre. Cette technique innovante et révolutionnaire empêcha la pluie de gorger le sol, et donc les raisins, puisque, au contraire, l'eau glissa sur le film. J'ai pu voir des photos de cette installation coûteuse, et je dois reconnaître, après avoir dégusté les vins, que la brillante idée de Christian Moueix s'est révélée payante. Trotanoy et Petrus s'imposent incontestablement comme deux des vins les plus concentrés du millésime.

Les autres appellations ont chacune leur lot de réussites et d'échecs, mais, dans l'ensemble, la qualité est fort irrégulière. Les propriétés qui ont pratiqué un éclaircissage sévère dans le but de réduire les rendements ont généralement achevé les vendanges avant le déluge du 2 au 6 octobre ; celles qui ont également été attentives au tri proposent des vins fruités, souples et charmeurs qui devront, comme les 1991, être dégustés dans les 10 à 12 ans suivant le millésime.

LES MEILLEURS 1992

Saint-Estèphe : Haut-Marbuzet, Montrose

Pauillac : Lafite Rothschild, Latour, Pichon-Longueville Baron

Saint-Julien : Ducru-Beaucaillou, Gruaud Larose, Léoville Barton, Léoville Las Cases
Margaux : Giscours, Château Margaux, Palmer, Rausan-Ségla[1]
Médoc/Haut-Médoc/Moulis/Listrac/Moulis/Listrac crus bourgeois : aucun
Graves rouges : Carbonnieux, Haut-Bailly, Haut-Brion, La Louvière,
La Mission Haut-Brion, Smith Haut Lafitte
Graves blancs : Domaine de Chevalier, De Fieuzal, Haut-Brion, Laville Haut-Brion,
Smith Haut Lafitte
Pomerol : Le Bon Pasteur, Certan de May, Clinet, La Conseillante, L'Église-Clinet,
L'Évangile, La Fleur de Gay, La Fleur-Petrus, Gazin, Lafleur, Petrus, Trotanoy
Fronsac/Canon-Fronsac : aucun
Saint-Émilion : Angélus, L'Arrosée, Beauséjour Duffau, Canon, Fonroque,
Magdelaine, Troplong Mondot, De Valandraud
Barsac/Sauternes : aucun

1991 – BRÈVE PRÉSENTATION (19 septembre 1991)

Saint-Estèphe**
Pauillac**
Saint-Julien**
Margaux*
Médoc/Haut-Médoc crus bourgeois 0
Graves rouges**
Graves blancs 0
Pomerol 0
Saint-Émilion 0
Barsac/Sauternes**

Récolte : réduite, surtout dans les appellations de la rive droite (à Pomerol et à Saint-Émilion), en raison d'une gelée meurtrière dans la nuit du 20 au 21 avril.
Spécificités : il s'agit d'un véritable désastre pour Pomerol et Saint-Émilion. Cependant, à mesure que l'on remonte le Médoc en direction du nord, la qualité s'améliore, et l'on trouve à Pauillac et à Saint-Estèphe quelques vins plaisants, parfois même bons.
Maturité : ces vins évoluent rapidement et devront être consommés dans les 10 à 12 ans suivant le millésime.
Prix : ils sont relativement bas en raison de la mauvaise réputation du millésime.

1991 a été l'année des grandes gelées de printemps. Pendant le week-end des 20 et 21 avril, les températures sont tombées à –9 °C, endommageant la plupart des vignobles du Bordelais, en particulier ceux de l'est de la Gironde, à Pomerol et à Saint-Émilion. Les premiers bourgeons, dits de la « première génération », ont tous été sérieusement touchés. Les dégâts furent moins importants dans la partie nord du Médoc, notamment dans le secteur nord-est de la région de Pauillac et dans la moitié sud de Saint-Estèphe. Le printemps suivant la gelée a vu une sortie de nouveaux bourgeons, que les spécialistes appellent « fruit de deuxième génération ».

La récolte s'annonçant réduite, certains optimistes ont estimé que 1991 pourrait ressembler à 1961, un superbe millésime dont une importante gelée de printemps avait limité la récolte. Bien sûr, toutes ces espérances supposaient que le temps restât ensoleillé et sec. Cependant, c'est seulement début septembre que les producteurs prirent conscience de ce que le merlot ne pourrait être vendangé qu'à la fin du mois, le cabernet sauvignon devant quant à lui attendre la mi-octobre. A cause du manque de maturité des fruits de deuxième génération, les vendanges durent être décalées par rapport au

1. Jusqu'en 1992, le nom de ce château s'orthographiait avec un *s*. A compter de 1993, on écrit Rauzan-Ségla.

calendrier initialement prévu, mais les journées ensoleillées de la fin septembre laissaient encore présager une année miraculée comme 1978.

Malheureusement, le 25 septembre, un orage de l'Atlantique apportait 116 mm de pluie, soit d'un seul coup le double de la moyenne pour ce mois.

Pendant la période du 30 septembre au 12 octobre, où le temps est demeuré sec, la majorité du merlot de la rive droite, à Pomerol et Saint-Émilion, a été vendangée aussi rapidement que possible. Dans ces régions, les raisins présentaient des signes de dilution et n'étaient pas à maturité. Il y avait aussi un peu de pourriture. En Médoc, le cabernet sauvignon, pas totalement mûr, a quand même été ramassé, car il était trop risqué d'attendre davantage. Les propriétés qui ont vendangé entre les 13 et 19 octobre (il y a eu, juste après, six jours consécutifs de pluies diluviennes qui ont apporté 120 mm d'eau) ont ainsi obtenu un cabernet sauvignon qui, tout en n'étant pas à maturité, s'est révélé étonnamment sain et faible en acidité. Au contraire, celles qui n'ont pas rentré leur récolte avant le deuxième déluge n'avaient aucune chance de faire du vin de bonne qualité.

A Saint-Émilion et à Pomerol, le millésime 1991 est en général de mauvaise facture, voire désastreux. Il est à mon avis inférieur à 1984 et dépasse même en la matière le lamentable 1969. Plusieurs domaines de ces deux appellations ont déclassé la totalité de leur récolte cette année-là. A Saint-Émilion, on compte parmi les plus renommés les Châteaux L'Arrosée, Ausone, Canon, Cheval Blanc, La Dominique et Magdelaine. A Pomerol, où c'était une véritable catastrophe hormis quelques bons vins, des propriétés bien connues n'ont pas diffusé de 1991 sous leur étiquette. Parmi elles, les Châteaux Beauregard, Le Bon Pasteur, L'Évangile, Le Gay, La Grave à Pomerol, Lafleur, Latour à Pomerol, Petrus, Trotanoy et Vieux Château Certan.

Cependant, malgré toutes ces mauvaises nouvelles, certains vignobles des Graves et du Médoc jouxtant la Gironde ont produit des vins plaisants, ronds et assez corsés. Les amateurs seraient agréablement surpris par leur qualité, notamment celle de quelques Saint-Julien, Pauillac et Saint-Estèphe, où presque toutes les propriétés les plus sérieuses ont produit des vins d'une qualité supérieure à la moyenne, et même parfois excellents. Dans les appellations du nord du Médoc, les premiers bourgeons (de première génération) n'ont pas souffert du gel, et si, au moment des vendanges, les raisins présentaient quelques signes de dilution, ils étaient à un stade de maturité physiologique plus avancé que les fruits de deuxième génération. Cependant, ces 1991 doivent être proposés à des prix raisonnables, faute de quoi ils ne susciteraient pas d'intérêt justifié de la part des consommateurs.

C'est dans les appellations où les premiers bourgeons ont le moins souffert du gel (Saint-Julien, Pauillac et Saint-Estèphe) que l'on trouve les 1991 les plus réussis.

LES MEILLEURS 1991

Saint-Estèphe : Cos d'Estournel, Lafon-Rochet, Montrose
Pauillac : Les Forts de Latour, Grand-Puy-Lacoste, Lafite Rothschild, Latour, Lynch-Bages, Mouton Rothschild, Pichon-Longueville Comtesse de Lalande, Réserve de la Comtesse
Saint-Julien : Beychevelle, Branaire Ducru, Clos du Marquis, Ducru-Beaucaillou, Langoa Barton, Léoville Barton, Léoville Las Cases
Margaux : Giscours, Château Margaux, Palmer, Rausan-Ségla
Médoc/Haut-Médoc/Moulis/Listrac/Moulis/Listrac crus bourgeois : Citran

Graves rouges : Carbonnieux, Domaine de Chevalier, Haut-Brion, La Mission Haut-Brion, Pape Clément
Graves blancs : aucun
Pomerol : Clinet
Fronsac/Canon-Fronsac : aucun
Saint-Émilion : Angélus, Troplong Mondot
Barsac/Sauternes : aucun

1990 – BRÈVE PRÉSENTATION (12 septembre 1990)

Saint-Estèphe*****	Graves rouges****
Pauillac*****	Graves blancs***
Saint-Julien*****	Pomerol*****
Margaux****	Saint-Emilion*****
Médoc/Haut-Médoc crus bourgeois****	Barsac/Sauternes*****

Récolte : énorme, l'une des plus importantes jamais enregistrées dans le Bordelais.
Spécificités : 1990 fut l'année la plus chaude depuis 1947 et la plus ensoleillée depuis 1949. Les meilleurs vignobles des Graves et du Médoc subirent un stress important ; les sols plutôt lourds de Saint-Estèphe, les plateaux et les coteaux calcaires de Saint-Émilion, ainsi que les crus de Fronsac enregistrèrent de belles réussites, tout comme les autres propriétés qui n'hésitèrent pas à effectuer une sélection sévère.
Maturité : malgré leur caractère tannique, les 1990 se sont révélés accessibles dès leur plus jeune âge, en raison de leur très faible acidité. Les vins les plus complets présentent un potentiel de garde de 20 à 25 ans. Cependant, aucun 1990 n'est vraiment prêt ou plaisant à déguster avant la fin de ce siècle.
Prix : les prix des 1990 en primeur étaient de 15 à 20 % moins élevés que ceux des 1989. Cependant, aucun autre jeune millésime du Bordelais, à l'exception peut-être de 1982, n'a connu par la suite une hausse de prix aussi importante.

La plupart des grands millésimes de Bordeaux ont coïncidé avec des années relativement chaudes et sèches. Pour cette seule raison, 1990 mérite une attention particulière. En effet, il s'agit de la deuxième année la plus chaude de ce siècle, juste après 1947. C'est également la deuxième plus ensoleillée, après 1949. On attribue souvent l'ensoleillement extraordinaire et les étés magnifiquement chauds que Bordeaux a connus dans les années 80 à l'« effet de serre » et au réchauffement général du globe terrestre, et les scientifiques ont d'ailleurs vigoureusement tiré la sonnette d'alarme à ce propos. Cependant, si l'on revient aux conditions climatiques qui régnaient à Bordeaux entre 1945 et 1949, on constate que cette période a été encore plus torride que les années 1989-1990. Et l'on ne mettait pas en cause, à cette époque, la fonte des glaciers des deux pôles...

Les conditions météorologiques de 1990 ont certes contribué à façonner un bon millésime, mais le climat n'est qu'un des facteurs de l'équation. Les mois de juillet et d'août ont été les plus chauds depuis 1961, et août a connu ses plus hautes moyennes de températures depuis 1928, année où l'on a commencé à enregistrer les données climatiques. En septembre, mois dont les producteurs disent qu'il « fait » la qualité du vin, le temps n'a pas été exceptionnel. Dans les grands millésimes, 1990 est l'année la plus « mouillée » après 1989, et, exactement comme pour cette dernière, les pluies sont arrivées à des moments critiques. Ainsi, le 15 septembre, une série d'orages pluvieux s'est abattue sur une partie des Graves. Les 22 et 23 septembre, il a plu, certes plus modérément, sur toute la région, exactement comme du 7 au 15 octobre. Certains producteurs se sont empressés d'affirmer que ces précipitations avaient été bénéfiques, notamment pour le cabernet sauvignon, dont les baies étaient encore de petite taille, avec des peaux trop épaisses. Plusieurs vignes de cabernet avaient en effet souffert d'un blocage de maturité dû à la sécheresse et à la chaleur excessives, et certains vignerons ont soutenu que l'eau, en débloquant la situation, avait permis aux raisins d'atteindre un stade de maturité plus avancé. Cet argument est séduisant et non dénué de vérité, mais, malheureusement, trop de châteaux ont cédé à la panique en vendangeant trop tôt après les pluies.

On est agréablement surpris, en goûtant les 1990, par leur côté rôti, conséquence des mois d'été extrêmement, sinon excessivement, chauds. Les pluies de septembre ont probablement allégé le « stress » qui pesait sur certaines vignes, notamment le cabernet de sols légers et bien drainés, mais elles ont aussi gorgé les raisins, contribuant ainsi à augmenter une récolte qui s'annonçait déjà importante. Il ne fait aucun doute que les grands millésimes correspondent à des années relativement chaudes et sèches. Mais 1990 fut-il trop torride ? Les rendements étaient-ils trop élevés pour permettre l'élaboration de vins vraiment profonds malgré le climat exceptionnel ? Il est certain que les vignes souffrirent davantage en 1990 qu'en 1989, pourtant également marqué par la sécheresse et une très forte chaleur.

L'une des clefs permettant de bien comprendre le millésime 1990 est le fait que les meilleurs vins sont issus des vignobles implantés sur les sols les plus lourds et les moins bien drainés, et des propriétés ayant effectué des sélections sévères. Ainsi, comme le montrent mes notes de dégustation, les sols plus lourds des régions de Saint-Estèphe, de Fronsac et des plateaux et coteaux de Saint-Émilion ont donné des vins plus riches, plus concentrés et plus complets que les sols plus légers, graveleux et bien drainés des meilleurs vignobles de Margaux et des Graves.

Il y a eu en 1990 une vendange aussi abondante que l'année précédente. En fait, la quantité produite était même plus élevée, mais les autorités compétentes sont intervenues et ont exigé des déclassements importants, si bien que les rendements maximaux déclarés en 1990 sont équivalents à ceux de 1989. La production globale pour chacune de ces deux années est supérieure de 30 % à celle de 1982. Cependant, les propriétés ayant procédé en 1990 à des sélections plus sévères qu'en 1989, le volume déclaré de premier vin est souvent moindre dans cette dernière année.

Dans toutes les appellations, les vins rouges donnent le plus souvent une impression d'acidité très faible (aussi faible, sinon plus, qu'en 1989) et de tannins abondants (plus qu'en 1989), mais ils sont en général souples et sans détour, bien évolués, extrêmement mûrs, avec des senteurs rôties. Ces vins sont très agréables à boire dans leur jeunesse grâce à leur tannins très doux, exactement comme les 1982, 1985 et 1989. Ils seront cependant de plus longue garde.

Il est exceptionnel de voir deux millésimes consécutifs dominés par la chaleur et la sécheresse, et il semblerait que la vigne – en particulier celle qui est implantée sur les sols légers et graveleux – ait en 1990 souffert plus qu'en 1989 du soleil persistant. Plusieurs propriétaires des Graves et de Margaux ont ainsi été contraints de vendanger leur cabernet trop tôt, car le raisin séchait sur les ceps. Avec des rendements élevés, c'est l'une des raisons qui expliquent pourquoi ces appellations ont connu moins de réussite que les autres, tout comme ce fut le cas en 1988 et en 1989, années également torrides. Ces deux aires de production comptent cependant de très belles réussites.

Parmi les beaux succès de ce millésime, il faut compter les quatre premiers crus du Médoc (sans Mouton Rothschild), qui ont fait des vins plus riches, plus pleins et plus complets qu'en 1989. Par ailleurs, certaines parties de cette même région, notamment

Saint-Julien et Pauillac, regorgent d'une foule de vins à la fois souples, ronds, précoces, fruités et très alcooliques, aux tannins puissants et arrondis, et à l'acidité extrêmement faible. L'un des aspects du millésime qui m'a le plus frappé est le fait que les vins ont acquis davantage d'étoffe et de structure au fur et à mesure de leur vieillissement en fût, exactement comme en 1982 (mais pas en 1989). J'avoue avoir, de prime abord, sous-estimé certains Pauillac et Saint-Julien. Au moment de la mise en bouteille, ceux-ci se sont révélés profonds et riches, s'imposant comme les bordeaux les plus grandioses depuis 1982. Mouton Rothschild et Pichon-Comtesse semblent être les seuls éléments discordants de ce paysage, avec des 1990 moins réussis et moins complets que leurs aînés d'un an. En outre, ces crus sont décevants pour le millésime et d'un niveau inférieur à leurs pairs. Cette constatation s'est confirmée lors de dégustations récentes. En revanche, les autres Médoc de haut vol n'ont cessé de gagner en richesse et en stature, s'imposant indiscutablement comme les bordeaux les plus intéressants qui soient entre 1982 et 1995/1996.

Sur la rive droite, Pomerol a enregistré en 1990 un succès moindre qu'en 1989. Font cependant exception les crus situés en bordure de Saint-Émilion, en particulier L'Évangile, La Conseillante et Le Bon Pasteur, dont les 1990 s'imposaient dès le départ comme étant plus riches que leurs aînés d'un an. Exactement comme les meilleurs Médoc, les Pomerol se sont étoffés au fur et à mesure de leur vieillissement en fût ; dans l'ensemble, ils se sont bien améliorés et dévoilent davantage de corpulence, de précision et de complexité, sans pour autant manifester le caractère grandiose des 1989. On peut dire, à l'approche de cette fin de siècle, que 1990 a donné plusieurs Pomerol de très haut vol, mais, en règle générale, ce millésime y est inférieur au précédent.

Quant à la région de Saint-Émilion, dont la production est souvent hétérogène, 1990 est pour elle le millésime le plus homogène et le meilleur de ces cinquante dernières années, et ce pour les trois secteurs de l'appellation (le plateau, les vignobles situés au pied des coteaux et ceux des sols sableux et graveleux). Les 1990 de Cheval Blanc, Figeac, Pavie, L'Arrosée, Ausone et Beauséjour Duffau sont nettement supérieurs à leurs aînés d'un an. En particulier, Cheval Blanc et Beauséjour Duffau s'imposent comme de véritables légendes ; Figeac n'est pas loin derrière, ayant produit cette année-là sa plus belle réussite depuis 1982 et 1964.

Les vins blancs des Graves ainsi que les bordeaux blancs génériques sont d'un très bon niveau, généralement supérieur à celui de l'année précédente, à deux exceptions près cependant : le Haut-Brion et le Laville Haut-Brion blancs. En effet, ces deux crus s'imposent en 1989 au nombre des Graves blancs les plus grandioses jamais produits, et sont plus riches et plus complets que leurs cadets. Toutefois, dans l'ensemble, les Graves blancs 1990 sont mieux dotés et plus profonds que les 1989, les producteurs n'ayant pas commis la même erreur que l'année précédente, lorsqu'ils avaient vendangé trop tôt.

Quant aux Sauternes et aux Barsac, s'il s'agit pour eux d'un millésime historique, c'est parce que les viticulteurs de ces appellations ont fini leurs vendanges avant les producteurs de rouges, ce qui n'était pas arrivé depuis 1949. Puissants, avec un caractère doux et liquoreux dans leur petite enfance, ces vins acquièrent lentement de la complexité et de la précision. Faut-il préférer les 1988, les 1989 ou les 1990 ? C'est une question de goût personnel, mais il semble bien que le dernier millésime de cette fabuleuse trilogie ait donné les exemples les plus concentrés et les plus puissants de l'appellation depuis plusieurs années. D'une richesse et d'une puissance presque « monstrueuses », avec un potentiel de garde de 30 à 40 ans, les 1990 répondent incontestablement à une fiche technique des plus impressionnantes. Seront-ils à terme plus élégants que les

1988 ? Je ne le pense pas, mais ils n'en demeurent pas moins stupéfiants par leur caractère massif.

Pour conclure, les lecteurs conserveront en mémoire les quatre points suivants.

1. J'ai régulièrement écrit que 1990 était dans l'ensemble supérieur à 1989 et qu'il surpassait même, à mon sens, 1982. En effet, de nombreuses propriétés qui produisent aujourd'hui des vins de très haut vol n'étaient pas bien gérées (ou bien équipées) ni très motivées il y a environ quinze ans. A titre d'exemple, on citera Angélus, Beauséjour Duffau, Canon-la-Gaffelière, Clinet, Clos Fourtet, L'Église-Clinet, La Fleur de Gay, Gazin, Lafon-Rochet, Lagrange (Saint-Julien), Monbousquet, Pape Clément, Phélan Ségur, Pichon-Longueville Baron, Smith Haut Lafitte, Tertre Roteboeuf, Troplong Mondot et De Valandraud. Tous ces crus, qui se distinguent depuis les années 90 par leur très haut niveau de qualité, étaient à l'époque, pour la plupart, gérés de manière impersonnelle – à l'exception du Château de Valandraud, qui n'était pas encore constitué. 1990 s'impose incontestablement comme l'un des millésimes récents les plus grandioses dans le Bordelais, et, quoique très semblable à 1982, il se révèle plus régulier à haut niveau, et ce à tous les échelons de la pyramide. Cependant, l'opulence et l'extraordinaire concentration des 1982 les mieux réussis surpasse toujours celle des meilleurs 1990.

2. Hormis les Pomerol et les deux magnifiques réussites de La Mission Haut-Brion et de Haut-Brion en 1989, c'est généralement 1990 qui l'emporte dans les dégustations côte à côte des deux millésimes. En effet, à quelques exceptions près, les 1990 se révèlent généralement plus concentrés, plus complexes et plus riches que leurs aînés d'un an.

3. Les prix des 1990 sont actuellement supérieurs à ceux des 1982, et, malheureusement, rien ne laisse présager une tendance à la baisse. Il se trouve en effet trop de gens fortunés qui recherchent seulement le meilleur, à n'importe quel prix. En outre, le marché du vin est actuellement plus diversifié et plus large qu'il y a une décennie, et l'expérience montre qu'une mauvaise situation économique dans un pays donné ne suffit pas à faire baisser la cote des meilleurs crus dans les très grandes années.

4. On distingue deux types de très grands millésimes dans le Bordelais. Les années torrides et sèches donnent généralement des vins faibles en acidité, dotés d'un fruité généreux et explosif, légèrement marqué de surmaturité. Ils sont délicieux dès leur jeunesse du fait de leur tannins mûrs et de leur faible niveau d'acidité. On serait tenté de croire que ces crus ne sont pas aptes à une longue garde, mais l'expérience des anciens millésimes affichant les mêmes caractéristiques révèle qu'ils sont, au contraire, capables d'une très grande longévité. Parmi les grandes années de ce type, on citera 1900, 1921, 1929, 1947, 1959, 1961, 1982, 1989, 1990 et peut-être 1995.

L'autre type de grand millésime propose des vins extrêmement concentrés et très tanniques, dominés par le cabernet sauvignon. Totalement hermétiques dans leur jeunesse, ils mettent généralement à rude épreuve la patience des amateurs. On serait tenté de s'interroger sur le bien-fondé d'un tel investissement, car ces exemples sont rarement plaisants avant 10 à 20 ans d'âge. Parmi les millésimes du XXe siècle qui entrent dans cette catégorie : 1926, 1928, 1945, 1948, 1955 (pour les Médoc et les Graves), 1975 (pour les Pomerol et une poignée d'autres propriétés), 1986 et 1996 (pour les meilleurs Médoc).

LES MEILLEURS 1990

Saint-Estèphe : Calon-Ségur, Cos d'Estournel, Cos Labory, Haut-Marbuzet, Montrose, Phélan Ségur

Pauillac : Les Forts de Latour, Grand-Puy-Lacoste, Lafite Rothschild, Latour, Lynch-Bages, Pichon-Longueville Baron
Saint-Julien : Branaire Ducru, Gloria, Gruaud Larose, Lagrange, Léoville Barton, Léoville Las Cases, Léoville Poyferré
Margaux : Malescot Saint-Exupéry, Château Margaux, Palmer, Rausan-Ségla
Médoc/Haut-Médoc/Moulis/Listrac crus bourgeois : Lanessan, Du Moulin Rouge, Sociando-Mallet, Tour Haut-Caussan, Tour du Haut-Moulin, Tour Saint-Bonnet
Graves rouges : Haut-Bailly, Haut-Brion, La Louvière, La Mission Haut-Brion, Pape Clément
Graves blancs : Domaine de Chevalier, Clos Floridène, De Fieuzal, Latour-Martillac
Pomerol : Le Bon Pasteur, Certan de May, Clinet, La Conseillante, L'Église-Clinet, L'Évangile, La Fleur de Gay, Gazin, Lafleur, Petit Village, Petrus, Le Pin, Vieux Château Certan
Fronsac/Canon-Fronsac : Canon de Brem, De Carles, Cassagne Haut-Canon La Truffière, Fontenil, Pey-Labrie, La Vieille Cure
Saint-Émilion : Angélus, L'Arrosée, Ausone, Beauséjour Duffau, Canon-la-Gaffelière, Cheval Blanc, Clos Fourtet, La Dominique, Figeac, La Gaffelière, Grand Mayne, Pavie, Pavie Macquin, Tertre Rotebœuf, Troplong Mondot
Barsac/Sauternes : Climens, Coutet, Coutet Cuvée Madame, Doisy Daëne, Lafaurie-Peyraguey, Rabaud-Promis, Rieussec, Sigalas Rabaud, Suduiraut, La Tour Blanche, D'Yquem.

1989 – BRÈVE PRÉSENTATION (31 août 1989)

Saint-Estèphe***
Pauillac*****
Saint-Julien****
Margaux***
Médoc/Haut-Médoc crus bourgeois****
Graves rouges***
Graves blancs**
Pomerol*****
Saint-Émilion****
Barsac/Sauternes****

Récolte : absolument énorme. Avec 1990 et 1986, il s'agit de la plus importante récolte jamais enregistrée à Bordeaux.
Spécificités : à part les producteurs bordelais eux-mêmes, tout le monde a accueilli le millésime 1989 avec un enthousiasme délirant. Les critiques américains, français et surtout anglais l'ont, dans un même élan, consacré « millésime du siècle ». Mais certains dégustateurs sérieux ont vite remis en cause la richesse en extrait, le taux d'acidité excessivement faible ainsi que le caractère plutôt surprenant de nombre de ces vins. Cependant, on en trouve également qui sont riches, corpulents, spectaculaires, avec un très bon potentiel de garde.
Maturité : exactement comme les 1990, les 1989 sont hautement tanniques et ont un faible taux d'acidité. Ils devront donc être consommés relativement rapidement, sauf pour les plus concentrés d'entre eux, qui se conserveront pendant 20 à 30 ans, voire plus.
Prix : les prix de lancement les plus élevés de tous les millésimes, avant 1995 et 1996.

Différentes « sources » ont rapporté que plusieurs châteaux du Bordelais avaient commencé les vendanges dans les derniers jours du mois d'août, ce qui fait de 1989 le millésime le plus précoce depuis 1893. Une récolte avancée est toujours la conséquence d'une saison caniculaire et de précipitations inférieures à la moyenne, et annonce souvent une très grande année. Peter Sichel (dans sa publication annuelle *Vintage & Market Report*) note qu'entre 1893 et 1989 seules les années 1947, 1949, 1970 et 1982 ressemblent à 1989 pour les conditions climatiques, mais qu'aucune d'entre elles n'a été aussi chaude.

Du point de vue de la qualité des vins, le choix le plus critique a probablement été celui de la date des vendanges. En effet, le Bordelais a connu en 1989 la récolte la plus longue de son histoire. Certaines propriétés, notamment Haut-Brion dans les Graves et celles que dirige Christian Moueix à Pomerol et à Saint-Émilion, ont vendangé pendant la première semaine du mois de septembre, alors que d'autres n'ont terminé qu'à la mi-octobre. Au cours de la deuxième semaine de septembre, un problème est apparu : une bonne partie du cabernet sauvignon était, en effet, mûr à l'analyse et avait un taux de sucre suffisant pour produire des vins à 13°, mais il n'était pas à maturité physiologique. La plupart des producteurs, n'ayant jamais été confrontés à une telle situation, étaient indécis. Beaucoup s'en sont alors malheureusement remis à leurs œnologues – qui, on le sait, n'aiment pas prendre de risques. C'est ainsi que ces derniers ont conseillé de vendanger immédiatement, car ils craignaient que les raisins déjà mûrs ne perdent de leur acidité. Mais bien des négociants et des producteurs l'ont dit : en ramassant leur cabernet trop hâtivement, de nombreux propriétaires ont compromis leurs chances de produire le meilleur vin de leur vie. Cette erreur, conjuguée aux énormes rendements, explique probablement que tant de Graves et de Margaux soient simplement bons, mais pas exceptionnels.

Le même problème ne s'est pas posé pour le merlot, qui a été vendangé relativement tôt avec un taux d'alcool allant de 13°5 à 15°, fait sans précédent dans le Bordelais. Les châteaux qui ont fait des vendanges en vert, tels Petrus et Haut-Brion, ont obtenu des vins d'une concentration exceptionnelle à partir de rendements de 45 à 55 hl/ha, tandis que ceux qui n'en ont pas fait ont atteint le chiffre astronomique de 80 hl/ha.

Contrairement à ce qu'ont pu dire certains, les vendanges 1989 ne se sont pas déroulées dans des conditions totalement sèches : en effet, il y a eu quelques averses, généralement peu dommageables, les 10, 13, 18 et 22 septembre, mais plusieurs propriétés, gagnées par la panique, ont vendangé dès le lendemain des pluies, produisant ainsi, par excès d'anxiété, les vins très légers.

D'une manière générale, les 1989 sont les bordeaux les plus alcooliques que j'aie jamais goûtés (de 12°8 à 14°5 pour certains Pomerol), avec des taux d'acidité très faibles et des tannins très abondants. Aux fins de comparaison, ils titrent 1 ou 2° de plus que les 1982 ou les 1961, et ont une acidité inférieure à ces derniers comme aux 1959, mais davantage de tannins. Fort heureusement, ceux-ci sont en général souples et arrondis, comme dans les 1982, et non secs et astringents comme dans les 1988. Cela donne des vins énormes, riches et charnus en bouche, qui rappellent donc les 1982. Les meilleurs 1989 présentent aussi un taux de glycérine élevé, mais ont-ils pour autant la même concentration que les plus fins des 1982 et des 1986 ? En ce qui concerne Margaux – qui, exactement comme en 1982, était l'appellation la moins favorisée par le millésime –, la réponse est non. Dans les Graves, à l'exception de Haut-Brion, La Mission Haut-Brion, Haut-Bailly et De Fieuzal, les vins sont relativement légers et manquent de caractère. Les Saint-Émilion sont également moins homogènes et moins profondément concentrés qu'en 1982 et en 1990. Cette appellation a certes produit en 1989 un certain nombre de vins riches, fruités et gras, mais elle a été très irrégulière. Cependant, dans le nord du Médoc, notamment à Saint-Julien, Pauillac et Saint-Estèphe, ainsi qu'à Pomerol, beaucoup de vins se sont révélés intéressants, très corsés, alcooliques et tanniques. Les plus réussis d'entre eux paraissent allier la texture merveilleusement riche, opulente et charnue des 1982 à la puissance et aux tannins des 1990, mais ils sont curieusement moins concentrés que leurs homologues de ces deux millésimes.

Exactement comme les 1982, les 1989 seront agréables à déguster durant de longues années. Malgré leurs tannins abondants, ils ont une acidité faible qui, combinée avec beaucoup de glycérine et un taux d'alcool important, leur donne un caractère fascinant, charnu et corsé. La qualité est certes assez inégale, mais les meilleurs Pomerol, Saint-Julien, Pauillac et Saint-Estèphe seront dans certains cas du niveau des grandes réussites de ces vingt dernières années.

LES MEILLEURS 1989

Saint-Estèphe : Cos d'Estournel, Haut-Marbuzet, Meyney, Montrose, Phélan Ségur
Pauillac : Clerc Milon, Grand-Puy-Lacoste, Lafite Rothschild, Lynch-Bages, Mouton Rothschild, Pichon-Longueville Baron, Pichon-Longueville Comtesse de Lalande
Saint-Julien : Beychevelle, Branaire Ducru, Ducru-Beaucaillou, Gruaud Larose, Lagrange, Léoville Barton, Léoville Las Cases, Talbot
Margaux : Cantemerle (Sud-Médoc), Château Margaux, Palmer, Rausan-Ségla
Médoc/Haut-Médoc Moulis/Listrac crus bourgeois : Beaumont, Le Boscq, Chasse-Spleen, Gressier Grand Poujeaux, Lanessan, Maucaillou, Du Moulin Rouge, Potensac, Poujeaux, Sociando-Mallet, La Tour de By, Tour Haut-Caussan, Tour du Haut-Moulin, Tour Saint-Bonnet, Vieux Robin
Graves rouges : Bahans Haut-Brion, Haut-Bailly, Haut-Brion, La Louvière, La Mission Haut-Brion
Graves blancs : Clos Floridène, Haut-Brion, Laville Haut-Brion
Pomerol : Le Bon Pasteur, Clinet, La Conseillante, Domaine de l'Église, L'Église-Clinet, L'Évangile, Lafleur, La Fleur de Gay, La Fleur-Petrus, Le Gay, Gombaude Guillot, Lafleur, Les Pensées de Lafleur, Petrus, Le Pin, Trotanoy, Vieux Château Certan
Fronsac/Canon-Fronsac : Canon, Canon de Brem, Canon-Moueix, Cassagne Haut-Canon La Truffière, Dalem, La Dauphine, Fontenil, Mazeris, Moulin Haut-Laroque, Moulin Pey-Labrie
Saint-Émilion : Angélus, Ausone, Cheval Blanc, La Dominique, La Gaffelière, Grand Mayne, Magdelaine, Pavie, Pavie Macquin, Soutard, Tertre Rotebœuf, Troplong Mondot, Trotte Vieille
Barsac/Sauternes : Climens, Coutet, Coutet Cuvée Madame, Doisy-Védrines, Guiraud, Lafaurie-Peyraguey, Rabaud-Promis, Raymond-Lafon, Rieussec, Suduiraut, Suduiraut Cuvée Madame, La Tour Blanche, D'Yquem

1988 – BRÈVE PRÉSENTATION (20 septembre 1988)

Saint-Estèphe***	Graves rouges*****
Pauillac****	Graves blancs***
Saint-Julien****	Pomerol****
Margaux***	Saint-Émilion***
Médoc/Haut-Médoc crus bourgeois**	Barsac/Sauternes*****

Récolte : aussi abondante qu'en 1982, soit 30 % de moins qu'en 1989 et 1990.
Spécificités : craignant des pluies similaires à celles qui avaient compromis les 1987,

plusieurs producteurs lâchèrent trop rapidement la bride à leurs vendangeurs. Et il y eut malheureusement, en Médoc, beaucoup de cabernet sauvignon vendangé trop tôt.
Maturité : grâce à leur bon niveau d'acidité et à leurs tannins élevés et astringents, les 1988 ont indiscutablement un potentiel de garde de 20 à 30 ans. Cependant, on peut se demander combien de ces vins conserveront suffisamment de fruité pour contrer leur caractère tannique.
Prix : de 20 à 40 % au-dessous de ceux des 1989, si bien que les meilleurs 1988 sont d'un excellent rapport qualité/prix.

Sans être exceptionnelle, l'année 1988 est bonne pour ce qui est des vins rouges, et il s'agit, pour les liquoreux de Sauternes et de Barsac, d'une des plus grandes de ce siècle.

Du fait de l'absence de très grande réussite de la part des meilleurs châteaux, les rouges de ce millésime seront toujours considérés comme bons, plutôt qu'excellents. La vendange fut assez abondante, mais elle a été dépassée par les deux qui l'ont suivie, celles de 1989 et de 1990. Quant aux rendements moyens, ils furent de l'ordre de 45 à 50 hl/ha, ce qui correspond à peu près à la production de 1982. Les 1988 sont dans l'ensemble bien colorés, très tanniques et bien structurés, mais ils révèlent souvent un manque de profondeur, ainsi qu'une finale courte et des tannins verts et astringents. Cependant, les Graves et la partie nord du Médoc ont enregistré de jolis succès.

Ces caractéristiques sont manifestes dans le Médoc. En effet, craignant une réédition de la pourriture et des pluies tardives qui avaient marqué 1987, de nombreux châteaux ont cédé à la panique et ont vendangé leur cabernet sauvignon trop tôt, avec parfois des taux de sucre de 8-9 %. En revanche, les propriétés qui ont attendu (elles ne sont malheureusement pas nombreuses) ont fait de meilleurs vins.

A Pomerol et à Saint-Émilion, le merlot a été vendangé à maturité, mais, à cause de la forte sécheresse de l'été, les peaux étaient très épaisses, ce qui explique le caractère extrêmement tannique et dur des vins qui en sont issus.

A Saint-Émilion, plusieurs propriétaires affirment avoir vendangé leur cabernet franc à maturité, avec les taux de sucre les plus élevés jamais enregistrés. Cependant, en dépit des espoirs suscités par cette déclaration, le cabernet franc présente en majorité un caractère dilué et manque de structure. On trouve donc dans cette appellation des vins inégaux, malgré la satisfaction exprimée par les viticulteurs après les vendanges.

C'est probablement dans les Graves que l'on trouve les meilleurs 1988.

Il est certain que les 1989 ont volé la vedette à leurs prédécesseurs, car ils sont plus riches, plus spectaculaires et plus corsés, mais un regard objectif sur les 1988 permettra de déceler des réussites étonnantes à Margaux, à Pomerol et dans les Graves, ainsi que dans certaines propriétés du nord du Médoc qui ont soit écarté le cabernet sauvignon récolté trop tôt, soit attendu qu'il arrive à maturité pour le ramasser. En revanche, ce millésime n'a pas été bon pour les crus bourgeois ; ils ont vendangé trop précipitamment. Il faut dire que leurs prix relativement bas ne permettent pas aux producteurs d'effectuer la sélection qui serait nécessaire dans des années comme celle-ci.

Pour les Sauternes et les Barsac, la réussite était au rendez-vous. Avec des vendanges qui se sont poursuivies jusqu'à la fin de novembre et des conditions climatiques idéales pour la formation de la pourriture noble (*Botrytis cinerea*), le millésime 1988 est considéré par tous les experts comme le meilleur depuis 1937. Presque tous les vins, y compris ceux des domaines les plus modestes, libèrent d'intenses senteurs de miel, de coco, d'orange et d'autres fruits tropicaux. On en trouve plusieurs qui sont marqués par le botrytis, avec une forte concentration d'arômes, leur texture riche, onctueuse et opulente étant merveilleusement soutenue par une acidité vive et fraîche qui leur donne de l'équilibre. C'est cette dernière caractéristique qui leur confère leur grande classe.

LES MEILLEURS 1988

Saint-Estèphe : Calon-Ségur, Haut-Marbuzet, Meyney, Phélan Ségur
Pauillac : Clerc Milon, Lafite Rothschild, Latour, Lynch-Bages, Mouton Rothschild, Pichon-Longueville Baron, Pichon-Longueville Comtesse de Lalande
Saint-Julien : Gruaud Larose, Léoville Barton, Léoville Las Cases, Talbot
Margaux : Monbrison, Rausan-Ségla
Médoc/Haut-Médoc/Moulis/Listrac crus bourgeois : Fourcas Loubaney, Gressier Grand Poujeaux, Poujeaux, Sociando-Mallet, Tour du Haut-Moulin
Graves rouges : Les Carmes Haut-Brion, Domaine de Chevalier, Haut-Bailly, Haut-Brion, La Louvière, La Mission Haut-Brion, Pape Clément
Graves blancs : Domaine de Chevalier, Clos Floridène, Couhins-Lurton, De Fieuzal, Laville Haut-Brion, La Louvière, Latour-Martillac
Pomerol : Le Bon Pasteur, Certan de May, Clinet, L'Église-Clinet, La Fleur de Gay, Gombaude Guillot Cuvée Spéciale, Lafleur, Petit Village, Petrus, Le Pin, Vieux Château Certan
Saint-Émilion : Angélus, Ausone, Canon-la-Gaffelière, Clos des Jacobins, Larmande, Tertre Roteboeuf, Troplong Mondot
Barsac/Sauternes : D'Arche, Broustet, Climens, Coutet, Coutet Cuvée Madame, Doisy Daëne, Doisy-Dubroca, Guiraud, Lafaurie-Peyraguey, Lamothe Guignard, Rabaud-Promis, De Rayne Vigneau, Rieussec, Sigalas Rabaud, Suduiraut, La Tour Blanche, D'Yquem

1987 – BRÈVE PRÉSENTATION (3 octobre 1987)

Saint-Estèphe**
Pauillac**
Saint-Julien**
Margaux**
Médoc/Haut-Médoc crus bourgeois*
Graves rouges***
Graves blancs****
Pomerol***
Saint-Émilion**
Barsac/Sauternes*

Récolte : d'importance moyenne. Toutefois, elle semble minuscule lorsqu'on la compare à certaines récoltes extrêmement abondantes des années 80.
Spécificités : il s'agit du millésime le plus sous-estimé de la décennie, mais on y trouve nombre de vins ronds, mûrs et goûteux, en particulier de Pomerol, des Graves et des propriétés les plus sérieuses du nord du Médoc.
Maturité : les meilleurs 1987 seront délicieux jusqu'en 2000.
Prix : en règle générale, les prix sont peu élevés pour ce millésime attrayant, mais sous-évalué.

Plus d'un Bordelais estime que 1987 (et non pas 1982 ou 1989) aurait pu être le millésime le plus extraordinaire des années 80 si les pluies qui se sont abattues sur la région pendant les deux premières semaines d'octobre n'avaient compromis la qualité du cabernet sauvignon et du petit verdot encore sur pied. N'est-il pas vrai que les mois d'août et de septembre furent les plus torrides que Bordeaux ait connus depuis 1976 ? Malheureusement, les pluies abondantes qui suivirent balayèrent tout espoir de grand millésime. La majorité du merlot fut vendangée avant l'arrivée des pluies. Quant au cabernet sauvignon, si celui qui fut rentré avant le mois d'octobre était de qualité satisfaisante, il n'en fut pas de même pour celui qu'on ramassa après le déluge. Mais, grâce aux récoltes records de 1985 et de 1986, les chais de la plupart des châteaux étaient pleins, et les propriétaires se montrèrent donc moins réticents à éliminer les cuves de cabernet sauvignon dilué par les quatorze jours de pluie ininterrompue du mois d'octobre. Les meilleurs châteaux ont produit des vins moyennement corsés, mûrs, fruités, ronds et parfois gras, avec un faible taux d'acidité et un merveilleux caractère, charmeur et sensuel.

On a souvent tendance à considérer 1987 comme une mauvaise année et à la comparer à d'autres millésimes récents aussi médiocres que 1977, 1980 et 1984. En réalité, elle est tout à fait différente. Le problème de 1977, 1980 et 1984 est que les raisins n'étaient pas mûrs à cause de la longue période de mauvais temps, froid et pluvieux, qui avait précédé les vendanges. En 1987, en revanche, le merlot et le cabernet étaient à maturité, et les pluies ont simplement dilué des raisins parfaitement mûrs.

Le millésime 1987 est le plus sous-estimé de la décennie, surtout par rapport aux propriétés qui ont opéré un tri sévère ou qui ont vendangé des merlots sains. Celles-là ont produit des vins délicieusement fruités, bien évolués, purs, gras et ronds, sans aucune trace de pourriture. Les prix demeurent intéressants malgré la petite production – c'est un millésime que je recherche dans les restaurants. J'ai plusieurs 1987 dans ma cave personnelle, car je trouve que ces vins ronds et précoces sont pour la plupart à parfaite maturité, les meilleurs pouvant même tenir 5 à 10 ans encore.

LES MEILLEURS 1987

Saint-Estèphe : Cos d'Estournel
Pauillac : Lafite Rothschild, Latour, Mouton Rothschild, Pichon-Longueville Baron, Pichon-Longueville Comtesse de Lalande
Saint-Julien : Gruaud Larose, Léoville Barton, Léoville Las Cases, Talbot
Margaux : D'Angludet, Château Margaux, Palmer
Médoc/Haut-Médoc/Moulis/Listrac crus bourgeois : aucun
Graves rouges : Bahans Haut-Brion, Domaine de Chevalier, Haut-Brion, La Mission Haut-Brion, Pape Clément
Graves blancs : Domaine de Chevalier, Couhins-Lurton, De Fieuzal, Laville Haut-Brion, Latour-Martillac
Pomerol : Certan de May, Clinet, La Conseillante, L'Évangile, La Fleur de Gay, Petit Village, Petrus, Le Pin
Saint-Émilion : Ausone, Cheval Blanc, Clos des Jacobins, Clos Saint-Martin, Grand Mayne, Magdelaine, Tertre Roteboeuf, Trotte Vieille
Barsac/Sauternes : Coutet, Lafaurie-Peyraguey

1986 – BRÈVE PRÉSENTATION (23 septembre 1986)

Saint-Estèphe****
Pauillac*****
Saint-Julien*****
Margaux****
Médoc/Haut-Médoc crus bourgeois***
Graves rouges***
Graves blancs**
Pomerol***
Saint-Émilion***
Barsac/Sauternes*****

Récolte : colossale. Il s'agit d'une des plus importantes récoltes enregistrées dans le Bordelais avec celles de 1989 et de 1990.
Spécificités : une très grande année pour le cabernet sauvignon du nord du Médoc, de Saint-Julien, Pauillac et Saint-Estèphe. Les meilleurs 1986 requièrent un vieillissement supplémentaire de 10 à 15 ans, et je me demande combien d'heureux détenteurs de ce millésime auront la patience d'attendre que ces vins atteignent leur apogée.
Maturité : les crus bourgeois, les vins des Graves et de la rive droite peuvent être bus maintenant, mais les Médoc, avec leur structure impeccable, ne seront pas prêts avant 2005.
Prix : hormis ceux de quelques superstars, ils sont encore raisonnables.

1986 est indiscutablement un grand millésime pour la partie nord du Médoc, en particulier pour Saint-Julien, Pauillac et Saint-Estèphe, où nombre de châteaux ont produit leurs vins les plus profonds et les plus concentrés depuis 1982, avec un potentiel de garde de 20 à 30 ans. Cependant, j'attire l'attention des lecteurs sur le fait que, contrairement aux superbes 1982 ou autres bons 1983 et 1985, les 1986 n'étaient pas flatteurs ou agréables à déguster dans leur jeunesse. La plupart des meilleurs vins du Médoc de cette année exigeaient un vieillissement d'au moins 10 ans pour que leurs tannins (les plus abondants qui soient pour un millésime de Bordeaux) se fondent bien et s'arrondissent. Si vous n'êtes pas disposés à attendre qu'ils soient à parfaite maturité pour déguster les 1986, il serait insensé d'investir dans ce millésime. En revanche, si vous savez patienter jusqu'au bon moment, ces vins se révéleront les meilleurs bordeaux après les 1982.

On peut se demander pourquoi 1986 a été une année aussi exceptionnelle pour nombre de Médoc et de Graves, et pourquoi le cabernet sauvignon montrait une puissance et une richesse aussi peu communes. L'été 1986 a été chaud et sec. Et, début septembre, Bordeaux connaissait une sécheresse telle que le processus de maturation des raisins s'en est trouvé perturbé. C'est alors qu'il a commencé à pleuvoir. Les premières pluies des 14 et 15 septembre ont été bénéfiques, en ce qu'elles ont réduit les effets de la sécheresse et permis le parachèvement de la maturation. Cependant, le 23 septembre, un orage violent s'est abattu sur la ville de Bordeaux, la région des Graves et les principales appellations de la rive droite, Saint-Émilion et Pomerol.

De manière très étrange, cet orage, qui a causé d'importantes inondations à Bordeaux, a juste effleuré les appellations du nord du Médoc, à savoir Saint-Julien, Pauillac et Saint-Estèphe. Et ceux qui ont débuté leurs vendanges fin septembre ont trouvé des merlots dilués par les pluies et des cabernets qui n'étaient pas mûrs. Ainsi, les meilleurs vins en 1986 proviennent de châteaux qui : (1) ont vendangé après le 5 octobre ; (2) ont éliminé de leur assemblage final le merlot ramassé précocement, ainsi que le cabernet franc et le cabernet sauvignon qu'ils avaient rentrés entre le 23 septembre et le 4 octobre.

Après le 23 septembre, il y a eu vingt-trois jours chauds et ensoleillés avec du vent, conditions idéales qui ont contribué à faire de 1986 un millésime exceptionnel pour ceux qui ont récolté relativement tard. Il n'est donc pas surprenant que le cabernet sauvignon du nord du Médoc vendangé après le 6 octobre, et plus particulièrement entre le 9 et le 16 octobre, ait donné des vins d'une intensité et d'une profondeur extraordinaires. Les Châteaux Margaux et Mouton Rothschild, qui ont produit les deux plus grands vins de ce millésime, ont rentré la majeure partie de leur cabernet sauvignon entre le 11 et le 16 octobre.

A Pomerol et à Saint-Émilion, les propriétés qui ont vendangé juste après le déluge du 23 septembre ont obtenu, comme on pouvait s'y attendre, des vins moins intenses.

Mais certains ont attendu (Vieux Château Certan, Lafleur, Le Pin) et ont fait des vins plus complets et plus concentrés. Comme pour beaucoup de millésimes, le choix de la date des vendanges était décisif en 1986, et il ne fait pas de doute que ce sont les « vendangeurs tardifs » qui ont le mieux réussi. Le grand paradoxe de cette année est l'excellente qualité des vins des Graves, région sévèrement touchée par l'orage du 23 septembre. La raison en est peut-être que les meilleurs châteaux de cette appellation ont éliminé plus de merlot que de coutume de leur assemblage final, et qu'ils ont ainsi produit des vins avec une plus forte proportion de cabernet sauvignon.

Enfin, en 1986, la récolte battit tous les records, avec un volume supérieur de 15 % à celle de 1985 (année déjà très abondante) et de 30 % à celle de 1982. Cette donnée globale est en fait inexacte pour les crus classés du Médoc, qui ont produit moins de vin en 1986 qu'en 1985. Cet élément, conjugué avec l'excellente maturité et les bons niveaux de tannins du cabernet sauvignon, explique que les Médoc soient plus concentrés, plus puissants et plus tanniques en 1986 qu'en 1985.

Tout bien considéré, le millésime 1986 offre de nombreux vins fascinants, d'une belle profondeur et au potentiel de garde assez exceptionnel. Mais les amateurs sauront-ils prendre patience et attendre pour les déguster que ces vins arrivent à maturité – au début du prochain millénaire ?

LES MEILLEURS 1986

Saint-Estèphe : Cos d'Estournel, Montrose
Pauillac : Clerc Milon, Grand-Puy-Lacoste, Haut-Bages Libéral, Lafite Rothschild, Latour, Lynch-Bages, Mouton Rothschild, Pichon-Longueville Baron, Pichon-Longueville Comtesse de Lalande
Saint-Julien : Beychevelle, Ducru-Beaucaillou, Gruaud Larose, Lagrange, Léoville Barton, Léoville Las Cases, Talbot
Margaux : Château Margaux, Palmer, Rausan-Ségla
Médoc/Haut-Médoc/Moulis/Listrac crus bourgeois : Chasse-Spleen, Fourcas Loubaney, Gressier Grand Poujeaux, Lanessan, Maucaillou, Poujeaux, Sociando-Mallet
Graves rouges : Domaine de Chevalier, Haut-Brion, La Mission Haut-Brion, Pape Clément
Graves blancs : aucun
Pomerol : Certan de May, Clinet, L'Église-Clinet, La Fleur de Gay, Lafleur, Petrus, Le Pin, Vieux Château Certan
Saint-Émilion : L'Arrosée, Canon, Cheval Blanc, Figeac, Pavie, Tertre Rotebœuf
Barsac/Sauternes : Climens, Coutet Cuvée Madame, De Fargues, Guiraud, Lafaurie-Peyraguey, Raymond-Lafon, Rieussec, D'Yquem

1985 – BRÈVE PRÉSENTATION (29 septembre 1985)

Saint-Estèphe***
Pauillac****
Saint-Julien****
Margaux***
Médoc/Haut-Médoc crus bourgeois***
Graves rouges****
Graves blancs****
Pomerol****
Saint-Émilion***
Barsac/Sauternes**

Récolte : très abondante – un record à l'époque, mais, par la suite, celles de 1986, 1989 et 1990 se sont révélées plus importantes encore.

Spécificités : les meilleurs Médoc pourraient bien être la réplique des merveilleux 1953, séduisants et pleins de charme. La plupart des crus les plus fins sont évolués et riches, avec un caractère rond et féminin, ainsi qu'une pureté aromatique et une complexité exceptionnelles. C'est l'un des millésimes les plus délicieux à déguster actuellement.
Maturité : ces vins pouvaient être bus dès leur diffusion, et, même s'ils évoluent rapidement, ils ont encore un potentiel de garde de 10 à 15 ans. Les meilleurs crus bourgeois sont d'ores et déjà délicieux.
Prix : les prix de départ des 1985 étaient excessivement élevés, mais ils n'ont pas beaucoup augmenté par rapport à ceux d'autres millésimes.

Que ce soit dans le Bordelais ou ailleurs, chaque millésime est fonction des conditions climatiques, et le 1985 a été conçu pendant une période a priori peu favorable. En effet, le mois de janvier a été le plus froid à Bordeaux depuis 1956 (j'y étais le 16 janvier, quand on a enregistré une température de –14 °C, ce qui est exceptionnellement froid pour la région), et, à l'époque, les Bordelais en ont profité pour exagérer les risques de dommages éventuels sur les vignobles. On peut aujourd'hui s'interroger sur le bien-fondé de leurs craintes et se demander si elles n'ont pas été délibérément amplifiées afin d'engendrer une hausse des 1983 et de créer une demande pour les 1984, trop chers et surcotés. Le printemps et l'été qui ont suivi n'ont présenté aucune particularité climatique, si ce n'est que les mois d'avril, de mai et de juin ont été légèrement plus frais et pluvieux que de coutume. Les précipitations et les températures de juillet ont été supérieures aux moyennes saisonnières, tandis qu'en août le temps a été sec, mais s'est un peu rafraîchi. Le mois de septembre 1985 est resté dans les annales comme le plus ensoleillé, le plus chaud et le plus sec que l'on ait connu à Bordeaux. En effet, même des années aussi grandioses que 1961, 1982 et 1989 n'avaient pas bénéficié d'une météo aussi exceptionnelle.

Les vendanges ont débuté fin septembre, et la période allant du 23 au 30 septembre a été marquée par trois faits : d'abord, le merlot était parfaitement mûr et d'excellente qualité ; ensuite, le cabernet sauvignon n'était pas à pleine maturité et ne titrait que 11° d'alcool ; enfin, la récolte était tellement énorme que tout le monde a été pris au dépourvu. La sécheresse des mois d'août et de septembre avait provoqué un blocage de maturité dans le cabernet des sols graveleux, et les meilleurs producteurs ont préféré attendre pour les vendanger. Ils prenaient ainsi le risque de les exposer à de mauvaises conditions climatiques, mais espéraient par là obtenir une plus forte teneur en sucre. Les moins audacieux ont récolté plus tôt, se contentant d'un cabernet sauvignon de bonne, mais pas d'excellente, qualité. Cependant, le beau temps a duré jusqu'à la fin du mois d'octobre, et ceux qui ont vendangé à la mi-octobre ont produit les meilleurs vins du millésime. Dans les régions de Barsac et de Sauternes, où la sécheresse n'a pas favorisé le développement du botrytis, les vins se sont révélés monolithiques, sans détour et fruités, mais manquant de profondeur et de complexité.

En règle générale, le millésime 1985 est très séduisant. On y trouve nombre de vins riches, équilibrés, très parfumés et tendres, qui pourront être dégustés au cours des 15 prochaines années, en attendant que les 1982, 1989, 1990 et 1996 atteignent leur apogée. Cette année a aussi été très ensoleillée, très chaude et marquée par la sécheresse, à un point tel que plusieurs vignobles de terroirs légers et graveleux ont souffert du stress de la vigne.

En Médoc, la récolte a été extrêmement abondante. Les châteaux qui ont procédé à des sélections sévères ont produit des vins ronds, pleins de charme, précoces et opulents, avec un faible niveau d'acidité et un caractère élégant et féminin. Leurs tannins sont souples et bien fondus.

Il est intéressant de noter que certains deuxièmes crus comme Cos d'Estournel, Lynch-Bages, Léoville Las Cases, Ducru-Beaucaillou, Pichon-Longueville Comtesse de Lalande et Léoville Barton ont obtenu, exactement comme en 1989, des vins qui peuvent rivaliser avec – et qui parfois même surpassent – les plus illustres premiers crus. Dans d'autres millésimes (par exemple en 1986), ces derniers se situent bien au-dessus du lot, mais il n'en va pas de même en 1985.

Dans le meilleur des cas, les plus fins des 1985 évolueront comme les 1953, qui sont de beaux vins pleins de charme. La plupart des propriétaires médocains avaient une haute opinion du 1985, qu'ils considéraient comme une synthèse de 1982 et de 1983. D'autres encore l'ont comparé au 1976. Mais ces deux points de vue me semblent loin de refléter la réalité. Les 1985 sont sans aucun doute plus légers que les meilleurs 1982 ou 1986, dont ils n'ont ni la texture ni la concentration, mais ils sont bien plus riches et plus pleins que les 1976.

Sur la rive droite, le merlot a été ramassé à bonne maturité, même si certains châteaux ont eu tendance à vendanger un peu trop tôt (par exemple Petrus et Trotanoy). Bien qu'il s'agisse d'une excellente année pour Pomerol, les vins ne peuvent en aucun cas être comparés aux 1982 ou aux 1989. Quant à Saint-Émilion, la qualité y est moins homogène, car plusieurs viticulteurs ont vendangé leur cabernet sauvignon alors qu'il n'était pas encore à maturité physiologique. Certains producteurs du Libournais ont fait un rapprochement intéressant entre les 1985 et les 1971, qu'ils estiment de style similaire.

Les 1985, très séduisants, ont été surcotés au moment de leur diffusion, mais leurs prix n'ont pas évolué autant que certains vins l'auraient mérité, si bien qu'ils semblent aujourd'hui beaucoup plus raisonnables qu'ils ne l'étaient au début.

LES MEILLEURS 1985

Saint-Estèphe : Cos d'Estournel, Haut-Marbuzet
Pauillac : Lafite Rothschild, Lynch-Bages, Mouton Rothschild, Pichon-Longueville Comtesse de Lalande
Saint-Julien : Ducru-Beaucaillou, Gruaud Larose, Léoville Barton, Léoville Las Cases, Talbot
Margaux : D'Angludet, Lascombes, Château Margaux, Palmer, Rausan-Ségla
Médoc/Haut-Médoc/Moulis/Listrac crus bourgeois : aucun
Graves rouges : Haut-Brion, La Mission Haut-Brion
Graves blancs : Domaine de Chevalier, Haut-Brion, Laville Haut-Brion
Pomerol : Certan de May, La Conseillante, L'Église-Clinet, L'Évangile, Lafleur, Petrus, Le Pin
Saint-Émilion : Canon, Cheval Blanc, De Ferrand, Soutard, Tertre Roteboeuf
Barsac/Sauternes : D'Yquem

1984 – BRÈVE PRÉSENTATION (5 octobre 1984)

Saint-Estèphe*
Pauillac*
Saint-Julien*
Margaux*
Médoc/Haut-Médoc crus bourgeois*
Graves rouges**
Graves blancs*
Pomerol*
Saint-Émilion*
Barsac/Sauternes*

Récolte : moyenne, avec une majorité de vins à base de cabernet sauvignon.
Spécificités : il s'agit du millésime récent le moins attrayant et le moins agréable à boire actuellement. Pour la plupart composés d'une forte proportion de cabernet (le merlot était de mauvaise qualité cette année-là), les 1984 arborent encore une belle robe, mais ils sont compacts, austères, excessivement fermés et très tanniques.
Maturité : à consommer sans plus attendre.
Prix : la plupart des détaillants cherchent encore à se défaire de leurs stocks de 1984, si bien qu'il est possible de s'en procurer à des prix dérisoires.

Après 1981, 1982 et 1983, trois millésimes abondants, les conditions climatiques de l'été et de l'automne 1984 n'ont guère suscité l'enthousiasme des Bordelais. D'abord, grâce à un mois d'avril chaud et ensoleillé, le cycle végétal était en avance. Malheureusement, le mois de mai suivant, relativement frais et pluvieux, perturba la floraison, en particulier celle du merlot, qui bourgeonne précocement et dont la récolte fut ainsi compromise dès avant le début de l'été. Les mauvaises conditions climatiques (printemps tardif et été précoce) ont, par la suite, fait la « une » de la presse mondiale qui, extrapolant, a dépeint le millésime 1984 comme un désastre imminent. Cependant, juillet a été sec et chaud, et, à la fin du mois d'août, certains producteurs trop enthousiastes évoquaient la possibilité de récolter de petites quantités de cabernet sauvignon extrêmement mûr. Certains observateurs ont même rapproché le millésime 1984 du 1961, mais ils avaient probablement des intentions malicieuses, car ces deux millésimes sont rigoureusement différents et absolument incomparables.

Après un début de septembre relativement calme, le temps s'est détérioré, en particulier entre le 21 septembre et le 4 octobre. Au cours de cette période, les conditions climatiques désastreuses ont atteint leur paroxysme avec l'arrivée du cyclone Hortense (le premier à s'abattre sur la région), qui a emporté la toiture de nombreux bâtiments et a causé des frayeurs noires aux viticulteurs. Après le 4 octobre, le temps s'est remis au beau, et les producteurs ont pu commencer à vendanger leur cabernet sauvignon. Ceux qui l'ont ramassé plus tard ont obtenu des raisins mûrs, mais aux peaux relativement épaisses et avec des taux d'acidité très élevés, surtout lorsqu'on les compare à ceux d'autres années récentes.

Le problème des 1984 (que ce soit dans leur jeunesse ou actuellement) est l'absence de merlot, qui aurait apporté un certain équilibre à leur caractère compact et à leur haut niveau d'acidité. C'est pour cette raison que ces vins manquent de gras et de charme ; pour cette raison aussi qu'ils ont de belles robes sombres, puisqu'ils sont essentiellement à base de cabernet sauvignon.

A l'évidence, les producteurs qui ont vendangé tard ont le mieux réussi, les meilleurs vins provenant du Médoc et des Graves. Ils seront probablement de plus longue garde que les 1980 et 1987, deux autres millésimes difficiles de cette décennie, mais se révéleront moins agréables à la dégustation.

A Saint-Émilion et à Pomerol, le millésime 1984 n'est certes pas le désastre total présenté par la presse spécialisée, mais il est assurément très décevant. Cette année-là, la plupart des meilleures propriétés (Ausone, Canon, Magdelaine, Belair, La Dominique, Couvent des Jacobins et Tertre Daugay) ont déclassé la totalité de leur récolte, chose qui ne leur était pas arrivée depuis 1968 ou 1972. Même Petrus n'a produit que 800 caisses, alors que sa moyenne en 1985 et en 1986 était de l'ordre de 4 600 caisses.

En 1998, les meilleurs 1984 sont toujours relativement étroits et serrés, et, s'ils arborent encore une belle robe, ils manquent à la fois de chair, de profondeur, d'ampleur et de charme. Ils se conserveront sans aucun doute une dizaine d'années, mais il y a peu de chances qu'ils s'ouvrent et s'épanouissent un jour.

LES MEILLEURS 1984

Saint-Estèphe : Cos d'Estournel
Pauillac : Latour, Lynch-Bages, Mouton Rothschild, Pichon-Longueville Comtesse de Lalande
Saint-Julien : Gruaud Larose, Léoville Las Cases
Margaux : Château Margaux
Médoc/Haut-Médoc/Moulis/Listrac crus bourgeois : aucun
Graves rouges : Domaine de Chevalier, Haut-Brion, La Mission Haut-Brion
Graves blancs : aucun
Pomerol : Petrus, Trotanoy
Saint-Émilion : Figeac
Barsac/Sauternes : D'Yquem

1983 – BRÈVE PRÉSENTATION (26 septembre 1983)

Saint-Estèphe**
Pauillac***
Saint-Julien***
Margaux*****
Médoc/Haut-Médoc crus bourgeois**
Graves rouges****
Graves blancs****
Pomerol***
Saint-Émilion****
Barsac/Sauternes****

Récolte : importante. La production globale est légèrement inférieure à celle de 1982, mais les châteaux du Médoc ont produit plus de vin que dans cette année-là.
Spécificités : Bordeaux, comme le reste de la France, a souffert en août 1983 d'une chaleur tropicale et d'une humidité inhabituelles. Cela a entraîné une surmaturation considérable des raisins et a favorisé le développement de la pourriture dans certains terroirs, en particulier à Saint-Estèphe, Pauillac, Pomerol et dans les parties les plus sablonneuses du plateau de Saint-Émilion.
Maturité : on a initialement décrit ce millésime comme étant plus classique (ou plus typique) et de plus longue garde que son prédécesseur. Aujourd'hui, les 1983 se révèlent plus épanouis et plus proches de la maturité que les 1982 ; ils atteindront rapidement leur apogée.
Prix : ceux des meilleurs 1983 sont encore raisonnables, car les amateurs de bordeaux ont en général beaucoup investi dans 1982. Les seules exceptions à cette règle sont les Margaux 1983, qui sont de qualité bien supérieure à celle de leurs aînés d'un an.

Dans les années récentes, la récolte 1983 est probablement celle qui a évolué le plus curieusement. Pour la troisième année consécutive, la floraison s'est déroulée normalement, laissant présager une vendange abondante. Les températures du mois de juillet ont été les plus torrides jamais enregistrées. Le mois d'août a lui aussi été très chaud, mais également pluvieux et humide, ce qui a favorisé le développement des maladies et de la pourriture dans plusieurs vignobles. Il était donc essentiel de traiter les vignes contre ces fléaux, et les producteurs qui n'ont pas été diligents ont connu bien des difficultés dues aux raisins affectés par le mildiou. Les mauvaises conditions climatiques ont persisté pendant tout le mois d'août, et des observateurs pessimistes évoquaient alors l'éventualité d'un millésime aussi désastreux que 1968 ou 1965. Mais septembre a été chaud et sec (sans pluies excessives), et octobre a connu un temps exceptionnel, sec et ensoleillé. Les raisins vendangés tard ont donc pu, sous des cieux cléments, atteindre un stade de parfaite maturité, et toute la période des vendanges s'est déroulée dans des conditions idéales, comme Bordeaux n'en avait pas connu depuis 1961.

Le millésime 1983 est le meilleur de la décennie pour l'appellation Margaux, d'où sont issues les plus belles réussites. En fait, on trouve dans cette région, qui est toujours moins performante qu'on ne pourrait s'y attendre, nombre de vins de grande qualité, et les Châteaux Margaux, Palmer, Rausan-Ségla (1983 a marqué le retour de cette propriété à un excellent niveau), D'Issan et Brane-Cantenac se sont nettement distingués. A l'heure actuelle, le mystère de ces vins reste entier.

Les autres appellations ont connu plus de difficultés, et leurs vins n'ont pas évolué de manière aussi homogène ni aussi gracieuse que certains l'avaient d'abord pronostiqué. Ainsi, dans le nord du Médoc, les Saint-Estèphe sont décevants, et la gamme des Pauillac comprend aussi bien des vins relativement légers, au caractère rôti, trop marqués par le bois et creux en milieu de bouche, que des réussites exceptionnelles, notamment les Châteaux Pichon-Longueville Comtesse de Lalande, Mouton Rothschild et Lafite Rothschild.

En règle générale, les Saint-Julien ne laisseront pas de souvenir impérissable, à l'exception du superbe Léoville Poyferré. En effet, ce cru est curieusement aussi bon en 1983 que les deux autres Léoville, à savoir Léoville Las Cases et Léoville Barton. Il n'y a aucun autre millésime des années 80 où ce soit le cas. Gruaud Larose et Talbot, qui appartenaient tous deux à Cordier, ont également produit de bons vins, mais, dans l'ensemble, 1983 n'est pas une année mémorable pour les Saint-Julien.

La région des Graves est toujours aussi peu homogène, les châteaux de Pessac-Léognan (Haut-Brion, La Mission Haut-Brion, Haut-Bailly, Domaine de Chevalier et De Fieuzal) enregistrant de belles réussites, alors que les autres vins de l'appellation sont plutôt décevants.

Sur la rive droite, à Pomerol et à Saint-Émilion, l'irrégularité est encore de mise. Les vins de la plupart des vignobles des coteaux de Saint-Émilion sont bons, mais ceux du plateau et des sols les plus sablonneux sont de qualité peu homogène, à l'exception du Cheval Blanc 1983, qui est l'une des plus belles réussites de la décennie. Il est difficile de déterminer qui a produit les meilleurs Pomerol dans ce millésime, mais la maison de Jean-Pierre Moueix n'a pas connu de succès particulier. D'autres propriétés de bon niveau, comme La Conseillante, L'Évangile, Lafleur, Certan de May et Le Pin ont produit des vins qui, du point de vue qualitatif, sont assez proches de leurs excellents 1982.

LES MEILLEURS 1983

Saint-Estèphe : aucun
Pauillac : Lafite Rothschild, Mouton Rothschild,
Pichon-Longueville Comtesse de Lalande
Saint-Julien : Gruaud Larose, Léoville Las Cases, Léoville Poyferré, Talbot
Margaux : D'Angludet, Brane-Cantenac, Cantemerle (Sud-Médoc), D'Issan,
Château Margaux, Palmer, Prieuré-Lichine, Rausan-Ségla
Médoc/Haut-Médoc/Moulis/Listrac/Moulis/Listrac crus bourgeois : aucun
Graves rouges : Domaine de Chevalier, Haut-Bailly, Haut-Brion, La Louvière,
La Mission Haut-Brion

Graves blancs : Domaine de Chevalier, Laville Haut-Brion
Pomerol : Certan de May, L'Évangile, Lafleur, Petrus, Le Pin
Saint-Émilion : L'Arrosée, Ausone, Belair, Canon, Cheval Blanc, Figeac, Larmande
Barsac/Sauternes : Climens, Doisy Daëne, De Fargues, Guiraud, Lafaurie-Peyraguey, Raymond-Lafon, Rieussec, D'Yquem

1982 – BRÈVE PRÉSENTATION (13 septembre 1982)

Saint-Estèphe*****	Graves rouges***
Pauillac*****	Graves blancs**
Saint-Julien*****	Pomerol*****
Margaux***	Saint-Émilion*****
Médoc/Haut-Médoc crus bourgeois****	Barsac/Sauternes***

Récolte : à l'époque, cette récolte extrêmement abondante constituait un record, mais elle a depuis été égalée par celle de 1988 et dépassée par celles de 1985, 1986, 1989 et 1990.
Spécificités : à l'exception des régions des Graves et de Margaux, presque toutes les autres appellations du Bordelais ont produit en 1982 les vins les plus complexes et les plus profonds depuis 1961.
Maturité : la majorité des crus bourgeois auraient dû être dégustés dès avant 1990, et les vins de qualité moyenne des régions de Saint-Émilion, de Pomerol, des Graves et de Margaux sont actuellement presque à leur apogée. Les vins plus opulents de Pomerol, de Saint-Émilion et du nord du Médoc (Saint-Julien, Pauillac et Saint-Estèphe) évoluent très lentement. Après s'être défaits du gras de leur petite enfance, ils présentent maintenant une texture plus serrée et plus massive, mais aussi plus structurée et plus tannique.
Prix : aucun millésime récent depuis 1961 n'a connu une telle inflation, et, pourtant, les prix des 1982 continuent encore de grimper. Ils sont actuellement si élevés que les consommateurs qui n'ont pas acheté ces vins en primeur ne peuvent qu'envier ceux qui ont eu la présence d'esprit de le faire et les ont ainsi obtenus à des prix paraissant aujourd'hui dérisoires. Qui se souvient d'un grand millésime aux prix de lancement suivants (la caisse) : Pichon-Lalande, 550 F ; Léoville Las Cases, 800 F ; Ducru-Beaucaillou, 750 F ; Petrus, 3 000 F ; Cheval Blanc, 2 750 F ; Margaux, 2 750 F ; Certan de May, 900 F ; La Lagune, 375 F ; Grand-Puy-Lacoste, 425 F ; Cos d'Estournel, 725 F ; et Canon, 525 F ? En effet, c'étaient bien les prix moyens de vente des 1982 dans le courant du printemps, de l'été et de l'automne 1983. Les amateurs qui souhaiteraient actuellement se procurer des 1982 ne sauraient être suffisamment prudents : en effet, de nombreuses contrefaçons ont envahi le marché, notamment de Petrus, Lafleur, Le Pin, Cheval Blanc et des premiers crus classés.

Lorsque, en avril 1983, j'ai à mon tour publié mes appréciations sur ces mêmes vins dans le *Wine Advocate*, j'ai mentionné mon sentiment de n'en avoir jamais auparavant goûté de plus riches, de plus concentrés et de plus prometteurs. Seize ans plus tard, malgré les 1985, 1986, 1989 et 1990, je tiens toujours les 1982 pour la parfaite illustration de la grandeur des bordeaux.

Les meilleurs d'entre eux sont issus des appellations du nord du Médoc (Saint-Julien, Pauillac et Saint-Estèphe), ainsi que de Pomerol et de Saint-Émilion. Ils ne sont guère différents de ce qu'ils étaient quand je les ai goûtés au fût, et si, à l'approche de leur dix-septième anniversaire, ils déploient une richesse, une opulence et une intensité comme j'en ai rarement vu, ils n'en demeurent pas moins relativement fermés et peu évolués.

Les vins des autres appellations ont mûri plus rapidement, en particulier ceux des Graves et de Margaux, ceux – plus légers et de qualité moyenne – de Pomerol et de Saint-Émilion, ainsi que les crus bourgeois.

Aujourd'hui, personne ne saurait valablement contester que les 1982 sont grandioses. Pourtant, en 1983, la presse spécialisée des États-Unis les a accueillis avec scepticisme, décriant vivement leur faible niveau d'acidité et leur style « californien ». Certains critiques ont même avancé qu'ils étaient inférieurs aux 1979 et aux 1981, et qu'ils devaient « être dégustés avant 1990 », car ils étaient déjà à maturité. Mais, curieusement, aucun commentaire de dégustation précis ne venait étayer ces affirmations. Bien sûr, la dégustation est subjective, mais de telles assertions se révèlent aujourd'hui infondées, surtout si l'on en juge par le niveau actuel des meilleurs 1982 ou encore par l'aptitude de certains de ces vins (les premiers crus, les meilleurs deuxièmes crus et les grands vins du nord du Médoc, de Pomerol et de Saint-Émilion) à évoluer lentement en acquérant davantage de richesse. Même à Bordeaux, les 1982 sont très hautement considérés et placés à égalité avec les 1961, les 1949, les 1945 et les 1929. En outre, le marché et les ventes aux enchères, qui rendent compte très justement de la vraie valeur d'un millésime, voient littéralement s'envoler leur cotation.

Les conditions climatiques exceptionnelles de 1982 ont façonné un millésime à leur image. La floraison, intervenue au cours d'un mois de juin chaud, sec et ensoleillé, laissait présager une récolte abondante. Juillet a été extrêmement chaud, et les températures en août légèrement inférieures à la normale. Déjà, au début du mois de septembre, les viticulteurs bordelais espéraient une vendange importante et d'excellente qualité. Cependant, une intense vague de chaleur qui a duré presque trois semaines est alors arrivée. En décuplant les taux de sucre, elle a transformé une excellente année en un millésime fabuleux pour toutes les appellations, à l'exception de Margaux et des Graves, dont les sols légers et graveleux ont beaucoup souffert de la chaleur torride de septembre. Pour la première fois, les vinifications se sont déroulées sous des températures étonnamment élevées, et les viticulteurs en ont tiré des leçons qui leur ont été utiles par la suite, notamment en 1985, 1989 et 1990, trois années également très chaudes. Beaucoup de rumeurs ont circulé, en particulier concernant les fermentations qui se seraient mal déroulées et les averses qui auraient compromis la fin des vendanges du cabernet sauvignon dans certaines propriétés, mais elles se sont par la suite révélées fausses.

A l'analyse, les 1982 sont les vins les plus concentrés et les plus riches en extrait depuis les 1961. Leur taux d'acidité, relativement faible, ne l'est pas plus que celui d'autres millésimes où la maturité était exceptionnelle – par exemple 1949, 1953, 1959, 1961 et, de manière surprenante, 1975. Très curieusement, les mêmes sceptiques qui les ont vivement critiqués pour cet aspect ont ensuite adoré les 1985, 1989 et 1990, qui ont pourtant des pH plus élevés et donc moins d'acidité. Quant au niveau de tannins des 1982, il a été dépassé entre autres par celui des 1980, 1989 et 1990.

Les dégustations récentes que j'ai faites donnent à penser que les meilleurs vins du nord du Médoc requièrent une garde supplémentaire de 10 à 15 ans. La plupart d'entre eux semblent avoir peu évolué depuis leur passage en fût et sont maintenant pleinement remis de la mise en bouteille. Ils déploient en bouche des arômes extraordinairement amples, riches et gras, d'une exceptionnelle richesse en extrait, qui devraient perdurer bien au-delà des 10 à 15 ans à venir. Si la majorité des Saint-Émilion, Pomerol, Saint-

Julien, Pauillac et Saint-Estèphe sont des vins sensationnels en 1982, la faille de ce millésime se situe en Margaux et dans les Graves. Seul Château Margaux paraît avoir évité les conséquences d'une récolte trop abondante, à savoir la production de vins de cabernet sauvignon peu structurés et mous qui semblent être la règle pour le reste de cette appellation. Il en va de même pour les vins des Graves, qui sont légers et de structure faible, surtout lorsqu'on les compare aux superbes 1983 issus de cette même région. Seuls La Mission Haut-Brion et Haut-Brion ont fait de meilleurs vins en 1982 que l'année suivante.

L'unique aspect négatif des 1982 est le cours actuel des vins les plus réussis de ce millésime. Est-ce la raison pour laquelle ils sont toujours la cible privilégiée d'un petit nombre de journalistes américains ? Ceux qui les ont acquis en primeur ont réalisé l'affaire du siècle ; en effet, les 1982 sont pour les amateurs d'aujourd'hui ce que les 1945, 1947 et 1949 étaient pour ceux d'hier.

Enfin, les liquoreux de Sauternes et de Barsac, initialement desservis par leur manque de richesse et de botrytis, ne sont pas aussi mauvais qu'on aurait pu le penser. En fait, D'Yquem et la Cuvée Madame du Château Suduiraut sont deux vins remarquablement puissants et riches, qui peuvent rivaliser avec les meilleurs 1983, 1986 et 1988.

LES MEILLEURS 1982

Saint-Estèphe : Calon-Ségur, Cos d'Estournel, Haut-Marbuzet, Montrose
Pauillac : Les Forts de Latour, Grand-Puy-Lacoste, Haut-Batailley, Lafite Rothschild, Latour, Lynch-Bages, Mouton Rothschild, Pichon-Longueville Baron, Pichon-Longueville Comtesse de Lalande
Saint-Julien : Beychevelle, Branaire Ducru, Ducru-Beaucaillou, Gruaud Larose, Léoville Barton, Léoville Las Cases, Léoville Poyferré, Talbot
Margaux : La Lagune (Sud-Médoc), Château Margaux
Médoc/Haut-Médoc/Moulis/Listrac crus bourgeois : Maucaillou, Potensac, Poujeaux, Sociando-Mallet, Tour Haut-Caussan, Tour Saint-Bonnet
Graves rouges : Haut-Brion, La Mission Haut-Brion, La Tour Haut-Brion
Graves blancs : aucun
Pomerol : Le Bon Pasteur, Certan de May, La Conseillante, L'Enclos, L'Évangile, Le Gay, Lafleur, Latour à Pomerol, Petit Village, Petrus, Le Pin, Trotanoy, Vieux Château Certan
Saint-Émilion : L'Arrosée, Ausone, Canon, Cheval Blanc, La Dominique, Figeac, Pavie
Barsac/Sauternes : Raymond-Lafon, Suduiraut Cuvée Madame, D'Yquem

1981 – BRÈVE PRÉSENTATION (28 septembre 1981)

Saint-Estèphe**
Pauillac***
Saint-Julien***
Margaux**
Médoc/Haut-Médoc crus bourgeois*

Graves rouges**
Graves blancs**
Pomerol***
Saint-Émilion**
Barsac/Sauternes*

Récolte : moyennement abondante. Rétrospectivement, elle semble aujourd'hui modeste.
Spécificités : le premier d'une série presque ininterrompue de millésimes chauds et secs

qui a duré jusqu'en 1990. 1981 aurait pu être une excellente année s'il n'avait plu juste avant les vendanges.
Maturité : la plupart des 1981 sont à leur apogée, mais les meilleurs d'entre eux pourront se conserver pendant 5 à 10 ans encore.
Prix : ignorés ou sous-estimés, les 1981 sont aussi sous-évalués. Ils représentent donc un excellent rapport qualité/prix.

Le millésime 1981 a toujours été qualifié de plus « classique » que ses voisins immédiats. En fait, ce terme veut simplement dire qu'il s'agit d'une année typique de Bordeaux, avec des vins moyennement corsés, bien équilibrés et gracieux. Hormis environ une douzaine d'excellents vins, 1981 n'est dans l'ensemble qu'un « bon » millésime, de qualité inférieure à 1982 et 1983, et même à 1978 et 1979.

Cette année aurait en fait pu être exceptionnelle si elle n'avait été compromise par les pluies abondantes qui sont tombées juste avant le début des vendanges, inondant les vignobles entre le 1er et le 5, puis entre le 9 et le 15 octobre, et diluant considérablement l'intensité des arômes contenus dans les raisins. Mais, jusqu'à ce moment, l'été avait été parfait. La floraison est intervenue dans d'excellentes conditions, et, si le mois de juillet a été frais, août et septembre ont été chauds et secs. Ce n'est que de la spéculation, mais on peut penser qu'en l'absence de pluies 1981 aurait pu être l'un des plus grands millésimes de l'après-guerre. Il offre néanmoins des vins bien colorés, moyennement corsés, aux tannins modérés. Les vins blancs secs se sont révélés de bon niveau, mais ils devraient déjà avoir été consommés. Les régions de Sauternes et de Barsac ont été fortement touchées par les pluies et n'ont de ce fait produit aucun vin digne d'être remarqué.

On compte bon nombre de réussites, en particulier à Pomerol, Saint-Julien et Pauillac. Dix-huit ans après le millésime, les 1981 sont dans l'ensemble à leur apogée, et seuls les meilleurs d'entre eux pourront se conserver encore une dizaine d'années. Leurs défauts principaux sont le manque de richesse, de chair et d'intensité – qualités que présentent d'autres millésimes plus récents. Cette année-là, la plupart des producteurs de vins rouges ont dû chaptaliser de manière significative, car les raisins ont été vendangés avec des taux de sucre peu élevés du fait des pluies. Ainsi, les cabernets titraient environ 11° et les merlots 12°.

LES MEILLEURS 1981

Saint-Estèphe : aucun
Pauillac : Lafite Rothschild, Latour, Pichon-Longueville Comtesse de Lalande
Saint-Julien : Ducru-Beaucaillou, Gruaud Larose, Léoville Las Cases, Saint-Pierre
Margaux : Giscours, Château Margaux
Médoc/Haut-Médoc/Moulis/Listrac/Moulis/Listrac crus bourgeois : aucun
Graves rouges : La Mission Haut-Brion
Graves blancs : aucun
Pomerol : Certan de May, La Conseillante, Petrus, Le Pin, Vieux Château Certan
Saint-Émilion : Cheval Blanc
Barsac/Sauternes : Climens, De Fargues, D'Yquem

1980 – BRÈVE PRÉSENTATION (14 octobre 1980)

Saint-Estèphe*
Pauillac**
Saint-Julien**
Margaux**
Médoc/Haut-Médoc crus bourgeois*
Graves rouges**
Graves blancs*
Pomerol**
Saint-Émilion*
Barsac/Sauternes****

Récolte : moyenne.
Spécificités : il n'y a rien d'intéressant à dire sur ce millésime médiocre.
Maturité : à l'exception de Château Margaux et de Petrus, presque tous les 1980 auraient dû être consommés.
Prix : bas.

On dit souvent des années 80 qu'elles sont l'âge d'or de Bordeaux ou la décennie du siècle. Pourtant, elles n'ont pas débuté sous des auspices très favorables. L'été 1980 a été frais et pluvieux, et, à cause d'un mois de juin particulièrement déplorable, la floraison s'est révélée quelconque et inintéressante. Début septembre, on s'attendait à une récolte du même acabit qu'en 1968 et 1963, qui sont les deux pires millésimes des trente-cinq dernières années. Cependant, les traitements modernes contre la pourriture ont, dans une large mesure, permis de préserver les raisins, si bien que les producteurs ont pu retarder les vendanges jusqu'au retour du beau temps, fin septembre. Le ciel est resté clément jusqu'à la mi-octobre, quand les pluies ont débuté alors que plusieurs producteurs commençaient à peine à récolter. Tout cela a donné des vins qui, dans l'ensemble, sont décevants. Légers et aqueux, ils ont un goût végétal et herbacé, et sont desservis par un taux d'acidité trop élevé et des tannins trop abondants. Les viticulteurs qui ont vendangé tardivement et ont opéré des sélections sévères, comme la famille Mentzelopoulos à Château Margaux (la réussite du millésime), ont élaboré des vins plus souples, plus ronds et plus intéressants, qui pouvaient être dégustés dès la fin des années 80 et se conserveront bien jusqu'à la fin de ce siècle. Cependant, peu de propriétés ont fait de bons vins.

Comme il est de coutume dans les années pluvieuses et fraîches, les vignobles implantés dans les sols légers, graveleux et sablonneux (par exemple, ceux des appellations Margaux et Graves) atteignent un degré de maturité plus avancé que les autres. Il n'est donc pas surprenant qu'en 1980 les belles réussites émanent de ces régions ; mais certains Pauillac sont également d'excellente qualité, grâce à des sélections sévères.

Si 1980 a été décevant pour ce qui est des vins rouges, il s'agit en revanche d'une excellente année pour les liquoreux de Sauternes et de Barsac, où les vendanges se sont déroulées dans des conditions idéales jusqu'à la fin du mois de novembre. Des raisins parfaitement mûrs ont donné quelques vins de très grande classe, très riches et très intenses, dont le succès commercial a malheureusement été compromis par la mauvaise réputation des vins rouges du même millésime. Quiconque ayant l'occasion de déguster un Climens, un D'Yquem ou un Raymond-Lafon 1980 en reconnaîtra immédiatement la qualité.

LES MEILLEURS 1980

Saint-Estèphe : aucun
Pauillac : Latour, Pichon-Longueville Comtesse de Lalande

Saint-Julien : Talbot
Margaux : Château Margaux
Médoc/Haut-Médoc/Moulis/Listrac crus bourgeois : aucun
Graves rouges : Domaine de Chevalier, La Mission Haut-Brion
Graves blancs : aucun
Pomerol : Certan de May, Petrus
Saint-Émilion : Cheval Blanc
Barsac/Sauternes : Climens, De Fargues, Raymond-Lafon, D'Yquem

1979 – BRÈVE PRÉSENTATION (3 octobre 1979)

Saint-Estèphe**
Pauillac***
Saint-Julien***
Margaux****
Médoc/Haut-Médoc crus bourgeois**
Graves rouges****
Graves blancs**
Pomerol***
Saint-Émilion**
Barsac/Sauternes*

Récolte : une vendange énorme, considérée à l'époque comme un record.
Spécificités : il s'agit de la seule année fraîche des décennies 70 et 80 qui ait fait un bon millésime.
Maturité : contrairement aux pronostics de départ, les 1979 ont évolué lentement. Cela tient en partie au fait qu'ils présentent des tannins relativement durs et un bon niveau d'acidité, deux caractéristiques qui ont marqué les meilleurs millésimes des années 80.
Prix : à cause du désintérêt des consommateurs pour ces vins de réputation assez moyenne, les 1979 sont à des prix relativement bas, hormis ceux de certains Pomerol prestigieux, dont la production est limitée.

En 1979, millésime oublié de Bordeaux, le volume de la récolte a battu tous les records. Celle-ci a donné, pour clôturer les années 1970, des vins relativement sains, moyennement corsés, aux tannins fermes et dotés d'un bon niveau d'acidité. Cependant, la presse spécialisée n'en ayant que très peu parlé au cours de la décennie suivante, la plupart d'entre eux ont certainement été consommés avant d'avoir atteint leur apogée. Considérés comme inférieurs aux 1978 au moment de leur diffusion, ils se sont par la suite révélés de meilleur niveau, du moins en termes de potentiel de garde. Cependant, cette qualité prise isolément ne permet pas d'évaluer correctement un millésime, et certains 1979 sont des vins pauvres, maigres et compacts, que des commentateurs naïfs ont préféré qualifier de « classiques » plutôt que de dire qu'ils étaient totalement « dépouillés ».

Malgré d'importantes disparités entre les différentes appellations, les régions de Margaux, des Graves et de Pomerol ont produit des vins étonnamment bons, très aromatiques et riches. A quelques exceptions près (Lafleur, Certan de May), ils se conserveront encore quelques années grâce à leurs taux d'acidité et de tannins relativement élevés et à leur structure solide. Les meilleurs d'entre eux ont un potentiel de garde de 5 à 10 ans encore.

Pour les vins blancs secs et liquoreux, il ne s'agit pas d'une très bonne année. En effet, les raisins qui ont donné les blancs secs n'étaient pas totalement mûrs, et il n'y a pas eu suffisamment de botrytis pour donner aux vins doux de Sauternes et de Barsac ce caractère complexe et mielleux qui fait leur réputation.

Les prix des 1979 (lorsqu'ils sont encore disponibles) sont les plus bas parmi ceux des bons millésimes récents du Bordelais et reflètent le manque d'intérêt des consommateurs.

LES MEILLEURS 1979

Saint-Estèphe : Cos d'Estournel
Pauillac : Lafite Rothschild, Latour, Pichon-Longueville Comtesse de Lalande
Saint-Julien : Gruaud Larose, Léoville Las Cases
Margaux : Giscours, Château Margaux, Palmer, Du Tertre
Médoc/Haut-Médoc/Moulis/Listrac crus bourgeois : aucun
Graves rouges : Les Carmes Haut-Brion, Domaine de Chevalier, Haut-Bailly, Haut-Brion, La Mission Haut-Brion
Graves blancs : aucun
Pomerol : Certan de May, L'Enclos, L'Évangile, Lafleur, Petrus
Saint-Émilion : Ausone
Barsac/Sauternes : aucun

1978 – BRÈVE PRÉSENTATION (7 octobre 1978)

Saint-Estèphe**
Pauillac***
Saint-Julien***
Margaux***
Médoc/Haut-Médoc crus bourgeois**
Graves rouges****
Graves blancs****
Pomerol**
Saint-Émilion***
Barsac/Sauternes**

Récolte : moyenne.
Spécificités : millésime élevé au rang d'« année miraculée » par Harry Waugh, gentleman-journaliste anglais.
Maturité : presque tous les 1978 sont maintenant à maturité. Quelques-uns se bonifieront encore.
Prix : considérés pendant longtemps comme élevés, ils paraissent raisonnables aujourd'hui, vingt ans après le millésime.

L'année 1978 a été exceptionnelle pour les vins rouges des Graves et de bon niveau pour ceux du Médoc, de Pomerol et de Saint-Émilion. Quant aux liquoreux de Barsac et de Sauternes, ils sont monolithiques, sans détour et sans grand caractère, par manque de botrytis. Les vins blancs secs des Graves, comme les rouges de cette appellation, se sont révélés excellents.

Les conditions climatiques en 1978 étaient loin d'être enthousiasmantes. En effet, le printemps a été frais et pluvieux, et le mauvais temps a sévi tout au long des mois de juin et de juillet, et même pendant une partie du mois d'août. Les producteurs ont dès lors commencé à redouter un millésime déplorable, à l'image des 1963, 1965, 1968 ou 1977. Cependant, à la mi-août, un énorme anticyclone s'est installé au-dessus du sud-ouest de la France et du nord de l'Espagne, ramenant un beau temps sec et ensoleillé qui a duré près de neuf semaines. Et les quelques averses éparses qui sont tombées pendant cette période ont été sans conséquence.

A ce moment, le processus de maturation était très en retard (contrairement à ce qui s'est passé dans les années 1989 et 1990, où il était plutôt avancé). Les vendanges ont dû être décalées et n'ont débuté que le 7 octobre. Elles se sont déroulées sous un temps idéal, presque « miraculeux », comme l'a souligné Harry Waugh, surtout si l'on en juge par rapport aux conditions météorologiques déplorables du printemps et de l'été.

Dans l'ensemble, le millésime 1978 est très bon ou excellent. Les appellations Margaux et Graves sont celles qui ont enregistré le plus de réussites, car leurs sols légers et bien drainés se comportent mieux que les autres dans les années plus fraîches. En fait, il s'agit pour les vins des Graves de leur plus grand millésime après 1961 (à l'exception, toutefois, du décevant Château Pape Clément). Ces vins, qui, au départ, semblaient intensément fruités, très colorés, modérément tanniques et moyennement corsés, ont évolué plus rapidement que les 1979, aux tannins plus fermes et à l'acidité plus marquée, façonnés par une année encore plus fraîche et plus sèche que la précédente. Les 1978 ont atteint leur apogée à 12 ans d'âge, et plusieurs dégustateurs se sont déclarés déçus par ces vins dont ils avaient espéré mieux.

Exactement comme 1979, 1981 et 1988, le millésime 1978 ne compte pas de réussites vraiment grandioses. On y trouve certes des vins de très bon niveau, mais qui n'ont pas suscité de réel enthousiasme de la part des consommateurs après leur diffusion. Quant à ceux qui sont de qualité moyenne, ils se révèlent inintéressants : ils présentent un caractère végétal et herbacé, car ils sont issus de vignobles qui, n'étant pas implantés sur les meilleurs sols, n'ont pas atteint le seuil de maturité requis, malgré la fin de saison chaude et sèche. Une sélection stricte est fondamentale quand il s'agit d'élaborer de bons vins, et, si ce procédé a été respecté dans les années 80, il n'en allait pas de même au cours de la décennie précédente, quand les propriétaires faisaient naviguer leur entière récolte sous l'étiquette du grand vin. Aujourd'hui, plusieurs de ces mêmes viticulteurs reconnaissent que les 1978 auraient pu être fidèles à leur réputation initiale si un tri plus sévère avait été opéré au moment de leur élaboration.

Pour Sauternes et Barsac, il s'agit d'une année très difficile. En effet, l'automne a été très chaud et sec, et a compromis la formation de la pourriture noble, ou botrytis. Exactement comme en 1979, ces appellations ont produit des vins lourds, gras et liquoreux, qui manquent à la fois de tenue, de complexité et de précision dans les arômes.

LES MEILLEURS 1978

Saint-Estèphe : aucun
Pauillac : Les Forts de Latour, Grand-Puy-Lacoste, Latour, Pichon-Longueville Comtesse de Lalande
Saint-Julien : Ducru-Beaucaillou, Gruaud Larose, Léoville Las Cases, Talbot
Margaux : Giscours, La Lagune (Sud-Médoc), Château Margaux, Palmer, Prieuré-Lichine, Du Tertre
Médoc/Haut-Médoc/Moulis/Listrac crus bourgeois : aucun
Graves rouges : Les Carmes Haut-Brion, Domaine de Chevalier, Haut-Bailly, Haut-Brion, La Mission Haut-Brion, La Tour Haut-Brion
Graves blancs : Domaine de Chevalier, Haut-Brion, Laville Haut-Brion
Pomerol : Lafleur
Saint-Émilion : L'Arrosée, Cheval Blanc
Barsac/Sauternes : aucun

1977 – BRÈVE PRÉSENTATION (3 octobre 1977)

Saint-Estèphe 0
Pauillac 0
Saint-Julien 0
Margaux 0
Médoc/Haut-Médoc crus bourgeois 0
Graves rouges 0
Graves blancs 0
Pomerol 0
Saint-Émilion 0
Barsac/Sauternes*

Récolte : réduite.
Spécificités : ce millésime est très certainement le plus désastreux après 1972 et demeure, dans la médiocrité, inégalé.
Maturité : tous les vins de 1977, y compris les quelques-uns qui étaient buvables, auraient dû être consommés avant le milieu des années 80.
Prix : malgré des prix très bas, on ne peut parler de bonnes affaires relativement aux 1977.

L'année 1977 est la plus déplorable de sa décennie pour les bordeaux – elle est même de qualité inférieure aux deux millésimes les plus médiocres des années 80, soit le 1980 et le 1984. La majorité des merlots ont été dévastés par une importante gelée à la fin du printemps, l'été a été frais et pluvieux, et quand, enfin, le beau temps est revenu, juste avant les vendanges, il était bien trop tard pour sauver la récolte. On a donc vendangé des raisins qui n'avaient pas – et de loin – atteint le stade de la maturité analytique et encore moins celui de la maturité physiologique.

Les 1977 sont très acides et tellement herbacés qu'ils en ont même un caractère végétal. Ils auraient dû être consommés depuis plusieurs années déjà. Quelques-uns des meilleurs vins de cette année ont été produits par Figeac, Giscours, Gruaud Larose, Pichon-Lalande, Latour et trois propriétés de la région des Graves, Haut-Brion, La Mission Haut-Brion et le Domaine de Chevalier. Cependant, je n'ai jamais pu recommander les 1977, dont j'estime qu'ils n'ont aucune valeur, tant gustative que pécuniaire.

1976 – BRÈVE PRÉSENTATION (13 septembre 1976)

Saint-Estèphe***
Pauillac***
Saint-Julien***
Margaux**
Médoc/Haut-Médoc crus bourgeois*
Graves rouges*
Graves blancs***
Pomerol***
Saint-Émilion***
Barsac/Sauternes****

Récolte : très abondante. Il s'agit même de la deuxième plus importante des années 70.
Spécificités : cette année chaude et excessivement sèche aurait pu faire le meilleur millésime de la décennie s'il n'avait plu juste avant les vendanges.
Maturité : au moment de leur diffusion, en 1979, les 1976 étaient délicieux et à maturité. Aujourd'hui, les meilleurs d'entre eux sont encore excellents, voire somptueux. Il s'agit d'une des rares années où les vins ne se sont jamais refermés ni montrés sous un mauvais jour. Tous les 1976, à l'exception d'Ausone et de Lafite Rothschild, devront être consommés avant 2000.
Prix : les 1976 ont toujours été à des prix raisonnables, car ils n'ont jamais été portés au pinacle par les gourous du vin.

Le millésime 1976 a été très médiatisé, mais il n'a malheureusement pas tenu ses promesses. Pourtant, il y a eu cette année-là toutes les composantes requises pour faire une grande année. Les vendanges, les plus précoces depuis celles de 1945, ont débuté le 13 septembre. L'été avait été particulièrement torride, et les moyennes de température de juin à septembre se plaçaient juste derrière celles de 1949 et de 1947, deux années également très chaudes. Malheureusement, alors que plusieurs viticulteurs évoquaient – une fois de plus – le « millésime du siècle », d'importantes pluies se sont abattues sur le vignoble entre les 11 et 15 septembre, gorgeant d'eau les raisins.

La vendange a été abondante, les raisins étaient mûrs, et, si les vins présentaient un bon niveau de tannins, ils avaient au contraire une acidité faible et un pH dangereusement élevé. Les meilleurs 1976 se sont montrés merveilleusement doux, souples et délicieusement fruités depuis leur diffusion. Je pensais vraiment qu'ils devaient être consommés avant la fin des années 80, mais les plus fins d'entre eux semblent encore à leur apogée sans avoir perdu leur fruité. Je regrette maintenant de n'en avoir pas acheté davantage, surtout qu'ils se sont montrés absolument délicieux sur une longue période. Toutefois, ils ne feront plus de vieux os, et il convient de se montrer prudent avec ceux qui sont de qualité moyenne – dès le départ, ils manquaient de profondeur et d'intensité. Ces derniers vins, extrêmement fragiles, ont progressivement acquis une robe brunâtre et ont perdu de leur fruité. Néanmoins, les 1976 les plus réussis sont excellents et prouvent que, même dans un millésime léger, relativement dilué et d'acidité faible, les bordeaux peuvent tenir 15 ans ou plus s'ils sont conservés dans de bonnes conditions.

Les 1976 sont à leur meilleur niveau dans les appellations du nord du Médoc, à Saint-Julien, Pauillac et Saint-Estèphe, et de moindre tenue dans les Graves et à Margaux. Dans le Libournais, à Pomerol et à Saint-Émilion, la qualité est très irrégulière.

Pour les amateurs des vins liquoreux luxuriants et mielleux, l'année 1976 est l'une des deux meilleures de la décennie. En effet, les régions de Sauternes et de Barsac ont produit des vins excessivement riches et opulents, grâce à une formation très importante de botrytis dans les vignobles.

LES MEILLEURS 1976

Saint-Estèphe : Cos d'Estournel, Montrose
Pauillac : Haut-Bages Libéral, Lafite Rothschild, Pichon-Longueville Comtesse de Lalande
Saint-Julien : Beychevelle, Branaire Ducru, Ducru-Beaucaillou, Léoville Las Cases, Talbot
Margaux : Giscours, La Lagune (Sud-Médoc)
Médoc/Haut-Médoc/Moulis/Listrac crus bourgeois : Sociando-Mallet
Graves rouges : Haut-Brion
Graves blancs : Domaine de Chevalier, Laville Haut-Brion
Pomerol : Petrus
Saint-Émilion : Ausone, Cheval Blanc, Figeac
Barsac/Sauternes : Climens, Coutet, De Fargues, Guiraud, Rieussec, Suduiraut, D'Yquem

1975 – BRÈVE PRÉSENTATION (22 septembre 1975)

Saint-Estèphe**
Pauillac***
Saint-Julien***
Margaux**
Médoc/Haut-Médoc crus bourgeois***
Graves rouges**
Graves blancs***
Pomerol*****
Saint-Émilion***
Barsac/Sauternes****

Récolte : après deux années très abondantes (1973 et 1974), 1975 vit une récolte moyenne.

Spécificités : ayant essuyé consécutivement trois vendanges pauvres et assez médiocres, les Bordelais étaient tout prêts à porter les 1975 aux nues.
Maturité : il s'agit du millésime de ces trente dernières années qui a évolué le plus lentement.
Prix : la réputation déclinante de ce millésime perturbe à la fois les professionnels et les consommateurs, et les meilleurs 1975 sont encore durs, fermés et inaccessibles. Ces deux raisons conjuguées expliquent que le prix de ces vins demeure attrayant pour les amateurs patients.

Est-ce l'année des grandes déceptions, ou celle où l'on a fait à Bordeaux des vins purement classiques ? Le millésime 1975 est, avec 1964 et 1983, l'un des plus déroutants que j'aie vus. On y trouve effectivement de très grands vins, mais, dans l'ensemble, la qualité est très inégale, et les échecs sont si nombreux qu'il est impossible de les passer sous silence.

Conscients de l'abondance des récoltes des trois années précédentes et de la crise internationale engendrée par la hausse du prix du pétrole, les viticulteurs bordelais, qui savaient pertinemment que leurs 1972, 1973 et 1974 avaient déjà envahi le marché, ont procédé à des tailles sévères dans les vignobles, par crainte d'obtenir une quatrième vendange importante. Les conditions climatiques en 1975 ont été clémentes. Juillet, août et septembre ont été chauds, mais sans excès. Cependant, ces deux derniers mois ont été marqués par de forts orages qui ont amené des pluies abondantes dans la région. Celles-ci, fort heureusement très localisées, n'ont vraiment perturbé que le système nerveux des producteurs. Mais, par la suite, des orages de grêle ont causé d'importants dégâts dans certaines communes du centre du Médoc – en particulier à Moulis, Lamarque et Arcins –, et d'autres, plus isolés, ont touché la partie sud de Pessac-Léognan.

Les vendanges ont commencé la troisième semaine de septembre et se sont poursuivies avec le beau temps jusqu'à la mi-octobre. Immédiatement après, les producteurs envisageaient un millésime de tout premier ordre, peut-être même le meilleur depuis 1961. Que s'est-il donc passé ?

Après avoir goûté les 1975 plusieurs fois et avoir eu de nombreuses discussions avec des propriétaires de châteaux et des vignerons, il me semble, rétrospectivement, que le cabernet sauvignon aurait dû être vendangé plus tard. Beaucoup de viticulteurs eux-mêmes pensent qu'il a en effet été ramassé trop tôt, et le fait qu'à cette époque la plupart des raisins n'étaient pas systématiquement égrappés a certainement contribué à exacerber le côté dur et astringent des tannins.

1975 est l'un des premiers millésimes que j'aie dégustés directement au fût, alors que je visitais Bordeaux en touriste et non en professionnel. Beaucoup de vins jeunes arboraient déjà des robes profondes et déployaient des senteurs intenses, mûres et aromatiques, avec un potentiel énorme, alors que d'autres semblaient avoir un niveau de tannins trop élevé. Nombre d'entre eux se sont refermés deux ou trois ans après la mise en bouteille et, dans la plupart des cas, demeurent excessivement durs et peu évolués. On en trouve aussi qui sont mal faits et très tanniques, avec un fruité déjà passé et une robe brunâtre. La majorité de ces vins ont été élevés en vieux fûts (le chêne neuf n'était pas d'utilisation aussi courante qu'aujourd'hui), et l'état sanitaire de certains chais laissait à désirer. Cependant, même en tenant compte de ces éléments, on ne peut qu'être surpris par les disparités importantes existant dans ce millésime. En effet, à ce jour, les différences de qualité entre les 1975 sont plus importantes que dans toute autre année récente. Par exemple, comment expliquer que La Mission Haut-Brion, Petrus, L'Évangile et Lafleur aient produit des vins aussi profonds et aussi riches, alors que leurs voisins n'ont enregistré que des échecs ? Cela reste un grand mystère.

L'année 1975 est celle des véritables amateurs de Bordeaux qui auront la patience d'attendre que ces vins arrivent à maturité. Les meilleurs d'entre eux proviennent en général de Pomerol, Saint-Julien et Pauillac, et ne sont pas encore à leur apogée. Dans les Graves, où la plupart des vins étaient de qualité médiocre, l'extraordinaire succès de La Mission Haut-Brion et de La Tour Haut-Brion, et, dans une moindre mesure, celui de Haut-Brion constituent des exceptions. Se pourrait-il que les plus fins des 1975 soient à l'image des 1928 et qu'ils aient besoin de 30 ans de vieillissement au minimum avant d'être à maturité ? Les plus belles réussites de ce millésime pourront se conserver très longtemps, car elles recèlent suffisamment de richesse, de concentration et de fruité pour contrebalancer leurs tannins. Cependant, nombre de vins sont trop secs, trop astringents ou trop tanniques pour évoluer plus avant avec grâce.

Lorsque, à l'époque, j'ai acheté en primeur les premiers crus de 1975 au prix de 1 750 F la caisse, il m'avait semblé avoir fait une bonne affaire. Aujourd'hui, je me rends compte que j'ai aussi investi dans 20 bonnes années de patience et que les meilleurs de ces vins exigent une garde supplémentaire de 10 ans au moins. Attendre 25 à 30 ans qu'un vin arrive à maturité met les nerfs et la discipline de tout un chacun à rude épreuve, mais 1975 est un millésime qui apportera à ceux qui sauront l'attendre une belle récompense en différé.

LES MEILLEURS 1975

Saint-Estèphe : Haut-Marbuzet, Meyney, Montrose
Pauillac : Lafite Rothschild, Latour, Mouton Rothschild, Pichon-Longueville Comtesse de Lalande
Saint-Julien : Branaire Ducru, Gloria, Gruaud Larose, Léoville Barton, Léoville Las Cases
Margaux : Giscours, Palmer
Médoc/Haut-Médoc/Moulis/Listrac crus bourgeois : Greysac, Sociando-Mallet, Tour Saint-Bonnet
Graves rouges : Haut-Brion, La Mission Haut-Brion, Pape Clément, La Tour Haut-Brion
Graves blancs : Domaine de Chevalier, Haut-Brion, Laville Haut-Brion
Pomerol : L'Église-Clinet, L'Enclos, L'Évangile, La Fleur-Petrus, Le Gay, Lafleur, Nenin, Petrus, Trotanoy, Vieux Château Certan
Saint-Émilion : Cheval Blanc, Figeac, Magdelaine, Soutard
Barsac/Sauternes : Climens, Coutet, De Fargues, Raymond-Lafon, Rieussec, D'Yquem

1974 – BRÈVE PRÉSENTATION (20 septembre 1974)

Saint-Estèphe*
Pauillac*
Saint-Julien*
Margaux*
Médoc/Haut-Médoc crus bourgeois*
Graves rouges**
Graves blancs*
Pomerol*
Saint-Émilion*
Barsac/Sauternes*

Récolte : énorme.
Spécificités : s'il vous reste des stocks de 1974, il serait préférable de les consommer rapidement ou d'en faire don à une œuvre caritative.
Maturité : un petit nombre des meilleurs vins de ce millésime sont encore de bonne tenue, mais ils ne gagneront pas à être gardés plus longtemps.
Prix : les 1974 ont toujours été très peu chers, et je ne pense pas que quiconque soit disposé à y mettre un prix plus élevé, si ce n'est pour en offrir à une personne dont c'est l'année de naissance !

Grâce à une floraison qui s'est déroulée dans d'excellentes conditions et à des mois de mai et de juin secs et ensoleillés, la récolte 1974 s'annonçait abondante. Le temps a ensuite été froid et pluvieux, avec beaucoup de vent, de la mi-août à la fin octobre. Malgré des pluies persistantes, c'est la région des Graves qui a connu le plus de succès. En effet, si nombre de 1974 sont durs, tanniques et creux, et manquent de maturité, de chair et de caractère, ceux de certaines propriétés des Graves sont intéressants et puissamment épicés. Ils sont encore plaisants à boire près de 25 ans après, même s'ils se montrent un peu compacts et si leurs saveurs se sont atténuées. Les champions du millésime sont La Mission Haut-Brion et le Domaine de Chevalier, suivis de près par Latour à Pauillac et Trotanoy à Pomerol. S'il vous reste quelques-uns de ces crus dans votre cave, ne tentez pas le diable, car, même s'ils sont encore de bonne tenue, mon instinct me souffle qu'il faudrait les déguster rapidement.

Le millésime 1974 a été uniformément mauvais en Sauternes et en Barsac – je n'ai d'ailleurs jamais pu mettre la main sur une bouteille d'un vin de cette région pour la goûter.

En bref, on peut se demander lequel de ces trois millésimes, 1972, 1974 ou 1977, est le pire de la décennie 70...

1973 – BRÈVE PRÉSENTATION (20 septembre 1973)

Saint-Estèphe**
Pauillac*
Saint-Julien**
Margaux*
Médoc/Haut-Médoc crus bourgeois*
Graves rouges*
Graves blancs**
Pomerol**
Saint-Émilion*
Barsac/Sauternes*

Récolte : énorme, une des plus importantes des années 70.
Spécificités : la récolte était de mauvaise qualité, car les pluies ont gorgé les raisins et les ont dilués.
Maturité : trouver une bouteille de 1973 qui soit encore de bonne tenue semble être une entreprise vouée à l'échec.
Prix : beaucoup trop élevés, même pour ceux dont c'est l'année de naissance...

Vers le milieu des années 70, les meilleurs 1973 étaient encore agréables, légers, ronds et souples, légèrement aqueux, mais plaisants à la dégustation. Aujourd'hui, à l'exception du Domaine de Chevalier, des Châteaux Petrus et d'Yquem – le grand classique des liquoreux –, tous les vins de ce millésime ont sombré dans l'oubli.

Il arrive souvent, dans le Bordelais, que des pluies de dernière minute viennent gâcher un millésime qui autrement eût été de tout premier ordre. C'est exactement ce qui s'est passé en 1973, quand les pluies, tombées pendant les vendanges, ont dilué une récolte qui s'annonçait saine et importante. Les traitements modernes et les techniques telles que les saignées n'étaient pas d'utilisation courante à l'époque, et cela explique peut-être que certains vins manquent de couleur, de richesse en extrait, d'acidité et de structure. Dans leur majorité, les 1973 étaient prêts au moment de leur diffusion en 1976, mais, dès le début des années 80, nombre d'entre eux étaient déjà sur le déclin, à l'exception de Petrus.

LES MEILLEURS 1973

Saint-Estèphe : De Pez
Pauillac : Latour
Saint-Julien : Ducru-Beaucaillou
Margaux : aucun
Médoc/Haut-Médoc/Moulis/Listrac crus bourgeois : aucun
Graves rouges : Domaine de Chevalier, La Tour Haut-Brion
Graves blancs : aucun
Pomerol : Petrus
Saint-Émilion : aucun
Barsac/Sauternes : D'Yquem

1972 – BRÈVE PRÉSENTATION (7 octobre 1972)

Saint-Estèphe 0
Pauillac 0
Saint-Julien 0
Margaux*
Médoc/Haut-Médoc crus bourgeois 0
Graves rouges*
Graves blancs 0
Pomerol 0
Saint-Émilion*
Barsac/Sauternes 0

Récolte : moyenne.
Spécificités : rivalise avec 1977 pour le titre de pire millésime de la décennie.
Maturité : la plupart des 1972 sont depuis longtemps sur le déclin.
Prix : extrêmement bas.

L'été 1972 a été anormalement frais et nuageux, avec un mois d'août extrêmement pluvieux. Le beau temps est revenu en septembre – trop tard pour sauver la récolte. Considérés comme les vins les plus déplorables de leur décennie, les 1972 sont très acides, verts et durs, avec un caractère végétal très marqué. Leur taux d'acidité élevé a certes permis à certains d'entre eux de se conserver 10 à 15 ans, mais leur manque de fruit, de charme et de concentration était tel qu'ils ne pouvaient se bonifier.

Comme dans tous les millésimes médiocres, certains châteaux ont su tirer leur épingle du jeu, et l'on trouve à Margaux et dans les Graves (grâce à leurs sols légers et bien drainés) des vins de meilleure qualité que dans les autres appellations.

A l'heure actuelle, il n'y a probablement aucun 1972 qui puisse présenter quelque intérêt pour le consommateur.

LES MEILLEURS 1972

Saint-Estèphe : aucun
Pauillac : Latour

Saint-Julien : Branaire Ducru, Léoville Las Cases
Margaux : Giscours, Rausan-Ségla
Médoc/Haut-Médoc/Moulis/Listrac crus bourgeois : aucun
Graves rouges : La Mission Haut-Brion
Graves blancs : aucun
Pomerol : Trotanoy
Saint-Émilion : Cheval Blanc, Figeac
Barsac/Sauternes : Climens

1971 – BRÈVE PRÉSENTATION (25 septembre 1971)

Saint-Estèphe**
Pauillac***
Saint-Julien***
Margaux***
Médoc/Haut-Médoc crus bourgeois**
Graves rouges***
Graves blancs**
Pomerol****
Saint-Émilion***
Barsac/Sauternes****

Récolte : relativement moyenne.
Spécificités : millésime élégant qui compte de bons ou de très bons vins, les plus belles réussites étant les Pomerol et les vins liquoreux de Sauternes et de Barsac.
Maturité : tous les 1971 sont à maturité depuis environ 10 ans, et les meilleures cuvées pourront se conserver 10 ans de plus.
Prix : à cause de la faiblesse des rendements, les prix des 1971 sont relativement élevés, mais, si on les compare à ceux des autres bons millésimes de ces trente-cinq dernières années, on s'aperçoit qu'ils sont légèrement sous-évalués.

Contrairement à celle de 1970, la vendange de 1971 a été peu abondante : la floraison du mois de juin s'est déroulée dans de mauvaises conditions, et la récolte du merlot s'en est trouvée réduite de manière significative. A la fin des vendanges, le volume total de la récolte était inférieur de 40 % à celui de l'année précédente.

Les premières appréciations étaient bien trop enthousiastes. En effet, certains experts (notamment le Bordelais Peter Sichel), considérant que les rendements en 1971 étaient inférieurs à ceux de 1970, ont aussitôt décrété que ce premier millésime était supérieur à son prédécesseur. Cette assertion s'est par la suite révélée totalement fausse. S'il est certain qu'au moment de leur diffusion les 1971 étaient, tout comme les 1970, délicieux et bien évolués, ils n'avaient pas la même robe profonde, la même concentration ni la même structure tannique. De qualité inégale dans le Médoc, le millésime affiche en revanche une excellente tenue en Pomerol et à Saint-Émilion, ainsi que dans les Graves. Il serait hasardeux à l'heure actuelle d'acquérir des vins de cette année, sauf si l'on est assuré de leur parfaite conservation. On trouve encore, plus d'un quart de siècle après la vendange, quelques 1971 qui, tels Petrus, Latour, Trotanoy et La Mission Haut-Brion, atteignent tout juste leur pleine maturité. Ces vins tiendront sans peine 10 à 15 ans encore s'ils sont gardés dans de bonnes conditions.

Quant aux vins liquoreux de Sauternes et de Barsac, ils sont généralement réussis et ont maintenant atteint leur pleine maturité. Les meilleurs d'entre eux ont encore un potentiel de garde de 10 à 20 ans et survivront à tous les vins rouges de ce même millésime.

LES MEILLEURS 1971

Saint-Estèphe : Montrose
Pauillac : Latour, Mouton Rothschild
Saint-Julien : Beychevelle, Gloria, Gruaud Larose, Talbot
Margaux : Palmer
Médoc/Haut-Médoc/Moulis/Listrac crus bourgeois : aucun
Graves rouges : Haut-Brion, La Mission Haut-Brion, La Tour Haut-Brion
Graves blancs : aucun
Pomerol : Petit Village, Petrus, Trotanoy
Saint-Émilion : Cheval Blanc, La Dominique, Magdelaine
Barsac/Sauternes : Climens, Coutet, De Fargues, D'Yquem

1970 – BRÈVE PRÉSENTATION (27 septembre 1970)

Saint-Estèphe***
Pauillac***
Saint-Julien***
Margaux***
Médoc/Haut-Médoc crus bourgeois***
Graves rouges****
Graves blancs***
Pomerol****
Saint-Émilion***
Barsac/Sauternes***

Récolte : énorme, considérée à l'époque comme un record.
Spécificités : le premier millésime récent à allier qualité et quantité.
Maturité : on a initialement décrit les 1970 comme des vins précoces qui seraient très vite à maturité. Mais, à quelques exceptions près, la plupart des meilleurs vins de cette année ont évolué lentement, et c'est seulement maintenant qu'ils atteignent leur apogée. Les vins de qualité moyenne, les crus bourgeois, les Pomerol et les Saint-Émilion plutôt légers auraient dû être consommés dès avant 1980.
Prix : très élevés, sans doute parce que 1970 est le millésime le plus réputé qui se soit imposé entre 1961 et 1982.

Le millésime 1970 est certainement le meilleur que l'on puisse trouver entre les grandioses 1961 et 1982, avec des vins attrayants et riches, pleins de charme et de complexité. Ils ont évolué avec plus de grâce que les 1966, très austères, et ils semblent plus pleins, plus riches, plus équilibrés et plus homogènes que les 1975, qui sont durs, tanniques, avec une structure souvent creuse et rugueuse. Ce millésime – le premier des tout récents à allier qualité et quantité – est en outre merveilleusement régulier, si bien que chaque appellation peut revendiquer sa proportion de vins très réussis.

Les conditions météorologiques de l'été et du début de l'automne 1970 ont frisé la perfection. Il n'y a pas eu de grêle, de pluies diluviennes, de gel, et encore moins d'inondations au moment des vendanges. Il s'agit d'une des rares années où tout s'est merveilleusement bien passé et où les Bordelais ont vendangé une récolte saine et abondante comme ils n'en avaient encore jamais vu.

Les 1970 sont les tout premiers vins que j'aie dégustés directement au fût alors que, en 1971 et 1972, pendant mes vacances d'été, je visitais en touriste quelques châteaux du Bordelais en compagnie de mon épouse. Je me souviens qu'ils arboraient dès leur jeunesse des robes profondes et qu'ils déployaient un fruité riche et intense, ainsi que des parfums mûrs et aromatiques ; ils étaient aussi très corsés et très tanniques. A l'heure actuelle, ils souffrent cependant de la comparaison avec les meilleurs millésimes des années 80 et 90. En effet, les 1982, 1985, 1986, 1988, 1989, 1990, 1994, 1995 et 1996 les plus réussis surpassent nettement leurs aînés de la décennie 70.

Bien qu'énormes et impressionnants de richesse, les liquoreux sont, par manque de botrytis, moins réussis que les 1971, dont ils n'ont ni la complexité ni la délicatesse.

Pour conclure, on peut dire que les 1970 se négocieront à des prix très élevés au cours des prochaines décennies, car il s'agit vraiment d'un millésime extraordinaire, le plus régulier d'excellence entre 1961 et 1982.

LES MEILLEURS 1970

Saint-Estèphe : Cos d'Estournel, Haut-Marbuzet, Lafon-Rochet, Montrose, Les Ormes de Pez, De Pez
Pauillac : Grand-Puy-Lacoste, Haut-Batailley, Latour, Lynch-Bages, Mouton Rothschild, Pichon-Longueville Comtesse de Lalande
Saint-Julien : Ducru-Beaucaillou, Gloria, Gruaud Larose, Léoville Barton, Saint-Pierre
Margaux : Giscours, Lascombes, Palmer
Médoc/Haut-Médoc/Moulis/Listrac crus bourgeois : Sociando-Mallet
Graves rouges : Domaine de Chevalier, De Fieuzal, Haut-Bailly, La Mission Haut-Brion, La Tour Haut-Brion
Graves blancs : Domaine de Chevalier, Laville Haut-Brion
Pomerol : La Conseillante, La Fleur-Petrus, Lafleur, Latour à Pomerol, Petrus, Trotanoy
Saint-Émilion : L'Arrosée, Cheval Blanc, La Dominique, Figeac, Magdelaine
Barsac/Sauternes : D'Yquem

1969 – BRÈVE PRÉSENTATION (6 octobre 1969)

Saint-Estèphe 0
Pauillac 0
Saint-Julien 0
Margaux 0
Médoc/Haut-Médoc crus bourgeois 0
Graves rouges*
Graves blancs 0
Pomerol*
Saint-Émilion 0
Barsac/Sauternes*

Récolte : très réduite.
Spécificités : j'ai élu les 1969 les vins les plus déplorables produits dans le Bordelais au cours des trente dernières années.
Maturité : je n'ai jamais dégusté un 1969 (à part Petrus) qui m'ait semblé avoir présenté quelque richesse en extrait. Cela fait maintenant plusieurs années que je n'ai goûté aucun vin de ce millésime (sinon, de nouveau, un Petrus), mais je suis certain qu'ils sont tous imbuvables.
Prix : curieusement, les prix de lancement des 1969 étaient relativement élevés ; or, hormis quelques noms prestigieux, tous les vins de ce millésime sont mauvais.

A chaque fois que Bordeaux connaît une année désastreuse (1968 en était une), on note une certaine tendance à louer de manière excessive, et souvent à tort, le millésime suivant. On comprend bien qu'après l'horrible expérience de 1968 les Bordelais aient désespérément souhaité un grand 1969, mais, malgré les déclarations optimistes de certains des experts les plus écoutés de l'époque, ce millésime s'est révélé pour le moins peu attrayant.

Cette année-là, la vendange a été réduite. Et, si l'été a été suffisamment chaud pour permettre aux raisins d'atteindre une bonne maturité, les pluies torrentielles de septembre ont balayé tous les espoirs, sauf ceux de quelques investisseurs irréductibles qui ont quand même parié sur ces vins insipides, mauvais et acides. C'est pour cela que les 1969 ne se sont pas contentés d'être les moins séduisants des vins, mais qu'ils ont aussi été relativement chers au moment de leur mise sur le marché.

Je puis dire en toute sincérité que je n'ai jamais goûté un vin rouge de 1969 qui ne m'ait pas déplu. Hormis une bouteille de Petrus (notée entre 75 et 80) que j'ai dégustée alors qu'elle avait 20 ans d'âge, la plupart des vins de cette année sont creux et durs, ne présentant ni fruité ni charme, et il est difficile d'imaginer qu'ils puissent être meilleurs aujourd'hui que dans les années 70.

En Sauternes et en Barsac, quelques propriétaires ont élaboré des vins acceptables, en particulier D'Arche.

1968 – BRÈVE PRÉSENTATION (20 septembre 1968)

Saint-Estèphe 0
Pauillac 0
Saint-Julien 0
Margaux 0
Médoc/Haut-Médoc crus bourgeois 0
Graves rouges*
Graves blancs 0
Pomerol 0
Saint-Émilion 0
Barsac/Sauternes 0

Récolte : désastreuse, tant en quantité qu'en qualité.
Spécificités : une grande année pour les Cabernet Sauvignon de Californie... mais pas pour Bordeaux.
Maturité : tous les 1968 sont certainement passés depuis longtemps déjà.
Prix : encore un millésime qui ne présente strictement aucun intérêt.

1968 est l'un de ces millésimes médiocres qui ont frappé le Bordelais dans les années 60. Cette fois encore, le responsable du désastre a été la pluie diluvienne qui, juste avant les vendanges, a gorgé les raisins et les a dilués (1968 a été l'année la plus pluvieuse depuis 1951). Cependant, certains 1968 m'ont semblé supérieurs à tous les 1969 que j'ai pu goûter, alors que la réputation de ce dernier millésime serait « meilleure » (si toutefois on peut oser ce mot dans un tel contexte).

Il fut un temps où Figeac, Gruaud Larose, Cantemerle, La Mission Haut-Brion, Haut-Brion et Latour étaient encore buvables. Mais si, par hasard, il vous arrive de tomber sur ces vins maintenant, ne songez surtout pas à en garnir votre cave, car je doute fort qu'il y en ait un qui montre encore quelque qualité.

1967 – BRÈVE PRÉSENTATION (25 septembre 1967)

Saint-Estèphe**
Pauillac**
Saint-Julien**
Margaux**
Médoc/Haut-Médoc crus bourgeois*
Graves rouges***
Graves blancs**
Pomerol***
Saint-Émilion***
Barsac/Sauternes****

Récolte : abondante.
Spécificités : les vins des Graves, de Pomerol et de Saint-Émilion sont les mieux réussis

de ce millésime. En effet, ces appellations ont été privilégiées par le fait que leur cépage principal, le merlot, a été vendangé très tôt.
Maturité : la plupart des 1967 étaient prêts au moment de leur diffusion, en 1970, et auraient dû être consommés dès avant 1980. Les meilleurs d'entre eux pourront se garder encore quelques années s'ils ont été conservés dans de bonnes conditions, mais ils ne gagneront assurément rien à ce vieillissement supplémentaire.
Prix : modérés.

La récolte en 1967 était abondante et bienvenue, dans la mesure où elle a donné un grand nombre de vins ronds qui ont évolué assez rapidement. La majorité d'entre eux auraient dû être consommés dès avant 1980, mais quelques-uns de ces vins montrent encore une puissance remarquable et sont toujours à la pointe de leur maturité. Les exemples les plus réussis sont les Pomerol et, dans une moindre mesure, les Graves. En principe, il ne serait pas conseillé d'attendre ces vins plus avant, mais je suis certain que les plus grands noms, tels Latour, Petrus, Trotanoy et peut-être même Palmer, se garderont 5 à 10 ans encore. Si vous trouvez les crus ci-dessus en grand format (magnum, double magnum, etc.) à prix raisonnables, je serais d'avis que vous tentiez le pari.

Contrairement aux rouges qui, pour la plupart, étaient quelconques en 1967, les liquoreux de Sauternes et Barsac se sont révélés riches, mielleux et très botrytisés. Cependant, les lecteurs garderont à l'esprit que seules quelques rares propriétés ont relevé le défi et ont fait de belles choses durant cette période sinistrée pour les vins doux de ces deux appellations.

LES MEILLEURS 1967

Saint-Estèphe : Calon-Ségur, Montrose
Pauillac : Latour
Saint-Julien : aucun
Margaux : Giscours, La Lagune (Sud-Médoc), Palmer
Médoc/Haut-Médoc/Moulis/Listrac crus bourgeois : aucun
Graves rouges : Haut-Brion, La Mission Haut-Brion
Graves blancs : aucun
Pomerol : Petrus, Trotanoy, La Violette
Saint-Émilion : Cheval Blanc, Magdelaine, Pavie
Barsac/Sauternes : Suduirant, D'Yquem

1966 – BRÈVE PRÉSENTATION (26 septembre 1966)

Saint-Estèphe***
Pauillac***
Saint-Julien***
Margaux***
Médoc/Haut-Médoc crus bourgeois**
Graves rouges****
Graves blancs***
Pomerol***
Saint-Émilion**
Barsac/Sauternes**

Récolte : abondante.
Spécificités : le plus surévalué des bons millésimes de ces trente dernières années.
Maturité : les meilleurs vins sont encore très jeunes, mais nombre d'entre eux ont perdu de leur fruité avant que leurs tannins ne se fondent.
Prix : ces vins surcotés sont proposés à prix élevés.

Une majorité de gens estiment que 1966 est le deuxième meilleur millésime des années 60 après 1961, mais je suis d'avis que, pour les Graves, les Pomerol et les Saint-Émilion, ce serait plutôt l'année 1964 qui tiendrait cette place. Je pense même que le millésime 1962, très sous-estimé, lui est dans l'ensemble supérieur. Élaborés dans le même état d'esprit que les 1975 (encensés après plusieurs millésimes quelconques, en particulier dans le Médoc), les 1966 ne se sont jamais autant épanouis que leurs prescripteurs l'auraient souhaité. Et aujourd'hui, à plus de 30 ans d'âge, ces vins sont pour la plupart encore austères, maigres, peu évolués et très tanniques, et perdent de leur fruité bien avant que leurs tannins ne se fondent. Il existe, certes, quelques exceptions remarquables – personne ne pourrait raisonnablement contester le fait que le Latour 1966 est un vin exceptionnel (le meilleur du millésime), tout comme l'est le Palmer de la même année.

Au départ, les 1966 ont été décrits comme des vins relativement précoces, pleins de charme, qui évolueraient rapidement, si bien qu'on ne s'attendait vraiment pas que nombre d'entre eux se montrent aussi décevants. Mais, même si ce millésime n'est pas aussi homogène qu'on l'avait d'abord supposé, on y trouve une proportion raisonnable de vins de style classique et moyennement corsés. Cependant, ils sont tous surcotés, car l'année 1966 a toujours été très en vogue et constamment louée par ses zélateurs, notamment par les critiques britanniques. Les vins doux de Sauternes et de Barsac sont de qualité médiocre, les conditions météorologiques de cette année-là n'ayant pas été favorables à la formation de la pourriture noble, ou *Botrytis cinerea.*

Deux mots du climat qui a façonné ce millésime : dans l'ordre, une floraison lente et étalée pendant le mois de juin, puis des périodes alternées de temps chaud et froid en juillet et en août, enfin un mois de septembre ensoleillé et sec. La récolte a été abondante, et les vendanges se sont déroulées sous des cieux cléments, dans d'excellentes conditions.

Je suis pour ma part sceptique quant à l'intérêt d'acquérir la plupart des 1966, à moins qu'il ne s'agisse des réussites incontestables du millésime.

LES MEILLEURS 1966

Saint-Estèphe : aucun
Pauillac : Grand-Puy-Lacoste, Latour, Mouton Rothschild, Pichon-Longueville Comtesse de Lalande
Saint-Julien : Branaire Ducru, Ducru-Beaucaillou, Gruaud Larose, Léoville Las Cases
Margaux : Lascombes, Palmer
Médoc/Haut-Médoc/Moulis/Listrac crus bourgeois : aucun
Graves rouges : Haut-Brion, La Mission Haut-Brion, Pape Clément
Graves blancs : Domaine de Chevalier, Haut-Brion, Laville Haut-Brion
Pomerol : Lafleur, Trotanoy
Saint-Émilion : Canon
Barsac/Sauternes : aucun

1965 – BRÈVE PRÉSENTATION (2 octobre 1965)

Saint-Estèphe 0
Pauillac 0
Saint-Julien 0
Margaux 0
Médoc/Haut-Médoc crus bourgeois 0
Graves rouges 0
Graves blancs 0
Pomerol 0
Saint-Émilion 0
Barsac/Sauternes 0

Récolte : minuscule.
Spécificités : la quintessence de la pourriture et de la pluie.
Maturité : ces vins, qui étaient déjà mauvais dans leur jeunesse, sont certainement exécrables aujourd'hui.
Prix : sans aucun intérêt.

Le millésime 1965 est donc celui du règne de la pourriture et de la pluie. Je n'ai dégusté que très peu de vins de cette année, que l'on considère généralement comme la pire de l'après-guerre. L'été 1965 a été généralement mauvais, mais ce sont les pluies torrentielles de septembre qui ont sonné le glas de ce millésime en favorisant une terrible éclosion de pourriture qui a littéralement dévasté les vignobles. Malheureusement, les traitements contre de tels fléaux n'étaient pas systématiquement utilisés à l'époque. Il vaut mieux s'abstenir d'acheter ou de déguster les 1965.

1964 – BRÈVE PRÉSENTATION (22 septembre 1964)

Saint-Estèphe***	Graves rouges*****
Pauillac*	Graves blancs***
Saint-Julien*	Pomerol*****
Margaux**	Saint-Émilion****
Médoc/Haut-Médoc crus bourgeois*	Barsac/Sauternes*

Récolte : importante.
Spécificités : exemple classique d'un millésime où le merlot et le cabernet franc, vendangés relativement tôt, ont produit d'excellents vins, tandis que le cabernet sauvignon, ramassé plus tard, a été noyé par les pluies, en particulier dans le Médoc. D'ailleurs, certains châteaux prestigieux de cette appellation ont fait des vins de très mauvaise qualité.
Maturité : les Médoc sont en principe déjà passés, mais les plus opulents des Graves, les Pomerol et les Saint-Émilion se conserveront encore une bonne dizaine d'années.
Prix : les amateurs avertis ont toujours apprécié l'excellence des 1964, en particulier dans les Graves, à Pomerol et à Saint-Émilion, si bien que ces vins ont toujours été à des prix relativement élevés. Cependant, une comparaison avec les prestigieux 1959 et 1961 fera apparaître que les vins de la rive droite et de la région des Graves sont à la fois sous-estimés et sous-évalués.

1964 est l'un des millésimes les plus curieux du Bordelais. On y trouve nombre de vins splendides, souvent sous-estimés et sous-cotés, en particulier dans les trois appellations déjà citées, où les producteurs ont en général réussi à terminer leurs vendanges avant le déluge du 8 octobre. En revanche, ces fortes pluies ont touché plusieurs propriétés du Médoc qui avaient encore leur récolte sur pied, et c'est pour cela que 1964 est considéré, à tort, comme une mauvaise année pour l'ensemble de Bordeaux. Plusieurs châteaux médocains ainsi que ceux de Barsac et de Sauternes ont certes produit des vins de piètre qualité, mais le millésime 1964 est indiscutablement excellent, voire extraordinaire, pour ce qui est de la rive droite et des Graves.

L'été 1964 a été si chaud et si sec que, dès le début septembre, le ministre de l'Agriculture de l'époque annonçait le « millésime du siècle ». Les vendanges ont commencé dans les appellations où il y avait davantage de merlot, qui est le cépage le plus précoce. Ainsi, nous l'avons vu, elles ont débuté fin septembre et se sont achevées avant les pluies diluviennes du 8 octobre dans les régions de Pomerol et de Saint-Émilion. La plupart des propriétés situées dans les Graves avaient aussi fini de récolter à ce moment-là. En revanche, dans le Médoc, où l'on commençait tout juste à ramasser le cabernet sauvignon, il a été impossible de terminer les vendanges dans de bonnes conditions à cause des pluies torrentielles. Cette région a donc enregistré un nombre d'échecs considérable qui ont tristement marqué l'année 1964. Et je plains sincèrement ceux qui ont acheté du Lafite Rothschild, du Mouton Rothschild, du Lynch-Bages, du Calon-Ségur ou du Margaux de ce millésime. Pourtant, les Médoc ne sont pas tous décevants : Montrose à Saint-Estèphe et Latour à Pauillac ont ainsi produit les meilleurs vins de leurs appellations respectives.

Les appréciations très pessimistes sur les méfaits de la pluie ont suscité la plus extrême réserve de la part des amateurs.

Les meilleurs vins des Graves, de Saint-Émilion et de Pomerol sont exceptionnellement riches, corsés, opulents, concentrés et alcooliques. Ils ont aussi des robes opaques et déploient une longue persistance et une puissance extraordinaire. Curieusement, ils sont également bien plus riches, plus intéressants et plus complets que les 1966 et, dans bien des cas, peuvent rivaliser avec les meilleurs 1961. A cause de leur taux d'acidité relativement bas, ces vins étaient à maturité dès le milieu des années 80, mais les plus réussis d'entre eux ne montrent aucun signe de déclin et pourront se conserver pendant encore au moins 5 à 10 ans.

LES MEILLEURS 1964

Saint-Estèphe : Montrose
Pauillac : Latour
Saint-Julien : Gruaud Larose
Margaux : aucun
Médoc/Haut-Médoc/Moulis/Listrac/Moulis/Listrac crus bourgeois : aucun
Graves rouges : Domaine de Chevalier, Haut-Bailly, Haut-Brion, La Mission Haut-Brion
Graves blancs : aucun
Pomerol : La Conseillante, La Fleur-Petrus, Le Gay, Lafleur, Petrus, Trotanoy, Vieux Château Certan
Saint-Émilion : L'Arrosée, Cheval Blanc, Figeac, Soutard
Barsac/Sauternes : aucun

1963 – BRÈVE PRÉSENTATION (7 octobre 1963)

Saint-Estèphe 0
Pauillac 0
Saint-Julien 0
Margaux 0
Médoc/Haut-Médoc crus bourgeois 0
Graves rouges 0
Graves blancs 0
Pomerol 0
Saint-Émilion 0
Barsac/Sauternes 0

Récolte : assez moyenne.
Spécificités : une année absolument déplorable, qui peut rivaliser avec 1965 pour la médiocrité de ses vins.
Maturité : les vins de ce millésime sont certainement épouvantables actuellement.
Prix : sans aucun intérêt.

Les Bordelais n'ont jamais pu déterminer lequel, des millésimes 1963 ou 1965, était le plus calamiteux des années 1960. Dans les deux cas, ce sont les pluies qui ont totalement compromis la récolte. Je n'ai pas goûté une seule bouteille de 1963 depuis plus de vingt ans.

1962 – BRÈVE PRÉSENTATION (1er octobre 1962)

Saint-Estèphe****
Pauillac****
Saint-Julien****
Margaux***
Médoc/Haut-Médoc crus bourgeois***
Graves rouges***
Graves blancs****
Pomerol***
Saint-Émilion***
Barsac/Sauternes****

Récolte : l'une des plus importantes des années 1960.
Spécificités : ce millésime, terriblement sous-estimé, a pour seul tort d'avoir immédiatement suivi l'une des années les plus prestigieuses de ce siècle.
Maturité : les anciens assurent que les 1962 étaient déjà merveilleux à la fin des années 60 et qu'ils montraient un caractère impressionnant, du fruité et beaucoup de charme dans le courant des années 70. Au milieu de cette décennie-ci, les meilleurs d'entre eux sont encore de beaux vins riches et ronds, tout en finesse et en élégance.
Prix : les 1962 sont sous-évalués, surtout si on les compare aux 1961 ou encore aux 1966, qui, eux, sont terriblement surcotés.

Le millésime 1962, dont on pouvait raisonnablement penser qu'il resterait dans l'ombre de son illustrissime aîné (1961), est en fait pour les bordeaux le plus sous-évalué de la période de l'après-guerre. Presque toutes les appellations ont produit cette année-là des vins élégants, souples, très fruités, ronds et pleins de charme, qui n'étaient ni trop tanniques ni trop massifs. Parce qu'ils étaient aussi très précoces, d'aucuns ont estimé qu'ils ne se conserveraient pas, mais ils ont en réalité un potentiel de garde insoupçonné. La plupart des 1962 doivent être consommés actuellement, mais certains sont encore surprenants et, s'ils ont été bien stockés, ils pourront sans crainte être attendus jusqu'à la fin de ce siècle.

Les conditions climatiques de 1962 ont été correctes, mais pas extraordinaires. Le mois de mai, ensoleillé et sec, a favorisé une bonne floraison. L'été a été chaud, avec quelques orages impressionnants, et le mois de septembre, également torride et ensoleillé, a été le prélude à une très belle arrière-saison. S'il a légèrement plu pendant les vendanges, il n'y a en revanche pas eu d'inondations qui auraient pu compromettre le millésime.

L'année 1962 a été excellente pour toutes les appellations, mais elle a été particulièrement bonne pour les vins blancs secs des Graves et pour les nectars liquoreux de Sauternes et de Barsac.

LES MEILLEURS 1962

Saint-Estèphe : Cos d'Estournel, Montrose
Pauillac : Batailley, Lafite Rothschild, Latour, Lynch-Bages, Mouton Rothschild, Pichon-Longueville Comtesse de Lalande
Saint-Julien : Ducru-Beaucaillou, Gruaud Larose
Margaux : Château Margaux, Palmer

Médoc/Haut-Médoc/Moulis/Listrac crus bourgeois : aucun
Graves rouges : Haut-Brion, Pape Clément
Graves blancs : Domaine de Chevalier, Laville Haut-Brion
Pomerol : Petrus, Trotanoy, La Violette
Saint-Émilion : Magdelaine
Barsac/Sauternes : D'Yquem

1961 – BRÈVE PRÉSENTATION (22 septembre 1961)

Saint-Estèphe*****
Pauillac*****
Saint-Julien*****
Margaux*****
Médoc/Haut-Médoc crus bourgeois***
Graves rouges*****
Graves blancs***
Pomerol*****
Saint-Émilion***
Barsac/Sauternes**

Récolte : très réduite. Il s'agit en fait du dernier millésime où une récolte minuscule se soit révélée d'excellente qualité.
Spécificités : un des millésimes légendaires de ce siècle.
Maturité : à quelques exceptions près, les 1961, qui étaient déjà très bons dans leur jeunesse, sont actuellement à leur apogée. Les meilleurs d'entre eux se conserveront encore 10 à 15 ans.
Prix : la qualité exceptionnelle des 1961 et la faiblesse des rendements ont fait de ce millésime un des plus chers du marché. En outre, les prix de ces vins – dont rêvent tous les familiers des ventes aux enchères – augmenteront certainement encore, étant donné les petites quantités qui restent disponibles. Cependant, ils seront bientôt égalés par ceux des 1990 et des 1982.

1961 compte parmi les neuf plus grands millésimes de l'après-guerre. Les autres (1945, 1947, 1949, 1953, 1959, 1982, 1989 et 1990) ont chacun leurs zélateurs, mais seul 1961 fait vraiment l'unanimité. Les vins de cette année ont toujours été prisés pour leur concentration exceptionnelle, leur nez magnifique et persistant de fruits mûrs et leurs effluves profonds et somptueux. Déjà délicieux dans leur jeunesse, ils sont tous, à l'exception de quelques spécimens très concentrés et très intenses, à maturité aujourd'hui et se révèlent merveilleux à la dégustation. Je pense par ailleurs que les bouteilles qui ont été bien conservées pourront se garder encore une dizaine d'années.

Les conditions climatiques en 1961 frisaient la perfection. Les gelées de printemps ont d'abord réduit la récolte. L'été qui a suivi a été chaud et ensoleillé, et le beau temps a persisté pendant les vendanges. Les raisins ont ainsi pu atteindre un stade de parfaite maturité. La faiblesse des rendements explique les prix élevés des 1961, que la cotation actuelle permet de comparer à de l'or liquide.

Ce millésime a été exceptionnel pour presque toutes les appellations du Bordelais, à l'exception de Sauternes et de Barsac, qui ont néanmoins bénéficié de son excellente réputation. Mais il suffit de déguster les liquoreux de ces régions pour se rendre compte que même D'Yquem est de qualité médiocre. En effet, le temps excessivement sec n'ayant pas permis le bon développement du botrytis, les vins doux se sont révélés amples, mais monolithiques, et n'ont jamais mérité l'intérêt qu'ils ont suscité. La seule autre appellation où la qualité soit légèrement inférieure et moins homogène qu'ailleurs est Saint-Émilion, où plusieurs vignobles ne s'étaient pas complètement remis du gel dévastateur de 1956.

Les deux millésimes dont le style et la richesse pourraient être comparés à ceux de 1961 sont 1959 et 1982. Les 1959 ont des taux d'acidité légèrement inférieurs, mais ils ont évolué plus lentement, alors que les 1982 auraient une structure plus proche de celle des 1961 tout en étant moins tanniques.

LES MEILLEURS 1961

Saint-Estèphe : Cos d'Estournel, Haut-Marbuzet, Montrose
Pauillac : Latour, Lynch-Bages, Mouton Rothschild, Pichon-Longueville Comtesse de Lalande, Pontet-Canet
Saint-Julien : Beychevelle, Ducru-Beaucaillou, Gruaud Larose, Léoville Barton
Margaux : Malescot Saint-Exupéry, Château Margaux, Palmer
Médoc/Haut-Médoc/Moulis/Listrac crus bourgeois : aucun
Graves rouges : Haut-Bailly, Haut-Brion, La Mission Haut-Brion, Pape Clément, La Tour Haut-Brion
Graves blancs : Domaine de Chevalier, Laville Haut-Brion
Pomerol : L'Église-Clinet, L'Évangile, Lafleur, Latour à Pomerol, Petrus, Trotanoy
Saint-Émilion : L'Arrosée, Canon, Cheval Blanc, Figeac, Magdelaine
Barsac/Sauternes : aucun

1960 – BRÈVE PRÉSENTATION (9 septembre 1960)

Saint-Estèphe**
Pauillac**
Saint-Julien**
Margaux*
Médoc/Haut-Médoc crus bourgeois 0
Graves rouges**
Graves blancs*
Pomerol*
Saint-Émilion*
Barsac/Sauternes*

Récolte : très abondante.
Spécificités : ce millésime a été compromis par les pluies importantes des mois d'août et septembre.
Maturité : la plupart des 1960 auraient dû être consommés à 10 ou 15 ans d'âge.
Prix : bas.

Je me rappelle avoir dégusté plusieurs magnums absolument délicieux de Latour 1960, et je garde un excellent souvenir de très bons Montrose, La Mission Haut-Brion et Gruaud Larose du même millésime, que j'ai trouvés à Bordeaux. Le dernier vin de 1960 que j'aie dégusté était un magnum de Château Latour, et cela remonte à plus d'une vingtaine d'années maintenant. Je pense que même ce cru, qui était pourtant le vin le plus concentré du millésime, est actuellement sur le déclin.

1959 – BRÈVE PRÉSENTATION (20 septembre 1959)

Saint-Estèphe*****
Pauillac*****
Saint-Julien****
Margaux****
Médoc/Haut-Médoc crus bourgeois***
Graves rouges*****
Graves blancs****
Pomerol***
Saint-Émilion**
Barsac/Sauternes*****

Récolte : moyenne.
Spécificités : le premier millésime récent à avoir été qualifié de « millésime du siècle ».
Maturité : exactement comme en 1982, les 1959 ont été fortement décriés dans leur jeunesse à cause de leur faible acidité et de leur manque de structure, mais ils ont évolué plus lentement que les 1961, dont on a davantage vanté les mérites. En fait, les comparaisons entre les meilleurs vins des deux millésimes révèlent souvent que les 1959 sont moins évolués, plus riches, avec des robes plus sombres et un potentiel de garde plus important que les 1961.
Prix : les 1959 n'ont jamais été à des prix très bas, mais ils deviennent de plus en plus chers. En effet, les connaisseurs ont désormais conscience de ce que non seulement nombre de ces vins peuvent rivaliser avec les 1961, mais aussi que certains d'entre eux leur sont supérieurs.

1959 est incontestablement un très grand millésime, qui, pour des raisons inexpliquées, a été sévèrement critiqué lors de sa diffusion. Sans doute est-ce parce qu'il avait été excessivement loué au moment de sa conception... Il n'en demeure pas moins qu'il a donné des vins étonnamment puissants, en particulier dans le nord du Médoc, dans la région des Graves et, dans une moindre mesure, sur la rive droite (certains vignobles de Pomerol et de Saint-Émilion n'étaient toujours pas remis du gel de 1956). Ce sont aussi les plus riches et les plus massifs qui aient jamais été produits à Bordeaux. En fait, les deux millésimes récents que l'on compare le plus souvent à 1959 sont 1982 et 1990, et ce rapprochement n'est pas dénué de fondement.

Les 1959 ont évolué très lentement et, actuellement, se révèlent souvent de meilleure tenue (en particulier Mouton Rothschild et Lafite Rothschild) que leurs homologues du millésime 1961, pourtant plus prisés. Rien dans ces vins n'indique qu'ils sont le produit d'une année chaude et sèche où la pluie était juste suffisante pour empêcher que les vignes ne souffrent de « stress ». Ils sont très corsés, extrêmement alcooliques et opulents, et présentent un niveau élevé de tannins ainsi que de la richesse en extrait. Leurs robes opaques et sombres sont impressionnantes et n'ont pas les teintes orangées ou brunâtres que l'on retrouve dans les 1961. S'il demeure un doute au sujet des 1959, ce serait celui de savoir s'ils développeront jamais les arômes et les parfums sensationnels si caractéristiques des grands millésimes de Bordeaux. Les fortes chaleurs de l'été ont fortement compromis cet aspect du millésime, mais il est encore trop tôt pour le dire avec certitude.

LES MEILLEURS 1959

Saint-Estèphe : Cos d'Estournel, Montrose, Les Ormes de Pez
Pauillac : Lafite Rothschild, Latour, Lynch-Bages, Mouton Rothschild, Pichon-Longueville Baron
Saint-Julien : Ducru-Beaucaillou, Langoa Barton, Léoville Barton, Léoville Las Cases
Margaux : Lascombes, Malescot Saint-Exupéry, Château Margaux, Palmer
Graves rouges : Haut-Brion, La Mission Haut-Brion, Pape Clément, La Tour Haut-Brion
Graves blancs : Laville Haut-Brion
Pomerol : La Conseillante, L'Évangile, Lafleur, Latour à Pomerol, Petrus, Trotanoy, Vieux Château Certan
Saint-Émilion : Cheval Blanc, Figeac
Barsac/Sauternes : Climens, Suduiraut, D'Yquem

1958 – BRÈVE PRÉSENTATION (7 octobre 1958)

Saint-Estèphe*
Pauillac*
Saint-Julien*
Margaux*
Médoc/Haut-Médoc crus bourgeois*
Graves rouges***
Graves blancs**
Pomerol*
Saint-Émilion**
Barsac/Sauternes*

Récolte : assez réduite.
Spécificités : un millésime très injustement décrié.
Maturité : les 1958 sont maintenant sur le déclin, mais les meilleurs d'entre eux sont presque toujours des vins des Graves.
Prix : très peu élevés.

J'ai dégusté moins de deux douzaines de vins de 1958, mais ceux qui me semblent se distinguer le plus sont issus des Graves. Cette année-là, Haut-Brion, La Mission Haut-Brion et Pape Clément ont tous fait de très beaux vins, qui étaient excellents à la dégustation dans le courant des années 60 et au début des années 70. En avril 1991, j'ai dégusté un Haut-Brion 1958 qui était relativement goûteux, rond, souple et bien en chair, avec des effluves de minéral et de tabac, mais il avait dû être bien meilleur 10 ou 15 ans auparavant. La Mission Haut-Brion 1958, qui était encore plus riche que le vin précédent, devrait toujours se montrer excellent – à condition toutefois d'avoir été bien stocké.

1957 – BRÈVE PRÉSENTATION (4 octobre 1957)

Saint-Estèphe**
Pauillac***
Saint-Julien**
Margaux*
Médoc/Haut-Médoc crus bourgeois*
Graves rouges***
Graves blancs**
Pomerol*
Saint-Émilion*
Barsac/Sauternes***

Récolte : très réduite.
Spécificités : cette année a été marquée par un été extrêmement froid et pluvieux.
Maturité : à cause de l'extrême fraîcheur estivale, les vins rouges de 1957 ont un taux d'acidité excessivement élevé qui leur a permis de résister à l'épreuve du temps. Si vous avez l'occasion de trouver des vins de ce millésime en parfait état de conservation, il serait intéressant de les acheter, à condition toutefois qu'ils soient proposés à des prix raisonnables.
Prix : les 1957 sont en général abordables, car ils ne jouissent pas d'une très bonne réputation.

Étant donné l'accueil peu favorable qui a toujours été réservé aux 1957, j'ai été extrêmement surpris par le nombre de vins plaisants et de bonne tenue que j'ai pu déguster dans ce millésime, en particulier certains Graves et certains Pauillac. En fait, il me serait très agréable de présenter un Haut-Brion 1957 ou un La Mission Haut-Brion 1957 à mes amis les plus pointilleux, et je serais personnellement ravi de déguster un Lafite Rothschild de cette même année. J'ai goûté deux bouteilles de cet excellent vin au début des années 80, mais une telle occasion ne s'est pas représentée depuis.

Les conditions climatiques de 1957 ont été très difficiles. En effet, des périodes extrêmement pluvieuses entre avril et août ont obligé les viticulteurs à retarder les vendanges jusqu'au début octobre. Les vins avaient un bon niveau d'acidité, et, dans les vignobles dont les sols sont les mieux drainés, les raisins avaient atteint un stade de maturité surprenant malgré le manque d'ensoleillement et l'humidité ambiante. Les 1957 de Bordeaux, de même que leurs homologues bourguignons, se sont conservés relativement bien, compte tenu de leur taux élevé d'acidité et de leurs tannins très verts.

1956 – BRÈVE PRÉSENTATION (14 octobre 1956)

Saint-Estèphe 0
Pauillac 0
Saint-Julien 0
Margaux 0
Médoc/Haut-Médoc crus bourgeois 0
Graves rouges 0
Graves blancs 0
Pomerol 0
Saint-Émilion 0
Barsac/Sauternes 0

Récolte : des quantités minuscules de vins de petite tenue ont été produites en 1956.
Spécificités : l'hiver 1956, le plus froid que Bordeaux ait connu depuis... 1709, a causé d'importants dégâts dans les vignobles, en particulier à Pomerol et à Saint-Émilion.
Maturité : je n'ai pas vu un seul 1956 depuis plus de vingt ans, et n'ai goûté en tout et pour tout que cinq vins de ce millésime.
Prix : une année déplorable qui a donné des vins déplorables – et qui ne valent donc rien.

Le millésime 1956 est le plus désastreux que Bordeaux ait connu dans les années relativement récentes. Il dépasse même les médiocrisimes 1963, 1965, 1968, 1969 et 1972. L'hiver 1956 a été tellement froid qu'il a détruit la plupart des vignobles de Pomerol et de Saint-Émilion, et considérablement retardé la floraison en Médoc. La vendange s'est faite tardivement, la récolte a été extrêmement réduite et les vins se sont révélés presque imbuvables.

1955 – BRÈVE PRÉSENTATION (21 septembre 1955)

Saint-Estèphe****
Pauillac****
Saint-Julien****
Margaux***
Médoc/Haut-Médoc crus bourgeois**
Graves rouges****
Graves blancs***
Pomerol***
Saint-Émilion****
Barsac/Sauternes****

Récolte : abondante et saine.
Spécificités : à près de 45 ans, ce millésime, certes incomparable au 1953 ou au 1959, n'en demeure pas moins sous-estimé et sous-coté, car il offre des vins qui se sont bien conservés et qui, dans l'ensemble, se portent mieux et sont mieux structurés que les 1953, dont l'heure de gloire est maintenant passée.
Maturité : après une longue période pendant laquelle ils s'étaient refermés, les meilleurs 1955 sont enfin à maturité et ne montrent pas le moindre signe de faiblesse.
Prix : en général, les 1955 sont sous-évalués – à l'exception de La Mission Haut-Brion, qui est la réussite du millésime – voire de la décennie.

En 1955, la plupart des vins sont relativement austères et ont une texture légèrement rugueuse. Ils sont aussi profonds, pleins, très colorés, avec un potentiel de garde assez extraordinaire, mais ils manquent en règle générale de gras, de charme et d'opulence.

Les conditions climatiques qui ont fait ce millésime étaient presque idéales. Les mois de juin, juillet et août ont été chauds et ensoleillés, et les pluies de septembre ont été plutôt bénéfiques.

Pour une raison inexpliquée, la vendange relativement abondante cette année-là n'a pas suscité le même enthousiasme que d'autres millésimes des années 50, tels 1953 ou 1959. Peut-être est-ce dû à l'absence de vins vraiment sensationnels ? Plus récemment, les 1988 pourraient être comparés aux 1955.

LES MEILLEURS 1955

Saint-Estèphe : Calon-Ségur, Cos d'Estournel, Montrose, Les Ormes de Pez
Pauillac : Latour, Lynch-Bages, Mouton Rothschild
Saint-Julien : Léoville Las Cases, Talbot
Margaux : Palmer
Graves rouges : Haut-Brion, La Mission Haut-Brion, Pape Clément
Graves blancs : aucun
Pomerol : L'Évangile, Lafleur, Latour à Pomerol, Petrus, Vieux Château Certan
Saint-Émilion : Cheval Blanc, La Dominique, Soutard
Barsac/Sauternes : D'Yquem

1954 – BRÈVE PRÉSENTATION (10 octobre 1954)

Saint-Estèphe 0
Pauillac*
Saint-Julien*
Margaux 0
Médoc/Haut-Médoc crus bourgeois 0
Graves rouges*
Graves blancs 0
Pomerol 0
Saint-Émilion 0
Barsac/Sauternes 0

Récolte : très réduite.
Spécificités : des vendanges très tardives qui se sont déroulées par un temps déplorable.
Maturité : il est difficile d'imaginer qu'un vin de ce millésime soit encore buvable.
Prix : les 1954 n'ont strictement aucune valeur.

L'année 1954 a été médiocre pour toutes les régions viticoles de France, et en particulier pour Bordeaux. En effet, les viticulteurs bordelais ont désespérément attendu que leur récolte mûrisse après un mois d'août exceptionnellement pluvieux et frais. Les premiers jours de septembre ont été plus cléments, mais, à la fin de ce mois, la situation s'est considérablement détériorée. En effet, des dépressions atmosphériques successives qui passaient au-dessus de la région y ont apporté des pluies torrentielles. Celles-ci ont duré près de quatre semaines et ont irrémédiablement compromis un millésime qui, sans cela, aurait pu être de qualité moyenne.

Il est très improbable qu'un vin de cette année soit buvable actuellement.

1953 – BRÈVE PRÉSENTATION (21 septembre 1953)

Saint-Estèphe*****
Pauillac****
Saint-Julien****
Margaux****
Médoc/Haut-Médoc crus bourgeois***
Graves rouges****
Graves blancs***
Pomerol***
Saint-Émilion***
Barsac/Sauternes***

Récolte : moyenne.
Spécificités : un des millésimes les plus séduisants et les plus sensuels jamais produits à Bordeaux.
Maturité : d'après les anciens, les 1953 étaient absolument délicieux dans le courant des années 50, se montraient encore meilleurs pendant les années 60 et étaient tout simplement sublimes dans les années 70. Leurs traits communs étaient le charme, la rondeur, la richesse aromatique, ainsi qu'une texture de velours. Mais, aujourd'hui, il convient de se montrer prudent avec ces vins, sauf si l'on est certain qu'ils ont été impeccablement stockés ou s'ils sont logés en grand format.
Prix : des vins aussi séduisants ne se vendront jamais à prix raisonnable. En d'autres termes, les 1953 seront toujours très chers.

Les 1953 comptent au nombre des rares bordeaux qui fassent l'unanimité quant à leur qualité. Les anciens et certains des commentateurs qui nous ont précédé (Edmund Penning-Rowsell et Michael Broadbent) en parlent avec adoration. Il semblerait que ces vins ne se soient jamais montrés sous un mauvais jour ; déjà délicieux au fût, ils se sont encore améliorés en bouteille. C'est pour cette raison qu'ils ont en général été dégustés avant d'avoir atteint 10 ans d'âge, mais les amateurs qui ont été plus patients ont pu constater qu'ils s'étaient considérablement épanouis au cours des années 60 et 70. Si, outre-Atlantique, les 1953 sont déjà marqués par le temps, en Europe, en revanche, ils sont encore en parfaite forme, aussi merveilleusement riches, somptueux et pleins de charme qu'on peut l'espérer. Aujourd'hui, on pourrait rapprocher les meilleurs d'entre eux des 1985 les plus réussis ou des 1982 les plus légers, mais je pense que ces derniers sont des vins plus alcooliques, plus riches et plus lourds.

Si vos moyens financiers vous permettent de vous offrir ce millésime très prisé, n'en achetez qu'en grand format ou assurez-vous de ce que les bouteilles que l'on vous propose ont auparavant été stockées dans des caves plutôt fraîches.

LES MEILLEURS 1953

Saint-Estèphe : Calon-Ségur, Cos d'Estournel, Montrose
Pauillac : Grand-Puy-Lacoste, Lafite Rothschild, Lynch-Bages, Mouton Rothschild
Saint-Julien : Beychevelle, Ducru-Beaucaillou, Gruaud Larose, Langoa Barton, Léoville Barton, Léoville Las Cases, Talbot
Margaux : Cantemerle (Sud-Médoc), Château Margaux, Palmer
Graves rouges : Haut-Brion, La Mission Haut-Brion
Graves blancs : aucun
Pomerol : La Conseillante
Saint-Émilion : Cheval Blanc, Figeac, Magdelaine, Pavie
Barsac/Sauternes : Climens, D'Yquem

1952 – BRÈVE PRÉSENTATION (17 septembre 1952)

Saint-Estèphe**
Pauillac***
Saint-Julien***
Margaux**
Médoc/Haut-Médoc crus bourgeois**
Graves rouges***
Graves blancs***
Pomerol****
Saint-Émilion***
Barsac/Sauternes**

Récolte : assez réduite.
Spécificités : le millésime 1952 est à son meilleur niveau à Pomerol, où les vendanges ont été terminées bien avant l'arrivée des pluies.
Maturité : presque tous les vins de ce millésime se sont toujours montrés durs et astringents, manquant de gras, de charme et de maturité.
Prix : les 1952 sont en général très chers, mais certains Pomerol soigneusement choisis peuvent se révéler des valeurs sûres.

Les conditions climatiques du printemps 1952 ont été excellentes, et l'été s'est montré relativement chaud et sec, avec une pluviométrie optimale. Malheureusement, la situation s'est ensuite dégradée, et le temps a été froid, instable et orageux avant et pendant les vendanges. C'est à Pomerol et à Saint-Émilion, où la majorité du merlot et une partie du cabernet franc ont été vendangés avant que le temps ne se détériore, que l'on trouve les crus les plus réussis. Certains vins des Graves sont également très bons, grâce aux sols légers et bien drainés de cette appellation, en particulier dans la région de Pessac-Léognan. Mais les Médoc, y compris les premiers crus, sont dans l'ensemble durs et décevants.

LES MEILLEURS 1952

Saint-Estèphe : Calon-Ségur, Montrose
Pauillac : Latour, Lynch-Bages
Saint-Julien : aucun
Margaux : Château Margaux, Palmer
Médoc/Haut-Médoc/Moulis/Listrac crus bourgeois : aucun
Graves rouges : Haut-Brion, La Mission Haut-Brion, Pape Clément
Graves blancs : aucun
Pomerol : La Fleur-Petrus, Lafleur, Trotanoy, Vieux Château Certan
Saint-Émilion : Cheval Blanc, Magdelaine
Barsac/Sauternes : aucun

1951 – BRÈVE PRÉSENTATION (9 octobre 1951)

Saint-Estèphe 0
Pauillac 0
Saint-Julien 0
Margaux 0
Médoc/Haut-Médoc crus bourgeois 0
Graves rouges 0
Graves blancs 0
Pomerol 0
Saint-Émilion 0
Barsac/Sauternes 0

Récolte : extrêmement réduite.
Spécificités : ce millésime est aujourd'hui encore considéré comme le pire pour les vins de Bordeaux.
Maturité : des vins imbuvables tant dans leur jeunesse que plus tard...
Prix : encore un millésime médiocre qui ne vaut rien.

Un temps épouvantable au printemps et en été, ainsi qu'avant et pendant les vendanges, a totalement compromis le millésime 1951, qui peut se vanter d'avoir pire réputation que toute autre année de l'après-guerre.

1950 – BRÈVE PRÉSENTATION (17 septembre 1950)

Saint-Estèphe**
Pauillac***
Saint-Julien***
Margaux***
Médoc/Haut-Médoc crus bourgeois*
Graves rouges***
Graves blancs***
Pomerol*****
Saint-Émilion****
Barsac/Sauternes****

Récolte : abondante.
Spécificités : la plupart des Pomerol de ce millésime sont grandioses ; pourtant, ils ont été systématiquement ignorés par les chroniqueurs de l'époque.
Maturité : nombre de Médoc et de Graves sont sur le déclin, mais les Pomerol les plus opulents sont splendides et peuvent encore se conserver pendant plusieurs années.
Prix : la qualité des Pomerol n'a jamais été reconnue, si bien que ces vins sont sous-estimés et sous-cotés.

L'année 1950 est encore un de ces millésimes dont la réputation a été faite par le Médoc. Cette année-là, la floraison s'est bien déroulée, l'été a été chaud et sec, mais, au mois de septembre, le temps s'est détérioré et il a beaucoup plu.

Les Médoc, qui sont aujourd'hui sur le déclin, étaient des vins souples, bien évolués et moyennement corsés, que l'on pourrait comparer aux 1971 ou aux 1981. Les Graves étaient de meilleure qualité, mais ils sont probablement passés à l'heure actuelle. Les deux appellations qui ont le mieux réussi sont Saint-Émilion et Pomerol. La première a produit nombre de vins riches, pleins et intenses, qui ont évolué rapidement. Quant à la seconde, elle a connu là son quatrième grand millésime successif, fait sans précédent dans son histoire. On y trouve des vins incroyablement riches, onctueux et concentrés, qui peuvent même, pour certains, rivaliser avec les Pomerol les mieux réussis de 1947 et de 1949.

La région de Sauternes/Barsac a également connu son heure de gloire en 1950. En effet, les amateurs considèrent toujours ce millésime comme l'un des plus grands de l'après-guerre pour ces liquoreux.

LES MEILLEURS 1950

Saint-Estèphe : aucun
Pauillac : Latour
Saint-Julien : aucun
Margaux : Château Margaux
Médoc/Haut-Médoc/Moulis/Listrac crus bourgeois : aucun

Graves rouges : Haut-Brion, La Mission Haut-Brion
Graves blancs : aucun
Pomerol : L'Église-Clinet, L'Évangile, La Fleur-Petrus, Le Gay, Lafleur, Latour à Pomerol, Petrus, Vieux Château Certan
Saint-Émilion : Cheval Blanc, Figeac, Soutard
Barsac/Sauternes : Climens, Coutet, Suduiraut, D'Yquem

1949 – BRÈVE PRÉSENTATION (27 septembre 1949)

Saint-Estèphe*****
Pauillac*****
Saint-Julien*****
Margaux****
Médoc/Haut-Médoc crus bourgeois***
Graves rouges*****
Graves blancs***
Pomerol****
Saint-Émilion****
Barsac/Sauternes*****

Récolte : très peu abondante
Spécificités : l'année la plus chaude et la plus ensoleillée depuis 1893. Plus récemment, elle peut être comparée – du point de vue climatique seulement, et non qualitatif – à 1990.
Maturité : les meilleurs 1949 sont à la pointe de leur maturité et déploient une richesse et une concentration remarquables.
Prix : extrêmement élevés.

Avec 1945, 1947 et 1948, 1949 est un des quatre millésimes les plus extraordinaires des années 40. C'est aussi celui que je préfère. Légèrement moins massifs et moins alcooliques que les 1947, les 1949 ont plus d'équilibre, d'harmonie et de fruité que les 1945 et sont plus complexes que les 1948. En bref, les meilleurs d'entre eux sont absolument magnifiques et comptent au nombre des vins les plus exceptionnels de ce siècle. Seuls ceux de la rive droite (à l'exception de Cheval Blanc) semblent de qualité légèrement inférieure aux 1947. Pour le Médoc et les Graves, 1949 est une année extraordinaire, où pratiquement toutes les propriétés ont produit des vins très opulents, puissants, d'une richesse et d'une maturité époustouflantes, avec une longue persistance.

Ce millésime a été marqué par un été caniculaire et ensoleillé. Les amateurs qui craignaient qu'il n'ait fait trop chaud en 1989 et 1990 pour que l'on puisse y produire de bons vins devraient consulter les archives. Ils s'apercevraient alors que 1949 était, avec 1947, une des deux années les plus torrides depuis 1893, et également la plus ensoleillée après cette dernière. Les vendanges ne se sont pas déroulées sous un temps totalement sec, mais les pluies étaient légères, comparables à celles qui sont tombées pendant la récolte en 1982. Il avait aussi légèrement plu juste avant les vendanges, mais, les sols étant secs et craquelés, cet apport d'eau s'est révélé plutôt bénéfique.

Même les vins de Sauternes et de Barsac ont été particulièrement réussis cette année-là. Acheter des 1949 aujourd'hui doit certainement coûter les yeux de la tête : ce sont les vins les plus chers et les plus prisés du siècle.

LES MEILLEURS 1949

Saint-Estèphe : Calon-Ségur, Cos d'Estournel, Montrose
Pauillac : Grand-Puy-Lacoste, Latour, Mouton Rothschild
Saint-Julien : Gruaud Larose, Léoville Barton, Talbot

Margaux : Palmer
Médoc/Haut-Médoc/Moulis/Listrac crus bourgeois : aucun
Graves rouges : Haut-Brion, La Mission Haut-Brion, Pape Clément
Graves blancs : Laville Haut-Brion
Pomerol : La Conseillante, L'Église-Clinet, L'Évangile, Lafleur, Latour à Pomerol, Petrus, Trotanoy, Vieux Château Certan
Saint-Émilion : Cheval Blanc
Barsac/Sauternes : Climens, Coutet, D'Yquem

1948 – BRÈVE PRÉSENTATION (22 septembre 1948)

Saint-Estèphe***
Pauillac****
Saint-Julien****
Margaux****
Médoc/Haut-Médoc crus bourgeois***
Graves rouges****
Graves blancs***
Pomerol***
Saint-Émilion***
Barsac/Sauternes**

Récolte : moyenne ou inférieure à la moyenne, selon les appellations.
Spécificités : on trouve en 1948 des vins qui sont bons ou excellents, mais ce millésime est souvent oublié, car surpassé à la fois par son prédécesseur et par son successeur.
Maturité : le caractère dur et fermé des 1948 a favorisé leur évolution, et les sujets les plus amples et les plus concentrés sont encore très attrayants.
Prix : ces vins sont sous-cotés, si l'on tient compte de leur âge et de leur qualité.

Lorsque Bordeaux produit trois grands millésimes à la suite, il arrive souvent que l'un d'eux demeure dans l'ombre ; c'est exactement le cas de 1948. Il s'agit d'une excellente année, dont le seul tort est d'avoir été prise en sandwich entre deux millésimes légendaires.

A cause d'une floraison difficile (juin fut pluvieux, frais et venteux), la récolte fut en 1948 moins abondante qu'en 1947 ou qu'en 1949. Cependant, le temps s'est remis au beau en juillet et en août, et septembre a été exceptionnellement sec et chaud.

Malgré leur qualité incontestable, les 1948 n'ont jamais suscité l'enthousiasme des amateurs de bordeaux rouge, et personne ne pourrait légitimement blâmer ces derniers. En effet, ces vins se montraient durs, tanniques et peu évolués, alors que, dans le même temps, les 1947 étaient spectaculaires, opulents, alcooliques et corsés, et les 1949 très riches.

Cependant, on constate actuellement que, dans bien des cas, les 1948 ont évolué avec davantage de grâce que les 1947, plus massifs, et que les meilleurs d'entre eux sont encore d'excellente tenue. Leurs prix semblent raisonnables, comparés à ceux de leurs aînés et de leurs cadets d'un an.

LES MEILLEURS 1948

Saint-Estèphe : Cos d'Estournel, Montrose
Pauillac : Grand-Puy-Lacoste, Latour, Lynch-Bages, Mouton Rothschild
Saint-Julien : Langoa Barton, Léoville Barton (la réussite du Médoc)
Margaux : Cantemerle (Sud-Médoc), Château Margaux, Palmer
Graves rouges : La Mission Haut-Brion, Pape Clément
Graves blancs : aucun

Pomerol : L'Église-Clinet, Latour à Pomerol, Lafleur, Petit Village, Petrus, Vieux Château Certan
Saint-Émilion : Cheval Blanc
Barsac/Sauternes : aucun

1947 – BRÈVE PRÉSENTATION (15 septembre 1947)

Saint-Estèphe***
Pauillac***
Saint-Julien***
Margaux**
Médoc/Haut-Médoc crus bourgeois*
Graves rouges****
Graves blancs***
Pomerol*****
Saint-Émilion*****
Barsac/Sauternes***

Récolte : très abondante.
Spécificités : 1947 est l'année des contrastes. On y trouve aussi bien les vins les plus concentrés qui aient jamais été produits à Bordeaux que des médiocrités inattendues (par exemple, Lafite Rothschild).
Maturité : à l'exception des Pomerol et des Saint-Émilion les plus opulents et les plus concentrés, les 1947 doivent être consommés rapidement. En effet, ils sont pour la plupart sur le déclin, et déploient un excès d'acidité volatile et un fruité maigre et passé.
Prix : ils sont ridiculement élevés, car il s'agit d'un autre « millésime du siècle »...

Bordeaux a produit dans cette année extrêmement chaude des vins semblables à des Porto, les plus extraordinairement concentrés et les plus intenses que j'aie jamais goûtés. Les plus opulents d'entre eux sont issus de Pomerol et de Saint-Émilion. Dans le Médoc, la qualité était très irrégulière, et, si Calon-Ségur, Mouton Rothschild et Château Margaux ont magnifiquement réussi, d'autres grands crus, tels Lafite Rothschild et Latour, ou encore Léoville Barton, ont produit des 1947 excessivement acides.

Les meilleures pièces de ce millésime sont à conserver précieusement, ne serait-ce qu'à cause de leur caractère extrêmement riche et doux, que l'on peut aujourd'hui rapprocher de celui des 1982. Cependant, aucun vin de cette dernière année ne présente l'intensité et la richesse en extrait des plus grands 1947, conséquence des températures très élevées des mois de juillet et août, et de la vague de chaleur torride et tropicale que Bordeaux a connue en septembre, juste avant le début des vendanges. Dans les propriétés où l'on n'a pas su contrôler la température des raisins (qui étaient très chauds), les fermentations se sont bloquées. Cela a donné des vins ayant du sucre résiduel et, dans plusieurs cas, des taux d'acidité volatile qui horrifieraient les œnologues d'aujourd'hui. Mais celles où l'on a su maîtriser ces vinifications très déroutantes ont produit les bordeaux rouges les plus opulents du siècle.

LES MEILLEURS 1947

Saint-Estèphe : Calon-Ségur
Pauillac : Grand-Puy-Lacoste, Mouton Rothschild
Saint-Julien : Ducru-Beaucaillou, Léoville Las Cases
Margaux : Château Margaux
Graves rouges : Haut-Brion, La Mission Haut-Brion, La Tour Haut-Brion
Graves blancs : Laville Haut-Brion

Pomerol : Clinet, La Conseillante, L'Église-Clinet, L'Enclos, L'Évangile, La Fleur-Petrus, Lafleur, Latour à Pomerol, Nenin, Petrus, Rouget, Vieux Château Certan
Saint-Émilion : Canon, Cheval Blanc, Figeac, La Gaffelière-Naudes
Barsac/Sauternes : Climens, Suduiraut

1946 – BRÈVE PRÉSENTATION (30 septembre 1946)

Saint-Estèphe**
Pauillac**
Saint-Julien**
Margaux*
Médoc/Haut-Médoc crus bourgeois 0
Graves rouges*
Graves blancs 0
Pomerol 0
Saint-Émilion 0
Barsac/Sauternes 0

Récolte : très réduite.
Spécificités : la seule année de la période de l'après-guerre où les vignobles bordelais ont été dévastés par les sauterelles.
Maturité : ces vins sont certainement passés à l'heure actuelle.
Prix : hormis le très rare Mouton Rothschild 1946 (qui concerne principalement les amateurs souhaitant compléter leur collection), la plupart de ces vins ne valent pas grand-chose.

Les effets bénéfiques de la chaleur des mois de juillet et août sur la vigne ont été anéantis par un mois de septembre exceptionnellement pluvieux, frais et venteux. En effet, les vendanges ont alors dû être retardées, et il y a eu une éclosion de pourriture dans les vignobles. On ne trouve pratiquement pas de 1946 sur le marché, et je n'ai moi-même, en tout et pour tout, que onze notes de dégustation sur ce millésime.

Je n'ai jamais goûté les meilleurs crus de cette année, mais Edmund Penning-Rowsell assure que Latour était excellent. Je n'en ai personnellement jamais vu une bouteille.

1945 – BRÈVE PRÉSENTATION (13 septembre 1945)

Saint-Estèphe****
Pauillac*****
Saint-Julien*****
Margaux****
Médoc/Haut-Médoc crus bourgeois****
Graves rouges*****
Graves blancs*****
Pomerol*****
Saint-Émilion*****
Barsac/Sauternes*****

Récolte : minuscule.
Spécificités : le millésime le plus acclamé du siècle.
Maturité : certains 1945 (qui ont été impeccablement conservés) ne sont toujours pas à maturité.
Prix : les bordeaux rouges les plus chers du siècle.

Il n'y a aucun millésime de l'après-guerre (pas même 1953, 1959, 1961, 1982 ou 1989) qui jouisse de la réputation de 1945. La célébration de la fin d'une guerre meurtrière alliée à un temps remarquable a donné une des récoltes les plus restreintes et les plus concentrées qui soient. J'ai eu la chance de pouvoir déguster tous les premiers crus en trois occasions différentes, et il m'apparaît que 1945 est incontestablement un millésime remarquable, qui a mis au moins 45 ans pour atteindre son apogée. Les meilleurs vins (ils sont nombreux) peuvent parfaitement se conserver encore 20 à 30 ans, faisant ainsi un pied de nez aux plus grandes années récentes, dont le potentiel de garde n'excède pas 25 à 30 ans.

Les 1945 ont aussi leurs détracteurs, qui ont estimé qu'ils étaient excessivement tanniques et que plusieurs d'entre eux se fanaient. Il y a certes des vins qui sont dans ce cas, mais, si l'on mesure la grandeur d'un millésime à la performance des propriétés les plus prestigieuses (par exemple, les premiers et les meilleurs deuxièmes crus, et les domaines les plus sérieux de Pomerol et de Saint-Émilion), 1945 constitue une référence à lui seul.

La récolte fut cette année-là extrêmement réduite par une gelée dévastatrice du mois de mai (appelée gelée noire), suivie d'un été exceptionnellement chaud et sec, ainsi que d'une période intense de sécheresse. Les vendanges ont commencé tôt, le 13 septembre – le même jour qu'en 1976 et en 1982.

LES MEILLEURS 1945

Saint-Estèphe : Calon-Ségur, Montrose, Les Ormes de Pez
Pauillac : Latour, Mouton Rothschild, Pichon-Longueville Comtesse de Lalande, Pontet-Canet
Saint-Julien : Gruaud Larose, Léoville Barton, Talbot
Margaux : Château Margaux, Palmer
Graves rouges : Haut-Brion, La Mission Haut-Brion, La Tour Haut-Brion
Graves blancs : Laville Haut-Brion
Pomerol : L'Église-Clinet, La Fleur-Petrus, Gazin, Lafleur, Latour à Pomerol, Petrus, Rouget, Trotanoy, Vieux Château Certan
Saint-Émilion : Canon, Cheval Blanc, Figeac, La Gaffelière-Naudes, Larcis Ducasse, Magdelaine
Barsac/Sauternes : Suduiraut, D'Yquem

SAINT-ESTÈPHE

De tous les vins du Haut-Médoc, les Saint-Estèphe ont la réputation d'être les plus lents à évoluer, les plus rugueux et les plus tanniques. Cette image correspondait bien à la réalité il y a vingt ou trente ans, mais elle ne vaut plus aujourd'hui, les crus de cette région se révélant plus souples et évoluant plus rapidement, désormais, grâce à leur plus forte proportion de merlot et au style nouveau de vinification dont ils sont issus.

Avec ses 1 375 ha de vignes et seulement cinq crus jugés aptes à figurer dans le classement de 1855, Saint-Estèphe est peut-être la moins prestigieuse des quatre principales appellations communales du Haut-Médoc (les trois autres étant Saint-Julien, Pauillac et Margaux). Cependant, du point de vue du consommateur, la commune compte pléthore de crus bourgeois souvent aussi bons que les grands crus, certains se révélant même d'un meilleur niveau qu'un cru classé. En effet, dans la perspective d'un reclassement, Cos Labory aurait bien du mal à se maintenir à son rang actuel, tandis que des entités moins prestigieuses, mais soucieuses de qualité, comme Haut-Marbuzet, Meyneyet Phélan Ségur mériteraient d'accéder au rang de cru classé.

Malgré la tendance des viticulteurs à élaborer des vins plus souples, les Saint-Estèphe comptent généralement parmi les bordeaux les plus fermés et les plus lents à évoluer. Les sols de la région, plus argileux et moins graveleux que ceux des autres appellations, ne favorisent pas le bon écoulement des eaux. Ils produisent des vins au pH faible, avec une acidité importante, également plus massifs et plus costauds que ceux qui sont issus des sols plus légers des Graves et de Margaux, par exemple.

Actuellement, presque tout le monde s'accorde à dire que Cos d'Estournel est le château le plus connu de l'appellation, surtout depuis le début des années 80. Étrange coïncidence : cette bâtisse originale en forme de pagode, située en hauteur à l'aplomb du célèbre Château Lafite Rothschild, est aussi la première propriété que l'on aperçoit en quittant Pauillac en direction de Saint-Estèphe. La qualité des millésimes récents (1996, 1995, 1990, 1986, 1985, 1982) pourrait même lui permettre de prétendre au statut de premier grand cru classé. Les vins de Cos, issus d'un mariage heureux de la technologie moderne et du respect des traditions, sont assez souples pour être dégustés à 5 ou 6 ans d'âge, tout en étant capables d'une garde de 10 à 20 ans.

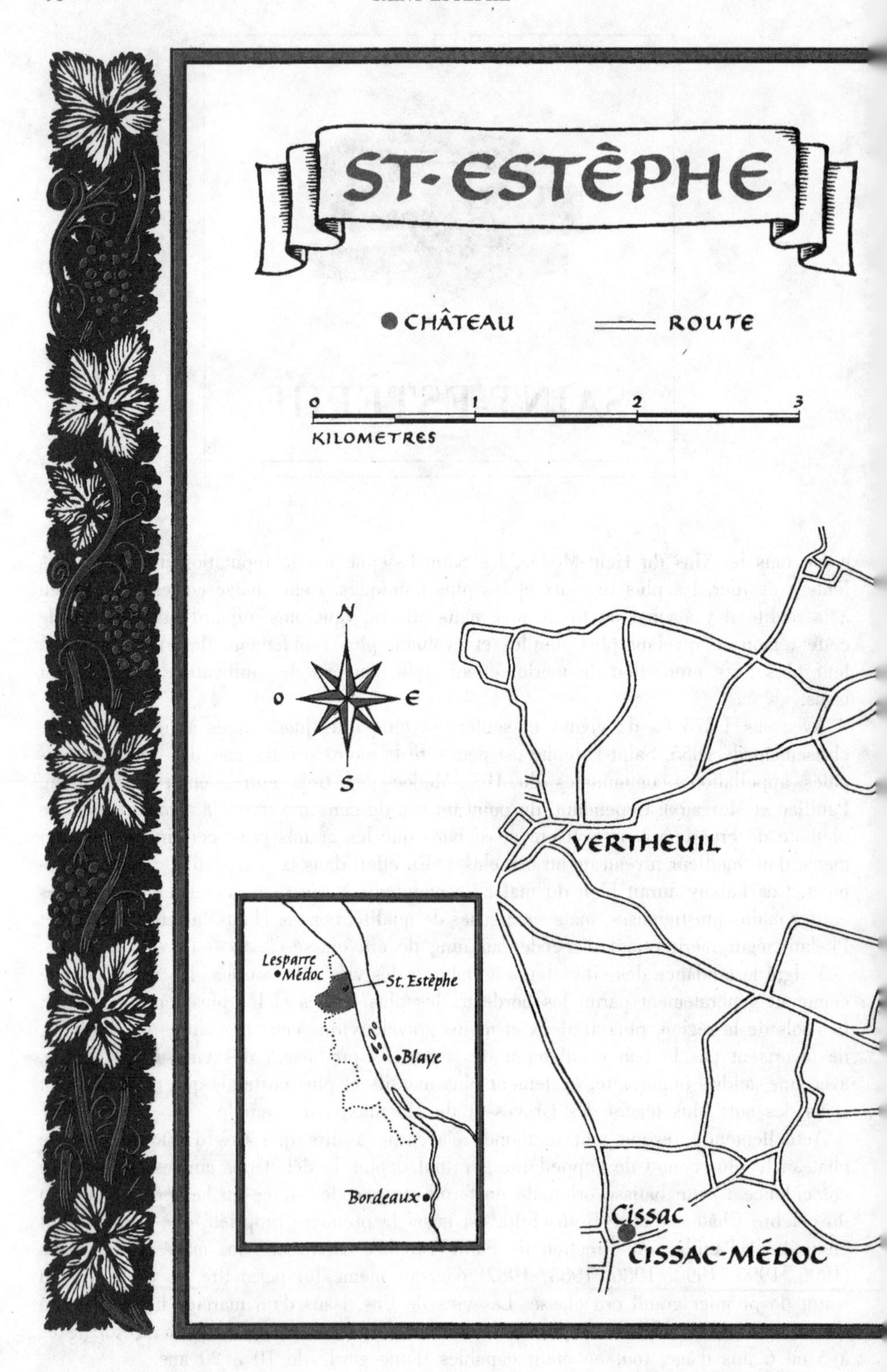
ST-ESTÈPHE
CHÂTEAU
ROUTE
0
1
2
3
KILOMETRES
N
O
E
S
VERTHEUIL
Lesparre Médoc
St. Estèphe
Blaye
Bordeaux
Cissac
CISSAC-MÉDOC

ST-SEURIN DE CADOURNE
GIRONDE
D2
ST-
RBIAN
Calon-Ségur
ST-ESTÈPHE
Phélan-Ségur
s Ormes-de-Pez
PEZ
de Pez
Tronquoy-Lalande
Meyney
Montrose
LEYSSAC
MARBUZET
Haut-Marbuzet
Marbuzet
Cos d'Estournel
Cos Labory
Lafon-Rochet
D2

Montrose, le plus sérieux rival de Cos d'Estournel, se situe à proximité du fleuve (la Gironde) et se cache sur les chemins de traverse de Saint-Estèphe. Jusque dans les années 70, cette propriété produisait l'un des bordeaux les plus charpentés, les plus profonds et les plus lents à évoluer, que d'aucuns comparaient au Château Latour pour la richesse et la corpulence. Vers le milieu des années 80, Montrose adopta, de manière heureusement éphémère, un style plus léger, mais il produit à nouveau des vins très tanniques, qui ne se fondent qu'au terme d'une garde de 15 à 20 ans. Les 1989 et 1990 marquent le retour de ce cru au caractère qui fit sa gloire pendant de longues années.

Calon-Ségur, le château à la façade blanche situé juste en dehors du village, propose un vin qui peut être aussi bon que n'importe lequel des Saint-Estèphe et des Médoc. Lorsque cette propriété décroche la timbale (comme en 1996, 1995, 1982, 1953 et 1947), ses vins atteignent en effet des sommets inégalés ; mais Calon n'est pas un modèle de régularité, et sa performance dans les années 80 et 90 ne manque pas de laisser perplexe. La propriété est cependant plus constante à haut niveau et propose d'excellentes affaires depuis que Mme Capbern Gasqueton en assure totalement la direction, suite au décès de son époux.

Les vins de Lafon-Rochet, toujours aussi solides, tanniques et lents à évoluer, conviendront sans nul doute aux amateurs de Saint-Estèphe « authentiques », durs et rugueux. Cos Labory produit quant à lui le vin le plus surcoté de toute l'appellation. Bien que les millésimes récents témoignent d'une nette amélioration de la qualité, cette propriété vit davantage sur sa réputation et son classement de 1855 que sur sa qualité actuelle.

L'appellation Saint-Estèphe – et c'est l'un de ses principaux attraits – recèle pléthore d'excellents crus bourgeois, dont certains mériteraient d'ailleurs d'être promus crus classés. Les splendides Haut-Marbuzet, extrêmement épicés et boisés, regorgent de saveurs et d'arômes de cassis, et peuvent être dégustés assez rapidement. Je ne serais d'ailleurs pas surpris qu'on les confonde avec un deuxième cru. Phélan Ségur, qui a pris un nouveau départ, propose des vins de très longue garde qui suscitent un intérêt croissant chez les amateurs éclairés. Meyney, vaste propriété magnifiquement située au nord de Montrose et à proximité du fleuve, est un cru bourgeois extraordinaire. Ce serait une erreur que de dédaigner ses vins d'une excellente tenue, tout à la fois riches, énormes et profonds.

Il est préférable d'éviter les Saint-Estèphe dans les mauvais millésimes. Cos d'Estournel, Montrose et Haut-Marbuzet sont les trois propriétés qui réussissent généralement le mieux dans les années difficiles. L'appellation excelle lorsque la saison est chaude et généreusement ensoleillée, et tous les cépages – notamment le merlot – atteignent alors une maturité parfaite. Ce fut le cas en 1959, 1961, 1970, 1982, 1986, 1989, 1990, 1994, 1995 et 1996. Contrairement aux vignes des sols légers et graveleux qui souffrent de « stress » dans les années chaudes et sèches, celles de Saint-Estèphe se portent bien d'un tel climat, grâce aux sols plus lourds, et donnent des vins extraordinaires. 1989 et 1990, deux des millésimes les plus chauds et les plus secs du siècle, confirment cette règle. La terre de Saint-Estèphe étant moins poreuse, donc moins bien drainée que celle des autres appellations du Médoc, les années pluvieuses y sont moins réussies qu'à Saint-Julien ou à Pauillac. C'est ainsi que les 1987, 1983, 1980, 1977 et 1974 sont d'un meilleur niveau à mesure que l'on descend le Médoc en direction du sud. La grande qualité des Saint-Estèphe dans les meilleurs millésimes est due au merlot, très mûr et très sain, qui compense le caractère tannique et le haut niveau d'acidité caractéristiques des crus de l'appellation. Les extraordinaires 1995, 1990, 1989, 1982, 1976 et 1970 sont composés d'un merlot de qualité remarquable.

Puisque cette appellation ne figure pas parmi les plus réputées du Médoc, elle offre un rapport qualité/prix souvent excellent. Cela est vrai non seulement pour les crus classés, mais aussi pour l'écurie, fort nombreuse, des crus bourgeois.

SAINT-ESTÈPHE – REPÈRES

Situation : situé à l'extrême nord du Médoc et sur la rive gauche de la Gironde, Saint-Estèphe se trouve à environ 45 km au nord de Bordeaux.
Superficie sous culture de vigne : environ 1 375 ha.
Commune : Saint-Estèphe.
Production annuelle moyenne : 9 180 000 bouteilles.
Crus classés : 5 en tout, dont 2 deuxièmes crus, 1 troisième cru, 1 quatrième cru et 1 cinquième cru. L'appellation compte également 43 crus bourgeois.
Principaux cépages : cabernet sauvignon et merlot. Le cabernet franc et le petit verdot sont également présents, en moindres proportions.
Types de sol : très divers. Les meilleurs vignobles sont situés sur des croupes graveleuses, mais on trouve également des sols sableux et argileux, légèrement calcaires.

AVIS AUX AMATEURS

Niveau général de l'appellation : moyen à superbe.
Les plus aptes à une longue garde : Calon-Ségur, Cos d'Estournel, Montrose.
Le plus élégant : Cos d'Estournel.
Les plus concentrés : Calon-Ségur, Cos d'Estournel, Montrose.
Le meilleur rapport qualité/prix : Lafon-Rochet, Meyney, Phélan Ségur, Tronquoy-Lalande.
Le plus exotique : Haut-Marbuzet.
Le plus secret (dans sa jeunesse) : Calon-Ségur.
Les plus sous-estimés : Calon-Ségur, Lafon-Rochet, Phélan Ségur.
Les plus accessibles dans leur jeunesse : Haut-Marbuzet, Les Ormes de Pez, Phélan Ségur.
Les étoiles montantes : Cos Labory, Lilian Ladouys, Lafon-Rochet, De Pez, Phélan Ségur.
Meilleurs millésimes récents : 1996, 1995, 1990, 1989, 1986, 1982, 1961, 1959.

MON CLASSEMENT

EXCEPTIONNEL	*EXCELLENT*	*TRÈS BON*
Cos d'Estournel	Calon-Ségur	Lafon-Rochet
Montrose	Haut-Marbuzet	Meyney
		Phélan Ségur

BON

Chambert-Marbuzet
Cos Labory
Coutelin-Merville
Laffitte-Carcasset
Lavillotte
Lilian Ladouys
Les Ormes de Pez
Petit Bocq
De Pez
Tronquoy-Lalande

AUTRES PROPRIÉTÉS NOTABLES DE SAINT-ESTÈPHE

Andron Blanquet, Beau-Site, Bel Air, Le Boscq, Capbern Gasqueton, Cave coopérative Marquis de Saint-Estèphe, La Commanderie, Le Crock, Haut-Beauséjour, Haut Coteau, La Haye, Houissant, Marbuzet, Pomys, Les Pradines, Ségur de Cabanac, Tour de Marbuzet, Tour de Pez, Tour des Termes, Valrose, Vieux Coutelin

COMMENTAIRES DE DÉGUSTATION

ANDRON BLANQUET

Cru bourgeois – devrait être maintenu
Propriétaire : Domaines Audoy
Adresse : 33180 Saint-Estèphe
Tél. 05 56 59 30 22 – Fax 05 56 59 73 52
Visites : sur rendez-vous uniquement
Contact : Bernard Audoy

Superficie :
16 ha (Cos, Saint-Estèphe, près de Cos Labory et de Cos d'Estournel)
Vins produits :
Château Andron Blanquet – 64 000 b ; Château Saint-RochSaint-Roch – 36 000 b
Encépagement : 60 % cabernet sauvignon, 25 % merlot, 15 % cabernet franc
Densité de plantation : 8 700 pieds/ha – *Age moyen des vignes :* 25 ans
Rendement moyen : 55 hl/ha

Élevage :
vendanges manuelles et mécaniques ;
fermentations et cuvaisons de 25 jours en cuves de béton et d'acier inoxydable ;
vieillissement après les malolactiques de 12 mois en fûts (25 % de bois neuf) ;
collage et filtration

A maturité : dans les 3 à 8 ans suivant le millésime

Andron Blanquet pourrait produire des vins d'un meilleur niveau. Le vignoble, qui jouxte ceux de Lafite Rothschild (Pauillac) et de Cos d'Estournel (Saint-Estèphe), est situé sur un plateau graveleux, baigné par un microclimat légèrement plus chaud que les alentours. Les vendanges sont partiellement faites à la machine, ce qui indique que la qualité n'est pas ici le souci majeur. Malgré des vinifications bien menées et des cuvaisons plutôt longues, les vins d'Andron Blanquet pèchent généralement par manque de concentration, de caractère et de charme. L'élaboration d'un second vin, à l'instigation de Bernard Audoy, copropriétaire et œnologue du château, explique peut-être l'amélioration de la qualité depuis 1989, qui est sans doute l'un des meilleurs millésimes qu'ait connus ce château.

1990 • **74** C'est probablement le Saint-Estèphe le plus décevant du millésime. Maigre, court et dur, il pèche par manque de fruit. (1/93)

1989 • **82** Si l'on peut attester une tendance à l'amélioration des vins d'Andron Blanquet, cette propriété semble toujours incapable de produire des crus qui soient vraiment de haut vol. Le 1989, certes étonnamment fruité, mais léger, se montre moyennement corsé, confituré et sans détour en bouche. **A boire jusqu'en** 2001. (4/91)

1988 • **74** Dépourvu du fruité charmeur de son cadet d'un an, le 1988 est maigre, très acide et finit court en bouche. **A boire.** (4/91)

1986 • **74** Malgré des rumeurs suggérant une amélioration des critères de qualité au château, le 1986 d'Andron Blanquet est étonnamment léger pour le millésime. D'un rubis moyennement corsé, il se révèle néanmoins assez mûr et assez long en bouche. Ce vin est dominé par des tannins extrêmement durs et en excès par rapport à son maigre fruité. **A consommer.** (11/89)

1985 • **67** Creux, aqueux et plutôt maigre, le 1985 est moyennement corsé, avec un fruité dilué et des arômes légers et insipides. Sa texture très accessible suggère qu'il faut le boire **dès maintenant – il est probablement en déclin.** (10/88)

BEAU-SITE

Cru bourgeois – devrait être maintenu
Propriétaires : héritiers Castéja
Adresse : 33180 Saint-Estèphe
Adresse postale : Domaines Borie-Manoux,
86, cours Balguerie-Stuttenberg – 33082 Bordeaux Cedex
Tél. 05 56 00 00 70 – Fax 05 57 87 67 30
Visites : sur rendez-vous uniquement
Contact : Domaines Borie-Manoux

Superficie : 40 ha (Saint-Estèphe)
Vin produit : Château Beau-Site – 168 000 b (pas de second vin)
Encépagement : 70 % cabernet sauvignon, 30 % merlot
Densité de plantation : 7 000 pieds/ha – *Age moyen des vignes :* 30 ans
Rendement moyen : 53 hl/ha

Élevage : vendanges manuelles ; éraflage total ;
fermentations et cuvaisons de 21 jours en cuves thermorégulées d'acier inoxydable ;
vieillissement après les malolactiques en fûts (50 % de bois neuf) ;
collage avant la mise en bouteille ; pas de filtration

A maturité : dans les 3 à 10 ans suivant le millésime

Ce château charmant magnifiquement situé à Saint-Estèphe appartient à la famille Castéja depuis 1955. Une grande partie de son vignoble se trouve non loin du village de Saint-Corbian, sur un plateau qui domine le fleuve. Malgré l'excellent potentiel de la propriété, les vins des années 60 et 70 ont été d'un niveau fort inégal. Étaient-ils trop tanniques et trop rugueux du fait d'un excès de cabernet sauvignon ? Quoi qu'il en soit, les millésimes des années 80, vinifiés avec un tiers de bois neuf et issus de vendanges plus tardives, se révèlent plus souples et sont appréciés des amateurs. Mais ce cru demeure capricieux, marqué par d'abondants tannins – même si ceux-ci sont aujourd'hui plus mûrs et plus souples.

Les vins du domaine sont distribués en exclusivité par la maison de négoce Borie-Manoux.

1990 • 84 Le 1990 est accessible, souple et rond, avec des tannins doux et une texture veloutée. **A boire jusqu'en 2002.** (1/93)

1989 • 85 Voici le meilleur Beau-Site depuis le 1982. D'un rubis-pourpre profond, avec un bouquet modérément intense de cassis très mûr, de minéral et de chêne épicé, ce 1989 se montre moyennement corsé et tannique en bouche. Plus puissant et plus opulent que la majorité de ses aînés, il est accessible depuis son plus jeune âge et tiendra bien **jusqu'en 2000.** (4/91)

1988 • 77 Arborant une robe rubis foncé et exhalant un nez serré, mais naissant, d'herbes, de chêne et de fruits rouges, le 1988 de Beau-Site se montre maigre, moyennement corsé et austère en bouche. Malgré son fruité sous-jacent et mûr, il est dominé par d'abondants tannins astringents. L'ensemble est rugueux, peu évolué et relativement compact. **A consommer.** (4/91)

1986 • 79 Les vins de Beau-Site, fermes et austères, requièrent généralement une garde de 2 à 3 ans en bouteille pour s'arrondir. D'un rubis moyen, le 1986 libère un nez serré, mais épicé, de cassis herbacé. Moyennement corsé, tannique et ferme, il doit être bu **maintenant.** (3/89)

CALON-SÉGUR – EXCELLENT

3e cru classé en 1855 – devrait être maintenu
Propriétaire : SC Château Calon-Ségur
Gérant : Denise Capbern Gasqueton
Adresse : 33180 Saint-Estèphe
Tél. 05 56 59 30 08 – Fax 05 56 59 71 51
Visites : sur rendez-vous uniquement
Contact : Denise Capbern Gasqueton

Superficie : 55 ha (Saint-Estèphe)
Vins produits :
Château Calon-Ségur – 240 000 b ; Marquis de Saint-Roch – 40 000 b
Encépagement : 45 % cabernet sauvignon, 40 % merlot, 15 % cabernet franc
Age moyen des vignes : 35 ans – *Rendement moyen :* 40 hl/ha

Élevage : vendanges manuelles ;
fermentations et cuvaisons de 21 jours en cuves thermorégulées ;
achèvement des malolactiques en fûts pour 25 % de la récolte ;
vieillissement de 18-20 mois en fûts (50 % de bois neuf) ;
collage ; pas de filtration

A maturité : dans les 8 à 30 ans suivant le millésime

Situé sur un sol de graves sableux et de roches calcaires ferrugineuses à l'extrême nord de la commune de Saint-Estèphe, Calon-Ségur est également le plus septentrional des crus classés du Médoc. La propriétaire, Mme Capbern Gasqueton, vit sur place – comme, d'ailleurs, son proche voisin de Montrose. La bâtisse de pierre blanche, avec son toit curieusement arrondi et ses deux tours, domine la campagne alentour. Détail surprenant : un mur enclôt toute la propriété, ce qui est courant en Bourgogne, mais plutôt rare dans le Bordelais.

L'histoire de Calon-Ségur remonte à l'époque romaine, au temps où le village de Saint-Estèphe s'appelait « Calones ». Cependant, la renommée de son vin date surtout du XVIIIe siècle, avec la célèbre et étonnante déclaration du marquis de Ségur : « Je fais mon vin à Lafite et à Latour, mais mon cœur est à Calon. » Aujourd'hui encore, l'étiquette de Calon porte un cœur, en hommage à l'attachement émouvant du seigneur des vignes à cette propriété.

Durant la plus grande partie de ce siècle, Calon-Ségur a fait des merveilles et maintenu le niveau d'un premier grand cru. Les 1926, 1928 et 1929 furent extraordinaires, et 1934 se révéla très bon dans une décennie de piètre qualité. A la fin des années 40 et au début des années 50, seules de rares propriétés du Bordelais égalèrent les succès grandioses de Calon – 1945, 1947, 1948, 1949 et 1953. Il fallut ensuite attendre 1982 pour que la propriété produise à nouveau un vin vraiment profond. Dans l'intervalle, elle proposa des crus d'une bonne tenue, mais même les meilleurs millésimes des années 60 et 70 étaient légèrement oxydés, avec un fruité sur le déclin, des tannins astringents et des arômes prononcés de moisi et de vieux chêne. On murmurait, dans les milieux bien informés, que les méthodes d'élevage et de vieillissement étaient contestables, que les vins étaient mis en bouteille trop tardivement, et que les soutirages et l'hygiène des vieux fûts laissaient à désirer.

Depuis 1982, Calon-Ségur a renoué avec le fil des grandes réussites, en produisant d'excellents 1988, 1989, 1990, 1995 et 1996. Cette propriété historique, qui naviguait à vue dans les années 70, a ainsi opéré un véritable retour en force, et ses vins, quoique d'un style différent, peuvent désormais rivaliser avec ceux de Cos d'Estournel et de Montrose. L'approche parcellaire de la vinification, une plus grande maturité des raisins, une proportion accrue de bois neuf et un élevage plus court contribuent à l'amélioration indiscutable des vins, sans parler de la contribution du Pr Pascal Ribereau-Gayon, qui conseille la propriété. Le vignoble est peu à peu replanté, avec un plus grand nombre de pieds à l'hectare. Mme Gasqueton aime à rappeler (comme le faisait feu son époux) que, de tous les Saint-Estèphe, Calon est celui qui demeure le plus traditionnel, avec des vins de longue garde, lents à évoluer et à s'épanouir. Dans une certaine mesure, elle n'a pas tort, et les amateurs de Saint-Estèphe classiques peuvent se réjouir des efforts récents de ce magnifique domaine, dont l'histoire fait partie intégrante de celle de Bordeaux et dont le vin représente – géographiquement parlant – le dernier des crus du classement de 1855.

1998
•
87-88?

Tannique et peu évolué, le Calon-Ségur 1998 impressionne par sa robe d'un rubis-pourpre foncé et soutenu. Malgré son nez retenu et fermé, on y décèle des senteurs de terre, d'herbes séchées, de fruits noirs et de fumé. La bouche, moyennement corsée, est rugueuse, mais concentrée, et la finale révèle d'abondants tannins. Ce vin vinifié de manière traditionnelle pourrait récompenser les amateurs patients. **A boire entre 2007 et 2018.** (3/99)

1997
•
80-83
Ce vin, que j'ai dégusté en trois occasions, m'a déçu. Légèrement corsé et aqueux, il présente des notes de légumes grillés, de vieux cuir et de cerise, mais il manque d'intensité et de persistance. **A boire avant 7 ou 8 ans d'âge.** (1/99)

1996
•
92
Avant la mise en bouteille, le Calon-Ségur 1996 semblait pouvoir rivaliser avec son spectaculaire aîné d'un an. Cependant, lorsque je l'ai comparé au 1995 lors de dégustations à l'aveugle en janvier, puis en mars 1999, le 1995 m'a paru l'emporter en raison de sa surmaturité et de son caractère plus accessible et plus riche en milieu de bouche. Toutefois, le 1996 est exceptionnel, même s'il n'affiche pas la même profondeur que lorsqu'il était encore en fût. Rubis foncé de robe, il exhale un nez complexe d'herbes séchées, d'épices orientales et de confiture de cerise noire, nuancé de cassis. Extraordinaire de pureté, avec une finale des plus tanniques, ce vin moyennement corsé, classique et vinifié dans un style traditionnel, s'améliore considérablement au fur et à mesure qu'il s'aère, ce qui laisse deviner une grande longévité. **A boire entre 2009 et 2028.** (1/99)

1995
•
92+
Comme je l'ai signalé plusieurs fois, le Calon 1995 est, à mon sens, l'une des grandes révélations de ce millésime (je l'ai acheté en primeur au prix modique de 1 250 F la caisse). Ce vin, qui s'est totalement refermé depuis la mise en bouteille, est une réussite sensationnelle, à laquelle j'attribuerai peut-être, dans l'avenir, une note plus élevée encore. Opaque et pourpre de robe, il présente un nez serré, qui libère au mouvement du verre des arômes de cassis herbacé, mêlés de notes de truffe, de chocolat et de sang de bœuf. On distingue en bouche, outre un caractère de surmaturité (les vendanges à Calon eurent lieu très tardivement en 1995), une densité et une pureté absolument fabuleuses, ainsi que d'abondants tannins. Ce classique profond et étonnamment peu évolué requiert une garde de 10 ans environ. **A boire entre 2005 et 2035.** (11/97)

1994
•
86+?
De couleur rubis foncé, le 1994 exhale un nez fermé aux notes de truffe. Concentré, austère et tannique, plus corpulent que le 1993, il présente davantage de tannins astringents. Conservez-le encore un peu en cave avant de le déguster. **A boire entre 2000 et 2012.** (1/97)

1993
•
86
De couleur rubis foncé, le 1993, doux et moyennement corsé, libère de plaisants arômes de fruits rouges, d'herbes et de terre. Faible en acidité, avec une finale ronde et d'une belle consistance, il doit être consommé **avant 2004.** (1/97)

1991
•
84
Le Calon 1991 présente une robe d'un rubis profond et déploie un bouquet serré, un peu vieillot et rustique, de cuir fin, de cèdre, de thé et de fruits rouges et mûrs. Il révèle une structure ferme et une excellente profondeur, et je ne serais pas surpris qu'il se bonifie au terme d'une garde de 2 ou 3 ans. **A boire jusqu'en 2004.** (1/94)

1990
•
90
Vêtu de rubis foncé déjà légèrement ambré, le 1990 libère un nez odorant et épicé de boisé, de cerise et de fruits herbacés. Admirable de concentration et étonnamment accessible, il manifeste, outre un équilibre magnifique, une pureté et une profondeur extraordinaires. Ce vin moyennement corsé et presque mûr sera parfait **jusqu'en 2010.** (8/97)

1989
•
88
Bien réussi, le 1989 arbore une robe d'un rubis-grenat profond et se montre très corsé, souple, dense et de bonne mâche en bouche. Très alcoolique et modérément tannique, il pourra tenir une quinzaine d'années, malgré son caractère précoce. Il rappelle le 1982, en moins ample et en plus rustique. **A boire jusqu'en 2010.** (8/97)

1988 • **91** Plus spectaculaire que ses cadets de 1989 et 1990, pourtant issus de millésimes plus prisés, le Calon 1988 est profondément coloré et se distingue par son caractère riche, très corsé et merveilleux d'équilibre. Il paraît capable d'une garde de 20 ans encore. Exhalant les classiques senteurs de cèdre, de cassis et de groseille typiques de la propriété, il est étonnamment puissant pour le millésime. C'est, à mon sens, la plus belle réussite de Calon entre 1982 et 1995. **A boire jusqu'en 2020.** (6/97)

1987 • **75** D'un rubis léger, avec un fruité peu perceptible et des arômes boisés délavés et herbacés, le 1987 se montre moyennement corsé et souple en bouche. **A boire dès maintenant,** bien qu'il puisse tenir encore 5 ou 6 ans. (6/90)

1986 • **88** Arborant une robe rubis-grenat profond, le Calon 1986 libère un nez serré, mais mûr, de cassis, rehaussé de subtiles senteurs d'herbes, de cèdre et de doux chêne. La bouche révèle un ensemble moyennement corsé, musclé et riche, aux notes prononcées de chêne, de minéral et de groseille. Ce vin, dont les tannins rustiques se prolongent dans la finale, manifeste une belle persistance. Détail intéressant : il est composé d'une très forte proportion de cabernet sauvignon (90 %) et d'une quantité anormalement faible de merlot (10 %). **A boire jusqu'en 2015.** (4/94)

1985 • **84** Une mise en bouteille tardive (en janvier 1988) explique certainement le caractère desséché de ce vin. D'un rubis-grenat moyennement foncé, il exhale un doux nez herbacé de terre, de fruits rouges et d'épices. Moyennement corsé et agréable en bouche, il manque cependant de gras et de profondeur. Il est parfaitement mûr et doit être consommé **avant 2005.** (6/96)

1984 • **75** Moyennement corsé, léger et plutôt doux, le 1984 est bien boisé et manifeste un équilibre correct. Sa robe évoque un 1973. **A consommer d'urgence – il est probablement en déclin.** (9/88)

1983 • **82** Quand je l'ai goûté pour la première fois, au printemps 1984, le Calon-Ségur 1983 ressemblait de façon surprenante à un vin du Rhône, avec une structure assez fragile, des arômes proches du raisin et une finale chaude et alcoolique. Plus tard dans l'année, je l'ai trouvé fondu et savoureux, mais faible en acidité et encore une fois très alcoolique. Il me rappelait le style, la couleur et la texture des 1976. Avec sa robe fortement ambrée et marquée de rouille, ce vin parfaitement mûr, herbacé et faiblement structuré doit être consommé **maintenant.** (11/94)

1982 • **94** Extraordinaire au fût, le 1982 de Calon s'est ensuite montré dur, austère et très peu évolué pendant plusieurs années : je me demandais même si mes premières dégustations n'avaient pas été une simple illusion. Mais le Calon 1982 a finalement surmonté cette période ingrate, se décidant à se révéler pleinement. L'opulence, l'onctuosité et la texture épaisse qu'il manifeste rappellent son légendaire aîné de 1947. L'ensemble acquiert peu à peu de la complexité, tandis que ses abondants tannins se fondent. Outre une robe dense de couleur prune légèrement ambrée sur le bord, il présente un nez intense de café torréfié, de doux fruits confiturés, de cuir fin et d'épices. La bouche, très corsée et tannique, révèle tout juste l'épaisseur et l'opulence que l'on devinait déjà au fût. Ce grand classique, jeune, peu évolué et élaboré dans le plus pur respect des traditions, devrait atteindre son apogée dans les 10 à 12 ans. Ce vin ample et des plus concentrés doit être aéré au moins une bonne heure avant d'être dégusté. **A boire entre 2002 et 2030.** (9/97)

1981 • 83 Ce Calon-Ségur reflète l'irrégularité du château dans ces années 80 et celle du millésime. Il est assez léger, mais séduit par son fruité, son élégance et ses arômes boisés. Un vin souple, à consommer **maintenant.** (3/88)

1979 • 80 Ce vin élégant et sans détour, au charme indéniable, est rubis moyen de robe. Il révèle un beau fruit souple et doux, des tannins légers et un caractère de merlot bien mûr. **A boire.** (10/84)

1978 • 78 Le Calon 1978 est un vin sans grand intérêt. Vêtu de rubis moyen, il libère un nez plaisant, mais unidimensionnel, de fruit mûr, de végétal, d'épices et d'herbes. L'ensemble, modérément intense, s'achève sur une finale courte et manquant de complexité. Ce qu'il reste de tannins ne permet plus d'attendre. **A boire d'urgence.** (3/88)

1976 • 78 Très agréable, souple et plaisant dans sa jeunesse, le 1976 perd désormais son fruité et entame son déclin. D'un rubis moyen légèrement tuilé sur le bord, il exhale des senteurs très épanouies de bois de noyer, de fruits mûrs et d'épices. La bouche, souple et faible en acidité, révèle une certaine astringence en finale. **A boire.** (7/87)

1975 • 87 Voici l'un des vins les plus flatteurs, les plus souples et les plus accessibles du millésime. Malgré sa robe fortement ambrée, le Calon 1975 se distingue par un doux nez d'herbes rôties, de moka, de fruits noirs et rouges chocolatés. Moyennement corsé et tannique, avec des arômes de gingembre et d'autres épices, il tiendra bien quelques années encore. **A boire jusqu'en 2006.** (12/95)

1974 • 69 Calon-Ségur a produit un vin assez représentatif du millésime. Peu complexe, bien qu'agréablement coloré, avec juste assez de fruit pour le rendre consommable, il se maintient encore, grâce, sans doute, à son acidité. **A boire sans attendre.** (2/88)

1973 • 65 Ce fut l'un des 1973 les plus agréables à déguster entre 1976 et 1978. Je ne l'ai pas goûté récemment, mais il serait assez étonnant que ce vin ait encore beaucoup de fruit. (9/77)

1971 • 65 Un vin sur le déclin, très tuilé, avec des arômes de champignons en décomposition, une bouche souple et maigre, et une finale acide. Mes notes font état d'une bonne bouteille dégustée en 1977, mais le temps ne semble pas avoir œuvré pour ce millésime de Calon-Ségur. (10/80)

1970 • 80 La réputation de Calon-Ségur en tant que vin de longue garde n'est pas justifiée par ses performances des années 60 et 70, et ce millésime en est une nouvelle preuve. Parfaitement mûr dès 1978, le 1970 de Calon arbore une robe grenat légèrement tuilée et séduit par son nez modérément intense de merlot mûr aux notes de chêne épicé. Moyennement corsé, très peu tannique et doté d'un fruité souple et doux, il doit être consommé **dès maintenant – il est peut-être même en déclin.** (1/81)

1967 • 84 Calon-Ségur a produit l'un des meilleurs 1967, qui a porté ombrage pendant des années à son aîné de 1966, pourtant plus réputé. Son fruit mûr et profond, ses arômes de cèdre, son caractère riche, souple et voluptueux ont contribué à en faire un vin d'un grand intérêt. Il commence cependant à perdre de son fruité et doit être bu **maintenant.** (10/80)

1966 • 87 Ce vin se maintient encore – en équilibre très précaire. Outre un bouquet merveilleux et très intense de cèdre et de fruit mûr, il présente une bouche agréable, bien concentrée et persistante. Il s'agit incontestablement de la plus belle réussite de Calon dans les années 60. **A boire.** (1/87)

1964 • **75** Ce vin, aux arômes et à l'ampleur fort modestes, tient apparemment le cap, mais son avenir est des plus incertains. Rugueux et dépourvu de fruit, il présente des senteurs de terre humide et de moisi. **A boire – peut-être en déclin.** (6/78)

1962 • **76** Lors de ma première dégustation, au début des années 70, le Calon 1962 m'était apparu particulièrement léger, manquant de richesse et de chair, avec une robe légèrement tuilée. Lorsque je l'ai goûté à nouveau à la fin des années 80, j'ai trouvé un vin toujours vivant, mais léger et peu intéressant. **A consommer.** (1/87)

1961 • **83** Bon et solide, ce vin constitue malgré tout une déception si l'on considère la qualité dans ce millésime de ses deux célèbres voisins, Montrose et Cos d'Estournel. La robe n'a pas la belle profondeur ni la richesse qu'on pourrait attendre, et le vin pèche un peu par manque de concentration. En 1987, il était prêt, mais conjuguait dangereusement une haute acidité et une certaine faiblesse en extrait. Ce n'est donc pas une très grande réussite, surtout pour le millésime. **A boire.** (6/87)

Millésimes anciens

Bien qu'on en parle peu aujourd'hui, Calon-Ségur est l'une des grandes propriétés du Bordelais. Elle a de brillantes réussites à son actif dans les années 20, 40 et au début des années 50 : ses 1924, 1926, 1928, 1929, 1945, 1947, 1949 et 1953 sont exquis aujourd'hui encore.

J'ai souvent entendu dire que le 1953 de Calon (noté 96 en octobre 1994) était somptueux avant même d'avoir atteint 10 ans d'âge. Lorsque je l'ai goûté récemment en magnum, il m'a semblé témoigner parfaitement des senteurs sensationnelles et de la richesse veloutée qui sont la marque de ce millésime. Alors que la plupart des vins de cette propriété ont un niveau de tannins excessivement élevé, le 1953 ressemble à une décoction de cèdre et de fruits doux confiturés. Très corsé, il révèle une intensité remarquable, sans toutefois manifester la rudesse prononcée déployée par certains Calon-Ségur. Même si sa robe est fortement ambrée sur le bord, **il demeure magnifique.**

Puissant et dense, le Calon 1945 (noté 90 en décembre 1995) arbore une robe grenat foncé et exhale de généreuses senteurs de terre, de minéral et de fruits noirs. Formidable de concentration, d'épaisseur et de richesse en extrait, il est encore très tannique et, surtout, étonnamment jeune pour son âge. Il peut être apprécié **dès maintenant** ou conservé encore **25 à 30 ans.**

Le 1947 (noté 96 en juillet 1997) est probablement le Calon le plus opulent, le plus généreux et le plus luxuriant que je connaisse. Sa robe est fortement ambrée et nuancée de rouille, mais son nez doux et confituré de cake et de cèdre ainsi que ses arômes colossaux de fruits noirs contribuent à en faire un vin de légende. Épais et riche, avec davantage de fruit, de gras et d'alcool que de tannins, cet ensemble juteux conserve un fruité intact et ne manifeste aucun signe de faiblesse. Le Calon 1947 est à **parfaite maturité** depuis plus de 20 ans maintenant.

Le Calon 1949 pâtit de variations en bouteille, certaines révélant un vin maigre et légèrement austère, d'autres un ensemble somptueux. Celle que j'ai dégustée récemment (notée 94 en décembre 1995) était tout simplement extraordinaire. Le vin, à la robe grenat sombre légèrement ambrée sur le bord, n'avait certes pas la corpulence, l'onctuosité et l'épaisseur du 1947, ni la puissance, la jeunesse et le caractère musclé du 1945. Il se distinguait en revanche par un nez typiquement Médoc, aux notes épicées de cèdre, de minéral, de groseille et de sous-bois humide. Moyennement corsé et d'une excellente concentration, il était encore très tannique et marqué par une légère surmaturité. Vous apprécierez ce Calon-Ségur impressionnant et parfaitement mûr **dès maintenant** ou dans les **10 à 20 ans**.

Les années 20 ont donné des Calon légendaires, dont le 1928 (noté 96 en décembre 1995). Opaque et grenat de robe, marqué d'une légère couleur café sur le bord, ce vin dégage un nez de vendanges tardives, et révèle des senteurs et des arômes de prune, d'épices orientales, de cuir fin et de mélasse. Tout à la fois extrêmement doux, épais, gras, riche et très corsé, il étonne par son intensité et se révèle tout en rondeur. Une véritable preuve, si besoin était, de la très grande longévité des meilleurs bordeaux. Il s'agit peut-être du vieux millésime le plus grandiose de Calon, mais le 1926 s'impose comme un sérieux rival.

Le 1926 de Calon (noté 94 en décembre 1995) ne conviendrait pas aux œnologues d'aujourd'hui. Sa robe rouille-orangé est légèrement teintée de rubis, et, après quelques minutes d'aération, il dégage une acidité volatile importante. Un nez de prune, de cèdre, de noix grillée et de girofle introduit en bouche un vin doux à la maturité merveilleuse, qui a de la mâche et du gras et déploie une finale équilibrée, longue, imposante et généreuse. Contrairement aux apparences, sa robe légère n'est pas un signe d'altération.

CHAMBERT-MARBUZET – BON

Cru bourgeois – équivaut à un 5e cru
Propriétaire : Henri Duboscq et Fils
Adresse : 33180 Saint-Estèphe
Tél. 05 56 59 30 54 – Fax 05 56 56 70 87
Visites : du lundi au vendredi (8 h-12 h et 14 h-18 h)
Contact : Henri Duboscq

Superficie : 7 ha (Saint-Estèphe)
Vin produit : Château Chambert-Marbuzet – 45 000 b (pas de second vin)
Encépagement : 70 % cabernet sauvignon, 30 % merlot
Densité de plantation : 8 300 pieds/ha – *Age moyen des vignes :* 25 ans
Rendement moyen : 45 hl/ha

Élevage : vendanges manuelles ; éraflage total ;
fermentations de 18-21 jours et macérations de 28 jours environ,
assorties de fréquentes saignées ; soutirage trimestriel ;
vieillissement en fûts (50 % de bois neuf) ; collage ;
pas de filtration avant la mise en bouteille, faite manuellement et par gravité

A maturité : dans les 2 à 8 ans suivant le millésime

Le pétillant et talentueux Henri Duboscq, propriétaire du Château Haut-Marbuzet, dans la commune de Saint-Estèphe, est aussi, depuis 1962, celui d'un autre domaine, moins connu, appelé Chambert-Marbuzet et situé près du petit village de Marbuzet. La vinification est la même dans les deux propriétés : les fermentations à températures relativement élevées sont suivies de cuvaisons longues, et les vins, élevés avec 50 % de fûts neufs, sont mis en bouteille sans filtration préalable.

Les meilleurs millésimes de Chambert-Marbuzet se distinguent par un fruité d'une opulente richesse, marqué de généreux arômes de chêne neuf et grillé, parfois un peu excessifs. Ils sont accessibles dès leur jeunesse, et, s'il fallait leur trouver des défauts, on pourrait éventuellement leur reprocher leur caractère un peu ostentatoire et leur potentiel de garde plutôt moyen (il n'excède pas 10 ans). Cela dit, les derniers millésimes sont assez décevants.

1995 • **83** Quoique assez mûr, ce vin trop boisé et dépourvu de profondeur se révèle faible en acidité et un peu pataud. Il manque tout à la fois de tenue, de précision et de concentration. (3/96)

1994 • **76** Difficile de deviner ce qui s'est passé à Chambert-Marbuzet, mais le 1994 évoque un vieux Rioja médiocre, au fruité maigre et aux arômes trop boisés et moisis. Bref, il est maigre et décevant. (3/96)

1993 • **74** Le 1993 de Chambert-Marbuzet est aussi fugace au nez (douces notes de menthe, d'épices et de fruits) qu'en bouche. Ce vin aqueux et court en finale est encore desservi par des arômes trop prononcés de terre et de boisé. (11/94)

1992 • **76** Le 1992 a manifestement perdu de son fruité pendant la mise en bouteille. Plus léger que de coutume, ce vin dilué aux senteurs d'épices et de menthe se montre moyennement corsé et assez concentré en bouche. Sa finale est courte. **A boire d'ici 1 ou 2 ans.** (11/94)

1990 • **89** Ce vin charnu et sensuel, richement boisé et extrêmement épicé, regorge littéralement d'un fruité mûr. Très corsé et doté de parfums imposants, il s'affirme comme l'une des plus belles réussites de la propriété. **A boire dans les 5 à 9 ans.** (1/93)

1989 • **86** Généreusement marqué de bois neuf, le Chambert-Marbuzet 1989 exhale un nez exotique de fruits noirs et d'épices. Moyennement corsé et très souple, il révèle un fruité exubérant et déploie une finale terriblement tannique et alcoolique. Ce vin spectaculaire, qui manque quelque peu de consistance en milieu de bouche, sera parfait **jusqu'en 2000.** (4/91)

1988 • **83** Anormalement léger et évolué, mais parfumé, le 1988 est étonnamment timide et réservé pour un Chambert-Marbuzet. **A boire – probablement déjà en déclin.** (4/91)

1987 • **74** Des arômes de fruits un peu verts, herbacés et délavés, introduisent un vin moyennement corsé aux tannins assez tendres, qui manque cependant de concentration. **A boire rapidement – peut-être en déclin.** (3/90)

1986 • **87** Le 1986 m'a impressionné chaque fois que je l'ai dégusté du fût ; d'un rubis-noir très profond, très corsé, étonnant de richesse et de persistance, il recèle des tannins suffisants pour évoluer de belle manière ces 5 ou 6 prochaines années. Cet excellent vin, musclé et costaud, marqué de notes vanillées (qu'il tient du chêne neuf), se révèle cependant en bouteille plus léger que ne le laissaient supposer les dégustations des échantillons tirés du fût. Une réussite du millésime ! **A consommer.** (4/90).

1985 • **86** Ma notation est peut-être un peu sévère, car j'ai trouvé ce vin meilleur en fût qu'en bouteille. Puissant et profond, il regorge d'un généreux fruité confituré, rehaussé d'abondantes notes de chêne épicé. Ce vin moyennement corsé et souple doit être bu **d'urgence – il est probablement en déclin.** (3/89)

COS D'ESTOURNEL – EXCEPTIONNEL

2e cru classé en 1855 – équivaut à un 1er cru depuis 1982
Propriétaires : groupe Bernard Taillan et Cavas Santa Maria SA
Adresse : 33180 Saint-Estèphe
Tél. 05 56 73 15 50 – Fax 05 56 59 72 59
Visites : sur rendez-vous uniquement
Contact : Jean-Guillaume Prats

Superficie : 64 ha (limite de Pauillac)
Vins produits : Château Cos d'Estournel – 300 000 b ;
Les Pagodes de Cos – 100 000 b
Encépagement : 60 % cabernet sauvignon, 38 % merlot, 2 % cabernet franc
Densité de plantation : 9 000 pieds/ha – *Age moyen des vignes :* 35 ans
Rendement moyen : 50 hl/ha

Élevage : vendanges manuelles ; fermentations et cuvaisons de 21 jours en cuves ; vieillissement après les malolactiques en fûts (60-100 % de bois neuf) ; collage et filtration

---

A maturité : dans les 8 à 30 ans suivant le millésime

Cos d'Estournel a défrayé la chronique viticole en octobre 1998, quand il fut racheté par le Groupe Bernard Taillan et Cavas Santa Maria SA. Le premier (qui représente la famille Merlaut) est déjà propriétaire de nombreux autres domaines, dont le célèbre deuxième cru de Saint-Julien, Gruaud-Larose.

Propriété de la famille Prats jusqu'à cette date, Cos d'Estournel a, sous la direction inspirée de Bruno Prats, progressé jusqu'à parvenir au rang de premier de la classe. En effet, depuis 1982, les vins ont chaque année réalisé des prouesses, et, dans la plupart des millésimes, ils prennent place parmi les meilleurs Médoc. Le château, aux allures de pagode chinoise, se trouve sur une hauteur près de la limite nord de Pauillac, juste à côté du prestigieux Lafite Rothschild. Il se distingue en utilisant une forte proportion de merlot (près de 40 %) dans son assemblage et beaucoup de bois neuf pour le vieillissement de ses vins (jusqu'à 100 % dans des millésimes comme 1997) ; ces pratiques sont inhabituelles dans le Médoc, et la première n'est probablement pas étrangère au caractère riche et charnu si patent dans les millésimes récents de la propriété. Bruno Prats était partisan du recours aux techniques les plus modernes. Dans le Bordelais, il était l'un des rares à s'affirmer ouvertement en faveur de la filtration, à la fois avant la mise en fût et avant la mise en bouteille. Cependant, il lui était arrivé de faire marche arrière : c'est ainsi qu'il avait décidé de supprimer la seconde filtration à compter de 1989. Les vins plaident suffisamment pour eux-mêmes et, après avoir joué le rôle de bon cadet de Montrose dans les années 50 et 60, le domaine s'impose désormais comme l'un des plus prisés du Bordelais.

Il faut également souligner aux amateurs que Cos d'Estournel a particulièrement bien réussi dans des millésimes difficiles comme 1993, 1992 et 1991.

A l'heure actuelle, le domaine est dirigé par le fils de Bruno Prats, Jean-Guillaume (également membre du directoire), qui a été formé par son père depuis 1983. Le fait que ce soit lui qui ait repris le flambeau laisse subodorer que la philosophie de Cos demeurera la même.

1998 • **86-88?** Issu d'une sélection de 45 % de la production totale, le 1998 de Cos d'Estournel est composé à 55 % de cabernet sauvignon et à 45 % de merlot. Le point d'interrogation accompagnant la note que je lui ai attribuée s'explique par ses tannins durs et poudreux. Concentré et puissant, mais également agressif et astringent, ce vin d'un rubis-pourpre profond exhale un doux nez de cassis nuancé de liqueur de cerise, d'herbes séchées et de poivre. Il se pourrait qu'il se fonde harmonieusement, car il se révèle riche, corpulent et solidement doté en milieu de bouche. Cependant, ses abondants tannins ne manquent pas d'inquiéter. **A boire entre 2006 et 2020.** (3/99)

1997 • **88-89+** Étonnamment structuré pour le millésime, le 1997 se distingue par une robe profonde et par un nez de doux cassis et de poivre marqué en arrière-plan de notes de grillé. Moyennement corsé et modérément tannique, il révèle une profondeur et une persistance d'excellent aloi. Ce vin est issu d'une sélection de 45 % seulement de la récolte totale. **A boire entre 2003 et 2014.** (1/99)

1996 • **93+** Composé à 65 % de cabernet sauvignon et à 35 % de merlot, le 1996 de Cos d'Estournel se présente comme un vin énorme et peu évolué, évoquant son aîné de 1986. On estime à la propriété que les trois millésimes que je préfère – 1982, 1985 et 1990 – sont moins classiques que 1986, 1988, 1996 et 1998. Opaque et pourpre de robe, le 1996 s'annonce par des arômes purs de cassis, d'herbes grillées, de café et de chêne neuf et grillé. L'ensemble, très massif en bouche, s'impose comme l'un des jeunes Cos les plus structurés et les plus concentrés que je connaisse. Tout à la fois épais et tannique, ce vin s'est considérablement refermé depuis la mise en bouteille et requiert une garde de 7 ou 8 ans ; son potentiel est de 30 à 35 ans. C'est un vin fabuleux, mais il mettra la patience des amateurs à rude épreuve. **A boire entre 2006 et 2030.** (1/99)

1995 • **95** Extraordinaire d'intensité et étonnamment accessible, le Cos d'Estournel 1995 est plus sensuel et plus plaisant que son cadet d'un an, plus musclé et moins évolué. Opulent, avec des arômes bien épanouis de fruits noirs mêlés de notes épicées et de pain grillé, il est très corsé, avec un généreux fruité joliment rehaussé de belles notes de boisé. Il sera difficile de lui résister dès sa jeunesse, du fait de sa faible acidité et de ses tannins doux, mais il tiendra bien 2 ou 3 décennies. **A boire entre 2001 et 2025.** (11/97)

1994 • **91** Lors d'une dégustation à Cos d'Estournel, j'ai eu l'occasion de goûter le 1994 non filtré, à côté d'une cuvée filtrée de ce même vin. Cette dernière, bien qu'excellente (je l'ai notée 88), était, comme ont pu le constater tous les participants, moins opaque, moins aromatique, moins ample et moins riche en bouche que la première. La plupart des propriétés du Bordelais continuent de coller et de filtrer leurs vins à l'excès, mais les plus sérieuses d'entre elles prennent petit à petit conscience des méfaits de ces techniques et réduisent considérablement leur utilisation. Malheureusement, bon nombre de mes confrères tombent dans le panneau, et croient les œnologues et les producteurs qui affirment que le collage et la filtration n'ont aucun effet sur le vin. Le 1994 (non filtré) s'impose comme l'une des plus belles réussites du millésime. Outre sa robe opaque de couleur pourpre-bleu tirant sur le noir, il exhale un nez fabuleusement doux de fruits noirs, de réglisse, de pain grillé et d'épices orientales. Très corsé, avec un fruité opulent et velouté, sans tannins agressifs, il est classique, bien équilibré et manifeste une richesse remarquable. Un vin manifestement de très longue garde. **A boire entre 2003 et 2025.** (1/97)

1993
•
89
Le Cos d'Estournel 1993, à la robe opaque de couleur pourpre foncé, est l'un des vins les mieux réussis du millésime, avec son nez capiteux, pur et doux, de cassis qui jaillit littéralement du verre. Étonnamment gras, riche et glycériné, il est encore moyennement corsé et élégant, avec des arômes imposants, si bien qu'on a peine à croire qu'il provient d'un millésime aussi difficile. Sa faible acidité et son caractère rond laissent présager une belle longévité. **A boire entre 2005 et 2007.** (1/97)

1992
•
88
Le 1992 de cette propriété s'est affirmé comme l'une des plus belles réussites du millésime. Il arbore une robe rubis foncé tirant sur le pourpre et déploie des senteurs de chêne fumé ainsi qu'un fruité abondant de cassis. Moyennement corsé, avec une texture veloutée, il est d'une richesse atypique, concentré et généreusement doté. Ce 1992 est vraiment digne d'intérêt. **A boire jusqu'en 2002.** (11/94)

1991
•
87
Le 1991 de Cos d'Estournel (cette année-là, 50 % de la récolte fut déclassée) est un vin que vous vous devez de posséder en cave, compte tenu de son prix très raisonnable et de son excellente qualité. Avec sa robe de couleur rubis foncé et son nez énorme et riche de cassis judicieusement mêlé de touches de chêne neuf et d'épices, il se montre étonnamment gras et charnu, d'une bonne longueur, et révèle une texture crémeuse et douce. **A boire jusqu'en 2001, peut-être au-delà.** (1/94)

1990
•
95
Le 1990 subjuguera incontestablement les dégustateurs par son caractère spectaculaire et opulent de merlot conjugué à un cabernet sauvignon très mûr. C'est l'un des vins les plus évolués et les plus précoces du millésime. Extrêmement concentré, avec un nez doux et herbacé de fruits noirs confiturés, il est remarquable d'opulence et de saveur. Tout à la fois pur et très corsé, il recèle davantage de tannins qu'on n'en perçoit à l'heure actuelle. Il est difficile de ne pas succomber dès maintenant à ce vin ouvert et flatteur ; son potentiel de garde lui permettra cependant de tenir **15 à 20 ans encore.** (11/96)

1989
•
88
Quoique d'une bonne facture, le 1989 de Cos n'est pas à la hauteur de son terroir et du millésime. Sa robe d'un rubis profond introduit un nez épicé et vanillé de groseille, qui lui-même précède en bouche un ensemble moyennement corsé et d'une excellente profondeur, mais monolithique. Dépourvu de la concentration et de l'ampleur de son cadet d'un an, ce 1989 présente une finale aux tannins durs, qui cependant se fondent bien dans son fruité mûr. Un vin au potentiel de **15 ans, voire plus.** (11/96)

1988
•
87
Le 1988 dégage un irrésistible bouquet d'épices exotiques et de fruits noirs. Sauvagement tannique dans sa jeunesse, il s'est assoupli et se révèle désormais plus charmeur et plus séduisant. Arborant une robe presque intacte de couleur rubis-pourpre foncé, il est moyennement corsé et légèrement austère, élégant et classique à la fois, doté d'un bon fruité de cassis d'une excellente pureté. **A boire entre 2000 et 2012.** (11/96)

1987
•
83
Le 1987 de Cos est parfaitement mûr. Exhalant un nez grillé et herbacé de prune, il se montre légèrement corsé en bouche, où il déploie un fruit souple et charnu, étayé par une faible acidité. Sa finale recèle des tannins doux. **A boire jusqu'en 2001.** (3/91)

1986
•
95
Richement extrait, le 1986 est rubis-noir de robe et exhale un bouquet évoquant la réglisse et la prune mûre, rehaussé de généreuses notes grillées et fumées. Tout à la fois massif, énorme et mûr, il emplit le palais de flaveurs extrêmement concentrées, impressionnantes de profondeur et de richesse. Ce vin, qui évolue

très lentement, me paraît plus puissant, plus corpulent et plus tannique que le 1985, actuellement plus charmeur et plus opulent. **A boire jusqu'en 2010.** (10/94)

1985
•
93
Lorsque je l'ai dégusté du fût, le 1985 de Cos d'Estournel m'a rappelé, en plus léger, ses aînés de 1982 et 1953. Bien évolué, avec un fabuleux bouquet de pain grillé et de fruits rouges et noirs très concentrés (en particulier de cerise noire), il se montre riche, long, savoureux et moyennement corsé en bouche. Très parfumé, il régale autant le nez que le palais de ses arômes de doux fruits noirs, de minéral et d'épices. C'est l'un des vins les plus précoces de la propriété. **A boire jusqu'en 2010.** (4/97)

1984
•
78
Dès les premières dégustations, le 1984 s'est imposé comme une belle réussite dans un millésime difficile. Arborant une robe d'une bonne couleur rubis, il dégage un nez modérément intense et épicé de goudron, de chêne et de cassis. Moyennement corsé et d'une bonne concentration, il est étayé par une acidité piquante et recèle des tannins souples, mais fermes. Il pourrait commencer à perdre de son fruité. **A boire rapidement.** (4/94)

1983
•
81
Malgré sa bonne couleur et son caractère massif, le Cos d'Estournel 1983 m'a paru brut, tannique, anguleux et très fermé lors de ma première dégustation, en mars 1984. Plus tard dans l'année, il présentait davantage de fruité et de richesse, mais n'en demeurait pas moins dur et maigre. Des dégustations récentes m'ont confirmé qu'il évoluait très rapidement, comme l'indique d'ailleurs sa robe tuilée. Ce vin herbacé et plutôt décevant, qui n'a jamais été un modèle d'équilibre, s'est révélé dépourvu de charme et de plus en plus comprimé avec le temps. Quelle déception ! **A boire.** (11/96)

1982
•
96
Comme de nombreux 1982, celui de Cos était plus flatteur, plus opulent et plus souple dans sa jeunesse qu'actuellement. Tout à la fois épais, concentré, riche et puissant – ce qui est assez atypique de cette propriété, qui produit généralement des vins tout en élégance –, il se montre accessible et même délicieux lorsqu'il est décanté une heure ou plus avant d'être dégusté. Sa robe opaque et sombre, de couleur rubis-pourpre, est encore intacte, et, malgré des tannins un peu agressifs, l'ensemble révèle un fabuleux fruité sous-jacent de cassis et de cerise noire confiturés. Ce vin gras et corpulent est encore dans sa prime jeunesse, mais extrêmement prometteur. Il tiendra bien **20 ans encore.** (9/95)

1981
•
83
D'un rubis foncé, avec un riche bouquet aux arômes intenses d'épices et de bruyère, ce vin est plus profond et plus prometteur que le 1983, mais relativement léger, compact et maigre. Assez réservé, il doit être dégusté **d'urgence – il est probablement en déclin.** (5/90)

1980
•
83
S'il n'est pas un grand vin, le Cos d'Estournel constitue un succès incontestable pour le millésime. Arborant une robe rubis, il libère des arômes légèrement épicés et herbacés qui ne manquent pas d'intérêt. Très fruité pour le millésime, il doit être consommé **dès maintenant,** car il est peut-être déjà sur le déclin. (10/84)

1979
•
86
Meilleur Saint-Estèphe en 1979, le Cos d'Estournel est rubis foncé de robe, avec un bouquet naissant de cerise mûre aux notes vanillées et boisées. Très corsé, mais bien charpenté pour le millésime, il étonne par son caractère massif et profond. Ce vin, lent à évoluer, a mis une bonne dizaine d'années à atteindre la maturité. **A boire jusqu'en 2000.** (11/89)

1978 • **85** Très apprécié du château, le 1978 m'a semblé très bon, mais moins gracieux et moins équilibré que son cadet d'un an. Outre sa robe rubis foncé, il présente un bouquet modérément intense d'herbes, de cerise noire, d'épices, de chêne et de cuir fin. Moyennement corsé en bouche, il s'y montre encore tannique et poussiéreux. **A boire jusqu'en 2005.** (1/88)

1976 • **86** Le 1976 de Cos – l'une des réussites du millésime – a heureusement réussi à éviter le caractère dépouillé et fragile de la plupart de ses jumeaux. Quoique parfaitement mûr, il ne présente aucun signe de déclin et exhale un bouquet complexe de fruits rouges, d'épices et de chêne grillé. Souple et bien fruité, il est tout à la fois doux, rond et élégant. **A boire.** (2/90)

1975 • **76** Ce vin n'a strictement rien d'extraordinaire. Sa robe très ambrée introduit un nez végétal de terre et de fruits. L'ensemble qui suit, dépourvu de fruité, est acerbe, austère et terriblement tannique. Ce vin creux peut certainement tenir 20 à 25 ans encore, mais il ne sera jamais agréable à déguster. **A boire.** (12/95)

1974 • **67** Ce vin arbore une bonne couleur, mais il est vert et creux, avec des arômes de rafle. **A boire – peut-être en sérieux déclin.** (10/80)

1973 • **65** A ma dernière dégustation, le fruité du 1973 commençait déjà à s'estomper, et la robe pâle tirant sur le brun signait un sérieux déclin. Il est préférable de tirer un trait sur ce vin. (10/80)

1971 • **84** Issu d'un millésime plutôt irrégulier, le Cos d'Estournel 1971 est maintenant à parfaite maturité. Arborant une robe rubis moyennement foncé légèrement orangée sur le bord, il séduit par son caractère soyeux et son bon fruité souple. **A boire – probablement en déclin.** (1/87)

1970 • **86 ?** Toujours aussi impressionnant que dans sa jeunesse avec sa robe grenat foncé nuancée de rubis-pourpre, le Cos d'Estournel 1970 se montre moyennement corsé, tannique, rustique et très concentré, mais rugueux et dépourvu de charme. Il tiendra bien **25 ans encore**, mais je doute qu'il s'épanouisse un jour. (6/96)

1967 • **73** Ce vin a connu son apogée entre 1976 et 1978, mais il ne s'est jamais distingué par sa profondeur ni par sa concentration. **A boire – probablement en sérieux déclin.** (9/79)

1966 • **85** Très bon sans cependant être de premier ordre, le 1966 de Cos d'Estournel présente une robe légèrement tuilée d'un rubis moyennement foncé. D'une bonne concentration, tout en révélant le caractère maigre et austère du millésime, ce vin déploie une finale aux tannins abondants. **A boire – probablement en déclin.** (10/84)

1964 • **72** En raison des pluies abondantes d'octobre, les propriétés du Médoc firent le meilleur ou le pire. Le meilleur quand le raisin fut rentré tôt, le pire dans le cas contraire. Bien que coloré, le Cos d'Estournel 1964 est âpre, maigre, dépourvu de fruit et de complexité, et ne s'améliorera sans doute pas. **A boire – peut-être en sérieux déclin.** (10/78)

1962 • **86** Voici un Saint-Estèphe typique, au sens où les vins de cette appellation sont considérés comme durs et sévères. Cependant, tout y est : la robe rubis foncé, une corpulence et une concentration de très bon aloi, et des tannins modérés. **A boire – sans doute en déclin.** (12/83)

1961 • **92** Typique du millésime, avec une robe sombre et dense toujours intacte, le 1961 de Cos d'Estournel est tout à la fois énorme, intense, concentré et encore tannique. Son bouquet très parfumé libère des senteurs de cèdre, d'épices orientales et de cake. La bouche, riche, profonde et persistante, révèle des tonnes d'arômes de fruits noirs et mûrs. Une merveille d'opulence. **A boire jusqu'en 2000.** (1/91)

Millésimes anciens

J'ai dégusté en trois occasions (en 1989, 1993 et 1994) le 1953 de Cos d'Estournel en magnum (noté 93 en octobre 1994). Comme beaucoup de vins de cette année, il exhale un nez énorme et aromatique de fleurs et de fruits rouges et noirs. Je pense qu'il présente maintenant quelques signes d'altération en bouteille, mais, en grand format, il doit toujours se montrer dans toute sa splendeur, s'imposant comme une merveilleuse illustration de la grandeur de son millésime et comme l'un des plus grands vins de ce siècle.

Le 1959 (noté 92) est un autre Cos d'Estournel délicieux. Il m'a semblé plus jeune que son cadet de 1961, lorsque je les ai comparés en novembre 1989. Parmi les autres vieux millésimes, je citerai le 1947 – très décevant à mes yeux, mais que d'autres ont considéré comme fabuleux –, le 1945 – tannique et fort peu agréable –, ainsi qu'un magnum de 1928 extraordinairement profond (noté 97), dégusté au château en mars 1988 avec M. Prats. En revanche, je fus terriblement déçu, en 1994 et 1995, par deux bouteilles de ce même millésime ; elles révélaient un vin creux et passé.

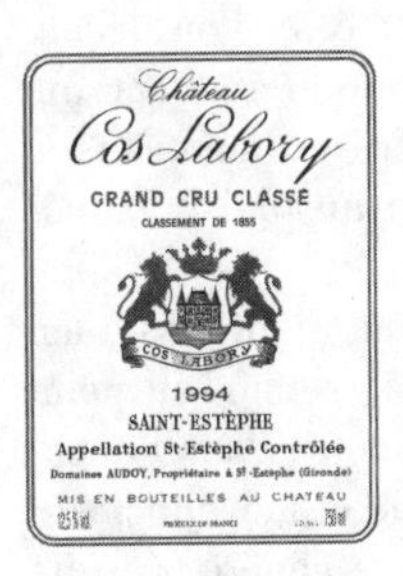

COS LABORY - BON

5e cru classé en 1855 – devrait être maintenu depuis 1989
Propriétaire : SCE Domaines Audoy
Adresse : 33180 Saint-Estèphe
Tél. 05 56 59 30 22 – Fax 05 56 59 73 52
Visites : sur rendez-vous uniquement
Contact : Bernard Audoy

Superficie :
18 ha (Saint-Estèphe, sur le plateau de Cos)
Vins produits : Château Cos Labory – 70 000 b ; Le Charme Labory – 30 000 b
Encépagement : 55 % cabernet sauvignon, 35 % merlot, 10 % cabernet franc
Densité de plantation : 8 700 pieds/ha – *Age moyen des vignes :* 30 ans
Rendement moyen : 48 hl/ha

Élevage : vendanges manuelles ;
fermentations et cuvaisons de 25 jours à 30 °C maximum ; fréquents remontages ;
vieillissement après les malolactiques 15 mois en fûts (30-50 % de bois neuf) ;
soutirage trimestriel ; collage avant la mise en bouteille ; pas de filtration

A maturité : dans les 5 à 12 ans suivant le millésime

Pendant longtemps, Cos Labory a été l'un des plus décevants de tous les crus classés, mais il s'est notablement amélioré ces dix dernières années. La propriété vaut désormais le détour, et les vins méritent que l'on s'y intéresse. Les excellents 1989 et 1990 marquent le retour de ce cru à un bon niveau, et, malgré une matière première moins riche de promesses, les millésimes suivants se sont révélés meilleurs encore.

Les vins de Cos Labory sont bien vinifiés ; profondément colorés, ils sont également riches, musclés et tanniques. Bernard Audoy effectue désormais des sélections plus sévères, les fermentations malolactiques se font en fût, et les vins sont mis en bouteille sans filtration préalable ; autant de mesures qui ont contribué à une nette amélioration de la qualité.

1997 • **78-82** Contrairement à son aîné d'un an, le 1997 est moyennement corsé et dilué, avec une robe aqueuse sur le bord. Il présente tant au nez qu'en bouche des arômes de cerise noire. Rond et souple, faible en acidité, il doit être consommé dans les **5 à 7 ans.** (1/99)

1996 • **88** Mes craintes au sujet du Cos Labory 1996 – des tannins trop marquants – se révélèrent infondées lors de ma dernière dégustation, après la mise en bouteille. C'est un Saint-Estèphe classique, de couleur rubis-pourpre foncé, au nez de terre et de cassis. Exprimant une bouche moyennement corsée et modérément tannique, il manifeste une belle pureté et développe, au fur et à mesure qu'il s'aère, des notes de confiture de mûre et de minéral. Ce vin bien fait est proposé à prix raisonnable. Vous l'apprécierez **entre 2005 et 2018.** (1/99)

1995 • **88+?** Quoique plus charmeur depuis la mise en bouteille, le Cos Labory 1995 est fermé, ne révélant que des arômes naissants de fruits noirs et rouges. La bouche présente d'abondants tannins poussiéreux, qui contribuent à une finale dure, sèche et rugueuse. L'ensemble est cependant assez corsé, et l'on décèle dès l'attaque en bouche un généreux fruité doux et mûr. Mon instinct me souffle qu'une belle richesse en extrait se dissimule derrière ce manteau de tannins. Ce vin ne conviendra pas aux amateurs recherchant un plaisir immédiat. **A boire entre 2003 et 2015.** (11/97)

1994 • **86?** Le 1994 révélait au nez des touches de moisi, lesquelles auraient très bien pu être imputables à un bouchon défectueux. Cela n'était pas gênant au point d'empêcher toute évaluation de ce vin, et je fais état de mes notes dans l'hypothèse où le bouchon serait le seul coupable. Ce 1994, tannique et moyennement corsé, à la robe sombre de couleur rubis-pourpre, déploie un généreux fruité mûr de cassis et de réglisse. Il pourrait, si ses arômes se purifiaient, s'imposer comme une belle réussite, méritant une note aux alentours de 88. **A boire entre 2004 et 2012.** (1/97)

1993 • **85** Rubis foncé, le Cos Labory 1993 exhale un nez épicé et plaisant, mais manquant de distinction, aux notes de fruits rouges, de terre et de bois. Bien que dur, il est profond, et j'espère que son fruité sera suffisant pour contrebalancer sa structure. Il requiert une garde de 1 ou 2 ans, et devrait bien vieillir sur les **12 à 15 prochaines années.** (1/97)

1992 • **82?** Le 1992 est un vin bien fait, doux, moyennement corsé et profond, qui présente une excellente maturité ainsi qu'une finale d'une bonne longueur. Ses tannins abondants donnent à penser qu'il serait préférable de le mettre en cave pendant 3 ou 4 ans avant de le déguster, mais je me demande si son fruité assez moyen ne se desséchera pas avant que ses tannins ne se fondent. **A boire jusqu'en 2002.** (11/94)

1991 • **86** Le 1991 de Cos Labory présente une robe soutenue très étonnante ainsi qu'un nez serré, mais prometteur, de poivre, de cassis et de chêne neuf et fumé. Moyennement corsé, tannique et d'une belle profondeur, il se bonifiera au terme d'une garde de 3 ou 4 ans et se conservera pendant **15 ans et plus.** (1/94)

1990 Arborant une robe presque noire, le Cos Labory 1990 présente un nez réticent d'épices, de minéral, de réglisse et de cassis. Très richement extrait, il est corsé et de bonne mâche, et déploie une finale splendide et persistante, aux tannins modérés. **A boire jusqu'en 2010.** (1/93)
•
89

1989 Le 1989 est incontestablement, avec le 1990, le meilleur Cos Labory que je connaisse à ce jour. Rubis-noir de robe, il exhale un bouquet énorme aux notes de cassis et dévoile en bouche, par paliers, outre sa belle richesse en extrait, un caractère extrêmement tannique et alcoolique. **A boire jusqu'en 2015.** (4/91)
•
89

1988 Bien coloré, le Cos Labory 1988 se montre moyennement corsé, tannique et plaisant. Assez persistant et d'un bon équilibre d'ensemble, il est correct, mais inintéressant. **A boire jusqu'en 2000.** (3/90)
•
84

1986 Léger, mais plaisant, le 1986 déploie de séduisants arômes de fruits rouges mâtinés de subtiles notes de boisé. Il semble marqué par l'abondance de la récolte, caractérisée, dans certains vignobles, par un merlot assez dilué. **A boire.** (11/89)
•
79

1985 Cos Labory a relativement bien réussi en 1985, avec un vin épanoui, tendre et boisé, mais aussi assez corsé, concentré et persistant en bouche. Étonnant ! **A consommer.** (6/89)
•
85

1983 Le 1983 est trop léger, fade et très ordinaire. C'est, disons, un bon vin de table, mais ne méritant certainement pas son rang de cinquième cru. **A boire – probablement déjà en sérieux déclin.** (6/84)
•
70

1982 Dans le contexte du millésime, ce 1982 est plutôt médiocre, mais, si l'on se réfère aux performances de Cos Labory à cette époque, il est solide, bien doté, bien concentré et bien coloré, avec des tannins modérés. **A consommer.** (1/88)
•
75

1979 D'un rubis moyen, avec un fruit creux et atténué, le Cos Labory 1979 se montre moyennement corsé et faible en intensité. Terne, sans détour et peu tannique, il doit être bu **sans plus attendre – s'il n'est en déclin.** (9/84)
•
65

1978 Parfaitement mûr, le 1978 exhale des arômes de brûlé, de rafle et de feuilles. En bouche, il est moyennement corsé et modérément tannique, et révèle un fruité dilué. Quel vin médiocre ! (5/83)
•
67

1976 Des relents de cave humide, trop peu de fruit et beaucoup d'odeurs de terre mouillée ne peuvent faire un bon bordeaux ! Ce vin rubis assez clair a pris rapidement une teinte tuilée. **Probablement en sérieux déclin.** (2/80)
•
55

1975 Ce vin tannique, anguleux, dépourvu de charme et de fruit se révèle dur et sévère, avec des tannins mordants. **A consommer.** (12/81)
•
64

1971 Une vinification défectueuse et une récolte sans doute trop abondante expliquent la qualité très médiocre de ce vin maigre, vert et désagréable, qui montre ce que Bordeaux peut faire de plus laid. (4/78)
•
52

1970 Ce vin était, à la fin des années 70, acceptable, mais inintéressant. D'une couleur rubis, il présentait un fruité simple, mais franc, d'agréables arômes de cerise et d'épices, et un caractère moyennement corsé. **A consommer – peut-être en sérieux déclin.** (2/80)
•
70

LE CROCK

Cru bourgeois – devrait être maintenu
Propriétaire : famille Cuvelier
Adresse : Domaines Cuvelier – 33180 Saint-Estèphe
Tél. 05 56 59 30 33 – Fax 05 56 59 60 09
Visites : sur rendez-vous uniquement
Contact : Charles Viollet

Superficie : 31,7 ha (Marbuzet, Saint-Estèphe)
Vins produits :
Château Le Crock – 180 000 b ; Château La Croix Saint-Estèphe – 40 000 b
Encépagement :
55 % cabernet sauvignon, 25 % merlot, 15 % cabernet franc, 5 % petit verdot
Densité de plantation : 8 500 pieds/ha – *Age moyen des vignes :* 30 ans
Rendement moyen : 57 hl/ha

Élevage : vendanges manuelles ; fermentations et cuvaisons de 21 jours environ ; fréquents remontages ; vieillissement après les malolactiques de 16 mois en fûts (20 % de bois neuf) ; collage avant la mise en bouteille ; pas de filtration

---

A maturité : dans les 5 à 12 ans suivant le millésime

Ce beau château de deux étages, qui se trouve au sud du village de Saint-Estèphe, est depuis 1903 la propriété de la famille Cuvelier. Il est superbement situé, sur une colline dominant un lac où évoluent de nombreux cygnes, et il fait la joie des photographes les plus blasés – malheureusement, les vins ne sont pas aussi séduisants ! Leur forte proportion de merlot devrait théoriquement leur conférer un caractère souple et charnu, mais, à la dégustation, ils me sont apparus trop tanniques, raides, et m'ont souvent donné l'impression d'être excessivement austères.

Les Cuvelier sont irréprochables pour ce qui concerne les soins apportés aux vignes et à la vinification, très moderne. Cependant, je trouve que les vins sont un peu courts en fruit, bien qu'ils soient réellement corsés, denses et capables de durer 10 à 12 ans. Peut-être le 1995, souple et riche, vinifié selon les conseils de Michel Rolland, marquera-t-il la renaissance de cette propriété ?

1995 • **86** Outre sa belle robe rubis-pourpre foncé, le 1995 présente de généreux et doux arômes de cerise noire et de cassis. Bien mûr et faible en acidité, il est charnu, admirable de longueur, avec une finale riche. Il devrait devenir un vin très bon, voire excellent, et capable d'une garde de **10 ans environ**. Il constitue de surcroît une très bonne affaire. (3/96)

1994 • **74** En dégustant le 1994, j'ai eu l'impression de croquer... des tannins et de l'acidité. C'est un vin dur, avec un fruité trop maigre pour son ossature. Il se desséchera certainement avec le temps. (3/96)

1990 • **87** Le 1990 est probablement le meilleur vin que je connaisse de la propriété à ce jour. D'un rubis-pourpre profond, il exhale un nez épicé et riche, et tapisse le palais de ses arômes denses, musclés et très corsés. Il vieillira de manière impressionnante grâce à sa belle ampleur. **A boire jusqu'en 2006.** (1/93)

1989 • **83** Cette propriété avait la réputation de produire des vins durs, maigres, généralement dépourvus de charme. Cependant, le 1989, d'un beau rubis, se révèle plus fruité que de coutume, avec des arômes de mûre. Moyennement corsé et faible en acidité, il manque de complexité. **A consommer – probablement en déclin.** (4/91)

1988 • **82** Le 1988 est équivalent au 1989 pour ce qui concerne la qualité, mais il est d'un style fort différent. Plus maigre et bien charpenté, il est aussi moins tannique et moins puissant. **A boire – peut-être même en déclin.** (11/90)

1986 • **74** A chaque dégustation, le 1986 m'a semblé manquer de richesse et présentait trop de dureté et d'astringence pour son fruité. **A consommer – sans doute en déclin.** (4/90)

1985 • **73** Moyennement corsé et modérément profond, le 1985 présente une certaine astringence en finale... Aurait-on incorporé trop de vin de presse dans l'assemblage ? Il s'agit dans l'ensemble d'un vin inintéressant. **A consommer – sûrement en déclin.** (3/89)

HAUT-MARBUZET - EXCELLENT

Cru bourgeois – équivaut à un 3e cru
Propriétaire : Henri Duboscq et Fils
Adresse : 33180 Saint-Estèphe
Tél. 05 56 59 30 54 – Fax 05 56 50 70 87
Visites : du lundi au vendredi (8 h-12 h et 14 h-18 h)
Contact : Henri Duboscq

Superficie : 50 ha (Saint-Estèphe)
Vins produits :
Château Haut-Marbuzet – 250 000 b ; La Rose MacCarthy – 50 000 b
Encépagement : 50 % cabernet sauvignon, 40 % merlot, 10 % cabernet franc
Densité de plantation : 8 300 pieds/ha – *Age moyen des vignes :* 35 ans
Rendement moyen : 45 hl/ha (depuis 5 ans)

Élevage : vendange totalement égrappée ;
fermentations de 18-20 jours et cuvaisons de 28 jours en cuves thermorégulées, avec remontages quotidiens ; vieillissement après les malolactiques de 18 mois en fûts neufs ; collage ; pas de filtration

---

A maturité : dans les 3 à 15 ans suivant le millésime

Haut-Marbuzet est l'un des plus anciens domaines de Saint-Estèphe, mais il ne s'est vraiment taillé une réputation qu'à partir de 1952, lors de son rachat par le père de l'actuel propriétaire, Henri Duboscq. Le vignoble est excellemment situé, face à la vallée de la Gironde, sur une pente assez douce de graves mélangées à de l'argile calcaire. Henri Duboscq est un homme pétillant qui a tendance, pour parler de ses vins, à évoquer les plus belles stars du cinéma. Il a fait l'un des bordeaux les plus recherchés, notamment en France, en Belgique, en Grande-Bretagne et aux Pays-Bas (ces quatre pays absorbant la plus grande partie de sa production). Il est partisan de vendanges tardives, qui permettent de rentrer un raisin extrêmement mûr, de vinifications longues (macérations de 3 semaines) et pratique un vieillissement de 18 mois, uniquement en chêne neuf. Ces méthodes produisent évidemment un vin au fruit intense, opulent et généreux, doté d'un bouquet riche, exotique et épicé. Pour les amateurs, Haut-Marbuzet est l'un des vins les plus faciles d'abord, mais également l'un des plus sensuels du Bordelais.

Certains ont prétendu qu'il y avait quelque chose de « vulgaire » dans la vinification de Duboscq ; lui répond que le chêne neuf ne fait qu'ajouter du charme et de l'onctuosité à ce caractère musclé et solide propre à tant de Saint-Estèphe. D'autres ont avancé que ses vins ne savaient pas vieillir avec grâce ; pour ma part, je les trouve délicieux quand ils sont encore jeunes, mais j'ai également dégusté de vieux millésimes (jusqu'au 1961) et puis affirmer qu'ils atteignent leur apogée entre 10 et 15 ans d'âge.

Quoi qu'il en soit, les critiques ne peuvent nier l'immense succès rencontré par Duboscq, dont le bordeaux évoque un bourgogne ou un vin du Rhône voluptueux.

1997 • **84-86** Le Haut-Marbuzet 1997, dégusté en trois occasions, m'a surpris par son manque d'étoffe et d'intensité. S'il est d'une bonne tenue, il n'atteint pas le niveau habituel des vins de cette propriété. Outre un boisé agressif, il est desservi par un creux en milieu de bouche, mais révèle des arômes souples et mûrs de terre et de cerise noire, dans un ensemble plaisant et moyennement corsé. J'aurais préféré lui trouver un peu plus de concentration, de richesse en extrait et de longueur. **A boire jusqu'en 2002.** (3/98)

1996 • **86-88** D'un rubis foncé, avec des arômes prononcés de pain grillé, de fumé, d'olives et de doux fruits rouges, le Haut-Marbuzet 1996 se montre moyennement corsé, riche et séduisant en bouche. Il y déploie le boisé légendaire, les parfums capiteux et le caractère gras qu'apprécient particulièrement les amateurs de ce cru. Plus tannique que ses deux aînés, il est cependant bien fait, concentré et épicé, et manifeste en bouche une puissance et une longueur d'excellent aloi. **A boire jusqu'en 2010.** (11/97)

1995 • **89** Rubis foncé, le 1995 dégage des arômes de fruits noirs confiturés, aux notes de prune, marqués de surmaturité. En bouche, il est moyennement corsé et déploie un caractère tout à la fois doux, fumé, herbacé et piquant. C'est un vin ostentatoire, boisé et confituré – une véritable bombe ! – qui n'a aucune prétention intellectuelle. **A boire jusqu'en 2006.** (3/96)

1994 • **89** Le cru le plus exotique du Médoc a donné un vin sensuel, opulent et bien doté. Étonnant par sa faible acidité, le Haut-Marbuzet 1994 est d'une excellente maturité et présente, à la fois au nez et en bouche, de doux arômes fumés et grillés de cassis confituré. Il tapisse le palais tout en rondeur de ses flaveurs opulentes et persistantes. Les amateurs apprécieront ce vin charnu et savoureux dans les **10 prochaines années.** (3/96)

1993 • **82** J'aurais aimé trouver le 1993 plus impressionnant, mais il est austère, extrêmement rugueux et tannique, d'une dureté atypique pour ce cru. En le dégustant plus attentivement, on y décèle un fruité mûr de cassis, malheureusement insuffisant pour contrebalancer son caractère sévère et creux. Je me demande si mon évaluation n'est pas trop généreuse. (11/94)

1992 • **82?** La tendance qu'a cette propriété à utiliser 100 % de chêne neuf est judicieuse dans d'excellents millésimes comme 1990, 1989 et 1982, mais, dans une année comme 1992, cela donne un vin trop boisé. Ce Haut-Marbuzet moyennement corsé et concentré arbore une robe d'un rubis sombre et intense, et déploie un bouquet épicé de prune marqué par le chêne. En bouche, il est doux, assez profond, avec une faible acidité ; la finale est souple. Extrêmement ostentatoire et précoce pour le millésime, il est actuellement à son meilleur niveau. **A boire.** (11/94)

1990 • **93** Le 1990 est un grand classique de la propriété. Tannique et concentré, il arbore une robe rubis-pourpre foncé qui introduit un nez généreusement boisé et vanillé, aux notes d'herbes, de doux cassis confituré, de noix rôtie et d'olives. La bouche, riche et opulente, dévoile une texture épaisse et de bonne mâche, étayée par une faible acidité, et l'ensemble, des plus plaisants, est marqué par un fruité généreux et un boisé luxuriant. Ce vin sera parfait ces **10 à 12 prochaines années.** Il s'agit, à mon sens, de la plus belle réussite de la propriété depuis le fabuleux 1982. (11/96)

1989 • **86** Une robe fortement ambrée introduit des senteurs prononcées de cèdre, de cerise confiturée, d'algues et d'épices, elles-mêmes suivies d'un ensemble parfaitement mûr, rond, souple et faible en acidité. A en juger par cette bouteille qui ne semblait pas avoir souffert de températures excessives, je conseillerais de déguster le Haut-Marbuzet 1989 **jusqu'en 2002.** (11/96)

1988 • **89** Brillant, spectaculaire, le 1988 de Haut-Marbuzet se montre très corsé, ample et généreusement boisé, avec des tannins légèrement plus agressifs que de coutume, qui surprendront peut-être les amateurs de longue date de ce cru. Ce vin richement extrait sera au meilleur de sa forme **jusqu'en 2000.** (3/91)

1987 • **82** Étonnamment parfumé (le nez est dominé par des arômes de chêne fumé et d'herbes), le 1987 se montre moyennement corsé, souple et capiteux. Quoique dépourvu de concentration, il n'en demeure pas moins délicieux et plaisant. **A boire – peut-être en déclin.** (4/90)

1986 • **90** Depuis que je l'ai goûté au fût, le 1986 n'a cessé de s'améliorer. Sa robe, d'un rubis-pourpre profond, son énorme bouquet de chêne, de fumé et d'épices exotiques et son fruité dominé par la prune semblent indiquer qu'il faut le boire rapidement ; cependant, les tannins de la finale montrent au contraire qu'il serait encore plus remarquable après quelques années de cave. C'est un vin unique et très intéressant. **A boire jusqu'en 2003.** (2/90)

1985 • **88** Avant tout charnu et sensuel, le 1985 de Haut-Marbuzet ne laisse pas d'être séduisant. Ses amples arômes de prune et de grillé sont extrêmement fruités, et l'ensemble qui suit en bouche se révèle souple, épicé, riche et très savoureux. Un véritable délice, à boire dans les **5 ou 6 ans.** (5/90)

1984 • **78** Le Haut-Marbuzet 1984 offre un bouquet dominé par le chêne, des arômes de fruits souples et ronds, et une persistance satisfaisante. Cependant, son fruité me paraît s'atténuer, et il serait prudent de le boire **rapidement – il est probablement en déclin.** (3/88)

1983 • **88** Arborant une robe rubis foncé très dense, presque semblable à celle d'un Porto, et libérant un nez riche, dominé par la prune, ce vin généreux, gras, intense, onctueux et moyennement tannique peut se déguster maintenant, mais est également capable de vieillir quelques années. **A boire dans les 4 ou 5 ans.** (1/85)

1982 • **94** Séduisant et luxuriant dès son plus jeune âge, le Haut-Marbuzet 1982 se montre toujours aussi souple, opulent et généreusement vanillé, avec des arômes de cassis et de cerise noire marqués d'irrésistibles notes de café et de cèdre. Tout à la fois épais, savoureux et séveux, il dévoile en bouche, par paliers, son caractère gras et opulent. Absolument délicieux – presque « trop » bon –, il se révèle intense et tout en rondeur en bouche. Ce vin fabuleux, qui demeurera à son apogée encore quelques années, est incontestablement l'un des exemples les plus plaisants et les plus constants du millésime, s'étant toujours montré brillant. **A boire jusqu'en 2002.** (9/95)

1981 • **85** Autre vin particulier que ce Haut-Marbuzet 1981. Arborant une robe profonde, il libère un nez mûr, épicé et boisé de prune, et se révèle très corsé et très concentré en bouche, avec une finale souple et alcoolique. **A consommer.** (10/88)

Millésimes anciens

Parmi les très bons vieux millésimes, je citerai, outre les excellents 1978 (noté 87) et 1979 (noté 86), l'extraordinaire 1975 (noté 90 en mars 1989), ainsi que le 1970 et le 1961 (tous deux notés 90), dégustés en magnum en 1988. Il y a cependant de fortes chances pour que ces vins soient aujourd'hui sur le déclin.

LAFON-ROCHET - TRÈS BON

4e cru classé en 1855 – devrait être maintenu
Propriétaire : famille Guy Tesseron
Adresse : 33180 Saint-Estèphe
Tél. 05 56 59 32 06 – Fax 05 56 59 72 43
Visites : sur rendez-vous uniquement
Contacts : Alfred et Michel Tesseron

Superficie : 45 ha (Saint-Estèphe)
Vins produits : Château Lafon-Rochet – 160 000-170 000 b ;
Numéro 2 de Lafon-Rochet – 130 000-140 000 b
Encépagement : 55 % cabernet sauvignon, 40 % merlot, 5 % cabernet franc
Densité de plantation : 9 800 pieds/ha – *Age moyen des vignes :* 30 ans
Rendement moyen : 55 hl/ha

Élevage : vendanges manuelles[1] ; fermentations et cuvaisons de 21 jours environ ; vieillissement après les malolactiques de 16-18 mois en fûts (40 % de bois neuf) ; collage et filtration

A maturité : dans les 8 à 20 ans suivant le millésime

Bien qu'il n'ait été classé que 4e cru en 1855, le vignoble de Lafon-Rochet, superbement situé (il est voisin de Lafite Rothschild), devrait, selon nombre d'observateurs, produire des vins ayant beaucoup plus de caractère et d'ampleur que ceux qu'il propose habituellement. Les propriétaires actuels, les Tesseron, l'ont acheté en 1959 et ont progressivement mis sur pied un programme de rénovation de la propriété. Aujourd'hui, le château d'un étage, qui abrite les nouveaux chais, est flambant neuf – il resplendit d'un crème vif ; les caves réparties sur deux niveaux se situent au milieu de la bâtisse. Depuis environ dix ans, plusieurs mesures importantes ont été prises, tendant à améliorer la qualité des vins : vendange un peu plus tardive, utilisation de davantage de chêne

1. Dans les parcelles qui donnent le grand vin, les jeunes pieds font l'objet d'un passage préliminaire, les plus vieux étant vendangés plus tardivement, lorsque la maturité parfaite est atteinte. Le tri est effectué sur une table spécialement mise au point pour le château.

neuf et plus forte proportion de merlot (tant dans les vignobles que dans l'assemblage), élaboration d'un second vin à partir des cuvées les moins intéressantes. Le grand vin est ainsi plus impressionnant, comme le prouvent d'ailleurs les millésimes 1989 et suivants.

Bien que Lafon-Rochet ait produit beaucoup de vins décevants au cours des années 70, les efforts accomplis durant la décennie suivante permettent de le maintenir au rang qui lui fut assigné en 1855.

1998 • **86-88?** Hormis ses tannins et son caractère musclé et structuré, le Lafon-Rochet 1998 est issu d'une matière première des plus impressionnantes. D'un rubis-pourpre dense, ce vin moyennement corsé se distingue par un doux fruité de cassis nuancé de minéral et de terre. Pur et vif, puissant, mais retenu, il requiert de la patience. Surtout, il faudra surveiller de près son évolution, car il présente un équilibre fragile entre le fruit et la structure. **A boire entre 2006 et 2015.** (3/99)

1997 • **86-88** Le 1997 présente le gras, le charme et le fruité précoce qui caractérisent de nombreux vins de cette année. Moyennement corsé et charnu, il me paraît bien réussi pour le millésime et constitue de surcroît une excellente affaire. **A boire jusqu'en 2012.** (1/99)

1996 • **90** Constituant l'une des révélations du millésime, le 1996 de Lafon-Rochet déborde d'un fruité de cassis et déploie une puissance, une richesse et une concentration tout à fait inhabituelles. Sa robe opaque de couleur pourpre prélude à un ensemble moyennement corsé, tannique et peu évolué, extraordinaire de pureté, doux et concentré en milieu de bouche, persistant, puissant et massif en finale. Ce cru demeure l'une des meilleures affaires de l'année, et il mérite l'attention des amateurs capables de l'attendre 5 ou 6 ans. Son potentiel est de 20 ans environ. **A boire entre 2005 et 2020.** (1/99)

1995 • **89+** Le Lafon-Rochet 1995 pourrait mériter une note plus élevée au terme d'un vieillissement supplémentaire en bouteille. Bien qu'il se soit refermé depuis la mise, il se révèle toujours doté de manière impressionnante, libérant au nez et en bouche de riches arômes de cassis doux. Sa somptueuse robe soutenue, d'un rubis-pourpre foncé, accompagne des senteurs vanillées de terre et d'épices, qui précèdent elles-mêmes un ensemble moyennement corsé, d'une excellente (presque extraordinaire) richesse. La finale, puissante et d'une belle précision, est modérément tannique. **A boire entre 2003 et 2018.** (11/97)

1994 • **89+** Le 1994, qui devrait se révéler extraordinaire, inaugure la percée de la propriété. Arborant une robe opaque de couleur pourpre, il exhale un nez doux et pur aux notes de cassis, de chêne neuf et de sang de bœuf. Musclé, massif et extrêmement corpulent, il est également très tannique, et déborde de richesse en extrait et de puissance. Son potentiel de garde est de 20 à 30 ans, mais il demande à être attendu encore. **A boire entre 2003 et 2025.** (1/97)

1993 • **86** Le 1993, à la robe opaque et sombre, est desservi par des notes végétales et de poivre vert qui gênent ses arômes épicés. Son caractère très tannique accompagne un généreux fruité qui se desséchera très probablement assez vite. Cependant, ceux qui aiment les bordeaux un peu rugueux, tout en matière et en muscles, devraient considérer ce vin comme une excellente affaire. Vous apprécierez ce rouge charnu dans les **5 à 10 ans.** (1/97)

1992 • **85?** Le 1992 recèle ce qu'il faut de fruité riche et mûr, et, bien qu'il ne soit pas extrêmement puissant, il est tannique, avec un bon potentiel de garde. Il sera prêt à boire d'ici 2 ou 3 ans et pourrait être conservé pendant encore **une douzaine d'années**, si ce n'est plus, à condition toutefois que son fruité ne se dessèche pas ; c'est un pari, mais il vaut d'être tenté, car ce vin représente quand même une excellente affaire. (11/94)

1991 • **85** Bien que compact, le 1991 est d'une bonne tenue, avec sa couleur rubis foncé et son nez de cerise noire et mûre, d'herbes et d'épices. Il semble un peu comprimé, mais déploie en bouche un fruité doux et gras, et se montre moyennement corsé et remarquablement profond. Si ses tannins se fondent davantage, il n'en paraîtra que plus riche dans le courant des **10 prochaines années.** (1/94)

1990 • **89** Cette magnifique réussite de la propriété constitue une preuve supplémentaire, si besoin était, de la grandeur du millésime en Saint-Estèphe. Rubis très foncé, avec un nez très serré de fruits noirs, ce 1990 est massivement doté et s'impose comme l'un des Lafon-Rochet les plus puissants et les plus concentrés que j'aie dégustés. Il requiert incontestablement la patience des amateurs. **A boire jusqu'en 2022.** (1/93)

1989 • **88** Une robe rubis foncé et un intense bouquet de cassis très mûr introduisent le Lafon-Rochet 1989. Il s'agit d'un vin très corsé, bien doté et de bonne mâche, qui rappelle son excellent aîné de 1970. Aussi opulent qu'il est tannique, il méritera peut-être une note extraordinaire au terme d'une évolution supplémentaire de 10 ans. **A boire jusqu'en 2010.** (4/91)

1988 • **87** Moyennement corsé, harmonieux et doté d'un fruité mûr, le 1988 se révèle étonnamment concentré pour le millésime. Ce vin d'une excellente couleur rubis foncé évoluera de belle manière ces prochaines années. **A boire jusqu'en 2010.** (11/90)

1986 • **88** Bien que, en de nombreuses occasions, le Lafon-Rochet 1986 se soit montré extrêmement tannique – ce qui rendait difficile toute évaluation –, il s'est révélé comme étant le meilleur millésime du domaine depuis le superbe 1970. De couleur rubis-pourpre sombre, avec des arômes de groseille, d'épices et de fumé, il se montre charpenté, puissant et tannique, et saura récompenser la patience des amateurs. **A boire jusqu'en 2015.** (2/90)

1985 • **83** Le Lafon-Rochet 1985 est charnu et plein, profondément coloré, avec des tannins solides et une bonne charpente. Malheureusement, il est unidimensionnel. **A boire.** (4/89)

1983 • **86** Juste derrière Cos d'Estournel dans les premières dégustations, le Lafon-Rochet 1983 est foncé de robe, tout à la fois très corsé, riche, profondément concentré et débordant de fruit. Modérément tannique, il promet de se conserver de belle manière plusieurs années encore. Une belle réussite pour le millésime. **A boire jusqu'en 2005.** (1/88)

1982 • **86** Quoique simple et unidimensionnel, le 1982 est charnu, bien doté et concentré. Présentant un fruité épais et confituré, mais dépourvu de complexité, il déploie une finale tannique. **A boire dans les 10 à 15 ans.** (9/95)

1979 • **85** Le Lafon-Rochet 1979 est bien réussi. De couleur rubis assez foncé, avec des arômes marqués de chêne neuf et de cerise mûre, il est bien étoffé et d'un meilleur niveau que le 1978. Ce n'est qu'à grand-peine que son caractère tannique s'est atténué, et j'espère que son fruité ne se fanera pas avant que ses tannins ne se fondent totalement. Il n'en sera que plus charmeur. **A boire.** (6/89)

1978 • **82** Ce vin souple, fruité et sans détour gagnerait à être mieux étoffé, avec davantage de caractère. Arborant une robe modérément foncée, il est accessible et souple en bouche, et y déploie, outre des flaveurs douces et fruitées, une finale un peu courte. **A boire.** (6/89)

1976 • **74** Lafon-Rochet a fait en 1976 un vin léger et fragile, prêt à boire depuis 1980. D'un rubis moyen légèrement tuilé sur le bord, il est aqueux et manque de précision. **A boire – probablement en sérieux déclin.** (7/81)

1975 • **82** Ce vin trapu, énorme, étonnant par sa robe profondément colorée, présente toujours le caractère acerbe, tannique et anguleux spécifique du millésime. Malgré sa couleur et sa belle intensité, il manque de complexité et de précision, et, quoique ample, se révèle pataud et unidimensionnel. **A boire jusqu'en 2000.** (4/88)

1973 • **64** Quel vin insipide ! Pâle, avec des arômes de moisi et un fruité diffus, il finit court en bouche. **A éviter.** (10/82)

1971 • **76** Sans beaucoup de corps, mais charmant et fruité, le 1971 de Lafon-Rochet était déjà prêt à boire en 1978. Il ne doit plus rester grand-chose de son charme 20 ans après. (6/78)

1970 • **87 ?** Ce vin trapu, musclé, énorme ne s'est jamais développé en un ensemble harmonieux, et je doute que ses tannins se fondent totalement. En outre, il manque singulièrement de complexité. Il s'agit néanmoins d'un vin très corsé, parfumé, trapu et admirable de concentration, qui impressionne par sa robe soutenue d'un rubis foncé légèrement ambré sur le bord. Tannique et marqué de cuir fin, il révèle des arômes prononcés de viande rôtie et de sang de bœuf. Il peut encore attendre, mais il y a peu d'espoir qu'il s'améliore au terme d'une garde supplémentaire. **A boire jusqu'en 2005.** (6/96)

1966 • **69** C'est indiscutablement un Lafon-Rochet vieux style : il est poussiéreux et tannique, un peu broussailleux, avec un fruit qui s'affadit et une couleur nettement ambrée sur le bord, mais garde encore une belle charge de tannins. Il commence cependant à passer et a pris un caractère un peu creux et de l'astringence. **A boire – en sérieux déclin.** (6/87)

1961 • **85** Toujours riche et concentré, avec beaucoup de tannins astringents, ce vin plein, corsé, mûr et épicé ne manque certainement pas d'extrait ; sa finale est poussiéreuse et un peu raide. C'est un bon – à défaut d'être un grand – 1961, qu'il faut cependant boire **maintenant – il est probablement en déclin.** (11/88)

LILIAN LADOUYS – BON

Cru bourgeois – devrait être maintenu
Propriétaires : Banque Natexis et Crédit national
Adresse : 33180 Saint-Estèphe
Tél. 05 56 59 71 96 – Fax 05 56 59 35 97
Visites : sur rendez-vous uniquement
Contact : François Peyran

Superficie : 40 ha (Saint-Estèphe – Blanquet)
Vins produits :
Château Lilian Ladouys – 224 000 b ; La Devise de Lilian – 60 000 b
Encépagement : 58 % cabernet sauvignon, 37 % merlot, 5 % cabernet franc
Densité de plantation : 10 000 pieds/ha – *Age moyen des vignes :* 35 ans
Rendement moyen : 55 hl/ha

Élevage :
vendanges manuelles ; fermentations et cuvaisons de 25-30 jours
en cuves thermorégulées d'acier inoxydable à 30 °C maximum ;
malolactiques et vieillissement de 18-20 mois en fûts (30-50 % de bois neuf) ;
soutirage trimestriel ; collage léger ; pas de filtration

A maturité : dans les 5 à 15 ans suivant le millésime

Ce domaine, qui a été remis sur pied par Christian et Lilian Thiéblot de 1989 à 1995 (auparavant, le vin était, en grande partie, vinifié et commercialisé par une importante cave coopérative), est aujourd'hui géré par Jean-Pierre Pétroffe, assisté de l'œnologue Georges Pauli. Il a le grand avantage de disposer de sérieux atouts, à la fois financiers et humains. Avec ses vignes âgées de 25 à 45 ans, il est voisin de deux grandes vedettes du Bordelais, Lafite Rothschild et Cos d'Estournel. Le 1989 et le 1990 se sont tous deux révélés fort riches, intensément concentrés, corsés et charnus, avec de la race et du caractère. Une hirondelle ne fait certes pas le printemps ni deux millésimes une grande propriété, mais la plupart des observateurs estiment que l'on parlera beaucoup de Lilian Ladouys ces dix prochaines années. Les vins sont vendus exclusivement par la place de Bordeaux.

1995 • **86** Véritable réplique du 1994, le Lilian Ladouys 1995 est cependant plus tannique, avec un fruité légèrement plus dense. Contrairement au premier, qui doit être dégusté dans sa jeunesse, il requiert une certaine garde. (3/96)

1994 • **86** Ce vin net et bien vinifié se révèle moyennement corsé, bien concentré et d'une belle maturité. Il plaira au plus grand nombre par ses bons arômes de fruits rouges et noirs joliment rehaussés de notes de chêne grillé. **A boire entre 2000 et 2005.** (3/96)

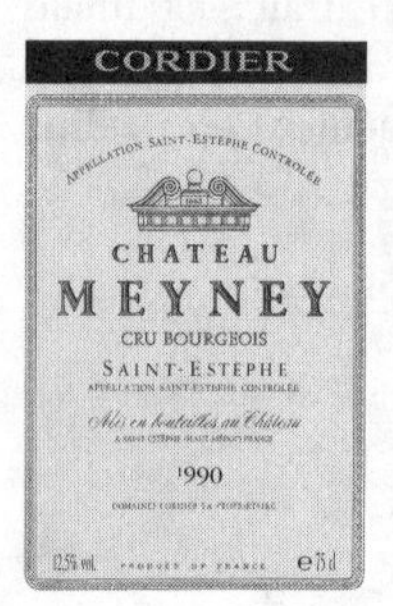

MEYNEY – TRÈS BON

Cru grand bourgeois exceptionnel – équivaut à un 5ᵉ cru
Propriétaire : Daniel Cordier
Adresse : 33180 Saint-Estèphe
Adresse postale : Domaines Cordier
53, rue du Dehez – 33290 Blanquefort
Tél. 05 56 95 53 00 – Fax 05 56 95 53 01
Visites : sur rendez-vous uniquement
Contact : Domaines Cordier

Superficie : 50 ha (Saint-Estèphe)
Vins produits : Château Meyney – 293 000 b ;
Prieur du Château Meyney – 73 000 b
Encépagement : 70 % cabernet sauvignon, 25 % merlot,
3 % cabernet franc, 2 % petit verdot
Densité de plantation : 7 500 pieds/ha – *Age moyen des vignes :* 35 ans
Rendement moyen : 55 hl/ha

Élevage :
fermentations et cuvaisons de 20-25 jours en cuves à 30-32 °C maximum ;

fréquents remontages ; 15 % de la récolte achève les malolactiques en fûts neufs ;
vieillissement de 20 mois environ en fûts (15 % de bois neuf) ;
collage et légère filtration

A maturité : dans les 8 à 25 ans suivant le millésime

Meyney, vignoble de plus de 50 ha, voisin de Montrose, jouit d'une vue splendide sur la Gironde. Cette propriété donne des vins remarquablement aromatiques et robustes, qui offrent un excellent rapport qualité/prix à l'amateur recherchant la qualité plutôt que le prestige. Désormais plus réguliers, ces vins rivalisent depuis une vingtaine d'années avec de nombreux crus classés du Médoc. Plutôt amples, ils offrent un fruité énorme et présentent un beau potentiel de garde. Certains commentateurs avancent que les arômes très spécifiques de Meyney (réglisse, prune et truffe) sont dus à une particularité géologique : la plus grande partie du vignoble se trouve en effet sur des affleurements d'argile ferrugineuse et bleutée que l'on ne rencontre nulle part ailleurs dans le Médoc. Curieusement, on retrouve de tels sols à Pomerol, et tout particulièrement dans le célèbre vignoble de Petrus. Meyney mérite une visite, ne serait-ce que pour ses beaux bâtiments monastiques, bien entretenus par la maison Cordier, propriétaire.

Fort heureusement pour le consommateur, les vins de Meyney sont toujours nettement sous-évalués. La vinification et l'élevage sont supervisés par l'un des œnologues les plus estimés de Bordeaux, Georges Pauli. Cet atout, conjugué à l'excellente situation du vignoble, donne des vins extraordinairement riches et originaux, capables d'en remontrer aux meilleurs, non seulement de Saint-Estèphe, mais de tout le Médoc.

1997 • **78-80** Ce vin, que je n'ai dégusté qu'une seule fois, s'est montré extrêmement aqueux, léger et souple. Manquant autant de caractère que de profondeur, il est unidimensionnel et d'un style commercial. Il faut le boire avant qu'il n'ait **5 à 7 ans d'âge.** (1/99)

1996 • **85** Ce vin souple, accessible et mûr, aux arômes d'herbes séchées et de groseille, est étonnamment ouvert et évolué. Vinifié dans un style coulant et facile d'abord, il séduira le plus grand nombre, bien qu'il ne soit pas particulièrement complexe ni concentré. **A boire dans les 10 ans.** (1/99)

1995 • **89** Opaque et pourpre de robe, le 1995 de Meyney exhale un nez fabuleux aux senteurs de cerise noire et de cassis confiturés marquées de notes de terre, de réglisse et de chêne grillé. Ses arômes doux et mûrs, étayés par une faible acidité, dévalent le palais et l'imprègnent fortement d'une belle onctuosité. Ce vin tout à la fois moyennement corsé, concentré et mûr sera délicieux dès sa jeunesse et dans les **12 à 15 ans** qui suivront. (3/96)

1994 • **88** Meyney, qui se surpasse régulièrement, a réussi un séduisant 1994, d'un rubis-pourpre foncé, avec un doux nez de prune, d'herbes, de minéral et d'épices. Puissant, moyennement corsé et concentré en bouche, il est bien étayé par une heureuse acidité et des tannins modérés. Doté d'un bel équilibre et d'un fruité mûr, ce vin plutôt précoce est également capable d'une garde de **12 à 15 ans.** (3/96)

1993 • **78** Le grand favori des amateurs a malheureusement donné un 1993 des plus médiocres. De couleur rubis foncé, ce vin se montre dur, avec des tannins trop abondants pour son fruité maigre. Il est également compact et comprimé, manquant de charme et de maturité. **A boire jusqu'en 2003.** (11/94)

1992 • **81** Arborant une robe rubis foncé, le 1992 de Meyney est moyennement corsé et déploie une finale rugueuse, trop marquée par des tannins abondants et étayée par une bonne acidité. Bien qu'il soit meilleur que la plupart des vins de cette année, je pense que cet aspect tannique ne préfigure pas une évolution gracieuse. **A boire jusqu'en 2002.** (11/94)

1990 • **88** Moins riche que le 1989, le Meyney 1990 est malgré tout une belle réussite de la propriété. D'un rubis-pourpre profond, il exhale un excellent nez de fruits noirs, d'herbes et de chêne, et régale le palais de ses généreux arômes mûrs, étayés par d'abondants tannins. Bien concentré, avec une finale rugueuse modérément persistante, ce vin tiendra sans mal **jusqu'en 2010.** (1/93)

1989 • **90** L'une des plus belles réussites de la propriété. Opaque et rubis-noir de robe, le Meyney 1989 libère un bouquet de minéral et de pruneau. Ses flaveurs alcooliques et massives se conjuguent avec des tannins qui tapissent le palais en un ensemble des plus plaisants, dont le potentiel de garde est à la hauteur de ses parfums. **A boire jusqu'en 2020.** (1/93)

1988 • **88** Si vous manquez de patience, il fallait éviter le 1988. Plus brutalement tannique que le 1989, mais débordant de fruit, il requérait une garde de 10 ans – au moins. Il rappelle le merveilleux 1975, qui commence à être prêt. **A boire jusqu'en 2015.** (4/91)

1987 • **82** Bien réussi pour le millésime, le 1987 de Meyney se distingue par sa robe d'un rubis profond et par ses arômes parfumés d'épices, d'herbes et de prune. Ce vin souple et modérément tannique doit être consommé **maintenant – il est probablement en déclin.** (5/90)

1986 • **90** Le Meyney 1986 a évolué plus rapidement que la plupart de ses jumeaux du Médoc. Sa robe sombre, d'un grenat-pourpre profond, introduit un nez modérément parfumé de minéral, de réglisse, de fumé, d'herbes rôties et de doux cassis, lui-même suivi d'un ensemble ample, savoureux et déjà prêt, malgré son caractère légèrement tannique. Ce vin, qui révèle par paliers son extraordinaire richesse en extrait, est capable d'une garde d'au moins 10 à 15 ans encore. **A boire jusqu'en 2015.** (9/97)

1985 • **87** Parfaitement mûr, le Meyney 1985 est d'un rubis foncé légèrement ambré sur le bord. Il séduit par son nez de fruits noirs herbacés mêlé de notes de prune, de thé, de terre et de réglisse. Doux à l'attaque en bouche, il se révèle tout à la fois moyennement corsé, délicieusement fruité, rond et soyeux. **A boire jusqu'en 2006.** (9/97)

1984 • **84** D'un rubis profond, le 1984 est moyennement corsé et d'une excellente profondeur, avec de généreux arômes de fruits rouges. Mais il est **probablement en déclin.** (6/87)

1983 • **85** Bien réussi pour le millésime, le 1983 de Meyney est très dense, et exhale un nez mûr et rôti de cassis. Onctueux, épais et riche en bouche, il est étayé par une acidité d'un bon niveau et par des tannins modérés. L'ensemble est gras, charnu, concentré et rustique. **A boire jusqu'en 2002.** (9/88)

1982 • **90** Meyney a produit un 1982 extraordinaire. Opaque et grenat de robe, il libère un nez flamboyant de réglisse, d'épices orientales, de viande fumée, de cuir fin (levure ?) et de cerise noire confiturée. Très corsé, il révèle un fruité doux et ample, bien marqué par la mâche, qui dissimule parfaitement ses tannins, très abondants. Ce vin séveux et d'une belle précision, qui a toujours été délicieux, a acquis davantage de structure avec le temps. Il est prêt dès maintenant et se maintiendra **10 à 15 ans encore.** (9/95)

1981 • 85 Voici une autre réussite de la propriété. Trapu, puissant et densément parfumé, ce vin est très coloré, imposant et massif. Dans un millésime qui manque généralement de complexité et d'élégance, le Meyney 1981 se distingue par son fruité extrêmement généreux de cassis mûr. **A boire jusqu'en 2000.** (1/88)

1979 • 81 Incontestablement d'un bon niveau dans cette année abondante, mais sous-estimée, le 1979 de Meyney arbore une robe rubis foncé, qui précède un ensemble plutôt simple et épicé aux arômes de rafle et de raisin. Ce vin modérément corsé est légèrement tannique. **A boire rapidement.** (3/88)

1978 • 84 Classique et typique de la propriété, le Meyney 1978 est profondément coloré et fruité. Regorgeant de senteurs de cassis, de prune et d'herbe, il révèle, outre une grande richesse en extrait, d'abondants tannins qui tapissent littéralement le palais du dégustateur. **A boire jusqu'en 2000.** (4/87)

1976 • 74 Résultat médiocre pour Meyney. Ce vin, qui se laissait boire – sans trop d'esprit critique –, se trouve maintenant **sur le déclin** et s'achemine vers la sénilité.

1975 • 90 Ce vin, qui s'est toujours montré extraordinaire, affiche une robe sombre de couleur rubis-pourpre tirant sur le grenat, et exhale un nez ample de viande fumée, de cèdre, d'épices et de fruits noirs aux notes de terre. Très corsé et modérément tannique, il se montre charnu et intense, s'imposant comme l'une des révélations du millésime. Il est déjà à parfaite maturité et devrait demeurer à son apogée environ **10 ans encore.** (12/95)

1971 • 80 Toujours agréable à boire, le 1971 est rubis foncé, trapu et carré. Quoique dépourvu de complexité, il n'en demeure pas moins bon et robuste. **A boire.** (9/79)

1970 • 83 A parfaite maturité, le 1970 arbore une robe rubis foncé, légèrement orangée et tuilée sur le bord. Très corsé, ferme et austère, il présente une légère astringence en finale. J'aurais aimé y déceler davantage de fruit. **A boire jusqu'en 2003.** (10/89)

Millésimes anciens

C'est en 1978 que Georges Pauli, le remarquable œnologue de Cordier, a commencé à exercer ses talents à Meyney. Auparavant, les vins étaient souvent excessivement tanniques et astringents. Ceux des années 60, particulièrement 1961, 1962 et 1966, ont été bons, mais pas comparables à leurs fabuleux homologues des années 80. Le meilleur vieux millésime que j'aie goûté est le 1959 (noté 86 et dégusté pour la dernière fois en 1987).

MONTROSE – EXCEPTIONNEL

2e cru classé en 1855 – devrait être maintenu
Propriétaire : Jean-Louis Charmolüe
Adresse : 33180 Saint-Estèphe
Tél. 05 56 59 30 12 – Fax 05 56 59 38 48
Visites : sur rendez-vous uniquement
Contact : Philippe de Laguarigue

Superficie : 68 ha (Saint-Estèphe)

Vins produits :

Château Montrose – 230 000 b ; La Dame de Montrose – 110 000 b

Encépagement : 65 % cabernet sauvignon, 25 % merlot, 10 % cabernet franc
Densité de plantation : 9 000 pieds/ha – *Age moyen des vignes :* 33 ans
Rendement moyen : 45 hl/ha

Élevage :
vendanges manuelles ; fermentations de 21-25 jours
en cuves de bois et d'acier inoxydable à 30-32 °C maximum ;
fréquents remontages ;
vieillissement de 19 mois environ en fûts (35 % de bois neuf) ;
collage au blanc d'œuf ; 6 soutirages ; pas de filtration

A maturité :
dans les 3 à 25 ans pour les meilleurs millésimes après 1970 ;
dans les 15-35 ans avant

Le vignoble de Montrose bénéficie de l'une des meilleures situations du Médoc, et ses chais sont considérés comme étant parmi les mieux tenus et les plus propres. Pendant des années, le nom de Montrose a été associé à des vins massifs, denses et puissants, qu'il convenait de ne déguster qu'après un vieillissement en cave de plusieurs dizaines d'années. A titre d'exemple, je peux citer l'expérience réalisée en 1982 par Jean-Paul Jauffret, ancien directeur du CIVB, qui m'a fait déguster à l'aveugle un Montrose 1908 pour voir si je pouvais en deviner l'âge ; le vin avait conservé beaucoup de ses qualités et paraissait plus jeune de 30 ans.

Le propriétaire, l'affable Jean-Louis Charmolüe, a manifestement allégé le style de Montrose quand il a estimé que les vins « à l'ancienne », extrêmement denses et tanniques, n'étaient plus du goût des consommateurs. Le changement apparaît particulièrement évident dans les millésimes de la fin des années 70 et du début des années 80 ; il résulte de l'introduction dans l'assemblage d'une plus forte proportion de merlot au détriment du cabernet sauvignon et du petit verdot. Cependant, la clientèle de Montrose n'appréciait guère le changement de style, et, depuis 1986, le domaine est revenu à des vins plus musclés et plus solides, rappelant les millésimes d'avant 1975. Les 1989 et 1990 s'imposent ainsi comme les vins les plus puissants et les plus massifs produits à la propriété depuis le 1961. Tous ceux qui ont eu le plaisir de boire quelques-unes des plus grandes années de Montrose (comme 1953, 1955, 1959, 1961, 1964 et 1970) sont bien obligés de convenir que ce château a produit pléthore de vins massifs évoquant incontestablement les Latour. Les Montrose étaient particulièrement merveilleux dans la période qui va de 1959 à 1971, et s'imposent à nouveau depuis 1989 comme les meilleurs vins du nord du Médoc.

Le visiteur découvrira le modeste château de Montrose perché sur une hauteur et jouissant d'une magnifique vue sur la Gironde. La propriété, qui appartient à la famille Charmolüe depuis 1896, offre une visite intéressante, en particulier pour sa très belle cuverie, avec ses énormes et vieilles cuves ouvertes en chêne, et sa magnifique cave d'élevage. Comme la plupart de ses voisins, Montrose a créé une salle de dégustation moderne et reçoit fort bien ses clients.

1998 • **87-89** Rubis-pourpre foncé de robe, avec un nez élégant et doux de cuir fin, d'herbes rôties, de cerise noire et de mûre, le Montrose 1998 se montre moyennement corsé, mais pas particulièrement ample ni massif. Cependant, il manifeste une belle richesse, ainsi qu'une élégance de bon aloi, et déploie, outre des tannins modérés, une finale souple. Certes, il n'a pas l'intensité ni la concentration de ses extraordinaires aînés de 1995 et 1996, par exemple, mais il s'impose comme l'une des réussites de son appellation. **A boire entre 2003 et 2015.** (3/99)

1997 • **85-87** Quoique manquant quelque peu de corpulence et de persistance, le 1997 de Montrose est bien fait et net, tout à la fois élégant, souple et fruité, avec de généreux arômes de cerise noire et de groseille subtilement nuancés de boisé en arrière-plan. **A boire dans les 7 à 10 ans.** (1/99)

1996 • **91+** Le 1996 de Montrose révèle un potentiel extraordinaire. Arborant une robe soutenue de couleur rubis-pourpre foncé, il exhale un nez de chêne neuf, de cassis confituré, de fumé, de minéral et de cuir fin. Moyennement corsé et riche, il se dévoile au palais par paliers, exprimant une belle texture et une concentration de bon aloi en milieu de bouche. L'ensemble, qui recèle des tannins doux, impressionne par sa finale persistante. **A boire entre 2009 et 2025.** (1/99)

1995 • **93** Tout à la fois explosif, riche, exotique et fruité, le Montrose 1995 révèle davantage de gras et de richesse en extrait que le 1996. Contenant moins de cabernet sauvignon que son cadet, il se montre plus corsé et plus accessible. Outre sa robe opaque d'un rubis-pourpre tirant sur le noir, ce vin présente un nez mûr de fruits noirs, de vanille et de réglisse. Puissant, mais étonnamment accessible du fait de sa faible acidité et de ses tannins veloutés, ce Montrose des plus formidables devrait se révéler délicieux dès son plus jeune âge. **A boire entre 2005 et 2020.** (11/97)

1994 • **91** La robe opaque de couleur pourpre du 1994 laisse deviner un vin d'une intensité considérable – l'un des mieux réussis du nord du Médoc. Il exhale un nez fermé de fruits noirs confiturés, de prune, d'épices et de terre, manifeste en bouche une pureté et une richesse en extrait stupéfiantes, et déploie un abondant fruité de cassis joliment équilibré par des tannins mûrs, mais d'un niveau modéré. Ce Montrose impressionnant, moyennement corsé et d'une excellente, voire d'une extraordinaire concentration, devrait atteindre la pointe de sa maturité d'ici peu. **A boire entre 2002 et 2020.** (1/97)

1993 • **87** De couleur rubis-pourpre foncé, le 1993 exhale un nez de viande grillée, de poivre, d'épices et de fruits noirs. Moyennement corsé, il étonne par le fruité doux et la souplesse qu'il déploie en bouche, où il se révèle modérément tannique, avec un caractère ferme, concentré et équilibré. Il se bonifiera au terme d'une garde de 2 à 4 ans et se conservera bien ces **15 prochaines années** (il s'agit probablement d'une des plus longues gardes du millésime). (1/97)

1992 • **87** Le 1992 arbore une robe rubis foncé et déploie un nez serré, mais prometteur, de réglisse, de cassis et de minéral. Moyennement corsé, il présente en bouche un fruité séduisant, doux et riche, marqué par le cassis et par des tannins modérés. Il révèle également une concentration et une maturité d'un excellent niveau, mais requiert une garde supplémentaire de 2 ou 3 ans. Il s'agit de l'un des rares 1992 qui recèlent suffisamment de fruit pour contrebalancer leurs tannins sur **10 à 12 ans encore.** (11/94)

1991 • **88** Arborant une robe très soutenue et très foncée qui figure parmi les plus opaques du millésime, le Montrose 1991 exhale un nez serré, mais prometteur, de framboise sauvage douce et confiturée et de minéral, ainsi que de subtils arômes de chêne neuf. Assez corsé et très tannique, il est d'une maturité admirable, déployant son fruité par couches. Cet excellent vin devrait atteindre son apogée d'ici 5 ou 6 ans, et son potentiel de garde est de presque **20 ans.** (1/94)

1990 • **100** Le 1990 de Montrose révèle maintenant son incroyable complexité et son caractère massif. Lors d'une dégustation à Londres en mars 1997, il fit – à ma grande joie – l'unanimité des 400 amateurs présents, alors qu'il était en compagnie de ténors, dont Cheval Blanc 1989 et 1990, Certan de May 1989 et 1990 et Pichon-Lalande 1989 et 1990. Ce vin d'une remarquable richesse exhale un nez très caractéristique, aux notes de fruits doux et confiturés, de minéral fluide, de cuir fin et neuf et de steak grillé. La bouche révèle, outre une concentration énorme, une immense richesse en extrait, un caractère très glycériné et des tannins qui dévalent le palais avec une facilité déconcertante. Malgré son aspect corpulent et fabuleusement doté, l'ensemble demeure accessible ; il ne s'est pas encore refermé et retient le gras de sa petite enfance. Ce vin, qui rivalise avec le 1989, lui-même exceptionnel, requiert une garde de 10 ans et tiendra bien **25 à 30 ans**, si ce n'est **40 à 50 ans...** (3/97)

1989 • **96** L'extraordinaire Montrose 1989 s'impose comme l'une des stars de son millésime. Opaque et rubis-pourpre foncé de robe, il libère de douces senteurs de minéral, de fruits noirs, de cèdre et de boisé, qui précèdent en bouche un ensemble richement extrait et moyennement corsé, étayé par une faible acidité. La finale est modérément tannique. Bien qu'il semble se refermer plus rapidement que le légendaire 1990, le 1989 déploie encore un généreux fruité doux et un caractère des plus glycérinés. Accordez-lui une garde de 5 à 7 ans ; il tiendra bien **20 à 30 ans ensuite.** (3/97)

1988 • **83** Ce 1988 ne m'a jamais impressionné. Léger et peut-être trop tannique, il manque autant de richesse que de profondeur et finit court. De trop hauts rendements et une vendange trop précoce l'ont indiscutablement desservi. **A boire jusqu'en 2000.** (11/90)

1986 • **91** Meilleur que je ne l'aurais pensé de prime abord, le 1986 a été élaboré dans une période où la propriété avait opté pour une vinification plus légère. Il s'impose cependant comme l'un des exemples les plus charnus produits pendant ce changement éphémère. Sa robe dense, de couleur rubis-pourpre, est à peine éclaircie sur le bord, et la bouche révèle un ensemble charnu, musclé et puissant, aux arômes de fruits noirs et rouges, de terre et d'épices. Ce Montrose moyennement corsé, toujours tannique et massif, n'est pas prêt. Il se dévoile par paliers et présente, outre un caractère bien marqué par la mâche, une finale regorgeant de tannins qui doivent encore se fondre. **A boire entre 2000 et 2025.** (10/97)

1985 • **85** Étonnamment léger et insipide, le 1985 de Montrose est d'un rubis moyen, avec des arômes plaisants, mais aqueux, de doux cassis, de terre et d'herbes. Moyennement corsé, il séduit à l'attaque par son doux fruité, mais s'amenuise ensuite, laissant en arrière-bouche une impression herbacée et de tannins anguleux. Bien qu'il soit au-dessus de la moyenne, il demeure décevant pour un Montrose. **A boire jusqu'en 2005.** (10/97)

1984 • **77** D'une couleur rubis moyen, avec des arômes légers de petits fruits rouges et de boisé, le 1984 procure en bouche une bonne impression de netteté, mais il finit court. C'est un Montrose léger, à déguster sans cérémonie. **A boire – sans doute en déclin.** (6/88)

1983 • **83** Moins étoffé et moins tannique que je ne l'aurais pensé, mais bien fait, le Montrose 1983 affiche une robe rubis foncé et libère un nez épicé de prune. Ses tannins sont suffisants et sa finale est astringente. **A boire.** (6/88)

1982 • **91** J'avais sous-estimé ce vin dans sa jeunesse et voudrais maintenant remettre les choses au point. Les bouteilles que j'ai récemment dégustées se sont révélées étonnantes, et je dois avouer avoir été surpris par le caractère précoce, délicieux et complexe qu'affiche désormais le Montrose 1982. Resplendissant d'un rubis-grenat foncé, il exhale un nez parfumé et doux de fruits noirs mêlé de chêne neuf et de notes florales. L'ensemble, très corsé et opulent, se montre également riche, concentré et fabuleux de précision, avec une finale aux tannins poussiéreux. Vous apprécierez ce Montrose extrêmement impressionnant, étonnamment évolué et précoce, ces **20 prochaines années, voire au-delà.** (8/97)

1981 • **84** Ce vin élégant, discret et moyennement massif – un Montrose un peu édulcoré – est à parfaite maturité, mais semble dépourvu de la concentration et de la richesse en extrait qui lui permettraient de se conserver. Je le trouve extrêmement austère. **A boire jusqu'en 2000.** (12/90)

1980 • **72** Maigre et tannique, le Montrose 1980 affiche une couleur rubis léger et ne sera jamais, je le crains, autre chose qu'un vin cher à avaler sans esprit critique. Une piètre réussite, à boire **dès maintenant – s'il n'est déjà sur le déclin.** (2/84)

1979 • **82** Un bon vin, mais plutôt décevant pour Montrose. Rubis de robe, avec un nez léger de fruits rouges, ce vin boisé et moyennement charpenté se montre sec en finale, à cause de l'astringence et de la dureté de ses tannins. **A boire jusqu'en 2002.** (3/88)

1978 • **84** Proche du 1989, bien que de robe plus foncée, ce Montrose moyennement corsé recèle du fruit, mais manque de complexité, de caractère et de richesse ; c'est un vin austère et tannique, mais aussi le premier du nouveau style de la fin des années 70. **A consommer.** (9/88)

1976 • **86** Incontestablement l'un des succès de ce millésime, et destiné à figurer parmi les 1976 les plus aptes à une longue garde, ce Montrose d'un beau rubis foncé révèle un bouquet épicé, avec des arômes boisés et vanillés et un beau fruit profond, dominé par des notes de cassis. De nombreux 1976 affichent maintenant des robes tuilées et commencent à perdre de leur fruit ; cependant, celui de Montrose paraît conserver sa jeunesse et toutes ses promesses. **A boire dès maintenant.** (3/89)

1975 • **87 ?** Encore peu évolué malgré sa robe légèrement ambrée et teintée de rouille sur le bord, le Montrose 1975 se montre ample, musclé, mais dépourvu de charme. Il est admirable de structure, mais je doute que son fruité lui permette de se maintenir longtemps encore. Très corsé, avec des arômes poussiéreux de terre et de fruits noirs et rouges, ce géant tannique requiert une garde de 1 ou 2 ans avant d'être prêt. (12/95)

1974 • **72** Le 1974 de Montrose est assez bien réussi dans un millésime de qualité inférieure à la moyenne. Ce vin maigre et sinueux, mais coloré et fruité, déploie des arômes de boisé et de terre. La finale est acide. **A boire – peut-être en déclin.** (6/85)

1973 • **65** Issu d'un millésime plutôt connu pour ses vins maigres et aqueux, le 1973 de Montrose était plaisant entre 1976 et 1979. Il a maintenant perdu son fruité, et n'est plus que boisé, alcool et tannins. Il ne présente plus guère d'intérêt. (8/86)

1971 • **86** A parfaite maturité, le 1971 de Montrose séduit par ses senteurs de cuir fin et de cèdre, par son bouquet mûr, fruité et odorant, son caractère moyennement corsé et modérément riche. Quoique toujours plein de charme et bien doté pour un 1971, il doit être consommé **maintenant.** (2/87)

1970 • **92+** C'est l'un des rares 1970 qui possèdent toutes les qualités permettant le développement d'un vin vraiment magnifique. On décèle, derrière son caractère dur, mûr et astringent, une concentration et une intensité extraordinaires. Le nez, racé et complexe, libère des senteurs de cèdre, de fruits noirs, de minéral et de cuir fin, et la bouche, moyennement corsée, est également puissante, riche et d'une concentration fabuleuse. Ce vin requiert une garde supplémentaire de 7 à 10 ans et, aussi incroyable que cela puisse paraître, tiendra parfaitement **40 à 50 ans encore.** (6/96)

1967 • **82** Étonnamment bon pour le millésime, le Montrose 1967 était à son meilleur niveau entre 1975 et 1979. Il a maintenant entamé son déclin : son fruité passe, et ses tannins poussiéreux commencent à prendre le dessus. Ce vin d'un rubis moyen est encore bien corpulent, avec un bouquet intéressant. **A boire jusqu'en 2000.** (10/81)

1966 • **86** Toujours d'un rubis sombre, le Montrose 1966 exhale un nez poivré, très épicé, mais relativement serré et fermé. Austère et rugueux en bouche, il y déploie cependant un bon fruité ferme et des tannins agressifs. Il n'est pas aussi massif ni aussi riche que les 1970, 1964 ou 1961, mais il n'en reste pas moins peu évolué et austère. Son fruité pourra-t-il contrebalancer ses tannins ? **A boire jusqu'en 2005.** (1/90)

1964 • **92** Figurant parmi les rares Médoc du millésime à avoir été vendangés avant les pluies, le Montrose 1964 révèle une profondeur, une richesse et une vigueur inattendues. Plus intense et plus généreux que le 1966, il est également plus foncé et plus opaque ; ce vin énorme et épanoui (un peu « vieux style ») se distingue par son onctuosité et son moelleux. Curieusement, on dirait qu'il n'a pas encore 10 ans d'âge. C'est une belle réussite, qui pourrait bien s'imposer comme le vin le plus apte à une longue garde du millésime. **A boire entre 2000 et 2020.** (6/97)

1962 • **88** Le Montrose 1962 était à son apogée en 1985. Rubis foncé, avec un nez complexe de cerise noire et de cèdre, ce beau vin se montre étonnamment riche et profond, avec beaucoup de souplesse et une grande persistance. Il est délicieux et peut être consommé **jusqu'en 2004.** (5/92)

1961 • **95** Un vin surprenant, d'un millésime extraordinaire. Le Montrose 1961 n'atteindra pas sa pleine maturité avant 10 ans ou plus. Il présente, outre une robe rubis foncé, profonde et opaque, un nez formidable de cassis mûr et de minéral. Très corsé et très dense, il est encore d'une richesse et d'une persistance irrésistibles, et recèle d'abondants tannins. Une réussite monumentale, qui attendra les premières décennies du prochain siècle. **A boire entre 2000 et 2030.** (10/94)

Millésimes anciens

Le 1959 (noté 95 en octobre 1994) ressemble étonnamment au 1961 ; tous deux, énormes et massifs, affichent le style traditionnel qui caractérise la propriété. Plus rustique et plus tannique que le 1961, et doté d'un fruité plus doux, le 1959, quoique déjà à pleine maturité, tiendra bien **20 à 30 ans encore.**

Le Montrose 1921 (74-90 ?, dégusté quatre fois en 1995 et 1996) varie considérablement d'une bouteille à l'autre. Une dégustation m'a révélé un vin dont le nez prometteur de cèdre, de viande fumée et de poivre évoquait un vin de la vallée du Rhône ; mais l'ensemble, aux flaveurs maigres, péchait par une acidité trop importante et par des tannins trop féroces. D'autres dégustations m'ont fait découvrir un vin tout à la fois riche, doux et opulent, encore vivace et bien doté d'un généreux fruité. La meilleure bouteille, dégustée en 1996 aux États-Unis, provenait des caves des Établissements Nicolas. Elle était absolument merveilleuse et méritait la note de 93.

Les 1945 et 1947 de Montrose jouissent d'une excellente réputation ; malheureusement, les bouteilles que j'ai goûtées étaient desservies par une acidité volatile importante, par des tannins secs et presque visqueux, et par un manque de structure. Plusieurs de mes amis m'ont suffisamment parlé de leur expérience du fabuleux 1945 pour que je les croie – j'aimerais cependant pouvoir personnellement déguster un bon exemple de ce millésime.

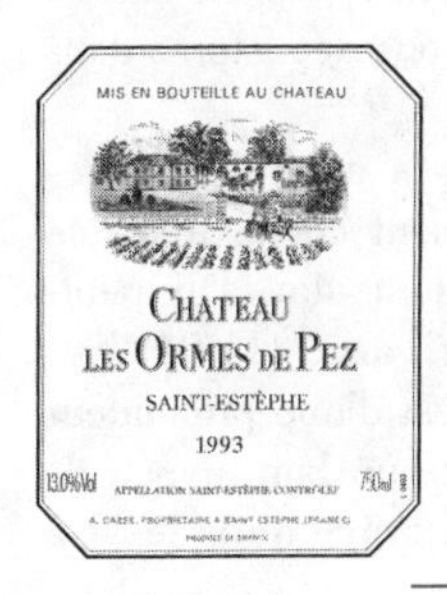

LES ORMES DE PEZ - BON

Cru bourgeois – équivaut à un 5e cru
Propriétaire : famille Cazes
Adresse : 33180 Saint-Estèphe
Adresse postale : Château Lynch-Bages – 33250 Pauillac
Tél. 05 56 73 24 00 – Fax 05 56 59 26 42
Visites : sur rendez-vous uniquement
Contact : Isabelle Faurie

Superficie : 33 ha (Pez – Saint-Estèphe)
Vin produit : Château Les Ormes de Pez – 205 000 b (pas de second vin)
Encépagement : 70 % cabernet sauvignon, 20 % merlot, 10 % cabernet franc
Densité de plantation : 9 500 pieds/ha – *Age moyen des vignes :* 35 ans
Rendement moyen : 50 hl/ha

Élevage : vendanges manuelles et totalement égrappées ;
fermentations de 15-17 jours (20 jours en 1996)
en cuves d'acier inoxydable thermorégulées ;
vieillissement après les malolactiques de 15 mois en fûts de 1 ou 2 vins ;
collage à l'albumine et filtration

A maturité : dans les 5 à 12 ans suivant le millésime

Les Ormes de Pez est l'un des domaines les plus connus du Bordelais. Cela tient pour une bonne part à son caractère généreux et charnu, parfois onctueux et velouté, et pour l'autre aux efforts considérables déployés par son propriétaire, Jean-Michel Cazes, pour le faire connaître. De fait, ce vin déçoit rarement. Il arbore le plus souvent une robe très foncée et, depuis 1975, se révèle plus souple et plus accessible. Cependant, son potentiel de garde est de 7 à 12 ans.

Les vieux millésimes des années 40 et 50, plus massifs et plus denses, constituent manifestement de bonnes affaires, car la vinification est depuis longtemps d'un très haut niveau. Les amateurs à la recherche d'une grande qualité conjuguée à des prix modestes s'intéresseront aux Ormes de Pez.

1997 • **81-83** Rond et accessible, le 1997 des Ormes de Pez exhale un nez de vanille, d'herbes séchées et de groseille. Plus léger que son aîné d'un an et faible en acidité, il doit être consommé ces **5 ou 6 prochaines années.** (1/99)

1996 • **86** Ce vin pourrait bien s'imposer comme l'une des révélations du millésime. D'un rubis foncé et soutenu, il exhale un excellent nez de cassis et de mûre nuancé en arrière-plan de notes de chêne fumé. Doux et opulent, il est étonnamment accessible et rond, et développe une finale de très bon niveau. C'est l'une des plus belles réussites de la propriété ces dernières années. **A boire entre 2000 et 2014.** (1/99)

1995 • **86** Je serais tenté de dire que ce vin d'un rubis moyennement foncé affiche un style trop commercial. Il n'en est pas moins séduisant, souple et rond, avec des arômes d'herbes, de cerise noire et de groseille. Moyennement corsé et riche, assez élégant, il déploie des tannins souples et une finale accessible. **A boire jusqu'à 7 ou 8 ans d'âge.** (3/98)

1993 • **82** La couleur rubis foncé du 1993 précède des arômes de poivre vert et de cassis. Suit un vin élégant, doux, mûr et moyennement corsé, que vous dégusterez dans les **3 ou 4 ans.** (1/97)

1992 • **85** De couleur rubis foncé, le 1992 libère de délicieux arômes de fruits rouges et mûrs, et présente une finale assez tannique. Moyennement corsé, il révèle de la mâche, ainsi qu'un fruité et une souplesse d'excellent aloi. J'ai peut-être un peu sous-noté ce vin... **A boire dans les 6 ou 7 ans.** (11/94)

1991 • **81** Avec son fruité herbacé et épicé, Les Ormes de Pez 1991 est d'une profondeur supérieure à la moyenne pour le millésime. Ce vin présente un bon niveau de tannins, et déploie une finale nette et unidimensionnelle. **A boire dans les 4 à 7 ans.** (1/94)

1990 • **89** Avec sa robe sombre et opaque de couleur rubis-pourpre, le 1990 des Ormes de Pez révèle une excellente profondeur, de l'étoffe et une grande précision dans les arômes et le dessin. Sa finale persistante est mûre et alcoolique. Ce vin stupéfiant, tout à la fois très riche, très corsé et souple, constitue de surcroît une excellente affaire. **A boire dans les 10 à 15 ans.** (1/93)

1989 • **86** Rubis foncé de robe, ce vin opulent, au fruité intense, révèle, outre un caractère très corsé, d'abondants tannins souples. Un ensemble robuste, à apprécier **jusqu'en 2000.** (11/90)

1988 • **85** Bizarrement, le 1988 est assez proche du 1989, mais il n'en a pas le caractère massif, ni le fruité confituré. Il est étonnamment évolué pour le millésime et doit être consommé assez rapidement. **A boire.** (11/90)

1987 • **77** Le fruité doux, aqueux et herbacé du 1987 ne fait pas grande impression. En bouche, ce vin manque de structure et révèle un style trop commercial. **A boire – probablement en déclin.** (3/90)

1986 • **86** Est-ce la marque du millésime ? Le 1986 s'impose comme le plus tannique et le plus intense des Ormes de Pez depuis le 1970. Ce vin mûr, profond et de bonne mâche recèle suffisamment de gras et de fruit pour contrebalancer ses tannins agressifs et se maintenir quelques années encore, bien qu'il soit déjà prêt. **A boire jusqu'en 2005.** (3/89)

1985 • **83** Malgré son manque de profondeur, ce vin se révèle plaisant, doux, fruité et accessible. **A consommer.** (1/90)

1984 • **82** D'un rubis léger, le 1984 se montre souple, rond et creux en bouche, où il développe des arômes d'herbes et de cassis. **A boire – sans doute en déclin.** (12/88)

1983 • **84** Profondément coloré, charnu, mûr, rond et richement fruité, ce vin étoffé, bien fait et étayé par une faible acidité révèle des tannins abondants, mais soyeux et d'une bonne tenue. **A boire.** (5/88)

1982 • **87** Bien qu'il soit prêt depuis 5 ou 6 ans déjà, ce vin souple, charnu et mûr arbore toujours une robe intacte et conserve son fruité. Rond, doux et généreux, il déborde d'arômes de cassis, opulents et épais, mêlés de touches herbacées. Un vin trapu et costaud, à consommer dans les **5 ou 6 ans.** (9/95)

1981 • **78** Sans être du niveau de l'excellent 1982 ou du très bon 1983, le 1981 des Ormes de Pez se révèle sans détour, encore robuste et fruité, avec une texture généreuse et une finale plaisante, souple et arrondie. **A boire – probablement en déclin.** (1/83)

1979 • **75** Performance médiocre : le 1979 arbore une robe légère et déploie, outre un bouquet fruité parfaitement mûr, des arômes de chêne humide et une finale souple, mais maigre. **A boire – peut-être en déclin.** (6/84)

1978 • **85** Ce très bon 1978, doté d'un fruité de cassis mûr et profond, révèle en bouche un caractère moyennement corsé et de bons tannins robustes, qui commencent à se fondre. Le nez laisse tout juste entrevoir des arômes complexes de cèdre et d'épices. Vous apprécierez ce vin charnu et costaud **maintenant – il est peut-être en déclin.** (3/88)

1976 • **72** Le fruit modérément intense et confit du 1976 laisse deviner une légère surmaturité. Ce vin est souple, faible en acidité, avec une finale maigre et aqueuse. **A boire – peut-être en sérieux déclin.** (5/82)

1975 • **84** Bien réussi pour le millésime et d'un meilleur niveau que de nombreux crus classés (plus onéreux), le 1975 des Ormes de Pez se montre riche et très corsé, libérant un bouquet mûr, aux notes de fruits et de cuir fin. La bouche, aux arômes purs, poussiéreux et épicés, est marquée par des tannins encore astringents. **A boire – peut-être en déclin.** (11/88)

1971 • **65** Plutôt léger et déjà sur le déclin lorsque je l'avais dégusté pour la première fois en 1977, le 1971 des Ormes de Pez manque de fruité et présente une acidité mordante. **A éviter.** (6/85)

1970 • **89** Ce vin s'est toujours montré sous un très bon jour. Après en avoir bu près d'une caisse (achetée à un prix dérisoire en 1973), force m'est d'avouer qu'il n'est pas encore à parfaite maturité. Je doute d'ailleurs qu'il puisse atteindre un équilibre parfait entre son fruit, ses tannins et son acidité. C'est l'un des Ormes de Pez les plus concentrés que je connaisse : sa robe épaisse de couleur grenat-prune est légèrement ambrée sur le bord, et le nez révèle des arômes de poivre, de métal, de cèdre, de terre et de groseille. La bouche est tout à la fois épaisse, robuste et riche. Vous apprécierez ce vin explosif **dans les 10 ans.** (6/96)

Millésimes anciens

Dans le courant des années 80, j'ai eu la chance de boire les 1947, 1953, 1955, 1959 et 1961 des Ormes de Pez, qui se trouvaient sur la carte des vins de divers restaurants de Bordeaux. Tous étaient en bonne forme, se révélant massifs et solides, voire rugueux, typiques d'une vinification à l'ancienne mode. Les bouteilles des années 40, 50 et 60 sont certainement encore très intéressantes, sous réserve qu'elles aient été conservées dans de bonnes conditions.

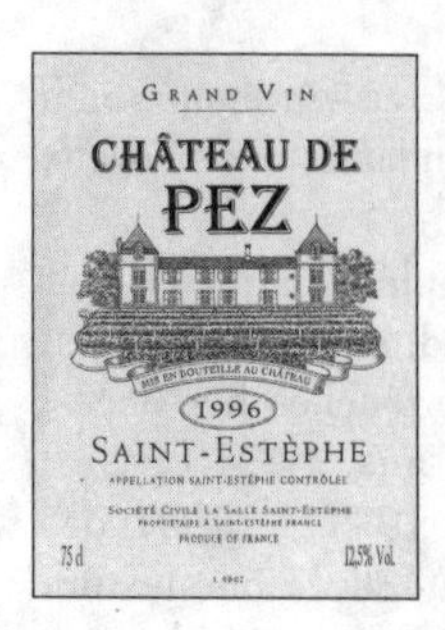

DE PEZ – BON

Cru bourgeois – équivaut à un 5e cru
Propriétaire : Champagne Louis Roederer
Adresse : BP 14 – 33180 Saint-Estèphe
Tél. 05 56 59 30 24 – Fax 05 56 59 39 25
Visites : sur rendez-vous uniquement
Contact : Philippe Moureau

Superficie : 24 ha (Saint-Estèphe)
Vin produit : Château de Pez – 140 000 b (pas de second vin)
Encépagement :
46 % merlot, 43 % cabernet sauvignon, 8 % cabernet franc, 3 % petit verdot
Densité de plantation : 6 400 pieds/ha – *Age moyen des vignes* : 32 ans
Rendement moyen : 50 hl/ha

Élevage :
vendanges manuelles ; fermentations de 25 jours en cuves de bois thermorégulées ; achèvement des malolactiques et vieillissement de 14 mois en fûts (40 % de bois neuf) ; collage ; pas de filtration

A maturité : dans les 8 à 18 ans suivant le millésime

Lorsqu'on traverse le village presque désert de Pez, il est difficile de ne pas remarquer les tours jumelles de ce château, racheté en 1995 par Louis Roederer. L'ancien propriétaire, Robert Dousson, avait passé toute sa vie dans ce domaine, où il était né en 1929. C'était un farouche adversaire des manipulations excessives et de la filtration. En outre, le potentiel de garde de ses vins et le succès qu'ils ont rencontré en Angleterre et en Europe du Nord ne lui sont jamais montés à la tête. Depuis plusieurs décennies, De Pez produit un vin musclé, mais excellent, parfois solidement charpenté et capable de bien évoluer sur une vingtaine d'années. Toutefois, on pourrait lui reprocher de n'atteindre que rarement les sommets où l'on retrouve régulièrement d'autres crus bourgeois de l'appellation, notamment Haut-Marbuzet, Meyney et, depuis la fin des années 80, Phélan Ségur. Je me suis souvent demandé si une plus forte proportion de merlot dans l'assemblage n'atténuerait pas le caractère souvent un peu maigre des vins de la propriété, en contribuant à leur donner davantage de chair et de caractère.

Il est encore trop tôt pour dire si les changements opérés par la nouvelle équipe seront ou non favorables. Cependant, tout ici est mis en œuvre pour améliorer la qualité des vins tout en laissant le terroir exprimer sa personnalité ; il reste que, grâce à un éclaircissage et à une taille plus sévères, à des rendements plus strictement contrôlés et à un effeuillage systématique, à une vendange plus tardive et à un double tri, les résultats devraient sans délai apparaître.

1997 • **84-85** La maison Roederer, propriétaire du Château de Pez, a la ferme intention d'amener les vins de cette propriété à un plus haut niveau que ne le suggèrent mes notes de dégustation. Le 1997, séduisant, accessible et d'un style plutôt commercial, est faible en acidité, avec des arômes sans détour de fruits rouges et de mûre, marqués en arrière-plan de notes de terre et d'épices. **A boire avant 4 à 6 ans d'âge.** (3/98)

1996 • **84-86** Les tannins astringents du 1996 exigent qu'il s'étoffe pour mériter une meilleure note. Moyennement corsé, doté de séduisants et purs arômes de cerise noire, ce vin se montre bien doux en bouche, avec une belle texture, mais son caractère tannique domine l'ensemble. **A boire entre 2004 et 2012.** (3/97)

1995 • **86** D'une excellente couleur, avec de doux arômes confiturés de cassis, le 1995 est bien concentré et bien équilibré en bouche, malgré son caractère monolithique. Faible en acidité, il déploie une finale aux tannins mûrs. Un Saint-Estèphe savoureux et ample, à boire dans les **10 ans qui suivront.** (3/96)

1989 • **86** Plus opulent, plus riche et plus précoce que de coutume, le 1989 déploie, par paliers, un généreux fruité de cassis entremêlé de senteurs d'herbes et de chêne grillé. Étonnamment charnu pour un vin de la propriété, il est très corsé et faible en acidité, et, quoique accessible dès sa jeunesse, promet de tenir quelques années encore grâce à sa belle profondeur et à son équilibre d'ensemble. **A boire jusqu'en 2005.** (1/93)

1988 • **83** Caractéristique de la propriété avec son bouquet discret et policé de cassis assez mûr, de minéral et de boisé, le 1988 se montre moyennement corsé et légèrement astringent au palais. Austère et retenu, il manque de chair et paraît compact. **A boire jusqu'en 2000.** (1/93)

1986 • **82** J'émets des réserves sur ce millésime, parce qu'il s'est révélé impénétrable et tannique. Je l'ai goûté plusieurs fois depuis la mise en bouteille et l'ai trouvé, malgré sa remarquable robe rubis foncé, terriblement rude, sans la moindre parcelle du charme ou de la souplesse qu'on est en droit d'attendre d'un bordeaux, même jeune. Néanmoins, il est difficile d'imaginer qu'une propriété comme celle-ci n'ait pas fait au moins un bon vin en 1986. Il faut donc de la patience. **A boire jusqu'en 2005.** (3/90)

1985 • **86** Ce vin élégant et plein de charme ne présente pas (fort heureusement) les tannins durs et rugueux qui desservent nombre de ses jumeaux. D'un rubis profond, il exhale des senteurs modérément intenses et séduisantes de cassis et de chêne épicé. En bouche, l'ensemble, moyennement corsé, se montre étonnamment précoce, mais il tiendra bien **jusqu'en 2001.** (11/89)

1983 • **85** Aussi bien fait que la plupart de ses jumeaux plus prisés, le De Pez 1983 arbore une robe sombre et déploie des arômes denses, riches, mûrs et fruités. Extrêmement tannique, avec une finale épicée (mais modérément tannique, elle), il tiendra **jusqu'en 2005.** (1/88)

1982 • **86** Plus rond et plus fruité que son cadet d'un an, le 1982 est vêtu de rubis très sombre et se distingue par un intense bouquet de cassis et par les arômes ronds, généreusement dotés et opulents qu'il déploie en bouche. Ses tannins abondants sont veloutés, et sa finale se révèle excellente et capiteuse. **A boire jusqu'en 2003.** (1/89)

1981 • **77** Pour cette propriété, ce vin est le moins réussi du trio de grands millésimes 1981, 1982 et 1983. Moyennement massif, il est sévère et austère, mais recèle un bon fruité et une structure ferme, tannique et longiligne. L'ensemble est demeuré fermé et peu évolué, et je crains que son fruité ne commence déjà à se dessécher. **Il est sans doute en déclin.** (6/87)

1979 • **83** Outre sa robe rubis foncé et son bouquet bien évolué d'épices, d'herbes et de cassis, ce vin assez corsé présente un bon fruité, des tannins modérés et une finale sèche, moyennement persistante et légèrement astringente. **A boire rapidement.** (7/86)

1978 • **85** Bien réussi, le 1978 contient davantage de merlot que de coutume, en raison de problèmes de floraison du cabernet sauvignon cette année-là. C'est un vin souple, riche, profond et fruité, débordant de richesse en extrait et de tannins. Moyennement corsé, il s'est pleinement épanoui, mais ne manifeste aucun signe de déclin. **A boire jusqu'en 2000.** (11/88)

1976 • **84** Le 1976 est apparu dès sa naissance comme un vin bien fait, issu d'une sélection des seules meilleures cuvées dans un millésime généreux. Plus profondément coloré que la plupart de ses jumeaux, il déploie, outre un fruité riche et mûr, des tannins souples et sous-jacents. Un très grand succès. A parfaite maturité depuis le début des années 80, **il a probablement entamé son déclin.** (10/87)

1975 • **84** Ce vin m'avait toujours paru imbuvable, car terriblement tannique. Les tannins sont maintenant fondus, et l'ensemble, moyennement corsé, se révèle assez fruité, avec des notes de terre et des touches de cèdre, de cerise et de poussière. Malgré son caractère tannique, ce 1975 témoigne d'un meilleur équilibre que je ne l'aurais jamais imaginé. **A boire dans les 5 à 7 ans.** (12/95)

1973 • **76** Ce 1973, qui est maintenant passé, s'imposait jusqu'en 1980 comme l'un des vins les plus plaisants d'un millésime terriblement maigre et aqueux. Il offrait des arômes charmeurs et modérément intenses de petits fruits et des flaveurs douces et souples. Il est certainement encore en bonne forme en grand format (en magnum, par exemple). **A boire – en déclin.** (3/85)

1970 • **?** Ce vin, qui s'est toujours montré élégant, bien fait et racé, avec de caractéristiques arômes de minéral et de groseille, m'a déçu lors d'une dégustation en décembre 1976. Malgré sa bonne couleur, l'ensemble semblait desséché, dur et astringent. Peut-être s'agissait-il simplement d'une bouteille défectueuse ? (12/96)

PHÉLAN SÉGUR – TRÈS BON

Cru bourgeois – devrait être maintenu
Propriétaire : Xavier Gardinier
Adresse : 33180 Saint-Estèphe
Tél. 05 56 59 30 09 – Fax 05 56 59 30 04
Visites : sur rendez-vous uniquement
Contact : Thierry Gardinier

Superficie : 64 ha (Saint-Estèphe)
Vins produits : Château Phélan Ségur – 240 000 b ; Frank Phélan – 150 000 b
Encépagement : 60 % cabernet sauvignon, 35 % merlot, 5 % cabernet franc
Densité de plantation : 8 500 pieds/ha – *Age moyen des vignes :* 30 ans
Rendement moyen : 56 hl/ha

Élevage :
fermentations et cuvaisons de 20 jours en cuves d'acier inoxydable thermorégulées à 25-30 °C ; vieillissement de 18 mois en fûts (40 % de bois neuf) ; collage et filtration

A maturité : dans les 5 à 14 ans suivant le millésime (à compter de 1986)

Après une période difficile au début des années 80, Phélan Ségur fut racheté en 1985 à la famille Delon par Xavier Gardinier. Le château est désormais entre des mains compétentes et expérimentées. Ce beau domaine a été entièrement rénové et réaménagé par le nouveau propriétaire, et il est capable de produire l'un des tout meilleurs Saint-Estèphe – son vignoble est voisin de Montrose et de Calon-Ségur. A la dégustation des excellents vins produits depuis la fin des années 80, les progrès accomplis sont patents. De plus, le rapport qualité/prix est ici excellent.

1997 • **82-84** Légèrement corsé, un peu herbacé et aqueux, le 1997 se révèle plaisant et sans détour en bouche, mais il manque de profondeur et de persistance. Je conseille de le déguster dans les **3 ou 4 ans.** (1/99)

1996 • **86** Ce cru bourgeois bien fait présente une robe rubis foncé, qui introduit un nez rond et séduisant de cassis, de framboise et de terre. L'ensemble qui suit en bouche est moyennement corsé, avec des tannins souples ; il atteste une grande pureté. **A boire dans les 10 ans.** (1/99)

1995 • **84** Quoique unidimensionnel et monochrome, le Phélan Ségur 1995 est ouvert, doux et plaisant, et libère au nez des arômes fruités et plaisants. Il pèche par manque de profondeur et de richesse, deux qualités qui caractérisent pourtant les grands millésimes de cet excellent cru bourgeois. **A boire jusqu'en 2005.** (11/97)

1994 • **86** Le nez du 1994 libère des arômes de groseille, de cassis, de chêne et de grillé. Assez doux pour un vin de ce millésime, ce Phélan Ségur manque cependant de la présence en bouche que déploie le 1993. Il est néanmoins bien fait, dense et moyennement corsé, et devrait être agréable à boire dès sa jeunesse, nonobstant les tannins légers que l'on perçoit dans sa finale. Son potentiel de garde est de **6 ou 7 ans.** (1/97)

1993 • **87** Ironie du sort, le 1993 de Phélan Ségur se révèle mieux réussi, plus gras et plus riche que le 1994 ou le 1995 – ce qui est, au demeurant, étonnant, ces millésimes offrant généralement une matière première de meilleure qualité que le 1993. Ce dernier, de couleur rubis-pourpre foncé, dégage un excellent nez de fumé, de chêne doux et grillé et de fruits noirs. Admirablement gras et mûr, il révèle une excellente pureté en milieu de bouche, et déploie une finale douce, séduisante et moyennement corsée, aux notes de cèdre, sans aucun caractère astringent. Vous apprécierez ce délicieux 1993 dans les **5 à 7 ans.** Une révélation ! (1/97)

1992 • **86** Le 1992, particulièrement réussi, arbore une robe d'un rubis profond et libère un nez doux de cassis, de chêne et d'épices. Il déploie en bouche des arômes moyennement corsés et savoureux. Parfaitement mûr et d'une belle richesse en extrait, il est souple, avec une finale douce marquée par la mâche. Il s'agit d'un succès remarquable pour le millésime. **A boire d'ici 2 ou 3 ans.** (11/94)

1991 • **86** Profondément coloré, le 1991 est doux, avec un nez assez intense de fruits noirs, de minéral et de chêne. Moyennement corsé, il présente une belle concentration et une finale lisse et tannique. **A boire dans les 6 à 9 ans.** (1/94)

1990 • **89** Vêtu de sombre, avec un nez énorme, doux et opulent, presque explosif, le 1990 de Phélan Ségur se montre très corsé en bouche, où il manifeste une intensité et une richesse en extrait d'un excellent aloi. Ce vin débordant de tannins mûrs déploie une finale riche, persistante et imposante. **A boire jusqu'en 2003.** (1/93)

1989 • **88** Une sélection sévère, des macérations plutôt longues et l'utilisation d'une certaine proportion de fûts neufs (40 %) ont donné un Phélan Ségur riche et très corsé, conjuguant puissance et finesse. Resplendissant d'un rubis-pourpre profond, ce vin libère de généreuses senteurs de fruits noirs et rouges, et révèle en bouche une belle concentration et une structure impressionnante. C'est l'un des meilleurs Phélan Ségur que je connaisse ; il plaira incontestablement au plus grand nombre. **A boire jusqu'en 2003.** (4/91)

1988 • **87** Quoique plus léger que son cadet d'un an, le Phélan Ségur 1988 demeure un Saint-Estèphe des plus classiques. Son bouquet de grillé et de cassis précède un vin moyennement corsé, d'une profondeur et d'un équilibre d'excellent aloi, mais de moins longue garde que le 1989. **A consommer.** (4/91)

1987 • **71** Un bouquet léger et herbacé annonce le Phélan Ségur 1987. Il s'agit d'un vin austère, unidimensionnel et tannique, manquant autant de charme que de chair. Son avenir est des plus incertains – **il est probablement en déclin.** (6/89)

1986 • **82** Le Phélan Ségur 1986 correspond à la première tentative de redressement effectuée par le nouveau propriétaire. D'un rubis moyennement foncé, ce vin exhale un nez serré, mais naissant, de cassis herbacé. Modérément corsé et tannique, mais concentré, il manque cependant de rondeur et de complexité. **A consommer.** (3/89)

AUTRES PRODUCTEURS DE SAINT-ESTÈPHE

Château Bel Air
Saint-Estèphe
1995

BEL AIR

Non classé – équivaut à un cru bourgeois
Propriétaire : SC du Château Bel Air
Adresse : 4, rue de Fontaugé – 33180 Saint-Estèphe
Adresse postale : 15, route de Castelnau – 33480 Avensan
Tél. 05 56 58 21 03 – Fax 05 56 58 17 20
Visites : sur rendez-vous uniquement
Contact : Jean-François Braquessac

Superficie : 4,9 ha (Saint-Estèphe)
Vins produits : Château Bel Air – 18 000 b ; Château Bel Air Coutelin – 18 000 b
Encépagement : 65 % cabernet sauvignon, 30 % merlot, 5 % cabernet franc
Densité de plantation : 8 500-10 000 pieds/ha – *Age moyen des vignes :* 30 ans
Rendement moyen : 60 hl/ha

Élevage :
vendanges manuelles ; fermentations et cuvaisons de 35 jours
en cuves d'acier inoxydable à 30-32 °C maximum ;
vieillissement de 13 mois en fûts de 1 vin (depuis 1995) ; collage ; pas de filtration

A maturité : dans les 4 à 12 ans suivant le millésime

LE BOSCQ

Cru bourgeois – devrait être maintenu
Propriétaire : SC du Château Le Boscq
(donné en fermage à Dourthe depuis 1995)
Adresse : 33180 Saint-Estèphe
Adresse postale : Dourthe
35, route de Bordeaux – 33290 Parempuyre
Tél. 05 56 35 53 00 – Fax 05 56 35 53 29
Visites : sur rendez-vous uniquement
Contact : Dourthe CVBG

Superficie : 16,6 ha (Saint-Estèphe)
Vins produits :
Château Le Boscq – 80 000 b ; Héritage de Château Le Boscq – 40 000 b
Encépagement : 51 % merlot, 38 % cabernet sauvignon,
6,5 % petit verdot, 4,5 % cabernet franc
Densité de plantation : 8 000 pieds/ha – *Age moyen des vignes :* 25 ans
Rendement moyen : 55 hl/ha

Élevage : vendanges manuelles ; fermentations et cuvaisons
(par cépage et par parcelle) de 21 jours en cuves thermorégulées ;
une partie de la récolte achève les malolactiques en fûts ;
vieillissement de 15-18 mois environ en fûts (64 % de bois neuf)
et par lots séparés jusqu'à l'assemblage ; collage ; pas de filtration

---

A maturité : dans les 3 à 8 ans suivant le millésime

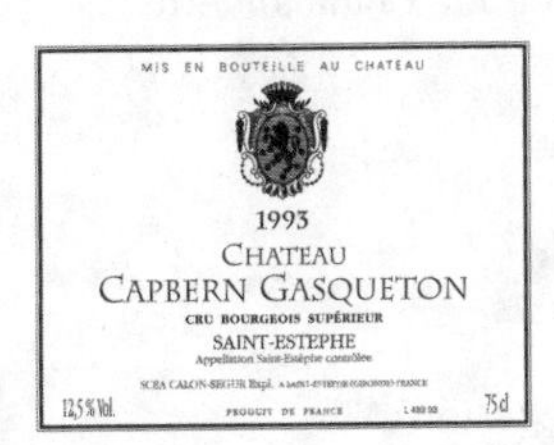

CAPBERN GASQUETON

Cru bourgeois – devrait être maintenu
Propriétaires : héritiers Capbern Gasqueton
Administrateur : Denise Capbern Gasqueton
Adresse : 33180 Saint-Estèphe
Tél. 05 56 59 30 08 – Fax 05 56 59 71 51
Visites : sur rendez-vous uniquement
Contact : secrétariat du château

Superficie : 35 ha (Saint-Estèphe)
Vin produit : Château Capbern Gasqueton – 135 000 b (pas de second vin)
Encépagement : 65 % cabernet sauvignon, 25 % merlot, 10 % cabernet franc
Age moyen des vignes : 30 ans – *Rendement moyen :* 35 hl/ha

Élevage :
vendanges manuelles ;
fermentations et macérations de 21 jours
en cuves d'acier inoxydable thermorégulées ;
vieillissement de 18 mois en fûts (30 % de bois neuf) ;
collage ; pas de filtration

A maturité : dans les 5 à 10 ans suivant le millésime

Il s'agit d'un cru bourgeois, mais il se murmure que Capbern bénéficie des cuves de Calon-Ségur jugées indignes du grand vin. Les vins de Capbern, vieillis en fûts de chêne, peuvent se révéler durs et manquent parfois d'ampleur aromatique et de caractère. Les meilleurs millésimes récents ont été 1982, 1988, 1989 et 1990.

CAVE COOPÉRATIVE MARQUIS DE SAINT-ESTÈPHE

On la dit la meilleure et la mieux équipée des caves coopératives du Médoc. Elle regroupe plus de 200 producteurs (à la tête de 375 ha de vignobles) et produit une énorme quantité de vins qui sont diffusés sous le nom « Marquis de Saint-Estèphe » ou sous celui des domaines dont ils sont issus. En effet, certains châteaux de petite taille, mais de bonne tenue, font vinifier et embouteiller leurs vins à la cave coopérative ; il s'agit notamment des domaines Les Pradines, L'Hôpital, Le Roc et Faget. Ce dernier – sans doute le meilleur du lot – ne compte que 4 ha de vignes appartenant à Maurice Lagarde. Il propose régulièrement des vins riches et très corsés, qui constituent de surcroît de très bonnes affaires. Si vous visitez la Cave coopérative Marquis de Saint-Estèphe, demandez à goûter cette cuvée en particulier. Les vins de la cave sont généralement vieillis en cuves et ne connaissent pratiquement jamais le chêne neuf ; ils doivent donc être consommés avant d'atteindre 5 à 6 ans d'âge.

LA COMMANDERIE

Cru bourgeois – devrait être maintenu
Propriétaire : GFA Châteaux Canteloup et La Commanderie
Adresse : 33180 Saint-Estèphe
Adresse postale : Jean-Paul Meffre
Le Vignoble Meffre – 84810 Aubignan
Tél. 04 90 62 61 37 – Fax 04 90 65 03 73
Visites : sur rendez-vous uniquement
Contact : Dourthe CVBG
35, route de Bordeaux – 84810 Aubignan

Superficie : 15 ha (Saint-Estèphe)
Vin produit : Château La Commanderie – 100 000 b (pas de second vin)
Encépagement : 55 % cabernet sauvignon, 40 % merlot, 5 % cabernet franc
Densité de plantation : 6 000 pieds/ha – *Age moyen des vignes :* 25 ans
Rendement moyen : 50 hl/ha

Élevage :
fermentations et cuvaisons de 15-20 jours ;
vieillissement de 12-15 mois, en fûts neufs pour 30 % de la récolte,
en cuves pour le reste ; collage et filtration

A maturité : dans les 4 à 8 ans suivant le millésime

Les vins de cette propriété, vinifiés dans un style moderne et commercial, sont généralement souples, avec un fruité accessible et des tannins légers et doux. Ils peuvent être dégustés dès la mise en bouteille. Certes, ils pourraient être plus complexes, mais ils sont bien faits et destinés à plaire au plus grand nombre.

COUTELIN-MERVILLE – BON

Cru bourgeois – devrait être maintenu
Propriétaires : Bernard et François Estager
Adresse : G. Estager et Fils
Blanquet – 33180 Saint-Estèphe
Tél. 05 56 59 32 10
Visites : toute la journée pendant la semaine et sur rendez-vous le week-end
Contacts : Bernard et François Estager

Superficie : 21 ha (Blanquet – Saint-Estèphe, sur le point culminant de la commune)
Vin produit : Château Coutelin-Merville – 160 000 b (pas de second vin)
Encépagement : 51 % merlot, 26 % cabernet franc,
20 % cabernet sauvignon, 3 % petit verdot
Densité de plantation : 8 000 pieds/ha – *Age moyen des vignes :* 25 ans
Rendement moyen : 60 hl/ha

Élevage :
vendanges manuelles ; fermentations et cuvaisons traditionnelles de 15-21 jours ;
vieillissement de 12 mois en fûts (20 % de bois neuf) ;
collage et filtration légère

A maturité : dans les 8 à 15 ans suivant le millésime

Note : les vins de la propriété sont également diffusés sous la marque Château Merville.

J'aimerais mieux connaître les vins de ce petit domaine. Les millésimes que j'ai goûtés (1970, 1975, 1982 et 1986) étaient tous fort bien vinifiés, dans un style traditionnel, et présentaient une concentration, une puissance et un niveau de tannins intéressants. Les propriétaires, Bernard et François Estager, originaires de Corrèze (comme, d'ailleurs, la famille Moueix de Libourne), font entendre une musique bien personnelle à Saint-Estèphe, et leur assemblage montre qu'ils sont des adeptes du cabernet franc. Ce cépage explique peut-être les arômes irrésistibles de leurs vins, mais pas leur potentiel de garde ni leur caractère musclé et puissant. Les Estager estiment que leurs crus, dans les meilleures années, requièrent une garde de 15 à 20 ans – et, tout bien considéré, ils semblent avoir raison. Il conviendrait donc de suivre de plus près cette propriété.

HAUT-BEAUSÉJOUR

Cru bourgeois – devrait être maintenu
Propriétaire : Champagne Louis Roederer
Adresse : rue de la Mairie – 33180 Saint-Estèphe
Tél. 05 56 59 30 26 – Fax 05 56 59 39 25
Visites : sur rendez-vous uniquement le week-end
Contact : Philippe Moureau

Superficie : 19,1 ha (Saint-Estèphe)
Vin produit : Château Haut-Beauséjour – 110 000 b (pas de second vin)
Encépagement :
54 % merlot, 39 % cabernet sauvignon, 4 % petit verdot, 3 % malbec
Densité de plantation : 8 300 pieds/ha – *Age moyen des vignes :* 24 ans
Rendement moyen : 54 hl/ha

Élevage :
vendanges manuelles ; fermentations et cuvaisons de 21 jours en cuves de béton à 29-30 °C maximum ; vieillissement après les malolactiques de 14 mois en fûts neufs pour 1/3 de la récolte, de 12 mois en fûts de 1 et 2 vins pour le reste ; collage ; pas de filtration

A maturité : dans les 4 à 12 ans suivant le millésime

HAUT COTEAU

Cru bourgeois – devrait être maintenu
Propriétaire : famille Brousseau
Adresse : Saint-Corbian
33180 Saint-Estèphe
Tél. 05 56 59 39 84 – Fax 05 56 59 39 09
Visites : du lundi au vendredi (11 h-18 h)
Contacts : Bernard et Bernadette Brousseau

Superficie : 20 ha (entre Saint-Estèphe et Saint-Seurin-de-Cadourne), dont 7 ha seulement pour le Château Haut Coteau
Vin produit : Château Haut Coteau – 45 000 b (pas de second vin)
Encépagement :
50 % cabernet sauvignon, 30 % merlot, 15 % cabernet franc, 5 % petit verdot
Densité de plantation : 8 200 pieds/ha – *Age moyen des vignes :* 30 ans
Rendement moyen : 58 hl/ha

Élevage :
fermentations de 5-8 jours et cuvaisons de 15-20 jours ; vieillissement de 12 mois en fûts (35 % de bois neuf) ; collage ; pas de filtration

A maturité : dans les 4 à 12 ans suivant le millésime

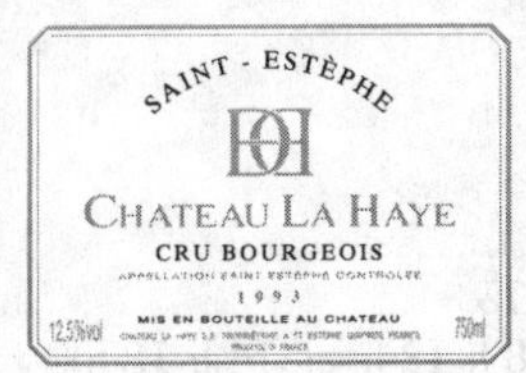

LA HAYE

Cru bourgeois – devrait être maintenu
Propriétaire : Georges Lecallier
Adresse : Leyssac – 33180 Saint-Estèphe
Adresse postale : 28, rue d'Armenonville
92200 Neuilly-sur-Seine
Tél. 01 47 38 24 42 – Fax 01 47 38 14 41
Visites : du lundi au samedi (10 h-19 h) du 1er juillet au 15 septembre, sur rendez-vous le reste de l'année
Contact : Sylvie Jaffre – Tél. 05 56 59 32 18

Superficie : 10 ha (Leyssac – Saint-Estèphe)
Vins produits : Château La Haye – 50 000 b ; Le Fleuve – 20 000 b
Encépagement : 50 % cabernet sauvignon, 42 % merlot, 8 % cabernet franc
Densité de plantation : 8 000 pieds/ha – *Age moyen des vignes :* 25 ans
Rendement moyen : 45-50 hl/ha

Élevage :
fermentations et cuvaisons de 20 jours en cuves d'acier inoxydable thermorégulées à 28-30 °C maximum ; vieillissement de 15 mois en fûts (25-30 % de bois neuf) ; collage et filtration

---

A maturité : dans les 4 à 12 ans suivant le millésime

HOUISSANT

Cru grand bourgeois exceptionnel – équivaut à un cru bourgeois
Propriétaire : Jean Ardouin
Adresse : 33180 Saint-Estèphe
Tél. 05 56 59 32 21 – Fax 05 56 59 73 41
Visites : du lundi au jeudi (8 h-12 h et 14 h-18 h), le vendredi (8 h-12 h et 14 h-17 h)

Superficie : 22 ha (Saint-Estèphe)
Vins produits : Château Houissant – 120 000 b ; Château Tour Pomys – 72 000 b ;
Encépagement : 60 % merlot, 30 % cabernet sauvignon, 10 % petit verdot
Densité de plantation : 6 000 pieds/ha – *Age moyen des vignes :* 30 ans
Rendement moyen : 55 hl/ha

Élevage :
fermentations et cuvaisons de 28-30 jours en cuves ;
vieillissement de 12 mois à parts égales en fûts (pas de bois neuf) et en cuves

---

A maturité : dans les 3 à 8 ans suivant le millésime

La demi-douzaine de millésimes que je connais de cette propriété ne m'a jamais impressionné. Les vins sont généralement austères, très tanniques, et manquent de tenue.

LAFFITTE-CARCASSET – BON

Cru bourgeois – devrait être maintenu
Propriétaire : Philippe de Padirac
Adresse : 33180 Saint-Estèphe
Tél. 05 56 59 34 32 – Fax 05 56 59 35 75
Visites : tous les jours de la semaine (8 h-12 h et 14 h-18 h)
Contact : Constance de Padirac

Superficie : 20,2 ha (Saint-Estèphe)
Vin produit : Château Laffitte-Carcasset – 100 000 b (pas de second vin)
Encépagement : 74 % cabernet sauvignon, 25 % merlot, 1 % petit verdot
Age moyen des vignes : 35 ans

Élevage : fermentation de 20-28 jours en cuves ;
vieillissement de 12-18 mois en fûts neufs

A maturité : dans les 5 à 8 ans suivant le millésime

Je connais mal les vins de cette propriété, mais les millésimes que j'ai goûtés (1982, 1985, 1986 et 1988) m'ont semblé issus d'une vinification privilégiant l'élégance et la finesse. Plutôt légers, mais savoureux et harmonieux, ils sont dépourvus de ces tannins rugueux et parfois excessifs qui caractérisent certains Saint-Estèphe. Les vins de Laffitte-Carcasset sont à leur meilleur niveau dans les 7 à 8 ans du millésime. Le vignoble est excellemment situé sur des hauteurs à l'extrême nord de l'appellation.

LAVILLOTTE – BON

Cru bourgeois – équivaut à un cru grand bourgeois exceptionnel ou à un 5e cru classé
Propriétaire : Jacques Pedro
Adresse : 33180 Saint-Estèphe
Tél. 05 56 41 98 17 – Fax 05 56 41 98 89
Adresse postale : SCEA des Domaines Pedro
Château Le Meynieu – 33180 Vertheuil
Visites : sur rendez-vous uniquement
Contacts : Jacques Pedro et Frank Maroszak

Superficie : 12 ha (Saint-Estèphe)
Vins produits : Château Lavillotte – 60 000 b ; Château Aillan – 24 000 b
Encépagement : 75 % cabernet sauvignon, 25 % merlot
Densité de plantation : 7 500 pieds/ha – *Age moyen des vignes :* 30 ans
Rendement moyen : 53 hl/ha

Élevage :
fermentations et cuvaisons de 21 jours ;
vieillissement de 16-20 mois en fûts de 2 vins ;
collage au blanc d'œuf ; pas de filtration

A maturité : dans les 8 à 15 ans suivant le millésime

Lorsque Jacques Pedro, l'actuel propriétaire, acheta Lavillotte, en 1962, la propriété était en piteux état. Rapatrié d'Algérie, ce viticulteur est partisan de marier la technique la plus moderne au respect scrupuleux de la tradition. C'est ainsi qu'il vendange à la machine, mais que sa cuvaison ne dure pas moins de 3 semaines ; le vin est vieilli en fûts de chêne de 2 ans provenant du Château Latour ; il est collé au blanc d'œuf, mais jamais filtré. A en juger par les seuls millésimes que j'aie goûtés (1982, 1985, 1986, 1989), les vins de la propriété sont remarquablement concentrés et corsés, avec tout ce qu'il faut de parfums, de richesse et de complexité. Les millésimes mentionnés ci-dessus sont tous capables de bien évoluer sur une décennie. Il me semble qu'il s'agit là d'une fort bonne maison pour ceux qui aiment les Saint-Estèphe.

MARBUZET

Cru grand bourgeois exceptionnel
équivaut à un cru bourgeois
Propriétaires : groupe Bernard Taillan
et Cavas Santa Maria SA
Adresse : 33180 Saint-Estèphe
Tél. 05 56 73 15 50 – Fax 05 56 59 72 59
Visites : non autorisées

Superficie : 7 ha (Saint-Estèphe)
Vin produit : Château Marbuzet – 60 000 b (pas de second vin)
Encépagement : 60 % cabernet sauvignon, 40 % merlot
Densité de plantation : 9 000 pieds/ha – *Age moyen des vignes :* 20 ans
Rendement moyen : 60 hl/ha

Élevage :
vendanges manuelles ; fermentations et cuvaisons de 21 jours environ en cuves ;
vieillissement après les malolactiques de 12 mois en fûts de 1 vin ;
collage et filtration

A maturité : dans les 2 à 8 ans suivant le millésime

Si je devais désigner la propriété la plus idéalement placée du Médoc, je me prononcerais pour ce délicieux château situé face à la Gironde, doté de superbes terrasses et de jardins de rêve, et qui ressemble étrangement à la Maison-Blanche, à Washington.

Propriété de la famille Prats jusqu'en 1998, ce minuscule vignoble a été racheté récemment, en même temps que Cos d'Estournel, par le Groupe Bernard Taillan et par Cavas Santa Maria SA. Cependant, les anciens propriétaires ont conservé le château lui-même.

Le Château Marbuzet, dont le nom recouvrait auparavant le second vin de Cos d'Estournel, a retrouvé son identité et procède désormais à une mise en bouteille à la propriété. Ce cru se veut doux, souple et prêt à boire avant 7 ou 8 ans d'âge. Je pense que sa qualité s'améliorera, maintenant qu'il ne s'agit plus d'un second vin.

PETIT BOCQ – BON

Cru bourgeois – équivaut à un cru grand bourgeois exceptionnel ou à un 5e cru classé
Propriétaire : SCEA Lagneaux-Blaton
Adresse : 3, rue de la Croix-de-Pez
BP 33 – 33180 Saint-Estèphe
Tél. 05 56 59 35 69 – Fax 05 56 59 32 11
Visites : sur rendez-vous uniquement
Contact : Dr G. Lagneaux

Superficie : 12 ha (Marbuzet – Saint-Estèphe – Blanquet – Leyssac – Pez)
Vin produit : Château Petit Bocq – 80 000 b (pas de second vin)
Encépagement : 65 % merlot, 30 % cabernet sauvignon, 5 % cabernet franc
Densité de plantation : 8 500-10 000 pieds/ha – *Age moyen des vignes :* 35 ans
Rendement moyen : 55 hl/ha

Élevage : cuvaisons de 21-28 jours en cuves d'acier inoxydable thermorégulées ; vieillissement de 12 mois en fûts (33-50 % de bois neuf) ; collage ; pas de filtration

---

A maturité : dans les 3 à 12 ans suivant le millésime

Ce vin remarquable, comportant une plus forte proportion de merlot que n'importe quel autre Saint-Estèphe, est malheureusement assez rare. M. Souquet, l'ancien propriétaire, digne représentant d'une vraie famille de vignerons, a élaboré l'un des vins les plus charmeurs de l'appellation. Les 1982, 1985 et 1989 débordent d'arômes pleins et explosifs de fruits noirs, et révèlent une texture épaisse et juteuse en bouche. Leur qualité me laisse songeur quant au peu de réputation dont la propriété jouit auprès des amateurs. Bien que le haut pourcentage de merlot laisse croire que les crus de Petit Bocq ne vieillissent pas bien, le 1982 était toujours en pleine forme et capable d'une garde supplémentaire d'une décennie lors d'une dégustation en 1989. Cette propriété mériterait sans nul doute d'être mieux connue, bien que le volume produit soit très faible.

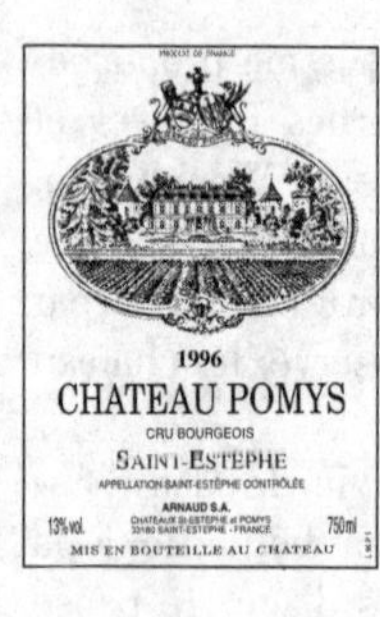

POMYS

Cru bourgeois – devrait être maintenu
Propriétaire : GFA Arnaud
Adresse : Leyssac – 33180 Saint-Estèphe
Tél. 05 56 59 32 26 – Fax 05 56 59 35 24
Visites : du lundi au vendredi
(9 h-12 h et 14 h-17 h)
Contact : Geneviève Rechaudiat

Superficie : 13 ha (Saint-Estèphe)
Vin produit : Château Pomys – 70 000 b (pas de second vin)
Encépagement : 50 % cabernet sauvignon, 35 % merlot, 15 % cabernet franc
Densité de plantation : 6 000 pieds/ha – *Age moyen des vignes :* 25 ans
Rendement moyen : 50 hl/ha

Élevage :
fermentations et cuvaisons de 20 jours en cuves d'acier inoxydable thermorégulées ; vieillissement de 15-18 mois en fûts (30 % de bois neuf) ; collage ; pas de filtration

A maturité : dans les 4 à 12 ans suivant le millésime

La propriété produit également 70 000 bouteilles d'un Château Saint-Estèphe, élaboré sur une propriété distincte (11 ha de vignes) et selon les mêmes méthodes que le Château Pomys.

LES PRADINES

Non classé – équivaut à un cru bourgeois
Propriétaire : SCA des Vignobles Gradit
Adresse : 33180 Saint-Estèphe
Tél. 05 56 73 35 30 – Fax 05 56 59 70 89
Visites : du lundi au samedi (8 h 30-12 h et 14 h-19 h)
Contact : Stéphane Dief

Superficie : 13,8 ha
Vin produit : Château Les Pradines – 110 000 b (pas de second vin)
Encépagement : 60 % cabernet sauvignon, 30 % merlot, 10 % cabernet franc et petit verdot
Densité de plantation : 8 000 pieds/ha – *Age moyen des vignes :* 25-30 ans
Rendement moyen : 60 hl/ha

Élevage : fermentations de 5-10 jours et cuvaisons de 18-30 jours en cuves ; vieillissement de 18 mois en cuves ; collage ; légère filtration

A maturité : dans les 3 à 7 ans suivant le millésime

Ce vin produit et mis en bouteille à la Cave coopérative de Saint-Estèphe est caractéristique de l'appellation. Franc et rugueux, il manque trop souvent de charme et de fruit, mais est proposé à un prix raisonnable.

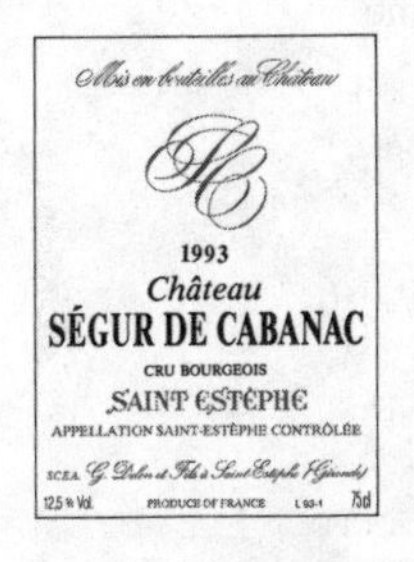

SÉGUR DE CABANAC

Cru bourgeois – devrait être maintenu
Propriétaire : Guy Delon
Adresse : SCEA Guy Delon et Fils
33180 Saint-Estèphe
Tél. 05 56 59 70 10 – Fax 05 56 59 73 94
Visites : sur rendez-vous uniquement
Contact : Guy Delon

Superficie : 6,25 ha (Saint-Estèphe)
Vin produit : Château Ségur de Cabanac – 35 000 b (pas de second vin)

Encépagement :
60 % cabernet sauvignon, 30 % merlot, 5 % cabernet franc, 5 % petit verdot
Densité de plantation : 8 500 pieds/ha – *Age moyen des vignes :* 25 ans
Rendement moyen : 50 hl/ha

Élevage :
vendanges manuelles ; fermentations et cuvaisons de 21 jours
en cuves d'acier inoxydable thermorégulées ; fréquents remontages ;
vieillissement de 20 mois en fûts (30 % de bois neuf) ; 7 soutirages ;
collage au blanc d'œuf ; pas de filtration

A maturité : dans les 4 à 12 ans suivant le millésime

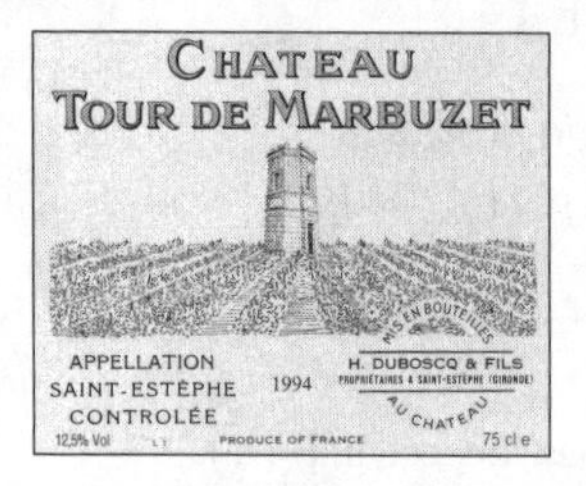

TOUR DE MARBUZET

Cru bourgeois – devrait être maintenu
Propriétaire : Henri Duboscq et Fils
Adresse : 33180 Saint-Estèphe
Tél. 05 56 59 30 54 – Fax 05 56 50 70 87
Visites : du lundi au samedi (8 h-12 h et 14 h-18 h)
Contact : Henri Duboscq

Superficie : 7 ha (Saint-Estèphe)
Vin produit : Château Tour de Marbuzet – 45 000 b (pas de second vin)
Encépagement : 40 % cabernet sauvignon, 40 % merlot, 20 % cabernet franc
Densité de plantation : 8 300 pieds/ha – *Age moyen des vignes :* 25 ans
Rendement moyen : 45 hl/ha

Élevage :
vendanges manuelles ; éraflage total ; fermentations et cuvaisons de 18-20 jours
en cuves thermorégulées ; remontages quotidiens ;
vieillissement de 20 mois en fûts neufs pour 25 % de la récolte,
en cuves de bois pour le reste ;
soutirage trimestriel ;
mise en bouteille manuelle, par gravité ; collage ; pas de filtration

---

A maturité : dans les 4 à 12 ans suivant le millésime

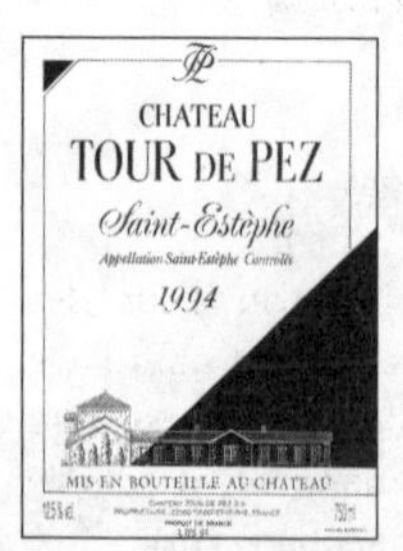

TOUR DE PEZ

Cru bourgeois – devrait être maintenu
Propriétaire : Château Tour de Pez SA
Directeur : Henry Duhayot
Adresse : « L'Héreteyre » – 33180 Saint-Estèphe
Tél. 05 56 59 31 60 – Fax 05 56 59 71 12
Visites : sur rendez-vous uniquement
Contacts : Francis Bellet et Franck Duprat

Superficie : 29,5 ha (Saint-Estèphe)
Vins produits :
Château Tour de Pez – 80 000 b ; Château Les Hauts de Pez – 120 000 b
Encépagement : 45 % cabernet sauvignon, 40 % merlot,
10 % cabernet franc, 5 % petit verdot
Densité de plantation : 8 000 pieds/ha – *Age moyen des vignes :* 25 ans
Rendement moyen : 50 hl/ha

Élevage :
vendanges manuelles avec double tri dans le vignoble et à la cuverie ;
éraflage total ;
fermentations et cuvaisons de 21-28 jours
en cuves d'acier inoxydable thermorégulées à 30-31 °C maximum ;
vieillissement de 15 mois en fûts (50 % de bois neuf) ;
collage ; pas de filtration

A maturité : dans les 4 à 12 ans suivant le millésime

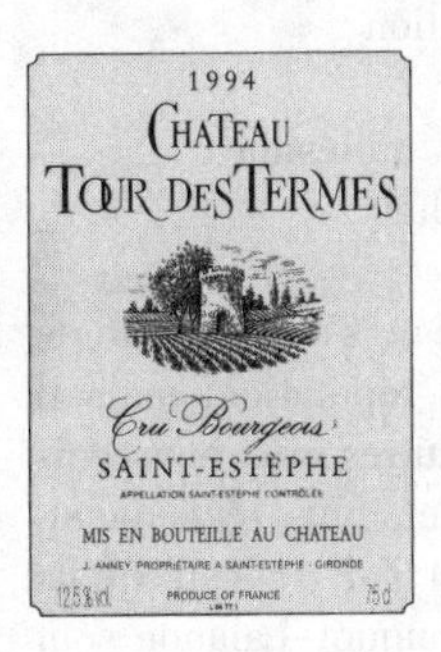

TOUR DES TERMES

Cru bourgeois – devrait être maintenu
Propriétaire : Jean Anney
Adresse : Vignoble Anney – 33180 Saint-Estèphe
Tél. 05 56 59 32 89 – Fax 05 56 59 73 74
Visites : du lundi au vendredi
(8 h-12 h 30 et 14 h-17 h)
Contacts : Jean et Christophe Anney

Superficie :
15 ha (Saint-Estèphe, près du village de Saint-Corbian)
Vins produits : Château Tour des Termes – 90 000 b ;
Les Aubarèdes du Château Tour des Termes – 30 000 b
Encépagement : 50 % merlot, 45 % cabernet sauvignon, 5 % petit verdot
Densité de plantation : 6 665 pieds/ha – *Age moyen des vignes :* 30 ans
Rendement moyen : 50 hl/ha

Élevage :
vendanges manuelles ; fermentations et cuvaisons de 25-28 jours
en cuves d'acier inoxydable thermorégulées ; fréquents remontages ;
vieillissement de 12-15 mois en fûts (30 % de bois neuf) ;
collage ; pas de filtration

A maturité : dans les 4 à 12 ans suivant le millésime

Note : la propriété produit également une cuvée spéciale appelée Château Tour des Termes Collection Prestige. Provenant d'une parcelle de vieilles vignes de 40 ans d'âge située sur un sous-sol graveleux, ce vin essentiellement composé de merlot est issu d'une vinification traditionnelle et vieillit 15 mois en fûts de chêne. Cependant, il achève ses fermentations malolactiques en fûts.

TRONQUOY-LALANDE – BON

Cru bourgeois – devrait être maintenu
Propriétaire : Arlette Castéja-Texier
Adresse : 33180 Saint-Estèphe
Tél. 05 56 59 30 24
Visites : sur rendez-vous uniquement
Contacts : Arlette Castéja-Texier

Superficie : 17 ha (Saint-Estèphe)
Vins produits : Château Tronquoy-Lalande – 85 000 b ;
Château Tronquoy de Sainte-Anne – 30 000 b
Encépagement : 45 % cabernet sauvignon, 45 % merlot, 10 % petit verdot
Densité de plantation : 8 500 pieds/ha – *Age moyen des vignes :* 25 ans
Rendement moyen : 54 hl/ha

Élevage :
vendanges manuelles ; fermentations et cuvaisons
(par cépage et par parcelle) de 20-30 jours selon la qualité des tannins ;
vieillissement en fûts neufs ; collage ; pas de filtration

A maturité : depuis 1982, dans les 5 à 10 ans suivant le millésime ;
auparavant, Tronquoy-Lalande était très lent à évoluer

Tronquoy-Lalande est une fort ancienne propriété, dont le château s'enorgueillit de deux tours jumelles. Il y a un siècle, le vin jouissait d'une belle réputation, mais il l'a perdue en raison des remarquables performances réalisées par d'autres crus bourgeois de Saint-Estèphe, tels Meyney, Haut-Marbuzet, Les Ormes de Pez et, plus récemment, Phélan Ségur. J'ai suivi tous les millésimes depuis les années 70, et j'ai constaté qu'ils étaient nettement irréguliers. A leur meilleur niveau, les vins de Tronquoy-Lalande sont profondément colorés, énormes et presque rustiques, avec de très caractéristiques arômes de terre. Ils sont distribués en exclusivité par la maison de négoce Dourthe. Le meilleur millésime récent est le 1989, tout de noir vêtu, dense et extrêmement mûr.

VALROSE

Non classé – équivaut à un cru bourgeois
Propriétaires : Jean-Louis et Chantal Audoin (depuis 1986)
Adresse : 7, rue Michel-Audoy – 33180 Saint-Estèphe
Tél. 05 56 59 72 02 – Fax 05 56 59 39 31
Visites : tous les jours en été (9 h-12 h et 14 h-19 h),
sur rendez-vous uniquement le reste de l'année
Contacts : Jean-Louis et Chantal Audoin

Superficie : 5 ha (Saint-Estèphe)
Vins produits : Château Valrose – 24 000 b ; La Rose Blanquet – 12 000 b
Encépagement :
43 % cabernet sauvignon, 33 % merlot, 23 % cabernet franc, 1 % petit verdot
Densité de plantation : 7 500 pieds/ha – *Age moyen des vignes :* 25 ans

Rendement moyen : 56 hl/ha

Élevage :
vendanges manuelles ; fermentations et cuvaisons de 10-20 jours
en cuves de bois et d'acier inoxydable ;
2 remontages quotidiens ;
vieillissement de 18 mois en fûts (40 % de bois neuf) ; collage et filtration

---

A maturité : dans les 4 à 12 ans suivant le millésime

Note : Valrose fut la première propriété de Saint-Estèphe à vendanger selon la méthode champenoise, avec double tri – à la vigne, puis à la cuverie.

VIEUX COUTELIN

Non classé – équivaut à un cru bourgeois
Propriétaire : Vignobles Rocher Cap de Rive SA
Adresse : 33180 Saint-Estèphe
Adresse postale : BP 89 – 33350 Saint-Magne-de-Castillon
Tél. 05 57 40 08 88 – Fax 05 57 40 19 93
Visites : sur rendez-vous uniquement
Contact : Isabelle Teles Pinto

Superficie : 6 ha (Saint-Estèphe)
Vins produits : Château Vieux Coutelin – 36 000 b ; Chevalier Coutelin – 14 000 b
Encépagement : 70 % cabernet sauvignon, 25 % merlot, 5 % petit verdot
Densité de plantation : 7 500 pieds/ha – *Age moyen des vignes :* 20 ans
Rendement moyen : 59 hl/ha

Élevage :
vieillissement de 18 mois en cuves d'acier inoxydable et en fûts
(20 % de bois neuf) ; collage et filtration

A maturité : dans les 4 à 12 ans suivant le millésime

PAUILLAC

Pauillac est sans doute l'appellation la plus célèbre du Haut-Médoc et du Bordelais. Si le nom de Margaux, qui est aussi celui d'un illustre premier cru, est plus romantique et plus poétique, c'est pourtant dans le vignoble de Pauillac que l'on retrouve trois des quatre premiers crus du Médoc. Le trio fabuleux, légendaire et cousu d'or – Lafite Rothschild, Mouton Rothschild et Latour – se trouve en effet sur cette commune, et il est formidablement épaulé par une pléthore de vins, dont quelques-uns sont remarquables, d'autres terriblement surévalués, d'autres encore ignorés ou méconnus. Le classement de 1855 comptait dix-huit vins de Pauillac, et, à l'heure actuelle, seuls deux ou trois châteaux verraient leur classement remis en cause si l'on procédait à un examen sérieux et indépendant de leur production.

Un Pauillac classique est généralement corsé et riche, avec de caractéristiques arômes de cassis et de cèdre, et un excellent potentiel de garde. Puisque pratiquement toute la superficie de l'appellation (1 200 ha) est occupée par les dix-huit crus classés, on trouve beaucoup moins de crus bourgeois à Pauillac que dans une commune comme Saint-Estèphe. Cependant, les vins y présentent une grande diversité de styles. L'illustration en est donnée par les trois premiers crus, qui révèlent de notables différences. Certes, ils sont issus des mêmes sols graveleux qui réfléchissent la chaleur solaire et permettent un excellent drainage. Cependant, le vignoble de Lafite Rothschild, situé tout au nord de la commune, près de Saint-Estèphe, repose sur un socle calcaire qui donne à ses vins des arômes de bois de cèdre ; mais il ne peut que rarement égaler Mouton Rothschild pour ce qui concerne l'opulence et la puissance, ou Latour pour ce qui est de la régularité. En dehors des premiers crus de Pauillac, on retrouve la légèreté et les parfums de Lafite, mais à un niveau un peu inférieur, dans un vin comme Haut-Batailley, moyennement corsé et soyeux.

Mouton Rothschild se situe sur une croupe graveleuse, au nord de Pauillac. Le sol comporte aussi du grès, et l'encépagement comprend une proportion étonnamment élevée de cabernet sauvignon. Dans de bonnes conditions, ces facteurs permettent de produire le vin le plus sensuellement riche, charnu et exotique non seulement de Pauillac, mais de tout le Médoc. Sous bien des aspects, le vin de Mouton reflète la personnalité de l'ancien propriétaire, le baron Philippe de Rothschild (décédé en 1988), qui fut un

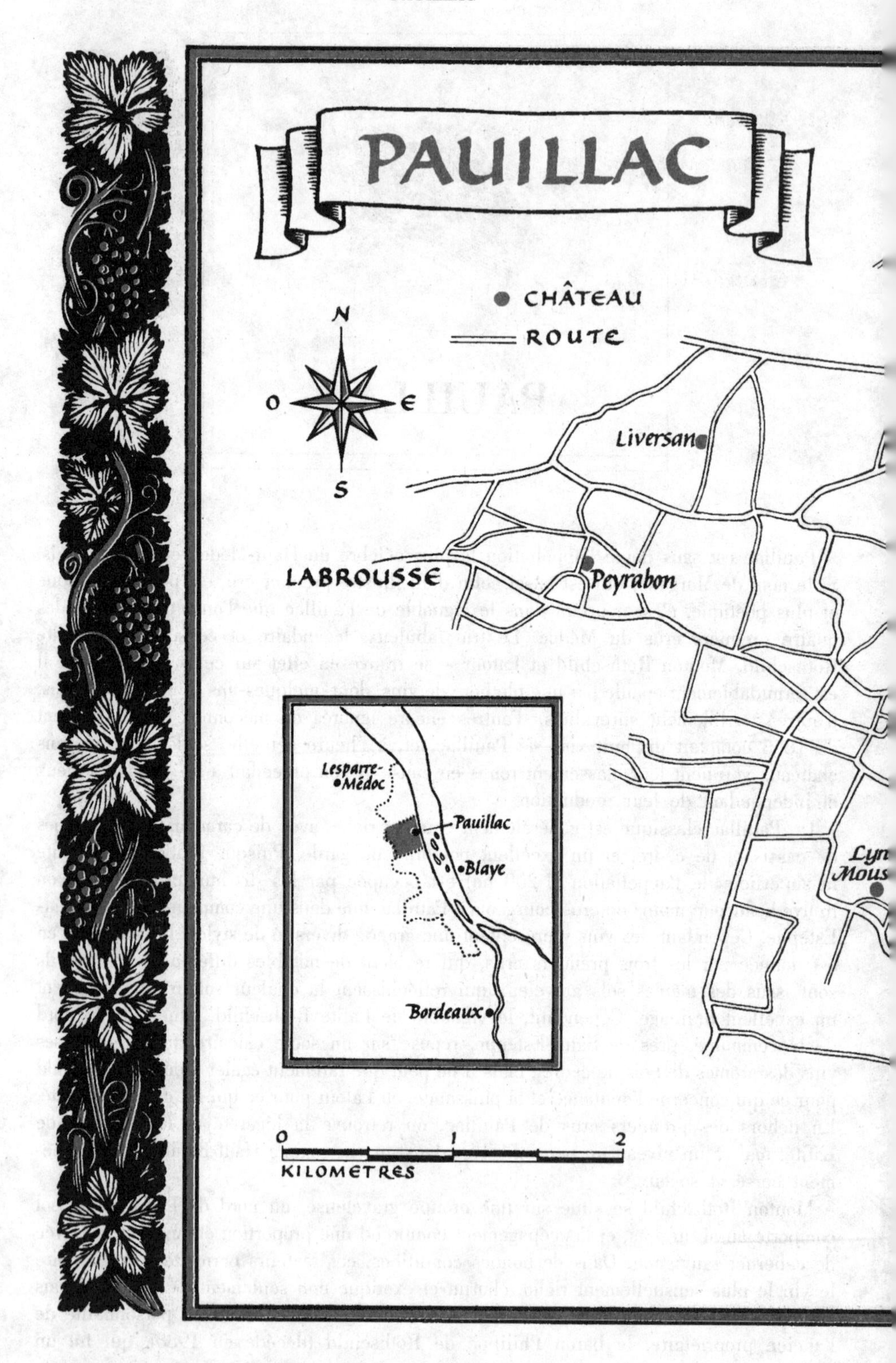
PAUILLAC
CHÂTEAU
ROUTE
N
O
E
S
Liversan
LABROUSSE
Peyrabon
Lesparre-Médoc
Pauillac
Blaye
Bordeaux
0
1
2
KILOMETRES

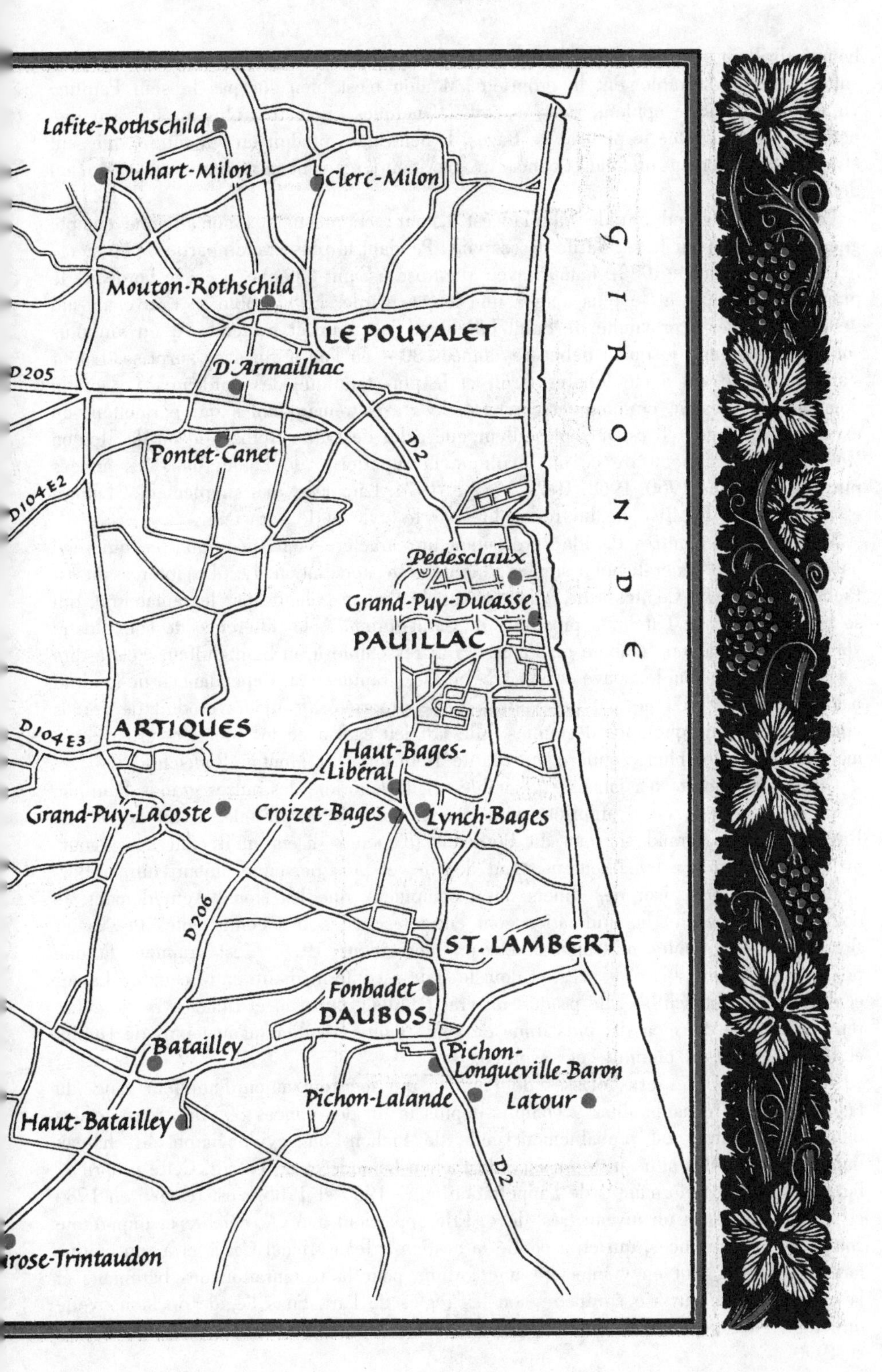
Lafite-Rothschild
Duhart-Milon
Clerc-Milon
Mouton-Rothschild
LE POUYALET
D205
D'Armailhac
GIRONDE
D2
Pontet-Canet
D104E2
Pédesclaux
Grand-Puy-Ducasse
PAUILLAC
D104E3
ARTIQUES
Haut-Bages-Libéral
Grand-Puy-Lacoste
Croizet-Bages
Lynch-Bages
D206
ST. LAMBERT
Fonbadet
DAUBOS
Batailley
Pichon-Longueville-Baron
Pichon-Lalande
Latour
Haut-Batailley
D2
rose-Trintaudon

homme brillant et plein d'audace. Sa fille Philippine, au caractère affirmé, a pris sa suite et gère admirablement la propriété. Mouton n'est bien sûr pas le seul Pauillac vinifié dans ce style opulent, riche et étoffé. Quelques kilomètres plus au sud, sur une petite hauteur appelée le plateau de Bages, Lynch-Bages produit un vin solide, qui peut être merveilleusement profond et concentré, méritant largement sa réputation de « Mouton du pauvre ».

Le troisième grand cru de Pauillac est Latour ; ce prestigieux domaine ne compte guère de rivaux pour la régularité de ses vins. Pendant la plus grande partie de ce siècle (c'est-à-dire jusqu'en 1983), Latour, avec Montrose à Saint-Estèphe, a été le bordeaux le plus lent à évoluer et le plus apte à une longue garde. Le vignoble se trouve au sud de la commune, à proximité de Saint-Julien, et l'on pourrait s'attendre à un vin plus souple ; cependant, jusqu'au début des années 80 – où l'on a vu, avec surprise, Latour s'arrondir –, le vin a été le plus tardif et le plus tannique des bordeaux. Le sol du domaine est presque entièrement composé de graves remarquables qui permettent un excellent drainage – il est même meilleur que celui de Lafite Rothschild ou de Mouton Rothschild. C'est peut-être ce qui explique la supériorité de Latour dans les années pluvieuses comme 1960, 1968, 1969, 1972 et 1974. Latour est tout simplement... Latour, et aucun vin à Pauillac ne lui ressemble par le style et le caractère.

Mais il existe d'autres Pauillac présentant un caractère bien spécifique, ce qui rend hasardeuse toute généralisation sur les vins de cette appellation. Le plus intéressant est Pichon-Longueville Comtesse de Lalande (appelé Pichon-Lalande par les amateurs), qui se trouve à côté de Latour, à proximité de Saint-Julien. A la différence de son illustre voisin, Pichon-Lalande élabore un Pauillac qui ressemble à un Saint-Julien, c'est-à-dire soyeux, gracieux, souple, suave et prêt à boire assez rapidement. Cependant, il ne faudrait pas en conclure qu'il ne sait pas vieillir. Cette propriété a toujours produit de grands vins, mais, depuis quelques décennies, elle fait jeu égal avec les premiers crus, en se montrant en outre plus régulière que Lafite Rothschild et Mouton Rothschild.

Grand-Puy-Lacoste n'a jamais eu, semble-t-il, la notoriété des autres grands Pauillac. Durant des années, cette propriété, située assez loin de la Gironde, a fait la joie de Raymond Dupin, grand gourmet du Bordelais (d'aucuns disent qu'il était aussi gourmand !). M. Dupin est malheureusement décédé, et plus personne aujourd'hui, à Bordeaux, ne sait organiser des dîners aussi somptueux que les siens. Actuellement, le domaine, les chais et la vinification sont entre les mains très compétentes de Xavier Borie, dont le premier millésime a été un merveilleux 1978. C'est vraiment là une propriété qu'il faut suivre de près, et dont le style est intermédiaire entre ceux de Latour et de Mouton Rothschild. Elle produit un vrai Pauillac, puissant et riche, avec de généreux arômes de doux cassis, plus franc de goût et plus régulier qu'au temps de Dupin, et toujours robuste, tannique et savoureux.

Nombreux sont les crus classés de Pauillac qui méritent aujourd'hui leur rang, du fait des progrès considérables accomplis depuis la fin des années 80. Une réussite des plus spectaculaires est probablement celle de Pichon-Longueville Baron, le château flanqué de tourelles situé juste en face de Pichon-Lalande et de Latour. Cette propriété, l'une des moins performantes de l'appellation entre 1960 et 1985, s'est révélée en 1986 et affiche désormais un niveau très élevé. Elle appartient à AXA, célèbre et importante compagnie d'assurances, qui en a confié la gestion à Jean-Michel Cazes et à son équipe fort compétente, tout en y injectant une fortune pour la restauration des bâtiments et la création d'une cuverie équipée selon les règles de l'art. Sous l'égide de la nouvelle direction, Pichon-Baron a produit quelques vins exceptionnels, dont les fabuleux 1989 et 1990.

Pontet-Canet, propriété de la famille Tesseron, a également accompli d'immenses progrès depuis le milieu des années 90. Son vignoble, énorme, mais relativement homogène, se trouve en face de Mouton Rothschild. Ceux qui ont eu la chance de déguster les extraordinaires 1929, 1945 et 1961 ont pu constater que, lorsqu'il est bien vinifié, ce cru mérite mieux que son classement actuel. Les Tesseron, qui doivent leur fortune et leur renommée au cognac, ont manifestement fait tout ce qu'il fallait pour que Pontet-Canet rejoigne l'élite de son appellation. Une sélection draconienne en 1994 donna l'une des plus belles réussites de la propriété en trois décennies. Le fabuleux 1995 et le puissant 1996 continuèrent sur cette lancée. Le château produit actuellement un Pauillac classique, véritable vin de garde (à l'opposé des crus souples et soyeux), qui constitue de surcroît une excellente affaire.

Batailley est l'un des Pauillac qui me semblent les plus difficiles à comprendre. Certes, la propriété est bien gérée par la famille Castéja, mais elle donne des vins sévères et austères, qui requièrent une garde d'une décennie pour développer quelque charme et se défaire de leurs abondants tannins. J'attribue souvent des notes un peu sévères à ce cru musclé et lent à évoluer, mais j'ai remarqué que les millésimes récents offraient un fruité plus doux et plus mûr. C'est un autre Pauillac classique et traditionnel, qui demande incontestablement de la patience. Il est encore sous-coté au regard de son potentiel à long terme.

Homonyme partiel de Batailley, mais d'un style diamétralement opposé, Haut-Batailley se révèle tout à la fois soyeux, souple, richement fruité et séduisant. Sans atteindre des sommets de qualité, il est régulier à bon niveau et délicieux. Cette propriété demeure cependant dans l'ombre de Ducru-Beaucaillou (Saint-Julien) et de Grand-Puy-Lacoste, qui appartiennent également à la famille Borie.

Les amateurs recherchant un vin élaboré dans le style de Haut-Batailley, mais plus généreusement boisé, plus exotique et plus charnu, se tourneront vers Clerc Milon et D'Armailhac, deux belles réussites de Philippine de Rothschild. Ces deux crus précoces et richement fruités, que certains critiquent pour leur boisé agressif, voire excessif, ont aussi leurs admirateurs. Ils sont incontestablement intéressants, séduisants et parfumés.

Duhart-Milon est également une propriété qu'il convient de suivre de près. Vinifié par l'équipe technique de Lafite Rothschild, il bénéficie, outre de vignobles bien situés, des importants investissements financiers de la famille Rothschild et s'est nettement amélioré ces dernières années. Il semble désormais en mesure de proposer régulièrement des Pauillac classiques, élégants et capables d'une longue garde.

Haut-Bages Libéral est assez peu connu, mais c'est l'un des achats les plus fiables que j'aie faits dans les années 80. Ce cru, que j'appelais alors le « Lynch-Bages du pauvre » en raison de son prix raisonnable, se distinguait par ses généreux arômes de cèdre, de cassis et d'autres fruits confiturés, et par son caractère gras et trapu. Malheureusement, il s'est révélé des plus irréguliers dans les années 90, et il est difficile, à l'heure actuelle, de prédire son évolution.

A cause de ses trois premiers crus et de ses nombreux autres crus classés de qualité, Pauillac semble bénéficier d'une certaine préséance dans l'esprit des amateurs, par rapport aux autres appellations du Médoc. Certains disent même que c'est Pauillac qui donne à un millésime son image publique et commerciale. Et, bien qu'il ne faille pas être expéditif en la matière, il est indubitable que la qualité de la vinification dans l'appellation est nettement supérieure aujourd'hui qu'au moment de la première édition de cet ouvrage.

Avec ses sols bien drainés, Pauillac atteint des sommets les années chaudes et sèches. Bien entendu, et à Pauillac plus que dans toute autre appellation (à l'exception de

Margaux), la qualité de la récolte de cabernet sauvignon est déterminante. En effet, pour la plupart des domaines, ce cépage représente au moins les deux tiers du vignoble ; s'il n'arrive pas à parfaite maturité, les vins s'en ressentent, bien évidemment.

Dans la décennie 80, qui fut l'âge d'or du Bordelais, ce fut peut-être l'appellation la plus favorisée d'entre toutes. Après un bon millésime 1981, 1982 se révéla fabuleux – la meilleure année, même, pour l'appellation depuis 1961. L'année 1983 fut bonne, malgré des irrégularités dues à des rendements trop importants, et la suivante se révéla médiocre, comme pour tout le Bordelais. Le millésime 1985 est surestimé, mais certainement très bon, et 1986 s'est affirmé excellent, avec de véritables vins de garde, profonds, riches et tanniques. 1988 est d'un très bon niveau, et 1989 très irrégulier et surestimé.

Les années 90 ont été moins favorables pour la commune, comme pour toute la région du Bordelais, mais 1990 fut un millésime extraordinaire pour les premiers crus, en particulier pour Latour et Lafite Rothschild. Mouton Rothschild est, en revanche, assez décevant cette année-là. Parmi les meilleurs crus de Pauillac, le Pichon-Comtesse 1990 n'est pas à la hauteur de ce qu'on pouvait espérer, mais Pichon-Baron, Lynch-Bages et Grand-Puy-Lacoste sont tous trois fabuleux. Dans la décennie 90, 1995 et 1996 s'imposent comme d'excellentes années, régulières à haut niveau. Les 1995 sont plus souples et plus charmeurs, et les prodigieux 1996 sont incontestablement puissants, dotés d'une structure immense et d'un très grand potentiel de garde. Bref, les Pauillac 1996 sont exceptionnels et rivalisent avec ceux de 1990 et 1982.

PAUILLAC – REPÈRES

Situation : sur la rive gauche de la Gironde, à environ 35 km de Bordeaux. Pauillac est bordé au nord par Saint-Estèphe et au sud par Saint-Julien.
Superficie sous culture de vigne : 1 200 ha.
Commune : Pauillac.
Production annuelle moyenne : 7 700 000 bouteilles.
Crus classés : 18 au total, dont 3 premiers crus, 2 deuxièmes crus, 1 quatrième cru, 12 cinquièmes crus. L'appellation compte également 16 crus bourgeois.
Principaux cépages : cabernet sauvignon, suivi du merlot. Le cabernet franc et le petit verdot sont utilisés dans une proportion moindre.
Principaux types de sol : graves profondes en bordure du fleuve. A l'intérieur des terres, on trouve généralement des graves mêlées de calcaire et de grès.

AVIS AUX AMATEURS

Niveau général de l'appellation : excellent à exceptionnel.
Les plus aptes à une longue garde : Batailley, Grand-Puy-Lacoste, Lafite Rothschild, Latour, Lynch-Bages, Mouton Rothschild, Pichon-Longueville Baron, Pontet-Canet.
Les plus élégants : Duhart-Milon, Grand-Puy Ducasse, Haut-Batailley, Lafite Rothschild, Pichon-Longueville Comtesse de Lalande.
Les plus concentrés : Grand-Puy-Lacoste, Latour, Lynch-Bages, Pichon-Longueville Baron, Pichon-Longueville Comtesse de Lalande, Pontet-Canet (depuis 1994).

Le meilleur rapport qualité/prix : **Grand-Puy Ducasse, Grand-Puy-Lacoste, Pontet-Canet.**
Les plus exotiques : **Clerc Milon, Mouton Rothschild, Pichon-Longueville Comtesse de Lalande.**
Les plus secrets (dans leur jeunesse) : **Batailley, Lafite Rothschild.**
Les plus sous-estimés : **Grand-Puy-Lacoste, Pontet-Canet (depuis 1994).**
Les plus accessibles dans leur jeunesse : **D'Armailhac, Clerc Milon, Grand-Puy Ducasse, Haut-Batailley, Pichon-Longueville Comtesse de Lalande.**
Les étoiles montantes : **Pontet-Canet.**
Meilleurs millésimes récents : **1996, 1995, 1990, 1986, 1982, 1970, 1967, 1961, 1959.**

MON CLASSEMENT

EXCEPTIONNEL

Lafite Rothschild
Latour
Mouton Rothschild
Pichon-Longueville Comtesse de Lalande

EXCELLENT

Grand-Puy-Lacoste
Lynch-Bages
Pichon-Longueville Baron
Pontet-Canet (depuis 1994)

TRÈS BON

Duhart-Milon
Les Forts de Latour
Haut-Batailley

BON

D'Armailhac
(appelé Mouton Baronne Philippe entre 1956 et 1989)
Batailley
Clerc Milon
Grand-Puy Ducasse

AUTRES PROPRIÉTÉS NOTABLES DE PAUILLAC

La Bécasse, Bellegrave, Bernadotte, Carruades de Lafite, Colombier-Monpelou, La Couronne, Croizet-Bages, La Fleur Milon, Fonbadet, Gaudin, Haut-Bages Libéral, Haut-Bages Monpelou, Lynch-Moussas, Pédesclaux, Pibran, Plantey, La Rose Pauillac

COMMENTAIRES DE DÉGUSTATION

D'ARMAILHAC (MOUTON BARONNE PHILIPPE) – BON

5e cru classé en 1855 – devrait être maintenu
Propriétaire : Baronne Philippine de Rothschild GFA
Adresse : 33250 Pauillac
Adresse postale : Baron Philippe de Rothschild SA
BP 117 – 33250 Pauillac
Tél. 05 56 73 20 20 – Fax 05 56 73 20 44
Visites : non autorisées

Superficie : 50 ha (Pouyalet – Pauillac)

Vin produit : Château d'Armailhac – 265 000 b (pas de second vin)
Encépagement : 50 % cabernet sauvignon, 25 % merlot,
23 % cabernet franc, 2 % petit verdot
Densité de plantation : 8 500 pieds/ha – *Age moyen des vignes :* 35 ans
Rendement moyen : 45-50 hl/ha

Élevage :
fermentations de 21 jours environ à 25 °C en moyenne ;
vieillissement de 15-18 mois à compter du mois de décembre en fûts
(30 % de bois neuf) ;
collage ; pas de précisions sur la filtration

A maturité : dans les 5 à 14 ans suivant le millésime

D'Armailhac est encore le moins connu et, aux yeux des amateurs, le plus énigmatique des trois domaines de Pauillac du regretté baron Philippe de Rothschild. Il l'acheta en 1933, alors qu'il portait le nom de Mouton d'Armailhac. Il le baptisa Mouton Baron Philippe en 1956 et Mouton Baronne Philippe en 1975, en hommage à son épouse (qui devait décéder l'année suivante). Le château a repris le nom de D'Armailhac à compter du millésime 1989. Les chais se trouvent à proximité de Mouton Rothschild, et les vinificateurs Patrick Léon et Lucien Sionneau, qui opèrent dans ce dernier château et à Clerc Milon, supervisent aussi l'élaboration du Château d'Armailhac.

Malgré le grand âge des vignes, le vin est plutôt léger et évolue rapidement. Il est facilement distancé par ses deux frères pour la complexité, le caractère et la longévité. Cependant, on a pu observer une réelle tendance à l'amélioration. Sans doute la grande qualité du 1982 est-elle due au niveau général du millésime ; mais le très bon 1985 marque un redressement, que les années suivantes ont confirmé. Le 1989 et le 1995 sont sans doute les meilleurs millésimes récents de la propriété.

1998
•
87-89
Le D'Armailhac 1998 m'a stupéfait par sa souplesse et son gras. En effet, malgré sa structure, il laisse en bouche une impression de fruit mûr et savoureux. Composé à 42 % de cabernet sauvignon, à 36 % de merlot et à 22 % de cabernet franc, il présente, tant au nez qu'en bouche, des arômes de cèdre, de café et de cassis. Ce vin moyennement corsé et extrêmement concentré est plus persistant que la plupart de ses pairs. **A boire entre 2002 et 2016.** (3/99)

1997
•
87-89
Composé à 58 % de cabernet sauvignon, à 23 % de merlot et à 19 % de cabernet franc, l'excellent 1997 s'annonce par une robe dense de couleur pourpre qui introduit un ensemble faible en acidité et modérément tannique, regorgeant d'un généreux fruité de cassis. La finale est charnue et soyeuse. Ce vin opulent séduira incontestablement le plus grand nombre. **A boire jusqu'en 2010.** (1/99)

1996
•
87
Tout aussi réussi que le séduisant 1995, le 1996 de D'Armailhac arbore une robe d'un rubis soutenu et libère un doux nez d'herbes rôties et de cassis mâtiné de très opulentes notes de chêne grillé. Composé à 45 % de cabernet sauvignon, à 30 % de merlot et à 25 % de cabernet franc, ce vin moyennement corsé, élégant et richement fruité se révèle suffisamment tannique pour affronter une garde de 20 ans environ, mais c'est aussi l'un des Médoc de ce millésime que l'on pourra apprécier dès leur jeunesse. **A boire entre 2004 et 2018.** (1/99)

1995 • **89** Je le redis : ce 1995 est probablement le meilleur D'Armailhac que je connaisse. Composé pour moitié de cabernet sauvignon, à 18 % de cabernet franc et à 32 % de merlot, il est rubis-pourpre profond de robe, faible en acidité, avec d'abondants tannins doux. Il déploie, à la fois au nez et en bouche, un généreux fruité de cassis joliment rehaussé de judicieuses notes de chêne grillé. Très parfumé, rond, généreux et des plus charmeurs, il plaira certainement au plus grand nombre. **A boire jusqu'en 2012.** (11/97)

1994 • **86** Le 1994, élaboré dans un style plus séduisant et plus musclé que le 1993, présente, outre une robe de couleur rubis-pourpre foncé, un nez épicé de viande et de groseille marqué de notes de terre et de cèdre. Modérément tannique, bien gras et bien structuré, il pourra prétendre à une note plus élevée si ses tannins se fondent sans que son fruité se dessèche. **A boire entre 2006 et 2010.** (1/97)

1993 • **86** Le 1993 est un vin doux, poivré et herbacé, de couleur rubis foncé. Il révèle un excellent fruité et une texture souple, et se montre rond, agréable et accessible à la fois au nez et en bouche. Ce bon Pauillac, proposé à un prix raisonnable, sera parfait pour les restaurants, ainsi que pour les amateurs en quête d'un plaisir immédiat. **A boire dans les 5 à 8 ans.** (1/97)

1992 • **86** Le 1992 est plein de charme, bien évolué, avec un fruité riche. D'un rubis assez soutenu, il offre un nez épicé de noix grillée et de cassis confituré. L'attaque en bouche est luxuriante, avec un fruité velouté qui s'estompe rapidement. Ce vin est néanmoins pur, élégant et séduisant. **A boire dans les 4 à 5 ans.** (11/94)

1991 • **74** Le 1991 n'offre qu'un attrait superficiel : une fois que son nez doux et boisé est passé, il se montre maigre et anguleux, peu profond, avec une finale courte, tannique et dure, qui s'atténuera probablement avec le temps. **A boire d'ici 2000.** (1/94)

1990 • **85** Rubis-pourpre de robe, avec un nez expressif de noix fumée, de cassis, de fumé et de chocolat, le 1990 se montre velouté, rond et agréable en bouche, malgré son manque de structure et de persistance. Charmeur, mais moins concentré que le 1989, il doit être consommé **avant 2003.** (1/93)

1989 • **87** Le 1989 est considéré, au château, comme la plus belle réussite des trois dernières décennies (jusqu'au 1995). Bien évolué, ce vin au généreux fruité velouté manifeste une richesse crémeuse et déploie en bouche un alcool capiteux. La finale est opulente et bien glycérinée. **A boire jusqu'en 2000.** (1/93)

1988 • **84** Plus léger et plus compact que son cadet d'un an, le Mouton Baronne Philippe 1988 se montre dur et maigre, et finit court en bouche. **A consommer.** (1/93)

1987 • **77** D'un rubis assez léger, ce vin rond et plutôt aqueux présente un fruité doux et mûr, aux notes herbacées. **A boire dès maintenant**, sans cérémonie. (10/89)

1986 • **86** Moyennement corsé et séduisant par son caractère souple et riche, le Mouton Baronne Philippe 1986 se révèle précoce et plaisant pour le millésime. Il est bien marqué d'un doux boisé. **A boire jusqu'en 2002.** (9/90)

1985 • **86** Grâce aux efforts de l'administrateur, Philippe Cottin, et du vinificateur, Patrick Léon, le niveau de ce cru s'est nettement amélioré à compter de ce millésime. Le 1985 est un vin onctueux, gras et délicieux, avec un fruité riche et séduisant, un caractère précoce et une faible acidité. **A boire jusqu'en 2000.** (1/89)

1983 • **83** Quoique moins concentré et moins richement fruité que le 1982, le Mouton Baronne Philippe 1983 n'en demeure pas moins ample, étoffé, bien structuré et concentré. **A boire jusqu'en 2000.** (3/89)

1982 • **86** Bien que ce vin ne puisse évidemment pas être comparé à son légendaire jumeau de Mouton Rothschild, il n'en est pas moins très recommandable. Rubis foncé, avec un nez modérément intense de cèdre et de doux cassis, il se montre très corsé et d'une belle concentration en bouche, où il déploie, outre des tannins mûrs, mais poussiéreux, une excellente finale bien persistante. **A boire jusqu'en 2005.** (1/89)

1981 • **83** Ce vin rubis foncé, au nez serré et fermé de prune et de groseille, est modérément tannique et moyennement corsé en bouche. D'une belle persistance, il gratifie le palais d'un bon fruité mûr. Il ressemble fort à un Mouton Rothschild, mais en plus léger. **A consommer.** (12/84)

BATAILLEY – BON

5e cru classé en 1855 – devrait être maintenu
Propriétaires : héritiers Castéja
Adresse : 33250 Pauillac
Adresse postale : Domaines Borie-Manoux
86, cours Balguerie-Stuttenberg – 33082 Bordeaux
Tél. 05 56 00 00 70 – Fax 05 57 87 60 30
Visites : sur rendez-vous uniquement
Contact : Domaines Borie-Manoux

Superficie : 55 ha (Pauillac)
Vin produit : Château Batailley – 265 000 b (pas de second vin)
Encépagement : 70 % cabernet sauvignon, 25 % merlot,
3 % cabernet franc, 2 % petit verdot
Densité de plantation : 8 000 pieds/ha – *Age moyen des vignes :* 30 ans
Rendement moyen : 55 hl/ha

Élevage :
vendanges manuelles ; éraflage total ;
fermentations et cuvaisons de 21-28 jours
en cuves d'acier inoxydable thermorégulées ;
25 % de la récolte achève les malolactiques en fûts neufs, le reste en cuves ;
vieillissement de 12-16 mois en fûts (50 % de bois neuf) ;
collage au blanc d'œuf ; pas de filtration

A maturité : dans les 10 à 25 ans suivant le millésime

Batailley est un joli château, situé dans une petite clairière entourée de grands arbres et assez éloigné des rives de la Gironde. Ses vignobles, qui ont tous été classés en 1855, se trouvent entre ceux de Haut-Batailley (au sud) et de Grand-Puy-Lacoste (au nord). Le Britannique David Peppercorn a souvent souligné (et je l'approuve sur ce point) que cette propriété est peu connue et négligée parce que ses vins sont diffusés par le négociant Borie-Manoux, sans passer par les circuits commerciaux habituels du

Bordelais, où les amateurs auraient pu apprendre à les apprécier. Cela explique pourquoi leurs prix sont sous-évalués.

Depuis 1961, c'est Émile Castéja qui assure la direction du domaine : il a poursuivi la tradition en produisant des Pauillac « vieux style », solides, profondément colorés et quelque peu rustiques, qui ne se laissent guère approcher dans leur jeunesse. J'ai maintes fois répété que ces vins étaient aptes à une longue garde, sans toutefois se révéler véritablement passionnants, mais qu'ils étaient également fiables et d'un excellent rapport qualité/prix. Bien que je maintienne cette appréciation, je commence à penser que j'ai sous-estimé plusieurs millésimes. Les amateurs patients apprécieront sans aucun doute le potentiel de garde du Batailley – ainsi que son prix. Cependant, compte tenu des investissements effectués pour améliorer le niveau à partir de la fin des années 80, il est peu probable que ce vin puisse demeurer le moins cher des crus classés de Pauillac.

1997 • 87 On décèle dans le nez du 1997 des senteurs de cassis, ainsi que des notes de cèdre, de tabac et de terre. L'ensemble est assez structuré, mais plus évolué et plus souple que le 1996. Vous apprécierez ce vin moyennement corsé **avant qu'il n'ait 10 ans d'âge.** (1/99)

1996 • 83-85 Bien structuré et vinifié dans un style traditionnel, le 1996 de Batailley s'annonce par une robe dense de couleur rubis-pourpre, et libère, tant au nez qu'en bouche, des arômes de terre, de cèdre et de cassis. Moyennement corsé, il affiche une excellente tenue en milieu de bouche, se montre profond et déploie une finale modérément tannique, ferme, mais pure. Très bon, voire excellent, il tiendra parfaitement au moins 20 ans. **A boire entre 2003 et 2020.** (1/99)

1995 • 87 Le 1995 est bien fait. Arborant une robe rubis-pourpre foncé, il dégage au nez des arômes de cassis, de minéral, de chêne neuf et fumé, et présente en bouche, outre une belle précision et d'abondants tannins, un caractère moyennement corsé et peu évolué. Un véritable vin de garde. **A boire entre 2002 et 2015.** (1/97)

1994 • 85 Le 1994, qui arbore une séduisante robe rubis-pourpre tirant sur le noir, exhale un nez aux arômes de chêne neuf et de groseille douce. Moyennement corsé et d'une belle maturité, il est bon, bien fait et sans détour, mais manque de profondeur et de complexité. Il sera néanmoins agréable et facile à déguster ces **12 à 14 prochaines années.** (1/97)

1993 • 76 Pourpre foncé, le 1993 est desservi par des senteurs prononcées de légumes. Il est également maigre, dur et tannique, manquant de charme et de fruité. Il se conservera certes **20 ans encore**, mais qui cela intéresse-t-il ? (1/97)

1992 • 77 Cette propriété a tendance à produire des vins durs, à la texture rugueuse, destinés à une longue garde. Si cette démarche se révèle judicieuse dans la plupart des millésimes, elle ne permettait pas de faire des vins séduisants en 1992. Le Batailley de cette année se présente comme un vin moyennement corsé, alourdi par des tannins en excès pour son fruité fragile. Rugueux et dur, il se dessèchera bien avant que ses tannins ne se fondent. (11/94)

1990 • 86 La robe rubis moyennement foncé du Batailley 1990 précède un nez ouvert, parfumé, épicé et doux. En bouche, l'ensemble se révèle moins structuré et moins tannique que le 1989, mais il est plus rond, plus élégant et aussi plus charmeur – au moins pour l'instant. Serait-ce une répétition du 1962 ? **A boire jusqu'en 2010.** (1/93)

1989 • **87** Le 1989, qui traverse actuellement une période ingrate – il est dur, rugueux et tannique –, requiert de la patience. Il arbore une belle couleur rubis-pourpre, et son bouquet de chêne grillé et fumé, de cassis très mûr et de chocolat précède en bouche un ensemble moyennement corsé et richement extrait, doté de tannins féroces. Le tout est étayé par une heureuse acidité. C'est un vin ample, de style traditionnel. **A boire entre 2000 et 2018.** (1/93)

1988 • **85** Typique de la propriété, ce 1988 est austère, rugueux, fermé et difficilement accessible. Vêtu de rubis foncé, il présente un bouquet réticent aux notes de minéral, de cassis et de chêne. Moyennement corsé et extrêmement tannique, il doit être consommé **avant 2008.** (4/90)

1986 • **86** La note attribuée à ce vin pourrait paraître sévère, car Batailley se montre meilleur au terme d'une garde de 10 à 12 ans que pendant sa jeunesse. Composé à 70 % de cabernet sauvignon, à 20 % de merlot et pour le reste de petit verdot et de cabernet franc, ce 1986 arbore une robe rubis-pourpre profond et se montre moyennement corsé, mais aussi extrêmement dur et tannique en bouche. Il semble cependant receler la profondeur, la concentration et la richesse en extrait nécessaires pour contrebalancer son caractère tannique. **A boire entre 2000 et 2015.** (4/90)

1985 • **86** Comme on pouvait s'y attendre, le 1985 de Batailley présente le caractère mûr inhérent au millésime, mais également la fermeté et les tannins rugueux typiques du cru. Il est bien fait, discret et racé. **A boire jusqu'en 2005.** (4/90)

1984 • **82** Léger, avec des arômes modérément intenses de petits fruits, le Batailley 1984 est souple en bouche et marqué par un caractère végétal sous-jacent. L'ensemble est étayé par une faible acidité. **A consommer.** (3/88)

1982 • **87** Quoique doux, relativement gras et fruité, le 1982 de Batailley est dépourvu de la belle concentration des meilleurs crus du millésime. Cependant, il offre des arômes séveux de cassis joliment infusés de chêne vanillé, et ses tannins modérés se sont faits plus présents vers la fin des années 80, laissant deviner un potentiel de garde plus important que je ne l'avais d'abord imaginé. **A boire jusqu'en 2010.** (1/90)

1980 • **67** Léger, maigre et dépourvu de fruit, ce vin creux et court en bouche n'est manifestement pas une réussite de ce millésime médiocre. **A consommer – peut-être en déclin.** (3/83)

1979 • **83** Outre une belle robe rubis foncé et un bouquet naissant de cassis, de boisé et de terre, le Batailley 1979 présente un caractère épicé et compact. Ses tannins agressifs et durs ont commencé à se fondre dans l'ensemble, et il promet de tenir plusieurs années encore. Cependant, il ne se révélera jamais très intéressant. **A boire jusqu'en 2000.** (3/89)

1978 • **84** Ce vin solide et de bonne garde séduit par son bouquet exotique et modérément intense de cassis, d'anis et d'épices, ainsi que par son caractère très corsé, son fruité étonnamment souple et doux, et ses tannins ronds et mûrs. Il est bien persistant en bouche. Une belle réussite de Batailley. **A boire jusqu'en 2000.** (2/84)

1976 • **81** Ce vin sans détour et à parfaite maturité arbore une robe rubis moyennement foncé et libère un nez fruité, charnu et épicé. Modérément corsé, il séduit le palais par ses arômes doux, presque policés, et déploie une finale souple, mais plutôt courte. **A consommer.** (4/84)

1975 • **82** Un nez séduisant de cèdre, d'épices et de groseille introduit le Batailley 1975. C'est un vin d'un grenat moyennement foncé, tout à la fois sévère, rugueux, dur et extrêmement tannique, mais capable d'une garde de 10 à 15 ans. Je pense que l'ensemble sera toujours excessivement tannique, car son fruité modéré se desséchera progressivement, compromettant ainsi l'équilibre entre le fruit et les tannins. (12/95)

1971 • **73** Des arômes évoquant le thé fraîchement infusé et la mandarine mûre laissent deviner une légère surmaturité. En bouche, l'ensemble se révèle diffus, plutôt aqueux et inintéressant, manquant de tenue. C'est un Batailley assez curieux, mais guère attachant. **A consommer – peut-être en sérieux déclin.** (2/79)

1970 • **82** Par bien des aspects, ce vin caractérise Batailley et le style de vinification de la propriété. Rubis foncé, il dégage un bouquet légèrement boisé de fruits mûrs, manquant quelque peu de complexité. L'ensemble, trapu et charnu, doté de tannins fermes, révèle une excellente concentration et un caractère monolithique. **A consommer.** (6/87)

1966 • **82** Le 1966 de Batailley est maintenant à parfaite maturité. Il offre un modeste bouquet aux senteurs de cassis mûr et présente en bouche des arômes charnus et solides. Quoique plaisant, il manque cependant de fruit, de charme et de substance. **A boire.** (3/84)

1964 • **87** Batailley s'impose en 1964 comme l'une des grandes réussites du nord du Médoc. Riche et très corsé, il est maintenant à parfaite maturité et se distingue par de séduisants arômes de cèdre, d'épices et de prune. Ce vin ample, légèrement ambré sur le bord, est encore persistant et merveilleusement fruité en bouche. **A boire jusqu'en 2000.** (5/90)

1962 • **87** Décevant lorsque je l'ai goûté outre-Atlantique, le Batailley 1962 s'est montré fabuleusement parfumé, souple, charnu et parfaitement mûr lors d'une dégustation à la propriété en 1988. Plusieurs bouteilles avaient été ouvertes, et aucune ne présentait les tannins austères et parfois rugueux qui desservent trop souvent ce cru. **A boire.** (3/88)

1961 • **84** Ce Batailley 1961 est bien coloré, bon, compact et fruité, avec un caractère robuste et poussiéreux. Ce n'est cependant pas le meilleur exemple de cette année grandiose. **A consommer – peut-être en déclin.** (3/79)

CLERC MILON – BON

5e cru classé en 1855
équivaut à un 4e cru depuis 1985
Propriétaire : Baronne Philippine de Rothschild GFA
Adresse : 33250 Pauillac
Adresse postale : Baron Philippe de Rothschild SA
BP 117 – 33250 Pauillac
Tél. 05 56 73 20 20 – Fax 05 56 73 20 44
Visites : non autorisées

Superficie : 30 ha (Pauillac)
Vin produit : Château Clerc Milon – 190 000 b (pas de second vin)
Encépagement : 70 % cabernet sauvignon, 20 % merlot, 10 % cabernet franc
Densité de plantation : 8 500 pieds/ha – *Age moyen des vignes :* 32 ans

Rendement moyen : 45-50 hl/ha

Élevage :
fermentations de 21 jours environ à 25 °C ;
vieillissement de 16-18 mois à compter du mois de décembre
en fûts (30 % de bois neuf) ;
collage ; pas de précisions sur la filtration

A maturité : dans les 5 à 14 ans suivant le millésime

Clerc Milon fait partie des domaines de la baronne Philippine de Rothschild depuis 1970. Il n'y a pas de château, mais le vignoble est magnifiquement situé à côté de ceux de Mouton Rothschild et Lafite Rothschild, non loin de l'énorme raffinerie de pétrole qui domine la paisible ville de Pauillac. Jusqu'en 1985, les vins étaient souvent légers et sans élégance. Les millésimes récents, en revanche, ont révélé un beau fruit savoureux, ainsi que des arômes plus profonds et plus complexes. De tous les crus de la baronne Philippine mis en bouteille à la propriété, Clerc Milon est le plus précoce et le plus accessible dans sa jeunesse. Compte tenu de la qualité des millésimes récents, les prix sont généralement sous-évalués.

1998 • **89-91** Cette propriété, qui réussit bien depuis plusieurs années, enregistre encore un beau succès en 1998, millésime pourtant plus difficile dans cette appellation. Composé à 50 % de cabernet sauvignon, à 33 % de merlot, à 14 % de cabernet franc et à 3 % de petit verdot, le 1998 arbore une robe opaque de couleur pourpre, qui précède des arômes généreux et complexes de réglisse, de café, d'herbes séchées, de cassis et de cerise. L'ensemble qui suit en bouche révèle une ampleur étonnante et une densité stupéfiante. Atypique du cru, plus puissant et plus tannique que la plupart de ses jumeaux de l'appellation, ce très ample Clerc Milon requiert une certaine garde avant d'être prêt. **A boire entre 2004 et 2017.** (3/99)

1997 • **89-90** Composé à 53 % de cabernet sauvignon, à 34 % de merlot, à 9 % de cabernet franc et à 4 % de petit verdot, le 1997 s'annonce par de douces senteurs de cèdre, de fumé et de grillé. Doté de généreux arômes de fruits rouges, il déploie en bouche, outre un caractère ouvert et accessible, une finale soyeuse. Ce vin très opulent, à la limite du flamboyant, gratifie encore le palais de flaveurs aussi intenses que profondes, aux notes de chocolat mousseux. Une véritable bombe fruitée... de Pauillac. **A boire jusqu'en 2012.** (1/99)

1996 • **90** Le 1996 est très certainement l'une des plus belles réussites que je connaisse de cette propriété. Généreusement boisé, avec un fruité riche et abondant aux notes de pain grillé, il se révèle plus massif et plus concentré que les millésimes précédents. D'un rubis-pourpre dense, il exhale un bouquet de café torréfié, de tabac et de cassis confituré. L'attaque est étonnamment douce et opulente ; le milieu de bouche et la finale attestent parfaitement le caractère très corsé, richement extrait et modérément tannique de l'ensemble. Ce vin ample et d'une grande plénitude sera à son apogée **entre 2005 et 2018.** (1/99)

1995 • **89** Composé à 56 % de cabernet sauvignon, à 30 % de merlot et à 14 % de cabernet franc, le Clerc Milon 1995 présente davantage de structure et de tenue que le 1996 (ironie du sort, le caractère du 1995 est plus typique du millésime 1996 et vice versa). Arborant une séduisante robe rubis-pourpre foncé, il impressionne par ses nombreuses qualités et pourrait se voir décerner une note extraordinaire au terme d'un vieillissement supplémentaire de 1 ou 2 ans en bouteille. Son nez révèle de fabuleux arômes d'herbes rôties, de viande, de cèdre, de cassis, d'épices et de vanille, qui précèdent en bouche un ensemble dense et moyennement corsé, remarquable par sa richesse en extrait et par son caractère glycériné. La finale, charnue et des plus plaisantes, se déploie par paliers. Ce vin opulent et complexe recèle les tannins et la profondeur nécessaires pour bien tenir 15 ans, voire plus. **A boire entre 2002 et 2015.** (11/97)

1994 • **87+ ?** De couleur rubis foncé, le 1994 est d'une qualité équivalente à celle de son aîné d'un an, mais il est plus évolué, plus tannique et plus massif. Moyennement corsé, épicé et vif, il est bien vinifié, plutôt doux pour un 1994, mais sera apte à une garde de **15 à 18 ans.** Les tannins que l'on perçoit dans sa finale laissent penser que ce vin doit être conservé 2 ou 3 ans avant d'être dégusté. (1/97)

1993 • **87** Moyennement corsé, le 1993 est bien fait, arbore une robe soutenue de couleur rubis-pourpre foncé et déploie de classiques arômes de cassis et de tabac herbacé. Légèrement tannique, il ne présente cependant pas le caractère végétal et astringent qui dessert tant les vins de ce millésime. Il devrait se révéler séduisant, velouté et étonnamment bon dans les **10 à 12 ans.** (1/97)

1992 • **87** Superbe et sensuel, le 1992 représente une performance méritoire dans un millésime aussi difficile. Ce vin à la robe rubis assez profond exhale des arômes primaires de pain et de noix grillés et de cassis. Souple, soyeux et moyennement corsé, avec un fruité confituré de cassis, il sera parfait au cours des **6 ou 7 ans** à venir. (11/94)

1991 • **79** Clerc Milon produit en général des Pauillac doux, ronds, très accessibles et d'un style loyal et marchand. Son 1991, à la robe rubis, est atypique et dur ; il a une texture rugueuse et déploie de curieux arômes, épicés, de cannelle et de cassis, ainsi qu'une finale courte et anguleuse. Il aurait été plus séduisant s'il avait été plus charnu. **A boire dans les 5 ou 6 ans.** (1/94)

1990 • **86** Quoique moins concentré, moins velouté et moins opulent que le 1989, le Clerc Milon 1990 n'en demeure pas moins un vin souple et sensuel, doté d'un nez très parfumé de cassis, de fumé, de vanille, de noix grillée et de senteurs exotiques. Arborant une excellente couleur, il se révèle très riche et crémeux en bouche, mais s'amenuise par la suite, exactement comme ses jumeaux Mouton Rothschild et D'Armailhac. Néanmoins, il sera délicieux ces **8 à 10 prochaines années.** (1/93)

1989 • **90** Vêtu de rubis profond, ce vin merveilleusement plaisant exhale un nez intense de fumé et de rôti aux notes de prune et de cassis. Très corsé, il regorge littéralement de fruit et tapisse le palais de ses arômes opulents, souples et alcooliques, bien marqués par la mâche. Malgré une impression première de précocité, ce vin révèle un niveau élevé de tannins (comme son aîné de 1986). C'est la première fois que je préfère le Clerc Milon au Mouton Rothschild de la même année. Une excellente affaire. **A boire jusqu'en 2010.** (1/91)

1988 • **89** Profondément coloré, avec un bouquet modérément intense d'herbes, de fumé et de cassis, le Clerc Milon 1988 s'est défait du caractère dur qu'il manifestait dans sa jeunesse. Riche et crémeux, il tapisse le palais de ses flaveurs de fruits rôtis marquées d'un généreux boisé. **A boire jusqu'en 2001.** (4/91)

1987 • **76** Le Clerc Milon 1987 libère au mouvement du verre des senteurs de groseille, de chêne fumé et d'herbes. Ce vin léger, mais rond et d'une bonne facture, est déjà **prêt à boire.** (12/89)

1986 • **90** Ce vin – l'un des meilleurs Clerc Milon que je connaisse – constitue de surcroît l'une des plus belles affaires du millésime. Sa robe rubis-pourpre foncé précède un nez fabuleux de chêne doux et grillé, de prune, de cassis, de réglisse et de cèdre. L'ensemble qui suit, très concentré, riche et puissant, est étonnamment souple et charnu pour un 1986. Bien qu'il affiche un potentiel de garde de 20 ans, ce vin sera prêt à déguster plus rapidement que la plupart de ses jumeaux. Une merveille ! **A boire jusqu'en 2006.** (1/91)

1985 • **89** Ce vin fabuleux, profondément coloré, libère un bouquet complexe de cassis, de minéral et de chêne fumé. Tout à la fois riche, puissant et très corsé, il est étonnamment structuré et persistant pour le millésime, dont il est d'ailleurs l'une des révélations. **A boire jusqu'en 2000.** (9/89)

1984 • **78** Outre une robe qui commence tout juste à se teinter d'ambre et d'orange sur le bord, le Clerc Milon 1984 présente un nez boisé et herbacé. Moyennement corsé et bien mûr, il est également très tannique et doté d'une acidité très élevée. **A consommer – peut-être même en déclin.** (11/88)

1983 • **79** Plaisant et assez léger, le 1983 se distingue par un fruité mûr et boisé, mais il finit court en bouche. Ce vin moyennement corsé a évolué rapidement et **doit être consommé – il est peut-être même sur le déclin.** (1/90)

1982 • **84** Tout à la fois charmeur, précoce, mûr et fruité, le 1982 de Clerc Milon exhale un merveilleux nez, très ouvert, de fruits rouges et mûrs et de chêne vanillé. La bouche, moyennement corsée, révèle des tannins souples et légers. **A boire.** (1/90)

1981 • **82** Arborant une belle robe sombre, le 1981 se montre moyennement corsé, et présente des senteurs racées et complexes de cèdre, de boisé et de cassis doux et mûr. L'ensemble est compact, et la finale bien étayée par une heureuse acidité. **A boire.** (3/87)

COLOMBIER-MONPELOU

Cru bourgeois – devrait être maintenu
Propriétaire : Bernard Jugla
Adresse : 33250 Pauillac
Tél. 05 56 59 01 48 – Fax 05 56 59 12 01
Visites : sur rendez-vous uniquement
Contact : Patrick Ballion

Superficie :
25 ha (sur le plateau de Pauillac, à côté de Mouton Rothschild)
Vins produits : Château Colombier-Monpelou – 100 000 b ;
Château Grand Canyon – 40 000 b
Encépagement : 65 % cabernet sauvignon, 25 % merlot,
5 % cabernet franc, 5 % petit verdot
Densité de plantation : 8 500 pieds/ha – *Age moyen des vignes :* 34 ans
Rendement moyen : 52 hl/ha

Élevage :
vendanges manuelles et mécaniques ;

fermentations et cuvaisons de 21-28 jours
en cuves d'acier inoxydable thermorégulées ;
vieillissement de 15-18 mois en fûts (40 % de bois neuf) ; collage et filtration

A maturité : dans les 3 à 8 ans suivant le millésime

Cette propriété, achetée par Bernard Jugla en 1970, est constituée d'un vignoble d'un seul tenant, fort bien situé, sur le plateau surplombant le village de Pauillac. Étant donné la forte proportion de cabernet sauvignon dans l'assemblage et la moyenne d'âge élevée des vignes (pas moins de 34 ans !), on serait en droit d'attendre davantage de concentration et d'intensité. Certes, la vinification et l'élevage sont traditionnels, et le vin vieillit en fûts de chêne pendant 15 à 18 mois. Cependant, la plupart des millésimes que j'ai goûtés étaient légers, manquant à la fois de concentration et de distinction. Néanmoins, les vins de cette propriété se vendent bien ; ils sont exportés dans de nombreux pays européens, et le fameux Savour Club demeure l'un de leurs principaux acheteurs.

1990 • **81** Ce vin franc, rond, suave, fruité et d'un style commercial présente une bonne concentration, mais manque de complexité et de profondeur, et finit court. **A boire dans les 4 ans.** (11/93)

1989 • **78** Ce vin, dégusté au fût, m'avait semblé maigre, léger et aqueux. Il s'est ensuite amélioré et se révèle fruité, souple et précoce. **A boire.** (4/91)

1988 • **78** Très boisé au nez, le 1988 est cependant inintéressant, car il manque autant de corpulence que de profondeur. **A consommer.** (4/91)

1986 • **80** Bien qu'il ne puisse rivaliser avec les crus classés de Pauillac, le Colombier-Monpelou séduit par sa belle couleur et son caractère moyennement corsé, mûr et fruité. **A boire.** (11/90)

1985 • **74** Ce vin ne m'a pas fait grande impression, bien qu'il faille souligner, à son crédit, son prix très raisonnable. C'est un bordeaux honnête, tendre, sans grande personnalité. **A boire.** (3/88)

CROIZET-BAGES

5e cru classé en 1855 – équivaut à un cru bourgeois
Propriétaire : Jean-Michel Quié
Adresse : 33250 Pauillac
Tél. 05 56 59 66 69 – Fax 05 56 59 23 39
Visites : sur rendez-vous uniquement
Contact : Jean-Noël Hostein

Superficie : 30 ha (hameau de Bages – Pauillac)
Vin produit : Château Croizet-Bages – 200 000 b (pas de second vin)
Encépagement : 50 % cabernet sauvignon, 40 % merlot, 10 % cabernet franc
Densité de plantation : 6 500 et 8 000 pieds/ha – *Age moyen des vignes :* 20 ans
Rendement moyen : 50 hl/ha

Élevage :
vendanges manuelles ; fermentations et cuvaisons de 21 jours environ
en cuves d'acier inoxydable thermorégulées ;
fréquentes saignées ; achèvement des malolactiques en cuves ;
élevage de 6 mois en cuves ;
vieillissement après assemblage de 14-18 mois en fûts (20 % de bois neuf) ;
collage et filtration

A maturité : dans les 5 à 12 ans suivant le millésime

C'est la famille Quié qui possède et exploite Croizet-Bages, comme du reste Rauzan-Gassies, le fameux domaine de Margaux, et le bon cru bourgeois Bel Orme Tronquoy de Lalande. Ce vin m'est longtemps apparu comme l'un des Pauillac les plus légers et les plus rapides à évoluer. De plus, il ne tenait pas toutes ses promesses – pour une raison qui m'échappe. Pourtant, le vignoble est fort bien situé, sur le plateau de Bages, les vignes sont suffisamment vieilles (environ 20 ans d'âge), et la vinification est traditionnelle. Peut-être faut-il mettre en cause les rendements excessifs et l'absence d'un second vin... Rarement profond ou spectaculaire, le Croizet-Bages est correct, plaisant, souple et fruité, et atteint généralement sa maturité 4 à 5 ans après le millésime. Dernièrement, le 1995 et le 1996 se sont révélés bien réussis ; peut-être marquent-ils un tournant dans l'évolution de la propriété ?

1997 • **78-83** Souple, rond et élégant, le 1997 compense son manque de concentration par des arômes modérément doux de groseille et de cassis confiturés, nuancés de chêne fumé et épicé. Il est déjà souple et se maintiendra une dizaine d'années. **A boire jusqu'en 2010.** (1/99)

1996 • **87** Ce vin se révèle meilleur encore que je ne l'aurais imaginé, confirmant ainsi les progrès que cette propriété accomplit régulièrement depuis quelques années. S'annonçant par une robe rubis foncé, le Croizet-Bages 1996 exhale un nez doux et élégant de cassis, de cerise, de chêne épicé et de cèdre. Moyennement corsé et doté de tannins souples, il déploie une finale modérément longue. Ce Pauillac pur et d'une belle profondeur est certainement l'un des plus précoces du millésime. **A boire entre 2003 et 2014.** (1/99)

1995 • **85** J'avais pensé, en le dégustant au fût, que le 1995 serait légèrement meilleur. Il est de bonne facture, mais d'un style assez léger. Sa robe d'un rubis moyennement foncé précède un nez sans détour et doux de fruits rouges et de cassis. La bouche séduit par son caractère épicé et charnu. Ce vin n'est pas des plus profonds ni des plus massifs, mais il présente un charme et un fruité superficiels. Il peut être dégusté dès sa jeunesse, ou conservé 10 à 12 ans. **A boire entre 2000 et 2009.** (11/97)

1994 • **78** Bien que n'étant pas aussi profond que son aîné d'un an, le 1994 est épicé, légèrement corsé et très structuré, avec des tannins agressifs. Ces derniers ne sont cependant pas étayés par un caractère suffisamment fruité et profond. **A boire jusqu'en 2005.** (1/97)

1993 • **84** Charmeur, élégant et fruité, le 1993 manque d'étoffe et d'intensité, mais il exprime de douces notes de tabac et de groseille, et révèle une faible acidité et un bon équilibre en bouche. **A boire dans les 6 ou 7 ans.** (1/97)

1989 Produire un vin aussi léger, insipide et excessivement herbacé en 1989 relevait
• de la gageure. Pari tenu par Croizet-Bages. **A boire.** (4/91)
73

1988 Le 1988 est plaisant, souple et sans détour, mais creux. La vie est trop courte
• pour qu'on la gaspille à boire de tels vins. **A consommer.** (4/91)
74

1987 Ce vin maigre et compact, excessivement végétal et dépourvu de distinction
• doit être bu **sans plus attendre.** (11/89)
69

1986 Quoique souple, fruité et plutôt tannique, le 1986 de Croizet-Bages est unidimensionnel et dépourvu de distinction, surtout si l'on tient compte de sa réputation.
• **A boire.** (3/89)
76

1985 Souple et unidimensionnel, le 1985 ne vaut pas mieux qu'un bordeaux générique.
• **A consommer.** (3/88)
73

DUHART-MILON – TRÈS BON

4e cru classé en 1855 – équivaut à un 3e cru depuis 1982
Propriétaire : SC du Château Duhart-Milon
(famille de Rothschild associé majoritaire)
Adresse : 33250 Pauillac
Adresse postale : 33, rue de la Baume – 75008 Paris
Tél. 01 53 89 78 00 – Fax 01 53 86 78 01
Visites : sur rendez-vous uniquement
Contact : Domaines Barons de Rothschild

Superficie : 67 ha (Pauillac)
Vins produits : Château Duhart-Milon – 260 000 b ; Moulin de Duhart – 100 000 b
Encépagement : 65 % cabernet sauvignon, 30 % merlot, 5 % cabernet franc
Densité de plantation : 7 000 pieds/ha – *Age moyen des vignes :* 25 ans
Rendement moyen : 58 hl/ha

Élevage :
vendanges manuelles ;
fermentations et cuvaisons de 18-25 jours
en cuves d'acier inoxydable thermorégulées ;
vieillissement après les malolactiques de 18 mois en fûts (50 % de bois neuf) ;
soutirage trimestriel ; collage au blanc d'œuf ; filtration

A maturité : dans les 8 à 25 ans suivant le millésime

Duhart-Milon est « l'autre » château que possèdent, à Pauillac, les Rothschild du très renommé Lafite Rothschild. Ils l'ont acheté en 1962 et ont, en quelques années, entièrement replanté le vignoble, assez mal entretenu jusque-là.

En raison de l'extrême jeunesse des vignes – surtout pour un cru classé –, les vins de la fin des années 60 et 70 n'ont pas répondu aux espoirs des amateurs, pour lesquels le nom de Rothschild était synonyme d'excellence. La qualité s'est nettement améliorée à partir de 1978, et, depuis 1982, les Duhart-Milon se révèlent souvent très bons, parfois exceptionnels. Ils conjuguent généralement finesse et élégance, dans le style de leur cru frère, Lafite Rothschild.

Duhart-Milon est l'une des quelques grandes propriétés du Médoc à ne pas compter de château. Le vin est vinifié dans une grande bâtisse moderne, assez laide, qui se trouve dans le village de Pauillac.

1998 • **87-88 ?** Essentiellement composé de cabernet sauvignon, avec un peu de merlot, le Duhart-Milon 1998 se révèle plus tannique que son jumeau de Lafite. Pourpre profond de robe, cet ensemble moyennement corsé impressionne par son doux nez de cassis et de senteurs forestières. Cependant, il requiert une garde de 7 à 10 ans, en raison de ses tannins féroces. Espérons qu'il ne se desséchera pas. **A boire entre 2008 et 2017.** (3/99)

1997 • **86-88** Séduisant par son caractère souple, mûr et faible en acidité, le Duhart 1997 se présente vêtu de rubis foncé, avec un fruité de cassis, une texture charnue et corpulente, ainsi qu'une finale de bon aloi. C'est un vin accessible, à boire **jusqu'en 2010.** (1/99)

1996 • **90** Le 1996 s'impose incontestablement comme la plus belle réussite de la propriété depuis le 1982. D'un rubis-pourpre sombre et soutenu, il exhale un bouquet de mûre entremêlé de notes de réglisse, de minéral et d'herbes séchées. La bouche, moyennement corsée, exprime tout en finesse un caractère riche et intense, ainsi qu'une pureté et une concentration d'excellent aloi. Ce vin, qui devrait être proposé à un prix raisonnable, illustre bien les soins que Charles Chevalier (également directeur de Lafite Rothschild) apporte à ce cru. **A boire entre 2005 et 2020.** (1/99)

1995 • **87** Composé à 80 % de cabernet sauvignon et à 20 % de merlot, le 1995 se révèle légèrement plus souple, plus doux et plus svelte que le 1996, plutôt ample de carrure. Son bouquet offre des arômes de petits fruits mûrs conjugués à des notes minérales et épicées de chêne grillé, et la bouche, moyennement corsée, révèle une belle richesse en extrait. Ce Pauillac tout en finesse (dans la meilleure acception de ce terme) sera à maturité **entre 2002 et 2014.** (1/97)

1994 • **86 ?** Arborant une robe impressionnante, dense et soutenue, le 1994 est austère, astringent et sévère. Contrairement à son grand frère de Lafite, il manque de maturité, de corpulence, de douceur en finale, si bien qu'il se desséchera peut-être, et se révélera dépouillé et comprimé au terme d'une garde de 5 à **8 ans.** (1/97)

1993 • **85** Rubis-pourpre foncé, le Duhart 1993 est un joli vin moyennement corsé et élégant, avec un niveau modéré de tannins et un fruité doux et plaisant. Sans être puissant ni consistant, il est bien fait et équilibré. **A boire dans les 8 ou 9 ans.** (1/97)

1992 • **85** Le 1992 libère des arômes de chêne et de groseille, et se montre maintenant plus riche et plus profond que lorsqu'il était encore en fût. Moyennement corsé, épicé et mûr, il est modérément doté et souple. **A boire dans les 4 ou 5 ans.** (11/94)

1991 • **84** Plus profond et plus riche que le 1992 – plutôt doux, léger et unidimensionnel –, le Duhart 1991 présente aussi un potentiel de complexité plus important. Moyennement corsé et bien coloré, ce vin d'une belle profondeur est séduisant et épicé, avec des arômes de noix grillée, de cassis et d'herbes, mais ses tannins sont astringents. Un vin moyennement corsé, **à boire jusqu'en 2004.** (1/94)

1990 • **88** Le Duhart 1990, au nez de cassis et de crayon à papier, se montre ferme et peu évolué, mais il semblerait qu'il soit plus étoffé qu'il n'y paraît en bouche, avec une finale relativement longue. Ce vin, dominé par un caractère de cabernet sauvignon, présente des arômes prononcés de cassis et d'herbes. Très tannique et richement extrait, il manifeste une élégance et un équilibre d'excellent aloi. **A boire jusqu'en 2007.** (1/96)

1989 • **88** Avec son intense bouquet de cassis crémeux et d'épices exotiques (il est même marqué des légendaires touches de crayon à papier propres aux Pauillac), le Duhart 1989 se montre moyennement corsé, riche et alcoolique. Il s'agit d'un vin voluptueux, qui présente toutes les qualités pour séduire les amateurs ces prochaines années. **A boire jusqu'en 2008.** (1/93)

1988 • **88** Exhalant un bouquet de fruits mûrs, d'épices, de cèdre et d'herbes, le Duhart-Milon 1988 se révèle riche, très corsé et admirable de concentration. Vous apprécierez ce vin tannique et persistant **jusqu'en 2010.** (1/93)

1987 • **81** Étonnamment mûr, le 1987 séduit par ses senteurs de cèdre, d'herbes et de fruits noirs, qui suggèrent un vin plus riche qu'il ne l'est en réalité. L'ensemble, rond et souple, finit court en bouche. A boire dans les **4 ou 5 ans.** (11/89)

1986 • **87** Une bonne note s'impose pour le 1986 : c'est un vin très riche et d'une excellente profondeur, généreusement marqué de chêne épicé, qui dégage un bouquet racé de cassis herbacé et de cèdre. Sa finale révèle d'abondants tannins. J'aurais simplement souhaité qu'il soit plus étoffé et plus complexe. **A boire jusqu'en 2008.** (3/90)

1985 • **86** Cet excellent vin moyennement corsé se révèle légèrement moins intense que lorsqu'il était en fût. Affichant un rubis moyen, il exhale un nez ouvert de chêne épicé et de groseille. Ce 1985 élégant et racé manque peut-être un peu de profondeur. **A boire jusqu'en 2000.** (2/89)

1984 • **74** Modérément coloré et peu parfumé, le 1984 de Duhart se montre compact, étroit et serré en bouche. Ce vin épicé déploie une finale austère et légèrement acide, dotée de tannins modérés. **A boire.** (10/88)

1983 • **86** Ferme et solide, le 1983 affiche une excellente couleur et dégage un bouquet de cassis ample, fruité et mûr, qui évolue rapidement. Il tapisse le palais de ses arômes ronds et admirables de concentration, et déploie une finale plutôt tannique. Ce très bon vin riche et moyennement corsé sera à son apogée **jusqu'en 2005.** (6/89)

1982 • **93** Le 1982 s'impose toujours comme la plus belle réussite que je connaisse de cette propriété. Il me surprend régulièrement, lors de dégustations à l'aveugle, par sa puissance, sa complexité et sa concentration. Bien qu'il laisse en bouche une impression de parfaite maturité, il montre encore beaucoup de tenue, d'abondants tannins et une grande richesse en extrait. En outre, sa robe n'est que très légèrement ambrée sur le bord. Ce grand classique, très corsé, charnu et de bonne mâche, doté de généreux arômes de cèdre et de cassis, tiendra bien **jusqu'en 2010.** (9/95)

1981 • **84** Tous les « compagnons d'écurie » de Lafite ont bien réussi leurs 1981. Lent à évoluer, celui-ci arbore une robe d'un rubis profond et dégage un séduisant bouquet évoquant le cassis écrasé, le cuir fin et le chêne neuf. Plutôt énorme et relativement tannique, ce vin concentré et astringent, doté d'une finale sèche, se révèle somme toute assez terne, et requiert une certaine garde. Je doute cependant que son fruité puisse, à terme, contrebalancer ses tannins. **A boire jusqu'en 2005.** (1/85)

1979 • **83** Plutôt élégant, le Duhart 1979 se présente avec une belle robe rubis foncé et un nez modérément intense et complexe de cèdre. Moyennement corsé, il révèle une puissance et une richesse retenues, mais l'ensemble est harmonieux et manifeste un bel équilibre. Le bouquet précoce et la robe légèrement ambrée sur le bord trahissent une évolution rapide. **A boire.** (7/86)

1978 • **84** Le Duhart 1978 est le premier d'une série de millésimes dont le caractère est assez proche de celui des vins de Lafite. Ce vin moyennement corsé, au nez très développé de fruits mûrs, d'épices, de grillé et de métal, se montre souple, rond et savoureux en bouche. Il est à parfaite maturité et doit être consommé **maintenant.** (3/88)

1976 • **84** Outre sa robe rubis-grenat et son nez parfumé, bien développé et modérément intense de cèdre et de vanille, le Duhart 1976 présente de séduisants arômes souples et ronds. Étayé par une faible acidité et légèrement tannique, il rappelle fort son frère aîné de Lafite, en particulier par son bouquet. Son charme précoce et son fruit sans détour l'ont bien servi, mais il serait hasardeux de le conserver plus avant. **A boire.** (4/90)

1975 • **75** Décevant pour le millésime, le 1975 de Duhart se distingue par un nez énorme et herbacé de menthe. On décèle en bouche, outre un fruité végétal et épicé, un caractère doux et brûlé qui suggère une chaptalisation excessive. Ce vin est parfaitement mûr, mais atypique et dépourvu de tenue. **A boire – s'il n'est déjà sur le déclin.** (5/84)

FONBADET

Cru bourgeois supérieur – équivaut à un 5e cru
Propriétaire : Pierre Peyronie
Adresse : 33250 Pauillac
Tél. 05 56 59 02 11 – Fax 05 56 59 22 61
Visites : sur rendez-vous uniquement
Contact : Pascale Peyronie

Superficie : 16 ha (Pauillac)
Vin produit : Château Fonbadet – 80 000 b
Encépagement : 60 % cabernet sauvignon, 20 % merlot, 15 % cabernet franc, 5 % petit verdot et malbec
Densité de plantation : 9 000 pieds/ha – *Age moyen des vignes :* 50-60 ans
Rendement moyen : 40 hl/ha

Élevage :
vendanges manuelles ; éraflage total ;
fermentations et cuvaisons de 21-28 jours en cuves de béton ;
vieillissement après les malolactiques de 24 mois, pour une part en cuves et pour l'autre en fûts (25 % de bois neuf) ; collage ; pas de filtration

---

A maturité : dans les 5 à 15 ans suivant le millésime

Note : Pierre Peyronie possède d'autres petites propriétés qui ont toutes rang de cru bourgeois. Ce sont les Châteaux Haut Pauillac, Montgrand-Milon, Padarnac, Tour du Roc Milon. L'ensemble est vinifié à Fonbadet, de façon identique pour tous les vins.

Vinifié de main de maître, ce vin est capable, dans certains millésimes (comme 1978, 1982, 1986 et 1990), de surpasser de nombreux crus classés de l'appellation. Il est généralement profondément coloré, avec un bouquet très riche de cassis, des flaveurs intenses et concentrées et beaucoup de corps. Il me rappelle Lynch-Bages et Haut-Bages Libéral, deux cinquièmes crus classés de Pauillac. Le secret de sa réussite réside dans la moyenne d'âge très élevée des vignes (plus de 50 ans), les rendements minuscules (moins de 40 hl/ha) et l'excellente situation du vignoble, à proximité de Pichon-Longueville Baron et de Pichon-Longueville Comtesse de Lalande.

1990 • **87** Peut-être le meilleur Fonbadet depuis le très puissant 1982. Il présente une robe opaque, rubis foncé, et un bouquet épicé et pur de fruits noirs, de terre fraîche et de truffe. En bouche, il se révèle très tannique et très glycériné, et manifeste, outre une excellente maturité, un caractère doux et riche. La finale est puissante et persistante. **A boire jusqu'en 2003.** (1/93)

1989 • **83** Étonnamment léger, doux et alcoolique, le 1989 ne vivra sans doute pas très longtemps, à cause de sa faible acidité. Malgré son fruité généreux, il laisse l'impression d'un vin mou et dépourvu de structure. **A boire.** (4/91)

1988 • **75** Ce vin paraît maigre, acerbe et décharné. Son manque de fruité est inquiétant. **A boire.** (4/91)

1986 • **86** Le 1986 de Fonbadet est, avec le 1990, le meilleur vin produit à la propriété depuis le 1982. Regorgeant d'un généreux fruité bien marqué par la mâche, il se montre très tannique et musclé en bouche, et impressionne par sa grande persistance. Il est à maturité depuis le début des années 90, mais peut encore évoluer. **A boire jusqu'en 2003.** (4/89)

1985 • **80** Le 1985 présente une belle couleur rubis profond, des arômes séduisants de petits fruits rouges, mais aussi des flaveurs rustiques qui manquent quelque peu de complexité. **A boire.** (10/88)

1984 • **72** Étonnamment alcoolique, mais doté d'un bon fruité, le 1984 révèle un caractère très corsé, assez rustique et un peu vieillot. Il est rugueux et manque de structure. **A consommer – peut-être en déclin.** (3/88)

1983 • **85** Voici une réussite de premier ordre. Presque aussi sombre et opaque que le 1982, mais moins concentré, ce 1983 s'impose comme un vin riche, moyennement corsé et modérément tannique, qui tapisse le palais de ses abondants arômes de cèdre et de cassis. **A consommer.** (3/89)

1982 • **87** Ce vin superbe, dont les arômes mûrs et riches de cassis jaillissent littéralement du verre, se montre très profond, bien concentré et structuré en bouche. Très corsé et modérément tannique, il révèle un fruité opulent et long. **A boire jusqu'en 2000.** (1/89)

1981 • **84** Profondément coloré et richement fruité, le 1981 est plus précoce et sera plus vite prêt que son aîné ou son cadet d'un an. Plein de charme et gratifiant, il manifeste un bon équilibre d'ensemble. **A boire – peut-être en déclin.** (2/84)

1978 • **86** Voici un Pauillac classique, au nez très développé de cèdre, de prune mûre et de groseille. L'ensemble, bien équilibré, est doté d'un fruité profond. Impressionnant ! **A boire – peut-être en déclin.** (2/84)

GRAND-PUY DUCASSE – BON

5e cru classé en 1855 – devrait être maintenu
Propriétaire : SC du Château Grand-Puy Ducasse
Administrateur : Jean-Pierre Angliviel de La Beaumelle
Adresse : 33250 Pauillac
Adresse postale : 17, cours de la Martinique
BP 90 – 33027 Bordeaux Cedex
Tél. 05 56 11 29 00 – Fax 05 56 79 23 57
Visites : sur rendez-vous et pour les professionnels uniquement
Contact : Brigitte Cruse

Superficie : 38 ha (Grand-Puy – Pauillac)
Vins produits : Château Grand-Puy Ducasse – 170 000 b ;
Prélude à Grand-Puy Ducasse – 35 000 b
Encépagement : 62 % cabernet sauvignon, 38 % merlot
Densité de plantation : 8 000-10 000 pieds/ha
Age moyen des vignes : plus de 25 ans
Rendement moyen : 55 hl/ha

Élevage :
vendanges manuelles ;
fermentations et cuvaisons de 18-21 jours
en cuves d'acier inoxydable thermorégulées ;
2 remontages journaliers ; vieillissement de 18 mois en fûts (30 % de bois neuf) ;
soutirage dans l'année précédant la mise en bouteille ; filtration

---

A maturité : dans les 4 à 14 ans suivant le millésime

Ce cinquième cru de Pauillac est très largement ignoré des amateurs et de la presse spécialisée, très certainement parce qu'il est rarement présent lors de dégustations, étant distribué en exclusivité par la maison de négoce Mestrezat. Les prix de Grand-Puy Ducasse sont nettement inférieurs à ceux de la plupart des autres Pauillac, ce qui en fait des vins fort intéressants, compte tenu du soin avec lequel ils sont élaborés dans les chais très modernes, installés non pas au milieu du vignoble, mais dans le bourg même de Pauillac.

Le domaine a été largement rénové et replanté depuis 1971 et, en 1986, s'est vu doter d'une nouvelle cuverie d'acier inoxydable. La proportion de fûts neufs a été élevée à 30 %. Aussi Grand-Puy Ducasse peut-il envisager l'avenir avec sérénité. Avec son vignoble remarquable, dont une partie se trouve en bordure de Mouton Rothschild et de Lafite Rothschild, et une autre sur un plateau graveleux près de Batailley, ce château mérite d'être suivi de plus près par les amateurs sérieux.

Le vin est ici plus fruité et souple que tannique, dur ou de longue garde. La plupart des millésimes peuvent être bus dès 5 ans d'âge, mais ils sont également capables de bien évoluer sur 10 à 15 ans.

1997 • **81-84** Rubis foncé de robe, avec des senteurs de doux fruits noirs mâtinées de notes herbacées de vanille et de terre, le 1997 se révèle charnu et rond en milieu de bouche. Malheureusement, il finit court et d'une manière abrupte, sur une note austère et anguleuse. Il aurait fallu qu'il soit plus charnu et plus concentré pour mériter une meilleure note. **A boire jusqu'en 2010.** (1/99)

1996 • **87** Cette propriété, qui propose généralement des Pauillac souples et précoces, a produit un 1996 plus ferme et plus structuré que de coutume. D'un rubis foncé resplendissant et nuancé de pourpre, ce vin exhale un nez de cassis, de terre, de poussière, de feuille de tabac, de cèdre et d'épices. Moyennement corsé, il atteste une richesse et une profondeur d'excellent aloi. Manifestement dominé par le cabernet sauvignon, c'est un très bon Grand-Puy Ducasse, de surcroît proposé à un prix raisonnable. **A boire entre 2000 et 2015.** (1/99)

1995 • **87** D'un rubis foncé nuancé de pourpre, le Grand-Puy Ducasse 1995 est souple, riche, fruité et moyennement corsé, marqué par une faible acidité, des tannins doux et un boisé léger. Ce vin net et accessible sera certainement très apprécié. **A boire jusqu'en 2010.** (3/98)

1994 • **87** L'excellent 1994 conjugue de manière fort agréable des senteurs de cassis mûr et confituré et des notes de chêne neuf, de fumé et de grillé. Il est délicieux et précoce, moyennement corsé et bien équilibré en bouche. **A boire dans les 12 à 14 ans.** Les amateurs remarqueront qu'il est proposé à prix raisonnable. (1/97)

1993 • **81** Rubis foncé, le Grand-Puy Ducasse 1993 révèle bien les arômes d'herbes et de poivre vert caractéristiques de ce millésime. Si son fruité doux et mûr paraît séduisant à l'attaque en bouche, et s'il se montre profond et corpulent, ce vin reste, dans l'ensemble, trop herbacé et anguleux. **A boire jusqu'en 2006.** (1/97)

1992 • **86** La robe du Grand-Puy Ducasse 1992 est impressionnante pour le millésime : très soutenue, de couleur rubis foncé avec de légères touches de pourpre, elle prélude à des arômes doux et mûrs de cassis qui jaillissent littéralement du verre. L'attaque en bouche révèle un fruité généreux et mûr, des tannins peu abondants et une grande douceur. Ce vin moyennement corsé et souple est vraiment réussi. **A boire jusqu'en 2000.** (11/94)

1990 • **84** Léger et délicat, le 1990 se montre plaisant et fruité, mais unidimensionnel. **A boire.** (1/93)

1989 • **87** Sans être massif ni puissant, le 1989 se montre bien évolué, épicé et délicieux. Il dégage au nez des senteurs mûres et modérément intenses de cèdre, et libère en bouche de généreux arômes de chocolat et de cassis. C'est certainement l'une des plus belles réussites de la propriété depuis des décennies. **A boire jusqu'en 2002.** (4/91)

1988 • **85** Moins massif et moins alcoolique que le 1989, le 1988 de Grand-Puy Ducasse se montre cependant plus compact et plus tannique. Il séduit par son bon fruité et son excellente maturité. **A boire jusqu'en 2000.** (4/91)

1986 • **85** J'aurais mieux aimé le 1986 s'il avait été plus vif et plus profond. Il n'en demeure pas moins un joli vin, charmeur et moyennement corsé, mais étonnamment léger pour un Pauillac. **A boire jusqu'en 2000.** (11/90)

1985 • **86** Sans être puissant ni massif, le 1985 s'impose comme un Pauillac classique, aux parfums de cèdre et d'épices. Souple en bouche, il y manifeste une excellente profondeur et un caractère gras et charnu. Sa finale est souple et gracieuse. **A consommer.** (11/90)

1982 • **86** Ce grand classique, séduisant et parfumé, libère un nez de cèdre, d'épices et de fruits rouges. Quoique n'étant pas l'un des vins les plus concentrés de l'appellation, il se montre moyennement corsé et élégant pour le millésime, et doit être bu **avant la fin de ce siècle.** (9/95)

1979 • **82** Arborant un rubis foncé, le Grand-Puy Ducasse 1979 libère un nez épicé, mûr et fruité, et présente en bouche de séduisants arômes soyeux et souples qui attestent sa belle maturité. Ce vin moyennement corsé, fruité et plein de charme doit être consommé **maintenant.** (7/86)

1978 • **82** Profondément coloré, avec un bouquet assez herbacé, mais mûr, de cassis, le 1978 de Grand-Puy Ducasse se distingue par ses flaveurs rondes et généreuses. Ce vin précoce est **à maturité – peut-être en déclin.** (5/84)

1975 • **84** Vêtu de rubis foncé, le Grand-Puy Ducasse 1975 s'annonce par un bouquet séduisant, marqué cependant de notes végétales (et de rafle). L'ensemble qui suit, massif et concentré, est doté d'un fruité profond, rond et mûr, mais légèrement agressif et rustique. Il laisse en bouche une impression de rugosité. Il s'en faudrait de peu pour que ce bon vin soit excellent. **A boire.** (6/86)

1971 • **85** Un de mes Grand-Puy Ducasse préférés ! Charmeur et rond, très fruité, ce vin était déjà à parfaite maturité en 1978, mais il est resté tel quel, sans s'affadir ni perdre son fruit. Il dégage un nez complexe et séduisant de cèdre et de fruits mûrs. En bouche, il est tendre, rond et velouté, avec de la richesse et une belle persistance. C'est une réussite totale pour ce domaine. **A boire rapidement.** (3/84)

GRAND-PUY-LACOSTE – EXCELLENT

5e cru classé en 1855 – équivaut à un 3e cru depuis 1978
Propriétaire : famille Borie
Adresse : 33250 Pauillac
Adresse postale : Jean-Eugène Borie SA – 33250 Pauillac
Tél. 05 56 59 05 20 – Fax 05 56 59 27 37
Visites : sur rendez-vous uniquement (sauf août et vendanges)
Contact : Jean-Eugène Borie SA

Superficie : 50 ha (Pauillac)
Vins produits : Château Grand-Puy-Lacoste – 180 000 b ; Lacoste-Borie – 90 000 b
Encépagement : 70 % cabernet sauvignon, 25 % merlot, 5 % cabernet franc
Densité de plantation : 10 000 pieds/ha – *Age moyen des vignes :* 35 ans
Rendement moyen : 45 hl/ha

Élevage :
vendanges manuelles ; éraflage total ;
fermentations et cuvaisons de 17-20 jours
en cuves d'acier inoxydable thermorégulées ;
vieillissement de 18-20 mois en fûts (35-50 % de bois neuf) ;
collage et filtration

A maturité : dans les 7 à 20 ans suivant le millésime

Je n'ai jamais eu le plaisir de rencontrer Raymond Dupin, l'ancien propriétaire, aujourd'hui décédé, de Grand-Puy-Lacoste. Il était, dit-on, rien de moins que l'un des plus grands gourmets qu'ait portés la terre du Bordelais, et ses proches ajoutent qu'il était aussi un peu gourmand... Avant sa mort, en 1980, il a vendu Grand-Puy-Lacoste au très talentueux et très estimé Jean-Eugène Borie, décédé en septembre 1998, qui y a installé son fils François-Xavier. Celui-ci a entièrement rénové les vieilles caves du domaine, qui étaient en mauvais état, et a réussi à les achever juste à temps pour élaborer son 1982, l'un des plus grands vins qu'il ait produits à ce jour. François-Xavier Borie vit toujours dans le château modernisé en compagnie de son épouse et de sa famille. Comme l'espéraient les fins connaisseurs du bordeaux, Grand-Puy-Lacoste s'impose désormais parmi les grands de Pauillac.

Ce domaine, qui se situe non loin de la Gironde, sur le plateau de Bages, bénéficie d'une solide réputation pour ses beaux vins, très corsés et aptes à une longue garde, qui ne sont pas sans rappeler ceux de son voisin Lynch-Bages, distant de seulement 1 km. Cependant, les millésimes des années 60 et 70, comme d'ailleurs à Lynch-Bages, ont été assez irréguliers – ce que l'on peut attribuer, rétrospectivement, à la santé déclinante du propriétaire. Ainsi des années de grande renommée, telles 1961, 1966, 1970 et 1975, furent-elles moins réussies à Grand-Puy-Lacoste qu'on n'aurait pu l'espérer. D'autres vins de cette période, notamment les 1967, 1969, 1971 et 1976, ont même été des échecs presque complets, pour des raisons qui restent à éclaircir (sans doute quelque négligence dans la vinification).

En revanche, depuis 1978, Grand-Puy-Lacoste a produit d'excellents Pauillac, et l'on se rappellera sans doute le 1982 comme l'un des plus grands de la longue histoire de ce château. François-Xavier Borie a choisi de vendanger plus tard que ne le faisait Dupin, et ses vins présentent, en conséquence, un intense fruité de cassis, se révélant très glycérinés, puissants et corsés. Jusqu'au milieu des années 90, le Grand-Puy-Lacoste est resté à un prix raisonnable (il est sous-coté), qui n'a pas évolué en proportion de la hausse de qualité du vin.

1998 • **87-89** L'assemblage final du Grand-Puy-Lacoste 1998 ne comprend pas de cabernet franc. Issu d'une sélection de 68 % de la récolte totale, ce vin, composé à 70 % de cabernet sauvignon et à 30 % de merlot, séduit par son caractère souple, doux et tendre. Ses arômes de mûre et de cassis sont remarquables, et, quoique dépourvu de l'étoffe, de la concentration, de l'ampleur et de la puissance de ses deux aînés, il se montre moyennement corsé, rond et fruité en bouche. Il sera parfait ces **10 à 12 prochaines années.** (3/99)

1997 • **86-87** Bien réussi, le 1997 exhale un nez jeune et peu évolué aux notes de cassis. Il révèle dès l'attaque un gras d'excellent aloi et développe en bouche un caractère moyennement corsé et légèrement tannique, ainsi qu'une finale ronde, tendre et concentrée. Bien sûr, ce n'est pas un Grand-Puy-Lacoste des plus amples, mais il s'exprime tout en charme et en élégance. **A boire dans les 7 à 8 ans.** (1/99)

1996 • **93+** Si le Grand-Puy-Lacoste 1996 est incontestablement profond, je m'attendais, d'après mes dégustations au fût, à ce qu'il soit plus irrésistible encore. Se distinguant de ses jumeaux de l'appellation par son caractère d'essence de crème de cassis, il déploie, outre d'abondants tannins et une belle corpulence, de doux arômes de cassis nuancés de minéral et de subtiles notes de boisé. L'ensemble, massif et structuré, présente un potentiel de 25 à 30 ans. C'est un vin des plus amples, qui requiert une garde de 7 ou 8 ans, voire davantage, avant d'être prêt. Un Pauillac classique et superbe. **A boire entre 2007 et 2030.** (1/99)

1995
•
95
Incroyablement riche, multidimensionnel et ample de carrure, le Grand-Puy-Lacoste 1995 est légèrement plus élégant et moins massif que le 1996. Moyennement corsé et somptueux d'équilibre, il présente, à la fois au nez et en bouche, des arômes fabuleusement riches et mûrs de cassis. Cette pure merveille requiert une garde de 2 ou 3 ans et tiendra au moins 25 ans. Un grand classique, parfaitement capable de rivaliser avec son irréel cadet de 1996. **A boire entre 2002 et 2025.** (11/97)

1994
•
90
Le 1994 est une réussite extraordinaire de la propriété. Plus charnu en bouteille qu'il ne l'était au fût, il affiche un niveau élevé de tannins – la marque de ce millésime. De couleur rubis-pourpre opaque, il offre au nez une explosion d'arômes fabuleusement purs de cassis doux. Ce Pauillac riche, classique, moyennement corsé et puissant se dévoile en bouche par paliers. **A boire entre 2003 et 2020.** Une révélation ! (1/97)

1993
•
87
Rubis-pourpre de robe, le 1993 exhale un nez très aromatique d'herbes, de cassis et de tabac, et conjugue avec sensualité un riche fruité de cassis et un caractère bien glycériné. Moyennement corsé, avec une faible acidité et une belle maturité, il laisse en bouche une impression savoureuse, se révélant délicieux et voluptueux. **A boire dans les 7 ou 8 ans.** (1/97)

1992
•
86
Le 1992 de Grand-Puy-Lacoste est l'une des réussites de l'année. Arborant un beau rubis et libérant des arômes fruités, doux et mûrs de cassis, il se montre gras et soyeux, et, bien qu'il ne révèle pas la profondeur, la précision dans les arômes ou la concentration du 1991 et du 1993, il est indiscutablement charmeur et velouté. **A boire dans les 4 ou 5 ans.** (11/94)

1991
•
87
Le Grand-Puy-Lacoste 1991 s'impose comme la star de ce millésime en Pauillac, avec sa robe d'un rubis profond et son nez merveilleusement aromatique de fruits noirs, de cèdre et d'herbes. Moyennement corsé, il libère en bouche des arômes doux, mûrs et charnus, et se montre remarquablement profond. Son potentiel est de **10 à 12 ans.** Une belle réussite. (1/94)

1990
•
95
Opaque et rubis-pourpre de robe, le stupéfiant Grand-Puy-Lacoste 1990 exhale un étonnant nez de cassis confituré, de cèdre, d'épices et de fumé. Très corsé et d'une magnifique richesse en extrait, il est encore superbe de précision, et manifeste en bouche une pureté et une intensité extraordinaires. Ce vin massif, dense et bien équilibré s'impose comme la plus belle réussite de la propriété depuis le 1982. **A boire jusqu'en 2015.** (11/96)

1989
•
89
Lors des premières dégustations, j'avais décelé dans le Grand-Puy-Lacoste 1989 un caractère de tabac et de minéral évoquant un Graves. Contrairement au 1982 et au 1990, notamment, ce vin-ci se montre moyennement massif, élégant, épicé et évolué, et révèle déjà un abondant fruité de cassis et de cèdre. Délicieux et généreusement doté, il peut être consommé dès maintenant grâce à sa faible acidité, ou **conservé une bonne douzaine d'années.** (11/96)

1988
•
85
Bien réussi, le Grand-Puy-Lacoste 1988 s'annonce par une robe rubis profond et par un bouquet réticent. L'ensemble est moyennement corsé, austère, ferme et tannique, mais également très riche et très profond. **A boire jusqu'en 2005.** (1/93)

1987
•
76
L'un des traits les plus plaisants de ce 1987 est son bouquet de cassis herbacé. En bouche, le vin est dur et tannique ; il manque à la fois de charme et d'étoffe. **A boire – peut-être en déclin.** (4/90)

1986 • **91** Voici l'une des plus belles réussites de la propriété depuis 1982. Impressionnant par sa robe toujours intacte de couleur rubis-pourpre profond, ce vin exhale un nez classique de cèdre, de cassis, de fumé et de vanille. Très corsé, puissant et d'une richesse imposante, il regorge de fruit et révèle un solide manteau de tannins qui ne fondra pas avant 3 ou 4 ans. Quoique peu évolué et fermé, il peut déjà être dégusté. C'est certainement l'un des meilleurs vins du nord du Médoc en 1986. **A boire jusqu'en 2012.** (6/97)

1985 • **89** Le 1985 est arrivé à maturité très rapidement. Excellent, voire extraordinaire, il s'impose comme un Pauillac savoureux et séveux, débordant d'arômes de doux cèdre et de cassis herbacé. Moyennement corsé et faible en acidité, il se montre souple en bouche, à la limite de l'opulence, et révèle un caractère délicieux et des plus charmeurs. Son seul point faible est sa finale un peu courte, qui suggère qu'il doit être consommé assez rapidement. **A boire jusqu'en 2004.** (10/97)

1983 • **86** Ouvert et mûr, le Grand-Puy-Lacoste 1983 est vêtu de rubis foncé et libère un nez riche et herbacé de cassis. Ce vin, qui évolue rapidement, révèle, outre une concentration de bon aloi, une texture ronde et souple, et une finale d'une excellente tenue. Il est à parfaite maturité. **A boire.** (3/89)

1982 • **95** Ce vin absolument spectaculaire est probablement l'un des plus sous-cotés du millésime. Sa grande qualité ne fait d'ailleurs aucun doute dès la première gorgée. Il arbore une robe encore intacte d'un rubis-pourpre opaque, et révèle un nez classique de cassis et de cèdre, typique des grands Pauillac. Encore jeune et peu évolué, il se montre massif et très corsé en bouche, où il manifeste en outre une concentration sensationnelle. Il dévoile par paliers un abondant fruité de cassis, où l'on décèle des notes de raisin tant l'ensemble est intense et vif. Ce vin est déjà merveilleux à la dégustation, laissant à peine entrevoir le potentiel qu'il développera au terme d'une garde supplémentaire de 5 à 10 ans. Sa finale est longue de plus de 40 secondes. C'est certainement l'un des Grand-Puy-Lacoste les mieux réussis de ces trente dernières années. **A boire jusqu'en 2020.** Quel tour de force ! (9/95)

Note : je buvais régulièrement ce vin dans l'un de mes restaurants parisiens favoris (L'Ami Louis), mais j'ai malheureusement épuisé le stock il y a peu...

1981 • **80** Léger pour un vin de cette propriété, le Grand-Puy-Lacoste 1981 ressemble davantage à son aîné de 1979 qu'au 1982, très étoffé, ou au 1978, très corsé mais élégant. Ce vin, aux séduisants arômes de fruits mûrs et de chêne épicé étayés par des tannins souples, est prêt. **A boire – peut-être en déclin.** (4/90)

1979 • **83** Précoce, le Grand-Puy-Lacoste 1979 présente un bouquet étonnamment mûr de fruits rouges, de cèdre, de chêne épicé et de fleurs. Moyennement corsé, il tapisse le palais de ses arômes souples, tendres et arrondis, et déploie une finale plaisante, mais courte. Ce vin est bien fait, mais plus léger que de coutume. **A boire – peut-être en déclin.** (3/88)

1978 • **88** Ce Grand-Puy-Lacoste est le premier millésime élaboré par le talentueux tandem Jean-Eugène-Xavier Borie. C'est un Pauillac classique, au beau potentiel de garde, qui arbore un rubis-grenat sombre et libère un bouquet intense de cassis, de fruit, de cèdre et de chêne vanillé. Il est riche et d'une belle corpulence, avec des tannins qui se fondent bien dans l'ensemble. **A boire jusqu'en 2002.** (4/91)

1976 • **72** Ce vin, que d'aucuns estiment pourtant acceptable, est étonnamment confituré et mûr, avec des senteurs de thé fraîchement infusé. Doux, mou et dépourvu de structure, il doit être consommé **sans plus attendre.** (7/80)

1975 • **85 ?** Typique du millésime, ce 1975 arbore une robe très nuancée de rouille et d'orange, et dégage de généreuses senteurs de cèdre et d'épices, marquées de notes sous-jacentes végétales, de terre et de poussière. L'ensemble, très corsé et modérément concentré, est malheureusement dominé par des tannins acerbes ; il donne l'impression d'être compact. En outre, il semble proche de la maturité. Je subodore que ce vin perdra encore de son fruité au fur et à mesure de son vieillissement, ce qui ne manquera pas de le desservir. **A boire.** (12/95)

1971 • **62** Le 1971, qui était à parfaite maturité en 1977, commence à passer. Déjà très tuilé, il présente un bouquet oxydé et rance, et révèle un fruité doux et atténué. Ses tannins sont inexistants, et son acidité piquante. **A boire – peut-être en sérieux déclin.** (7/77)

1970 • **91** Ce vin à la robe resplendissante, d'un rubis sombre et profond, exhale un nez classique de cassis, de minéral, d'épices et de tabac herbacé, typique des grands Pauillac. Très corsé et concentré, il est proche de la maturité et se révèle parfumé, ample et de bonne mâche en bouche. La grande irrégularité qu'il manifeste lors des dégustations doit être imputée à des bouteilles en mauvais état. En revanche, la dernière que j'ai goûtée était délicieuse et extraordinaire, et semblait capable d'une garde de **10 ans encore.** (6/96)

1967 • **65** La sénilité précoce qui semble avoir affecté certains Grand-Puy-Lacoste des années 60 et du début des années 70 est responsable de cet échec. Ce vin bruni libère des senteurs de feuilles en décomposition et des arômes maigres et creux. (2/83)

1966 • **84** Le Grand-Puy-Lacoste 1966 est une réussite. Parfaitement mûr, avec un bouquet assez intense de cassis et de bois brûlé, il déploie des saveurs tendres et savoureuses ; la finale est un peu brève. C'est un vin austère qu'il faut boire **rapidement** avant qu'il ne se fane – **il est peut-être sur le déclin.** (11/84)

1964 • **86** Assez réussi pour ce millésime inégal et compromis par les pluies, le Grand-Puy-Lacoste 1964 dégage des senteurs robustes, solides et généreuses de cassis, et déploie un caractère étoffé, gras et rustique. Très persistant et ample en bouche, il est à parfaite maturité. **A boire.** (11/88)

1962 • **82** Bien que sur le déclin, le 1962 exhale un beau bouquet de fruits mûrs, de caramel et d'épices. Tendre, savoureux, fruité et généreux en bouche, il s'éteint cependant assez vite dans le verre. **A boire d'urgence – en déclin.** (9/81)

1961 • **88 ?** J'ai dégusté trois des six bouteilles de ce cru achetées lors d'une vente aux enchères à New York. Parfaitement épanoui – peut-être même sur le déclin en petit format –, il affiche une robe rubis-grenat foncé fortement nuancée d'orange et de rouille sur le bord, et exhale un nez renversant de doux cassis et de cèdre. L'attaque en bouche révèle, outre un caractère très glycériné, la belle richesse typique des grands millésimes et une texture opulente et tout en rondeur. Cependant, le vin s'éteint dans le verre après une aération d'environ un quart d'heure, et se dessèche après moins d'une demi-heure. C'est un excellent cru, qui doit cependant être dégusté **immédiatement.** En grand format, il pourrait même se révéler exceptionnel. (9/97)

Millésimes anciens

Le Grand-Puy-Lacoste 1959 (noté 92) présente, outre de la puissance et du muscle, une concentration extraordinaire, à la manière d'un Pauillac typique, trapu et costaud. Il aurait bien mérité, à l'époque, le surnom de « Latour du pauvre ».

Le 1949 (dégusté en septembre 1994, noté 96) exhale un nez très parfumé de cèdre, de cassis, de truffe et de boisé. Fabuleusement opulent et corsé, il se montre velouté et extrêmement concentré en bouche. Il est à **parfaite maturité.**

Lors d'un dîner à Bordeaux en 1989, j'ai été abasourdi par le superbe 1947 (noté 94). Provenant d'une cave privée de la ville, il était remarquable de concentration et très riche, avec des parfums amples ; il m'a fait comprendre pourquoi Grand-Puy-Lacoste jouissait, juste après la guerre, d'une si belle réputation.

HAUT-BAGES LIBÉRAL

5e cru classé en 1855 – devrait être maintenu
Propriétaire : SA du Château Haut-Bages Libéral
Adresse : 33250 Pauillac
Adresse postale : c/o Château Chasse-Spleen
33480 Moulis
Tél. 05 56 58 02 37 – Fax 05 56 58 05 70
Visites : sur rendez-vous uniquement
Contact : Claire Villars

Superficie : 28 ha (Pauillac, à côté de Château Latour)
Vins produits : Château Haut-Bages Libéral – 170 000 b ;
La Chapelle de Bages – 60 000 b
Encépagement : 80 % cabernet sauvignon, 17 % merlot, 3 % petit verdot
Densité de plantation : 10 000 pieds/ha – *Age moyen des vignes :* 30 ans
Rendement moyen : 55 hl/ha

Élevage :
fermentations et cuvaisons de 21-28 jours
en cuves d'acier inoxydable thermorégulées ;
vieillissement de 16 mois en fûts (40 % de bois neuf) ;
collage ; pas de filtration

A maturité : dans les 5 à 15 ans suivant le millésime

Cette propriété de taille modeste, située au bord de la D2 (appelée « route des châteaux » dans le Bordelais), produit régulièrement, depuis les années 70, des vins d'une excellente tenue, mais sous-estimés. Jouissant d'une excellente situation, le vignoble est composé de trois parcelles : la plus grande jouxte Château Latour, une autre se trouve près de Pichon-Lalande, et la troisième, plus à l'intérieur des terres, non loin de Grand-Puy-Lacoste.

La célèbre famille Cruse, de Bordeaux, avait entièrement rénové Haut-Bages Libéral au cours des années 70, mais elle le vendit en 1983 à la famille Merlaut-Villars, qui possède également Chasse-Spleen à Moulis et La Gurgue à Margaux. Le vignoble, replanté dans les années 60, atteint maintenant la pleine force de l'âge, mais il est certain que cette jeunesse des vignes explique précisément la relative médiocrité des vins à l'époque et au début de la décennie suivante. Cependant, dès 1975, Haut-Bages Libéral est revenu à un excellent niveau, et ce succès a été suivi de beaucoup d'autres, notamment en 1985, 1986, 1990 et 1995.

Les vins de la propriété se distinguent généralement par leur caractère puissant, mûr et riche, dominé par le cassis – sans doute en raison de leur forte proportion de cabernet sauvignon.

1998 • **85-87** Le Haut-Bages Libéral 1998 se montre à son avantage, malgré les tannins durs et secs que recèle sa finale. Arborant une robe rubis-pourpre foncé, il dégage des parfums de cassis, de terre, d'herbes séchées et de réglisse, qui introduisent en bouche un ensemble moyennement corsé et bien mûr, marqué par des tannins modérément durs. Ce vin requiert une garde de 2 à 4 ans pour se défaire de son astringence. **A boire entre 2003 et 2014.** (3/99)

1997 • **81-83** Léger, souple et fruité, le 1997 manque de complexité, mais il est plaisant et charmeur. **A boire dans les 8 à 10 ans suivant le millésime.** (1/99)

1996 • **87+** Ce très bon 1996 présente un fruité de cassis confituré, entremêlé de notes de chêne neuf, de terre et d'herbes rôties, le tout marqué d'un caractère de surmaturité. Moyennement corsé et modérément tannique, il atteste une très belle précision dans les arômes et le dessin, et déploie une finale persistante. Au fur et à mesure qu'il s'aère, il développe davantage les nuances de surmaturité du cabernet sauvignon dont il est issu. Ce vin, qui est l'une des grandes révélations du millésime, constitue de surcroît une très bonne affaire, car il est généralement proposé à un prix tout à fait raisonnable. **A boire entre 2004 et 2017.** (1/99)

1995 • **85** Plus profond et plus intense que son cadet d'un an, le 1995 est également plus longiligne et plus austère. Sa séduisante couleur rubis-pourpre soutenu suggère une belle intensité, perceptible à l'attaque en bouche, mais, encore une fois, le vin s'amenuise par la suite, se révélant dépourvu de fruité, de glycérine et de concentration en milieu de bouche. La finale est sèche et très tannique. Ce vin pourrait éventuellement s'adoucir au terme d'un vieillissement supplémentaire et se révéler meilleur que ne le suggère la présente note. Espérons qu'il en sera bien ainsi. **A boire entre 2003 et 2012.** (3/98)

1994 • **86** Avec sa robe rubis foncé, le 1994 se montre sous un excellent jour. Dépourvu des tannins durs et du caractère herbacé qu'affichent plusieurs de ses homologues, il révèle une richesse admirable, ainsi qu'un fruité dense aux arômes de cerise noire, de cassis et de chocolat. La finale est moyennement corsée et épicée, et les tannins sont fermes, mais doux. Vous dégusterez ce vin dans les **15 ans qui suivront une garde de 2 ou 3 ans.** (1/97)

1993 • **85** Le 1993 est un vin doux, rond et poivré, habillé de rubis foncé. Son caractère séduisant, charnu et souple le rendra agréable ces **5 à 7 prochaines années.** Il est parfait pour les restaurants qui recherchent un Pauillac à boire jeune. (1/97)

1992 • **76** Légèrement corsé et d'une texture rugueuse, le 1992 de Haut-Bages Libéral se montre tannique, inconsistant, astringent et dur. **A boire d'ici 2 ou 3 ans,** avant qu'il n'ait trop perdu de son fruité. (11/94)

1990 • **87** Le 1990 est bien mieux réussi que son aîné de 1989, assez inintéressant. Profondément coloré, il libère un nez doux de boisé et de prune, et se montre opulent et riche en bouche. L'ensemble, étayé par une faible acidité, manque quelque peu de tenue, mais il n'en est pas moins énorme, charnu et séveux. **A boire jusqu'en 2005.** (1/93)

1989 • **84** Ce 1989 étonnamment léger resplendit d'un beau rubis-pourpre. En bouche, il révèle un caractère modérément tannique, étayé par une heureuse acidité, mais sa finale est courte. C'est un bon vin, mais il est curieusement discret et atténué pour un Pauillac. **A boire.** (1/93)

1988 • **81** Doté de tannins assez verts, le 1988 de Haut-Bages Libéral se montre moyennement corsé et épicé, avec un fruité de groseille. Malheureusement, il finit court et abruptement. **A boire dans les 4 ou 5 ans.** (1/93)

1987 • **72** L'avenir de ce vin souple, dilué et manquant de structure est des plus incertains. **A boire.** (10/89)

1986 • **90** Grâce à une sélection plus sévère et à l'utilisation d'une plus forte proportion de bois neuf pour l'élevage, le 1986 de Haut-Bages Libéral s'impose comme le meilleur vin de la propriété depuis le 1975. C'est probablement aussi l'une de ses plus belles réussites. Affichant un rubis-pourpre sombre et libérant un ample bouquet de prune, de chêne doux et grillé et de cassis, il se présente comme un ensemble dense et de bonne mâche, prêt à déguster en raison de sa grande souplesse. Mais il révèle également l'équilibre, la richesse et les tannins qui lui permettront de bien se conserver encore une bonne quinzaine d'années. **A boire jusqu'en 2015.** (3/90)

1985 • **89** Vêtu de rubis tirant sur le noir, le 1985 se montre riche, dense et très corsé, débordant littéralement de richesse en extrait. Sa finale est puissante, longue et mûre. C'est l'une des stars du millésime. **A boire jusqu'en 2005.** (9/89)

1984 • **72** Ce 1984 a été des plus irréguliers lors de multiples dégustations. Certaines m'ont révélé un vin charnu et fruité, mais unidimensionnel ; d'autres un ensemble curieux, trop mûr et faible en acidité. Une bouteille achetée à Bordeaux en 1988 s'est montrée maigre, atténuée et dépourvue de charme. **A boire.** (3/88)

1983 • **85** Ce vin énorme, impétueux et agressif présente une robe intense et profondément colorée, et dégage un nez explosif de cassis mûr. Il tapisse le palais de ses arômes profonds, étoffés et fruités, et déploie une finale longue et modérément tannique. C'est un vin musclé, qui, comme beaucoup de 1983, a évolué plus rapidement que prévu. **A boire.** (3/89)

1982 • **91** Quelle bonne surprise ! Ce 1982 s'est développé merveilleusement, alors qu'il était l'un des crus les moins prisés du millésime. Opaque et grenat-pourpre de robe, il déborde d'un fruité épais et juteux de cassis mûr aux notes fumées et rôties de réglisse et d'olives. En bouche, il se montre très corsé, épais et séveux, avec ce qu'il faut de complexité pour mériter une très bonne note. C'est un Pauillac tout à la fois ample, savoureux, très concentré et confituré, qui ne révèle aucun signe de vieillissement, bien qu'il soit d'ores et déjà délicieux à la dégustation. Son potentiel de garde est de **15 ans, voire plus.** (4/98)

1981 • **84** Typique de la propriété, le Haut-Bages Libéral 1991 est vêtu de rubis foncé, avec un nez énorme, épicé et fumé, de cassis. Moyennement corsé et riche en bouche, il y déborde d'arômes et déploie une finale tannique et légèrement astringente. Il est ample et de bonne mâche pour le millésime, et séduira incontestablement le plus grand nombre. **A boire jusqu'en 2000.** (9/87)

1980 • **69** Ce vin unidimensionnel présente un bouquet peu intense, épicé et terne, et révèle, en bouche, un caractère maigre et une finale courte et acide. **A boire – peut-être en déclin.** (11/86)

1979 • **83** Voici un autre Haut-Bages Libéral robuste et très parfumé. Habillé de rubis assez foncé, il séduit par ses belles senteurs de cassis mûr et d'épices, et révèle, en bouche, un caractère très corsé et charnu. L'ensemble est étayé par des tannins et une acidité suffisants pour lui assurer une bonne garde. Loin d'être raffiné et élégant, ce vin se montre robuste, rustique et sans détour. **A consommer.** (2/87)

1978 • **70** Quoique solide, le 1978 est décevant pour le millésime. Rubis foncé, avec un bouquet fumé et vert aux notes de brûlé, il se montre végétal et herbacé en bouche. La finale est desservie par un excès d'acidité, et l'équilibre de l'ensemble est douteux. **A boire.** (6/86)

1976 • **84** Bien réussi dans un millésime irrégulier, le 1976 de Haut-Bages Libéral tiendra bien 2 ou 3 ans encore, quoiqu'il soit déjà à parfaite maturité. Sa robe rubis foncé est légèrement ambrée sur le bord, et son nez révèle de puissants arômes épicés de cèdre et de cassis. Ce vin, étonnamment concentré pour un 1976, est tout à la fois riche, séveux et fruité. **A boire.** (12/88)

1975 • **88** Les bonnes affaires de Haut-Bages Libéral peuvent se révéler d'excellentes surprises. Le 1975 de la propriété, qui s'est toujours montré puissant, concentré et musclé, arbore encore une robe opaque d'un rubis-grenat sombre. Celle-ci précède un nez modérément intense de goudron, d'herbes, de cèdre, de truffe et de fruits noirs, dominé par des notes animales et de terre. L'ensemble est très corsé, rugueux et rustique, et révèle une généreuse richesse en extrait. Ce vin ne sera jamais parfaitement harmonieux, mais il est très intense, avec beaucoup de caractère. **A boire dans les 15 ans à venir, voire au-delà.** (12/95)

1974 • **55** Maigre, creux et dur en bouche, le 1974 manque autant de fruit que de charme. **A boire – peut-être en sérieux déclin.** (3/79)

1970 • **70** Outre sa robe rubis foncé et un nez épicé et végétal aux notes de céleri et de girofle, le 1970 de Haut-Bages Libéral présente un caractère naissant de thé vert. Ce vin manque d'équilibre et doit être consommé sans plus attendre **– s'il n'est en sérieux déclin.** (4/77)

HAUT-BATAILLEY – TRÈS BON

5e cru classé en 1855 – devrait être maintenu
Propriétaire : Françoise des Brest-Borie
Administrateur : François-Xavier Borie
Adresse : 33250 Pauillac
Adresse postale : Jean-Eugène Borie SA – 33250 Pauillac
Tél. 05 56 59 05 20 – Fax 05 56 59 27 37
Visites : sur rendez-vous uniquement
Contact : Jean-Eugène Borie SA

Superficie : 20 ha (Pauillac)
Vins produits : Château Haut-Batailley – 100 000 b ;
Château La Tour l'Aspic – 26 000 b

Encépagement : 65 % cabernet sauvignon, 25 % merlot, 10 % cabernet franc
Densité de plantation : 10 000 pieds/ha – *Age moyen des vignes :* 28 ans
Rendement moyen : 45 hl/ha

Élevage :
vendanges manuelles, totalement égrappées ;
fermentations et cuvaisons de 16-20 jours
en cuves d'acier inoxydable thermorégulées ;
vieillissement de 16-20 mois en fûts (30-40 % de bois neuf) ; collage et filtration

A maturité : dans les 4 à 15 ans suivant le millésime

Haut-Batailley n'est pas l'un des domaines les plus connus de Pauillac. Il est géré, tout comme Grand-Puy-Lacoste et Ducru-Beaucaillou (à Saint-Julien), par François-Xavier Borie, fils du regretté Jean-Eugène, mais appartient en fait à la tante du premier. Ce sont sans doute le caractère limité de la production et la situation du vignoble, un peu à l'écart, loin de la Gironde et en bordure d'une forêt, qui sont responsables de la relative méconnaissance de ce cru par le public.

Les millésimes récents, élaborés sous la talentueuse direction de Jean-Eugène Borie (décédé en 1998) et de son fils, ont montré l'énorme potentiel de la propriété. Cependant, les vins n'ont pas toujours eu la régularité qu'on aurait pu attendre. On peut souvent leur reprocher une certaine légèreté et un caractère excessivement tendre. La plupart des Haut-Batailley arrivent à pleine maturité bien avant leurs 10 ans, ce qui est anormal pour des Pauillac. Sans doute les derniers millésimes, particulièrement les 1995 et 1996, ont-ils révélé davantage de concentration et de tenue que les précédents. Pourtant, je persiste à penser qu'ils évoquent plus des Saint-Julien que des Pauillac. C'est un paradoxe quand on sait que la propriété a été créée en 1942 en étant détachée du vignoble de Batailley – qui est un Pauillac des plus typiques, s'il en est !

1998 • **85-88** Xavier Borie craignait de trop longues macérations et une trop grande extraction pour le Haut-Batailley 1998 ; il souhaitait en effet élaborer un vin plutôt léger, au style charmeur. Il semble avoir bien réussi. L'ensemble, qui ne comprend pas de cabernet franc (desservi par les pluies diluviennes), est moyennement corsé et plaisant, séduisant par son doux fruité de cassis. C'est un Pauillac agréable, mais superficiel, qui manque de corpulence et de profondeur. **A boire entre 2001 et 2008.** (3/99)

1997 • **86-87** Rubis foncé, le Haut-Batailley 1997 est séduisant, souple et faible en acidité. Il dégage au nez des senteurs d'herbes rôties et de cassis, et gratifie le palais de ses arômes moyennement corsés et luxuriants, de ses tannins dépourvus d'agressivité, et d'une finale neutre et facile. **A boire avant qu'il n'ait 7 ou 8 ans d'âge.** (3/98)

1996 • **89-91** Le 1996 pourrait bien être le Haut-Batailley le plus impressionnant que je connaisse, mais je ne puis me résoudre à franchir le pas pour le renoter à la hausse tant que je ne l'aurai pas goûté plusieurs fois encore au fût et en bouteille. D'un pourpre dense, avec un nez typiquement Pauillac, merveilleusement doux, aux arômes de cassis et de boîte à cigares, ce vin se révèle étonnamment puissant pour la propriété (qui donne généralement des Pauillac légers, élégants et souples). Moyennement corsé, avec un fruité intense, il est pourvu de tannins mûrs et d'une finale extrêmement longue, qui se développe par paliers. Ce grand classique pourrait bien mériter une note extraordinaire. **A boire entre 2003 et 2015.** (3/98)

1995 • **89** Bien réussi, le Haut-Batailley 1995, soyeux, souple et sensuel, se révèle moyennement corsé, merveilleusement pur et sans aspérités, regorgeant d'un généreux fruité de cassis mêlé de notes vanillées de fumé et de crayon à papier. Ce vin déjà accessible promet de se bonifier dans les **10 à 12 prochaines années.** Il est incontestablement des plus plaisants. (11/97)

1994 • **86** Plutôt médiocre au fût, le 1994 se révèle meilleur en bouteille. Sa couleur rubis foncé prélude à des arômes épicés et modérément tanniques, bien concentrés et élégants ; il montre également un copieux fruité. **A boire entre 2000 et 2008.** (1/97)

1993 • **85** Moyennement corsé et de couleur rubis foncé, le Haut-Batailley 1993 exhale un nez de tabac, d'herbes et de cassis qui jaillit littéralement du verre. Doux et rond, il sera idéal à boire sans cérémonie dans les **4 ou 5 ans.** (1/97)

1992 • **81** Le 1992 s'est étoffé depuis la mise en bouteille ; il est aujourd'hui moyennement corsé, souple et bien évolué, avec plus de fruité et une faible acidité. Ce vin légèrement boisé devra être consommé dans les **2 à 4 ans.** (11/94)

1991 • **84** Le Haut-Batailley 1991 se révèle plus intéressant et plus complet que son cadet d'un an, léger, souple et dilué. Moyennement corsé et bien mûr, il séduit par ses arômes de fruits rouges et déploie une finale modérément tannique. Sa seule faiblesse serait, je le crains, que son fruité se fane avant que ses tannins ne se fondent. **A boire dans les 5 à 7 ans.** (3/95)

1990 • **88** Précoce, avec un doux nez fumé de chêne mêlé d'abondantes senteurs prononcées de cassis, le Haut-Batailley 1990 se montre moyennement corsé et légèrement tannique en bouche. Étayé par une faible acidité, il développe par paliers un abondant fruité mûr. Ce vin d'une grande finesse, qui s'impose comme la plus belle réussite de la propriété depuis le 1982, sera parfait **10 ans encore, voire plus.** (1/93)

1989 • **87** Débordant d'un fabuleux fruité sans détour et doux comme le satin, le Haut-Batailley 1989 est tout à la fois persistant, mûr et opulent en bouche. Il y laisse une impression de confit et de douceur, du fait de sa très grande richesse. **A boire jusqu'en 2006.** (1/93)

1988 • **83** Ce vin léger, maigre et rugueux manque à la fois de charme et de finesse. Ses tannins sont en excès par rapport à son fruité. **A boire.** (1/93)

1987 • **82** Bien réussi et plus flatteur que le 1988, le Haut-Batailley 1987 est rond, épicé, charmeur et agréablement fruité en bouche. **A boire dans les 3 ou 4 ans.** (4/90)

1986 • **84** Après plusieurs dégustations au fût, je pensais que le Haut-Batailley 1986 s'imposerait comme la plus belle réussite de la propriété depuis plusieurs décennies. Cependant, trois dégustations en bouteille m'ont révélé un vin certes séduisant, mais qui ne manifeste pas la profondeur ni le potentiel que j'avais espérés. Étonnamment souple et soyeux pour un 1986, ce Haut-Batailley marie un agréable fruité de cassis et de belles notes de chêne grillé. L'ensemble, moyennement corsé, s'amenuise en fin de bouche et se montre diffus. **A boire.** (6/90)

1985 • **85** Souple, agréable et élégant, le Haut-Batailley 1985 est moyennement corsé, fruité et savoureux, mais il ne tiendra pas longtemps. **A boire.** (3/89)

1984 • **74** Un nez un peu passé de thé introduit un ensemble bien fruité, mais léger et creux, à consommer **rapidement.** (6/88)

1983 • **82** Une année moyenne pour Haut-Batailley. Ce vin jeune, rubis foncé de robe, présente, outre de séduisants arômes gras et mûrs, des tannins modérés et une sécheresse inhabituelle en bouche. Il n'a jamais été harmonieux. **A consommer.** (3/89)

1982 • **89** J'ai peut-être sous-noté ce Pauillac gracieux, racé et parfaitement mûr. Séduisant par son nez de cèdre et de cassis qui jaillit littéralement du verre, ce vin discret et merveilleusement pur manifeste un parfait équilibre et se révèle soyeux en bouche. Il est tout en rondeur, ce qui augmente encore son charme. **A boire dans les 7 ou 8 ans.** (9/95)

1981 • **85** C'est l'un de mes millésimes favoris depuis 1971. Soyeux et très parfumé, le Haut-Batailley 1981 se distingue par un bouquet prononcé aux notes de boisé. L'ensemble, velouté, rond et plaisant, a évolué rapidement et se révèle délicieux. **A consommer.** (2/88)

1979 • **76** Le Haut-Batailley 1979 manque de profondeur et de concentration. D'un rubis léger et moyennement corsé, il se montre plaisant, souple et rond, et déploie une finale légère. **A boire.** (3/87)

1978 • **82** Ce vin souple et plein de charme est un véritable délice. Sans détour, avec un fruité luxuriant joliment marqué de chêne épicé, il révèle des tannins légers et une finale chaude et arrondie. **A consommer.** (4/84)

1976 • **74** Le Haut-Batailley 1976 est parfaitement épanoui. Rubis ambré de robe, il est souple et doux, et déploie en bouche des arômes plutôt modestes, étayés par une faible acidité. Malheureusement, il finit court. **A boire – peut-être en déclin.** (4/84)

1975 • **81** Le caractère astringent du millésime a contribué à la structure et à la fermeté atypiques du Haut-Batailley 1975. Une robe rubis sombre à peine ambrée précède un vin au nez mûr et ouvert de prune, dominé par des notes de cèdre et d'herbes. L'ensemble, moyennement corsé, avec des tannins modérés, révèle une texture et une profondeur de bon aloi. Un 1975 plutôt terne. **A boire.** (10/88)

1973 • **64** Ce vin, déjà maigre à son meilleur niveau en 1978, est maintenant creux, aqueux et passé. Il ne présente aucun intérêt. (6/86)

1970 • **87** Extrêmement réussi, le Haut-Batailley 1970 évoque, pour une fois, davantage un Pauillac qu'un Saint-Julien. Plus riche et plus étoffé que de coutume, il présente des tannins sous-jacents, fermes, mais d'une bonne tenue. Ce vin rubis foncé révèle en outre un nez complexe et une finale excellente et persistante. **A boire.** (10/83)

1966 • **84** Typique du millésime, solide et ferme, le Haut-Batailley 1966 a évolué lentement et a maintenant atteint son apogée. Il séduit par son modeste bouquet d'épices et de cassis, et déploie en bouche, outre un caractère moyennement corsé, une concentration d'un bon plutôt que d'un excellent niveau. La finale est solide, mais un peu rugueuse. **A boire.** (4/82)

1962 • **84** Ce vin modérément fruité, aux arômes souples, ronds et accessibles, présente un nez bien épanoui et une finale de bon aloi. Il est prêt depuis près de 10 ans et doit être consommé **sans plus attendre – s'il n'est déjà en déclin.** (3/83)

1961 • **84** Compte tenu du millésime, il faut avouer que ce vin est atypique et plus proche, par son caractère, du 1962. Un nez épanoui, doux et épicé révèle un ensemble à parfaite maturité, qui ne déploie cependant pas le fruit intense que l'on retrouve dans la plupart des 1961. La bouche, moyennement corsée, présente des arômes souples, charnus et fruités, étayés par des notes boisées. **A boire.** (7/83)

LAFITE ROTHSCHILD – EXCEPTIONNEL

1er cru classé en 1855 et en 1973 – devrait être maintenu
Propriétaire : Domaines Barons de Rothschild
Adresse : 33250 Pauillac
Adresse postale : 33, rue de la Baume – 75008 Paris
Tél. 01 53 89 78 00 – Fax 01 53 89 78 01
Visites : sur rendez-vous uniquement
Contact : Domaines Barons de Rothschild

Superficie : 100 ha (Pauillac et Saint-Estèphe)
Vins produits : Château Lafite Rothschild – 200 000 b ;
Carruades de Lafite – 230 000 b
Encépagement : 70 % cabernet sauvignon, 25 % merlot,
3 % cabernet franc, 2 % petit verdot
Densité de plantation : 8 500 pieds/ha – *Age moyen des vignes :* 38 ans
Rendement moyen : 50 hl/ha

Élevage :
vendanges manuelles ;
fermentations et cuvaisons de 18-25 jours en cuves d'acier inoxydable
thermorégulées à 30 °C ; 2 remontages journaliers ;
vieillissement après les malolactiques de 20 mois en fûts neufs ;
soutirage trimestriel ; collage au blanc d'œuf ; légère filtration

---

A maturité : dans les 10 à 35 ans suivant le millésime

Lafite Rothschild : ce nom désigne la propriété et le vin qui sont peut-être, actuellement, les plus célèbres du Bordelais ; avec sa fameuse petite étiquette, élégante et discrète, ce château est le symbole même de la puissance, du prestige, de la tradition viticole et du bordeaux de très longue garde.

Cependant, alors que les millésimes postérieurs à 1975 constituent une remarquable série de grands Lafite, ceux de la période 1961-1974 ont été d'une médiocrité surprenante pour un premier cru. Je me suis souvent étonné de ce que les critiques spécialisés ne s'indignent pas davantage devant de tels vins. Le château s'est toujours défendu en expliquant que ses Pauillac légers et élégants étaient éclipsés, lors des dégustations à l'aveugle, par des vins plus étoffés et plus robustes. Ce n'est évidemment pas impossible, mais la pauvreté des Lafite est véritablement patente dans des millésimes d'une bonne tenue (tels 1966, 1970 et 1971), où ils se révélèrent peu colorés, avec un caractère desséché et trop boisé, et une acidité trop importante. Certaines années (comme 1969, 1971 et 1974) furent de cuisants échecs, les vins étant tout de même diffusés sous l'étiquette Lafite Rothschild à des prix relativement élevés.

Les raisons d'un tel état de choses ne seront vraisemblablement jamais révélées par les Rothschild, mais, puisque les millésimes postérieurs à 1975 sont remarquables, il me semble possible d'en déduire ce qui n'allait pas dans le courant des années 60 et 70. Tout d'abord, les propriétaires vivaient à Paris, ne surveillant que de loin les activités du château – alors que, depuis 1975, sous la direction d'Éric de Rothschild, le domaine est géré de façon dynamique et efficace. En outre, par le passé, les vins étaient vieillis trop longuement (32 à 36 mois), alors que, dorénavant, le séjour sous bois n'excède pas 24 mois, ce qui explique que les vins soient plus frais et plus fruités. (Il faut signaler que Lafite possède sa propre tonnellerie.) Ajoutez à cela que les vendanges sont aujourd'hui plus tardives, permettant ainsi le ramassage d'un fruit plus mûr et plus faible en acidité. La sélection est également plus sévère ; lors des récoltes abondantes des années 80, Lafite a éliminé presque la moitié de la récolte pour faire le grand vin, et, depuis les années 90, il n'est pas rare que 60 % de la récolte soit déclassée, pour être utilisée dans le second vin ou vendue en vrac. Enfin, la mise en bouteille est menée à terme beaucoup plus rapidement qu'avant (certains disent en effet que ces opérations ne duraient pas moins de 8 à 12 mois), ce qui expliquerait que l'on ne retrouve plus de grandes irrégularités au sein d'un même millésime.

Quoi qu'il en soit, Lafite Rothschild produit actuellement de très grands vins, et c'est le splendide 1975 qui a marqué le tournant et le retour à la qualité. On peut affirmer que, pour ce qui concerne la période commençant en 1981, ce premier cru a donné les meilleurs Médoc dans les millésimes suivants : 1981, 1982, 1983, 1986, 1987, 1988, 1990 et 1996.

1998 • **91-94** Bravo à Charles Chevalier pour toute une série de Lafite magnifiques. Issu d'une sélection de 40 % de la récolte, composé à 81 % de cabernet sauvignon et à 19 % de merlot, le Lafite Rothschild 1998 est un beau succès pour le millésime et s'impose comme l'une des grandes stars du Médoc. Contrairement à son jumeau de Mouton, plutôt massif, il se révèle très accessible et d'un très grand raffinement. Il exhale un nez déjà remarquable de complexité, aux notes de cassis, de crayon à papier et de minéral, subtilement nuancé de chêne neuf. La bouche révèle un ensemble riche, doté de fabuleuses proportions et de tannins souples, à la finale concentrée et terriblement persistante. Ce Lafite, qui se distingue encore par une élégance irréelle, traduit bien la finesse caractéristique du cru, malgré sa richesse et son intensité. Il devrait se développer en un vin très parfumé, qui surprendra assurément par sa belle alliance de richesse et d'harmonie. **A boire entre 2007 et 2030.** (3/99)

1997 • **90-92** Le 1997 de Lafite compte, à mon sens, au nombre des grands succès de ce millésime. Vinifié dans un style plus précoce, mais moins massif et moins concentré que son aîné d'un an, il exhale des senteurs de crayon à papier, de minéral, de prune et de cassis. Moyennement corsé et souple, il est étonnant de richesse, et se montre délicieusement pur et mûr en bouche. Ce Lafite léger, mais magnifique, devrait être prêt d'ici 3 à 5 ans. **A boire entre 2004 et 2018.** (1/99)

1996 • **98+** Ce vin, que j'ai dégusté en deux occasions depuis sa mise en bouteille, est incontestablement la plus belle réussite de cette célèbre propriété depuis le 1982 et le 1986. Seulement 38 % de la récolte totale fut jugée digne du grand vin, qui comprend une très forte proportion de cabernet sauvignon (83 %), ainsi qu'un peu de cabernet franc (7 %), de merlot (7 %) et de petit verdot (3 %). Très massif, le Lafite 1996 s'impose comme l'exemple le plus ample et le plus énorme que je connaisse de ce cru. Il requiert une très longue garde avant d'être prêt, si bien que les amateurs de vins de plus de 50 ans d'âge devraient sérieusement réfléchir avant d'en entasser quelques caisses dans leur cave pour leur usage personnel... C'est également le premier millésime de Lafite qui sera présenté dans les nouvelles bouteilles gravées, destinées à limiter les risques de contrefaçon. Arborant une robe jeune et épaisse de couleur rubis-pourpre, le 1996 de Lafite Rothschild se distingue par un nez renversant de crayon à papier, de minéral, de fleurs et de cassis. Extrêmement puissant et très corsé, il est remarquable de complexité pour son jeune âge. Ce vin énorme, suintant littéralement de richesse en extrait, réussit néanmoins à préserver son élégance caractéristique. Plus riche encore qu'avant la mise en bouteille, il tiendra parfaitement 40 à 50 ans. **A boire entre 2012 et 2050.** (1/99)

1995 • **95** Issu d'un tiers seulement de la récolte de la propriété, le 1995 de Lafite se compose à 75 % de cabernet sauvignon, à 17 % de merlot et à 8 % de cabernet franc. Il s'est tout simplement montré spectaculaire lors de ma dernière dégustation, en novembre 1997. Vêtu de rubis-pourpre foncé, avec un doux nez de minéral concassé, de fumé et de cassis herbacé, ce vin moyennement corsé et serré affiche un fruité merveilleusement doux dans un ensemble fabuleusement pur et précis. Sans être aussi puissant ni aussi massif que son cadet d'un an, le très prometteur Lafite 1995 est bien vinifié et présente des qualités tout à fait extraordinaires. **A boire entre 2008 et 2028.** (11/97)

1994 • **90+ ?** Presque entièrement issu de cabernet sauvignon, le Lafite 1994, de couleur rubis-pourpre foncé, est décidément peu évolué et pas du tout séduisant, se révélant légèrement astringent au palais. Très massif et d'une admirable pureté, il n'a pas ce caractère herbacé ou immature qui est la griffe du millésime, mais il refuse de se dévoiler, même au mouvement du verre. Ce vin, qui peut sembler trop austère et décevant en bouche, déploie cependant des arômes absolument fabuleux qui rappellent le 1961 de cette propriété, également à dominante de cabernet sauvignon. Les amateurs devront attendre une douzaine d'années avant de déboucher leur première bouteille. **A boire entre 2010 et 2030.** (1/97)

1993 • **88** Belle réussite de la propriété, le Lafite 1993 arbore une robe rubis-pourpre foncé. Serré et moyennement corsé, il présente une palette aromatique très fermée, qui ne révèle qu'avec réticence des arômes de cassis doux, de tabac herbacé et de crayon. Policé et élégant, il affiche la noble réserve typique de Lafite et s'impose comme un vin d'une excellente tenue, racé et légèrement austère. **A boire entre 2004 et 2020.** (1/97)

1992 • **89** On n'a utilisé que 36 % de la récolte pour faire le premier vin en 1992, si bien que celui-ci se montre profondément coloré, avec des arômes assez exceptionnels de cassis, de cèdre et de chocolat. Moyennement corsé, il est étonnamment concentré en bouche, où il déploie le profil aromatique typique de Lafite. Il faut saisir l'occasion de découvrir la finesse de ce millésime dans un cru doux et précoce. **A boire dans les 12 à 15 ans.** (11/94)

1991 • **86 ?** Légèrement corsé, le 1991 de Lafite est d'un rubis moyennement foncé, avec un fruité sous-jacent bien étoffé, mais ses tannins se révéleront peut-être excessifs pour sa dimension et sa structure. Il déploie bien le caractère subtil typique de ce cru, avec des arômes de feuilles, de tabac et de crayon, auxquels se mêlent des senteurs douces de cassis. Sec, austère et manquant de profondeur, il s'impose comme un Lafite bien réussi dans une année moyenne. (1/94)

1990 • **92+** Le Lafite 1990 est riche, mûr et doté d'une belle structure, mais ses tannins, qui tapissent le palais, ainsi que son caractère fermé le rendent difficile à évaluer. D'une grande richesse, il exhale les parfums de minéral, de cèdre, de crayon à papier et de fruits rouges typiques de ce cru, et se montre moyennement corsé et modérément tannique en bouche. L'ensemble, admirable de richesse, manifeste un bel équilibre d'ensemble et déploie une finale assez rugueuse. Ce vin requiert une longue garde pour évoluer et pour que ses tannins se fondent davantage. Cependant, pour extraordinaire qu'il soit, je ne pense pas que le Lafite 1990 puisse jamais égaler ses aînés de 1988, 1986 et 1982, en termes de qualité, de complexité et de classe. **A boire entre 2006 et 2035.** (11/96)

1989 • **90+** L'extraordinaire Lafite 1989 est terriblement fermé, et donc difficile à jauger. Ce vin très tannique et réticent était bien plus accessible il y a plusieurs années, mais il semble maintenant s'être replié sur lui-même. Modérément corsé et d'un rubis moyennement foncé, il déploie des senteurs de chêne neuf et une finale épicée. L'ensemble est élégant, discret et réservé. **A boire entre 2006 et 2025.** (11/96)

1988 • **94** Le très classique 1988 est extrêmement fermé et requiert un certain vieillissement en bouteille. Profondément coloré, il exhale les légendaires arômes de cèdre, d'herbes, de fruits à noyau séchés, de minéral et de cassis qui caractérisent le cru. Quoique fermé, l'ensemble révèle des tannins énormes et une concentration extraordinaire, et manifeste une précision dans les arômes absolument fabuleuse. Ce Lafite doté de manière impressionnante pourrait bien s'imposer comme l'une des révélations du millésime. **A boire entre 2000 et 2035.** (10/94)

1987 • **87** Ce vin s'est étoffé en bouteille – en règle générale, les vins de Lafite ne se montrent pas à leur avantage dans les années qui suivent la mise. Lors des dégustations au fût, le 1987 s'était imposé comme l'un des vins les plus complexes du millésime, mais son nez s'est ensuite considérablement refermé, n'offrant qu'avec réticence un bouquet naissant de crayon à papier, de vanille, de feuille et de cèdre. En bouche, l'ensemble se montre aujourd'hui doux et souple, assez tannique et étayé par une bonne acidité. **A boire.** (10/90)

1986 • **100** Extraordinaire de richesse, le prodigieux 1986 arbore une robe profondément colorée et se montre moyennement corsé, gracieux et harmonieux en bouche, où il déploie une finale magnifique et persistante. Il se distingue particulièrement par ses arômes prononcés de cèdre, de marron, de minéral et de fruits riches. Ce vin puissant, dense et tannique manifeste encore une fabuleuse richesse en extrait et semble capable d'une très longue garde. Son potentiel est immense – il requiert incontestablement de la patience. **A boire entre 2000 et 2030.** (4/96)

1985 • **87** Le Lafite 1985 devrait être meilleur, mais il gratifiera ceux qui aiment suivre la mode et qui sont disposés à payer d'un prix astronomique un nez modérément intense de cèdre, de bois et d'herbes. Moyennement corsé, il présente en bouche, outre des arômes séduisants, bien évolués et très épanouis, une finale légèrement tannique. Cependant, on peut se demander, après la dernière gorgée : n'était-ce vraiment que cela ? **A boire jusqu'en 2008.** (3/91)

1984 • **84** Ce 1984 est typique de Lafite. Il présente un bouquet hors pair, aux élégantes notes d'herbes, de cèdre et de fruits. La bouche est dominée par le boisé, et la finale révèle des tannins durs marqués d'une certaine sécheresse. C'est un vin léger, mais bien équilibré, à consommer **maintenant.** (1/88)

1983 • **93** Les tannins du Lafite 1983 commencent enfin à se fondre. Ce vin, dont la robe rubis-grenat profond est à peine ambrée sur le bord, libère des parfums enivrants et provocateurs de crayon à papier, de pain grillé, de fruits noirs et rouges, de minéral et d'herbes rôties. Très corpulent pour un Lafite, il révèle un caractère doux, mais charnu, puissant et riche en milieu de bouche. C'est un vin extraordinaire, tout à la fois persistant, élégant et étonnamment charnu, qui a malheureusement été éclipsé par une pléthore de très grands millésimes dans la fabuleuse décennie 80. **A boire jusqu'en 2030.** (3/97)

1982 • **100** Encore extraordinairement jeune et peu évolué, ce vin ample (et massif pour un Lafite) devrait s'imposer comme la plus belle réussite de la propriété après le 1953 et le 1959. Il exhale toujours un nez irrésistible, d'une intensité exceptionnelle, aux notes d'herbes, de cassis, de vanille, de crayon à papier et de cèdre. La bouche, extrêmement tannique, stupéfie par sa concentration et sa puissance atypiques, mais montre l'élégance caractéristique du cru, nullement compromise dans ce millésime réputé pour ses vins onctueux, épais et séveux. Tout à la fois riche, complet et fermé, ce Lafite devrait se révéler fabuleux – à condition, cependant, d'être attendu jusqu'en 2003 ou 2005. Parfaitement capable de tenir les **30 premières années du prochain millénaire.** (9/95)

1981 • **91** Quoique proche de la maturité, ce cru peut encore tenir une vingtaine d'années. Rubis-grenat de robe, il libère le nez classique des Lafite, aux notes de fruits noirs et rouges, de cèdre, de cake et de tabac. L'ensemble qui suit, doux à l'attaque, révèle un fruité d'une grande délicatesse, ainsi que de subtils arômes de tabac, de boîte à cigares, de cèdre et de cake. Ce vin savoureux et souple, aussi plaisant intellectuellement qu'au palais, sera parfait **jusqu'en 2018.** (3/97)

1980 • **83** Léger et agréable, le Lafite 1980 présente un nez modérément intense de cassis et de tabac frais, et dévoile en bouche des saveurs souples et pleines de charme. Une belle réussite pour le millésime ! **A boire.** (6/87)

1979 • **87** J'ai surestimé ce vin pendant sa jeunesse et n'ai pas apprécié la manière dont il a évolué ; en effet, son niveau élevé d'acidité (typique d'une saison de pousse fraîche) lui confère un caractère plus comprimé que je ne l'aurais imaginé de prime abord. Sa robe, d'un rubis-grenat sombre, est maintenant légèrement ambrée sur le bord, et ses arômes de groseille et de cassis doux ont développé un aspect végétal et de terre. L'ensemble présente des tannins agressifs, étayés par une acidité très piquante. **A boire jusqu'en 2012.** (10/97)

1978 • **87** La robe grenat moyen du 1978 précède de caractéristiques arômes fumés de cèdre et d'herbes rôties. L'ensemble qui suit révèle un bon fruité à l'attaque, mais la finale, très agressive, est acerbe et anguleuse, marquée d'une acidité étonnamment élevée. Ce vin paraît plus proche de la maturité que son cadet de 1979. **A boire jusqu'en 2010.** (10/97)

1976 • **93** Ce vin se distingue nettement de la masse des 1976. Son beau bouquet séduisant, aux arômes de cèdre, d'épices et de fruits mûrs, introduit un vin profondément coloré, très concentré, d'une texture et d'une persistance d'excellent aloi. La robe est à peine ambrée sur le bord. Ce Lafite – le meilleur des années 70 – est fabuleux à l'heure actuelle. **A boire.** (9/96)

1975 • **92 ?** Pour des raisons qui m'échappent, Lafite présente souvent d'importantes variations de bouteilles dans un même millésime. Dans les années 60 et 70, ce phénomène s'expliquait par une mise peu rigoureuse qui s'étendait généralement sur de très longues périodes (jusqu'à un an parfois), mais elle ne dure aujourd'hui qu'entre deux et quatre semaines. J'ai dégusté des Lafite 1975 absolument grandioses jusqu'à 15 ans d'âge, mais il semblerait que certains flacons aient, par la suite, développé un caractère cuit et confituré évoquant un Barolo, tandis que d'autres auraient retenu leur ampleur et leurs arômes typiquement Pauillac de crayon à papier, de cèdre, de cassis et de tabac. Ce vin est généralement puissant, mais les bouteilles défectueuses ont tendance à se montrer très tanniques et curieuses ; les bonnes conjuguent des notes rôties et des saveurs sous-jacentes de graves et de minéral. Au fur et à mesure de son vieillissement, le Lafite 1975 se révèle un pari moins sûr. S'il se montre souvent extraordinaire (ce fut le cas en décembre 1995), présentant des arômes parfaitement mûrs, il recèle aussi des tannins rugueux qui le desservent et constituent l'aspect négatif du millésime. Ce vin mystérieux, qui pourrait encore se révéler exceptionnel, durera incontestablement **30 ans, voire davantage,** mais je doute que son fruité tienne jusque-là. En revanche, son cadet d'un an s'est toujours montré plus évolué et plus régulier. Cependant, je préfère le 1975 aux 1970, 1966, 1961, à mon sens surcotés. (6/98)

1974 • 56 Il était, certes, difficile de réussir en 1974, mais on attend généralement d'un premier cru qu'il effectue des sélections sévères pour ne diffuser que les meilleures cuvées. Le 1974 de Lafite présente une robe terriblement tuilée et se montre très atténué, rance et plat en bouche. Il est très court et maigre, avec un caractère aqueux inexcusable. Piètre performance ! (11/82)

1973 • 72 Ce vin léger et plutôt aqueux n'en est pas moins l'un des plus charmeurs du millésime. Exhalant le bouquet classique et très parfumé de Lafite, il se montrait légèrement tannique, court, compact, mais agréable en bouche. C'était en 1980 ; il est probablement **en sérieux déclin** actuellement. (12/80)

1971 • 60 Quelle déception ! Le 1971, qui s'est toujours montré plat, révèle une robe très brunie et un nez cuit, rouillé, légèrement sale et indéfinissable, trahissant un mauvais élevage. Il est proche de la ruine et ne présente d'intérêt que pour ceux qui collectionnent les étiquettes. (11/82)

1970 • 85 Le 1970 de Lafite, qui m'a régulièrement déçu, commence tout juste à libérer les classiques arômes de cèdre, de crayon à papier, d'épices, de fruits noirs et rouges séchés caractéristiques de ce cru. A lui seul, le bouquet aurait mérité une excellente note s'il avait été un peu plus intense. En revanche, la bouche présente un haut niveau d'acidité qui ne manque pas d'inquiéter, l'ensemble ne révélant ni l'étoffe, ni le gras, ni la richesse en extrait nécessaires pour contrebalancer une structure anguleuse. J'ai trouvé quelques bouteilles aigres et acides, mais celle qui fait l'objet de la présente note manifestait un meilleur équilibre. Tout compte fait, il s'agit d'une expérience plus spéculative que gustative. (6/96)

1969 • 62 Le Lafite 1969 est caractérisé par des senteurs de brûlé inhabituelles, par des arômes courts évoquant le café et les herbes, et par une structure creuse. C'est un vin mal fait, inélégant et, pour tout dire, insipide. (11/78)

1967 • 72 Lafite aurait certainement pu mieux réussir en 1967. D'un rubis léger très tuilé, ce vin présentait, dans le milieu des années 70, un bouquet odorant, épicé et plein de charme, et des arômes simples, fruités et légèrement tanniques. Il est maintenant passé, et son fruité s'est fané. **A boire – peut-être en sérieux déclin.** (12/80)

1966 • **84** D'un rubis-grenat moyennement foncé, avec un nez racé et herbacé de cabernet sauvignon, le Lafite 1966 se révèle doux et délavé, dénué de corpulence et de longueur. Il commence également à se dessécher. Il y a de fortes probabilités pour qu'il ressemble désormais à un Cabernet de Monterey (Californie) de 30 ans d'âge. Ce vin a toujours déçu dans ce millésime irrégulier, mais de bonne tenue. (12/95)

1964 • **80** Contrairement aux Lafite 1961, 1966 et 1970, couverts d'éloges et surestimés, le 1964, vraisemblablement élaboré après les pluies, a fait l'objet de critiques trop sévères. Il n'est certes ni sublime ni profond, mais il révèle régulièrement un caractère trapu et fruité, ainsi que des bouffées du fabuleux bouquet qui caractérise le cru. **A boire.** (7/82)

1962 • **88** Le Lafite 1962 exhale le légendaire bouquet de Lafite, aux arômes discrets de cèdre et de boîte à cigares, et se montre légèrement corsé et délicat en bouche. Il est rond, souple et délicieux, mais sa cote exorbitante me conforte dans l'idée que les Lafite présentent rarement un rapport qualité/prix intéressant. (12/95)

1961 • **84** Ce vin jouit d'une réputation extraordinaire. Pourtant, ayant eu l'occasion de le déguster pas moins de huit fois, je l'ai toujours trouvé terriblement léger, trop acide, excessivement austère et étonnamment peu généreux pour le millésime. En outre, j'ai récemment constaté qu'il était desséché. Sa robe, rubis clair, est nettement tuilée, et le vin n'a pas ce bouquet pénétrant de boîte à cigares typique de Lafite ; le sien semble presque timide, compte tenu de la réputation du château. N'ayant ni le poids, ni la concentration, ni la majesté des grands 1961, c'est un Pauillac à propos duquel de trop nombreux critiques ont fait assaut d'euphémismes. Ils ont dit, en effet, qu'il avait « besoin de temps », qu'il était « élégant » ou « mal compris », quand ils auraient dû avouer qu'il était tout simplement surestimé et décevant. Compte tenu du niveau du millésime et de celui du domaine, c'est loin d'être un succès. **A boire jusqu'en 2000.** (12/89)

Millésimes anciens

Le 1959 (noté 99 en octobre 1994) est certainement le plus grand Lafite Rothschild à son apogée, et l'on peut se demander si les 1982, 1986 et 1990 atteindront jamais un tel niveau. Il libère un bouquet extrêmement aromatique de fleurs, de truffe noire, de cèdre, de crayon et de fruits rouges, qui introduit en bouche l'un des vins les plus puissants et les plus concentrés jamais produits au château. Moyennement corsé, il est riche et pur, avec une texture veloutée, et témoigne merveilleusement des sommets que peut atteindre cette prestigieuse propriété lorsqu'elle décroche la timbale. Ce vin d'une étonnante jeunesse se maintiendra **encore 30 ans.**

J'ai, par deux fois, attribué la note 100 au Lafite 1953, et je l'ai trouvé une troisième fois proche de la perfection. D'après les anciens, il se maintient à la pointe de sa maturité depuis déjà une trentaine d'années. Outre ses extraordinaires et caractéristiques arômes de minéral, de crayon, de cèdre et d'épices, il révèle une texture de velours et se montre merveilleusement rond et doux. D'une remarquable précision dans le dessin, il affiche un équilibre impeccable. Il est préférable d'acheter ce vin en magnum ou en tout autre grand format, sauf si l'on est sûr qu'il a été stocké dans une cave bien fraîche et qu'il n'a voyagé ni trop souvent ni trop longtemps.

La plupart des millésimes du siècle dernier se sont révélés extraordinaires, contrairement à ceux du XXe siècle. Ainsi, le 1832 (noté 76 en septembre 1995) exhale un nez de boîte à cigares, de thé glacé et d'herbes, et présente en bouche des arômes fragiles, légèrement corsés, ronds et délicats. La finale est courte et dure. Je trouve remarquable que ce vin ait encore conservé du fruit.

Michael Broadbent a longtemps soutenu que le 1848 de Lafite était l'un des plus grands vins du siècle passé et lui a accordé 5 étoiles lors d'une dégustation en 1988. Sept ans plus tard, ce vin était encore extraordinaire (je l'ai noté 96 en décembre 1995). D'un rubis-grenat léger, il présentait un nez exceptionnellement pénétrant de doux cèdre, de fruits mûrs et confiturés de terre, de cake et de crayon à papier, suivi en bouche d'un ensemble remarquable de densité, mais élégant, velouté et d'une ampleur fabuleuse. On lui donnait sans hésiter 45 à 50 ans d'âge. Ce vin stupéfiant – véritable légende – est vraiment typiquement Lafite !

Une robe rubis-ambre et un nez de cèdre et de cassis, évoquant Mouton, introduisent le Lafite Rothschild 1864 (noté 92 en septembre 1995). Étonnamment intense et mûr, ce vin révèle, outre un doux fruité, une fraîcheur remarquable et un caractère terriblement alcoolique. On décèle encore en bouche des arômes merveilleusement exotiques d'épices orientales, de tabac et de graves ; l'ensemble, irrésistible, stupéfie par la puissance et l'intensité qu'il manifeste en finale.

Le Lafite 1865 (noté 98 en septembre 1995) m'a littéralement ébloui dès le premier instant. Ce vin d'un autre monde arbore une robe d'un grenat moyen légèrement nuancée de rouille et d'orange sur le bord, qui précède des senteurs extraordinaires, fabuleusement denses et intenses de chocolat, d'herbes et de cèdre, étayées par un merveilleux fruité sous-jacent, doux et opulent. La finale, longue et veloutée, s'exprime tout en rondeur. Il est difficile d'imaginer un vin de 130 ans aussi extraordinaire, mais j'y étais, je l'ai vu, humé, dégusté et bu. C'était irréel.

Après deux expériences décevantes, j'ai enfin pu goûter une bouteille profonde, irrésistible et provocatrice de l'immortel et légendaire Lafite 1879 (c'était lors d'une dégustation de Hardy Rodenstock à Munich, en septembre 1995). D'un rubis-grenat resplendissant, ce vin présentait un nez énorme de céleri fraîchement coupé, de menthe, de cèdre et de cassis, qui se développait rapidement tout en se maintenant 30 à 40 minutes dans le verre... jusqu'à ce que je le vide. Le fruit était doux, étonnamment glycériné et opulent pour un Lafite, et la finale souple, puissante et confiturée. Quelle merveille !

Hormis ces vins exceptionnels, mes notes de dégustation sur Lafite révèlent davantage de déceptions que de réussites. Ainsi, les 1950, 1952 et 1955 sont inintéressants. En revanche, le 1957, sans être grandiose, est étonnamment bon (je l'ai noté 86-88 par deux fois). Dans les années 40, 1945 est excessivement astringent et dépourvu d'équilibre, 1947 décevant, 1949 bon sans être profond.

Parmi les années plus anciennes, j'ai une seule bonne note dans la décennie 30 ; c'est le 1934 (noté 90 en 1986). Il était merveilleux en magnum.

En avril 1991, j'ai eu le privilège de déguster les 1924, 1926, 1928 et 1929 chez un ami à Bordeaux. Ces bouteilles avaient été achetées dans les années 30 et conservées depuis dans une cave fraîche. Elles étaient toutes décevantes : le 1929 (noté 59) était fané et fatigué, le 1928 (noté 68) conservait une certaine élégance, mais se montrait court et atténué. En outre, c'est le seul Lafite qui ait jamais été pasteurisé. Le 1926, dur et desséché, ne méritait pas mieux que 67, et le 1924, légèrement plus frais que le 1926, valait 69. En revanche, le 1921 (noté 93 en septembre 1995) m'a stupéfait, avec sa robe grenat fortement ambrée sur le bord et son nez doux et presque trop mûr de fruits noirs et rouges, de cèdre, d'herbes et d'épices. Moyennement corsé et remarquablement conservé, il présentait un caractère rôti ; après aération, on décelait une pointe d'acidité en finale. Ce Lafite doux, parfumé et délicieux était à la pointe de sa maturité depuis 40 à 50 ans déjà.

LATOUR - EXCEPTIONNEL

1er cru classé en 1855 – devrait être maintenu
Propriétaire : François Pinault
Adresse : 33250 Pauillac
Tél. 05 56 73 19 80 – Fax 05 56 73 19 81
Visites : sur rendez-vous uniquement
Contact : Cécile Gonzalez

Superficie : 65 ha (Pauillac – la parcelle de L'Enclos, 47 ha, fait le grand vin)
Vins produits : Château Latour – 220 000 b ; Les Forts de Latour – 140 000 b ; Pauillac générique – 20 000 b
Encépagement : 80 % cabernet sauvignon, 15 % merlot, 5 % cabernet franc et petit verdot
Densité de plantation : 10 000 pieds/ha
Age moyen des vignes : 40 ans (L'Enclos) et 37 ans
Rendement moyen : 45-50 hl/ha pour le grand vin, 60 hl/ha pour le reste

---

Élevage :
vendanges manuelles ; éraflage total ;
fermentations et cuvaisons de 21 jours en cuves d'acier inoxydable thermorégulées ;
vieillissement après les malolactiques de 20-26 mois en fûts neufs ;
soutirage trimestriel ;
collage au blanc d'œuf ; pas de filtration

A maturité : dans les 15 à 40 ans suivant le millésime avant 1983,
dans les 10 à 25 ans après

Bénéficiant d'une situation exceptionnelle, à la limite de Pauillac et de Saint-Julien, immédiatement au nord du domaine clos par des murs de Léoville Las Cases, le vignoble de Latour est aisément repérable de la route, grâce à sa tour fortifiée de couleur claire. Cette bâtisse imposante, qui domine à la fois les vignes et la Gironde, date du XVIIe siècle, mais on parle du Château Latour dès 1378 – en pleine guerre de Cent Ans, la tour de Saint-Maubert (représentée sur l'étiquette) est une place forte tenant l'estuaire et gardée par les soldats bretons à la solde du roi de France. Après un siège de trois jours, elle est envahie par l'armée anglo-gasconne, qui y installe une garnison.

C'est à la fin du XVIIe siècle que la grande histoire viticole commence, lorsque le domaine est racheté par le marquis de Ségur, président du parlement de Bordeaux, qui possède également Calon et Mouton. Pendant plus de trois siècles, le château restera dans la même famille. En 1962, les descendants de la famille de Ségur, regroupés en société civile en raison de leur grand nombre, vendent la majorité (53 %) à une importante holding anglaise, le groupe Pearson. C'est un changement important dans l'histoire de la propriété. Puis, en 1989, c'est le groupe britannique Allied Lyons, déjà propriétaire de 25 %, qui rachète les parts de Pearson et devient majoritaire, avec 93 % (7 % demeurant aux descendants de la famille de Ségur). En juillet 1993, Latour défraye la chronique.

En pleine période de récession, l'homme d'affaires François Pinault rachète le domaine pour un peu moins de 700 millions de francs (cela dit, les dernières transactions du Bordelais, notamment à la vente de Cheval Blanc, furent plus onéreuses). Après trente ans de présence anglaise, Latour redevient français.

Aujourd'hui, la gestion du domaine relève de Frédéric Engerer, et les vinifications étaient assurées, de 1986 à début 1999, par Christian Le Sommer. L'orientation générale n'a pas fondamentalement changé sous la nouvelle direction, hormis de nouveaux investissements « de confort » pour améliorer une partie du matériel et les locaux de réception.

Le vin de Latour est un exemple de régularité, à un haut niveau, dans les grands millésimes comme dans les petits ou même les médiocres. C'est pour cette raison que beaucoup considèrent ce cru comme le tout premier du Médoc. On dit de lui, en effet, qu'il est le meilleur du Bordelais dans les années à problèmes (telles 1960, 1972 ou 1974) ; cette réputation est, dans l'ensemble, justifiée, même s'il y a des exceptions (en 1977, 1980 et 1984, par exemple, les vins de Latour, étonnamment légers, ont été surpassés par ceux de nombreux châteaux). Latour est également l'un des plus lents à évoluer, une bouteille pouvant exiger 20 à 25 ans pour dompter ses imposants tannins et pour révéler sa profondeur, sa puissance et sa richesse extraordinaires. Mais ce vin que l'on dit habituellement viril, masculin et robuste s'est semble-t-il, discrètement, mais indiscutablement, assoupli. L'équipe de Latour s'en défend farouchement, mais les dégustations que j'ai effectuées dans des millésimes récents (surtout à partir de 1978) révèlent, à n'en pas douter, un Pauillac plus facile d'abord, moins abrupt.

Alors que le 1982 et, dans une moindre mesure, le 1986 sont indiscutablement de grands Latour, le château n'a pas connu, en fin de compte, une très belle décennie 80. Les connaisseurs disent parfois que la faute en revient à la petite taille de la cuverie, qui ne serait pas adaptée aux volumes de vendanges importants, comme ceux de 1983, 1985 et 1986. Il aurait donc été nécessaire de vider les cuves en fermentation afin de faire de la place pour le dernier raisin rentré. Les caves et la cuverie ont été agrandies, juste à temps pour recevoir la vendange 1989, la plus importante jamais enregistrée dans la région. Cependant, des dégustations poussées des 1979, 1981, 1983, 1985, 1988 et 1989 laissent la nette impression que, dans ces années, Latour a été franchement plus léger, moins puissant et moins concentré que dans les décennies précédentes. En revanche, les 1990, 1994, 1995 et 1996 semblent marquer un indiscutable renversement de la tendance.

Latour demeure l'un des bordeaux les plus concentrés, les plus riches, les plus tanniques et les plus corsés du monde. A parfaite maturité, il se distingue par un bouquet irrésistible de noisette fraîche, de cuir, de cassis, de graves et de minéral. La bouche, généralement extraordinaire de richesse, ne manifeste jamais aucune lourdeur.

1998
•
89-91

Les vendanges eurent lieu à Latour entre le 22 septembre et le 5 octobre. Il s'agissait d'une période très pluvieuse. Issu d'une sélection de 95 % de la récolte totale, le grand vin se compose à 72 % de cabernet sauvignon, à 23 % de merlot, à 4 % de cabernet franc et à 1 % de petit verdot. Contrairement à ses aînés de 1995 et 1996, amples et massifs, le Latour 1998 est raffiné et élégant. Vêtu de rubis foncé, il présente un doux fruité de cassis, et séduit par le gras, les tannins étonnamment souples et la finale de bon aloi qu'il développe en bouche. On distingue encore, en arrière-plan de cet ensemble qui n'est ni énorme ni puissant, un caractère assez ferme et musclé. Très pur, moyennement massif et doté des arômes de minéral et de fruits noirs typiques de ce cru, il sera à son apogée **entre 2007 et 2025**. Détail intéressant :

Christian Le Sommer, alors directeur de la propriété, estime que 1998 évoque un hypothétique mélange de 1986 et 1988. D'après lui, c'est la sécheresse du mois d'août qui a empêché le vignoble d'absorber les pluies diluviennes de la fin septembre. En tout cas, le Latour 1998 ne présente aucun signe de dilution, mais il n'est pas aussi important ni aussi massif que les millésimes précédents. (3/99)

1997 • **90-91** Extrêmement réussi, le Latour 1997 s'impose comme l'un des vins du millésime les plus aptes à une longue garde. Plus tannique et plus profond que la plupart de ses jumeaux, il se montre en bouche moyennement corsé, bien structuré et complexe. Son fruité doux et confituré est nuancé de notes d'herbes séchées, de café et de terre. Ce vin d'un rubis foncé et soutenu se distingue encore par une finale longue de 20 secondes, ce qui est plutôt de bon augure dans ce millésime. **A boire entre 2006 et 2018.** (1/99)

1996 • **97** Seulement 56 % de la production totale de la propriété fut cette année-là jugée digne du grand vin. Composé à 78 % de cabernet sauvignon, à 17 % de merlot, à 4 % de cabernet franc et à 1 % de petit verdot, le Latour 1996 se présente comme un vin très massif et peu évolué, à la limite du monstrueux. Réplique moderne du 1966 ou du 1970, il ne ressemble pas à ses aînés de 1982 ou 1990, plus doux, plus savoureux et plus gras. Opaque et rubis-pourpre de robe, il présente un nez réticent, mais naissant, de noix rôtie, de mûre, de tabac et de café, nuancé en arrière-plan de notes de pain grillé. La bouche, massive et très corsée, révèle d'abondants tannins. Cet ensemble fabuleux de concentration et de pureté déploie une finale impeccable et persistante. Le Latour 1996 a été mis en bouteille en juillet 1998 ; il requiert une garde de 10 ans au moins avant d'être prêt. **A boire entre 2012 et 2040.** (1/99)

1995 • **96+** Ce vin m'a littéralement époustouflé lors des dernières dégustations – il demeure, même après la mise, un spécimen prodigieux, à la hauteur des espoirs que j'avais fondés sur lui. Plus onctueux, plus doux et plus accessible que le 1996, il se révèle absolument fabuleux, d'une profondeur extrême. C'est incontestablement l'un des vins les plus grandioses du millésime, et il requiert une garde d'au moins 10 à 12 ans avant d'être prêt. Opaque et pourpre de robe, avec un nez renversant de chocolat, de noisette, de minéral, d'épices, de mûre et de cassis, il est exceptionnellement corsé, et manifeste une richesse et un caractère glycériné des plus somptueux, qui accompagnent à merveille son fruité gargantuesque. Ce Latour magnifique vieillira de belle manière **40 à 50 ans.** (11/97)

1994 • **94** Le 1994 est à la fois grandiose et intéressant. Il semble plus doux et plus charnu que de coutume pour un vin jeune de la propriété, très certainement en raison du fort pourcentage de merlot dans son assemblage final (27 %), mais ne commettez surtout pas l'erreur de le considérer comme un vin accessible et de style commercial. Avec sa robe opaque de couleur rubis-pourpre foncé, il exhale un nez classique, peu évolué et intense, de cassis et de noisette, mêlé de notes de pain grillé et fumé qui se développent dans le verre. Ce Latour corsé et puissant se dévoile par couches, révèle d'abondants tannins, mais ne libère aucun caractère amer ni astringent. Sa superbe pureté, sa fabuleuse précision et sa remarquable persistance en bouche laissent deviner une longévité de 35 à 40 ans. Les amateurs trouveront ce vin plus gras, plus charnu et plus glycériné qu'il n'est de tradition pour un Latour récent (à l'exception des 1990 et 1982). Qu'ils ne soient pas déçus, il requiert bien une garde de 8 à 10 ans avant d'être bu. **A boire entre 2005 et 2035.** (11/97)

1993
•
90+
Le 1993 est absolument formidable dans le contexte de ce millésime. Sa robe opaque de couleur pourpre introduit un nez peu évolué de cèdre, de noisette, de cassis et de terre. Moyennement corsé en bouche, il y déploie un fruité fabuleusement riche et concentré, des tannins modérément abondants (et non astringents), ainsi qu'une finale douce, longue et puissante. Ce vin n'a heureusement pas le caractère végétal ou herbacé qui marque le millésime, et ne trahit pas la moindre tendance à la dureté ou au creux en milieu de bouche. Il se pourrait même que je lui accorde dans l'avenir une note plus élevée. Serait-ce une répétition du 1967 et du 1971 ? **A boire entre 2007 et 2025.** (1/97)

1992
•
88+
En 1992, la moitié seulement de la récolte fut sélectionnée pour l'assemblage final du grand vin, qui se montre doux, expansif et riche. Moyennement corsé, il est aussi étonnamment souple, et déploie des arômes féeriques de noisette, de cassis et de minéral. D'une excellente concentration aromatique en bouche, il présente une faible acidité et des tannins modérés en finale. Ce vin, extrêmement bien vinifié et accessible, devrait parfaitement se conserver encore **10 à 12 ans.** Il se pourrait même qu'il se bonifie avec le temps, méritant alors une meilleure note. (11/94)

1991
•
89
Après un 1990 absolument exquis, le 1991 de Latour est assez décevant ; il peut néanmoins prétendre au titre de réussite du millésime pour son caractère concentré et racé. Cette année-là, suite à une sélection sévère, seulement 11 500 caisses de grand vin ont été produites. Celui-ci arbore une robe dense de couleur rubis foncé et présente un nez réticent, mais prometteur, de cerise noire, de cassis, de minéral, de noix grillée, d'épices et d'herbes subtiles. Moyennement corsé, il est mûr, musclé et charnu, remarquablement riche, déployant un gras merveilleux et des tannins agressifs qui ne se fondront qu'au bout de 5 ou 6 ans. Son potentiel de garde est de **15 ans, voire plus.** (1/94)

1990
•
98+
Il est incontestable que le Latour 1990 pourrait prétendre au titre de réussite du millésime. Ce vin remarquablement jeune arbore un pourpre profond et manifeste en bouche, outre un caractère très corsé et puissant, une richesse massive. Le tout est bien étayé par d'abondants tannins doux et mûrs, qui facilitent considérablement l'évaluation de l'ensemble. La finale, longue de plus de 35 à 40 secondes, révèle, par paliers, de copieux arômes d'une pureté impressionnante. Ce Latour peu évolué requiert une garde de 5 ou 6 ans encore ; il sera parfait **entre 2005 et 2035.** (11/96)

1989
•
89
Le 1989 me déçoit régulièrement ; je me demande en effet comment Latour a pu produire cette année-là un vin élégant et moyennement massif, d'une discrétion inhabituelle. Sa robe rubis profond introduit un vin aux tannins durs et au niveau d'acidité étonnamment élevé, dépourvu de la richesse, de la profondeur et de la puissance que l'on attend généralement d'un cru de ce niveau. L'ensemble, très fermé, requiert incontestablement une garde de 5 ou 6 ans, mais son manque de richesse, d'intensité et d'étoffe ne peut qu'inquiéter, surtout en comparaison du 1990. Je pense cependant que ce vin recèle davantage de qualités qu'il n'en révélait lors des récentes dégustations, mais il me paraît seulement excellent, et non extraordinaire. C'est une déception dans le contexte du millésime. **A boire entre 2004 et 2020.** (11/96)

1988
•
89
Profondément coloré, avec un bouquet complexe de minéral, de bois de noyer, de feuille et de cassis, le Latour 1988 se montre moyennement corsé en bouche, où il révèle des arômes superbement extraits, mais également une finale aux tannins féroces. Il requiert incontestablement de la patience. Ce vin, qui a

développé davantage de richesse et de caractère que je ne l'avais pensé de prime abord, est à l'évidence plus typique du cru que d'autres millésimes récents comme 1983, 1985 ou 1989. **A boire entre 2000 et 2025.** (1/93)

1987 • 86 Composé à 75 % de cabernet sauvignon et à 25 % de merlot (sans cabernet franc ni petit verdot), le Latour 1987 se présente vêtu de rubis profond et exhale un nez étonnamment peu évolué, mais prometteur, de cassis, de chêne épicé et d'herbes. La bouche, moyennement corsée, révèle davantage de tannins que la plupart des crus de ce millésime, et la finale, des plus imposantes, est pour le moins surprenante. Ce vin est, avec Mouton, l'un des rares 1987 à pouvoir tenir plus de 15 ans. Remarquable réussite de Latour, il peut parfaitement rivaliser avec ses aînés de 1983 et 1985. **A boire jusqu'en 2010.** (4/91)

1986 • 90 Ce vin, qui s'est développé de manière inattendue, requiert encore une garde de 5 à 10 ans pour arriver à maturité. La robe demeure d'un grenat sombre trouble, à peine nuancé de pourpre sur le bord, et le nez présente les classiques arômes de cassis et de noisette, aux notes de goudron, de terre et d'herbes poivrées, caractéristiques du cru. L'ensemble, moyennement corsé et doté de tannins très abondants, manifeste une excellente, voire une extraordinaire concentration. Cependant, compte tenu de la qualité de ses jumeaux du nord du Médoc, le Latour 1986 fera certainement figure de déception. Il est en effet nettement surpassé par ses rivaux de Margaux, de Lafite Rothschild et de Mouton Rothschild. **A boire entre 2000 et 2015.** (1/97)

1985 • 87 Ce vin fruité et ouvert s'est toujours montré léger et maigre. Sa robe rubis profond légèrement éclaircie sur le bord précède des arômes de fruits rouges confiturés mâtinés de notes de terre et d'herbes. Suit un ensemble étonnamment léger, qui s'est toujours révélé accessible. La finale, évanescente, est dénuée de tenue, de tannins et de richesse en extrait. **A boire jusqu'en 2008.** (1/97)

1984 • 84 Curieusement, le 1984 est presque aussi bon que le léger 1985. Ses arômes épicés et boisés de minéral et d'herbes, ainsi que son fruité mûr, s'amplifient dans le verre, et l'ensemble révèle une persistance et une tenue d'excellent aloi. Ses tannins lui permettront de tenir quelques années encore. **A boire.** (3/89)

1983 • 87 Quoique très bon, ce Latour est décevant. Légèrement pâteux et informe – ce qui est totalement inhabituel pour le cru, même dans les millésimes les plus difficiles –, il arbore un rubis moyen légèrement ambré sur le bord et révèle un nez de petits fruits rouges et de noisette rôtie, nuancé de goudron et d'épices. La bouche, arrondie, étonne par sa légèreté (elle est en fait moyennement corsée), et présente des tannins souples et une finale presque inexistante. Une fois encore, Latour se situe bien au-dessous de ses homologues et néanmoins rivaux de Margaux, de Lafite et de Mouton. **A boire jusqu'en 2005.** (1/97)

1982 • 100 Devinez lequel des « huit premiers » de ce millésime (les cinq premiers crus classés du Médoc plus Ausone, Cheval Blanc et Petrus) se révèle le plus profond aujourd'hui ? Depuis trois ou quatre ans, le Latour 1982 s'impose comme une répétition de son aîné de 1961, merveille d'opulence et de puissance. Ce vin s'améliore de plus en plus et atteste une qualité sans cesse plus élevée. Si je devais choisir le 1982 le plus plaisant et le plus charmeur des « huit », ce serait incontestablement le Latour. Encore dans sa toute petite enfance en termes de développement, il se montre extraordinaire de richesse et de maturité, et commence tout juste à révéler les irrésistibles parfums de cassis, de cèdre, de noisette et de minéral caractéristiques du cru. Tout à la fois extrêmement corsé, concentré, épais, visqueux et de bonne mâche, cet ensemble ample, mais étonnamment doux, recèle de très abondants tannins derrière un généreux fruité qu'il dévoile en bouche par paliers. Je suis de plus en plus convaincu qu'il s'agit là d'une véritable légende, qui, aujourd'hui, surpasse même Cheval Blanc pour ce qui est du charme pur. Il se pourrait que ce vin se referme, mais il n'en donne actuellement aucun signe, et sa robe évoque un échantillon de 18 mois d'âge tiré du fût. Les amateurs qui n'en auraient que deux bouteilles devraient attendre 2002-2003 pour ouvrir la première et conserver l'autre au moins jusqu'en 2020. Ce Latour a en fait un potentiel de **50 à 60 ans**. Quel tour de force ! (3/98)

1981 • 88 Le 1981 est remarquablement velouté et souple pour un Latour aussi jeune. Ce n'est pas là un défaut, dans la mesure où l'excellence, la complexité et la richesse sont également au rendez-vous. Rubis foncé de robe, ce vin exhale un bouquet débordant de cassis mûr et de chêne épicé ; en bouche, il se montre généreux, soyeux, modérément tannique et long en finale. Ce pourrait bien être une répétition du 1971. **A boire jusqu'en 2005.** (9/90)

1980 • 83 Dans les millésimes médiocres des années 50, 60 et même du début des années 70, Latour a généralement produit les meilleurs vins du Médoc. Ce ne fut cependant pas le cas en 1980. Ce vin est certes nettement au-dessus de la moyenne du millésime, mais il manque de volume et de richesse. Fruité, plaisant et souple, il finit malheureusement court. **A boire.** (11/84)

1979 • 88 ? Ce vin a toujours été difficile à évaluer ; en effet, mes notes de dégustation font apparaître une grande diversité dans la qualité et le style des différents échantillons. Le plus souvent, le Latour 1979 s'est révélé moyennement corsé, doté d'un bon fruité, mais également peu évolué et astringent. En revanche, par deux fois, il s'est montré moyennement corsé, assez riche et étayé par une heureuse acidité, exhalant les classiques arômes de minéral, de noisette et de fruits noirs caractéristiques de Latour. Comme le 1981, ce pourrait être une version allégée du 1971. **A boire jusqu'en 2005.** (1/97)

1978 • 94 Ce vin parfaitement épanoui s'impose comme l'un des plus grandioses du millésime. Sans être aussi extraordinairement concentré que son massif aîné de 1971 ni aussi puissant que le 1975, il se distingue par son bouquet stupéfiant d'herbes rôties, de doux fruits noirs confiturés, de noix et de minéral. On décèle dans cet ensemble quelques touches de métal, comme s'il avait été additionné de comprimés de vitamines. Moyennement corsé, avec des arômes tout à la fois gras, riches et concentrés de fruits noirs, de terre et de fumé, il se montre délicieux depuis quelques années déjà, sans révéler le moindre signe de fatigue. **A boire jusqu'en 2010.** (1/97)

1976 • 83 J'ai beaucoup discuté avec l'équipe de Latour des mérites relatifs de ce vin, que je juge peu profond, assez creux et anguleux pour un Latour. Bien entendu, le château est d'un avis différent... mais la vérité est dans la bouteille. Ce vin est réussi pour le millésime, mais il ne se bonifiera vraisemblablement pas. Il ne peut que décliner, puisque le fruit se fane, ce qui rend les tannins de plus en plus agressifs. **A boire rapidement.** (2/87)

1975 • 93+ La crème remonte toujours à la surface ; il en va ainsi avec Latour. Ce cru s'impose souvent comme le meilleur des Pauillac après un certain temps de développement, et le 1975 me semble un pari plus sûr que ses jumeaux de l'appellation, plutôt décevants. Retenant une robe resplendissante et opaque d'un rubis-grenat sombre, il dégage au nez de classiques arômes de noisette, de cèdre, de minéral, de tabac et de cassis. Très corsé, mais aussi terriblement tannique, il révèle un gras et une richesse en extrait des plus généreux, qui confortent mon optimisme. Néanmoins, il s'imposera toujours comme un ensemble ferme et tannique, qu'il faut décanter plusieurs heures avant la dégustation. Ce vin doit être attendu jusqu'à la fin de ce siècle ; il tiendra bien **30 ans** ensuite. (12/95)

1974 • **86** Dans ce millésime qui a donné, en général, des vins plutôt herbacés, verts et creux, Latour a produit l'un des meilleurs. Il arrive maintenant à maturité et présente une robe rubis foncé, une charpente moyenne, un beau fruit, une profondeur et une richesse étonnantes pour l'année, et une finale vigoureuse et tannique. Il n'a pas la dureté ni le manque de fruit caractéristiques de si nombreux 1974. **A boire jusqu'en 2000.** (10/90)

1973 • **78** C'est un Latour poids plume, même si l'on considère le caractère aqueux et dilué de la plupart des vins du millésime. Ce 1973 est malgré tout puissant, relativement complexe, même, et de meilleure tenue que je ne l'aurais pensé de prime abord. En bouche, il est tendre, mûr, modérément intense, sans tannins apparents, et semble dominé par le merlot. Ce Latour atypique doit être consommé **sans plus attendre.** (2/87)

1972 • **75** Ce millésime désastreux pour le Bordelais a cependant donné un Latour étoffé, profondément coloré, manquant un peu d'équilibre et d'élégance. Son fruité est de bonne tenue, et il présente, outre une belle concentration, un bouquet de cèdre et d'herbe fraîche. Il faut le boire **rapidement – il est peut-être en déclin.** (12/83)

1971 • **93** J'ai eu la chance de pouvoir acheter plusieurs caisses de ce cru à un prix raisonnable. Chaque bouteille s'est révélée extraordinaire, et le vin semblait se bonifier à chaque dégustation. Le Latour 1971 n'a peut-être pas atteint la pointe de sa maturité (bien que j'aie déjà dégusté la plupart de mes bouteilles). Il arbore toujours une robe grenat foncé bien soutenue, mais légèrement éclaircie sur le bord, et exhale de généreuses senteurs de métal, de minéral, de fruits noirs, de fumé et d'herbes rôties. Moyennement corsé, charnu et de bonne mâche dès l'attaque, il est doux en milieu de bouche et admirable de persistance en finale. Il semblerait bien qu'il s'agisse de la réussite du millésime dans le Médoc. **A boire jusqu'en 2010.** (1/97)

1970 • **98+** Avec Petrus et Trotanoy, Latour s'impose comme l'une des réussites du millésime. Ce vin toujours jeune et magnifique arbore une robe opaque et grenat intacte, qui précède un nez énorme et naissant aux arômes de fruits noirs, de truffe, de noisette, nuancé de subtiles senteurs de tabac évoquant un Graves. Très corsé, intense et fabuleux de concentration, il révèle un fruité sous-jacent et doux (ce qui est plutôt rare pour un Médoc du millésime) et des tannins abondants, mais bien fondus dans l'ensemble. Ce vin massif et fabuleusement doté devrait être prêt à la fin de ce siècle ; il tiendra parfaitement les **20 à 30 ans** qui suivront. C'est le cru le plus classique et le plus apte à une longue garde du millésime. (6/96)

1969 • **74** Dans ce millésime peu favorisé, Latour a élaboré un vin acceptable, assez coloré et un peu concentré, mais anguleux, maigre et sans charme. **A boire – peut-être en sérieux déclin.** (6/76)

1967 • **88** Méritant indiscutablement la palme dans ce millésime, ce Latour corpulent arbore une robe d'un rubis sombre légèrement brunie sur le bord, et révèle un fruité de cassis toujours étayé de tannins légers et doux. Devançant de très loin les autres premiers crus, il libère un bouquet typiquement Latour de noix, de cassis, de minéral et de cèdre. **A boire.** (1/85)

1966
•
96
Le 1966 s'impose comme le vin le plus réussi du millésime. Sa robe très profonde, de couleur rubis, est légèrement ambrée sur le bord, et il dégage un bouquet exquis de cuir, d'épices, de tabac et de fruits mûrs. Moyennement concentré, riche et puissant, avec des tannins autrefois agressifs qui sont maintenant bien fondus, il semble être le meilleur vin fait à la propriété dans le courant des années 60, hormis le grandissime 1961, bien évidemment. **A boire jusqu'en 2008.** (1/97)

1964
•
90
Comme le 1966 et le 1967, le Latour 1964 a été la réussite du millésime en Médoc. Très agréable à boire maintenant, il devrait cependant durer encore une décennie. Son bouquet, puissant et épicé, regorge d'arômes de minéral, de fruits noirs et de réglisse, et la bouche, riche, ronde, souple et généreuse, manifeste une excellente concentration. Des tannins souples et une finale très persistante, complexe et soyeuse contribuent encore à la beauté de ce Latour somptueux, à la limite de l'opulence. **A boire jusqu'en 2005.** (5/91)

1962
•
94
Une fois encore, c'est Latour qui enregistre le succès de l'année. Ce vin, qui semble s'être étoffé, gagnant en richesse, en complexité et en puissance au fur et à mesure de son vieillissement, arbore une robe grenat foncé, légèrement trouble, mais à peine éclaircie sur le bord. Tout en étant moins exotique au nez que son jumeau de Mouton et dépourvu des irrésistibles parfums du Lafite de la même année, il présente cependant un doux fruit intense et un caractère rôti marqué en arrière-plan de séduisantes notes de truffe. L'ensemble, riche, massif et très corsé, manifeste une richesse en extrait exceptionnelle ; il est très épais et extrêmement glycériné en milieu de bouche et stupéfiant de longueur en finale. Encore extraordinairement tonique, ce vin est capable d'une longue garde. **A boire jusqu'en 2015.** (1/97)

1961
•
100
J'ai eu la chance de pouvoir déguster ce vin en onze occasions (la plupart des dégustations ont eu lieu ces dernières années), en bouteille et en magnum. Il a régulièrement été noté 100, que ce soit aux États-Unis ou en France. Ce vin très corsé et monumental, véritable sirop de cabernet, est semblable à un Porto, de bonne mâche et onctueux à en mourir. Opaque et pourpre de robe, il dégage de paradisiaques senteurs de fruits noirs, de truffe, de cuir, de cèdre et de minéral. Plusieurs fois, je l'ai confondu avec Petrus en raison de ses arômes doux et confiturés – ce qui est, pour le moins, gênant du fait de leurs styles diamétralement opposés. Fabuleusement velouté et riche, le Latour 1961 conserve une robe intacte et ne donne aucun signe de vieillissement. Ce vin massif et extraordinaire est très certainement l'un des bordeaux les plus grandioses que j'aie dégustés. **A boire jusqu'en 2040.** (6/97)

Millésimes anciens

Le Latour 1959 (noté 98+ en septembre 1996 et dégusté en impériale) ressemblait à s'y méprendre à un Cabernet Sauvignon 1993 de Californie, tant il était encore jeune, épais et riche. Souple, avec des tannins merveilleusement fondus, il est opaque et pourpre de robe, terriblement charpenté, d'une richesse et d'une intensité massives.

Le 1949 de Latour (noté 100 en septembre 1994) est un vin à vous couper le souffle. Extraordinairement riche, mais parfaitement équilibré, il est également d'une remarquable extraction, présentant des arômes généreux et une finale à la fois souple et imposante. **A boire dans les 25 ans.**

Le 1948 (noté 94 en septembre 1994) exhale un nez puissant et exotique de menthe, de cassis, de noix et de cuir, qui déborde littéralement du verre. Très corsé, d'une richesse et d'une densité impressionnantes, il déploie une finale douce et longue. Il est à pleine maturité et tiendra bien encore **15 à 25 ans.** Deux autres bouteilles ont révélé une couleur d'encre plus soutenue, ainsi que davantage de richesse et d'ampleur aromatique.

Le 1945 est extrêmement irrégulier. Noté 89 lors d'une dégustation en 1995, il arborait une robe resplendissante d'un grenat légèrement ambré et orangé sur le bord. Les classiques arômes de cassis et de noisette caractéristiques du cru étaient bien présents, mais la bouche révélait un fruité desséché, les tannins dominant l'ensemble, très corsé et austère. Ce vin puissant, légèrement rustique et tannique, était excellent, mais pas sublime. En revanche, une bouteille superbe, dégustée en décembre 1995, s'est montrée bien plus riche, méritant la note de 96-97.

La bouteille de Latour 1928 (notée 100 en septembre 1994) que j'ai achetée chez Nicolas était d'une perfection absolue. Ce vin offrait un bouquet stupéfiant de bois de noyer, de fumé et de noix, ainsi que des arômes pénétrants et doux de truffe et de framboise. Très corsé, il était parfaitement rond et déployait par couches un fruité doux et expansif. Très ample et très peu tannique, d'une dimension merveilleuse, il révélait encore une concentration d'arômes phénoménale. Ce vin, qui semblait être à maturité, est assurément l'un des plus grands de ce siècle et représente un véritable tour de force en matière de vinification. Je l'ai trouvé superbe à près de 70 ans d'âge, et peu de gens pourraient contester qu'il puisse se conserver encore **20 ou 25 ans.**

La bouteille de Latour 1926 (notée 93 en septembre 1994) objet du présent commentaire illustre parfaitement l'adage selon lequel il n'y a pas de grands vins, mais seulement de grandes bouteilles. Elle était en meilleure forme que le 1929 et bien supérieure au 1926 que j'ai dégustés à Bordeaux, en mars 1991. De prime abord, le bouquet de ce vin semblait confus, mais, après un moment d'aération, on y percevait bien les senteurs caractéristiques de ce cru, à savoir des arômes de noix, de fruits noirs, d'herbes et de chêne. Curieusement, il se montrait musclé et rustique en bouche, avec des tannins abondants, beaucoup de richesse et une fraîcheur étonnante. Ce vin est à pleine maturité et arbore une robe aux teintes légèrement ambrées et brunes. Il déploie une finale un peu acide et devrait être bu **assez rapidement.**

Le premier Latour 1924 que j'aie goûté, lors d'une dégustation à l'aveugle à Bordeaux il y a plusieurs années de cela, avait été acheté par le père de mon hôte, et, bien qu'il eût été conservé dans des conditions idéales, il s'est montré décevant et astringent. Celui que je commente ici, en revanche (noté 94 en septembre 1994), était profond, avec des arômes sensationnels de tabac, de terre mouillée, de cèdre et de fruits. Très épicé pour un Latour, il déployait une acidité de bon ressort, mais se montrait très peu tannique et corsé. Toute sa complexité et son caractère se retrouvaient dans son bouquet odorant, qui ne s'était pas atténué après avoir été aéré. Époustouflant !

Le Latour 1921 (noté 90 en septembre 1995) présentait une robe rubis-grenat modérément sombre, légèrement ambrée et orangée sur le bord. Ses arômes très alcooliques étaient dominés par des tannins. Aussi épais en bouche qu'un Porto, il révélait des notes de cake, de café, de tabac et de fruits très mûrs. Bien qu'il soit actuellement en train de perdre son équilibre – ses tannins dominent tandis que son fruit se fane –, ce Latour très corsé, parfumé et fascinant demeure extraordinaire.

Second vin

LES FORTS DE LATOUR – TRÈS BON[1]

Non classé – estimé 4e cru

Les dirigeants de Latour ont toujours proclamé que le second vin de la propriété était équivalent, en termes de qualité, à un deuxième cru du classement de 1855. Pour étayer leur point de vue, ils affirment qu'il est comparé à des deuxièmes crus lors de dégustations à l'aveugle qui se tiennent au château. Lorsque Les Forts de Latour ne présente pas un niveau suffisant, il est généralement diffusé comme un Pauillac générique. S'il est vrai que certains millésimes en particulier, comme 1982 et 1978, peuvent éventuellement rivaliser avec des deuxièmes crus, on se contentera cependant, pour être vraiment objectif, de le comparer à un quatrième cru, ce qui suffit d'ailleurs à en faire le meilleur second vin produit dans le Bordelais.

Les Forts de Latour, composé à 70 % de cabernet sauvignon et à 30 % de merlot, est issu pour un tiers de pieds de moins de 10 ans d'une parcelle entièrement replantée récemment ou en complantation de vieilles vignes de L'Enclos, et pour le reste des cuvées de L'Enclos jugées indignes du grand vin, ainsi que du produit d'autres parcelles alentour bénéficiant d'un excellent terroir. Celles-ci ont pour nom (entre autres) Comtesse de Lalande, Petit Batailley, Sainte-Anne, certaines appartenant au château depuis plus d'un siècle. Elles ont une moyenne d'âge de 64 ans – il est donc faux de considérer le deuxième vin uniquement comme le produit de jeunes vignes. D'ailleurs, la qualité des Forts de Latour s'améliore au fur et à mesure que ces parcelles vieillissent.

1997 • **87-88** Libérant de riches arômes de mûre confiturée joliment nuancés d'épices et de terre, le 1997 se montre moyennement corsé et souple en bouche, étayé par une faible acidité. Ce vin précoce, charnu et d'une belle persistance sera parfait dans les **10 ans.** (3/98)

1996 • **90** Rubis-pourpre dense de robe, ce vin terriblement tannique est doté d'arômes de cassis et de champignons. Très corsé et impressionnant de structure, il s'impose comme l'un des meilleurs exemples de ce cru ces vingt dernières années. **A boire entre 2005 et 2018.** (1/99)

1995 • **88** Un nez très épanoui de minéral, de poussière de roche et de cassis introduit en bouche un ensemble dense et moyennement corsé, débordant d'un fruité bien glycériné et parfaitement mûr, et doté de tannins rugueux. Ce vin se portera bien d'une garde de 6 à 8 ans et tiendra encore **20 ans.** (1/97)

1. Les Forts de Latour, considéré comme le meilleur des seconds vins de Bordeaux, est régulièrement mieux noté que certains Pauillac assez connus. Il mérite, à ce titre, une rubrique propre.

1994 • **87** Rubis-pourpre foncé, le 1994 exhale un nez modérément intense de noisette, de cassis et de minéral. Il est extrêmement tannique, peu évolué et d'une belle densité. Gardez-le 2 ou 3 ans encore, il pourrait ensuite mériter une note plus élevée. **A boire entre 2002 et 2012.** (1/97)

1993 • **?** Arborant une resplendissante robe opaque de couleur pourpre, le 1993 libère un fruité dense et concentré, et affiche un niveau modéré de tannins ; mais les arômes qu'il déploie en bouche sont quelque peu desservis par une légère odeur de moisi et de filtre. Peut-être suis-je tombé sur une mauvaise bouteille ? (1/97)

1992 • **85** D'une belle couleur, le 1992 est souple, fruité et d'un faible niveau d'acidité. Bien qu'étonnamment léger et plaisant, ce vin racé devrait se maintenir encore **5 à 9 ans.** (11/94)

1991 • **86** S'inscrivant dans la même ligne de qualité que le grand vin, le second vin du Château Latour se montre en 1991 gracieux, élégant et moyennement corsé, avec des tannins modérés et un nez épicé de fruits des bois. D'une belle longueur, il recèle les tannins suffisants pour lui donner de la structure et de la tenue. **A boire dans les 6 ou 7 ans.** (1/94)

1990 • **90** Riche et bien doté, avec des arômes ronds, généreux et étonnamment concentrés, Les Forts de Latour 1990 tiendra parfaitement plusieurs années encore. C'est le vin le plus complet élaboré à la propriété depuis le fabuleux 1982 ; en effet, plus de la moitié de la récolte totale fut déclassée cette année-là. **A boire jusqu'en 2005.** (1/93)

1989 • **87** Une fois passé son bouquet de fruits noirs, de cèdre et de boisé, Les Forts de Latour 1989 se montre rond, généreusement doté et étonnamment souple en bouche (même pour un second vin). Faible en acidité, avec une finale charnue et capiteuse, il sera parfait **jusqu'en 2004.** (1/93)

1988 • **84** Moyennement corsé, plutôt austère, avec un boisé et des tannins très prononcés, Les Forts de Latour 1988 affiche un bon potentiel de garde, mais il manque de charme, de complexité et de concentration. C'est néanmoins un vin élégant et discret. **A boire jusqu'en 2002.** (1/93)

1987 • **86** Ce délicieux 1987 est, à mon sens, meilleur que le 1988. Son bouquet sans détour, mais fascinant, de noisette, de chêne épicé, de cèdre et d'herbes introduit un ensemble moyennement corsé, étonnamment concentré et généreusement fruité, doté d'un équilibre et d'une profondeur d'excellent aloi. Une réussite de premier ordre pour le millésime. **A boire.** (4/90)

1986 • **86** Dès sa prime jeunesse, Les Forts de Latour 1986 s'est distingué par un nez, qui s'épanouit, aux notes de chêne, de poivre, de minéral et de cassis. La bouche révèle les tannins féroces caractéristiques du millésime, tout en affichant un caractère plus léger que je ne l'aurais imaginé. Quoique bien réussi, ce vin aurait gagné à être plus profond et plus concentré, surtout si on le compare au 1982 ou au 1989. **A boire jusqu'en 2005.** (4/90)

1985 • **84** Latour a produit, dans ce très bon millésime, l'un des seconds vins les plus légers que je connaisse de la propriété. Comme on pouvait s'y attendre, Les Forts de Latour est très précoce, mais également souple et moyennement corsé, avec une finale étonnamment courte et dépourvue de classe. Vous dégusterez ce vin doux et léger dans les **4 ou 5 ans.** (4/91)

1984 • **80** Le bouquet du 1984, aux notes d'herbes et de cèdre, manque de fruit, et la bouche, légère, présente de vagues arômes fruités de cèdre et de groseille desservis par une acidité en excès, qui contribuera cependant à la longévité de l'ensemble. Je doute néanmoins que ce vin se montre agréable un jour. (12/89)

1983 • **84** Relativement souple et mûr, Les Forts de Latour 1983 exhale des arômes de minéral, de noisette et de cassis évoquant le légendaire bouquet de son frère aîné. Moyennement corsé, il est rond et modérément concentré. Il est intéressant de le comparer au 1982, plus fermé mais d'une concentration énorme. **A boire.** (7/90)

1982 • **92** C'est le meilleur Les Forts de Latour que je connaisse. Il donne une excellente idée du potentiel magique que recèle le grand vin de la même année, le grandiose Latour 1982, plus ample et plus puissant. Délicieux dès sa diffusion, ce vin conserve intacte une robe d'un rubis-pourpre soutenu et resplendissant, et déploie un nez classique de noisette, de cassis et d'épices. Suit un ensemble très corsé, velouté et merveilleux de concentration, qui atteste parfaitement la grande maturité et l'opulence caractéristiques du millésime. Vous apprécierez ce vin complexe et racé ces **10 prochaines années.** (9/95)

1981 • **85** Quoique dépourvu de muscle, de charpente et de l'irrésistible concentration du 1982, le 1981 est élégant et racé, et ressemble fort au grand vin. D'un rubis moyennement profond, il exhale un bouquet naissant de pierre mouillée, de cassis et de chêne, et révèle en bouche un caractère modérément corsé et gracieux. Ce vin discret est séduisant et bien équilibré. **A boire.** (4/88)

1978 • **87** Avec sa robe encore soutenue et son nez riche et intense de cassis et de boisé, Les Forts de Latour 1978 se montre mûr, modérément tannique et souple en bouche. Ce vin d'une belle persistance tiendra bien une décennie encore. C'est le Forts de Latour que je préfère après le 1982. **A boire.** (10/89)

1976 • **76** Précoce et souple, le 1976 est doté d'un fruité mûr. Moins tannique que le grand vin, il peut être consommé dès maintenant. Cependant, dans l'ensemble, il est assez ordinaire par rapport aux autres grands bordeaux du millésime. **A boire.** (10/89)

1975 • **85** Fidèle au millésime et à Latour, voici un vin tannique et agressif, qui gagne à son vieillissement en bouteille. Sa couleur est encore impressionnante : la richesse et la profondeur sont au rendez-vous, mais les tannins refusent de capituler. **A boire jusqu'en 2000.** (10/89)

1974 • **74** Latour a produit l'un des meilleurs vins de ce millésime, et il n'est donc pas surprenant que son second vin, Les Forts de Latour, soit supérieur à de nombreux crus classés, plus renommés. Légèrement austère, mais épicé, avec un bon fruit, un caractère musclé et bien affirmé, mais une finale souple et un peu courte, ce vin a théoriquement ce qu'il faut pour bien vieillir ; pourtant, compte tenu de ce que l'on sait du millésime, il vaut mieux ne pas l'attendre. C'est un vin respectable pour un 1974. **A boire – peut-être en déclin.** (1/83)

1972 • **74** Étonnamment foncé, mais légèrement bruni sur le bord, ce vin tendre, trapu, un peu rugueux, offre un nez agréable, chocolaté, avec quelque chose de végétal. En bouche, il est agréable, avec une finale brève. **A boire – peut-être en déclin.** (4/80)

1970 • **84** Ce vin magnifique est pleinement épanoui. Rubis très foncé, il exhale un bouquet évolué, onctueux et rond, de cassis et de cèdre ; en bouche, il est généreux, plein et savoureux, avec une finale légèrement acide qui gâche un peu ce qui, autrement, serait un grand 1970. **A boire sans délai.** (1/85)

1967 • **84** Le 1967 a entamé son déclin au début des années 80. Pendant des années, il a constitué pour les amateurs ne pouvant s'offrir du Latour une remarquable initiation au style de celui-ci. **A boire d'urgence – en sérieux déclin.** (3/82)

1966 • **85** Ce Pauillac typique déploie des senteurs presque parfaitement équilibrées de cassis, d'épices, de cuir et de cèdre ; en bouche, il est généreux et souple, avec une finale longue et fruitée, et des tannins légers. **A boire rapidement – peut-être en déclin.** (12/88)

LYNCH-BAGES - EXCELLENT

5e cru classé en 1855 – équivaut à un 2e cru
Propriétaire : famille Cazes
Adresse : 33250 Pauillac
Tél. 05 56 73 24 00 – Fax 05 56 59 26 42
Visites : tous les jours du 1er avril au 15 octobre
(9 h-12 h 30 et 14 h-18 h 30)
du lundi au vendredi seulement le reste de l'année
(mêmes horaires)
Contact : Isabelle Faurie

Superficie : rouge – 90 ha ; blanc – 4,5 ha (Pauillac)
Vins produits : Château Lynch-Bages – 300 000 b ;
Château Haut-Bages-Averous – 120 000 b ;
Blanc de Lynch-Bages – 30 000-36 000 b
Encépagement :
rouge – 73 % cabernet sauvignon, 15 % merlot,
10 % cabernet franc, 2 % petit verdot ;
blanc – 40 % sémillon, 40 % sauvignon blanc, 20 % muscadelle
Densité de plantation : rouge – 9 000 pieds/ha ; blanc – 7 500 pieds/ha
Age moyen des vignes : rouge – 35 ans ; blanc – 10 ans
Rendement moyen : rouge – 45 hl/ha ; blanc – 55 hl/ha

Élevage :
rouge – vendanges manuelles ; éraflage total ;
fermentations et cuvaisons de 15-17 jours
en cuves d'acier inoxydable thermorégulées ;
une petite part de la récolte achève les malolactiques en fûts, le reste en cuves ;
vieillissement de 12-15 mois en fûts (60 % de bois neuf) ; soutirage trimestriel ;
collage au blanc d'œuf ; filtration partielle et légère ;
blanc – macération pelliculaire ; élevage de 12 mois en fûts neufs ;
collage et filtration

A maturité : dans les 6 à 25 ans suivant le millésime

On découvre ce domaine, qui se trouve non loin de Bordeaux, en suivant la route des grands crus (D2) vers l'ouest, avant d'arriver à la triste et industrieuse ville de Pauillac. Il est situé sur une petite hauteur qui surplombe le bourg et la Gironde toute proche, et que l'on appelle, naturellement, le plateau de Bages. Jusqu'à un passé récent, les bâtiments n'avaient pour seul intérêt que de servir à la vinification. Cependant, après des travaux considérables, le château présente, à l'heure actuelle, une belle façade et abrite des caves bien aménagées, avec de grandes cuves d'acier inoxydable, ainsi qu'une salle de dégustation moderne.

A l'exception de cette rénovation, ce grand domaine est demeuré pratiquement intact depuis le XVIe siècle. Il doit la seconde partie de son nom au plateau sur lequel se trouvent le château et les caves, la première à l'un de ses anciens propriétaires, Thomas Lynch, fils d'un immigrant irlandais, qui le dirigea durant soixante-quinze ans, à la fin du XVIIe siècle et au début du XVIIIe siècle. Ensuite, la propriété est passée entre les mains de plusieurs marchands de vin avant d'être achetée, en 1937, par Jean-Charles Cazes, grand-père de l'actuel propriétaire, Jean-Michel Cazes. Ce Jean-Charles jouissait déjà d'une fort belle réputation en tant que propriétaire et viticulteur, puisqu'il produisait l'un des meilleurs crus bourgeois de Saint-Estèphe, appelé Les Ormes de Pez. Il s'est occupé des deux domaines jusqu'en 1966, année où son fils André, qui fut maire de Pauillac pendant près de vingt ans, en prit les rênes. C'est en 1973 que le fils de ce dernier, Jean-Michel, lui succéda, après avoir passé plusieurs années en Amérique et avoir acquis une belle maîtrise du marché mondial du vin et des affaires ; sa meilleure décision, en tant que dirigeant, date peut-être de 1976, lorsqu'il nomma le très brillant Daniel Llose à la tête de ses deux domaines, Lynch-Bages et Les Ormes de Pez.

Après les beaux succès remportés par André Cazes durant les années 50 (les 1952, 1953, 1955, 1957 et 1959 figurent tous parmi les plus grands vins de la décennie) et les années 60 (avec, notamment, les 1961, 1962 et 1966), Jean-Michel a pris ses fonctions alors que le 1972, encore en fût, se révélait très décevant. Son premier millésime, le 1973, fut, dans l'ensemble, un échec. Il fut suivi par une autre déception, le 1974, puis par un Lynch-Bages bien peu réjouissant dans ce millésime 1975 qui a posé pas mal de problèmes dans certains châteaux. Jean-Michel a reconnu avoir eu des difficultés, du point de vue sanitaire, avec les vieilles cuves de chêne, qui, en outre, rendaient difficile le contrôle de la température de fermentation lorsque l'année était très chaude ou très froide. En même temps (vers la fin des années 70), Cazes a flirté avec un nouveau style, produisant plusieurs millésimes d'un caractère plus léger et plus élégant. Les vieux clients et les amateurs fidèles en furent désorientés. Heureusement, l'installation des vingt-cinq grandes cuves d'acier inoxydable, en 1980, a mis un terme à cette période difficile, qui aura donc duré de 1971 à 1979. Lynch-Bages a produit un très bon 1981 et continue, depuis, à bien faire, avec des vins de très haut niveau dans tous les millésimes.

Le vignoble lui-même se trouve à mi-chemin entre Mouton Rothschild et Lafite Rothschild au nord, Latour, Pichon-Longueville Comtesse de Lalande et Pichon-Longueville Baron au sud. Malgré toutes les modernisations et innovations de Lynch-Bages, la philosophie du domaine reste traditionnelle en ce qui concerne la vinification. Depuis 1980, comme je l'ai dit, on y utilise des cuves d'acier inoxydable. Ensuite, le vin est placé directement en petits fûts de chêne. La proportion de chêne neuf est passée de 25 % en 1982 à 60 % pour les millésimes les plus récents. Maintenant que le vignoble est entièrement planté, la production s'est accrue, passant de 20 000-25 000 caisses dans les années 70 à une moyenne de près de 35 000 caisses pour les récoltes les plus abondantes. En outre, 20 à 30 % de la vendange est utilisée pour le second vin du domaine, Haut-Bages-Averous.

En 1990, Jean-Michel Cazes a commencé à produire un bordeaux blanc, sec et riche, issu d'un vignoble situé dans le nord du Médoc. Composé à 40 % de sémillon, à 40 % de sauvignon et à 20 % de muscadelle, il est fermenté en bois neuf et vieillit pendant près de 12 mois avant d'être mis en bouteille. Le premier millésime a été remarquable, et rappelle beaucoup un grand blanc de Graves.

Dans le fameux classement de 1855 des vins de Gironde, Lynch-Bages a été placé dans le dernier tiers, en tant que cinquième cru. Aujourd'hui, pas un seul professionnel du vin n'oserait nier qu'il est du niveau d'un deuxième cru. Oz Clarke, écrivain britannique et œnologue, a estimé, avec l'humour qui lui est naturel, que ceux qui ont établi le classement de 1855 devaient être une belle bande de puritains pour s'être ainsi montrés « incapables d'admettre qu'un vin aussi naturellement charmeur que Lynch-Bages puisse égaler des crus beaucoup moins portés sur la générosité » !

S'il ne faut pas se faire grande violence pour se laisser aller au plaisir d'une bouteille de Lynch-Bages, il n'est pas non plus nécessaire de se faire violence pour apprécier Jean-Michel Cazes, très affable et toujours aimable, qui a su propulser le domaine vers les hautes sphères de la renommée internationale. Sûr de lui, parlant couramment l'anglais (puisqu'il a étudié aux États-Unis), il domine fort bien son sujet ; en bavardant avec lui, on comprend clairement ce qu'il souhaite produire : des vins robustes, ouverts et francs, qui conjuguent la classe et le caractère des grands Pauillac. C'est pourquoi il préfère des millésimes tels que 1982 et 1985 aux 1986 et 1988, plus tanniques et plus sévères. Cazes est aussi un ambassadeur infatigable non seulement de ses propres vins, mais de tous ceux de sa région. Il est rare de ne pas le rencontrer dans les conférences, symposiums et autres dégustations internationales. Sans doute n'y a-t-il pas, dans toute l'appellation Pauillac, de producteur qui voyage autant que lui et qui sache si bien plaider la cause de ses vins (à l'exception, peut-être, de Mme de Lencquesaing, de Pichon-Lalande).

1998 • **87-89** Plus élégant que de coutume, le Lynch-Bages 1998 exhale les doux arômes de cassis typiques de ce cru. Comparé à son « compagnon d'écurie » Pichon-Baron, il se montre plus velouté, avec des tannins moins agressifs. Moyennement corsé, il séduit par le gras et la maturité qu'il développe en milieu de bouche. Sans être aussi ample, aussi puissant et aussi massif que ses aînés de 1989 ou 1996, ni aussi concentré que les 1990 ou 1995, il est bien fait et se révélera délieux après une garde de 2 ou 3 ans. **A boire entre 2002 et 2015.** (3/99)

1997 • **87-88** Moyennement corsé, l'élégant et séduisant 1997 est un véritable « vin de plaisir ». Souple, débordant d'un généreux fruité de doux cassis nuancé de senteurs de chêne fumé, de noix rôtie et de tabac herbacé, il s'annonce par une robe sombre. Exprimant tout en rondeur une bouche crémeuse, il présente un potentiel de garde de **10 ans environ.** (1/99)

1996 • **91+** Moins précoce que ses aînés de 1990 ou 1995, l'extraordinaire Lynch-Bages 1996 est fait du même métal que le 1989, puissant et tannique. Opaque et pourpre de robe, il exhale de somptueux arômes d'herbes séchées, de tabac, de cassis et de chêne fumé. Très corsé, doté de proportions des plus classiques, ce vin dense, pur et de bonne mâche sera assurément apte à une longue garde. **A boire entre 2003 et 2025.** (1/99)

1995 • **90** Dégusté trois fois en bouteille, le Lynch-Bages 1995 est élégant, discret, d'un style qui rappellerait celui du 1985 ou du 1953. Doux et séduisant, marqué en arrière-plan par des tannins bien présents, il est moins massif que le 1996, le 1990, le 1989 ou le 1986. Vêtu de rubis profond, il présente un nez doux et bien évolué de fumé, de terre et de cassis, et dévoile en bouche un caractère tout à la fois rond, charnu, séduisant, gras et fruité. Accessible dès sa prime jeunesse, le Lynch-Bages 1995 est néanmoins capable d'une garde de 20 ans. **A boire entre 2000 et 2015.** (11/97)

1994 • **88** Le 1994 arbore une robe de couleur rubis, pourpre au milieu, et déploie un fruité mûr de cassis, sans touches herbacées ni végétales. Moyennement corsé, il est étonnamment doux, gras et précoce pour un vin de ce millésime. Il révèle encore des senteurs de chêne grillé bien fondues dans l'ensemble et un caractère séduisant et voluptueux qui plairont sans aucun doute aux amateurs de Pauillac corpulents. **A boire dans les 12 à 15 ans.** (1/97)

1993 • **86** Une fois passé ses senteurs herbacées de fenouil confit et de poivre vert, le Lynch-Bages 1993, à la robe dense de couleur rubis-pourpre, se révèle bien structuré et moyennement corsé, et déploie en bouche des arômes doux, mûrs et séduisants, bien gras, glycérinés et fruités de cassis confituré. J'espère que ses notes herbacées prendront un caractère de cèdre au terme d'un certain vieillissement en bouteille. **A boire jusqu'en 2008.** (1/97)

1992 • **86** Le 1992 est impressionnant de couleur, et, bien que son nez ne soit pas encore suffisamment complexe, on y décèle des senteurs de cassis, de terre mouillée et d'épices. En bouche, il est moyennement corsé, merveilleusement gras et mûr, et présente des arômes de cèdre et d'épices. La finale est légèrement tannique. **A boire d'ici 4 ou 5 ans.** (11/94)

1991 • **86** Doux et séduisant, le 1991 de Lynch-Bages constituerait une excellente affaire s'il était proposé aux environs de 110 F la bouteille. D'une couleur dense, il offre au nez des arômes massifs de cassis auxquels se mêlent des notes de terre et de chêne neuf. Relativement profond, il est assez tannique et court en fin de bouche. Ce vin moyennement corsé, bon et mûr devrait se déguster au meilleur de sa forme dans les **6 ou 7 ans.** (1/94)

1990 • **93** Précoce et flatteur, le 1990 de Lynch-Bages est déjà délicieux, contrairement au 1989, dont le potentiel est supérieur, mais qui se révèle plus massif, plus tannique et moins évolué. Ce vin, aux senteurs douces et charnues de cuir et de cassis nuancées de fumé, de chêne grillé et d'herbes rôties, offre un fruité d'une générosité renversante, richement extrait, très glycériné et des plus plaisants ; le tout est tassé dans un ensemble moyennement corsé, souple, riche et puissant, qui s'exprime tout en rondeur. **A boire dans les 20 à 25 ans.** (11/96)

1989 • **95+** Moins évolué et moins spectaculaire que le 1990, le Lynch-Bages 1989 est cependant phénoménal et s'impose comme la plus belle réussite de la propriété ces 30 dernières années. Opaque et pourpre de robe, il déborde de richesse en extrait, se montrant peu évolué, musclé et dense, avec un caractère très corpulent et d'une grande pureté. Ses arômes puissants et massifs dévalent littéralement le palais, et l'ensemble se révèle énorme, d'une générosité sans retenue. Ce vin requiert une garde de 5 ou 6 ans et tiendra parfaitement **30 ans environ.** (11/96)

1988 • **90** Le 1988 de Lynch-Bages s'impose incontestablement comme le vin le plus étoffé du nord du Médoc dans ce millésime. Sa robe soutenue d'un rubis-pourpre tirant sur le noir suggère une excellente maturité et une grande concentration, et son bouquet boisé révèle des notes de mûre et de groseille rôties nuancées d'un caractère très robuste de terre. L'ensemble, très corsé et riche, séduit par ses arômes herbacés de cèdre et de fruits noirs. Il affiche l'aspect charnu et ample qui caractérise souvent le cru. **A boire jusqu'en 2010.** (1/93)

1987 • **82** Densément coloré et herbacé, le Lynch-Bages 1987 se montre moyennement corsé et riche en bouche. C'est un vin souple et doux, à boire sans cérémonie **maintenant.** (11/89)

1986 • **90** Les séduisants Lynch-Bages 1982 et 1985, et leurs cadets de 1986 et 1989, tout à la fois puissants, costauds, tanniques, denses et musclés, seront des plus intéressants à déguster au siècle prochain. Pour l'heure, j'ai une nette préférence pour le 1982 et le 1989, mais je ne voudrais en aucun cas diminuer les mérites du 1986, immense, ample et gigantesque, ni du 1985, spectaculaire et séduisant. Le 1986, vêtu de pourpre-noir, se montre extrêmement riche et tannique, mais je me demande si ses tannins ne sont pas trop présents et trop astringents. Nul ne saurait le dire avec certitude avant quelques années. Actuellement, ce vin s'impose davantage par son ampleur admirable et son caractère massif que par son charme et sa séduction. **A boire jusqu'en 2020.** (5/94)

1985 • **91** Ce vin, délicieusement charmeur et séduisant dès sa petite enfance, est à parfaite maturité maintenant. Outre un bouquet très odorant de doux cassis aux notes de chêne grillé et d'herbes rôties, il présente un caractère moyennement corsé, mais se montre moins massif, moins riche et moins corpulent que les 1989, 1986 ou 1982. Fabuleusement charnu et bien proportionné, il devrait se maintenir une huitaine d'années encore. Ce Lynch-Bages faible en acidité, aux tannins doux, est des plus charmeurs. **A boire jusqu'en 2007.** (10/97)

1984 • **82** Ce Lynch-Bages, presque entièrement issu de cabernet sauvignon, s'impose comme l'une des réussites du millésime. Vigoureux, charnu et souple, il déborde de fruits mûrs et de senteurs d'herbes fraîches, et déploie en bouche, outre de la générosité et de la rondeur, une finale de bon aloi. **A boire.** (10/89)

1983 • **88** Belle réussite dans un millésime de bon niveau, mais très irrégulier, le Lynch-Bages 1983 est un Pauillac épanoui, étoffé, mûr, charpenté, au bouquet intense de cassis et de viande hachée. Doté d'un caractère riche et profond, il se montre très corsé, vineux, persistant et solide, avec une finale chaleureuse et alcoolique, et des tannins qui s'adoucissent rapidement. **A boire jusqu'en 2002.** (3/89)

1982 • **93** Le 1982 de Lynch-Bages continue d'évoluer de belle manière. Délicieux dès 5 ou 6 ans d'âge, il demeure costaud, puissant, confit et exubérant, suintant littéralement d'un généreux fruité de cassis enrobé dans un ensemble tout à la fois onctueux, épais et savoureux. Sans être des plus développés du point de vue aromatique, il est bien massif et s'impose comme un exemple classique de ce cru très prisé. Très corsé, souple et doux, il sera parfait ces **15 à 20 prochaines années.** (9/95)

1981 • **85** Vers la fin des années 70, Lynch-Bages a sans doute poussé trop loin la recherche de la souplesse. Avec ce 1981, on décèle l'amorce d'un retour au style très riche, robuste, mûr et superbement extrait de millésimes comme 1961, 1962 et 1970. Sans doute le monumental 1982 et l'excellent 1983 éclipsent-ils le 1981 pour ce qui est de la stature, mais ce dernier est néanmoins fort bon. Rubis foncé de robe, avec un bouquet prononcé et agressif de cassis, de cèdre et de chêne neuf, ce vin mûr déploie en bouche un caractère tannique et étonnamment dense. Il a vraiment du cran ! **A boire.** (12/88)

1980 • **78** Quelque peu irrégulier d'une bouteille à l'autre, le 1980 de Lynch-Bages est léger et offre un fruité de cèdre aux notes légèrement herbacées. En bouche, il est modérément intense, avec une finale courte, un peu verte et dépourvue d'ampleur. **A boire – peut-être en déclin.** (4/87)

1979 • **79** Vinifié à l'époque où Lynch-Bages flirtait avec un style plus léger, plus précoce et plus coulant, le 1979 se révèle intéressant, mais différent de ce qu'attendent vraiment les amateurs de ce cru. Modérément corsé, avec des arômes souples et vifs de petits fruits, il présente des tannins légers qu'accompagnent d'agréables notes de chêne épicé. **A boire.** (6/88)

1978 • 82 Très proche du 1979 par son caractère rond, fruité et franc, le 1978 libère des arômes souples, mais assez intenses, de cassis nuancés d'épices. C'est un bon Lynch-Bages, mais pas une grande réussite. **A boire.** (1/88)

1976 • 72 Parfaitement mûr, le 1976 commence même à perdre de son fruité. Il lui en reste cependant quelque chose, mais il est diffus, sans réelle force d'attaque, et sa robe très tuilée ne manque pas d'inquiéter. **A consommer sans plus attendre – déjà en sérieux déclin.** (3/86)

1975 • 86 Outre une robe très ambrée et orangée sur le bord, le Lynch-Bages 1975 présente un nez poussiéreux et herbacé de cèdre nuancé de fruits mûrs. Très corsé, mais légèrement creux en milieu de bouche, il se montre plus doux et plus ample que je ne l'aurais pensé de prime abord. Ce vin d'un niveau supérieur à la moyenne atteint la pointe de sa maturité. Compte tenu du grand nombre de spécimens aqueux et excessivement tanniques qu'offre le millésime, j'envisage l'avenir de ce vin avec un certain optimisme. **A boire entre 2000 et 2010.** (12/95)

1974 • 60 Étonnamment médiocre pour un Lynch-Bages, ce vin creux et aqueux s'estompe très vite dans le verre, et sa robe pâle, sans densité, suggère qu'il est issu d'une vendange trop importante, peut-être gorgée par les pluies. **A boire – peut-être en déclin.** (2/80)

1973 • 55 Décevant pour un Lynch-Bages, ce vin léger et faible présente une robe délavée, un bouquet chaptalisé de fruits cuits et brûlés, et des arômes maigres et dénués de précision. Déjà à son apogée en 1978, **il est aujourd'hui en déclin.** (2/78)

1971 • 58 Élaboré à une époque où Lynch-Bages traversait probablement une période de crise, ce 1971, pourtant issu d'un bon millésime, ne ressemble en rien à certains de ses jumeaux de Pauillac – très fins, élégants et fruités. Maintenant décrépit et d'une teinte brunâtre, il dégage un bouquet faible et végétal aux notes de moisi, et finit court en bouche, sur une pointe d'acidité. C'est un échec pour le millésime. (10/79)

1970 • 93 J'ai dégusté près de deux caisses de ce vin et l'ai régulièrement noté entre 90 et 95. Ce Pauillac classique, qui ressemble davantage à un Latour de moindre envergure qu'au « Mouton Rothschild du pauvre » (comme on l'appelle souvent), arbore une fabuleuse robe opaque et soutenue, absolument intacte, qui n'est égalée que par celle du Latour dans ce millésime. Le nez, aux senteurs de cèdre, de cuir fin, de viande fumée, de cake, de tabac et d'épices, introduit en bouche un ensemble tout à la fois jeune, riche, tannique, massif et épais, mais suffisamment souple pour donner l'impression d'être proche de la maturité. La finale est des plus persistantes. Le Lynch-Bages 1970, l'un des vins les plus grandioses faits à la propriété ces 30 ou 40 dernières années, peut être dégusté **dès maintenant et dans les 20 ans.** Reste à savoir s'il sera surpassé par les 1982, 1986, 1989 ou 1990. (6/96)

1966 • 84 D'une belle couleur rubis foncé légèrement ambrée sur le bord, le 1966 révèle, semble-t-il, la concentration et la charpente nécessaires pour vieillir, mais il est dénué de complexité et déploie une finale maigre et excessivement tannique. Il est capable de tenir, mais il lui manque ce petit rien qui fait toute la différence. **A boire jusqu'en 2000.** (9/90)

1964
•
55
Le Lynch-Bages 1964 est un échec, non pas tant à cause d'une quelconque erreur de vinification que par suite de la décision prise par le château de vendanger plus tard pour que les baies atteignent une maturité maximale. Un tel choix comporte toujours un risque : le mauvais temps. A ce jeu, Lynch-Bages, comme d'ailleurs beaucoup d'autres châteaux, a perdu cette année-là en subissant des pluies diluviennes. Ce 1964 est maigre, aqueux, passé – sans intérêt. (1/91)

1962
•
89
C'est l'un des millésimes de Lynch-Bages les plus appréciés du public ; il est délicieux depuis 1970 et se laisse boire très agréablement. En bouteille ordinaire, il semble être en train de perdre de son fruit exubérant et impétueux, mais les arômes de cassis et de cèdre prévalent encore, et il a conservé cette sensualité qui le rend si plaisant. Les heureux amateurs doivent goûter leur plaisir maintenant, car ils risquent d'être déçus s'ils attendent trop. **A consommer.** (11/89)

1961
•
94
C'est le meilleur Lynch-Bages de la décennie. Ses arômes généreux, riches, énormes de cassis et de cuir fin sont encore bien présents. S'il ne brille pas par sa finesse, ce Pauillac profond, puissant, concentré, chaud et long en bouche a connu son apogée à la fin des années 70. **A boire jusqu'en 2000.** (12/89)

Millésimes anciens

En décembre 1995, le Lynch-Bages 1945 (noté 92) s'est montré sous un très bon jour. Son nez de menthe et de cassis évoquait bien un « Mouton Rothschild du pauvre », et sa robe dense et opaque de couleur rubis-grenat introduisait en bouche un ensemble très corsé, puissant, mais également rugueux, dur et doté de tannins astringents. Il est fort possible que ce vin perde son fruité avant que ses tannins ne se fondent complètement. Quoique impressionnant d'ampleur et d'intensité, il ne se distingue pas par sa grâce ou par son harmonie. **A boire ces 15 à 20 prochaines années.**

Les millésimes des années 50 sont généralement fabuleux, notamment le superbe 1959 (noté 94), le 1957 (noté 88), le 1955 (noté 92), le 1953 (noté 90) et le 1952 (noté 91). Malheureusement, la propriété s'est départie de sa régularité, et il a fallu attendre 1982 pour voir débuter une nouvelle succession de belles réussites.

LYNCH-MOUSSAS

5ᵉ cru classé en 1855 – équivaut à un cru bourgeois
Propriétaire : Émile Castéja
Adresse : 33250 Pauillac
Adresse postale : Domaines Borie-Manoux
86, cours Balguerie-Stuttenberg – 33082 Bordeaux
Tél. 05 56 00 00 70 – Fax 05 57 87 60 30
Visites : sur rendez-vous uniquement
Contact : Domaines Borie-Manoux

Superficie : 35 ha (Pauillac)
Vin produit : Château Lynch-Moussas – 240 000 b (pas de second vin)
Encépagement : 65 % cabernet sauvignon, 30 % merlot, 5 % cabernet franc
Densité de plantation : 7 000 pieds/ha – *Age moyen des vignes :* 25 ans

Rendement moyen : 55 hl/ha

Élevage :
vendanges manuelles ; éraflage total ;
fermentations et cuvaisons de 21 jours en cuves d'acier inoxydable thermorégulées ;
achèvement des malolactiques en cuves ;
vieillissement de 12-16 mois en fûts (60 % de bois neuf) ;
collage au blanc d'œuf ; pas de filtration

A maturité : dans les 4 à 10 ans suivant le millésime

Lynch-Moussas appartient à la famille Castéja, qui contrôle également la célèbre maison de négoce bordelaise Borie-Manoux. Si les vins des propriétés de cette dernière société se sont bien améliorés depuis le début des années 80, notamment les fameux Château Batailley (de Pauillac), Château Trottevieille (Saint-Émilion) et Domaine de l'Église (Pomerol), Lynch-Moussas, en revanche, a continué à produire des vins légers, souvent aqueux et simples, dénués de caractère et de tenue. Cependant, 1994 a marqué un tournant : la qualité s'est nettement améliorée, ce millésime étant suivi d'un 1995 bien fait et d'un 1996 qui s'impose comme la plus belle réussite que je connaisse à ce jour de la propriété.

1997 • 78-80 Légèrement corsé et élégant, le 1997 est maigre et court en bouche. Malgré son fruité assez doux, il semblerait qu'il demeure carré, monolithique et dépourvu de profondeur. **A boire jusqu'en 2007.** (1/99)

1996 • 86 Voici une belle réussite de cette propriété généralement sous-performante. S'annonçant par une robe d'un rubis-prune sombre et soutenu, le Lynch-Moussas 1996 présente de très classiques arômes de cassis, de chêne neuf et fumé, de minéral et de tabac. Bien fait et modérément tannique, il dévoile en bouche, outre une pureté d'excellent aloi, une finale moyennement corsée et mûre, aux notes de goudron fondu. Ce vin séduisant sera agréable dès sa jeunesse. **A boire entre 2004 et 2012.** (1/99)

1995 • 86 Le 1995 de Lynch-Moussas est toujours très bon après la mise en bouteille. D'un rubis foncé, il libère un nez modérément doté, aux arômes épicés de cèdre et de cassis. L'attaque en bouche témoigne d'une belle maturité et d'un caractère charnu, et la finale, sèche, nette et assez tannique, est précise et d'une bonne tenue. **A boire entre 2002 et 2016.** (11/97)

1994 • 82 Le 1994 est assez réussi. De couleur rubis foncé, avec un bouquet doux et mûr aux notes de groseille, de cèdre, d'herbes aromatiques et d'épices, il est moyennement corsé, souple et fruité, bien fait et sans détour. **A boire dans les 5 ans.** (1/97)

1993 • 76 Herbacé et végétal, le 1993 est également maigre et dur. Il se dessèchera vraisemblablement ces 10 prochaines années. (1/97)

1989 • 79 Plaisant et bien fait, le 1989 de Lynch-Moussas est d'une légèreté et d'une souplesse atypiques, compte tenu de la belle situation de son vignoble. **A boire.** (1/93)

1988 • 80 Léger tout en étant moyennement corsé et doté d'une certaine concentration, le Lynch-Moussas 1988 est souple et plutôt unidimensionnel. **A boire d'ici 4 ou 5 ans.** (1/93)

1986 • **77** Austère, mais léger, le 1986 recèle suffisamment de fruité pour contrebalancer ses tannins. Les amateurs (?) de bordeaux plutôt maigres et rugueux l'apprécieront certainement mieux que moi... **A boire.** (11/89)

1985 • **78** Les vins de cette propriété étaient à cette époque légers et prompts à évoluer, et le 1985 s'inscrit bien dans cette ligne. Il est également souple, fruité et unidimensionnel. **A consommer.** (4/89)

MOUTON ROTHSCHILD – EXCEPTIONNEL

1er cru classé en 1973 – devrait être maintenu
Propriétaire : Baronne Philippine de Rothschild GFA
Adresse : La Pouyalet – 33250 Pauillac
Adresse postale : Baron Philippe de Rothschild SA
BP 117 – 33250 Pauillac
Tél. 05 56 73 20 20 – Fax 05 56 73 20 44
Visites : sur rendez-vous uniquement
Contact : Marie-Françoise Parinet
Tél. 05 56 73 21 29 – Fax 05 56 73 21 28

Superficie : rouge – 75 ha (Pauillac) ; blanc – 4 ha
Vins produits :
rouge – Château Mouton Rothschild – 300 000 b ;
Petit Mouton de Mouton Rothschild – production très variable ;
blanc – Aile d'Argent – 18 000-24 000 b
Encépagement :
rouge – 80 % cabernet sauvignon, 10 % cabernet franc,
8 % merlot, 2 % petit verdot ;
blanc – 48 % sémillon, 38 % sauvignon blanc, 14 % muscadelle
Densité de plantation : rouge – 8 500 pieds/ha ; blanc – 9 000 pieds/ha
Age moyen des vignes : rouge – 42 ans ; blanc – 9 ans
Rendement moyen : rouge – 55 hl/ha ; blanc – 45 hl/ha

Élevage :
rouge – vendanges manuelles ; fermentations et cuvaisons en cuves de bois ;
vieillissement de 19-22 mois en fûts neufs ; collage ; pas de filtration ;
blanc – fermentations et cuvaisons
(pressurage direct ou macération pelliculaire) en fûts
(50 % de bois neuf) ; élevage sur lies de 12-14 mois avec bâtonnage régulier ;
transfert en cuves juste avant l'assemblage ; collage et filtration

---

A maturité : dans les 12 à 14 ans suivant le millésime

La création du domaine de Mouton Rothschild et de son vin a été l'œuvre personnelle du regretté baron Philippe de Rothschild. Nul doute que ce dernier nourrissait de grandes ambitions pour cette propriété quand il l'a achetée, alors qu'il n'était âgé que de 21 ans. Mais c'est en s'attachant à produire un Pauillac d'un style très particulier – richesse opulente, profondeur remarquable, exotisme – qu'il a pu réussir là où tout le monde avait échoué : il est le seul à avoir pu faire modifier le classement de 1855 des vins du Médoc. Le baron est décédé en janvier 1988, et c'est désormais sa fille la tête pensante de son empire vinicole. Elle bénéficie toujours des talents de l'extraordinaire équipe de Mouton, dirigée par Patrick Léon.

En 1973, Mouton Rothschild a donc été officiellement classé premier cru, ce qui a permis au bouillant baron de troquer sa provocante devise « Premier ne puis, second ne daigne, Mouton suis » contre la plus flatteuse « Premier je suis, second je fus, Mouton ne change ».

Plusieurs Mouton figurent, sans doute aucun, parmi les plus grands bordeaux que j'aie jamais bus. Les 1929, 1945, 1947, 1953, 1955, 1959, 1982, 1986, 1995 et 1996 sont de grandissimes exemples de ce que fait le domaine à son meilleur niveau. Mais j'ai aussi trouvé de trop nombreux millésimes médiocres, chose fort embarrassante quand il s'agit d'un premier cru, surtout pour l'amateur qui paie... et qui boit ! Les 1980, 1979, 1978, 1977, 1976, 1974, 1973, 1967 et 1964 sont ainsi nettement en dessous du minimum requis à Mouton. Même les 1989 et 1990, pourtant issus de millésimes de très haut niveau, sont étonnamment austères et dénués de la concentration que l'on attend d'un tel cru.

Les raisons du succès commercial de ce vin sont nombreuses. D'abord, on le sait, les étiquettes sont des objets de collection. Depuis 1945, le baron Philippe de Rothschild demandait à des artistes célèbres d'exécuter un tableau pour orner la partie supérieure de celles-ci. C'est ainsi que l'on relève les noms de Miró, Picasso, Chagall et Cocteau, mais aussi ceux d'Américains comme Warhol, Motherwell et, en 1982, John Huston. D'autre part, l'opulence de Mouton dans ses grands millésimes est bien éloignée de l'austère élégance d'un Lafite Rothschild ou de la puissance tannique, de la densité et de la solidité d'un Latour. Il faut en outre considérer que le château lui-même, avec son superbe musée du Vin, est la plus grande attraction touristique du Médoc, peut-être même de tout le Bordelais. Enfin, il ne faut pas oublier la personnalité du baron Philippe, qui a tant fait pour assurer la promotion de ses vins et de ceux de la région. Sa fille, Philippine, semble avoir tout ce qu'il faut pour continuer son œuvre.

1998
•
91-94+?

Voici le Médoc 1998 le plus concentré et le plus massif que j'aie dégusté. Composé à 86 % de cabernet sauvignon, à 12 % de merlot et à 2 % de cabernet franc, il est issu d'une sélection de seulement 57 % de la production totale. Véritable géant vêtu d'un pourpre opaque, il est doté d'un caractère aussi ample que concentré, puissant et massif, et tapisse littéralement le palais de ses abondants tannins. Faisant figure de phénomène dans le contexte du millésime, il pourra encore s'imposer comme l'une des grandes stars de l'année, si son fruité demeure intact pendant que ses tannins se fondent dans l'ensemble. Compte tenu de son caractère peu évolué, je conseillerais aux amateurs de ne pas ouvrir leur première bouteille avant 12 à 15 ans. Ce vin présente le potentiel lui permettant d'affronter une garde de 4 ou 5 décennies. Je ne sais pas comment la propriété a enregistré un tel succès en dépit de la dilution inhérente au millésime, mais tous les vins de la gamme sont extrêmement réussis, malgré des conditions difficiles. **A boire entre 2014 et 2040.** (3/99)

1997
•
91-93

Composé à 82 % de cabernet sauvignon, à 13 % de merlot, à 3 % de cabernet franc et à 2 % de petit verdot, le superbe Mouton Rothschild 1997 se distingue par un nez sensationnel et flamboyant de fruits noirs, de café, de réglisse et de crème de cassis. Moyennement corsé, avec des tannins doux, il est plus généreusement doté en arômes que la plupart des 1997 et révèle, outre une texture opulente et une persistance remarquable, un caractère bien épicé. Ce vin ouvert et des plus plaisants s'est bien étoffé. Seule 55 % de la récolte a fait le grand vin. **A boire entre 2000 et 2020.** (1/99)

1996 • **94** Le personnel technique de Mouton Rothschild estime le 1996 de ce cru bien plus complexe, mais moins massif, que le 1995. Je dois avouer que, parmi les premiers crus, celui-ci étonne par la précocité et la complexité de ses arômes. Outre un bouquet exubérant et flamboyant de café torréfié, de cassis, de chêne fumé et de sauce soja, il présente des flaveurs de cassis (encore), de framboise, de café et de cuir fin et neuf qui impressionnent le dégustateur. L'ensemble, tout à la fois corsé, mûr, riche et concentré, est superbe d'équilibre ; il est également assez paradoxal, dans la mesure où le nez suggère une plus grande évolution que la bouche. **A boire entre 2007 et 2030.** (1/99)

1995 • **95+** Le profond Mouton Rothschild 1995, mis en bouteille en juin 1997, est plus accessible que le 1996, plus musclé. Composé à 72 % de cabernet sauvignon, à 19 % de merlot et à 9 % de cabernet franc, il est opaque et pourpre de robe, et n'offre qu'avec réticence ses arômes de cassis, de truffe, de réglisse et d'épices. Grandiose et très corsé, il est superbe de densité et riche en milieu de bouche, avec une finale profonde, longue de plus de 40 secondes. D'une extraordinaire pureté, doté d'un niveau élevé de tannins, ce vin me semble plus faible en acidité et légèrement plus charnu que le 1996, plus énorme et plus costaud. Tous deux cependant sont de superbes réussites de la propriété. **A boire entre 2004 et 2030.** (11/97)

1994 • **91+** Le 1994 me semble le meilleur Mouton Rothschild qui soit entre le 1986 et le 1995. Avec sa robe dense et soutenue de couleur pourpre, il exhale le nez classique de ce cru, aux doux arômes de fruits noirs mêlés de notes de fumé, de pain grillé, d'épices et de cèdre. Moyennement corsé et extraordinairement concentré, il se dévoile en bouche par paliers, déployant d'abondants tannins et un fruité riche et bien doté – un vin semblable au 1988. Vous noterez, en passant, que l'artiste néerlandais Appel a créé une étiquette fabuleuse pour habiller les bouteilles de ce millésime. **A boire entre 2005 et 2025.** (1/97)

1993 • **90** Le 1993 de Mouton Rothschild s'impose comme une révélation du millésime. Sa robe pourpre foncé précède un nez tout juste naissant aux arômes de cassis, de pain et de noix grillés. Suit un vin qui, tout en ne présentant pas en bouche la corpulence ni l'ampleur de millésimes comme 1989 ou 1990, déploie, outre un fruité riche et une pureté douce et mûre, un caractère moyennement corsé et un équilibre extraordinaire. Il est modérément tannique, étonnamment doté et d'une belle précision dans le dessin. **A boire entre 2004 et 2015.** (1/97)

Avis aux amateurs d'étiquettes : les premières bouteilles, rehaussées d'un nu de Balthus, furent interdites de séjour aux États-Unis sous la pression de groupes puritains. Elles valent environ 250 F plus cher que celles ornées d'un dessin noir et crème, qui ont été ultérieurement et officiellement mises en circulation par le château.

1992 • **88** Vêtu de rubis-pourpre foncé, le 1992, moyennement corsé, se montre flatteur et opulent, avec un nez énorme et très aromatique de cassis confituré, de chêne fumé, d'herbes et de noix grillée. En milieu de bouche, il se révèle doux et ample, et sa finale est généreuse et veloutée. Un Mouton ostentatoire et tapageur. **A boire dans les 10 ans.** (11/94)

1991 • **86+** Arborant une robe moyennement foncée de couleur rubis-pourpre, le Mouton Rothschild 1991 déploie un nez prometteur et complexe, typiquement Pauillac, avec des arômes de crayon, de noix grillée et de cassis mûr. La richesse initialement perçue en bouche est vite submergée par des tannins excessivement abondants et par une finale dure et rugueuse. Bien qu'il soit intéressant et avenant par certains côtés, ce vin est bien trop tannique – il se desséchera vraisemblablement au terme d'une garde de **10 à 15 ans.** Les amateurs de vins austères lui attribueront certainement une meilleure note. (1/94)

1990 • **87** Le 1990 est tout à la fois maigre, dur, austère et tannique, et je doute qu'il atteigne jamais l'harmonie. Ce vin rubis foncé, avec des arômes de chêne doux nettement moins prononcés qu'il y a 2 à 3 ans, laisse entrevoir des nuances de fruits noirs et un caractère atténué, anguleux et rugueux aussi atypique du style du millésime que de celui de la propriété. Il requiert une garde de 10 à 15 ans, mais ne vous attendez pas que les tannins, une fois fondus, laissent la place à un ensemble équilibré – ce vin manque de concentration. Dans le contexte de ce millésime grandiose, le Mouton 1990 est une déception ; la baronne Philippine en convint, d'ailleurs, lorsque nous dinâmes ensemble à Bordeaux. **A boire entre 2006 et 2020.** (3/98)

1989 • **90** Quoique supérieur au 1990, le Mouton Rothschild 1989 n'a pas le côté irrésistible de son cadet de 1995 ou de ses aînés de 1986 et 1982. D'un rubis foncé déjà bien éclairci sur le bord, il exhale un bouquet étonnamment évolué de cèdre, de doux fruits noirs, de crayon à papier et de chêne grillé. Moyennement corsé, élégant et discret, il est bien fait, dans un style racé – il évoque le 1985. Excellent, voire extraordinaire, il sera prêt d'ici 3 ou 4 ans et se révélera parfaitement mûr les **15 à 20 années suivantes.** (11/96)

1988 • **89** Exhalant de séduisantes senteurs d'épices exotiques, de minéral, de café, de cassis et de chêne doux, le Mouton 1988 offre, comme son cadet d'un an, un bouquet renversant, mais les arômes qu'il dévoile en bouche pèchent par manque de profondeur. L'ensemble, plus ferme, plus rugueux et plus tannique que celui du 1989, révèle un caractère moyennement corsé et extraordinaire de maturité. Ce vin magnifiquement fait est capable de tenir 20 ans encore ; malheureusement, sa finale un peu courte l'empêche de prétendre à une note sublime. Il évoque le 1985, en plus tannique. **A boire jusqu'en 2020.** (1/93)

1987 • **88** Il se pourrait bien que ce Mouton soit la réussite du millésime. C'est sans doute le plus complet et le plus lent à évoluer des Pauillac 1987, avec un potentiel de garde d'au moins 10 ans encore. L'émouvante dédicace, sur l'étiquette, de sa fille au défunt baron donne davantage de prix à la bouteille. Et puisque 1987 fut le dernier millésime du baron Philippe, il est fort probable que ce vin vaudra une fortune d'ici quelques années. C'est l'un des crus les plus opaques et les plus profonds du millésime, avec un bouquet assez peu développé, mais prometteur, de cèdre et de cassis ; il est charnu et corsé, et déploie une finale extrêmement tannique. **A boire jusqu'en 2010.** (11/90)

1986 • **100** Ce vin tout à la fois énorme, concentré et massif est du même niveau que les 1982, 1959 et 1945 de la propriété, mais dans un style totalement différent. Vinifié de manière impeccable, il est encore dans sa toute petite enfance. Il y a plusieurs années, à Bordeaux, il me fut servi en magnum, après une décantation de 48 heures : on aurait dit un échantillon tiré du fût. Je pense que ce vin requiert une garde supplémentaire de 15 à 20 ans au moins et qu'il pourra se maintenir **50 à 100 ans.** Compte tenu des prix astronomiques des 1982 et 1990 (sans parler du 1995), on peut estimer que le Mouton 1986 constitue encore une assez bonne affaire. Je me demande seulement combien d'amateurs d'aujourd'hui pourront encore l'apprécier lorsqu'il sera enfin à maturité. (3/98)

1985 • 90+ Le château rapproche le 1985 du 1959, mais, à mon sens, ce vin ressemble davantage au 1962 ou au 1953. Son nez bien développé, riche et complexe d'épices orientales, de chêne grillé, d'herbes et de fruits mûrs est tout simplement somptueux, et la bouche se révèle à la fois riche, précoce, sans détour, longue et sensuelle. Ce Mouton, à peine inférieur à ses jumeaux de Haut-Brion et de Margaux, m'a surpris par son caractère bien évolué et précoce. Les amateurs de Mouton énormes et massifs seraient bien inspirés de rechercher ailleurs ; celui-ci, moyennement corsé, policé et précoce, est déjà prêt, mais capable d'une garde de 12 ans, voire plus. **A boire jusqu'en 2010.** (3/98)

1984 • 80 Dans les années 80, Mouton a vraiment été le meilleur premier cru de Pauillac. Presque entièrement composé de cabernet sauvignon, le 1984 s'imposera certainement comme l'un des vins les plus aptes à une longue garde du millésime. Très corsé, tannique et concentré, il est également d'une grande richesse en extrait et doté d'un immense potentiel. Il s'agit d'une excellente surprise dans un millésime, somme toute, assez médiocre. **A boire jusqu'en 2005.** (3/90)

1983 • 90 Le 1983 s'est enfin décidé à révéler les classiques notes de crayon à papier et de cèdre typiques du cru. Ce vin d'un rubis moyennement foncé, plutôt corsé et élégant en bouche, ne sera jamais grandiose ni légendaire, mais il offre des arômes mûrs, modérément riches et d'une belle profondeur ; ses tannins fermes doivent encore se fondre dans l'ensemble. Plus impressionnant et mieux doté que les 1981, 1979 et 1978, il est relativement austère pour le cru et le millésime, et évoque son excellent aîné de 1966. **A boire jusqu'en 2015.** (10/90)

1982 • 100 Vêtu de pourpre soutenu, le Mouton Rothschild 1982 est probablement l'un des crus les moins évolués et les plus fermés du millésime. Pendant 5 ou 6 ans après la mise en bouteille, il se présentait comme un vin renversant, fabuleusement riche et presque ostentatoire, mais il s'est progressivement refermé depuis la fin des années 80, et il est désormais difficile de dire quand il s'épanouira à nouveau. L'ensemble révèle bien le fruité onctueux, épais et confituré, ainsi que les imposants arômes qui sont la griffe du millésime, mais il est très peu évolué, ressemblant presque à un échantillon tiré du fût. Massif et puissant, avec un caractère extrêmement étoffé et tannique, il se montre bien plus riche que le 1970 ou le 1961, et il ne serait pas déraisonnable de le comparer au 1959 ou au 1945. Par deux fois, je l'ai décanté le matin du jour précédant la dégustation ; il révélait son potentiel extraordinaire après une aération de 30 heures environ dans une carafe fermée. Cette réussite remarquable est une vraie légende. Les amateurs qui dégusteraient ce vin dans les 5 à 10 ans commettraient un infanticide. Exactement comme son jumeau de Latour, ce Mouton a un potentiel de **50 à 60 ans.** (4/98)

1981 • 79 Ce vin peu intéressant se montre de plus en plus fade, avec un côté terriblement austère. D'un rubis modérément foncé légèrement ambré sur le bord, il exhale au nez des senteurs de terre, de noix et de fruits rouges secs et poussiéreux. La bouche, compacte, révèle un caractère moyennement corsé et un fruité maigre. A mon sens, ce Mouton très décevant est sur le point de se dessécher. (10/97)

1980 • 74 Même compte tenu du millésime – peu favorisé –, le Mouton 1980 est inintéressant. Rubis moyen de robe, avec un nez vert de rafle, il se montre maigre, austère et excessivement tannique en bouche, où il déploie une finale astringente. Peut-être s'améliorera-t-il avec le temps, mais j'en doute. **A boire.** (10/83)

1979 • **76** Voici un autre Mouton qui ne s'est jamais vraiment épanoui et auquel, malheureusement, le temps n'est guère favorable. Très acide, il s'est toujours montré austère, et le fruité de cassis qu'il révélait dans sa jeunesse s'est maintenant dissipé. Le boisé, les tannins, l'alcool et un niveau d'acidité élevé contribuent pour beaucoup à son manque d'attrait. Ce vin inintéressant n'a décidément aucun avenir. **A boire.** (10/97)

1978 • **85** Un nez végétal de cèdre, de café et de fruits rouges introduit en bouche le Mouton 1978. C'est un vin plaisant, cependant dénué de la concentration et de la profondeur qu'on serait en droit d'attendre d'un premier cru. Moyennement corsé, avec des arômes de terre et de groseille légèrement verts, il déploie une finale modérément astringente aux tannins acerbes. L'ensemble est agréable, mais il y a peu d'espoir qu'il développe davantage de complexité ou de charme. **A boire.** (10/97)

1977 • **66** D'un rubis moyen, ce vin tout à la fois maigre, végétal et dénué de charme aurait dû être déclassé au lieu d'être diffusé comme un premier cru auprès des amateurs peu méfiants. (4/81)

1976 • **85** D'un rubis moyen légèrement tuilé sur le bord, le Mouton Rothschild 1976 présente un bouquet intéressant et modérément intense de prune mûre, de chêne épicé et de cuir fin. La bouche révèle d'abondants tannins encore très marquants, qui ont tendance à dominer l'ensemble compte tenu de l'équilibre et de la profondeur du fruité. Quoique dépourvu de la concentration et de la profondeur nécessaires pour qu'il soit grandiose, ce Mouton n'en demeure pas moins respectable pour le millésime. Je dois reconnaître qu'il a évolué plus lentement que je ne l'aurais imaginé. **A boire.** (3/98)

1975 • **90 ?** Ce vin, qui est demeuré terriblement tannique et très fermé ces dernières années, s'est enfin décidé à révéler un certain potentiel. D'un beau rubis-grenat foncé, il présente, outre un doux nez de cèdre, de chocolat, de cassis et d'épices, un fruité mûr et richement extrait, et une finale massive, ample et tannique. Quoique peu évolué, il commence à se défaire de son manteau de tannins et déploie désormais davantage de complexité et d'équilibre. Je demeure inquiet quant au potentiel de son fruité, même s'il semble que ce vin atteint son apogée. Dans la longue série des Mouton décevants des années 70, le 1970 se révèle supérieur au 1975, qui est cependant le deuxième meilleur cru de la propriété dans cette décennie. (12/95)

1974 • **69** Inférieur à la moyenne, et décevant pour un Mouton, ce vin dépourvu de fruit présente le caractère creux inhérent au millésime et libère un bouquet rance et plat. **A boire – sans doute en sérieux déclin.** (5/81)

1973 • **65** L'année où Mouton fut promu premier cru fut célébrée par une belle étiquette de Pablo Picasso. Que celle-ci soit jugée par un critique d'art ou de vins, il est incontestable qu'elle surpasse le contenu de la bouteille, très boisé, avec un fruité qui s'estompe rapidement. **A boire – sans doute en sérieux déclin.** (2/82)

1971 • **88** Ce vin moyennement massif, séduisant dès sa jeunesse, continue d'évoluer de belle manière. Les bouteilles récentes ont été les meilleures que j'aie dégustées. Doté d'une robe grenat sombre et profond légèrement ambrée sur le bord, le 1971 de Mouton exhale le nez classique de cèdre, de cassis et de crayon à papier caractéristique des Pauillac. La bouche, savoureuse, révèle de doux arômes de cèdre et de groseille, qui se distinguent par leur fraîcheur et l'heureuse acidité qui les étaye. Les tannins sont parfaitement mûrs, le vin aussi. **A boire jusqu'en 2006.** (10/97)

1970 • **93 ?** J'ai eu de nombreuses occasions de déguster ce vin, mais c'est l'un des plus irréguliers que je connaisse. Il peut se révéler un pur nectar, comme il peut se montrer anguleux, austère, dur et tannique. La bouteille objet du présent commentaire est une « Réserve du Château » diffusée par erreur ; l'étiquette portait, en lieu et place du numéro de série, les lettres RC, indiquant que cet exemplaire était en fait destiné à la propriété. Il m'a d'abord été difficile de dire quand le vin avait été décanté, tant il était dur, rugueux et impénétrable. Mais, huit heures plus tard, il s'était ouvert en un ensemble magnifique, aux senteurs classiques de doux cassis, de tabac, de minéral et d'épices exotiques. Tout à la fois corsé, opulent, épais et séveux, il manifestait un épanouissement extraordinaire, qui plaidait magnifiquement en faveur d'une décantation très antérieure à la dégustation. Cette bouteille m'a rassuré, alors que j'avais une opinion plutôt mitigée du Mouton 1970. C'est très certainement la forte proportion de cabernet sauvignon dans l'assemblage qui explique que ce vin traverse une période où il se révèle serré, dur et fermé. Il requiert une garde supplémentaire de 4 ou 5 ans. (6/96)

1967 • **70** En 1974, j'ai goûté un Mouton 1967 agréablement fruité, sans beaucoup d'étoffe et sans grande complexité, et à pleine maturité. Plus récemment, ce vin s'est révélé creux, peu profond et sur le déclin. Vers la fin des années 80, il a pris un goût de moisi, de champignonnière. **A boire sans délai – en sérieux déclin.** (1/91)

1966 • **90** D'aucuns trouveront peut-être que j'ai généreusement noté ce vin, mais je l'ai toujours apprécié, malgré son caractère légèrement trop sec, trop austère et trop retenu. Il séduit cependant par sa robe grenat foncé et par ses senteurs classiques, douces et épicées, de tabac, de café et de cassis. La finale recèle encore des tannins puissants, qui contribuent à l'aspect sec et austère de l'ensemble. Ce 1966, l'un des Mouton les plus « intellectuels », est typique du millésime. Il reflète bien le style de la propriété, avec sa forte dominante de cabernet sauvignon. **A boire jusqu'en 2008.** (3/98)

1964 • **55** Le Mouton 1964 est un échec notoire, car issu de raisins vendangés trop tardivement sous des pluies diluviennes – en fait, la plupart des châteaux avaient attendu pour récolter, espérant une meilleure maturité des baies. On peut se demander pourquoi les grands domaines ne déclassent pas leur entière production lorsqu'ils essuient une telle déconfiture. Ce vin, au bouquet tendre et cuit, révèle en bouche des arômes souples, diffus et sans relief. (1/91)

1962 • **92** Je me suis souvent plaint des grandes irrégularités que ce cru présentait d'une bouteille à l'autre. Cependant, trois dégustations récentes de bouteilles en parfait état de conservation m'ont révélé un 1962 absolument splendide et extrêmement parfumé, vêtu de grenat foncé légèrement éclairci sur le bord et doté d'un doux nez de fruits noirs confiturés, de cèdre et de fumé. L'ensemble, moyennement corsé et velouté, exprimait tout en rondeur un caractère opulent et irrésistible de richesse. Ce vin s'affirmera en développant davantage de complexité. **A boire jusqu'en 2008.** (10/97)

1961 • **98 ?** Terriblement irrégulier d'une bouteille à l'autre, le Mouton Rothschild 1961 ressemble en cela à son cadet de 1970. A son meilleur niveau, c'est un vin grandiose, qui exhale d'énormes parfums de cèdre, de cassis, de crayon à papier et de menthol jaillissant littéralement du verre. La robe, d'un pourpre-noir, est absolument intacte (ni éclaircie ni ambrée), et l'ensemble se montre très corsé, riche et extrêmement intense en bouche. Ce vin profond aurait pu rivaliser avec l'irrésistible 1959. Il tiendra encore **50 ans, voire plus.** (3/98)

Millésimes anciens

Je suis toujours époustouflé par le 1959 (noté 100 en mars 1998), l'un des Mouton les plus grandioses qui soient. A chaque dégustation, il me conforte dans l'idée que ce vin est plus riche, plus imposant que le 1961. Étonnamment jeune et peu évolué, il arbore une robe pourpre-noir et dégage un nez (également jeune) de cassis, de minéral et de chêne neuf. D'une puissance et d'une concentration exceptionnelles, ce vin gigantesque et très corsé présente un généreux fruité bien étayé par d'abondants tannins et par des masses de glycérine. Il devrait évoluer de belle manière ces **20 à 30 prochaines années**, et paraît capable de durer **100 ans**.

Le 1955 (noté 97 en mars 1998) est un millésime à acheter aux enchères ; il y a, en effet, de fortes chances pour qu'il soit plus abordable que les 1959 et 1961. Sa couleur demeure presque intacte, à peine éclaircie sur le bord et sans la plus petite nuance de rouille ou d'ambre. Le nez dégage les arômes explosifs de menthe, de cassis, de cuir fin, d'olive noire et de crayon à papier caractéristiques du cru. La bouche révèle, outre une concentration stupéfiante, une richesse en extrait des plus magnifiques et une finale regorgeant de tannins. Ce vin époustouflant et encore terriblement jeune pourrait aisément se maintenir **20 à 30 ans**.

Je me souviens de l'un de mes amis qui, décantant un magnum de Mouton 1953 (noté 95 en septembre 1994), me l'a collé sous le nez afin de m'en faire partager le bouquet incroyable. Outre des arômes exotiques de sauce soja, de cuir fin et neuf, de cassis, d'herbes et d'épices, ce vin présente une robe rubis foncé très légèrement ambrée sur le bord. Doux et gras, avec un fruité voluptueux et une faible acidité, il révèle des tannins bien fondus. Bien qu'il soit actuellement sur la corde raide, il pourrait se montrer encore luxuriant dégusté immédiatement après avoir été décanté.

Le 1949 de Mouton (noté 94 en septembre 1994) était réputé être le millésime préféré de feu le baron Philippe. Pour ma part, et bien que je le trouve formidable, je lui préfère le 1945, le 1947, le 1959, le 1982, le 1986, le 1995 et le 1996. Ce vin, à la robe opaque de couleur grenat foncé, dégage un bouquet généreux de cassis mûr et doux, d'herbes et de chêne épicé, mêlé de notes de café et de cannelle. Moyennement corsé, avec des tannins modérés, mais encore présents, il est compact et déploie en bouche une concentration superbe, ainsi qu'une finale remarquablement longue. Bien qu'il semble à pleine maturité, son équilibre, sa longueur et ses tannins donnent à penser qu'il pourrait être conservé encore **une vingtaine d'années**.

Le Mouton Rothschild 1947 (noté 98 en mars 1998) s'est toujours révélé rien de moins qu'extraordinaire, luxuriant, fabuleusement riche et concentré. Son bouquet exotique et ostentatoire de gingembre, de menthe, de café, de cèdre, ainsi que ses abondants arômes de cassis précèdent en bouche un ensemble sirupeux, visqueux, épais et juteux, qui explose littéralement de fruité. Quoique prêt depuis ma première dégustation, il y a une bonne dizaine d'années, il conserve intacts sa robe et son fruit. C'est l'un des Mouton les plus exotiques et les plus opulents que je connaisse, mais **il doit être consommé**.

Régulièrement noté 100 (uniquement parce que mon barème de notation ne va pas au-delà), le Mouton Rothschild 1945 (dernièrement dégusté en août 1997) est incontestablement l'une des légendes de ce siècle. Il se distingue aisément par ses remarquables arômes exotiques, doux et très mûrs, de fruits noirs, de café, de tabac, de moka et d'épices orientales. L'ensemble, opulent et riche, manifeste une densité extraordinaire et déploie, par paliers, un généreux fruité crémeux. Il ressemble davantage à un Pomerol de 1947 qu'à un Pauillac de 1945 puissant, tannique et structuré. La finale, longue de plus de 1 minute, révèle un beau déploiement de fruit richement extrait et de tannins doux. Ce vin remarquable de jeunesse (il est à peine ambré sur le bord) est vraiment époustouflant. Durera-t-il 50 ans encore ?

Je ne connais aucun Mouton véritablement grandiose dans les années 30, mais le 1929 (noté 86 en avril 1991) est encore buvable, bien qu'il soit maintenant l'ombre de lui-même. Les 1928, 1926 et 1924, dégustés au même moment, étaient en sérieux déclin, et aucun ne méritait une note au-dessus de 75. Rubis-grenat de robe, le Mouton 1921 dégageait un nez vieux et moisi, nuancé de cèdre, de gingembre et de fruits confiturés. La bouche dévoilait un ensemble acide, nerveux, compact et anguleux, dénué de charme, de gras et de fruit. En outre, la finale était desservie par des tannins en excès. Cependant – détail intéressant –, ce vin révélait bien le caractère de menthe typique de Mouton.

PIBRAN

Cru bourgeois

équivaut à un cru grand bourgeois exceptionnel

Propriétaire : AXA Millésimes

Administrateur : Jean-Michel Cazes

Adresse : 33250 Pauillac

Tél. 05 56 73 17 17 – Fax 05 56 59 64 62

Visites : sur rendez-vous uniquement

Contact : Suzanne Calvez

Superficie : 10 ha (Pauillac)

Vin produit : Château Pibran – 55 000 b (pas de second vin)

Encépagement : 60 % cabernet sauvignon, 30 % merlot, 10 % cabernet franc

Densité de plantation : 9 000 pieds/ha – *Age moyen des vignes :* 30 ans

Rendement moyen : 45 hl/ha

Élevage :

vendanges manuelles ; éraflage total ;
fermentations et cuvaisons de 15-17 jours
en cuves d'acier inoxydable thermorégulées ;
achèvement des malolactiques en cuves ; vieillissement de 12-15 mois en fûts
(30 % de bois neuf) ; soutirage trimestriel ; collage et filtration

---

A maturité : dans les 4 à 12 ans suivant le millésime

Les vins de Pibran, vieillis en partie en fûts de chêne, se distinguent généralement par leur robe profonde et leur caractère dense, modérément concentré et tannique. Ils compensent leur manque de complexité et de finesse par de la puissance et du muscle. Compte tenu de leur prix modéré, ils constituent une bonne introduction au style des Pauillac. Depuis que Jean-Michel Cazes et son vinificateur, Daniel Llose, ont repris en main les destinées de cette propriété, les vins se sont améliorés, se montrant fruités, charnus et savoureux. Les 1988 et 1989 affichent tous deux un style plus moderne que les millésimes précédents, et séduiront certainement le plus grand nombre par leur caractère gras et fruité.

1997 • **74-76** Le 1997 de Pibran est décevant. Très herbacé, il est court et comprimé, et manque autant de profondeur que d'intensité. J'ai été surpris de voir un vin aussi médiocre suivre le 1996, très réussi. (1/99)

1996 • **89** Le 1996 est l'une des révélations du millésime. Musclé et énorme, il arbore une robe d'un pourpre soutenu, qui introduit un doux nez de cassis entremêlé de notes de cèdre et d'épices. La bouche, moyennement corsée, révèle des tannins mûrs et bien fondus, et l'ensemble, qui déploie une finale d'une grande précision, est étayé par une heureuse acidité. C'est un Pauillac ample, proposé à prix raisonnable, qu'il faut apprécier à son apogée **entre 2004 et 2016.** (1/99)

1995 • **85** Bien coloré, avec un fruité doux, charnu, mûr et épicé, le Pibran 1995 est accessible et souple, et sera à son apogée très prochainement. Il tiendra bien **7 ou 8 ans.** (3/96)

1994 • **80** Ce vin rugueux et tannique, d'une concentration modérée, déploie une finale courte et comprimée. (3/96)

1992 • **74** Le 1992 n'est impressionnant que par sa couleur soutenue. Son taux d'acidité est bien trop élevé, ses tannins trop présents, et son fruité brille par son absence. Ce vin creux et rugueux manque décidément de charme. (11/94)

1991 • **76** Vêtu de rubis foncé, le 1991 de Pibran se révèle sans détour, avec un bouquet très discret et des tannins très durs. En finale, il est moyennement corsé et rugueux – il est évident qu'il se desséchera avant de présenter le moindre charme. (1/94)

1990 • **88** Réplique presque parfaite du 1989, le 1990 de Pibran est cependant légèrement plus gras et plus riche. **A boire jusqu'en 2005.** (1/93)

1989 • **87** Bien réussi, le Pibran 1989 arbore une robe rubis-pourpre profond et exhale un excellent nez de chêne neuf et fumé, mâtiné d'un généreux fruité de cassis. La finale, faible en acidité, est ample et bien glycérinée. **A boire jusqu'en 2005.** (1/93)

1988 • **86** Tout à la fois charnu, savoureux, mûr et amplement doté, le Pibran 1988 offre un généreux fruité doux qui contribue à son charme immédiat. Il manque cependant de complexité. **A boire.** (1/93)

PICHON-LONGUEVILLE BARON – EXCELLENT

2e cru classé en 1855
devrait être maintenu (surtout depuis 1986)
Propriétaire : AXA Millésimes
Administrateur : Jean-Michel Cazes
Adresse : Saint-Lambert – 33250 Pauillac
Tél. 05 56 73 17 17 – Fax 05 56 73 17 28
Visites : tous les jours
(9 h-12 h 30 et 14 h-18 h ; 17 h le vendredi)
Contact : Suzanne Calvez

Superficie : 68 ha (Pauillac)
Vins produits :
Château Pichon-Longueville Baron – 290 000 b ;
Les Tourelles de Longueville – 120 000 b

Encépagement : 70 % cabernet sauvignon, 25 % merlot, 5 % cabernet franc
Densité de plantation : 9 000 pieds/ha – *Age moyen des vignes :* 35 ans
Rendement moyen : 45 hl/ha

Élevage :
vendanges manuelles ; éraflage total ;
fermentations et cuvaisons de 15-17 jours
en cuves d'acier inoxydable thermorégulées ;
achèvement des malolactiques en cuves ; vieillissement de 12-15 mois en fûts
(70 % de bois neuf) ; soutirage trimestriel ; collage et filtration

---

A maturité : dans les 8 à 25 ans suivant le millésime

Ce château au noble aspect, situé en face de Latour et de Pichon-Longueville Comtesse de Lalande, a opéré un modeste redressement au début des années 80 ; il a été vendu il y a quelques années par la famille Bouteiller au grand groupe d'assurances AXA. Il faut féliciter cette société d'avoir demandé à Jean-Michel Cazes, de Lynch-Bages, de superviser les vignes et la vinification. Le talent de Cazes, qui s'appuie sur une vendange plus tardive, une sélection plus stricte, la création d'un second vin et une grande proportion de chêne neuf pour l'élevage, a fait des miracles. C'est pourquoi Pichon-Longueville Baron mérite à nouveau son prestigieux classement de deuxième cru.

Le vignoble est superbement situé sur des sols graveleux, avec une exposition au sud. La plus grande partie est limitrophe de Château Latour. On a dit que la qualité médiocre de beaucoup de vins de ce domaine, dans les années 50 et 60, devait être imputée aux pratiques culturales et à un élevage en cave défectueux. Je me souviens d'une visite à ce château, par un après-midi torride de juillet : le vin, nouvellement embouteillé, était stocké à l'extérieur, exposé au plein soleil. Avec l'équipe de Jean-Michel Cazes, de telles aberrations ne se produisent pas.

Au-delà de ce que peut avancer le domaine pour les besoins de sa promotion, c'est avant tout ce que l'on trouve dans les bouteilles, depuis 1986, qui permet d'affirmer que Pauillac compte à nouveau deux grands Pichon. Ce château s'est imposé comme une étoile montante des années 90. En 1988, 1989 et 1990, il a également produit de grands vins, et, si ces derniers millésimes indiquent réellement ce que Jean-Michel Cazes veut faire de Pichon-Baron, on peut s'attendre à un vin intensément concentré, vigoureux et puissant.

1998 • **87-88 ?** Ce vin aurait obtenu une meilleure note, n'étaient les tannins féroces qui le compriment et lui confèrent une certaine maigreur. Hormis ce défaut, il est bien fait et présente, outre une robe pourpre foncé, des parfums et des arômes de cassis et de chêne neuf. Moyennement corsé et musclé, mais également peu évolué, serré et abrupt, il devrait ultérieurement se révéler très bon, voire excellent. Cependant, ses tannins ne manquent pas d'inquiéter. **A boire entre 2006 et 2017.** (3/99)

1997 • **85-87** Dominé par le fruit, le 1997 arbore une belle robe soutenue et se montre moyennement corsé, avec un bon fruité de cassis. Malheureusement, il manque de corpulence, et sa finale – souple – de précision. Je pense que l'ensemble s'affermira au cours de son élevage, et qu'il sera délicieux dès sa diffusion. **A boire jusqu'en 2010.** (1/99)

1996
•
91

Le 1996 de Pichon-Baron se révèle meilleur encore qu'il ne le laissait deviner en cours d'élevage. Il s'est bien étoffé, très certainement grâce à la forte proportion de cabernet sauvignon (80 %) de son assemblage. Sa robe d'un pourpre opaque accompagne de très beaux arômes de tabac, de cuir neuf et fin, de café torréfié et de cassis. Moyennement corsé et dense, assez peu évolué, il présente des tannins modérés, mais déborde d'un doux fruité richement extrait et bien glycériné qui fait pièce à sa structure. Ce Pauillac classique et bien doté sera à son meilleur niveau **entre 2006 et 2022.** (1/99)

1995
•
90

Plus racé, plus élégant et plus discret que ne le sont généralement les vins de Pichon-Baron, le 1995 est également moins boisé que de coutume. Arborant une robe d'un rubis-pourpre profond, il offre un nez pur de cassis marqué de subtils arômes de café et de chêne grillé et fumé. La bouche, moins massive et moins musclée qu'en 1996, est suave, élégante et riche. Ce vin moyennement corsé et étonnamment doté sera au meilleur de sa forme **entre 2001 et 2016.** (11/97)

1994
•
88

Rubis-pourpre foncé, le 1994 exhale un excellent nez aux purs arômes de cassis écrasé. Moyennement corsé, il déploie à l'attaque en bouche un doux fruité et des tannins abondants, mais n'a pas la richesse et la densité sous-jacentes d'autres Pauillac de ce même millésime (Pichon-Lalande, Grand-Puy-Lacoste ou Pontet-Canet). On dira, à sa décharge, qu'il n'exprime aucun caractère végétal et qu'il devrait évoluer joliment sur les 10 à 15 prochaines années en un bordeaux classique, séduisant et bien fait. **A boire jusqu'en 2014.** (1/97)

1993
•
84

Le 1993 arbore une robe très évoluée de couleur grenat foncé et présente, outre des arômes végétaux et de poivre vert, un doux fruité de groseille. Quand on connaît la remarquable régularité de cette propriété depuis les années 80, ce 1993 fait figure de médiocrité. Il est en effet doux, végétal et accessible, mais inintéressant. **A boire jusqu'en 2006.** (1/97)

1992
•
89

Le 1992 peut légitimement prétendre – avec quelques autres, rares – au titre d'étoile du millésime. Sa robe soutenue, de couleur rubis-pourpre foncé, précède un nez énorme, tapageur et massif de cassis confituré, de cèdre et de chêne fumé. En bouche, il est assez fortement corsé et déploie un fruité merveilleusement doux et concentré, soutenu par des tannins modérés. Très riche en extrait, ce vin fabuleusement fait présente une acidité suffisamment faible pour pouvoir être bu maintenant, mais il promet d'évoluer avec grâce ces **12 prochaines années, voire au-delà.** Quelle belle réussite pour ce millésime ! (11/94)

1991
•
86+

Le 1991 de Pichon-Baron arbore une robe formidable, opaque, de couleur pourpre, et déploie un nez prometteur de réglisse, de minéral et de cassis. L'attaque en bouche révèle un fruité merveilleusement mûr qui étaye bien un vin moyennement corsé, mais la finale est dominée par des tannins durs et rugueux. Je pense néanmoins qu'il y a là suffisamment de fruité pour que le vin évolue bien. **A boire jusqu'en 2005.** (1/94)

1990
•
96

Quoique marqué par la surmaturité rôtie qui caractérise le millésime, le Pichon-Baron 1990 conserve un bel équilibre entre ses différentes composantes. Opulent, flamboyant, il est moins tannique et plus faible en acidité que le 1989, mais aussi concentré, avec un nez plus évolué de cèdre, de fruits noirs, de terre, de minéral et d'épices. La bouche exprime un fruité confituré sensationnel, tout à la fois extrêmement généreux, glycériné et boisé, étayé par des tannins souples. Ce vin est nettement plus agréable à déguster et à savourer que son aîné d'un an, pourtant exceptionnel, mais plus structuré et moins évolué. L'idéal serait d'avoir en cave les deux millésimes. Le 1990 présente un potentiel de garde de **plus de 25 ans.** (11/96)

1989 • **95+** La robe opaque et pourpre dense du Pichon-Baron 1989 laisse deviner un ensemble massif et très richement extrait. Dense et très corsé, impeccablement fait, il exhale d'énormes arômes, fumés et chocolatés, de cassis mâtinés de chêne grillé, et déploie en bouche, par paliers, un généreux fruité doux et sous-jacent, ainsi qu'un caractère fabuleusement doté et tannique. Ce vin peu évolué, mais prodigieux, requiert une garde de 5 ou 6 ans et tiendra parfaitement les **30 ans qui suivront, voire au-delà.** C'est incontestablement un Pichon des plus grandioses ! (11/96)

1988 • **90** Ce vin promet de s'imposer au nombre des quelques très grandes stars du millésime. Étonnamment ample pour un 1988, il est profondément coloré et exhale des senteurs de boisé, de cassis et de réglisse. Moyennement corsé, riche, avec des tannins souples, il devrait atteindre sa maturité très prochainement. **A boire jusqu'en 2010.** (1/93)

1987 • **84** Bien réussi pour le millésime, le Pichon-Baron 1987 est riche, long, souple et gras en bouche. C'est un vin savoureux et généreusement doté. **A boire.** (11/90)

1986 • **88** Si l'on fait un moment abstraction du 1988 et du 1989, le 1986 s'affirme comme l'un des meilleurs vins élaborés depuis un quart de siècle par ce domaine, qui n'a pas toujours été à la hauteur. D'un rubis profond presque noir, avec un nez intense et généreux de chêne et de cassis, ce Pichon solide, corsé et riche a beaucoup de tannins ; cependant, contrairement à bien d'autres Pauillac du millésime, il révèle une agréable souplesse qui le rend plaisant dès maintenant. **A boire jusqu'en 2005.** (10/90)

1985 • **83** Le 1985 est fruité et agréable, mais diffus, un peu mou et dépourvu de charpente. Il est plaisant, mais manque de complexité. **A boire.** (10/90)

1983 • **85** Le 1983 est certainement mieux structuré que le 1982, mais, assez curieusement, il est devenu moins intéressant en vieillissant. Rubis foncé, avec un nez épicé de cassis et d'herbes aromatiques, il est assez corsé, avec encore beaucoup de tannins, mais mûrit rapidement. **A boire jusqu'en 2005.** (3/89)

1982 • **92** J'ai très certainement sous-estimé ce vin lors des premières dégustations. En fût et juste après la mise en bouteille, il se montrait énorme et mûr, mais on n'y décelait ni structure ni acidité. Cependant, comme tous les bordeaux (même dans les millésimes les plus gras et les plus mûrs), il ne manquait pas de tannins. Au fur et à mesure de son vieillissement, le Pichon-Baron 1982 a acquis de la tenue et développé des proportions plus classiques. C'est en fait un spécimen exceptionnel élaboré pendant une période difficile, où la propriété se distinguait davantage par ses performances médiocres. Arborant une robe dense et opaque d'un rubis-pourpre tirant sur le grenat, il exhale un nez énorme de cèdre, de doux cassis et d'épices. Son caractère très corsé, sa merveilleuse concentration, sa texture épaisse, modérément tannique et confiturée et sa finale superbe se conjuguent en un ensemble splendide et très intéressant. Ce vin peut être dégusté dès maintenant en raison de ses arômes doux et crémeux, mais il peut également tenir **20 ans, ou plus.** (9/95)

1981 • **83** Le 1981 est un peu trop marqué par le chêne, et il manque légèrement d'intensité et de profondeur. Avec une assez bonne concentration du fruit et une finale un tout petit peu brève, c'est un vin plaisant, agréable et précoce, que l'on boira **rapidement.** (2/87)

1980 • **60** Maigre et végétal, avec des arômes de fruits peu développés, ce vin manque de flaveurs et de persistance. (2/83)

1979 • **84** Le Pichon-Baron 1979 est une réussite. Fabuleusement souple, épanoui, il exhale un fruit ample et velouté de cassis, et un bouquet de chêne, de goudron et d'épices ; c'est un vin tendre et précoce. **A boire.** (3/88)

1978 • **82** Gras, trapu, confit et sans grande complexité, le 1978 manque de force et de charpente. C'est un vin un peu relâché, avec une finale agréable et courte. Il a depuis longtemps atteint sa pleine maturité. **A boire.** (7/88)

1975 • **64** Le nez inhabituel, très médicinal et évoquant le café brûlé, du 1975 est déconcertant. Ses arômes chaptalisés, manquant de force, s'éteignent rapidement dans le verre. C'est un vin tendre, peu typique du millésime et manquant de cohérence. **A boire – probablement en sérieux déclin.** (8/90)

1971 • **65** Voici un Pichon-Baron médiocre. Quelque peu insipide et desséché, il présente une couleur brune et passée. En bouche, il montre un fruit sucré et artificiel, et une finale pauvre, astringente et tannique. Très décevant. **A boire – probablement en sérieux déclin.** (9/78)

1970 • **73** Assez bien coloré, mais un peu léger, et prenant en bouche un caractère astringent, très tannique, ce vin moyennement corsé ne révèle pas suffisamment de fruit pour contrebalancer ses tannins. Seuls ceux qui ont le goût du risque patienteront encore. **A boire.** (3/86)

1966 • **82** Assez déséquilibré et fort déconcertant à la dégustation, le Pichon-Baron 1966 présente une bonne couleur rubis foncé légèrement ambrée sur le bord, et libère un bouquet agressif, épicé, de cassis et de cèdre, marqué de notes de végétation en décomposition. Étoffé, charnu, il manque cependant de tenue en bouche et déploie une finale lourde. Sans doute peut-il encore vieillir, mais il est rustique et rugueux. **A boire jusqu'en 2000.** (2/87)

1961 • **86** Ce vin, que j'avais tout d'abord trouvé médiocre, m'est apparu agréable lors des dernières dégustations. Il est encore rubis assez foncé, avec des nuances orangées sur le bord, et il offre un nez développé d'épices, de terre humide et de cèdre. En bouche, il est gras et riche, mais il n'a pas la complexité que l'on trouve chez les meilleurs 1961. **A boire jusqu'en 2000.** (2/88)

Millésimes anciens

Parmi les meilleurs millésimes de Pichon-Baron que j'aie dégustés, citons un 1959 (noté entre 87 et 90) meilleur et moins développé que le 1961, un 1955 dense et très bon (noté 87) et un 1953 robuste et parfumé, arrivé à pleine maturité (noté 89). J'ai été déçu par les 1949, 1947 et 1945 (que je n'ai goûtés qu'une fois).

PICHON-LONGUEVILLE COMTESSE DE LALANDE
EXCEPTIONNEL

2e cru classé en 1855 – équivaut à un 1er cru
Propriétaire : May-Éliane de Lencquesaing
Adresse : 33250 Pauillac
Tél. 05 56 59 19 40 – Fax 05 56 59 29 78
Visites : sur rendez-vous uniquement
Contact : Sophie Ferrère

Superficie : 75 ha (Pauillac et Saint-Julien)
Vins produits :
Château Pichon-Longueville Comtesse de Lalande – 420 000 b ;
Réserve de la Comtesse – 72 000 b ; Domaine des Gartieu – 6 000 b
Encépagement : 45 % cabernet sauvignon, 35 % merlot,
12 % cabernet franc, 8 % petit verdot
Densité de plantation : 9 000 pieds/ha – *Age moyen des vignes :* 35 ans
Rendement moyen : 50 hl/ha

Élevage :
vendanges manuelles ; éraflage total ;
fermentations et cuvaisons de 18-24 jours
en cuves d'acier inoxydable thermorégulées ;
vieillissement après les malolactiques de 18 mois en fûts (50 % de bois neuf) ;
soutirage trimestriel ; collage au blanc d'œuf ; légère filtration

---

À maturité : dans les 5 à 25 ans suivant le millésime

Actuellement, Pichon-Longueville Comtesse de Lalande (dit Pichon-Lalande ou Pichon-Comtesse) est sans conteste le Pauillac le plus apprécié du public et, depuis 1978, le plus régulier à haut niveau. En de nombreux millésimes, il égale et parfois même dépasse les trois célèbres grands crus de la commune. Les vins sont généralement des réussites depuis 1961, mais il est indubitable qu'à la fin des années 70 et au début de la décennie suivante, sous la direction énergique de Mme de Lencquesaing, la qualité a fait un bond en avant pour atteindre un véritable sommet.

Le vin est vinifié avec beaucoup de clairvoyance ; densément coloré, il est souple, fruité et assez rond pour être bu jeune. Comme le Palmer de Margaux, c'est l'un des rares grands Médoc qui contiennent une forte proportion de merlot (35 %) dans l'assemblage, ce qui lui donne ce caractère charnu et tendre ; Pichon-Comtesse demeure cependant suffisamment tannique, profond et riche pour évoluer correctement sur 10 à 20 ans.

La propriété est en fait une partie d'un domaine unique, qui s'appelait Pichon-Longueville et qui a été divisé en 1850. Édouard Miailhe, le père de Mme de Lencquesaing, l'a acheté en 1924, mais c'est grâce à cette dernière que le domaine a conquis son actuelle renommée. Durant les années 80, Mme de Lencquesaing a effectué d'importants investissements : elle a fait aménager un nouveau cuvier en 1980, et, en 1988, un chai de vieillissement et une salle de dégustation (avec une vue splendide sur Château Latour). La rénovation du château (situé en face de Pichon-Longueville Baron) a été achevée en 1990. Mme de Lencquesaing réside sur place. Le vignoble se trouve à cheval sur Pauillac et Saint-Julien, et c'est ce qui explique, dit-on, le caractère souple du vin qui en est issu.

1998
•
85-88 ?
Issu d'une sélection de 50 % de la récolte, et composé à 55 % de cabernet sauvignon, à 30 % de merlot et à 15 % de cabernet franc, le Pichon-Lalande 1998 se révèle assez anodin. D'un rubis profond, il exhale un nez d'herbes, de cassis et de grillé, et se montre moyennement corsé en bouche. Il faut souligner à son crédit qu'il est élégant et souple ; cependant, il n'est pas particulièrement concentré et déploie une finale abrupte. Il sera certainement bon, voire très bon, mais il n'est pas aussi intéressant que les grandes réussites des millésimes précédents. **A boire entre 2001 et 2010.** (3/99)

1997
•
87-89
Les amateurs apprécieront le 1997, mais je ne suis pas certain qu'il soit meilleur que le Réserve de la Comtesse 1996. Sa robe rubis foncé accompagne des arômes bien dotés de cerise noire nuancés de moka, de fumé et de grillé. L'ensemble, moyennement corsé, révèle une richesse d'excellent aloi ; doux et ample en milieu de bouche, il déploie une finale souple. Ce vin sera parfait jusqu'à **10 à 12 ans d'âge.** Je le recommande particulièrement aux restaurateurs ou aux amateurs en quête d'un plaisir immédiat. (1/99)

1996
•
96
Le 1996 de Pichon-Lalande est tout aussi somptueux en bouteille qu'il l'était en fût. Contenant une proportion de cabernet sauvignon plus élevée que de coutume (75 %), il comprend également 15 % de merlot (le pourcentage de ce cépage varie généralement entre 35 et 50 %), 5 % de cabernet franc et 5 % de petit verdot. Seulement 50 % de la production totale fut jugée digne du grand vin, qui arbore une robe rubis-pourpre foncé et évoque le cabernet sauvignon extrêmement mûr par son nez de mûre, de myrtille et de cassis subtilement nuancé de très belles notes de chêne neuf et grillé. Profond et très corsé, ce 1996 fabuleux de concentration déploie en bouche une texture aussi souple qu'opulente. Il chantait harmonieusement lors de ma dernière dégustation, en janvier 1999. Compte tenu de sa proportion très élevée de cabernet sauvignon, je pense qu'il se refermera d'ici peu. C'est un vin très tannique, dominé par un fruité imposant. Pourrait-il se révéler aussi extraordinaire que le 1982 ? **A boire entre 2000 et 2025.** (1/99)

1995
•
96
De somptueux moments en perspective pour les amateurs qui auront acheté les 1995 ou 1996 de Pichon-Lalande. Il m'est difficile de déterminer celui que je préfère, mais le 1995 me semble plus souple, plus immédiatement accessible et plus sensuel. Ce vin exquis tient du merlot un caractère de chocolat, de café et de cerise qui accompagne à merveille les arômes complexes de cassis et de mûre issus du cabernet sauvignon et du cabernet franc. Avec sa robe opaque de couleur rubis-pourpre tirant sur le noir, il exhale des arômes flamboyants et sensuels de pain grillé, de fruits noirs et de cèdre. Exquis, très corsé et multidimensionnel, il se dévoile en bouche par paliers. Ce Pichon-Lalande pourrait bien s'imposer comme l'une des réussites les plus extraordinaires du millésime. **A boire entre 2001 et 2020.** (3/98)

1994
•
91
Le 1994 est l'une des stars du millésime, avec sa robe opaque de couleur pourpre et son nez fabuleusement parfumé et exotique de cassis, de fumé, d'épices orientales et de vanille douce. Épais, riche et modérément tannique en bouche, il est encore moyennement corsé et bien structuré, avec une belle pureté et une finale longue et pure qui se dévoile par paliers. Ce Pichon-Lalande absolument formidable devrait parfaitement évoluer. **A boire entre 2001 et 2020.** (1/97)

1993
•
85
Le 1993 n'est pas aussi doux ni aussi fruité que je l'espérais. Légèrement corsé, il exhale un doux nez d'herbes et de groseille, et se montre disjoint en bouche, avec un caractère évolué, dénaturé par des notes végétales.

Ce vin souple se dégustera au meilleur de sa forme dans les **5 ou 6 ans.** (1/97)

1992 • **79** Le 1992 est le vin le plus décevant qu'ait élaboré cette propriété dans les dix dernières années. D'un rubis moyen, il est décousu et difficile à comprendre, avec des arômes très atténués et un aspect étouffé. La finale révèle aussi des tannins rugueux. Si sa couleur est belle, ce vin sans charme et sans fruité mûr est tout en structure, trop tannique et trop alcoolique. Trois dégustations après la mise en bouteille corroborent les notes que je lui avais attribuées lorsqu'il était encore en fût, confirmant cette piètre performance. (11/94)

1991 • **89** En 1991, Pichon-Lalande a déclassé 70 % de sa récolte : le grand vin, qui est d'ailleurs au nombre des quelques grandes réussites de ce millésime, se montre donc plus profondément coloré, plus riche, plus concentré et plus complexe que le 1990, qui, lui, était étonnamment léger, même si l'on tient compte de son caractère élégant. Ce 1991, très tannique, arbore une robe opaque de couleur rubis-pourpre et déploie un nez doux de chocolat, de cèdre, de prune et de cassis riche. Rond, moyennement corsé et opulent (ce qui est assez atypique de cette année), il est extrêmement long et très imposant en finale. **A boire dans les 10 à 15 ans.** Quel beau succès ! (1/94)

1990 • **79** Le 1990 de Pichon-Lalande m'a régulièrement déçu, et, pourtant, je ne l'ai jamais aussi mal noté que lors de cette dernière dégustation à l'aveugle. Incontestablement végétal et austère, il est dépourvu du séduisant fruité doux et mûr que présentent les millésimes les mieux réussis. Il est évident qu'il s'est passé quelque chose d'étrange à la propriété pour qu'elle enregistre un tel échec dans un millésime d'aussi haut niveau. Ce vin est maigre, dilué et extrêmement herbacé, manquant tout à la fois de souplesse, de profondeur, de maturité et de charme. Ceux qui l'ont terriblement surestimé insinueront certainement qu'il requiert une garde supplémentaire, mais je pense qu'il perdra davantage d'équilibre en vieillissant. Comme son voisin du nord de Pauillac – Mouton Rothschild –, ce Pichon-Lalande est terriblement décevant. Je l'ai déjà dit : le 1991, pourtant issu d'un millésime de mauvaise facture, lui est nettement supérieur ! (4/98)

1989 • **92** Quoique moins profond que les 1995, 1994, 1986, 1983 et 1982, le Pichon-Lalande 1989 s'impose comme un vin merveilleux. Arborant un rubis-pourpre profond, il exhale un nez riche, doux et rôti de cassis, d'herbes et de vanille. Moyennement corsé, charnu et rond, il se déploie joliment en bouche par paliers, révélant une faible acidité, une maturité extraordinaire, une pureté et un équilibre d'excellent aloi. Ce vin est déjà fort agréable à boire, et les heureux détenteurs ne devraient pas hésiter à ouvrir quelques bouteilles. Il demeurera riche et séduisant ces **15 prochaines années.** (11/96)

1988 • **90** D'un rubis foncé, avec un bouquet très intense de chêne neuf, de fruits noirs, de vanille et de fleurs printanières, le Pichon-Lalande 1988 se révèle très corsé et doux comme de la soie. Doté d'un fruité richement extrait et très glycériné, il manifeste une belle élégance d'ensemble et séduit par son caractère précoce. Il promet d'être superbe encore plusieurs années. **A boire jusqu'en 2008.** (4/98)

1987 • **86** Très caractéristique de Pichon-Lalande, le 1987 est gracieux et velouté, et présente, tant au nez qu'en bouche, un fruité riche de cassis. Moyennement corsé, avec une finale satinée, il reflète parfaitement le style recherché par le château. Ce vin velouté et très parfumé – l'un de mes préférés dans ce millésime – est encore délicieux, mais de plus en plus fragile. **A boire jusqu'en 2000.** (4/98)

1986 • 94 C'est le Pichon-Lalande le plus tannique et le plus ample élaboré entre 1975 et 1996. Je doute qu'il puisse porter ombrage au 1982, mais il sera certainement de plus longue garde. D'un rubis-pourpre foncé, il présente un nez serré, mais profond, de cèdre, de cassis, de chêne épicé et de minéral, et se montre très corsé et profondément concentré en bouche. Extraordinaire d'équilibre malgré son caractère curieusement costaud et massif qui ne permet pas de le déguster dans sa jeunesse, il tiendra parfaitement **jusqu'en 2015.** (4/98)

1985 • 90 Quoique extraordinaire, le 1985 n'atteint pas les sommets des 1996, 1995, 1994, 1989, 1986, 1983 ou 1982. Sa robe d'un rubis profond précède un nez mûr et boisé de groseille légèrement herbacé, et l'ensemble qui suit se montre tout à la fois élégant, souple et riche, rappelant en cela le 1979 ou le 1981, mais en plus gras. Vous apprécierez ce vin merveilleux **jusqu'en 2002.** (4/98)

1983 • 94 Ce vin stupéfiant, fabuleux à la dégustation depuis plusieurs années déjà, est très réussi pour le millésime, en particulier pour le nord du Médoc. Il arbore une robe d'un rubis-pourpre sombre légèrement éclairci sur le bord et exhale un bouquet renversant d'herbes rôties, de doux cassis confituré et de pain grillé. La bouche, très corsée, est fabuleuse de concentration et d'équilibre, faible en acidité et très glycérinée. Ce vin savoureux, charnu et richement extrait s'est toujours imposé comme l'une des étoiles du millésime. **A boire jusqu'en 2005.** (4/98)

1982 • 99 Depuis 5 ou 6 ans, le Pichon-Lalande se révèle le plus somptueux, le plus délicieux et le plus profond des 1982. Il ne s'est jamais montré sous un mauvais jour et s'impose généralement comme le grand favori de toutes les dégustations à l'aveugle regroupant les grandes réussites du millésime. Son nez typiquement Pauillac révèle des senteurs de doux cassis entremêlées de notes d'herbes, de cèdre et de grillé ; la bouche, cependant, évoque davantage un grand Pomerol. Ce vin tout à la fois épais, souple, velouté, fabuleusement exubérant et des plus plaisants promet d'être délicieux ces **10 à 12 prochaines années** grâce à son caractère généreusement fruité, très alcoolique et très glycériné. (4/98)

1981 • 89 Le 1981 de Pichon-Lalande a toujours été l'un des vins les plus délicieux et les plus sensuels du millésime. Arborant une robe rubis-pourpre sombre intacte, il se montre moins puissant que le 1982 et le 1983, tout en révélant un généreux fruité de doux cassis et un caractère très charnu pour un 1981. Ce vin encore tonique et jeune est bien équilibré et doté d'une belle texture. **A consommer avant 2002.** (6/97)

1980 • 84 Ce vin merveilleux et moyennement massif est issu d'une vinification impeccable. Délicieux pour la dégustation courante, il offre au nez des senteurs épicées de cèdre entremêlées de copieux arômes de cassis mûr. Il est souple, délicieux et superbe de concentration dans un millésime de piètre qualité, voire médiocre. **A boire.** (12/88)

1979 • 90 Incontestablement réussi pour le millésime, le Pichon-Lalande 1979 est vêtu de grenat sombre légèrement ambré sur le bord et exhale un nez odorant de cèdre, d'herbes rôties et de cassis. Riche et moyennement corsé, avec une acidité et des tannins bien fondus, il représente la quintessence du bordeaux, inégalée par ailleurs. **A boire jusqu'en 2004.** (6/97)

1978 • **92** L'excellent 1978 (l'un des grands succès du millésime) déploie des arômes d'herbes rôties, de chocolat, de cèdre, de tabac et de cassis mûr. Moyennement corsé et faible en acidité, il est relativement tannique et séduit par son caractère rond. Ce vin se maintiendra à son apogée plusieurs années encore. **A boire jusqu'en 2007.** (6/97)

1976 • **84** Quoique dépourvu de la concentration et du caractère des meilleurs millésimes, ce vin est bien réussi. Vêtu d'une robe rubis moyen légèrement tuilée et brunie sur le bord, il déploie un bouquet intéressant, suave, souple et parfaitement mûr, aux notes de groseille. Plaisant depuis les années 70, ce Pichon se maintient à son apogée et refuse obstinément de décliner. **A boire.** (2/88)

1975 • **90** Ce vin, qui a atteint la pointe de sa maturité assez rapidement, affiche maintenant une robe ambrée et orangée, et développe un caractère herbacé et poussiéreux au fur et à mesure qu'il s'aère dans le verre. Toujours excellent, bien qu'il commence à se dessécher, il présente de classiques arômes de cèdre et de groseille, mâtinés d'herbes et d'épices. Moyennement corsé, il est doux à l'attaque, mais s'amenuise ensuite et se révèle comprimé et compact après environ 10 minutes d'aération. Je suggère de le déguster dans les **5 ou 6 ans**. Lors d'une dégustation au printemps 1998, il s'est montré sous un excellent jour, suggérant ainsi que les bouteilles en parfait état de conservation sont peut-être sous-estimées. (4/98)

1974 • **67** Ayant maintenant dépassé son apogée d'une bonne décennie, le Pichon-Lalande 1974 est léger, avec une robe rubis nettement nuancée d'ambre, un bouquet fragile et diffus, et des arômes tendres, très affadis. (9/80)

1973 • **62** Lui aussi complètement passé, ce 1973 rubis clair, nettement teinté de brun, était à son apogée en 1978 ; cependant, comme beaucoup de vins un peu aqueux de ce millésime, il est maintenant mince et creux. (10/80)

1971 • **81** C'est très certainement un vin passé, bien que je ne l'aie pas goûté depuis longtemps. Mes dernières notes le concernant (il s'agissait d'un magnum) mentionnent un bouquet complexe et épanoui de caramel et d'épices ; en bouche, il m'avait paru tendre, charmeur, avec des arômes épicés et une bonne concentration. Cependant, je crois qu'il aurait été préférable de le boire vers le milieu des années 80. (2/83)

1970 • **87** Le Pichon-Lalande 1970 est maintenant sur le déclin et perd de son fruit. Outre une robe nettement nuancée de rouille et d'ambre, il présente des senteurs végétales de tabac, de cèdre et de cassis. L'attaque révèle un doux fruit, qui cède vite le pas à un ensemble tannique, alcoolique et fortement marqué par l'acidité, ainsi qu'à une finale rugueuse. J'ai dégusté de meilleures bouteilles de ce vin. Les flacons conservés dans de bonnes conditions devraient être notés aux alentours de 87-89. (4/98)

1967 • **75** Le 1967 était plein de charme en 1978, alors que le fruit équilibrait joliment l'acidité et les tannins. Je ne l'ai pas goûté récemment, mais, étant donné son caractère fragile et léger, il est probable qu'il s'est considérablement affadi. (7/78)

1966 • **88** Toujours à pleine maturité, ce vin rubis assez foncé exhale un nez généreux de pain grillé et de poivre, marqué de nuances mentholées. En bouche, il est ferme, charnu et tannique, assez corsé, révélant une bonne concentration, mais aussi l'austérité typique du millésime. **A boire jusqu'en 2000.** (3/88)

1964 • **85** Délicieux, mais peu complexe, le Pichon-Lalande 1964 a continué, jusqu'ici, à bien évoluer en bouteille. Il dégage un bouquet séduisant et épicé de cassis et d'herbes exotiques marqué de notes de terre fraîche, proche de celui d'un

Graves. En bouche, il se montre tendre et généreux, avec un caractère pleinement épanoui. **A boire.** (3/88)

1962 • **85** Très aromatique, élégant et charmeur – comme tant de 1962 –, ce vin à pleine maturité offre un bouquet assez intense de cassis mûr et de cèdre, avec des notes minérales. En bouche, il est moyennement corsé, avec une bonne dose de fruit et un charme pratiquement intact. **A boire rapidement.** (3/88)

1961 • **95** J'ai goûté, en 1978, un magnum de Pichon-Lalande 1961, et ce vin ne m'avait pas semblé arrivé à maturité. Depuis, j'ai dégusté plusieurs bouteilles de 75 cl (dont la dernière à Baltimore, en 1998), et je l'ai toujours trouvé aussi impressionnant, mais arrivant à son épanouissement. Foncé de robe, presque opaque, il exhalait un bouquet énorme et mûr de pruneau, ainsi que de savoureuses senteurs de cèdre, de caramel mou et de chocolat. Ce vin tout à la fois riche, très corsé, visqueux et profond présente encore une finale soyeuse et opulente. Il m'a fortement rappelé le 1982 de la propriété. **A boire jusqu'en 2004.** (4/98)

Millésimes anciens

Pichon-Lalande s'est rarement distingué dans les dégustations de vieux millésimes, ce qui semble donner raison à ceux qui disent que les vins d'aujourd'hui sont plus grandioses que ceux du passé. Les meilleurs millésimes, à mon avis, ont été les 1952 et 1953, fabuleusement opulents (tous deux dégustés en 1988 et notés plus de 85). Cependant, ils se sont vite affadis dans le verre, ce qui indique qu'ils étaient déjà sur le déclin. Les 1947, 1949, 1955 et 1959 ne m'ont décidément pas impressionné, mais le 1945 (dégusté en janvier 1989 et noté 96) était bien à la hauteur de la réputation du millésime. Cette bouteille, en particulier, me paraissait capable de tenir **10 ans encore**, à condition d'être conservée dans une cave fraîche. Au printemps 1998, j'ai dégusté le 1926 (noté 76) : quoique défraîchi, il retenait encore quelques notes de cèdre, de café et de groseille.

PONTET-CANET – EXCELLENT (depuis 1994)

5e cru classé en 1855
équivaut à un 3e cru depuis 1994
Propriétaire : famille Guy Tesseron
Adresse : 33250 Pauillac
Tél. 05 56 59 04 04 – Fax 05 56 59 26 63
Visites : sur rendez-vous uniquement
Contacts : Alfred et Michel Tesseron

Superficie : 120 ha, dont 78 ha sous culture de vigne (Pauillac)
Vins produits : Château Pontet-Canet – 250 000 b ;
Les Hauts de Pontet – 240 000 b
Encépagement : 63 % cabernet sauvignon, 32 % merlot, 5 % cabernet franc
Densité de plantation : 9 800 pieds/ha – *Age moyen des vignes :* 37 ans (grand vin)
Rendement moyen : 55 hl/ha

Élevage :
vendanges manuelles ; fermentations et cuvaisons de 21 jours en cuves ;
seul le vieux merlot achève les malolactiques en fûts de chêne ;

vieillissement après les malolactiques de 16-18 mois en fûts
(40-45 % de bois neuf) ; collage et filtration

A maturité : dans les 8 à 30 ans suivant le millésime

La production de Pontet-Canet est la plus importante de tous les crus classés du Médoc. Le vignoble est idéalement situé, juste à côté de Mouton Rothschild, et l'on s'attend donc à des vins sérieux et de très haut niveau. Cependant, si l'on passe en revue les Pontet-Canet de la période 1962-1983, on constate qu'ils sont généralement bien vinifiés, mais qu'ils manquent de charme, de ce petit quelque chose qui fait la différence. Depuis quelques années, sous la houlette des nouveaux propriétaires – très dynamiques –, un renouveau se fait sentir. La propriété s'est enrichie d'un nouveau cuvier, d'un second vin, destiné à absorber le contenu des cuves de moins bonne qualité, et l'on utilise une plus grande proportion de chêne neuf pour l'élevage des vins. Désormais, également, la vendange est faite à la main.

La célèbre maison Cruse, propriétaire du domaine jusqu'en 1975, avait tendance à considérer ce vin comme un simple outil de promotion, plutôt que comme un cru bien spécifique de Pauillac. Ce n'est qu'en 1972 que l'on a commencé à mettre en bouteille au château, et, pendant de longues années, le vin a été vendu à la SNCF, sans aucune indication de millésime, mais sous l'étiquette Pontet-Canet. En 1975, à la suite d'un procès, Cruse a été contraint de vendre la propriété, après avoir été convaincu de négligence dans les assemblages et dans l'étiquetage. Guy Tesseron, négociant bien connu de la place de Cognac, s'est porté acquéreur, et c'est son fils, Alfred, qui a pris la direction du château. Je crois que tous les connaisseurs de la région conviennent que le vignoble de Pontet-Canet a un énorme potentiel, à condition d'être bien géré et exploité. Si les premiers millésimes des Tesseron ont encore un peu manqué de caractère, les suivants (notamment ceux de la fin des années 80) ont montré que Pontet-Canet pouvait prétendre à une bonne place parmi l'élite de Pauillac. Les 1994, 1995 et 1996, en particulier, sont magnifiquement réussis.

Note : les vendanges sont toujours faites manuellement. Les parcelles qui donnent le grand vin font l'objet d'un premier passage, qui permet de récolter les jeunes pieds séparément, les vieilles vignes étant vendangées lorsque les baies sont à parfaite maturité. Les raisins sont triés sur une table spécialement conçue pour la propriété.

1998 • **86-88** Ce vin très fermé, composé à parts égales de cabernet sauvignon et de merlot, est incontestablement un vin de garde. Vêtu de rubis-pourpre foncé, il paraît comprimé en raison de ses abondants tannins, mais il révèle un doux fruité de cerise noire et de cassis nuancé de terre et de boisé. C'est un Pontet-Canet un peu plus sévère que de coutume ; il requiert, malgré sa forte proportion de merlot, une certaine garde pour s'arrondir. **A boire entre 2006 et 2015.** (3/99)

1997 • **87-89** Rubis profond de robe, avec un généreux fruité doux présenté dans un ensemble moyennement corsé et charmeur, le Pontet-Canet 1997 révèle une profondeur de bon aloi, mais il est plus faible en acidité et moins tannique que son puissant aîné d'un an. **A boire entre 2003 et 2014.** (1/99)

1996 • **92+** Lors de trois dégustations en janvier 1999, le Pontet-Canet m'a stupéfait par son caractère très peu évolué. Il recèle un potentiel extraordinaire, mais requiert, semble-t-il, une garde de 10 ans avant d'être prêt. D'un pourpre sombre et soutenu, il révèle au mouvement du verre des arômes de confiture de cassis entremêlés de notes de minéral, de doux chêne et d'épices. La bouche, très corsée, se développe par paliers, exprimant, outre un fruit concentré et souple, de très abondants tannins doux. **A boire entre 2010 et 2035.** (1/99)

1995 • **92** Ce Pauillac, d'un style un peu vieillot, est cependant bien plus pur et plus riche que ses aînés des millésimes précédents. Ample de carrure, musclé et classique, il arbore un pourpre soutenu et déploie de sensationnels arômes, denses, riches et concentrés, de cassis, qui dévalent littéralement le palais du dégustateur, manifestant une pureté et une profondeur des plus impressionnantes. Quoique ne montrant pas la longueur et l'admirable intensité de son cadet de 1996, ce vin tannique et fermé, mais puissant et riche, s'impose incontestablement comme un jeune Pauillac grandiose. **A boire entre 2005 et 2025.** (3/98)

1994 • **93** Le 1994 est l'un des vins du millésime les plus aptes à une longue garde. Avec sa robe opaque de couleur pourpre, il est riche, impressionnant et très corsé, et s'impose comme le meilleur vin de la propriété depuis le 1961. Débordant d'un fruité mûr, il est encore extraordinairement tannique et peu évolué. **A boire entre 2005 et 2025.** (1/97)

1993 • **86+** Pontet-Canet est l'un des crus classés (premiers crus non compris) les moins herbacés de Pauillac en 1993, avec son fruité séduisant, mûr et riche de cassis, marqué de subtiles notes de tabac et de feuilles. Rubis foncé de robe, moyennement corsé, dense et tannique, il se révèle de très longue garde pour le millésime. Quoique fermé, il est bien fait, pur, musclé et ample. **A boire entre 2001 et 2017.** (1/97)

1992 • **85 ?** Lors de deux dégustations, le 1992 exhalait de beaux arômes de cassis très mûr et se montrait rond, doux et juteux ; deux autres fois, il m'a semblé plus légèrement corsé, plus simple et plus tannique. Ces différences expliquent le point d'interrogation accompagnant ma notation : Pontet-Canet est une très grande propriété, si bien que l'on peut s'attendre à quelques nuances de taille entre les lots de bouteilles. Quoi qu'il en soit, ce 1992 séduisant représente une bonne affaire. **A boire dans les 3 ou 4 ans.** (11/94)

1991 • **84** Le 1991 est légèrement corsé, bien coloré, fruité et doux, avec un nez de cèdre et de cassis. Il donne une impression d'élégance, et sa finale est veloutée. **A boire dans les 4 ou 5 ans.** (1/94)

1990 • **89** Aussi impressionnant et d'un style similaire à celui du 1989, le Pontet-Canet 1990 arbore un pourpre dense et dégage un nez énorme et fumé de cassis. Ce vin d'une excellente tenue, très tannique, est admirable de profondeur. **A boire jusqu'en 2015.** (1/93)

1989 • **89** Impressionnant par sa robe rubis-pourpre profond, ce 1989 exhale un nez très odorant et exceptionnellement mûr de cassis et de réglisse. Très corsé et d'une excellente tenue en milieu de bouche, il déploie une finale riche, intense et relativement tannique. **A boire entre 2000 et 2015.** (1/93)

1988 • **83** Typique de la plupart des Médoc du millésime, le Pontet-Canet 1988 se présente vêtu d'une très belle robe. Doté de tannins verts et d'un caractère étroit, il vieillira assez bien malgré son aspect maigre et austère, mais il sera toujours dénué de charme et de corpulence. (1/93)

1987 Bien réussi dans un millésime difficile, ce 1987 séduit par ses arômes épicés
• et vanillés de cassis. L'ensemble qui suit en bouche est moyennement
84 corsé, souple, tendre et accessible. Il doit être dégusté **très prochainement.** (4/90)

1986 Rubis foncé de robe, avec un bouquet intense de doux chêne et de cassis
• aux notes de cèdre, le 1986 de Pontet-Canet manifeste en bouche une richesse
88 et une profondeur d'excellent aloi. Très corsé et d'une richesse en extrait absolument sensationnelle, il semble ne jamais vouloir s'estomper, persistant jusque dans une finale tannique. Il a été vieilli avec 30 % de bois neuf. Il s'impose comme la plus belle réussite de la propriété depuis le 1961. **A boire jusqu'en 2012.** (4/90)

1985 Tout à la fois élégant, savoureux et racé, le 1985 se révèle bien coloré, avec
• un nez modérément intense de cassis et de chêne grillé. Quoique n'étant pas
86 aussi concentré que le 1986, il devrait cependant évoluer de belle manière. **A boire jusqu'en 2001.** (4/90)

1984 Dur et austère, le 1984 présente un fruité masqué par d'abondants tannins.
• Ce vin douteux doit être dégusté **maintenant – s'il n'est déjà en déclin.**
74 (4/90)

1983 Bien réussi, le Pontet-Canet 1983 se distingue par une robe d'un rubis modéré-
• ment foncé et par un nez de bruyère et de cassis doux et mûr. Ses arômes
86 très concentrés persistent longuement en bouche, et ses tannins se sont fondus dans l'ensemble bien plus rapidement que je ne l'aurais pensé. **A boire jusqu'en 2003.** (4/90)

1982 Ce vin trapu et costaud, aux tannins légèrement astringents, est robuste, très
• profond et terriblement rugueux. Sa robe s'est légèrement éclaircie, mais l'en-
86+ ? semble demeure jeune, épicé et monolithique. Je ne sais s'il développera davantage de complexité et de classe, ou s'il restera carré et compact. Accordez-lui une garde supplémentaire de 2 à 4 ans. (9/95)

1979 Ce vin sans distinction, aux arômes intenses et insipides de cassis, est moyenne-
• ment corsé, souple, charmeur et rond en milieu de bouche, légèrement tannique
80 en finale. **A boire.** (4/90)

1978 Contrairement au 1979, plus tannique, plus retenu et fait pour le long terme,
• le Pontet-Canet 1978 arbore une robe rubis foncé et libère un nez épicé et
82 mûr, mais relativement fermé et serré. Il est bien fait, mais manque de longueur et de complexité. **A boire jusqu'en 2000.** (4/90)

1976 Sans être extraordinaire, le 1976 de Pontet-Canet est bien mûr, comme la
• plupart de ses jumeaux. Vêtu d'une robe tuilée et ambrée, il se montre moyen-
75 nement corsé en bouche, où il déploie des arômes souples, ronds et fruités. Très agréable, mais dépourvu de l'acidité et de la persistance adéquates, il doit être consommé **maintenant – s'il n'est déjà en déclin.** (10/84)

1975 Ce vin bien fait, solide et légèrement rustique présente un nez épanoui de
• caramel et de tabac. S'il ne révèle pas la tenue et l'ampleur de ses jumeaux
85 mieux réussis, il se montre fruité et déploie une finale ferme, longue et alcoolique. Serait-ce le meilleur Pontet-Canet des années 70 ? **A boire jusqu'en 2000.** (4/90)

1971 C'est un vin assez contradictoire, avec des aspects positifs aussi bien que
• négatifs ; à pleine maturité, avec une robe nettement tuilée, il offre un bouquet
81 intéressant, épicé, fruité et complexe, et donne en bouche une impression

agréable et douce. Cependant, une acidité agressive vient un peu gâter les choses en finale. **A boire rapidement – peut-être en déclin.** (7/82)

1970 • 82 La robe du 1970 est toujours d'un beau rubis foncé, et son bouquet de prune mûre, marqué de notes boisées, est agréable, mais dénué de complexité. En bouche, le vin est pulpeux, trapu, fruité et assez intense, mais il manque d'intérêt et se révèle assez court. Il est un peu tard pour qu'il s'améliore. **A consommer.** (4/90)

1966 • 77 Le 1966 de Pontet-Canet est un vin assez maigre, dur et abrupt, qui demeure fermé. En outre, il commence à perdre son fruit. D'un rubis pas très foncé et teinté d'ambre, il offre un bouquet peu développé de cèdre et de cassis, et une finale austère et astringente. **A boire.** (4/90)

1964 • 84 Je préfère le Pontet-Canet 1964 au 1966, tout simplement parce qu'il est souple, avec un fruit délicieux, et qu'il est plaisant à boire. Il est un peu tuilé et a pratiquement perdu tous ses tannins ; il faut donc le boire **rapidement – s'il n'est en sérieux déclin.** (5/83)

1961 • 94 ? Pontet-Canet a produit un grand 1961, même si, pour ma part, j'ai trouvé des différences sensibles entre les bouteilles (elles sont dues, sans doute, au fait que les Anglais ont mis en bouteille une partie importante de la production). A son meilleur niveau, ce vin montre une belle couleur profonde, et libère un bouquet épanoui et généreux d'épices et de prune ; onctueux, rond et souple, il déploie une finale somptueuse et longue caractéristique du millésime. Il est maintenant à pleine maturité, mais les meilleures bouteilles peuvent encore durer une décennie. Je l'ai trouvé sensationnel lors d'une dégustation verticale à Pontet-Canet, en 1990. **A boire jusqu'en 2005.** (4/90)

Millésimes anciens

Mes notes mentionnent un 1959 intéressant (noté 85), un 1955 triste, dur, assez fermé et sans charme (noté 76), et un magnifique 1945 (noté 93 en avril 1990), doté d'un étonnant bouquet d'épices orientales d'une remarquable concentration. Le 1929, enfin (noté 90 lors de la même dégustation), avait pris une teinte brun-orangé, mais était délicieux, opulent et d'une belle profondeur. Avant 1975, peu de millésimes ont été embouteillés au domaine ; les acheteurs éventuels devront donc prendre des précautions.

AUTRES PRODUCTEURS DE PAUILLAC

LA BÉCASSE

Non classé – devrait être maintenu

Propriétaires : Georges et Roland Fonteneau

Adresse : 2, rue Édouard-de-Pontet – 33250 Pauillac

Tél. 05 56 59 07 14 – Fax 05 56 59 18 44

Visites : sur rendez-vous uniquement

Contact : Roland Fonteneau

Superficie : 4,2 ha (Pauillac)

Vin produit : Château La Bécasse – 28 000 b (pas de second vin)

Encépagement : 55 % cabernet sauvignon, 36 % merlot, 9 % cabernet franc

Densité de plantation : 8 000 pieds/ha – *Age moyen des vignes :* 38 ans
Rendement moyen : 56 hl/ha

Élevage :
vendanges manuelles ; fermentations et cuvaisons de 21 jours ;
vieillissement de 18 mois en fûts (30 % de bois neuf) ;
collage au blanc d'œuf ; pas de filtration

A maturité : dans les 5 à 15 ans suivant le millésime

Je dois une fière chandelle à Bernard Ginestet, qui, le premier, attira mon attention sur ce joyau du Médoc ; jusque récemment, il n'était connu que d'un petit groupe d'initiés fidèles et loyaux, qui achetaient toute la production. Les quelques millésimes que j'ai dégustés présentaient une concentration et un potentiel de garde d'excellent aloi.

BELLEGRAVE
Cru bourgeois supérieur – équivaut à un cru bourgeois
Propriétaire : Jean-Paul Meffre
Adresse : 22, route des Châteaux – Saint-Lambert
33250 Pauillac
Tél. 05 56 59 05 53 – Fax 04 90 65 03 73
Visites : sur rendez-vous uniquement
Contact : Véronique Élicèche

Superficie : 7 ha (Pauillac)
Vins produits : Château Bellegrave – 45 000 b ; Les Sieurs de Bellegrave – 15 000 b
Encépagement : 70 % cabernet sauvignon, 30 % merlot
Densité de plantation : 9 000 pieds/ha – *Age moyen des vignes :* 30 ans
Rendement moyen : 50 hl/ha

Élevage :
fermentations et cuvaisons de 21 joursen cuves d'acier inoxydable thermorégulées ;
vieillissement de 16-18 mois en fûts (50 % de chêne neuf) ; collage ; pas de filtration

A maturité : dans les 3 à 10 ans suivant le millésime

On voit rarement sur le marché les bouteilles (fort peu nombreuses) de ce domaine, qui a appartenu durant plus d'un siècle à la famille Van der Voort, de San Francisco. Celle-ci importait également des vins français, qu'elle diffusait sous la marque Bercu-Vandervoort. Les vignobles ont été acquis par Jean-Paul Meffre en 1997. La vinification est assurée par son fils Ludovic. Les quelques millésimes que j'ai goûtés étaient des Pauillac de bon niveau, bien élaborés.

BERNADOTTE

Cru bourgeois supérieur – devrait être maintenu
Propriétaire : Château Pichon-Longueville Comtesse de Lalande (depuis 1997)
Adresse : Le Fournas Nord – 33250 Saint-Sauveur
Tél. 05 56 59 57 04 – Fax 05 56 59 54 84
Visites : sur rendez-vous uniquement
Contact : Gildas d'Ollone
Tél. 05 56 59 19 40 – Fax 05 56 59 26 56

Superficie : 30 ha (Pauillac)
Vin produit : Château Bernadotte – 190 000 b (pas de second vin)
Encépagement : 62 % cabernet sauvignon, 36 % merlot, 2 % cabernet franc et petit verdot
Densité de plantation : 9 000 pieds/ha – *Age moyen des vignes :* 35 ans
Rendement moyen : 48 hl/ha

Élevage :
fermentations et cuvaisons de 21 jours à 26-32 °C ; vieillissement de 12-18 mois en fûts (1/3 de bois neuf) ; collage au blanc d'œuf ; très légère filtration

A maturité : dans les 2 à 7 ans suivant le millésime

Cette propriété a été rachetée par Mme de Lencquesaing, et, depuis 1997, les vins sont vinifiés par l'équipe de Pichon-Lalande.

1997 • **85-87** Le très intéressant 1997 libère des arômes de cèdre, de tabac herbacé et de cassis. Souple et rond, il est faible en acidité, élégant et persistant en bouche. Je conseille de le déguster dans les **6 ou 7 ans.** (1/99)

1996 • **85?** Le 1996 n'a pas été élaboré, mais seulement mis en bouteille, par la nouvelle équipe. Rubis moyen de robe, il présente, tant au nez qu'en bouche, des arômes de prune, de cassis et d'herbes séchées. Sa finale recèle des tannins secs. Il s'agit néanmoins d'un bordeaux bien fait et tout en délicatesse, qu'il faut consommer d'ici **5 ou 6 ans.** (1/99)

LA COURONNE

Cru grand bourgeois exceptionnel – équivaut à un cru bourgeois
Propriétaire : Françoise des Brest-Borie
Adresse : 33250 Pauillac
Tél. 05 56 59 05 20 – Fax 05 56 59 27 37
Adresse postale : Jean-Eugène Borie SA – 33250 Pauillac
Visites : non autorisées

Superficie : 4 ha (Pauillac)
Vin produit : Château La Couronne – 20 000 b (pas de second vin)
Encépagement : 70 % cabernet sauvignon, 30 % merlot

Densité de plantation : 10 000 pieds/ha – *Age moyen des vignes :* 25 ans
Rendement moyen : 46 hl/ha

Élevage :
vendanges manuelles ; éraflage total ;
fermentations et cuvaisons de 15-18 jours
en cuves d'acier inoxydable thermorégulées ;
vieillissement de 12-14 mois en fûts (20 % de bois neuf) ; collage et légère filtration

---

A maturité : dans les 5 à 12 ans suivant le millésime

Ce petit vignoble, créé en 1879 et situé assez loin de la Gironde, est dirigé par François-Xavier Borie, qui gère aussi Grand-Puy-Lacoste, Haut-Batailley et Ducru-Beaucaillou. Pour une raison qui m'échappe, la baguette magique des Borie, efficace pour la vinification de leurs autres crus, est ici inopérante. Les vins sont généralement unidimensionnels et dénués de complexité. Serait-ce parce qu'ils ne sont pas vinifiés sur place, mais à Haut-Batailley ?

Les vignes ont été arrachées, et le vignoble est progressivement replanté. Les pieds étant actuellement très jeunes, la production passe en Haut-Batailley, et surtout dans le second vin de ce domaine. Il faut savoir que, même auparavant, La Couronne n'était pas produit tous les ans ; ainsi, il n'y a eu qu'un millésime dans les années 80, le 1981.

LA FLEUR MILON

Cru bourgeois – devrait être maintenu
Propriétaires : héritiers Gimenez
Adresse : 33250 Pauillac
Tél. 05 56 59 29 01 – Fax 05 56 59 23 22
Visites : du lundi au vendredi
(8 h-12 h et 13 h 30-17 h 30)
Contact : Claude Mirande

Superficie : 13 ha (Pauillac)
Vins produits : Château La Fleur Milon – 73 000 b ; Chantecler-Milon – 14 000 b
Encépagement : 65 % cabernet sauvignon, 25 % merlot,
10 % cabernet franc et petit verdot
Densité de plantation : 8 000 pieds/ha – *Age moyen des vignes :* 45 ans
Rendement moyen : 54 hl/ha

Élevage :
vendanges manuelles ; éraflage total ;
fermentations et cuvaisons de 21-28 jours en cuves de béton thermorégulées ;
vieillissement après les malolactiques de 18 mois en fûts (30 % de bois neuf) ;
collage au blanc d'œuf ; pas de filtration

A maturité : dans les 5 à 12 ans suivant le millésime

Je connais mal les vins de cette propriété, issus de plusieurs parcelles situées sur le plateau, au nord de Pauillac, non loin de Mouton Rothschild et de Lafite Rothschild.

GAUDIN

Non classé – équivaut à un cru grand bourgeois exceptionnel
Propriétaire : Linette Capdevielle
Adresse : 2, route des Châteaux – BP 12 – 33250 Pauillac
Tél. 05 56 59 24 39 – Fax 05 56 59 25 26
Visites : sur rendez-vous uniquement
Contacts : Linette Capdevielle et Pierre Bibian
Tél. 05 56 59 06 15

Superficie : 10 ha (Saint-Lambert – Pauillac)
Vin produit : Château Gaudin – 70 000-75 000 b (pas de second vin)
Encépagement : 85 % cabernet sauvignon, 10 % merlot, 5 % petit verdot
Densité de plantation : 8 500 pieds/ha – *Age moyen des vignes :* 45 ans
Rendement moyen : 54 hl/ha

Élevage :
fermentations et cuvaisons de 30 jours environ ; vieillissement de 18 mois en cuves de béton et en fûts de 2 vins ; soutirage trimestriel ; collage ; pas de filtration

---

A maturité : dans les 5 à 12 ans suivant le millésime

Cette propriété fiable est excellemment située à proximité du village de Saint-Lambert, entre les vignobles plus célèbres de Pichon-Lalande et de Lynch-Bages. La propriétaire cessa d'apporter sa récolte à la cave coopérative en 1968, et produit maintenant un vin de style plutôt vieillot et traditionnel, qu'elle vinifie 1 mois, et élève pendant 18 mois en fûts afin qu'il ne soit pas nécessaire de le filtrer avant la mise. Les trois millésimes que j'ai dégustés – 1982, 1985 et 1986 – présentaient un caractère suffisamment étoffé, concentré et plein pour pouvoir tenir 10 à 15 ans. Ce château relativement peu connu mérite que l'on s'y intéresse de près.

HAUT-BAGES MONPELOU

Cru bourgeois – devrait être maintenu
Propriétaires : héritiers Castéja
Adresse : 33250 Pauillac
Adresse postale : Domaines Borie-Manoux
86, cours Balguerie-Stuttenberg – 33082 Bordeaux
Tél. 05 56 00 00 70 – Fax 05 57 87 60 30
Visites : sur rendez-vous uniquement
Contact : Domaines Borie-Manoux

Superficie : 15 ha (Pauillac)
Vin produit : Château Haut-Bages Monpelou – 60 000 b (pas de second vin)
Encépagement : cabernet sauvignon, merlot, cabernet franc à parts égales
Densité de plantation : 8 000 pieds/ha – *Age moyen des vignes :* 25 ans
Rendement moyen : 55 hl/ha

Élevage :
vendanges mécaniques ; éraflage total ;
fermentations et cuvaisons de 21 jours en cuves d'acier inoxydable thermorégulées ;
vieillissement de 12 mois en fûts (40 % de bois neuf) ; collage ; pas de filtration

A maturité : dans les 2 à 8 ans suivant le millésime

Ce vignoble, situé à l'intérieur des terres, près de Grand-Puy-Lacoste, appartient à la famille Castéja depuis 1947. Les vins, généralement fruités, légers et dénués de distinction, sont diffusés en exclusivité par la maison de négoce familiale Borie-Manoux.

PÉDESCLAUX

5e cru classé en 1855
équivaut à un cru bourgeois
Propriétaire : famille Jugla
Adresse : Padarnac – 33250 Pauillac
Tél. et Fax 05 56 59 22 59
Visites : sur rendez-vous uniquement
Contact : Brigitte Jugla

Superficie : 24 ha
(près de Mouton Rothschild, sur le plateau de Pauillac)
Vins produits : Château Pédesclaux – 90 000 b ;
Château Haut-Padarnac – 50 000 b
Encépagement : 55 % cabernet sauvignon, 45 % merlot
Densité de plantation : 8 300 pieds/ha – *Age moyen des vignes :* 38 ans
Rendement moyen : 52 hl/ha

Élevage :
vendanges mécaniques ; éraflage total ;
fermentations et cuvaisons de 21 jours en cuves d'acier inoxydable thermorégulées ;
vieillissement de 12-14 mois en fûts (100 % de bois neuf à compter de 1997) ;
collage ; pas de filtration

A maturité : dans les 3 à 10 ans suivant le millésime

Pédesclaux mérite bien le titre de cru classé le plus obscur du classement de 1855 des vins de Gironde. L'essentiel de sa production est diffusé en Europe, en particulier en Belgique. Les vins ne m'ont jamais impressionné, du fait de leur manque de profondeur et de leur caractère robuste, sans détour et excessivement tannique.

PLANTEY

Cru bourgeois – devrait être maintenu
Propriétaire : Mme Gabriel Meffre
Adresse : 33250 Pauillac
Tél. 05 56 59 06 47
Fax 05 56 59 07 47 ou 04 90 65 03 73
Visites : sur rendez-vous uniquement
Contact : Claude Meffre

Superficie : 26 ha (Pauillac)
Vins produits : Château Plantey – 130 000-135 000 b ;
Château Artigues – 45 000-50 000 b
Encépagement : 50 % cabernet sauvignon, 45 % merlot, 5 % cabernet franc
Densité de plantation : 6 600 pieds/ha – *Age moyen des vignes :* 25 ans
Rendement moyen : 47 hl/ha

Élevage :
vendanges manuelles et mécaniques ;
fermentations et cuvaisons de 21 jours en cuves de béton ;
vieillissement après les malolactiques de 12 mois en vieux fûts et en cuves ;
collage et filtration

A maturité : dans les 3 à 8 ans suivant le millésime

Ce vin m'a toujours semblé un bon exemple d'un Pauillac fruité, souple et accessible, sans grand caractère ni potentiel de garde. Les meilleurs millésimes récents ont été les 1982 et 1989.

LA ROSE PAUILLAC

Cette coopérative, regroupant 125 propriétaires de vignoble, contrôle 110 ha sur Pauillac. Créée en 1932, c'est aujourd'hui la coopérative du Bordelais qui rencontre le plus grand succès, avec 6 000 clients privés, sans compter les nombreuses et prestigieuses maisons de négoce qui lui achètent des vins. Elle produit trois cuvées et commercialise essentiellement sous l'étiquette de La Rose Pauillac. Deux domaines, les Châteaux Haut-Milon et Haut-Saint-Lambert, vinifient et embouteillent à la coopérative, mais vendent sous leur propre étiquette. Cette coopérative utilise aujourd'hui une proportion croissante de petits fûts de chêne, dont un faible pourcentage de bois neuf. Les vins sont souples, agréables et bien faits, cependant sans grande distinction. Ils doivent être consommés avant 5 à 7 ans d'âge.

SAINT-MAMBERT

Non classé
Propriétaire : Domingo Reyes
Adresse : Bellevue – Saint-Lambert – 33250 Pauillac
Tél. 05 56 59 22 72 – Fax 05 56 59 22 72
Visites : tous les jours
Contact : Domingo Reyes

Superficie : 0,5 ha (Pauillac)
Vin produit : Château Saint-Mambert – 3 800 b (pas de second vin)
Encépagement : 65 % cabernet sauvignon, 25 % cabernet franc, 10 % merlot
Densité de plantation : 10 000 pieds/ha – *Age moyen des vignes :* 50 ans
Rendement moyen : 58 hl/ha

Élevage :
vendanges manuelles ; égrappage total ;
fermentations de 7 jours en cuves thermorégulées ;
achèvement des malolactiques en fûts,
vieillissement de 18 mois en fûts (15 % de bois neuf) ;
collage au blanc d'œuf ; pas de filtration

SAINT-JULIEN

Si Pauillac est renommé pour compter le plus grand nombre de premiers crus, et Margaux pour être l'appellation la plus universellement connue, Saint-Julien peut se « vanter » d'être la commune la plus sous-estimée du Médoc. Des crus bourgeois, tels Terrey Gros-Cailloux et Lalande-Borie, aux trois domaines « porte-drapeaux », Léoville Las Cases, Ducru-Beaucaillou et Gruaud Larose, les vins de Saint-Julien sont remarquables de distinction et de style. Le vignoble de l'appellation commence là où finit celui de Pauillac ; c'est ainsi que Latour et Léoville Las Cases sont des voisins immédiats. Si l'on emprunte la route au sud de Pauillac, on découvre Léoville Las Cases sur la droite, suivi de Léoville Poyferré des deux côtés, puis Langoa et Léoville Barton sur la droite ; plus loin, on rencontre Ducru-Beaucaillou sur la gauche et Branaire Ducru sur la droite, et enfin Beychevelle sur la gauche. En voiture, et sans se presser, il ne faut guère plus de cinq minutes pour passer en revue toutes ces propriétés. A l'intérieur des terres, en s'éloignant de la Gironde, on trouve Saint-Pierre, Gruaud Larose, Lagrange et Talbot.

Nulle part ailleurs dans le Médoc l'art de la vinification n'est poussé aussi loin qu'à Saint-Julien. C'est pourquoi l'amateur est particulièrement favorisé quand il achète des vins sur la commune – on ne peut en dire autant des autres appellations de la région. Outre une pléthore de très bons crus bourgeois, les onze crus classés de Saint-Julien sont tous remarquablement vinifiés, quoique dans des styles très différents.

Léoville Las Cases est le Saint-Julien le plus proche des Pauillac, et il y a deux raisons à cela : d'une part, son vignoble jouxte celui de Latour, le célèbre premier cru de cette appellation, d'autre part, son propriétaire, Michel Delon, tend à produire un vin très concentré et tannique, marqué de chêne vanillé. Dans la plupart des millésimes, son nectar a besoin d'au moins une décennie pour se défaire de son manteau de tannins. Aucun autre vin de l'appellation ne fait preuve d'une telle répugnance à évoluer rapidement, les autres crus exigeant nettement moins de patience de la part de l'amateur.

Léoville Las Cases fait partie du trio des Saint-Julien dont le nom commence par Léoville, et c'est aussi le meilleur des trois, essentiellement parce que les Delon recherchent passionnément la perfection. Des deux autres, Poyferré a le plus grand potentiel – et commence enfin à l'exploiter. Comme ceux de Léoville Las Cases, son chai et son

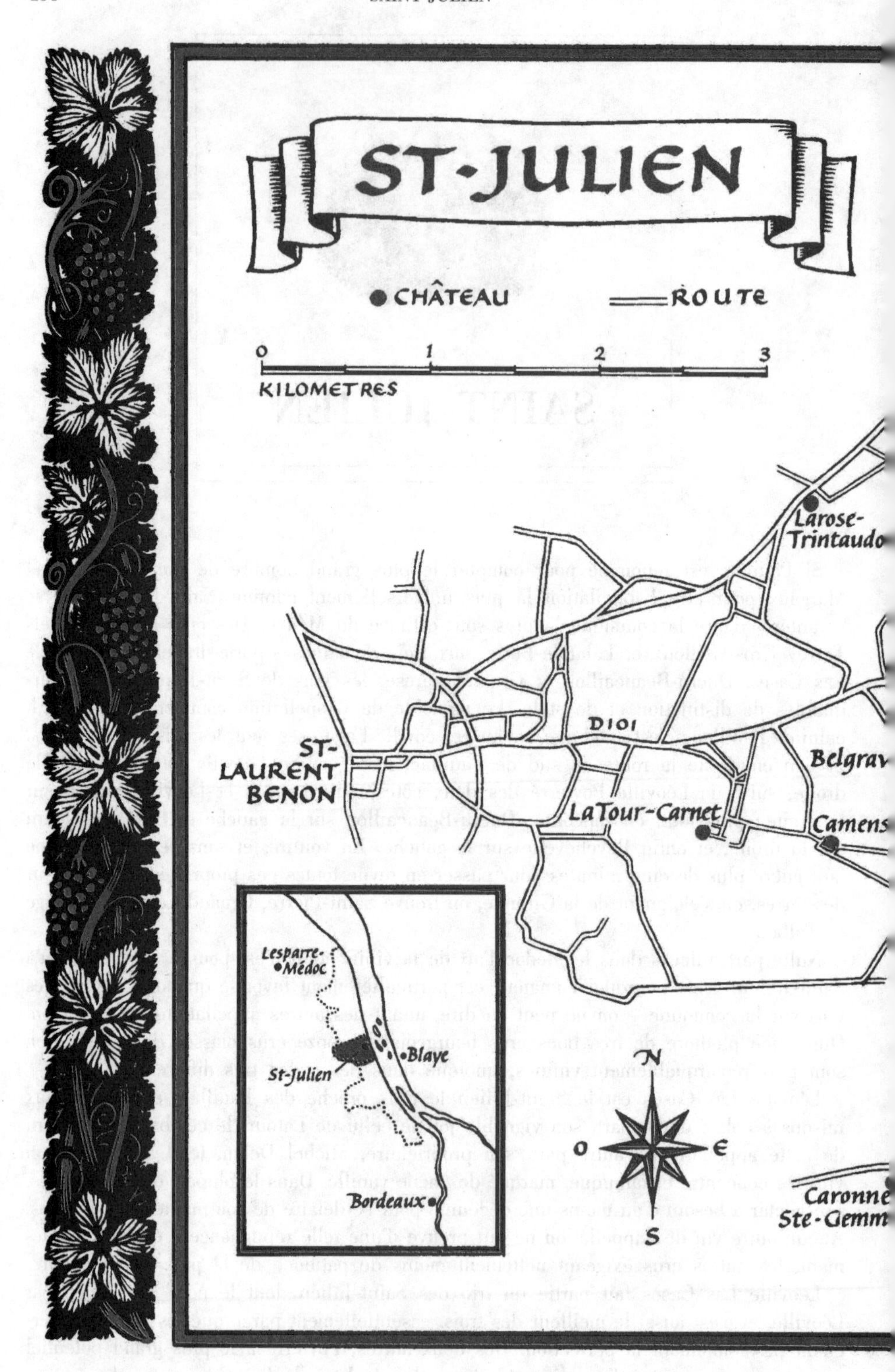
ST-JULIEN
CHÂTEAU
ROUTE
0
1
2
3
KILOMETRES
Larose-
Trintaudo
DIOI
ST-
LAURENT
BENON
Belgrav
LaTour-Carnet
Camens
Lesparre-
Médoc
Blaye
St-Julien
Bordeaux
N
O
E
S
Caronne
Ste-Gemm

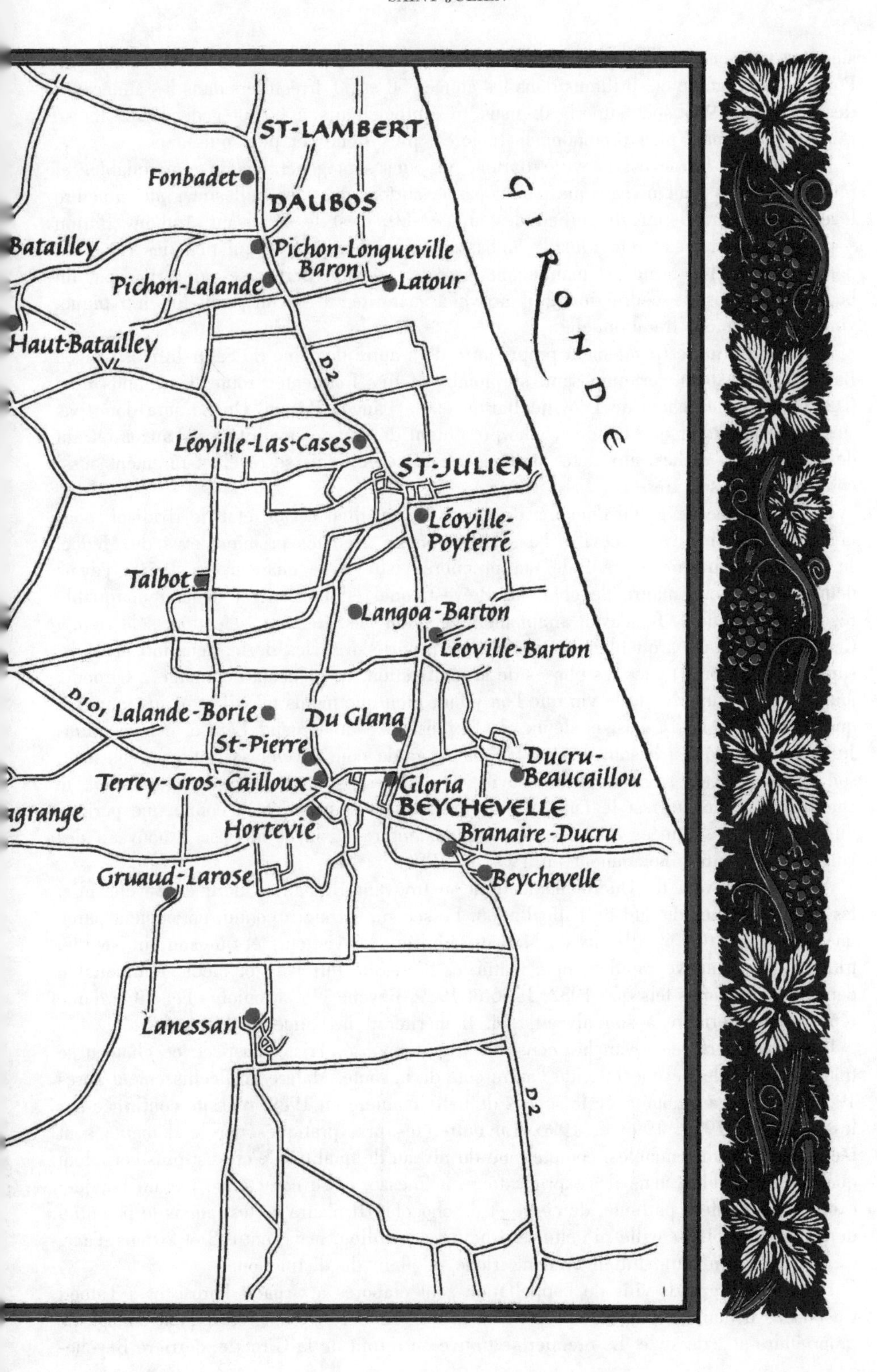
ST-LAMBERT
Fonbadet
DAUBOS
GIRONDE
Batailley
Pichon-Longueville
Baron
Pichon-Lalande
Latour
Haut-Batailley
D2
Léoville-Las-Cases
ST-JULIEN
Léoville-
Poyferré
Talbot
Langoa-Barton
Léoville-Barton
D101
Lalande-Borie
Du Glana
St-Pierre
Ducru-
Beaucaillou
Terrey-Gros-Cailloux
Gloria
BEYCHEVELLE
Hortevie
Branaire-Ducru
Gruaud-Larose
Beychevelle
Lanessan
D2

siège se trouvent dans le petit bourg paisible de Saint-Julien-Beychevelle. Les vins de Poyferré n'ont guère été brillants dans les années 50 et 60, irréguliers dans les années 80 (les 1982 et 1983 sont superbes), mais très prometteurs à compter de 1990. Ils se révèlent désormais plus profondément colorés, plus riches et plus puissants.

Le troisième larron est Léoville Barton. Ses vins sont généralement remarquables et plus réguliers à haut niveau que par le passé, surtout dans les millésimes au caractère léger et élégant. Depuis le milieu des années 80, c'est le séduisant Anthony Barton – parfait gentleman et remarquable ambassadeur du bordeaux – qui tient les rênes du domaine, et la régularité est maintenant la règle. Léoville Barton se caractérise par un bouquet de bois de cèdre quand il arrive à maturité ; c'est un Saint-Julien typique, vinifié de manière traditionnelle.

Anthony Barton est également propriétaire d'un autre domaine de Saint-Julien, Langoa Barton ; ce château, fort imposant, surplombe la très fréquentée route des grands crus (D2) et abrite les chais de Léoville Barton et de Langoa Barton. On ne sera donc pas surpris de constater que les deux vins présentent de grandes similitudes, Langoa offrant des arômes très riches, aux notes prononcées de cèdre, mais se révélant rarement aussi concentré que son frère.

Chaque année, le grand domaine de Ducru-Beaucaillou est en état de rivaliser, pour la qualité du vin, avec Léoville Las Cases comme avec les premiers crus du Médoc. Je garde le souvenir très vif de ma première visite à ce château, en 1970 ; j'avais demandé au vieux maître de chai, M. Prévost, quel était le secret de la remarquable régularité de Ducru. Il m'avait simplement répondu : « Sélection, sélection, sélection. » Ce domaine est remarquablement géré, et les propriétaires, les Borie, gens fort courtois, supervisent de près toutes les phases de la vinification. Le château, dominant la Gironde, jouit d'un site superbe, et le vin que l'on y fait, bien que moins massif et moins tannique que le Léoville Las Cases, et dénué de la puissance du Gruaud Larose, est un Saint-Julien typique, qui a besoin de 8 à 10 ans de garde pour révéler sa richesse, son fruit, son élégance et sa suavité. Si le Léoville Las Cases est le Latour de Saint-Julien, le Ducru-Beaucaillou en est le Lafite Rothschild. Et, si la propriété a connu une période difficile dans les années 80, elle s'est rapidement ressaisie et propose à nouveau des vins spectaculaires, notamment en 1995 et 1996.

A portée de voix de Ducru-Beaucaillou se trouvent Branaire Ducru et Beychevelle, les deux domaines du sud de l'appellation. Le second est assez connu, notamment parce que ses jardins (les plus beaux du Médoc) séduisent les visiteurs et que son vin, souple, fruité et léger, arrive rapidement à maturité. Bien que fort bon, et même remarquable dans des millésimes tels que 1982, 1986 et 1989, Beychevelle a toujours bénéficié d'une réputation supérieure à son niveau réel. Il mériterait la palme de l'irrégularité.

Branaire Ducru, en revanche, constitue le cas opposé. Triste d'aspect, ce château se trouve en face de Beychevelle, de l'autre côté de la route. Malgré un fléchissement après 1982, Branaire a renoué avec le succès de belle manière en 1989, réussite confirmée par les très bons 1994, 1995 et 1996. En outre, les prix pratiqués par le domaine sont réellement très raisonnables, compte tenu du niveau de qualité. Ce cru est plus corpulent que le Beychevelle, mais il s'exprime tout en finesse, et se caractérise par un bouquet exotique, richement parfumé, de cèdre et de chocolat. Il n'aura certes jamais le potentiel de garde des trois Léoville ni celui de Ducru-Beaucaillou, mais, entre 8 et 20 ans d'âge, c'est souvent un Saint-Julien opulent, riche et plein de distinction.

Deux autres grands vins de l'appellation sont élaborés à Gruaud Larose et à Talbot. Ces vastes domaines, qui ont appartenu à la maison Cordier, ont récemment changé de propriétaire et... de style. Le premier se trouve en retrait de la Gironde, derrière Beychevelle et Branaire Ducru, et immédiatement au sud de Talbot. Jusque récemment, il proposait des vins densément colorés, riches et fruités. Il se révèle généralement d'une qualité légèrement supérieure à celle de Talbot, qui a parfois tendance à produire des vins un peu maigres. Cependant, les deux crus ont toujours été d'un bon niveau, et particulièrement réussis entre 1978 et 1990. Si l'on ajoute à cela que la production de chacune des deux propriétés excède 35 000 caisses et que les prix semblent demeurer étonnamment modestes, on comprendra que Gruaud Larose et Talbot puissent satisfaire à la fois la bourse et le palais. Le premier, tout particulièrement, s'est véritablement maintenu, depuis 1961, au niveau d'un premier cru. Certains critiques, il est vrai, trouvent qu'il n'en a pas tout à fait la grande complexité ni le potentiel de garde, mais ces objections sont régulièrement balayées par les résultats obtenus dans les dégustations à l'aveugle. Sous la nouvelle direction, les vins semblent plus fruités, plus souples et plus accessibles, mais toujours très puissants. Talbot, qui affiche également un style différent, se présente désormais comme un Saint-Julien plus précoce et plus fruité que sous l'ère Cordier.

Les deux derniers crus classés de Saint-Julien sont Lagrange et Saint-Pierre, qui ont tous deux beaucoup changé. Le premier, considéré comme médiocre pendant très longtemps, a été racheté par des Japonais qui, judicieusement conseillés par Michel Delon (de Léoville Las Cases), lui ont apporté, depuis 1982, des améliorations remarquables. Ce cru s'impose aujourd'hui comme l'une des étoiles montantes de l'appellation, se révélant tout à la fois puissant, très corsé, très concentré et de très grande garde. En outre, son prix demeure raisonnable.

Quant à Saint-Pierre, il a toujours été terriblement sous-estimé. Le vin qu'il donne, profondément coloré, riche en extrait et très corsé, est parfois un peu rustique, mais agréablement pulpeux, robuste et fruité. Aujourd'hui, la propriété est minutieusement supervisée par le gendre du regretté Henri Martin, Jean-Louis Triaud, qui dirige également le cru bourgeois le plus célèbre de l'appellation, Gloria. La transition vers le « style Martin » est très sensible avec le 1983, qui s'est révélé richement fruité et presque doux, coulant et souple, séduisant pour le public. Saint-Pierre est probablement le Saint-Julien le plus généreusement boisé, le plus exotique et le plus flamboyant ; il s'est nettement amélioré ces dernières années et mérite incontestablement l'attention des amateurs.

D'autre part, l'appellation compte aussi quelques remarquables crus bourgeois. Outre l'excellent Gloria, il faut citer les très bons Terrey-Gros-Cailloux et Hortevie, tous deux vinifiés dans la même propriété, l'élégant et racé Lalande-Borie, le parfois quelconque et parfois bon Du Glana, assez commercial, et toute une pléthore de seconds vins – le meilleur étant le Clos du Marquis de Léoville Las Cases.

Saint-Julien constitue souvent une mine d'or pour les amateurs de bordeaux lorsque le millésime est faible ou médiocre. C'est que le sol est ici assez semblable à celui, graveleux, de Margaux, avec cependant une plus forte teneur en argile. Cela donne aux vins davantage de corps et de densité. Et, puisque les vignobles dans leur majorité se trouvent sur les rives de la Gironde, ils bénéficient généralement d'excellents sols profondément graveleux, très bien drainés. En 1980, 1984, 1987 et 1992 (toutes des années difficiles), les Saint-Julien ont été supérieurs aux autres bordeaux.

Dans les millésimes bons ou excellents, ils représentent la quintessence du Médoc. 1959, 1961, 1970, 1978, 1982, 1985, 1986, 1989, 1990, 1995 et 1996 ont été les meilleures années pour l'appellation, suivies par 1962, 1966, 1976, 1979, 1983 et 1988.

SAINT-JULIEN – REPÈRES

Situation : situé au nord de Margaux, bordé au sud par le village de Cussac-Fort-Médoc et au nord par Pauillac, Saint-Julien se trouve à 35 km environ de Bordeaux. C'est en quelque sorte le centre du Médoc.
Superficie sous culture de vigne : environ 880 ha.
Commune : essentiellement Saint-Julien, mais certaines parcelles se situent à Cussac et à Saint-Laurent ; en fait, une partie de la commune recouvre Pauillac.
Production annuelle moyenne : 5 880 000 bouteilles.
Crus classés : 11 en tout, dont 5 deuxièmes crus, 2 troisièmes crus, 4 quatrièmes crus. L'appellation compte également 8 crus bourgeois.
Principaux cépages : cabernet sauvignon, suivi du merlot et du cabernet franc.
Types de sol : le sol de Saint-Julien, et notamment celui des meilleurs vignobles bordant la rivière, est principalement composé de graves fines. Plus à l'intérieur des terres, on trouve également des graves, mais aussi davantage d'argile.

AVIS AUX AMATEURS

Niveau général de l'appellation : excellent à superbe (c'est, à tous les niveaux, l'appellation la plus régulière du Bordelais).
Les plus aptes à une longue garde : Ducru-Beaucaillou, Gruaud Larose, Lagrange, Léoville Barton, Léoville Las Cases, Léoville Poyferré.
Le plus élégant : Ducru-Beaucaillou.
Les plus concentrés : Ducru-Beaucaillou, Gruaud Larose, Lagrange, Léoville Barton, Léoville Las Cases.
Le meilleur rapport qualité/prix : Branaire, Gloria, Saint-Pierre, Talbot.
Les plus exotiques : Branaire, Saint-Pierre.
Le plus secret (dans sa jeunesse) : Ducru-Beaucaillou.
Les plus sous-estimés : Lagrange, Saint-Pierre, Talbot.
Les plus accessibles dans leur jeunesse : Gloria, Talbot.
Les étoiles montantes : Lagrange, Saint-Pierre.
Meilleurs millésimes récents : 1996, 1995, 1990, 1989, 1986, 1985, 1982, 1961.

MON CLASSEMENT

EXCEPTIONNEL

Ducru-Beaucaillou
Léoville Barton
Léoville Las Cases

EXCELLENT

Branaire Ducru
Gruaud Larose
Lagrange
Léoville Poyferré
Saint-Pierre
Talbot

TRÈS BON

Beychevelle
Gloria
Hortevie
Langoa Barton

BON

Lalande-Borie
Terrey-Gros-Cailloux

AUTRES PROPRIÉTÉS NOTABLES DE SAINT-JULIEN

La Bridane, Domaine Castaing, Du Glana, Domaine du Jaugaret, Lalande, Moulin de la Rose, Teynac

COMMENTAIRES DE DÉGUSTATION

BEYCHEVELLE - TRÈS BON

4e cru classé en 1855 – devrait être maintenu
Propriétaire : Grands Millésimes de France
Adresse : Beychevelle – 33250 Saint-Julien-Beychevelle
Tél. 05 56 73 20 70 – Fax 05 56 73 20 71
Visites : de novembre à mars sur rendez-vous uniquement, le reste de l'année du lundi au vendredi (9 h 30-12 h et 14 h-17 h 30)
Contact : Susan Glize

Superficie : 90 ha (Saint-Julien et Cussac-Fort-Médoc)
Vins produits :
Château Beychevelle – 300 000 b ; Amiral de Beychevelle – 150 000 b
Encépagement :
60 % cabernet sauvignon, 28 % merlot, 8 % cabernet franc, 4 % petit verdot
Densité de plantation : 8 300 et 10 000 pieds/ha – *Age moyen des vignes :* 25 ans
Rendement moyen : 55 hl/ha

Élevage :
vendanges manuelles ; tri très sévère ; éraflage total ;
fermentations et cuvaisons de 21-24 jours
en cuves d'acier inoxydable et de béton à 28-30 °C ;
vins de presse conservés à part ;
vieillissement après l'assemblage de 16-18 mois en fûts
(55-60 % de bois neuf) ; collage au blanc d'œuf ; pas de filtration

A maturité : dans les 7 à 20 ans suivant le millésime

Le Château Beychevelle ne peut échapper au regard du touriste qui visite la région ; c'est en effet le premier domaine que l'on rencontre sur la D2, qui mène à Saint-Julien. En outre, les magnifiques jardins bordant la route ont sans doute incité plus d'un conducteur pressé à s'arrêter pour prendre des photos.

Beychevelle a longtemps appartenu à la famille Achille-Fould, très connue dans la région (Aymar Achille-Fould fut député du Médoc). Celle-ci commença à se défaire de ses parts en 1984. Ce fut la GMF qui se porta acquéreur, Suntory entrant dans le capital en 1988, et Azur Assurances prenant une participation en 1997.

Certes irréguliers, les vins de Beychevelle peuvent aussi être très beaux. Dans les années 50 et 60, les différences de qualité d'un millésime à l'autre étaient pour le moins déroutantes. Certaines années médiocres, comme 1974, 1987, 1992 et 1993, se sont révélées ici particulièrement décevantes, et d'autres, réputées grandioses, y ont donné des vins sans intérêt. Même dans les meilleurs millésimes, Beychevelle est étonnamment souple, tendre et accessible dès sa jeunesse, ce qui amène les puristes et les traditionalistes à s'inquiéter – inutilement. Les années récentes et de très bon niveau ont donné des vins parfaitement mûrs à 10 ans d'âge, qui avaient cependant l'étoffe nécessaire pour vieillir de belle manière 15 ans ou plus. Cela dit, il n'est pas conseillé de conserver trop longtemps en cave les crus de cette propriété.

Au début des années 80, les propriétaires réalisèrent que le caractère souple de Beychevelle ne lui permettait pas de « faire de vieux os ». Depuis 1982, ils ont augmenté la proportion de cabernet sauvignon dans l'assemblage, ce qui affermit l'ensemble et lui donne du muscle. La période de cuvaison est désormais plus longue, la proportion de bois neuf pour l'élevage a été accrue, et l'élaboration d'un second vin permet de déclasser les cuvées les plus légères. Toutes ces techniques, ainsi que, plus récemment, la mise en œuvre d'une politique d'investissements en matériel et en bâtiments et une meilleure maîtrise des rendements, ont largement contribué à améliorer la qualité de Beychevelle, comme en témoignent les excellents 1982, 1986 et 1989. Les vins souples, légers, élégants et très précoces des années 60 et 70 ont laissé place à des Saint-Julien plus fermes et plus concentrés, qui ne sacrifient rien, cependant, du style sans détour, charmeur et tout en finesse caractérisant le cru.

Beychevelle ne compte pas au nombre des Saint-Julien les plus onéreux ; ainsi, il est proposé à un prix bien inférieur à ceux de Léoville Las Cases et de Ducru-Beaucaillou.

1998 • **87-89** Cette propriété propose un 1998 moyennement corsé et charmeur ; il est agréable de constater qu'elle a bien réussi avec un vin rubis-pourpre profond, au bouquet doux et floral de cassis, d'herbes séchées et de grillé. L'ensemble révèle, outre une grande richesse, une élégance et des proportions d'excellent aloi, ainsi qu'une finale modérément persistante et gracieuse. **A boire entre 2000 et 2012.** (3/99)

1997 • **78-79** Herbacé, austère et tannique, le 1997 manque tout à la fois de fruit, de gras et de richesse en extrait. De surcroît, sa finale est anguleuse et austère, ce qui rend son avenir des plus douteux. (1/99)

1996 • **86** Arborant une robe évoluée prune foncé, le Beychevelle 1996 dégage des senteurs de chêne neuf et grillé, présentées dans un ensemble ouvert et charmeur, aux notes de fruits rouges nuancées d'épices. Il est assez inintéressant, en particulier pour un vin issu d'un terroir aussi noble, mais il est moyennement corsé et bien fait, et capable d'une certaine garde. **A boire entre 2001 et 2012.** (1/99)

1995 • **85** Le Beychevelle 1995 se révélait meilleur en fût. Maintenant qu'il est en bouteille, il affiche une couleur rubis moyen et libère un nez très caractéristique aux notes de sous-bois, de terre humide, de terreau et de cassis. Modérément tannique et moyennement corsé, il est assez anguleux, quoique bien extrait, mais manque d'âme et de caractère. **A boire entre 2001 et 2012.** (11/97)

1994 • **85** Un peu massif, le 1994 présente une couleur rubis foncé, ainsi qu'un nez sans détour de groseille, marqué en arrière-plan de notes de terre et de grillé. D'un faible niveau d'acidité, il révèle, outre d'abondants tannins, un doux fruité qui, tout en étant de bonne qualité, ne laisse pas en bouche une impression particulière. **A boire dans les 10 ans.** (1/97)

1993 • **82** D'un rubis moyennement foncé, le 1993 déploie des arômes très boisés et légèrement poivrés, mais fort peu de ce caractère végétal qui dessert tant les Médoc du millésime. Il a un bon fruité épicé, mais se montre austère et tannique, malgré son élégance et sa subtilité. **A boire jusqu'en 2006.** (1/97)

1992 • **81** Le 1992 est plus évolué que son cadet d'un an, mais compact et marqué par des touches herbacées, avec des tannins qui dominent son fruité. Très peu corsé et un peu maigre, il ne manque cependant ni de charme ni de souplesse, et son niveau d'acidité est peu élevé. **A boire d'ici 2 ou 3 ans.** (11/94)

1991 • **85** Meilleur que le 1992, le 1991 offre un nez séduisant et doux de fruits noirs et de chêne, et déploie des arômes ronds et élégants. D'une maturité admirable, il présente un niveau d'acidité peu élevé et déploie une finale somptueuse. Bien qu'il ne soit ni énorme ni ample, il est plein de grâce, très fruité et goûteux. **A boire dans les 5 ou 6 ans.** (1/94)

1990 • **81** Ce vin inintéressant, à la robe rubis foncé, présente toujours un creux en milieu de bouche, et une finale marquée par des tannins rugueux et verts. Ce n'est décidément pas une réussite. (11/96)

1989 • **89** Le Beychevelle 1989, généralement meilleur que ce qu'il est apparu lors d'une récente dégustation, est élégant et moyennement corsé, avec des tannins souples et un généreux fruité mûr et herbacé de cassis, légèrement marqué de chêne grillé. La finale est généreuse et veloutée. J'ai l'impression qu'il évolue très rapidement. **A boire dans les 15 ans.** (11/96)

1988 • **84** Plutôt léger et dépourvu de concentration, avec des arômes légèrement verts, le Beychevelle 1988 vieillit bien, malgré son manque de profondeur et de maturité. **A boire jusqu'en 2002.** (1/93)

1987 • **78** Léger, avec un bouquet bidimensionnel de chêne vanillé et d'herbes, ce vin moyennement corsé et souple est agréable à boire, nonobstant son caractère aqueux. **A consommer.** (11/90)

1986 • **92** S'il est indiscutablement extraordinaire et mérite d'être consciencieusement conservé en cave, le Beychevelle 1986 n'a pas la concentration et le potentiel de garde que j'en attendais. Il s'agit néanmoins d'une des plus belles réussites de la propriété ces trente dernières années. Outre une robe rubis-noir, ce vin présente un nez énorme de fruit rôti et révèle en bouche un caractère très corsé, concentré et riche. Il est déjà prêt. **A boire jusqu'en 2010.** (4/98)

1985 • **87** Le 1985 traduit admirablement le caractère charmeur du millésime. D'un rubis profond, il se montre moyennement corsé et faible en acidité, avec des arômes tout à la fois mûrs, ronds et fruités. Ce vin précoce et souple, très savoureux, déploie les arômes de cèdre et de cassis typiques de l'appellation. **A boire jusqu'en 2000.** (3/90)

1984 • **79** Bien réussi pour le millésime, le 1984 dégage un nez épicé de framboise et présente un caractère moyennement corsé, étayé par une acidité très importante et une verdeur sous-jacente. **A consommer.** (10/89)

1983 • **85** D'un rubis foncé légèrement ambré sur le bord, le 1983 de Beychevelle se distingue par un nez intense et mûr de cassis. Modérément riche et tannique, il manifeste en bouche une bonne profondeur et déploie, outre une texture agressive, une finale longue et rugueuse. Ce vin est simplement bon, mais pas profond. **A boire jusqu'en 2002.** (1/89)

1982 • **91** Le 1982 de Beychevelle n'a pas évolué aussi rapidement que je l'aurais imaginé. Cette propriété, plutôt connue pour ses vins élégants et délicats, mais aussi d'une grande irrégularité, a donné un 1982 atypique, puissant, très corsé et d'une concentration intense, doté d'un potentiel de garde bien plus important que je ne l'avais pronostiqué. Ce vin s'est quelque peu défait du gras de sa petite enfance, et ses senteurs onctueuses, épaisses et précoces se sont muées en un bouquet classique de cèdre, d'herbes et de cassis, marqué de notes de cuir fin et de truffe. Monolithique et étonnamment peu évolué, ce vin ample et massif ne développera vraisemblablement jamais la finesse du 1989, mais il se révélera plus riche et plus puissant. Bien qu'il soit d'ores et déjà accessible, il serait préférable de l'attendre encore 2 ou 3 ans et de le déguster dans les **15 à 20 ans qui suivront.** C'est l'une des réussites les plus impressionnantes de la propriété avec le 1989, plus précoce et plus flatteur, et le 1986, peu évolué et tannique. (9/95)

1981 • 83 Vêtu d'une robe resplendissante, le 1981 se montre bien plus léger que le 1982 ou le 1983, mais il est précoce et assez fruité, avec un bouquet sans détour et boisé aux arômes fruités (eux aussi). Moyennement corsé, mais également souple, tendre et charmeur, il est agréable à boire **maintenant.** (1/88)

1979 • 81 D'un rubis moyen, ce vin modérément corsé, souple et diffus se révèle plaisant depuis 5 ou 6 ans déjà. Il manque d'intérêt, bien que son fruité soit encore d'une bonne tenue. **A boire – peut-être en déclin.** (10/83)

1978 • 85 La robe du Beychevelle 1978 est d'un rubis-grenat profond légèrement ambré sur le bord. L'ensemble qu'il précède, déjà à maturité, se distingue par un merveilleux bouquet de petits fruits mûrs, de boisé et d'épices, et par son caractère légèrement doux, souple et savoureux, à peine marqué de tannins non encore fondus. Ce vin un peu trapu, mais gratifiant et parfumé, est parfait **maintenant.** (1/89)

1976 • 85 D'un point de vue strictement technique, le Beychevelle 1976 est loin d'être parfait ; en effet, il est faible en acidité, avec un pH plutôt élevé. Malgré ces défauts, il conserve un caractère gras et fruité de pruneau des plus plaisants. Ce vin séduisant est toujours étonnamment bon, alors que je l'aurais pensé sur le déclin. **A boire.** (11/90)

1975 • 86 Alors que le millésime est généralement dur et tannique, le Beychevelle 1975 se montrait précoce et bien évolué dans sa petite enfance. Il s'est ensuite raffermi et s'impose désormais comme l'un des vins des années 70 les plus aptes à une longue garde. D'un rubis profond, avec un nez mûr et épicé de cuir et de cassis, il se montre très corsé, massif et musclé en bouche. Reste à savoir si les tannins de ce Beychevelle d'une puissance inhabituelle se fondront un jour dans l'ensemble. **A boire jusqu'en 2005.** (10/89)

1974 • 77 Bien réussi dans ce millésime, le Beychevelle 1974 est souple, accessible, fruité et tendre. **A boire – probablement en déclin.** (3/79)

1973 • 65 Ce vin complètement fané et passé aurait dû être consommé dans les années 80. (2/81)

1971 • 83 Le séduisant Beychevelle 1971 est parfaitement mûr. Sa structure est loin d'être classique – il est trop souple et manque quelque peu de tenue –, mais il s'agit d'un vin savoureux, épicé et fruité, aux tannins légers et aux flaveurs modérément intenses. **A boire.** (2/83)

1970 • 85 Parfaitement mûr, avec un bouquet épicé de prune nuancé de caramel, le Beychevelle 1970 est rond, fruité, relativement souple et soyeux en bouche. Quoique bien concentré, il est dénué de la complexité et de la profondeur des vins les mieux réussis du millésime. Il n'en demeure pas moins séduisant. **A boire.** (4/88)

1967 • **70** Avant la fin des années 70, ce vin séduisait par son caractère épicé et parfumé, ainsi que par son fruité plutôt intense pour le millésime. Maintenant **sur le déclin** – il a perdu de sa belle exubérance –, il retient cependant un certain fruit, mais il aurait mieux valu le déguster avant 1980. (3/81)

1966 • **86** Ce vin est l'un de mes Beychevelle préférés. Il s'est toujours montré sous un bon jour dans les dégustations où il était confronté à ses jumeaux. Plutôt épanoui, il exhale des arômes amples, complexes et mûrs d'épices et de cèdre, et se montre souple, tendre et velouté en bouche. Il témoigne généralement d'une bonne concentration, et présente le caractère rugueux et les tannins fermes inhérents au millésime. Quoique à maturité depuis une bonne décennie maintenant, il ne manifeste aucun signe de fatigue. **A boire.** (1/88)

1964 • **83** Bien qu'il entame à peine son déclin, le Beychevelle 1964 montre toujours un bon fruité trapu et retient un caractère rustique et moyennement foncé. Sa robe commence tout juste à prendre une teinte tuilée, et son bouquet est particulièrement épicé pour un Beychevelle. **A boire – peut-être en déclin.** (1/81)

1962 • **74** Voici un autre Beychevelle qui n'a pas résisté à l'épreuve du temps. J'ai le souvenir d'une bonne bouteille bue dans un restaurant bordelais en 1970, mais des dégustations récentes ont révélé un vin passé et fatigué, incontestablement sur le déclin, bien qu'il ait retenu un certain fruité et un peu de caractère. **A boire – en sérieux déclin.** (7/79)

1961 • **88** Sans être l'une des grandes réussites du millésime, le 1961 de Beychevelle continue d'évoluer avec grâce. Il m'a toujours paru fruité et concentré, avec un caractère voluptueux, ample, voire un peu doux. Il est **parfaitement mûr** depuis une bonne dizaine d'années. (1/88)

Millésimes anciens

Pour des raisons que je m'explique mal, Beychevelle n'apparaît pas souvent dans mes notes de dégustation des millésimes plus anciens. Les 1959 et 1962, que j'ai goûtés une seule fois, se sont révélés solides, mais inintéressants. Le 1953 (noté 92 en 1987) était formidable ; c'est le deuxième meilleur vieux millésime que je connaisse de la propriété, le meilleur étant le 1928, noté plus de 95 lors d'une dégustation en mars 1988. Il présentait alors un potentiel de 10 ans environ. Je fonde également de grands espoirs sur les 1982, 1986 et 1989.

BRANAIRE DUCRU – EXCELLENT

4e cru classé en 1855 – équivaut à un 3e cru

Propriétaire : famille Maroteaux

Président du groupe : Patrick Maroteaux

Adresse : 33250 Saint-Julien-Beychevelle

Tél. 05 56 59 25 86 – Fax 05 56 59 16 26

Visites : sur rendez-vous uniquement

Contact : Philippe Dhalluin

Superficie : 50 ha (Beychevelle)

Vins produits : Château Branaire Ducru – 180 000 b ; Château Duluc – 85 000 b

Encépagement :

70 % cabernet sauvignon, 22 % merlot, 5 % cabernet franc, 3 % petit verdot

Densité de plantation : 10 000 pieds/ha – *Age moyen des vignes :* 30 ans
Rendement moyen : 47 hl/ha

Élevage :
vendanges manuelles ; égrappage total ; fermentations et cuvaisons de 21 jours ;
1/3 de la récolte achève les malolactiques en fûts neufs, le reste en cuves ;
vieillissement de 18-24 mois en fûts (50 % de bois neuf) ;
collage au blanc d'œuf ; pas de filtration

A maturité : dans les 5 à 15 ans suivant le millésime

Branaire Ducru a été racheté en totalité en 1988 par le groupe familial dirigé par Patrick Maroteaux. La propriété est désormais dirigée par Philippe Dhalluin, qui est œnologue, mais bénéficie également des talents de Jacques Boisseron, œnologue-conseil de plusieurs propriétés du Médoc. Pour préserver l'authenticité et la typicité des vins et en améliorer la qualité, le domaine développe depuis 1996 ses propres sélections massales.

J'ai toujours pensé que Branaire Ducru était étonnamment sous-estimé, sous-évalué et quelque peu oublié dans les discussions passionnées que les amateurs consacrent aux vins de Bordeaux. Ceux qui connaissent bien la région auront sans doute remarqué cette bâtisse d'un beige terne, en face de Beychevelle, sur la principale route du vignoble médocain. Pourtant, ce domaine a produit, dans certains millésimes récents – dont 1975, 1976, 1982 et 1989 –, des vins magnifiquement parfumés, profonds et riches, capables de rivaliser avec les meilleurs de l'appellation. Cela dit, la propriété est loin d'être un modèle de régularité ; elle a donné, en particulier dans les années 80 et 90, toute une série de crus inintéressants. Je ne sais s'il faut blâmer les rendements trop élevés ou l'absence de sélection rigoureuse. L'installation d'un nouveau chai, la mise en place d'une nouvelle équipe de vinification et l'élaboration d'un second vin étaient donc nécessaires pour remettre Branaire sur la bonne voie. Les 1994 et 1995, très réussis, en témoignent.

Les vignobles de Branaire, comme ceux de nombreux autres châteaux du Bordelais, se composent de plusieurs parcelles disséminées sur la commune de Saint-Julien. Le vin qui en est issu se distingue par de très caractéristiques senteurs épicées, presque exotiques, de chêne et de vanille, et par des arômes très prononcés de chocolat, qui le trahissent immédiatement dans les dégustations à l'aveugle. On remarque particulièrement ce trait dans les grands millésimes comme 1975, 1976, 1982 et 1989.

1998
•
87-89

Vêtu de rubis foncé, le Branaire 1998 exhale de très expressives senteurs minérales et florales de cerise et de framboise confiturées. On décèle également au nez des notes de crayon à papier. Vinifié dans un style racé et élégant, ce vin moyennement corsé et doté d'un fruité mûr se distingue par des tannins souples pour le millésime. Il sera prêt à boire dès sa diffusion et dans les **10 à 15 ans** qui suivront. (3/99)

1997
•
86-87

Souple et ouvert, le 1997 séduit par son caractère rond et fruité, mais il manque quelque peu de profondeur et de persistance. S'il évolue dans cette direction, il faudra le consommer avant qu'il n'ait **7 ou 8 ans d'âge**. J'ai été particulièrement séduit par ses arômes charmeurs et par la rondeur qu'il manifeste en bouche. (1/99)

1996 • **89** Mes craintes au sujet du Branaire 1996 se révèlent infondées ; j'avais redouté, en effet, qu'il ne se révèle trop tannique. Ce vin classique, que j'ai dégusté trois fois en bouteille, exhale de légendaires arômes floraux de framboise et de cassis nuancés de minéral. Élégant et pur, il est étonnamment opulent et doux, avec des tannins bien fondus. Vous apprécierez cet ensemble moyennement corsé et tout en finesse à son meilleur niveau **entre 2005 et 2018.** (1/99)

1995 • **90** Cette merveille, qui s'exprime tout en élégance, discrétion et finesse, est d'un rubis-pourpre foncé, avec un nez floral de cerise, de cassis et d'airelle nuancé de belles notes de chêne neuf et grillé. Moyennement corsé, avec des tannins souples, il révèle une excellente précision dans le dessin, et manifeste un caractère séduisant et charmant. Plaisant, mesuré tout en étant complexe, le Branaire 1995 sera agréable dans sa jeunesse et tiendra bien ces **20 prochaines années.** (11/97)

1994 • **89** Le Branaire 1994 s'impose comme l'un des vins les plus racés, les plus complexes et les plus remarquablement délicieux du millésime. Ce charmeur arbore une robe rubis-pourpre foncé, et déploie un excellent nez de cassis et d'épices accompagné de curieuses notes florales. Doux et savoureux en bouche, il est également riche, avec une acidité faible, et exprime de purs arômes de fruits noirs et de grillé. Il n'a heureusement pas le caractère tannique qui dessert tant de ses jumeaux. Je ne suis pas sûr que ce vin se révèle extraordinaire, mais il n'en est pas loin. C'est assurément l'une des affaires les plus séduisantes parmi les crus classés. **A boire dans les 12 à 15 ans.** (1/97)

1993 • **84 ?** Moyennement corsé, le 1993 déploie des arômes épicés de thé, et se montre austère et aqueux en bouche, avec une finale suffisamment tannique pour que l'on puisse douter de son équilibre d'ensemble. **A boire jusqu'en 2006.** (1/97)

1992 • **82** Le 1992 exhale un nez épicé, léger et vaguement fruité qui laisse deviner assez peu de fruits mûrs. Moyennement corsé et plaisant, avec des tannins peu abondants, il développe en bouche des arômes de fruits rouges et noirs légèrement marqués par le chêne. Vous le boirez dans les **6 ans** suivant sa diffusion, en pique-nique ou en accompagnement d'un repas léger. (11/94)

1991 • **85** J'admire le charme, l'élégance et le fruité doux et mûr du Branaire 1991. Ce vin racé, moyennement corsé, présente une texture douce et veloutée, ainsi qu'un excellent équilibre. Déjà à maturité optimale, il demeurera délicieux pendant **encore 3 ou 4 ans.** (1/94)

1990 • **88** Le Branaire 1990 – qui, tout compte fait, se révèle très bon – séduit par les arômes charnus et chocolatés de fumé, de cerise noire et de cassis qu'il déploie tant au nez qu'en bouche. Moyennement corsé et doté d'un délicieux fruité mûr et bien glycériné, il est cependant dénué de la complexité et de la précision de son aîné d'un an. Peut-être développera-t-il ces qualités au terme d'une garde supplémentaire (plusieurs 1990 se montrent en effet sous un bien meilleur jour que je ne l'avais pronostiqué) ? Accordez-lui une garde de 2 ou 3 ans, avant de l'apprécier dans les **15 ans qui suivront.** (11/96)

1989 • **92** Plus puissant et plus intense que je ne l'aurais imaginé, le 1989 de Branaire m'a cependant toujours impressionné par sa belle tenue, son élégance et sa rondeur, ainsi que par son généreux fruité de cassis judicieusement infusé d'un excellent boisé. Ce vin se révèle plus ample, plus corsé, plus opulent et plus riche avec le temps ; il plaira incontestablement au plus grand nombre. Tout à la fois mûr, complexe, savoureux et bien doté, il s'exprime en rondeur et tiendra parfaitement **12 à 15 ans encore.** (11/96)

1988 • 81 — Léger et anguleux, le Branaire 1988 est plaisant, mais unidimensionnel. C'est un vin acceptable, à boire **maintenant.** (1/93)

1986 • 84 — Branaire était en pleine période de marasme lors de l'élaboration du 1986, qui semble issu de rendements trop élevés et d'une sélection plutôt laxiste. Cependant, les restaurants apprécieront ce vin étonnamment mûr et précoce, aux arômes de cèdre et de cassis herbacé conjugués à de généreuses notes de chêne grillé et vanillé. Moyennement corsé et quelque peu atypique du millésime si l'on en juge par son caractère séduisant, souple et précoce, il ne manque pas de charme et est des plus accessibles. **A boire jusqu'en 2000.** (3/90)

1985 • 85 — Ce vin savoureux, épicé et confit séduit incontestablement par son caractère fruité et précoce. Cependant, passé son charme et ses qualités superficielles, on se rend compte qu'il est dénué de profondeur et de tannins. **A boire.** (3/81)

1984 • 74 — Quoique bien coloré, le Branaire 1984 pèche par une texture et des arômes dépourvus d'ampleur. Son acidité est trop importante, et sa finale courte et tannique. Je doute qu'il développe davantage de charme au terme d'une garde supplémentaire. **A boire.** (3/88)

1983 • 84 — Plutôt souple pour le cru, le 1983 de Branaire se montre moyennement massif et révèle un fruité opulent. Ce vin compact, aux tannins modérés, ressemble fort à son aîné de 1981, mais il est moins élégant et moins charmeur. **A consommer.** (6/84)

1982 • 90 — Mes notes de dégustation sur le 1982 de Branaire sont des plus irrégulières. Certaines décrivent un vin austère et dénué de fruit ; d'autres, au contraire, parlent d'un ensemble fabuleux d'élégance, ample, complexe et gratifiant. Les bouteilles de ma cave personnelle se sont révélées riches et profondément colorées ; c'étaient des Saint-Julien classiques, moins corpulents et moins onctueux cependant que leurs jumeaux les mieux réussis de l'appellation. Séduisant par son caractère souple et précoce, le Branaire 1982 s'est magnifiquement épanoui, et déploie de classiques senteurs de cèdre, de minéral et de cassis dans un ensemble moyennement corsé, accessible et riche. Ce vin est déjà à parfaite maturité et devrait continuer à bien évoluer ces **12 à 15 prochaines années** – à condition toutefois d'être conservé dans de bonnes conditions. (12/95)

1981 • 85 — Plutôt réussi pour le millésime, le 1981 de Branaire se montre relativement discret, précoce, souple et fruité. Il révèle déjà au nez des arômes amples et complexes de cèdre et de chocolat. **A boire.** (11/84)

1980 • 78 — Parfaitement mûr, le Branaire 1980 est tout à la fois plaisant, souple, rond et fruité. Il évite le caractère végétal inhérent au millésime. **A consommer – s'il n'est déjà en déclin.** (2/83)

1979 • 84 — A pleine maturité, le Branaire 1979 dégage un bouquet intense et épicé de cassis mûr et de cèdre. En bouche, il est tendre, souple, avec un fruité soyeux et généreux, des tannins légers ou modérés, une belle persistance et de l'étoffe. C'est un vin racé, rond, élégant. **A boire.** (9/90)

1978 • 80 — Le 1978 n'atteint pas le niveau du 1979. Bien coloré, ce vin dégage un bouquet séduisant, épicé et épanoui, mais, en bouche, il se révèle dur et anguleux, ce qui tempère la bonne impression initiale. **A boire.** (1/88)

1976 • **87** Parfaitement mûr, ce vin est aussi délicieux que lors de sa diffusion en 1979. Arborant une robe rubis moyen légèrement tuilée sur le bord, il séduit par son bouquet ample de chêne épicé, de fruit mûr et de caramel. En bouche, il est doux, soyeux et admirable de concentration pour le millésime. La finale est ronde et généreuse. Malgré sa faible acidité et une certaine fragilité, il est encore savoureux, mais il serait imprudent de tenter le diable. **A boire.** (12/89)

1975 • **91** Branaire Ducru s'impose régulièrement comme l'un des meilleurs 1975. J'ai la nette impression qu'il ne résorbera jamais ses abondants tannins, mais cela n'est aucunement gênant en raison de son caractère extrêmement ample, musclé, riche et concentré. Ce vin puissant, dont la robe d'un rubis profond est maintenant légèrement ambrée sur le bord, regorge d'un doux fruité de cassis et de cèdre aux notes de vanille et de crayon à papier. Je l'ai apprécié dans sa jeunesse, mais il n'a pas beaucoup changé depuis, se montrant toujours aussi frais, aussi riche, avec les légendaires tannins qui marquent le millésime. Il devrait évoluer de belle manière et tenir **10 à 15 ans encore.** (12/95)

1974 • **82** Figurant parmi les plus belles réussites de cette année médiocre, le Branaire 1974 est depuis assez longtemps parvenu à maturité et est encore très bon. Son bouquet complexe de chêne épicé, de fleurs et de cassis très mûr est aussi profond que s'il était issu d'un meilleur millésime. Assez corsé et joliment fruité, il est à peine tuilé sur le bord. C'est un véritable succès pour un 1974. **A boire sans plus attendre – s'il n'est pas déjà en déclin.** (3/80)

1971 • **71** Ce vin médiocre est diffus et aqueux, avec une robe nuancée de brun et de rouille sur le bord. Légèrement corsé et dépourvu de richesse en extrait, il aurait dû être consommé **avant 1980.** (10/79)

1970 • **84** Rubis foncé de robe, le Branaire 1970 est maintenant à pleine maturité. Il est solide, assez gras, avec un fruit de bonne tenue, bien marqué par la mâche. Ses tannins sont rudes et poussiéreux, et il regorge de généreux arômes boisés. Plus puissant et plus corpulent qu'élégant, il est bon, mais pas vraiment excellent pour ce château. **A boire.** (2/83)

1966 • **88** Ce Branaire, qui a toujours été remarquable, est aujourd'hui à son apogée. Rubis foncé nuancé d'ambre sur le bord, il exhale un bouquet typique, énorme, intense et épicé, de cassis, de goudron et de truffe, et, en bouche, se montre tendre, soyeux, épanoui, riche, profond et savoureux, avec une finale persistante. Les arômes semblent plus doux et plus développés qu'à la fin des années 80. C'est une belle réussite pour l'appellation et pour le millésime. **A boire.** (2/89)

1964 • **70** Je n'ai goûté qu'une fois ce 1964, et c'était au début des années 70. Le vin était alors trapu et fruité, dénué de tenue et de caractère, avec une robe prématurément tuilée. **Il est probablement sur le déclin.** (4/72)

1962 • **58** Ce cru se révèle généralement apte à une longue garde, mais, la dernière fois que j'ai goûté le 1962 (en 1986), il présentait une robe tuilée et se montrait affadi, très doux et même sucré. Il n'a que peu d'intérêt aujourd'hui – il y a de fortes probabilités qu'il soit **complètement éteint.** (5/86)

1961 • **83** C'est un très bon Branaire, mais, à mon avis, pas aussi bon que l'excellent 1966 ni aussi réussi que les remarquables 1975, 1982 et 1989. Sa belle robe rubis foncé ambrée sur le bord indique qu'il est à parfaite maturité. En bouche, l'ensemble se révèle corsé, très savoureux et assez profond, mais les tannins sont relativement rudes, et le tout manque un peu d'élégance et de finesse. **A boire.** (2/83)

Millésimes anciens

C'est étonnant, mais je ne connais qu'un seul millésime de Branaire antérieur à 1961 : c'est le 1959, qui ne s'est d'ailleurs pas particulièrement distingué lors d'une dégustation en 1988. Manquant de fruité et trop alcoolique, il m'a paru **sur le déclin.**

DUCRU-BEAUCAILLOU – EXCEPTIONNEL

2e cru classé en 1855 – équivaut à un 1er cru
Propriétaire : famille Jean-Eugène Borie
Adresse : 33250 Saint-Julien-Beychevelle
Tél. 05 56 59 05 20 – Fax 05 56 59 27 37
Visites : sur rendez-vous uniquement, sauf en août et durant les vendanges
Contact : François-Xavier Borie

Superficie : 50 ha (Saint-Julien)
Vins produits :
Château Ducru-Beaucaillou – 210 000 b ; La Croix de Beaucaillou – 60 000 b
Encépagement :
65 % cabernet sauvignon, 25 % merlot, 5 % cabernet franc, 5 % petit verdot
Densité de plantation : 10 000 pieds/ha – *Age moyen des vignes :* 38 ans
Rendement moyen : 42 hl/ha

Élevage :
vendanges manuelles ; fermentations et cuvaisons de 17-21 jours pour moitié en cuves de béton et pour l'autre en cuves d'acier inoxydable thermorégulées ; vieillissement après les malolactiques de 18-20 mois en fûts (45-65 % de bois neuf) ; collage au blanc d'œuf ; filtration légère

---

A maturité : dans les 10 à 30 ans suivant le millésime

Entouré d'arbres, avec une vue splendide sur la Gironde, Ducru-Beaucaillou est l'un des plus beaux sites du Médoc. Il tient son nom de son ancien propriétaire, M. Ducru, et de la nature de son sol, 50 ha de belles croupes graveleuses – de « beaux cailloux ».

La propriété appartient à la famille Borie depuis 1941. Achetée par Francis Borie, elle fut durant près de trente ans gérée par son fils, le dynamique et talentueux Jean-Eugène. Jusqu'à son décès, en 1998, celui-ci n'a eu de cesse que d'améliorer la qualité de Ducru-Beaucaillou, à tel point que, dans des millésimes comme 1961, 1966, 1970, 1973, 1976, 1978, 1981, 1982, 1983, 1985, 1986 et 1989, ce vin peut rivaliser avec n'importe lequel des premiers crus du Médoc. Animé d'une véritable passion pour sa propriété, obsédé par la qualité et remarquablement modeste, Jean-Eugène Borie a effectué de nombreux voyages à l'étranger pour promouvoir les vins de Bordeaux, et il est devenu l'une des personnalités les plus estimées de la région.

Ducru-Beaucaillou est l'essence même de l'élégance, de la symétrie, de l'équilibre, de la race, de la classe et de la distinction. Il n'a jamais compté parmi les Saint-Julien les plus robustes, les plus riches ou les plus fruités, et il est, par nature, lent à évoluer. De plus, la plupart des grands millésimes demandent au moins 10 ans pour révéler leur belle harmonie de fruit et de puissance. Si Ducru est un grand vin, ce n'est pas par hasard. La viticulture et la vinification sont des plus méticuleuses, et l'on se préoccupe ici du moindre détail ; seules une vendange saine et les meilleures cuves – issues d'une sélection extrêmement stricte – donnent le grand vin, et le travail de la vigne se fait suivant des méthodes les plus naturelles possible.

Cela dit, la propriété a connu quelques problèmes en 1988, 1989 et 1990. Les points d'interrogation qui accompagnent mes notes de dégustation s'expliquent par le caractère moisi qui domine les arômes de ces vins, et qui est probablement dû à des molécules émanant du matériel isolant du vieux chai. Celui-ci a été entièrement refait, et les mauvaises odeurs ont, par conséquent, disparu. Le problème est donc résolu. Il faut cependant souligner que toutes les bouteilles des millésimes litigieux ne sont pas affectées par ce problème.

Ducru-Beaucaillou est l'un des deuxièmes crus les plus chers de Bordeaux ; ces prix traduisent sa grande qualité et la forte demande internationale dont il est l'objet.

1998 • **88-90** Le Ducru-Beaucaillou 1998 est issu d'une sélection de 68 % de la récolte totale ; il se compose à 70 % de cabernet sauvignon et à 30 % de merlot. C'est un excellent vin, qui pourrait même se voir décerner une note extraordinaire suivant la manière dont il se développera. Plus évolué que de coutume, il révèle en finale les tannins durs inhérents au millésime. Doté de proportions classiques, ce 1998 moyennement corsé et puissant présente en bouche une très grande richesse et regorge d'un généreux fruité de prune et de cassis nuancé de chêne grillé et de minéral. Sa finale est concentrée et ferme, mais anguleuse. Sans être du niveau de ses aînés de 1995 et 1996, il est bien vinifié. **A boire entre 2001 et 2015.** (3/99)

1997 • **87-89+** Ducru-Beaucaillou pourrait s'imposer comme l'une des révélations de 1997 et prétendre à une note extraordinaire (90), ce qui est assez exceptionnel pour un deuxième cru dans ce millésime. Il allie en effet l'élégance classique de Ducru à de la structure, de la puissance et de la concentration. Il tiendra parfaitement une quinzaine d'années. L'ensemble recèle également un généreux fruité de cassis nuancé de minéral, et marqué de chêne neuf et épicé. Moyennement corsé, élégant et mûr, il atteste une vinification impeccable et sera à son apogée **entre 2001 et 2014.** (1/99)

1996 • **96** J'ai dégusté le 1996 de Ducru-Beaucaillou en bouteille quatre fois au mois de janvier 1999 et ai pu ensuite le comparer par deux fois à son fabuleux aîné d'un an. Il m'a semblé – mais c'est couper les cheveux en quatre – que le 1996 était légèrement plus persistant, plus profond en milieu de bouche et plus tannique en finale. Tous deux sont remarquables, et nombreux sont les amateurs qui pourraient considérer qu'ils sont presque interchangeables ; cependant, je pense que le 1995, qui contient davantage de merlot, sera prêt plus rapidement. Il exprime davantage de charme que son cadet, plus musclé, plus concentré et plus classique. Le 1996 a été mis en bouteille à la fin du mois de juin 1998. D'un rubis-pourpre soutenu, il exhale un nez renversant de minéral, de réglisse, de cassis, et présente les très caractéristiques notes de crayon à papier que j'associe généralement aux meilleurs millésimes de

Lafite Rothschild. La bouche, douce et très corsée, ne révèle pas la plus infime trace de mollesse ni de lourdeur, malgré son incroyable richesse. On décèle également des tannins très abondants, mais l'ensemble est très mûr et dominé par la douceur de son fruité de cabernet sauvignon, aux notes de cassis et d'épices. Ce Ducru-Beaucaillou profond et peu évolué mérite de figurer dans la cave de tout amateur qui se respecte. Les heureux détenteurs du 1995 et du 1996 vivront une expérience fascinante en suivant l'évolution de ces deux millésimes exceptionnels. **A boire entre 2008 et 2035.** (1/99)

1995 • 94 Une fois encore, Ducru-Beaucaillou a donné un vin de la stature d'un premier cru classé, non seulement d'un point de vue intellectuel, mais aussi pour le plaisir qu'il procure au dégustateur. Plus ouvert et plus accessible que son cadet d'un an, le 1995 présente une robe d'un rubis-pourpre soutenu, suivie d'un nez absolument renversant de myrtille, de framboise et de cassis, auquel se mêlent des notes de minéral et de fleurs, ainsi que de subtiles touches de chêne neuf et grillé. Exactement comme le 1996, ce vin doux et riche en milieu de bouche (du fait de sa maturité et de sa richesse en extrait, et non d'un éventuel taux de sucre résiduel) déploie ses arômes par paliers et manifeste de la tenue et une belle précision dans le dessin. Ses tannins et son acidité ne sont nullement gênants. Un grand classique, irrésistible, à ne surtout pas manquer ! **A boire entre 2003 et 2025.** (11/97)

1994 • 90 Le 1994 est de tout premier ordre, avec sa couleur pourpre foncé et son nez floral de cassis, de minéral et de réglisse. Moyennement corsé, extraordinairement pur et bien extrait, il développe un niveau modéré de tannins et une finale imposante, riche, douce et épicée. L'ensemble est bien fondu – les tannins aussi. Un Saint-Julien tout à fait classique. **A boire entre 2004 et 2022.** (1/97)

1993 • 87 Le Ducru 1993 déploie des arômes épicés de groseille et de cassis qui rivalisent à qui mieux mieux avec des notes de poivre et de cèdre. L'attaque en bouche est douce, riche et mûre, et l'ensemble se révèle moyennement corsé, doux et plaisant. Ce vin souple et délicieux, dont la finale tannique ne dessert aucunement le caractère élégant et précoce, est une belle réussite pour le millésime. **A boire dans les 7 à 10 ans.** (1/97)

1992 • 87+ Impressionnant de concentration et parfaitement structuré, l'excellent 1992 déploie un nez floral et séduisant, ainsi que des senteurs de fruits des bois. Riche et imposant, il se révèle moyennement corsé en bouche, avec des tannins fermes et une finale longue et épicée. Vous l'apprécierez davantage au terme d'un vieillissement supplémentaire de 2 ou 3 ans, et il évoluera de belle manière au cours des **10 à 15 prochaines années.** Il s'agit vraiment de l'un des vins les plus complets de ce millésime. (11/94)

1991 • 86+ Prometteur et concentré, le 1991 se présente actuellement comme un Ducru classique : peu évolué, tannique et jeune, il se bonifiera au terme d'une garde de 3 ou 4 ans et devrait se conserver pendant **15 ans de plus.** Ce vin très profond présentera à coup sûr, à maturité, l'élégance et la complexité typiques de ce cru. (1/94)

1990 • ? D'un rubis-pourpre profond et resplendissant, ce vin est modérément massif et assez persistant, mais, comme je l'ai déjà écrit plusieurs fois, de trop nombreux flacons révèlent des notes moisies de carton humide, donnant l'impression qu'ils sont bouchonnés et dénaturant complètement le fruit. Détail intéressant : une bouteille exempte de défauts, servie par un ami le 1er janvier 1996, méritait assurément 90 points. Fort heureusement, ce fut le dernier millésime où la propriété connut ce problème. (1/96)

1989 • **89+ ?** Tannique et peu évolué, le 1989 est bien fait et bien vinifié. Regorgeant d'arômes de mûre et de cassis aux notes élégantes et parfumées de minéral et de fleurs, il se montre moyennement corsé, racé et bien doté en bouche. Il pourrait même se révéler extraordinaire si ses tannins se fondaient dans l'ensemble d'ici 5 ou 6 ans. Pour l'instant, c'est l'un des crus les moins flatteurs du millésime ; il requiert une certaine garde encore. **A boire entre 2001 et** 2020. (11/96)

1988 • **88 ?** Moyennement corsé, le 1988 de Ducru est cependant dépourvu de la grande profondeur et de la belle intensité de son cadet d'un an. Il révèle, outre des tannins abondants, un caractère parfaitement mûr, mais l'ensemble paraît compact et rugueux en bouche. Il rappelle, par son style, les meilleurs Médoc de 1966. **A boire.** (1/93)

1987 • **83** Ce vin réussi et élégant se révèle cependant étonnamment tannique et fermé, avec un fruité séduisant. Il pourrait s'imposer comme l'un des 1987 les plus aptes à une longue garde. **A boire jusqu'en 2000.** (4/91)

1986 • **92** Le Ducru 1986 demeure tannique et peu évolué, et requiert une garde de 3 ans ou plus. De prime abord, son bouquet paraît retenu, mais il révèle, au mouvement du verre, des senteurs de crayon à papier, de douce airelle et de cassis joliment nuancées de métal, de minéral et de terre. Riche et moyennement corsé, mais terriblement tannique, ce vin est également des plus intenses, avec un potentiel de garde assez extraordinaire. Je signale aux amateurs que c'est le premier millésime de Ducru où l'on trouve quelques bouteilles aux arômes de carton humide, mais les trois dernières que j'ai dégustées étaient exemptes de défauts. **A boire entre 2002 et 2030.** (3/97)

1985 • **92** Le Ducru-Beaucaillou 1985 est inégalable en termes d'élégance, de charme et de finesse. Quoique proche de la maturité, il retient un caractère tonique et jeune, assez inhabituel pour le millésime. En bouche, on décèle, outre des arômes généreux et souples, et pas mous pour autant, un ensemble extraordinaire de concentration, mais plein de fraîcheur et très élégant. Ce vin harmonieux et d'une belle tenue sera parfait **jusqu'en 2010.** (3/97)

1984 • **79** Le 1984 est souple, avec de séduisants arômes herbacés de cabernet sauvignon. Malheureusement, il s'amenuise en bouche et se révèle plutôt léger, mais aussi élégant. **A boire.** (4/91)

1983 • **87** Malgré ses tannins austères et agressifs, le Ducru 1983 se révèle très bon, voire excellent, avec un nez de terre et de poivre aux notes de fruits noirs et de minéral. L'attaque et le milieu de bouche témoignent d'une excellente maturité et d'un fruité de fumé et de cassis, mais je doute que l'ensemble résorbe vraiment ses tannins astringents. Ce vin savoureux et moyennement corsé a atteint son apogée. **A boire jusqu'en 2006.** (3/97)

1982 • **94** Impeccable lorsqu'il était encore en fût, le 1982 s'est enfin remis d'une longue période d'hibernation où il se montrait terriblement peu évolué et impénétrable. Je ne pense pas que la propriété ait produit à ce jour de vin plus complet et plus concentré. Bien que sa robe commence à s'éclaircir sur le bord, elle impressionne toujours par sa belle couleur d'un rubis-pourpre soutenu. Le nez dégage de classiques et intenses arômes, typiquement Saint-Julien/Pauillac, de cèdre et de cassis nuancés de boisé et d'épices. Riche et plus corsé que de coutume, ce Ducru se révèle aussi modérément tannique, concentré et de bonne mâche. Quoique déjà plaisant à la dégustation, il requiert une garde supplémentaire et tiendra parfaitement les **20 premières années du prochain millénaire.** (9/95)

1981 • **88** Figurant parmi les Médoc les mieux réussis du millésime, le 1981 de Ducru-Beaucaillou a atteint son apogée. Vêtu de rubis-pourpre foncé, avec un nez modérément séduisant de minéral et d'airelle confiturée nuancé de cassis, il s'est défait du gras de sa petite enfance et se révèle moyennement corsé, élégant et mesuré en bouche. Ce vin gracieux, racé et pur, aux tannins bien fondus, sera parfait **jusqu'en 2007.** (3/97)

1980 • **74** Ducru réussit généralement dans les millésimes médiocres, mais le 1980 manque de charme et de fruit. Malgré sa bonne structure, il finit court en bouche, sur une note acerbe. **A boire.** (4/91)

1979 • **84** Je suis toujours surpris quand Ducru ne s'impose pas parmi les meilleurs Médoc du millésime ; en effet, cette propriété a produit nombre de vins exceptionnels ces dernières décennies. Bon sans être grandiose, le 1979 est habillé de rubis moyennement foncé et se révèle nettement plus léger que de coutume. Assez intense, souple et plaisant, il devrait évoluer rapidement. **A boire jusqu'en 2006.** (4/91)

1978 • **90** L'extraordinaire 1978 déploie un bouquet très odorant et bien épanoui de réglisse, de terre, de cassis et de sous-bois. Très riche pour le millésime, il est heureusement dépourvu des notes végétales qui desservent tant de ses jumeaux. Moyennement corsé et parfaitement mûr, il présente des tannins souples, et manifeste en bouche une concentration et une pureté d'excellent aloi. La finale est douce et élégante. **A boire jusqu'en 2010.** (3/97)

1977 • **78** C'est l'un des vins les plus séduisants du millésime. Étonnamment mûr, il n'est pas desservi par une acidité trop élevée ni par des arômes végétaux, et **devrait s'améliorer encore. Moyennement corsé, avec un fruité solide, mais** dénué de complexité, il est plutôt charmeur. **A boire s'il n'est déjà sur le déclin.** (2/84)

1976 • **85** Ce vin séduisant conserve encore le caractère soyeux et élégant des Saint-Julien de grande classe. Cependant, il n'a pas la richesse des 1982, 1978, 1970 ou 1961. Parfaitement mûr, il se montre modérément massif, ferme, mais riche, avec des arômes savoureux et d'une belle tenue. Un Ducru débordant de caractère et d'élégance, à apprécier **jusqu'en 2004.** (2/89)

1975 • **87+** Je n'ai jamais vraiment apprécié ce vin. En fait, j'ai perdu confiance en lui lorsqu'il avait environ 10 ans d'âge et se montrait tout à la fois dur, anguleux, austère et tannique. Une dégustation récente m'a révélé un vin plus fruité et plus équilibré, mais qui montrait également des tannins agressifs et astringents. Son nez complexe de terre, de cèdre et de groseille aux notes de fruits et d'herbes précède en bouche un ensemble corsé, classique et vieillot, qui présente actuellement plus de charme et de finesse que dans son enfance. Comme de nombreux 1975, celui-ci tiendra longtemps, mais qu'en sera-t-il de son fruité ? **A boire jusqu'en 2012.** (12/95)

1974 • **70** Quelque peu creux et végétal, mais également épicé, ce vin est encore – à peine – buvable. **Il aurait dû être consommé** depuis longtemps. (3/88)

1973 • **79** Le Ducru 1973 est certainement l'un des vins les mieux réussis de ce millésime aqueux. Il a été agréable à déguster jusqu'à 15 ans d'âge, avant d'entamer son déclin. Il serait déraisonnable de le conserver plus avant. Déjà à son apogée en 1978, il a miraculeusement conservé son fruité jusqu'en 1988, mais s'affadit régulièrement depuis. **A boire d'urgence.** (12/88)

1971 • **78** Pour des raisons qui m'échappent, le 1971 de Ducru n'est pas aussi bon qu'il devrait l'être. Parfaitement mûr, il exhale un bouquet peu intense de cèdre et de vanille, et révèle en bouche des arômes d'une bonne tenue. Cependant, sa texture rugueuse et ses tannins astringents ne manquent pas d'inquiéter. **A boire – s'il n'est en sérieux déclin.** (10/87)

1970 • **92** Parfaitement mûr et délicieux depuis plusieurs années déjà, le 1970 s'est toujours révélé extraordinaire dans le contexte du millésime. Tout à la fois complexe, riche, savoureuse – véritable quintessence de bordeaux –, cette merveille affiche les parfums et la finesse qu'on attend généralement d'un Lafite, mais qu'il offre rarement. Un bouquet odorant et complexe de cèdre, d'herbes, de vanille, de cake et de café introduit en bouche un ensemble souple, tendre et gracieux, qui développe par paliers un généreux fruité doux. Je ne sais pas combien de temps au juste ce vin se conservera encore, mais les bouteilles de 75 cl sont délicieuses et **doivent être consommées.** (6/96)

1967 • **74** Plutôt rugueux pour un Ducru, le 1967 est insipide et visiblement chaptalisé. Dépourvu du fruité gracieux, exubérant et épicé qui caractérise généralement les vins de la propriété, **il doit être consommé sans plus tarder – s'il n'est déjà en sérieux déclin.** (10/78)

1966 • **87** Les qualificatifs comme élégant, gracieux et impeccable conviennent merveilleusement à ce vin très parfumé, qui est à parfaite maturité. D'un rubis moyennement foncé légèrement ambré sur le bord, il révèle un nez subtilement herbacé et épicé de cèdre, et se montre velouté, rond, modérément corsé et d'une excellente concentration en bouche. **A boire.** (11/87)

1964 • **78** Solide, rustique, plaisant, agréablement plein et ferme, le Ducru-Beaucaillou 1964 manque de complexité et de distinction, mais il est tonique et rond, avec des arômes de champignons. Le fruit commence à se faner, mais, tout bien considéré, il est très réussi pour un 1964 du nord du Médoc. **A boire.** (2/87)

1962 • **85 ?** J'ai des notes assez contradictoires sur le Ducru-Beaucaillou 1962. Je pensais qu'il commençait à perdre son fruit, car deux dégustations au début des années 80 m'avaient révélé un vin rubis relativement clair, avec un bouquet épanoui, boisé et fruité, et des arômes de cave humide qui avaient tendance à s'affadir. Cependant, deux autres expériences, vers la fin de la décennie cette fois, ont été plus satisfaisantes. Le vin était riche, plus profondément coloré et séduisait par ses arômes de cèdre et ses flaveurs longues et veloutées. Le vrai Ducru 1962 est prié de se faire connaître... **A boire.** (11/89)

1961 • **96** Avec sa robe rubis foncé, légèrement ambrée et orangée sur le bord, le 1961 de Ducru-Beaucaillou, bien que déjà à maturité, présente encore un fruité riche, sensuel et ample, et dégage un bouquet exotique de fruits mûrs, de vanille, de caramel, de menthe et de cèdre. Gras et riche, ce vin velouté et magnifiquement réussi déploie une finale qui persiste 60 à 75 secondes. Il est superbe. **A boire jusqu'en 2005.** (5/91)

Millésimes anciens

Parmi les meilleurs vieux millésimes que j'aie dégustés, je retiens un 1947 magnifique d'opulence (noté 93 en 1987, malgré une légère acidité volatile), un 1953 idéalement élégant et parfumé (noté 93 en 1988) et un 1959 solide, mais généreux, et étonnamment musclé (noté 90). En revanche, je n'ai pas été séduit par les 1957, 1955 et 1945, mais je ne saurais dire si cela tenait à de mauvaises conditions de conservation ou si les défauts étaient inhérents au vin lui-même.

DU GLANA

Cru bourgeois – devrait être maintenu
Propriétaire : GFA Vignobles Meffre
Adresse : 33250 Saint-Julien-Beychevelle
Adresse postale : Vignobles Meffre – 84810 Aubignan
Tél. 05 56 59 06 47 – Fax 04 90 65 03 73
Visites : sur rendez-vous uniquement
Contact : Jean-Paul Meffre

Superficie : 45 ha (Saint-Julien)
Vins produits :
Château du Glana – 150 000 b ; Château du Glana Vieilles Vignes – 50 000 b ;
Château Sirène – 30 000 b
Encépagement : 65 % cabernet sauvignon, 30 % merlot, 5 % cabernet franc
Densité de plantation : 7 000 pieds/ha – *Age moyen des vignes :* 25 ans

---

Élevage :
vendanges manuelles et mécaniques ;
fermentations et cuvaisons de 18-21 jours en cuves thermorégulées ;
vieillissement de 15-18 mois en fûts (50 % de bois neuf) ;
collage au blanc d'œuf ; pas de filtration

A maturité : dans les 2 à 8 ans suivant le millésime

On dit que ce château produit un vin très commercial, souple, très fruité et trop coulant. Cependant, les prix sont raisonnables, et le Du Glana, mûr et bien vinifié, est idéal pour ceux qui découvrent le bordeaux. Certains millésimes peuvent être un peu confits (les 1982, 1985, 1989 et 1990, par exemple), mais, lors des dégustations, tout le monde semble apprécier ce vin charnu. Il faut le boire dans sa première décennie, et même avant qu'il n'ait atteint 8 ans.

1997 • **85-86** Les amateurs en quête d'un Saint-Julien à prix raisonnable se tourneront vers cette propriété, qui propose un 1997 tout à la fois ouvert, exubérant, soyeux et fruité. Quoique dépourvu de complexité, il est bien fait et sera agréable dans les 4 ou 5 ans qui viennent. (3/98)

1996 • **85-87** Vieilles Vignes – Ce vin savoureux, charnu et gorgé de fruit arbore une robe rubis-pourpre foncé et dégage de généreuses et opulentes senteurs de cerise noire et de cassis. Étonnamment faible en acidité, il présente des tannins modérés qui contribuent à une finale rugueuse et structurée. Il peut être consommé dès sa jeunesse ou conservé 10 à 12 ans. (3/97)

GLORIA – TRÈS BON

Non classé – équivaut à un 4e cru
Propriétaire : Françoise Triaud
Adresse : Domaines Martin
33250 Saint-Julien-Beychevelle
Tél. 05 56 59 08 18 – Fax 05 56 59 16 18
Visites : sur rendez-vous uniquement
Contact : Jean-Louis Triaud

Superficie : 50 ha (Saint-Julien)
Vins produits : Château Gloria – 240 000 b ; Château Peymartin – 50 000 b
Encépagement :
65 % cabernet sauvignon, 25 % merlot, 5 % cabernet franc, 5 % petit verdot
Densité de plantation : 10 000 pieds/ha – *Age moyen des vignes :* 41 ans
Rendement moyen : 50 hl/ha

Élevage :
vendanges manuelles ;
fermentations et cuvaisons de 15-30 jours
en cuves d'acier inoxydable thermorégulées à 28-32 °C ;
4 remontages quotidiens, avec aération ; vieillissement 18 mois en fûts
(50 % de bois neuf) ; collage et filtration

A maturité : dans les 5 à 10 ans depuis 1978 ; dans les 5 à 18 ans auparavant

Gloria sert toujours d'exemple à ceux qui veulent démontrer que le classement de 1855 des vins du Médoc est caduc. En effet, bien que ne figurant pas sur la fameuse liste (il a été constitué après le classement), ce château fait de grands vins depuis plus de vingt-cinq ans (il faut dire que ses vignobles ont été achetés à des châteaux voisins, qui, eux, sont classés) ; beaucoup de ces millésimes – tels 1961, 1966, 1970, 1971, 1975, 1976, 1982, 1985, 1986, 1989, 1994, 1995 et 1996 – sont indiscutablement du niveau de bien des crus classés. Détaillants et amateurs avisés connaissent depuis longtemps la qualité de ce cru, qui est diffusé dans divers pays d'Europe et outre-Atlantique.

Le regretté Henri Martin, ancien propriétaire des lieux, est décédé en février 1991. C'était une grande figure du Médoc, dont la famille est à Saint-Julien depuis plus de trois siècles, et ses vins avaient incontestablement tout pour plaire : ronds, généreux, légèrement doux, avec un merveilleux bouquet – presque trop prononcé – de cèdre et d'épices. Son gendre Jean-Louis Triaud, qui lui a succédé à la tête du domaine, continue sur ses pas. Contrairement à ce qui se fait dans les autres propriétés, le vin est ici tout d'abord vieilli en grands foudres de chêne et non en barriques. Il est très bon quand il est jeune, mais il peut facilement vieillir sur 12 à 15 ans. Le style de Gloria, tel qu'on le connaissait dans les années 60 et au début des années 70, a un peu évolué juste avant les années 80. Les millésimes de 1978 à 1993 se sont révélés plus légers, manifestement plus fruités et moins tanniques qu'auparavant. Cependant, les 1995 et 1996, incontestablement plus charnus et plus riches, augurent peut-être un retour au style d'avant 1978. Il s'agit quoi qu'il en soit d'un Saint-Julien délicieux et des plus exubérants, dont le prix demeure, de surcroît, fort raisonnable.

1998 • **85-86** Séduisant par son caractère gras, le Gloria 1998, étonnamment souple, est vinifié dans un style commercial. Il présente des arômes herbacés de petits fruits et de cuir fin, et déploie une finale ronde et moyennement corsée. **A boire dans les 7 ou 8 ans.** (3/99)

1997 • **87-88** Les millésimes récents témoignent de l'amélioration de la qualité de ce cru. Le 1997, vinifié de manière judicieuse, tapisse le palais de ses saveurs herbacées de cerise noire et de cassis. Moyennement corsé, velouté et généreusement glycériné, il est encore pur, charnu et savoureux – toutes qualités que l'on attend généralement d'un jeune bordeaux exubérant. N'espérez cependant pas que ce vin fasse de vieux os ; il vaut mieux le consommer **avant qu'il n'ait 10 ans d'âge.** (3/98)

1996 • **87-89** Gloria est toujours l'un des grands gagnants parmi les bordeaux proposés à moins de 160 F la bouteille. Le 1996, qui me paraît la plus belle réussite de la propriété depuis le 1982 et le 1995, est des plus plaisants ; il est en effet difficile de résister à sa faible acidité, ainsi qu'à son caractère charnu et juteux. D'une couleur plus soutenue que de coutume, il déborde d'un généreux fruité gras et mûr, ce qui ne manque pas de surprendre dans un millésime que l'on connaît davantage pour sa structure que pour son opulence. Ce Saint-Julien exceptionnel devrait bien tenir ces **10 à 15 prochaines années.** (3/97)

1995 • **88** Le 1995, très réussi, continue dans la lignée du 1994, mais se révèle plus profondément coloré, plus gras, plus glycériné et plus richement extrait. Il est également plus alcoolique et plus faible en acidité, ce qui accentue son caractère précoce, charmeur et opulent. Ce vin délicieux, savoureux et juteux sera parfait **jusqu'à 10 ans d'âge.** C'est incontestablement une révélation du millésime, compte tenu du prix auquel il est proposé. (3/96)

1994 • **87** Cette propriété semble rechercher davantage de richesse et de maturité sans pour autant sacrifier au caractère charmeur, précoce, opulent et sans détour de ses vins. D'un rubis profond nuancé de pourpre, le 1994 manifeste une excellente maturité pour le millésime et se montre moyennement corsé, avec des arômes de chêne épicé présentés dans un ensemble souple, opulent, confituré et bien tressé. Sa faible acidité indique qu'il doit être dégusté dans les **7 ou 8 ans.** (3/96)

1990 • **84** Étonnamment léger, dénué d'arômes et de présence en milieu de bouche, le 1990 est cependant plaisant, moyen et d'un style commercial. **A boire dans les 5 à 7 ans.** (1/93)

1989 • **86** Ce vin gras, charnu, délicieux et agréable en bouche finit sur une note très alcoolique. Très fruité, avec des tannins doux, il sera parfait **jusqu'en 2000.** (1/93)

1988 • **85** Ce vin terriblement fruité et exubérant, aux arômes d'herbes et de cassis, est tout à la fois souple, accessible et plaisant en bouche. Je comprends qu'on dise qu'il est idéal pour ceux qui découvrent le bordeaux. **A boire.** (1/93)

1987 • **78** Léger, souple et très herbacé, ce vin moyennement corsé doit être bu assez rapidement. **A boire.** (10/89)

1986 • **86** Ce cru occupe une place de choix, depuis longtemps, sur de nombreuses tables de par le monde, en particulier aux États-Unis, et le regretté Henri Martin s'est appliqué toute sa vie à le faire reconnaître, de facto, comme cru classé. Le 1986 est un vin très structuré, d'un rubis profond. Il est aussi très tannique, et je me demande s'il a réellement assez de fruit pour parvenir à l'équilibre. C'est en tout cas un très bon vin, qui a eu besoin d'une garde assez longue pour s'arrondir, ce qui est inhabituel pour un Gloria. **A boire jusqu'en 2002.** (10/90)

1985 • 86 D'une richesse et d'une profondeur d'excellent aloi, le 1985 se révèle profondément coloré, avec un bouquet herbacé de cassis et de cèdre ; il est délicieux et savoureux en bouche. **A boire jusqu'en 2003.** (11/90)

1984 • 72 Très léger, avec un nez végétal, ce vin moyennement corsé est plutôt diffus et aqueux. **A boire – peut-être en déclin.** (9/89)

1983 • 82 Ce vin précoce a le nez typique de Gloria – fruité, épicé, avec des senteurs d'herbes fraîches. Il est sensiblement plus tannique que le 1982, mais aussi moins riche et moins grassement fruité. **A boire.** (1/89)

1982 • 88 Le 1982 de Gloria s'impose comme l'une des grandes surprises du millésime. Les bouteilles que j'ai récemment dégustées se sont révélées merveilleusement riches, avec de classiques arômes de cassis entremêlés de senteurs épicées d'herbes et de cèdre. Très corsé et magnifique en bouche, ce vin s'impose comme le Gloria le plus riche depuis le très tannique 1975 et le fabuleux 1970, maintenant sur le déclin. Il était proposé à un prix ridiculement bas au moment de sa diffusion. Dans sa petite enfance, c'était une véritable bombe fruitée et juteuse, qui a évolué de belle manière. Quoique déjà à parfaite maturité, il tiendra bien **7 à 10 ans encore.** (9/95)

1981 • 80 Très proche du 1979, parfaitement mûr, par son caractère racé et élégant, le 1981 de Gloria est cependant plus austère. Moyennement corsé, il déploie des arômes souples de cèdre aux notes d'olives et révèle, en bouche, la rondeur caractéristique de Gloria. **A boire.** (1/88)

1980 • 73 Léger, quelque peu végétal et dépourvu du caractère fruité et rond que l'on attend généralement de ce cru, le 1980 de Gloria est médiocre. **A boire – s'il n'est en sérieux déclin.** (3/84)

1979 • 82 Ce vin séduit par son caractère moyennement corsé et fruité. D'une belle maturité, il est savoureux, doux, opulent et très peu tannique en bouche. Il tiendra quelques années encore, mais seul son bouquet évoluera peut-être de manière intéressante. **A boire.** (4/87)

1978 • 83 Rond, savoureux, fruité, avec un bouquet évoquant les herbes aromatiques et la cannelle, ce vin est délicieusement mûr depuis longtemps déjà. En bouche, sa douceur et son fruité rappellent un bourgogne. **A boire sans plus attendre.** (1/88)

1976 • 84 Séduisant par son énorme bouquet de prune et d'épices typique du cru, le Gloria 1976 arbore une robe rubis-grenat et regorge d'un généreux fruit mûr et doux. Moyennement corsé et profond, il est prêt à boire depuis la fin des années 70, mais il se pourrait que son fruit se fane. **A boire.** (1/88)

1975 • 87 Ce 1975 s'est toujours montré sous un très bon jour. Étonnamment puissant et musclé pour le cru, il est cependant tout aussi fruité que la plupart des meilleurs vins du millésime. Sa robe opaque de couleur grenat est légèrement ambrée sur le bord, et il exhale de classiques arômes, typiquement Pauillac/Saint-Julien, de tabac, de cèdre et de groseille, plus nuancés de terre et de poussière que de coutume. L'ensemble, dense et concentré, manque quelque peu de complexité et de finesse, mais il compense ce léger défaut par un caractère très musclé, mûr, richement extrait et corpulent. **A boire dans les 4 ou 5 ans.** (12/95)

1973 • **72** Vers le milieu des années 70, ce vin était léger, fruité et assez plaisant. Actuellement, il est peut-être **en sérieux déclin.** (4/81)

1971 • **86** Le Gloria 1971 est un très beau vin, parfaitement mûr depuis 1979. Malgré une robe fortement ambrée et tuilée, il conserve ses nombreuses qualités, dont des senteurs très parfumées de cèdre, de prune, de vanille, d'épices et de boisé, et un caractère soyeux, agréable, très fruité et souple. C'est incontestablement une belle réussite. Cependant, je n'ai pas goûté ce vin depuis 1984. **A boire – peut-être en déclin.** (10/84)

1970 • **87** Autre belle réussite de Gloria, le 1970 est cependant plus riche et plus étoffé que le merveilleux 1971, avec un potentiel de garde plus important. D'un rubis foncé légèrement ambré sur le bord, il exhale un bouquet parfaitement mûr de doux fruits, de cèdre et de chêne épicé et vanillé. Ce vin assez corsé, merveilleusement riche et fruité, est toujours aussi impressionnant. C'est un Gloria sensuel et voluptueux, à la finale douce et plaisante, qui doit être dégusté **maintenant.** (1/88)

GRUAUD LAROSE – EXCELLENT

2e cru classé en 1855
devrait être maintenu
Propriétaire : groupe Bernard Taillan (Jacques Merlaut)
Adresse : 33250 Saint-Julien-Beychevelle
Tél. 05 56 73 15 20 – Fax 05 56 59 64 72
Visites : sur rendez-vous uniquement
Contact : François Peyran

Superficie :
132 ha, dont 82 ha sous culture de vigne (Saint-Julien)
Vins produits :
Château Gruaud Larose – 300 000 b ;
Sarget du Château Gruaud Larose – 200 000 b
Encépagement :
57 % cabernet sauvignon, 30 % merlot, 7 % cabernet franc,
4 % petit verdot, 2 % malbec
Densité de plantation : 10 000 pieds/ha – *Age moyen des vignes :* 45 ans
Rendement moyen : 54 hl/ha

Élevage :
vendanges manuelles ; fermentations et cuvaisons de 18-35 jours
en cuves de bois et d'acier inoxydable thermorégulées ;
25 % de la récolte achève les malolactiques en fûts ;
vieillissement de 18 mois en fûts
(30 % de bois neuf) ; collage au blanc d'œuf ; très légère filtration

A maturité : dans les 10 à 35 ans suivant le millésime

Ce très beau château, situé sur le plateau de Saint-Julien et non sur la rive, ne se laisse pas facilement aborder. Le visiteur doit quitter la route des grands crus dans le bourg de Saint-Julien-Beychevelle et prendre la D101 vers l'ouest pour découvrir son vignoble de 82 ha de graves profondes, sur une croupe dominant la Gironde.

La propriété doit son nom à l'abbé Gruaud, qui, vers 1660, se porta acquéreur de 70 ha sur les hauteurs de Saint-Julien. Mais on retrouve pour la première fois en 1781 une étiquette portant mention des noms conjoints de Gruaud et de Larose – patronyme du neveu de l'abbé, chevalier de son état, qui avait pris sa succession –, alors que le vin était vendu depuis plus de cinquante ans dans le négoce.

Le domaine a été racheté en 1997 à Alcatel par le groupe Bernard Taillan (Jacques Merlaut), qui, un an plus tard, enrichirait encore son patrimoine par l'acquisition de Cos d'Estournel, deuxième cru classé de Saint-Estèphe. C'est aujourd'hui Jean Merlaut, fils de Jacques, qui dirige Gruaud Larose.

Dès leur arrivée, les nouveaux propriétaires ont pris diverses mesures visant à améliorer la qualité : 1) le vignoble a été drainé et l'usage des pesticides réduit au minimum, tous les traitements étant fonction des conditions climatiques (Gruaud a sa propre station météorologique) ; des expériences sont actuellement menées pour lutter contre d'éventuelles attaques du ver de la grappe ; 2) les informations relatives aux 66 parcelles ont été informatisées, pour permettre une meilleure exploitation et une meilleure gestion des traitements de la vendange ; 3) les rendements sont réduits par une taille sévère ; 4) la vendange fait l'objet d'un double tri (dans le vignoble et dans le chai), et une saignée est effectuée le plus tôt possible ; 5) le chai, construit en 1995 par les précédents propriétaires, a été modernisé, et notamment équipé de foudres de chêne d'une capacité de 200 hl.

Pendant des décennies, Gruaud Larose s'est imposé comme le Saint-Julien le plus massif et le plus lent à évoluer. Sous l'égide de Jacques Merlaut, les vins sont moins rugueux et moins tanniques, s'exprimant plus en finesse, et il y a de fortes chances pour que le domaine poursuive dans cette voie. La production est généralement importante, et la qualité très élevée – souvent du niveau d'un premier cru, notamment en 1979, 1982, 1985, 1986 et 1996.

Ceux qui critiquaient Gruaud Larose pour son caractère trapu, solide et massif devraient peut-être déguster les millésimes récents, plus élégants et plus fins.

1998 • **87-88+?** Le point d'interrogation accompagnant la note attribuée à ce vin s'explique par les tannins astringents et abondants que recèle sa finale. Hormis ce trait, le Gruaud Larose 1998 est bien fait et arbore une robe d'un rubis-pourpre profond, qui introduit un doux fruité pur de cassis. L'ensemble qui suit est moyennement corsé et anguleux en milieu de bouche. Peut-être se porterait-il bien d'une garde de 5 ou 6 ans, mais il faudra suivre de près l'évolution de son fruit. (3/99)

1997 • **86-88** Rubis foncé de robe, l'élégant 1997 est charmeur et charnu, avec de généreux arômes de fruits noirs entremêlés de notes d'herbes rôties, de fumé et de terre. Un vin délicieux. **A boire jusqu'en 2011.** (1/99)

1996 • **89** Le Gruaud Larose 1996 que j'ai dégusté en bouteille m'a paru conforme au tout premier échantillon m'ayant été présenté alors que ce cru était en cours d'élevage. C'est un vin moyennement corsé, racé, étonnamment policé, dépourvu du muscle et de la puissance que l'on serait en droit d'attendre du terroir et du millésime. L'ensemble manifeste une densité d'excellent aloi et déploie d'intenses senteurs d'herbes rôties, de réglisse et de cassis, nuancées d'encens. Pur et riche, il est évolué pour le millésime et sera à son apogée **entre 2004 et 2018.** (1/99)

1995 • **89** Plus tannique et d'une meilleure tenue depuis la mise en bouteille, le Gruaud Larose 1995, habillé de rubis foncé, révèle un nez de cerise noire et douce, de réglisse, de terre et d'épices. Riche et assez corsé, il est encore extrêmement tannique, marqué en arrière-plan de subtiles notes de boisé. Presque également structurés et tanniques, le 1995 et le 1996 présentent davantage de similitudes que de différences. **A boire entre 2005 et 2020.** (11/97)

1994 • **82 ?** Le 1994 me semblait meilleur avant la mise en bouteille. Il paraît maintenant avoir perdu beaucoup de la douceur et du caractère gras qu'il déployait en milieu de bouche, de même qu'il est plus herbacé que ne l'indiquent mes précédentes notes de dégustation. La finale affiche un niveau très élevé de tannins durs et amers, qui tapissent le palais. Peut-être ai-je dégusté ce vin alors qu'il était à un stade ingrat de son évolution ? Il n'empêche qu'il manque de maturité, de fruité et de texture. Son avenir me semble compromis, compte tenu de l'absence d'harmonie entre ses différentes composantes. (1/97)

1993 • **86** Le séduisant 1993 exhale un nez intense, peut-être même un peu trop parfumé selon certains dégustateurs, aux arômes provocateurs de viande grillée, d'herbes fumées, d'olives, de terre et de fruits noirs marqués de notes de truffe. Ce vin mûr et moyennement corsé déborde de fruits doux et de glycérine, et présente une faible acidité. **A boire jusqu'en 2007.** (1/97)

1992 • **86** Avec sa couleur pourpre tirant sur le noir, le 1992 semblerait prouver que Gruaud Larose est revenu à ce caractère puissant, robuste et musclé qui a contribué à sa renommée. Et, si le millésime 1992 n'est pas connu pour avoir donné – en général – des vins énormes et bien dotés, celui-ci se montre à la fois ample, puissant, riche et épais, paraissant aussi plus net et mieux vinifié que le 1991. En effet, il dégage au nez des senteurs de cuir fin, et déborde en bouche d'abondants arômes riches et épicés de terre, de poivre, de cassis et de fruits herbacés. Il présente aussi une faible acidité et une finale épaisse et opulente, marquée par la mâche. Les tannins, très présents, sont néanmoins bien fondus, si bien que ce vin, déjà agréable à la dégustation, continuera de bien évoluer pendant **7 ou 8 ans.** (3/95)

1991 • **85** La couleur foncée et les arômes de cuir fin, de viande fumée, de nicotine et de réglisse du 1991 marquent un retour vers le style puissant et massif typique de la propriété. Ce vin épicé, doux et fruité, à l'acidité peu marquée, déploie une texture lisse et charnue. Bien qu'il soit d'ores et déjà à maturité, il pourra être conservé encore **7 ou 8 ans.** (1/94)

1990 • **93** Ce vin superbe, à la robe épaisse d'un prune-pourpre tirant sur le grenat, exhale un nez sensationnel de cerise noire confiturée, de terre, de cèdre et d'herbes, qui se révèle de plus en plus prenant et intense. Quoique d'une richesse et d'une puissance spectaculaires, il n'est pas aussi massif ni aussi monstrueux que ses aînés de 1986 ou de 1982, mais il impressionne par son étoffe et sa puissance. La faible acidité de l'ensemble accentue son caractère épais, juteux et savoureux, mais également peu évolué, riche et de bonne mâche. C'est probablement l'une des plus belles versions que je connaisse de Gruaud Larose. **A boire jusqu'en 2020.** (11/96)

1989 • **89** Excellent, voire extraordinaire, avec un caractère assez prononcé d'herbes, le Gruaud Larose 1989 est rubis-pourpre foncé de robe (moins opaque que le 1990) et déploie des tannins plus marqués que son cadet d'un an. Moins présent en milieu de bouche, avec un fruité sous-jacent moins prononcé, il se révèle tannique et épicé, avec un potentiel énorme ; il est cependant dépourvu de la douceur et de la mâche du 1990. Le 1989 requiert une plus longue garde pour se défaire de son manteau de tannins. Accordez-lui 5 à 7 ans et appréciez-le dans les **20 ans qui suivront.** (11/96)

1988 • **88** Le Gruaud Larose 1988 affiche un potentiel de 30 ans au moins. D'un prune-grenat foncé, il se révèle étonnamment puissant, riche et concentré en bouche, très persistant et très corsé pour le millésime. Évoquant le 1975 en moins sauvage, il présente de généreux arômes charnus de fruits rouges herbacés, ainsi que des tannins modérés. **A boire entre 2000 et 2025.** (4/98)

1987 • **84** Le Gruaud Larose 1987 se révèle étonnamment musclé, robuste et trapu, avec un généreux fruité concentré de cassis dissimulé par un rideau de tannins durs. Tout à la fois assez corsé, intense et puissant, il comblera les parents désirant acheter des vins pour leurs enfants nés cette année-là. **A boire jusqu'en 2005.** (10/90)

1986 • **94+** La grande qualité du 1986 de Gruaud Larose ne fait aucun doute ; dans une vingtaine d'années, il devrait rivaliser avec ses aînés de 1928, 1949, 1961, 1982 et 1990. Dès les premières dégustations du fût, il s'est imposé comme l'un des crus les plus puissants et les plus massifs du millésime. Pourpre-noir, ce véritable géant recèle une fabuleuse richesse en extrait et déploie une finale qui dure plusieurs minutes. Il est incontestablement de la qualité d'un premier cru, mais y a-t-il un millésime de cette dernière décennie dont on ne puisse dire la même chose ? On peut se demander si ce vin sera un jour réellement accessible, compte tenu de sa structure énorme, de sa concentration impressionnante et de ses tannins massifs. Tout cela rebutera peut-être certains acheteurs, mais d'autres amateurs avisés en feront l'acquisition pour leurs enfants... **A boire entre 2000 et 2030.** (7/97)

1985 • **90** Le 1985 a évolué de belle manière. D'un rubis-grenat foncé, avec un nez merveilleusement doux et odorant de petits fruits, de truffe, de terre et de chêne fumé, il se montre gras, persistant et précoce pour un Gruaud, et déploie un caractère moyennement corsé et profond. C'est l'un des rares exemples où ce cru est agréable dès sa jeunesse. **A boire jusqu'en 2005.** (6/97)

1984 • **83** Tous les vins Cordier étaient, certes, réussis en 1984, mais ce n'est pas vraiment une nouveauté. Presque entièrement issu de cabernet, ce vin énorme, viril, riche et tannique se révèle épicé, densément coloré et puissant, avec un caractère assez dur. **A boire jusqu'en 2000.** (10/89)

1983 • **90** Rubis-grenat de robe, avec un caractère onctueux, presque visqueux, et profond, le Gruaud Larose 1983 est déjà à parfaite maturité. Exhalant un nez provocateur d'herbes rôties, de graisse animale, de mûre confiturée, de réglisse et de cèdre, il se montre tout à la fois énorme, gras, juteux et savoureux en bouche, avec une finale aux tannins souples. **A boire jusqu'en 2010.** (9/97)

1982 • **96** Lors d'une dégustation récente, j'ai confondu ce vin avec un premier cru de Pauillac. C'est, à mon sens, le Gruaud le mieux réussi de ce dernier demi-siècle. Après une heure de décantation (nécessaire, compte tenu du dépôt important), ce vin à la robe opaque de couleur grenat-noir exhale des arômes renversants et intenses de réglisse, de goudron, de cassis très mûr, d'olives et de cuir fin. Extrêmement corsé, il déploie en bouche, par paliers, un généreux fruité concentré et d'une richesse spectaculaire. Ce vin emballant ne trahit aucun signe de vieillissement, sinon qu'il a résorbé une grande partie de ses abondants tannins. C'est un Saint-Julien ample et massif, qui atteindra son apogée ces toutes prochaines années et tiendra parfaitement les **20 premières années du prochain millénaire.** Magnifique ! (4/98)

1981 • **88** Bien réussi pour le millésime, le Gruaud Larose 1981 est rubis foncé, avec un bouquet très intense de cassis mûr, de chêne épicé, de prune, de cuir fin, de viande fumée et de violette. En bouche, il est tout à la fois concentré, riche, tannique et persistant. Ses tannins se fondant, l'ensemble sera bientôt prêt. **A boire jusqu'en 2005.** (10/89)

1980 • **72 ?** Irrégulier d'une bouteille à l'autre, ce qui est inhabituel pour Gruaud, le 1980 peut se montrer souple, épicé, fruité et séduisant. Il est cependant court en finale, mais aussi maigre, trop herbacé, trop dur et trop acide. **A boire.** (6/87)

1979 • **88** Typique de Gruaud Larose, le 1979 arbore une robe foncée et libère des senteurs mûres de viande et de fruits, ainsi que des arômes évoquant la prune, les herbes aromatiques et la cerise noire. En bouche, l'ensemble, séduisant, se révèle très corsé, avec des tannins assez ronds et une finale souple et lisse. **A boire jusqu'en 2000.** (1/91)

1978 • **87** Rubis foncé, avec d'abondants tannins agressifs, le 1978 de Gruaud Larose est un vin de longue garde. Il exhale un bouquet généreux, un peu broussailleux, de goudron et d'herbes aromatiques, et déploie en bouche des arômes profonds, intenses, épanouis, un peu durs aussi, et corsés. Sa finale est persistante. Il a évolué plus lentement que le 1979, auquel il est légèrement inférieur. **A boire jusqu'en 2005.** (10/90)

1976 • **73** Ce n'est pas une grande réussite pour Gruaud Larose. Ce 1976 manque en effet du fruit riche, tendre et soyeux qui caractérise les meilleurs vins de ce millésime irrégulier. Il paraît trop déséquilibré par les tannins, avec une acidité gênante en finale. **A boire rapidement.** (2/83)

1975 • **89+ ?** Ce vin massif et peu évolué semble résister à l'épreuve du temps. Toujours très tannique et impressionnant par sa robe profondément colorée (d'un grenat intact), il est tout simplement monstrueux ; et l'on peut se demander s'il ressemblera à l'extraordinaire 1928 en révélant enfin, à 40 ans d'âge, un caractère charmeur, ou s'il se desséchera, comme le 1948. Ce vin requiert une garde supplémentaire de 5 à 10 ans, et ses tannins terriblement marquants en font une véritable énigme. Il est fort probable qu'il ne sera apprécié que des amateurs les plus enthousiastes et les plus patients, et je ne serais pas surpris qu'un critique viticole finisse par chanter ses louanges aux alentours de 2025 (soit longtemps après qu'il aura en grande partie été consommé). Je conseille aux heureux détenteurs de ne pas ouvrir leur première bouteille avant **2005.** (12/95)

1974 • **76** A maturité depuis longtemps déjà, le Gruaud Larose 1974 est probablement sur le déclin. Atypique pour le millésime, il présente une robe magnifique et exhale un bouquet assez intense, joliment épanoui, de cassis et d'épices ; en bouche, il est moyennement corsé, avec une acidité piquante et des nuances végétales sous ses arômes de fruits. Il s'affadit de plus en plus. **A boire – sans doute en sérieux déclin.** (7/87)

1973 • **67** Souple et fruité, mais en sérieux déclin, ce vin a tenu plus longtemps que je ne l'aurais cru. Il ne faut plus s'attendre à découvrir autre chose que des arômes simples, sans complexité et un peu dilués. **A boire d'urgence.** (7/86)

1971 • **81** Le Gruaud Larose 1971 s'inscrit parfaitement dans la ligne du millésime. Mûr depuis plus d'une décennie, il présente une robe tuilée qui trahit le déclin. Ce vin était fruité, confit, épicé, souple et agréable, mais il a commencé à se dessécher. **A boire d'urgence.** (12/88)

1970 • **86 ?** Typique de Gruaud Larose et du millésime, le 1970 est rugueux, musclé, fermé, anguleux et acide, dépourvu de la richesse et de la concentration nécessaires pour contrebalancer ses tannins. Ce vin, qui demeure poussiéreux et dur, est marqué de copieux arômes de brettanomyces, et je ne suis pas certain qu'il atteigne une parfaite maturité. Si ses senteurs séduisent par leur caractère de cuir fin, de fumé et de terre, les arômes en bouche demeurent durs et rugueux. (6/96)

1967 • **74** Ce vin très fruité, épanoui, rond et doux était déjà à maturité vers le milieu des années 70. Aujourd'hui, sa robe s'est teintée de brun, ses arômes se délitent, et l'ensemble paraît se dégrader. Mais quelques amis m'affirment avoir récemment goûté de bonnes bouteilles ; je n'ai peut-être pas eu de chance. **A boire – sans doute en déclin.** (3/89)

1966 • **88** Ce Gruaud Larose des plus classiques demeure étonnamment jeune et peu évolué, mais il est également austère, avec des arômes de cassis, de cèdre, de terre et de fruits. Ses tannins sont fermes, et sa finale persistante est encore jeune. Il ressemble un peu à un solide Pauillac par son caractère et sa texture. Reste à savoir s'il pourra jamais se débarrasser de ses tannins rugueux. **A boire jusqu'en 2015.** (1/89)

1964 • **87** Ce Gruaud Larose est l'une des rares réussites du millésime pour le Médoc. Il est étonnamment fruité, profond et rond, sans aucun symptôme de dilution, alors que les pluies ont gorgé la plupart des vignobles de la région. Excellemment charpenté, généreux et parfumé, il est relativement corsé. Bien qu'étant à maturité depuis plus d'une décennie, il ne donne aucun signe de dessèchement. Une révélation. **A boire.** (12/88)

1962 • **87** Étonnamment étoffé, profondément coloré, ce vin continue de se montrer sous un excellent jour. Ce 1962 est très concentré pour le millésime, avec un bouquet profond de cassis, de cèdre et d'herbes fraîches. Il est corsé et offre une finale satinée. Intensément fruité, il est à maturité depuis plus de 20 ans et commence seulement à donner des signes de fatigue – attestant ainsi qu'un bordeaux bien équilibré peut demeurer très longtemps à son apogée. **A boire jusqu'en 2000.** (11/89)

1961 • **96** Le 1961 est l'un des plus somptueux Gruaud Larose que j'aie goûtés à maturité. Riche, puissant, dense et concentré, il demeure jeune, frais et vigoureux, et se conservera pendant une décennie au moins. Sa robe grenat foncé est légèrement ambrée, et il présente, outre des arômes merveilleusement odorants (minéral, nicotine, cèdre, sauce soja et réglisse), une texture visqueuse, un fruit d'une profondeur sensationnelle et une finale fabuleuse et très alcoolique. Un grand vin luxuriant. **A boire jusqu'en 2015.** (10/94)

Millésimes anciens

Le 1945 (noté 96+ en octobre 1994) est remarquablement jeune, peu évolué et massif, et ressemble en cela aux 1961, 1975, 1982 et 1986. Il arbore toujours une robe très opaque d'un grenat tirant sur le noir, avec un nez serré, mais prometteur, de réglisse, de fruits noirs et d'herbes. Ce vin très corsé, charnu, qui a de la mâche, montre d'énormes réserves de fruité, ainsi qu'une finale épicée, puissante et tannique. S'il peut être dégusté actuellement (une heure après avoir été décanté), il se conservera **encore 20 à 30 ans.**

Le 1953 (noté 93 en mars 1998) est un autre joyau du même ordre.

A 70 ans d'âge, le 1928 de Gruaud Larose (noté 97 en octobre 1994) est encore intact. Il exhale des arômes énormes et doux de terroir, de truffe, de cèdre et d'épices, a du corps, beaucoup de tannins et une concentration étonnante. On décèle dans sa finale une petite pointe d'austérité. Ce vin conserve malgré son grand âge une robe grenat foncé très légèrement ambrée.

En revanche, le 1921 (noté 70 ? en décembre 1995) manquait de structure et se montrait pataud, fermé, avec des tannins astringents et un fruité en déclin.

HORTEVIE – TRÈS BON

Non classé

équivaut à un cru grand bourgeois exceptionnel

Propriétaire : Henri Pradère

Adresse : 33250 Beychevelle

Adresse postale : Château Terrey-Gros-Cailloux
33250 Saint-Julien-Beychevelle

Tél. 05 56 59 06 27 – Fax 05 56 59 29 32

Visites : non autorisées

Superficie : 3,5 ha (Saint-Julien)

Vin produit : Château Hortevie – 18 000 b (pas de second vin)

Encépagement : 70 % cabernet sauvignon, 25 % merlot, 5 % petit verdot

Densité de plantation : 10 000 pieds/ha – *Age moyen des vignes :* 40 ans

Rendement moyen : 50 hl/ha

Élevage :

vendanges manuelles ; fermentations et cuvaisons de 21 jours ;
vieillissement de 3 mois en cuves, en fûts et en foudres (20 % de bois neuf) ;
collage ; pas de filtration

A maturité : dans les 3 à 10 ans suivant le millésime

La petite production du Château Hortevie est issue d'un vignoble appartenant à Henri Pradère, le propriétaire de Terrey-Gros-Cailloux. Bien que ces deux vins soient vinifiés avec des techniques identiques et qu'ils proviennent du même vignoble, Hortevie est élaboré à partir de vignes plus vieilles et traité comme tête de cuvée de Terrey-Gros-Cailloux. Pradère vendange généralement assez tardivement, c'est pourquoi ses vins sont riches, concentrés, faibles en acidité et demandent un vieillissement en chêne neuf pour prendre de la charpente. Mais le domaine n'a introduit des fûts neufs qu'à la fin des années 80, et la majeure partie de la production est encore conservée en cuves jusqu'à ce que le propriétaire juge qu'elle est prête à être mise en bouteille. Hortevie est habituellement un bon Saint-Julien et a longtemps constitué une affaire intéressante. Bien que ce vin n'ait pas un grand potentiel de garde, les meilleurs millésimes, tels 1982, 1986, 1989, 1995 et 1996, sont capables d'une garde de 10 à 15 ans.

1997 • **86-87** Les vins de ce château se révèlent généralement séduisants, juteux, savoureux et très accessibles. Le millésime 1997, en particulier, convient parfaitement à ce type de vinification. Il a donné un vin charnu et précoce, vêtu de rubis-pourpre profond, qui libère de généreuses senteurs de cassis entremêlées de notes de terre et d'herbes. Ses arômes opulents et faibles en acidité témoignent d'une belle maturité et se déploient en bouche par paliers. L'ensemble, dépourvu d'agressivité ou de dureté, s'exprime tout en rondeur. **A boire dans les 5 ou 6 ans.** (3/98)

1996 • **87-89** Le 1996 se montre sous un bon jour. Avec sa robe opaque d'un pourpre profond, il dégage au nez de douces senteurs mûres de cassis et de cerise confiturés et révèle en bouche, outre des arômes moyennement corsés et charnus, une finale modérément tannique. Ce vin ne soumettra pas votre patience à rude épreuve, ses tannins étant doux et mûrs. Serait-ce une révélation du millésime ? **A boire entre 2001 et 2012.** (3/98)

1995 • **87** Tout, dans le Hortevie 1995, vêtu de pourpre dense, est vraiment délicieux, depuis ses senteurs sans détour, mais éclatantes, intenses et crémeuses, de cassis, de cèdre et de fumé, jusqu'aux arômes profonds, épicés, charnus et de bonne mâche qu'il libère en bouche. Dominé par son fruité et par son caractère gras, corpulent et tannique, ce vin peut être consommé dès sa jeunesse ou conservé en cave. **A boire entre 2000 et 2012.** (11/97)

1994 • **87** La robe du 1994, de couleur rubis foncé, est plus soutenue que celle de son aîné d'un an. Ce vin exhale un nez épicé de cèdre mêlé de notes vanillées (provenant des fûts neufs ?), et se révèle doux et moyennement corsé en bouche, d'une excellente concentration et d'une belle longueur, avec des tannins plus marqués que ceux du 1993. **A boire avant 7 ou 8 ans d'âge.** (1/97)

1993 • **87** Le 1993 du Château Hortevie est incontestablement une révélation de ce millésime, qui pourrait bien se hisser au niveau de ses deux cadets. Outre son excellente couleur rubis foncé, il déploie les légendaires arômes de ce cru, avec de douces notes de goudron et de cassis confituré. Étonnamment doux et rond en bouche, il n'a rien du caractère herbacé, tannique et astringent que l'on retrouve dans ses homologues les moins réussis. Il est encore riche et délicieux, avec une acidité faible. **A boire dans les 5 ou 6 ans.** (11/97)

1990 • **86** Bien qu'il manque de complexité et de tenue, ce vin doux, velouté et délicieusement confituré se montre charnu et savoureux. **A boire.** (1/93)

1989 • **87** Le 1989 est un vin excellent, riche, puissant, concentré et alcoolique, à la finale persistante et capiteuse. Il s'impose comme un très bon Hortevie. **A boire jusqu'en 2000.** (1/93)

1988 • **85** Typique du millésime, c'est-à-dire agressivement tannique, maigre et austère, le 1988 de Hortevie a mis un certain temps à s'épanouir. Il est bien vinifié, mais plus léger et moins étoffé que le 1989. **A boire jusqu'en 2005.** (1/93)

1986 • **87** Hortevie produit habituellement un vin très fiable, riche, corsé, trapu et charnu, qui est très agréable sans pourtant montrer beaucoup de finesse ni de complexité. Le 1986 ne dépare pas. Produit à hauteur de 1 500 à 1 800 caisses seulement, il arbore un rubis-pourpre profond, offre un bouquet dominé par la prune et la réglisse, et se révèle gras, charnu, avec une finale très tannique. Une belle réussite du millésime. **A boire jusqu'en 2001.** (9/89)

1985 • **85** Profondément coloré, gras, souple, énorme et trapu, le Hortevie 1985 exhale un bouquet intense de goudron et de mûre. Il est charnu et solide, pas très fin, mais savoureux. **A boire.** (4/89)

1984 • **73** Maigre, dur et très tannique, le 1984 ne recèle pas suffisamment de fruit pour habiller sa structure. (4/86)

LAGRANGE - EXCELLENT

3e cru classé en 1855 – équivaut à un 2e cru
Propriétaire : Château Lagrange SA (Suntory)
Adresse : 33250 Saint-Julien-Beychevelle
Tél. 05 56 73 38 38 – Fax 05 56 59 26 09
Visites : sur rendez-vous uniquement
Contact : Catherine Munck

Superficie : 109,2 ha (Saint-Julien)
Vins produits :
rouge – Château Lagrange – 280 000 b ; Les Fiefs de Lagrange – 370 000 b ;
blanc – Les Arums de Lagrange – 12 000 b
Encépagement :
rouge – 65 % cabernet sauvignon, 28 % merlot, 7 % petit verdot ;
blanc – 53 % sauvignon, 36 % sémillon, 11 % muscadelle
Densité de plantation : 8 500 pieds/ha
Age moyen des vignes :
rouge – 27 ans ; blanc – 3 ans (greffes sur pieds de 10 ans)
Rendement moyen : rouge – 53 hl/ha ; blanc – 25 hl/ha

Élevage :
rouge – vendanges manuelles ; fermentations et cuvaisons de 15-25 jours
en cuves d'acier inoxydable thermorégulées à 28 °C ;
seules les levures indigènes sont utilisées ; 2 remontages quotidiens ;
vieillissement de 20 mois en fûts (50 % de bois neuf) ; collage et filtration ;
blanc – pressurage et débourbage ; fermentations en fûts (50 % de bois neuf) ;
élevage sur lies pendant 12 mois, avec bâtonnages réguliers ; collage et filtration

---

A maturité : dans les 7 à 20 ans suivant le millésime (pour les rouges)

L'histoire du Château Lagrange est fort ancienne, puisqu'elle remonte aux temps médiévaux. C'est alors une maison noble, appelée « maison noble de Lagrange de Monteil », dont le domaine dépend en partie de la Commanderie du Temple de Bordeaux, détenue par l'ordre de Malte.

Différents propriétaires s'y succéderont. Parmi eux, la famille de Branne, John Lewis Brown (grand-oncle du célèbre peintre bordelais) et, plus près de nous, le comte Duchâtel, ancien ministre de l'Intérieur de Louis-Philippe, qui introduira le soufrage pour combattre l'oïdium et, surtout, sera un précurseur en matière de drainage des terrains viticoles. Le domaine passe encore entre plusieurs mains, avec des fortunes diverses, avant d'être racheté par la firme japonaise Suntory. Au moment de cette acquisition, la réputation de Lagrange est sérieusement ébranlée (la production des années 60 et 70 a été franchement médiocre), mais les nouveaux propriétaires ne vont pas mesurer leurs investissements, entreprenant une totale rénovation non seulement du château et des chais, mais aussi du vignoble. Le concours d'hommes de grand talent est sollicité : ainsi, Michel Delon, de Léoville Las Cases, conseillera la propriété jusqu'en 1993, le fameux Pr Émile Peynaud en sera l'œnologue pendant six ans, et c'est actuellement l'un de ses anciens élèves, Marcel Ducasse, qui est chargé des vinifications.

Lagrange est un domaine gigantesque – l'un des plus vastes du Médoc –, de surcroît d'un seul tenant (ce qui est fort rare), dont le terroir est composé de graves günziennes.

Non seulement on y produit de grands vins, mais on peut y admirer un fort beau château, ainsi qu'un lac fréquenté par une multitude d'animaux divers.

Depuis 1985, on a pu voir se dessiner un style particulier de vinification, privilégiant les arômes profonds conjugués à un caractère très tannique aux notes de chêne neuf et grillé, et étayés par un fruité sous-jacent gras et savoureux, dû à une sélection des plus sévères et à une vendange marquée de surmaturité. Il est évident que les nouveaux propriétaires veulent produire un vin capable d'une garde de 20 ans, mais qui soit en même temps séduisant dans sa jeunesse.

Alors que les critiques spécialisés ne se sont pas privés d'applaudir l'extraordinaire redressement de Château Margaux par la famille Mentzelopoulos, ils ont été beaucoup plus discrets pour ce qui concerne Château Lagrange. Toutefois, ce qui n'est pas banal, *The Wall Street Journal* a publié en 1990 un article en première page sur cette belle propriété. En tout état de cause, les prix des vins demeurent particulièrement bas, au regard de leur qualité.

1998 • 86-88 Une robe rubis-pourpre profond et un nez modérément confituré de cassis et de terre, généreusement marqué de chêne épicé, annoncent le Lagrange 1998. Plus léger que les millésimes précédents, ce vin moyennement corsé se montre souple en milieu de bouche, mais déploie des tannins durs dans une finale compacte et comprimée. Il devrait se révéler très bon, mais il convient de suivre l'évolution de ses tannins. **A boire entre 2003 et 2016.** (3/99)

1997 • 86-87 D'un rubis-pourpre dense, le 1997 de Lagrange se présente comme un vin moyennement corsé, souple et mûr, dont les arômes herbacés de cassis sont étayés par une faible acidité et marqués de notes de chêne grillé et fumé. C'est un vin rond et charmeur, que vous apprécierez **jusqu'en 2008.** (1/99)

1996 • 90 Le superbe 1996 s'annonce par une robe d'un pourpre opaque, suivie d'un nez peu évolué, mais prometteur, aux très classiques arômes de pur cassis nuancés de pain grillé et d'épices. L'ensemble est moyennement corsé, aussi puissant que racé. Superbe de pureté, il se dévoile joliment en bouche, par paliers, pour révéler un caractère extrêmement structuré. Loin d'être prêt à boire rapidement, ce vin requiert une longue garde et sera capable de se maintenir une vingtaine d'années. **A boire entre 2006 et 2022.** (1/99)

1995 • 90 Semblable à son cadet de 1996, le Lagrange 1995 est cependant plus faible en acidité, moins marqué par le cabernet sauvignon, avec un fruité plus doux. D'un rubis-pourpre foncé, il arbore un nez d'herbes rôties, de charbon, de cassis, de minéral et de chêne neuf, et libère en bouche de généreux arômes moyennement corsés et mûrs de cerise noire confiturée et de cassis, dans un ensemble modérément tannique et faible en acidité. Ce vin pur et bien doté requiert une certaine garde avant d'être prêt. **A boire entre 2003 et 2020.** (11/97)

1994 • 88 Moins évolué et moins précoce, mais plus tannique que son aîné, le 1994 se révèle aussi plus ouvert et plus flatteur. Il rappelle le style des années 60 et 70. Arborant une belle robe d'un rubis-pourpre foncé resplendissant, il offre au nez de généreux arômes de chêne neuf, de fumé et de grillé. On perçoit en bouche un bon fruité mûr, mais la personnalité de ce vin est pour l'instant entièrement dominée par ses tannins extrêmement puissants. Accordez-lui une garde de 5 ou 6 ans avant de le déguster, il se conservera parfaitement sur les **15 à 20 ans qui suivront.** (1/97)

1993 • **87** Le Lagrange 1993 est certainement disponible à prix encore raisonnable. Bien réussi pour le millésime, il déploie une robe rubis-pourpre foncé et présente, à la fois au nez et en bouche, les arômes typiques de ce cru, aux notes généreusement boisées et épicées. On décèle également un fruité puissamment extrait, marqué de notes de cassis doux et confituré. Étonnamment dense, concentré et moyennement corsé, ce vin libère en finale des tannins qui, loin de lui infliger le caractère astringent ou herbacé qui dessert tant de 1993, étayent au contraire sa structure – ce qui est un atout de plus. Ce Lagrange peut être dégusté dès maintenant ou **dans les 10 ans, voire au-delà.** (1/97)

1992 • **87** Lagrange a réussi en 1992 l'un des plus beaux vins du millésime : d'une impressionnante couleur rubis foncé, il offre au nez des senteurs étonnamment riches de cassis, marquées par des arômes de chêne grillé et fumé. Moyennement corsé, concentré et doux, il présente en milieu de bouche un fruité mûr et s'impose comme l'un des vins les plus sensuels du millésime. **A boire dans les 6 à 8 ans.** (11/94)

1990 • **93** Tout à la fois massif, richement extrait, généreusement boisé et épicé, le Lagrange 1990 arbore une robe pourpre foncé et déploie par paliers un abondant fruité confituré, étayé par une faible acidité et de copieux tannins. L'ensemble, très glycériné et massif, exprime une bouche onctueuse et séduit assurément le dégustateur. Je pense qu'il développera davantage de précision lorsqu'il se sera défait du gras de sa petite enfance. Quoique déjà agréable à déguster, ce vin se bonifiera au terme d'une garde de 3 ou 4 ans et tiendra parfaitement **20 à 25 ans encore.** (1/97)

1989 • **90** Le 1989 se distingue par son caractère confituré et ses arômes de fumé, de goudron, de cassis et d'herbes rôties. D'un pourpre dense, avec des tannins doux, il est déjà accessible du fait de sa faible acidité. Son bouquet n'a pas changé depuis que je l'ai dégusté pour la première fois, il y a de cela plusieurs années. L'ensemble, souple et gras, n'est cependant pas dénué de tenue. Il tiendra parfaitement **15 ans, voire plus**, en développant davantage de précision, et peut-être aussi un caractère plus classique. C'est un vin ample, riche, aux parfums imposants, qui évoque par son style les vins californiens. (1/97)

1988 • **86** Rubis-pourpre foncé de robe, le Lagrange 1988 libère un nez fermé, réticent et épicé, évoquant vaguement le cèdre, la prune et l'olive verte. Moyennement corsé, étonnamment dur et tannique, il requiert une garde de 4 à 6 ans pour s'adoucir. **A boire jusqu'en 2009.** (1/97)

1986 • **92** Le 1986 est l'exemple classique d'un vin qui se révèle plus riche et plus complexe en bouteille qu'en fût, où il présentait déjà un potentiel extraordinaire. Dans ce millésime que l'on connaît généralement pour ses crus extrêmement structurés, riches et concentrés, Lagrange s'impose comme un monstre capable de durer **30 à 35 ans.** D'un rubis presque noir, avec un nez fermé, mais naissant, de chêne neuf et épicé, de fruits noirs et de fleurs, il se montre musclé, très corsé et tannique, et regorge de fruité. C'est assurément l'un des coureurs de fond du millésime, doté d'un beau potentiel de garde. Je suis heureusement étonné que les importants investissements des nouveaux propriétaires aient pu donner un vin aussi extraordinaire, mais aussi peu évolué. (1/97)

1985 • **89** Les derniers millésimes de Lagrange sont puissants et structurés, faits pour vieillir plusieurs décennies avec grâce et complexité. Rubis foncé de robe, le 1985 se révèle riche, profond et long, mais aussi étonnamment peu évolué et tannique pour le millésime. Moyennement corsé et élégant, il regorge littéralement de fruité et devrait se maintenir très longtemps. **A boire jusqu'en 2010.** (1/97)

1984 • 82 Réalisez les investissements qui s'imposent – fût-ce en yens, puisque le propriétaire est japonais –, puis assurez-vous le concours d'un homme aussi talentueux que Michel Delon, de Léoville Las Cases, pour superviser la vinification, et vous disposerez de tous les atouts nécessaires pour décrocher le jackpot. Vêtu de rubis moyen, le 1984 exhale de généreux et délicieux arômes de fruits et de chêne neuf nuancés de grillé. Une belle réussite dans un petit millésime. **A boire.** (3/89)

1983 • 86 Le 1983, qui pourrait bien être l'une des révélations du millésime, est profondément coloré, épicé et riche, avec des arômes très corsés de bruyère et de cassis. Ses tannins sont fermes, et sa finale persistante. Son style évoque celui de Léoville Las Cases, ce qui n'a d'ailleurs rien de surprenant, puisque c'est le talentueux Michel Delon qui supervise les vinifications. **A boire jusqu'en 2000.** (3/89)

1982 • 85 Bien réussi, le 1982 de Lagrange est le dernier millésime élaboré par les anciens propriétaires, avant que le château ne soit racheté par Suntory. Sans être du même niveau que l'excellent 1983, ce vin marque une nette amélioration par rapport aux millésimes précédents. Vêtu de rubis foncé, il exhale un bouquet bien développé de chêne vanillé et de fruits rouges et mûrs. Très précoce en bouche, il y déploie des arômes riches, opulents, merveilleusement concentrés et corsés. **A boire avant 2000.** (1/85)

1979 • 78 Le 1979 est trop herbacé, avec un goût de rafle, mais, si l'on fait abstraction de son bouquet peu séduisant, c'est un vin qui se révèle fruité en bouche, et également souple et tendre, avec une finale épicée. Il a évolué rapidement. **A boire – peut-être en sérieux déclin.** (3/83)

1978 • 80 Rubis foncé, avec un bouquet de petits fruits mûrs typique du merlot, le 1978 se montre fruité, franc et généreux. Assez tannique, il est corsé et finit agréablement. **A boire – s'il n'est en déclin.** (3/83)

1975 • 70 Le 1975 arbore une robe rubis foncé, mais il est difficile de trouver le fruit derrière un véritable mur de tannins. Très sévère et même amer en bouche, il requiert une longue garde pour s'adoucir. Cependant, je pense que son fruité ne sera pas assez fort pour équilibrer sa dureté de caractère. **A boire.** (4/84)

1973 • 50 Un échec total ! Pas de fruit, pas de charme, un caractère aqueux et maigre, avec beaucoup trop d'acidité et de tannins. (10/79)

1971 • 65 Un petit vin compact, assez tannique, maigre et bref ! Le Lagrange 1971 ne fait honneur ni à son appellation ni à Bordeaux. Il est grossier et totalement dépourvu de charme. (10/78)

1970 • 84 C'est le meilleur Lagrange des années 70, et l'on ne verra plus une telle qualité jusqu'aux 1982 et 1983. Rubis foncé de robe, il déploie en bouche des arômes assez trapus, un bon fruit mûr de cassis et une finale solide et modérément longue. C'est une assez belle réussite. **A boire.** (4/81)

1966 • 72 Léger, fruité et sans complexité, le Lagrange 1966 est parvenu à sa maturité depuis déjà assez longtemps. Il n'a ni la richesse, ni l'ampleur, ni la finale que l'on attend d'un troisième cru de Saint-Julien. **A boire sans délai.** (4/80)

1964 • 60 Très légèrement vêtu, le Lagrange 1964 se révélait déjà maigre et décharné en 1984, la première et la dernière fois que je l'ai goûté. Ce n'est pas très brillant, même pour ce millésime irrégulier, vendangé sous la pluie. **A boire – probablement en sérieux déclin.** (3/84)

1962 • **70** Bien que le 1962 de Lagrange soit considéré comme l'une des réussites du millésime, je trouve, pour ma part, après deux dégustations séparées, qu'il est bien coloré, mais avec un excès d'acidité. Il déploie également une finale dure et agressive, et recèle juste un peu de ce charme fruité que l'on attend d'un Saint-Julien. **A boire rapidement – probablement en sérieux déclin.** (2/81)

1961 • **85** Produit pendant la période de médiocrité de Lagrange, le 1961 constitue cependant une relative réussite. Rubis foncé nuancé d'ambre sur le bord, il se présente comme un vin trapu, savoureux, doté de délicieux arômes de cassis et de chêne épicé, et manifeste de la souplesse et de la persistance en bouche. **A boire.** (2/84)

LALANDE-BORIE – BON

Cru bourgeois – devrait être maintenu
Propriétaire : famille Borie
Adresse : 33250 Saint-Julien-Beychevelle
Tél. 05 56 59 05 20 – Fax 05 56 59 27 37
Visites : non autorisées

Superficie : 18 ha (Saint-Julien)
Vin produit : Château Lalande-Borie – 90 000 b (pas de second vin)
Encépagement : 65 % cabernet sauvignon, 25 % merlot, 10 % cabernet franc
Densité de plantation : 10 000 pieds/ha – *Age moyen des vignes :* 25 ans
Rendement moyen : 45 hl/ha

Élevage :
vendanges manuelles ; fermentations et macérations de 15-18 jours en cuves d'acier inoxydable ;
vieillissement après les malolactiques de 14-16 mois en fûts (25-35 % de bois neuf) ; collage et légère filtration

A maturité : dans les 5 à 10 ans suivant le millésime

Jean-Eugène Borie, également propriétaire de Ducru-Beaucaillou, créa ce domaine en 1970, en achetant une parcelle de 30 ha au Château Lagrange. Il planta 18 ha, et le vignoble ne s'est pas agrandi depuis. Le nom est issu du nom cadastral de la parcelle, auquel s'adjoint celui de la famille créatrice, qui est implantée dans le Médoc depuis plus d'un siècle.

1993 • **86** Ce vin rubis foncé séduit par ses arômes doux et chocolatés de groseille et par le caractère moyennement corsé et d'une excellente maturité qu'il déploie en bouche. L'ensemble, gracieux et élégant, présente des tannins bien fondus et nullement gênants. **A boire.** (11/94)

1989 • **86** Le Lalande-Borie 1989 est précoce, avec de délicieuses senteurs de cassis. Moyennement corsé et d'une excellente concentration, il déploie une finale souple, persistante et capiteuse. **A boire jusqu'en 2004.** (4/91)

1988 • **81** Voici un bon vin, plutôt rugueux et épicé, doté d'un séduisant fruité herbacé. **A boire jusqu'en 2000.** (4/91)

1986 • **85** Comme pour de nombreux autres crus de 1986, on peut se demander quand celui-ci résorbera ses tannins, et s'il recèle suffisamment de fruit pour les contrebalancer. D'un rubis-pourpre foncé, le Lalande-Borie 1986 se révèle dense, énorme et peu évolué en bouche, mais ses tannins agressifs ne manquent pas d'inquiéter. **A boire jusqu'en 2002.** (4/89)

1985 • **84** Très accessible, plaisant et charmeur, le Lalande-Borie 1985 se révèle moyennement corsé, doux et fruité en bouche. **A boire.** (4/89)

LANGOA BARTON - TRÈS BON

3e cru classé en 1855 – équivaut à un 5e cru
Propriétaire : GFA des Châteaux Langoa et Léoville Barton
Adresse : 33250 Saint-Julien-Beychevelle
Tél. 05 56 59 06 65 – Fax 05 56 59 14 29
Visites : sur rendez-vous uniquement
Contact : Maud Frenoy

Superficie : 15 ha (Saint-Julien)
Vins produits : Château Langoa Barton – 85 000 b ; Lady Langoa – 18 000 b
Encépagement : 70 % cabernet sauvignon, 20 % merlot, 10 % cabernet franc
Densité de plantation : 9 000 pieds/ha – *Age moyen des vignes :* 28 ans
Rendement moyen : 54 hl/ha

Élevage :
vendanges manuelles ;
fermentations et cuvaisons de 15-21 jours en cuves de bois thermorégulées ;
vieillissement de 18 mois en fûts (50 % de bois neuf) ; collage et filtration

A maturité : dans les 8 à 22 ans suivant le millésime

Langoa Barton est un château très imposant, situé en bordure de la D2, la route des grands crus du Médoc. Outre le vin du domaine, on y élabore celui du célèbre Léoville Barton, deuxième cru classé. Les deux propriétés appartiennent en effet à Anthony Barton, dont la famille, d'origine irlandaise, est installée à Bordeaux depuis 1821.

Tout comme son oncle Ronald, aujourd'hui décédé, Anthony Barton produit des vins de grande classe, que les critiques ont qualifiés à juste titre d'images même de la tradition. Ces deux Saint-Julien ont un caractère de Pauillac. Puisqu'ils sont vinifiés dans les mêmes chais, par la même équipe, on est tout naturellement amené à se demander en quoi ils diffèrent. Dans la plupart des millésimes, Léoville Barton l'emporte nettement sur Langoa. Tous deux sont étoffés, mûrs, concentrés et épicés, et il leur manque souvent, dans leur jeunesse, cette souplesse et ce fruit précoce qui font le charme immédiat de beaucoup de leurs pairs. En revanche, ils vieillissent de manière remarquable et conjuguent, lorsqu'ils sont à maturité, le fruit élégant, complexe et gracieux des Saint-Julien avec la virilité et la solidité des Pauillac, dominés par des arômes de cèdre.

Mais Langoa, pas plus que Léoville, n'a jamais bénéficié d'une réputation aussi flatteuse que celle de Léoville Las Cases ou Ducru-Beaucaillou. Les choses commencent cependant à changer, depuis qu'Anthony Barton a repris les rênes des deux propriétés – après le décès de son oncle, en 1986. Il y a aujourd'hui un nouveau régisseur, Michel

Raoul ; en outre, la sélection est plus stricte, et l'on utilise davantage de bois neuf pour l'élevage. D'autre part, à l'heure actuelle, les responsables ont une vue réaliste du marché, ce qui fait de Léoville et de Langoa des vins d'un excellent rapport qualité/prix, surtout maintenant que leur qualité les place immédiatement après les premiers crus.

La seule critique que je pourrais émettre à leur encontre concerne certains millésimes plutôt légers (tels 1971, 1973, 1974 et 1979), bien mieux réussis dans les domaines voisins. Quoi qu'il en soit, ces deux crus se sont surpassés dans les meilleurs millésimes, notamment en 1953, 1959, 1961, 1970, 1975, 1982, 1985, 1986, 1990, 1995 et 1996. Langoa Barton, comme son frère jumeau, est susceptible de satisfaire les vrais amateurs de bordeaux.

1998 • **87-89** Plus souple que son jumeau de Léoville, ce vin vêtu de rubis-pourpre profond est bien fait et déploie un excellent fruité. Juteux en milieu de bouche, révélant de doux tannins en finale, il sera au meilleur de sa forme **entre 2003 et 2014.** (3/99)

1997 • **78-81** Ce vin, que j'ai pourtant dégusté en plusieurs occasions, ne s'est jamais montré sous un bon jour. Moyennement corsé et sans détour, il est aqueux et dépourvu de complexité. Il ne présente aucun intérêt, car il manque de charme et de caractère. **A boire jusqu'en 2009.** (1/99)

1996 • **86+ ?** Le 1996 de Langoa m'a toujours paru dur. Malgré sa belle robe rubis-pourpre foncé, il est monolithique, avec une structure tannique qui domine complètement ses notes de terre et de cassis. Moyennement corsé, il révèle une corpulence et une richesse en extrait d'assez bon aloi, mais l'ensemble est terriblement dur et peu évolué. Accordez-lui une garde de quelques années et... croisez les doigts. **A boire entre 2008 et 2020.** (1/99)

1995 • **86+ ?** Le 1995 de Langoa était difficile à jauger, se révélant boisé, monolithique et exceptionnellement tannique, dépourvu du fruité et du caractère charnu nécessaires à son équilibre. Bien sûr, il présente des qualités – une robe rubis-pourpre foncé, des touches de fruits mûrs, des arômes nets et purs –, mais son austérité et son côté anguleux ne manquent pas d'inquiéter. Il se développera certainement en un bon vin rouge un peu vieillot, mais ses tannins seront toujours trop présents. **A boire entre 2003 et 2016.** (11/97)

1994 • **86+ ?** Rubis foncé, le 1994 n'est pas expressif au nez, et peut sembler trop austère et très sévère. Puissant et d'une belle richesse en extrait, il recèle cependant des tannins astringents qui risquent de dessécher son fruité avant qu'il ne perde de son amertume. Ne touchez pas à une seule bouteille avant **5 à 7 ans...** et priez le Ciel ! (1/97)

1993 • **86** Moyennement corsé et sans détour, le 1993 libère des arômes de cassis et d'épices, mais ne montre aucun caractère herbacé. Solidement fruité et plaisant en bouche, il déploie des tannins plus doux et se révèle plus précoce que son jumeau de Léoville Barton. **A boire dans les 10 ans.** (1/97)

1992 • **83** Les deux propriétés Barton ont donné en 1992 des vins plaisants, même si le Langoa n'est pas aussi intense que son jumeau de Léoville. Très classique, il est doux et charmeur, déployant un fruité séduisant et une finale excessivement tannique. Cependant, son fruité et sa profondeur ne sont pas suffisamment intenses pour équilibrer sa structure tannique. Ce vin aux arômes de cèdre, d'herbes et de groseille sera néanmoins fort agréable à déguster au cours des **3 à 5 prochaines années.** (11/94)

1991 • **86** Le 1991 de Langoa Barton est un vin très réussi pour le millésime. Il est profondément coloré et moyennement corsé, avec un séduisant nez de cèdre, de cassis et de cuir fin. Très ferme en bouche, il y montre une richesse et une profondeur admirables, déployant par ailleurs une finale épicée et masculine. Bien qu'il soit déjà prêt, il devrait bien se conserver **10 ans encore.** (1/94)

1990 • **87** Élégant, moyennement corsé et tannique, le Langoa 1990 se distingue par un fruité séduisant et par un caractère modérément profond et intense. **A boire jusqu'en 2005.** (1/93)

1989 • **86** Moyennement corsé et joliment fait, le 1989 de Langoa est cependant moins tannique, moins puissant et moins concentré que les autres Saint-Julien. Le bouquet séduit par ses arômes de tabac, d'épices et de groseille, et l'ensemble, bien équilibré, marie magnifiquement un beau boisé à des arômes de fruits rouges. Le tout est bien étayé par une heureuse acidité. **A boire jusqu'en 2005.** (1/93)

1988 • **85** Le Langoa Barton 1988 est moyennement corsé, compact et austère, avec cependant des arômes assez mûrs. Il devrait vieillir de belle manière, compte tenu de ses tannins abondants et de sa structure ferme. **A boire entre 2000 et 2004.** (1/93)

1987 • **84** Moins ample que son cadet, le 1987 est cependant épicé, avec un caractère racé et une belle élégance d'ensemble. Il est moyennement corsé et révèle une verdeur sous-jacente, mais son fruité est bon et mûr. Ce vin séduisant et délicieux est presque du niveau du 1988. **A boire.** (11/90)

1986 • **87** Le Langoa Barton 1986 commence – avec encore quelque réticence – à perdre un peu de ses abondants tannins, pour révéler son caractère profond, corsé, épicé et charpenté, ainsi qu'un grand potentiel de garde. Le fruit paraît en mesure de faire pièce aux tannins. **A boire entre 2000 et 2010.** (11/90)

1985 • **88** D'une belle couleur profonde, le 1985 est un vin racé, assez corsé, avec un bouquet élégant de cassis et de chêne épicé. Il n'est pas très corpulent, ni riche ni spectaculaire, mais c'est un Saint-Julien très fruité, suave et gracieux. **A boire jusqu'en 2003.** (11/90)

1984 • **72** Bien coloré, avec un bouquet un peu fermé, mais épicé, le Langoa 1984 déploie en bouche des arômes fermes, mais maigres. Il se révèle astringent, et il y a peu d'espoir qu'il s'améliore. **A boire.** (2/90)

1983 • **84** En fût, ce Langoa Barton présentait, outre une robe remarquablement foncée, un caractère corsé, admirable de concentration, mais terriblement tannique. Cependant, et bien que son fruit soit suffisant pour faire pièce à ses tannins agressifs, je crois que ce vin rustique, vieillot et atténué demeurera quelque peu disgracieux. **A boire jusqu'en 2005.** (3/89)

1982 • **89** Ce vin de premier ordre se révèle meilleur, même, que l'excellent 1975, et rivalise parfaitement avec les remarquables 1948, 1959 et 1970, tout en se montrant plus fruité. Il présente une belle couleur profonde, un bouquet riche, épanoui et intense de cassis, et un caractère corpulent, charpenté et corsé. Ce vin très riche, tannique, étoffé et prometteur a besoin de temps, mais il est doté d'un potentiel de garde exceptionnel. **A boire jusqu'en 2010.** (6/90)

1981 • **82** Comme en de nombreux millésimes, il est difficile de dire lequel est le meilleur du Langoa ou du Léoville, tous deux vinifiés de manière identique. Arborant une belle couleur, ce 1981 se révèle modérément corsé et déploie, outre un bouquet épicé et assez fruité, de solides tannins qui s'arrondissent progressivement. Il a aussi une petite tendance à l'austérité. **A boire.** (10/90)

1980 • 81 Ce vin, l'un des plus délicieux du millésime, est savoureux et épicé, souple et rond, et séduit par ses arômes mûrs, fruités, mais monolithiques. **A boire.** (2/88)

1979 • 78 Bien que ce Langoa soit séduisant, il manque de concentration et paraît un peu trop souple et léger pour le cru. D'un rubis-grenat moyennement foncé, il dégage un nez épicé, précoce et souple, et manifeste en bouche un caractère tendre et assez intense. Malheureusement, il finit court en bouche. **A boire.** (2/88)

1976 • 79 Très accessible, souple et légèrement doux, le 1976 est heureusement dépourvu de tannins rugueux. Parfaitement mûr depuis plus d'une décennie, il présente une robe tuilée sur le bord et doit être consommé **rapidement – peut-être en déclin.** (2/88)

1975 • 87 Étonnamment ouvert, le Langoa Barton 1975 libère un doux nez chocolaté de cèdre et d'épices. Moyennement corsé, avec des tannins bien fondus pour le millésime, il déploie une finale ronde, souple et élégante. Ce vin parfaitement mûr tiendra bien 5 ou 6 ans encore. **A boire jusqu'en 2005.** (12/95)

1970 • 88 Merveilleusement réussi, le Langoa 1970 évoque un grand Pauillac tant au nez qu'en bouche. Il dégage en effet un bouquet énorme, bien qu'un peu retenu, de cèdre et de cassis, et présente en bouche un caractère tout à la fois corsé, tannique, riche, étoffé et épanoui. Il est maintenant à son apogée. Un Langoa à son meilleur niveau. **A boire jusqu'en 2000.** (2/88)

1966 • 87 Voici encore une belle réussite pour Langoa. Cela dit, le 1966, bien que très bon, n'arrive pas au niveau du 1982. Arborant une solide couleur rubis légèrement tuilée, il dégage d'intenses et riches senteurs d'épices et de cèdre. En bouche, il se montre maigre et austère, mais révèle une finale ronde et généreuse. **A boire.** (4/85)

1964 • 72 Les tannins et l'acidité du 1984 dominent manifestement le fruit. Musclé, quoique un peu maigre en bouche, ce vin séduit par ses arômes complexes et épicés, mais laisse un sentiment d'insatisfaction. On m'affirme cependant que certaines bouteilles sont bien meilleures. **A boire – peut-être en déclin.** (4/83)

1961 • 89 Après avoir goûté le 1959 et le 1961 lors d'une mémorable dégustation verticale des vins d'Anthony Barton à New York, j'ai éprouvé de la difficulté à désigner le meilleur. Le premier était peut-être plus alcoolique, mais le second offrait un nez fort riche de cèdre, de chêne, de vanille et de fruits mûrs. En bouche, le caractère fruité, épanoui, rond et riche propre au millésime était manifeste. Ce vin est à son apogée depuis longtemps. **Il faut le boire – il est peut-être en déclin.** (10/82)

Millésimes anciens

Le Langoa Barton 1959 (noté 90) s'est révélé merveilleux les deux fois où je l'ai goûté. Je peux en dire autant du 1953 (noté 90 en 1988), du 1952 (noté 88), excellent mais ferme, et du glorieux 1948 (noté 93). Je n'ai jamais goûté le 1945 ni de bouteilles plus anciennes.

LÉOVILLE BARTON – EXCEPTIONNEL

2e cru classé en 1855 – devrait être maintenu
Propriétaire : GFA des Châteaux Langoa et Léoville Barton
Adresse : 33250 Saint-Julien-Beychevelle
Tél. 05 56 59 06 65 – Fax 05 56 59 14 29
Visites : sur rendez-vous uniquement
Contact : Maud Frenoy

Superficie : 47 ha (Saint-Julien)
Vins produits :
Château Léoville Barton – 250 000 b ; La Réserve de Léoville Barton – 55 000 b
Encépagement : 72 % cabernet sauvignon, 20 % merlot, 8 % cabernet franc
Densité de plantation : 9 000 pieds/ha – *Age moyen des vignes :* 30 ans
Rendement moyen : 54 hl/ha

Élevage :
vendanges manuelles ;
fermentations et cuvaisons de 15-21 jours en cuves de bois thermorégulées ;
vieillissement de 18 mois en fûts (50 % de bois neuf) ; collage et filtration

A maturité : dans les 8 à 25 ans suivant le millésime

On admet généralement que Léoville Barton surpasse son jumeau de Langoa. A la différence de ce qui se fait dans les autres châteaux, Anthony Barton, propriétaire des deux domaines, n'utilise qu'une faible proportion de merlot (cépage souple et charnu) dans l'assemblage – néanmoins portée à 20 % à la suite de plantations effectuées vers 1985. En revanche, le pourcentage de cabernet sauvignon est très élevé, non seulement pour la commune de Saint-Julien, mais pour tout le Médoc.

Le vin de Léoville Barton, essentiellement issu de vieilles vignes, est vinifié à Langoa Barton parce qu'il n'y a pas de chai sur le domaine. Le principal vignoble se trouve juste derrière le bourg de Saint-Julien-Beychevelle et s'étend à l'ouest vers les vignes de Château Talbot. C'est un terrain de graves sur sous-sol argileux.

Si le domaine a connu une certaine irrégularité dans les années 70, on a vu se succéder de remarquables réussites dans les deux décennies qui ont suivi. Depuis 1985, Anthony Barton, qui gère aujourd'hui la propriété (dans la famille depuis 1826) avec sa fille Lilian Sartorius, a affiné le style de sa vinification. Son Saint-Julien s'impose comme l'un des meilleurs ; il constitue de surcroît une excellente affaire.

1998 • **90-92** Léoville Barton partage avec Léoville Las Cases le titre de meilleur Saint-Julien du millésime. Ce vin impressionne par sa robe d'un rubis-pourpre opaque et par son doux nez de mûre et de cassis nuancé de réglisse, de terre et de boisé. Extrêmement tannique, il est ample, dense et d'un style traditionnel, et révèle la concentration et le muscle nécessaires pour faire pièce à sa structure massive. Très corsé et magnifiquement doté, ce 1998 harmonieux est exemplaire. Il requiert une garde de 7 à 10 ans avant d'affirmer sa vraie personnalité. **A boire entre 2008 et 2025.** (3/99)

1997 • **85-87** Bien réussi, ce 1997 rubis foncé est souple et fruité, moyennement corsé et joliment rond en bouche. Charmeur et doté d'un caractère bien affirmé, il sera agréable dès sa mise en bouteille, au printemps 2000, et devrait évoluer de belle manière sur les 10 ans qui suivront. **A boire entre 2001 et 2012.** (1/99)

1996 • **92** L'impressionnant 1996 est un classique du millésime. Malgré son caractère peu évolué, il présente une robe rubis-pourpre dense, ainsi qu'un généreux fruité de cassis nuancé de chêne épicé et de truffe. Attestant une vinification impeccable, il se montre très corsé, musclé et serré en bouche, où il déploie encore une concentration et une pureté extraordinaires. Ce devrait être un vin de très longue garde (les millésimes récents partagent ce trait de caractère) ; c'est aussi une révélation de l'année. Il requiert de la patience et sera à son apogée **entre 2007 et 2030.** (1/99)

1995 • **91** Quoique fermé et réticent après la mise en bouteille, le 1995 demeure impressionnant, avec sa robe d'un rubis-pourpre sombre et son nez boisé aux classiques arômes de cassis, de vanille, de cèdre et d'épices. Dense et moyennement corsé, plus accessible que le 1996, avec des tannins plus doux, il semble cependant moins richement étoffé en bouche. Ce grand classique extraordinaire récompensera magnifiquement une garde de quelques années. **A boire entre 2004 et 2025.** (11/97)

1994 • **90+** Le 1994 se présente comme un bordeaux classique, sérieux, impressionnant et bien doté, convenant particulièrement aux amateurs qui sauront s'armer de patience ces 7 ou 8 prochaines années : son potentiel de garde sera ensuite de 25 ans. Sa couleur pourpre, dense et un peu trouble prélude à une palette aromatique très fermée. En bouche, il révèle néanmoins une richesse massive, et déploie un niveau élevé de tannins qui rappelle les Médoc puissants et charnus, élaborés dans un style traditionnel et sans compromission, tels qu'on les connaissait il y a trente ans. Mais celui-ci a des tannins plus doux et a été vinifié dans des conditions plus saines. Un classique. **A boire entre 2007 et 2030.** (1/97)

1993 • **88+** Le 1993 s'impose comme l'un des vins les plus énormes, les plus riches et les plus impressionnants du millésime. Avec sa robe soutenue de couleur pourpre-noir, il révèle, à la fois au nez et en bouche, des arômes denses et riches de sous-bois, de chocolat et de cassis. Profond, d'une excellente maturité et bien gras, il déploie des tannins durs en finale. Il s'agit d'un vin exceptionnellement doté et peu évolué, que vous attendrez encore 5 ou 6 ans, mais qui se conservera parfaitement sur les **20 ans suivants.** (1/97)

1992 • **87** Déjà impressionnant au fût, le 1992 se présente toujours, après la mise en bouteille, comme l'un des plus beaux succès du millésime. De couleur rubis foncé, avec un nez de cèdre, d'épices, de cerise noire et de groseille, il se montre riche et moyennement corsé en bouche. A maturité parfaite, il est élégant, juteux, succulent. Ce vin remarquable, aux tannins étonnamment doux, ne donne aucun signe de dilution. **A boire dans les 10 ans.** (11/94)

1991 • **87** Si vous êtes à la recherche d'un vin extraordinaire dans une année réputée moyenne, tournez-vous vers le 1991 de Léoville Barton. Vêtu de rubis foncé et libérant un nez énorme de cèdre, de cassis et d'herbes, il est riche, mûr et moyennement corsé en bouche, où il laisse l'impression d'une formidable concentration. Ses tannins sont modérés, sa finale admirablement longue. Ce 1991 est bien meilleur que ne l'étaient les 1979 et 1981 de la propriété. **A boire jusqu'en 2010.** (1/94)

1990
•
92+

Opaque et pourpre de robe, le Léoville Barton 1990 est tout à la fois dense, tannique, musclé et viril, mais, pour l'heure, manque un peu de charme et de précocité. Il présente, avec réticence, des senteurs de terre, de fruits épicés et de boisé, et se montre en bouche très corsé, puissant, débordant de richesse en extrait et de glycérine. Il est également fermé et peu évolué, et recèle des tannins formidables. Il s'agit, à mon sens, d'un vin exceptionnel ; c'est très certainement la plus belle réussite de la propriété depuis le 1982 – il surpasse le délicieux 1985 et le très tannique 1986. Bien qu'il requière encore une garde de 4 ou 5 ans, c'est l'un des 1990 les plus accessibles. **A boire entre 2004 et 2025.** (11/96)

1989
•
90

Très charmeur de par sa texture souple et voluptueuse, le 1989 de Léoville Barton se présente comme un vin énorme et épicé aux senteurs de cèdre. Moyennement corsé, il est doté d'un fruit doux et ample, et manifeste une pureté et une richesse d'excellent aloi. Sa robe n'est en aucune façon ambrée sur le bord, mais il est étonnamment évolué et déjà délicieux. Je n'hésiterai pas à le savourer ces **12 prochaines années.** (11/96)

1988
•
88

Typique du millésime, le Léoville Barton 1988 présente, outre des tannins durs, une belle profondeur et un fruité juteux de cassis. Très persistant, il affiche une structure ferme et déploie en bouche de généreux arômes, riches et profonds, de groseille, qui font pièce à ses tannins. Un excellent vin. **A boire jusqu'en 2012.** (1/93)

1987
•
85

Le 1987 évolue joliment. Outre un nez assez doux de boisé et de groseille, il présente un caractère rond et agréable en bouche, et déploie une finale étonnamment persistante. **A boire.** (11/90)

1986
•
92

Contrairement au 1985, qui s'exprime tout en grâce, élégance et finesse, le 1986 est un vin grandiose, mais peu évolué et tannique. Moyennement corsé, étoffé et dense, il est également fabuleusement riche, classique de caractère, avec un fruité de cassis qui révèle, après aération, de judicieuses notes de chêne neuf. Derrière de très abondants tannins, on décèle un vin traditionnel, intense et d'une concentration indiscutable, fait pour la durée. A chaque dégustation, il m'impressionne davantage par sa puissance, sa densité et sa richesse extraordinaires. Cependant, il ne conviendra pas aux amateurs de plaisirs immédiats. Quoique déjà spectaculaire, il requiert une garde de 5 ou 6 ans et tiendra ensuite un bon quart de siècle. **A boire entre 2005 et 2030.** (3/97)

1985
•
92

Le 1985 pourrait se révéler une répétition du splendide 1953. D'un rubis-grenat profond, il exhale un nez complexe, complet et intense de douce groseille très mûre, de minéral, de cèdre, d'épices et d'herbes rôties. Moyennement corsé, il manifeste en bouche un équilibre exceptionnel, et déploie, outre un généreux fruité, une finale persistante et veloutée aux tannins souples. Ce grand classique est une véritable merveille. **A boire jusqu'en 2007.** (9/97)

1984
•
84

Plus profond en bouche que le Langoa, le Léoville 1984 exhale un nez richement fruité et épicé. En bouche, il est bien corsé, persistant, tannique, avec de beaux arômes de chêne neuf. **A boire.** (3/88)

1983
•
86

Extrêmement tannique et dur dans sa jeunesse, le Léoville Barton 1983 se révèle profondément coloré, avec un caractère très alcoolique et un fruité mûr, riche et massif. Il a évolué bien plus rapidement que je ne l'aurais cru. Ce n'est pas un très grand vin, mais il est bon. **A boire jusqu'en 2002.** (3/89)

1982
•
93+
Comptant au nombre des bordeaux les plus traditionnels de ce millésime, le 1982 de Léoville Barton renvoie aux rugueux vins d'antan, avec son caractère terriblement tannique et impénétrable et son énorme richesse en extrait. Il n'a pas bougé depuis la mise en bouteille. Retenant une robe opaque d'un pourpre-grenat légèrement trouble, il dégage un nez de cèdre, de réglisse, d'épices, de truffe noire et de doux fruits mûrs. Encore fermé et pas tout à fait évolué, il se montre très corsé, tannique et intensément concentré, avec une texture épaisse et riche, elle aussi très peu évoluée. Sous bien des aspects, c'est un Saint-Julien des plus classiques, qu'il faudra déguster au terme d'une garde de 5 ou 6 ans encore. Il devrait s'imposer comme l'une des plus belles réussites de la propriété et ressemble au 1975, à en juger par son évolution très lente. **A boire entre 2005 et 2030.** (9/97)

1981
•
84
Ce vin moyennement corsé séduit par son fruité de cassis et d'épices. Ses tannins sont bien fondus, et sa finale moyennement persistante. C'est un bon vin, mais qui n'a rien de véritablement passionnant – il est indiscutablement surclassé par plusieurs de ses jumeaux de l'appellation. **A boire.** (2/89)

1980
•
83
Bien réussi pour le millésime, le Léoville Barton 1980 est agréable, avec une belle robe, et dégage un bouquet épicé et profond nuancé de caramel. La bouche révèle des arômes tendres et bien fruités, modérément tanniques et joliment persistants. **A boire – s'il n'est déjà en déclin.** (10/83)

1979
•
75
Étonnamment léger, avec un fruité précoce, le 1979 manque à la fois de structure et de tenue. Moyennement corsé et modérément fruité, il est charmeur et savoureux, accessible, mais légèrement aqueux. **A boire sans plus tarder.** (1/88)

1978
•
86
Ce Léoville très séduisant semble évoluer plus rapidement que je ne l'avais initialement pensé. Son bouquet charmeur, assez ample et développé, de fumé et de petits fruits mûrs est réellement de grande classe. En bouche, il se révèle profond et épicé, avec des arômes de cèdre, des tannins assez modérés et une finale persistante. **A boire jusqu'en 2002.** (1/88)

1977
•
78
Malgré un nez un peu trop herbacé, le Léoville 1977 est nettement au-dessus de la moyenne du millésime, avec des arômes souples, parfumés et parfaitement mûrs. **A boire – peut-être en déclin.** (10/82)

1976
•
85
Très réussi, ce vin se révèle nettement plus fruité et plus étoffé que son jumeau de Langoa. Riche et épanoui, il présente des arômes de prune et déploie une finale pulpeuse et persistante. Son bouquet semble jaillir du verre, et son doux fruité mûr et velouté caresse littéralement le palais. Malgré sa faible acidité, ce 1976 est délicieux. **A consommer.** (7/87)

1975
•
90
Ce vin a fait l'objet d'une notation des plus régulières pour un 1975. Malgré son caractère sévère et assez austère – inhérent au millésime –, il se révèle plus profond, avec un fruité plus doux et une texture plus ample que la plupart de ses jumeaux. La structure tannique est ferme, mais l'ensemble manifeste une concentration admirable et exhale de classiques senteurs d'herbes, de cassis, d'épices et de tabac. Très corsé et impressionnant en bouche, il est encore jeune, avec une finale persistante. Sa couleur et son fruité demeurent intacts. Il peut être dégusté dès maintenant, après une aération de une à deux heures, mais promet de bien vieillir ces **15 prochaines années.** (12/95)

1971
•
70
Maintenant sur le déclin, ce Léoville Barton déploie un doux nez de caramel et de confiserie. Il est souple et un peu creux en bouche, n'a pas de tannins, et sa finale est aqueuse et faible. Il ne peut que devenir plus astringent. **A boire d'urgence.** (3/85)

1970 • **87** Il semblerait que les millésimes secs et chauds comme 1970 soient favorables à Léoville Barton. D'un rubis profond un peu tuilé, ce vin au bouquet intense de cassis et de cèdre se révèle riche et plein en bouche, avec une excellente concentration et des tannins modérés. Parfaitement mûr, il est musclé et ample. **A boire jusqu'en 2000.** (6/88)

1966 • **84** Le 1966 est un vin sérieux, qui aurait pu être meilleur compte tenu du millésime. Il dégage un bouquet assez séduisant, intense, épicé et fruité, nettement et joliment marqué par le chêne neuf. Cependant, en bouche, il donne l'impression que l'austérité domine le fruit. A maturité, mais pouvant tenir encore, c'est un bon vin, mais pas l'un des meilleurs 1966. **A boire.** (2/87)

1964 • **86** Plus foncé, plus riche en arômes et plus persistant que le 1966, ce vin charnu et solide impressionne par son fruité et révèle des tannins assez tendres, mais bien présents. Il exhale un bouquet mûr. **A boire.** (9/87)

1961 • **92** Plusieurs dégustations au début des années 80 m'ont laissé sur ma faim : les bouteilles de ce 1961 étaient certainement loin de la perfection. Mais plus tard, dans cette même décennie et dans la suivante, j'ai savouré un vin fabuleux et parfaitement mûr, aux splendides arômes de cèdre, d'herbes et de doux fruits noirs. Riche, très corsé et long (à en juger par les meilleures bouteilles), ce Léoville est à son apogée. **A boire jusqu'en 2000.** (9/97)

Millésimes anciens

La propriété a connu son heure de gloire entre la fin des années 40 et celle des années 50. Le 1959 (noté 94 en octobre 1994), excessivement puissant, est à la pointe de sa maturité et ne donne aucun signe de déclin. Ample et musclé, avec un nez énorme de cèdre, de terre et de fruits noirs, il présente des taux importants de glycérine et d'alcool, et déploie une finale épicée, capiteuse et relativement tannique. On peut se demander si le 1982 ne serait pas la réplique de ce vin séduisant, merveilleusement aromatique et fruité, à la texture voluptueuse, qui a fort bien résisté à l'épreuve du temps. Le 1953 (noté 95 en octobre 1994) est un vin séduisant, également voluptueux, somptueusement aromatique, dont le fruité a magnifiquement franchi le cap des ans. Comme beaucoup d'autres 1953, il est peut-être plus sûr, toutefois, de l'acheter en grand format ; je pense qu'il se révélera alors superbe.

Les 1949, 1948 et 1945 de Léoville Barton sont tous des vins très réussis. Le 1949 (noté 95 en octobre 1994) semble être du même métal que le 1953, mais il est plus puissant, plus structuré, avec plus de muscle, de tannins et de corps. Le 1948 (millésime sous-évalué, noté 96 en octobre 1994) est un vin extraordinaire, puissant et jeune, à la richesse corsée et aux arômes de cèdre, de tabac et de groseille, qui laisse deviner des rendements très restreints et un fruité mûr. Quant au 1945 (noté 98 en octobre 1994), il s'agit d'un gros calibre qui s'impose comme l'un des vins les plus grandioses de son millésime, avec un fruité extraordinairement épais et massif et une corpulence qui étayent bien son niveau très élevé de tannins. Ces trois vins se conserveront parfaitement pendant encore **une bonne vingtaine d'années.**

LÉOVILLE LAS CASES[1] – EXCEPTIONNEL

2e cru classé en 1855 – estimé 1er cru
Propriétaires : Jean-Hubert Delon et Geneviève d'Alton
Administrateurs : Michel et Jean-Hubert Delon
Adresse : 33250 Saint-Julien-Beychevelle
Tél. 05 56 73 25 26 – Fax 05 56 59 18 33
Visites : sur rendez-vous uniquement

Superficie : 98 ha (Saint-Julien)
Vins produits :
Grand Vin de Léoville du Marquis de Las Cases ; Clos du Marquis
Encépagement :
62 % cabernet sauvignon, 25 % merlot, 10 % cabernet franc, 3 % petit verdot
Densité de plantation : 8 700 pieds/ha – *Age moyen des vignes :* 30 ans

Élevage :
vendanges manuelles ; égrappage total ; fermentations et cuvaisons de 13-21 jours
en cuves de bois, de béton et d'acier inoxydable à 24-28 °C ;
vieillissement de 18 mois en fûts
(60-75 % de bois neuf pour le Grand Vin de Léoville
et 15-20 % pour le Clos du Marquis) ;
collage au blanc d'œuf ; filtration ou non selon les millésimes

A maturité : dans les 8 à 30 ans suivant le millésime

Léoville Las Cases est incontestablement l'un des très grands noms du Bordelais ; c'est également l'un des domaines les plus étendus de la région. Son vignoble, contigu à celui de Latour, dont il n'est séparé que par le fossé de Juillac, est constitué de deux grands ensembles homogènes : le Grand Enclos (50 ha), qui donne généralement le Grand Vin de Léoville, le Petit Clos et le bloc extérieur (45 ha), dont est habituellement issu le Clos du Marquis. Il faut toutefois noter que, certaines années, le fruit des plus jeunes vignes du premier peut entrer dans la composition du Clos du Marquis, et que les meilleures parcelles du second peuvent être sollicitées pour le Grand Vin de Léoville.

Le terroir du Grand Enclos est supérieur aux extérieurs pour les raisons suivantes : la température moyenne annuelle y est de 2 °C plus élevée ; le sol graveleux et le sous-sol argileux favorisent une implantation profonde, ce qui permet aux racines de bénéficier d'une fourniture hydrique régulière, mais limitée. Le sol des extérieurs est quant à lui composé de podzols sur sable argileux.

Il faut en outre préciser que, soucieux de respecter la typicité du cru, le domaine assure la conservation du patrimoine génétique des différents cépages ; le renouvellement du vignoble se fait ainsi exclusivement avec des plants indigènes issus de leur propre sélection massale. A titre indicatif, il y a à Léoville quelque 265 familles de cabernet

1. L'absence de précisions concernant le rendement ou la production moyenne s'explique par le fait que sa constante recherche de la qualité conduit le domaine à moduler chaque année, parfois de façon notable, sa stratégie et ses choix. Ainsi, le « troisième » vin n'est produit que dans certains millésimes, et le Clos du Marquis peut constituer une part très importante de la production totale. De même, le rendement à l'hectare est sujet à de sérieuses variations, non seulement entre le grand vin et les autres, mais aussi, pour un même vin, d'un millésime à l'autre.

sauvignon... Bien entendu, les ceps ne sont remplacés que lorsqu'ils ont atteint un âge très avancé.

L'élaboration des vins est ici l'objet de soins jaloux et méticuleux : si d'autres égalent la propriété sur ce point, aucun ne la surpasse. Les responsables du château sont Michel Delon, qui a succédé à son père Paul, et son fils Jean-Hubert, qui fait aujourd'hui plus que le seconder. Admiré par les uns, critiqué par les autres, Michel Delon est un homme fier ; mais, surtout, il a été le maître d'œuvre tenace de la grandeur de Léoville Las Cases. Ceux qui n'apprécient pas la politique du domaine en critiquent notamment la stratégie de vente, qui consisterait à libérer les vins au compte-gouttes dans les grands millésimes, afin d'en faire monter artificiellement les prix. Quoi qu'il en soit, personne ne peut contester la très grande qualité de ces crus, qui témoignent d'une obsession presque maniaque de la perfection. Qui d'autre, en effet, déclasserait plus de 50 % de la récolte dans un millésime aussi généreux que 1986, et jusqu'à 67 % dans une année comme 1990 ? Qui d'autre oserait élaborer un « troisième » vin (les guillemets s'expliquent par le fait que le Clos du Marquis doit être considéré davantage comme une sélection parcellaire de très haut niveau que comme ce qu'il est convenu de nommer un deuxième vin) ? Qui d'autre, enfin, pourrait avoir l'audace de faire poser un dallage de grès rose du Brésil dans des chais climatisés ? Qu'on le veuille ou non, Michel et Jean-Hubert Delon, assistés de Michel Rolland (un homonyme de l'œnologue de Libourne) et de Jacques Depoizier, produisent indiscutablement l'un des plus grands Médoc, dont on notera qu'il marie de plus en plus harmonieusement puissance et élégance.

Les vins de Léoville ont été excellents pendant la période d'après-guerre et constituent, depuis 1975, une série de grandes réussites, pratiquement sans fausse note. Ainsi, les 1975, 1978, 1982, 1985, 1986, 1990, 1994, 1995 et 1996, qui frisent la perfection, se révèlent aussi profonds que la plupart de leurs jumeaux des premiers crus médocains.

Comparés à ceux de Ducru-Beaucaillou – leurs principaux rivaux de l'appellation –, les vins de Léoville Las Cases sont en général plus profondément colorés, plus tanniques, plus amples et plus concentrés, et, bien entendu, dotés d'un très grand potentiel de garde. Ce sont des Saint-Julien traditionnels, destinés à des connaisseurs qui auront la patience d'attendre 10 à 15 ans qu'ils arrivent à maturité. Si l'on procédait à un remaniement du classement de 1855, Léoville Las Cases, comme Ducru-Beaucaillou et, peut-être, Léoville Barton, pourrait aisément prétendre au statut de premier grand cru.

1998 • 90-93 C'est l'une des rares propriétés de Saint-Julien dont le 1998 soit très proche en qualité du 1995. Michel et Jean-Hubert Delon nous proposent, une fois encore, un vin magnifiquement réussi, quoique moins complexe que son aîné. Vêtu de pourpre soutenu, le Léoville Las Cases 1998 se distingue par de classiques senteurs de vanille, de cassis, de cerise et d'épices. Moyennement corsé, avec des tannins mûrs et bien fondus, il impressionne par sa persistance et se développe en bouche par paliers, révélant un caractère concentré et modérément tannique. Ce vin sera à son apogée **entre 2002 et 2018.** (3/99)

1997 • 90-92 Le 1997 de Léoville Las Cases s'impose incontestablement comme l'une des stars du millésime. Sa robe d'un rubis-pourpre soutenu précède un généreux fruité de mûre et de cerise nuancé de fumé, de cèdre et d'herbes. Suit un ensemble extraordinaire de richesse, faible en acidité et doté de tannins doux, qui révèle en bouche, outre une très belle texture, une finale étonnamment persistante. Bien meilleur que ses aînés de 1991, 1992 et 1993, il pourrait égaler certains millésimes tels que 1988, 1989 ou 1994. **A boire entre 2000 et 2014.** (1/99)

1996 • **98+** Une note parfaite pour le 1996 ? Cette position serait facile à défendre. J'attendais, avec appréhension, de goûter ce vin après la mise en bouteille, mais mes craintes se dissipèrent dès que je plongeai le nez dans mon verre. Très profond, s'imposant comme l'un des très grands bordeaux de notre temps, il rivalise avec les prouesses que Michel et Jean-Hubert Delon ont accomplies en 1982, 1986 et 1990. Bien que le millésime se caractérise par la surmaturité du cabernet sauvignon, le Las Cases 1996 demeure classique, comme de coutume, conservant aussi bien son équilibre que son formidable potentiel de complexité et d'élégance. Pourpre-noir de robe, il exhale de spectaculaires senteurs de cassis, de liqueur de cerise, de pain grillé et de minéral. L'attaque est puissante et riche ; l'ensemble, doté de tannins merveilleusement fondus, ne révèle pas la moindre lourdeur ni aucun manque de structure, malgré sa concentration massive. Ce vin remarquable gagne encore en stature et en richesse au fur et à mesure qu'il se développe dans le verre. S'exprimant tout en rondeur et sans aspérité, avec une élégance exceptionnelle, il tapisse littéralement le palais – c'est une véritable quintessence de Saint-Julien, vinifiée à la manière d'un Latour, son voisin immédiat. Malgré la douceur de ses tannins, je conseille de le conserver 7 ou 8 ans encore. **A boire entre 2007 et 2035.** (1/99)

1995 • **95** Seulement 35 % de la récolte totale fut jugée digne de faire le grand vin de Léoville Las Cases en 1995. Et, de fait, ce vin fabuleux est l'une des grandes réussites du millésime. Il accaparerait l'attention des amateurs s'il n'avait été suivi du prodigieux 1996. Opaque et rubis-pourpre de robe, il dégage un nez d'une pureté exceptionnelle, aux arômes merveilleusement tressés de fruits noirs, de minéral, de vanille et d'épices. L'attaque en bouche révèle une richesse stupéfiante. On décèle encore au palais un fruité de cassis d'une maturité exceptionnelle, judicieusement infusé d'arômes de chêne neuf et grillé, ainsi que l'époustouflant caractère de minéral, typique de Las Cases, qui se mêle à l'ensemble et contribue à le rendre irrésistible. Certainement moins tannique que le 1996, le 1995 n'est cependant pas aussi parfaitement doux ; la finale est incroyablement persistante. **A boire entre 2000 et 2025.** (11/97)

1994 • **93** Arborant une robe opaque de couleur pourpre, le 1994 s'impose comme un Médoc des plus massifs, d'une ampleur et d'une richesse fabuleuses en bouche. Son généreux et pur fruité de cassis et de cerise noire, mêlé de notes de pierre et de minéral, est marqué par de belles touches de boisé. C'est un vin moyennement corsé, doux et riche à l'attaque en bouche, très tannique, mais aussi d'une longueur et d'une extraction absolument somptueuses. Léoville Las Cases compte assurément, en 1994, au nombre de la demi-douzaine de grands vins du Médoc. **A boire entre 2002 et 2025.** (1/97)

1993 • **90** D'une douceur remarquable, le 1993, à la robe soutenue de couleur pourpre, libère de puissants arômes de cassis et de chocolat. Dense et moyennement corsé en bouche, il y révèle un superbe fruité sous-jacent, ainsi que la pureté, l'équilibre, la concentration et l'intensité qui sont la griffe de ce cru remarquable. Ceux d'entre vous qui auraient peine à croire que 1993 ait pu donner un vin de cette tenue n'auront qu'à ouvrir une bouteille de Léoville Las Cases. **A boire jusqu'en 2012.** (1/97)

1992 • **89-90** Le Léoville Las Cases 1992 s'impose comme l'un des joyaux de ce millésime plutôt aqueux dans l'ensemble. Moyennement corsé, il séduit par ses senteurs de fruits noirs et rouges, de minéral et de chêne épicé, et se montre précoce et bien évolué, avec une belle tenue et d'abondants tannins. Il peut être consommé dès maintenant ou conservé **15 ans, voire plus.** (3/95)

1991 • **89** Merveilleusement réussi dans un millésime difficile, le 1991 de Las Cases est proche de la maturité. Ses senteurs de tabac, de cassis et de chêne grillé flattent l'odorat, et l'ensemble, moyennement corsé, témoigne d'une concentration et d'une maturité telles qu'il est difficile de croire qu'il s'agit vraiment d'un 1991. **A boire dans les 12 à 15 ans.** (5/95)

1990 • **96** Le 1990 s'étoffe et s'enrichit avec le temps, s'imposant comme l'un des millésimes les plus grandioses de Léoville Las Cases. D'un pourpre sombre et dense, il exhale un nez doux et pur de fruits noirs, de minéral, de vanille et de crayon à papier. En bouche, ses arômes amples et expansifs manifestent de la richesse, de la pureté et de la concentration, tout en évitant la lourdeur ou la rugosité. L'ensemble est classique, très corsé et velouté, avec des tannins et une acidité parfaitement fondus. Ce vin encore jeune, mais exceptionnel, est plus agréable à déguster que le 1989, mais il requiert encore 5 ou 6 ans de garde et promet de tenir les **20 à 25 ans qui suivront.** (11/96)

1989 • **91** Le 1989 évoque un vin californien, avec son fruité doux et mûr de cerise judicieusement infusé de notes de chêne grillé. Issu d'une vinification nette et pure, il révèle une finale serrée et relativement compacte du fait de ses abondants tannins, mais l'ensemble est extraordinaire, riche et moyennement massif, quoique moins bien doté, moins intense et moins concentré que je ne l'avais initialement imaginé quand il était en fût. Ce vin ressemble davantage au 1985, élégant et racé, qu'aux 1982 et 1986, plus massifs et plus puissants. Très jeune, avec une robe intacte d'un rubis-pourpre profond et resplendissant, il continuera de s'améliorer ces 8 à 12 prochaines années et se maintiendra à son apogée pendant environ **20 ans encore.** (11/96)

1988 • **92** Le remarquable Léoville Las Cases 1988 s'est régulièrement imposé comme l'une des réussites du millésime. Outre un nez riche et épicé de cake, de cèdre et de cassis, il présente un caractère moyennement corsé et modérément tannique, et séduit en bouche par ses arômes doux et souples, et par sa fabuleuse précision. Sa finale est plutôt tannique. Il commence tout juste à se développer du point de vue des arômes et se maintiendra bien **20 ans ou plus**, après une garde de 2 à 5 ans au terme de laquelle il se bonifiera. (3/95)

1987 • **87** D'un rubis profond, avec un nez modérément intense de cassis et de chêne épicé, le 1987 ne révèle ni verdeur ni dilution. Riche et moyennement corsé, il est très certainement d'un meilleur niveau que son aîné de 1981 et tout aussi bon que l'excellent 1976. C'est incontestablement l'une des stars du millésime. **A boire jusqu'en 2000.** (4/91)

1986 • **98+** Le Léoville Las Cases 1986, que Michel Delon considère comme sa plus belle réussite des années 80 (meilleur, même, que le 1982), présente toujours une robe intacte de couleur pourpre-noir. Le nez révèle des arômes exceptionnellement mûrs de cassis entremêlés de senteurs de vanille, de minéral et d'épices, et la bouche, très corsée et d'une précision exceptionnelle, présente une concentration phénoménale. Encore peu évolué et jeune, ce vin s'impose comme l'un des exemples les plus profonds du cru, mais demeure, à mon sens, moins bon que les 1982 et 1996. **A boire entre 2003 et 2030.** (3/97)

1985 • **93** C'est l'un des millésimes de Las Cases que je préfère actuellement. Arborant une robe encore jeune de couleur rubis-pourpre profond, il exhale un nez classique de pain grillé, de crayon à papier, de minéral et de cassis mûr typique du cru. Moyennement corsé et extraordinaire de concentration, avec des tannins souples, il est charnu et s'inscrit bien dans la ligne du millésime, sans le caractère aqueux qui dessert la plupart de ses jumeaux. J'ai pensé, un moment, qu'il pourrait être une répétition du 1953, mais il semble plus charnu et plus intense. **A boire jusqu'en 2015.** (3/97)

1984 • **84** Très proche du 1981, le 1984 de Las Cases se révèle épicé, avec des touches de chêne grillé et vanillé. Moyennement corsé et bien fruité, il est assez réussi pour le millésime. **A boire.** (1/90)

1983 • **91** Parfaitement mûr, le Léoville Las Cases 1983 se présente vêtu d'un rubis profond et intact, et déploie un nez ouvert et fumé de cassis et de cèdre. L'ensemble qui suit en bouche est souple, riche et moyennement corsé, et manifeste, outre une excellente précision, une richesse et une concentration d'excellent aloi. La finale, épicée, est souple et veloutée. **A boire dans les 12 à 15 ans, voire au-delà.** (3/95)

1982 • **100** Léoville Las Cases a donné l'un des vins les plus fabuleux de ce millésime grandiose. Riche et très corsé, mais peu évolué, le 1982 arbore une robe épaisse, opaque et rubis-pourpre, qui introduit un nez à peine naissant, où l'on décèle des arômes de cassis entremêlés de notes de vanille, de cèdre, de crayon à papier, de grillé et de caramel mou. L'ensemble, corsé, est faible en acidité et massivement doté. Ce vin impressionnant, qui regorge de fruit, est le Las Cases le plus charmeur et le plus concentré que je connaisse à ce jour ; il éclipse même l'irréel 1986. Quoique d'ores et déjà accessible, il requiert, à mon sens, une garde supplémentaire. **A boire entre 2000 et 2030.** Quel monument ! (9/97)

1981 • **89** Ce vin, qui semble proche de la maturité, arbore une excellente couleur rubis profond, et révèle un bouquet épicé de cèdre, de tabac et de groseille. Manifestant une profondeur et une maturité d'excellent aloi, il est classique et élégant, mais pas meilleur que les cuvées de cabernet sauvignon pur, malgré son assemblage relativement complexe. **A boire jusqu'en 2006.** (3/95)

1980 • **75** Solide et d'une bonne tenue pour le millésime, le Las Cases 1980 – comme, d'ailleurs, la plupart de ses jumeaux – manque d'étoffe pour sa structure. **A boire – s'il n'est déjà en déclin.** (10/84)

1979 • **86** C'est l'un des exemples les plus maigres que je connaisse de ce cru ; sa finale révèle des tannins durs. Cependant, l'ensemble, doté d'un bon fruité, exhale des senteurs racées de groseille, de minéral et de vanille, et se montre moyennement corsé et relativement compact en bouche. Il finit court, sur une note vive. Je doute qu'il s'améliore et conseille de le déguster **jusqu'en 2006.** (3/95)

1978 • **90** La robe du Las Cases 1978 a pris des teintes grenat et des nuances de rubis foncé, et le nez se révèle plus complexe et plus prononcé que les arômes qu'il déploie en bouche. Les classiques senteurs de minéral, de crayon à papier, de fumé et de terre sont suivies d'un ensemble généreusement doté d'un fruité mûr et heureusement dépourvu du caractère vert et herbacé qui dessert souvent ce millésime. L'attaque en bouche révèle un vin moyennement corsé et d'une bonne maturité, étayé par une acidité plus importante que celle de ses cadets des millésimes récents. La finale, dure, révèle de très abondants tannins, qui ne se fondront vraisemblablement jamais. Ce vin, qui est déjà à maturité, tiendra bien **15 à 20 ans encore**, mais il se dessèchera progressivement. (5/95)

1976 • **86 ?** Ce vin, l'un des mieux réussis du millésime, était déjà prêt lors de sa diffusion en 1979. Sa robe rubis-grenat est assez séduisante, et son nez révèle des notes épicées et rôties de fruits confiturés, de minéral et d'épices. Les arômes que l'on perçoit en bouche manquant à présent de tenue, l'acidité, l'alcool et les tannins commencent à dominer l'ensemble. Bien que ce 1976 soit encore en bonne forme, il vaudrait mieux le consommer **rapidement**, car je doute qu'il s'améliore. Les grands formats, comme les magnums, pourraient éventuellement mériter une note légèrement supérieure. (5/95)

1975 • **92+** Le Léoville Las Cases 1975 est incontestablement l'une des grandes réussites du millésime. Cependant, les amateurs qui préfèrent les vins modernes, souples et accessibles ne l'apprécieront pas, car il est tannique, peu évolué et d'un style traditionnel, fait du même métal que le 1948 ou le 1928. D'un rubis-grenat foncé légèrement ambré sur le bord, il exhale de caractéristiques senteurs de minéral, de crayon à papier et de doux cassis nuancées de pierre à fusil. Très corsé, épais et concentré, il se révèle étonnamment musclé et puissant, et devrait s'imposer comme l'un des vins du millésime les plus aptes à une longue garde. Sa richesse et son intensité sont tout simplement sensationnelles, et ses abondants tannins lui assurent une longévité de 20 à 35 ans environ ; je doute cependant que son fruité tienne jusque-là. J'estimais auparavant que ce Las Cases serait à son apogée au milieu des années 90, mais je pense maintenant qu'il requiert une garde supplémentaire de 5 à 8 ans. Il est impressionnant, certes, mais dur et peu évolué. **A boire jusqu'en 2012.** (12/95)

1974 • **70** Encore bien coloré et jeune d'apparence, le Léoville Las Cases 1974 pèche cependant par manque de fruit. Il finit court et se révèle creux en milieu de bouche. Il a perdu de son astringence au fur et à mesure de son vieillissement, mais son fruité se dessèche aussi progressivement. **A boire – sans doute en déclin.** (7/85)

1973 • **70** Quoique encore buvable, le 1973 perd rapidement de sa fraîcheur et de sa vivacité. Très fruité, léger, souple et plaisant, il est cependant unidimensionnel et commence à se dessécher. **A boire dans délai – peut-être même en sérieux déclin.** (3/80)

1971 • **73** Manquant d'équilibre, avec des tannins en excès et une structure lâche, le 1971 présente un fruité qui s'estompe rapidement dans le verre. Austère et très fermé, il est manifestement dominé par ses tannins. Cependant, son bouquet est assez intéressant, et sa couleur demeure intacte. **A boire.** (10/90)

1970 • **79** Je n'ai jamais beaucoup apprécié ce vin, que je trouve toujours aussi austère, aussi compact et aussi maigre. Il tiendra certainement **15 à 20 ans encore**, mais il manque indiscutablement de maturité et d'intensité. Dépourvu de charme, il continuera à se dessécher ; il ne ressemble en rien aux millésimes plus récents de la propriété. (6/96)

1967 • **74** Je déguste rarement ce vin, mais la dernière bouteille que j'avais en cave révélait une robe d'un rubis-grenat léger et des arômes rustiques et épicés de terre, de pierre mouillée, d'herbe et de groseille. L'ensemble, moyennement corsé et rugueux, est actuellement **sur le déclin.** (5/95)

1966 • **89** C'est peut-être le millésime de Las Cases le plus réussi de la décennie après le 1962, qui est presque aussi plaisant. Peut-être a-t-il maintenant entamé son déclin – je ne l'ai jamais dégusté qu'en bouteille, et il se pourrait bien que les grands formats méritent une note plus élevée. C'est un bordeaux des plus classiques, plus fruité et plus corpulent que la plupart de ses jumeaux, mais aussi quelque peu austère. L'ensemble, dominé par des senteurs complexes de tabac, de cèdre et de groseille, est moyennement corsé, d'une concentration et d'une maturité extraordinaires, avec une finale épicée, longue et modérément tannique. **A boire**, mais je doute qu'il s'améliore. (5/95)

1964 • **71** Je n'ai jamais goûté ce Las Cases dans les années 70 – lorsqu'il était, semble-t-il, à son meilleur niveau. Les bouteilles récemment dégustées ont révélé un vin sec, astringent et acide, terriblement dépourvu de fruit. **A boire – en sérieux déclin.** (5/86)

1962 • **88** Très réussi, ce Léoville Las Cases est vêtu d'un rubis-grenat moyennement foncé et séduit par un nez intense, qui caractérise souvent les meilleurs 1962. Moyennement corsé et souple, il révèle une excellente maturité et un équilibre fabuleux, et exprime une bouche tout en rondeur. Cependant, ne tentez pas le diable... **A boire.** (5/95)

1961 • **85** J'ai dégusté cette bouteille avec Michel Delon, à qui j'avais auparavant déclaré n'avoir jamais goûté un grand Las Cases de ce millésime. Mon impression première ne change pas – je trouve ce vin toujours aussi austère et aussi vert ; il me rappelle le 1970. Parfaitement épanoui, il arbore une robe grenat fortement ambrée sur le bord et exhale un nez épicé de terre, de tabac et d'herbes, mais, si l'attaque révèle une certaine douceur, l'ensemble s'amenuise par la suite, dévoilant un caractère moyennement corsé, tannique et compact, d'une bonne tenue, mais inintéressant. Ce vin tiendra bien **10 ans encore**, mais n'espérez pas de miracle. (3/95)

Millésimes anciens

Légèrement plus doux, plus mûr et plus riche que le 1961, le 1959 (noté 86 en mars 1995) est rubis-grenat de robe, avec un nez rôti, un caractère plus fruité et une finale épicée et charnue. Moyennement corsé, il présente en bouche des arômes souples et herbacés de groseille, étayés par une faible acidité. Je doute qu'il s'améliore ; les détenteurs de bouteilles seraient bien inspirés de les consommer.

Second vin

CLOS DU MARQUIS – TRÈS BON

Le Clos du Marquis est une marque très ancienne (1904). S'il fut longtemps le second vin de Léoville, il est aujourd'hui d'une qualité telle qu'on le considère comme un « autre » vin de la propriété, issu principalement des extérieurs et du Petit Clos, mais qui, certaines années, bénéficie également du produit de certaines parcelles du Grand Enclos. Faisant l'objet des mêmes soins jaloux que le Grand Vin de Léoville – techniques de culture et de vinification identiques –, le Clos du Marquis est assurément une grande réussite.

1998 • **87-89** Le second vin de Léoville Las Cases est l'un des crus les plus réussis de l'appellation, et aussi l'un des meilleurs seconds vins du Bordelais. Très proche de son grand frère par le style, il exprime en élégance et en finesse un caractère moyennement corsé, ainsi qu'un fruité pur et frais de cerise noire, nuancé de terre et de chêne épicé. La robe est soutenue, et les tannins doux. **A boire avant 10 à 12 ans d'âge.** (3/99)

1997 • **86-87** Déjà évolué et mûr en bouche, le Clos du Marquis 1997 s'annonce par une robe rubis-pourpre foncé et par un excellent nez de petits fruits mâtiné de notes d'herbes séchées, de terre et de doux chêne. Moyennement corsé et faible en acidité, il atteste une très belle concentration et déploie joliment, et par paliers, une finale tout en nuances. **A boire jusqu'en 2012.** (1/99)

1996 • **90** Le formidable Clos du Marquis 1996 affiche incontestablement le niveau d'un deuxième ou d'un troisième cru classé. Pourpre foncé de robe, il rappelle le grand vin par sa structure, par son caractère terriblement peu évolué, par sa richesse et par son ampleur. Moins massif que le Léoville Las Cases, il se distingue par un généreux fruité de doux cassis et de kirsch, subtilement nuancé de très belles notes de chêne neuf et marqué de métal et de minéral. Ce vin éblouissant, riche et moyennement corsé, est doté de tannins mûrs. Il sera parfait **entre 2002 et 2018.** (1/99)

1995 • **90** Le 1995 m'a tout autant impressionné que son cadet d'un an. D'un pourpre dense, il révèle une intensité considérable et une richesse en extrait fabuleuse. Ressemblant à s'y méprendre à un très bon cru classé, ce vin sérieux et bien doté se montre moyennement corsé, avec un peu du caractère du grand vin. **A boire entre 2000 et 2012.** (1/97)

1994 • **88** Vêtu de rubis-pourpre foncé, le 1994 révèle le nez doux et pur de cassis si caractéristique de Léoville Las Cases. Bien gras et moyennement corsé en bouche, il est encore faible en acidité, et sa finale est riche, sans aucun caractère astringent. **A boire dans les 10 à 12 ans.** (1/97)

1993 • **87** Le 1993, à la robe rubis foncé, déploie au nez de séduisants arômes de cèdre, d'épices, de tabac et de cassis. Moyennement corsé et d'une excellente richesse, doux et rond en bouche, il s'impose comme un délicieux Saint-Julien. **A boire dans les 7 ou 8 ans.** (1/97)

1992 • **86+** Impressionnant et moyennement corsé, le Clos du Marquis 1992 est à maturité parfaite : il présente beaucoup de richesse tout en étant doux et bien évolué. Sa finale est d'une profondeur impressionnante, et la persistance en bouche n'est marquée par aucune rudesse. Il s'agit d'un beau succès, peut-être même du meilleur second vin de ce millésime. **A boire dans les 6 à 8 ans.** (11/94)

1991 • **85** Les restaurateurs en quête d'un 1991 élégant à prix raisonnable devraient envisager d'acheter du Clos du Marquis. Moyennement corsé, il atteste une belle maturité et déploie des arômes fruités, doux, ronds et complexes, ainsi qu'une finale étonnamment longue et douce. **A boire dans les 5 ou 6 ans.** (11/94)

1990 • **88** Aussi bon que le 1989, le Clos du Marquis 1990 se distingue par sa robe soutenue et par ses intenses senteurs de boisé et de cerise noire. La bouche libère des arômes denses, riches et moyennement corsés, qui révèlent une concentration et un équilibre d'excellent aloi. **A boire jusqu'en 2007.** (1/93)

1989
•
88
Un bouquet complexe de cassis et de chêne neuf et grillé introduit le Clos du Marquis 1989, vin profond, bien fait, étonnamment riche, qui ressemble fort à son frère aîné et se maintiendra longtemps. Cette merveille conviendra à ceux qui ne peuvent s'offrir du Léoville Las Cases ou qui peinent à attendre que les tannins du grand vin se fondent... **A boire avant 2005.** (1/93)

1988
•
85
Bien fruité, épicé et boisé, le Clos du Marquis 1988 se montre moyennement corsé, avec d'excellents arômes sous-jacents de cerise noire. Ferme et capable d'une garde de **8 à 10 ans**, il est bien réussi, mais d'un cran inférieur cependant aux 1989 et 1990. (1/93)

1982
•
87
Ce vin, que je préférais il y a 3 ou 4 ans, demeure cependant tonique et exubérant, et retient ses arômes épicés de cèdre et de groseille. Moyennement corsé et d'une belle profondeur, il est très racé et s'impose, une fois de plus, au niveau des crus classés. **A boire vers la fin de ce siècle.** (9/95)

LÉOVILLE POYFERRÉ – EXCELLENT

2e cru classé en 1855 – devrait être maintenu
Propriétaire : GFA des Domaines de Saint-Julien (Cuvelier)
Adresse : 33250 Saint-Julien-Beychevelle
Tél. 05 56 59 08 30 – Fax 05 56 59 60 09
Visites : du lundi au vendredi (8 h-12 h et 14 h-17 h)
Contact : Francis Dourthe

Superficie : 80 ha (Saint-Julien)
Vins produits :
Château Léoville Poyferré – 250 000 b ; Château Moulin Riche – 170 000 b
Encépagement :
52 % cabernet sauvignon, 28 % merlot, 12 % cabernet franc, 8 % petit verdot
Densité de plantation : 8 500 pieds/ha – *Age moyen des vignes :* 25 ans
Rendement moyen : 49 hl/ha

Élevage :
vendanges manuelles ; égrappage total ;
fermentations de 7 jours et cuvaisons de 15-30 jours ;
1/3 du grand vin achève les malolactiques en fûts neufs ;
vieillissement de 18 mois en fûts
(65 % de bois neuf) ; collage au blanc d'œuf ; pas de filtration

---

A maturité : dans les 8 à 20 ans suivant le millésime

Si vous discutez avec les initiés connaissant bien le potentiel du vignoble de Léoville Poyferré, ils vous diront tous que ce domaine possède le terroir et les moyens pour produire l'un des meilleurs Médoc. Certains ajouteront même que le sol ici est meilleur que dans tous les autres deuxièmes crus. Les résultats de la propriété depuis 1961 ont été plutôt décevants, mais les derniers millésimes témoignent d'une nette amélioration de la qualité. La modernisation des chais, l'élaboration d'un second vin et l'utilisation d'une plus forte proportion de bois neuf pour l'élevage, conjuguées à l'attention incessante de Didier Cuvelier et aux judicieux conseils du talentueux Michel Rolland, de Libourne, ont finalement hissé Léoville Poyferré au rang de l'élite de Saint-Julien. Le prodigieux

1982 et le 1983, au fruité fabuleux, s'imposent comme les deux plus belles réussites des années 80. Tous deux témoignent bien des sommets de richesse et de l'extrême profondeur que peut atteindre ce cru. Le 1990, d'un excellent niveau, a été suivi d'un 1995 et d'un 1996 très réussis, qui indiquent bien que Léoville Poyferré s'est enfin décidé à exploiter son potentiel immense.

1998 • **87-89+** Le Léoville Poyferré 1998 se montre à son avantage, bien qu'il n'ait pas la profondeur de ses aînés de 1995 et 1996. Vêtu d'une séduisante robe rubis-pourpre foncé, il exhale de modestes senteurs de chêne neuf et grillé, de crayon à papier et de cassis confituré. Moyennement corsé et bien mûr, il se développe joliment en milieu de bouche. Seuls les tannins durs que recèle la finale abrupte appellent une réserve. En effet, l'ensemble est manifestement issu d'une matière première de haut niveau ; il pourrait être renoté à la hausse s'il s'étoffait et si ses tannins se fondaient davantage. **A boire entre 2004 et 2018.** (3/99)

1997 • **85-87** Plus léger que son aîné d'un an, le 1997 de Léoville Poyferré est moyennement corsé, avec un caractère souple et ouvert, et des notes herbacées de cèdre et de cassis aux nuances de terre. Sa finale est courte, mais pleine de charme. **A boire entre 2001 et 2011.** (1/99)

1996 • **93** Le fabuleux 1996, que j'ai dégusté trois fois après sa mise en bouteille, s'impose incontestablement comme la plus belle réussite de cette propriété depuis le puissant et massif 1990. Vêtu de pourpre-noir soutenu, ce vin moyennement corsé exhale un nez de cèdre, de fruits noirs confiturés, de fumé et de truffe, marqué de subtiles notes de chêne neuf. Impressionnant de richesse en extrait, très corsé et tannique, il présente la classique alliance de puissance et de finesse propre au domaine. Il devient de plus en plus spectaculaire au fur et à mesure qu'il se développe dans le verre. Ce Léoville peu évolué, massif tant il est hautement extrait, devrait se révéler sensationnel sur trois décennies. **A boire entre 2007 et 2028.** (1/99)

1995 • **90+** Plus ouvert que le 1996, le 1995, opaque et pourpre de robe, est tannique, peu évolué et concentré ; il ne sera pas prêt tout de suite. Son nez jeune, mais complexe, libère des senteurs de pain grillé, de cassis et de minéral, ainsi que de subtiles touches de tabac. Les arômes puissants, denses et concentrés de cassis et de myrtille que l'on décèle en bouche me semblent plus doux que ceux du 1996, mais ce vin énorme affiche indiscutablement une belle structure et beaucoup de tenue. **A boire entre 2005 et 2030.** (11/97)

1994 • **87+** Rubis-pourpre foncé, le 1994 offre au nez des senteurs de vanille et de grillé, ainsi que des notes de cassis doux. Moyennement corsé, bien gras et modérément tannique, il laisse en bouche l'impression d'un vin peu évolué et très traditionnel. Bien qu'il soit encore dans sa petite enfance, il déploie un fruité suffisant pour contrebalancer ses tannins et devrait se révéler d'excellente tenue. **A boire entre 2000 et 2015.** (1/97)

1993 • **87** Vêtu de rubis-pourpre foncé et libérant un nez doux et parfumé aux notes de cassis, le 1993 présente à l'attaque en bouche un caractère rond et souple. Moyennement corsé, avec un fruité mûr, il n'est ni très puissant ni très ample, mais il révèle une belle pureté, et offre de curieuses notes de chocolat et de fumé, ainsi qu'une finale veloutée et savoureuse. L'assemblage final de ce vin comprend une forte proportion de merlot, ce que l'on retrouve d'ailleurs dans son style élégant et goûteux. **A boire entre 2002 et 2010.** (1/97)

1992
•
79
De couleur rubis moyen, le monolithique 1992 est enrobé d'arômes de chêne et manque de fruité. Tannique, anguleux et compact, il gagnera peut-être à être gardé 2 ou 3 ans, mais je sens d'instinct que son fruité se desséchera bien avant que ses tannins ne se fondent. (11/94)

1991
•
84
Solide et musclé, le 1991 de Léoville Poyferré est bien coloré, avec un fruité mûr et des tannins abondants. Assez marqué par le chêne, il manque de charme et de finesse, mais pourrait se bonifier avec le temps. **A boire dans les 10 ans.** (1/94)

1990
•
96
Si 1982 et 1983 s'imposent comme deux très belles réussites de la propriété, 1990 leur est supérieur. Arborant une robe sombre et profonde de couleur rubis-pourpre, ce vin exhale un nez fabuleux de doux cassis confituré entremêlé de senteurs de minéral et de chêne grillé. Encore jeune, très corsé et faible en acidité, il présente en bouche, outre d'abondants tannins, une richesse en extrait et une pureté extraordinaires. Ce vin magnifiquement doté commence tout juste à évoluer et requiert une garde supplémentaire de 10 ans environ ; il tiendra parfaitement **30 ans, voire plus.** (11/96)

1989
•
89+ ?
Le 1989 s'est toujours montré sous un bon jour, mais il est terriblement tannique, avec une structure rugueuse et une certaine dureté qui a mis longtemps à se résorber. Ce vin encore jeune d'aspect séduit par son nez doux de cassis et de cerise noire mêlé de notes de terre et d'épices. Dépourvu de la richesse, de l'étoffe et de la corpulence du 1990 – il est longiligne et moyennement massif –, le 1989 est également plus austère, et les tannins durs qu'il présente depuis sa petite enfance ne manquent pas d'inquiéter aujourd'hui. Il se pourrait que ce vin évolue de belle manière en se révélant presque extraordinaire, mais je crains plutôt que son fruit ait du mal à contrebalancer son haut niveau de tannins. **A boire entre 2004 et 2018.** (11/96)

1988
•
82
Austère et extrêmement tannique, le 1988 de Léoville Poyferré est maigre et manque autant de fruit que de charme. Il vieillira bien, mais je doute qu'il se révèle plaisant. **A boire jusqu'en 2006.** (1/93)

1987
•
73
Herbacé, anguleux et rugueux, le 1987 est loin d'être une réussite. **A boire.** (11/90)

1986
•
87
Simplement bon plutôt qu'éblouissant, le 1986 révèle, lors d'une dégustation attentive, des tannins en excès et un fruité insuffisant pour contrebalancer son caractère astringent. En outre, le milieu de bouche est relativement court, en raison peut-être de forts rendements et d'une abondante récolte. Cela dit, la robe est d'une belle couleur, le bouquet épicé avec des notes de prune, et l'ensemble se montre moyennement corsé, assez persistant, mais extrêmement tannique en bouche. **A boire jusqu'en 2010.** (10/89)

1985
•
85
Le Léoville Poyferré 1985 présente une bonne couleur et une bouche souple, ronde et fruitée ; assez corsé, il exhale un bouquet de chêne neuf aux nuances de pain grillé et présente, outre des tannins doux et ronds, une finale modérément longue. **A boire.** (4/90)

1984
•
75
Très tannique et dur, le 1984 ne recèle pas, semble-t-il, tout le fruit qui serait nécessaire pour faire pièce à ses abondants tannins. Il est vraiment trop sévère. **A boire.** (6/88)

1983
•
90
Ce vin merveilleusement fait est très certainement l'une des deux grandes réussites de la propriété dans les années 80. D'un rubis-pourpre profond et resplendissant, ce 1983 exhale un nez classique de cassis très mûr, de prune

et de douce vanille, qui introduit en bouche un vin très opulent et séduisant par son caractère charnu. Faible en acidité, avec un fruité fabuleusement pur et riche, il se montre très glycériné et somptueux à la dégustation. Quoique déjà à son apogée, ce vin ne donne aucun signe de vieillissement ni de dessèchement. **A boire jusqu'en 2010.** (3/97)

1982 • **93+** Classique et peu évolué, le 1982 de Léoville Poyferré évoque un peu son jumeau de Léoville Barton – extrêmement concentré et très tannique, il requiert encore une certaine garde pour atteindre sa maturité. Opaque et rubis-pourpre de robe, il révèle, malgré une concentration énorme, un caractère fermé qui ne nuit pas au bel équilibre et au généreux fruité doux et confituré qu'il dévoile en bouche par paliers. Ce vin très étoffé, généreusement glycériné, regorge de tannins doux et déploie une finale persistante. Massif, il se maintiendra parfaitement les **30 premières années du prochain millénaire.** Les amateurs avisés feraient bien de s'y intéresser dans les ventes aux enchères ; en effet, Léoville Poyferré est souvent sous-estimé par les collectionneurs, même dans un millésime aussi prestigieux que 1982. (9/95)

1981 • **83** Assez difficile à évaluer, le Poyferré 1981 est suffisamment doté en tannins et en acidité. La bouche est tendre et un peu confite, et la finale courte. C'est certainement un bon vin, mais sûrement pas l'un des meilleurs Saint-Julien du millésime. **A boire – peut-être en déclin.** (12/86)

1979 • **78** D'un rubis assez foncé légèrement ambré sur le bord, le 1979 dégage un bouquet épanoui, assez simple, rappelant celui d'un Porto. En bouche, il est relativement tendre et mou, et sans doute plaisant, mais avec une finale peu complexe et diffuse. **A consommer.** (5/84)

1978 • **80** Ce vin accessible, assez corsé, est souple et charmeur, relativement intense et pas trop tannique. Il a manifestement été fait pour être consommé assez rapidement. **A boire.** (4/82)

1976 • **75** Offrant des flaveurs fruitées, tendres, molles et presque pâteuses, ce vin est bien mûr, mais il manque d'équilibre et de charpente. Simple, agréable, il se déguste facilement, mais il n'a vraiment ni race ni caractère. **A boire sans délai – probablement en sérieux déclin.** (6/83)

1975 • **82 ?** Le Léoville Poyferré 1975 est encore plus irrégulier d'une bouteille à l'autre que le Lafite Rothschild. La dégustation la plus récente m'a révélé un vin d'une bonne tenue, certes, mais inintéressant et tannique, aux notes d'épices et de cèdre. Les bouteilles que j'avais goûtées précédemment impressionnaient par leur richesse en extrait, mais celles des 7 à 10 dernières années se sont révélées dures et rugueuses, avec tous les défauts du millésime. (12/95)

1971 • **75** A maturité depuis assez longtemps déjà, ce vin est simple et sans détour, avec un bouquet évoquant le jus d'airelle. Assez corsé, un peu compact et maigre, il est plaisant, mais sans rien de passionnant. **A consommer – probablement en sérieux déclin.** (6/79)

1970 • **65** Des relents de basse-cour ont, depuis longtemps, envahi ce vin, qui, malgré tout, présente une belle couleur rubis foncé, un fruit mûr et savoureux, des tannins assez abondants et une finale honnête. J'ai, un temps, espéré que les années dissiperaient ces odeurs désagréables, mais elles n'ont fait que les accuser. (10/83)

1966 • **83** Étant donné que le domaine, à cette époque, était bien négligé, c'est un miracle que le 1966 soit si bon. A son apogée depuis un certain temps déjà, ce vin assez corsé et racé présente, outre un bon fruit de cassis, un bouquet complexe, bien qu'un peu fermé, de cèdre et d'épices. Sa finale, nette et tonique, est d'une bonne tenue. **A boire.** (9/84)

1964
•
55
Ce vin pratiquement dépourvu de fruit mobilise surtout la bouche par une acidité anormalement élevée et par des tannins durs. Pour tout souvenir, il laissera... ses défauts. (11/75)

1962
•
67
Une bonne partie du vignoble a été replantée en 1962, et la jeunesse des vignes est peut-être à l'origine de la médiocrité des crus des années 60 et du début des années 70. Cependant, il faudra trouver une autre explication au caractère insipide du 1962. Léger, bien trop acide, avec malgré tout quelques arômes fruités, ce vin assez corsé a son avenir derrière lui. **A boire – probablement en sérieux déclin.** (9/77)

1961
•
87
Le 1961 est très bon, sans toutefois prendre rang parmi les meilleurs du millésime. Réellement riche et savoureux, avec un fruit concentré, il constitue l'une des rares exceptions à la série médiocre produite par Léoville Poyferré dans cette période. Rubis foncé de robe, il exhale un bouquet séduisant et épanoui de cèdre et d'épices, et se montre en bouche profond, souple, pulpeux et riche, pleinement mûr. **A boire.** (3/80)

Millésimes anciens

Malheureusement, je n'ai jamais pu déguster les légendaires 1928 et 1929, mais les 1945, 1953, 1955 et 1959, goûtés vers la fin des années 80, étaient intéressants, plutôt rugueux et rustiques.

SAINT-PIERRE – EXCELLENT

4e cru classé en 1855 – devrait être maintenu
Propriétaire : Françoise Triaud
Adresse : Domaines Martin – 33250 Saint-Julien-Beychevelle
Tél. 05 56 59 08 18 – Fax 05 56 59 16 18
Visites : sur rendez-vous uniquement
Contact : Jean-Louis Triaud

Superficie : 17 ha (Saint-Julien)
Vin produit : Château Saint-Pierre – 60 000 b (pas de second vin)
Encépagement : 70 % cabernet sauvignon, 20 % merlot, 10 % cabernet franc
Densité de plantation : 10 000 pieds/ha – *Age moyen des vignes :* 41 ans
Rendement moyen : 48 hl/ha

Élevage :
vendanges manuelles ; cuvaisons de 15-30 jours après les fermentations alcooliques en cuves d'acier inoxydable thermorégulées à 28-32 °C ; 4 remontages quotidiens ; vieillissement de 18 mois en fûts (50 % de bois neuf) ; collage et filtration

---

A maturité : dans les 7 à 20 ans suivant le millésime

Saint-Pierre est le moins connu des crus classés de Saint-Julien. Une bonne partie de sa production est vendue en Belgique à des amateurs avisés, sans doute parce que les anciens propriétaires, M. Castelein et Mme Castelein-Van den Bussche, étaient eux-mêmes belges. En 1982, c'est Henri Martin, l'une des personnalités les plus célèbres du Bordelais, qui a acheté le domaine, créé au XVIIe siècle, mais morcelé et dispersé au gré des successions. Il a peu à peu reconstitué l'ensemble d'origine. Les vignobles – graves günziennes sur mélange argilo-sableux – se trouvent juste à côté du bourg de Saint-Julien-Beychevelle, et l'on peut y voir des ceps anciens et noueux, ce qui est toujours bon signe. Les vins de Saint-Pierre sont généralement riches et corsés, ou parfois, dans certains millésimes, épais et rugueux. Toujours très colorés, et même opaques, ils sont corpulents, rustiques et un peu poussiéreux. Bien qu'ils puissent parfois manquer du charme et de la finesse que l'on trouve chez d'autres Saint-Julien tels que Ducru-Beaucaillou et Léoville Las Cases, ils compensent ce défaut en déployant (d'aucuns diraient « en étalant ») un caractère puissant et musclé.

Certains millésimes récents – surtout depuis 1985 – révèlent un caractère plus précoce et plus séduisant, et aussi, je crois, plus complexe, sans rien concéder de leur ampleur. Tout compte fait, les vins de Saint-Pierre sont nettement sous-estimés quand on les compare à ceux des meilleurs châteaux de Saint-Julien. Le domaine continue de languir dans l'ombre des stars médiatisées de l'appellation, et, étant donné les prix fort raisonnables qu'il pratique, les amateurs devraient exploiter comme il se doit cet état de choses.

1998 • **87-88** Plusieurs échantillons de ce Saint-Pierre 1998 étaient impossibles à jauger en raison d'un caractère de moisi, mais celui qui était exempt de défauts se présentait comme un vin rubis-pourpre profond, doté d'un fruité séveux de cassis nuancé de fumé et d'épices. L'ensemble était moyennement corsé, mûr et anguleux, extrêmement tannique, mais gras et savoureux en milieu de bouche. Ce vin devrait se révéler très bon. **A boire entre 2004 et 2014.** (3/99)

1997 • **87-89** Les vins de ce cru se révèlent généralement trapus et costauds, avec un caractère bien affirmé. Le 1997, habillé d'une jolie robe d'un rubis-pourpre soutenu, présente des arômes très prononcés de fruits (notamment de cassis confituré), nuancés de terre et d'épices et marqués, en arrière-plan, de subtiles touches boisées. Bien que légèrement fermé, il se montre charnu et ample, manifeste en bouche une belle densité et présente des tannins modérés. C'est l'un des rares 1997 qui requièrent une certaine garde avant d'être vraiment prêts ; il est cependant déjà accessible. **A boire entre 2002 et 2013.** (3/98)

1996 • **86 ?** Pour une raison qui m'échappe, le Saint-Pierre 1996 ne s'est pas montré aussi impressionnant que son jumeau de Gloria, pourtant moins prestigieux et moins cher. Lors de deux dégustations, il afficha une robe d'un pourpre profond et révéla, outre une douceur étonnante pour un Médoc de ce millésime, un caractère plutôt curieux – en effet, l'ensemble semblait quelque peu manquer de tenue. Je pense cependant que ce vin a toutes les qualités requises ; il faut simplement lui laisser le temps de s'étoffer et d'affirmer son identité. **A boire entre 2002 et 2020.** (3/97)

1995 • **88** Opaque et pourpre de robe, avec un caractère bien gras et faible en acidité, le Saint-Pierre 1995 manque légèrement de tenue en bouche. Cependant, il est riche et bien étoffé, et déploie la finale douce et mûre qui distingue les meilleurs 1995. Il est également très persistant. S'il développait davantage de caractère et de présence en milieu de bouche, il pourrait être renoté à la hausse. Plaisant dès sa jeunesse, il présente aussi la puissance et la profondeur qui lui permettront de tenir **12 à 16 ans encore.** (3/96)

1994 • **89** Le 1994 surpasse son cadet d'un an, plus mûr et plus faible en acidité. Tout à la fois dense, riche, très corsé et opulent, il s'affirme comme un Saint-Julien ostentatoire, extraordinaire de concentration, doté de généreuses notes de chêne grillé et d'arômes charnus. Il impressionne par sa robe soutenue, son caractère très corsé, concentré et séduisant. On décèle cependant en arrière-plan d'abondants tannins, si bien que l'ensemble révélera certainement très bientôt davantage de structure. A boire dans les **15 ans** qui suivront une garde de 3 ou 4 ans. (3/96)

1990 • **90** Ce vin opulent, profond, épicé et très boisé semble fait pour conquérir d'emblée amateurs et critiques. Foncé de robe, il déploie de puissants arômes de vanille et de fumé fortement nuancés de petits fruits noirs ; la finale, bien marquée par la mâche, est séveuse et souple. **A boire jusqu'en 2007.** (1/93)

1989 • **89** Une robe rubis-pourpre foncé et de stupéfiants arômes confiturés de cassis très mûr et de chêne neuf introduisent le Saint-Pierre 1989. Ce vin très corsé et opulent est doté d'un fruit riche et capiteux, mais faible en acidité. Il faudra surveiller de près son évolution, en raison de son équilibre fragile et de son caractère très alcoolique. **A boire jusqu'en 2010.** (1/93)

1988 • **87** Le Saint-Pierre est l'un des vins les plus fruités de l'année, alors que ce caractère fait défaut à bien des Médoc 1988, souvent un peu compacts et sévères. D'un rubis profond, ce Saint-Julien assez corsé séduit par sa finale remarquablement longue et équilibrée. C'est indiscutablement un grand classique du millésime. **A boire.** (1/93)

1986 • **90** Le 1986 s'affirme comme un vin remarquable. Il est puissant, charpenté et profondément coloré, mais aussi solide et riche, avec un bouquet complexe d'épices exotiques, de chêne délicieux et de prune. En bouche, il se révèle très concentré et tannique, manifestant un caractère ample et costaud et une souplesse sous-jacente qui indique une nette précocité par rapport à la plupart des autres grands Médoc du millésime. **A boire jusqu'en 2012.** (11/90)

1985 • **87** Le Saint-Pierre 1985 est riche, de bonne mâche, gras et profond, avec juste ce qu'il faut de chêne neuf. Il me rappelle le très bon 1961 de la propriété. **A boire.** (11/90)

1984 • **82** Fruité, tendre et plutôt léger, le 1984 doit être bu **assez rapidement**, pour son caractère simple, mais plaisant et moyennement corsé. (10/87)

1983 • **87** C'est étonnant, mais ce 1983 est assez proche du 1982 : délicieux et très concentré, c'est un vin gras et rond, riche et presque confit en raison de sa grande opulence. Très séduisant, il est parfait à déguster **maintenant.** (3/89)

1982 • **88** Ce vin charmeur, richement doté, savoureux, épanoui et souple, déploie un bouquet assez intense de chêne vanillé et de fruits mûrs ; relativement corsé, il semble surtout précoce et rond, mais ses tannins sous-jacents lui permettront cependant d'évoluer de belle manière. **A boire jusqu'en 2004.** (3/89)

1981 • **88** Ce Médoc de haut niveau est assurément l'un des meilleurs du millésime : d'un rubis foncé remarquable, il regorge d'arômes, et dégage un nez de petits fruits mûrs, de bois de cèdre et de caramel. En bouche, il est assez riche, relativement corsé, long, séveux et modérément tannique. C'est un Saint-Julien extraverti et corpulent, doté d'un caractère bien affirmé. **A boire jusqu'en 2000.** (11/88)

1979 • **85** Assez robuste et viril pour un 1979, ce Saint-Pierre est remarquablement coloré ; trapu, plaisant et richement fruité, il déploie des arômes de bois de cèdre et une finale solide et modérément tannique. A défaut d'élégance, il révèle de la solidité et de la générosité. **A boire.** (11/88)

1975 • **86** Ce vin est indiscutablement impressionnant, mais on se demande, comme pour beaucoup d'autres du même millésime, s'il tiendra ses promesses. Encore très foncé de robe, tout juste ambré sur le bord, ce Saint-Pierre corsé présente un fruit mûr et chocolaté, mais aussi des tannins acerbes qui demeurent durs et astringents. C'est un vin robuste et musclé, qui, quoique déjà à maturité, est encore capable de tenir quelques années. **A boire jusqu'en 2005.** (11/89)

1971 • **83** A pleine maturité, ce vin assez épicé libère des arômes très prometteurs et épicés (eux aussi) de cèdre et de prune. Malheureusement, la bouche n'est pas à la hauteur du nez : bien que d'une bonne tenue, elle présente un caractère assez rude et grossier, avec quelque chose de lourd et d'un peu agressif. **A boire.** (6/82)

1970 • **87** Le Saint-Pierre 1970 est l'une des bonnes surprises du millésime ; il présente, outre une robe rubis foncé, un bouquet fruité et épicé de cassis. Corsé, regorgeant de tannins ronds et mûrs, il est assez persistant en finale. S'il est à pleine maturité, il s'affirme malgré tout capable de durer, et peut en cela parfaitement rivaliser avec les meilleurs bordeaux du millésime. **A boire jusqu'en 2005.** (6/87)

1961 • **87** Cet excellent 1961, bien épanoui, doux et savoureux, dominé par les épices et la prune, présente un caractère relativement corsé, une belle couleur grenat foncé, et une finale longue et chaleureuse. **A consommer.** (7/85)

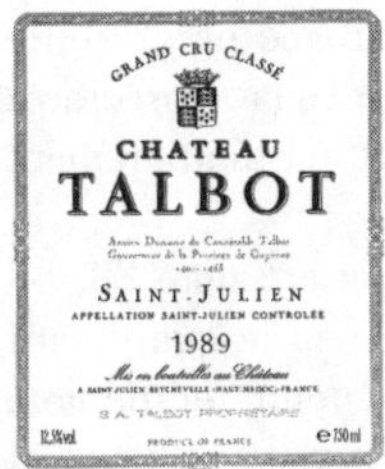

TALBOT - EXCELLENT

4e cru classé en 1855 – équivaut à un 3e cru

Propriétaires : Lorraine Rustman et Nancy Bignon

Adresse : 33250 Saint-Julien-Beychevelle

Tél. 05 56 73 21 50 – Fax 05 56 73 21 51

Visites : sur rendez-vous uniquement

Contact : Lorraine Rustman

Superficie : rouge – 102 ha ; blanc – 6 ha (Saint-Julien)

Vins produits :

rouge – Château Talbot – 400 000 b ; Connétable de Talbot – 295 000 b ;
blanc – Caillou Blanc du Château Talbot – 42 000 b

Encépagement :

rouge – 66 % cabernet sauvignon, 26 % merlot,
5 % petit verdot, 3 % cabernet franc ;
blanc – 84 % sauvignon, 16 % sémillon

Densité de plantation : 7 700 pieds/ha

Age moyen des vignes : rouge – 30 ans ; blanc – 25 ans

Rendement moyen : rouge – 54 hl/ha ; blanc – 55 hl/ha

Élevage :

rouge – vendanges manuelles avec double tri (à la vigne et dans les chais) ;
fermentations et cuvaisons de 15-21 jours

en cuves d'acier inoxydable thermorégulées ;
vieillissement de 18 mois en fûts (40 % de bois neuf) ; collage et légère filtration ;
blanc – fermentations et élevage de 9 mois en fûts (50 % de bois neuf) ;
élevage sur lies, avec bâtonnages fréquents ; pas de collage ; légère filtration

A maturité : dans les 7 à 25 ans suivant le millésime

D'un seul tenant, l'immense vignoble de Talbot se trouve loin de la Gironde, au-delà du petit bourg de Saint-Julien-Beychevelle, au nord de Gruaud Larose. Il doit son nom au général anglais John Talbot, comte de Shrewsbury, battu lors de la bataille de Castillon, en 1453. Ce château produit généralement d'excellents vins, robustes, mais fruités et bien corsés, qui mériteraient sans aucun doute un meilleur rang si le classement de 1855 était remanié. Les nouvelles propriétaires semblent privilégier un style plus doux et plus élégant.

Le domaine produit en outre une petite quantité d'un délicieux bordeaux blanc sec ; baptisé Caillou Blanc du Château Talbot, il est agréablement frais et parfumé, et s'impose comme l'un des meilleurs blancs du Médoc. Cependant, il faut le boire avant qu'il n'ait 2 à 4 ans d'âge.

1998 • **86-87** Ce Talbot élégant et moyennement massif m'a séduit par son caractère mûr et ouvert. Certes, il n'est pas particulièrement ample ni concentré, mais il se distingue par sa robe rubis foncé nuancée de pourpre, par les arômes d'olives fumées et de cassis qu'il déploie tant au nez qu'en bouche, par son caractère tendre et modérément corsé, et par sa finale ronde et généreuse. C'est un vin souple, pas trop extrait, et donc heureusement dépourvu de tannins astringents. **A boire dans les 10 à 12 ans.** (3/99)

1997 • **85-86** Souple et moyennement corsé, le 1997 présente un fruité herbacé de groseille aux notes de fumé. C'est un vin légèrement corsé et net, que vous apprécierez au meilleur de sa forme dans les **5 ou 6 ans.** Il convient particulièrement aux restaurants. (1/99)

1996 • **89** Ce vin, que j'ai dégusté en trois occasions en janvier 1999, a été noté 88, 89 et 90, avec des commentaires quasi identiques. Manquant de peu le qualificatif d'extraordinaire, il présente une robe d'un rubis foncé soutenu, et déploie d'excellents arômes de fruits noirs nuancés de réglisse, d'herbes séchées et de viande rôtie. La bouche est bien étoffée et impressionnante de richesse en extrait ; on y décèle une texture charnue, une très grande pureté, ainsi qu'une faible acidité. La finale est tout à la fois persistante, profonde et bien marquée par la mâche. Ce 1996 sera prêt dès son plus jeune âge, mais il promet également de bien tenir ces 15 à 20 prochaines années. **A boire entre 2003 et 2017.** (1/99)

1995 • **88** Plus impressionnant en bouteille qu'il ne l'était en fût, le très charmeur 1995 de Talbot exhale un bouquet légendaire et intensément parfumé d'olives, de bœuf grillé et de cassis, qui jaillit littéralement du verre. Moyennement corsé, faible en acidité et rond, il se montre sensuel et richement fruité en bouche. Un Talbot charnu et délicieux. **A boire jusqu'en 2012.** (11/97)

1994 • **85** Doux, souple et commercial, le 1994 arbore une robe d'un rubis modérément foncé, et déploie un nez de fumé et de fruits rouges. Souple et fruité en bouche, il est moyennement corsé, sans les tannins durs propres à ce millésime ; la finale est accessible. **A boire dans les 4 à 8 ans.** (1/97)

1993 • **84** D'un rubis moyennement foncé, le Talbot 1993 présente un nez très parfumé de fumé, d'herbes et de poivre vert. Légèrement corsé, il n'a ni astringence ni dureté, et – ce qui est plus regrettable – aucun arôme intéressant. Ce vin, déjà prêt, doit être consommé dans les **4 ou 5 ans.** (1/93)

1992 • **86** Lorsqu'il était en fût, le 1992 se montrait musclé et tannique, manquant de fruité, mais je suis ravi de constater qu'il se porte bien en bouteille. Avec son nez exotique et extraverti de cerise noire confiturée, de truffe et de réglisse, marqué par des senteurs végétales et herbacées, il est moyennement corsé et souple, juteux et succulent. Sa faible acidité et son fruité mûr achèvent d'en faire un vin délicieux. **A boire dans les 5 ou 6 ans.** (11/94)

1991 • **72** Le 1991 se révèle une piètre performance : sa robe d'un rubis moyen assez douteux introduit des arômes médiocres, herbacés, végétaux et délavés, tant au nez qu'en bouche. Ce vin est également curieux, peu structuré et mou. (1/94)

1990 • **85** D'un rubis moyennement foncé, l'élégant Talbot 1990 se montre structuré et plus réservé que de coutume. Admirable de longueur et de maturité, il ne révèle cependant ni l'extraordinaire profondeur ni l'ampleur aromatique des meilleurs millésimes de la propriété. S'agirait-il d'un changement dans le style de vinification ? **A boire jusqu'en 2008.** (1/93)

1989 • **88** Plus élégant que le 1988, le Talbot 1989 est également dépourvu des arômes de terre, de viande et de cuir fin que l'on trouve chez son aîné. Opaque et rubis-pourpre de robe, il exhale un bouquet prononcé de fruits noirs et d'épices, et se montre moyennement corsé et richement extrait en bouche, avec un caractère voluptueux et une finale d'une excellente tenue. **A boire jusqu'en 2015.** (1/93)

1988 • **89** Rubis foncé, le 1988 affiche assurément un caractère bien affirmé et libère de généreux arômes de cassis, de chocolat et d'épices, étayés par une bonne acidité et d'abondants tannins. Si ces derniers s'estompent un peu et si le fruit prend le dessus, le vin sera splendide. **A boire jusqu'en 2015.** (1/93)

1987 • **85** Le Talbot 1987 est un vin étonnamment tannique et solidement charpenté, mais qui dégage aussi un nez somptueux de cassis, de cèdre et d'herbes fraîches. Bien coloré, il est doté d'abondants tannins et d'un caractère assez charnu. **A boire jusqu'en 2000.** (11/90)

1986 • **96** Le 1982 est merveilleux, mais mon instinct me souffle que le 1986 est aussi bon et que tous deux sont les plus belles réussites de la propriété depuis le légendaire 1945. Bonne nouvelle pour les amateurs : le 1986 a été produit à hauteur de 40 000 caisses ; les quantités disponibles sont donc assez conséquentes. Classique de structure, ce vin exhale des arômes très prononcés de poivre, d'épices, de cassis herbacé et de goudron. La bouche révèle une concentration énorme et une finale stupéfiante de persistance. Les tannins, très présents, sont bien mûrs et plus souples que ceux de la plupart des Médoc. Comparé au Gruaud Larose (qui appartenait également à la maison Cordier), le Talbot est actuellement plus épanoui et plus flatteur à la dégustation. Ce vin, extraordinaire depuis sa plus tendre enfance, promet de se conserver longuement. Il constitue de surcroît – comme d'ailleurs tous les vins de l'époque Cordier – une excellente affaire. **A boire jusqu'en 2020.** (9/97)

1985 • **89** Le Talbot 1985 est un 1982 de moindre ampleur, maintenant très agréable à déguster. D'une belle couleur profonde, il déploie des parfums riches et épanouis de petits fruits. La bouche, souple, charnue et assez corsée, révèle des flots de fruits et présente une finale gracieuse, suave et d'un bel équilibre. **A boire.** (4/90)

1984 • 82 La maison Cordier, alors propriétaire de Talbot et de Gruaud Larose, obtenait manifestement de bons résultats dans les petits millésimes (en 1968 pour le premier et en 1974 pour le second) ; il n'est donc pas étonnant de constater l'excellence de ses 1984. Ce Talbot, issu d'un assemblage de 94 % de cabernet sauvignon et de 6 % de merlot, est élégant et racé, avec un beau bouquet de fleurs printanières et de groseille bien mûre. Relativement corsé et doté de tannins d'un bon niveau, il est maintenant prêt. **A boire.** (3/88)

1983 • 91 Très corsé et d'un beau rubis-pourpre presque opaque, le Talbot 1983 est dominé par des arômes bien évolués de cassis. Riche et opulent, ce vin très étoffé est l'une des belles réussites du millésime. **A boire jusqu'en 2008.** (3/89)

1982 • 96 Talbot a souvent donné des vins grandioses – comme les 1945 et 1953 –, mais aucun, hormis le 1986, ne s'est révélé aussi gratifiant ni aussi complexe que le 1982. Délicieux depuis la fin de la décennie 80, ce vin est à parfaite maturité – nonobstant sa robe intacte – et devrait parfaitement tenir une bonne dizaine d'années encore. Sa robe soutenue d'un pourpre-grenat presque opaque précède un nez énorme de truffe noire, de réglisse, d'herbes, de viande, de cuir fin et de fruits noirs fabuleusement doux. Très corsé, mais étonnamment souple et charnu, il est également corpulent et regorge d'un abondant fruité bien marqué par la mâche. La finale est tout en glycérine, fruit et alcool, bien qu'elle recèle aussi de copieux tannins. C'est l'un des 1982 les plus séduisants, les plus complexes et les plus plaisants qui soient. **A boire jusqu'en 2010.** (10/97)

1981 • 85 Séduisant et bien fait, le Talbot 1981 manifeste une élégance et une souplesse étonnantes pour le cru. Rubis foncé de robe, il libère un bouquet assez intense de cassis aux notes de viande, de cuir et de goudron. Ce vin moyennement corsé, joliment concentré et plutôt léger en tannins est relativement proche, par son caractère, du 1979, mais un peu plus fruité et plus profond. **A boire jusqu'en 2000.** (4/89)

1980 • 82 Ce vin présente des arômes fruités solides et assez simples, heureusement dépourvus du caractère végétal que l'on trouve chez les 1980 médiocres. Sa finale robuste est ronde et savoureuse. **A boire – peut-être en déclin.** (6/83)

1979 • 84 Richement fruité, avec un charme indéniable, ce Talbot assez corsé offre un caractère velouté et une finale ronde et souple. **A boire.** (2/84)

1978 • 87 Le Talbot 1978 a connu une belle évolution en bouteille ; il déploie un fruit de cassis concentré, épanoui, rond et riche, avec des notes d'herbe fraîche. Son bouquet évoque la prune, le cèdre et le chêne neuf. C'est un vin généreux, à la finale très tannique. Il se maintiendra à son apogée **jusqu'en 2000.** (10/90)

1976 • 86 Pourtant très irrégulier, le millésime 1976 a connu de belles réussites à Saint-Julien, avec un nombre non négligeable de grands vins. Talbot faisait partie du lot. Ce vin véritablement très séduisant dégage un délicieux bouquet de cèdre, d'épices et de prune mûre. Souple, rond et joliment concentré, il persiste en bouche dans une belle finale veloutée. **A boire – peut-être en déclin.** (11/87)

1975 • 84 Moyennement corsé, maigre et austère, le Talbot 1975 révèle cependant davantage de fruit que pendant sa jeunesse. Son nez présente des senteurs de terre, d'herbes et de chocolat, sa bouche témoigne d'une bonne richesse en extrait, et sa finale manifeste la rugosité et la dureté inhérentes au millésime. Ce vin est encore capable d'une garde de **10 à 15 ans**, mais rien ne justifie une aussi longue attente. (12/95)

1971 • 86 Comptant parmi les vins les plus élégants du millésime, le Talbot 1971 est depuis longtemps à son apogée, mais il ne montre aucun signe de faiblesse. Bien concentré, il est en outre assez corsé et libère de vifs arômes de petits fruits subtilement nuancés de chêne vanillé. Joliment charpenté pour un 1971, il ne révèle pas le brunissement et la mollesse qui affectent tant de vins de l'année. **A boire.** (3/89)

1970 • 76 Dans les années 70, j'avais acheté – peu judicieusement, d'ailleurs – une caisse de ce vin. La dernière bouteille, tout aussi inintéressante que les onze précédentes, m'a révélé une fois de plus un vin anguleux, maigre et acide, aussi dépourvu de tannins que de fruit. Ce Talbot s'est montré astringent à tous les stades de son évolution. (6/96)

1967 • 75 Le Talbot 1967, l'un des vins les plus séduisants du millésime, est maintenant sur le déclin. Ses arômes courts et compacts n'ont plus la robustesse ni la vigueur fruitée des années 70. (1/83)

1966 • 77 Son bouquet le montre, ce 1966 a gagné en complexité avec le temps. Cependant, ce n'est pas un Talbot des plus profonds. Dur, austère et maigre, il cache bien peu de fruit derrière le bouclier de ses tannins acides. Clair de couleur, il est tout juste fruité et finit court. **A boire jusqu'en 2004.** (9/84)

1964 • 82 Séduisant, mais peu complexe, le Talbot 1964 est suffisamment fruité, mais également trapu, un peu dur et grossier en bouche. Tout compte fait, il est assez agréable. **A boire – peut-être en déclin.** (3/79)

1962 • 84 Élégant, bien dessiné et proche de ce que sera le 1971, ce Talbot plutôt corsé et savoureux dégage un intéressant bouquet, assez intense et fruité, de cèdre et d'épices. Relativement discret en bouche, avec des saveurs peu marquées, il présente encore des tannins non domptés et une finale plus longue que la moyenne. Il a joliment évolué en bouteille. En fin de compte, il est bon, à défaut d'être exceptionnel. **A boire – peut-être en déclin.** (2/83)

1961 • 85 On pourrait naturellement penser que le 1961 est meilleur que le 1962. Dans une dégustation comparative, les deux vins sont cependant assez proches – ce qui est inattendu, compte tenu de la personnalité fort différente des deux millésimes. Comme son successeur immédiat, le 1961 est un peu maigre et austère, moyennement corsé, avec un caractère assez ferme et raide, et une concentration satisfaisante, sans plus. Il n'a ni la couleur ni la richesse des meilleurs 1961, mais il est tout de même d'un bon niveau – ce qui constitue évidemment une déception, étant donné la qualité du millésime. **A boire – peut-être en déclin.** (1/85)

Millésimes anciens

Le Talbot 1953 (noté 90 en décembre 1995) se distinguait par les délicieux arômes de réglisse et de cassis qu'il présentait tant au nez qu'en bouche. Ce Saint-Julien merveilleux, complexe et magnifique d'équilibre exprimait tout en rondeur son généreux fruité.

Le très profond 1945 (noté 94 en 1988) est probablement le meilleur vieux millésime de Talbot que je connaisse.

AUTRES PRODUCTEURS DE SAINT-JULIEN

LA BRIDANE

Cru bourgeois – devrait être maintenu
Propriétaire : Bruno Saintout
Adresse : 33250 Saint-Julien-Beychevelle
Adresse postale : Bruno Saintout – Cartujac
33112 Saint-Laurent-du-Médoc
Tél. 05 56 59 91 70 – Fax 05 56 59 46 13
Visites : du 8 juillet au 31 août (10 h-12 h et 14 h-19 h 30)
Contact : Bruno Saintout

Superficie : 15 ha (Saint-Julien)
Vin produit : Château La Bridane – 50 000 b (pas de second vin)
Encépagement :
38 % merlot, 30 % cabernet sauvignon, 30 % cabernet franc, 2 % petit verdot
Densité de plantation : 6 500 pieds/ha – *Age moyen des vignes :* 25 ans
Rendement moyen : 48 hl/ha

Élevage :
vendanges mécaniques ;
fermentations et cuvaisons de 28-35 jours
en cuves d'acier inoxydable thermorégulées ;
vieillissement après les malolactiques de 12 mois en fûts (1/3 de bois neuf) ;
collage ; pas de filtration

A maturité : dans les 5 à 14 ans suivant le millésime

Les vins de La Bridane sont généralement solides, très puissants, massifs et dotés d'un fruité trapu. Bien qu'ils manquent le plus souvent de charme et de finesse, ils se conservent relativement bien et sont, de surcroît, proposés à des prix raisonnables.

DOMAINE CASTAING

Non classé
Propriétaire : Jean-Jacques Cazeau
Adresse : 39, Grand-Rue – 33250 Saint-Julien-Beychevelle
Tél. 05 56 59 25 60
Visites : sur rendez-vous uniquement
Contact : Jean-Jacques Cazeau

Superficie : 1,24 ha (Saint-Julien)
Vin produit : Domaine Castaing – 8 200-8 300 b (pas de second vin)
Encépagement :
65 % cabernet sauvignon, 25 % merlot, 10 % cabernet franc et petit verdot
Densité de plantation : 10 000 pieds/ha – *Age moyen des vignes :* 50 ans
Rendement moyen : 50 hl/ha

Élevage :
fermentations et cuvaisons de 20 jours minimum ;
vieillissement après les malolactiques
de 20 mois en fûts (1/3 de bois neuf) ; collage ; pas de filtration

DOMAINE DU JAUGARET
Non classé
Propriétaire : famille Fillastre
Adresse : 33250 Saint-Julien-Beychevelle
Tél. et fax 05 56 59 09 71
Visites : sur rendez-vous uniquement
Contact : Jean-François Fillastre

Superficie : 1,32 ha (Saint-Julien)
Vin produit : Domaine du Jaugaret – 7 000 b (pas de second vin)
Encépagement :
70 % cabernet sauvignon, 25 % merlot, 5 % cabernet franc et malbec
Densité de plantation : 10 000 pieds/ha – *Age moyen des vignes :* plus de 50 ans
Rendement moyen : 40 hl/ha

Élevage :
fermentations alcooliques de 8 jours et cuvaisons de 21 jours environ ;
vieillissement de 30-36 mois en fûts (peu ou pas de bois neuf) ;
collage ; pas de filtration

LALANDE
Non classé
Propriétaire : Mme Gabriel Meffre
Adresse : 33250 Saint-Julien-Beychevelle
Tél. 05 56 59 06 47
Fax même numéro ou 04 90 65 03 73
Visites : sur rendez-vous uniquement
Contact : Claude Meffre

Superficie : 32 ha (Saint-Julien)
Vins produits : Château Lalande – 155 000 b ; Marquis de Lalande – 33 000 b
Encépagement :
55 % cabernet sauvignon, 40 % merlot, 5 % cabernet franc
Densité de plantation : 7 000 pieds/ha – *Age moyen des vignes :* 26 ans
Rendement moyen : 45 hl/ha

Élevage :
vendanges manuelles et mécaniques ; fermentations et cuvaisons de 25 jours ;
vieillissement de 12 mois en cuves (depuis 1997, en partie en fûts) ;
collage ; parfois légère filtration

MOULIN DE LA ROSE

Cru bourgeois

Propriétaire : Guy Delon

Adresse : 33250 Saint-Julien-Beychevelle

Tél. 05 56 59 08 45 – Fax 05 56 59 73 94

Visites : sur rendez-vous uniquement

Contact : Guy Delon

Superficie : 4,6 ha (Saint-Julien)

Vin produit : Château Moulin de la Rose – 30 000 b (pas de second vin)

Encépagement :

62 % cabernet sauvignon, 28 % merlot, 5 % cabernet franc, 5 % petit verdot

Densité de plantation : 8 500 pieds/ha – *Age moyen des vignes :* 30 ans

Rendement moyen : 50 hl/ha

Élevage :

vendanges manuelles ; fermentations et cuvaisons de 21 jours en cuves thermorégulées ; remontages quotidiens ; vieillissement de 20 mois environ en fûts (1/3 de bois neuf) ; 7 soutirages ; collage au blanc d'œuf ; pas de filtration

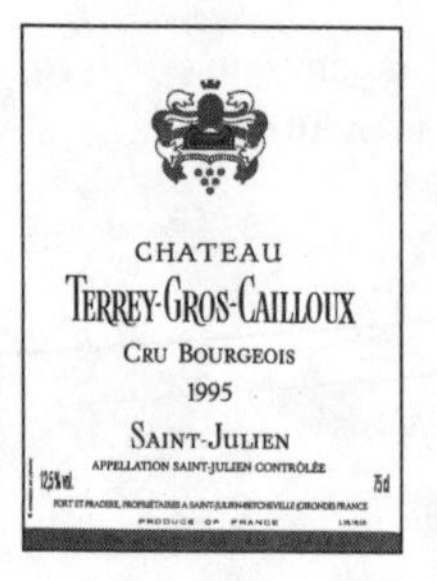

TERREY-GROS-CAILLOUX – BON

Cru bourgeois

équivaut à un cru grand bourgeois exceptionnel

Propriétaires : Annie Fort et Henri Pradère

Adresse : 33250 Saint-Julien-Beychevelle

Tél. 05 56 59 06 27 – Fax 05 56 59 29 32

Visites : du lundi au vendredi (9 h-12 h et 14 h-17 h)

Contacts : Florence Bergey et Henri Pradère

Superficie : 13,8 ha (Saint-Julien)

Vin produit : Château Terrey-Gros-Cailloux – 80 000 b (pas de second vin)

Encépagement :

70 % cabernet sauvignon, 25 % merlot, 5 % petit verdot

Densité de plantation : 10 000 pieds/ha – *Age moyen des vignes :* 35 ans

Rendement moyen : 50 hl/ha

Élevage :

vendanges manuelles ; fermentations et cuvaisons de 21 jours ; vieillissement de 3 mois en cuves, puis de 14 mois en fûts (20 % de bois neuf) ; collage ; pas de filtration

Les chais de ce cru bourgeois excellemment géré sont situés tout près de la fameuse D2, en direction de Gruaud Larose et de Talbot. Ils servent non seulement pour Terrey-Gros-Cailloux, mais également pour Hortevie. Les vins de la propriété sont généralement richement fruités, ronds et très corsés, et se montrent délicieux jusqu'à 7 ou 8 ans d'âge. Ils ne sont pas toujours aptes à une très longue garde, mais les millésimes à compter de la fin des années 80 devraient tenir longtemps et révéler davantage de précision et de richesse du fait de leur vieillissement avec une petite proportion de bois neuf.

TEYNAC

Non classé
Propriétaires : Fabienne et Philippe Pairault
Adresse : Grand-Rue – 33250 Saint-Julien-Beychevelle
Tél. 05 56 59 93 04 ou 05 56 59 12 91 ou 01 43 80 60 70
Fax 05 56 59 46 12 ou 01 46 22 38 00
Visites : sur rendez-vous uniquement
Contacts : Philippe Pairault et Patrick Bussier

Superficie : 11,5 ha (Saint-Julien, près de Gruaud Larose)
Vins produits : Château Teynac – 45 000 b ; Château Les Ormes – 15 000 b
Encépagement :
78 % cabernet sauvignon, 20 % merlot, 2 % petit verdot
Densité de plantation : 8 000 pieds/ha – *Age moyen des vignes :* 45 ans
Rendement moyen : 39 hl/ha

Élevage :
vendanges manuelles ;
fermentations et cuvaisons de 21 jours
en cuves de béton et d'acier inoxydable thermorégulées ;
remontages fréquents et éclatement du chapeau par jets d'oxyde de carbone ;
vieillissement de 12-14 mois en fûts (36 % de bois neuf) ;
collage à l'albumine ; filtration

MARGAUX ET SUD-MÉDOC

De toutes les appellations du Médoc, Margaux est la plus vaste – et celle qui s'accroît le plus. Avec 1 350 ha, son vignoble est désormais plus grand que celui de Saint-Estèphe. Le visiteur se rendant pour la première fois sur les lieux est frappé par le caractère très disséminé des châteaux. Seuls quelques-uns se trouvent sur la route des grands crus (D2), tels Dauzac, Prieuré-Lichine, Palmer et Malescot Saint-Exupéry. Le Château Margaux est situé à l'écart, dans la commune même de Margaux, mais les autres domaines importants sont répartis dans les cinq communes de l'appellation : Arsac, Labarde, Cantenac, Margaux et Soussans.

C'est aussi Margaux qui compte le plus grand nombre de crus mentionnés dans le classement de 1855, puisqu'ils sont vingt et un, contre dix-sept Pauillac, onze Saint-Julien et cinq Saint-Estèphe.

En conséquence, on pourrait penser que l'appellation compte davantage de producteurs de très bons vins que les autres. Il n'en est rien. Dans les années 60, 70 et 80, on peut dénombrer au moins une demi-douzaine de châteaux ayant à leur passif une série de contre-performances, et quatre ou cinq autres qui devraient être rétrogradés en cas de remaniement du classement de 1855. Même le premier cru, Sa Majesté Château Margaux, a connu sa période noire – dont il est sorti de superbe manière quand André Mentzelopoulos l'a racheté, en 1977, aux Ginestet ; ceux-ci, malheureusement, n'avaient pu empêcher cette noble institution de se laisser glisser nettement en dessous du niveau théorique d'un premier cru (les prix, eux, s'étaient bien maintenus !).

Quelles que soient l'irrégularité des châteaux de Margaux et les mauvaises séries enregistrées par beaucoup d'entre eux ces vingt-cinq dernières années, il reste que le bouquet splendide et le charme indiscutable des meilleurs crus de l'appellation les distinguent considérablement des Saint-Julien, des Saint-Estèphe ou des Pauillac. Le nez des grands Margaux est, sans conteste, plus intense et plus irrésistible que celui des vins des trois autres appellations. On l'a dit et répété bien des fois, mais on a souvent omis d'ajouter que, par « grands Margaux », il fallait entendre Margaux, Palmer et, depuis 1983, Rauzan-Ségla. Un point, c'est tout !

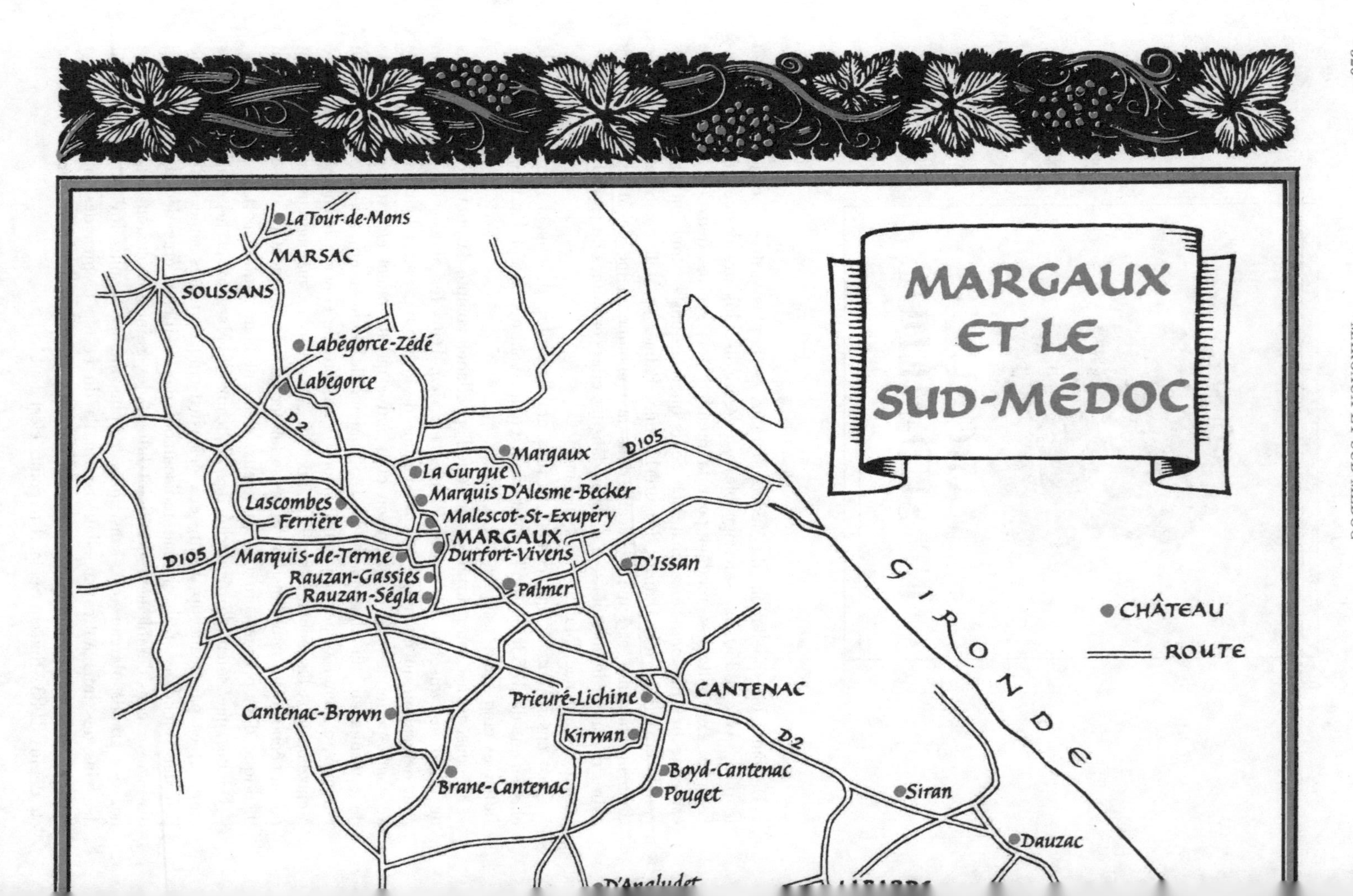
MARGAUX ET LE SUD-MÉDOC
La Tour-de-Mons
MARSAC
SOUSSANS
Labégorce-Zédé
Labégorce
D2
Margaux
D105
La Gurgue
Marquis D'Alesme-Becker
Lascombes
Ferrière
Malescot-St-Exupéry
MARGAUX
D105
Marquis-de-Terme
Durfort-Vivens
D'Issan
Rauzan-Gassies
Rauzan-Ségla
Palmer
GIRONDE
CHÂTEAU
ROUTE
Prieuré-Lichine
CANTENAC
Cantenac-Brown
Kirwan
D2
Boyd-Cantenac
Brane-Cantenac
Pouget
Siran
Dauzac

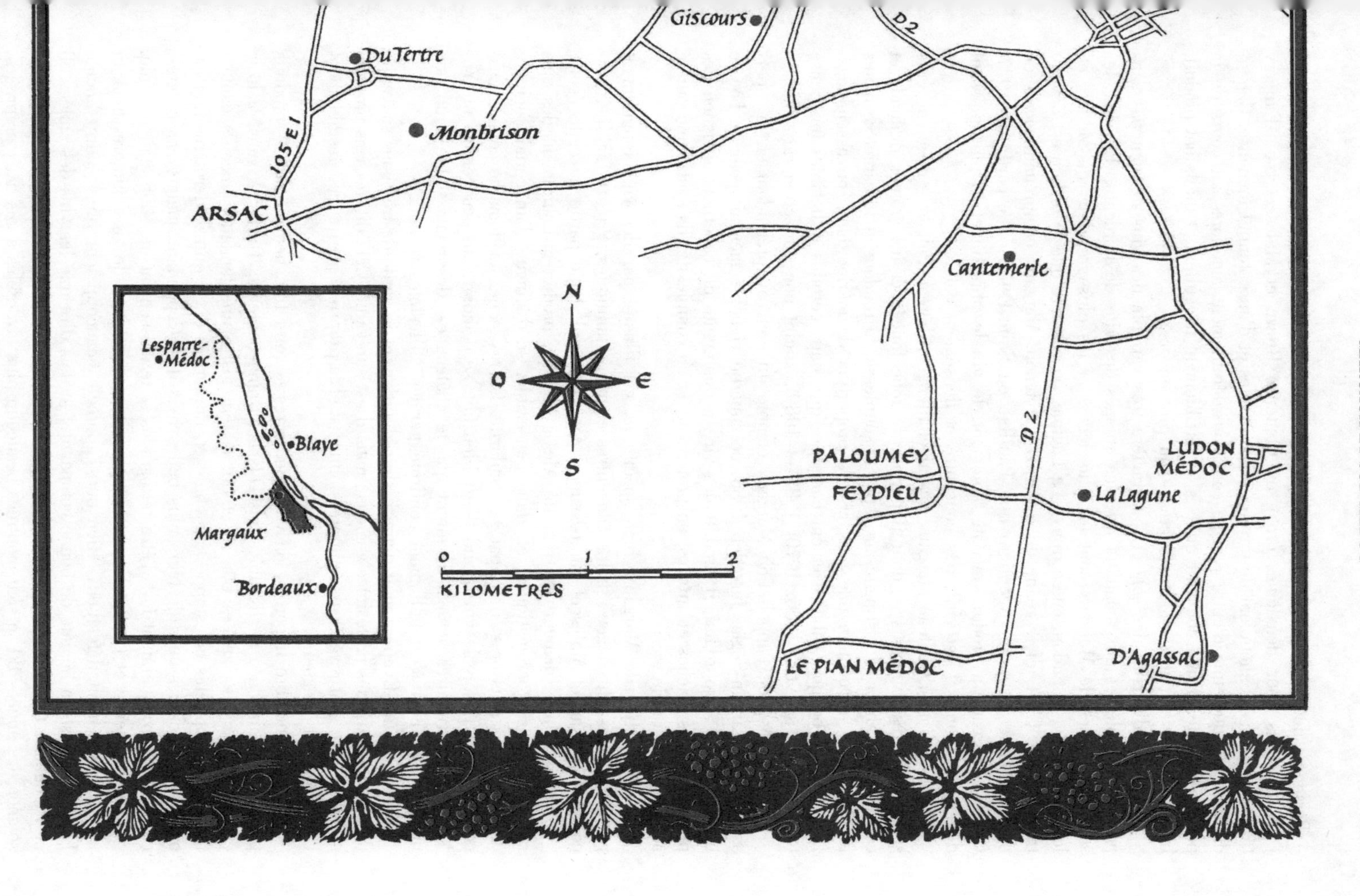
Giscours
D2
Du Tertre
Monbrison
105 E1
ARSAC
Cantemerle
N
O
E
S
D2
PALOUMEY
FEYDIEU
LUDON
MÉDOC
La Lagune
LE PIAN MÉDOC
D'Agassac
0
1
2
KILOMETRES
Lesparre-Médoc
Blaye
Margaux
Bordeaux

Personne ne conteste que des châteaux comme Rauzan-Gassies, Brane-Cantenac, Durfort-Vivens (tous deuxièmes crus), ou Cantenac Brown et Malescot Saint-Exupéry (troisièmes crus), bénéficient de terroirs remarquables et d'un potentiel immense. Cependant, si quelques-uns d'entre eux se sont considérablement améliorés au cours de la période récente, il faut convenir qu'ils sont terriblement irréguliers et qu'ils ont produit, bien trop souvent, des vins médiocres – ou pire encore.

La grande diversité des sols et le caractère très variable des vins ne vont pas sans poser de problèmes aux amateurs les plus enragés des vins de Bordeaux. En effet, les sols blanchâtres de Margaux sont les plus légers et les plus graveleux du Médoc, et, lorsqu'on arrive à Ludon, où se trouve La Lagune, on constate que le terrain est devenu très sableux. C'est ici le règne du cabernet sauvignon, Margaux comprenant moins de merlot (Palmer est une exception) que Pauillac ou Saint-Estèphe. A partir de 1977, Château Margaux a produit, incontestablement, le vin le plus fin et le plus puissant de l'appellation : il est viril, très concentré et densément coloré.

Depuis toujours, Château Margaux a pour challenger Château Palmer – même si leurs styles sont très différents –, dont il partage la robe foncée et les arômes profonds et concentrés. Palmer se distingue aussi par la souplesse, la rondeur et le caractère moins tannique que lui confère une plus grande proportion de merlot dans son assemblage. Il dégage un bouquet fabuleusement complexe qui, dans certains millésimes (on pense tout de suite à 1961, 1966, 1970, 1983 et 1989), atteint une perfection rarissime.

Mais le trône de l'appellation Margaux compte un nouveau prétendant en la « personne » de Rauzan-Ségla. Jusqu'en 1983, ce superbe vignoble méritait pour de bon le bonnet d'âne. Aujourd'hui, il produit des vins à dominante de cabernet sauvignon des plus fascinants ; riches en arômes, en profondeur et en complexité, ils sont d'une pureté à couper le souffle.

Un autre style de Margaux, bien spécifique, est illustré par des vins intensément parfumés, mais plus légers, moins concentrés et moins tanniques. Prieuré-Lichine, Lascombes, D'Issan et Malescot Saint-Exupéry font sans nul doute partie de cette école.

Prieuré-Lichine, demeure du regretté Alexis Lichine, produit ordinairement des vins racés, élégants et aromatiques, et, dans l'ensemble, se distingue d'un certain nombre de ses voisins plus prestigieux par sa régularité. En revanche, un domaine comme Lascombes, dont j'adore le vin quand il est bien fait, se comporte un peu comme un Yo-Yo. Les propriétaires actuels déclarent que le château est désormais stable à un bon niveau, mais cela n'est nullement confirmé par les millésimes récents.

Malescot Saint-Exupéry jouit d'une belle réputation, et je garde de très bons souvenirs de quelques-uns des millésimes anciens ; mais il est surévalué. Cela dit, les vins produits après 1990 se sont révélés assez impressionnants, et la propriété mérite incontestablement l'attention des amateurs.

Malgré le nombre important de vins médiocres – voire franchement nuls – produits par des domaines non négligeables tels D'Issan, Brane-Cantenac, Durfort-Vivens, Dauzac et Kirwan dans les années 60, 70 et 80, on enregistre une tendance encourageante : toutes ces propriétés ont stoppé leur chute et, durant les dix à quinze dernières années, ont connu quelques-unes de leurs plus belles réussites. Cependant, malgré ces progrès, ces châteaux risqueraient fort d'être rétrogradés si le classement de 1855 était remanié.

Brane-Cantenac et Durfort-Vivens ont produit vraiment trop de vins inintéressants, et même franchement défectueux. Bien que j'apprécie beaucoup leur propriétaire, Lucien Lurton, qui est un homme de bonne compagnie, je dois dire que les vins des années 60 et 70 ont été terriblement irréguliers. Cependant, grâce à une sélection beaucoup plus soignée, les années 80 se sont montrées beaucoup plus favorables à ces deux propriétés, qui, néanmoins, auraient du mal à se maintenir à leur rang de deuxième cru en cas de nouveau classement.

Les vins de Dauzac, comme ceux de Kirwan, se sont eux aussi améliorés depuis la fin des années 70. Pourtant, même en tenant compte de leurs progrès, on ne peut contester que ces deux propriétés produisent encore bien rarement des vins supérieurs aux meilleurs crus bourgeois du Médoc.

Parmi les autres crus classés de Margaux, le domaine le plus prometteur est Du Tertre, qui, depuis 1978, propose d'excellents vins sous la houlette de la talentueuse Denise Capbern Gasqueton. Cantenac Brown, qui produit des vins rustiques, tanniques et durs, tout à fait dans le goût du siècle dernier, pourrait bien finir par entrer dans le XXe siècle maintenant que Jean-Michel Cazes, de Lynch-Bages, supervise la vinification. Rauzan-Gassies peut être bon, mais il ressemble davantage à un Saint-Estèphe corsé et trapu qu'à un véritable Margaux ; en outre, il est terriblement irrégulier. Quant au Marquis d'Alesme Becker, c'est un vin assez rare, peu connu, et léger.

Deux autres châteaux classés, Giscours et Marquis de Terme, sont capables de produire quelques-uns des vins de l'appellation les plus riches et les plus aptes à une longue garde. Giscours s'est remarquablement comporté dans les années 60 et 70, mais il a connu un sérieux déclin au début de la décennie suivante. En outre, si les millésimes récents laissaient penser qu'il s'était ressaisi, le scandale qui le menace depuis juin 1998 pourrait lui nuire sévèrement. Le Marquis de Terme a suivi un parcours inverse puisqu'il était complètement hors de forme dans les années 60 et 70 et qu'il s'est mis à faire un vin superbe – l'un des meilleurs de l'appellation – à partir de 1983.

Parmi les crus bourgeois de Margaux, les connaisseurs peuvent citer trois propriétés qui font d'ordinaire des vins très fins : il s'agit de D'Angludet, de Labégorce Zédé et de Siran, qui proposent des Margaux typiques, élégants, aromatiques et parfumés. Le vin de D'Angludet est le plus souple et le plus charmant, celui de Labégorce Zédé le plus robuste et le plus riche, et celui de Siran le plus viril et le plus tannique.

Enfin, deux autres crus classés, se trouvant au sud de Margaux, sont excellents. La Lagune compte parmi mes vins préférés. Brillamment vinifié, il peut ressembler à la fois à un Pomerol et à un bourgogne, mais il est toujours délicieusement riche, rond, fruité et complexe. Régulier à haut niveau, il constitue, de surcroît, une excellente affaire. Cantemerle est l'autre perle rare du sud du Médoc. Après une période de fléchissement, à la fin des années 70, ce château a sorti une série de vins superbes, dont les plus beaux fleurons sont le 1983 et le 1989. Cependant, les deux propriétés, probablement parce qu'elles sont à l'extérieur de l'appellation, sont nettement sous-évaluées par rapport aux prix habituels des vins de Bordeaux.

Les vins de Margaux et du Sud-Médoc présentent généralement des caractères très différents de ceux des communes de Saint-Julien, Pauillac et Saint-Estèphe, qui se trouvent nettement plus au nord. Ici, il est fort hasardeux de chercher de bons vins dans les petits millésimes. Dès qu'il pleut, le sol maigre donne des vins méritant généralement le même qualificatif – bien qu'il puisse y avoir des exceptions. D'autre part, quand l'été est torride et caniculaire et que les pluies sont insuffisantes, les vignobles, plantés essentiellement en cabernet sauvignon, souffrent beaucoup, ce qui retarde la maturation des grains et tend à les brûler. Voilà qui explique pourquoi les 1982, 1989 et 1990 ont été ici moins réussis que dans la partie septentrionale du Médoc. Les meilleurs millésimes de Margaux ont été 1961, 1966, 1970, 1978, 1979, 1983, 1986, 1995 et 1996.

MARGAUX ET SUD-MÉDOC – REPÈRES

Situation : Margaux est la plus méridionale des quatre principales appellations communales du Médoc. Elle se situe sur la rive gauche de la Gironde, à environ 20 km de Bordeaux.
Superficie sous culture de vigne : environ 1 350 ha.
Communes : Arsac, Cantenac, Labarde, Margaux, Soussans.
Production annuelle moyenne : 7 680 000 bouteilles.
Crus classés : 22 en tout, sur les communes de Margaux, Cantenac, Labarde et Arsac. L'appellation compte 1 premier cru, 5 deuxièmes crus, 10 troisièmes crus, 4 quatrièmes crus et 2 cinquièmes crus, ainsi que 25 crus bourgeois.
Principaux cépages : le cabernet sauvignon prédomine, suivi du merlot et du petit verdot. Le cabernet franc n'est présent qu'en petites quantités.
Types de sol : en règle générale, cette appellation vaste et très diverse se caractérise par une terre légère en surface. Les meilleurs vignobles, proches du fleuve, sont situés sur des terres fines et argileuses, semblables à celles de Pessac-Léognan. Plus à l'intérieur des terres, on trouve davantage d'argile et de sable.

AVIS AUX AMATEURS

Niveau général de l'appellation : moyen à exceptionnel.
Les plus aptes à une longue garde : Château Margaux, Palmer, Rauzan-Ségla.
Les plus élégants : Cantemerle, Malescot Saint-Exupéry, Château Margaux, Palmer.
Les plus concentrés : Château Margaux, Rauzan-Ségla.
Le meilleur rapport qualité/prix : D'Angludet, Cantemerle, Dauzac, La Lagune, Du Tertre.
Le plus exotique : Palmer.
Le plus secret (dans sa jeunesse) : Rauzan-Ségla.
Les plus sous-estimés : La Lagune, Malescot Saint-Exupéry, Du Tertre.
Les plus accessibles dans leur jeunesse : La Lagune, Palmer.
Les étoiles montantes : Dauzac, Kirwan, Malescot Saint-Exupéry.
Meilleurs millésimes récents : 1996, 1990, 1983, 1961.

MON CLASSEMENT

EXCEPTIONNEL

Margaux
Palmer
Rauzan-Ségla (depuis 1983)

EXCELLENT

La Lagune
Malescot Saint-Exupéry (depuis 1990)

TRÈS BON

D'Angludet
Cantemerle
Marquis de Terme
Prieuré-Lichine
Du Tertre

BON	
Brane-Cantenac	La Gurgue
Cantenac Brown	Kirwan
Charmant	Labégorce Zédé
Dauzac	Larruau
Durfort-Vivens	Lascombes
Giscours	Marsac Séguineau
	Siran

AUTRES PROPRIÉTÉS NOTABLES DE MARGAUX

D'Arsac, Bel Air-Marquis d'Aligre, Boyd-Cantenac, Desmirail, Deyrem Valentin, Ferrière, La Galiane, Haut Breton Larigaudière, D'Issan, Labégorce, Marquis d'Alesme Becker, Martinens, Mongravey, Pontac Lynch, Pontet-Chappaz, Pouget, Rauzan-Gassies, Tayac, La Tour de Bessan, La Tour de Mons, Des Trois Chardons, Les Vimières Le Tronquéra

COMMENTAIRES DE DÉGUSTATION

D'ANGLUDET – TRÈS BON

Cru bourgeois – équivaut à un 5e cru
Propriétaire : famille Sichel
Adresse : 33460 Cantenac
Tél. 05 57 88 71 41 – Fax 05 57 88 72 52
Visites : sur rendez-vous uniquement
Contacts : Marie-Pierre et Benjamin Sichel

Superficie : 32 ha (Cantenac et Arsac – appellation Margaux)
Vins produits :
Château d'Angludet – 120 000 b ; La Ferme d'Angludet – 20 000-30 000 b
Encépagement : 55 % cabernet sauvignon, 35 % merlot, 10 % petit verdot
Densité de plantation : 6 700 pieds/ha – *Age moyen des vignes :* 25 ans
Rendement moyen : 46 hl/ha

Élevage :
vendanges mécaniques ;
fermentations et cuvaisons de 21-40 jours en cuves de béton à 28-32 °C ;
vieillissement après les malolactiques de 12 mois en fûts (20 % de bois neuf) ;
passage de 5 mois en cuves avant la mise en bouteille ; collage ; pas de filtration

---

A maturité : dans les 6 à 18 ans suivant le millésime

Le regretté Peter A. Sichel (décédé en 1998) était un homme à multiples facettes : courtier bordelais fort estimé en tant que tel, il était également président de l'Union des grands crus, qui s'occupe de la promotion des vins de Bordeaux, mais aussi l'heureux copropriétaire du célèbre Château Palmer et le propriétaire de D'Angludet, où il résidait. Il avait acheté cette propriété en 1961, alors qu'elle était en fort mauvais état, la tirant peu à peu de l'obscurité où elle se cantonnait depuis la guerre pour lui donner une renommée internationale. Il est incontestable que, désormais, D'Angludet surpasse fréquemment certains autres crus plus prestigieux de l'appellation.

Le domaine plonge ses racines dans un passé que l'on peut considérer comme très ancien, même pour le Bordelais, puisqu'il remonte au XIVe siècle. Ses vins ont joui d'une bonne réputation, et on les trouve cités à maintes reprises aux XVIe et XVIIe siècles. Cependant, au moment où a été établi le fameux classement de 1855, la propriété traversait une mauvaise passe, ce qui explique qu'elle n'y figure pas.

Depuis le début des années 80, les vins volent de succès en succès, s'améliorant même à chaque millésime. Cette réussite n'est pas étrangère au fait que, pour une part, les vignes ont été replantées au début des années 60. A l'heure actuelle, le Château d'Angludet est manifestement du niveau d'un cru classé, bien que son prix demeure extrêmement raisonnable. Avant 1978, les millésimes ne sont guère intéressants, mais, depuis, ils sont d'un très haut niveau, en particulier le 1983, superbe, et les 1986 et 1989, excellents.

1997 • **87-89** Le 1997 s'est montré particulièrement à son avantage à chacune de mes dégustations. Sa robe d'un pourpre profond précède un généreux fruité, gras et de bonne mâche, de mûre et de cerise nuancé de moka. Moyennement corsé et faible en acidité, il affiche un caractère superbe de pureté et séduit par son côté charnu. **A boire jusqu'en 2002.** (1/99)

1996 • **88** Ce vin est aussi bon en bouteille qu'il l'était au fût. Profondément coloré, avec des senteurs bien épanouies de cassis et de mûre subtilement nuancées de réglisse et de goudron fondu, il se montre moyennement corsé et d'une belle richesse en bouche, où il déploie une finale bien dotée, confiturée et modérément tannique. Il devrait vieillir de belle manière. **A boire entre 2002 et 2015.** (1/99)

1995 • **88** Le 1995 vaut bien mieux que son classement de cru bourgeois. Contrairement au 1996, puissant et tannique, il se révèle soyeux, souple, charmeur et bien évolué, et arbore une belle robe soutenue d'un rubis-pourpre foncé resplendissant. Il libère au nez de généreux arômes de fruits noirs confiturés, conjugués à de subtiles notes herbacées, épicées et grillées, et manifeste en bouche, outre une excellente richesse, un caractère moyennement corsé et généreux. Les tannins et l'acidité sont bien fondus dans un ensemble des plus plaisants. **A boire jusqu'en 2010.** (11/97)

1994 • **84 ?** Le 1994 ne s'est pas montré sous un bon jour lorsque je l'ai dégusté. Il libère de séduisants arômes de cassis, mais semble s'être refermé depuis la mise en bouteille. Son fruité, quoique doux et mûr, est fragile et complètement dominé par des tannins durs et astringents. Moyennement corsé et épicé, ce vin est également très austère, et je me demande s'il retrouvera sa forme d'avant la mise. (1/97)

1993 • **76** D'un rubis moyennement foncé, le 1993 est légèrement corsé et incontestablement dilué, avec des tannins durs. Une performance décevante pour cette propriété, qui fait généralement bien mieux. **A boire jusqu'en 2002.** (1/97)

1992 • **73** Le fruité herbacé du 1992 n'a pas résisté aux diverses manipulations – collage, filtration et mise en bouteille. D'un rubis très léger, il se montre creux et délavé, représentant une performance assez médiocre. **A boire dans les 2 ou 3 ans.** (11/94)

1991 • **74** Excessivement herbacé, très peu corsé et creux, le 1991 manque singulièrement d'étoffe et de caractère. **A boire d'ici 3 ou 4 ans.** (1/94)

1990 • **85** Le 1990 de cette propriété rivalise parfaitement avec son aîné d'un an. Plus tannique que le 1989, dépourvu du fruité doux et opulent qui caractérise le millésime, il n'en demeure pas moins excellent. Profondément coloré, avec des arômes riches et herbacés, il se montre moyennement corsé en bouche ; la finale est très étoffée. **A boire jusqu'en 2005.** (1/93)

1989 • **87** Comptant parmi les plus belles réussites de la propriété, le D'Angludet 1989 n'a cependant pas l'étoffe pour surpasser le 1983. Gras, charnu et intensément fruité, il se distingue par sa belle robe rubis, sa texture souple, son caractère alcoolique et ses tannins souples. **A boire jusqu'en 2002.** (4/91)

1988 • **81** Le 1988 est un vin nerveux et étonnamment léger, assez corsé et faiblement doté en extrait et en tannins. Ses saveurs sont simples et honnêtes, mais il n'a rien de passionnant. **A boire.** (4/91)

1987 • **84** En bouche, ce vin délicieux se montre épanoui, pas très corsé, avec des tannins très souples et une finale accessible et douce. C'est le merlot, que l'on décèle parfaitement dans l'assemblage, qui lui donne ce caractère séduisant, souple et accessible. **A boire – peut-être déjà en déclin.** (11/90)

1986 • **86** Avec sa robe rubis foncé, son nez séduisant de chêne et de prune et son caractère corsé, ce D'Angludet révèle une belle profondeur, mais aussi des tannins agressifs. **A boire jusqu'en 2000.** (11/90)

1985 • **83** Le D'Angludet 1985 manque très évidemment de profondeur. Cependant, c'est un vin bien coloré, au bouquet ouvert, épicé et onctueux, doté d'arômes corsés et souples aux notes de petits fruits mûrs. La finale est légèrement tannique. **A boire.** (11/90)

1983 • **88** Le 1983, qui a évolué de belle manière, est actuellement à son apogée. D'un grenat sombre légèrement trouble et éclairci sur le bord, il est étonnamment puissant pour un D'Angludet et dégage un nez riche de réglisse, de fenouil, de mûre et de cassis aux nuances de terre. Généreusement doté, charnu et très corsé, il est ample et de bonne mâche en bouche, et impressionne par sa carrure et sa richesse en extrait. **A boire jusqu'en 2006.** (8/97)

1982 • **83** Ce vin, déjà agréable au moment de sa diffusion, a conservé son bon fruité. Je ne pense pas, cependant, qu'il puisse encore se bonifier. Légèrement ambré sur le bord, il est rond et souple, d'une structure assez lâche, avec la maturité caractéristique du millésime. Révélant une profondeur légèrement supérieure à la moyenne, il est aussi accessible en milieu de bouche qu'en finale. Il n'a jamais été très impressionnant (le 1983 est bien meilleur) et doit être consommé **maintenant.** (9/95)

1981 • **81** Rubis moyen, un peu tuilé, le 1981 dégage un nez relativement peu ouvert et offre avec réticence des arômes de poussière et de vieux tonneau et un fruité de cassis d'une bonne tenue. En bouche, il affiche le caractère maigre et compact typique du millésime. Bien vinifié et maintenant prêt, c'est un D'Angludet assez léger, mais plaisant. **A boire.** (11/90)

1978 • **85** Le 1978 est maintenant à parfaite maturité. Ce vin solidement bâti, intense et relativement gras, doté d'un bouquet énorme, épicé et riche, s'est défait de ses tannins. **A boire.** (11/90)

1975 • **70** Je n'ai jamais apprécié ce cru, et la dernière bouteille que j'avais en cave m'a confirmé mes impressions précédentes. C'est un vin excessivement tannique, creux et dépouillé, qui n'est pas étayé par un fruité suffisant. D'un grenat sombre légèrement nuancé de rouille sur le bord, il déploie un nez assez prometteur de terre, d'encens et d'herbes rôties, mais, en bouche, les tannins rugueux tapissent littéralement le palais et masquent le peu de fruit qui demeure. Ce vin se dessèchera progressivement ces prochaines années. A boire. (10/97)

BOYD-CANTENAC

3ᵉ cru classé en 1855 – équivaut à un cru bourgeois
Propriétaire : GFA du Château Boyd-Cantenac
Adresse : 33460 Cantenac
Tél. 05 57 88 90 82 ou 05 57 88 30 58
Fax 05 57 88 33 27
Visites : sur rendez-vous uniquement
Contact : Lucien Guillemet

Superficie : 17 ha (Cantenac – appellation Margaux)
Vins produits :
Château Boyd-Cantenac – 60 000-70 000 b ; Jacques Boyd – 12 000-30 000 b
Encépagement : 66 % cabernet sauvignon, 22 % merlot,
8 % petit verdot, 4 % cabernet franc
Densité de plantation : 10 000 pieds/ha – *Age moyen des vignes :* 35 ans
Rendement moyen : 42 hl/ha

Élevage :
vendanges manuelles et mécaniques ;
fermentations et cuvaisons de 15-18 jours en cuves de béton revêtues d'epoxy ;
vieillissement de 12-18 mois en fûts (50 % de bois neuf) ; collage et filtration

---

A maturité : dans les 8 à 20 ans suivant le millésime

Boyd-Cantenac est un domaine malheureusement très irrégulier, qui ne mérite plus son rang de troisième cru. Comme Pouget, son voisin, il appartient, depuis le début des années 30, à la famille Guillemet, bien connue dans la région. Les propriétaires vivent au Château Pouget, et c'est également là que les vins de Boyd-Cantenac sont élaborés, dans la mesure où ce domaine ne comporte pas de chai de vinification.

Je n'ai jamais compris pourquoi ces vins n'étaient pas meilleurs. Pour chaque bon millésime produit, on en compte plusieurs décevants. Peut-être qu'une sélection plus stricte, la création d'un second vin et l'utilisation d'une plus grande proportion de chêne neuf pour l'élevage favoriseraient une amélioration. J'ai souvent trouvé le vin remarquable avant la mise en bouteille, mais un peu rude et atténué après. C'est pourquoi ce domaine ne figure jamais dans ma cave personnelle ; je crois, de plus, que beaucoup de profanes confondent son nom avec deux autres plus connus et, à l'heure actuelle, mieux vinifiés : Brane-Cantenac et Cantenac Brown.

1998 • **86-87** Cela fait longtemps que je n'avais rien écrit de positif sur ce cru. Vêtu de rubis foncé, le 1998 de Boyd-Cantenac est doté d'un fruité parfaitement mûr. Doux dès l'attaque en bouche, il se montre moyennement corsé et déploie des tannins souples, ainsi qu'une finale bien équilibrée. Sans être puissant ni massif, il est bien fait, assez corpulent, racé et élégant. **A boire entre 2002 et 2010.** (3/99)

1997 • **82-85** Bien que relativement dense, ce vin se révèle sauvage et rustique, doté de tannins en excès pour son fruité délicat. D'un rubis foncé resplendissant, il présente des arômes assez séduisants, mais ses tannins sont vraiment féroces, et il est dépourvu du charme et de l'opulence qui caractérisent les meilleurs 1997. **A boire jusqu'en 2007.** (3/98)

1990 • **86** Ce Boyd-Cantenac impressionnant par sa robe profonde d'un rubis presque noir exhale un bouquet épicé, riche et confit, et présente en bouche des saveurs généreuses et épanouies. Relativement bien corsé, il déploie une finale très tannique et faible en acidité. **A boire jusqu'en 2008.** (4/93)

1989 • **86** Le 1989 est un vin délicieux, onctueux, massif et faible en acidité, remarquablement riche, fruité et plein. Nettement alcoolique et tannique, il vieillit bien. **A boire jusqu'en 2003.** (4/91)

1988 • **?** Le 1988 a un problème – au moins les bouteilles que j'ai goûtées. En effet, une odeur – gênante – de vernis à ongles laisse penser qu'il est affecté d'un défaut. D'autre part, c'est un vin rustique, costaud et corpulent, atypique pour le millésime. Je réserve mon jugement. (4/91)

1986 • **78** Pour une raison qui m'échappe, Boyd-Cantenac a tendance à être dur, parfois même terne. Le 1986 le démontre, malheureusement, encore une fois ; en outre, il a un caractère assez dilué, qui trouve sans doute son explication dans des rendements trop importants et une sélection insuffisante. Ce vin plutôt corsé et tannique doit être consommé assez tôt en raison de son manque d'extrait. **A boire.** (3/90)

1985 • **83** Le Boyd-Cantenac 1985 présente, outre une belle couleur rubis, des arômes fruités, onctueux et délicieux de prune. Moyennement corsé et faible en acidité, il finit sur une note terne. Assez bon, il n'a cependant rien de passionnant. **A boire.** (3/89)

1984 • **70** Assez léger, maigre et manquant d'étoffe, le 1984 est à peine acceptable. **A boire – probablement en sérieux déclin.** (6/87)

1983 • **87** Boyd-Cantenac a produit l'une de ses plus belles réussites dans cet excellent millésime. De couleur rubis foncé, ce vin libère un bouquet épanoui et épicé de prune mûre, et présente en bouche des flaveurs concentrées, riches, bien corsées. Très tannique, ce Margaux corpulent et robuste a mis longtemps à se défaire de ses tannins. **A boire.** (11/89)

1982 • **86** D'un aussi bon niveau, pratiquement, que le 1983, le 1982 présente cependant un caractère différent. Sa robe rubis foncé légèrement ambrée précède un bouquet riche et parfumé de cerise noire bien mûre ; l'ensemble qui suit en bouche est onctueux, gras et charnu, corsé et modérément tannique. **A boire jusqu'en 2005.** (1/90)

BRANE-CANTENAC – BON

2e cru classé en 1855
équivaut à un 5e cru
Propriétaire : Lucien Lurton
Adresse : 33460 Margaux
Tél. 05 57 88 83 33 – Fax 05 57 88 72 51
Visites : sur rendez-vous uniquement
Contact : Henri Lurton

Superficie : 85 ha (Cantenac – appellation Margaux)
Vins produits : Château Brane-Cantenac – 360 000-420 000 b ;
Château Notton – variable ; Domaine de Fontarney – variable
Encépagement : 70 % cabernet sauvignon, 15 % merlot,
13 % cabernet franc, 2 % petit verdot
Densité de plantation : 6 700 pieds/ha – *Age moyen des vignes :* 26 ans

Élevage :
fermentations et cuvaisons de 20 jours ;
vieillissement de 18 mois en fûts (30-50 % de bois neuf)

A maturité : dans les 5 à 15 ans suivant le millésime

Brane-Cantenac appartient à Lucien Lurton et à son épouse, qui font partie d'une des familles de viticulteurs les plus connues du Bordelais ; ils vivent dans un château assez modeste, dont l'histoire viticole remonte au tout début du XVIIIe siècle. Cette propriété jouissait d'une excellente réputation au début du XIXe siècle, alors que les vins étaient élaborés par celui qui devait donner son nom au domaine, le baron de Brane ; celui-ci, qui possédait aussi le célèbre château de Pauillac connu aujourd'hui sous le nom de Mouton Rothschild, était fort respecté dans le monde des vignerons et comptait tant de relations que Brane-Cantenac reçut le titre de deuxième cru lors de l'établissement du classement de 1855, bien que quelques sceptiques eussent émis des doutes sur la capacité du vignoble à produire un vin d'un tel niveau. Aujourd'hui, les Lurton constituent probablement la plus grande famille de viticulteurs de la région – André, le frère de Lucien, qui possède des vignobles importants dans les Graves et l'Entre-deux-Mers, a dix enfants !

Le vignoble de Brane-Cantenac, qui est l'un des plus vastes du Médoc avec pas moins de 85 ha, se trouve à l'ouest du village de Cantenac, en retrait par rapport à la Gironde. Les vins du domaine ont connu un grand succès commercial à l'échelle internationale, en raison évidemment de l'importance de la production, mais aussi du charme et de la courtoisie du propriétaire. Cette belle réussite n'a pas été freinée par la période de grande médiocrité qu'a traversée ce domaine, surtout de 1967 à 1982. La plupart des chroniqueurs spécialisés, curieusement, choisissent de détourner les yeux plutôt que de souligner les défauts évidents de la vinification durant ces années. Les vins péchaient surtout par une excessive légèreté et par des arômes assez fréquents, et déplaisants, de basse-cour. On ne peut certes qu'émettre des hypothèses sur les raisons de ce phénomène, mais il est probable qu'un tel défaut était dû à une sélection insuffisante et à des négligences dans l'entretien des chais.

Brane-Cantenac a connu une amélioration au cours des années 80. Les vins présentent un caractère précoce, souple et sans détour, ce qui les rend séduisants dès leur jeunesse. Les millésimes les plus récents atteignent leur maturité vers 5 ou 6 ans d'âge.

1998
•
86-87
Brane-Cantenac, qui a, semble-t-il heureusement, évité une trop grande extraction, nous gratifie d'un vin souple et charmeur, magnifiquement fruité, et doté d'arômes de douce mûre et de cassis nuancés de terre et d'herbes séchées. Plutôt léger, bien équilibré, ce séduisant Margaux sera agréable dès sa diffusion et dans les **10 à 12 ans**. (3/99)

1995
•
86
Rubis-pourpre foncé de robe, le Brane-Cantenac 1995 est moyennement corsé, faible en acidité et bien mûr. Il libère, tant au nez qu'en bouche, de séduisants arômes de fruits rouges. Sa finale courte et relativement tannique indique un potentiel de **10 à 12 ans**. Ce vin est bien fait, mais inintéressant dans le contexte du millésime. (3/96)

1994
•
82 ?
D'un rubis moyen, avec un nez de terre, d'herbes rôties, d'épices et de groseille, le Brane-Cantenac 1994 présente en bouche certains défauts inhérents au millésime – des tannins astringents, un manque de maturité et de gras. Cependant, l'attaque révèle un bon fruité, étayé par une heureuse acidité ; la finale est sèche et austère. **A boire entre 2000 et 2008.** (3/97)

1993
•
72
J'ai rarement l'occasion de déguster le Brane-Cantenac avant la mise en bouteille. Cet échantillon tiré du fût était creux, maigre, avec une acidité très importante. Moyennement corsé et extrêmement tannique, il était également herbacé, aqueux et délavé. (11/94)

1990
•
86
Bien réussi, le Brane-Cantenac 1990 arbore une robe rubis foncé qui introduit un nez doux et confituré de cerise noire et de groseille entremêlé de senteurs d'herbe et de terre. Moyennement corsé, il dévoile la richesse, la faible acidité et le caractère charnu inhérents à ce millésime forgé par une saison sèche et chaude. Ce vin est déjà accessible et plaisant à la dégustation. **A boire jusqu'en 2008.** (3/97)

1989
•
88
J'ai trouvé le Brane-Cantenac 1989 assez proche du 1982 – un peu plus fort en alcool et plus faible en acidité, avec une charpente un peu moins solide, mais aussi avec un fruit puissant et concentré. Une importante proportion de chêne neuf lui a donné du ressort et une meilleure précision. Bien qu'il manque de finesse, il gratifie le palais de ses arômes corpulents et fruités, et de sa finale explosive et alcoolique. **A boire jusqu'en 2004.** (1/93)

1988
•
77
Le 1988 est herbacé, et même vert, ce qui laisse penser que le cabernet sauvignon dont il est issu a été vendangé trop tôt. Léger, manquant de concentration et de race, il est loin d'être réussi. **A boire jusqu'en 2000.** (1/93)

1986
•
88
Le 1986 se distingue par une opulence et une rondeur surprenantes, surtout lorsqu'on sait que les Médoc du millésime sont généralement assez tanniques. Cependant, il est hors de doute qu'il peut lui aussi bien vieillir, puisqu'il recèle d'abondant tannins. Ce Brane-Cantenac impressionnant et très corsé manifeste une belle plénitude ; profond et long en bouche, il déploie une excellente finale. Avec le 1983 et le 1989, il compte parmi les trois meilleurs vins produits à la propriété depuis le 1961. **A boire jusqu'en 2008.** (10/90)

1985
•
87
Délicieux, précoce, suave et séduisant, le 1985 regorge de senteurs de boisé et d'un fruit très mûr et velouté. On pourrait, certes, émettre quelques réserves sur son manque de tannins et de nervosité, mais, tel qu'il est, charmeur et savoureux, il reflète bien le style du millésime. **A boire.** (10/90)

1984
•
73
Rubis assez clair, ce 1984 très épicé et herbacé est également fruité et souple. **A boire rapidement – peut-être déjà en déclin.** (11/89)

1983 • **89** Précoce, séduisant et savoureux, le Brane-Cantenac 1983 dégage un bouquet parfumé de prune, de café et de chocolat. Souple, délicieux et rond, modérément tannique, il déploie une finale longue et chaleureuse. Généreux en arômes et vraiment délicieux, ce vin s'est développé rapidement. **A boire.** (2/91)

1982 • **76** Si l'on parvient à faire abstraction de ses notes fécales et de fumier, ce vin parfaitement mûr présente un fruité doux, confituré et herbacé dans un ensemble moyennement corsé, souple et tendre. Après une certaine aération, le nez perd ses senteurs désagréables, mais le vin n'est pas net. Il est assez curieux, pour ne pas dire repoussant, et je ne pense pas qu'il suscite grand intérêt malgré son caractère souple et charnu. (9/95)

1981 • **82** Ce vin charmeur, tendre, fruité et sans détour est modérément corsé et déploie une finale acceptable, mais peu complexe. **A boire.** (6/87)

1980 • **74** Léger, avec des arômes faiblement fruités et superficiels, ce vin peu corsé manque aussi de persistance en bouche, bien qu'il soit franc de goût. **A boire rapidement – probablement en sérieux déclin.** (10/84)

1979 • **75** Rubis moyen, le 1979 libère un bouquet herbacé, légèrement terne et maintenant atténué. Moyennement corsé et tendre, il commence à s'assécher. **A boire rapidement.** (6/87)

1978 • **82** Pendant cette période, Brane-Cantenac était généralement décevant, et l'on peut considérer ce vin comme une demi-réussite. Rubis moyen de robe, il dégage un bouquet modérément intense de petits fruits et de terre fraîche, et se montre très souple, rond et pulpeux en bouche. Faible en acidité et très peu tannique, il atteint son apogée à la fin des années 80. **A boire – peut-être en déclin.** (11/87)

1977 • **67** Léger et faiblement fruité, ce vin relativement peu profond, herbacé et moyennement corsé arbore un rubis pas très foncé et présente une finale assez tannique. **A boire rapidement – probablement en sérieux déclin.** (4/81)

1976 • **65** Déjà sur le déclin, le 1976 commence à prendre une teinte nettement tuilée. Ce vin manque tout à la fois de tenue, de fermeté, de concentration et de charpente ; son fruit plaisant, rond et suave, quelque peu mou, tend à se désagréger, et ses odeurs de basse-cour deviennent plus sensibles. **A boire d'urgence – en sérieux déclin.** (11/87)

1975 • **83** A pleine maturité, le 1975 déploie un généreux bouquet épicé de terre fraîche, de cuir et de champignons. Fruité, suave, relativement tendre et moyennement corsé, il déploie une finale d'une bonne tenue. **A boire.** (11/87)

1971 • **62** Les odeurs déplaisantes de basse-cour prédominent dans ce vin. En bouche, l'ensemble est diffus, fragile, très tannique et maigre, médiocrement charpenté et tout juste acceptable. **A éviter.** (3/84)

1970 • **85 ?** A la suite de la première édition de cet ouvrage, j'ai reçu plusieurs lettres d'amateurs, qui, se fondant sur leur propre expérience de dégustation, contestaient mon appréciation du Brane-Cantenac 1970 – je l'avais qualifié de « lamentable » et lui avais attribué la note de 65. Depuis, j'ai participé, à Bordeaux, à une dégustation horizontale des 1970. Ce vin, pour deux des trois bouteilles débouchées, était d'un rubis profond, avec un bouquet épicé d'herbe et de terre fraîche (sans les odeurs de basse-cour que j'avais évoquées) ; moyennement corsé, il révélait une finale souple, relativement concentrée. L'autre bouteille n'était pas aussi bonne que les deux autres, mais elle était loin d'être aussi mauvaise que le Brane-Cantenac que j'avais décrit précédemment. Il se trouve, je ne sais pourquoi, qu'il existe une assez grande irrégularité dans les bouteilles de ce millésime. Les meilleures méritent très certainement une note proche de 85, mais je maintiens que les mauvaises sont déplorables. **A boire – probablement en déclin.** (3/89)

CANTEMERLE – TRÈS BON

5e cru classé en 1855 – équivaut à un 3e cru
Propriétaire : SMABTP
Adresse : 1, chemin Guittot – 33460 Macau
Tél. 05 57 97 02 82 – Fax 05 57 97 02 84
Visites : sur rendez-vous uniquement
Contact : Philippe Dambrine

Superficie : 67 ha (Macau-Ludon – appellation Haut-Médoc)
Vins produits :
Château Cantemerle – 280 000 b ; Le Baron de Cantemerle – 200 000 b
Encépagement : 40 % cabernet sauvignon, 40 % merlot,
10 % cabernet franc, 10 % petit verdot
Densité de plantation : 9 600 pieds/ha – *Age moyen des vignes :* 20 ans
Rendement moyen : 55 hl/ha

Élevage :
fermentations de 4-5 jours à 28-32 °C ;
cuvaisons de 30 jours en cuves de bois à 25-27 °C ;
2 remontages quotidiens ; 20 % de la récolte achève les malolactiques en fûts ;
vieillissement de 12 mois en fûts (30 % de bois neuf)
en chai climatisé à 13-17 °C ;
soutirage tous les 4 mois ; léger collage au blanc d'œuf ;
assemblage et conservation de 2 mois en cuves avant la mise en bouteille ;
pas de filtration

A maturité : dans les 5 à 18 ans suivant le millésime

Le beau château de Cantemerle se trouve au milieu d'un parc bien boisé, à deux pas de la fameuse route des grands crus – la voie principale qui conduit de Bordeaux au Médoc. Son passé viticole remonte à la fin du XVIe siècle. Pendant une bonne partie du siècle actuel, il a appartenu à la famille Dubois, qui a beaucoup fait pour établir la réputation de cette propriété et de ses vins parfumés et élégants. Cependant, des difficultés financières et des conflits familiaux ont abouti à la vente du domaine en 1980. Au cours des années 70, on avait assisté à une détérioration de la situation, et les vins s'en étaient ressentis après 1975. Mais, à l'initiative des nouveaux propriétaires, Cantemerle a été complètement rénové ; il y a maintenant des chais et des installations de vinification modernes, avec aussi une belle salle de dégustation et, ce qui est plus important, une volonté nouvelle de produire des Haut-Médoc de qualité.

Avant 1980, on pouvait constater une grande irrégularité d'une bouteille à l'autre ; par ailleurs, dans de nombreux millésimes, les vins présentaient des odeurs de vieux tonneau et manquaient de fruit. Le 1983 et le 1989 sont les deux plus grands vins produits à ce jour par la nouvelle équipe. Cependant, les choses devraient aller encore s'améliorant puisque les vignes (dont beaucoup ont été replantées) atteignent maintenant un âge optimal.

Les vins de Cantemerle sont habituellement riches, souples et fruités, avec un bouquet très parfumé. Étant donné les sols légers sur lesquels se trouve le vignoble et le fort pourcentage de merlot entrant dans l'assemblage, le cru ne sera jamais très massif ; à son meilleur niveau, il se distingue par un nez et une précocité qui le rendent terriblement séduisant dès sa jeunesse. Compte tenu des améliorations qui lui ont été apportées, la propriété mérite aujourd'hui nettement mieux que le rang de cinquième cru attribué en 1855.

1998 • **86-88** Voici une belle réussite du Sud-Médoc. Bien qu'il ne soit pas puissant, ce vin m'a plu par sa robe rubis-pourpre foncé et par son doux nez de cassis, de fleurs et de truffe. Moyennement corsé, il se développe tout en rondeur, se montrant opulent en milieu de bouche. Faible en acidité et modérément tannique, il sera parfait **entre 2003 et 2014.** (3/99)

1997 • **85-86** Légèrement corsé, rond et richement fruité, le savoureux 1997 est plus faible en acidité, moins structuré et moins tannique que son aîné d'un an, plus musclé. Il séduit par son beau déploiement d'arômes de fruits rouges, de minéral et d'épices, et tiendra parfaitement **jusqu'à 10 ans d'âge.** (1/99)

1996 • **87** J'avais pensé que ce vin approcherait davantage la note extraordinaire ; cependant, il est excellent, à défaut d'être aussi stupéfiant que je l'aurais voulu. Rubis foncé de robe, avec un doux nez de framboise subtilement nuancé de notes d'acacia et de chêne neuf, il révèle en bouche, outre une élégance et des proportions d'excellent aloi, une grande douceur et des tannins solides. Plus précoce et plus léger qu'il ne l'était en fût, il demeure racé et sera à son apogée **entre 2003 et 2015.** (1/99)

1995 • **86** Moins profond que le cru précédent, le 1995 présente une robe plus évoluée, d'un rubis moyen légèrement éclairci sur le bord. Ses arômes poivrés et herbacés de cassis sont plaisants, mais inintéressants. Ce vin moyennement corsé et sans détour ne révèle pas la profondeur, l'ampleur et la puissance que l'on attend d'un cru classé de haut vol. Il sera à son meilleur niveau **entre 2001 et 2010.** (11/97)

1994 • **86** D'un rubis profond nuancé de pourpre, le Cantemerle 1994 dégage de doux arômes de petits fruits marqués de notes d'herbes et de chêne neuf. La bouche révèle une concentration modeste et une belle corpulence pour le millésime, mais la finale est sèche et anguleuse, avec des tannins astringents. Ce vin relève de la gageure – il est en effet difficile de savoir si ses tannins se fondront en un ensemble harmonieux –, mais il est bien fait et étonnamment séduisant. **A boire entre 2000 et 2008.** (3/97)

1993 • **87** Le 1993, dont la robe profonde est d'un rubis tirant sur le pourpre, semble plus marqué par le bois que ne le sont en général les vins de Cantemerle. Son admirable fruité de cassis généreux étaye parfaitement ses tannins abondants et sa structure ; il présente également une douceur et une maturité sous-jacentes. Élégant et légèrement austère, il sera parfait au début du prochain millénaire. **A boire entre 2000 et 2010.** (11/94)

1992 • **86** Profondément coloré, le 1992 offre un bouquet d'épices, de fruits mûrs et d'olives, et se révèle souple, riche et soyeux en bouche. Il déploie en finale un fruité sans détour, abondant et juteux. Ce vin élégant doit être consommé **d'ici 3 à 5 ans.** (11/94)

1991 • **76** Terne et décevant, le 1991 de Cantemerle est terriblement herbacé et peu corsé, avec une finale très courte. Il présente quelques arômes de fruits doux, mais manque singulièrement de substance. (1/94)

1990 • **86** Souples, séduisants et parfumés, les arômes du 1990 sont aussi plaisants et francs. L'ensemble est moyennement corsé, avec un fruité opulent et des tannins fondus, le tout étayé par une heureuse acidité. La finale est charmeuse. **A boire.** (1/93)

1989 • **91** Le 1989 de Cantemerle s'impose comme la plus belle réussite de la propriété depuis les monumentaux 1953, 1961 et 1983. Ce vin rubis-pourpre de robe exhale un bouquet explosif de mûre écrasée et de violette, et révèle en bouche une texture riche et opulente, solidement étayée par des tannins souples et un caractère bien alcoolique. **A boire jusqu'en 2010.** (1/93)

1988 • **86** Le 1988 présente des tannins durs et secs, mais, contrairement à la plupart des Médoc de ce millésime, il est bien étayé par un fruité d'une excellente tenue. Le bouquet, racé, libère d'irrésistibles notes de fruits noirs, de minéral et d'épices, et l'ensemble se montre moyennement corsé et élégant, avec des arômes de terre, de minéral (encore) et de prune. Ce vin de grande classe est à son meilleur niveau actuellement. **A boire jusqu'en 2003.** (1/93)

1986 • **82** Le 1986 de Cantemerle est, je ne sais pourquoi, désagréablement tannique, un peu raide et dur, ce qui ne s'accorde guère avec le fruit généreux de ce vin léger, délicat et élégant. **A boire.** (4/90)

1985 • **85** Voici le Cantemerle sous son expression la plus élégante et la plus racée. Avec sa robe rubis moyen et son bouquet très développé de framboise et de chêne, il est souple et ressemble davantage à un Volnay qu'à un Médoc. **A boire.** (11/90)

1984 • **79** Le 1984 est une belle réussite pour le millésime. Fruité, assez corsé et joliment assemblé, il est maintenant prêt. **A boire.** (3/89)

1983 • **91** Ce Cantemerle – le premier vinifié dans le nouveau chai – est un vin très spécial, en même temps que l'un des meilleurs du millésime. La couleur demeure d'un beau rubis-pourpre foncé, et le bouquet, jaillissant du verre, marie la prune mûre, les fleurs et le chêne. En bouche, l'ensemble est généreux et souple, concentré, extrêmement persistant, avec des tannins ronds. C'est le Cantemerle à son niveau le plus opulent et le plus sensuel. Il a évolué très lentement, tout comme d'ailleurs Palmer et Margaux, les deux autres réussites du millésime. **A boire jusqu'en 2005.** (9/97)

1982 • **86** Bien meilleur que je ne l'avais initialement pronostiqué, le 1982 de Cantemerle est souple et accessible, mais dépourvu de la concentration et de l'opulence qui caractérisent les vins les plus réussis du millésime. Hormis une teinte légèrement ambrée, la robe demeure intacte, tout comme les arômes. Le nez, doux, herbacé et poivré, de petits fruits introduit un ensemble accessible et moyennement corsé, rond et généreux, qui s'exprime en bouche sans aspérités. Je ne pense pas que ce vin s'améliore, mais il est parfaitement capable de tenir **10 ans encore**. Cependant, il n'arrive pas à la cheville du spectaculaire 1983, toujours fabuleusement riche, jeune et des plus concentrés. (9/95)

1981 • **82** De couleur rubis, le 1981 est marqué par la vanille et le chêne, avec des arômes bien évolués de cassis, des tannins modérés et une finale de bonne tenue. Il est bon, mais un peu compact et maigre. **A boire.** (1/89)

1979 • **82** Étonnamment précoce, le 1979 est agréablement fruité, plaisant, tendre et rond, mais semble manquer de nervosité et de longueur en bouche. **A boire – peut-être en déclin.** (2/83)

1978 • **81** Vêtu d'un rubis moyennement foncé et ambré sur le bord, le 1978 a commencé à développer des relents de boue et de vieux fût qui gâchent son bouquet de cèdre, d'épices et de fruits noirs. En bouche, il conserve un caractère assez gras et déploie une finale astringente laissant penser qu'il n'a peut-être pas assez de fruit pour faire pièce à ses tannins. **A boire.** (8/88)

1976 • **60** Le Cantemerle 1976 est malheureusement **en déclin**, avec une couleur pâle et tuilée, une bouche assez médiocre, atténuée, comme si le vin était cuit et très chaptalisé. (4/84)

1975 • **84** Le 1975 est encore remarquablement dur, tannique et rugueux. Rustique, très corsé et musclé, il manifeste une belle concentration, mais ses tannins astringents – et même sévères –, typiques du millésime, laissent planer des doutes sur son évolution ultérieure. **A boire jusqu'en 2005.** (1/88)

1971 • **83** Le 1971 a depuis longtemps atteint son apogée. Sa robe rubis moyen est ambrée et orangée sur le bord, et son bouquet peu intense, mais parfumé, évoque les baies sauvages et le chêne. En bouche, il se révèle suffisamment fruité et concentré, mais l'acidité est un peu acerbe en finale. **A boire rapidement – probablement en sérieux déclin.** (10/83)

1970 • **87** Ce vin, qui s'est révélé être l'une des bonnes surprises du millésime, exhale un beau nez de prune, de cake, de cèdre et de chêne épicé, prolongé, en bouche, par un généreux fruité très persistant et bien équilibré, présenté dans un ensemble assez corsé et concentré. C'est incontestablement le meilleur Cantemerle des années 70, depuis longtemps à son apogée. **A boire – peut-être en déclin.** (2/89)

1961 • **92** Encore superbe, le 1961 impressionne par sa robe opaque, rubis foncé légèrement ambré et orangé sur le bord, et par son bouquet énorme de fumé, de terre fraîche, de cassis, de fleurs printanières, de cuir et de prune. En bouche, il est séveux, corsé, concentré, avec ce caractère de surmaturité que l'on trouve souvent dans les grands millésimes de Bordeaux. Onctueux et opulent, il est toujours en très grande forme. **A boire jusqu'en 2000.** (1/88)

Millésimes anciens

Le 1959 (noté 89) n'est pas très loin de la splendeur du 1961 ; un peu plus léger, mais sensuellement fruité, généreux et même suave en bouche, il était encore remarquable, sans aucun signe de déclin, quand je l'ai goûté à Bordeaux en 1987. Cependant, le plus grand Cantemerle que j'aie jamais dégusté est le 1953 (noté 94 en novembre 1996). Il avait toujours ce charme fou que l'on peut attendre d'un millésime qui, semble-t-il, était déjà très agréable lors de sa diffusion au milieu des années 50 et qui, s'il a été conservé dans de bonnes conditions, a continué depuis à faire la joie des amateurs. Sans être aussi dense de robe que le 1961 ou le 1959, il est merveilleusement suave, généreux et extraordinairement parfumé en bouche ; c'est vraiment un grand classique de Cantemerle, et même le meilleur vin élaboré à la propriété dans ces quarante dernières années – bien que je garde bon espoir de voir le 1983 et le 1989 évoluer (presque) aussi bien. Le 1949 (noté 89 en juin 1997) est un vin que je connais bien, pour en avoir acheté une caisse aux enchères en 1990. Parfaitement mûr, doux et très parfumé, il se montre moyennement corsé, élégant et délicat en bouche. **A boire.**

CANTENAC BROWN – BON

3e cru classé en 1855 – équivaut à un 5e cru

Propriétaire : AXA Millésimes

Adresse : 33460 Margaux

Tél. 05 57 88 81 81 – Fax 05 57 88 81 90

Visites : sur rendez-vous uniquement

Contact : José Sanfins

Superficie : 42 ha (Cantenac – appellation Margaux)

Vins produits : Château Cantenac Brown – 180 000 b ; Château Canuet – 60 000 b

Encépagement : 65 % cabernet sauvignon, 25 % merlot, 10 % cabernet franc

Densité de plantation : 8 500 pieds/ha – *Age moyen des vignes :* 30 ans

Rendement moyen : 45 hl/ha

Élevage :
vendanges manuelles ;
fermentations et cuvaisons de 15 jours en cuves d'acier inoxydable thermorégulées ;
vieillissement de 12-15 mois en fûts (50 % de bois neuf) ; collage et filtration

---

A maturité : dans les 10 à 20 ans suivant le millésime avant 1980,
dans les 5 à 15 ans après

Dans la période récente, Cantenac Brown a connu des hauts et des bas. Vendu en 1968 par Jean Lawton, bien connu dans la région, à la famille Du Vivier, il a été à nouveau mis en vente et racheté par la célèbre maison de cognac Rémy Martin. Plus récemment, il a été cédé à la Compagnie du Midi, qui a eu assez de clairvoyance pour placer Jean-Michel Cazes et sa talentueuse équipe de vinification, dirigée par Daniel Llose, à la tête du domaine. Aujourd'hui, Jean-Michel Cazes et sa famille sont directement associés dans la société d'exploitation du château.

Le vignoble ne compte pas parmi les mieux situés de la commune de Cantenac, et il produisait traditionnellement des vins relativement durs et tanniques, souvent trop musclés et trop trapus. Sous l'impulsion de la nouvelle équipe, les Cantenac Brown sont devenus un peu plus souples et moins robustes, mais les résultats sont mitigés. En effet, il faut avouer que bon nombre des vins de ce domaine révèlent, outre des tannins en excès, un caractère sec et dépourvu de charme, et qu'ils perdent leur fruit bien avant leurs tannins. Certains observateurs naturellement pessimistes disent que le vignoble, situé sur des sols graveleux et profonds, ne donnera jamais des vins d'une très grande élégance. Cela reste à prouver.

Ceux qui visitent la région seront bien inspirés de suivre la route, parfaitement indiquée (à droite avant le village d'Issan), qui passe devant cet exceptionnel château du XVIIIe siècle, construit en briques rouges. C'est l'un des plus imposants du Médoc, et il ressemble davantage à un manoir anglais de l'époque victorienne qu'à une demeure française. Depuis 1995, il est la résidence de l'université d'AXA et accueille de nombreux spécialistes internationaux de l'assurance.

1998 • **86-87 ?** Le point d'interrogation accompagnant la note attribuée à ce vin s'explique par sa finale abrupte et tannique. Hormis ce défaut, le Cantenac Brown 1998 se présente vêtu d'un rubis-pourpre foncé et soutenu, et révèle un doux fruit tant au nez qu'à l'attaque en bouche. Moyennement corsé et d'une très grande pureté, il pourrait être renoté à la hausse (une note très bonne, voire extraordinaire) si ses tannins se fondaient tandis qu'il gagnerait en ampleur. **A boire entre 2003 et 2015.** (3/99)

1997 • 85-87? J'ai aimé le Cantenac Brown 1997, composé à 65 % de cabernet sauvignon, à 25 % de merlot et à 10 % de cabernet franc. Je ne sais si c'est de son terroir ou de sa vinification que ce cru tient son caractère généralement austère et tannique ; mais la douceur qui caractérise le millésime a donné, ici, un 1997 charmeur et précoce. Rubis-pourpre foncé, avec un doux nez de framboise et de cassis mâtiné de notes de réglisse, de sous-bois et de chêne, ce vin, moyennement corsé et souple, se distingue encore par une belle pureté et une finale charnue et faible en acidité. Ce pourrait bien être l'un des Cantenac Brown les mieux réussis de ces dernières années – qui se verra même attribuer une note aux alentours de 87-89 s'il évolue bien au cours de son élevage. **A boire entre 2000 et 2014.** (3/98)

1996 • 85-87 Je sais que Jean-Michel Cazes et AXA Millésimes (cette énorme entité possède plusieurs propriétés dans le Bordelais) n'ont pas apprécié mes commentaires passés sur Cantenac Brown, mais il est vrai que j'ai souvent trouvé ce cru trop rugueux, trop tannique et trop sec. Je suis cependant heureux de constater que le 1996, quoique tannique, est l'un des vins les mieux équilibrés élaborés à la propriété sous la houlette d'AXA. D'un rubis-pourpre profond, avec des arômes simples, mais plaisants, de cassis, de réglisse et de vanille, il se révèle moyennement corsé, puissant, musclé et plutôt carré en bouche. Mais il est également ample et riche, et pourrait même se voir attribuer une meilleure note s'il développait davantage de complexité. **A boire entre 2004 et 2015.** (3/98)

1995 • 78 Malgré sa bonne couleur, le Cantenac Brown 1995 se révèle anguleux, austère, avec des tannins en excès. Ce vin maigre et spartiate se desséchera certainement avant que ses tannins ne se fondent dans l'ensemble pour être en harmonie avec son fruité. **A boire entre 2000 et 2010.** (11/97)

1994 • 79 Moyennement corsé, le 1994 présente un caractère tannique tout à fait disproportionné par rapport à son fruité. Certes, il resplendit d'une belle couleur rubis foncé aux nuances de pourpre, mais je ne vois pas comment ses tannins pourraient se fondre suffisamment pour qu'il se révèle charmeur ou séduisant. (1/97)

1993 • 74 Rubis foncé, le 1993 libère un nez herbacé de champignons, et se révèle maigre et austère, manquant de fruité. Il n'en sera que plus diminué avec le temps. **A éviter.** (1/97)

1992 • 78 Vêtu de rubis profond, le 1992 est plutôt longiligne et concentré. Cependant, il est également austère, excessivement tannique et astringent, et agresse littéralement le palais. Je doute que son fruité puisse jamais contrebalancer sa structure. **A boire dans les 3 ou 4 ans.** (11/94)

1991 • 74 Le 1991 de Cantenac Brown reste bien dans la ligne de ce que fait généralement cette propriété. Dur et austère, avec une texture rugueuse, il est maigre et aura tendance à se dessécher avant que ses tannins ne se fondent. Malgré sa couleur impressionnante, il est creux et manque autant de charme que de finesse. (1/94)

1990 • 87 Bien qu'il soit un peu plus structuré et plus riche en extrait que le 1989, le Cantenac Brown 1990 manque de complexité, mais il présente un généreux fruité, ample et concentré, dans un ensemble très corsé. J'apprécie particulièrement son bouquet spectaculaire de fumé et de cassis. **A boire jusqu'en 2003.** (1/93)

1989 • 85 ? A ceux qui apprécient les bordeaux agréables et accessibles, ce Cantenac Brown réserve des flots d'un fruit rond et souple de cassis présenté dans un ensemble assez corsé. Le tout manque un peu de profondeur, et la finale est douce. Cependant, ce vin n'est pas très passionnant. **A boire jusqu'en 2001.** (1/93)

1988 • 82 Le 1988 est assez atténué, avec d'abondants tannins. Moyennement corsé et épicé, il est bien fait, mais moins impressionnant que je ne l'aurais pensé de prime abord. **A boire jusqu'en 2000.** (1/93)

1986 • 85 Le 1986 conjugue puissance et élégance dans un ensemble moyennement corsé. D'un rubis profond, il régale le palais d'un fruité de cassis des plus classiques, nuancé de chêne grillé et épicé. Ce vin carré et assez monolithique ne manque pas de tannins. **A boire jusqu'en 2010.** (9/89)

1983 • 85 Il s'agit là d'un Cantenac Brown typique, bien coloré, épanoui, robuste, riche, corsé, assez grossièrement charpenté, avec beaucoup de concentration et de puissance. Cependant, comme souvent les vins de ce domaine, il manque un peu de charme et de finesse. **A boire jusqu'en 2005.** (1/89)

1982 • 77 Les longues années de garde n'ont pas amélioré ce vin, qui a perdu le peu de fruité qu'il possédait. D'un rubis-grenat un peu trouble, il dégage un nez de terre, de vieux chai et de carton mouillé. L'attaque révèle un certain fruit, mais l'ensemble s'amenuise ensuite, dévoilant des tannins sévères et une astringence déplaisante. Il ne peut que décliner encore. (9/95)

1970 • 86 D'un rubis assez dense, le 1970 dégage un bouquet énorme de cassis, de cannelle, d'herbe fraîche, de cuir et de minéral. Ce vin massif, dont les abondants tannins refusent de se fondre dans l'ensemble, demeure extrêmement musclé à près de 20 ans d'âge, ne s'imposant que par sa puissance et sa fermeté. **A boire jusqu'en 2010.** (3/88)

1966 • 83 Ce vin ferme, compact et musclé, au caractère poussiéreux et assez grossier, offre quelques arômes d'épices et de cuir fin. Relativement corsé, il pèche par manque de richesse et par un léger excès d'acidité et d'austérité. **A boire – peut-être en déclin.** (4/80)

DAUZAC – BON

5e cru classé en 1855 – devrait être maintenu
Propriétaire : MAIF
Adresse : 33460 Labarde
Adresse postale : Les Vignobles André Lurton
Château Bonnet – 33420 Grezillac
Tél. 05 57 25 58 58 – Fax 05 57 74 98 59
Visites : sur rendez-vous uniquement
Contact : Véronique Bouffard

Superficie : 40 ha (Labarde – appellation Margaux)
Vins produits : Château Dauzac – 130 000 b ; La Bastide Dauzac – variable
Encépagement : 58 % cabernet sauvignon, 37 % merlot, 5 % cabernet franc
Densité de plantation : 10 000 pieds/ha – *Age moyen des vignes :* 20 ans

Élevage :
vendanges manuelles ;
fermentations et cuvaisons de 21 jours en cuves d'acier inoxydable thermorégulées ;
vieillissement de 12 mois en fûts (50-80 % de bois neuf) ;
soutirage trimestriel ; collage et filtration

A maturité : dans les 5 à 16 ans suivant le millésime

L'apparition de la vigne à Dauzac remonte, semble-t-il, au XIIIe siècle, mais le domaine prend sa forme actuelle – un vignoble d'un seul tenant sur graves profondes – en 1740, avec l'arrivée de Thomas Lynch. On estime généralement que c'est l'un de ses héritiers, Jean-Baptiste Lynch, passionné de vigne et de vin, qui hissa le domaine à un niveau suffisant pour qu'il entre dans le classement de 1855.

Dauzac a été racheté en 1988 par la MAIF, qui en a confié la gestion et la présidence du directoire à André Lurton, propriétaire de plusieurs autres domaines, en particulier en Pessac-Léognan.

Les impressionnants chais de Dauzac, récemment construits, sont les premiers que l'on rencontre en suivant la célèbre D2 – route des châteaux –, juste après Macau. Depuis 1978, les installations ont subi de grandes améliorations : la cuverie est désormais dotée de cuves d'acier inoxydable pour les fermentations, une plus forte proportion de bois neuf est utilisée pour l'élevage, et un programme de replantation du vignoble a été mis sur pied. La qualité des vins s'en est ressentie ; ceux-ci sont en effet bien meilleurs, notamment depuis 1983. L'avenir du domaine semble assuré.

1998 • **86-88** Opaque et pourpre de robe, le 1998 de Dauzac se distingue par de généreux arômes de fruits noirs nuancés de chêne neuf et grillé, de goudron et de réglisse. Profond, riche et moyennement corsé, il est bien fait, étoffé et modérément tannique. Ce vin devrait évoluer avec grâce. **A boire entre 2004 et 2015.** (3/99)

1997 • **78-82** Desservi par un creux en milieu de bouche et par une finale atténuée et comprimée, le 1997 est dilué et manque quelque peu de concentration. **A boire jusqu'en 2007.** (1/99)

1996 • **86** Le Dauzac 1996 se distingue par un doux fruité de cassis entremêlé de notes de fumé, d'herbes et de chêne neuf. Moyennement corsé, il révèle, outre un caractère modérément tannique et profond, une belle richesse en extrait, ainsi qu'une finale mûre. C'est un Margaux relativement massif et de bonne facture. **A boire entre 2002 et 2015.** (1/99)

1995 • **86+** Extrêmement peu évolué et tannique, le Dauzac 1995, d'un rubis foncé, est à la limite de l'excès d'austérité, mais son doux fruité de cassis et le caractère moyennement corsé et charnu qu'il déploie en bouche sont suffisants pour susciter l'enthousiasme du dégustateur. Ce vin ne sera jamais grandiose, mais il est bien fait, d'une bonne tenue et vieillira de belle manière. **A boire entre 2003 et 2015.** (11/97)

1994 • **87** L'excellent Dauzac 1994 est l'une des plus belles réussites du domaine ces dernières années. D'un rubis-pourpre sombre, dense et resplendissant, il exhale un nez évoquant les herbes fumées, le pain grillé, la cerise noire, les olives et les épices. Moyennement corsé et d'une excellente concentration, il déploie des tannins modérés. C'est un vin pur, bien structuré et concentré, qui devrait se développer de belle manière d'ici 5 à 7 ans. Son potentiel de garde est de **20 ans environ.** (3/96)

1993 • **88** Le 1993 marque un tournant pour la propriété. D'une couleur rubis-pourpre, il exhale un nez riche et doux de cassis, de réglisse et de chêne grillé. Pur, moyennement corsé et impressionnant de richesse en extrait, il déploie un excellent équilibre et des tannins modérés. Sa profondeur et son fruité mûr sont suffisants pour contrebalancer sa structure, et je pense qu'il est parfaitement capable d'une longue garde. **A boire entre 2002 et 2020.** (11/94)

1992 • **73** Le 1992 est maigre et sans structure. On dira, pour rester diplomate, qu'il est inintéressant. (1/94)

1991 • **72** Le 1991, aux arômes unidimensionnels, est creux, avec une finale inexistante. **A boire dans les 2 ans.** (1/94)

1990 • **74** Le 1990 est dur, austère et maigre. Quelle déception pour ce millésime grandiose ! (1/93)

1989 • **76** Peu structuré et diffus, le 1989 de Dauzac se révèle étonnamment léger. On y décèle cependant de plaisants arômes de fruits confiturés, mais rien de plus. Souple et faible en acidité, il doit être consommé ces **4 ou 5 prochaines années.** (1/93)

1988 • **83** Profondément coloré, le Dauzac 1988 se distingue par son caractère moyennement corsé et par ses séduisants arômes épicés et herbacés de groseille bien étayés par des notes de chêne neuf. Je me demande si les tannins durs que recèle la finale se fondront avant que le fruit ne se fane. **A boire jusqu'en 2000.** (1/93)

1986 • **76** Ce vin dur et fermé ne recèle pas le fruité suffisant pour assurer son équilibre. Sa finale est courte et atténuée. **A boire.** (3/90)

1985 • **77** Rubis foncé, le 1985 est compact et serré, mais concentré. Cependant, je le trouve dépourvu de charme, de complexité et d'étoffe. Il n'est pas à la hauteur de son rang de cru classé. **A boire.** (3/89)

DURFORT-VIVENS – BON

2e cru classé en 1855
équivaut à un 5e cru
Propriétaire : Gonzague Lurton
Adresse : 33460 Margaux
Tél. 05 57 88 83 33
Fax 05 57 88 72 51
Visites : sur rendez-vous uniquement

Superficie : 20 ha (Margaux – appellation Margaux)
Vins produits :
Château Durfort-Vivens – 70 000-75 000 b ; Domaine de Cure-Bourse – variable
Encépagement : 82 % cabernet sauvignon, 10 % cabernet franc, 8 % petit verdot
Densité de plantation : 6 600 pieds/ha – *Age moyen des vignes :* 25 ans

---

Élevage :
vieillissement de 12-18 mois en fûts (30-50 % de bois neuf) ; collage et filtration

A maturité : dans les 6 à 18 ans suivant le millésime

Ce célèbre deuxième cru appartient à Gonzague Lurton, fils de Lucien. Ce dernier, bien connu dans la région, possède un domaine très renommé dans la même appellation, le Château Brane-Cantenac. Le vignoble de Durfort-Vivens devrait produire de meilleurs Margaux. Il serait peut-être injuste de reprocher à Lucien Lurton, qui gérait le domaine à l'époque, la fort médiocre série de vins élaborés entre 1961 et 1981. Cependant, les vignes ont maintenant atteint un âge respectable, et le site du domaine est indiscutablement assez favorable. Est-ce le fort pourcentage de cabernet sauvignon (le plus important de tous les crus du sud du Médoc) qui fait que le cru manque un peu de charme et de souplesse ?

Cela dit, depuis 1982, les vins de la propriété témoignent d'une nette amélioration.

1995 • **86** D'un rubis foncé nuancé de pourpre, le Durfort-Vivens 1995 est modérément mûr et exhale des senteurs de cerise noire mâtinées de terre, d'olives et de boisé. Raisonnablement tannique et assez corsé, il est plutôt massif, mais pas imposant. Il tiendra parfaitement **10 à 12 ans.** (3/96)

1989 • **86** Admirable de concentration, le 1989 est faible en acidité et tannique, avec un caractère charnu. Il pourrait se révéler très bon. **A boire jusqu'en 2005.** (1/93)

1988 • **76** Une robe rubis moyen et un nez épicé, poussiéreux et très herbacé introduisent le Durfort-Vivens 1988. Ce vin astringent, au caractère végétal envahissant, est très certainement issu d'un cabernet sauvignon insuffisamment mûr. L'ensemble, compact et atténué, finit court en bouche. **A boire.** (1/93)

1986 • **84** Le très tannique 1986 impressionne par sa robe rubis foncé, mais ne révèle ni la maturité, ni la douceur, ni le fruit profond capables de faire pièce à ses tannins. C'est un bon vin, mais il aurait été vraiment intéressant si les rendements avaient été plus restreints. **A boire jusqu'en 2000.** (4/90)

1985 • **87** D'un rubis profond, avec un nez épicé, riche et intense de fruits, d'olives et de chêne, le 1985 révèle une richesse crémeuse, des tannins légers et un caractère moyennement corsé, mais bien persistant. C'est l'un des meilleurs exemples de ce cru que je connaisse. **A boire.** (4/89)

1983 • **86** Bien équilibré et admirablement structuré, le 1983 de Durfort-Vivens est musclé, mais plus maigre et plus austère que la plupart de ses jumeaux de Margaux. Il regorge d'un fruité riche, mûr et concentré, mais également de tannins agressifs. Sa finale est assez persistante. **A boire jusqu'en 2005.** (2/91)

1982 • **87** C'est probablement l'un des millésimes récents de cette propriété les plus séduisants. Son nez énorme et merveilleusement mûr libère des notes de cassis, et la bouche présente des arômes profonds, souples et bien concentrés. La finale est longue, et l'ensemble bien étayé par des tannins adéquats. **A boire jusqu'en 2000.** (1/90)

GISCOURS – BON
3e cru classé en 1855
devrait être maintenu
Propriétaire : GFA du Château Giscours
Adresse : 10, route de Giscours
33460 Labarde
Tél. 05 57 97 09 09 – Fax 05 57 97 09 00
Visites : tous les jours (9 h-12 h et 14 h-17 h)

Superficie : 80 ha (Labarde et Arsac – appellation Margaux)
Vins produits : Château Giscours – 300 000 b ; La Sirène de Giscours – 120 000 b
Encépagement : 65 % cabernet sauvignon, 30 % merlot, 5 % cabernet franc
Densité de plantation : 8 300 pieds/ha – *Age moyen des vignes :* 25 ans
Rendement moyen : 49 hl/ha

Élevage :
vendanges manuelles ; tri à l'arrivée au chai ;
fermentations et cuvaisons de 14-21 jours en cuves thermorégulées
avec adjonction de levures ;
vieillissement après les malolactiques de 17 mois en fûts (30-40 % de bois neuf) ;
soutirage trimestriel ; collage au blanc d'œuf ; filtration

A maturité : dans les 6 à 20 ans suivant le millésime

Giscours est une vaste propriété d'une superficie supérieure à 240 ha, dont un tiers de vignes ; elle est située à Labarde, qui se trouve dans la partie sud de l'appellation Margaux. Autrefois en fort piteux état, le domaine a retrouvé qualité et prestige depuis qu'il a été, en 1952, racheté par Nicolas Tari ; Pierre, le fils de ce dernier, qui en avait pris véritablement la direction en 1970, est devenu l'un des meilleurs ambassadeurs des vins de Bordeaux. Jusqu'à la fin des années 80, il a assumé la présidence de l'Union des grands crus, association des châteaux créée pour assurer la promotion commune des vins. Actuellement, l'exploitation du vignoble est assurée par Éric Albada-Jelgersma (qui a récemment acquis le Château du Tertre, à Margaux), alors que le foncier appartient toujours à la famille Tari.

Le château Giscours, situé dans un magnifique parc planté de vieux arbres, est l'un des plus importants du Médoc, et il mérite une visite. Pendant une crise passagère du domaine dans les années 80, les vins ont été un peu trop commerciaux, mous et tendres, mais, d'une manière générale, ils sont vinifiés dans un style très intéressant depuis plusieurs décennies. Ils se distinguent par une robe profonde, souvent opaque, par un caractère très concentré, musclé et solidement charpenté, et par d'abondants tannins. En outre, la tenue de Giscours, dans les petits millésimes comme 1972, 1973, 1974 et 1980, est meilleure que celle de la plupart des autres grands châteaux bordelais. Un tel résultat est, en partie tout du moins, obtenu par le procédé utilisé à Giscours, qui consiste, lorsque la vendange n'est pas très mûre, à la chauffer à 60 °C pendant 30 à 60 secondes, afin d'en extraire la matière colorante et les arômes. Bien que cette méthode soit décriée par beaucoup de viticulteurs, il faut convenir qu'elle a fait merveille pour Giscours. En 1990, le domaine est devenu l'un des premiers du Médoc à utiliser le nouveau matériel permettant d'éliminer l'excès d'eau des grappes par un processus d'osmose.

Au printemps 1998, la propriété fit la « une » des journaux, le Parquet de Bordeaux ayant ouvert une information contre le Château Giscours, auquel, selon la presse, il était reproché les faits suivants :

– avoir mélangé du Margaux et des vins provenant d'une autre appellation ;
– avoir mélangé plusieurs millésimes différents ;
– avoir trop chaptalisé certaines pièces ;
– avoir ajouté des copeaux dans les cuves pour donner des arômes boisés au vin (c'est une manière peu coûteuse d'éviter l'achat de fûts de chêne pour l'élevage des vins).

Le service des Fraudes est actuellement chargé de l'enquête. Pour sa part, le château a diffusé un communiqué de presse par lequel il reconnaît que de telles pratiques ont pu, en effet, être utilisées pour le second vin, mais pas pour le grand vin. Ce sont les tribunaux qui décideront bien évidemment de l'issue de cette affaire. Cependant, on peut penser que le nouvel exploitant, Éric Albada-Jelgersma, pâtira de cette situation, alors qu'il déploie d'immenses efforts pour hisser Giscours aux sommets qu'il atteignait dans les années 70 sous la houlette de Pierre Tari.

Le Château Giscours, qui a signé d'excellentes performances au début et vers la fin des années 70, essaye, depuis le début des années 90, de retrouver sa forme d'antan. Les derniers rebondissements judiciaires lui porteront très certainement tort, quelle qu'en soit l'issue.

1998 • **86-88** Bien vinifié, le Giscours 1998 se montre charmeur, rond, opulent, ouvert et fruité. C'est fort judicieusement qu'il n'a pas été excessivement extrait ; ainsi, il est heureusement dépourvu de tannins trop abondants et astringents. Arborant une robe rubis-pourpre foncé, ce vin révèle un fruité riche, mûr et herbacé de cerise noire et de prune, étayé par une faible acidité. Il est souple et moyennement corsé en bouche, et déjà agréable à déguster. **A boire entre 2001 et 2012.** (3/99)

1997 • **85-86** Plus charmeur que son aîné d'un an, plus profondément coloré aussi, le 1997 de Giscours se distingue encore par un fruité plus dense, et par une ampleur et une persistance plus importantes. L'ensemble est faible en acidité, avec un fruité d'herbes séchées et de cassis nuancé de fumé et de tabac. **A boire dans les 10 ans suivant le millésime.** (1/99)

1996 • **84** Atypique du millésime par son caractère souple, ouvert et précoce, et par son manque de tannins, le 1996 de Giscours présente une robe rubis foncé et séduit par son nez de petits fruits rouges. Il est sans détour et accessible. **A boire avant 10 ans d'âge.** (1/99)

1995 • **85** Voici un vin accessible qui plaira au plus grand nombre. D'un rubis foncé, il exhale un nez d'herbes rôties, de viande, de cassis et de cerise. Le doux fruité qu'il dévoile en bouche se conjugue à des notes herbacées et de sous-bois. L'ensemble, moyennement corsé et épicé, est plaisant et souple, légèrement tannique en finale. Ce vin sera bientôt prêt. **A boire entre 2000 et 2010.** (11/97)

1994 • **86** Ouvert et manquant quelque peu de structure, le 1994 révèle un caractère souple et charnu, mais il est dépourvu de la profondeur que j'avais espéré y trouver. Épicé et d'un style commercial, il est accessible et sera agréable à boire sans cérémonie ces **10 à 12 prochaines années.** (3/96)

1993 • **85** Le 1993 est typique de la propriété, avec son caractère charnu et corpulent. Plus gras que la majorité des vins de cette année, ce Giscours modérément tannique, trapu et sans détour tapisse le palais. A parfaite maturité, il a du corps et du fruité. **A boire dans les 6 à 9 ans.** (11/94)

1992 • **86** Le 1992 est remarquable par sa robe soutenue de couleur rubis-pourpre foncé. Son nez énorme de prune, de réglisse et d'épices orientales introduit en bouche des arômes ronds, concentrés, qui ont de la mâche. La finale est moyennement corsée, alcoolique et capiteuse. Un vin charnu, riche et concentré pour le millésime. **A boire dans les 5 à 7 ans.** (11/94)

1991 • **86** D'une couleur très soutenue, le 1991 dégage un nez exotique de cerise noire, de café, de chocolat et de cannelle. Profond, il révèle un fruité riche marqué par des arômes de cassis et par de la mâche. Moyennement corsé et séduisant, ce vin bien doté et souple, à la faible acidité, se montre charnu et devrait se conserver pendant encore **7 ou 8 ans.** (1/94)

1990 • **86** Tout à la fois robuste, exotique, très corsé et riche, le Giscours 1990 révèle un fruité d'une excellente richesse, bien étayé par d'abondants tannins et par une faible acidité. **A boire jusqu'en 2005.** (1/93)

1989 • **87** C'est le premier bon millésime de la propriété depuis le 1981. Arborant une robe rubis-noir, il exhale un bouquet puissant et énorme de prune très mûre et de réglisse. En bouche, il déploie le légendaire caractère savoureux typique du millésime, et manifeste une excellente concentration et une faible acidité. Ce vin très alcoolique et de bonne mâche, à la finale longue et opulente, séduira certainement le plus grand nombre par son aspect capiteux. **A boire jusqu'en 2008.** (1/93)

1988 • **78** Ce Giscours extrêmement mûr et charnu, aux arômes de prune, de pêche et d'abricot, manque quelque peu de structure. Souple, voire mou, il n'a pas en effet les tannins nécessaires pour être assuré d'une bonne tenue. **A boire dans les 4 ou 5 ans.** (1/93)

1986 • **74** Goûté au fût, le 1986 m'avait semblé, à plusieurs reprises, disgracieux et quelque peu dépourvu de structure. Après avoir dégusté trois bouteilles, je demeure inquiet quant à son véritable potentiel. Il déborde certes d'un fruit bien évolué, mais il donne surtout l'impression, désagréable, d'une surmaturité plutôt que d'une harmonie d'ensemble. Le nez de pêche, d'abricot et de prune est suivi, en bouche, par des arômes très nets de chêne neuf et par un caractère relâché et alcoolique, étayé par une faible acidité. C'est un vin plutôt commercial. Étant donné le volume très important de la production, on se demande si la sélection a été suffisamment stricte. **A boire.** (1/91)

1985 • **84** Durant la plus grande partie de la décennie, le vinificateur a sacrifié le caractère charpenté de Giscours pour mettre l'accent sur un vin plus léger, plus fruité et plus accessible. Cela se remarque particulièrement à la faveur de millésimes comme 1985 et 1986. Le 1985, léger et fruité, est agréable et charmeur, mais il manque autant de tenue que de persistance. En outre, il ne sera pas de très longue garde. **A boire.** (1/90)

1984 • **83** Giscours est toujours bon dans les petits millésimes – on se souvient du 1980 ! Ce 1984 est rond, très fruité, gras – tout simplement délicieux, ce qui n'est pas si mal ! **A boire.** (11/88)

1983 • **86** Giscours a moins bien réussi, dans ce millésime, que d'autres châteaux de Margaux. Vêtu de rubis moyen, il révèle un caractère tendre, fruité et soyeux, et des tannins légers. Assez corsé, il évolue rapidement en raison de sa faible acidité, de son pH élevé, de son manque de tannins et de profondeur. **A consommer.** (11/88)

1982 • **86** Ce vin parfaitement mûr présente toujours une belle ampleur et tapisse le palais de son fruité très mûr et très glycériné de cassis et de cerise noire. Très corsé, avec un alcool capiteux, il est charnu, mais manque de complexité et de tenue. **A boire dans les 5 ou 6 ans.** (9/95)

1981 • **86** Parfaitement mûr depuis plusieurs années, le 1981 de Giscours ne donne cependant aucun signe de dessèchement. Sa robe d'un grenat profond est légèrement ambrée sur le bord, et son nez révèle des notes d'herbes rôties, de groseille et de douce mûre nuancées de terre. L'ensemble, moyennement corsé, paraît quelque peu comprimé en bouche, mais il demeure fidèle au caractère élégant du millésime. Les tannins ne se fondront vraisemblablement jamais, si bien que je conseille de déguster ce vin dès à présent. Il est plus parfumé que fruité, et semble de plus en plus dominé par sa structure et ses arômes épicés (et non par le fruit). **A boire.** (5/97)

1980 • **79** Voici une remarquable réussite pour ce millésime médiocre. Regorgeant d'un fruit onctueux et bien évolué, ce vin a cependant commencé à se dessécher. **Il aurait dû être consommé avant 10 ans d'âge.** (12/88)

1979 • **89** Nombreux sont les amateurs qui dédaignent ce millésime irrégulier, forgé par un temps frais ; il offre cependant des vins bien réussis, dont le Giscours. Ce cru, qui s'est toujours montré plaisant, est encore étonnamment jeune et tonique. Il arbore une robe d'un rubis profond à peine éclairci sur le bord et exhale des senteurs florales entremêlées de notes de réglisse, de truffe, de cèdre et de fruits noirs poivrés. Moyennement corsé et d'une excellente, voire d'une extraordinaire concentration, ce 1979 a bien résorbé ses abondants tannins. Il ne sera jamais exceptionnel, mais il est certainement excellent et s'améliore encore. **A boire jusqu'en 2005.** (10/97)

1978 • **90** Figurant incontestablement parmi les grands succès du millésime, le Giscours 1978 est également l'un des Margaux les mieux réussis. Toujours délicieux, il arbore une robe opaque d'un grenat sombre resplendissant et se distingue par un bouquet très odorant de cèdre, d'herbes séchées, de fruits noirs, de terre et d'épices. Moyennement corsé et extraordinaire de concentration, il est doux en milieu de bouche, étayé par une heureuse acidité qui lui confère de la précision. Ce vin épicé et étonnamment riche évolue merveilleusement en bouteille. Quoique parfaitement mûr, il est encore capable de durer. **A boire jusqu'en 2008.** (10/97)

1976 • **81** Giscours a toujours été l'un de mes préférés dans ce millésime. Profondément coloré, charnu, assez rond et généreusement fruité, ce vin relativement corsé et séveux est depuis un bon moment à son apogée, mais il était toujours délicieux et étoffé la dernière fois que je l'ai goûté en magnum. **A boire.** (5/87)

1975 • **92** Le Giscours 1975 est assurément l'un des grands succès de ce millésime. Proche de son apogée, il est puissant, bien équilibré et arbore toujours une robe d'un grenat foncé resplendissant. Doté d'un fruité riche et concentré, il est très corsé et admirable de maturité, et témoigne d'un bel équilibre d'ensemble, malgré sa finale très tannique. Ce vin riche et épais est probablement le meilleur produit à la propriété depuis 1970 ; il tiendra parfaitement **15 ans encore, voire plus.** Les amateurs auront peut-être la chance de l'acheter aux enchères pour un prix très raisonnable. Un grand classique, de très haut vol. (12/95)

1971 • **84** Joliment coloré et très foncé pour le millésime, le 1971 est plutôt solide, mais manque de grâce et de finesse. Fort imposant en bouche, avec un fruit massif, bien évolué et poussiéreux, il affiche une belle carrure, mais finit de manière assez commune. C'est un Giscours relativement robuste et trivial, qui paraît incapable d'atteindre l'harmonie. **A boire.** (1/87)

1970 • **88**
Ce vin, qui dégage toujours un nez ample et épicé de réglisse, de terre, de cèdre, de groseille et de cuir, se révèle musclé, très corsé et tannique en bouche. Parfaitement mûr, il est charnu et très typique, mais je doute que ses tannins se fondent harmonieusement dans l'ensemble. Cependant, il affiche une excellente ampleur et une maturité de bon aloi, tout en manifestant un bel équilibre. C'est l'une des réussites de Giscours. **A boire jusqu'en 2004.** (6/96)

1966 • **74**
Ce vin commence à se détériorer. En 1984, lors de ma précédente dégustation, il était rubis foncé, légèrement ambré sur le bord, mais il est depuis devenu rubis moyen fortement nuancé de rouille. Le nez est en train de s'assécher, et l'on y discerne des odeurs végétales, de vieux tonneau, de boue, mêlées à celle du fruit. La bouche, acide et tannique, a perdu presque tout son fruit. C'était autrefois un Giscours merveilleusement souple, énorme, corpulent et délicieux, mais il est maintenant **en très sérieux déclin.** (1/91)

1962 • **80**
Comme le 1966, ce vin n'est plus très jeune... Cependant, il exhale encore un bouquet épicé et floral richement fruité. En bouche, on ne retrouve ni le caractère charnu ni le fruit généreux de Giscours, et la finale est brève. **A boire – probablement en sérieux déclin.** (1/81)

1961 • **87**
Ce vin s'est fort bien maintenu, bien qu'il soit depuis longtemps à pleine maturité. Sa robe s'est éclaircie, prenant une nuance rubis moyen, un peu poussiéreuse, mais son riche bouquet de groseille très mûre aux notes de terre fraîche est toujours là, vivace et pénétrant. En bouche, ce 1961 révèle le caractère carré, costaud et bien en chair typique de Giscours, avec des nuances de goudron, mais aussi une légère oxydation. La finale, magnifique, est riche et très alcoolique. **A boire sans délai.** (1/91)

D'ISSAN

3e cru classé en 1855
équivaut à un 5e cru
Propriétaire : Marguerite Cruse
Adresse : 33460 Cantenac
Tél. 05 57 88 35 91 – Fax 05 57 88 74 24
Visites : sur rendez-vous uniquement
Contact : Emmanuel Cruse

Superficie : 30 ha (Cantenac – appellation Margaux)
Vins produits : Château d'Issan – 125 000 b ; Blason d'Issan – 25 000-40 000 b
Encépagement : 70 % cabernet sauvignon, 30 % merlot
Densité de plantation : 8 500 pieds/ha – *Age moyen des vignes :* 25 ans
Rendement moyen : 45 hl/ha

Élevage :
vendanges manuelles ;
fermentations de 6 jours et cuvaisons de 18-21 jours en cuves ;
vieillissement après les malolactiques de 16 mois en fûts (35 % de bois neuf) ;
collage ; pas de filtration

A maturité : **dans les 5 à 15 ans suivant le millésime**

Note : le Château d'Issan produit également 70 000 bouteilles de Château de Candale (Haut-Médoc) sur 11 ha et 70 000 bouteilles de Moulin d'Issan (Bordeaux Supérieur) sur 11 ha.

Le château d'Issan, qui date du XVIIe siècle, est l'un des plus beaux du Médoc – il est classé à l'inventaire des Monuments historiques. Entouré d'un fossé, l'édifice est digne de la Belle au bois dormant. Le vignoble est d'un seul tenant, autour du château, sur sol graveleux. Depuis 1945, il est la propriété des célèbres Cruse, de Bordeaux, qui, pendant longtemps, ont assuré en exclusivité la distribution de ce cru par leur propre maison de négoce. Aujourd'hui, il est diffusé par la place de Bordeaux. Sa qualité s'est incontestablement améliorée, mais je dois avouer avoir goûté de nombreux exemples inintéressants.

Lorsqu'il est bon (le 1900 est considéré comme l'un des plus grands bordeaux qui soient), D'Issan se distingue par son caractère souple, charnu, mais délicat, et par ses parfums intenses et provocants. Aujourd'hui, il n'est malheureusement pas facile d'en dénicher de ce style. Les meilleurs millésimes récents ont été les 1996, 1995 et 1983.

En règle générale, les vins de cette propriété peuvent être consommés assez tôt, mais ils sont également capables de se maintenir plusieurs années.

1997 • **85-87** Le 1997 est bien réussi, avec sa robe rubis profond, son fruité doux, sa texture veloutée et sa finale persistante, savoureuse et glycérinée. Ce vin séduisant est aussi des plus agréables. **A boire jusqu'en 2010.** (1/99)

1996 • **88** Cette propriété s'impose à nouveau, avec une qualité sans cesse accrue. Son 1996, qui se montre sous un excellent jour en bouteille, présente, outre une robe rubis-pourpre foncé, un nez élégant et floral de mûre et de fumé. Moyennement corsé et complexe, il révèle en bouche un doux fruité de cassis subtilement boisé, ainsi qu'une acidité et des tannins parfaitement fondus dans l'ensemble. Véritable quintessence de Margaux, ce vin élégant et riche sera à son meilleur niveau **entre 2004 et 2020.** (1/99)

1995 • **87** L'excellent 1995 présente, outre une robe d'un rubis profond, un excellent nez épicé et herbacé de cassis. On décèle à l'attaque en bouche un doux fruité, extrêmement pur et mûr, doté d'un bel équilibre d'ensemble. Ce vin bien fait est moins évolué que son cadet, mais je pense qu'il est plutôt moins tannique que ce dernier, bien que ses tannins soient plus perceptibles en bouche. **A boire entre 2003 et 2014.** (11/97)

1994 • **84** Moyennement corsé et modérément doté, le 1994 est élégant, charmeur et étayé par une acidité tonique. La bouche révèle un caractère compact et comprimé, et la finale, aux tannins excessifs, ne manquera pas d'inquiéter d'ici quelques années. En effet, il ne semble pas que ce vin présente le fruité nécessaire pour faire pièce à sa structure. **A boire dans les 10 à 12 ans.** (3/96)

1993 • **73** Ce vin unidimensionnel, végétal et moyennement corsé manque de concentration et ne révèle ni fruité ni charme en fin de bouche. (11/94)

1990 • **85** D'un rubis moyen, le 1990 se montre légèrement corsé et parfumé, avec des senteurs épicées de petits fruits. Modérément tannique, il est bien concentré, savoureux et souple, mais assez léger et délicat. Il devrait bien évoluer en bouteille ces **10 à 15 prochaines années.** (3/95)

1989 • **83** D'Issan se distingue généralement par son caractère léger et délicat, si bien qu'il serait peu judicieux d'en attendre un vin puissant ou massif. Mais la légèreté a tout de même ses limites. Ce cru est certes fruité, sans détour, plaisant et agréable, mais on trouve également des Bordeaux Supérieur dotés des mêmes qualités. Il est mûr, mais faible en acidité. **A boire jusqu'en** 2002. (3/95)

1988 • **75** Le 1988 est inacceptable : tout à la fois léger, nerveux et dépourvu de fruit, il se montre moyennement corsé et pèche par une acidité et des tannins en excès. On sait que la propriété donne généralement des vins légers et délicats, mais celui-ci est vraiment une déception. (3/95)

1986 • **77** Le 1986 arbore une robe très ordinaire, d'un rubis-grenat moyennement foncé très ambré et orangé sur le bord. Le nez révèle des senteurs de vieux chai entremêlées de notes de terre et d'épices, et l'attaque présente un fruit doux, mais dilué, de cabernet sauvignon. L'ensemble s'amenuise en milieu de bouche, se montrant terriblement maigre et aqueux. On décèle également des tannins astringents en finale. Ce vin ira en déclinant. **A boire jusqu'en 2005.** (3/95)

1985 • **86** Le 1985 est, avec le 1983, la plus belle réussite de la propriété dans les années 80. Vêtu d'une robe plus soutenue que celle du 1986 (elle est pourtant légèrement éclaircie sur le bord), il exhale un nez dominé par les fruits rouges et marqué de notes de fleurs et de terre. Moyennement corsé et fruité, il est délicat, souple et réservé, et ne séduira pas ceux qui préfèrent les bordeaux plus amplement parfumés. Cependant, il est racé et bien vinifié, et révèle davantage de fruit mûr que la plupart des millésimes de la propriété. **A boire jusqu'en 2003.** (3/95)

1983 • **87** Une robe rubis-grenat moyennement foncée et légèrement ambrée sur le bord indique que le 1983 est à parfaite maturité. Le nez, aux généreuses senteurs de terre, de groseille, de cassis, de cèdre et d'herbes, précède en bouche un ensemble étonnamment charnu pour D'Issan. Joliment concentré, rond et séduisant, ce vin est parfait à déguster maintenant. Les amateurs pourront utilement le comparer à ses jumeaux de Margaux et Palmer, tous deux peu évolués, puissants et extrêmement concentrés. **A boire jusqu'en 2005.** (3/95)

1982 • **84** D'un rubis moyennement foncé très éclairci sur le bord, le 1982 est parfaitement mûr et exhale un nez modeste de fumé et de fruits rouges. Assez corsé et souple, il est relativement tannique, avec une bonne acidité, mais il pèche par manque de profondeur – il est plaisant, mais unidimensionnel. **A consommer dans les 5 à 7 ans.** (9/95)

1981 • **82** Ce vin est en passe de s'affadir et de tellement dissiper son fruit qu'il y perdra son charme et son caractère agréablement léger. Néanmoins, il dégage encore un bouquet relativement intense de baies sauvages et de prune, bien qu'il semble se dessécher un peu en finale. **A boire d'urgence – probablement en déclin.** (3/89)

1979 • **78** Le 1979 a évolué très rapidement ces dernières années, et sa robe rubis moyen est désormais nettement nuancée d'ambre sur le bord. Le nez, herbacé, modérément intense, aux arômes de boisé et de petits fruits, est plaisant, mais sans grande complexité. La bouche est moyennement corsée, mais élégante, avec une finale courte et un peu dure. **A boire.** (3/89)

1978 • **86** Avec le 1983 et le 1985, c'est probablement l'un de mes préférés de cette propriété pour les deux dernières décennies. Le 1978 présente une robe rubis assez foncée et légèrement ambrée sur le bord. Le nez floral, bien évolué et épicé, est suivi par une bouche plutôt riche, relativement corsée et concentrée. Ce vin profond, persistant à souhait, révèle des tannins bien ronds ; il est maintenant prêt. **A boire.** (3/89)

1976 • **76** Au début des années 80, j'ai goûté plusieurs fois ce vin et l'ai trouvé très mûr, et même en passe de s'affadir. En revanche, la dernière fois que je l'ai dégusté – en 1988, dans un restaurant de Bordeaux –, il m'a paru bien meilleur. Il était assez évolué et légèrement tuilé sur le bord, mais il avait aussi le fruit très épanoui et capiteux des meilleurs 1976, et déployait, outre un caractère alcoolique, une finale séveuse et tendre. Les bouteilles sont peut-être très irrégulières, mais j'en garde un bon souvenir. **A boire.** (3/88)

1975 • **82** Ce D'Issan est l'un des rares crus classés de ce millésime à avoir évolué relativement rapidement. Avec sa belle couleur rubis foncé et son caractère épicé et musclé, il est bien marqué par la mâche et doté d'un bon fruit joliment évolué. Bien qu'assez corsé, il paraît un peu terne en bouche. **A boire – probablement en sérieux déclin.** (5/84)

1970 • **79** Ce vin a toujours été relativement fermé et réticent, mais il ne manifeste encore aucun signe de déclin. C'est un D'Issan bien coloré, solidement bâti, assez compact et musclé, qui présente un fruit poussiéreux, presque commun, et quelques tannins un peu rudes en finale. J'avais espéré que ce vin évoluerait bien, mais le temps, pour lui, semble avoir suspendu son vol... **A boire jusqu'en 2001.** (3/89)

KIRWAN – BON

3e cru classé en 1855 – équivaut à un 5e cru
Propriétaire : Schröder et Schÿler SA
Adresse : 33460 Cantenac
Tél. 05 57 88 71 42 – Fax 05 57 88 77 62
Visites : du lundi au vendredi (9 h 30-17 h), sur rendez-vous uniquement le week-end
Contact : Nathalie Schÿler – Tél. 05 57 88 71 00

Superficie : 35 ha (Cantenac – appellation Margaux)
Vins produits : Château Kirwan – 170 000 b ; Les Charmes de Kirwan – 55 000 b
Encépagement : 40 % cabernet sauvignon, 30 % merlot, 20 % cabernet franc, 10 % petit verdot
Densité de plantation : 10 000 et 7 000 pieds/ha – *Age moyen des vignes :* 23 ans
Rendement moyen : 46 hl/ha

Élevage :
vendanges manuelles ; fermentations de 15-21 jours
en cuves d'acier inoxydable thermorégulées ;
1/3 de la récolte achève les malolactiques en fûts et en foudres neufs ;
vieillissement de 18 mois en fûts (1/3 de bois neuf) ; collage et légère filtration

A maturité : dans les 5 à 14 ans suivant le millésime

Ce château doit son nom à Mark Kirwan, un Irlandais émigré en Gironde au XVIIIe siècle, qui prit en main les destinées du domaine en 1760. Celui-ci connut des fortunes diverses en changeant régulièrement de propriétaire, avant d'être racheté en 1925 par Armand Schÿler, dont le petit-fils Jean-Henri prit la succession. C'est aujourd'hui, avec Yann, Sophie et Nathalie Schÿler, la troisième génération de cette famille à la tête de Kirwan.

Comme quelques-uns de ses condisciples de Margaux, le Château Kirwan aurait probablement du mal à conserver son rang si le classement de 1855 était revu. Il faut avouer que, dans le passé, il est loin de n'avoir connu que des succès (il n'est certes pas le seul dans ce cas-là). Pour ma part, je n'ai pas ménagé mes critiques aux vins de ce domaine, que je trouvais généralement trop légers, trop ternes et manquant par trop de relief pour que fussent justifiés leur rang et leur prix. Cependant, je dois reconnaître qu'il y a une nette amélioration à compter du début des années 90.

Cette propriété – dont le vignoble en deux tenants se situe aux deux tiers sur le plateau de Cantenac, au sol de graves sur sous-sol argileux, et pour le reste sur sous-sol graveleux – a en effet effectué une remontée impressionnante depuis une dizaine d'années – notamment dans certains millésimes difficiles –, en proposant des crus bien colorés, charnus, étoffés et intenses. Sans doute peut-on attribuer ces progrès aux efforts consentis, notamment en matière de sélection, désormais plus sévère. Par ailleurs, la cuverie a été rénovée, plusieurs chais ont été construits, et toute la structure d'accueil a été refaite. Sans parler de la collaboration de Michel Rolland, qui est désormais l'œnologue de la propriété.

Les prix n'ont pas encore rattrapé la (nouvelle) qualité ; je suggère donc aux amateurs qui se plaignent de la cote extravagante des meilleurs bordeaux de s'intéresser à celui-ci.

1998 • **87-89+** Le Kirwan 1998 est l'une des révélations du millésime. Ce vin puissant et concentré, qui s'annonce par une robe d'un pourpre opaque, est intensément extrait, modérément tannique et généreusement marqué de chêne neuf. Moyennement corsé, il se révèle excellent – peut-être même extraordinaire – et pourrait s'imposer comme l'une des meilleures affaires de l'année si ses tannins se fondaient davantage. Il requiert cependant une certaine garde avant d'être prêt. **A boire entre 2005 et 2018. (1/99)**

1997 • **87-89** Le Kirwan 1997 arbore la robe pourpre la plus soutenue de tous les Médoc du millésime. Ce vin marqué de surmaturité révèle, tant au nez qu'en bouche, un généreux fruité de mûre mâtiné de notes de chêne neuf et de cassis. Ce pourrait bien être une révélation ! **A boire entre 2003 et 2016. (1/99)**

1996 • **88** Les amateurs noteront avec intérêt que les vins de cette propriété s'améliorent chaque année, et que tous les millésimes sont désormais dignes d'intérêt. Moyennement corsé et très richement extrait, le 1996 se distingue par sa robe d'un rubis-pourpre profond et par son fruité mûr de cassis, nuancé de notes de chêne neuf, de prune et d'épices. L'ensemble s'est affirmé harmonieusement depuis ma première dégustation au fût ; il est maintenant excellent, voire extraordinaire. On décèle en finale des tannins modérés, qui suggèrent qu'une garde de 6 ou 7 ans sera bénéfique à ce vin charnu, musclé et très bien doté. **A boire entre 2006 et 2025. (1/99)**

1995 • **85** Ce vin a été renoté à la baisse, car il est maintenant dominé par des arômes agressifs de chêne neuf vanillé. D'un rubis-pourpre foncé, il présente à l'attaque en bouche un doux fruité d'airelle et de cassis confituré, mais il s'amenuise ensuite et se montre comprimé. Il est cependant moyennement corsé, d'une excellente pureté et doté de généreux tannins. Le Kirwan 1995 se verrait décerner une meilleure note si son fruité se révélait suffisamment profond pour absorber son boisé. **A boire entre 2002 et 2018.** (11/97)

1994 • 86 Une robe impressionnante de couleur rubis-pourpre foncé introduit le Kirwan 1994. Moyennement corsé et d'une belle richesse, il est assez massif et généreusement structuré, et présente dans l'ensemble un caractère mûr, concentré et bien équilibré. Ce vin pur, qui allie merveilleusement puissance et élégance, est une remarquable réussite de la propriété. **A boire entre 2003 et 2012.** (3/96)

1993 • 86 Le 1993 arbore une robe dense, d'un rubis tirant sur le pourpre, et déploie des arômes nets, bien évolués et mûrs de fruits noirs, d'herbes et de chêne neuf. Moyennement corsé, il révèle une maturité et une concentration supérieures à la normale, et se montre modérément tannique. Ce vin bien vinifié requiert encore une garde de 4 ou 5 ans et pourra ensuite être conservé pendant **15 ans, voire plus.** (11/94)

1992 • 85 Le 1992 est une belle réussite. Rubis-pourpre foncé, ce vin moyennement corsé libère des arômes de cerise noire et de chêne neuf et grillé, et se montre relativement gras, avec une acidité faible et un fruité doux. **A boire jusqu'en** 2003. (11/94)

1991 • 77 D'un rubis moyennement foncé, le 1991 est légèrement corsé et dégage un bouquet qui rappelle le thé vert. Fragile, avec une acidité faible, il affiche un manque évident de structure, laissant deviner qu'il devrait être consommé **d'ici 2 ou 3 ans.** (1/94)

1990 • 78 Tout en finesse, le 1990 de Kirwan arbore une robe moyennement soutenue et se montre légèrement corsé et tannique. Malgré sa finale courte, je pense qu'il est capable de bien évoluer, voire de s'améliorer ces **7 ou 8 prochaines années.** (1/93)

1989 • 83 J'ai été déçu par le 1989, que j'aurais cru plus intéressant. Quoique élégant, charmeur et souple, ce vin manque d'intensité et de caractère. Il est cependant agréable. **A boire.** (4/91)

1988 • 79 Creux, mais bien fait et vaguement fruité, le Kirwan 1988 déploie une finale aux tannins durs. **A boire.** (4/91)

1986 • 85 Ce n'est pas exactement dans ce type de millésime que l'on attendrait des prouesses de la part de Kirwan. Cependant, la propriété a donné un 1986 plus puissant, plus intense et plus tannique que le 1985, plutôt racé et élégant. Tout à la fois corsé, riche et intense, ce vin regorge de tannins. **A boire.** (3/89)

1985 • 85 Élaboré pendant une période de transition pour la propriété, le 1985 se révèle correct et bien fait. Arborant un rubis moyennement foncé légèrement éclairci sur le bord, il exhale un nez mûr de terre, d'épices, de groseille et de cerise. On décèle également des touches de chêne neuf à l'attaque en bouche. L'ensemble, modérément corsé, souple et sans détour, est très plaisant. **A boire jusqu'en** 2000. (3/97)

1983 • 87 Voici, incontestablement, le meilleur Kirwan des années 80. Sa robe rubis-grenat foncé est légèrement ambrée sur le bord, et son nez révèle d'intéressantes senteurs d'herbes fumées, de charbon, de cassis et de tabac herbacé. Ce vin moyennement corsé, rustique et corpulent est bien charnu ; on décèle dans sa finale des tannins rustiques qui devraient se fondre d'ici 1 ou 2 ans. Le fruit est toujours vif, et l'ensemble bien tonique. A boire jusqu'en 2005. (9/97)

1982 • **84** Bien coloré, avec un fruité confit, le 1982 de Kirwan manque cependant quelque peu de structure. Moyennement corsé, il est souple et opulent en bouche, où il révèle en outre un caractère précoce et un fruité des plus charmeurs. Ce vin évoluant rapidement, il convient de le boire dès à présent. (3/89)

Millésimes anciens

Presque tous les millésimes des années 60 et 70 (j'ai goûté les meilleurs) se sont révélés médiocres. Le seul vin très vieux que je connaisse de cette propriété est un 1865, noté 86 en décembre 1995. Outre une robe encore « jeune » de couleur grenat sombre orangé, il présentait des arômes impressionnants de doux cèdre mâtinés de notes de fumé et de terre. Le fruité était remarquable, l'ensemble étonnamment dense, mais la finale recelait des tannins acerbes. Ce vin m'a paru monolithique, mais, si l'on tient compte de son âge (la bouteille semblait authentique), il était dans une forme remarquable.

LABÉGORCE ZÉDÉ – BON

Cru bourgeois – devrait être maintenu
Propriétaire : GFA du Château Labégorce Zédé
Adresse : BP 33 – 33460 Margaux
Tél. 05 57 88 71 31 – Fax 05 57 88 72 54
Visites : du lundi au vendredi (8 h-12 h et 14 h-18 h), sur rendez-vous uniquement le week-end
Contact : Luc Thienpont

Superficie : 28 ha (Margaux, Soussans et Marsac – appellation Margaux)

Vins produits :

Château Labégorce Zédé – 80 000-90 000 b ; Domaine Zédé – 80 000 b

Encépagement :

50 % cabernet sauvignon, 35 % merlot, 10 % cabernet franc, 5 % petit verdot

Densité de plantation : 10 000 pieds/ha (3/4 de la propriété) et 6 600 pieds/ha

Age moyen des vignes : 40 ans – *Rendement moyen :* 50 hl/ha

Élevage :

fermentations de 10 jours et cuvaisons de 10-15 jours en cuves de béton thermorégulées ;
2 remontages quotidiens ; achèvement des malolactiques en fûts ;
vieillissement de 18 mois en fûts (50 % de bois neuf) ;
collage ; filtration selon les millésimes

A maturité : dans les 5 à 10 ans suivant le millésime

Les Thienpont, d'origine belge, sont les propriétaires-exploitants de Labégorce Zédé, où ils vinifient de manière traditionnelle – comme dans leur autre propriété, Vieux Château Certan, à Pomerol. Depuis 1979, c'est le jeune Luc Thienpont qui a pris les rênes du domaine, et la qualité du vin s'est améliorée.

Labégorce Zédé comprend un corps de ferme assez quelconque et des vignobles répartis sur les trois communes de Soussans, Marsac et Margaux. Les vins atteignent leur maturité dans les 5 ou 6 ans qui suivent le millésime, mais ils peuvent conserver leur fruit et leur harmonie pendant 5 à 10 ans dans les bons millésimes. Personnellement, je préfère Labégorce Zédé à Labégorce, étant donné son caractère très parfumé et sa richesse.

1998 • **85-86+** Des tannins ronds, doux et séduisants contribuent au caractère précoce et charmeur du Labégorce 1998. Ce vin doté d'un fruité mûr, regorgeant d'arômes de cerise noire et d'autres petits fruits, se révèle moyennement corsé et velouté en bouche. Il sera parfait ces **7 ou 8 prochaines années.** (3/99)

1997 • **86-87** Ce cru bourgeois merveilleusement fait est bien mûr, avec de doux arômes de réglisse, d'épices orientales, de cerise et de cassis. Moyennement corsé, il déploie une finale souple et légèrement tannique. **A consommer dans les 7 ou 8 ans.** (3/98)

1996 • **86-87** Étonnamment puissant, le Labégorce Zédé 1996 est moyennement corsé et épicé, et déploie des arômes richement extraits aux notes de terre. Il devrait évoluer de belle manière : malgré son aspect quelque peu austère, il se révèle incontestablement riche et doux, avec un caractère bien marqué de cabernet sauvignon. Accordez-lui une garde de 2 ou 3 ans, pour mieux le savourer dans les **12 à 15 ans qui suivront.** Je ne serais d'ailleurs pas surpris qu'il puisse tenir davantage. (3/97)

1992 • **75** Le 1992 manque de fruité et de maturité pour contrebalancer ses tannins féroces. Il se desséchera certainement dans les 4 ou 5 ans. (11/94)

1991 • **70** La couleur rouille-rosé du Labégorce Zédé 1991 éveille immédiatement le soupçon quant à sa qualité. Un nez herbacé et végétal évoquant le thé confirme cette impression première : il s'agit assurément d'un vin maigre, court et très peu étoffé. (1/94)

1990 • **88** Semblable au 1989, en plus riche et en plus dense, le Labégorce Zédé 1990 est opaque de robe et exhale un nez riche, épicé et boisé. Son fruité et sa persistance sont d'excellent aloi, et l'ensemble, imposant, libère des arômes très parfumés. **A boire dans les 10 à 15 ans.** (1/93)

1989 • **87** Profondément coloré, avec d'intenses senteurs de prune et de réglisse, le 1989 se montre très corsé et ample en bouche, où il déploie par paliers un fruité doux et mûr et d'abondants tannins. Sa finale est impressionnante de longueur. **A boire jusqu'en 2005.** (1/93)

1988 • **78** Dépourvu d'étoffe et de longueur en bouche, le Labégorce Zédé 1988 se révèle légèrement creux, avec un caractère herbacé, presque végétal – comme s'il manquait de maturité. (1/93)

1986 • **84** Outre un bouquet modérément intense et floral de groseille, le 1986 de Labégorce Zédé présente un caractère moyennement corsé en bouche, où il dévoile encore, outre un séduisant fruité, une finale relativement tannique. Sans être du même niveau que le 1989 ou le 1990, par exemple, il est racé et plutôt massif. **A boire.** (4/91)

LA LAGUNE – EXCELLENT
3e cru classé en 1855 – devrait être maintenu
Propriétaires : Jean-Michel et Alain Ducellier
Adresse : 81, avenue de l'Europe
33290 Ludon
Tél. 05 57 88 82 77 – Fax 05 57 88 82 70
Visites : sur rendez-vous et pour les professionnels uniquement
Contact : Caroline du Vivier

Superficie : 70 ha (Ludon – appellation Haut-Médoc)
Vins produits :
Château La Lagune – 300 000 b ; Château Ludon Pomiès Agassac – 100 000 b
Encépagement :
50 % cabernet sauvignon, 20 % merlot, 20 % cabernet franc, 10 % petit verdot
Densité de plantation : 6 500 pieds/ha – *Age moyen des vignes :* 30 ans
Rendement moyen : 43 hl/ha

Élevage :
vinification traditionnelle (macération avec les peaux) ;
fermentations et cuvaisons en cuves thermorégulées ;
vieillissement de 15 mois en fûts (75 % de bois neuf) ; collage et filtration

---

A maturité : dans les 5 à 20 ans suivant le millésime

Le renouveau de La Lagune est l'une des plus belles histoires du Bordelais. Dans les années 50, la propriété était en si mauvais état que beaucoup d'acheteurs potentiels, dont le regretté Alexis Lichine, reculèrent devant la tâche herculéenne : il s'agissait de replanter tout le vignoble et de rétablir le domaine à son véritable rang, parmi l'élite des bordeaux classés en 1855.

En 1958, un entrepreneur, Georges Brunet, se porta acquéreur et entreprit de replanter et de construire ce qui, encore aujourd'hui, demeure les installations les plus modernes de tout le Médoc. Il ne resta cependant pas assez longtemps pour cueillir les fruits de ses énormes investissements, puisqu'il constitua et revendit, en Provence, le Château Vignelaure, l'une des plus belles unités de production vinicole de la région. C'est la maison de champagne Ayala qui a racheté La Lagune, en 1962, et qui a continué à rénover avec le même enthousiasme. La réalisation la plus révolutionnaire (qui demeure à ce jour unique) a été la construction de canalisations allant des cuves aux barriques d'élevage, de manière à transvaser le vin sans l'exposer à l'air.

La Lagune est le tout premier cru classé que l'on trouve en suivant la fameuse D2 lorsqu'on vient de Bordeaux, et il se trouve à une quinzaine de kilomètres de la grande ville ; il est situé sur des sols graveleux et légers, assez semblables aux sols de l'appellation du sud du Bordelais. C'est aussi le premier château dont la direction ait été confiée, en 1964, à une femme, en la personne de la regrettée Jeanne Boyrie – dans l'univers nettement machiste du bordeaux, c'était une vraie révolution ! Si Jeanne Boyrie n'a jamais pu réellement pénétrer le cercle très fermé et très misogyne des producteurs de grands crus, personne ne peut contester ses qualités de dirigeante ; redoutable, solide et attentive, elle comptait parmi les meilleurs professionnels du vin de Bordeaux. Après sa mort, en novembre 1986, c'est sa fille, Caroline Desvergnes, qui a pris en main les rênes du domaine.

On a dit que le vin produit ici ressemblait à la fois au Pomerol et au Graves. Un connaisseur, lui-même fort connu, l'a même trouvé « très bourguignon ». Il faut avouer que ces comparaisons sont assez pertinentes. La Lagune peut être riche, profond et solide, avec parfois un bouquet dominé par la cerise noire et le chêne vanillé (c'est l'un des seuls vins, outre les premiers crus, à utiliser 75 % de fûts neufs pratiquement dans tous les millésimes). Il atteint ordinairement sa pleine maturité vers sa dixième année, mais il peut se garder 15 à 20 ans. Le vin a énormément gagné en qualité et en puissance depuis 1966. Les vignes prenant de l'âge, La Lagune a irrésistiblement poursuivi sa progression parmi les meilleurs vins du Médoc – en conservant un prix étonnamment raisonnable. Depuis 1976, le domaine a produit une série particulièrement remarquable ; les amateurs sérieux doivent donc suivre de très près ce vin impeccablement vinifié qui s'affirme d'autre part, de tous les crus classés de Bordeaux, comme le plus intéressant sous le rapport qualité/prix.

1997 • 85-86 Plus évolué que le 1996, le 1997, vêtu de grenat-prune foncé, dégage des arômes de noix rôtie, de chêne neuf et fumé et de douce cerise. C'est un vin moyennement corsé et ouvert, très ample, plus charmeur et plus accessible que son aîné. **A boire entre 2000 et 2012.** (1/99)

1996 • 86 Voici un 1996 tannique et austère, mais bien doté. Son bouquet modérément intense libère de généreuses senteurs de chêne neuf et épicé, ainsi que des notes de cerise nuancées d'herbes séchées. L'ensemble, moyennement corsé et bien épicé, atteste une bonne vinification. Il déploie une finale aux tannins modérés. En règle générale, La Lagune peut être dégusté dès sa jeunesse ; le 1996, en revanche, demande à être attendu 5 ou 6 ans. **A boire entre 2006 et 2018.** (1/99)

1995 • 88 Le séduisant 1995 est rubis foncé, exhalant de généreux arômes de cerise noire, de kirsch et de prune joliment infusés de belles notes de chêne grillé et fumé. Tout à la fois moyennement corsé, élégant, rond, généreux et charmeur, il peut être dégusté dès sa prime jeunesse ou conservé en cave pendant 10 ans, voire plus. **A boire entre 2000 et 2012.** (11/97)

1994 • 85 Les vins de cette propriété sont souvent délicieux et proposés à des prix raisonnables, mais le caractère légèrement aqueux du 1994 et du 1995 indique que la sélection ne fut peut-être pas suffisamment sévère ces années-là. Le nez du 1994 révèle bien les légendaires arômes de boisé typiques de la propriété, mais, en bouche, le fruité riche et mûr de cerise noire qui fait le caractère bourguignon de La Lagune ne saurait leur faire pièce. L'ensemble, assez élégant, est étayé par une bonne acidité, mais le fruit est marqué d'un aspect vert et poivré, et la finale s'amenuise, se révélant trop courte. **A boire dans les 7 ou 8 ans.** (3/96)

1993 • 87 Le 1993 présente une douceur et un fruité souple que l'on ne retrouve que très rarement dans les Médoc de cette année. Dense et mûr, il se découvre par paliers et libère en bouche des arômes séduisants de prune, de cerise et de chêne. La finale est douce, riche et tannique. Ce vin moyennement corsé se révélera charmant, généreux et élégant **dans les 10 à 15 ans.** (11/94)

1992 • 85 Que ce soit avant ou après la mise en bouteille, le 1992 s'est toujours révélé moyennement corsé, plein de charme, doux et rond, marqué par de séduisantes senteurs d'herbes et de fruits rouges vanillés, avec des tannins pas trop durs. Il pèche cependant par manque de longueur en bouche. **A boire dans les 5 ou 6 ans.** (11/94)

1991 Le 1991 de La Lagune arbore une robe de couleur rubis-pourpre foncé et
• déploie des arômes de cerise noire et de grillé, ainsi que des flaveurs austères,
81 fermes et compactes. S'il peut à l'évidence tenir **une quinzaine d'années,** je doute qu'il s'améliore avec le temps. (1/94)

1990 Comme la plupart de ses jumeaux, ce vin s'est bien étoffé et a développé de
• multiples facettes de sa personnalité. D'un rubis dense intact (nullement
90 éclairci ou teinté), il exhale un doux nez de grillé, d'herbes fumées, de cassis très mûr et de chocolat. Moyennement corsé, savoureux, aussi charnu que peut l'être un La Lagune, il présente des proportions fabuleuses et se révèle velouté, souple et ample en bouche. Il n'a pas, cependant, l'intensité, le gras et la puissance du 1982, qui demeure le meilleur exemple que je connaisse de ce cru. **A boire jusqu'en 2010.** (9/97)

1989 J'ai toujours apprécié ce cru ; j'estimais auparavant qu'il était meilleur que
• son cadet d'un an, mais je constate maintenant qu'ils sont égaux en qualité,
90 bien que le 1989 me semble légèrement moins gras et doté de tannins plus rugueux que le 1990. D'un rubis foncé resplendissant, ce vin dégage un nez de fumé, de douce vanille, de confiture de petits fruits marqué de notes de tabac herbacé. La bouche, moyennement corsée, exprime une pureté et une richesse d'excellent aloi, et révèle un très généreux fruité de cassis et de groseille judicieusement infusé de chêne neuf. L'ensemble a plus de tenue que le 1990, mais sa finale, quoique impressionnante de longueur, est plus atténuée. Détail intéressant, le 1990 me semble plus évolué (tout au moins plus accessible) que le 1989, plus tannique. **A boire jusqu'en 2010.** (9/97)

1988 On décèle dans le 1988 un caractère herbacé et des tannins agressifs et acerbes
• qui mettent en péril son équilibre. Moyennement corsé, épicé et sans détour,
85 ce vin n'a pas le gras, l'opulence et la bonne mâche des meilleurs millésimes de ce cru, mais il devrait se révéler de longue garde. Je me demande cependant si son fruité est suffisant. **A boire jusqu'en 2005.** (1/93)

1987 Parfaitement mûr et moyennement corsé, le 1987 se révèle étonnamment rond
• et charmeur. **A consommer.** (12/89)
82

1986 Le 1986 n'a pas évolué d'aussi belle manière que je l'avais espéré. Arborant
• une robe rubis profond, il exhale un nez d'herbes rôties, de douce vanille,
88 de terre et de cerise noire, et révèle en bouche une structure imposante. Je ne suis pas certain, cependant, qu'il présente la souplesse et la maturité pouvant faire pièce à ses abondants tannins et à sa structure. Il s'agit néanmoins d'un vin jeune, prometteur, mais légèrement plus comprimé que je ne l'avais imaginé. La finale, nette, mais tannique, indique qu'il peut se conserver 15 ans encore. Reste à savoir si tous les éléments de l'ensemble se fondront harmonieusement. **A boire entre 2000 et 2015.** (9/97)

1985 Pour des raisons que j'ignore, ce vin s'est toujours montré quelque peu disjoint,
• assez peu concentré, avec un style ouvert et très commercial. Son nez modéré-
86 ment intense de doux cassis entremêlé de terre, d'herbes et d'épices introduit un ensemble agréable à l'attaque en bouche, qui est cependant dépourvu de la concentration et de la maturité que l'on serait en droit d'attendre d'un cru de haut niveau dans un très grand millésime. La finale recèle une bonne acidité et des tannins satisfaisants. Ce vin simplement bon est somme toute inintéressant. **A boire jusqu'en 2004.** (9/97)

1984 • 74 Moins séduisant maintenant qu'il ne l'était en fût, le 1984 est rubis moyen, très marqué par le chêne (trop boisé ?), rugueux et ferme en bouche, avec davantage de tannins que de fruit. Je ne parierais pas un sou sur son avenir. (12/89)

1983 • 87 Après le monumental 1982, on est tenté de négliger le 1983, qui est pourtant un très bon vin, à défaut d'être un très grand cru. La regrettée Mme Boyrie le comparait au 1981, mais en lui reconnaissant davantage d'étoffe et de vigueur – je suis d'accord. Rubis foncé, corsé, il présente un riche fruit de prune et des tannins modérés. **A boire jusqu'en 2000.** (12/89)

1982 • 92 Ce vin merveilleusement fait est probablement le meilleur La Lagune de ces vingt dernières années. J'ai tout d'abord mésestimé son potentiel, pensant qu'il serait à maturité au début des années 90. Il peut certes être d'ores et déjà apprécié pour ses doux arômes de chêne grillé, de cerise mûre et de groseille ; cependant, il se révèle plus structuré et plus tannique que je ne l'avais imaginé de prime abord. Puissant et très corsé, il est également épais et séveux, avec une robe intacte. Les tannins doivent encore se fondre, si bien que l'ensemble se porterait bien de 1 ou 2 ans de garde (tout particulièrement si le vin est conservé dans de bonnes conditions). Ce 1982 me paraît être une synthèse de Pomerol et d'un Médoc plus austère. Complexe et riche, La Lagune 1982 approche de sa pleine maturité. Il tiendra parfaitement les **20 premières années du prochain millénaire.** (9/95)

1981 • 83 Il m'avait semblé, dans un premier temps, que les bouteilles du 1981 étaient irrégulières, mais les dégustations récentes ont dissipé mon inquiétude. Ce vin assez corsé et épicé exhale des arômes de prune et de cerise. Très richement extrait, avec un caractère séduisant et une finale agréable, il est cependant un peu compact et manque légèrement de profondeur et de complexité. **A boire.** (12/89)

1979 • 84 La Lagune 1979 s'ouvre pour révéler un bouquet fruité de prune mûre et de chêne, des arômes modérément intenses de vanille et d'épices, et déploie une finale nette, mais un peu maigre et sèche. Ce vin certes satisfaisant n'est guère passionnant. **A boire.** (12/89)

1978 • 88 Ce 1978 a conservé sa couleur profonde et ne révèle encore aucun signe de maturité. Le bouquet, généreux, évoque la noix grillée, la prune et le chêne frais et neuf. En bouche, le vin est tannique, mais séveux et soyeux, avec des flots de fruit. Il a évolué lentement et, malgré son âge, paraît encore jeune et vigoureux. **A boire jusqu'en 2005.** (12/89)

1976 • 88 Dans un millésime qui a vu tant de vins fragiles, dilués et délicats, La Lagune 1976 est ferme, concentré et réussi. Maintenant à son apogée, il présente une robe rubis assez foncée, à peine nuancée d'ambre sur le bord, et exhale un bouquet ample de chêne vanillé, de noix fumée et de prune mûre. En bouche, il est élégant et racé, assez corsé, avec un fruit suave, exubérant et séveux, et une finale chaleureuse et soyeuse. Pourquoi, mon Dieu, n'en ai-je pas acheté davantage ? **A boire.** (12/89)

1975 • 86 Je me demande si le fruit du 1975 pourra faire pièce à ses tannins. En effet, ce vin ferme et austère est relativement tannique, avec des arômes épicés et vanillés et un beau fruit mûr. L'attaque en bouche est d'une bonne tenue, et l'ensemble moyennement corsé et élégant. Il atteindra très bientôt son apogée et tiendra parfaitement ces **10 à 15 prochaines années.** (12/95)

1971 • 85 Parfaitement mûr depuis longtemps, le 1971 se distingue par un bouquet ouvert, aromatique et complexe, dominé par le bois de cèdre et le fruit mûr. Ce vin assez corsé est soyeux, séveux, séduisant et rond. **A boire – peut-être en déclin.** (3/82)

1970 • **87** Encore étonnamment ferme, mais à son apogée, La Lagune 1970 (dégusté en magnum) arbore une robe rubis foncé et présente un bouquet énorme marqué par la prune, le bois et les champignons. En bouche, il se montre très corsé, concentré, regorgeant d'arômes de petits fruits et de tannins délicieux. La finale est magnifique. Ce superbe La Lagune n'est pas loin d'être exceptionnel ! **A boire jusqu'en 2000.** (1/91)

1967 • **83** Ce vin, l'un des meilleurs 1967, a connu son apogée vers 1976 ; tendre, rond et légèrement tannique, proche d'un bourgogne, il dégage un bouquet assez complexe de truffe, de caramel et de framboise. **A boire – peut-être en sérieux déclin.** (1/80)

1966 • **84** Le 1966 est souple et charnu, avec un beau nez de prune, une bouche corsée et une finale souple et accessible. **A boire – probablement en sérieux déclin.** (1/80)

1962 • **55** Je n'ai goûté qu'une fois le 1962, et il était déjà très tuilé, nettement souple en bouche, avec un caractère fruité, mais estompé et fatigué. Il semblait craquer sur toutes ses coutures. **A éviter.** (8/78)

1961 • **60** Assez inhabituel, très poivré – comme un Côtes-du-Rhône –, ce vin présente, outre un nez médicamenteux, un caractère diffus et une finale capiteuse et alcoolique. Cet étrange La Lagune est manifestement issu de vignes très jeunes. (10/77)

LASCOMBES – BON

2e cru classé en 1855 – équivaut à un 4e cru

Propriétaire : Bass Charrington

Adresse : BP 4 – 33460 Margaux

Tél. 05 57 88 70 66 – Fax 05 57 88 72 17

Visites : sur rendez-vous uniquement

Contact : Géraldine Platon

Superficie :
Château Lascombes – 50 ha ;
Château Segonnes – 33 ha (Margaux et Soussans – appellation Margaux)

Vins produits : Château Lascombes – 240 000 b ; Château Segonnes – 240 000 b

Encépagement :
50 % cabernet sauvignon, 40 % merlot, 5 % cabernet franc, 5 % petit verdot

Densité de plantation : 8 000-10 000 pieds/ha – *Age moyen des vignes :* 25 ans

Rendement moyen : Château Lascombes – 48 hl/ha ; Château Segonnes – 57 hl/ha

Élevage :
vendanges manuelles ;
fermentations de 8-10 jours et cuvaisons de 10-20 jours en cuves thermorégulées ;
vieillissement de 16-18 mois en fûts (30-60 % de bois neuf) ;
collage ; pas de filtration

A maturité : dans les 6 à 20 ans suivant le millésime

Lascombes est l'un des plus grands domaines du Médoc. Son vignoble, loin d'être d'un seul tenant, est éclaté en plus de quarante parcelles disséminées dans toute l'appellation Margaux. Cela explique pourquoi la vendange y est particulièrement complexe et, en partie, pourquoi les vins peuvent être irréguliers.

Lorsque Alexis Lichine était encore propriétaire du Château Lascombes, il saisissait en effet toute occasion d'en accroître l'étendue en rachetant les parcelles voisines qui étaient à vendre. La Société Bass, qui acquit le domaine dans les années 70, poursuivit la même politique, jusqu'à contrôler une superficie totale de 83 ha. A compter de 1982, une sélection plus sévère et la dégustation des différentes cuvées permirent de constater que les meilleures pièces étaient généralement issues des 50 ha de vignes initialement rattachées au Château Lascombes, et que le second vin était issu des parcelles plus récemment acquises. Dès lors, on considéra que la propriété était en fait composée de deux parties, le Château Lascombes et le Château Segonnes. Les vignes du premier ont une moyenne d'âge de 25 ans, celles du Château Segonnes étant généralement un peu plus jeunes. En revanche, l'encépagement des deux vignobles est le même.

La grande renommée qu'a connue ce domaine était la conséquence des efforts herculéens déployés entre 1951 et 1971 par Alexis Lichine, qui avait notamment mis en œuvre une complète rénovation des chais. Une très belle série de grands millésimes est venue récompenser ses efforts et son talent.

Mais, après la revente de Lascombes à la société anglaise Bass Charrington, en 1971, la qualité et la régularité des vins n'ont plus été les mêmes. Même si, depuis 1982, les résultats témoignent, pour la plupart, d'un certain renouveau, il reste tout de même beaucoup à faire. Depuis 1990, la sélection est plus sévère, et les fermentations malolactiques se déroulent en fûts – toutes ces mesures sont destinées à améliorer la richesse et la qualité de Lascombes. Depuis 1998, la propriété semble avoir amorcé un nouveau tournant, mais les vins, quoique bons, sont encore loin de l'élite du Bordelais.

1997 • **76-78** Vinifié dans un style précoce, ce 1997, léger et souple, présente pour l'heure un boisé excessif pour son fruité modeste. Il faudra le consommer dans les **7 ou 8 ans suivant le millésime.** (1/99)

1996 • **80** Voici un vin coulant, tout à la fois souple, fruité et boisé, qui manque cependant de profondeur et de persistance. Outre des arômes ouverts et modérément intenses d'herbes séchées et de cassis, il déploie tout en rondeur une finale courte. **A boire dans les 7 ou 8 ans.** (1/99)

1995 • **79 ?** Moins impressionnant en bouteille qu'il ne l'était qu'au fût, le Lascombes 1995 semble en voie de se dessécher ; il est en effet creux en milieu de bouche, dur, austère et anguleux en finale. Ce vin d'un rubis moyen et modérément massif présente un doux fruité au nez et à l'attaque en bouche, mais il se referme ensuite et révèle un caractère acidulé et spartiate. **A boire entre 2000 et 2008.** (11/97)

1994 • **?** Je me souviens d'avoir été réellement impressionné par le Lascombes 1994 lorsque je l'ai dégusté pour la première fois à la propriété – et plusieurs fois ensuite, en d'autres occasions. Cependant, depuis qu'il est en bouteille, ce vin libère d'étranges arômes de bois moisi qui suggèrent de prime abord un problème dû au bouchon. Alors qu'il semblait si prometteur avant la mise, il manque désormais de tenue et présente des notes peu séduisantes que l'on pourrait attribuer aussi à des fûts mal lavés. Je réserve mon appréciation. (1/97)

1993 • **85** Le Lascombes 1993 est un vin doux, élégant et légèrement corsé, qui libère, à la fois au nez et en bouche, des arômes de cassis et d'airelle. Une belle acidité lui confère du ressort, mais il doit être dégusté rapidement. **A boire.** (1/97)

1992 • **82** Rubis moyen, le 1992 est de prime abord un vin plaisant, qui déploie un fruité marqué par la groseille auquel se mêlent des senteurs de cèdre. On distingue cependant une certaine dilution en bouche, où les tannins et les notes de boisé dominent un fruité trop maigre. Peut-être ce vin s'étoffera-t-il avec le temps, mais il me semble qu'il serait préférable de le consommer rapidement. **A boire jusqu'en 2000.** (11/94)

1991 • **82** Le 1991, légèrement corsé, est bien fait, compte tenu des difficultés que présentait le millésime. Il arbore une belle couleur rubis, révèle des arômes épicés et vanillés de fruits rouges, de la souplesse, et un fruité mûr et séduisant. **A boire d'ici 3 ou 4 ans.** (1/94)

1990 • **86** Bien tannique, le Lascombes 1990 est dominé par des notes exotiques et d'orange ; il exhale également des arômes de fruits tropicaux, de cassis et de chêne neuf. Riche et moyennement corsé, il manifeste en bouche une excellente concentration et une faible acidité, et déploie une texture veloutée, voire voluptueuse. Ce vin sera délicieux ces **10 prochaines années.** (1/93)

1989 • **85** Le 1989 de Lascombes se distingue par des arômes de cacahuète grillée, que l'on retrouve fréquemment dans les Châteauneuf-du-Pape à dominante de grenache. Musclé et tannique, il dévoile une finale puissante, riche et alcoolique. Je ne serais pas surpris que ce vin exubérant se révèle meilleur que ne le suggère la note que je lui ai, pour l'heure, attribuée. **A boire jusqu'en** 2002. (4/91)

1988 • **85** D'un rubis-pourpre profond, avec un bouquet modérément intense de cèdre, de prune et de groseille, le Lascombes 1988 se montre épicé, robuste et moyennement corsé en bouche. Bien équilibré, il est heureusement dépourvu des tannins en excès qui desservent la plupart de ses jumeaux du Médoc. **A boire jusqu'en 2002.** (1/93)

1986 • **78** Le 1986 n'a pas cessé de décliner depuis ma première dégustation, où je l'avais noté 83. Aqueux et herbacé, il est aussi dépourvu d'intensité que de concentration. Sa robe est d'un grenat extrêmement léger très éclairci sur le bord, et le nez révèle d'abondantes notes de légumes braisés, de groseille et de cerise délavées. L'ensemble est maigre, dominé par son acidité, par ses tannins et par des arômes de terre. Il ne pourra qu'empirer. **A boire.** (3/97)

1985 • **85** Vêtu d'un grenat moyen déjà fortement nuancé de rouille sur le bord, le 1985 révèle, tant au nez qu'en bouche, des arômes de doux fruits rouges entremêlés de notes d'herbes rôties, de chocolat, de fumé et de réglisse. Sans être très concentré, il se montre moyennement corsé, souple et rond, et séduit par son caractère élégant. Ce vin a atteint son apogée dans les 5 ou 6 ans qui ont suivi le millésime, et les tannins robustes que recèle sa finale indiquent qu'il est proche du déclin. **A consommer sans délai.** (3/97)

1983 • **87** D'un rubis moyennement foncé, le 1983 exhale des arômes assez intenses, riches et épicés de petits fruits. Gras, concentré et souple, il est maintenant à parfaite maturité et s'impose comme l'un des vins les mieux réussis par cette propriété au cours des dernières années. **A boire jusqu'en 2000.** (3/89)

1982 • **87** Ouvert, diffus, mais élégant et parfumé, le Lascombes 1982 est faible en acidité et serait à la limite de la surmaturité et du manque de structure. Il demeure cependant bien ample en bouche, où il révèle des arômes herbacés de fruits rouges aux notes de café, de terre et de vanille. **A boire dans les 4 ou 5 ans.** (9/95)

1981 • **72**
Le 1981 présente une robe d'un rubis orangé plutôt léger et libère un nez simple, quelque peu herbacé. En bouche, il est assez maigrement doté et finit court. Son fruit s'estompe progressivement et commence à se faner. **A consommer – peut-être en déclin.** (3/89)

1980 • **60**
Vert et végétal, avec une forte acidité très gênante, ce vin est superficiel, diffus et dilué. **A ignorer.** (8/83)

1979 • **76**
Alors que l'appellation Margaux a produit, en 1979, nombre de grands vins (Margaux, Palmer et Giscours, par exemple), ce Lascombes m'a toujours semblé léger et aqueux. Il présente un fruité modérément concentré, très marqué par le chêne, et se révèle de plus en plus tannique et acide. Ce vin a vraiment quelque chose qui ne va pas ! **A boire.** (3/89)

1978 • **76**
Étonnamment vert (et même végétal), maigre et acide, sans le caractère fruité, riche, généreux, rond et charnu qui est la marque de ce millésime, le Lascombes 1978 manque de profondeur et de plénitude, et peut être considéré comme bien médiocre étant donné le bon niveau général des 1978. **A consommer – peut-être en déclin.** (3/89)

1975 • **87**
De tous les 1975, c'est probablement le Lascombes qui présente les arômes les plus prononcés. Il révèle en effet un nez herbacé de gingembre, de menthe et de thé épicé que les dégustateurs adoreront ou détesteront. Tannique et manquant quelque peu de tenue, ce vin parfaitement mûr (sa robe est fortement ambrée et orangée sur le bord) est bien marqué par les tannins et la structure légendaires du millésime, mais il retient un fruité mûr et doux. **A boire dans les 5 à 7 ans,** avant que l'ensemble ne se dessèche. Ce vin a remarquablement tenu dans une carafe restée ouverte pendant 2 jours. (12/95)

1971 • **80**
Dans le courant des années 70, c'était l'un de mes Lascombes préférés. Il commence maintenant à s'épuiser, à prendre une teinte tuilée et rouillée, et à perdre un peu de son fruit souple et intense ; très élégant, il conserve cependant quelques beaux restes de son bouquet épicé et mûr de prune aux notes de terre fraîche, et de son caractère souple et riche. **A boire.** (3/89)

1970 • **87**
Un fort beau Lascombes ! Foncé de robe, bien évolué, corsé, richement fruité et charnu, le 1970 est depuis longtemps à son apogée, mais il présente encore suffisamment de fruit et de structure pour être apprécié. En bouche, ce vin généreusement doté, très agréable, se révèle épicé et savoureux. **A consommer.** (6/88)

1966 • **88**
Remarquable succès que ce 1966 ; meilleur que le 1970, certainement plus complet et plus agréable que le 1975, il s'est révélé de plus longue garde que ne le seront, je pense, le 1982 ou le 1983. Rubis foncé, ambré sur le bord, ce vin se montre riche et persistant, et dégage un bouquet voluptueux et séduisant. Il est prêt depuis une décennie, mais il continue de déployer une grande classe. C'est certainement l'un des vins que je préfère de ce millésime. **A consommer.** (3/89)

1962 • **87**
Ce très beau vin, aromatique et épicé, offre en bouche une douce impression de plénitude ; il exhale le bouquet du Margaux classique : intense, ample, merveilleusement séveux et voluptueux. Il est à pleine maturité depuis 1976. **A boire – peut-être en déclin.** (11/81)

1961 • **85**
Ce Lascombes, fort solide, manque cependant de la complexité et de la volupté qui caractérisent généralement ce millésime. Assez foncé et ambré sur le bord, il déploie un bouquet bien évolué de fumé, nuancé de terre fraîche, et présente

une finale agréable, mais assez simple, marquée d'une pointe d'acidité. **A consommer rapidement – peut-être en déclin.** (10/79)

Millésimes anciens

Je n'ai pas de notes de dégustation sur les Lascombes des années 30 et 40, ni du début des années 50. En revanche, j'ai goûté en deux occasions le superbe 1959 (noté 90), que j'ai préféré à tous les millésimes mentionnés ci-dessus. La première fois, ce vin (en magnum) exhalait un bouquet énorme de moka, de cèdre et de prune, et se révélait en bouche remarquablement intense, corsé et concentré (il paraissait beaucoup plus jeune et moins évolué que le 1961), avec une finale pénétrante de cèdre et d'épices. Ce Margaux typique et racé est certainement le meilleur Lascombes que j'aie jamais dégusté.

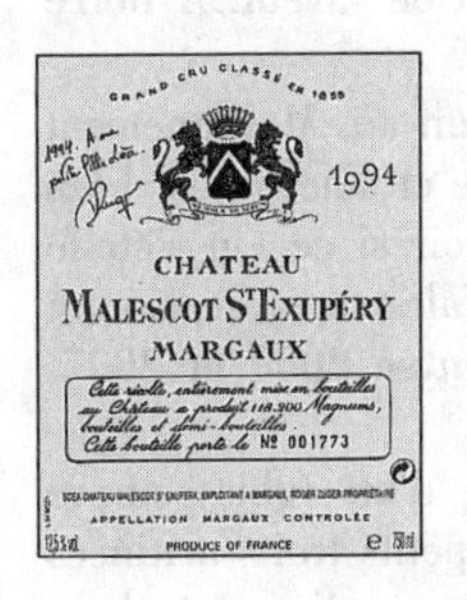

MALESCOT SAINT-EXUPÉRY – EXCELLENT

3e cru classé en 1855 – devrait être maintenu
Propriétaire : GFA Zuger Malescot – Roger Zuger
Adresse : 33460 Margaux
Tél. 05 57 88 97 20 – Fax 05 57 88 97 21
Visites : du lundi au vendredi (10 h-12 h et 14 h-18 h), sur rendez-vous uniquement le week-end
Contact : Jean-Luc Zuger

Superficie : 23,5 ha (Margaux et Soussans – appellation Margaux)
Vins produits :
Château Malescot Saint-Exupéry – 120 000 b ; La Dame de Malescot – 42 000 b
Encépagement :
50 % cabernet sauvignon, 35 % merlot, 10 % cabernet franc, 5 % petit verdot
Densité de plantation : 6 600-10 000 pieds/ha – *Age moyen des vignes :* 35 ans
Rendement moyen : 52 hl/ha

Élevage :
vendanges manuelles ;
fermentations et cuvaisons de 15-35 jours en cuves thermorégulées, avec levures indigènes ;
vieillissement après les malolactiques de 12-14 mois en fûts (50 % de bois neuf) ;
collage au blanc d'œuf ; pas de filtration

A maturité : dans les 5 à 15 ans suivant le millésime

Malescot Saint-Exupéry est situé tout près du bourg de Margaux, à deux pas de Château Palmer, au nord, et en bordure de la route des grands crus (D2). Il a longtemps joui d'une excellente réputation pour ses vins de longue garde, racés et vinifiés dans la tradition.

Les Zuger, propriétaires du domaine depuis 1955, affirment qu'ils n'ont pas l'intention de changer le caractère de leur vin pour lui conférer davantage de souplesse et de précocité. Cependant, j'ai nettement l'impression que les millésimes récents, en particulier ceux de la fin des années 80, ne sont pas aussi tanniques que ceux des années 60.

Les vignobles, très bien situés sur un sol de graves pyrénéennes (et voisins immédiats, pour la plupart, de ceux de Château Margaux), produisent désormais – le plus souvent – des vins moyennement massifs, qui peuvent se révéler irrésistibles du fait de leur élégance et de leurs parfums imposants. Depuis 1990, ce cru auparavant austère et maigre, et dont l'œnologue-conseil est désormais Michel Rolland, se révèle bien plus riche et plus intense. Voilà une autre propriété revenue en force après une performance plutôt décevante dans les années 60 à 80.

1998 • **88-90** Le merveilleux Malescot Saint-Exupéry 1998 est d'un rubis opaque, avec un nez riche, complexe et floral nuancé de cassis et d'autres petits fruits, de chêne grillé et de cèdre. Riche en bouche, il y dévoile des tannins, une acidité et un boisé parfaitement fondus. Issu d'une vinification impeccable, ce vin, qui s'exprime tout en rondeur, allie magnifiquement richesse et élégance ; il laisse en bouche une impression d'opulence, de suavité et de saveur. **A boire entre 2003 et 2016.** (3/99)

1997 • **78-82** Le 1997 ne m'a pas autant impressionné que son aîné d'un an. Moyennement corsé et sans détour, il est plaisant, avec un fruité de fraise et d'herbes séchées présenté dans un ensemble carré. Je serais curieux de voir si ce vin s'étoffe et révèle davantage de caractère après la mise, car Malescot s'est montré régulier à haut niveau ces dernières années. **A boire entre 2000 et 2007.** (1/99)

1996 • **90** Impressionnant de structure, le 1996 arbore une robe d'un rubis-pourpre profond et soutenu, qui prélude à d'élégantes senteurs de petits fruits mâtinées de tabac, de fleurs et de vanille. La bouche se dévoile par paliers, révélant, outre un caractère moyennement corsé, une pureté et une extraction extraordinaires. Malgré sa profondeur, sa richesse et sa puissance inhabituelles, ce vin n'a rien perdu de son élégance ni de son potentiel de complexité. **A boire entre 2006 et 2025.** (1/99)

1995 • **90** Ce vin pourrait mériter une note extraordinaire. Présentant une merveilleuse alliance, typiquement Margaux, d'élégance et de richesse, il dégage au nez des arômes floraux, délicats et merveilleusement mûrs de cassis, qui le disputent à de subtiles notes de chêne neuf. L'attaque en bouche dévoile une belle décoction de fruits, ainsi que des tannins et une acidité joliment fondus dans un ensemble moyennement corsé. Ce vin donne une impression globale de race et de grâce. La quintessence d'un grand bordeaux, qui devrait encore s'améliorer en bouteille. Une merveille ! **A boire entre 2002 et 2018.** (11/97)

1994 • **87+** Rubis foncé, le 1994 offre au nez de séduisants arômes herbacés et vanillés de groseille. Mais, à mon avis, sa véritable séduction réside dans le caractère richement fruité et merveilleusement pur qu'il dévoile en bouche par paliers. Ce n'est pas un vin énorme, mais il est intense, gracieux et bien équilibré, avec une capacité impressionnante à parfaitement se développer au terme de 5 à 10 minutes d'aération. Cette réussite racée pourrait bien mériter une note supérieure si son caractère herbacé se transformait en notes de cèdre après un vieillissement de 3 ou 4 ans en bouteille. **A boire entre 2001 et 2016.** (1/97)

1993 • **85** Rubis foncé et moyennement corsé, le 1993 demeure, malgré de légères notes de poivre vert, élégant et séduisant. Il manque peut-être d'ampleur, mais est bien équilibré et assurément charmeur. **A boire dans les 7 ou 8 ans.** (1/97)

1992 • **82** Le 1992, légèrement corsé, présente un nez herbacé de groseille et de chêne, et déploie une finale très marquée par des tannins rugueux. Sa grâce et son fruité me conduisent à penser qu'il sera à son meilleur niveau **jusqu'à 6 ou 7 ans d'âge.** (11/94)

1991 • **84** Cette propriété, qui s'est révélée plus sérieuse depuis la fin des années 80, a produit un beau 1991, herbacé et moyennement doté, aux arômes fruités, qui donne une impression d'élégance et se montre immédiatement séduisant. **A boire dans les 3 ou 4 ans.** (1/94)

1990 • **90** Le 1990 de Malescot continue d'évoluer de manière impressionnante. Sans être l'un des vins les plus puissants et les plus massifs du millésime, il révèle l'élégance classique, les parfums et le caractère harmonieux que l'on attend généralement des Margaux de haut vol. Sa robe demeure d'un rubis foncé resplendissant nuancé de pourpre, et le nez révèle des arômes doux, opulents et confiturés de cassis, entremêlés de notes de fleurs blanches, d'épices et de chêne fumé. Moyennement corsé, savoureux et ample, il est faible en acidité et riche, se développant en bouche par paliers. Ce vin déjà accessible est cependant capable d'évoluer avec grâce. **A boire jusqu'en 2010.** (3/97)

1989 • **87** Le 1989 marque, à mon sens, un véritable tournant pour Malescot du point de vue de la qualité. Certes, il est éclipsé par le 1990 et par les millésimes suivants, mais il est très bon et, surtout, nettement supérieur à ses aînés des années 60 à 80 – à l'exception, bien sûr, du somptueux 1961. D'un rubis foncé, il exhale un bouquet d'herbes rôties, de douce mûre, de groseille, de terre et d'épices. Assez austère et plutôt tannique, il révèle en milieu de bouche la douceur caractéristique d'un fruité mûr et très glycériné. Un vin souple et élégant, à apprécier **jusqu'en 2007.** (3/97)

1988 • **84** Le 1988 est plus classique que le 1989, avec un bouquet qui marie agréablement le chêne et le cassis. Très élégant, il est moyennement corsé et assez austère, mais il recèle suffisamment de fruit pour bien vieillir. **A boire jusqu'en 2005.** (4/91)

1986 • **82** J'ai trouvé que le 1986 avait des arômes d'herbe fraîche et de cèdre, mais qu'il était trop léger et excessivement dilué en raison de l'abondance de la récolte. Une sélection plus sévère aurait peut-être permis d'obtenir un vin plus fin et plus aromatique. **A boire jusqu'en 2001.** (3/89)

1985 • **74** Une odeur de feuillage et de chêne neuf masque les arômes fruités de ce vin moyennement corsé et assez compact. Certains de mes amis bordelais, fins connaisseurs, en pensent beaucoup de bien, mais je n'en ai pas encore, pour ma part, goûté une seule bonne bouteille. **A boire.** (3/89)

1984 • **76** Très léger, tendre et fruité, ce vin se révèle élégant, mais fragile. Son charme ténu est en même temps fugace. **A consommer.** (11/89)

1983 • **83** Le Malescot 1983 présente, outre une robe rubis assez foncé et un bouquet bien évolué de petits fruits, des tannins durs et astringents, un caractère moyennement corsé et une finale compacte et sévère. Il est difficile à jauger en raison de sa texture rugueuse et de son caractère très alcoolique. Reste à savoir si le fruit durera assez longtemps pour faire pièce aux tannins. **A boire jusqu'en 2003.** (3/89)

1982 • **85** Ce vin, que je n'ai pas souvent dégusté depuis la mise en bouteille, est souple, avec un fruit concentré, agréable, mais sans distinction. Rond et parfaitement mûr, il doit être consommé **dans les 4 ou 5 ans.** (9/95)

1981 • **78** Le 1981 est maigre, fermé et raide. Il manque de fruit, malgré sa belle robe et son bouquet qui trahit une générosité sous-jacente. **A boire jusqu'en 2000.** (11/84)

1979 • **83** Le 1979 séduit par ses arômes charmeurs et souples de fruits et de boisé. Ce Malescot assez corsé, marqué par le chêne, est étonnamment tendre et accessible, bien équilibré dans un style toutefois assez léger. **A consommer.** (10/89)

1978 • **78** Avec son bouquet dominé par le cassis mûr et par de puissants arômes de chêne vanillé, ce Malescot assez corsé commence à se faner et présente un caractère dur. Le boisé est très prononcé, et le vin manque de charme et de fruit. Il paraît en fait peu harmonieux et dépourvu d'équilibre. **A boire.** (6/88)

1976 • **78** Franc de goût, fruité et honnête, ce vin assez corsé, souple et rond déploie un nez bien évolué de petits fruits. Sa finale est courte, mais satisfaisante. A son apogée depuis plus d'une décennie, ce vin ne peut plus attendre. **A boire – peut-être en déclin.** (11/87)

1975 • **72** Malescot peut être vraiment mauvais ; ce 1975 en est la preuve. Ses arômes végétaux évoquant le thé introduisent un ensemble délavé, maigre et émacié, qui ne révèle rien d'autre que des tannins, de l'acidité et de l'alcool. Je n'avais pas apprécié ce vin il y a une dizaine d'années ; je l'aime encore moins maintenant. (12/95)

1970 • **82** Ce Malescot est un vin « ancien style », assez rugueux, ne manquant ni de force ni de puissance, avec quelque chose de dur et de poussiéreux, et un bouquet de cèdre et de réglisse aux notes minérales. Il est toujours austère, malgré sa belle robe. J'aurais préféré qu'il eût davantage de plénitude et de générosité. **A boire jusqu'en 2000.** (1/88)

1966 • **67** Léger et faible en 1984, ce vin a continué à se dessécher et à développer des arômes de thé, de vieux tonneau et de basse-cour. La finale est desservie par une acidité excessive. Au bout du rouleau ! (4/88)

1964 • **82** Le Malescot 1964 est assez peu complexe, mais, si l'on considère le nombre d'échecs qui ont marqué ce millésime, il est relativement satisfaisant. Foncé de robe, ce vin trapu et costaud dégage un bouquet peu touffu de bois de cèdre et d'épices, présente une charpente assez dure, mais solide, et déploie une finale sans grande finesse. **A boire – probablement en sérieux déclin.** (10/78)

1961 • **92** J'ai goûté deux fois le 1961 depuis 1983, et c'est, à mon avis, le meilleur Malescot. Il est formidable et exubérant par son nez, riche et profond, de cassis, d'épices et de cèdre, et par sa bouche persistante, bien glycérinée, tannique et concentrée. Ce vin ample et charpenté est toujours remarquablement jeune, et il peut encore évoluer de belle façon. Même pour le millésime – d'un bon niveau –, c'est une vraie réussite. On ne peut que regretter que la suite n'ait pas toujours été à la hauteur, mais 1990, 1995, 1996 et 1998 donnent de bons espoirs ! **A boire jusqu'en 2005.** (1/91)

Millésimes anciens

Le 1959 (noté 93 en décembre 1995, dégusté en impériale) était parfaitement mûr, mais toujours splendide. Impressionnant et complexe, il se montrait parfumé et racé, dominé par le cèdre. L'ensemble présentait une douceur et une harmonie merveilleuses. Le 1953 (noté 85 en 1988) était un peu fatigué, mais j'ai pu me rendre compte qu'il avait été excellent. Le 1949 (noté 90 en 1988) n'est pas très loin du superbe 1961 ; il révèle, outre le caractère ample, corsé et musclé typique du millésime, un nez de noix grillée et de groseille, énormément de concentration et une puissance presque trop voyante. Il était toujours remarquablement frais et vigoureux au moment de ma dernière dégustation.

CHÂTEAU MARGAUX – EXCEPTIONNEL

1er cru classé en 1855 – devrait être maintenu
Propriétaire : SCA du Château Margaux (familles Agnelli et Mentzelopoulos)
Adresse : 33460 Margaux
Tél. 05 57 88 83 83 – Fax 05 57 88 31 32
Visites : sur rendez-vous uniquement
Contact : Paul Pontallier

Superficie :
rouge – 84 ha (Margaux – 78 ha seulement sous culture de vigne – appellation Margaux) ;
blanc – 12 ha (appellation Bordeaux)
Vins produits :
rouge – Château Margaux – 200 000 b ;
Pavillon Rouge du Château Margaux – 200 000 b ;
blanc – Pavillon Blanc du Château Margaux – 35 000 b
Encépagement :
rouge – 75 % cabernet sauvignon, 20 % merlot, 5 % petit verdot ;
blanc – 100 % sauvignon blanc
Densité de plantation : rouge – 10 000 pieds/ha ; blanc – 6 600 pieds/ha
Age moyen des vignes : rouge – 35 ans ; blanc – 25 ans
Rendement moyen : rouge – 40 hl/ha ; blanc – 25 hl/ha

Élevage :
rouge – vendanges manuelles ;
double tri très sévère, dans le vignoble et dans les chais ;
fermentations et cuvaisons de 21 jours en cuves de bois thermorégulées ;
malolactiques en fûts ;
vieillissement de 18-24 mois en fûts (100 % de bois neuf) ; assemblage en février ;
collage au blanc d'œuf ; soutirage trimestriel ; pas de filtration ;
blanc – fermentations en fûts (30 % de bois neuf) ; vieillissement de 10 mois ;
collage à la bentonite et à la caséine ; filtration

A maturité : dans les 9 à 30 ans suivant le millésime

Dans les années 60 et 70, Château Margaux a connu une période de médiocrité ; les vins manquaient généralement de richesse, de concentration et de caractère. Cette défaillance doit être imputée au manque de solidité financière de Pierre et Bernard Ginestet, qui n'ont pu résister à la crise pétrolière et à l'effondrement du marché du vin en 1973 et 1974. En 1977, le domaine fut racheté par André et Laura Mentzelopoulos. Les nouveaux propriétaires ont immédiatement investi des sommes énormes dans les vignobles et les installations de vinification, et ils ont demandé à Émile Peynaud de bien vouloir superviser l'élaboration du vin. Les observateurs autorisés s'attendaient à ce qu'il faille plusieurs années pour que l'argent et les bonnes intentions se traduisent dans la qualité des vins ; en fait, dès 1978, on pouvait constater de quoi Château Margaux était capable.

Malheureusement, André Mentzelopoulos est décédé avant d'avoir pu assister à la transformation complète de ce premier cru en difficulté en un vin d'une éclatante régularité, déployant toute sa grâce, sa richesse et sa complexité. Cependant, son épouse, la très élégante Laura Mentzelopoulos, et sa fille Corinne, chic, sportive et fort avisée, ont solidement pris les rênes en main, et elles sont mieux que secondées par l'immense talent de Paul Pontallier (vinificateur). Le 1978, universellement acclamé, a été suivi d'une série de bordeaux si brillamment vinifiés, si fabuleux, si riches et si harmonieux qu'il n'est pas déplacé d'affirmer que, pendant cette dernière décennie, Margaux s'est imposé comme le meilleur vin du Bordelais.

Il faut dire que, pour faire renaître ce vignoble pratiquement d'un seul tenant, situé en grande partie sur des croupes graveleuses dominant la Gironde et pour le reste sur un terroir argilo-calcaire – mais qui était en très mauvais état au moment de sa reprise –, de considérables efforts ont été consentis : replantations et complantations progressives, sélection draconienne, construction dès 1982 d'un immense chai souterrain (le premier en son genre dans le Bordelais), travaux de restauration des bâtiments, acquisition de matériel de pointe – mais vinification des plus traditionnelles.

Le Margaux nouveau style se caractérise par une richesse opulente, un bouquet profond, extraordinairement complexe, de cassis mûr, de chêne vanillé et épicé et de violette. Les vins sont désormais beaucoup plus foncés de robe, plus riches, plus corsés et plus tanniques que ceux élaborés du temps des Ginestet, avant 1977.

Le Pavillon Rouge mérite également quelques mots – pour le moins. C'est l'un des plus anciens seconds vins que l'on connaisse, puisqu'il est produit dès le XIXe siècle, mais il ne prend son nom définitif qu'en 1908. Ce dut dès l'origine un second vin à proprement parler, c'est-à-dire provenant des jeunes vignes de la propriété et des cuves écartées de l'assemblage du grand vin. Depuis une dizaine d'années, il constitue au moins 50 % de la production. C'est dire, une fois de plus, la sévérité de la sélection pratiquée au château.

Margaux produit aussi un vin blanc sec, le Pavillon Blanc du Château Margaux, issu d'un vignoble de 12 ha sur sol gravelo-argilo-sableux exclusivement planté de sauvignon. Il est fermenté en fûts (30 % de bois neuf) et mis en bouteille après 10 mois d'élevage. Pour ceux qui veulent tout savoir, il est vinifié dans un petit bâtiment, appelé château Abel-Laurent, qui se trouve non loin du fort beau château de Margaux. C'est le meilleur blanc du Médoc, vif, fruité, avec de subtils arômes d'herbe fraîche.

1998
•
90-92

Issu d'une sélection de 45 % de la récolte totale, le Château Margaux 1998 se compose à 75 % de cabernet sauvignon, à 17 % de merlot, à 5 % de petit verdot et à 3 % de cabernet franc. Les vendanges à la propriété commencèrent le 28 septembre et se poursuivirent sous un temps mitigé jusqu'au 9 octobre. Très racé, le 1998 se présente vêtu de rubis-pourpre foncé et se distingue par ses tannins souples, par son caractère moyennement massif et par ses excellents arômes de cassis et de fleurs nuancés de chêne neuf et grillé. L'ensemble, concentré et velouté, déploie par paliers une finale d'excellent aloi. Véritable quintessence de l'élégance, le Margaux 1998 n'a pas la puissance ni la concentration de ses aînés de 1995 et 1996, mais cela ne l'empêche pas de déployer un charme irrésistible. **A boire entre 2004 et 2022.** (3/99)

1998 • **90**
Pavillon Blanc du Château Margaux – Le 1998 pourrait bien être l'exemple le mieux réussi que je connaisse de ce cru. Entièrement composé de sauvignon blanc et issu de rendements de 25 hl/ha, il est superbe de concentration et d'élégance, et révèle, outre un généreux fruité glycériné, une finale très corsée. Les amateurs de Sauvignon Blanc sec, intense et mielleux apprécieront ce vin délicieux, qui mérite incontestablement une note extraordinaire. **A boire entre 2001 et 2012.** (3/99)

1997 • **90-91**
Terriblement charmeur, ouvert et bien fait, le 1997 de Château Margaux dégage des arômes souples et opulents de mûre et de cassis, entremêlés de notes de chêne grillé. La bouche, très séduisante, révèle une concentration d'excellent aloi et déploie une finale accessible, ronde et ample. Ce vin devrait être prêt dès sa mise en bouteille, en juin prochain, et tiendra parfaitement 15 ans ou plus. Je ne serais pas autrement surpris de devoir le renoter à la hausse ; je regrette simplement qu'il soit aussi cher. **A boire entre 2000 et 2015.** (1/99)

1996 • **99**
Le 1996 de Château Margaux (mis en bouteille en septembre 1998) est incontestablement l'un des grands classiques produits sous l'ère Mentzelopoulos. Sous plusieurs aspects, il incarne la quintessence de ce cru et s'impose comme emblématique de cette propriété, alliant une puissance mesurée et une élégance extraordinaire à une complexité admirable. J'ai pu déguster ce vin en trois occasions en janvier 1999 – c'est, en résumé, une vraie merveille. Opaque et pourpre de robe, il exhale des arômes fabuleusement purs de mûre, de cassis, de pain grillé et de fleurs, et déploie en bouche, tout en rondeur, un caractère moyennement corsé et somptueusement souple. Tout paraît bien en place dans cet ensemble magnifique. L'assemblage final, composé à 85 % de cabernet sauvignon, à 10 % de merlot et pour le reste de cabernet franc et de petit verdot, contient la plus forte proportion du premier cépage depuis le 1986. Corinne Mentzelopoulos et Paul Pontallier (qui dirige la propriété) m'ont tous deux affirmé qu'ils préféraient le 1996 au 1995, ce qui n'est pas peu dire quand on sait que ce dernier vin se révèle maintenant tout simplement fabuleux. Lors d'une dégustation comparative, le 1996 m'a paru plus complet et plus persistant, mais aussi peu évolué que son aîné. Mon instinct me souffle qu'il se refermera bientôt, mais, pour l'heure, il est ouvert et paraît avoir été mis en bouteille tout récemment. La bouche dévoile par paliers des vagues d'arômes et un fruit d'une douceur et d'une pureté exceptionnelles. Je me suis demandé si ce 1996 pourrait, à terme, surpasser ses aînés de 1982, 1983, 1986, 1990 et 1995. Seul le temps le dira. Pour ma part et d'un point de vue strictement épicurien, je préfère l'opulence et la viscosité du 1996 ; je pense aussi que ce vin développera des parfums extraordinaires et qu'il révélera la même richesse que les millésimes les plus concentrés de ce cru. Le Margaux 1996 peut sérieusement prétendre au titre de réussite du millésime. **A boire entre 2005 et 2040.** (1/99)

1995 • **95**
Mis en bouteille très tardivement (en novembre 1997), le 1995 s'est encore étoffé et s'impose comme l'un des plus grands classiques de l'ère Mentzelopoulos. Opaque et rubis-pourpre de robe, il dégage au nez des arômes de réglisse, de chêne neuf doux et fumé, mêlés de notes de fruits noirs confiturés, de réglisse et de minéral. Moyennement corsé, il est extraordinaire de richesse et fabuleux d'équilibre, avec une finale généreusement tannique. Malgré son ampleur et sa jeunesse, il est accessible et stupéfiant. Il sera toujours plus souple et plus épanoui que le 1996, plus ample de carrure. Suivre l'évolution

de ces deux vins sur les 50 ans à venir sera une expérience parmi les plus fascinantes ! **A boire entre 2005 et 2040.** (11/97)

1994 • **92** En septembre 1996, le Château Margaux était la toute dernière propriété du Bordelais à mettre son 1994 en bouteille, dans l'espoir de voir s'adoucir, par un séjour prolongé en fût, les tannins abondants et durs qui sont la marque du millésime. Ce vin se révèle désormais comme un Margaux classique, à la robe opaque de couleur pourpre, qui déploie les légendaires arômes de fleurs, de cassis, de réglisse et de chêne fumé caractéristiques de ce cru. Il s'agit d'un véritable vin de garde, dense, puissant et fermé, qui demande que vous attendiez au moins 5 ans avant de le déguster, et qui se conservera au total une trentaine d'années. Il rappelle un peu le 1988, en plus mûr et en plus puissant. **A boire entre 2005 et 2030.** (1/97)

1993 • **89** L'excellente robe rubis-pourpre foncé du 1993 ouvre sur de doux arômes de fumé et de cassis. Suit un vin rond, généreux, sensuel et séduisant, qui n'est cependant pas suffisamment long en bouche pour que je puisse lui attribuer une note extraordinaire. Mais je ne serais pas surpris qu'il développe davantage de persistance au terme d'un vieillissement supplémentaire de 2 ou 3 ans en bouteille. Dégustez ce Margaux joliment fait, élégant et riche, **dans les 15 ans, voire au-delà.** (1/97)

1992 • **89** Outre sa robe impressionnante et soutenue de couleur rubis-pourpre foncé, le 1992 présente un nez très aromatique de cassis, de vanille et de senteurs florales. Soyeux et souple, merveilleusement mûr et séduisant, ce vin moyennement corsé, à l'acidité faible, est légèrement tannique en fin de bouche. Certains commentateurs lui attribueront sans aucun doute une meilleure note que celle-ci, compte tenu de son élégance et du généreux fruité qu'il libère en bouche par paliers. D'ores et déjà très agréable, cet impressionnant 1992 sera superbe au cours des **10 à 15 prochaines années.** (11/94)

1991 • **88** Le 1991 de Château Margaux pourrait s'imposer comme l'un des vins les mieux réussis de ce millésime. Il arbore une robe rubis profond et dégage un nez serré, mais prometteur, de cassis, de réglisse et de chêne neuf et grillé. Assez corsé et dense, il est aussi d'une belle profondeur et déploie, outre des tannins modérés, une finale longue et riche. **A boire jusqu'en 2007.** (1/94)

1990 • **100** Le 1990 est une véritable quintessence de Margaux. Profondément concentré, il exhale un bouquet irréel, remarquable et intense de doux fruits noirs, de cèdre, d'épices, de fleurs, de fumé et de vanille. La bouche exprime tout en rondeur un caractère extrêmement concentré, une texture souple, soyeuse et opulente, et déploie par paliers d'exquis arômes qui dévalent le palais sans la moindre rugosité ni la moindre dureté. L'ensemble est faible en acidité, mais celle-ci est suffisante pour donner du ressort et de la précision. Les tannins, extrêmement abondants, sont très bien dissimulés par un fruité des plus riches. Bien que ce vin fabuleux soit encore dans sa toute petite enfance, il est déjà accessible et capable d'une garde de **25 à 30 ans.** De nombreux Margaux de très haut vol ont été produits sous la direction des Mentzelopoulos, et il pourrait sembler inconcevable qu'un vin éclipse les 1982, 1983, 1985, 1986 et 1995. Cependant, à mon sens, le 1990 est bien d'un niveau supérieur. (4/98)

1989 • **89** Le 1989 ressemble aux autres premiers crus du Médoc de ce millésime, dans la mesure où il se révèle excellent, mais dépourvu de distinction. Moyennement corsé et bien mûr, il exhale un nez boisé de cuir fin, mais il est surpassé par son cadet d'un an, plus riche, plus intense et plus persistant. Ce vin est également plus tannique, plus vert et plus rugueux que le 1990. Il se pourrait qu'il s'étoffe et acquière davantage de tenue au cours de son vieillissement – comme le 1985 après 4 à 6 années d'évolution –, mais, dans l'ensemble, je pense plutôt qu'il n'est pas d'un très haut niveau. Accordez-lui une garde supplémentaire de 5 ou 6 ans ; il tiendra parfaitement les 20 ans qui suivront. (4/98)

1988 • **88** Le 1988 dégage un bouquet typique de violette et de cassis, mêlé aux senteurs vanillées du chêne neuf. Assez corsé, concentré, mais extrêmement dur et tannique, ce vin très élégant et néanmoins rugueux devrait vieillir plus longtemps que le 1989. Cependant, il n'est pas sûr qu'il se révèle aussi plaisant ! **A boire entre 2000 et 2015.** (4/91)

1987 • **86** Bien qu'il s'agisse là, incontestablement, d'une réussite, je préfère, pour ce millésime et parmi les premiers crus, Mouton Rothschild, Lafite Rothschild et Haut-Brion. Le Château Margaux 1987 est en effet nettement plus herbacé qu'il ne devrait, mais il offre une belle richesse et une structure solide, ce qui signifie beaucoup de concentration et de profondeur. Il est un peu étroit et compact en finale. **A boire jusqu'en 2000.** (1/91)

1986 • **96+** Le 1986 est le Château Margaux le plus puissant, le plus tannique et le plus musclé depuis des décennies, et l'on peut même se demander si le 1928 et le 1945 étaient d'une profondeur et d'une puissance comparables. Sa robe de couleur rubis-pourpre tirant sur le noir n'a aucunement subi les outrages du temps, et son nez offre avec réticence des arômes de cassis et de chêne neuf grillé et fumé légèrement floraux. Ce vin gigantesque, merveilleusement équilibré et extraordinairement riche en extrait, déploie une finale terriblement tannique. Très corsé, il présente aussi une structure immense et très masculine, qui le différencie complètement du 1990. Son potentiel de garde est absolument faramineux, mais je me demande tout de même s'il sera aussi époustouflant que je l'avais d'abord pronostiqué. **A boire entre 2000 et 2050.** (4/98)

1985 • **94** J'ai régulièrement sous-estimé ce vin dans sa jeunesse. Il s'améliore à chaque nouvelle dégustation – celles-ci se font d'ailleurs de plus en plus fréquentes. Quoique moins puissant et moins concentré que les 1986, 1983 et 1982, le 1985 se révèle charmeur et, pour l'instant, plus complexe que ces millésimes moins évolués. D'un rubis-pourpre sombre resplendissant, il séduit par ses généreuses senteurs de fruits noirs très mûrs entremêlées de notes de fleurs et de chêne grillé. Ce vin tout à la fois riche, ample et velouté a gagné en persistance et en ampleur aromatique ces dernières années. Toujours remarquablement accessible et plaisant, il semble maintenant s'affirmer davantage et se révèle de meilleur niveau que je ne l'aurais imaginé. C'est un Margaux délicieux, séduisant et opulent. **A boire jusqu'en 2010.** (4/98)

1984 • **87** Constituant l'une des belles réussites du millésime, le Château Margaux 1984 est joliment coloré et richement extrait, avec de séduisants parfums de violette, de cassis, de chêne grillé, d'herbes et de réglisse. Persistant, profond et concentré pour le millésime, il rappelle son aîné de 1980. **A boire jusqu'en 2000.** (1/91)

1983 • **96** Le 1983 est à couper le souffle. Grâce au cabernet sauvignon, qui, cette année-là, avait atteint une maturité absolument parfaite, ce vin est étonnamment riche et concentré, formidablement puissant et tannique pour un Margaux. De couleur rubis foncé, il suinte littéralement d'arômes de cassis mûr, de violette et de chêne vanillé, et se montre extrêmement long et profond en bouche, avec une finale nette et incroyablement persistante. Il s'agit très certainement d'un monument, mais il demeure bien peu évolué. **A boire entre 2000 et 2030.** (4/98)

1982 • **98+** Ce vin étonnamment puissant, épais et charpenté pour un Margaux, a été renoté à la baisse, en raison du caractère rugueux qu'ont développé ses tannins au cours de son évolution. Cependant, je serais absolument ravi de le déguster en toute circonstance et en tout lieu. Il apparaît seulement que ses tannins et sa structure sont maintenant plus perceptibles qu'auparavant. Sa robe d'un grenat-pourpre opaque introduit un nez intense et doux de truffe, de cassis, de fumé, de fleurs et de chêne neuf. L'ensemble qui suit, très corsé, impressionne par son caractère richement extrait, extrêmement glycériné et tannique. C'est un Margaux ample et robuste, qui n'est peut-être pas aussi racé que d'autres millésimes comme le 1983, le 1986 et le 1990, mais qui se distingue par son aspect énorme, épais et savoureux. Les abondants tannins que recèle la finale suggèrent qu'une garde de 5 à 7 ans lui serait peut-être bénéfique, mais il est très difficile de résister au caractère juteux, épais et de bonne mâche que présentent les meilleurs 1982. **A boire entre 2002 et 2035.** (4/98)

1981 • **91** Le Château Margaux 1981 rappelle son aîné de 1979 par sa corpulence et par sa texture. Il est vraiment extraordinaire, et ne souffre aucunement de la comparaison avec d'autres millésimes aussi fabuleux que 1982, 1983 ou 1986, bien qu'il n'en ait ni la richesse ni le caractère massif. Arborant toujours un rubis-pourpre très foncé, il dégage des arômes de cassis très mûr, de chêne vanillé et épicé et de violette. La bouche, moyennement corsée, est concentrée, tannique et extrêmement persistante. Ce vin commence tout juste à s'ouvrir et à évoluer. **A boire jusqu'en 2015.** (12/96)

1980 • **88** Margaux est, avec Petrus, la grande réussite du millésime 1980. C'est en effet un vin absolument merveilleux, d'une concentration, d'une puissance et d'une générosité totalement atypiques. Rubis foncé de robe, il révèle une belle richesse en extrait, et se montre étonnamment souple et long en milieu de bouche, moyennement corsé et encore modérément tannique. **A boire jusqu'en 2000.** (1/91)

1979 • **93** Ce vin atteint tout juste sa pleine maturité – bien plus tardivement, donc, que je ne l'avais prédit. Racé et élégant, il arbore toujours une robe rubis-pourpre foncé et dégage un nez modérément intense de doux cassis entremêlé de notes minérales, vanillées et florales. Moyennement corsé, il est doté d'un fruit sous-jacent merveilleusement doux et d'un caractère charmeur et harmonieux. Loin d'être puissant et massif, il est plutôt linéaire, un peu comprimé, mais il vieillit semble-t-il de belle manière en affirmant davantage sa personnalité. **A boire jusqu'en 2010.** (12/96)

1978 • **92** Pendant de nombreuses années, il m'a été difficile de dire si je préférais le 1979 à son aîné de 1978, mais il me semble maintenant que c'est le premier qui l'emporte. Bien que le 1978 soit plus puissant et plus corsé, je le trouve moins charmeur et moins fruité que son cadet. Le nez de ce 1978, autrefois fruité, est désormais marqué par le chêne épicé, la truffe, le goudron et la terre ; il est légèrement trop charnu et trop masculin pour mon goût. Cependant, ce vin riche, corsé et concentré n'est surpassé que par les très grands millésimes élaborés sous la direction des Mentzelopoulos. Peut-être doit-il son caractère rustique aux tannins, qui n'étaient pas encore parfaitement mûrs au moment de la vendange ? Quoi qu'il en soit, ce Margaux demeure l'une des grandes réussites du millésime. J'avais initialement pensé qu'il serait à son apogée dans les 20 ans suivant le millésime, mais je constate qu'une garde supplémentaire de 1 ou 2 ans lui serait bénéfique. **A boire entre 2000 et 2020.** (12/96)

1977 • 78 Ce Margaux parfaitement mûr est souple et herbacé, avec des arômes de cassis. Plaisant et doux, il n'accuse aucun creux en bouche, mais sa finale manque de race. **A boire – peut-être en déclin.** (4/81)

1976 • 70 C'était bien là un Château Margaux d'avant André Mentzelopoulos ! Ce 1976 est léger, un peu fruité et confit, mais assez commun par son caractère et terriblement dépourvu de complexité. **A boire – probablement en sérieux déclin.** (2/82)

1975 • 74 Avec sa robe fortement ambrée sur le bord et son nez de vieux cuir, de terre et de poussière, le Margaux 1975 s'est toujours révélé décevant. Ses arômes austères, étayés par une acidité excessive, manquent de charme et de maturité, et les tannins acerbes que recèle sa finale contribuent à un ensemble médiocre. J'ai même dégusté des bouteilles pires que celles-ci. A bon entendeur... (12/95)

1973 • 55 Maintenant en plein déclin, ce vin rubis nuancé de brun clair présentait un fruit assez léger et un certain charme en 1978, mais il est délabré depuis longtemps. (3/80)

1971 • 70 Encore un vin médiocre produit du temps des Ginestet – il faut le consommer **sans délai** pour profiter de ses maigres restes de fruit. D'un rubis clair nettement tuilé, il présente un bouquet fruité, assez rudimentaire et peu intense, et un caractère aqueux. Il est inintéressant, et ce n'est certes pas le type de vin qu'attend celui qui achète, à prix d'or, un premier cru de Bordeaux ! (1/91)

1970 • 76 Le 1970 est meilleur que le 1971 ou le 1975, mais il est aussi nettement dépassé par la majorité des crus classés du Médoc, sans compter de nombreux crus bourgeois. Pourtant issu d'un grand millésime, c'est le type même du vin qui conduit l'amateur à se méfier des prétendus grands crus de Bordeaux. Compact, austère, manquant de fruit et de richesse, ce vin présente une belle couleur et suffisamment de tannins, mais il n'est plus assez étoffé pour faire pièce à sa structure. On pouvait espérer que le temps arrangerait les choses, mais cela n'a pas été le cas ! **A boire – sans doute en déclin.** (9/83)

1967 • 67 Léger, charmant et fruité en 1974, mais commençant déjà à se décharner et à perdre son fruit en 1978, le Margaux 1967 était complètement hors d'haleine en 1991. Il a fait son temps. (1/91)

1966 • 83 Ce 1966 a été l'un des meilleurs Château Margaux issus de la période de médiocrité du domaine. Trop léger pour un premier cru, il offre néanmoins un peu de ces fabuleux parfums qui ont fait la renommée de ce premier cru. Tendre, rond, fruité, il dégage des arômes d'herbes, de bois de cèdre, de champignons, de prune et de caramel. Ce vin est à son apogée et doit être bu **assez rapidement.** (1/91)

1964 • 78 Le 1964 est trapu, bien coloré, mais il n'offre que des arômes fruités muets et passés ; avec un caractère charnu et tannique, très curieusement, il ne ressemble pas vraiment à un Margaux. Il laisse plutôt perplexe, mais il est buvable. **A boire – sans doute en déclin.** (9/77)

1962 • 85 Il faut apprécier ce vin sans trop tarder, pour son bouquet splendide et bien évolué, qui se dissipe rapidement. Il commence certes à décliner, mais il est séduisant par son bon nez intense et ample de cèdre et de fruit. Il est souple en bouche, mais j'y trouve aussi la pointe détestable de l'acidité qui commence à faire des siennes. **A boire rapidement !** (1/91)

1961
•
93

Le 1961 est un Margaux de haut vol et, sans aucun doute, le dernier grand vin du domaine avant le règne béni de Mentzelopoulos et la longue série de réussites ayant suivi le 1978. Il libère un intense bouquet, absolument divin, mêlant la prune mûre, les fleurs printanières, la noix grillée et le chêne. Ample et soyeux, riche, très généreux en bouche, il est également persistant et très corsé. Ce vin est à pleine maturité, mais il devrait parfaitement se maintenir au moins une nouvelle décennie. **A boire.** (1/98)

Millésimes anciens

Le 1953 (noté 98 en octobre 1997) s'est presque toujours montré délicieux. Les bouteilles provenant des caves humides et fraîches des Établissements Nicolas, à Paris, contenaient un vin impressionnant par sa robe rubis-pourpre foncé, très légèrement éclaircie sur le bord. Avec un nez énorme et riche débordant d'arômes de violette, de cassis doux et d'épices, il était rond et opulent, et déployait un généreux fruité doux et confituré. Un Château Margaux à son niveau le plus séduisant !

En 1989, j'ai pu déguster le 1947 en deux occasions et le 1949 une fois. Le premier (noté 92) m'a fortement marqué ; en effet, si la plupart des premiers crus du Médoc ne m'avaient pas impressionné dans ce millésime, celui-ci est supérieur à Lafite et à Latour et se place juste derrière Mouton. Très parfumé, riche et corsé, il est parfaitement capable de bien évoluer ces **10 prochaines années**. En outre, il est totalement dépourvu de l'acidité volatile et du caractère acerbe qui desservent souvent ses jumeaux du Médoc. En revanche, le 1949 m'a déçu ; mais peut-être s'agissait-il d'un problème ponctuel dû à la bouteille ?

Avec sa couleur grenat foncé, le 1928 (noté 98 en octobre 1994), étonnamment puissant et masculin pour un vin de cette propriété, offre un bouquet floral et très aromatique, et déploie en bouche des arômes extrêmement riches, musclés et tanniques. Très présent et d'une belle persistance, il stupéfie par la puissance tannique qu'il manifeste à plus de 60 ans d'âge. Il durera bien **100 ans.**

Le 1921 (noté 79 en décembre 1995) est vêtu d'une robe légère fortement nuancée d'ambre et de rouille sur le bord. Très parfumé, mais desséché, il exhale encore des notes un peu madérisées de goudron fondu. Il est légèrement corsé (les millésimes récents sont plus musclés et plus concentrés), mais manque d'équilibre et de tenue ; en outre, son fruité commence à se faner.

Quant au 1900 (noté 100 en décembre 1996), il s'agit de l'un des nectars les plus renommés du siècle – j'espère que la bouteille était authentique. On a à l'origine douté de son potentiel de garde, car il était déjà prêt à boire à 10 ou 12 ans d'âge. La production de cette année-là fut, presque comme en 1982, supérieure à 30 000 caisses, et les vins présentaient dans ces deux millésimes des taux d'acidité et d'alcool et une richesse en extrait étonnamment similaires. Mais le 1982 tiendra-t-il un siècle ? Le Château Margaux 1900 semble quant à lui immortel, non seulement parce qu'il est encore jeune et vif, mais aussi parce qu'il présente toutes les nuances et la complexité que les amateurs peuvent souhaiter y trouver. D'une richesse fabuleuse et d'une onctuosité incroyable, ce vin, dont les parfums pourraient emplir une pièce, est d'une grande opulence et d'une merveilleuse précision dans le dessin. Quel extraordinaire tour de force ! Qu'il puisse ainsi allier, dans un bel équilibre d'ensemble, la puissance, la richesse, la finesse et l'élégance en fait, à mon sens, l'un des vins les plus extraordinaires qui soient. Je pense qu'il se conservera parfaitement sur les **20 à 30 premières années du prochain millénaire.** A couper le souffle !

En avril 1991, j'ai dégusté le 1926, le 1928 et le 1929 de Margaux – toutes ces bouteilles étaient issues d'une cave privée de Bordeaux. Le 1929 était nettement sur le déclin, le 1926, épicé et rugueux, manquait de séduction, mais le 1928 était, une fois de plus, absolument magnifique. C'est décidément un vin inoubliable.

MARQUIS D'ALESME BECKER

3e cru classé – équivaut à un cru bourgeois
Propriétaire : Jean-Claude Zuger
Adresse : 33460 Margaux
Tél. 05 57 88 70 27
Fax 05 57 88 73 78
Visites : du lundi au vendredi (8 h-12 h et 14 h-18 h)
Contact : Jean-Claude Zuger

Superficie : 15,5 ha (Margaux et Soussans – appellation Margaux)
Vins produits :
Château Marquis d'Alesme Becker – 100 000 b ; Marquise d'Alesme – 20 000 b
Encépagement : 45 % merlot, 30 % cabernet sauvignon,
15 % cabernet franc, 10 % petit verdot
Densité de plantation : 10 000 pieds/ha – *Age moyen des vignes :* 30 ans
Rendement moyen : 45 hl/ha

Élevage :
vendanges manuelles ; fermentations de 8-10 jours avec levures sélectionnées ; macérations de 8-15 jours en cuves d'acier inoxydable thermorégulées à 30 °C maximum ; vieillissement après les malolactiques de 12-14 mois en fûts (20 % de bois neuf) ; collage ; filtration selon le millésime

---

A maturité : dans les 4 à 10 ans suivant le millésime

Ce vignoble produit l'un des vins les moins connus du classement de 1855. Le château lui-même est une belle bâtisse du XIXe siècle située en face de la mairie du village de Margaux. Depuis 1979, le domaine est dirigé par Jean-Claude Zuger, frère de Roger Zuger, propriétaire d'un autre château plus célèbre de l'appellation, Malescot Saint-Exupéry. Marquis d'Alesme Becker est pratiquement ignoré des marchés d'exportation puisque la quasi-totalité de la production est directement vendue à des clients privés en France, en Suisse et en Belgique. Lors des dégustations, j'ai été surpris de constater que, malgré sa forte proportion de merlot, le vin ne présentait pas davantage de plénitude et de chair. En fait, si l'on considère la vinification, on remarque que les cuvaisons sont relativement longues ; d'autre part, Jean-Claude Zuger affirme que le vin n'est pas systématiquement filtré avant la mise en bouteille. Pourquoi, dans ces conditions, n'est-il pas plus riche en arômes et en extrait ? Cela demeure un mystère. Néanmoins, Marquis d'Alesme Becker a ses amateurs.

1990 • **79** Profond par la couleur, avec un nez boisé et relativement confus, ce vin épicé, dur et assez corsé présente davantage de tannins que de fruit épanoui. Il est trop charpenté et trop peu fruité pour mon goût. **A boire.** (1/93)

1988 D'un rubis moyen, sans grande complexité, ce vin relativement léger, assez
• corsé et monolithique n'a pas grand avenir. Mais où sont donc le fameux
80 bouquet et le velouté des Margaux ? **A boire.** (1/91)

1986 Ce vin rubis moyen libère un bouquet épicé, légèrement herbacé et relativement
• confus. Moyennement corsé et tannique, il manque de charme, mais aussi de
78 corpulence et de concentration. C'est, semble-t-il, l'enfant d'une vinification sans imagination. **A boire.** (1/91)

1985 D'un rubis assez foncé, ce 1985 exhale un bouquet séduisant, mais pas très
• intense, de cassis, de fleurs printanières et de chêne épicé. En bouche, il est
83 souple, moyennement corsé et plaisant. Sa finale, assez brève, laisse penser qu'il ne durera pas très longtemps. **A boire.** (1/91)

1983 Avec sa robe rubis moyen légèrement ambrée, ce vin épicé et assez corsé
• dégage un bouquet quelque peu herbacé de groseille ; en bouche, il se montre
83 solide, mais sans grand intérêt, avec une finale dominée par l'acidité et les tannins. **A boire.** (1/91)

1982 Le 1982 est solide et franc de goût. D'un rubis moyen bien évolué, il présente
• un bouquet assez intense de mûre et de boisé. Tendre en bouche et d'une
81 texture assez grossière, il doit être bu **sans délai.** (4/91)

1979 Arborant un rubis un peu ambré sur le bord, le 1979 offre un nez de groseille
• mûre, avec des arômes de goudron, de chêne et d'herbes. Assez corsé, il
78 commence à révéler des tannins astringents en finale et pourrait être sur le point de se dessécher. **A boire – peut-être en déclin.** (1/91)

1978 Le 1978 est bien réussi, avec ses arômes de vieux bois, son léger parfum de
• baies sauvages et son caractère fruité, rond et séduisant. Malheureusement,
80 il finit un peu court. **A consommer – peut-être en déclin.** (6/84)

1975 Le 1975 est un vin honnête, quelque peu rudimentaire et manquant de relief.
• Il offre un fruit sans grande complexité, quelques arômes de chêne épicé et
77 une finale dure et acerbe. Bref, il n'est guère passionnant. **A consommer – peut-être même en déclin.** (5/84)

MARQUIS DE TERME – TRÈS BON

4e cru classé – équivaut à un 5e cru
Propriétaire : SA Château Marquis de Terme
Adresse : 3, route de Rauzan – 33460 Margaux
Tél. 05 57 88 30 01 – Fax 05 57 88 32 51
Visites : sur rendez-vous uniquement
Contact : Jean-Pierre Hugon

Superficie :
38 ha (Margaux et Cantenac – appellation Margaux)
Vins produits :
Château Marquis de Terme – 150 000 b ; Terme des Gondats – 25 000 b
Encépagement :
55 % cabernet sauvignon, 35 % merlot, 7 % petit verdot, 3 % cabernet franc
Densité de plantation : 10 000 pieds/ha – *Age moyen des vignes :* 35 ans
Rendement moyen : 45 hl/ha

Élevage :
vendanges manuelles ; fermentations de 7 jours environ à 31-32 °C ;
cuvaisons de 21-28 jours ;
vieillissement de 18 mois en fûts (30-50 % de bois neuf) ;
collage au blanc d'œuf ; filtration

A maturité : dans les 7 à 20 ans suivant le millésime

L'origine du domaine remonte au mariage, en décembre 1762, d'Élisabeth de Ledoux d'Emplet, petite-nièce de Pierre des Mesures de Rausan, avec François de Pégilhan de Larboust, marquis de Terme, qui donna son nom à la propriété, constituée de plusieurs parcelles. Durant près de deux siècles, l'histoire de ce vignoble, réparti sur les croupes graveleuses des communes de Margaux et Cantenac, resta assez mouvementée, jusqu'à ce que, en 1935, Pierre Sénéclauze, père des actuels propriétaires, en fasse l'acquisition.

Marquis de Terme est l'un des moins connus des crus classés de Margaux et, jusqu'à une période récente, il fut aussi l'un des plus décevants. Cependant, le domaine a bénéficié des investissements financiers indispensables pour moderniser le chai (en 1984) et permettre l'élevage en fûts de chêne, avec 30 à 50 % de bois neuf suivant les millésimes. Les propriétaires ont également institué une sélection plus stricte et créé un second vin en 1990.

Depuis 1983, la qualité s'est donc nettement améliorée. Si les millésimes récents ne mentent pas, les amateurs auront le plaisir de trouver ici des vins d'une belle couleur profonde, assez puissants et vigoureux, qui évoquent peut-être un peu Giscours.

1996 • **89-90** Trois dégustations différentes ont révélé un vin semblable à un Saint-Estèphe : de couleur pourpre-noir et exceptionnellement puissant, dominé par un généreux fruité de cabernet sauvignon. Extrêmement massif, mûr et structuré, ce 1996 développe des tannins qui tapissent le palais. Il s'agit incontestablement d'une des révélations du millésime, mais il demande à être attendu plusieurs années encore. **A boire entre 2006 et 2025.** (3/97)

1995 • **86+** Profondément coloré, le 1995 est doté de puissance et de ressort, mais également d'un fruité mûr. D'une pureté et d'une richesse en extrait admirables, il présente cependant en finale des tannins durs et rugueux qui ne manquent pas d'inquiéter. Accordez-lui une garde de 4 ou 5 ans et dégustez-le une fois qu'il se sera assoupli, dans les **12 à 15 ans qui suivront.** (3/96)

1994 • **83** La douceur et la souplesse du 1994 séduisent immédiatement. Ce vin exhale également des arômes épicés et charmeurs de cerise noire et de truffe, mais l'ensemble, moyennement corsé, finit malheureusement un peu court. Je pense que ce Marquis de Terme se révélera agréable, mais inintéressant, ces **10 prochaines années.** (3/96)

1993 • **81** D'une couleur foncée et concentrée, le 1993, moyennement corsé, n'échappe pas à l'inconvénient du millésime, se montrant compact et trop tannique en bouche. Cependant, il présente quelques qualités (maturité, richesse en extrait et pureté) qui donnent à penser qu'il pourrait tenir environ **10 ans.** (11/94)

1992 • **76** D'un rubis moyennement foncé, le 1992 déploie au nez de séduisantes senteurs de fruits rouges et d'herbes. Celles-ci sont cependant assez fugitives, laissant rapidement la place à une véritable coquille d'acidité et de tannins. **A boire dans les 3 ou 4 ans.** (11/94)

1991 • **74** Légèrement corsé, court et compact, le 1991 est inintéressant et montre des signes patents de dilution. (1/94)

1990 • **87** De généreux arômes de fruits noirs et de chêne neuf et épicé dominent le nez de ce vin moyennement corsé, ample et d'une opulente richesse. Très richement extrait et regorgeant de glycérine, il déploie des tannins souples et une finale douce. **A boire jusqu'en 2002.** (1/93)

1989 • **89** Cet excellent vin rubis foncé de robe est moyennement corsé, charnu et de bonne mâche, avec une faible acidité et un caractère très alcoolique. Ses arômes amples, très mûrs et presque doux séduiront à coup sûr le plus grand nombre. **A boire jusqu'en 2004.** (1/93)

1988 • **86** D'un rubis-pourpre profond, avec un bouquet relativement intense d'épices et de boisé, le 1988 se montre corpulent et doté d'une belle richesse en extrait. Modérément tannique, il promet de bien tenir plusieurs années. **A boire jusqu'en 2005.** (1/93)

1986 • **90 ?** Remarquable depuis sa prime jeunesse, le 1986 présente une robe presque noire, et révèle une richesse et une profondeur énormes, une extraction sensationnelle et une finale interminable. Cependant, les acheteurs éventuels doivent savoir qu'en quatre occasions j'ai débouché des bouteilles défectueuses présentant une odeur de carton humide qui, à mon avis, indique un problème de bouchon. Ce vin exceptionnel est, indiscutablement, le meilleur qu'ait produit le domaine depuis des décennies. Je me demande cependant combien de flacons sont desservis par ce défaut. **A boire jusqu'en 2015.** (1/91)

1985 • **88** Le Marquis de Terme 1985 présente une belle concentration de fruit, un caractère corsé, une finale remarquable et un énorme potentiel de garde. Il s'est imposé comme l'un des meilleurs Margaux du millésime. **A boire jusqu'en 2003.** (3/89)

1984 • **79** Assez tannique et dur pour un 1984, ce vin a du mal à s'ouvrir. D'un rubis relativement foncé, il se révèle, en bouche, épicé, mais limité, et laisse une impression d'insuffisance. **A consommer.** (10/88)

1983 • **88** Voici un bordeaux des plus classiques. Rubis foncé de robe, il déploie un bouquet naissant de vanille, de café et de cassis, et se montre, en bouche, généreux, riche en extrait et assez fruité. Sa finale est longue et modérément tannique. **A boire jusqu'en 2007.** (1/91)

1979 • **82** Étant donné que ce château a la réputation de produire des vins relativement costauds et solides, j'attendais de celui-ci qu'il soit plus tannique et de plus longue garde. Ce n'est pas le cas. Ses parfums de baies sauvages et de terre fraîche jaillissent littéralement du verre, et il se révèle précoce, fruité et tendre en bouche. Ce Marquis de Terme moyennement corsé doit être bu **rapidement.** (6/83)

1978 • **50** Voici un vin vraiment peu impressionnant dans un millésime qui a généralement été excellent pour les Médoc. Ses arômes de moisi et de croupi indiquent un élevage défectueux. En bouche, il est maigre, précocement sénile, sans rien pour plaire. Un échec ! (6/83)

1971 • **80** Des arômes piquants de terre fraîche et de fumé, mêlés à des senteurs de cassis mûr, donnent à ce vin un bouquet exotique. En bouche, l'ensemble se montre très épanoui, tendre et beaucoup plus léger que le bouquet ne le laisserait espérer. **A consommer – probablement en sérieux déclin.** (2/80)

1970 • **84** Le Marquis de Terme 1970 a été très lent à évoluer ; d'un rubis presque opaque, il déploie un bouquet riche, profond et intense de chêne épicé, de fruit fumé et de terre fraîche. Dense, puissant et tannique – peut-être un peu trop robuste –, ce vin corsé ne doit plus être attendu. **A consommer sans délai – peut-être en déclin.** (4/82)

MONBRISON - BON

Cru bourgeois – devrait être maintenu
Propriétaires : Élisabeth Meacham et Fils
Adresse : 1, allée de Monbrison – 33460 Arsac
Tél. 05 56 58 80 04 – Fax 05 56 58 85 33
Visites : sur rendez-vous uniquement
Contact : Laurent Vonderheyden

Superficie : 13 ha (Margaux – appellation Margaux)
Vins produits :
Château Monbrison – 45 000-55 000 b ; Bouquet de Monbrison – 25 000 b
Encépagement :
50 % cabernet sauvignon, 30 % merlot, 15 % cabernet franc, 5 % petit verdot
Densité de plantation : 6 500-10 000 pieds/ha – *Age moyen des vignes :* 35 ans
Rendement moyen : 40 hl/ha

Élevage :
fermentations et cuvaisons de 21-28 jours
en cuves d'acier inoxydable thermorégulées, sans adjonction de levures ;
vieillissement de 14-18 mois en fûts (35-60 % de bois neuf) ;
soutirage de fût à fût ; collage au blanc d'œuf ; pas de filtration

---

A maturité : dans les 3 à 15 ans suivant le millésime

Lors de la première édition de cet ouvrage, Monbrison s'imposait parmi les crus bourgeois comme l'une des étoiles montantes du Médoc. Malheureusement, les choses ont beaucoup changé, bien que ce cru demeure un très bon Margaux. C'est au regretté Jean-Luc Vonderheyden qu'il devait son renouveau. D'ailleurs, celui-ci avait été unanimement félicité, notamment par le célèbre Michel Bettane, pour les petits rendements qu'il tenait et pour tous les efforts déployés dans le seul but de produire un vin de très haut niveau. Las, il fut fauché en pleine gloire par un cancer, et c'est maintenant son frère Laurent qui a repris les rênes de la propriété.

Laurent Vonderheyden semble avoir adopté un style de vinification plus léger, donnant des vins plus délicats ; mais on remarque une performance en dents de scie au début des années 90. Cependant, les millésimes récents comme 1995, 1996 et 1998 m'ont plutôt impressionné. Monbrison mérite assurément l'attention : je conseille vivement aux amateurs de déguster, à l'occasion, les vins élaborés par Jean-Luc entre 1986 et 1990.

1998 • 85-87 Après quelques millésimes décevants, Monbrison propose en 1998 un vin racé et élégant, vêtu de rubis foncé et doté d'un fruité mûr de fraise et de cerise, nuancé de minéral et de boisé. C'est un vin policé et retenu, qu'il faut apprécier avant qu'il n'ait **10 ans d'âge.** (3/99)

1996 • 85-86+ ? Le 1996 de Monbrison me semble l'un des vins les mieux réussis par la propriété au cours de ces dernières années. Certains échantillons révélaient de légères notes de carton – que l'on attribue souvent à des bouchons défectueux –, mais, si l'on excepte ce fait, ce 1996, de couleur rubis-pourpre foncé, discret, moyennement corsé, au fruité mûr et séduisant contenu dans un ensemble élégant, est remarquable. Accordez-lui une garde de 4 ou 5 ans avant de le déguster dans les **12 à 15 ans qui suivront.** (3/97)

1995 • 86 Le 1995, de couleur rubis foncé, est correctement fait, moyennement corsé et élégant, avec un fruité doux, dans un ensemble mesuré et policé. **A boire entre 2000 et 2006.** (1/97)

1994 • 76 Le 1994 est rugueux, maigre et tannique, et manque de charme. Il y a peu d'espoir que son fruité puisse un jour dominer ses tannins. (1/97)

1993 • 79 Malgré son caractère quelque peu herbacé, le 1993 de Monbrison se révèle doux, épicé et moyennement corsé, avec des arômes mesurés et éthérés, tout en finesse et en élégance. **A boire dans les 3 ou 4 ans.** (1/97)

1992 • 74 Il s'agit là du vin le plus décevant qui ait été fait à la propriété depuis plus d'une décennie. Maigre, court et boisé, excessivement tannique et trop marqué par le chêne, il manque de concentration, et il y a fort à parier qu'avec le temps ces défauts ne feront que s'accentuer. Il doit donc être consommé **très rapidement.** (11/94)

1991 • 85 Le 1991 de Monbrison est d'une très bonne tenue pour le millésime. Sa couleur superbe introduit un nez épicé de chêne neuf et grillé, ainsi qu'un fruité très mûr. Moyennement corsé, il déploie une finale compacte, mais très aromatique. **A boire dans les 3 ou 4 ans.** (1/94)

1990 • 88 Arborant une robe impressionnante d'un rubis-pourpre foncé, le 1990 est souple, merveilleusement riche et complexe, avec un nez fumé et floral de cassis. Moyennement corsé en bouche, il déploie une belle richesse en extrait et une finale élégante. **A boire jusqu'en 2007.** (1/93)

1989 • 89 Vêtu de pourpre-noir, le fabuleux 1989 est heureusement dépourvu de tous les défauts qui desservent les Margaux de ce millésime. Quoique très tannique et peu évolué, il est stupéfiant de concentration et de longueur, étayées par une bonne acidité. **A boire jusqu'en 2010.** (4/91)

1988 • 90 Le 1988 est incontestablement un vin exceptionnel. D'un rubis tirant sur le noir, mais moins opaque que le 1989, ce vin riche en extrait, généreux et concentré surpasse dans ce millésime la plupart des crus classés de Margaux. L'utilisation judicieuse de 60 % de bois neuf pour l'élevage lui a apporté de l'ampleur. Alors que le 1989 est plus corpulent, plus chaleureux, plus tannique et plus concentré, le 1988 se révèle à mon avis meilleur, mais d'un style nettement différent. **A boire jusqu'en 2005.** (4/91)

1986 • 87 Le Monbrison 1986 est un vin riche, puissant et épicé, débordant d'arômes de chêne neuf, de prune et de réglisse. Corsé, riche en extrait et profond, il arbore un beau rubis-pourpre et se révèle suffisamment tannique pour se conserver, semble-t-il, plusieurs années encore. Il est cependant déjà prêt. **A boire jusqu'en 2003.** (4/91)

1985 Le 1985 est riche, bien étoffé et joliment équilibré. Exhalant un élégant
• bouquet de chêne neuf et de baies sauvages, il se révèle tendre, crémeux et
86 savoureux en bouche. **A boire.** (11/89)

1984 Une révélation du millésime ? Avec sa belle couleur, assez étonnante pour
• l'année, et son bouquet intense et épanoui de cassis et d'herbe fraîche, ce
86 vin se révèle onctueux, velouté, concentré et assez corsé en bouche, où il déploie des flots de fruits et une belle finale. **A consommer.** (3/88)

1983 Le Monbrison 1983 est le premier de la série de vins très bons ou exceptionnels
• qu'allait produire le domaine. Il a maintenant résorbé la plus grande partie
86 de ses tannins, et il exhale un nez ouvert et épicé de groseille et de grillé. La bouche, tendre, ronde, presque grasse, révèle une finale modérément longue, ample et bien alcoolique. **A boire.** (3/90)

PALMER – EXCEPTIONNEL

3ᵉ cru classé en 1855 – équivaut à un 1er cru
Propriétaire : SC du Château Palmer
Adresse : 33460 Margaux
Tél. 05 57 88 72 72 – Fax 05 57 88 37 16
Visites : sur rendez-vous uniquement
Contact : Bertrand Bouteiller

Superficie : 45 ha (Margaux et Cantenac – appellation Margaux)
Vins produits :
Château Palmer – 150 000-160 000 b ; Réserve du Général – 40 000-50 000 b
Encépagement : 55 % cabernet sauvignon, 40 % merlot,
3 % petit verdot, 2 % autres cépages
Densité de plantation : 10 000 pieds/ha – *Age moyen des vignes :* 35 ans
Rendement moyen : 46 hl/ha

Élevage :
vendanges manuelles ; fermentations et cuvaisons de 21-28 jours
en cuves thermorégulées d'acier inoxydable ;
vieillissement de 18-24 mois en fûts (35 % de bois neuf) ;
collage ; pas de filtration

A maturité : dans les 5 à 25 ans suivant le millésime

Si ce domaine est déjà connu au XVIIIᵉ siècle, c'est sous le nom de Gascq – celui de la famille de conseillers et de présidents au parlement de Bordeaux qui en est propriétaire. C'est en 1814 que le major général Charles Palmer en fait l'acquisition, ainsi que de terres et domaines voisins destinés à agrandir sa propriété, rebaptisant du même coup l'ensemble, comme il est d'usage à l'époque.

Le général ayant fait faillite, Palmer est adjugé en 1844 à la Caisse hypothécaire de Paris, qui le revend en 1853 à Émile et Isaac Péreire. En 1937, un consortium, comprenant notamment Frédéric Mähler-Besse et la firme Sichel, en fait l'acquisition. Aujourd'hui, les familles Sichel et Mähler-Besse se partagent l'actionnariat du domaine.

Le vignoble est situé sur la commune de Margaux et au lieu-dit Issan (Cantenac), au centre d'un plateau recouvrant en partie la nappe de graves günziennes.

Palmer a, très souvent, toute la profondeur d'un premier cru. Dans des millésimes tels 1961, 1966, 1967, 1970, 1975, 1983 et 1989, il se hisse vraiment au plus haut niveau. Alors qu'il n'est officiellement que troisième cru, les bouteilles atteignent un prix intermédiaire entre les deuxièmes et les premiers crus, ce qui traduit bien l'estime dans laquelle les négociants, les importateurs étrangers et les amateurs tiennent ce vin.

Palmer est vinifié de manière traditionnelle, et sa belle réussite peut être attribuée à de multiples facteurs. Tout d'abord, il faut mentionner le dévouement des Chardon, qui, de père en fils, prennent soin du vignoble et élaborent le vin depuis plus d'un siècle. Il y a ensuite l'encépagement, unique par le fort pourcentage de merlot (40 %) ; c'est cette particularité qui, sans aucun doute, donne au vin son caractère riche, souple, généreux et charnu, qui l'apparente aux Pomerol – il n'en a pas moins ce parfum fabuleux qui est la quintessence du Margaux. Il convient en outre de souligner qu'à Palmer la cuvaison est exceptionnellement longue (21 à 28 jours) ; ce contact prolongé des peaux avec le jus explique la densité de la robe, la richesse en extrait et les tannins abondants qui caractérisent la plupart des millésimes. Enfin, le domaine demeure l'une des quelques propriétés du Médoc qui s'opposent obstinément à la filtration.

Entre 1961 et 1977, Palmer a régulièrement produit le meilleur vin de son appellation ; cependant, après la renaissance de Château Margaux, en 1978, qui a conduit ce dernier à reprendre sa place au sommet de la hiérarchie, Palmer n'a plus, au moins pour l'instant, que la deuxième place – bien que son 1989 soit manifestement supérieur à celui de son rival.

Les vins de Palmer se caractérisent par un nez et un bouquet sensationnels. J'ai souvent expérimenté le fait que, lors des dégustations à l'aveugle, il était possible de reconnaître par leur seul parfum les grands millésimes (tels 1961, 1966, 1970, 1983, 1989 et 1995). Comme je l'ai dit plus haut, le bouquet de ce cru conjugue le fruit précoce d'un grand Pomerol à la complexité et au caractère d'un Margaux. Il est riche, souvent souple et séveux, mais toujours profondément fruité et concentré.

1998 • **90-92** Magnifiquement réussi pour le millésime, le Palmer 1998 est issu d'une sélection de 52 % de la production totale et se compose à 50 % de merlot, à 45 % de cabernet sauvignon et à 5 % de petit verdot. Le merlot fut vendangé dans des conditions idéales le 25 septembre, mais le ramassage du cabernet sauvignon ne s'acheva pas avant le 17 octobre. Le Palmer 1998, qui traduit bien la belle qualité du merlot dont il est issu par sa robe d'un pourpre-noir dense, exhale un fabuleux nez de cassis, de liqueur de cerise et de réglisse. Magnifiquement fruité, il déploie en bouche, par paliers, des tannins souples, ainsi qu'un caractère moyennement corsé, concentré, mais étonnamment velouté compte tenu des 12,7 % d'alcool naturel qu'il affiche. C'est une grande réussite pour Margaux et pour le Médoc en général. **A boire entre 2005 et 2020.** (3/99)

1997 • **86-88** Comme de coutume avec les vins de cette propriété, le 1997 s'est étoffé depuis ma précédente dégustation. Moyennement corsé et élégant, il est souple et doux, et sera agréable à boire dès sa mise en bouteille. Composé à 50 % de cabernet sauvignon, à 45 % de merlot et à 5 % de petit verdot, il s'annonce par une robe rubis profond et par un nez séduisant de fleurs blanches et de fruits noirs. Tout à la fois souple, élégant et charmeur, il tiendra parfaitement **jusqu'en 2011.** (1/99)

1996 • **91+** Composé à 55 % de cabernet sauvignon, à 40 % de merlot et à 5 % de petit verdot, le 1996 de Palmer s'est montré sous un bon jour lors de ma dégustation ; il avait été mis en bouteille en juillet 1998. Arborant une superbe robe d'un pourpre soutenu, il s'annonce par un nez peu évolué, mais intense, de prune noire, de groseille, de réglisse et de fumé. L'attaque en bouche révèle un fabuleux fruité, qui s'estompe ensuite au profit de la structure et des tannins de l'ensemble. Ce vin étonnamment peu évolué, mais doté de manière impressionnante, pourrait se révéler la version moderne de son aîné de 1966. Il regorge de fruit, ses tannins sont bien fondus, mais il requiert une garde de 7 ou 8 ans avant d'être prêt. **A boire entre 2007 et 2028.** (1/99)

1995 • **90** Dominé par le merlot (il en contient 43 %), le Palmer 1995 a été mis en bouteille en juin 1997. Faible en acidité et charnu, il séduira dès son plus jeune âge grâce à son opulence fabuleuse, mais ne se conservera pas moins de belle manière. D'un rubis-pourpre foncé, il dégage des arômes de chêne neuf fumé et grillé, mêlés d'un généreux fruité de cerise confiturée aux nuances chocolatées et florales. Ce vin impressionnant, moyennement corsé et charnu, est très élégant. **A boire entre 2002 et 2020.** (11/97)

1994 • **86** J'avais espéré que le 1994 serait meilleur, mais il est simplement bon et manque d'intérêt. Sa robe d'un rubis moyennement foncé précède des arômes de fruits rouges doux et sans détour, et l'on décèle en bouche un vin modérément corsé, d'une belle concentration et assez tannique, avec une finale courte et épicée. Il est bon, mais décevant pour un Palmer. **A boire jusqu'en 2010.** (1/97)

1993 • **78** Malgré sa belle robe rubis foncé, le Palmer 1993 se révèle aqueux, dilué et émacié, manquant de profondeur et de corpulence. Les tannins abondants que l'on perçoit dans sa finale le rendront de plus en plus anguleux et contribueront à le dessécher. (1/97)

1992 • **84 ?** Le 1992 présentait au fût plus de concentration et de maturité que maintenant : il est évident qu'il a perdu beaucoup de son fruité délicat et de sa finesse lors du collage et de la mise. D'un rubis moyen, il dégage un nez agressif de chêne neuf et grillé, de cerise noire et de cassis. Jusque-là, tout va bien, mais, une fois passé ce bouquet charmeur et moyennement intense, on s'aperçoit que ce vin est léger, avec un fruité très dilué, et qu'il manque de concentration. La finale est extrêmement courte. **A boire d'ici 3 ou 4 ans.** (11/94)

1991 • **87** Le 1991 de Palmer est une réussite remarquable. Sa robe d'un rubis-pourpre foncé introduit au nez des arômes de fruits noirs et mûrs et de chêne neuf. Moyennement corsé, doux et crémeux en bouche, ce vin d'une grande précision dans le dessin présente un gras remarquable, ainsi qu'une finale opulente, riche et concentrée. Il est sensuel et séduisant. **A boire dans les 6 à 8 ans.** (1/94)

1990 • **88** Ce 1990 s'est bien étoffé depuis la première fois que je l'ai dégusté. Typique des millésimes chauds et secs de Palmer, il est ample, avec un fruité doux, mais il manque quelque peu de structure et semble dépourvu de la précision et de la richesse en extrait sous-jacente qui caractérisent les grandes réussites de ce cru. Faible en acidité, avec des tannins veloutés, il n'a ni la puissance ni la profondeur de son aîné d'un an, mais il peut être dégusté dès maintenant ou dans les **15 ans.** Attention, il a fallu que j'ouvre trois bouteilles avant d'en trouver une qui ne soit pas bouchonnée... (11/96)

1989 • **95** Voici l'une des grandes réussites du millésime. Ce vin rubis-pourpre foncé de robe exhale un nez doux de fruits noirs confiturés, entremêlé de senteurs florales et de réglisse et nuancé de truffe. Très corsé et souple, il est faible en acidité, avec un généreux fruité mûr et glycériné. Ce Palmer fabuleux est également assez corsé, concentré et harmonieux, et exprime une bouche tout en rondeur. Il pourrait éventuellement ressembler à l'extraordinaire 1962 de la propriété. Quoique d'ores et déjà accessible, il devrait encore se bonifier ces 10 prochaines années et tenir **20 à 25 ans.** (11/96)

1988 • **87** Doté d'un bouquet très prometteur de douce prune, le Palmer 1988 révèle également un fruité riche et concentré dans un ensemble moyennement corsé, à la finale ample, opulente et capiteuse. C'est l'un des Margaux les mieux réussis et les plus délicieux du millésime. **A boire jusqu'en 2006.** (1/93)

1987 • **86** Le 1987 de Palmer s'impose comme la grande réussite du millésime dans l'appellation. Magnifiquement mûr, frisant l'opulence, il est vêtu d'une belle robe et se montre généreusement boisé, faible en acidité, avec un caractère moyennement corsé. Il doit certainement son aspect charmeur et délicieusement fruité au fort pourcentage de merlot entrant dans son assemblage. **A boire.** (11/90)

1986 • **88+ ?** Comme la plupart des Médoc de ce millésime, le Palmer 1986 met à rude épreuve la patience des amateurs. Il ne sera certainement pas grandiose, mais je fonde sur lui de grands espoirs, souhaitant qu'il se révèle extraordinaire et qu'il mérite bien la note que j'ai, pour l'heure, assortie d'un point d'interrogation. Alors que les vins de cette propriété sont généralement précoces, celui-ci est serré et fermé. Il impressionne par sa robe sombre d'un rubis-pourpre légèrement éclairci sur le bord et exhale un nez serré, où l'on décèle néanmoins, après une certaine aération, des notes de fruits noirs, de fleurs, de truffe et de boîte à cigares. La bouche montre une maturité et une richesse d'excellent aloi, qui sont cependant bien dissimulées par de très abondants tannins. Ce vin m'a récemment paru à un stade ingrat de son évolution, et il sera vraisemblablement de moins longue garde que je ne l'avais initialement prévu. **A boire entre 2000 et 2015.** (9/97)

1985 • **87** Ce vin, qui s'est toujours montré élégant et fruité, présente une robe d'un rubis profond légèrement nuancé d'ambre et d'orange sur le bord. Il est précoce, grâce à sa faible acidité, mais il n'a ni la profondeur ni la richesse en extrait que l'on attend de Palmer dans les grands millésimes. Il s'agit néanmoins d'un ensemble bien fait et richement fruité, très parfumé aussi, qui s'exprime tout en rondeur et qui sera parfait dans les prochaines années. **A boire jusqu'en 2004.** (9/97)

1984 • **82** Bien fait et solide, le 1984 se distingue par sa belle robe et par son bouquet de prune. Malheureusement, il accuse un creux en milieu de bouche et finit court. Cependant, son fruité mûr et son charme précoce sont des plus séduisants. **A boire.** (4/90)

1983 • **97** Le 1983, qui est l'un des vins les plus extraordinaires de ce millésime, arbore toujours une robe très soutenue de couleur pourpre-grenat, et déploie des parfums intenses de fruits noirs confiturés, de viande fumée, de fleurs, de cèdre et d'épices orientales. Très corsé, puissant et extrêmement concentré, ce vin énorme et onctueux est aujourd'hui presque à maturité. Il peut être dégusté dès maintenant grâce à sa forte proportion de merlot, mais il semble prometteur pour les **20 à 25 prochaines années.** Je demeure convaincu qu'il s'agit bien du meilleur vin de la propriété depuis le grandiose 1961. (9/97)

1982 • **88** Le 1982 de Palmer s'est révélé meilleur que je ne l'avais initialement prévu. Assez diffus et manquant quelque peu de structure, il se révèle cependant très parfumé, étayé par une faible acidité, avec de copieux arômes souples de fruits noirs mûrs nuancés de fleurs et d'herbes. La bouche, souple, généreuse et charnue, exprime un caractère moyennement corsé, parfaitement mûr mais manquant un peu de tenue. Ce vin des plus charmeurs et tout à fait délicieux devrait tenir **encore 10 ans.** (9/95)

1981 • **81** Ce vin relativement léger, presque inintéressant, manque de profondeur et se montre sans détour, avec un fruité simple et confit aux notes d'herbes, de boisé et de cèdre. Moyennement corsé et austère pour un Palmer, il doit être consommé **rapidement.** (6/90)

1980 • **72** Léger, fruité et sans détour, le Palmer 1980 est déjà prêt. Vous l'apprécierez pour son charme sans détour, à goûter sans cérémonie. **A boire – probablement en sérieux déclin.** (2/84)

1979 • **89** Le Palmer 1979, qui s'impose comme l'un des meilleurs vins du millésime, n'est cependant pas aussi profond que je l'avais imaginé. Il a évolué très lentement et arrive tout juste à maturité. Sa robe rubis profond est à peine éclaircie sur le bord, et son bouquet modérément intense révèle des senteurs de fruits noirs, de terre, de cèdre et d'herbes. L'ensemble qui suit en bouche manifeste une excellente richesse et déploie des tannins plutôt doux pour le millésime. C'est un vin moyennement corsé et racé ; le milieu de bouche est soyeux et ample, tout comme la finale, d'ailleurs, qui révèle également quelques tannins. **A boire jusqu'en 2008.** (6/97)

1978 • **90** Ce Médoc – l'un des mieux réussis en 1978 – est à parfaite maturité, et il ne donne aucun signe de déclin. Sa robe rubis-grenat foncé est à peine éclaircie sur le bord, et son nez dégage des notes de truffe noire, de cassis, d'herbes fumées et de viande. La bouche révèle un fruité riche et doux nuancé de poivre vert, et l'ensemble, moyennement corsé et soyeux, est plus épicé que ne le sont généralement les Palmer. Il s'agit d'un vin séduisant et ample, que vous apprécierez **jusqu'en 2006.** (10/97)

1977 • **70** Relativement maigre, peu généreux, trop végétal et herbacé, le Palmer 1977 est assez corsé, un peu fruité et légèrement tannique, sans rien cependant de piquant ni d'amer. **A boire – probablement en sérieux déclin.** (4/81)

1976 • **83** Délicieusement souple, fruité et charnu, le 1976 est moelleux et velouté, peu tannique, mais suffisamment fruité. Il a maintenant dépassé sa pleine maturité. Il n'a ni la fragilité ni le caractère un peu dilué de bien des vins de ce millésime. **A boire – peut-être en déclin.** (8/84)

1975 • **90** Le 1975 de Palmer s'est régulièrement imposé comme l'une des grandes réussites de ce millésime. Arborant toujours une robe intacte (nullement ambrée) de couleur rubis foncé, il exhale un nez très parfumé aux généreuses notes de doux fruits. Plus tannique que ne le sont généralement les grands vins de cette propriété, il se montre tout à la fois riche, corsé et concentré, et déploie de belle manière la rugosité et les tannins inhérents au millésime. Détail assez curieux, l'exemple le plus évolué que j'aie goûté de ce cru était issu d'une impériale, ouverte lors d'une dégustation il y a plusieurs années. Les bouteilles que j'ai en cave sont pour leur part très jeunes encore – elles requièrent 5 à 7 ans de garde. Ce vin tiendra bien **20 ans, si ce n'est plus.** (12/95)

1974 • **64** Dans ce petit millésime, Palmer a produit un vin très médiocre, tuilé, maigre, terne et doucereux, sans beaucoup de fruit. (2/78)

1971 • **86** Même s'il n'est pas du niveau des 1966, 1970, 1975 et 1979, le 1971 est loin d'entacher la réputation de ce cru. Il présente une couleur rubis foncé et exhale le bouquet légendaire de Palmer – baies sauvages, fleurs et cassis.

Ce vin soyeux et séveux est à son apogée depuis plus d'une décennie. **A boire jusqu'en 2002.** (12/88)

1970 • **95+** Le Palmer 1970 n'a pas encore atteint sa maturité, mais c'est l'un des vins les plus grandioses de ce millésime. Opaque et grenat sombre de robe, il exhale un bouquet naissant, mais déjà fabuleux et exotique, de réglisse, de prune et de cassis très mûrs, de sauce soja, de cèdre et de minéral. Riche et concentré, il est également moyennement corsé, avec un doux fruit sous-jacent, des tannins fermes, mais soyeux, et une finale persistante et riche. Ce vin encore jeune pourrait se révéler prodigieux. Quoique d'ores et déjà accessible, il promet de se bonifier au terme d'une garde de 3 à 5 ans et tiendra parfaitement les **10 à 15 premières années du prochain millénaire.** (6/96)

1967 • **87** Le 1967 de Palmer est une révélation de ce millésime, et il est toujours étonnamment délicieux. Une dégustation récente d'un magnum m'a dévoilé un vin qui, loin d'être puissant ou massif, incarnait au contraire la quintessence de l'élégance – ce caractère que les vins du Nouveau Monde semblent incapables de reproduire. D'un grenat bien évolué et fortement nuancé de rouille sur le bord, il exhale un doux nez de cèdre, de cake, de petits fruits et de tabac. L'ensemble qui suit est moyennement massif et retient un fruité frais et mûr, d'un ressort inhabituel pour le millésime. J'ai dégusté ce vin en six ou sept occasions ; il s'est toujours révélé charmeur, léger, mais délicieux. **A boire.** (12/96)

1966 • **96** Le 1966 s'impose toujours comme l'un des plus grands Palmer qu'il m'ait été donné de goûter. Atypique de ce millésime qui a offert tant de vins austères et anguleux, ce nectar ne se contente pas d'être riche et plein, il est également très délicat, avec beaucoup de complexité et de finesse. Je le tiens pour une des réussites de l'année, égalé seulement par Latour et Lafleur. Son bouquet entêtant, similaire à celui du 1961, révèle des arômes fruités de prune et de mûre, d'épices exotiques et de réglisse, et des touches de truffe. Moyennement corsé, d'une richesse veloutée, il présente une finale longue, mûre et généreuse, ainsi qu'une tenue et une précision dans le dessin qu'il devrait conserver encore quelques années. **A boire jusqu'en 2007.** (5/96)

1964 • **75** Sans détour, quelque peu difficile à comprendre, le 1964 est dénué des qualités qui caractérisent Palmer (bouquet somptueux, texture charnue, fruité généreux et confit). Moyennement corsé et rugueux, il doit être consommé **maintenant – s'il n'est sur le déclin.** (2/78)

1962 • **91** Ce vin, comme d'ailleurs la plupart des meilleurs 1962, a été sous-estimé par tout le monde, y compris moi. Ma dernière dégustation – un magnum dont le niveau atteignait le col – m'a confirmé qu'il pouvait se révéler grandiose. D'un grenat foncé légèrement éclairci sur le bord, il explose littéralement au nez, libérant des arômes de fruits noirs et rouges, de fumé et de fleurs printanières, qui tiennent d'ailleurs longuement dans le verre, développant par la suite des nuances de viande rôtie et d'encens. L'ensemble, moyennement corsé et souple, est tout à la fois doux, rond et velouté, avec un fabuleux fruité sous-jacent et mûr, et une finale opulente, ronde et généreuse. Comme cela arrive souvent avec les bordeaux bien équilibrés, celui-ci semble presque immortel. **A boire** (mais cela fait des années que je dis la même chose). (12/96)

1961 • **99** Le 1961 mérite bien sa réputation de vin légendaire. Actuellement à son apogée, il déploie un nez extraordinaire, doux et complexe, d'arômes de fleurs, de cassis, de grillé et de minéral. D'une concentration intense, il présente en bouche un fruité généreux, opulent et très corsé, des tannins veloutés et une finale voluptueuse. Il s'agit vraiment d'un vin luxuriant, incomparable, à l'exception peut-être du 1983 et du 1989. **A boire.** (10/94)

Millésimes anciens

Le Palmer 1945 (noté 97 en octobre 1994) est l'un des rares vins de ce millésime que je qualifierais d'exceptionnellement opulent et gras, avec un fruité presque trop mûr, marqué par la mâche. Riche et succulent, il déploie un fruité luxuriant et un taux d'alcool très élevé, et demeure parfait.

Le 1928 (noté 96 en octobre 1994) est un autre Palmer absolument extraordinaire, qui a mis plus d'un demi-siècle à atteindre la pointe de sa maturité. Je plains ceux qui l'auraient acheté dans les années 30, pensant pouvoir un jour le déguster au meilleur de sa forme. Ce vin, dont le bord est très marqué par des touches d'ambre et de rouille, déploie un nez intense et aromatique de cake, de cèdre et de gingembre. En bouche, il est remarquablement mûr, avec de la mâche, et présente l'austérité et le côté tannique propres à ce millésime. Une bouteille conservée dans de bonnes conditions pourrait se révéler encore fabuleuse.

Le Palmer 1900 (noté 96 en décembre 1995) est encore remarquable et de bon ressort. Bien coloré, il arbore une robe d'un grenat sombre resplendissant au centre et fortement ambré sur le bord. Son nez énorme de fruits doux et confiturés, de fleurs et d'épices ressemble à s'y méprendre à un vin de 25 à 30 ans d'âge. Doux et savoureux en bouche (il est très certainement composé d'une forte proportion de merlot), ce vin séduisant prouve que les bordeaux peuvent non seulement bien vieillir, mais également admirablement se développer. Une bouteille étonnante !

POUGET

4e cru classé en 1855 – équivaut à un 5e cru

Propriétaire :
GFA des Châteaux Boyd-Cantenac et Pouget

Adresse : 33460 Cantenac

Tél. 05 57 88 90 82 – Fax 05 57 88 33 27

Visites : sur rendez-vous uniquement

Contact : Lucien Guillemet

Superficie : 10 ha (Cantenac – appellation Margaux)

Vins produits : Château Pouget – 36 000 b ; La Tour Massac – 12 000-30 000 b

Encépagement : 60 % cabernet sauvignon, 32 % merlot, 8 % cabernet franc

Densité de plantation : 10 000 pieds/ha – *Age moyen des vignes :* 30 ans

Rendement moyen : 38 hl/ha

Élevage :
fermentations et cuvaisons de 21 jours environ ;
vieillissement de 12-18 mois en fûts (50 % de bois neuf) ; collage ; légère filtration

---

A maturité : dans les 5 à 15 ans suivant le millésime

Le Château Pouget appartient à Pierre Guillemet, qui est aussi propriétaire de Boyd-Cantenac, un autre domaine de Margaux, mais plus vaste et plus connu. Les vins des deux châteaux sont vinifiés de la même façon, et il n'est donc pas étonnant de constater que Pouget est robuste et solide, bien coloré, peut-être un peu commun, mais concentré. Il est à noter que La Tour Massac n'est plus un second vin, mais une sélection parcellaire sur environ 2 ha à Margaux.

1990 • **82** Bien que le Pouget 1990 soit terriblement musclé, profond et puissant, il se révèle rugueux en bouche, en raison de ses tannins astringents qui lui donnent un caractère dur et peu séduisant. **A boire entre 2000 et 2006.** (1/93)

1989 • **85** Gras, trapu et charnu, le 1989 manque de complexité mais se montre généreux. Sa faible acidité, ses tannins ronds et son caractère alcoolique laissent penser que ce vin peut être bu dès sa jeunesse. **A consommer.** (11/90)

1988 • **79** Le Pouget 1988 est compact et unidimensionnel. **A boire sans tarder.** (1/93)

1986 • **75** De belle couleur, avec un bouquet terne et sans intérêt, ce vin moyennement corsé se révèle profond et tannique, mais il manque de charme et de complexité. **A boire.** (3/90)

1978 • **74** Ce vin me laisse perplexe. Il arbore une couleur dense et bien pigmentée ; cependant, au lieu du fruit et de la profondeur attendus, on découvre, en bouche, un vin très boisé, dur et raide, sévère et fermé. Je crois que le fruit disparaîtra avant les tannins. **A boire.** (3/88)

1975 • **84** Le bouquet du 1975 – cassis mûr, chêne épicé avec des nuances minérales – est remarquable et fascinant. En bouche, le vin est typique du millésime : très tannique, sévère et dur, et étonnamment fermé. Bien coloré et joliment concentré en fruit, il est arrivé très lentement à son apogée. **A consommer.** (5/84)

1974 • **79** Inattendu dans un tel millésime, le Pouget 1974 se distingue par un bon fruit, un caractère trapu, quelques tannins durs, mais aussi une belle couleur rubis, un beau bouquet épicé de groseille et une finale agréable, bien qu'un peu ferme. **A boire maintenant – probablement en sérieux déclin.** (1/81)

1971 • **84** Ce vin est une réplique du 1970, en moins étoffé, moins intense et moins tannique. En bouche, il est épanoui, velouté, fruité et très séduisant, et donne l'impression d'être bien vinifié. **A boire – probablement en sérieux déclin.** (2/81)

1970 • **83** Tout à la fois corpulent, riche, solidement charpenté, savoureux et assez puissant, le Pouget 1973 a été lent à évoluer. Il néglige un peu la finesse au profit de la puissance et de la vigueur ; c'est un Margaux plutôt costaud et rustique. **A boire – probablement en déclin.** (3/83)

PRIEURÉ-LICHINE – TRÈS BON

4e cru classé en 1855 – devrait être maintenu

Propriétaire : famille Ballande

Adresse : 34, avenue de la Ve-République – 33460 Margaux

Tél. 05 57 88 36 28 – Fax 05 57 88 78 93

Visites : toute l'année, sauf Noël et 1er janvier (9 h-18 h)

Contact : Régine Darqué

Superficie :
rouge – 66 ha (Arsac, Cantenac, Labarde, Margaux, Soussans – appellation Margaux)
blanc – 1,6 ha (Arsac)
Vins produits :
rouge – Château Prieuré-Lichine – 310 000 b ; Château de Clairefont – 90 000 b ;
blanc – Blanc du Château Prieuré-Lichine – 10 000 b
Encépagement :
rouge – 54 % cabernet sauvignon, 39 % merlot,
5 % petit verdot, 2 % cabernet franc ;
blanc – 80 % sauvignon, 20 % sémillon
Densité de plantation : 8 500 pieds/ha – *Age moyen des vignes :* 25 ans
Rendement moyen : 48 hl/ha

Élevage :
rouge – vendanges manuelles ; fermentations de 5-8 jours ;
cuvaisons de 21-30 jours environ à 31 °C maximum ;
2 remontages quotidiens ; macérations statiques ;
vieillissement de 18 mois en fûts (40 % de bois neuf) ; soutirage trimestriel ;
collage au blanc d'œuf ; légère filtration ;
blanc – élevage sur lies

A maturité : dans les 5 à 15 ans suivant le millésime

Prieuré-Lichine est le seul château important du Médoc à être ouvert aux visiteurs sans interruption, tous les jours que Dieu fait (sauf Noël et jour de l'an). C'était aussi la demeure chérie d'Alexis Lichine, autorité dans le monde du vin, critique mondialement apprécié et grand promoteur des vins de Bordeaux, décédé en juin 1989. Il l'avait achetée en 1951, et il y avait apporté de nombreuses améliorations, notamment le triplement de la surface du vignoble. Je crois que la vendange, à Prieuré-Lichine, est une opération d'une incroyable complexité ; en effet, le domaine, un des plus morcelés du Médoc, compte plusieurs dizaines de parcelles, toutes situées dans la vaste appellation Margaux.

Le vin de Prieuré est généralement vinifié de façon à la fois moderne et intelligente. Il est souple et assez précoce, mais il présente suffisamment de tannins et, dans les bons millésimes, d'étoffe pour durer de 8 à 12 ans. Quant aux prix, ils demeurent raisonnables.

Depuis la mort de son père, le jeune Sacha Lichine avait pris en main les rênes de ce joli prieuré couvert de lierre, ayant appartenu, autrefois, aux bénédictins. Il avait annoncé qu'il chercherait à produire un vin ayant plus de concentration, de corps et de potentiel de garde, et le 1989 marqua la première manifestation de ses intentions. Ces modifications visaient probablement à répondre aux critiques ayant accusé certains millésimes de Prieuré-Lichine d'être un peu légers pour la réputation de ce cru classé. Pour parvenir à son objectif, Sacha Lichine avait augmenté la proportion de merlot dans l'encépagement et, en 1990, avait fait appel au célèbre œnologue Michel Rolland.

Prieuré-Lichine a été vendu en juin 1999 à une famille bien connue dans le Bordelais, les Ballande, également propriétaire du Château Barec, en Pessac-Léognan, et ayant d'importants intérêts en Nouvelle-Calédonie, notamment dans le nickel. Sacha Lichine et Jacques Théo ont abandonné toute fonction au domaine, mais, pour l'heure, l'équipe demeure inchangée, y compris pour ce qui est de Michel Rolland. La gestion au jour le jour sera désormais assurée par Justin Oclin, de la Sovex, les nouveaux propriétaires ayant, semble-t-il, de grandes ambitions pour le domaine.

1998 • **85-87** Ce cru, généralement léger et élégant, présente en 1998 une robe d'un rubis-pourpre foncé et séduit par son doux fruit et par ses généreux arômes de cassis et de framboise. Moyennement corsé, et marqué en arrière-plan de notes d'épices et d'herbes de Provence, ce vin bien structuré est une belle réussite pour le millésime. **A boire entre 2002 et 2012.** (3/99)

1997 • **79-82** Vêtu de rubis foncé, le 1997 de Prieuré-Lichine révèle un doux fruité au nez et à l'attaque. Il est léger en bouche, et sa finale sèche manque de fruit. **A boire dans les 7 ou 8 ans.** (1/99)

1996 • **86** Rubis moyen de robe, avec un nez de tabac séché et herbacé, de groseille et d'autres petits fruits rouges, le 1996 manifeste en bouche une belle maturité. Précoce et séveux, il est bien marqué par le chêne neuf et épicé. Loin d'être puissant ou peu évolué, il se révèle plutôt racé et ouvert ; il vaut mieux l'apprécier dans les **10 à 12 ans.** (1/99)

1995 • **85** Moins bon que je ne l'aurais pensé, le 1995 de Prieuré-Lichine présente un caractère creux en milieu de bouche et une finale aux tannins durs, qui ne m'ont pas permis de lui attribuer une note plus élevée. Habillé de rubis foncé, il est assez corsé et révèle à l'attaque en bouche un agréable fruité mûr. Il déploie encore de bons arômes de terre, de sous-bois, de cerise douce et de vanille, mais sa finale est sèche et austère. **A boire entre 2000 et 2008.** (11/97)

1994 • **?** Le 1994 a décliné depuis que je l'avais goûté pour la première fois, en mars 1995. Les dégustations que j'ai faites par la suite ont toutes révélé qu'il perdait assez rapidement de son fruité. Maintenant qu'il est en bouteille, ce vin se montre dur et dépouillé, avec de curieux arômes aigres de fût mal lavé qui dénaturent le maigre fruité qui lui reste. Il est également dominé par ses tannins et son acidité. Tout cela est douteux. **A boire entre 2000 et 2006.** (1/97)

1993 • **83** Le 1993, à la séduisante robe rubis foncé, se révèle herbacé, avec des tannins agressifs. Modérément massif, il est légèrement corsé et mûr, et libère un fruité doux. Mais il est fragile, et une garde de 5 ou 6 ans ne fera que le rendre plus austère et plus dépouillé encore. **A boire assez rapidement.** (1/97)

1992 • **87** Le 1992 est remarquable, compte tenu de la qualité générale du millésime. Une robe très soutenue de couleur rubis foncé introduit un bouquet séduisant de cassis crémeux, auquel se mêlent des senteurs de fumé et de chêne neuf vanillé ; ce vin se montre souple et velouté, étonnamment concentré et moyennement corsé, avec une finale imposante, longue et riche en extrait. **A boire dans les 3 ou 4 ans.** (11/94)

1991 • **84** Les consommateurs devraient rechercher le 1991 de la propriété, certainement proposé à prix très intéressant. D'une belle couleur, moyennement corsé, il offre un fruité doux et mûr, marqué par des arômes de cèdre et de cassis, et se montre épicé et souple en fin de bouche. Ce vin est bien meilleur que tous ceux que cette propriété a pu produire entre 1979 et 1985. **A boire dans les 4 ou 5 ans.** (1/94)

1990 • **89** Profondément coloré, le 1990 est également riche, profond et amplement parfumé, avec des senteurs épicées de cèdre et de cake. La bouche, magnifiquement mûre, déploie des arômes doux et amples, d'une longueur et d'une profondeur d'excellent aloi, et la finale est très corsée et opulente. **A boire jusqu'en 2005.** (1/94)

1989 • **88** C'est l'un des vins les plus étoffés et les plus riches issus de cette propriété au cours des trente dernières années. Très ample, il déborde d'un fruité mûr de groseille, et se montre très corsé, souple et très tannique en bouche. Velouté, mais très alcoolique, il s'est révélé charmeur dès sa jeunesse, mais devrait également bien vieillir. Il a été élevé dans 60 % de bois neuf – Sacha Lichine estimait qu'un tel pourcentage était nécessaire compte tenu de la richesse du fruit. **A boire jusqu'en 2005.** (4/91)

1988 • **86** Le 1988 est un vin moyennement corsé, joliment parfumé et harmonieux ; il est heureusement dépourvu du caractère excessivement tannique qui dessert tant de Médoc de ce millésime. Rubis moyen de robe, il déploie un séduisant bouquet boisé de groseille et d'herbes aromatiques nuancé de notes minérales. **A boire jusqu'en 2003.** (4/91)

1986 • **88** Le trente-cinquième millésime vinifié par Alexis Lichine dans son cher prieuré est aussi l'un des meilleurs. Il se pourrait bien, d'ailleurs, qu'il mérite une note encore plus favorable, pour son parfum et son élégance. A l'exception du 1989, c'est le Prieuré le plus concentré des années 80, et il faut remonter au 1978 ou au 1971 pour trouver autant de classe et de race. Rubis relativement foncé, ce vin dégage un bouquet, très séduisant et assez intense, de prune et de chêne délicieux et onctueux ; étonnamment souple et bien charpenté en bouche, il déploie une belle finale et présente un sérieux potentiel de garde. **A boire jusqu'en 2005.** (11/90)

1985 • **84** Ce 1985 assez léger, un peu superficiel, est certes charmant et fruité, mais il manque de nerf et de profondeur, surtout pour un cru classé. **A boire.** (11/90)

1984 • **67** Excessivement léger, avec des arômes de sachet de thé usagé, ce vin tendre et superficiel est maintenant en complet déclin. (2/89)

1983 • **87** Rubis foncé, avec des arômes modérément intenses de cassis mûr, d'herbes aromatiques, de cèdre et de chêne, ce Prieuré corsé, charnu et souple déploie une finale longue et riche, aux tannins bien fondus. **A boire jusqu'en 2005.** (4/90)

1982 • **74** Ce vin m'a paru aqueux, quelque peu disjoint et peut-être endommagé par de trop fortes températures les dernières fois que je l'ai goûté ; cependant, aucune de ces bouteilles ne provenait de ma cave personnelle. Une dégustation récente m'a révélé un vin nettement sur le déclin. Sa robe était fortement ambrée, et le nez présentait des arômes d'herbes rôties, mais très peu de fruit. Ce n'était peut-être pas le meilleur exemple de ce cru, mais des expériences précédentes avaient montré un vin inintéressant et léger. **A boire.** (9/95)

1981 • **75** Léger, mais joliment fruité et plaisant dans ses premières années, ce vin a depuis perdu une bonne partie de son fruit et révèle maintenant un caractère maigre, assez peu corsé, sans grande originalité. Il est également en passe de voir son charme s'estomper ; son manque de profondeur incite à le boire sans délai. **A consommer – probablement en sérieux déclin.** (6/84)

1980 • **70** Rubis assez clair, ce vin peu profond et peu intense présente quelques arômes évoquant la fraise, mais il est tendre et sans complexité. **A boire – sans doute en déclin.** (6/84)

1979 • **80** Dans ce millésime, le Prieuré se révèle particulièrement léger, tout en étant assez corsé, tendre et plaisant, mais il finit court. **A boire – probablement en sérieux déclin.** (5/84)

1978 • **86** Le 1978 est l'une des belles réussites de Prieuré-Lichine. Actuellement à son apogée, il exhale un bouquet épanoui et assez riche de fruit et de chêne, et dévoile en bouche, outre des arômes de cuir et de viande, une belle concentration, des tannins bien fondus et une finale longue et agréable. **A boire.**(6/91)

1976 • **82** Ce vin manquait de structure dans sa jeunesse, mais il s'est peu à peu affirmé (à la différence de beaucoup de 1976) en déployant un beau bouquet épanoui de cèdre, de fruit et d'épices, et une bouche souple, grasse et joliment concentrée. **A boire – peut-être en déclin.** (11/84)

1975 • **83** Ce 1975 est très typique du millésime : dur, rugueux et peu évolué, il dégage un nez épanoui de cuir. Corsé et astringent, avec un caractère sévère, il révèle des tannins qui commencent à se fondre pour découvrir un fruit riche et charnu. **A boire.** (11/84)

1971 • **86** Le Prieuré-Lichine 1971 compte parmi les millésimes les plus agréables de ce cru, et voilà bien des années que les amateurs l'apprécient. A son apogée, il paraît sur le point d'aborder son déclin, mais se révèle parfumé et aromatique, avec un bouquet d'épices, de baies sauvages et de chêne. En bouche, il est souple, rond et terriblement velouté. **A boire.** (10/89)

1970 • **86** Ce Margaux délicieusement gras, fruité, concentré et velouté dégage de généreux arômes tendres et séveux de petits fruits et de prune, nuancés de chêne épicé, et des tannins légers. A parfaite maturité, c'est un vin élégant et bien vinifié. **A boire.** (10/89)

RAUZAN-GASSIES

2e cru classé en 1855 – équivaut à un cru bourgeois
Propriétaire : SCI du Château Rauzan-Gassies
Jean-Michel Quié
Adresse : 33460 Margaux
Tél. 05 57 88 71 88 – Fax 05 57 88 37 49
Visites : sur rendez-vous uniquement
Contact : Jean-Marc Espagnet

Superficie : 30 ha (Margaux – appellation Margaux)
Vin produit : Château Rauzan-Gassies – 130 000 b (pas de second vin)
Encépagement : 65 % cabernet sauvignon, 25 % merlot, 10 % cabernet franc
Densité de plantation : 10 000 pieds/ha – *Age moyen des vignes :* 25 ans
Rendement moyen : 40 hl/ha

Élevage :
vendanges manuelles ; fermentations et cuvaisons de 21 jours environ
en cuves d'acier inoxydable thermorégulées,
avec adjonction de levures ; fréquents remontages ;
vieillissement de 14-18 mois en fûts (25 % de bois neuf) ; collage et filtration

---

A maturité : dans les 8 à 20 ans suivant le millésime

Le vignoble de Rauzan-Gassies est situé sur des terrasses alluviales. Soixante pour cent des terres se trouvent immédiatement autour du château, le reste, sur sols graveleux, étant limitrophe des Châteaux Palmer, Margaux et Lascombes.

A l'origine, les Châteaux Rauzan-Gassies et Rauzan-Ségla ne formaient qu'un seul domaine, relevant de la maison noble de Gassies, dont Pierre des Mesures de Rausan devait acquérir le vignoble en 1661. A la Révolution, la propriété fit l'objet d'un partage, les deux tiers revenant à la baronne de Ségla, ultime descendante de Rausan, et le reste à M. Gassies, membre du parlement de Bordeaux. A cette époque, le nom du cru était orthographié avec un *z*, du nom du chevalier de Rauzan, conseiller au parlement de Bordeaux au XVIIIe siècle et propriétaire du domaine. C'est d'ailleurs cette orthographe qui figure dans l'acte officiel du classement de 1855. Cependant, pour différencier les deux crus, leurs propriétaires respectifs décidèrent de distinguer les orthographes. C'est ainsi que, du côté de la baronne de Ségla, on choisit de se référer à la noblesse d'épée (Pierre des Mesures de Rausan) en se nommant Rausan-Ségla, quand les ayants droit Gassies optaient pour la noblesse de robe (chevalier de Rauzan) et Rauzan-Gassies. En 1993, toutefois, Rauzan-Ségla retrouvait le *z* originel. Depuis 1943, il appartient à la famille Quié.

Par son caractère, ce vin est trop lourd et trop corpulent pour un Margaux ; il ne révèle pas la finesse ni le parfum que l'on trouve chez les meilleurs de l'appellation. Cependant, il peut aussi être assez concentré et puissant. Dans la plupart des millésimes, Rauzan-Gassies a atteint sa maturité vraiment très rapidement pour un cru classé, dans les 7 ou 8 ans suivant la vendange. On dit toujours, à Bordeaux, que le domaine est en plein redressement. Mes notes de dégustation montrent, cependant, qu'il s'agit d'une appréciation très optimiste.

1997 • **85-86** Le 1997 marque une amélioration dans cette propriété généralement sous-performante. Vinifié dans un style totalement différent de celui du 1996, il arbore une robe rubis foncé et déploie des senteurs douces et mûres de cassis. Moyennement corsé et faible en acidité, il manifeste en bouche une pureté et une profondeur d'excellent aloi. Il devrait se développer en un vin bien fait et accessible, présentant davantage de caractère que les millésimes précédents. **A boire entre 2002 et 2010.** (1/99)

1996 • **75** Rubis moyen de robe, avec des nuances de terre, le 1996 se révèle creux, peu profond et comprimé en bouche. Il ne se bonifiera pas. **A boire jusqu'en 2006.** (1/99)

1995 • **86** Vêtu de rubis-pourpre foncé, le 1995 est probablement le meilleur Rauzan-Gassies de ces dernières décennies. Regorgeant d'un généreux fruité mûr et pur de cassis, judicieusement infusé d'un boisé de belle qualité, il se montre moyennement corsé et doux à l'attaque. Il se dévoile en bouche par paliers, révélant un caractère élégant et bien mûr. Ce vin représente une nette amélioration par rapport aux millésimes précédents. Agréable dès sa jeunesse, il vieillira parfaitement. **A boire entre 2002 et 2012.** (1/97)

1994 • **74** Le 1994 est maigre, rugueux et anguleux, très peu fruité et très tannique, avec une acidité très élevée. **A boire entre 2000 et 2008.** (1/97)

1993 • **78** Rubis foncé, le 1993 exhale un nez d'herbes et de fumé, et se révèle sans grand charme, moyennement corsé et aqueux en bouche. Il n'a pas le fruité suffisant pour étayer ses tannins et son acidité. **A boire dans les 3 ou 4 ans.** (1/97)

1992 • 71 Le 1992 est rude, végétal et légèrement corsé en bouche, avec des tannins terriblement durs qui le rendent vraiment peu séduisant. (11/94)

1990 • 73 Souple, léger et fruité, le 1990 présente une finale assez tannique, mais manque autant de profondeur que de complexité. **A boire jusqu'en 2003.** (1/93)

1989 • 72 Des arômes poussiéreux, durs et même acerbes se dissimulent sous les tannins abrasifs de ce vin. Creux en bouche, ce Rauzan-Gassies dévoile une structure décharnée, du boisé et de l'acidité. **A boire.** (1/93)

1988 • 66 Le 1988 est décevant : son fruit est masqué par des tannins acerbes, et l'ensemble se révèle décharné, tout en tannins, en boisé et en acidité. **A éviter.** (4/91)

1984 • 67 Assez décevant, ce 1984 est maigre, léger et insipide. Son avenir me semble des plus ternes. (3/89)

1983 • 86 Ce vin gras, fruité, tannique et astringent n'est pas complexe, bien qu'il dégage une puissance et une présence en bouche étonnantes. Carré et trapu, il est vraiment typique de Rauzan-Gassies. Il ressemble à un Saint-Estèphe robuste, ancienne manière ! **A boire jusqu'en 2000.** (11/89)

1982 • 85 Gras, onctueux, velouté, précoce et faible en acidité, ce vin est savoureux, quelque peu dépourvu de structure, mais agréablement fruité. **A boire.** (11/88)

1981 • 74 Très diffus, mou et manquant de profondeur, de richesse et de charpente, ce 1981 est décevant. **A boire – peut-être en déclin.** (6/84)

1979 • 82 Corpulent, franc et assez satisfaisant, ce vin rubis relativement foncé dégage un bouquet bien évolué, modérément intense, de cerise noire et de chêne ; il est tendre, rond, avec un caractère un peu confit. **A consommer.** (4/83)

1978 • 72 Au début des années 80, j'avais trouvé ce vin relativement satisfaisant, mais des dégustations plus récentes m'ont révélé un Rauzan-Gassies déséquilibré, d'un rubis assez clair, présentant quelques arômes poussiéreux de fruits rouges, mais aussi une acidité importante, et un manque de corps et de profondeur. Cela me rend fort dubitatif quant à son avenir. **A boire – peut-être en déclin.** (5/89)

1976 • 72 Comme dilué, et manquant de ressort et de charpente, ce vin paraît superficiel, fruste et sans intérêt. Il est en outre nettement tuilé sur le bord. **A consommer – probablement en sérieux déclin.** (4/83)

1975 • 86 Une révélation du millésime ! Le Rauzan-Gassies 1975 pourrait bien être le meilleur vin de l'appellation après Palmer et Giscours. D'une excellente couleur rubis foncé, il exhale un bouquet profond et riche de cassis mûr et de chêne, et se révèle de bonne mâche, corsé et très concentré en bouche, avec une finale longue et tannique. **A boire jusqu'en 2000.** (5/84)

1970 • 78 Le 1970 est un vin rudimentaire, superficiel et un peu terne, correctement coloré, avec un nez fruité et boisé. Les arômes souples qu'il déploie en bouche sont concentrés et d'une bonne tenue. **A boire – probablement en sérieux déclin.** (4/83)

1966 • 81 Encore très vivace, tonique, richement fruité et plein en bouche, le Rauzan-Gassies 1966 exhale des arômes épicés de champignons et présente, outre un caractère robuste et même agressif, une finale assez dure et rugueuse. C'est un vin intéressant, plutôt rustique, qu'il faut boire **maintenant – s'il n'est en déclin.** (4/83)

1961 • **85** Bien qu'il vaille le détour – si vous en avez l'occasion –, le Rauzan-Gassies 1961 est moins réussi dans ce millésime qu'une bonne partie de ses pairs. D'un rubis foncé nettement tuilé, il présente un bouquet assez ouvert, bien évolué et épicé de chêne, de prune et de caramel. Modérément riche, tendre et fruité, il déploie une finale souple et veloutée, et se révèle très séduisant, mais plus léger que la plupart des 1961. **A boire.** (4/83)

RAUZAN-SÉGLA – EXCEPTIONNEL

2e cru classé en 1855 – devrait être maintenu
Propriétaire : Chanel (famille Wertheimer)
Adresse : 33460 Margaux
Tél. 05 57 88 82 10 – Fax 05 57 88 34 54
Visites : sur rendez-vous uniquement
Contact : Hélène Affatato – Tél. 05 57 88 82 15

Superficie : 50 ha (Margaux et Cantenac – appellation Margaux)
Vins produits : Château Rauzan-Ségla – 90 000 b ; Ségla – 100 000 b
Encépagement :
61 % cabernet sauvignon, 35 % merlot, 2 % cabernet franc, 2 % petit verdot
Densité de plantation : 9 000 pieds/ha – *Age moyen des vignes :* 20 ans
Rendement moyen : 46 hl/ha

Élevage :
vendanges manuelles ; fermentations et cuvaisons de 18-24 jours environ en cuves d'acier inoxydable thermorégulées (les moûts sont automatiquement refroidis ou chauffés si besoin est) ; vieillissement après les malolactiques de 20 mois en fûts (60 % de bois neuf) ; collage ; pas de filtration

A maturité : dans les 7 à 30 ans suivant le millésime

Les origines de Rauzan-Ségla (orthographié Rausan jusqu'en 1993[1]) remontent à 1661, lorsqu'il fut créé par Pierre des Mesures de Rausan, grand propriétaire possédant également d'autres vignobles qui ont constitué, beaucoup plus récemment, Pichon-Longueville Comtesse de Lalande et Pichon-Longueville Baron. En 1855, lors de l'établissement du classement, Rauzan-Ségla fut tout de suite considéré comme le meilleur cru après le quatuor des premiers grands crus, Lafite Rothschild, Latour, Margaux et Haut-Brion, et le premier des deuxièmes crus, Mouton Rothschild. En 1973, ce dernier a été promu, et Rauzan-Ségla demeure l'un des meilleurs parmi les quatorze deuxièmes crus restants. Il n'a guère justifié ce rang dans les années 60 et 70, mais les choses se sont très nettement améliorées depuis 1983.

Si l'on y regarde de près, on constate que divers facteurs se conjuguaient, avant cette date, pour donner des vins relativement médiocres. De nombreux millésimes étaient desservis par des relents de moisi et de croupi, presque de basse-cour, qui venaient,

1. Voir aussi Rauzan-Gassies.

semble-t-il, d'une infection bactérienne des vieilles cuves de bois utilisées pour la fermentation. D'autre part, le propriétaire d'alors, M. de Meslon, avait procédé, après les gels meurtriers du fameux hiver 1956, au remplacement d'une bonne partie des vignes, essentiellement avec un clone très productif de merlot. Ainsi bien des vins des années 60 et 70 doivent-ils leur caractère non seulement aux jeunes vignes, mais également à ce clone mal sélectionné. Les ceps en question ont été arrachés par la suite, et l'on a planté davantage de cabernet sauvignon et du merlot mieux adapté. Enfin, puisque le vin était vendu exclusivement par la maison Eschenauer (grand négociant de Bordeaux), il était pratiquement absent des dégustations comparatives, qui concernent surtout le marché libre – or, il est évident que les propriétaires se sentent plus enclins à faire des efforts lorsque leur vin doit être directement confronté à ses pairs.

Depuis 1983, l'amélioration a été spectaculaire. Cette année-là, Jacques Théo, qui était auparavant à la tête de la société Alexis Lichine, a pris en main les rênes de Rauzan-Ségla. En outre, M. Pruzeau est devenu maître de chai à la place de M. Joyeux, touché par la maladie. La construction d'un nouveau chai et les améliorations apportées aux installations de vinification (dont l'introduction des cuves d'acier inoxydable), ainsi que l'utilisation d'une plus grande proportion de chêne neuf pour l'élevage et une sélection nettement plus stricte au moment de la vendange, ont permis d'obtenir une brillante série de superbes Rauzan-Ségla. Les millésimes récents placent très nettement ce vin parmi les quelques très grands deuxièmes crus.

Entre 1983 et 1994, le château – et plus précisément son dirigeant, Jacques Théo – ne s'est vu adresser qu'un reproche : il aurait attiré l'ire de beaucoup de propriétaires pour avoir déclaré publiquement que le millésime 1987 de Bordeaux était médiocre. Il faut dire que Rauzan-Ségla est, depuis des décennies, le seul domaine classé du Médoc à avoir entièrement déclassé la vendange d'un millésime – le 1987, justement !

Le rachat du château en 1994 par la maison Chanel a provoqué le départ de Jacques Théo et la venue à la tête du domaine du tandem John Kolassa-David Orr, qui officiait auparavant à Latour. D'importants travaux de rénovation ont été entrepris, tant sur le château lui-même que dans les bâtiments techniques et les chais. Le vignoble – dont le sol est constitué de terres argileuses sur graves profondes – a également fait l'objet d'un vaste plan de restructuration, comprenant la réintroduction du petit verdot et la mise en place d'un nouveau système de drainage.

A l'heure actuelle, en tout cas, Rauzan-Ségla est un vin splendide, qui constitue de surcroît une bonne affaire, dans la mesure où les prix n'ont pas encore suivi la courbe ascendante de la qualité.

1998 • **86-87+?** Quoique bien vinifié, le 1998 de Rauzan-Ségla ne manque pas d'inquiéter par sa finale austère et ses tannins durs et secs. Sa robe d'un rubis-pourpre foncé accompagne de doux arômes de cassis. L'attaque est bonne, et l'ensemble qui suit est moyennement corsé et concentré en milieu de bouche, mais également anguleux et rustique. Seul le temps dira dans quelle direction il évoluera. **A boire entre 2004 et 2015. (3/99)**

1997 • **84-85** Quoique bien fait, le 1997 de Rauzan-Ségla se révèle maigre dans le contexte du millésime. Il présente cependant de bons arômes moyennement corsés de petits fruits rouges, des tannins légers et un caractère modérément massif. **A boire entre 2003 et 2015. (1/99)**

1996 • **88** Vêtu de rubis-pourpre dense, le 1996 n'est pas très accessible ; tannique et peu évolué, il requiert en effet une garde de 8 à 10 ans. Je pense cependant qu'il présente le fruité et la richesse en extrait nécessaires pour faire pièce à sa structure puissante. Bien qu'il soit pur et riche, je conseille aux amateurs de ne pas toucher leur première bouteille avant une dizaine d'années au moins. Les doux arômes de cassis que révèle ce vin dominé par le cabernet sauvignon sont joliment mâtinés de notes florales et minérales. **A boire entre 2010 et 2025.** (1/99)

1995
•
90
Le Rauzan-Ségla 1995 se montrait régulièrement extraordinaire lorsqu'il était encore en fût, et je pense qu'il pourrait même se révéler encore meilleur à l'avenir. C'est malheureusement l'un des rares crus que je n'ai pu goûter qu'en une seule occasion après la mise en bouteille. C'est un véritable vin de garde, d'un rubis-pourpre soutenu, avec un nez serré, mais prometteur, de douce prune et de cassis mêlé de notes de sous-bois, de vanille et de réglisse. Moyennement corsé, mûr et riche, il est encore rigide, férocement tannique et pur, et se dévoile en bouche par paliers. Sa finale est extrêmement sèche, des plus anguleuses et des plus rugueuses. Malgré tout cela, mon instinct me souffle que ce vin possède la profondeur requise pour étayer sa structure. Il ne sera cependant pas prêt avant 7 ou 8 ans au moins. **A boire entre 2007 et 2025.** (11/97)

1994
•
87 ?
La robe soutenue, de couleur pourpre foncé, du 1994 accompagne de doux arômes de terre, d'herbes et de cassis. Suit un vin dominé par sa structure et ses tannins, qui se révèle assez massif et moyennement corsé, laissant en bouche une impression de maturité et de fruité doux. Il me semblait plus riche et plus profond avant la mise en bouteille, et je pense l'avoir regoûté à un stade ingrat de son évolution. Ce Rauzan musclé et viril demande de la patience – il n'atteindra la pointe de sa maturité qu'**entre 2006 et 2020.** (1/97)

1993
•
87 ?
Pour la première fois, en 1993, le nom de la propriété s'est orthographié avec un *z*, et non plus avec un *s*. Ce 1993, de couleur rubis-pourpre, est incontestablement un vin de garde, mais il est terriblement tannique, austère et maigre, et l'on peut légitimement se demander s'il se développera harmonieusement. On décèle bien, à l'attaque en bouche, du fruité et de la richesse en extrait, mais le vin s'amenuise ensuite, libérant des tannins qui fouettent littéralement l'arrière du palais. Comme d'habitude, c'est le mauvais équilibre entre les tannins et le fruité (il est vrai particulièrement difficile à réaliser dans ce millésime) qui pourrait compromettre l'évolution de ce cru. **A boire entre 2005 et 2015.** (1/97)

1992
•
87
Le 1992 s'impose comme l'une des grandes stars de cette année. Étonnamment riche et opulent, il impressionne par sa robe de couleur rubis-pourpre foncé et par son nez puissant et pénétrant de cerise noire, de groseille, de chêne épicé, de fumé et de fleurs. Assez fortement corsé, avec un fruité fabuleusement doux et riche qu'il déploie par paliers, ce vin aux tannins mûrs présente une finale longue, capiteuse et voluptueuse. Le château n'a sélectionné que 50 % de la récolte 1992 pour le grand vin, et celui-ci se révèle extraordinaire pour un millésime aussi difficile. **A boire dans les 10 ans.** (11/94)

1991
•
87
Rauzan-Ségla a donné un 1991 des plus réussis, dont la robe d'un rubis foncé très soutenu introduit au nez un bouquet de cake épicé, de cèdre, de cassis et de senteurs florales. Doux et rond, ce vin remarquablement précis dans le dessin est bien doté, concentré et d'un équilibre impeccable. En bouche, il déploie son fruité généreux par couches, se montrant long et souple en finale. **A boire dans les 10 à 15 ans.** (1/94)

1990 • **93+** J'espère ne pas être trop optimiste au sujet du 1990 de Rauzan-Ségla, car ce vin mettra la patience des amateurs à rude épreuve. Opaque et pourpre de robe, il est encore terriblement peu évolué et formidablement tannique. Cependant, une dégustation plus attentive permet de déceler un généreux fruité de doux cassis, de terre, et un caractère très corsé et rugueux aux notes de cuir. Ce vin pur, très richement extrait, tapisse littéralement le palais de ses abondants tannins. Il s'est montré plus ouvert et moins agressif lors de précédentes dégustations, mais toutes ses composantes se révèlent progressivement alors qu'il s'achemine vers une période d'hibernation. Accordez-lui une garde de 7 à 8 ans ; il pourrait parfaitement tenir **30 ans.** (11/96)

1989 • **89+ ?** Le 1989, dégusté en 1996 aux États-Unis, manque quelque peu de tenue. J'ai initialement pensé que la bouteille avait souffert de températures excessives pendant la traversée outre-Atlantique. En effet, la robe m'a paru bien plus ambrée que je ne l'aurais imaginé d'après mes précédentes dégustations. Le nez révèle de doux arômes de mûre, d'herbe et de terre, et l'ensemble, moyennement corsé et soyeux, déploie des tannins rugueux, un fruit mûr et une finale malheureusement courte. J'ai toujours trouvé que ce vin méritait une note aux alentours de 89-92, d'où le point d'interrogation qui accompagne mon appréciation actuelle. (11/96)

1988 • **91** Le Rauzan-Ségla est l'un des vins les plus impressionnants, mais également les moins évolués du millésime. Arborant une robe encore jeune d'un rubis-pourpre foncé, il exhale un nez serré, mais prometteur, de fruits noirs, de minéral et de fumé. Tout à la fois puissant, corsé, tannique et riche, il manifeste en bouche une concentration intense et un caractère musclé et massif. Ce vin est incontestablement bien armé pour le long terme. **A boire entre 2000 et 2015.** (10/97)

1986 • **96** Belle réussite pour le millésime, ce 1986 s'impose également comme le meilleur vin élaboré à la propriété dans les années 80. Toujours extrêmement peu évolué, il impressionne par sa robe soutenue d'un pourpre foncé, qui introduit un nez serré, mais prometteur, de douce mûre, de cassis, de réglisse, de terre et de fumé. L'ensemble, très corsé et terriblement tannique, se dévoile en bouche par paliers, libérant de généreux arômes très concentrés. Ce vin fabuleusement doté est encore dans sa toute petite enfance ; il sera à son apogée **entre 2002 et 2030.** (10/97)

1985 • **87** Richement fruité, souple et précoce, le 1985 manque quelque peu de structure et de potentiel de garde, mais il est incontestablement délicieux pour le court terme. C'est un vin moyennement corsé, élégant et soyeux, à boire **maintenant.** (11/90)

1984 • **75** Bien coloré, avec un nez frais et épicé d'herbes aromatiques, le 1984 est excellent à l'attaque en bouche, mais s'amenuise par la suite. Une autre bouteille m'a cependant semblé plus riche. **A boire.** (3/90)

1983 • **90** Parfaitement mûr, le 1983 de Rauzan-Ségla séduit par son caractère riche et son nez renversant de fleurs printanières, de fruits noirs, de fumé et d'herbes rôties. Ample et rond, il est velouté, réellement opulent et étayé par une faible acidité. Ce vin concentré se déploie merveilleusement en bouche par paliers, exprimant tout en rondeur un caractère délicieux et intense. Il marque le renouveau de la propriété. **A boire jusqu'en 2008.** (12/96)

1982 • **86** Moyennement corsé, ce vin souple, rond et parfaitement mûr présente, tant au nez qu'en bouche, des arômes herbacés de cassis, et déploie une finale souple, manquant de tenue, de structure et de tannins. **A boire dans les 2 ou 3 ans.** (9/95)

1981 Ce vin médiocre est léger, fruité, rond et sans grande complexité. Décharné, il ne fait guère honneur à son titre de deuxième cru. **A boire sans délai – probablement en sérieux déclin.** (6/84)
•
65

1980 Très maigre et aqueux en bouche, avec un caractère végétal, ce vin peu profond et court en bouche n'est vraiment pas une réussite. (3/83)
•
60

1979 Très léger, rond et fruité, le 1979 n'est pas loin d'un simple Bordeaux Supérieur. **A boire – probablement en sérieux déclin.** (4/84)
•
72

1978 Le 1978 est du même métal que de nombreux vins produits par le domaine dans les années 70, c'est-à-dire fruité, rond et assez plaisant, mais sans réel intérêt ni complexité. **A boire – probablement en sérieux déclin.** (10/82)
•
74

1977 Très végétal et maigre, le Rauzan-Ségla 1977 est un échec total. (11/81)
•
50

1976 Ce vin, aux arômes modérément intenses de feuillage et d'herbe, est rubis-grenat clair de robe, dépourvu d'équilibre et d'harmonie. Il manque de richesse et semble avoir été vinifié avec négligence. (4/80)
•
60

1975 Très clair, avec une teinte brune fort suspecte, le 1975 libère des arômes de brûlé et de fruits cuits ; superficiel, très tannique et astringent, il présente une finale courte et déplaisante. C'est un vin fort médiocre pour ce remarquable millésime. (5/84)
•
55

1972 Ironie du sort, Rauzan-Ségla a produit l'un des meilleurs vins de ce millésime désastreux. Étonnamment foncé, mais maintenant nuancé de brun orangé, ce vin se révèle costaud, mais sans complexité, avec cependant un bon fruité et un caractère assez corsé. **A boire – probablement en sérieux déclin.** (7/82)
•
75

1971 D'un rubis assez clair, mais très tuilé, ce vin, élaboré pendant la période sombre du domaine, a malgré tout encore quelques années à vivre. Son bouquet d'herbe fraîche et de bois de cèdre tend à s'estomper rapidement dans le verre, mais il reste suffisamment de fruit pour que la dégustation soit agréable. Cependant, il ne faudrait pas se risquer à trop prolonger la garde, car le vin semble bien fragile et prêt à se déliter. **A boire – peut-être en déclin.** (1/88)
•
76

1970 Je ne suis pas certain que ce vin puisse encore s'ouvrir et s'épanouir. A près de 30 ans d'âge, il arbore toujours une robe foncée et opaque, à peine tuilée. Admirablement corpulent et corsé, il est également rustique et rugueux, avec une finale trop tannique. Je me trompe peut-être sur toute la ligne, mais, après avoir consommé les trois quarts des bouteilles de la caisse que j'avais achetée, je n'ai jamais trouvé dans ce Rauzan le plaisir que j'avais espéré. Il faut retenir la leçon : méfions-nous de ces vins qui paraissent durs et tanniques quand ils sont jeunes. **A boire jusqu'en 2000.** (1/91)
•
82

1966 Assez proche, par son caractère, du 1970, mais plus austère et moins concentré, le 1966 présente un nez modérément intense de prune mûre et de boisé, et une bouche élégante, mais encore dure et ferme. **A boire.** (4/79)
•
84

1962 Ce 1962 est peu représentatif d'un millésime qui a donné tant de vins élégants, charmants, ronds et fruités. Dur, maigre et austère, dépourvu de richesse et de charme, il est toujours terriblement tannique, et je crains que le fruit n'arrive jamais à s'imposer. **A boire – probablement en sérieux déclin.** (2/78)
•
75

1961 • **81** Pour un 1961, celui-ci n'a rien de remarquable. Il est fruité et bien évolué, mais plutôt étrange et dépourvu de tenue. Assez confit et diffus en bouche, il finit court, mais révèle cependant un certain charme, beaucoup de concentration et de puissance. **A boire – sans doute en déclin.** (9/79)

Millésimes anciens

Le Rauzan-Ségla 1900 (noté 88 en décembre 1995) présente, malgré sa robe très altérée, un bouquet séduisant et charmeur de réglisse, d'herbe et de vieux cèdre nuancé de fruit mûr. Les tannins sont secs, mais l'ensemble est étonnamment corpulent, avec même un certain fruité doux. Ce vin intact et racé a merveilleusement résisté à l'épreuve du temps ; c'est, une fois encore, un bel exemple de la grande longévité des bordeaux.

Le Rauzan-Ségla 1847 (noté 70 ? en septembre 1995), élaboré cent ans avant ma naissance, révélait des odeurs piquantes et fécales évoquant la basse-cour. Il était assez doux, mais peu séduisant, avec des notes rances d'encens, des tannins durs et fort peu de fruit. Le 1852 (noté 51 en septembre 1995) était desservi, à mon sens, par un excès d'acidité volatile et par des tannins trop abondants. En revanche, le 1858 (noté 92 en septembre 1995) et le 1868 (noté 96 à la même date) étaient tous deux véritablement stupéfiants. Vêtu d'une robe orange et ambrée, le 1858 exhalait un nez parfumé de marmelade d'orange, de caramel fondu et de groseille. Doux et étonnamment mûr, il se révélait moyennement corsé, souple et rond, mais également bien vivace et tonique, et surtout délicieux ! Le 1868 se distinguait, pour sa part, par un nez énorme de cèdre, de chocolat, de café torréfié et d'herbes fumées. L'ensemble qui suivait était étonnant de concentration, doux et très corsé ; doté d'un caractère alcoolique, il se dévoilait en bouche par paliers, révélant, outre une extrême richesse, une finale aux tannins bien fondus. Il ressemblait à s'y méprendre à un vin de 50 ans d'âge, et retenait plus de fruité qu'on ne pourrait l'imaginer.

Incroyable, mais vrai !, le Rauzan-Ségla 1865 (noté 99+ en décembre 1995) était encore intense et arborait une robe opaque d'un grenat profond. Son nez de chocolat, de cèdre et de cassis était tout simplement renversant et la bouche révélait un caractère extrêmement concentré, puissant et terriblement jeune (j'aurais pensé que ce vin avait seulement 40 à 50 ans d'âge). Très corsé, d'une richesse exceptionnelle, il était également épais et ne manifestait aucun signe de déclin. Je pense même qu'il pourrait peut-être tenir **encore 30 à 50 ans.**

SIRAN – BON

Non classé – équivaut à un 5e cru
Propriétaire : William-Alain Miailhe
Adresse : 33460 Labarde
Tél. 05 57 88 34 04
Fax 05 57 88 70 05
Visites : tous les jours
(10 h 15-12 h 30 et 14 h-18 h)
Contact : Denise Bourgine

Superficie : 40 ha (Labarde – appellation Margaux)
Vins produits : Château Siran – 100 000 b ; Château Bellegarde – 20 000 b

Encépagement :
50 % cabernet sauvignon, 30 % merlot, 13 % petit verdot, 7 % cabernet franc
Densité de plantation : 10 000 pieds/ha – *Age moyen des vignes :* 30 ans
Rendement moyen : 50 hl/ha

Élevage :
vendanges manuelles ; fermentations et cuvaisons de 25 jours environ ;
vieillissement de 15 mois en fûts (60 % de bois neuf) ;
soutirage trimestriel ; collage et filtration

A maturité : dans les 5 à 15 ans suivant le millésime

Cette superbe propriété, située à Labarde, dans la partie méridionale de l'appellation Margaux, produit, sur des terres graveleuses au sous-sol sablo-graveleux, des vins ordinairement délicieux, parfumés, profondément colorés, dont la qualité est souvent du niveau d'un cinquième cru du Médoc.

Le propriétaire-exploitant est William-Alain B. Miailhe – Siran appartient à sa famille depuis 1858. Ce vigneron consciencieux produit tous les ans 120 000 bouteilles d'un vin riche, savoureux et élégant, qui traduit admirablement le caractère de son appellation, et qui se distingue, en outre – de la même manière que Mouton Rothschild –, par une étiquette illustrée à chaque millésime par un artiste différent (à l'intérieur du château, un petit musée propose des collections de bouteilles anciennes, de gravures bachiques, etc.).

Siran exige généralement 5 ou 6 ans d'évolution en bouteille pour s'épanouir. Les vins récents ont tous été des réussites ; le 1980, pourtant issu d'un millésime médiocre et léger, a même pratiquement surpassé tous ses jumeaux de l'appellation, à l'exception de Margaux et de Giscours. Et, surtout, c'est un vin qui peut donner satisfaction aux amateurs patients par sa belle aptitude à une garde prolongée. La longue macération (25 jours) et le pourcentage élevé du tannique verdot dans l'assemblage permettent à Siran d'évoluer sur au moins 15 ans, dans les bons millésimes.

Si le classement de 1855 était remanié, Siran aurait de très grandes chances d'être promu cinquième cru. D'autant plus que les travaux récemment entrepris à la propriété – drainage du vignoble, construction d'un cuvier permettant des vinifications séparées – devraient encore favoriser la quête de la qualité.

1998 • **87-88** Magnifiquement réussi, le Siran 1998 se distingue par une robe épaisse, d'un bleu tirant sur le noir. Ses puissants arômes de réglisse, d'encens et de minéral sont mâtinés de cassis et de confiture de cerise, et l'ensemble, profond et moyennement corsé, déploie par paliers une finale persistante et modérément tannique. **A boire entre 2003 et 2018.** (3/99)

1997 • **78-81** Manquant de fruité et de richesse en milieu de bouche, le 1997 séduit cependant par ses arômes de cerise et de groseille entremêlés de notes de minéral et de chêne fumé. Sa finale est comprimée. **A boire entre 2000 et 2007.** (1/99)

1996 • **83** Ce vin rubis moyen est tout à la fois comprimé, dur, maigre et austère, avec un caractère anguleux. **A boire entre 2003 et 2012.** (1/99)

1995 • **87** Bien réussi, le Siran 1995 arbore une couleur rubis foncé, dégage d'attrayants arômes vanillés de chêne neuf et épicé, et présente un fruité doux et crémeux de cassis, entremêlé de subtiles touches de fenouil et de boîte à épices. Moyennement corsé et mûr, il révèle, outre une faible acidité, une richesse savoureuse et des tannins doux. Ce Margaux élégant et d'une excellente tenue est déjà accessible. **A boire entre 2000 et 2014.** (11/97)

1994 • **85+** Le Siran 1994 révèle une richesse en extrait des plus étonnantes. Moyennement corsé et profondément coloré, il est aussi d'une pureté et d'une maturité d'excellent aloi. On décèle en finale des tannins astringents, dont on peut se demander s'ils se fondront avant que le fruité ne se fane. Il s'agit assurément d'un vin bien doté et judicieusement vinifié ; il devrait s'imposer comme un très bon Margaux, dans ce millésime plutôt ferme. **A boire dans les 8 à 10 ans suivant une garde de 3 ou 4 ans.** (3/96)

1993 • **85** Le Château Siran réserve souvent de très belles surprises, donnant depuis longtemps des vins riches et bien structurés, au potentiel de garde important. Avec son caractère tannique et sa richesse en extrait, le 1993 est incontestablement de longue garde. Moyennement corsé, il affiche un rubis-pourpre impressionnant, et, s'il manque de complexité, montre une excellente concentration, déployant un caractère musclé et charnu, avec de la mâche. Après 4 à 6 ans de garde, vous pourrez le déguster sur **15 à 20 ans.** (11/94)

1990 • **87** Profondément coloré, le 1990 révèle, malgré un nez serré, des arômes de fruits noirs, de chêne fumé et de terre. Moyennement corsé et d'une belle maturité en bouche, il est étayé par une heureuse acidité, et déploie une finale persistante et modérément tannique. Ce vin évoluera de belle manière ces **10 à 15 prochaines années.** (1/93)

1989 • **86** Moyennement corsé et plein de grâce, le 1989 présente la texture souple et soyeuse inhérente au millésime. Il est difficile de résister à son caractère doux, souple et tendre. Faible en acidité et très alcoolique, il se tiendra **jusqu'en 2000.** (1/93)

1988 • **85** D'un rubis profond, avec un nez épicé de cassis, le 1988 se montre très corsé, d'une belle profondeur et doté d'une excellente structure. **A boire jusqu'en 2005.** (1/93)

1986 • **88** Le 1986 de Siran est fidèle au millésime, avec sa robe d'un rubis-pourpre sombre et profond, sa belle corpulence, ses tannins qui tapissent le palais en finale. On décèle également, entre les senteurs de goudron, d'épices et de groseille et la finale dure, un fruit généreux et profond, qui exige des amateurs qu'ils s'arment de patience. **A boire jusqu'en 2010.** (11/90)

1985 • **86** Étonnamment puissant pour le millésime, le 1983 de Siran est doté d'un fruit riche, avec un caractère élégant, persistant et très parfumé, qui lui permet de bien vieillir. **A boire jusqu'en 2000.** (3/90)

1983 • **86** Proche de la maturité, le 1983 se distingue par son nez de fumé, de réglisse et de cassis, et par ses arômes amples et riches, plus portés sur le muscle et sur la puissance que sur la finesse. La finale est d'une bonne tenue. **A boire.** (3/88)

DU TERTRE – TRÈS BON

5e cru classé en 1855 – équivaut à un 4e cru depuis 1978
Propriétaire : Éric Albada-Jelgersma
Adresse : 33460 Arsac
Tél. 05 56 58 82 27 – Fax 05 56 58 86 29
Visites : sur rendez-vous uniquement
Contact : Jacques Pélissier (directeur)

Superficie : 49 ha (Arsac – appellation Margaux)
Vins produits : Château du Tertre – 180 000 b ;
Les Hauts du Tertre – 50 000-60 000 b
Encépagement :
60 % cabernet sauvignon, 20 % merlot, 15 % cabernet franc, 5 % petit verdot
Densité de plantation : 6 500 et 8 300 pieds/ha – *Age moyen des vignes :* 30 ans
Rendement moyen : 40-45 hl/ha

Élevage :
vendanges manuelles ;
fermentations et cuvaisons de 24 jours
en cuves d'acier revêtues d'epoxy et thermorégulées ;
achèvement des malolactiques en fûts pour 1/3 de la récolte,
en cuves pour le reste ;
vieillissement de 18 mois en fûts (50 % de bois neuf) ;
collage au blanc d'œuf ; pas de filtration

A maturité : dans les 6 à 15 ans suivant le millésime

Du Tertre, qui est situé sur la partie la plus élevée de l'appellation Margaux, a été acheté en 1961 par Philippe Capbern Gasqueton, propriétaire de Calon-Ségur, le très célèbre château de Saint-Estèphe. La propriété était alors dans un état déplorable, mais M. Gasqueton et ses associés ont entrepris de rénover l'édifice et de replanter le vignoble ; cependant, jusqu'en 1978, les vins de ce domaine sont demeurés assez quelconques. Le château, à deux étages et à la façade couleur sable, est simple mais élégant, et se trouve dans un endroit assez peu fréquenté du Médoc, à moins de 1 km d'Arsac, près d'un phénomène de l'appellation Margaux, Monbrison. Il a été vendu en octobre 1997 à Éric Albada-Jelgersma, qui exploite également le Château Giscours. Celui-ci y a entrepris de nombreux travaux – replantations à 8 300 pieds/ha, hausse de palissage, réfection de la cuverie, construction d'un chai spécialement conçu pour l'achèvement des malolactiques en fûts, etc.

Le vignoble se distingue en premier lieu par le fait que, à la différence de beaucoup d'autres dans la région, il est d'un seul tenant ; à première vue, il rappelle celui du Domaine de Chevalier. Alors que le merlot tient une place importante à Calon-Ségur, Philippe Gasqueton avait choisi de planter essentiellement du cabernet sauvignon à Du Tertre, parce que le sol est ici très graveleux et gréseux. Depuis 1978, le vin est d'une couleur relativement profonde, avec beaucoup de puissance et de richesse dans les meilleurs millésimes, et peut-être un certain manque de finesse ; mais il exhale aussi ce parfum si particulier qui rend le Margaux tellement captivant. Malgré tout, Du Tertre se vend toujours à un prix raisonnable, ce qui en fait l'un des crus classés de Bordeaux les plus intéressants sous le rapport qualité/prix.

Bien que ce vin soit très bon, je pense que l'emploi par Éric Albada-Jelgersma d'une plus grande proportion de bois neuf pour l'élevage et d'un plus grand pourcentage de merlot dans l'assemblage devrait encore l'améliorer.

1998 • **87-88** Le Du Tertre 1998 pourrait bien s'imposer comme l'une des révélations du millésime. Vêtu d'un rubis-pourpre dense, il exhale un doux nez de cerise noire et de cassis, et révèle, outre des tannins souples et veloutés, un caractère moyennement corsé et un milieu de bouche étonnamment gras et savoureux. L'ensemble est bien persistant, charmeur, et séduit par son côté ample et précoce. C'est un cru qui a heureusement évité l'excès d'extraction ; il donne ainsi un vin attrayant, harmonieux et marqué par un fruité mûr. **A boire entre 2002 et 2012.** (3/99)

1997 • **86-88** Ce vin s'est montré sous un très bon jour à chacune de mes dégustations. D'un rubis-pourpre sombre, il libère un nez bien évolué aux généreux arômes de cassis et de mûre. Moyennement corsé et faible en acidité, il est souple et succulent – j'avais l'impression de déguster une bombe fruitée des plus savoureuses. **A boire entre 2000 et 2007.** (3/98)

1996 • **88-90** Véritable révélation, le 1996 arbore un rubis-pourpre tirant sur le noir et exhale de doux parfums de fruits noirs. Il révèle en bouche des arômes moyennement corsés et des tannins bien fondus. Montrant une pureté et une profondeur d'excellent aloi, ce vin devrait vieillir de belle manière, tout en étant agréable dès son plus jeune âge. **A boire entre 2004 et 2018.** (3/98)

1995 • **86** Un nez chocolaté de fruits rouges faiblement nuancé de cassis, de réglisse et de terre introduit en bouche le Du Tertre 1995. C'est un ensemble moyennement corsé et d'une belle concentration ; quoique monolithique, il est bien fait et ample en bouche, avec des tannins modérés. **A boire entre 2003 et 2015.** (11/97)

1990 • **87** Ce 1990 représente une belle réussite pour la propriété. Étonnamment foncé de robe, assez corsé, bien structuré, remarquablement profond et riche, il déploie un bouquet intéressant d'olives, de chêne fumé et de petits fruits noirs très mûrs. Il me rappelle un peu le 1979, bien qu'il soit un peu plus léger à la dégustation. **A boire jusqu'en 2008.** (11/93)

1989 • **86** Le Du Tertre 1989 est un vin charmeur, tendre, assez corsé, qui manque cependant de concentration et de charpente. Il est précoce, très parfumé (dominé par le cassis confit) et faible en acidité. **A boire.** (4/91)

1988 • **86** Ce vin est d'un bon niveau pour le millésime. D'un rubis moyennement profond, avec un nez de groseille et de fumé dominé par le boisé, il offre une ressemblance frappante avec l'excellent 1979. Il est très agréable et se conservera **jusqu'en 2003.** (1/93)

1987 • **83** Ce 1987 prouve, avec d'autres, que ce millésime peut avoir un charme fou. Rubis moyen de robe, il exhale un nez exubérant de groseille et de chêne épicé, avec même des senteurs de fleurs printanières ; en bouche, il se montre rond, souple, étonnamment gras et faible en acidité, prolongé par une finale agréable. Cependant, on peut regretter qu'il faille le boire assez rapidement, d'ici **5 ou 6 ans.** (11/90)

1986 • **86** Le nez épicé, épanoui, de groseille nuancé de minéral du 1986 est suivi par une bouche assez corsée et nerveuse. Ce vin est prêt et évolue plus vite que je ne l'aurais cru il y a quelques années. Élégant, il constitue de surcroît une belle affaire pour un tel millésime. **A boire jusqu'en 2005.** (3/90)

1985 • **87** J'ai goûté ce Du Tertre en neuf occasions – cinq fois en fût et les quatre autres en bouteille. Bien que je n'aie jamais vu un vin se comporter de manière si irrégulière, je dois dire que les deux dernières dégustations ont été positives. Ces deux bouteilles (goûtées en France) ont révélé un vin d'un beau rubis-pourpre profond, au nez ouvert de terre fraîche (de truffe ?) et de groseille vraiment alléchant. En bouche, l'ensemble s'est montré gras, épanoui et souple, avec un caractère de mûre et de groseille (de nouveau), et juste assez de tannins et d'acidité pour avoir de la tenue et de la précision. Un vin riche et bien évolué, à déguster **maintenant.** (11/90)

1983 • **86** D'un rubis moyennement foncé, le 1983 libère un nez intensément épicé et légèrement herbacé. Riche et mûr, il est moyennement corsé en bouche, où il dévoile une bonne concentration et des tannins modérés qui commencent à se fondre dans l'ensemble. Ce vin est très bon, mais pas exceptionnel. **A boire jusqu'en 2001.** (11/90)

1982 • **87** Un merveilleux bouquet odorant de violette, de terre humide, de cèdre, de cassis et de chocolat blanc jaillit littéralement de ce vin. En bouche, l'ensemble se révèle riche, moyennement corsé et concentré, et gratifie le dégustateur d'arômes mûrs et fruités. Comme la plupart des Margaux de ce millésime, celui-ci est à maturité. **A boire.** (1/90)

1981 • **83** Une robe rubis moyennement foncé et un bouquet modérément intense, épicé et parfumé introduit le Du Tertre 1981. Plus longiligne que l'excellent 1979 ou le 1982, plus gras et plus généreusement odorant, ce vin se montre assez tannique, plutôt plaisant, mais il manque de corpulence et finit court. **A boire.** (7/88)

1979 • **89** Le 1979 s'est toujours imposé comme l'une des révélations du millésime. Il exhale de merveilleux arômes de goudron, des senteurs riches et profondes de petits fruits, et présente en bouche un caractère tout à la fois gras, souple, très concentré et fruité. C'est un vin moyennement corsé et bien persistant, qui constitue de surcroît une excellente affaire, à rechercher dans les ventes aux enchères. **A boire.** (1/91)

1978 • **85** Ce vin, qui a atteint son apogée, présente un nez étonnamment marqué par des nuances de terre. Le bouquet rustique regorge également d'arômes de marron, de pruneau et de vieux fûts (propres). La bouche, ronde et légèrement herbacée, exprime un caractère souple et généreusement doté, et la finale est souple et capiteuse. Le tout aurait mérité une note plus élevée, n'étaient ces fâcheuses notes de terre que l'on perçoit tant au nez qu'en bouche. **A boire.** (1/91)

AUTRES PRODUCTEURS DE MARGAUX

D'ARSAC

Cru bourgeois
Propriétaire : Philippe Raoux
Adresse : 33460 Arsac
Tél. 05 56 58 83 90 – Fax 05 56 58 83 08
Visites : du lundi au vendredi (10 h-18 h), sur rendez-vous uniquement le week-end
Contact : Hélène Schönbeck

Superficie : 75 ha (18 ha en Margaux, le reste en Haut-Médoc)
Vin produit : Château d'Arsac – 130 000 b (pas de second vin)
Encépagement : 60 % cabernet sauvignon, 40 % merlot
Densité de plantation : 6 600 pieds/ha – *Age moyen des vignes :* 15 ans
Rendement moyen : 55 hl/ha

Élevage :
vendanges mécaniques ; tri des raisins au cuvier ;
fermentations et cuvaisons de 21 jours en cuves d'acier inoxydable thermorégulées ;
vieillissement de 12 mois en fûts (25 % de bois neuf) ; collage et filtration

BEL AIR-MARQUIS D'ALIGRE

Cru grand bourgeois exceptionnel
devrait être maintenu
Propriétaire : Jean-Pierre Boyer
Adresse : Route de Bel Air – 33460 Soussans
Tél. 05 57 88 70 70

Superficie : 16 ha (Soussans – appellation Margaux)
Vins produits :
Château Bel Air-Marquis d'Aligre – 20 000-30 000 b ;
Château Bel Air-Marquis de Pomereu – variable
Encépagement :
35 % merlot, 30 % cabernet sauvignon, 20 % cabernet franc,
15 % petit verdot et malbec
Densité de plantation : 10 000 pieds/ha – *Age moyen des vignes :* 40 ans
Rendement moyen : 25 hl/ha

CHARMANT – BON

Non classé
Propriétaire : Christiane Renon
Adresse : 33460 Margaux
Tél. 05 57 88 35 27 – Fax 05 57 88 70 59
Visites : sur rendez-vous uniquement
Contact : Christiane Renon

Superficie : 5 ha (Margaux et Soussans – appellation Margaux)
Vin produit : Château Charmant – 30 000 b (pas de second vin)
Encépagement :
50 % merlot, 45 % cabernet sauvignon et cabernet franc, 5 % petit verdot
Densité de plantation : 8 300 pieds/ha – *Age moyen des vignes :* 60 ans
Rendement moyen : 52 hl/ha

Élevage :
fermentations et cuvaisons de 20-25 jours à 28-30 °C ; remontages quotidiens ; vieillissement de 15-18 mois en fûts (15 % de bois neuf) ; collage ; pas de filtration

---

A maturité : dans les 2 à 10 ans suivant le millésime

Ce vin est hautement apprécié, ce qui est une référence, par un homme comme Bernard Ginestet, l'un des meilleurs connaisseurs de Margaux. La propriétaire, Christiane Renon, est une adepte des vieilles vignes (la moitié du vignoble est plus que centenaire ; c'est donc l'un des plus vieux de l'appellation). Ginestet m'a confié qu'il s'agissait du meilleur cru non classé du Médoc ; venant de sa part, cette information vaut son pesant d'or.

DESMIRAIL

3e cru classé en 1855
équivaut à un cru bourgeois
Propriétaire : Lucien Lurton
Adresse : 33460 Margaux
Tél. 05 57 88 83 33. – Fax 05 57 88 72 51
Visites : sur rendez-vous uniquement

Superficie : 18 ha
Vins produits :
Château Desmirail – 55 000 b ;
Château Baudry – variable
Encépagement : 80 % cabernet sauvignon, 10 % merlot,
5 % cabernet franc, 5 % petit verdot
Age moyen des vignes : 20 ans

A maturité : dans les 3 à 12 ans suivant le millésime

Cette propriété, qui ne comprend maintenant plus de château, a été classée troisième cru en 1855. Cependant, après la Première Guerre mondiale, la plus grande partie du domaine initial a été vendue par morceaux, et il en est resté assez peu de chose. Le château originel de Desmirail est à l'heure actuelle la propriété de la famille Zuger, qui l'a rebaptisé Marquis d'Alesme. Lucien Lurton, propriétaire de Brane-Cantenac, a acquis, en quelques dizaines d'années, un certain nombre de parcelles qui constituaient le vignoble initial de Desmirail. Le nom a été ressuscité en 1980 au moment du rachat d'une parcelle de 2 ha à Château Palmer. Lurton a également acheté un chai et un bâtiment pour la vinification dans le village de Cantenac – ce sont eux que l'on appelle, désormais, Château Desmirail. Si l'on considère les millésimes des années 80 et du début des années 90, il faut avouer que le vin mérite difficilement son rang de troisième cru ; en fait, il est du niveau d'un bon cru bourgeois.

DEYREM VALENTIN

Cru bourgeois – devrait être maintenu
Propriétaire : Jean Sorge
Adresse : 33460 Soussans
Tél. 05 57 88 35 70 – Fax 05 57 88 36 84
Visites : sur rendez-vous uniquement
Contact : Jean Sorge

Superficie : 12,5 ha (Soussans – appellation Margaux)
Vins produits : Château Deyrem Valentin – 40 000 b ;
Château Valentin – 30 000 b ; Château Soussans – 10 000 b
Encépagement : 50 % cabernet sauvignon, 45 % merlot, 5 % petit verdot
Densité de plantation : 9 000 pieds/ha – *Age moyen des vignes :* 30 ans
Rendement moyen : 54 hl/ha

Élevage :
vendanges manuelles ; tri des raisins à leur arrivée dans les chais ;
fermentations de 7 jours et cuvaisons de 21 jours en cuves thermorégulées ;
vieillissement de 18 mois en fûts (35 % de bois neuf) ; collage ; pas de filtration

A maturité : dans les 4 à 10 ans suivant le millésime

J'ai rarement dégusté les vins de Deyrem Valentin. Les millésimes que j'ai goûtés étaient bien colorés, mais m'ont paru assez communs et compacts, certes bien vinifiés, mais sans rien de passionnant. S'il fallait formuler une critique, je dirais que ces vins étaient excessivement tanniques et sévères. Il faut les boire dans les 5 à 7 ans qui suivent la vendange.

FERRIÈRE

3e cru classé en 1855 – équivaut à un cru bourgeois
Propriétaire : SA du Château Ferrière
Adresse : 33460 Margaux
Tél. 05 56 58 02 37 – Fax 05 56 58 05 70
Visites : sur rendez-vous uniquement
Contact : Claire Villars

Superficie : 8 ha (Margaux – appellation Margaux)
Vins produits :
Château Ferrière – 40 000 b ; Les Remparts de Ferrière – 15 000 b
Encépagement : 75 % cabernet sauvignon, 20 % merlot, 5 % petit verdot
Densité de plantation : 10 000 pieds/ha – *Age moyen des vignes :* 35 ans
Rendement moyen : 50 hl/ha

Élevage :
vendanges manuelles ;
fermentations et cuvaisons de 15-20 jours en cuves d'acier inoxydable thermorégulées ;
vieillissement après les malolactiques de 16-18 mois en fûts (50 % de bois neuf) ;

collage au blanc d'œuf ; pas de filtration

A maturité : dans les 5 à 10 ans suivant le millésime

1997 • **81-83** Ce 1997 souple, évoquant au nez la groseille et le cassis, révèle un doux fruit à l'attaque, mais pèche par sa finale courte et comprimée. **A boire ces 5 ou 6 prochaines années.** (1/99)

1996 • **86** Ce vin rubis foncé se montre peu évolué et austère ; il déploie de surcroît une finale aux tannins durs. Néanmoins, il atteste une pureté et une maturité d'excellent aloi. C'est un Margaux moyennement corsé et classique, à boire à son meilleur niveau **entre 2004 et 2014.** (1/99)

LA GALIANE

Non classé
Propriétaire : SCEA René Renon – Château La Galiane
Adresse : 33460 Soussans
Tél. 05 57 88 35 27 – Fax 05 57 88 70 59
Visites : du lundi au vendredi (9 h-12 h et 14 h-18 h), sur rendez-vous uniquement le week-end
Contact : Christiane Renon

Superficie : 5 ha (Soussans – appellation Margaux)
Vin produit : Château La Galiane – 34 000 b (pas de second vin)
Encépagement : 50 % merlot, 45 % cabernet sauvignon, 5 % petit verdot
Densité de plantation : 9 300 pieds/ha – *Age moyen des vignes :* 50 ans
Rendement moyen : 53 hl/ha

Élevage :
fermentations de 21 jours environ en cuves de béton revêtues à 28-30 °C ; remontages quotidiens ; vieillissement de 15-18 mois en fûts (10 % de bois neuf) ; collage au blanc d'œuf ; pas de filtration

LA GURGUE – BON

Cru bourgeois – devrait être maintenu
Propriétaire : SC du Château La Gurgue
Adresse : 33460 Margaux
Tél. 05 56 58 02 37 – Fax 05 56 58 05 70
Visites : sur rendez-vous uniquement
Contact : Claire Villars

Superficie :
10 ha (Margaux et Cantenac – appellation Margaux)
Vin produit : Château La Gurgue – 60 000 b (pas de second vin)
Encépagement : 70 % cabernet sauvignon, 30 % merlot
Densité de plantation : 10 000 pieds/ha – *Age moyen des vignes :* 25 ans

Rendement moyen : 50 hl/ha

Élevage :
vendanges manuelles ;
fermentations et cuvaisons de 15 jours en cuves d'acier inoxydable thermorégulées ;
vieillissement de 12-16 mois en fûts (25 % de bois neuf) ; collage ; pas de filtration

---

A maturité : dans les 5 à 12 ans suivant le millésime

Ce cru bourgeois, dont les vignobles sont excellemment situés, à proximité de ceux du Château Margaux, s'est bien amélioré depuis son rachat en 1978 par Bernard Taillan et Chantovent.

Dans les meilleurs millésimes, les vins de cette propriété se distinguent par leur merveilleuse souplesse, leur robe profonde et leur texture douce et riche. Bien qu'ils ne soient pas armés pour le long terme, ils se révèlent des plus agréables jusqu'à 10 à 12 ans d'âge et constituent de surcroît une excellente affaire. Les meilleurs millésimes récents ont été 1986, 1988, 1989 et 1996.

HAUT BRETON LARIGAUDIÈRE

Cru bourgeois
Propriétaire : SCEA du Château Haut Breton Larigaudière
Adresse : 33460 Soussans
Tél. 05 57 88 94 17 – Fax 05 57 88 39 14
Visites : sur rendez-vous uniquement
Contact : Jean-Michel Garcion

Superficie :
13 ha (Soussans et Arsac – appellation Margaux)
Vins produits :
Haut Breton Larigaudière – 45 000 b ; Château du Courneau – 20 000 b
Encépagement :
63 % cabernet sauvignon, 31 % merlot, 4 % petit verdot, 2 % cabernet franc
Densité de plantation : 10 000 pieds/ha – *Age moyen des vignes :* 22 ans
Rendement moyen : 50 hl/ha

Élevage :
vendanges manuelles ;
fermentations et cuvaisons de 21-35 jours en cuves thermorégulées ;
vieillissement de 4-8 mois en cuves, puis de 10-15 mois en fûts
(70-95 % de bois neuf) ;
collage au blanc d'œuf ; pas de filtration

LABÉGORCE
Cru bourgeois – devrait être maintenu
Propriétaire : Hubert Perrodo
Adresse : 33460 Margaux
Tél. 05 57 88 71 32 – Fax 05 57 88 35 01
Visites : tous les jours (8 h 30-18 h)
Contact : Maïté Augerot

Superficie :
38 ha (Margaux – appellation Margaux)
Vins produits :
Château Labégorce – 150 000 b ; La Mouline de Labégorce – 25 000 b
Encépagement : 60 % cabernet sauvignon, 35 % merlot, 5 % cabernet franc
Densité de plantation : 8 000 pieds/ha – *Age moyen des vignes :* 25 ans
Rendement moyen : 45 hl/ha

Élevage :
vendanges manuelles ;
fermentations et cuvaisons de 21-28 jours en cuves thermorégulées ;
40 % du grand vin achève les malolactiques en fûts neufs ;
vieillissement de 12-15 mois en fûts (30 % de bois neuf) ; collage ; pas de filtration

A maturité : dans les 3 à 8 ans suivant le millésime

Jean-Robert Condom avait pris la direction de cette propriété en 1978. Après avoir bénéficié d'investissements importants, effectués avec le concours de Dourthe – la grosse maison de négoce qui contrôle en grande partie la distribution mondiale de ce cru –, ce Margaux est devenu un cru bourgeois de bon niveau. Il n'a sans doute ni le caractère parfumé ni la souplesse des meilleurs de ses pairs – La Gurgue, par exemple –, non plus que la puissance ou le potentiel de garde d'un Monbrison, mais il affiche de la personnalité. Fin 1989, le domaine a été acheté par Hubert Perrodo.

Bien que de bons connaisseurs se disent favorablement impressionnés par la finesse de ce vin, Labégorce me semble plus proche d'un Saint-Estèphe que d'un Margaux. Il est souvent du niveau de certains crus classés de l'appellation, mais demeure nettement moins cher. Le meilleur millésime récent a été 1983, suivi par 1989 et 1986. Les vins les mieux réussis doivent être consommés avant 8 ans d'âge.

LARRUAU – BON
Cru bourgeois – équivaut à un 5e cru
Propriétaire : Bernard Château
Adresse : 4, rue La Trémoille
33460 Margaux
Tél. 05 57 88 35 50 – Fax 05 57 88 76 69

Superficie :
10 ha (Margaux, Arsac, Cantenac, Soussans – appellation Margaux)
Vin produit : Château Larruau – 70 000 b (pas de second vin)
Encépagement : 55 % cabernet sauvignon, 45 % merlot

Densité de plantation : 10 000 pieds/ha – *Age moyen des vignes :* 18 ans
Rendement moyen : 50 hl/ha

Élevage : 18 mois en fûts (30 % de bois neuf)

A maturité : dans les 5 à 12 ans suivant le millésime

Je souhaite, pour ma part, avoir la chance de goûter davantage les vins de Bernard Château, le jeune propriétaire et vinificateur du Château Larruau. Il élabore en effet des Margaux intenses et concentrés – si du moins le 1983 et le 1986 donnent un reflet fidèle de ce que produit ce petit domaine, très prisé de Bernard Ginestet, fin connaisseur de l'appellation s'il en est. Celui-ci ne craint pas de placer Larruau au même niveau que des crus comme Lascombes, Giscours et Durfort-Vivens.

MARSAC SÉGUINEAU – BON

Cru bourgeois – devrait être au minimum maintenu
Propriétaire : SC du Château Marsac Séguineau
Adresse : 33460 Soussans
Adresse postale : 17, cours de la Martinique
33027 Bordeaux
Tél. 05 56 01 30 10 – Fax 05 56 79 23 57
Visites : sur rendez-vous et pour les professionnels uniquement
Contact : Brigitte Cruse

Superficie : 10,25 ha (Soussans – appellation Margaux)
Vins produits :
Château Marsac Séguineau – 50 000 b ; Château Gravières de Marsac – 21 000 b
Encépagement : 60 % merlot, 28 % cabernet sauvignon, 12 % cabernet franc
Densité de plantation : 10 000 pieds/ha – *Age moyen des vignes :* 29 ans
Rendement moyen : 56 hl/ha

Élevage :
vendanges manuelles et mécaniques ;
fermentations et cuvaisons de 21 jours
en cuves thermorégulées par échangeur et ruissellement ;
vieillissement de 18-21 mois en fûts (30 % de bois neuf) ; collage et filtration

---

A maturité : dans les 5 à 15 ans suivant le millésime

J'ai eu la chance de déguster une demi-douzaine de millésimes de Marsac Séguineau, qui est géré par la maison de négoce Mestrezat. Composé d'une forte proportion de merlot, ce cru se distingue généralement par sa robe foncée et par son caractère tannique, mais aussi étonnamment intense et riche. Parmi les belles réussites de la propriété, on citera le 1990, de très grande classe, et le 1989, ample, fin et velouté. Les amateurs en quête d'excellents Margaux issus de domaines peu connus pourront s'intéresser de plus près à Marsac Séguineau, étoile montante de l'appellation, dont il s'impose comme l'un des meilleurs crus bourgeois.

MARTINENS

Cru bourgeois – devrait être maintenu
Propriétaires : Simone Dulos et Jean-Pierre Seynat-Dulos
Adresse : 33460 Cantenac
Tél. 05 57 88 71 37 – Fax 05 57 88 38 35
Visites : sur rendez-vous de préférence, du lundi au samedi
Contact : Jean-Pierre Seynat-Dulos

Superficie :
30 ha (Cantenac – 25 ha en appellation Margaux, le reste en Haut-Médoc)
Vins produits : Château Martinens – 100 000 b ; Château Guiney – 18 000 b
Encépagement :
54 % merlot, 31 % cabernet sauvignon, 11 % petit verdot, 4 % cabernet franc
Densité de plantation : 9 000 pieds/ha – *Age moyen des vignes :* 44 ans
Rendement moyen : 45 hl/ha

Élevage :
vendanges manuelles ;
fermentations et cuvaisons de 21 jours en cuves de béton thermorégulées ;
assemblage après achèvement des malolactiques ;
vieillissement de 18 mois en fûts (25 % de bois neuf) ; soutirage trimestriel ;
collage au blanc d'œuf et filtration

A maturité : dans les 3 à 10 ans suivant le millésime

Je n'ai pas souvent dégusté les vins de ce domaine et n'ai jamais goûté de vieux millésimes. Les plus récents, tels 1989, 1988, 1986 et 1985, se sont révélés durs et rugueux, dépourvus de charme, de fruit et de profondeur. Le pourcentage extrêmement élevé de petit verdot (qui arrive rarement à maturité, sauf dans des années comme 1982 et 1989) explique peut-être ce caractère austère.

MONGRAVEY

Non classé
Propriétaire : Régis Bernaleau
Adresse : 15, avenue de Ligondras – 33460 Arsac
Tél. 05 56 58 84 51 – Fax 05 56 58 83 39
Visites : sur rendez-vous uniquement
Contact : Régis Bernaleau

Superficie : 9 ha (Arsac – appellation Margaux)
Vins produits : Château Mongravey – 40 000 b ; Château Cazauviel – 24 000 b
Encépagement : 55 % cabernet sauvignon, 45 % merlot
Densité de plantation : 10 000 pieds/ha – *Age moyen des vignes :* 18 ans
Rendement moyen : 54 hl/ha

Élevage :
fermentations et cuvaisons de 28-42 jours en cuves thermorégulées ; vieillissement de 12-18 mois en fûts (1/3 de bois neuf) ; collage et filtration

PONTAC LYNCH

Cru bourgeois
Propriétaire : famille Bondon
Adresse : 33460 Margaux
Tél. 05 57 88 30 04 – Fax 05 57 88 32 63
Visites : sur rendez-vous de préférence, du lundi au vendredi
Contact : Marie-Christine Bondon

Superficie : 10 ha (Margaux et Cantenac – appellation Margaux)
Vins produits :
Château Pontac Lynch – 48 000 b ; Château Pontac Phenix – 12 000 b
Encépagement :
45 % merlot, 25 % cabernet sauvignon, 20 % cabernet franc, 10 % petit verdot
Densité de plantation : 10 000 pieds/ha – *Age moyen des vignes :* 20 ans
Rendement moyen : 48 hl/ha

Élevage :
vendanges manuelles ; tri sur table dans le vignoble ; fermentations de 10-14 jours en cuves thermorégulées ; cuvaisons équivalentes ; vieillissement de 12 mois en fûts (1/3 de bois neuf) ; collage au blanc d'œuf ; pas de filtration

PONTET-CHAPPAZ

Non classé
Propriétaire : Vignobles Rocher Cap de Rive SA
Adresse : 33460 Margaux
Adresse postale : Château Rocher Bellevue – BP 89 33350 Sainte-Magne-de-Castillon
Tél. 05 57 40 08 88 – Fax 05 57 40 19 93
Visites : sur rendez-vous uniquement
Contact : Isabel Teles Pinto

Superficie : 7 ha (Arsac – appellation Margaux)
Vins produits :
Château Pontet-Chappaz – 30 000 b ; Château Tricot d'Arsac – 24 000 b
Encépagement : 70 % cabernet sauvignon, 25 % merlot, 5 % petit verdot
Densité de plantation : 7 500 pieds/ha – *Age moyen des vignes :* 20 ans
Rendement moyen : 55 hl/ha

Élevage :
fermentations et cuvaisons de 28 jours en cuves thermorégulées ; vieillissement de 18 mois en cuves et en fûts (20 % de bois neuf) ; collage et filtration

TAYAC

Cru bourgeois
Propriétaire : SC du Château Tayac
Adresse : 33460 Soussans
Tél. 05 57 88 33 06 – Fax 05 57 88 36 06
Visites : du lundi au vendredi
(10 h-12 h et 14 h-18 h)
Contacts : Nadine Portet (directrice) et Yvette Favin

Superficie : 37 ha (Soussans – appellation Margaux)
Vin produit : Château Tayac – 120 000 b (pas de second vin)
Encépagement : 65 % cabernet sauvignon, 33 % merlot, 2 % petit verdot
Densité de plantation : 9 000 pieds/ha – *Age moyen des vignes :* 20 ans
Rendement moyen : 60 hl/ha

Élevage :
fermentations et cuvaisons de 21 jours en cuves d'acier inoxydable ou de béton revêtues d'epoxy et thermorégulées ; achèvement des malolactiques en cuves ; vieillissement de 12 mois en fûts (30 % de bois neuf) ; collage ; pas de filtration

Les vignobles de ce vaste cru bourgeois sont situés, pour l'essentiel, sur la commune de Soussans. En me fondant sur la demi-douzaine de millésimes que j'ai goûtés, j'estime que ce vin est correctement vinifié, mais assez commun et dépourvu du parfum et de la persistance qui caractérisent les meilleurs Margaux. Une sélection plus stricte, conjuguée à une proportion plus élevée de chêne neuf pour l'élevage, pourrait peut-être donner du caractère et de la complexité à ce cru.

LA TOUR DE BESSAN

Non classé
Propriétaire : Marie-Laure Lurton-Roux
Adresse : 33460 Cantenac
Adresse postale : SC Les Grands Crus Réunis
33480 Moulis
Tél. 05 57 88 83 33 – Fax 05 57 88 72 51
Visites : non autorisées
Contact : Marie-Laure Lurton-Roux

Superficie : 17 ha (Soussans et Arsac – appellation Margaux)
Vin produit : Château La Tour de Bessan – 100 000 b (pas de second vin)

Encépagement : 58 % cabernet sauvignon, 28 % cabernet franc, 14 % merlot
Densité de plantation : 6 000 pieds/ha – *Age moyen des vignes :* 25 ans
Rendement moyen : 45 hl/ha

Élevage :
fermentations en cuves revêtues ou en cuves d'acier inoxydable ;
vieillissement de 6 mois en fûts de 2-4 ans ; collage et filtration

LA TOUR DE MONS

Cru bourgeois supérieur – devrait être maintenu
Propriétaire : SCEA La Tour de Mons
Adresse : 33460 Soussans
Tél. 05 57 88 33 03 – Fax 05 57 88 32 46
Visites : sur rendez-vous uniquement
Contact : Dominique Laux

Superficie : 35 ha (Soussans – appellation Margaux)
Vins produits :
Château La Tour de Mons – 150 000 b ; Marquis de Mons – 80 000 b
Encépagement :
48 % merlot, 38 % cabernet sauvignon, 8 % petit verdot, 6 % cabernet franc
Densité de plantation : 8 000 pieds/ha – *Age moyen des vignes :* 35 ans
Rendement moyen : 55 hl/ha

Élevage :
fermentations de 20 jours en cuves d'acier inoxydable thermorégulées ;
fréquents remontages ;
vieillissement après les malolactiques de 12 mois en fûts (30 % de bois neuf) ;
collage au blanc d'œuf ; pas de filtration

A maturité : dans les 5 à 14 ans suivant le millésime

Ce célèbre domaine, propriété des Clauzel-Binaud (auxquels appartint, un temps, le Château Cantemerle), n'est qu'un cru bourgeois, mais certains de ses vins – le 1949 et le 1953, par exemple – figurent parmi les grandes réussites de leurs millésimes respectifs et sont devenus quasi légendaires. Le vignoble, qui se trouve sur la commune de Soussans dans l'appellation Margaux, est extrêmement ancien, puisque son existence est attestée depuis la fin du XIIIe siècle. Toutefois, comme Cantemerle, la propriété a connu un fléchissement durant les années 70, et elle commence tout juste à remonter la pente. Malgré tout, les rapports optimistes évoquant le renouveau du domaine ne trouvent pas encore leur confirmation dans mes notes de dégustation. Les vins sont certainement bons, mais ils n'ont rien montré, au cours des années 80, qui puisse justifier la promotion de La Tour de Mons au rang de cru classé, comme l'ont suggéré certains observateurs.

DES TROIS CHARDONS

Non classé
Propriétaires : Claude et Yves Chardon
Adresse : 33460 Cantenac
Tél. 05 57 88 39 13 – Fax 05 57 88 33 94
Visites : sur rendez-vous uniquement
Contacts : Claude et Yves Chardon

Superficie :
2,75 ha (Cantenac – appellation Margaux)
Vin produit : Château des Trois Chardons – 12 000 b (pas de second vin)
Encépagement : 50 % cabernet sauvignon, 45 % merlot, 5 % petit verdot
Densité de plantation : 10 000 pieds/ha – *Age moyen des vignes :* 30 ans
Rendement moyen : 52 hl/ha

Élevage :
fermentations et cuvaisons de 25 jours environ en cuves d'acier inoxydable ; vieillissement de 20 mois en fûts (10 % de bois neuf) ; collage ; pas de filtration

LES VIMIÈRES LE TRONQUÉRA

Cru artisan
Propriétaires : Anne-Marie et Jacques Boissenot
Adresse : 47, rue Principale – 33460 Lamarque
Tél. 05 56 58 91 74 – Fax 05 56 58 98 36
Visites : sur rendez-vous uniquement
Contact : Jacques Boissenot

Superficie : 0,45 ha (Soussans – appellation Margaux)
Vin produit : Château Les Vimières Le Tronquéra – 3 000 b (pas de second vin)
Encépagement : 100 % merlot
Densité de plantation : 10 000 pieds/ha – *Age moyen des vignes :* 50 ans
Rendement moyen : 39 hl/ha

Élevage :
fermentations de 18-20 jours à 28 °C environ,
en cuves de bois et en cuves d'acier inoxydable ;
vieillissement de 20 mois en fûts (60 % de bois neuf) ; collage ; pas de filtration

MÉDOC HAUT-MÉDOC LISTRAC ET MOULIS

Dans le vaste Médoc, il existe des centaines de châteaux qui produisent des vins intéressants. Ils permettent à l'amateur de réaliser de bonnes affaires les bonnes années... et de très grandes affaires les très grandes années ! Quelques-uns se révèlent parfois du niveau de bien des crus classés, mieux connus, et il peut même arriver qu'ils les surpassent. Cependant, la plupart de ces propriétés proposent des vins solides et fiables qui, sans être spectaculaires, n'en sont pas moins bien faits et gratifiants. Dans les meilleurs millésimes, tels 1961, 1970, 1975, 1982, 1985, 1986, 1989, 1990, 1995 et 1996, ils méritent vraiment d'être recherchés.

Durant les années 80, les crus bourgeois du Médoc, du Haut-Médoc, de Listrac et de Moulis ont, dans l'ensemble, davantage progressé que les autres vins du Bordelais. Si l'on veut boire régulièrement du bon bordeaux, il est primordial de bien les connaître.

Les appellations du Médoc concernent une vaste région qui comprend à l'heure actuelle quelque 4 800 ha de vignes. Il règne une certaine confusion dans la mesure où, géographiquement, le Médoc recouvre toute la région se trouvant au nord de la ville de Bordeaux, entre l'Océan et la Gironde, alors que, du point de vue viticole, l'aire de production du même nom correspond à la partie nord du vignoble bordelais, contrée qui pendant longtemps s'est appelée le Bas-Médoc. Les vins sont généralement issus des sept communes suivantes : Bégadan, Saint-Yzans, Prignac, Ordonnac, Saint-Christoly, Blaignan et Saint-Germain-d'Esteuil. Il est difficile de tirer des conclusions générales concernant l'appellation, car on y trouve des vins très divers. Cependant, on constate que, sur les sols relativement lourds, moins poreux et moins bien drainés, la tendance, depuis plusieurs décennies, est à l'augmentation de la proportion de merlot dans l'encépagement. C'est pourquoi les vins sont de plus en plus accessibles et de plus en plus fruités, et qu'ils rencontrent un succès croissant auprès du grand public. Il y a eu plusieurs tentatives de classement de ces crus, mais, *dans ce chapitre*, j'ai préféré les appeler tous « crus bour-

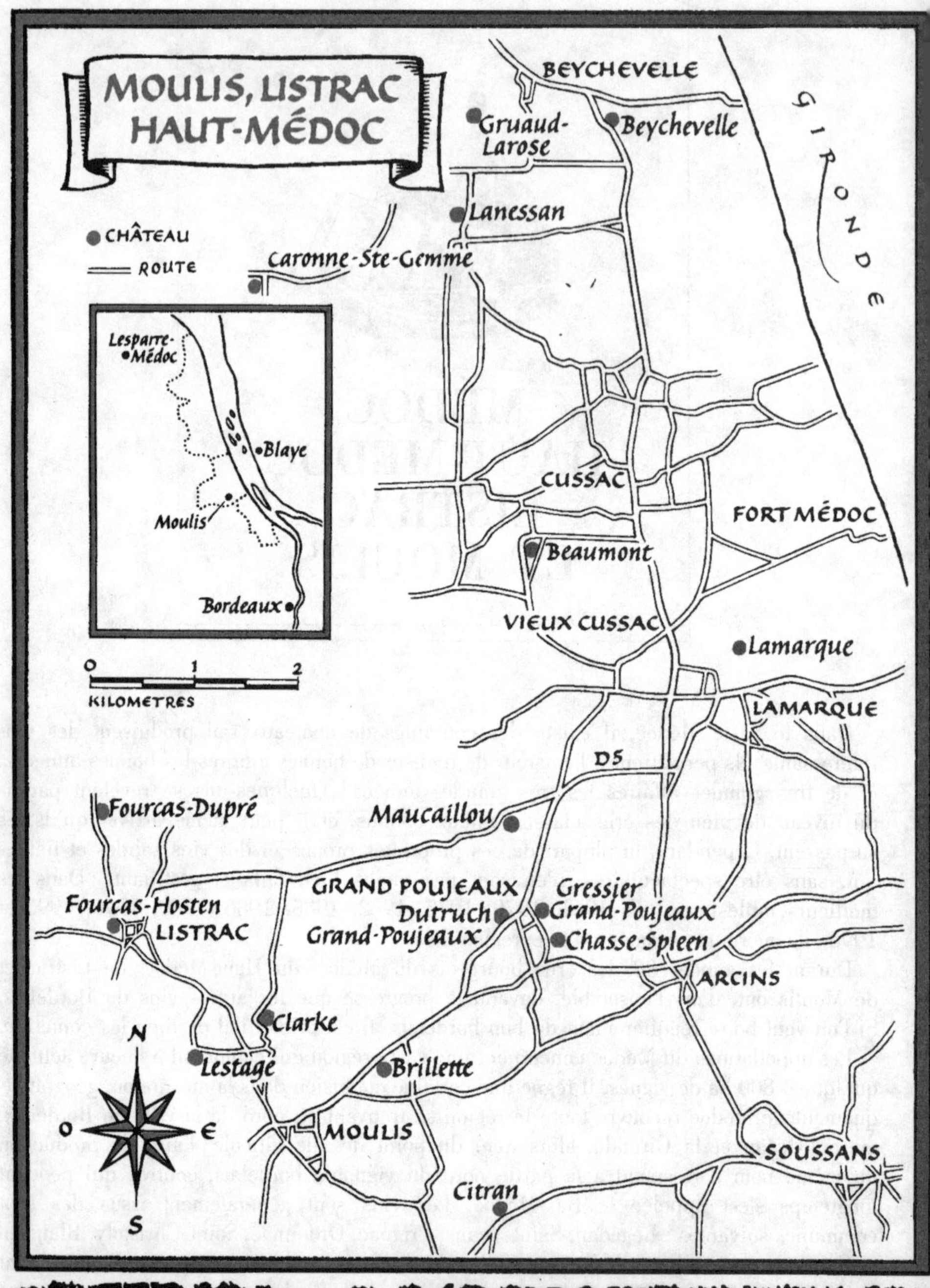
MOULIS, LISTRAC
HAUT-MÉDOC
CHÂTEAU
ROUTE
BEYCHEVELLE
Gruaud-Larose
Beychevelle
GIRONDE
Lanessan
Caronne-Ste-Gemme
Lesparre-Médoc
Blaye
Moulis
Bordeaux
CUSSAC
FORT MÉDOC
Beaumont
VIEUX CUSSAC
Lamarque
LAMARQUE
0
1
2
KILOMETRES
D5
Fourcas-Dupré
Maucaillou
GRAND POUJEAUX
Gressier
Grand-Poujeaux
Fourcas-Hosten
LISTRAC
Dutruch
Grand-Poujeaux
Chasse-Spleen
ARCINS
Clarke
N
Lestage
Brillette
O
E
MOULIS
SOUSSANS
Citran
S

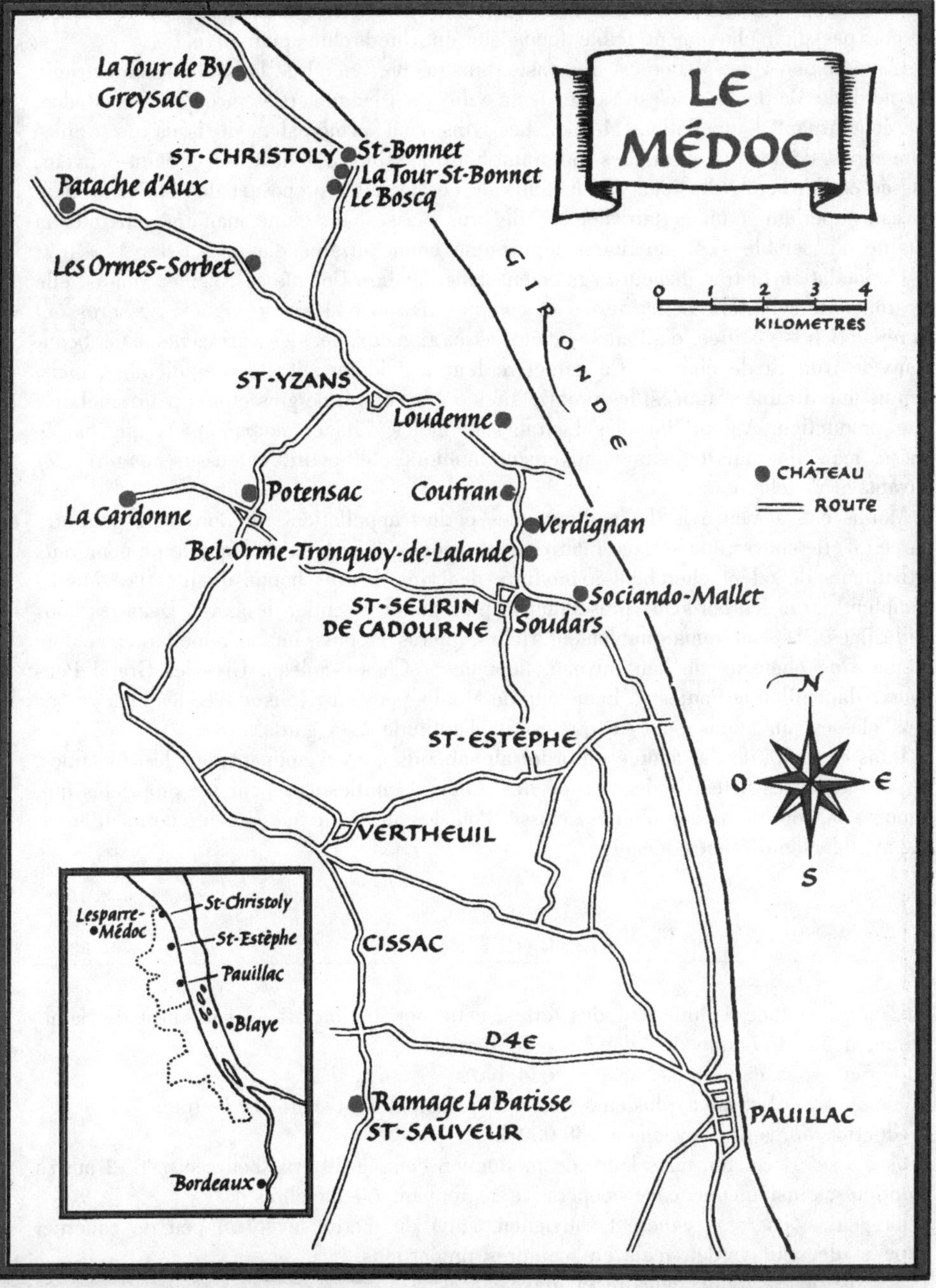
LE MÉDOC
La Tour de By
Greysac
ST-CHRISTOLY
St-Bonnet
La Tour St-Bonnet
Le Boscq
Patache d'Aux
Les Ormes-Sorbet
GIRONDE
0 1 2 3 4
KILOMETRES
ST-YZANS
Loudenne
CHÂTEAU
ROUTE
Potensac
Coufran
La Cardonne
Verdignan
Bel-Orme-Tronquoy-de-Lalande
Sociando-Mallet
ST-SEURIN
DE CADOURNE
Soudars
N
ST-ESTÈPHE
O
E
VERTHEUIL
S
Lesparre-
Médoc
St-Christoly
St-Estèphe
Pauillac
Blaye
CISSAC
D4E
Ramage La Batisse
ST-SAUVEUR
PAUILLAC
Bordeaux

geois », dans la mesure où il s'agissait surtout d'opérations commerciales ou politiques, et non pas d'un classement fiable fondé sur une hiérarchie qualitative.

L'appellation Haut-Médoc est très vaste, puisqu'elle s'étend de la banlieue industrielle du nord de Bordeaux – c'est-à-dire de la ville de Blanquefort – jusqu'au Bas-Médoc, en contournant l'appellation Médoc. Les vins sont principalement issus de quinze communes, dont les plus connues sont Saint-Seurin, Saint-Laurent, Cussac, Saint-Sauveur, Cissac et Vertheuil. Plusieurs producteurs de ces localités proposent des bordeaux d'un niveau supérieur à un certain nombre de crus classés, et, d'une manière générale, la qualité d'ensemble s'est améliorée depuis une bonne dizaine d'années.

L'appellation Listrac demeure également dans l'ombre. Comme sa voisine, Moulis, elle se trouve vers l'intérieur des terres et compte environ 644 ha de vignes. Ses crus ont la réputation – justifiée, d'ailleurs – d'être assez rugueux, secs et astringents, sans beaucoup de fruit ni de charme. Ce caractère leur a évidemment été préjudiciable, mais, depuis une dizaine d'années, les propriétaires ont accompli de gros efforts pour améliorer leur production. Aujourd'hui, les Listrac sont moins durs et moins râpeux que par le passé, mais ils sont toujours relativement tanniques, et pourraient assurément révéler davantage de charme.

Moulis est, à mon avis, la meilleure des petites appellations du Bordelais, peut-être parce qu'elle couvre une surface relativement modeste (557 ha), sur laquelle de nombreux viticulteurs de talent cherchent à produire des vins de très bonne qualité. Les Moulis comptent parmi les bordeaux présentant le plus grand potentiel de garde. Dans les bons millésimes, ils sont remarquablement riches, pleins et puissants. L'appellation compte pléthore de châteaux de haut niveau, notamment Chasse-Spleen, Gressier Grand Poujeaux, Maucaillou et Poujeaux. Beaucoup de Moulis peuvent rivaliser avec les plus grands crus classés, au moins pour ce qui est de l'aptitude à la garde.

Dans ce chapitre, j'ai adopté un ordre alphabétique, en regroupant tous les domaines, et j'ai ajouté des notes de dégustation des différents millésimes pour les propriétés qui, à mon avis, sont du niveau d'un cru classé. Pour les autres, je me contente de mentionner les meilleurs millésimes récents.

LISTRAC – REPÈRES

Situation : située à l'intérieur des terres, cette appellation est au sud-ouest de Saint-Julien, à une trentaine de kilomètres de Bordeaux.
Superficie sous culture de vigne : 644 ha.
Communes : il y en a plusieurs, mais la principale est celle de Listrac.
Production annuelle moyenne : 38 000 hl.
Crus classés : aucun, mais l'aire de production compte 29 crus bourgeois et 12 autres propriétés, ainsi qu'une cave coopérative regroupant 60 membres.
Principaux cépages : cabernet sauvignon, suivi du merlot, avec un peu de cabernet franc et de petit verdot, mais en moindres proportions.
Types de sol : argile, calcaire et graves.

MOULIS – REPÈRES

Situation : à 28 km de Bordeaux, au nord-ouest de Margaux.

Superficie sous culture de vigne : 557 ha.
Communes : Moulis, mais également Arcins, Castelnau, Lamarque et Listrac, où se situent certaines propriétés.
Production annuelle moyenne : 32 000 hl.
Crus classés : aucun, mais l'appellation compte 31 crus bourgeois et 13 autres propriétés.
Principaux cépages : cabernet sauvignon, suivi du merlot.
Types de sol : calcaire, ainsi que des sols graveleux, sableux et argileux.

HAUT-MÉDOC – REPÈRES

Situation : juste au nord de la ville de Bordeaux. Les deux tiers de la péninsule médocaine composent l'appellation Haut-Médoc.
Superficie sous culture de vigne : 4 200 ha.
Communes : en allant du nord au sud, on trouve Saint-Seurin-de-Cadourne, Vertheuil, Cissac, Saint-Sauveur, Saint-Laurent, Cussac-Fort-Médoc, Lamarque, Arcins, Avensan, Castelnau-de-Médoc, Arsac, Macau, Le Pian-Médoc, Ludon, Parempuyre, Le Taillan, Blanquefort.
Production annuelle moyenne : plus de 250 000 hl.
Crus classés : 5 en tout, dont le Château La Lagune (3e cru), le Château La Tour Carnet (4e cru) et les Châteaux Belgrave, Camensac et Cantemerle (5e crus). La région compte également 140 crus bourgeois et 116 autres propriétés, ainsi que 5 caves coopératives.
Principaux cépages : cabernet sauvignon, suivi du merlot et du cabernet franc.
Types de sol : sableux, graveleux.

MÉDOC – REPÈRES

Situation : un tiers de la péninsule médocaine a droit à l'appellation Médoc. La frontière sud de cette aire de production se situe à une cinquantaine de kilomètres au nord de Bordeaux.
Superficie sous culture de vigne : 4 800 ha.
Communes : du nord au sud, ce sont Saint-Vivien-de-Médoc, Jau-Dignac-et-Loirac, Vensac, Valeyrac, Queyrac, Bégadan, Saint-Christoly-de-Médoc, Civrac-en-Médoc, Couquèques, Prignac, Gallianen, Lesparre, Blaignan, Saint-Yzans-de-Médoc, Ordonnac, Saint-Germain-d'Esteuil.
Production annuelle moyenne : environ 290 000 hl.
Crus classés : aucun, mais on compte 127 crus bourgeois et 113 autres propriétés, ainsi que 5 caves coopératives regroupant plus de 400 membres.
Principaux cépages : le cabernet sauvignon prédomine, suivi du merlot, puis du cabernet franc, du malbec et du petit verdot, mais en moindres proportions.
Types de sol : les sols sont plus divers que ceux du Haut-Médoc ; ils sont généralement très graveleux, mais aussi calcaires ou sableux.

MON CLASSEMENT

EXCELLENT

Charmail, Chasse-Spleen, Citran, Fourcas Loubaney, Lanessan, Maucaillou, Potensac, Poujeaux, Sociando-Mallet, Tour Haut-Caussan, Tour du Haut-Moulin

TRÈS BON

Ducluzeau, Du Moulin Rouge, Les Ormes Sorbet, Peyredon Lagravette, Tour Saint-Bonnet

BON

Anthonic, Arnauld, Belgrave, Le Boscq, Branas Grand Poujeaux, Brillette, Camensac, Cissac, Clarke, Clément-Pichon, Coufran, Dutruch Grand Poujeaux, Fonréaud, Fourcas Dupré, Fourcas Hosten, Gressier Grand Poujeaux, Greysac, De Lamarque, Lestage, Liversan, Magnol, Malescasse, Mayne Lalande, Moulin à Vent, Patache d'Aux, Plagnac, Saransot-Dupré, Ségur, Sémeillan Mazeau, Sénéjac, Soudars, La Tour de By, Verdignan

AUTRES PROPRIÉTÉS NOTABLES

D'Agassac, Bel Orme Tronquoy de Lalande, La Cardonne, Caronne Sainte-Gemme, Duplessis, Duplessis Fabre, Hanteillan, Larose-Trintaudon, Loudenne, Moulis, Ramage La Bâtisse, La Tour Carnet, De Ville George

COMMENTAIRES DE DÉGUSTATION

D'AGASSAC

Cru bourgeois – devrait être maintenu
Propriétaire : Groupama Assurances
Adresse : 15, rue du Château-d'Agassac
33290 Ludon-Médoc
Tél. 05 57 88 15 47 – Fax 05 57 88 17 61
Visites : du lundi au vendredi
(8 h 30-12 h 30 et 14 h-17 h)
Contact : Jean-Luc Zell

Superficie : 36,5 ha (Ludon-Médoc – appellation Haut-Médoc)
Vins produits :
Château d'Agassac – 120 000 b ; Château Pomiès Agassac – 55 000 b
Encépagement : 50 % merlot, 47 % cabernet sauvignon, 3 % cabernet franc
Densité de plantation : 6 700 pieds/ha – *Age moyen des vignes :* 20 ans
Rendement moyen : 36 hl/ha

Élevage :
fermentations et cuvaisons de 23-30 jours
en cuves d'acier inoxydable thermorégulées ;
vieillissement après les malolactiques de 18 mois, pour 75 % de la récolte en fûts

(1/3 de bois neuf) et pour le reste en cuves (avec microbullage) ; collage ; filtration pour les seuls vins de presse

A maturité : dans les 4 à 9 ans suivant le millésime

Le Château d'Agassac est le seul, avec La Lagune, à être situé sur les terrains sableux de Ludon, dans la partie sud du Médoc.

Cette propriété a donné une longue série de vins irréguliers, en dépit de rendements ténus et d'une vinification très traditionnelle. Le cru était robuste, manquant souvent de charme et de fruit, et devait alors être consommé dans les 10 ans suivant le millésime. Les millésimes les mieux réussis de la propriété étaient les 1990 et 1989, ainsi que le 1982, qui commence maintenant à se faner. En revanche, les 1983, 1986 et 1988 me paraissent plutôt insipides.

D'Agassac, qui appartenait autrefois à la famille Gasqueton (également propriétaire des Châteaux Calon-Ségur et Capbern), a été racheté en juillet 1996 par Groupama Assurances. Jean-Luc Zell s'occupe désormais de la gestion du domaine et assure les vinifications avec Pierre-Philippe Callegrain, maître de chais. Les vins bénéficient aussi des conseils du Pr Pascal Ribereau-Gayon.

Les nouveaux propriétaires ont, dès le rachat, entrepris de très importants travaux, qu'il s'agisse des installations techniques ou du château lui-même : D'Agassac a maintenant une cuverie en acier inoxydable thermorégulée, le parc à barriques a été entièrement refait, et le château, superbe bâtisse du XIIIe siècle entourée de douves, a été restauré. On a également procédé à la restructuration du vignoble, avec des complantations et un drainage efficace.

Il est donc permis d'espérer une amélioration substantielle du niveau des vins dans les prochaines années.

ANTHONIC - BON

Cru bourgeois – devrait être maintenu
Propriétaire : Pierre Cordonnier
Adresse : 33480 Moulis
Tél. 05 56 58 34 60 – Fax 05 56 58 06 22
Visites : du lundi au vendredi
(9 h-12 h et 14 h-17 h 30),
sur rendez-vous uniquement le week-end
Contact : Jean-Baptiste Cordonnier

Superficie : 22,5 ha (Moulis – appellation Moulis)
Vins produits :
Château Anthonic – 130 000 b ;
Château Le Malinay/Château La Grave de Guitignan – 20 000 b
Encépagement : 55 % merlot, 45 % cabernet sauvignon
Densité de plantation : 6 700 pieds/ha – *Age moyen des vignes :* 20 ans
Rendement moyen : 53 hl/ha

Élevage :
fermentations et cuvaisons de 21 jours
en cuves d'acier inoxydable à 33-35 °C maximum ;

vieillissement après les malolactiques de 12-15 mois en fûts (1/3 de bois neuf) ;
collage et filtration

A maturité : dans les 3 à 10 ans suivant le millésime

Ayant dégusté plusieurs millésimes d'Anthonic, je dois avouer avoir été impressionné par leur caractère racé et élégant. Le vignoble est encore jeune (20 ans d'âge moyen), car il a été reconstitué pour l'essentiel en 1977 et 1980, lors de l'acquisition du domaine par Pierre Cordonnier – à l'exception d'une très vieille parcelle plantée en 1902. Il est excellemment situé, à proximité notamment du célèbre Château Clarke, sur un sol argilo-calcaire dont la très fine couche d'argile permet un très bon drainage. Jean-Baptiste Cordonnier vinifie en cuves d'acier inoxydable, puis en fûts de chêne renouvelés par tiers à chaque millésime.

ARNAULD – BON

Cru bourgeois – devrait être maintenu
Propriétaire : SCEA Theil-Roggy
Adresse : 33460 Margaux
Tél. 05 57 88 89 10 – Fax 05 57 88 50 35
Visites : du lundi au samedi (9 h-12 h et 14 h-18 h)
Contact : François Theil

Superficie : 24 ha (Arcins – appellation Haut-Médoc)
Vins produits : Château Arnauld – 120 000 b ; Le Comte d'Arnauld – 60 000 b
Encépagement : 50 % cabernet sauvignon, 50 % merlot
Densité de plantation : 6 600 pieds/ha – *Age moyen des vignes :* 25 ans
Rendement moyen : 56 hl/ha

Élevage :
fermentations et cuvaisons de 28 jours environ
en cuves de béton et d'acier inoxydable ;
vieillissement après les malolactiques de 12 mois en fûts (40 % de bois neuf) ;
collage et filtration

A maturité : dans les 3 à 8 ans suivant le millésime

Situé sur la route des grands crus, juste après le village d'Arcins, le Château Arnauld est la propriété de la famille Theil-Roggy, qui a depuis longtemps assuré la belle réputation de Château Poujeaux (Moulis), l'un des vins les plus remarquables du Médoc.

Le vin produit à Arnauld est moins charpenté, ce qui n'est guère étonnant, compte tenu de l'importante proportion de merlot (50 %) de son assemblage. Séduisant et richement extrait, il doit être bu dans les 3 à 8 ans suivant le millésime. Il est fort bien vinifié depuis les années 80 ; les exemples les mieux réussis sont souples, exceptionnellement fruités et bien colorés, même si leur potentiel de garde est limité. Les prix de ces vins savoureux demeurent cependant raisonnables.

BEAUMONT

Cru bourgeois – devrait être maintenu
Propriétaire : Grands Millésimes de France
Adresse : 33460 Cussac-Fort-Médoc
Adresse postale : Grands Millésimes de France
33, cours du Médoc – 33300 Bordeaux
Tél. 05 56 58 92 29 – Fax 05 56 58 90 94
Visites : sur rendez-vous de préférence,
du lundi au vendredi
(9 h-12 h et 14 h-17 h)
Contact : Étienne Priou

Superficie : 107 ha (Cussac-Fort-Médoc – appellation Haut-Médoc)
Vins produits : Château Beaumont – 480 000 b ; Château d'Arvigny – 15 000 b
Encépagement :
62 % cabernet sauvignon, 30 % merlot, 5 % cabernet franc, 3 % petit verdot
Densité de plantation : 6 600 pieds/ha – *Age moyen des vignes :* 20 ans
Rendement moyen : 50-60 hl/ha

Élevage :
fermentations et cuvaisons de 21-28 jours
en cuves d'acier inoxydable thermorégulées ;
fréquents remontages ; vieillissement de 12-16 mois en fûts (1/3 de bois neuf) ;
collage et filtration

Beaumont – dont on dit qu'il tiendrait son nom de Louis de Beaumont, qui s'appropria les terres du seigneur de Cussac pendant la guerre de Cent Ans – est situé sur des sols de graves profondes, entre Margaux et Saint-Julien. Le vignoble, de 107 ha, est d'un seul tenant, sur la butte de Beaumont (29 m).

Ce vaste domaine a connu des hauts et des bas, jusqu'au moment où il a été racheté par Grands Millésimes de France, qui possède d'autres propriétés (notamment le Château Beychevelle, en Saint-Julien) et dont les actionnaires sont le groupe GMF et Suntory (1986). Depuis cette date, la qualité s'est considérablement améliorée, et le vin est aujourd'hui l'un des plus séduisants et des mieux vinifiés du Médoc, mais aussi l'un des plus intéressants par son prix. Les nouveaux propriétaires ont recherché davantage de souplesse et d'ampleur, mettant l'accent sur un fruit généreux et judicieusement nuancé d'arômes vanillés, dus aux 33 % de chêne neuf utilisé pour l'élevage. Les récents millésimes donnent l'impression que le pourcentage de merlot est supérieur aux 30 % annoncés. C'est un vin qu'il faut rechercher, parce qu'il est vinifié de manière intelligente et qu'il est immédiatement séduisant, même pour les moins avertis. Quant au château lui-même, il est intéressant et mérite une visite. C'est un joyau d'architecture légère à la Mansart, dont l'élégante façade, flanquée de tourelles octogonales, ouvre sur la Gironde.

1997 Légèrement corsé et richement fruité, ce vin tout en velours et soie sera parfait
• ces **3 ou 4 prochaines années.** (1/99)
84-86

BEL ORME TRONQUOY DE LALANDE

Cru bourgeois – devrait être maintenu
Propriétaire : Jean-Michel Quié
Adresse : 33180 Saint-Seurin-de-Cadourne
Tél. 05 56 59 38 29 – Fax 05 56 59 72 83
Visites : sur rendez-vous de préférence
Contact : Jean-Philippe Caudouin

Superficie :
30 ha (Saint-Seurin-de-Cadourne – appellation Haut-Médoc)
Vin produit :
Château Bel Orme Tronquoy de Lalande – 130 000 b (pas de second vin)
Encépagement : 50 % merlot, 35 % cabernet sauvignon, 15 % cabernet franc
Densité de plantation : 6 500 pieds/ha – *Age moyen des vignes :* 28 ans
Rendement moyen : 50-60 hl/ha

Élevage :
fermentations et cuvaisons de 21 jours en cuves de béton thermorégulées ; vieillissement après les malolactiques de 12-14 mois en fûts (10 % de bois neuf) ; collage à l'albumine ; filtration

A maturité : dans les 5 à 10 ans suivant le millésime

J'ai gardé le souvenir d'un Bel Orme 1945 remarquablement profond, bu le jour du nouvel an 1985. D'autre part, mes notes mentionnent un bon 1982 et, plus récemment, un 1989 de bonne mâche, opulent et corsé. Cependant, le plus souvent, j'ai trouvé que les vins de cette propriété, située tout à fait au nord du Médoc, près du village de Saint-Seurin-de-Cadourne, manquaient d'intérêt.

Au cours des années 80, le domaine a abandonné son ancien style de vinification, qui mettait l'accent sur la puissance, avec un niveau de tannins à la limite du supportable, pour produire des vins modernes et souples – ce qui aboutit souvent à un manque de concentration et de caractère.

BELGRAVE – BON

5e cru classé en 1855 – équivaut à un cru bourgeois
Propriétaire : SC du Château Belgrave
Adresse : 33112 Saint-Laurent-du-Médoc
Adresse postale : CVBG – BP 49 – 35, rue de Bordeaux 33290 Parempuyre
Tél. 05 56 35 53 00 – Fax 05 56 35 53 29
Visites : sur rendez-vous uniquement
Contact : CVBG

Superficie : 54 ha (Saint-Laurent-du-Médoc – appellation Haut-Médoc)
Vins produits : Château Belgrave – 250 000 b ; Diane de Belgrave – 120 000 b
Encépagement :
40 % cabernet sauvignon, 35 % merlot, 20 % cabernet franc, 5 % petit verdot

Densité de plantation : 8 500 pieds/ha – *Age moyen des vignes :* 22 ans
Rendement moyen : 55 hl/ha

Élevage :
fermentations et cuvaisons de 21 jours en cuves thermorégulées ;
3-5 remontages quotidiens ; les malolactiques ont lieu en fûts neufs
pour une partie de la récolte et en cuves pour l'autre ;
vieillissement de 15-18 mois en fûts (50 % de bois neuf) ;
collage au blanc d'œuf ; pas de filtration

A maturité : dans les 5 à 12 ans suivant le millésime

Lorsque la très importante maison Dourthe (la CVBG, comme on l'appelle à Bordeaux) a pris cette propriété en fermage, en 1980, elle était, plus que toute autre en Médoc, en fort piteux état. Les nouveaux arrivants ont engagé d'importants investissements, et le domaine est maintenant très beau, avec un château que Dourthe utilise pour traiter ses principaux clients. Les vignobles ont été replantés, et la proportion de merlot a été diminuée au profit du cabernet sauvignon.

Cependant, l'amélioration des vins a été très peu perceptible jusqu'au milieu des années 80, c'est-à-dire jusqu'au moment où Patrick Atteret, gendre du dirigeant de Dourthe, Jean-Paul Jauffret, a pris en main les rênes de la propriété. On a en outre demandé à Michel Rolland, le célèbre œnologue de Libourne, de superviser la vinification. Dès lors, Belgrave s'est révélé plus coloré, plus profond et plus riche. Le 1986, fort bien élaboré, est généreux, relativement corsé et d'assez bonne garde. Le 1988 est une réussite, bien qu'il soit, comme tant de Médoc du millésime, doté de tannins agressifs. Le 1989 paraît joliment doté, souple et doux ; c'est un vin précoce, qu'il faut consommer avant qu'il n'ait 10 ans d'âge.

1997 • 81-84 Le 1997 est une déception. J'ai même du mal à croire qu'un cinquième cru puisse produire un vin aussi inintéressant et monolithique, étonnamment tannique pour le millésime. Il y a de fortes probabilités pour qu'il demeure ainsi anguleux et austère. (3/98)

1993 • 79 Le 1993 de Belgrave est un vin maigre et creux, à la texture rugueuse, qui, bien qu'étant d'une belle couleur, ne recèle pas un fruité suffisant pour contrebalancer ses défauts structurels. (11/95)

LE BOSCQ – BON

Cru bourgeois – devrait être maintenu
Propriétaire : SA Château Patache d'Aux
Adresse : 1, rue du 19-Mars – 33340 Bégadan
Tél. 05 56 41 50 18 – Fax 05 56 41 54 65
Visites : du lundi au vendredi (9 h-12 h 30 et 14 h-17 h 30)
Contact : Patrice Ricard

Superficie : 27 ha (Saint-Christoly – appellation Médoc)
Vins produits :
Château Le Boscq Vieilles Vignes – 70 000 b ; Château Le Boscq – 130 000 b
Encépagement : 70 % cabernet sauvignon, 20 % merlot, 10 % cabernet franc

Densité de plantation : 5 500 pieds/ha – *Age moyen des vignes :* 20 ans
Rendement moyen : 59 hl/ha

Élevage :
fermentations de 20-25 jours en cuves de bois, de béton et d'acier inoxydable ; vieillissement après les malolactiques de 12 mois en fûts (20 % de bois neuf) ; collage ; pas de filtration

A maturité : dans les 3 à 7 ans suivant le millésime

Les vignobles de ce cru bourgeois très régulier sont excellemment situés, à proximité du village de Saint-Christoly, entre La Tour de By et Tour Saint-Bonnet, deux propriétés de très bon niveau également. Le Boscq est actuellement dirigé par Michel Lapalu, qui est aussi à la tête du célèbre Patache d'Aux. Ce cru se distingue généralement par un fruité souple, très généreux et sans détour ; il doit donc être consommé dans les 3 à 7 ans du millésime. Les vendanges sont mécaniques, et la vinification et l'élevage tendent à des vins accessibles dès leur diffusion.

Depuis 1989, la propriété propose également une cuvée Vieilles Vignes. Les commentaires qui suivent la concernent exclusivement.

1997 • **85-86** Rubis foncé de robe, le 1997 séduit par son nez sans détour de doux fruits rouges, infusé de notes épicées et minérales. Moyennement corsé, rond et souple, il sera agréable dans les 4 ou 5 ans. (3/98)

1996 • **86** Délicieux et richement fruité, l'excellent 1996 arbore une robe d'un rubis profond et déploie une belle texture en milieu de bouche. Sa finale, moyennement corsée et modérément persistante, est riche et épicée. **A boire jusqu'en 2008.** (1/99)

1995 • **85** Séduisant, moyennement corsé et bien fait, Le Boscq 1995 est d'une belle profondeur et offre, aussi bien au nez qu'en bouche, des arômes épicés de cassis. D'ores et déjà accessible, il constitue de surcroît une excellente affaire. **A boire dans les 3 ou 4 ans.** (1/98)

1993 • **85** Cette propriété fait souvent de bons vins dans les bonnes années, mais je ne m'attendais pas que son 1993 – un millésime relativement difficile – se montre épicé, doux et mûr. Quoique unidimensionnel, il est charnu. **A boire dans les 4 ou 5 ans.** (11/95)

BRANAS GRAND POUJEAUX – BON

Cru bourgeois – devrait être maintenu
Propriétaire : Jacques de Pourquéry
Adresse : 33380 Moulis
Tél. 05 56 58 03 07 – Fax 05 56 58 02 04
Visites : sur rendez-vous uniquement
Contact : Jacques de Pourquéry

Superficie : 6 ha (Moulis – appellation Moulis)
Vins produits :
Château Branas Grand Poujeaux – 47 000 b ; Clos des Demoiselles – 30 000 b

Encépagement : 50 % cabernet sauvignon, 45 % merlot, 5 % petit verdot
Densité de plantation : 6 600 pieds/ha – *Age moyen des vignes :* 30 ans
Rendement moyen : 60 hl/ha

Élevage :
fermentations de 21 jours environ en cuves de bois et de fibre de verre ;
vieillissement après les malolactiques de 24 mois,
pour moitié en cuves de bois et en fûts ;
collage et filtration

A maturité : dans les 6 à 15 ans suivant le millésime

Le Château Branas Grand Poujeaux est l'une des propriétés les moins étendues et les moins connues de Moulis. Cependant, les millésimes récents que j'ai dégustés révélaient une très belle ampleur aromatique et un potentiel de garde de 10 à 20 ans. J'aurais aimé mieux connaître les vins plus vieux ; en effet, les 1985, 1986 et 1989 m'avaient paru extrêmement prometteurs dans leur jeunesse.

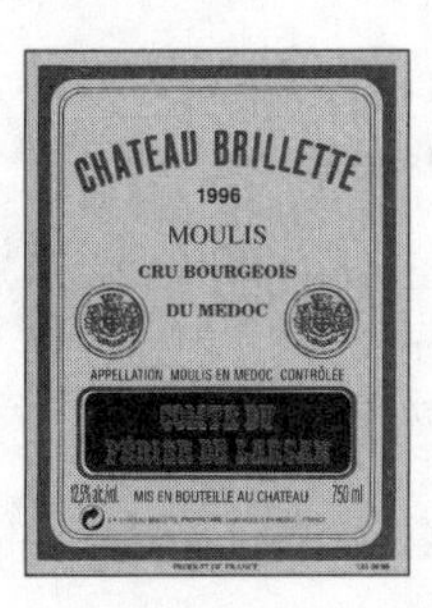

BRILLETTE – BON

Cru bourgeois – devrait être maintenu
Propriétaire : Jean-Louis Flageul
Adresse : 33380 Moulis
Tél. 05 56 58 22 09 – Fax 05 56 58 12 26
Visites : sur rendez-vous uniquement
Contacts : Sandrine Delmas et Laurent Crouzet

Superficie :
36,5 ha (Moulis – appellation Moulis)
Vins produits : Château Brillette – 110 000 b ; Château Haut-Brillette – 110 000 b
Encépagement :
50 % cabernet sauvignon, 40 % merlot, 5 % cabernet franc, 5 % petit verdot
Densité de plantation : 7 100 pieds/ha – *Age moyen des vignes :* 25 ans
Rendement moyen : 45 hl/ha

Élevage :
fermentations de 21-28 jours en cuves thermorégulées à 28-30 °C ;
vieillissement après les malolactiques de 16-18 mois en fûts (30 % de bois neuf) ;
collage ; pas de filtration

A maturité : dans les 7 à 10 ans suivant le millésime

Le vaste domaine de Brillette (150 ha au total, dont un peu plus de 36 sous culture de vigne) se situe à 1 km au nord de Moulis-en-Médoc. Acheté en 1976 par M. et Mme Berthault, il a été repris en janvier 1994 par Jean-Louis Flageul, fils de Mme Berthault. Celui-ci a entrepris la réfection du chai de vieillissement et de la cuverie, opère une complantation régulière depuis 1994 et a mis en œuvre un plan de remplacement des parcelles peu productives.

Brillette produit chaque année environ 19 000 caisses d'un vin qui, pour n'être pas très connu, n'en est pas moins de très grande qualité, se distinguant par son caractère épicé, boisé et richement fruité, qui séduira le plus grand nombre.

Le vignoble est d'un seul tenant et se situe sur des sols graveleux et sableux. Si, au début des années 80, les vendanges étaient entièrement mécaniques, depuis 1997, elles sont pour moitié manuelles et l'élevage se fait avec environ 30 % de bois neuf, ce qui confère au cru ses remarquables notes fumées et grillées.

Brillette convient particulièrement aux amateurs de vins boisés ; il doit généralement être consommé dans les 10 ans suivant le millésime.

CAMENSAC - BON

5e cru classé en 1855 – équivaut à un cru bourgeois
Propriétaire : GFA du Château Camensac
Adresse : route de Saint-Julien
33112 Saint-Laurent-du-Médoc
Tél. 05 56 59 41 69 – Fax 05 56 59 41 73
Visites : sur rendez-vous uniquement
Contact : Henri Forner

Superficie : 65 ha (Saint-Laurent-du-Médoc – appellation Haut-Médoc)
Vins produits :
Château Camensac – 360 000 b ; La Closerie de Camensac – 100 000 b
Encépagement : 60 % cabernet sauvignon, 40 % merlot
Densité de plantation : 10 000 pieds/ha – *Age moyen des vignes :* 35 ans
Rendement moyen : 45 hl/ha

Élevage :
fermentations et cuvaisons de 15-21 jours
en cuves d'acier inoxydable thermorégulées ;
une petite partie de la récolte achève les malolactiques en fûts,
le reste demeurant en cuves ;
vieillissement après les malolactiques de 18 mois en fûts (35-75 % de bois neuf) ;
collage et filtration

A maturité : dans les 5 à 14 ans suivant le millésime

Camensac compte parmi les moins connus des crus classés de 1855. Sans doute sa situation, très en retrait par rapport à la Gironde, dans la commune de Saint-Laurent, à l'ouest de Saint-Julien, explique-t-elle en partie ce manque de notoriété. Il faut ajouter que la longue série de vins médiocres que l'on a vus se succéder sans interruption jusqu'aux années 70 n'a pas particulièrement contribué à sa bonne renommée. Cependant, les choses sont en train de changer, et dans le bon sens.

Ceux qui ont permis ce renouveau sont les frères Forner, qui ont acheté Camensac en 1965 et y ont beaucoup investi – en énergie et en argent – pour replanter le vignoble, améliorer le chai et les installations de vinification. Les Forner sont mieux connus pour les vins de style moderne qu'ils élaborent dans leurs caves de Marqués de Cáceres, dans la région espagnole de Rioja.

Avec l'aide d'Émile Peynaud, vraiment omniprésent dans le Bordelais, le domaine a commencé à produire des vins d'un caractère plus léger, mais aussi plus souple et plus fruité. Pourtant, même si Camensac s'est amélioré, il n'est pas encore du niveau d'un cinquième cru. Il évoque un peu un Saint-Julien par son fruit et par son caractère corsé, et se révèle suffisamment tannique pour bien tenir une bonne dizaine d'années dans les bons millésimes.

Mes notes de dégustation de la fin des années 80 mentionnent pour beaucoup de bouteilles des arômes, disons, de carton humide, mais ce problème a été résolu dès le début des années 90. A l'heure actuelle, les vins de Camensac se distinguent par leur concentration et leur caractère sans détour et carré.

1997 • **85-86** Bien réussi, le Camensac 1997 est net et élégant, avec des parfums épicés et herbacés de fruits rouges et de minéral, marqués en arrière-plan de notes de moka. Moyennement corsé et faible en acidité, il séduit par son caractère dense. **A boire dans les 5 à 7 ans.** (3/98)

1996 • **85-86** Vêtu de rubis-pourpre foncé, le 1996 dégage de généreuses senteurs de petits fruits rouges et doux, et se montre moyennement corsé en bouche, où il déploie un caractère sans détour, musclé et mûr. Sa finale est modérément tannique. Il tiendra bien **10 ans.** (1/98)

1995 • **85** Plus doux, mais moins concentré que le 1996, le 1995 de Camensac est aussi plus élégant. C'est un vin net et des plus plaisants. **A boire dans les 10 ans.** (1/98)

LA CARDONNE

Cru bourgeois – devrait être maintenu
Propriétaire : SNC Domaines CGR
Adresse : route de la Cardonne – 33340 Blaignan
Adresse postale : 40, rue Notre-Dame-des-Victoires – 75002 Paris
Tél. 01 42 21 11 80 – Fax 01 42 21 11 85
Visites : du lundi au vendredi (9 h-12 h et 13 h 30-16 h 30)
Contact : Nathalie Figula
Tél. 05 56 73 31 51 – Fax 05 56 73 31 52

Superficie : 70 ha (Blaignan et Ordonnac – appellation Médoc)
Vins produits : Château La Cardonne – 350 000 b ; Cardus – 150 000 b
Encépagement : 50 % merlot, 45 % cabernet sauvignon, 5 % cabernet franc
Densité de plantation : 7 500 pieds/ha – *Age moyen des vignes :* 35 ans
Rendement moyen : 55 hl/ha

Élevage :
fermentations et cuvaisons de 20-30 jours
en cuves d'acier inoxydable thermorégulées ;
vieillissement de 12 mois en fûts (1/3 de bois neuf) ; collage et filtration

---

A maturité : dans les 3 à 6 ans suivant le millésime

La Cardonne est situé sur le plus haut plateau du Médoc. Les terres étaient déjà plantées en vignes au XVIIe siècle. Le vignoble bénéficie d'un sol de graves sableuses.

Les Rothschild (propriétaires des célèbres Lafite Rothschild et Mouton Rothschild) l'avaient acquis en 1973, suscitant de grandes espérances. Il s'agissait alors d'une énorme structure produisant des vins au caractère relativement léger, manquant de distinction et commerciaux, mais techniquement corrects. Je persiste à penser que des rendements très élevés et une filtration excessive leur ôtaient une bonne partie de leur concentration et de leur personnalité. Les Rothschild entreprirent donc une complète refonte de la propriété. Et, depuis le rachat par les Domaines CGR dans les années 90, d'importants aménagements y ont encore été effectués.

Compte tenu de leur qualité, ces Médoc sont trop chers ; cependant, le 1990 est réellement bon et s'impose comme le meilleur La Cardonne que j'aie jamais goûté. Les millésimes récents semblent attester une amélioration du niveau.

CARONNE SAINTE-GEMME

Cru bourgeois – devrait être maintenu
Propriétaires : Jean et François Nony
Adresse : 33112 Saint-Laurent-du-Médoc
Adresse postale : SCE des Vignobles Nony-Borie
73, quai des Chartrons – 33000 Bordeaux
Tél. 05 57 87 56 81 – Fax 05 56 51 71 51
Visites : sur rendez-vous uniquement
Contact : Vignobles Nony-Borie

Superficie : 43 ha (Saint-Laurent-du-Médoc – appellation Haut-Médoc)
Vins produits :
Château Caronne Sainte-Gemme – 220 000 b ;
Château Lagrave Genestra – 60 000 b
Encépagement : 55 % cabernet sauvignon, 43 % merlot, 2 % petit verdot
Densité de plantation : 10 000 pieds/ha – *Age moyen des vignes :* 30 ans
Rendement moyen : 50 hl/ha

Élevage :
fermentations et cuvaisons de 20-25 jours,
pour moitié en cuves d'acier inoxydable et en cuves de ciment ;
vieillissement de 16 mois en fûts (25 % de bois neuf) ; collage et filtration

---

A maturité : dans les 4 à 8 ans suivant le millésime

Caronne Sainte-Gemme fut, en 1900, la première propriété acquise par les frères Eugène et Émile Borie dans le Bordelais. En 1932, Émile, grand-père de Jean Nony, actuel gérant du vignoble, racheta les parts de ses neveux, Francis et Marcel, qui se portèrent acquéreurs de Batailley.

Accessible par la D125 (Bordeaux-Le Verdon), sur laquelle figure un panneau indicateur après Listrac, ce domaine de Saint-Laurent n'est pas toujours facile à dénicher dans le fouillis des petites routes du Médoc.

Je n'étais pas, jusque récemment, grand amateur de ces vins foncés de robe, mais dotés d'un bouquet étonnamment limité et d'un caractère robuste, plutôt rustique, presque fruste, et souvent excessivement tanniques. Cela dit, le niveau semble s'être amélioré, comme en témoigne notamment le millésime 1996, qui m'a séduit. Et les importants travaux entrepris en 1998 et 1999 – construction d'un cuvier inox, rénovation du cuvier ciment, installation d'une centrale de régulation des températures et d'un système de ventilation automatiques, réaménagement des chais, etc. – devraient permettre aux ambitions affichées par le domaine de se réaliser prochainement.

1996 • **86** Ce cru bourgeois bien vinifié arbore une robe d'un rubis-pourpre foncé, et déploie, dès l'attaque en bouche, un caractère souple et charnu aux douces notes de cerise nuancées de chêne épicé et de terre. Étonnamment évolué pour le millésime, il est moyennement corsé et faible en acidité. **A boire dans les 5 ou 6 ans.** (1/99)

CHARMAIL – EXCELLENT

Cru bourgeois – équivaut à un 5e cru
Propriétaire : Olivier Sèze
Adresse : 33180 Saint-Seurin-de-Cadourne
Tél. 05 56 59 70 63 – Fax 05 56 59 39 20
Visites : du lundi au vendredi (9 h-12 h et 14 h-18 h)
Contact : Olivier Sèze

Superficie : 22,5 ha (Saint-Seurin-de-Cadourne – appellation Haut-Médoc)
Vin produit : Château Charmail – 110 000 b (pas de second vin)
Encépagement :
50 % merlot, 30 % cabernet sauvignon, 18 % cabernet franc, 2 % petit verdot
Densité de plantation : 6 700 pieds/ha – *Age moyen des vignes :* 22 ans
Rendement moyen : 57 hl/ha

Élevage :
macération préfermentaire à froid ; fermentations à 30-32 °C ;
cuvaisons en cuves d'acier inoxydable de 25-30 jours (écoulage à 30-31 °C) ;
vieillissement de 12 mois en fûts (25-30 % de bois neuf) ; ni collage ni filtration

---

A maturité : dans les 2 à 12 ans suivant le millésime

Charmail a été acheté en 1980 par le père de l'actuel propriétaire, Olivier Sèze. Dès sa reprise, ce dernier a entrepris non seulement une remise en état du vignoble, mais aussi la réfection et la construction des bâtiments techniques.

Le vignoble, situé sur la commune de Saint-Seurin-de-Cadourne, au voisinage de Sociando-Mallet d'un côté et en limite de l'appellation Saint-Estèphe de l'autre, est d'un seul tenant, mais sur des sols très variés où dominent néanmoins les graves argileuses.

Les vins de Charmail, qui subissent une macération préfermentaire à froid (15 jours à 5 °C) sous nitrogène – procédé révolutionnaire mis au point par l'œnologue Michel Couasnon –, sont véritablement stupéfiants, offrant un fruité des plus intenses et des plus riches, en particulier pour des Haut-Médoc. Composés à 50 % de merlot, à 30 % de cabernet sauvignon, à 18 % de cabernet franc et à 2 % de petit verdot, ils me ravissent par leur intensité, leur pureté et leur richesse, alors qu'ils proviennent d'un terroir loin de figurer parmi les tout meilleurs. Les millésimes récents permettent de penser que cette propriété pourrait bientôt égaler les crus du niveau de Sociando-Mallet. Ils constituent d'excellentes affaires.

1997 • **87-89** Pourpre-noir de robe, avec un doux nez de fruits noirs confiturés, le Charmail 1997 se présente comme un vin gras, faible en acidité et des plus plaisants. Il dévoile un caractère ample, fumé et bien marqué par la mâche, ainsi que des arômes persistants, aussi intenses que veloutés. **A boire dans les 10 à 12 ans.** (1/99)

1996 • **89** Le Charmail 1996 présente, outre une robe opaque de couleur pourpre-noir, de douces senteurs de mûre, de framboise et de cassis. Moyennement corsé, luxuriant et des plus plaisants, il dévoile en bouche des arômes de fumé et de fruits confiturés, ainsi que d'abondants tannins doux. Issu d'une sélection sévère, il est essentiellement composé de merlot (50 %), mais comprend également du cabernet sauvignon (30 %) et du cabernet franc (20 %). **A boire jusqu'en 2010.** (1/99)

1995 • **88** Opaque et pourpre de robe, le 1995 libère des arômes modérément intenses de mûre confiturée et de groseille, et dévoile un fabuleux fruité à l'attaque en bouche. Moyennement corsé et extraordinaire de pureté, il révèle une texture charnue, étayée par une faible acidité. Il peut être consommé dès maintenant ou **dans les 10 ans.** (11/97)

CHASSE-SPLEEN – EXCELLENT

Cru bourgeois – équivaut à un 3ᵉ cru

Propriétaire : SA du Château Chasse-Spleen

Adresse : 33480 Moulis

Tél. 05 56 58 02 37 – Fax 05 56 58 05 70

Visites : sur rendez-vous uniquement

Contact : Claire Villars

Superficie :
80 ha (Moulis – appellation Moulis)

Vins produits : Château Chasse-Spleen – 280 000 b ;
L'Ermitage de Chasse-Spleen – 150 000 b ;
L'Oratoire de Chasse-Spleen – 150 000 b

Encépagement : 70 % cabernet sauvignon, 25 % merlot, 5 % petit verdot

Densité de plantation : 10 000 pieds/ha – *Age moyen des vignes :* 30 ans

Rendement moyen : 50 hl/ha

Élevage :
fermentations et cuvaisons de 21-28 jours en cuves d'acier inoxydable et en cuves revêtues d'epoxy thermorégulées ; vieillissement de 14-18 mois en fûts (40 % de bois neuf) ; collage ; pas de filtration

---

A maturité : dans les 5 à 18 ans suivant le millésime

Les terres sur lesquelles s'étend Chasse-Spleen sont plantées depuis quatre cents ans : dès 1560, un sieur Gressier y faisait du vin. C'est d'ailleurs sous le nom de Gressier que, durant près de deux siècles, le domaine fut connu.

Une division du vignoble – alors appelé Grand Poujeaux – fut effectuée en 1860 entre les propriétaires d'alors, M. Gressier et sa sœur, Mme Castaing. Le premier choisit le nom de Gressier Grand Poujeaux, la seconde celui de Chasse-Spleen, qui donne lieu à deux thèses : les uns prétendent qu'il est un hommage au *Spleen de Paris* de Charles Baudelaire, qu'illustra Odilon Redon, voisin du domaine ; les autres en attribuent l'origine à lord Byron, venu en 1821 visiter ce cru, dont il était fort amateur et qui lui semblait chasser les humeurs moroses.

Situé sur le point culminant des croupes du lieu-dit Grand Poujeaux, le vignoble est assis sur des graves garonnaises quaternaires.

Cette propriété remarquable et impressionnante produit régulièrement depuis trente ans des vins dignes d'un troisième cru. Même les millésimes plutôt médiocres se distinguent par leur robe d'un rubis très prononcé, par leur bouquet mûr de pruneau et par leurs arômes riches, ronds et bien étoffés.

Les grandes années de Chasse-Spleen – comme 1966, 1970, 1975, 1978, 1985, 1986, 1989 et 1990 – peuvent parfaitement rivaliser avec les meilleurs crus classés du Médoc.

Propriété de la famille Mahary jusqu'en 1976, le château fut racheté par un consortium, dont le principal actionnaire est la société Bernard Taillan. Le directeur de cette dernière, Jacques Merlaut, prit de nombreuses initiatives fort judicieuses pour améliorer la marche du domaine, initiatives qui se sont traduites par des vins d'une qualité sans cesse grandissante – et même de tout premier ordre vers la fin des années 80.

Le vignoble, constitué de quatre parcelles, est relativement vieux (30 ans d'âge moyen) et se situe principalement sur des sols profonds et graveleux. Les vinifications sont très traditionnelles ; ainsi, Chasse-Spleen demeure l'une des rares propriétés du Médoc à ne pas filtrer ses vins, que ce soit après les fermentations malolactiques ou avant la mise en bouteille. La seule concession à la modernité est l'utilisation de machines à vendanger pour une partie de la récolte. L'élaboration d'un second vin, l'utilisation d'une plus forte proportion de chêne neuf (40 %) et l'attention minutieuse, jusqu'au moindre détail, dont les vinifications font l'objet expliquent une nette amélioration de la qualité. Malheureusement, les prix se sont envolés dès que les amateurs se sont aperçus que Chasse-Spleen était sous-évalué.

1997 • **86-87+** Rubis-pourpre foncé, avec des arômes d'épices, de cassis, de vanille et de petits fruits, ce vin moyennement corsé révèle une profondeur d'excellent aloi et un bel équilibre d'ensemble. Les tannins sont mûrs, et l'acidité plutôt faible. **A boire dans les 8 à 10 ans.** (3/98)

1996 • **86-87 ?** J'ai dégusté ce vin en trois occasions. Impressionnant de structure, il présente un fruité suffisamment profond, mais manque de tenue et déploie une finale astringente, desservie par des tannins en excès. Si ceux-ci s'assouplissent et que l'ensemble s'étoffe, il pourrait mériter une note aux alentours de 88-89. Pour l'heure, le Chasse-Spleen 1996 se présente vêtu de pourpre profond ; dominé par le cabernet sauvignon, il est moyennement corsé, avec des arômes et une finale marqués par des tannins très présents. Je doute que ce vin soit plaisant avant 7 ou 8 ans, mais il tiendra bien **20 ans environ.** (11/97)

1995 • **86** Toutes les qualités de ce vin résident dans ses arômes et dans son attaque en bouche ; il s'amenuise par la suite et dévoile un caractère creux – ce qui augure mal de son vieillissement. D'un rubis-pourpre foncé, il dégage des arômes de cassis mêlés de notes herbacées et fumées. **A boire dans les 5 à 7 ans.** (11/97)

1993 • **86** Cette propriété a fait un bon 1993, moyennement corsé, à la robe impressionnante, qui révèle la structure ferme et tannique typique du millésime. Ce vin présente, outre le fruité et le gras nécessaires à son équilibre, le caractère de fruits noirs que l'on retrouve souvent dans ce cru. **A boire jusqu'en 2010.** (11/94)

1992 • **85** Léger, avec un caractère herbacé assez atypique, le 1992 de Chasse-Spleen révèle une bonne maturité, et se montre moyennement corsé et trapu. D'une couleur très soutenue, il dévoile des tannins très modérés et une finale attrayante et bien structurée. Il devrait être agréable pendant **encore 7 ou 8 ans.** (11/94)

1990 • **88** Le 1990 a évolué de belle manière et révèle désormais davantage d'intensité. Moyennement corsé, avec des arômes de cerise noire et d'herbes, il manifeste en bouche une richesse et une maturité d'excellent aloi, et présente des tannins souples. Sans être aussi concentré que son brillant aîné de 1989, il est très séduisant, souple, rond et bien fait. **A boire dans les 10 ans.** (11/97)

1989 • **91** Méritant probablement le titre de plus belle réussite de la propriété depuis le grandiose 1949, le 1989 de Chasse-Spleen est d'une richesse spectaculaire, mais également l'un des vins les plus puissants et les plus imposants du millésime. Il peut en effet égaler, voire surpasser, quelques-uns des crus les plus célèbres. Dévoilant en bouche, par paliers, des flots d'arômes concentrés, souples et amples de cassis, il est judicieusement rehaussé de chêne neuf et grillé, et bien étayé par une heureuse acidité. Quel vin fabuleux ! **A boire jusqu'en 2015.** (11/97)

1988 • **86** Bien fait et élégant, le 1988 exhale un bouquet généreux et intense de fumé et de cassis. Moyennement corsé et de bonne mâche en bouche, il est étonnamment long, épicé et souple. **A boire jusqu'en 2001.** (1/93)

1986 • **90** La robe rubis-pourpre tirant sur le noir du Chasse-Spleen 1986 suggère un vin d'une intensité et d'une profondeur remarquables. Et c'est exactement ce dont il s'agit. Un bouquet énorme de cassis joliment rehaussé de bouffées de chêne fumé et grillé introduit en bouche un ensemble d'une richesse en extrait sensationnelle, doté d'un caractère très corsé et massif, et capable d'une longue garde. J'ai rarement été aussi impressionné par un jeune millésime de Chasse-Spleen. **A boire jusqu'en 2010.** (11/90)

1985 • **90** Le 1985 arbore une robe fabuleuse et profondément colorée, et déploie un bouquet très intense de chêne neuf et épicé, de groseille et de prune. La bouche révèle un ensemble concentré, long et bien structuré, d'un équilibre impeccable. La finale est assez extraordinaire. **A boire jusqu'en 2005.** (11/90)

1984 • **81** Voici l'un des vins les mieux réussis du millésime. Bien coloré, il séduit par son fruit doux et mûr, et se montre moyennement corsé et velouté en bouche. **A boire.** (3/88)

1983 • **86** Toujours d'un rubis profond à peine ambré sur le bord, le 1983 est rond, bien évolué et généreux. Il s'est défait de ses tannins et s'impose maintenant comme un vin délicieusement charnu et gratifiant. Je suis surpris par la vitesse à laquelle il a évolué, mais l'ensemble est profond, aussi complexe que charmeur. **A boire.** (12/89)

1982 • **86** Le 1982 n'a jamais été aussi impressionnant que les vins élaborés par Bernadette Villars entre 1985 et 1990. Il évolue cependant de belle manière et révèle un nez modérément intense, mais mûr et épicé, de groseille. Moyennement corsé, avec un généreux fruit souple et ample, il déploie une finale accessible. Il est parfaitement mûr, si bien que je ne pense pas qu'il soit nécessaire de l'attendre encore. **A boire.** (9/95)

1981 • **79** D'un rubis moyen, avec un nez presque poussiéreux et épicé de cèdre, ce vin austère n'a ni la richesse ni la concentration qu'il faut pour se révéler profond. Il est moyennement corsé, un peu sec et tannique en finale, mais n'en demeure pas moins plaisant, malgré son caractère précoce et carré. **A boire.** (11/88)

1979 • **83** Parfaitement mûr et délicieux, le 1979 se distingue par un nez herbacé de cassis et par les arômes moyennement corsés et bien concentrés qu'il déploie en bouche. La finale est souple et étayée par une heureuse acidité. **A boire.** (2/88)

1978 • **85** Bien réussi, le Chasse-Spleen 1978 est maintenant à maturité. Plus opaque et plus profondément coloré que le 1979, il exhale un nez de viande, de groseille et de champignons, et se montre très corsé, puissant et musclé. **A boire jusqu'en 2000.** (3/89)

1976 • **76** Parfaitement mûr et assez nettement ambré sur le bord, le Chasse-Spleen 1976, épicé et coulant, doit être dégusté rapidement. Son fruité commence à se faner, et, de ce fait, son caractère alcoolique ressort davantage. L'ensemble demeure souple et parfumé, mais je pense qu'il a abordé la pente descendante. **A boire – peut-être en déclin.** (3/88)

1975 • **90** Le Chasse-Spleen 1975 s'est toujours imposé comme l'une des réussites de ce millésime irrégulier. Il arbore encore une robe dense, presque opaque, d'un rubis foncé à peine ambré sur le bord, et s'ouvre dans le verre pour révéler, avec réticence cependant, des arômes de noix grillée, de minéral, de réglisse et de cassis très mûr. La bouche est très corsée et puissante, mais les tannins que l'on y décèle, contrairement à ceux de la plupart des 1975, ne sont ni verts ni astringents. Ce vin tiendra parfaitement une dizaine d'années encore. **A boire jusqu'en 2010.** (6/88)

Millésimes anciens

Si vous voyez passer une bouteille de Chasse-Spleen 1970 (noté 90 en 1990), ne la manquez pas ! C'est un vin superbe, qui, à près de 30 ans d'âge, se révèle toujours jeune et capable d'une garde de 5 à 10 ans encore. Très corsé et mûr, il est plus proche du 1975 que des millésimes récents, et se révèle vraiment du niveau d'un cru classé (mais son prix devrait être raisonnable).

Parmi les millésimes des années 60, j'ai apprécié le 1966 (noté 86), mais il y a plus de dix ans que je ne l'ai pas goûté.

J'ai rarement eu l'occasion de déguster les vins des années 50, mais le 1953 jouit, semble-t-il, d'une flatteuse réputation. En revanche, j'ai eu la chance de pouvoir acheter une caisse de Chasse-Spleen 1949 (mise effectuée en Angleterre) ; je dois dire que chaque bouteille était superbe, et c'est l'une des rares fois où j'ai été plus que largement récompensé d'avoir acquis (à un prix acceptable) un vieux millésime. J'ai bon espoir que le 1975, le 1986 et le 1989 atteignent les mêmes sommets que ce 1949, mais, pour l'instant, celui-ci reste le Chasse-Spleen le plus fabuleux que j'aie jamais goûté ; d'ailleurs, il ressemble à s'y méprendre à un premier cru du même millésime. Je l'ai régulièrement noté entre 92 et 95.

CISSAC – BON

Cru bourgeois – devrait être maintenu
Propriétaire : famille Vialard
Adresse : 33250 Cissac
Tél. 05 56 59 58 13 – Fax 05 56 59 55 67
Visites : du lundi au vendredi (9 h-12 h et 14 h-17 h)
Contact : Patrick Bongard

Superficie : 50 ha (Cissac – appellation Haut-Médoc)
Vins produits :
Château Cissac – 215 000 b ; Reflets du Château Cissac – 145 000 b
Encépagement : 75 % cabernet sauvignon, 20 % merlot, 5 % petit verdot
Densité de plantation : 7 500 pieds/ha – *Age moyen des vignes :* 30 ans
Rendement moyen : 54 hl/ha

Élevage :
fermentations et cuvaisons de 21-30 jours en cuves de bois avec système de contrôle des températures ; vieillissement de 18 mois en fûts (30 % de bois neuf) ; collage ; pas de filtration

A maturité : dans les 7 à 15 ans suivant le millésime

Louis Vialard, propriétaire du Château Cissac, compte parmi les viticulteurs les plus passionnés du Bordelais, et son cher Château Cissac donne l'un des meilleurs crus bourgeois de la partie centrale du Médoc. Située au nord de la ville du même nom, cette propriété produit près de 18 000 caisses d'un vin très traditionnel, bien coloré, corsé, tannique et intéressant. Généralement peu précoce et assez fermé pendant sa jeunesse, ce cru commence à s'affirmer vers 6 ans d'âge et peut facilement bien évoluer sur 10 à 15 ans dans des millésimes comme 1975, 1985 et 1986.

Le Château Cissac est particulièrement apprécié en Angleterre, et de plus en plus aux États-Unis. Il est capable de séduire tous les amateurs, pourvu qu'ils aient la patience d'attendre qu'il évolue – lentement (pour un cru bourgeois), mais sûrement.

CITRAN – EXCELLENT

Cru bourgeois – équivaut à un 5e cru depuis 1987
Propriétaire : SA du Château Citran
Adresse : 33480 Avensan
Tél. 05 56 58 21 01 – Fax 05 56 58 12 19
Visites : sur rendez-vous uniquement
Contact : Claire Villars
Tél. 05 56 58 02 37 – Fax 05 56 58 05 70

Superficie : 90 ha (Avensan – appellation Haut-Médoc)
Vins produits : Château Citran – 300 000 b ; Moulins de Citran – 200 000 b
Encépagement : 58 % cabernet sauvignon, 42 % merlot
Densité de plantation : 6 700 pieds/ha – *Age moyen des vignes :* 20 ans
Rendement moyen : 50 hl/ha

Élevage :
fermentations et cuvaisons de 14-28 jours
en cuves d'acier inoxydable thermorégulées ;
vieillissement de 12 à 14 mois après les malolactiques en fûts (40 % de bois neuf) ;
collage ; légère filtration

A maturité : dans les 6 à 10 ans suivant le millésime

Citran est l'une des plus anciennes maisons nobles du Médoc – on parle déjà en 1235 d'un seigneur de Citran, Guilhem Ramon de Douissan. La propriété demeura dans la famille durant six cents ans, jusqu'à ce que la dernière héritière de cette dynastie la vendît à un certain M. Clauzel, qui en tripla la superficie et en doubla la production.

De 1945 à 1979, le château a appartenu aux frères Miailhe, puis, de 1987 à 1996, à une société japonaise, sous l'égide de laquelle il connut un essor important, produisant des vins d'une qualité sans cesse grandissante.

Malgré cette belle réussite, le domaine fut revendu à la société Bernard Taillan, géré par le très dynamique Jacques Merlaut. La rénovation des chais, le dévouement des nouveaux propriétaires et l'utilisation d'une proportion plus importante de bois neuf pour l'élevage, conjugués à une sélection plus stricte – on élabore désormais un deuxième vin – et à une meilleure gestion de l'ensemble ont donné lieu à une série de vins absolument fabuleux. S'il fallait formuler une critique, je dirais que le caractère voyant, fumé, voire brûlé que le chêne neuf apporte à ce cru – qui bénéficie actuellement des conseils de l'œnologue Michel Rolland – ne séduira pas forcément ceux qui préfèrent les vins rouges délicats et subtils.

Les nouveaux millésimes devraient se conserver une bonne dizaine d'années et se révèlent incontestablement plus intéressants et plus plaisants que leurs aînés. Je signale également aux amateurs que les prix ont légèrement augmenté, peut-être pour compenser le coût des nouvelles bouteilles, spécialement conçues, et celui des étiquettes, plus attrayantes.

1996 • **86-87** Opaque et rubis-pourpre de robe, regorgeant d'intensité, de fruité, de corpulence, de glycérine et de tannins, le Citran 1996 se présente comme un vin puissant, musclé et ample de carrure, que vous consommerez **entre 2003 et 2015.** (11/97)

1995 • **86** Plus doux que son cadet d'un an, le Citran 1995 révèle des arômes vanillés de réglisse et de cassis mûr dans un ensemble sans détour, mais savoureux et ample. **A boire dans les 7 ou 8 ans.** (11/97)

1993 • **85 ?** J'ai dégusté le 1993 de Citran en quatre occasions, et, bien que mes notes ne soient pas tout à fait homogènes, il est indiscutable que ce vin arbore une belle robe dense d'un pourpre tirant sur le noir et qu'il présente des arômes généreux de bois neuf et grillé. J'émets une seule réserve quant à sa capacité à s'étoffer par la suite ou à laisser ses tannins prendre le dessus sur son fruité. On décèle de bons arômes de fruits rouges, mais seront-ils suffisants pour servir de contrepoids à la structure tannique ? (11/94)

1992 • **82** Le 1992 arbore une couleur pourpre tirant sur le noir assez impressionnante et présente un nez atypique, tannique et boisé. S'il se montre plus fruité dans l'avenir, je lui attribuerai une meilleure note. **A boire dans les 10 ans.** (11/94)

1991 • **86** Mûr et épicé, le Citran 1991 libère des arômes de noix grillée, de chêne neuf et de cassis. Moyennement corsé, doux et concentré, il est très réussi pour le millésime et sera délicieux dans le courant des **3 ou 4 prochaines années.** (1/94)

1989 • **88** Ce vin merveilleux, à la robe pourpre, exhale un nez énorme de cassis, de réglisse et de chêne fumé. Charnu et ample, il regorge d'un généreux fruité bien glycériné et d'abondants tannins. Il se développera de belle manière dans **les 10 à 12 ans.** (1/93)

1988 • **86** Depuis 1988, Citran s'impose comme l'un des meilleurs crus bourgeois du Médoc. Rubis-pourpre foncé de robe, avec un nez fumé et rôti de cassis généreusement marqué de chêne neuf, il est judicieusement vinifié, mûr et d'un style très commercial ; il séduira incontestablement le plus grand nombre par son caractère sans détour, charnu et bien évolué. **A boire.** (1/93)

CLARKE – BON

Cru bourgeois – devrait être maintenu
Propriétaire : Compagnie viticole des barons Edmond et Benjamin de Rothschild
Adresse : 33480 Listrac
Tél. 05 56 58 38 00 – Fax 05 56 58 26 46
Visites : sur rendez-vous uniquement
Contact : Hélène Combabessouse

Superficie : 55 ha (Listrac – appellation Listrac)

Vins produits :
Château Clarke – 200 000-250 000 b ;
Les Granges des Domaines Edmond de Rothschild – 100 000 b

Encépagement : 45 % cabernet sauvignon, 45 % merlot, 10 % cabernet franc
Densité de plantation : 6 600 pieds/ha – *Age moyen des vignes :* 23 ans
Rendement moyen : 55-60 hl/ha

Élevage :
fermentations et cuvaisons de 14 jours en cuves d'acier inoxydable thermorégulées à 30-31 °C ; 4-8 remontages quotidiens selon le millésime ; vieillissement de 12 mois en fûts (50 % de bois neuf) ; collage et filtration

---

A maturité : dans les 3 à 7 ans suivant le millésime

Le château Clarke a été complètement restauré, et son vignoble rénové – c'est l'une des réalisations les plus remarquables faites récemment dans le Médoc. Cette propriété, dont les origines remontent à 1750, a bénéficié de gros investissements effectués par le regretté baron Edmond de Rothschild. Les travaux ont commencé en 1973 ; aujourd'hui, l'ensemble du vignoble atteint 134 ha, dont 55 sont consacrés au Clarke. Les premiers vins diffusés, les 1978 et 1979, ont fait l'objet d'un grand tapage dans la presse spécialisée, mais ils étaient en fait assez légers et peu corsés – comme il se doit pour des vins issus de jeunes vignes. Cependant, compte tenu de la volonté affichée d'atteindre un bon niveau, des possibilités financières et de l'excellence de la direction, le Château

Clarke devrait prendre sa place parmi la tête de peloton des Listrac, au fur et à mesure que ses vignes vieillissent.

Le domaine produit également un délicieux rosé sec et une cuvée cachère en rouge.

CLÉMENT-PICHON – BON

Cru bourgeois – devrait être maintenu
Propriétaire : Clément Fayat
Adresse : 33290 Parempuyre
Tél. 05 56 35 23 79 – Fax 05 56 35 85 23
Visites : du lundi au vendredi
(8 h-12 h et 14 h-17 h 30)

Superficie :
25 ha (Parempuyre – appellation Haut-Médoc)
Vins produits :
Château Clément-Pichon – 135 000 b ; La Motte de Clément-Pichon – 25 000 b
Encépagement : 50 % cabernet sauvignon, 40 % merlot, 10 % cabernet franc
Densité de plantation : 6 500 pieds/ha – *Age moyen des vignes :* 20 ans
Rendement moyen : 48 hl/ha

Élevage :
fermentations de 4 à 5 semaines en cuves d'acier inoxydable
thermorégulées à 30 °C maximum ;
30 % de la récolte achève les malolactiques en fûts ;
vieillissement de 12-18 mois en fûts (1/3 de bois neuf) ;
collage au blanc d'œuf et filtration

A maturité : dans les 3 à 7 ans suivant le millésime

Ce beau château, situé au nord de Bordeaux, à proximité de la banlieue industrielle de Parempuyre, appartient à Clément Fayat. Cet industriel est également l'un des propriétaires les plus dynamiques de la région ; c'est à lui que l'on doit le redressement d'un des grands vignobles de Saint-Émilion, La Dominique. Il a complètement rénové le domaine, qui était auparavant connu sous le nom de Château de Parempuyre, et lui a donné le nom de Château Pichon ; cependant, en raison de problèmes juridiques soulevés par Mme de Lencquesaing, qui craignait une confusion avec Pichon-Longueville Comtesse de Lalande, le château a finalement pris le nom de Clément-Pichon.

Le vaste bâtiment de style gothique, datant de la fin du XIXe siècle, est maintenant la demeure de la famille Fayat, qui l'a acheté en 1976. Les vignes ont toutes été replantées, et elles sont donc très jeunes. M. Fayat a eu l'intelligence de demander à son œnologue de La Dominique, le talentueux Michel Rolland, de Libourne, de superviser la vinification de Clément-Pichon. Celui-ci a vraiment fait des miracles : compte tenu de la jeunesse des vignes, sachant qu'il n'était pas possible d'élaborer un vin de garde, il produit, pour l'instant, un cru se distinguant par son caractère extrêmement fruité et par sa souplesse. Il faut le consommer assez rapidement.

1997 Bien réussi, ce 1997 crémeux et fruité libère des arômes épicés de cèdre.
• Faible en acidité, avec un fruité confituré, il doit être consommé dans les 3
85-86 ou 4 ans. (3/98)

COUFRAN - BON

Cru bourgeois – devrait être maintenu
Propriétaire : Groupe Jean Miailhe
Adresse : 33180 Saint-Seurin-de-Cadourne
Tél. 05 56 59 31 02 – Fax 05 56 59 72 39
Visites : sur rendez-vous uniquement
Contact : Éric Miailhe

Superficie :
76 ha (Saint-Seurin-de-Cadourne – appellation Haut-Médoc)
Vin produit : Château Coufran – 540 000 b (pas de second vin)
Encépagement : 85 % merlot, 15 % cabernet sauvignon
Densité de plantation : 8 000 pieds/ha – *Age moyen des vignes :* 35 ans
Rendement moyen : 58 hl/ha

Élevage :
fermentations et cuvaisons de 30 jours en cuves d'acier inoxydable avec système de contrôle des températures ; vieillissement après les malolactiques de 12 mois minimum en fûts (30 % de bois neuf) ; collage et filtration

---

A maturité : dans les 3 à 12 ans suivant le millésime

Le vaste vignoble de Coufran est situé à 5 km au nord de la limite de Saint-Estèphe, sur la route des grands crus, après Saint-Seurin-de-Cadourne. Depuis 1924, ce domaine appartient aux Miailhe, bien connus pour leur immense contribution à la promotion des crus bourgeois de la région.

Coufran se distingue par la forte proportion de merlot de son assemblage ; les propriétaires ont judicieusement choisi ce cépage, qui convient bien aux sols relativement lourds que l'on trouve dans cette partie du Médoc. Aussi s'empresse-t-on souvent d'en conclure que le vin est prêt dès sa diffusion. Pour ma part, je trouve que la règle accuse ici une exception. Dans les meilleurs millésimes, Coufran se révèle certes souple et fruité en fût, mais il passe ensuite, en bouteille, par une phase tannique et fermée. C'est un bon Médoc, mais les rendements sont très élevés et, là encore, on peut se demander si les vendangeuses mécaniques ne sont pas préjudiciables à la qualité.

Durant les années 80, Coufran a connu des hauts et des bas. Les meilleurs millésimes – 1982, 1986 et 1989 – sont capables de bien évoluer sur une bonne dizaine d'années. En revanche, le 1988, assez maigre, et le 1985, sans détour, ne m'ont pas impressionné. Dans les années 90, 1990, 1995 et 1996 se distinguent par un niveau nettement supérieur.

1997 • **85-87** Voici un beau succès pour Coufran. Vêtu de pourpre soutenu, le 1997 séduit par son fruité de cassis et d'airelle confiturés. Modérément tannique et moyennement corsé, il sera délicieux dès sa jeunesse, du fait de sa faible acidité, mais promet de tenir **7 ou 8 ans.** (3/98)

1996 • **86** Rubis profond de robe, ce vin bien fait et savoureux présente un fruité de cerise et de moka nuancé de chêne épicé, ainsi qu'une finale modérément longue. **A boire dans les 5 à 7 ans.** (1/99)

1995 • **85** Moyennement corsé, souple et accessible, l'élégant Coufran 1995 libère de séduisants arômes mûrs de groseille nuancés de cerise épicée et herbacée. **A boire dans les 6 ou 7 ans.** (1/98)

DUCLUZEAU – TRÈS BON

Cru bourgeois – devrait être maintenu
Propriétaire : Monique Borie
Adresse : 33480 Listrac
Tél. 05 56 59 05 20 – Fax 05 56 59 27 37
Visites : non autorisées

Superficie : 4,9 ha (Listrac – appellation Listrac)
Vin produit : Château Ducluzeau – 25 000 b (pas de second vin)
Encépagement : 90 % merlot, 10 % cabernet sauvignon
Densité de plantation : 10 000 pieds/ha – *Age moyen des vignes :* 34 ans
Rendement moyen : 48 hl/ha

Élevage :
fermentations et cuvaisons de 15-18 jours en cuves d'acier inoxydable ; vieillissement de 12-14 mois en fûts (20 % de bois neuf) ; collage et légère filtration

A maturité : dans les 3 à 10 ans suivant le millésime

Les origines de ce cru sont assez mal connues. On sait qu'il existe depuis le XVIIIe siècle, et qu'il tient son nom de son premier propriétaire, un certain M. Ducluzeau. M. Astien en fit l'acquisition en 1870. Il appartient aujourd'hui à sa petite-fille, Monique Borie, veuve de l'ancien propriétaire de Ducru-Beaucaillou, Haut-Batailley et Grand-Puy-Lacoste. Aucun autre cru du Médoc ne contient, à ma connaissance, une plus forte proportion de merlot. C'est probablement pour cette raison qu'il se révèle extrêmement souple et délicieusement rond, tout à fait séduisant, avec beaucoup de charme et d'élégance. Les vins sont mis en bouteille à la propriété depuis 1976.

DUPLESSIS

Cru bourgeois – devrait être maintenu
Propriétaire : Marie-Laure Lurton-Roux
Adresse : 33480 Moulis
Tél. 05 56 58 22 01 – Fax 05 56 88 72 51
Visites : sur rendez-vous uniquement
Contact : Marie-Laure Lurton-Roux

Superficie : 18 ha (Moulis – appellation Moulis)
Vins produits :
Château Duplessis – 50 000-80 000 b ;
La Licorne de Duplessis – 20 000-30 000 b
Encépagement :
60 % merlot, 26 % cabernet sauvignon, 12 % cabernet franc, 2 % petit verdot
Densité de plantation : 10 000 et 6 600 pieds/ha – *Age moyen des vignes :* 20 ans
Rendement moyen : 46 hl/ha

Élevage :
fermentations et cuvaisons en cuves d'acier inoxydable
ou en cuves de béton revêtues d'epoxy ;
vieillissement de 12 mois en fûts (10-20 % de bois neuf) ; collage et filtration

---

A maturité : dans les 4 à 10 ans suivant le millésime

Ce domaine, également connue comme Duplessis-Hauchecorne (du nom d'un des anciens propriétaires), appartient maintenant à l'omniprésente famille Lurton. Les vins sont des Moulis de style très traditionnel ; ils sont rugueux, robustes et manquent à la fois de charme et de fruit.

DUPLESSIS FABRE

Cru bourgeois – devrait être maintenu
Propriétaire : SARL du Château Maucaillou
Adresse : 33480 Moulis
Tél. 05 56 58 02 58 – Fax 05 56 88 00 88
Visites : non autorisées
Contact : Pascal Dourthe

Superficie : 16 ha (Moulis – appellation Moulis)
Vin produit : Château Duplessis Fabre – 110 000 b (pas de second vin)
Encépagement : 56 % merlot, 44 % cabernet sauvignon
Densité de plantation : 10 000 pieds/ha – *Age moyen des vignes :* 19 ans
Rendement moyen : 52 hl/ha

Élevage :
fermentations de 8 jours à 22 °C, puis à 30 °C, en cuves d'acier inoxydable ;
cuvaisons prolongées jusqu'à un indice de tannins de 55 à 65 (20 jours environ) ;
vieillissement de 18 mois en fûts (30 % de bois neuf) ; collage et légère filtration

---

A maturité : dans les 5 à 10 ans suivant le millésime

Cette propriété a été vendue en 1989 à Philippe Dourthe, du Château Maucaillou, par la famille Pagès. Il est certain que l'on pourrait y produire un vin plus intéressant, si l'on se fie à la qualité des vins de Maucaillou.

DUTRUCH GRAND POUJEAUX – BON

Cru bourgeois – devrait être maintenu
Propriétaire : François Cordonnier
Adresse : 33480 Moulis
Tél. 05 56 58 02 55 – Fax 05 56 58 06 22
Visites : sur rendez-vous uniquement
Contacts : François et Jean-Baptiste Cordonnier

Superficie :
25 ha (Grand Poujeaux – Moulis – appellation Moulis)
Vins produits :
Château Dutruch Grand Poujeaux – 140 000 b ;
Château La Bernède Grand Poujeaux – 15 000 b
Encépagement :
50 % merlot, 50 % cabernet sauvignon (très faible proportion de petit verdot)
Densité de plantation : 8 500-10 000 pieds/ha – *Age moyen des vignes :* 30 ans
Rendement moyen : 50 hl/ha

Élevage :
fermentations et cuvaisons de 21 jours en cuves de béton et d'acier inoxydable avec système de refroidissement ; vieillissement après les malolactiques de 15 mois en fûts (25-35 % de bois neuf) ;
collage et filtration

A maturité : dans les 6 à 12 ans suivant le millésime

Dutruch Grand Poujeaux appartient à la famille Cordonnier, qui possède également Anthonic, géré par Jean-Baptiste Cordonnier, avec lequel François assure la vinification. Depuis 1999, le domaine bénéficie d'un nouveau chai et d'un nouveau cuvier.

Le vignoble, sis au lieu-dit Grand Poujeaux, est entouré des vignes de Poujeaux et de Chasse-Spleen. Le terroir est constitué de graves garonnaises.

Comme la plupart des Moulis, les vins de Dutruch Grand Poujeaux manquent fréquemment de charme dans leur jeunesse ; cependant, au contraire des autres crus de l'appellation, ils révèlent généralement la concentration et la profondeur nécessaires pour faire pièce à leurs tannins. J'ai souvent été heureusement surpris par leur belle évolution 5 à 7 ans après le millésime ; cela est dû en partie à l'âge du vignoble (relativement ancien), mais également au fait qu'il est assez densément complanté, selon l'ancien système, à 8 500-10 000 pieds/ha (la plupart des propriétés comptent maintenant 6 000 pieds/ha), ce qui permet l'obtention de raisins plus concentrés en raison d'un « stress » plus important.

Cette propriété sous-estimée, mais gérée de manière impeccable, mériterait que les amateurs s'y intéressent davantage. Certains millésimes sont assurément du niveau d'un cinquième cru.

FONRÉAUD – BON

Cru bourgeois – devrait être maintenu
Propriétaires : Jean, Elza, Katherine et Caroline Chanfreau
Adresse : 33480 Listrac
Tél. 05 56 58 02 43 – Fax 05 56 58 04 33
Visites : du lundi au vendredi (9 h-12 h et 14 h-17 h 30)
Contacts : Jean et Marie-Hélène Chanfreau

Superficie : 32 ha (Listrac et Moulis – appellation Listrac)
Vins produits :
Château Fonréaud – 130 000 b ; La Tourelle de Fonréaud – 50 000-90 000 b
Encépagement :
58 % cabernet sauvignon, 37 % merlot, 3 % petit verdot, 2 % cabernet franc
Densité de plantation : 6 700 pieds/ha – *Age moyen des vignes :* 25 ans
Rendement moyen : 55 hl/ha

Élevage :
fermentations et macérations de 25-30 jours en cuves de béton thermorégulées ;
cuvaisons de 10 jours minimum après les malolactiques ;
vieillissement de 12 mois en fûts (20-25 % de bois neuf)
pour 90 % de la récolte ; collage et filtration non systématiques

---

A maturité : dans les 5 à 7 ans suivant le millésime

Le nom de Fonréaud – autrefois « Font Réaux » – signifie « fontaine royale ». La légende veut en effet qu'un roi d'Angleterre y ait fait une halte au XIe siècle pour se désaltérer.

Ce beau château blanc, avec sa tourelle centrale et sa flèche, se trouve au bord de la D1, sur la gauche lorsqu'on quitte le petit village de Bouqueyran en direction de Lesparre. Depuis 1962, le domaine appartient à la famille Chanfreau, qui possède également le Château Lestage, tout proche.

Le vin est vinifié dans un style fruité et souple ; il est accessible dès sa diffusion, et son potentiel de garde n'excède pas 6 ou 7 ans. La forte proportion de merlot dans l'encépagement et l'élevage choisi par les propriétaires donnent un vin dont la souplesse et la rondeur séduisent immédiatement. Parmi les millésimes récents, les meilleurs ont été 1989, 1990, 1995 et 1996.

La propriété produit également 50 000 bouteilles de Château Chemin Royal, issu d'un vignoble à Moulis. Ce vin est vinifié de manière identique au Listrac. Depuis 1989, les Chanfreau élaborent également un vin blanc appelé Le Cygne de Fonréaud (au début de ce siècle, tous les vins blancs de Listrac portaient des noms d'oiseaux, comme Le Merle Blanc du Château Clarke et La Mouette du Château Lestage). Ce bordeaux blanc et sec, issu d'une parcelle de 2 ha entièrement replantée en 1989 (60 % sauvignon et 20 % muscadelle sur graves pyrénéennes, 20 % sémillon sur sol argilo-calcaire), est vinifié et vieilli en fûts de chêne, avec 40 % de bois neuf. Il est élevé sur lies pendant 8 à 10 mois, avec des bâtonnages fréquents.

FOURCAS DUPRÉ - BON

Cru bourgeois – devrait être maintenu
Propriétaire : SCE du Château Fourcas Dupré
Adresse : 33480 Listrac
Tél. 05 56 58 01 07 – Fax 05 56 58 02 27
Visites : du lundi au vendredi (8 h-12 h et 14 h-17 h)
Contact : Patrice Pagès (gérant)

Superficie : 44 ha (Listrac – appellation Listrac)
Vins produits :
Château Fourcas Dupré – 240 000-250 000 b ;
Château Bellevue Laffont – 60 000-65 000 b
Encépagement :
44 % cabernet sauvignon, 44 % merlot, 10 % cabernet franc, 2 % petit verdot
Densité de plantation : 8 500 pieds/ha – *Age moyen des vignes :* 25 ans
Rendement moyen : 55 hl/ha

Élevage :
fermentations à 30 °C en cuves d'acier inoxydable thermorégulées ou en cuves de béton revêtues d'epoxy ; remontages quotidiens ; cuvaisons de 15-21 jours ; vieillissement après les malolactiques de 12 mois en fûts (1/3 de bois neuf) ; collage ; filtration non systématique

---

A maturité : dans les 5 à 10 ans suivant le millésime

Les vignes de Fourcas figuraient déjà sur la carte de Belleyme, ingénieur géographe de Louis XV. La propriété doit son nom à Me Jean-Baptiste Dupré, avoué auprès de la cour d'appel de Bordeaux, qui acheta la propriété en 1843 et créa véritablement le domaine vinicole tel que nous le connaissons aujourd'hui. Il rénova les chais, les bâtiments d'exploitation et même le château.

C'est à l'heure actuelle Patrice Pagès qui, prenant la suite de son père Guy, décédé en 1985, assure les vinifications ainsi que la gestion du domaine. Depuis qu'il a repris les rênes de la propriété, il a mis en œuvre une importante rénovation du cuvier et du chai de stockage ; plus récemment, le cuvier a été doté d'un système de thermorégulation qui facilite grandement les vinifications.

J'ai acheté pour ma cave personnelle les 1975 et 1978, qui m'ont beaucoup plu ; et j'ai été favorablement impressionné par les 1982, 1983 et 1986.

1997 • **85-86** Séduisant, avec un généreux fruité de cassis, le 1997 révèle un caractère mûr à l'attaque en bouche et se montre moyennement corsé, persistant et d'une grande pureté. **A boire dans les 5 à 7 ans.** (3/98)

1996 • **84-86** Bien réussi, le 1996 déploie des arômes épicés de fruits rouges mêlés de notes d'herbes, de terre et de minéral. Séduisant et souple, il sera agréable ces **3 ou 4 prochaines années.** (1/98)

1995 • **84** Comme son cadet d'un an, le Fourcas Dupré 1995 est réussi. Plus élégant, mais moins profond, il est bien fait, avec un fruité épais de cerise et de fruits rouges. **A boire dans les 3 ou 4 ans.** (1/98)

1993 • 71 ? Il est vraiment pénible et frustrant d'essayer de discerner quelque fruité, quelque charme ou quelque finesse dans ce vin étriqué, compact et dépouillé. Ses tannins sont en effet excessifs par rapport à son fruité. (11/95)

FOURCAS HOSTEN - BON

Cru bourgeois
équivaut à un 5e cru dans les meilleurs millésimes
Propriétaire : SC du Château Fourcas Hosten
Adresse : 2, rue de l'Église – 33480 Listrac
Tél. 05 56 58 01 15 – Fax 05 56 58 06 73
Visites : du lundi au vendredi (9 h 30-12 h et 14 h-16 h 30)
Contact : Annette Monge

Superficie : 46,75 ha (Listrac – appellation Listrac)
Vins produits :
Château Fourcas Hosten – 250 000-260 000 b ;
Chartreuse d'Hosten – 65 000-70 000 b
Encépagement : 45 % cabernet sauvignon, 45 % merlot, 10 % cabernet franc
Densité de plantation : 8 500 pieds/ha – *Age moyen des vignes :* 20 ans
Rendement moyen : 57 hl/ha

Élevage :
fermentations et cuvaisons de 15-21 jours
en cuves d'acier inoxydable thermorégulées ;
remontages réguliers ; vieillissement après les malolactiques de 12 mois en fûts (25 % de bois neuf) ; collage ; filtration non systématique

---

A maturité : dans les 5 à 9 ans suivant le millésime

Les vins de cette propriété affichent désormais un style différent de celui d'autrefois. En effet, les Fourcas Hosten traditionnels – durs, robustes et rugueux – étaient généralement très profondément colorés, mais excessivement tanniques ; l'exemple le plus réussi est le 1970, énorme, riche et doté d'un fruité généreux, qui approche maintenant de la maturité. A partir du millésime 1973 (léger, comme dans tout le Médoc), les vins ont pris un caractère plus souple et plus fruité, et sont moins marqués par des tannins acerbes. Le 1975 est une parfaite illustration de cette nouvelle tendance, avec son fruité riche et profond de cassis et son potentiel de garde de 10 à 20 ans. Le 1978, doux et parfumé, est prêt à boire, tout comme le 1979, plus léger et plus délicat. Les meilleurs millésimes après 1975 ont été le 1982, le 1985, le 1986, le 1989 et le 1990.

1997 • 84-85 Plus charmeur que de coutume, le Fourcas Hosten 1997 présente une robe rubis foncé et libère un nez, élégant et épicé, de poire et de fruits rouges. L'ensemble qui suit en bouche est modérément corsé et doté d'une belle finale. **A boire dans les 3 ou 4 ans.** (3/98)

1993 • 72 Ce vin dur, astringent et dilué agresse le palais et ne recèle pas le fruité et le gras nécessaires à son équilibre. (11/95)

FOURCAS LOUBANEY - EXCELLENT

Cru bourgeois – équivaut à un 5e cru
Propriétaire : François Marret
Adresse : Moulin de Laborde – 33480 Listrac
Tél. 05 56 58 03 83 – Fax 05 56 58 06 30
Visites : tous les jours (14 h-18 h)
Contact : Yann Ollivier

Superficie :
12,5 ha (Listrac – appellation Listrac)
Vin produit : Château Fourcas Loubaney – 80 000 b (pas de second vin)
Encépagement : 55 % cabernet sauvignon, 35 % merlot, 10 % petit verdot
Densité de plantation : 6 700 et 10 000 pieds/ha – *Age moyen des vignes :* 35 ans
Rendement moyen : 45 hl/ha

Élevage :
fermentations et cuvaisons de 28 jours en cuves d'acier inoxydable avec système de refroidissement ; 2 remontages quotidiens ; vieillissement après les malolactiques de 15-18 mois en fûts (1/3 de bois neuf) ; collage ; pas de filtration

---

A maturité : dans les 5 à 12 ans suivant le millésime

C'est l'un des meilleurs vins, sinon le meilleur, de l'appellation Listrac. Malheureusement, le volume produit est faible, et seule une poignée d'heureux initiés se partage ce beau gâteau ! Les propriétaires sont partisans de rendements faibles, ne dépassant pas 45 hl/ha, et le vignoble est l'un des plus vieux de la région. L'élevage se fait avec au moins 30 % de bois neuf, et les vins ne sont presque pas clarifiés. Ceux-ci se révèlent étonnamment riches et concentrés, sans ce côté durement tannique et rustique que l'on trouve si souvent dans les Listrac.

Je n'ai jamais dégusté de Fourcas Loubaney arrivé à pleine maturité, mais les quatre millésimes que j'ai goûtés m'ont fait grosse impression ; je trouve que le domaine mériterait d'être promu au rang de cinquième cru.

Racheté en février 1999 par François Marret à Consortium de réalisation (CDR), le domaine ne devrait pas souffrir de ce changement, le nouveau propriétaire ayant semble-t-il l'intention de poursuivre dans la voie d'une recherche permanente de la qualité.

1997 • **86-87** — Bien évolué, le 1997 offre d'excellents arômes de fumé, de grillé et de cassis. Rond et faible en acidité, il révèle un fruité accessible et plaisant, et présente, dans un ensemble velouté, un beau gras et des tannins doux. **A boire dans les 6 ou 7 ans.** (3/98)

1995 • **87** — D'un rubis-pourpre soutenu, le 1995 est doté d'un fruité mûr et concentré. Il est souple, moyennement corsé et rond, rappelant en cela le 1985, mais en plus profond et plus précis. Il sera parfait dans les **7 à 8 ans.** (11/97)

1994 • **86** — Arborant un rubis moyennement foncé, le 1994 se distingue par un nez très marqué de chêne neuf et fumé (comme Haut-Marbuzet). Moyennement corsé, avec des tannins doux et une finale élégante et souple, il est accessible et devrait bien tenir ces **5 ou 6 ans.** (3/96)

1990 • **88** Profondément coloré, avec un nez riche de cassis et de chêne, le 1990 se révèle dense, concentré, moyennement corsé et tannique. C'est un vin très impressionnant, que vous apprécierez **jusqu'en 2008.** (1/93)

1989 • **85** Souple et précoce, le 1989 arbore une excellente couleur et libère un nez énorme de boisé et de pruneau. Il est généreux et amplement doté, sans avoir la tenue et la concentration du 1988 ou du 1990. **A boire dans les 4 à 6 ans.** (1/93)

1988 • **88** Une robe rubis-noir et un bouquet très intense de cassis très pur, d'herbes et de chêne neuf et grillé annoncent le Fourcas Loubaney 1988. D'une concentration splendide pour le millésime, il manifeste un équilibre d'une excellente tenue et déploie une finale persistante. **A boire jusqu'en 2005.** (1/93)

1986 • **89** Voici l'une des grandes révélations du millésime. La robe du Fourcas Loubaney 1986 est encore d'un rubis-pourpre sombre et splendide, et ce vin exhale un bouquet naissant de chêne neuf et grillé, de cassis, de réglisse et de fleurs. Très corsé et admirable de concentration, il manifeste un équilibre impeccable, et révèle, outre une richesse en extrait absolument fabuleuse (du fait de faibles rendements et de vieilles vignes), une finale longue et intense. Je regrette vraiment de n'en avoir pas acheté davantage ! **A boire jusqu'en 2006.** (1/91)

1985 • **87** Le Fourcas Loubaney 1985, qui est tout juste à maturité, exhale un bouquet très intense de cassis, d'herbes subtiles et de chêne neuf. La bouche, souple et ample, révèle également une profondeur et une persistance d'excellent aloi. **A boire dans les 5 ou 6 ans.** (1/91)

GRESSIER GRAND POUJEAUX – BON

Cru bourgeois
équivaut à un 5e cru
Propriétaire : Bertrand de Marcellus
Adresse : 33480 Moulis
Tél. et Fax 05 56 58 02 51
Visites : sur rendez-vous uniquement
Contact : Bertrand de Marcellus

Superficie : 22 ha (Moulis – appellation Moulis)
Vin produit :
Château Gressier Grand Poujeaux – 150 000 b (pas de second vin)
Encépagement :
60 % cabernet sauvignon, 25 % merlot, 10 % cabernet franc, 5 % petit verdot
Densité de plantation : 8 500 pieds/ha – *Age moyen des vignes :* 27 ans
Rendement moyen : 50 hl/ha

Élevage : vendanges manuelles ;
fermentations et cuvaisons de 25 jours en cuves d'acier inoxydable ;
vieillissement de 15 mois en fûts (dont 9 mois en petits fûts neufs) ;
collage et filtration

A maturité : dans les 7 à 20 ans suivant le millésime

Les terres sur lesquelles s'étend Gressier Grand Poujeaux sont plantées depuis quatre cents ans : dès 1560, un sieur Gressier y faisait du vin. C'est d'ailleurs sous le nom de Gressier que, durant près de deux siècles, le domaine fut connu.

Une division du vignoble – alors appelé Grand Poujeaux – fut effectuée en 1860 entre les propriétaires d'alors, M. Gressier et sa sœur, Mme Castaing. Le premier choisit le nom de Gressier Grand Poujeaux, la seconde celui de Chasse-Spleen.

Cette superbe propriété a produit une longue série de grands vins capables d'évoluer sur 20 à 30 ans, les propriétaires n'hésitant pas à déclasser certains millésimes, tels 1963, 1965 et 1977, qui n'avaient pas le niveau requis.

Le vignoble, excellemment situé sur des sols graveleux de Moulis, comprend diverses parcelles de vieilles vignes, dont la production excède rarement 15 hl/ha. En outre, le type de taille pratiqué ici entraîne des rendements très modérés. Le vin, vinifié en cuves inox et élevé en petits fûts, peut être très difficile à jauger dans sa jeunesse, mais la dégustation du 1966, du superbe 1970 (noté 90) et du 1975 m'a totalement convaincu de son potentiel extraordinaire. Plus récemment, les 1982, 1985, 1986, 1989 et 1990 se sont révélés somptueux.

1989 • **89** La robe opaque, foncée, d'un beau rubis-pourpre, du 1989 conduit à penser qu'il est riche en extrait et très intense. Le bouquet est encore fermé, mais il révèle au mouvement du verre des arômes de goudron, d'épices, de café et de cassis. En bouche, le vin libère un fruit débordant et très glycériné, atteste une concentration remarquable et dévoile une finale extrêmement tannique. L'acidité est faible, mais les tannins sont toujours très présents. C'est un vin rustique et traditionnel. **A boire jusqu'en 2015.** (1/93)

1988 • **87** Opaque et rubis-pourpre de robe, le 1988 présente un bouquet réticent, mais naissant, de chocolat, de cassis et de cèdre. Moyennement corsé, il est, comme on pouvait s'y attendre, peu évolué et rustique, mais avec un caractère bien affirmé. **A boire jusqu'en 2008.** (1/93)

1986 • **89** Vêtu d'un rubis-pourpre tirant sur le noir, le Gressier Grand Poujeaux 1986 exhale un bouquet encore fermé, mais s'ouvrant peu à peu, de réglisse, de cassis et de minéral. En bouche, il est marqué par ce qu'il faut de chêne neuf, avec beaucoup de richesse et de profondeur, et une finale longue, puissante et tannique. C'est un vin qu'il faut encore attendre 7 ou 8 ans. Il pourrait s'imposer comme l'une des révélations du millésime. **A boire jusqu'en 2020.** (4/90)

1985 • **87** Le 1985 est vraiment bon pour ce millésime. D'un rubis presque noir, il se révèle très riche en extrait, extrêmement tannique et corsé, avec une finale généreuse et longue ; il est capable de bien évoluer sur encore 10 ans et plus. Ce vin splendide, vinifié de manière traditionnelle, est destiné à ceux qui ont à la fois une bonne cave et de la patience... **A boire jusqu'en 2010.** (3/89)

1984 • **84** Ce vin est très réussi pour un 1984 : foncé de robe, épanoui, généreux, tannique et relativement corsé, il est riche en extrait et ne décevra pas les amateurs. **A boire.** (3/87)

1982 • **89** Ce vin est maintenant à maturité. Il déploie un bouquet énorme de cuir, de cassis et presque de châtaigne grillée, nuancé de notes minérales ; en bouche, il se montre musclé, exceptionnellement concentré et puissant, presque trop puissant, mais également splendide par son ampleur et sa profondeur. Il n'est pas fait pour les timorés ! **A boire jusqu'en 2010.** (3/88)

1979 • **86** Encore remarquablement jeune, mais tout juste arrivé à maturité, ce vin rubis foncé déploie un nez d'herbe fraîche, de poivre et de groseille. Assez corsé, étonnamment marqué par l'acidité et très peu tannique, il n'a pas la grande profondeur des meilleurs millésimes du domaine et se classe plutôt parmi les Gressier Grand Poujeaux plus « civilisés », plus conformes à la moyenne. **A boire jusqu'en 2001.** (3/88)

1970 • **90** Ce bouquet spectaculaire de noix grillée, de goudron, de réglisse et de fruits noirs, avec des nuances minérales, vaut celui d'un cinquième cru. En bouche, ce vin dégage une richesse presque somptueuse, beaucoup de longueur et de concentration, et une finale modérément tannique. Il s'est maintenant défait de sa dureté et se révèle très agréable à boire, sans paraître perdre son fruit. Il évoque, par son style et son caractère, le Lynch-Bages 1970 ! **A boire jusqu'en 2005.** (3/88)

GREYSAC - BON

Cru bourgeois – devrait être maintenu
Propriétaire : Groupe EXOR
Adresse : By – 33340 Bégadan
Tél. 05 56 73 26 56 – Fax 05 56 73 26 58
Visites : sur rendez-vous uniquement
Contact : Philippe Dambrine

Superficie :
22 ha (By – appellation Médoc)
Vins produits : Château Greysac – 360 000 b ; Domaine de By – 120 000 b
Encépagement :
45 % merlot, 40 % cabernet sauvignon, 10 % cabernet franc, 5 % petit verdot
Densité de plantation : 7 600 pieds/ha – *Age moyen des vignes :* 25 ans
Rendement moyen : 55 hl/ha

Élevage :
fermentations de 4-5 jours à 27-32 °C en cuves d'acier inoxydable thermorégulées ; vieillissement après les malolactiques de 12 mois en fûts (20 % de bois neuf) ; collage ; pas de filtration

A maturité : dans les 5 à 12 ans suivant le millésime

Le Château Greysac fut racheté en 1973, sur un coup de cœur, par un groupe d'amis conduits par le baron François de Gunzburg et appuyés par le groupe Fint, présidé par Giovanni Agnelli.

La gestion de la propriété, dont le vignoble est assis sur les croupes de graves du hameau de By, au sous-sol argileux, a été confiée à Philippe Dambrine, qui dirige également Cantemerle – mais il n'y a aucun autre lien entre les deux domaines.

Greysac est devenu l'un des crus bourgeois les plus appréciés aux États-Unis. La haute qualité de ce vin, alliée au dynamisme et au savoir-faire commercial du très courtois baron François de Gunzburg, décédé en 1984, a permis de l'imposer sur le marché américain, où, pourtant, tout ce qui n'est pas classé a beaucoup de mal à se faire une place.

J'ai toujours trouvé beaucoup d'élégance au Greysac : souple, assez corsé, il exhale un bouquet complexe débordant d'arômes de groseille, nuancé d'un caractère de minéral et de terroir. Jamais agressif ni excessivement tannique, ce vin atteint généralement son apogée vers 6 ou 7 ans d'âge et évolue joliment jusqu'à 12 ans.

HANTEILLAN

Cru bourgeois – devrait être maintenu
Propriétaire : Catherine Blasco
Adresse : 12, route de Hanteillan – 33250 Cissac
Tél. 05 56 59 35 31 – Fax 05 56 59 31 51
Visites : du lundi au vendredi (9 h-12 h et 14 h-18 h)
Contact : Marylène Brossard

Superficie : 82 ha (Cissac – appellation Haut-Médoc)
Vins produits :
Château Hanteillan – 450 000 b ; Château Laborde – 120 000 b ;
Château Blagnac – 60 000 b
Encépagement :
51 % cabernet sauvignon, 40 % merlot, 5 % cabernet franc, 4 % petit verdot
Densité de plantation : 6 500 et 8 500 pieds/ha – *Age moyen des vignes :* 25 ans
Rendement moyen : 62 hl/ha

Élevage :
fermentations cépages séparés en cuves d'acier inoxydable thermorégulées ;
au lieu des traditionnels remontages, le chapeau est « cassé » sous pression ;
vieillissement de 6 mois par rotation, pour moitié en cuves de béton
et en fûts de 1 an ; ni collage ni filtration

A maturité : dans les 4 à 8 ans suivant le millésime

Ce cru bourgeois bénéficie d'une publicité bien dirigée, mais il m'a toujours paru dépourvu de fruit et de charme. Il est correctement vinifié, dans des cuves de fermentation ultramodernes, conçues pour la production de vin de qualité, mais il est généralement assez tannique, austère et compact. Pourtant, j'ai cru détecter un peu plus de séduction et de finesse dans les 1989 et 1990. Le domaine produit un second vin à partir des cuvées qui ne sont pas jugées dignes de Hanteillan.

DE LAMARQUE – BON

Cru bourgeois – devrait être maintenu
Propriétaire : SC Gromand d'Évry
Adresse : 33460 Lamarque
Tél. 05 56 58 90 03 ou 05 56 58 97 55
Fax 05 56 58 93 43
Visites : sur rendez-vous uniquement
Contact : Francine Prévot

Superficie : 43 ha (Lamarque – appellation Haut-Médoc)
Vins produits :
Château de Lamarque – 150 000 b ; Donjon de Lamarque – 90 000 b
Encépagement :
46 % cabernet sauvignon, 25 % merlot, 24 % cabernet franc, 5 % petit verdot
Densité de plantation : 6 500 pieds/ha – *Age moyen des vignes :* 30 ans
Rendement moyen : 53 hl/ha

Élevage :
fermentations et cuvaisons de 15-20 jours en cuves de béton revêtues d'epoxy, avec contrôle des températures manuel ; après écoulage, achèvement des malolactiques en cuves ;
vieillissement de 12-14 mois en fûts (1/3 de bois neuf) ; collage ; légère filtration

---

A maturité : dans les 4 à 7 ans suivant le millésime

Le château médiéval fortifié de Lamarque, dans le bourg du même nom, est l'un des plus beaux du Bordelais ; il se trouve un peu à l'écart de la route des grands crus (D2), sur celle qui conduit à l'embarcadère du bac traversant la Gironde jusqu'à Blaye.

Le vin de Lamarque est typique de cette partie centrale du Médoc : bien vinifié et relativement solide, il semble avoir quelque chose de l'élégance des Saint-Julien, mais il déploie aussi de la rondeur, de la souplesse, et un caractère tendre et généreusement fruité. Les propriétaires sont extrêmement attentifs aux vinifications. Les vins de Lamarque doivent être consommés le plus souvent dans les 7 ou 8 ans qui suivent la vendange, et leur prix demeure raisonnable pour un cru bourgeois.

LANESSAN – EXCELLENT

Cru bourgeois – équivaut à un 5e cru
Propriétaire : GFA des Domaines Bouteiller
Adresse : 33460 Cussac-Fort-Médoc
Tél. 05 56 58 94 80 – Fax 05 56 58 93 10
Visites : tous les jours (9 h-12 h et 14 h-18 h)
Contact : Hubert Bouteiller

Superficie : 40 ha (Cussac-Fort-Médoc – appellation Haut-Médoc)
Vin produit :
Château Lanessan – 250 000-300 000 b (pas de second vin)
Encépagement :
75 % cabernet sauvignon, 20 % merlot, 5 % cabernet franc et petit verdot
Densité de plantation : 10 000 pieds/ha – *Age moyen des vignes :* 25 ans
Rendement moyen : 55 hl/ha

Élevage :
fermentations et cuvaisons de 12-18 jours en cuves de béton thermorégulées ;
vieillissement après les malolactiques de 18-30 mois en fûts (5 % de bois neuf) ;
collage et filtration

A maturité : dans les 7 à 18 ans suivant le millésime

Lanessan est l'un des vins les plus remarquables de l'appellation et pourrait fort bien être promu cinquième cru si le classement des vins du Médoc était remanié.

Ce domaine, situé à Cussac, au sud de Saint-Julien, en face du vaste vignoble de Gruaud Larose, produit des vins très aromatiques, bien colorés, amples, solidement charpentés et de bonne mâche. On peut certes leur reprocher de manquer de finesse, mais ils se rattrapent par leurs arômes généreux et amples de cassis.

Sur une surface de 40 ha, qui s'agrandit chaque année de nouvelles plantations, Lanessan produit plus de 20 000 caisses sous la direction des Bouteiller. Le vin vieillit remarquablement bien, comme l'a prouvé un 1920 certes un peu fatigué, mais délicieux, que j'ai dégusté avec quelques amis en 1983. Parmi les millésimes plus récents, les meilleurs ont été les 1970, 1975, 1978, 1982, 1986, 1988, 1989, 1990, 1995 et 1996. Ce sont des vins puissants, au caractère affirmé, qui rappellent un peu Lynch-Bages, le célèbre cinquième cru de Pauillac.

J'ai souvent dit que Lanessan pouvait être irrégulier. Cette faiblesse est probablement due à l'entêtement du domaine à utiliser de vieilles barriques pour l'élevage – c'est d'ailleurs le seul reproche que l'on puisse lui adresser. Un petit pourcentage de fûts de chêne neuf pourrait en effet être bénéfique à un vin aussi robuste. Pour ceux qui visitent la région, ce beau château, entre les mains de la même famille depuis 1890, est aussi un musée ouvert au public qui présente de nombreuses voitures à cheval et tout un assortiment de harnais.

1997 • **85-87** Le Lanessan 1997 se distingue par un nez très pur et mûr de doux cassis et de cerise. Tout à la fois savoureux, moyennement corsé, charnu, ample et gratifiant, il sera des plus plaisants ces **7 ou 8 prochaines années.** (1/99)

1996 • **88** Le Lanessan 1996 – une révélation du millésime – impressionne par sa robe d'un rubis-pourpre sombre et soutenu. Son nez renversant libère des notes de chocolat fondu, de goudron et de cassis, et la bouche révèle un caractère profond, riche et moyennement corsé. L'ensemble, doté de manière étonnante, manifeste une concentration et une pureté d'excellent aloi. Bien structuré et très parfumé, il sera à son meilleur niveau **entre 2004 et 2016.** (1/99)

1995 • **87** Moins puissant et moins musclé que le 1996, le 1995 est cependant plus élégant et plus charnu, avec des arômes herbacés de cassis et de groseille aux notes de tabac. L'ensemble, moyennement corsé, séduit par son caractère doux et souple. **A boire jusqu'en 2008.** (1/98)

1993 • **86** Lanessan est un cru bourgeois très bien tenu, ce dont témoigne la parfaite maîtrise des tannins agressifs du 1993. On a en effet produit cette année-là un vin charnu, goûteux et souple, au nez franc de cassis, de cèdre et d'herbes. Moyennement corsé et tout à fait mûr, il déploie une finale ronde et généreuse. **A boire dans les 8 à 10 ans.** (11/95)

1992 • **83** Le 1992, dont la robe est d'un rubis moyennement foncé, présente de séduisants arômes herbacés de fruits noirs et rouges poussiéreux et de bois terreux. Modérément corsé et doux, avec une faible acidité, il se montre relativement tannique en bouche. **A boire d'ici 1 ou 2 ans.** (11/95)

1990 • **88** Opaque de robe, avec un nez énorme, épicé et poivré de cerise noire nuancé d'herbes provençales, le 1990 de Lanessan manifeste en bouche une excellente richesse et une texture à la fois dense et épaisse. Sa finale est bien épicée, tannique et généreusement glycérinée. **A boire ces 10 à 12 prochaines années.** (1/93)

1989 • **87** Ce vin herbacé, mais également gras, richement fruité et souple, se montre massif et très corsé en bouche. Il regorge de fruit, de glycérine et de tannins. **A boire jusqu'en 2004.** (1/93)

1988 • **86** Bien étoffé, riche et concentré, le 1988 de Lanessan se révèle profond et mûr, et exhale un bouquet complexe de menthe, de cèdre et de cassis, entremêlé de subtiles senteurs de chêne. Ce vin charnu, très corsé et extrêmement concentré se maintiendra ces **10 à 15 prochaines années.** (1/93)

1987 • **74** Plutôt herbacé et maigre, le 1987 de Lanessan libère un bouquet ouvert, et révèle en bouche des arômes ronds et doux dont la verdeur sous-jacente indique qu'il est issu d'un cabernet sauvignon pas mûr. **A boire.** (4/90)

1986 • **88** C'est probablement le meilleur Lanessan de ces vingt dernières années. Arborant toujours un rubis-pourpre foncé, il exhale un nez naissant, mais encore réticent, d'herbes, de cuir fin, de viande grillée et de cassis. Très corsé, tannique et puissant, il conviendra parfaitement aux amateurs appréciant surtout les vins d'une grande précision et dotés d'une structure impressionnante. **A boire jusqu'en 2010.** (3/90)

1985 • **87** Le 1985 se distingue par ses senteurs de fumé, de terre et de mûre bien évoluée qui jaillissent littéralement du verre. La bouche, d'une excellente profondeur, est plus faible en acidité et présente des tannins plus doux que de coutume, mais l'ensemble n'en est pas moins puissant et charnu, bien qu'il manque un peu de finesse et de charme. Il compense cependant cette faiblesse par son caractère robuste et très mûr. **A boire jusqu'en 2003.** (3/89)

1984 • **76** Un bouquet épicé et légèrement végétal introduit en bouche un vin assez doux, mais manquant quelque peu de structure. **A boire.** (4/89)

1982 • **86** Ce vin, atypique de Lanessan du fait de son caractère gras et de sa structure assez lâche, est cependant précoce et généreusement doté. Il regorge d'arômes de terre et de cassis, et déploie une finale souple et charnue. **A boire.** (1/90)

Millésimes anciens

Le 1906 (noté 69 en décembre 1995) arborait une robe assez légère d'un orange ambré et exhalait de vagues notes de cèdre qui se muaient très rapidement en senteurs d'acidité volatile et de chai moisi. Son acidité très élevée et son manque de fruit permettraient d'en faire un bon vinaigre millésimé. Cela dit, le nez demeurait complexe (mais éphémère), mais le fruit était desséché, et le vin pratiquement passé. Le Lanessan 1914, dégusté au même moment et noté 76, était à peine en meilleure forme. Outre un nez séduisant de douce groseille et de cèdre, il se révélait extrêmement tannique en bouche, assez fruité, et déployait une finale moyennement corsée, piquante et acide. Le milieu de bouche était creux, mais le vin n'était pas complètement passé.

LAROSE-TRINTAUDON

Cru bourgeois – devrait être maintenu
Propriétaire : AGF
Adresse : route de Pauillac – 33112 Saint-Laurent-du-Médoc
Tél. 05 56 59 41 72 – Fax 05 56 59 93 22
Visites : sur rendez-vous uniquement
Contacts : Matthias von Campe et Franck Bijon

Superficie : 175 ha (Saint-Laurent-du-Médoc et Pauillac – appellation Haut-Médoc)
Vins produits :
Château Larose-Trintaudon – 1 000 000 b ; Larose Saint-Laurent – 130 000 b
Encépagement : 65 % cabernet sauvignon, 30 % merlot, 5 % cabernet franc
Densité de plantation : 6 600 pieds/ha – *Age moyen des vignes :* 30 ans
Rendement moyen : 55 hl/ha

Élevage :
fermentations et cuvaisons de 21-28 jours
en cuves d'acier inoxydable thermorégulées ;
vieillissement de 12 mois en fûts (30 % de bois neuf) ;
collage à l'albumine ; légère filtration

A maturité : dans les 4 à 7 ans suivant le millésime

Le plus vaste vignoble du Médoc nous a habitués à des vins sans détour, souples et bien faits, même si l'originalité ne les étouffe pas.

1997 • **84-85** Solide et épicé, le 1997 est moyennement corsé et faible en acidité, avec un fruité de groseille. **A boire jusqu'en 2006.** (1/99)

1996 • **86** Voici un excellent vin. Arborant une robe d'un rubis profond, le 1996 de Larose-Trintaudon présente de doux arômes de cerise noire confiturée et de groseille nuancés de chêne épicé. Étonnant de profondeur et de richesse, il s'affirme par son milieu de bouche et sa finale. C'est un vin sérieux, dominé par le fruit, qui tiendra parfaitement **7 ou 8 ans.** (1/99)

1993 • **85** J'ai longtemps critiqué les vins de cette propriété, qui présentaient des notes de moisi, mais ce n'est plus le cas depuis quelques années. En 1993, Larose-Trintaudon a produit un vin moyennement corsé, séduisant et accessible, bien épicé, équilibré et élégant, au fruité net et mûr de groseille. **A boire.** (11/95)

LESTAGE – BON

Cru bourgeois – devrait être maintenu
Propriétaires : Jean, Elza, Katherine et Caroline Chanfreau
Adresse : 33480 Listrac
Tél. 05 56 58 02 43 – Fax 05 56 58 04 33
Visites : du lundi au vendredi (9 h-12 h et 14 h-17 h 30)
Contacts : Jean et Marie-Hélène Chanfreau

Superficie : 49 ha (Listrac et Moulis – appellation Listrac)
Vins produits :
Château Lestage – 210 000 b ;
La Dame de Cœur de Château Lestage – 32 000-50 000 b
Encépagement :
58 % merlot, 38 % cabernet sauvignon, 2 % cabernet franc, 2 % petit verdot
Densité de plantation : 6 700 pieds/ha – *Age moyen des vignes :* 28 ans
Rendement moyen : 56 hl/ha

Élevage :
fermentations à 28-30 °C et cuvaisons à 30-32 °C de 20-31 jours en cuves thermorégulées ; vieillissement de 12 mois en fûts (30 % de bois neuf) pour 70 % de la récolte, le reste demeurant en cuves ; collage ; filtration non systématique

---

A maturité : dans les 3 à 8 ans suivant le millésime

Je garde un bon souvenir de plusieurs vieux millésimes de Lestage. C'est un cru souple, sans détour, bien fait, fruité et aromatique. Jusqu'en 1985, toute la production était élevée en cuves, mais, par la suite, le propriétaire s'est mis à utiliser de petits fûts de chêne, et les vins se sont révélés plus charpentés, avec davantage de caractère. Ce ne sont pas des vins profonds, d'autant plus que les rendements me paraissent trop importants, mais ils répondent aux désirs des consommateurs recherchant des vins agréables et accessibles à des prix raisonnables ; n'en demandons pas plus à ce grand domaine de Listrac, qui compte un fort beau château du XIXe siècle à trois étages.

Les 9 ha de Moulis produisent un grand vin diffusé sous l'étiquette Château Caroline (45 000 bouteilles annuellement).

LIVERSAN – BON

Cru bourgeois – devrait au minimum être maintenu
Propriétaire : SCEA du Château Liversan
Adresse : route de Farpiqueyre – 33250 Saint-Sauveur
Tél. 05 56 41 50 18 – Fax 05 56 41 54 65
Visites : du lundi au vendredi (9 h-12 h 30 et 14 h-17 h 30)
Contact : Bruno Blanc – Tél. 05 56 73 94 65

Superficie : 40 ha (Saint-Sauveur – appellation Haut-Médoc)
Vins produits :
Château Liversan – 150 000 b ; Les Charmes de Liversan – 140 000 b
Encépagement :
49 % cabernet sauvignon, 38 % merlot, 10 % cabernet franc, 3 % petit verdot
Densité de plantation : 8 500 pieds/ha – *Age moyen des vignes :* 25 ans
Rendement moyen : 56 hl/ha

Élevage :
fermentations et cuvaisons de 20-25 jours en cuves de béton et d'acier inoxydable ;

vieillissement de 12 mois en fûts (20 % de bois neuf) ; collage ; pas de filtration

---

A maturité : dans les 4 à 10 ans suivant le millésime

Bien des bons connaisseurs du bordeaux considèrent depuis toujours que le vignoble de Liversan, excellemment situé entre le bourg de Pauillac et le petit village de Saint-Sauveur, est capable de produire des vins de la qualité d'un cru classé. La construction de nouveaux chais, des rendements plus ténus et l'utilisation d'une proportion plus importante de chêne neuf pour l'élevage ont permis l'élaboration d'une série de bons, voire de très bons crus.

Les vins de Liversan se distinguent généralement par leur robe profonde, par leur belle richesse en extrait, par leurs tannins souples et par leur tenue, leur concentration et leur persistance d'excellent aloi. Les propriétaires attribuent leur grande qualité à la forte densité de plantation du vignoble (8 500 pieds/ha, alors que la moyenne du Bordelais est de 6 500 pieds/ha) ; les vignes doivent alors s'enraciner profondément dans le sol pour s'alimenter, produisant, de ce fait, des vins plus étoffés, au caractère plus affirmé.

1996 • **86** — Pourpre foncé de robe, ce vin sans détour se montre moyennement corsé et richement fruité en bouche, où il déploie encore une profondeur d'excellent aloi. Modérément tannique, il conviendra parfaitement aux amateurs en quête d'un bordeaux bien fait, proposé à prix raisonnable. **A boire dans les 10 ans.** (1/99)

LOUDENNE

Cru bourgeois – devrait être maintenu
Propriétaire : maison Walter et Alfred Gilbey
Adresse : 33340 Saint-Yzans
Tél. 05 56 73 17 80 – Fax 05 56 09 02 87
Visites : du lundi au vendredi (9 h 30-12 h 30 et 14 h-17 h 30)
Contact : Claude-Marie Toustou – Tél. 05 56 73 17 97

Superficie :
rouge – 48 ha ; blanc – 12 ha (Saint-Yzans – appellation Médoc)

Vins produits :
rouge – Château Loudenne – 280 000 b ; Château Lestagne – 40 000-60 000 b ;
blanc – Château Loudenne Blanc – 45 000 b

Encépagement :
rouge – 45 % cabernet sauvignon, 45 % merlot, 7 % cabernet franc, 3 % malbec
blanc – 50 % sauvignon, 50 % sémillon

Densité de plantation : rouge – 5 000-6 500 pieds/ha ; blanc – 5 000 pieds/ha
Age moyen des vignes : rouge – 28 ans ; blanc – 19 ans
Rendement moyen : rouge – 60 hl/ha ; blanc – 48 hl/ha

Élevage :
rouge – fermentations et cuvaisons de 21 jours
en cuves de béton et d'acier inoxydable ;
vieillissement de 12-15 mois en fûts (25 % de bois neuf) ; collage et filtration ;

blanc – macération pelliculaire et débourbage plutôt court ; vinification à 15-16 °C ;
fermentations et élevage de 8 mois en fûts (depuis 1997, 25 % de bois neuf) ;
bâtonnages hebdomadaires ; après assemblage et stabilisation par le froid,
mise en bouteille au bout de 10 mois au total ; collage et filtration

A maturité : dans les 3 à 6 ans suivant le millésime

Ce domaine, avec sa chartreuse du XVIIe siècle couleur rosée, est la propriété de la maison Walter et Alfred Gilbey depuis 1875. Le vignoble est situé au nord du Médoc, près de Saint-Yzans, sur un sol sableux et graveleux. Alors que j'apprécie beaucoup le vin blanc, issu d'un assemblage de sauvignon et de sémillon, je trouve que le vin rouge est extrêmement léger. Il est certes correctement vinifié, mais il manque de complexité, de richesse et d'aptitude à la garde.

Sachant la grande qualité de la vinification à Loudenne, je me demande si cette partie du Médoc est réellement capable de produire des vins de garde. Cependant, une amélioration de la qualité depuis le milieu des années 90 permet d'espérer des rouges plus complets et plus intéressants.

MAGNOL – BON

Cru bourgeois – devrait être maintenu
Propriétaire : Barton et Guestier
Adresse : 33290 Blanquefort
Tél. 05 56 95 48 00 – Fax 05 56 95 48 01
Visites : non autorisées

Superficie :
16,5 ha (Blanquefort – appellation Haut-Médoc)
Vin produit : Château Magnol – 100 000 b (pas de second vin)
Encépagement : 50 % merlot, 45 % cabernet sauvignon, 5 % cabernet franc
Densité de plantation : 6 600 pieds/ha – *Age moyen des vignes :* 20 ans
Rendement moyen : 50 hl/ha

Élevage :
fermentations et cuvaisons de 28-35 jours
en cuves d'acier inoxydable thermorégulées ;
vieillissement de 12 mois en fûts (25 % de bois neuf) ; collage et filtration

A maturité : dans les 3 à 5 ans suivant le millésime

Le Château Magnol, qui appartient à la grande maison Barton et Guestier, produit des vins souples, fruités et accessibles, qui m'ont fait bonne impression. Ils sont issus d'un vignoble situé au nord de Bordeaux et à l'est de la banlieue industrielle de Blanquefort. Magnol est extrêmement bien vinifié, dans un style moderne et commercial, et il ne manque ni de séduction ni de charme ; ce n'est cependant pas un vin destiné à faire de vieux os – il faut donc le boire rapidement.

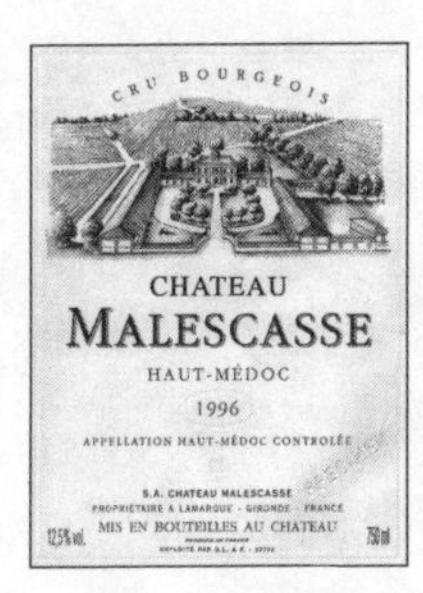

MALESCASSE – BON

Cru bourgeois – devrait être maintenu
Propriétaire : Alcatel-Alsthom
Adresse : 6, route du Moulin-Rose – 33460 Lamarque
Tél. 05 56 73 15 20 – Fax 05 56 59 64 72
Visites : du lundi au vendredi (9 h-12 h et 14 h-17 h)
Contact : François Peyran

Superficie :
37 ha (Lamarque – appellation Haut-Médoc)
Vins produits :
Château Malescasse – 170 000 b ; La Closerie de Malescasse – 83 000 b
Encépagement : 55 % cabernet sauvignon, 35 % merlot, 10 % cabernet franc
Densité de plantation : 8 500 pieds/ha – *Age moyen des vignes :* 20 ans
Rendement moyen : 55 hl/ha

Élevage :
fermentations et cuvaisons de 24-30 jours
en cuves d'acier inoxydable thermorégulées ;
1/4 de la récolte achève les malolactiques en fûts, le reste demeurant en cuves ;
vieillissement de 16 mois en fûts (25 % de bois neuf) ; soutirage trimestriel ;
collage à l'albumine ; légère filtration

A maturité : dans les 4 à 7 ans suivant le millésime

Le vignoble de Malescasse est excellemment situé, juste au nord du village d'Arcins et au sud de Lamarque. Entourant le château – construit en 1824 sur le point le plus élevé de la commune de Lamarque –, il est assis sur une croupe graveleuse entre Margaux et Saint-Julien. Il a été replanté au début des années 70, et les vignes arrivent maintenant à un âge idéal.

Cette propriété très bien gérée a été rachetée en 1992 à la famille Tesseron, propriétaire de Pontet-Canet et de Lafon-Rochet. Elle produit, depuis les années 80, des vins moyennement corsés et richement fruités, qu'il faut déguster à leur meilleur niveau entre 4 et 7 ans après le millésime.

1993 • **86** Depuis que M. Gaudin, ancien maître de chais de Pichon-Lalande, a pris ses quartiers à Malescasse, les vins de cette propriété ont, entre ses mains magiques, perdu leur style anguleux et rugueux. Dans un millésime incontestablement austère comme 1993, ils se montrent même ronds, généreux et expansifs, avec un fruité mûr et doux marqué par le cassis. On distingue en finale des tannins bien fondus. **A boire dans les 3 ou 4 ans.** (11/95)

MAUCAILLOU - EXCELLENT

Cru bourgeois – équivaut à un 4e cru
Propriétaire : SARL du Château Maucaillou
Adresse : 33480 Moulis
Tél. 05 56 58 01 23 – Fax 05 56 58 00 88
Visites : tous les jours (10 h-12 h et 14 h-18 h)
Contact : Magali Dourthe

Superficie :
80 ha (Moulis et Listrac – appellation Moulis)
Vins produits :
Château Maucaillou – 395 000 b ; Château Cap de Haut-Maucaillou – 95 000 b
Encépagement :
56 % cabernet sauvignon, 35 % merlot, 7 % petit verdot, 2 % cabernet franc
Densité de plantation : 8 000 pieds/ha – *Age moyen des vignes :* 28 ans
Rendement moyen : 52 hl/ha

Élevage :
fermentations de 8 jours à 22 °C, puis à 30 °C, en cuves d'acier inoxydable ; cuvaisons poursuivies jusqu'à un indice de tannins de 55 à 65 (environ 20 jours) ; vieillissement de 18 mois en fûts (40 % de bois neuf) ; collage ; légère filtration

---

A maturité : dans les 4 à 12 ans suivant le millésime

Maucaillou a toujours été l'un des vins les plus intéressants du Médoc, en particulier sous le rapport qualité/prix. Il est impeccablement vinifié par le robuste et volubile Philippe Dourthe, et je ne vois guère de critiques à lui adresser. Bien coloré, ce cru présente, outre une belle structure et un fruit merveilleusement épanoui et concentré, des tannins ronds et suffisamment de tenue et de richesse en extrait pour évoluer gracieusement sur 10 à 12 ans. Depuis le milieu des années 80, il est vinifié avec presque 40 % de bois neuf et dans des fûts de 2 ans d'âge achetés à des crus classés bien connus.

Il n'est pas facile d'élaborer des vins aussi riches et aussi gras, accessibles dès leur jeunesse tout en étant capables de bien évoluer sur une décennie. Maucaillou a apparemment réussi à dompter ce sol de Moulis, qui donne souvent des vins durs et tanniques ; il offre des vins exceptionnellement élégants et agréables, mais en même temps relativement peu chers, ce qui n'est guère courant dans le Bordelais. Aux touristes épris du terroir, qui ne craignent pas la grande aventure des petites routes de campagne du Médoc, je recommande hautement la visite de ce château ; ils y découvriront un musée du vin et pourront y déguster le dernier millésime de la propriété.

1997 • **86-87** Très bien réussi, le 1997 de Maucaillou présente une robe d'un rubis-pourpre soutenu et exhale un nez intense de cassis et d'airelle confiturée. Gras et voluptueux, il manifeste en bouche une excellente pureté et une faible acidité. C'est un vin délicieux, qui pourrait bien s'imposer comme l'une des révélations de ce millésime. **A boire jusqu'en 2008.** (3/98)

1996 • **84-85 ?** Plus concentré que le 1995, maigre et anguleux, le Maucaillou 1996, d'un rubis soutenu, est à la limite de l'excès de tannins. Moyennement corsé, avec des arômes bien épicés de fruits rouges et de cassis, il présente un potentiel de garde de **10 ans environ.** (3/98)

1989 • **87** Généreusement doté de fabuleuses senteurs de mûre, le 1989 se présente comme un vin merveilleusement riche, charnu et hautement extrait. Il est velouté et des plus séduisants en bouche, où il déploie une finale tout en finesse. **A boire jusqu'en 2001.** (1/93)

1988 • **86** Le 1988 de Maucaillou est extrêmement séduisant, avec ses arômes tout à la fois charnus, boisés, élégants et fruités. Ce vin moyennement corsé sera parfait ces **4 à 6 prochaines années.** (1/93)

1986 • **86** Le 1986 devrait se révéler légèrement meilleur que le 1985, car il est plus profond, plus étoffé et plus riche, mais aussi un peu plus tannique. Son généreux fruité de cerise noire est joliment rehaussé de belles notes de chêne grillé. **A boire.** (11/90)

1985 • **85** De tous les Moulis, Maucaillou s'impose comme le plus élégant et le plus racé, bien qu'il ne puisse pas prétendre à la puissance et la profondeur d'un Chasse-Spleen ou d'un Poujeaux. Le 1985, tout à la fois élégant, riche et plein de grâce, se montre moyennement corsé, avec un caractère parfumé et une finale persistante. **A boire.** (4/91)

MAYNE LALANDE - BON

Cru bourgeois

équivaut à un 5e cru dans les meilleurs millésimes

Propriétaire : Bernard Lartigue

Adresse : 33480 Listrac

Tél. 05 56 58 27 63 – Fax 05 56 58 22 41

Visites : du lundi au vendredi (8 h-12 h et 14 h-18 h)

Contact : Bernard Lartigue

Superficie :

16 ha (Listrac – appellation Listrac)

Vins produits :

Château Mayne Lalande – 40 000-50 000 b ; Château Malbec Lartigue – 40 000 b

Encépagement :

45 % cabernet sauvignon, 45 % merlot, 5 % cabernet franc, 5 % petit verdot

Densité de plantation : 9 000 et 6 000 pieds/ha – *Age moyen des vignes :* 25 ans

Rendement moyen : 40 hl/ha pour le grand vin et 55 hl/ha pour le second vin

---

Élevage :

fermentations à 28-32 °C et cuvaisons de 30 jours
en cuves avec système de refroidissement par ruissellement ;
vieillissement de 12-15 mois en fûts (30 % de bois neuf) ;
collage au blanc d'œuf ; pas de filtration

A maturité : dans les 5 à 15 ans suivant le millésime

Note : la propriété élabore également une cuvée spéciale appelée Grande Réserve du Château Mayne Lalande. Elle est vinifiée comme le grand vin, à ceci près qu'elle est entièrement vieillie en fûts neufs pendant 24 à 30 mois. Elle est disponible à hauteur de 400 caisses annuellement.

Cette propriété peu connue de Listrac pourrait bien se révéler comme l'une des vedettes de l'appellation. J'ai eu la chance de goûter la plupart des millésimes des années 80, et j'ai été particulièrement impressionné par la richesse et l'intensité du 1982, par la finesse du 1983, par la puissance et l'étonnante concentration du 1985, et aussi par le potentiel de garde, de l'ordre de 15 à 20 ans, du 1986. Alors que le 1988 m'a paru un peu maigre, je crois que le 1989 et le 1990 comptent parmi les meilleurs vins jamais élaborés par le domaine.

La réussite de ce vignoble tient à des rendements assez bas et au grand sérieux de Bernard Lartigue, le propriétaire. Jusqu'à présent, le vin n'est connu que de certains initiés – et de restaurateurs perspicaces, tel Jean-Pierre Xiradakis, qui n'a pas manqué de le faire figurer sur la carte des vins de son célèbre restaurant, La Tupina (Bordeaux). Il est probable que les prix vont augmenter, mais le Mayne Lalande est encore, à l'heure actuelle, sous-évalué.

DU MOULIN ROUGE – TRÈS BON

Cru bourgeois – devrait être maintenu
Propriétaires : familles Pelon et Ribeiro
Adresse : 18, rue de Costes – 33460 Cussac-Fort-Médoc
Tél. 05 56 58 91 13 – Fax 05 56 58 93 68
Visites : tous les jours (9 h-12 h et 14 h-18 h)
Contact : Laurence Ribeiro

Superficie :
16 ha (Cussac-Fort-Médoc – appellation Haut-Médoc)
Vin produit : Château du Moulin Rouge – 90 000 b (pas de second vin)
Encépagement : 50 % merlot, 40 % cabernet sauvignon, 10 % cabernet franc
Densité de plantation : 6 600-7 000 pieds/ha – *Age moyen des vignes :* 25-30 ans
Rendement moyen : 50 hl/ha

Élevage :
fermentations et cuvaisons de 21-28 jours en cuves d'acier inoxydable ou de béton avec système de régulation des températures ; vieillissement de 12 mois en fûts (30 % de bois neuf) ; collage au blanc d'œuf ; filtration non systématique

A maturité : dans les 5 à 10 ans suivant le millésime

Le Château du Moulin Rouge est l'un des crus bourgeois que je préfère. Le vignoble, très morcelé (je crois qu'il compte six parcelles), se trouve au nord de Cussac-Fort-Médoc, près de la limite sud de l'appellation Saint-Julien. On ne sera donc pas surpris de constater que le vin ressemble souvent à un (bon) Saint-Julien ; très foncé de robe, il s'est toujours montré riche, charnu et corsé au cours des années 80, rappelant un peu Hortevie et Terrey-Gros-Cailloux – mais il est évidemment nettement moins cher, puisqu'il n'a droit qu'à l'appellation Haut-Médoc.

Ce cru bourgeois est particulièrement solide, trapu et charnu, et, s'il manque un peu de finesse, il n'en est pas moins riche, musclé et plein de caractère.

1996 • **85** Ce cru a une fois encore magnifiquement réussi. Le 1996 est profondément coloré, avec un fruité épicé (notamment des arômes de groseille et de cerise) aux notes de terre. D'une grande pureté, il déploie une finale modérément longue, mais imposante. **A boire dans les 5 à 7 ans.** (1/99)

1995 • **85** Plus tannique et moins opulent que ses aînés de 1989 et 1990, le 1995 est bon, austère et bien fait, avec un fruité de groseille douce, et montre une belle structure. **A boire dans les 3 à 5 ans.** (1/98)

MOULIN À VENT - BON

Cru bourgeois – devrait être maintenu
Propriétaires : Dominique et Marie-Hélène Hessel
Adresse : Bouqueyran – 33480 Moulis
Tél. 05 56 58 15 79 – Fax 05 56 58 12 05
Visites : du lundi au vendredi (9 h-12 h et 14 h-18 h)
Contact : Dominique Hessel

Superficie : 25 ha (Moulis et Listrac – appellation Moulis)
Vins produits :
Château Moulin à Vent – 120 000 b ;
Château Moulin de Saint-Vincent – 30 000-40 000 b
Encépagement : 60 % cabernet sauvignon, 35 % merlot, 5 % petit verdot
Densité de plantation : 6 700 pieds/ha – *Age moyen des vignes :* 25 ans
Rendement moyen : 49 hl/ha

Élevage :
fermentations et cuvaisons de 21 jours en cuves d'acier inoxydable et de béton ; remontages quotidiens ; vieillissement de 20 mois pour moitié en cuves et en fûts (20-25 % de bois neuf) ; pas de collage ; légère filtration

---

A maturité : dans les 5 à 10 ans suivant le millésime

Situé dans la partie ouest de Moulis, à la limite de Listrac, sur les croupes les plus hautes de l'appellation, le vignoble de Moulin à Vent est à 60 % assis sur des graves pyrénéennes et à 40 % sur des sols argilo-calcaires.

Cette propriété produit des Moulis traditionnels – denses et tanniques, qui requièrent une garde de plusieurs années pour s'assouplir et évoluer. Du fait de la forte proportion de vin de presse qui entre dans l'assemblage, les Moulin à Vent se révèlent profondément colorés, massifs et puissants, et sont à leur meilleur niveau lorsqu'ils sont issus d'une vendange très mûre.

Dans l'ensemble, ce cru s'est nettement amélioré depuis qu'il a été repris en main par Dominique Hessel, qui a notamment procédé à une replantation progressive et à des complantations, applique la « lutte raisonnée » (pas de traitement insecticide, pas de fumure systématique), a entrepris la réfection du cuvier et la remise en état du chai à barriques, qui datait de 1873.

MOULIS

Cru bourgeois – devrait être maintenu
Propriétaire : Alain Daricarrère
Adresse : 33480 Moulis
Tél. 05 57 68 40 66
Visites : sur rendez-vous uniquement
Contact : Alain Daricarrère

Superficie : 25 ha (Moulis – appellation Moulis)
Vin produit : Château Moulis – 120 000 b (pas de second vin)
Encépagement : 50 % cabernet sauvignon, 50 % merlot
Densité de plantation : 6 700 pieds/ha – *Age moyen des vignes :* 25 ans
Rendement moyen : 50 hl/ha

Élevage :
fermentations et cuvaisons de 21 jours en cuves d'acier inoxydable avec contrôle des températures manuel ; vieillissement après les malolactiques de 12 mois en cuves pour 75 % de la récolte et en fûts (très peu de bois neuf) pour le reste ; collage et filtration

---

A maturité : dans les 4 à 7 ans suivant le millésime

Les vins du Château Moulis présentent généralement une robe profonde et un caractère compact et relativement austère ; ils sont dépourvus de complexité et de charme. Cependant, le vignoble est bien situé, et les vinifications sont traditionnelles.

Note : le château a une deuxième marque, Château d'Anglas, mais aucun vin n'a été produit à ce jour sous cette étiquette.

LES ORMES SORBET – TRÈS BON

Cru bourgeois – devrait être maintenu
Propriétaire : Jean Boivert
Adresse : 33340 Couquèques
Tél. 05 56 73 30 30 – Fax 05 57 73 30 31
Visites : du lundi au vendredi (9 h-12 h et 14 h-18 h)
Contact : Jean Boivert

Superficie : 21 ha (Couquèques – appellation Médoc)
Vins produits :
Château Les Ormes Sorbet – 120 000 b ; Château de Conques – 20 000 b
Encépagement :
60 % cabernet sauvignon, 35 % merlot, 5 % carmenère et petit verdot
Densité de plantation : 8 300 pieds/ha – *Age moyen des vignes :* 30 ans
Rendement moyen : 50 hl/ha

Élevage :
fermentations et cuvaisons de 21 jours en cuves d'acier inoxydable

avec système de régulation des températures ; vieillissement de 22 mois en fûts (1/3 de bois neuf) ; collage ; pas de filtration

A maturité : dans les 6 à 12 ans suivant le millésime

Le propriétaire actuel, Jean Boivert, a repris ce domaine en 1970 ; depuis les années 80, il produit l'un des meilleurs crus bourgeois de la partie nord du Médoc. Ce viticulteur représente la huitième génération d'une famille qui exploite ce vignoble depuis 1730, à proximité du village somnolent de Couquèques. Il s'est décidé, dans les années 70, à augmenter la proportion de cabernet sauvignon et à accroître la densité de plantation du vignoble. Ses vins vieillissent 22 mois en fûts de chêne (dont un tiers de bois neuf), et il ne procède à aucune filtration avant la mise en bouteille. Ce cru bourgeois se distingue par une robe profonde et par des notes vanillées assez prononcées, qui lui viennent des fûts de chêne de Tronçais ; il est capable de bien évoluer sur une dizaine d'années.

Les meilleurs millésimes récents sont le somptueux 1982, qui est maintenant à pleine maturité ; le 1983, toujours délicieux, quoique plus léger ; le 1985, remarquable, intensément concentré, du niveau d'un cru classé ; le 1986, lui aussi impeccablement vinifié ; le 1989, gras et concentré, marqué de boisé et de notes de fumé. Dans les années 90, le 1990, le 1994, le 1995 et le 1996 sont excellents. Les Ormes Sorbet s'impose comme l'une des étoiles montantes du nord du Médoc.

1996 • **86** Ce cru bourgeois propose un excellent 1996. C'est un vin élégant, doté d'un nez modérément intense de fruits noirs, de chêne épicé et de minéral. Richement parfumé et harmonieux en bouche, il déploie en finale des tannins souples. **A boire dans les 5 à 7 ans.** (1/99)

1995 • **85** Racé, séduisant, moyennement corsé, avec des arômes de fruits noirs et rouges entremêlés de notes de boisé et de minéral, le 1995 est un peu anguleux, mais conviendra parfaitement aux amateurs de bonnes affaires en matière de bordeaux courants. **A boire entre 2000 et 2010.** (1/98)

1993 • **85** Le 1993 montre bien ce dont cette propriété est capable, dans une année difficile, en pratiquant la sélection nécessaire pour faire une cuvée de qualité. Exhalant des senteurs de chêne grillé et de cerise noire mûre, ce vin présente une certaine opulence (ce qui est rare pour le millésime), des tannins légers et une finale douce. **A boire dans les 2 ou 3 ans.** (11/95)

1992 • **85** Le 1992 est doux et épicé, avec des arômes de vanilline et de cassis. Moyennement corsé, il révèle un fruité séduisant. Étant donné que la majorité des crus bourgeois de 1992 sont décevants, aqueux et/ou par trop tanniques, celui-ci s'impose comme une excellente affaire. **A boire.** (11/94)

1991 • **75** Le 1991 est sans détour, austère et manque de fruité... mais pas de bois neuf. (11/93)

PATACHE D'AUX - BON

Cru bourgeois – devrait être maintenu
Propriétaire : SA Château Patache d'Aux
Adresse : 1, rue du 19-Mars – 33340 Bégadan
Tél. 05 56 41 50 18 – Fax 05 56 41 54 65
Visites : du lundi au vendredi (9 h-12 h 30 et 14 h-17 h 30)
Contact : Patrice Ricard

Superficie : 43 ha (Bégadan – appellation Médoc)
Vins produits :
Château Patache d'Aux – 260 000 b ; Le Relais de Patache d'Aux – 70 000 b
Encépagement :
70 % cabernet sauvignon, 20 % merlot, 7 % cabernet franc, 3 % petit verdot
Densité de plantation : 8 300 pieds/ha – *Age moyen des vignes :* 35 ans
Rendement moyen : 59 hl/ha

Élevage :
fermentations de 20-25 jours en cuves de bois, de béton et d'acier inoxydable ; vieillissement après les malolactiques de 12 mois en fûts (30 % de bois neuf) ; collage ; pas de filtration

---

A maturité : dans les 5 à 8 ans suivant le millésime

Patache d'Aux, qui évoque souvent un vin californien par son fruité séveux et herbacé de cassis, se révèle généralement souple et accessible. Dans les années où le cabernet sauvignon n'atteint pas sa pleine maturité, il a tendance à être par trop végétal, mais, lorsqu'il est issu d'une vendange bien mûre – comme en 1982, 1986, 1989, 1990 et 1995 –, il peut se révéler extrêmement impressionnant et capable d'une garde de 5 ou 6 ans. Il est souvent confituré et opulent, rarement élégant, mais il conviendra parfaitement aux amateurs en quête d'un cru bourgeois bien fait, proposé à prix raisonnable et agréable dès sa jeunesse.

1996 • **86** Le domaine propose en 1996 l'une de ses plus belles réussites depuis le délicieux 1982. Le vin comprend généralement une forte proportion de cabernet sauvignon (70 %), et le 1996 est généreusement boisé. Manifestement issu d'un fruit mûr, il est dense et de bonne mâche, et présente tant au nez qu'en bouche des arômes de cassis et de menthe. Une révélation du millésime. **A boire dans les 5 à 7 ans.** (1/99)

1995 • **84** Le 1995 est légèrement plus sec et plus austère que ne le sont habituellement les vins de la propriété. Il est capable d'une garde de **4 ou 5 ans.** (1/98)

1993 • **85** Moyennement corsé, ce vin fruité et net, aux arômes de groseille, sera agréable ces **2 prochaines années.** (11/95)

PEYREDON LAGRAVETTE – TRÈS BON

Cru bourgeois – équivaut à un 5ᵉ cru
Propriétaire : Paul Hostein
Adresse : 2062, Médrac-Est – 33480 Listrac
Tél. 05 56 58 05 55 – Fax 05 56 58 05 50
Visites : du lundi au samedi (9 h-12 h 30 et 14 h-19 h de mars à mi-septembre, 9 h-18 h le reste de l'année)
Contact : Paul Hostein

Superficie : 7 ha (Listrac et Moulis – appellation Listrac)
Vin produit : Château Peyredon Lagravette – 40 000 b (pas de second vin)
Encépagement : 65 % cabernet sauvignon, 35 % merlot
Densité de plantation : 9 000 pieds/ha – *Age moyen des vignes :* 25 ans
Rendement moyen : 42 hl/ha

Élevage :
fermentations de 5-8 jours à 28-30 °C ;
cuvaisons de 21 jours en cuves d'acier inoxydable thermorégulées ;
2 remontages quotidiens ;
vieillissement après les malolactiques de 18 mois en fûts (25-35 % de bois neuf) ;
soutirage tous les 4 mois ; collage à l'albumine ; légère filtration

---

A maturité : dans les 6 à 15 ans suivant le millésime

Ce très bon Listrac ne bénéficie pas d'une grande notoriété, mais, si les millésimes 1982, 1983, 1986, 1989, 1990 et 1995 sont représentatifs, il constitue vraiment l'une des perles cachées de la région. Ce petit vignoble se trouve à l'est de la plus grande partie des domaines de Listrac, tout près de l'appellation Moulis, dont deux des fleurons, Chasse-Spleen et Maucaillou, sont ses plus proches voisins. Le vin, vinifié de façon traditionnelle, subit une très longue cuvaison ; il se révèle intensément concentré, corsé, généreux et remarquablement structuré, avec un potentiel de garde de 10 à 15 ans.

Il s'agit d'un domaine fort ancien, puisque l'on en trouve trace depuis 1546. Le propriétaire actuel, Paul Hostein, n'utilise pas les vendangeuses mécaniques, pourtant si appréciées dans cette partie du Médoc, et se refuse en outre à suivre la mode actuelle consistant à traiter contre les maladies cryptogamiques. Il préfère avoir recours à des méthodes plus biologiques. D'autre part, la densité de la plantation est chez lui de 9 000 pieds/ha, ce qui est bien supérieur à la moyenne des vignobles du Bordelais.

Je n'ai pas encore goûté de Peyredon Lagravette arrivé à pleine maturité ; il semble en effet que ce vin compte parmi les Listrac les plus aptes à une longue garde, ce qui souligne encore sa ressemblance avec un Moulis. Dans les prochaines années, les amateurs seront bien avisés de suivre de près cette propriété.

PLAGNAC – BON

Cru bourgeois – devrait être maintenu
Propriétaire : Domaines Cordier
Adresse : 33340 Bégadan
Tél. 05 56 95 53 00 – Fax 05 56 95 53 08
Visites : sur rendez-vous uniquement
Contact : Domaines Cordier

Superficie : 31 ha (Bégadan – appellation Médoc)
Vin produit : Château Plagnac – 220 000 b (pas de second vin)
Encépagement : 70 % cabernet sauvignon, 30 % merlot
Densité de plantation : 5 000 pieds/ha – *Age moyen des vignes :* 25 ans
Rendement moyen : 55 hl/ha

Élevage :
fermentations et cuvaisons de 18-20 jours
en cuves d'acier inoxydable thermorégulées ;
plusieurs remontages quotidiens ; vieillissement de 12 mois en fûts et en foudres
(20 % de bois neuf) ; collage et légère filtration

A maturité : dans les 2 à 6 ans suivant le millésime

Les amateurs en quête d'un cru bourgeois souple, fruité, accessible et sans détour, proposé de surcroît à un prix raisonnable, seraient bien inspirés de se tourner vers le Château Plagnac. Vinifié par la talentueuse équipe de Cordier, ce cru des plus plaisants satisfait à la fois le palais et le porte-monnaie. Il est charmeur, précoce et très agréable jusqu'à 5 ou 6 ans d'âge.

POTENSAC – EXCELLENT

Cru bourgeois – équivaut à un 5e cru
Propriétaires : Jean-Hubert Delon et Geneviève d'Alton
Adresse : 33340 Ordonnac
Tél. 05 56 73 25 26 – Fax 05 56 59 18 33
Visites : non autorisées

Superficie : 51 ha (Ordonnac – appellation Médoc)
Vins produits : Château Potensac – variable ; Château Lassalle – 18 000 b
Encépagement : 60 % cabernet sauvignon, 25 % merlot, 15 % cabernet franc
Densité de plantation : 8 000 pieds/ha – *Age moyen des vignes :* 35 ans

---

Élevage :
fermentations et cuvaisons de 15-18 jours
en cuves de béton ou d'acier inoxydable à 28 °C ;
nombreux remontages ; vieillissement de 12-16 mois en fûts
(neufs et jusqu'à 2 ans d'âge) ;
collage au blanc d'œuf ; pas de filtration

A maturité : dans les 4 à 12 ans suivant le millésime

Sous la talentueuse houlette de Michel Delon et de son fils Jean-Hubert, également propriétaires du très célèbre Léoville Las Cases en Saint-Julien et de Nenin en Pomerol, Potensac produit, depuis le milieu des années 70, des vins du niveau d'un cru classé. Ce vaste vignoble de 51 ha, situé sur un terroir argilo-graveleux près de Saint-Yzans, est désormais nettement au-dessus du lot de cette partie du Médoc.

Outre leur excellente structure et leurs riches arômes de cassis et de petits fruits, les vins de Potensac présentent une pureté et un équilibre merveilleux – la griffe des Delon. Ils sont, en outre, d'une étonnante longévité. Il est rare que cette partie du Médoc puisse produire des crus d'une aussi grande qualité, mais cette propriété se surpasse régulièrement.

Les Delon possèdent également d'autres parcelles qui donnent le second vin du château. Si Potensac était autrefois seulement connu des initiés, ce n'est plus le cas aujourd'hui. Tout amateur de bordeaux qui se respecte devrait d'ailleurs goûter ce cru.

1997 • **86-87** Le 1997 de Potensac est bien réussi. Ce vin persistant, dont le nez doux et rond libère des notes de petits fruits, révèle tant en milieu de bouche qu'en finale un caractère à la fois souple et mûr. Charmeur et bien évolué, il est moins massif que de coutume et doit être dégusté dans les **6 ou 7 ans.** Félicitations à Michel et Jean-Hubert Delon ainsi qu'à leur équipe – ils nous gratifient d'un des crus bourgeois les plus impressionnants du Bordelais ! (1/99)

1996 • **89** Le 1996 est probablement le Potensac le plus stupéfiant qui soit. Capable de rivaliser avec le 1982, il est cependant plus riche et, peut-être, plus apte à une longue garde. Pourpre foncé de robe, il exhale un nez doux aux notes de terre, de cassis et de liqueur de cerise, qui précède en bouche un fruité d'une pureté et d'une intensité fabuleuses. La finale, moyennement corsée, impressionne par sa richesse ; elle recèle des tannins modérés. **A boire entre 2002 et 2014.** (1/99)

1995 • **87** Élégant, complexe et bien évolué, le Potensac 1995, d'un rubis-pourpre très soutenu, exhale de généreux et séduisants arômes, souples et ronds, de mûre et de cassis herbacés. Quoique n'étant pas aussi puissamment et densément fruité que le 1996, il n'en est pas moins délicieux et constitue de surcroît une bonne affaire, du fait de son prix raisonnable. Il séduira le plus grand nombre. **A boire dans les 10 ans.** (3/98)

1994 • **86** Le 1994 de Potensac est probablement l'un des crus bourgeois les mieux réussis du millésime. D'une excellente couleur rubis, il exhale un nez doux et mûr de fruits noirs et rouges, de terre, d'épices et d'herbes. Moyennement corsé, avec un caractère séduisant, bien glycériné et légèrement tannique, il sera parfait **jusqu'à 7 ou 8 ans d'âge.** (3/96)

1992 • **75** Moyennement corsé, le 1992 est maigre et végétal, avec des tannins très durs ; on distingue néanmoins un peu de fruité mûr sous sa structure. C'est l'un des vins les moins réussis de cette propriété dans les dix dernières années. **A boire dans les 3 ou 4 ans.** (11/94)

1991 • **74** Le 1991 de Potensac est maigre, creux, dur et très peu fruité. Il est dominé par son côté astringent et perdra encore en équilibre avec le temps. (1/94)

1990 • **86** Presque aussi bon que le 1989, le 1990 se révèle profondément coloré et très corpulent, avec des arômes séduisants et purs de groseille et de terre. Ce vin classique et moyennement corsé, à la finale bien persistante, sera impressionnant ces **10 prochaines années.** (1/93)

1989 • **87** — Tout à la fois énorme, intense et très alcoolique, le 1989 de Potensac est très corsé, d'une maturité exceptionnelle, avec une finale longue, charnue et de bonne mâche. **A boire.** (1/93)

1988 • **85** — Le 1988, qui séduit par la maturité de son nez, montre en bouche un caractère souple, élégant et net. Il est bien marqué par de plaisants arômes de chêne neuf, mais son aspect rond et précoce indique qu'il serait préférable de le consommer. **A boire.** (1/93)

1986 • **87** — L'excellent 1986 ressemble à s'y méprendre à un cru classé. Arborant une robe d'un rubis-pourpre profond, il exhale un bouquet élégant et complexe d'herbes, de minéral, de chêne épicé et de cassis. Ce vin moyennement corsé est également doté d'un fruité riche et d'une belle précision, et déploie une finale aux tannins généreux. Il présente une harmonie et une complexité d'ensemble fort rares pour un cru bourgeois. **A boire jusqu'en 2000.** (11/90)

1985 • **85** — Le 1985, merveilleux, élégant et souple, regorge d'un généreux fruité de cassis joliment rehaussé de chêne épicé. L'ensemble, moyennement corsé et d'une excellente longueur, est à boire **maintenant.** (3/90)

1984 • **77** — Quoique bien fait et correctement vinifié, le 1984 de Potensac pèche par manque de fruit et de profondeur, ce qui m'empêche de lui attribuer une meilleure note. **A boire.** (3/88)

1983 • **84** — Le 1983, dont la robe est légèrement ambrée sur le bord, révèle un nez étonnamment herbacé de cèdre et d'épices. Il est corpulent et séduit par son caractère mûr ; c'est un bon vin, mais sans plus. **A boire.** (3/88)

1982 • **87** — Parfaitement mûr depuis quelques années déjà, le 1982 présente toujours de généreux arômes épicés de cerise noire mûre dans un ensemble plaisant et épicé aux notes de terre. C'est un vin charnu, savoureux et gratifiant, que vous apprécierez ces **4 ou 5 prochaines années.** (9/95)

POUJEAUX – EXCELLENT

Cru bourgeois – équivaut à un 5e cru

Propriétaire : Jean Theil SA

Adresse : 33480 Moulis

Tél. 05 56 58 02 96 – Fax 05 56 58 01 25

Visites : du lundi au vendredi (9 h-12 h et 14 h-18 h)

Contacts : Philippe et François Theil

Superficie :

52 ha (Grand-Poujeaux – appellation Moulis)

Vins produits :

Château Poujeaux – 270 000 b ;

La Salle de Poujeaux/Le Charme de Poujeaux – 100 000 b

Encépagement :

50 % cabernet sauvignon, 40 % merlot, 5 % cabernet franc, 5 % petit verdot

Densité de plantation : 10 000 pieds/ha – *Age moyen des vignes :* 30 ans

Rendement moyen : 54 hl/ha

Élevage :

fermentations et cuvaisons de 28 jours

en cuves de bois, de béton et d'acier inoxydable ;
vieillissement après les malolactiques de 12 mois en fûts (50 % de bois neuf) ;
collage ; pas de filtration

A maturité : dans les 6 à 20 ans suivant le millésime

Poujeaux, Chasse-Spleen, Maucaillou... Ces trois domaines, en compétition permanente, produisent incontestablement les meilleurs vins de l'appellation Moulis. Poujeaux est une très ancienne propriété, dont on relève la trace dès 1544 : les vignobles (situés à 32 m d'altitude) et les terrains alentour étaient alors appelés La Salle de Poujeaux – ce dernier mot signifiant, en ancien français, « lieu haut ». Le château est maintenant exploité par la famille Theil, qui l'a acheté en 1920.

Le Poujeaux est typique des vins de Moulis : rubis foncé de robe, il est tannique, parfois un peu astringent et dur dans sa jeunesse, et il faut donc patienter 6 à 8 ans pour qu'il évolue et s'arrondisse. Il arrive moins rapidement à maturité que son voisin Chasse-Spleen, mais révèle un plus grand potentiel de garde... J'en ai eu la preuve magistrale avec deux bouteilles de 1928 que j'ai eu le plaisir de déguster en 1985 et 1988 : elles étaient de grande classe. Poujeaux mériterait indiscutablement une promotion au rang de cinquième cru si le classement de 1855 était remanié.

1997 • **89-91** Le Poujeaux 1997, l'un des meilleurs exemples que je connaisse de ce cru, s'impose comme une grande révélation du millésime. Il se distingue particulièrement par son opulence, par son fruité mûr et merveilleusement doux de cassis, qu'il allie à un caractère succulent et bien glycériné. Onctueux, épais et séveux, il gratifie encore le palais de généreux arômes fruités, d'une pureté exceptionnelle, étayés par une faible acidité. Ce Poujeaux renversant sera prêt dès sa diffusion, mais tiendra parfaitement **12 à 15 ans**. Bravo à la famille Theil ! (3/98)

1996 • **86-87+** Opaque et pourpre de robe, le Poujeaux 1996 est modérément tannique, mais bien étayé par un excellent fruité de doux cassis. Tout à la fois moyennement corsé, structuré, musclé et densément étoffé, il requiert une garde de 6 ou 7 ans avant d'être prêt. **A boire entre 2006 et 2015.** (3/98)

1993 • **87** Moyennement corsé, tannique et d'une bonne tenue, le très bon Poujeaux 1993 manifeste une excellente maturité. Peu évolué, mais prometteur, il présente, à la fois au nez et en bouche, des arômes de doux cassis mêlés de notes minérales. **A consommer entre 2003 et 2015.** (11/97)

1990 • **86** Boisé et bien fruité, le Poujeaux 1990 est bien fait, moyennement corsé et modérément tannique. Il se révélera séduisant ces **10 à 12 prochaines années.** (1/93)

1989 • **86** L'excellent 1989 est doté d'un bouquet modérément intense de chêne neuf et grillé, d'épices et de cassis. Moyennement corsé, il séduit par sa maturité et par l'alcool capiteux qu'il révèle en finale. **A boire jusqu'en 2003.** (1/93)

1988 • **87** Meilleur, à mon sens, que le 1989 et le 1990, ce beau 1988 révèle un bouquet classique de boisé et de groseille, à la fois intense et mûr. La bouche dévoile de généreux arômes moyennement corsés de chêne neuf et grillé, bien étayés par une heureuse acidité. L'ensemble, d'une profondeur et d'une précision d'excellent aloi, déploie une finale ferme. **A boire jusqu'en 2005.** (1/93)

1987 • **84** Étonnamment réussi dans un millésime somme toute assez moyen, le 1987 est parfaitement mûr ; il est souple, rond et charmeur, aussi doux que la soie. **A boire.** (4/91)

1986 • **89** Seul le temps permettra de déterminer lequel, du 1986 ou du 1982, est le meilleur Poujeaux. D'un rubis sombre et profond, le 1986 exhale un bouquet séduisant et modérément intense de cassis herbacé, de tabac et de chêne fumé. La bouche révèle un ensemble très puissant, riche et corsé, capable d'une longue garde. **A boire jusqu'en 2008.** (4/91)

1985 • **86** Le 1985 de Poujeaux est opulent, riche et très corsé, avec une finale aux tannins souples. Il a évolué assez rapidement pour le cru. **A boire.** (4/91)

1984 • **76** Ce vin bien mûr, au bouquet modérément intense, épicé, herbacé et boisé, présente un fruit et une profondeur d'assez bon aloi, et déploie une finale correcte. **A boire.** (4/91)

1983 • **86** Le 1983, qui est maintenant à son apogée, arbore toujours une robe d'un rubis profond et exhale un nez intense et floral de pur cassis. Souple et moyennement corsé en bouche, il révèle des tannins légers dans une finale capiteuse. **A boire jusqu'en 2000.** (4/91)

1982 • **88** Ce vin aux délicieuses senteurs de mûre et de cassis est moyennement corsé, intense, doux, rond et généreux en bouche. Sa finale, corpulente, est rustique et bien glycérinée. Quoique parfaitement mûr, il ne donne aucun signe de fatigue. **A boire dans les 5 à 7 ans.** (9/95)

RAMAGE LA BÂTISSE

Cru bourgeois – devrait être maintenu
Propriétaire : MACIF
Adresse : 33250 Saint-Sauveur
Tél. 05 56 59 57 24 – Fax 05 56 59 54 14
Visites : sur rendez-vous uniquement
Contact : Philippe Mechin

Superficie : 61 ha (Saint-Sauveur – appellation Haut-Médoc)
Vins produits :
Château Ramage La Bâtisse – 270 000 b ; Château Tourteran – 130 000 b
Encépagement : 50 % cabernet sauvignon, 40 % merlot, 10 % cabernet franc
Densité de plantation : 7 500 pieds/ha – *Age moyen des vignes :* 20 ans
Rendement moyen : 60 hl/ha

Élevage :
fermentations de 8-10 jours ; cuvaisons de 21 jours environ ;
15 % de la récolte achève les malolactiques en fûts neufs ;
assemblage 2 mois après les vendanges ;
vieillissement de 6 mois en cuves, puis de 12 mois en fûts (25 % de bois neuf) ;
soutirage trimestriel ; collage et filtration

A maturité : dans les 5 à 8 ans suivant le millésime

Le vignoble de Ramage La Bâtisse se trouve à Saint-Sauveur, petite région viticole située à l'intérieur des terres, à l'ouest de Pauillac. Il a été complètement replanté depuis 1961. Les vins de la fin des années 70, et notamment les 1978 et 1979, ont été remarquables, se montrant souples, richement fruités et boisés, avec de la race et du caractère. Même le 1980 a été une réussite, malgré le niveau médiocre du millésime.

En revanche, depuis, et pour une raison qui me reste inconnue, les Ramage La Bâtisse ont été inintéressants. Même dans les bonnes années (1982, 1983, 1985 et 1986), ils se sont révélés excessivement tanniques, maigres et austères, avec un boisé prononcé qui masquait leur fruit et leur charme. La propriété, fort bien située, est pourtant capable de produire de grands vins – elle l'a d'ailleurs prouvé.

SARANSOT-DUPRÉ – BON

Cru bourgeois – équivaut à un 5e cru
Propriétaire : Yves Raymond
Adresse : 33480 Listrac
Tél. 05 56 58 03 02 – Fax 05 56 58 07 64
Visites : du lundi au vendredi (9 h-12 h 30 et 14 h-18 h), sur rendez-vous uniquement le week-end
Contact : Yves Raymond

Superficie :
rouge – 13 ha (Listrac – appellation Listrac) ;
blanc – 1,75 ha (appellation Bordeaux Blanc)

Vins produits :
rouge – Château Saransot-Dupré – 60 000 b ;
Bouton Rouge de Saransot-Dupré – 15 000 b ;
blanc – Château Saransot-Dupré Blanc – 8 000 b

Encépagement :
rouge – 60 % merlot, 30 % cabernet sauvignon, 10 % cabernet franc ;
blanc – 50 % sémillon, 40 % sauvignon, 10 % muscadelle

Densité de plantation : 6 700 pieds/ha

Age moyen des vignes : rouge – 25 ans ; blanc – 35 ans

Rendement moyen : rouge – 48 hl/ha ; blanc – 50 hl/ha

Élevage :
rouge – fermentations de 10 jours ;
cuvaisons de 30 jours en cuves de béton revêtues d'epoxy ;
vieillissement après les malolactiques de 12 mois en fûts (15-40 % de bois neuf) ;
collage ; légère filtration ;
blanc – fermentations en fûts et élevage de 1 an sur lies ; bâtonnages réguliers ;
collage ; légère filtration

A maturité : dans les 6 à 15 ans suivant le millésime

Compte tenu de leur forte proportion de merlot, le vins de Saransot-Dupré présentent, surtout dans les bons millésimes comme 1982, 1985, 1989, 1990 et 1995, un caractère opulent et plein que l'on ne trouve pas, habituellement, dans les Listrac. Ils arborent généralement une robe rubis foncé et exhalent un bouquet évoquant les fruits noirs – la prune, en particulier –, mais aussi la réglisse et les fleurs printanières.

Du fait de sa grande richesse en extrait et de son intensité, ce cru se porterait bien d'une plus forte proportion de bois neuf. Il atteint généralement sa maturité en 4 ou 5 ans, mais son potentiel de garde peut dépasser une douzaine d'années. A ce jour, Saransot-Dupré s'impose comme un domaine à découvrir et une étoile montante de l'appellation.

Le château produit également un délicieux bordeaux blanc sec issu de sémillon, de sauvignon et de muscadelle ; cependant, je n'en ai jamais vu une bouteille hors de l'Hexagone.

1995 • **85** Ce vin moyennement corsé, doux et fruité sera parfait ces **6 prochaines années.** (1/98)

SÉGUR – BON

Cru bourgeois – devrait être maintenu
Propriétaire : SCA Château Ségur
Adresse : 33290 Parempuyre
Tél. 05 56 35 28 25 – Fax 05 56 35 82 32
Visites : du lundi au vendredi (8 h-12 h et 13 h 30-17 h), sur rendez-vous uniquement le samedi
Contact : Jean-Pierre Grazioli

Superficie : 38 ha (Parempuyre – appellation Haut-Médoc)
Vins produits : Château Ségur – 95 000 b ; Château Ségur Fillon – 145 000 b
Encépagement :
42 % merlot, 35 % cabernet sauvignon, 17 % cabernet franc, 6 % petit verdot
Densité de plantation : 6 700 pieds/ha – *Age moyen des vignes :* 26 ans
Rendement moyen : 52 hl/ha

Élevage :
vendanges manuelles ;
fermentations et cuvaisons en cuves d'acier inoxydable thermorégulées ;
élevage de 6 mois en cuves, puis vieillissement de 12 mois en fûts (1/3 de bois neuf) ;
collage à l'albumine ; filtration

A maturité : dans les 4 à 7 ans suivant le millésime

Au début du XVIIe siècle, messire de Ségur, qui assurait la haute justice de sa juridiction, fit bâtir un château à 1 lieue de la Garonne, sur une hauteur dénommée île d'Arès. C'est là que furent plantées les premières vignes. Le château fut transmis à ses descendants jusqu'à la Révolution, le bien étant ensuite vendu aux enchères publiques.

Le domaine a été racheté en 1959 par la famille Grazioli, qui a entièrement reconstitué le vignoble, dont la particularité est d'être assis sur une croupe presque exclusivement composée de cailloux, coupée de la terre ferme par un bras de la Garonne comblé par des alluvions – d'où l'ancien nom d'île d'Arès.

Depuis le milieu des années 80, le Château Ségur s'impose comme l'un des crus bourgeois les plus réguliers à haut niveau. Souple et délicieusement fruité, il est également séduisant et accessible, et se révèle particulièrement réussi dans les années de belle maturité comme 1985 ou 1990. Il rencontre un vif succès auprès des amateurs, mais les quantités disponibles sont généralement minuscules. C'est un vin à boire avant qu'il n'ait 4 ou 5 ans d'âge.

SÉMEILLAN MAZEAU - BON

Cru bourgeois – devrait être maintenu
Propriétaire : Vignoble Jander
Adresse : 33480 Listrac
Tél. 05 56 58 01 12 – Fax 05 56 58 01 57
Visites : du lundi au vendredi
(8 h-12 h et 14 h-18 h)
Contact : Alain Bistodeau

Superficie : 18,8 ha (Listrac – appellation Listrac)
Vins produits : Château Sémeillan Mazeau – 60 000 b ; Château Decorde – 60 000 b
Encépagement : 50 % merlot, 50 % cabernet sauvignon
Densité de plantation : 10 000 et 6 700 pieds/ha – *Age moyen des vignes :* 20 ans
Rendement moyen : 53 hl/ha

Élevage :
fermentations et cuvaisons de 21-28 jours en cuves d'acier inoxydable avec système de contrôle des températures ; vieillissement de 18 mois en fûts (50 % de bois neuf) ; collage et filtration

A maturité : dans les 5 à 15 ans suivant le millésime

Je ne connais pas très bien Sémeillan Mazeau, mais les millésimes depuis 1985 s'y sont révélés très riches en extrait et vinifiés dans un style traditionnel, avec beaucoup de puissance et de tannins. A mon avis, ils peuvent tenir 10 à 15 ans lorsqu'ils sont issus d'un bon millésime. Il convient donc de suivre de près cette propriété. On notera que la très bonne maison de négoce Nathaniel Johnston assure la diffusion de ce vin depuis plusieurs années – référence suffisante pour les amateurs sérieux.

SÉNÉJAC - BON

Cru bourgeois – devrait être maintenu
Propriétaire : Charles de Guigne
Adresse : 33290 Le Pian-Médoc
Tél. 05 56 70 20 11 – Fax 05 56 70 23 91
Visites : sur rendez-vous uniquement
Contact : Bruno Vonderheyden

Superficie : 25 ha (Le Pian-Médoc – appellation Haut-Médoc)
Vins produits :
Château Sénéjac – 135 000 b ;
Artigue de Sénéjac/La Bergerie de Sénéjac – 65 000 b
Encépagement :
60 % cabernet sauvignon, 25 % merlot, 14 % cabernet franc, 1 % petit verdot
Densité de plantation : 6 600 pieds/ha – *Age moyen des vignes :* 18 ans
Rendement moyen : 48-52 hl/ha

Élevage :
fermentations et cuvaisons de 20 jours environ ; achèvement des malolactiques en fûts pour 15 % de la récolte, en cuves pour le reste ; vieillissement en fûts (30 % de bois neuf) ; collage ; filtration non systématique

---

A maturité : dans les 4 à 6 ans suivant le millésime

Le vignoble de Sénéjac, situé dans l'extrême sud du Médoc, se trouve à l'ouest de Parempuyre et au sud du village d'Arsac. Le sol y est léger, graveleux et sableux ; il donne un vin souple et fruité, qu'il faut consommer dans sa jeunesse.

1996 • **85** Ce cru bourgeois ferme et joliment structuré n'est pas trop massif. Rubis foncé de robe, il séduit par son fruité de cassis nuancé de minéral et par sa finale modérément longue. **A boire dans les 5 à 7 ans.** (1/99)

SOCIANDO-MALLET - EXCELLENT

Cru bourgeois – équivaut à un 3e cru
Propriétaire : Jean Gautreau
Adresse : 33180 Saint-Seurin-de-Cadourne
Tél. 05 56 73 38 80 – Fax 05 56 73 38 88
Visites : du lundi au vendredi (9 h-12 h et 14 h-17 h)
Contact : Marlène Specht

Superficie : 58 ha (Saint-Seurin-de-Cadourne – appellation Haut-Médoc)
Vins produits :
Château Sociando-Mallet – 230 000 b ;
La Demoiselle de Sociando-Mallet – 130 000-160 000 b
Encépagement :
55 % cabernet sauvignon, 40 % merlot, 5 % cabernet franc et petit verdot
Densité de plantation : 8 000 pieds/ha – *Age moyen des vignes :* 20-25 ans
Rendement moyen : 48 hl/ha

Élevage : vendanges manuelles ;
fermentations et cuvaisons de 25-30 jours ; 2 ou 3 remontages quotidiens ;
vieillissement de 11-13 mois en fûts (80-100 % de bois neuf) ;
ni collage ni filtration

A maturité : dans les 8 à 25 ans suivant le millésime

Le plus ancien manuscrit portant mention de ce domaine date de 1633, où l'on cite un sieur Sociando, de Saint-Seurin-de-Cadourne, propriétaire. On trouve peu d'informations le concernant jusqu'à la Révolution – c'est là que vivait le célèbre avocat Guillaume Brichon lorsqu'il fut arrêté, en 1793, sur ordre de la Convention.

Mme Mallet achète Sociando dans la première moitié du XIXe siècle, d'où la seconde partie du nom. Différents propriétaires s'y succèdent, et, quand Jean Gautreau l'acquiert, en 1969, il ne reste que 5 ha de vignes en production et des édifices en piètre état. Il entreprend donc un très important travail de restructuration du vignoble et des bâtiments.

Sociando-Mallet produit aujourd'hui des vins de haut niveau, capables de vieillir et d'évoluer avec grâce sur 10 à 25 ans. Les vignobles, qui dominent la Gironde, sont superbement situés sur des sols de graves au sous-sol argilo-calcaire, et, sous la direction exemplaire de Jean Gautreau, ils donnent un vin d'un noir d'encre, extrêmement concentré et corsé, et pourvu de tannins puissants qui tapissent le palais. Certains spécialistes estiment que Sociando-Mallet présente le plus grand potentiel de garde de tout le Médoc. De nombreux facteurs expliquent la grande qualité de ce vin. Tout d'abord, il faut rendre hommage à l'excellence du vignoble – situé sur des sols bien drainés et graveleux –, à sa bonne exposition, ainsi qu'à la haute densité de plantation (8 000 pieds/ha) et aux vendanges manuelles. En outre, le domaine, qui pratique une fermentation à température assez élevée (32-33 °C) et une macération d'au moins 3 semaines, utilise 80 à 100 % de fûts de chêne neuf pour l'élevage, et s'abstient de collage et de filtration.

Sociando-Mallet peut rivaliser sans difficulté avec de nombreux crus classés, et il a d'ores et déjà acquis dans l'Hexagone une belle réputation, qui lui permet d'y vendre la plus grande partie de sa production.

1997 • **89-91** Je préfère le 1997 de Sociando-Mallet à son aîné d'un an, et le présenterai d'emblée comme l'un des crus les plus évolués et les plus ouverts produits à la propriété ces dix dernières années. Habillé d'une robe opaque, d'un pourpre soutenu, il se révèle extrêmement faible en acidité, mais tellement fascinant ! Régalant le nez, par paliers, de fabuleux arômes de douce liqueur de cassis mêlés de notes de vanille, de crayon à papier et de minéral, il se montre moyennement corsé et extraordinaire de concentration en bouche, avec une texture d'une souplesse inégalable pour un jeune vin de cette propriété. Délicieux dès sa jeunesse, il promet de bien se conserver 12 à 15 ans. Impressionnant ! **A boire entre 2000 et 2014.** (3/98)

1996 • **90** Évoquant son aîné de 1986, le très classique Sociando-Mallet 1996 arbore un pourpre soutenu et libère d'intenses senteurs de liqueur de cassis, de chocolat et de minéral. Moyennement corsé et dense, il manifeste en bouche une pureté extraordinaire et y déploie également de très abondants tannins. Ce vin magnifiquement vinifié est bien supérieur à de nombreux crus classés. **A boire entre 2007 et 2020.** (1/99)

1995 • **90** Accessible, mais tannique, le Sociando-Mallet 1995 est d'un rubis-pourpre foncé. Il exhale d'excellents arômes de cerise noire confiturée et de cassis, marqués de subtiles notes de minéral, de terre et de chêne neuf. Semblable par sa structure au 1996, il se montre tout à la fois profond, long et musclé. Ce vin racé mettra à rude épreuve la patience des amateurs. **A boire entre 2006 et 2025.** (11/97)

1994 • **89** Le Sociando-Mallet 1994 rappelle le 1985, en plus structuré et en plus tannique. De couleur rubis-pourpre, il exhale un nez serré, mais naissant, aux arômes de fruits noirs et de crayon, marqués de notes boisées joliment fondues. Il se révèle consistant en bouche, moyennement corsé et classique, avec un niveau modéré de tannins. Il sera au meilleur de sa forme **entre 2000 et 2010.** (1/97)

1993 • 87 Le Sociando-Mallet 1993 est mieux que réussi pour le millésime, avec sa robe dense de couleur rubis-pourpre et son nez étonnamment évolué et direct de cèdre, de cerise noire, de groseille et de minéral. Il est charnu et épicé en bouche, y révèle une excellente texture et témoigne, chose rare pour cette propriété, d'une souplesse séduisante malgré son jeune âge. Jean Gautreau a, de toute évidence, triomphé des difficultés que présentait le millésime. **A boire dans les 5 à 10 ans.** (1/97)

1992 • 87 Cette propriété d'excellente tenue a produit un superbe 1992, dont la robe opaque de couleur rubis-pourpre introduit un nez doux et mûr de cassis, auquel se mêlent des senteurs de minéral et de bois. Moyennement corsé, avec des tannins modérés, ce vin ferme et bien vinifié requiert une garde de 3 ou 4 ans avant de pouvoir être dégusté sur les **10 à 15 années suivantes.** (11/94)

1990 • 92 Le 1990 s'impose comme la plus belle réussite de la propriété depuis le sensationnel 1982. Sa robe opaque de couleur pourpre prélude à un nez serré, mais prometteur, de cassis épais subtilement nuancé de fumé, d'herbes rôties, de réglisse et de minéral. Puissant, extrêmement concentré, mais peu évolué, il se dévoile en bouche par paliers, révélant de très abondants tannins. Ce vin stupéfiant devrait évoluer de belle manière ces **2 ou 3 prochaines décennies.** (11/96)

1989 • 90 Outre une robe pourpre, jeune et peu évoluée, le Sociando-Mallet 1989 présente un doux nez de fruits noirs, de minéral et de vanille. Moins évolué que la plupart de ses jumeaux, il se montre moyennement corsé et bien tannique en bouche, sans révéler le caractère souple et précoce inhérent au millésime. Ce vin tout à la fois dense, riche et concentré requiert une garde supplémentaire de 4 ou 5 ans ; il tiendra parfaitement **20 ans, voire plus.** (11/96)

1988 • 87 Plus léger que de coutume, le Sociando-Mallet 1988 se montre moyennement corsé, mais également concentré et épicé, avec un bel équilibre d'ensemble et une finale persistante. Cependant, il n'a pas la puissance et la richesse en extrait des meilleurs millésimes. **A boire dans les 12 à 15 ans.** (1/93)

1986 • 90 Fabuleusement puissant et massif, mais aussi extrêmement riche et corsé, le 1986 s'impose comme un grand classique de son appellation. Outre une profondeur extraordinaire, il présente un bouquet très précis de minéral, de cassis, de violette et de chêne épicé. Ce vin exquis ne conviendra cependant pas à tout le monde ; en outre, il ne sera pas prêt avant quelques années. **A boire entre 2005 et 2040.** (1/91)

1985 • 90 Le 1985 est vêtu de la robe d'un pourpre dense typique de la propriété. Il offre le riche bouquet de cassis propre aux Médoc, et révèle en bouche, outre un caractère moyennement corsé, une concentration et un équilibre des plus sensationnels. **A boire jusqu'en 2015.** (4/91)

1984 • 84 C'est l'un des 1984 les plus foncés de robe qui soient. Débordant de fruit, de corpulence et de tannins, il est étonnamment riche et puissant pour un 1984. **A boire.** (11/88)

1983 • 85 J'avais fondé de grands espoirs sur ce vin, mais son fruit n'est plus aussi mûr ni aussi concentré qu'il l'était. Arborant toujours une robe d'un rubis moyennement foncé, il exhale un nez épicé et minéral qui manque cependant d'intensité et de maturité. La bouche, raisonnablement corsée, révèle une concentration d'un niveau satisfaisant, mais pas excellent, et l'ensemble, plutôt nerveux et musclé, déploie une finale persistante et d'une bonne tenue, dotée d'une quantité modérée de tannins. **A boire jusqu'en 2001.** (1/90)

1982 • **92** Le 1982 de Sociando-Mallet demeure jeune et tonique, n'accusant aucun signe d'évolution. Même les demi-bouteilles révèlent un vin d'un pourpre sombre, soutenu et intact, au nez exubérant et pur de cassis mûr entremêlé de senteurs de minéral et d'épices. Très corsé et richement extrait, ce 1982 encore vif est très tannique et doté de manière impressionnante ; il pourrait s'imposer comme l'un des vins du millésime les plus aptes à une longue garde. Accordez 4 ou 5 ans à ce grand classique et savourez-le dans les **20 ans qui suivront.** (9/95)

1981 • **83** Plutôt compact et de moindre ampleur pour un Sociando-Mallet, le 1981 se montre moyennement corsé et bien concentré, mais moins tannique, plus souple et plus faible en acidité que de coutume. **A boire jusqu'en 2000.** (3/89)

1979 • **80** Le 1979 ressemble au 1981 par sa texture, son caractère massif et sa richesse en extrait. Il est cependant davantage marqué par le boisé, avec une finale plus agressive et moins impressionnante. **A boire.** (3/89)

1978 • **87** Ce beau vin a évolué bien plus lentement que la plupart de ses jumeaux du Médoc. Sa robe rubis foncé demeure intacte, et son nez énorme de cèdre, de minéral et de cassis se révèle intense et enthousiasmant. L'ensemble, moyennement corsé et concentré, manifeste une excellente maturité ; il est heureusement dépourvu des arômes herbacés qui desservent les vins moins mûrs du millésime. La finale est harmonieuse et modérément tannique. **A boire jusqu'en 2003.** (3/90)

1976 • **88** Le Sociando-Mallet 1976 pourrait bien figurer parmi les trois ou quatre réussites du millésime. Ausone et Lafite Rothschild, qui se sont régulièrement imposés comme les meilleurs, n'ont pas la même concentration ni le caractère peu évolué de leur jumeau de Sociando-Mallet. Arborant toujours une robe opaque d'un rubis sombre, ce vin exhale des senteurs intenses, presque explosives, de fruits noirs et d'épices. Tout à la fois corsé, riche et opulent, il ressemble fort à son cadet de 1982 par sa texture, sa maturité et son caractère capiteux, sans en révéler la profondeur ou les tannins. Cette superbe réussite est heureusement dépourvue du côté précoce et dilué de la plupart des Médoc, compromis par les pluies qui ont précédé les vendanges. **A boire jusqu'en 2002.** (3/88)

1975 • **88+** Encore peu évolué, mais prometteur (à plus de 20 ans d'âge...), ce vin jeune, de couleur rubis-pourpre foncé, libère un nez de terre et présente un caractère tout à la fois puissant, corsé et tannique. Doté d'un fruité intense et concentré, il révèle un aspect massif qui laisse cependant deviner une belle harmonie entre ses différentes composantes. Peut-être aurez-vous du mal à me croire, mais ce vin requiert une garde de 4 ou 5 ans encore et tiendra parfaitement les **20 ans qui suivront, si ce n'est au-delà.** (12/95)

1973 • **86** La plupart des 1973 avaient déjà un pied dans la tombe à la fin des années 70 et étaient complètement passés dans les années 80. Ce n'est pas le cas du Sociando-Mallet, qui s'impose incontestablement comme l'un des vins les plus concentrés, les plus structurés et – désormais – les plus intéressants de ce millésime. Déjà accessible dans sa jeunesse, ce vin demeure profondément coloré et d'une étonnante richesse, tout en présentant un caractère souple et mûr. Un bel hommage au talent de Jean Gautreau. **A boire.** (3/88)

1970 • **87** Le 1970, qui atteint maintenant son apogée, exhale un nez modérément intense de minéral, de réglisse, d'herbes et de cassis. C'est un vin moyennement corsé et concentré, doté de tannins bien fondus et d'une finale persistante. Complexe et opulent, il est également des plus plaisants. **A boire.** (3/88)

SOUDARS – BON

Cru bourgeois – devrait être maintenu
Propriétaire : Éric Miailhe
Adresse : 33180 Saint-Seurin-de-Cadourne
Tél. 05 56 59 31 02 – Fax 05 56 59 72 39
Visites : sur rendez-vous uniquement
Contact : Éric Miailhe

Superficie : 22 ha (Saint-Seurin-de-Cadourne – appellation Haut-Médoc)
Vin produit : Château Soudars – 170 000 b (pas de second vin)
Encépagement : 55 % merlot, 44 % cabernet sauvignon, 1 % cabernet franc
Densité de plantation : 6 500 pieds/ha – *Age moyen des vignes :* 18 ans
Rendement moyen : 60 hl/ha

Élevage :
fermentations et cuvaisons de 30 jours en cuves d'acier inoxydable thermorégulées ; vieillissement après les malolactiques de 12 mois en fûts (40 % de bois neuf) ; collage et filtration

---

A maturité : dans les 3 à 6 ans suivant le millésime

Les vins de Soudars sont généralement gras, ronds, fruités et accessibles, en raison de leur forte proportion de merlot. Depuis le début des années 80, ils sont impeccablement vinifiés par Éric Miailhe, mais ne doivent pas être conservés au-delà de 5 ou 6 ans d'âge. Il faut, en effet, les apprécier dans leur jeunesse. C'est un cru des plus intéressants sous le rapport qualité/prix.

1997 • **83-84** Rubis foncé de robe, avec des arômes souples aux notes de terre, le 1997 se révèle plus léger que ne le sont habituellement les vins de la propriété. Il doit être consommé ces **2 ou 3 prochaines années.** (3/98)

1995 • **85** D'un rubis-grenat moyennement foncé, le 1995 est doux, fruité et boisé. Il présente, tant au nez qu'en bouche, des arômes épicés, poivrés et herbacés de prune et de groseille. Rond, savoureux et séduisant, il constitue, de surcroît, une excellente affaire. **A boire dans les 3 ou 4 ans.** (1/98)

1993 • **85** Le 1993 présente, au nez comme en bouche, des arômes de terre et de cassis, et se montre extrêmement souple et charnu, d'une pureté et d'une maturité absolument magnifiques. **A boire d'ici 2 ou 3 ans.** (11/95)

LA TOUR DE BY - BON

Cru bourgeois – devrait être maintenu
Propriétaire : Marc Pagès
Adresse : 33340 Bégadan
Tél. 05 56 41 50 03 – Fax 05 56 41 36 10
Visites : du lundi au vendredi (8 h-12 h et 13 h 30-17 h 30, 16 h 30 le vendredi) ; le week-end (11 h-17 h) en juillet et en août
Contact : Marc Pagès

Superficie : 74 ha (Bégadan et Saint-Christoly – appellation Médoc)
Vins produits :
Château La Tour de By – 450 000-480 000 b ;
Cailloux de By/La Roque de By – 50 000 b
Encépagement :
65 % cabernet sauvignon, 30 % merlot, 3 % cabernet franc, 2 % petit verdot
Densité de plantation : 6 600 pieds/ha – *Age moyen des vignes :* 35 ans
Rendement moyen : 55 hl/ha

Élevage :
fermentations de 6-8 jours à 29-30 °C ; cuvaisons de 30 jours à 18-20 °C, en cuves de bois pour les 2/3 de la récolte, en cuves d'acier inoxydable pour le reste ; vieillissement après les malolactiques de 14 mois en fûts (20 % de bois neuf) ; collage au blanc d'œuf ; filtration

A maturité : dans les 5 à 10 ans suivant le millésime

Ce cru bourgeois est l'un des plus célèbres du Médoc. Il est extrêmement vaste, avec 74 ha produisant environ 40 000 caisses annuellement. Il a été acheté, en 1965, par trois viticulteurs bien connus dans le Médoc, MM. Lapalu, Cailloux et Pagès, qui ont entrepris la construction d'un nouveau chai pouvant contenir près de 1 400 fûts. Marc Pagès est depuis 1999 seul propriétaire de ce vignoble en deux tenants situé à 90 % sur des graves garonnaises et pour le reste sur un sol argilo-calcaire.

Étant donné l'importance de la production et des rendements – de l'ordre de 55 hl/ha –, on pourrait s'attendre que le vin manque d'étoffe ; cependant, la sélection est relativement sévère, et il y a deux seconds vins pour les cuvées les moins riches ou issues de vignes jeunes. La Tour de By produit ainsi, régulièrement, des vins bien colorés, richement dotés et solides, qui manquent simplement d'un peu de complexité et d'intensité au nez. Leur forte proportion de cabernet sauvignon leur confère une robe profonde, et un caractère ferme et tannique. Je n'ai pas souvenance d'avoir jamais goûté un bon millésime mal vinifié de cette propriété.

1997 •
85-86
Souple, rond et pur, La Tour de By 1997 est dominé par son fruité. Il exhale de généreux arômes de framboise et se révèle des plus agréables en bouche. **A boire dans les 3 ou 4 ans.** (3/98)

LA TOUR CARNET

4e cru classé en 1855 – équivaut à un cru bourgeois
Propriétaire : Marie-Claire Pélegrin
Adresse : 33112 Saint-Laurent-du-Médoc
Adresse postale : 14, rue Labenne – 33110 Le Bouscat
Tél. 05 57 22 28 00 – Fax 05 57 22 28 05
Visites : sur rendez-vous uniquement
Contacts : Marie-Claire Pélegrin et Olivier Dauga

Superficie :
43 ha (Saint-Laurent-du-Médoc – appellation Haut-Médoc)
Vins produits :
Château La Tour Carnet – 160 000-200 000 b ;
Le Second de Carnet – 60 000-80 000 b
Encépagement :
53 % cabernet sauvignon, 33 % merlot, 10 % cabernet franc, 4 % petit verdot
Densité de plantation : 8 000 pieds/ha – *Age moyen des vignes :* 25 ans
Rendement moyen : 50-55 hl/ha

Élevage :
fermentations et cuvaisons de 25-30 jours en cuves d'acier inoxydable
et de béton avec contrôle des températures manuel ;
vieillissement après les malolactiques de 12-16 mois
en fûts (50 % de bois neuf) ; collage à l'albumine ; pas de filtration

---

A maturité : dans les 5 à 12 ans suivant le millésime

La Tour Carnet est situé dans la commune de Saint-Laurent, et, bien qu'il figure dans le classement de 1855, il est fort peu connu. Cette belle propriété a été complètement rénovée et peut s'enorgueillir d'un très beau château médiéval, entouré de douves.

La Tour Carnet a été acheté en 1962 par le père de l'actuelle propriétaire, Marie-Claire Pélegrin, qui assure la direction du domaine depuis 1979. Le vignoble, qui couvrait 29 ha en 1979, en compte aujourd'hui 43. Il est d'un seul tenant – seulement séparé par des routes – et repose pour un tiers sur une croupe calcaire et sur des coteaux d'argile – la fameuse « butte de La Tour Carnet – et pour le reste sur des terres essentiellement graveleuses et argilo-calcaires.

L'agrandissement considérable du vignoble a entraîné de très importants travaux de restructuration des chais, désormais plus vastes et plus fonctionnels.

Ce cru a considérablement souffert, je pense, du rajeunissement drastique du vignoble au cours des années 60. Cependant, les millésimes récents, et notamment les 1982, 1983, 1989 et 1990, sont plus prometteurs. Cela dit, si l'on s'en tient aux résultats acquis, La Tour Carnet ne mérite pas son titre de quatrième cru, puisque le vin ne dépasse pas le niveau d'un cru bourgeois.

1996 • **84-86** Indiscutablement plus riche et plus profond que son aîné d'un an, le 1996 présente de doux arômes de fruits rouges et de groseille dans un ensemble moyennement corsé, herbacé et épicé. Du fait de son caractère modérément tannique, ce vin sera prêt relativement tôt – d'ici 3 ou 4 ans. Il se maintiendra **10 ans environ.** (1/98)

1995 Manquant de richesse et de profondeur, le 1995 est maigre et anguleux, avec
• des arômes de menthe et de groseille. **A boire entre 2000 et 2010.** (1/98)
78

TOUR HAUT-CAUSSAN - EXCELLENT

Cru bourgeois

équivaut à un 5e cru dans les meilleurs millésimes

Propriétaire : Philippe Courrian

Adresse : 33340 Blaignan

Tél. 05 56 09 00 77 – Fax 05 56 09 06 24

Visites : sur rendez-vous uniquement

Contact : Véronique Courrian

Superficie :
16 ha (Blaignan, Ordonnac et Potensac – appellation Médoc)

Vins produits :
Château Tour Haut-Caussan – 120 000 b ; Château La Landotte – 15 000 b

Encépagement : 50 % cabernet sauvignon, 50 % merlot

Densité de plantation : 6 600 pieds/ha – *Age moyen des vignes :* 21 ans

Rendement moyen : 62 hl/ha

Élevage : vendanges manuelles ;
fermentations et cuvaisons de 21 jours en cuves de béton revêtues d'epoxy ;
vieillissement après les malolactiques de 12-15 mois en fûts (25 % de bois neuf) ;
collage ; pas de filtration

A maturité : dans les 6 à 15 ans suivant le millésime

La famille Courrian, qui réside à Blagnac depuis 1634, est propriétaire de cet excellent cru bourgeois depuis 1877, et c'est Philippe, secondé par son fils Fabien, qui en assure actuellement l'exploitation.

La propriété doit son nom à un beau moulin à vent qui a l'aspect d'une tour et au bourg voisin de Caussan. Le vignoble, sous culture biologique, se trouve entre ceux des célèbres Potensac et La Cardonne. Du côté de Blaignan, le sol est argilo-calcaire ; à Ordonnac et Potensac, il s'agit d'un plateau de graves pyrénéennes sur argile rouge.

La vinification est ici effectuée de manière très traditionnelle. La vendange est manuelle (dans une région où les vendangeuses mécaniques sont généralement privilégiées), et la filtration n'a pas droit de cité : autant de raisons pour que le vin soit bon ! Philippe Courrian a coutume de dire : « Pourquoi filtrer ? Mes vins ne contiennent rien de mauvais ! »

1996 Le 1996 de cette propriété se présente habillé de rubis foncé, avec d'excellents
• arômes de douce mûre et de cassis. La bouche, moyennement corsée et modéré-
86+ ment tannique, déploie des arômes riches et purs de minéral et une finale
impressionnante. **A boire entre 2003 et 2012.** (1/99)

1995 Le 1995 sera peut-être mieux équilibré et plus séduisant à terme que le 1996.
• Rubis foncé de robe, il libère d'excellents arômes de terre, de fruits rouges,
86 d'herbes et d'épices dans un ensemble moyennement corsé, modérément tan-

nique et d'une maturité remarquable. Ce vin sérieux et bien fait est incontestablement digne d'intérêt. Il tiendra bien **7 ou 8 ans, voire plus.** (1/98)

1990 • **88** De puissants arômes de fruits mûrs et de minéral introduisent un ensemble profond, presque massif, tout à la fois bien glycériné, tannique et corpulent. Ce géant qui sommeille, vêtu d'une robe opaque, devrait bien se maintenir ces **10 à 15 prochaines années.** Il est presque aussi impressionnant que son aîné de 1989. (1/93)

1989 • **88** Plus spectaculaire et plus alcoolique que le 1988, le 1989 de Tour Haut-Caussan déploie de généreuses senteurs de chêne grillé, et révèle une bouche robuste et faible en acidité, suffisamment étayée, cependant, par des tannins qui lui ont permis d'affronter le temps. Ce vin étonnamment ample et puissant est des plus gratifiants pour les amateurs avisés qui ont eu l'intelligence d'en acheter. **A boire jusqu'en 2000.** (4/91)

1988 • **86** Plus évolué que le 1989, le 1988 se distingue par un nez élégant de cèdre, d'épices et de groseille. Moyennement corsé et racé, il est bien équilibré en bouche, avec des tannins souples et une belle profondeur. **A boire.** (4/91)

1986 • **86** Ce vin encore serré, mais prometteur, est profondément coloré, avec un nez épicé de cèdre et de minéral. Très corsé et concentré, il est impeccablement vinifié. **A boire jusqu'en 2002.** (11/90)

1985 • **85** Plus souple et moins opaque de robe que le 1986, ce vin exhale un généreux bouquet de fleurs, de fruits noirs, de chêne neuf et épicé et de cèdre. Très corsé et velouté en bouche, il est admirable de concentration. **A boire.** (3/90)

1982 • **88** Ce vin, qui est maintenant à son apogée, est probablement, avec le 1989 et le 1990, la plus belle réussite que je connaisse de la propriété. Son nez énorme, mûr et robuste traduit fidèlement la grande maturité du millésime, et la bouche, moyennement corsée, séduit par ses arômes persistants, veloutés, flamboyants et capiteux. Les tannins sont bien fondus dans un ensemble ample, savoureux et séveux. **A boire.** (3/90)

TOUR DU HAUT-MOULIN – EXCELLENT

Cru bourgeois
équivaut à un 5e cru dans les meilleurs millésimes
Propriétaire : Lionel Poitou
Adresse : 7, rue des Aubarèdes
33460 Cussac-Fort-Médoc
Tél. 05 56 58 91 10 – Fax 05 56 58 99 30
Visites : sur rendez-vous uniquement
Contact : Lionel Poitou

Superficie : 31 ha (Cussac-Fort-Médoc – appellation Haut-Médoc)
Vin produit : Château Tour du Haut-Moulin – 200 000 b (pas de second vin)
Encépagement : 50 % cabernet sauvignon, 45 % merlot, 5 % petit verdot
Densité de plantation : 10 000 pieds/ha – *Age moyen des vignes :* 25 ans
Rendement moyen : 55 hl/ha

Élevage :
fermentations et cuvaisons de 21-28 jours en cuves de béton avec contrôle des températures manuel ; vieillissement de 15-18 mois en fûts

(25 % de bois neuf) ; collage ; pas de filtration

A maturité : dans les 5 à 14 ans suivant le millésime

Les vignobles de cet excellent cru bourgeois se trouvent immédiatement au nord du Château Lamarque, près du bourg de Cussac. Le propriétaire, Lionel Poitou, y produit l'un des vins les plus concentrés et les plus aromatiques de la région. Il ne craint pas de laisser la température de fermentation atteindre la zone dangereuse des 34-35 °C et pratique une longue cuvaison de près de 1 mois. En outre, les bas rendements et la forte densité de plantation du vignoble (10 000 pieds/ha) donnent au vin, lorsque l'année est favorable, une remarquable robe d'un rubis-pourpre foncé, ainsi qu'une profondeur et une concentration admirables. C'est incontestablement l'un des meilleurs crus bourgeois. Il y a fort à parier que, dans une dégustation à l'aveugle, il mettrait en difficulté plus d'un cru classé.

1996 • **84-85+** L'austère 1996 présente un fruité confituré, des tannins durs et un caractère anguleux. Il requiert une garde de 2 ou 3 ans et tiendra parfaitement **10 ans environ.** (11/97)

1995 • **86** Meilleur que le 1996, le très bon 1995 arbore une robe d'un rubis-pourpre profond qui prélude à d'excellents arômes de cassis mûr entremêlés de notes boisées, de terre et d'herbes. Riche et admirable de pureté, il se développe en bouche par paliers, et déploie une finale généreuse et douce. **A boire dans les 5 à 7 ans.** (1/98)

1990 • **87** Ce vin dense, puissant et peu évolué, mais bien structuré et concentré, révèle un style de vinification tout à fait traditionnel. Sa robe profonde est impressionnante, et le nez libère avec réticence de doux arômes de fruit, de terre et de minéral. L'ensemble manifeste suffisamment de puissance et d'intensité pour qu'on puisse lui prêter un potentiel de garde supérieur à 10 ans. **A boire jusqu'en 2005.** (1/93)

1989 • **88** Faible en acidité, opulent, alcoolique, mais richement extrait, ce vin flamboyant et spectaculaire déploie des arômes riches et étoffés qui se marient bien avec ses notes de chêne neuf. **A boire.** (4/91)

1988 • **87** Ce vin ample, d'une belle précision et doté de tannins agressifs, regorge d'un généreux fruité de cassis, et déploie une finale longue et impressionnante. **A boire.** (4/91)

1986 • **87** Lionel Poitou considère le 1986 comme l'une de ses plus belles réussites. Ce vin vêtu de rubis-pourpre foncé présente un nez serré d'épices, d'herbes et de cassis. Moyennement corsé, il déborde littéralement de fruit, et ses tannins poussiéreux se sont bien fondus dans l'ensemble. **A boire jusqu'en 2004.** (3/90)

1985 • **86** Ce vin accessible et plaisant, arborant un rubis profond, est rond, souple et velouté, doté d'un immense fruité et d'un caractère sans détour. **A boire jusqu'en 2000.** (3/90)

TOUR SAINT-BONNET – TRÈS BON

Cru bourgeois – équivaut à un 5e cru
Propriétaire : GFA Tour Saint-Bonnet
Adresse : 33340 Saint-Christoly
Tél. et Fax 05 56 41 53 03
Visites : sur rendez-vous uniquement
Contact : Nicole Merlet

Superficie : 40 ha (Saint-Christoly – appellation Médoc)

Vins produits :
Château Tour Saint-Bonnet – 200 000 b ; La Fuie Saint-Bonnet – 20 000 b

Encépagement :
45 % cabernet sauvignon, 45 % merlot, 5 % petit verdot, 5 % malbec

Densité de plantation : 9 000 pieds/ha – *Age moyen des vignes :* 30-35 ans
Rendement moyen : 40-50 hl/ha

Élevage :
fermentations et cuvaisons de 21 jours ;
vieillissement de 18 mois en cuves de bois ;
collage ; filtration non systématique

A maturité : dans les 6 à 14 ans suivant le millésime

Le Tour Saint-Bonnet a toujours été l'un de mes crus bourgeois préférés. Le premier millésime que j'ai dégusté – que j'ai ensuite acheté – est le 1975. Le vignoble de 40 ha est situé sur une croupe graveleuse à proximité de la Gironde, près du village de Saint-Christoly.

Loin d'être souple, accessible et d'un style commercial, ce vin est plutôt profondément coloré, ferme, tannique et corsé, mais aussi étonnamment concentré. Dans la plupart des millésimes, il requiert une garde de plusieurs années pour se défaire de ses tannins, et, dans les grandes années – telles 1975, 1982 (le meilleur Saint-Bonnet que je connaisse), 1985, 1986, 1988, 1989, 1990 et 1995 –, il faut même l'attendre 10 ans, si ce n'est plus. Les vendanges sont mécaniques, et les rendements, de 40 à 50 hl/ha, paraissent plutôt faibles en comparaison de ceux que l'on observe généralement aujourd'hui. Détail intéressant, les vins ne sont pas vieillis en fûts traditionnels, mais en cuves de bois. La famille Lafon, propriétaire du château, estime que ce mode d'élevage permet de préserver l'intensité, la richesse et la concentration du fruit.

VERDIGNAN – BON

Cru bourgeois – devrait être maintenu
Propriétaire : groupe Jean Miailhe
Adresse : 33180 Saint-Seurin-de-Cadourne
Tél. 05 56 59 31 02 – Fax 05 56 59 72 39
Visites : sur rendez-vous uniquement
Contact : Éric Miailhe

Superficie : 60 ha (Saint-Seurin-de-Cadourne – appellation Haut-Médoc)

Vins produits :
Château Verdignan – 350 000 b ; Château Plantey-de-la-Croix – 110 000 b
Encépagement : 48 % cabernet sauvignon, 45 % merlot, 7 % cabernet franc
Densité de plantation : 7 500 pieds/ha – *Age moyen des vignes :* 20 ans
Rendement moyen : 58 hl/ha

Élevage :
fermentations et cuvaisons de 30 jours en cuves d'acier inoxydable thermorégulées ; vieillissement après les malolactiques de 12 mois en fûts (1/3 de bois neuf) ; collage et filtration

---

A maturité : dans les 4 à 8 ans suivant le millésime

Verdignan appartient, comme d'autres propriétés de la région, à la famille Miailhe, qui l'exploite avec sérieux. Le château et ses vignobles se trouvent dans le nord du Médoc, à Saint-Seurin-de-Cadourne. J'ai toujours aimé ce vin, qui est généralement bien évolué, souple et richement fruité, avec des arômes de cassis peu complexes, mais puissants.

Vinifié pour être bu jeune, le Verdignan doit être consommé dans les 4 à 8 ans qui suivent le millésime. Depuis le début des années 80, il révèle davantage de concentration et de caractère. Le domaine vendange à la machine et observe des rendements de 58 hl/ha en moyenne. Les prix demeurent raisonnables, sans doute parce que la production est importante.

1997 • **84-85** La robe rubis foncé du Verdignan 1997 annonce un vin moyennement corsé et bien fruité, doté d'arômes élégants et vifs, aux notes de chêne épicé. Il sera délicieux dès sa jeunesse. **A boire jusqu'en 2004.** (3/98)

1996 • **86** Ce vin doit son nez précoce, épicé, grillé et boisé à son vieillissement en fûts de chêne américain. Bien fait et moyennement corsé, il est doté de riches arômes de fruits noirs et de goudron ; sa finale est souple. Vous apprécierez ce cru bourgeois bien doté dans les **5 à 7 ans.** (1/99)

1995 • **85** Quoique moins profond, moins tannique et moins riche que le 1996, le 1995 est bien vinifié. Comme la plupart des vins de cette propriété, il est corpulent, sans détour et savoureux. Il se maintiendra **3 à 5 ans.** (1/98)

AUTRES PRODUCTEURS

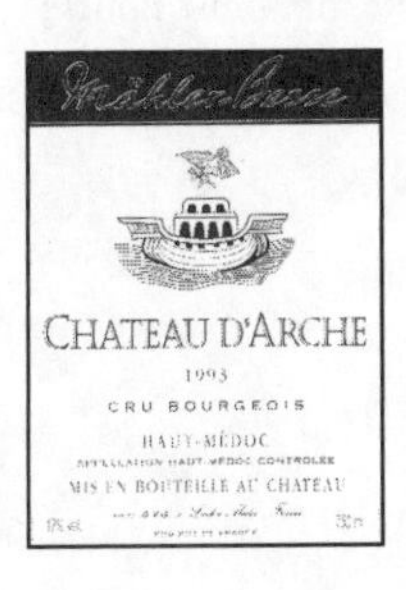

D'ARCHE

Cru bourgeois
Propriétaire : Grands Vignobles de la Gironde
Adresse : 33290 Ludon-Médoc
Adresse postale : Mähler-Besse – 49, rue Camille-Godard
33026 Bordeaux
Tél. 05 57 56 04 30 – Fax 05 56 56 04 59
Visites : sur rendez-vous uniquement
Contact : Mähler-Besse

Superficie : 9 ha (Ludon-Médoc – appellation Haut-Médoc)
Vins produits : Château d'Arche – 48 000 b ; Château Egmont – 6 000-12 000 b

Encépagement :
45 % cabernet sauvignon, 40 % merlot, 15 % cabernet franc et petit verdot
Densité de plantation : 9 000 pieds/ha – *Age moyen des vignes :* 30 ans
Rendement moyen : 52 hl/ha

Élevage :
fermentations et cuvaisons de 21-28 jours
en cuves d'acier inoxydable thermorégulées ;
vieillissement après les malolactiques de 16 mois en fûts (30 % de bois neuf) ;
collage ; pas de filtration

1997 • **84-85** Agréable surprise que le D'Arche 1997, dont la robe rubis foncé prélude à un doux fruité exubérant. Bien fait, généreusement doté et d'un charme sans détour, il sera des plus agréables jusqu'à 2 ou 3 ans d'âge. (3/98)

BOUQUEYRAN

Cru bourgeois
Propriétaire : Philippe Porcheron
Adresse : 33480 Moulis
Tél. 05 56 58 35 77 – Fax 05 56 58 14 24
Visites : sur rendez-vous uniquement
Contact : Philippe Porcheron

Superficie : 13 ha (Moulis – appellation Moulis)
Vins produits :
Château Bouqueyran – 48 000 b ; Château Rose Cantegrit – 36 000 b
Encépagement :
57 % merlot, 41 % cabernet sauvignon et cabernet franc, 2 % petit verdot
Densité de plantation : 6 600 et 9 000 pieds/ha – *Age moyen des vignes :* 26 ans
Rendement moyen : 48 hl/ha

Élevage :
fermentations et cuvaisons de 18-25 jours
en cuves d'acier inoxydable thermorégulées ;
fréquents remontages ; après assemblage, vieillissement en fûts (50 % de bois neuf) ;
collage ; pas de filtration

CHANTELYS

Cru bourgeois
Propriétaire : Christine Courrian
Adresse : Lafon – 33340 Prignac
Tél. 05 56 09 00 16 ou 05 56 58 70 58
Fax 05 56 58 17 20
Visites : sur rendez-vous uniquement
Contact : Christine Courrian

Superficie : 11 ha (Prignac – appellation Médoc)
Vins produits : Château Chantelys – 24 000 b ; Château Gauthier – 30 000 b
Encépagement : 55 % cabernet sauvignon, 40 % merlot, 5 % petit verdot
Densité de plantation : 8 500-10 000 pieds/ha – *Age moyen des vignes :* 30 ans
Rendement moyen : 60 hl/ha

Élevage :
fermentations et cuvaisons de 35 jours
en cuves de béton revêtues, avec chapeau immergé ;
vieillissement de 13-18 mois en fûts (10 % de bois neuf) ; collage et filtration

CLOS DU JAUGUEYRON

Non classé
Exploitant : Michel Théron
Adresse : 4, rue de la Halle – 33460 Arsac
Tél. et Fax 05 56 58 89 43
Visites : sur rendez-vous uniquement
Contacts : Michel Théron et Stéphanie Destruhaut

Superficie : 0,4 ha (Cantenac – appellation Haut-Médoc)
Vin produit : Clos du Jaugueyron – 2 500 b (pas de second vin)
Encépagement :
60 % cabernet sauvignon, 20 % merlot, 10 % petit verdot,
5 % carménère, 5 % divers autres cépages
Densité de plantation : 6 500 pieds/ha – *Age moyen des vignes :* plus de 50 ans
Rendement moyen : 45 hl/ha

Élevage :
fermentations et cuvaisons de 21-42 jours en cuves de ciment ;
achèvement des malolactiques en fûts ;
vieillissement de 20 mois en fûts (30 % de bois neuf) ;
collage ; légère filtration

FONTIS (ex-Hontemieux)

Cru bourgeois
Propriétaire : Vincent Boivert
Adresse : 33340 Ordonnac
Tél. 05 56 73 30 30 – Fax 05 56 73 30 31
Visites : sur rendez-vous de préférence,
du lundi au vendredi
Contact : Vincent Boivert

Superficie : 10 ha (Ordonnac et Blaignan – appellation Médoc)
Vin produit : Château Fontis – 50 000 b (pas de second vin)
Encépagement : 50 % cabernet sauvignon, 50 % merlot
Densité de plantation : 8 300 pieds/ha – *Age moyen des vignes :* 20 ans

Rendement moyen : 55 hl/ha

Élevage :
fermentations et cuvaisons de 15-20 jours
en cuves d'acier inoxydable thermorégulées ;
vieillissement de 22 mois en fûts (1/3 de bois neuf) ; collage ; pas de filtration

GRIVIÈRE

Cru bourgeois
Propriétaire : SNC Domaines CGR
Adresse : route de la Cardonne – 33340 Blaignan
Adresse postale : 40, rue Notre-Dame-des-Victoires – 75002 Paris
Tél. 01 42 21 11 80 – Fax 01 42 21 11 85
Visites : du lundi au vendredi (9 h-12 h et 13 h 30-16 h 30)
Contact : Nathalie Figula
Tél. 05 56 73 31 51 – Fax 05 56 73 31 52

Superficie : 25 ha (Prignac – appellation Médoc)
Vins produits : Château Grivière – 120 000 b ; Château Malaire – 65 000 b
Encépagement : 55 % merlot, 40 % cabernet sauvignon, 5 % cabernet franc
Densité de plantation : 7 000 pieds/ha – *Age moyen des vignes :* 25 ans
Rendement moyen : 55 hl/ha

Élevage :
fermentations et cuvaisons de 20-30 jours
en cuves d'acier inoxydable thermorégulées ;
vieillissement de 12 mois en fûts (1/3 de bois neuf) ; collage et filtration

LACHESNAYE

Cru bourgeois
Propriétaire : GFA des Domaines Bouteiller
Adresse : 33460 Cussac-Fort-Médoc
Tél. 05 56 58 94 80 – Fax 05 56 58 93 10
Visites : sur rendez-vous uniquement

Superficie : 20 ha (Cussac-Fort-Médoc – appellation Haut-Médoc)
Vin produit : Château Lachesnaye – 150 000 b (pas de second vin)
Encépagement : 50 % merlot, 50 % cabernet sauvignon
Densité de plantation : 7 500 pieds/ha – *Age moyen des vignes :* 20 ans
Rendement moyen : 57 hl/ha

Élevage :
fermentations et cuvaisons de 12 jours en cuves de béton thermorégulées ;
vieillissement après les malolactiques de 12 mois en fûts (pas de bois neuf) ;
collage et filtration

LAMOTHE BERGERON

Cru bourgeois
Propriétaire : SC du Château Grand-Puy Ducasse
Adresse : 33460 Cussac-Fort-Médoc
Adresse postale : 17, cours de la Martinique – BP 90
33027 Bordeaux Cedex
Tél. 05 56 01 30 10 – Fax 05 56 79 23 57
Visites : sur rendez-vous
et pour les professionnels uniquement

Superficie : 66 ha (Cussac-Fort-Médoc – appellation Haut-Médoc)
Vins produits :
Château Lamothe Bergeron – 260 000 b ; Château Romefort – 190 000 b
Encépagement : 50 % cabernet sauvignon, 37 % merlot, 13 % cabernet franc
Densité de plantation : 6 600 pieds/ha – *Age moyen des vignes :* 25 ans
Rendement moyen : 55 hl/ha

Élevage :
fermentations et cuvaisons de 21 jours en cuves d'acier inoxydable thermorégulées ; vieillissement de 16-18 mois en fûts (25 % de bois neuf) ; collage et filtration

LA LAUZETTE-DECLERCQ (ex-Bellegrave)

Cru bourgeois
Propriétaire : SC Vignobles Declercq
Adresse : BP 4 – 33480 Listrac
Adresse postale : Gravenstafel – 32 Sneppestraat
B 8860 Lendelede (Belgique)
Tél. 05 56 58 02 40 ou 32 51 30 40 81 – Fax 32 51 31 90 54
Visites : sur rendez-vous uniquement
Contact : Jean-Louis Declercq

Superficie : 15 ha (Couhenne – Listrac – appellation Listrac)
Vins produits :
Château La Lauzette-Declercq – 70 000 b ; Galets de La Lauzette – 37 000 b
Encépagement :
47 % cabernet sauvignon, 46 % merlot, 5 % petit verdot, 2 % cabernet franc
Densité de plantation : 6 600 et 10 000 pieds/ha
Age moyen des vignes : 15 et 35 ans
Rendement moyen : 52 hl/ha

Élevage :
fermentations et cuvaisons de 21 jours en cuves d'acier inoxydable thermorégulées ; achèvement des malolactiques en cuves de béton ; vieillissement de 18 mois en fûts (25-30 % de bois neuf) ; collage ; légère filtration

DE MALLERET

Cru bourgeois
Exploitant : GVG
Adresse : SCEA du Château de Malleret
Domaine du Ribet
BP 59 – 33450 Saint-Loubès
Tél. 05 57 97 07 20 – Fax 05 57 97 07 27
Visites : sur rendez-vous uniquement
Contact : Éric Sirac – Tél. 05 56 35 05 36

Superficie : 32 ha (Le Pian-Médoc – appellation Haut-Médoc)
Vins produits :
Château de Malleret – 100 000 b ; Château Barthez – 72 000 b
Encépagement :
55 % cabernet sauvignon, 35 % merlot, 5 % cabernet franc, 5 % petit verdot
Densité de plantation : 10 000 et 6 700 pieds/ha – *Age moyen des vignes :* 30 ans
Rendement moyen : 55 hl/ha

Élevage :
vieillissement de 6 mois en cuves, puis de 12 mois en fûts (20-50 % de bois neuf) ;
collage ; pas de filtration

MALMAISON

Cru bourgeois
Propriétaire : Compagnie viticole
des barons Edmond et Benjamin de Rothschild
Adresse : 33480 Moulis
Adresse postale : Château Clarke – 33480 Listrac
Tél. 05 56 58 38 00 – Fax 05 56 58 26 46
Visites : sur rendez-vous uniquement
Contact : Hélène Combabessouse

Superficie : 24 ha (Moulis – appellation Moulis)
Vins produits :
Château Malmaison Baronne Nadine de Rothschild – 110 000-120 000 b ;
Les Granges des Domaines Edmond de Rothschild – 50 000 b
Encépagement : 55 % merlot, 45 % cabernet sauvignon
Densité de plantation : 6 600 pieds/ha – *Age moyen des vignes :* 23 ans
Rendement moyen : 55-60 hl/ha

Élevage :
fermentations de 14 jours en cuves d'acier inoxydable thermorégulées à 30-31 °C ;
4-8 remontages selon le millésime ;
vieillissement de 12 mois en fûts (20 % de bois neuf) ;
collage et filtration

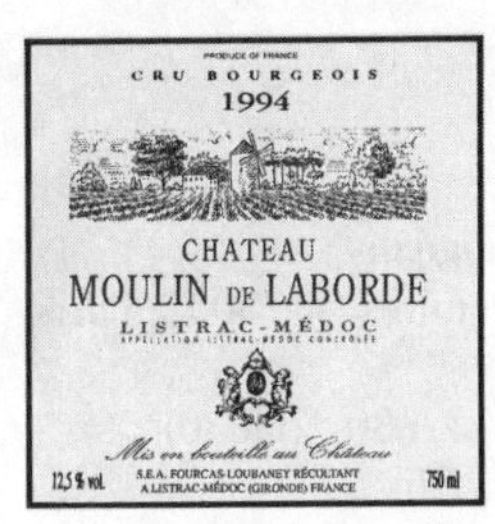

MOULIN DE LABORDE

Cru bourgeois
Propriétaire : François Marret
Adresse : 33480 Listrac
Tél. 05 56 58 03 83 – Fax 05 56 58 06 30
Visites : tous les jours (14 h-18 h)
Contact : Yann Ollivier

Superficie : 12 ha (Listrac – appellation Listrac)
Vin produit : Château Moulin de Laborde – 75 000 b
Encépagement : 50 % merlot, 50 % cabernet sauvignon
Densité de plantation : 6 700 pieds/ha – *Age moyen des vignes :* 25-30 ans
Rendement moyen : 55 hl/ha

Élevage :
fermentations et cuvaisons de 28 jours en cuves d'acier inoxydable avec système de refroidissement par ruissellement ; 2 remontages quotidiens ; vieillissement de 6-8 mois en fûts pour les 2/3 de la récolte, en cuves pour le reste ; collage et filtration

NOAILLAC

Cru bourgeois
Propriétaires : Xavier et Marc Pagès
Adresse : 33590 Jau-Dignac-et-Loirac
Tél. 05 56 09 52 20 – Fax 05 56 09 58 75
Visites : du lundi au vendredi
(8 h-12 h et 13 h 30-17 h 30)
Contact : Xavier Pagès

Superficie : 41 ha (Jau-Dignac-et-Loirac – appellation Médoc)
Vins produits :
Château Noaillac – 150 000 b ; Château La Rose Noaillac – 60 000 b
Encépagement : 55 % cabernet sauvignon, 40 % merlot, 5 % petit verdot
Densité de plantation : 5 500 pieds/ha – *Age moyen des vignes :* 15 ans
Rendement moyen : 68 hl/ha

Élevage :
fermentations de 21 jours environ en cuves de ciment et en cuves d'acier inoxydable ; vieillissement de 12 mois en fûts (10 % de bois neuf) ; collage et filtration

RAMAFORT

Cru bourgeois
Propriétaire : SNC Domaines CGR
Adresse : route de la Cardonne – 33340 Blaignan
Adresse postale : 40, rue Notre-Dame-des-Victoires – 75002 Paris
Tél. 01 42 41 11 80 – Fax 01 42 21 11 85
Visites : du lundi au vendredi (9 h-12 h et 13 h 30-16 h 30)
Contact : Nathalie Figula – Tél. 05 56 73 31 51
Fax 05 56 73 31 52

Superficie : 23,7 ha (Blaignan – appellation Médoc)
Vins produits : Château Ramafort – 110 000 b ; Château Le Vivier – 65 000 b
Encépagement : 50 % cabernet sauvignon, 50 % merlot
Densité de plantation : 6 000 pieds/ha – *Age moyen des vignes :* 30 ans
Rendement moyen : 55 hl/ha

Élevage :
fermentations et cuvaisons de 20-30 jours
en cuves d'acier inoxydable thermorégulées ;
vieillissement de 12 mois en fûts (1/3 de bois neuf) ; collage et filtration

ROSE SAINTE-CROIX

Cru bourgeois
Propriétaire : Philippe Porcheron
Adresse : route de Soulac – 33380 Listrac
Adresse postale : SARL Les Grands Crus – 33480 Moulis
Tél. 05 56 50 35 77 – Fax 05 56 58 14 24
Visites : sur rendez-vous uniquement
Contact : Philippe Porcheron – Tél. 05 56 58 35 77

Superficie : 10 ha (Listrac – appellation Listrac)
Vins produits : Château Rose Sainte-Croix – 36 000 b ;
Château Pontet Salanon – 24 000 b
Encépagement : 55 % merlot, 44 % cabernet sauvignon, 1 % petit verdot
Densité de plantation : 6 600 et 9 000 pieds/ha – *Age moyen des vignes :* 20 ans
Rendement moyen : 50 hl/ha

Élevage :
fermentations et cuvaisons de 18-25 jours
en cuves d'acier inoxydable thermorégulées ;
fréquents remontages ; vieillissement après les malolactiques de 12 mois
en fûts (50 % de bois neuf) ; collage ; pas de filtration

DE SAINTE-GEMME

Cru bourgeois
Propriétaire : GFA des Domaines Bouteiller
Adresse : 33460 Cussac-Fort-Médoc
Tél. 05 56 58 94 80
Fax 05 56 58 93 10
Visites : sur rendez-vous uniquement

Superficie :
10 ha (Cussac-Fort-Médoc – appellation Haut-Médoc)
Vin produit : Château de Sainte-Gemme – 60 000 b (pas de second vin)
Encépagement : 50 % merlot, 50 % cabernet sauvignon
Densité de plantation : 6 800 pieds/ha – *Age moyen des vignes :* 15 ans
Rendement moyen : 59 hl/ha

Élevage :
fermentations et cuvaisons de 12 jours en cuves de béton thermorégulées ; vieillissement après les malolactiques de 12 mois en fûts (pas de bois neuf) ; collage et filtration

DE VILLE GEORGE

Cru bourgeois – devrait être maintenu
Propriétaire : Marie-Laure Lurton-Roux
Adresse : La Tuilerie – 33480 Soussans
Adresse postale : SC Les Grands Crus Réunis
33480 Moulis
Tél. 05 57 88 83 83 – Fax 05 57 88 72 51
Visites : sur rendez-vous uniquement
Contact : Marie-Laure Lurton-Roux

Superficie : 15 ha (Avensan et Soussans – appellation Haut-Médoc)
Vin produit : Château de Ville George – 30 000-50 000 b
(pas de second vin depuis 1996 – vrac)
Encépagement : 60 % merlot, 30 % cabernet sauvignon, 10 % cabernet franc
Densité de plantation : 10 000 et 6 600 pieds/ha – *Age moyen des vignes :* 20 ans
Rendement moyen : 36 hl/ha

Élevage :
fermentations et cuvaisons en petites cuves d'acier inoxydable, dont certaines revêtues d'epoxy ;
vieillissement de 6-18 mois en fûts (20 % de bois neuf) ; collage et filtration

---

A maturité : dans les 3 à 6 ans suivant le millésime

PESSAC-LÉOGNAN ET GRAVES

Les vins des Graves sont certainement les premiers bordeaux à avoir été élaborés et exportés ; en effet, ils étaient déjà expédiés, en fûts, outre-Manche, lorsque l'Aquitaine était une possession anglaise (entre 1152 et 1453). Même les Américains, suivant l'avis de Thomas Jefferson, semblaient convaincus que ces crus étaient les meilleurs du Bordelais.

Cependant, les temps ont changé, et aucune appellation n'a perdu autant de terrain – au sens propre comme au sens figuré – que celle des Graves.

Cette aire de production, qui englobe la région de Pessac-Léognan (délimitée en 1987 et regroupant les terroirs les plus prestigieux), tient son nom de son sol – graveleux –, vestige de l'époque glaciaire. Totalement différente des autres appellations de Bordeaux, elle commence dans les faubourgs de Talence et de Pessac, deux villes modernes fortement peuplées, notamment par une classe moyenne et par des étudiants. Les principaux vignobles de cette région – Haut-Brion, La Mission Haut-Brion et Pape Clément sont les plus célèbres – résistent, depuis plus d'un siècle maintenant, au développement urbain et à la pollution. Leur environnement bruyant offre un contraste saisissant avec la tranquillité ambiante du Médoc, de Pomerol et de Saint-Émilion. Toute la partie nord des Graves constitue l'appellation Pessac-Léognan, qui s'étend sur une bonne vingtaine de kilomètres depuis le sud de Talence et de Pessac, et comprend des vignobles assez disséminés. La partie qui commence juste après la banlieue commerciale de Gradignan est plutôt calme ; c'est une région rurale, où les vignes alternent avec les forêts de pins et les petites fermes. Les meilleurs vins de cette partie sud des Graves sont issus de Martillac et de Léognan, deux bourgs paisibles qui donnent l'impression d'être plus loin de Bordeaux qu'ils ne le sont en réalité. Ils ont tous deux droit à l'appellation Pessac-Léognan.

La région des Graves tout entière est renommée aussi bien pour ses blancs que pour ses rouges. Les meilleurs blancs de la région sont rares et chers ; certains d'entre eux sont même capables de rivaliser avec les crus les plus prestigieux du pays. Ils sont essentiellement issus de trois cépages : le sauvignon, le sémillon et la muscadelle. Cependant, les meilleurs vins des Graves sont les rouges. Le domaine le plus célèbre,

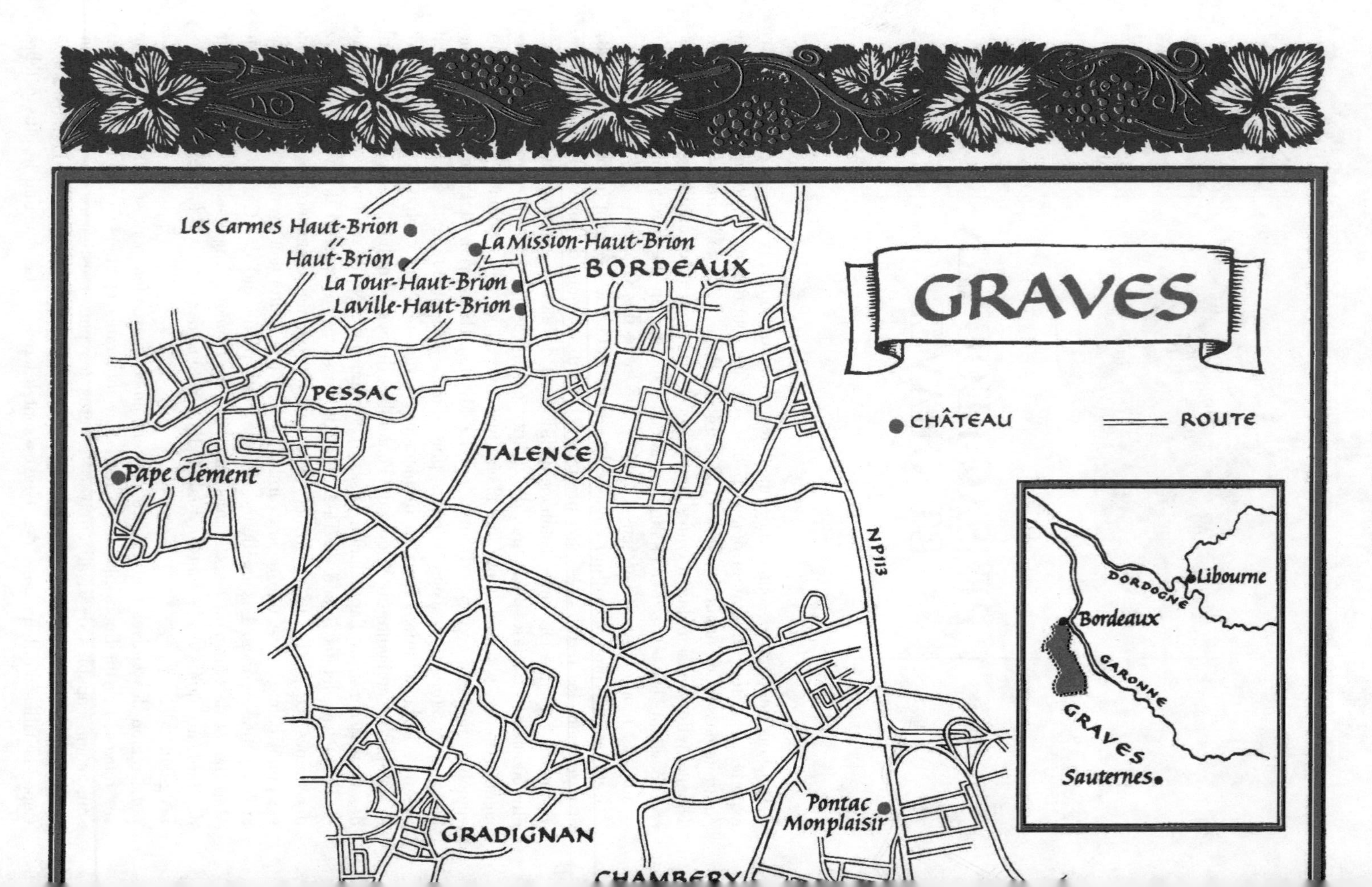
GRAVES
CHÂTEAU
ROUTE
Les Carmes Haut-Brion
Haut-Brion
La Mission-Haut-Brion
La Tour-Haut-Brion
Laville-Haut-Brion
BORDEAUX
PESSAC
TALENCE
Pape Clément
NP113
Libourne
DORDOGNE
Bordeaux
GARONNE
GRAVES
Sauternes
Pontac
Monplaisir
GRADIGNAN

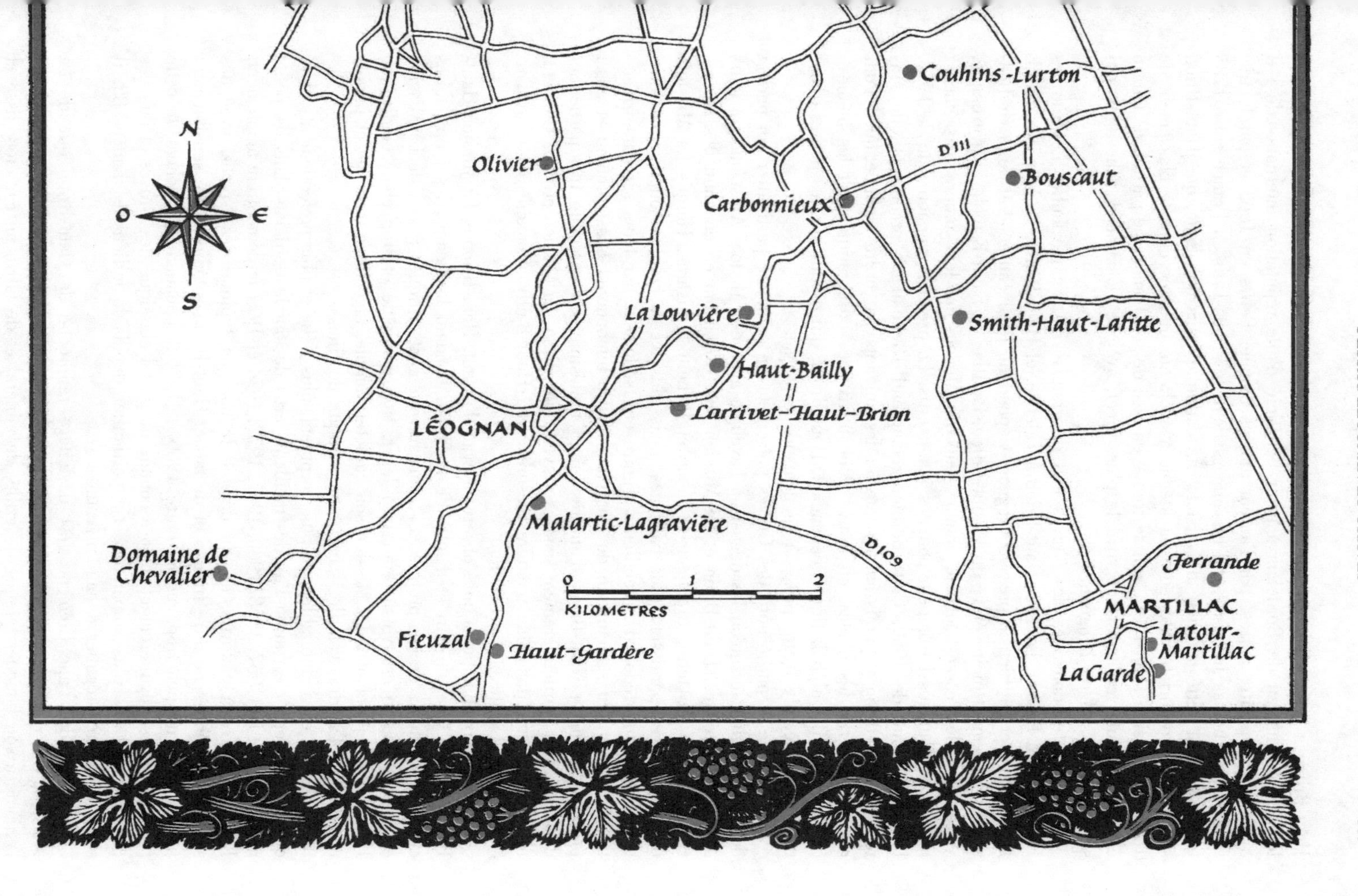
N
O
E
S
Couhins-Lurton
D111
Olivier
Bouscaut
Carbonnieux
La Louvière
Smith-Haut-Lafitte
Haut-Bailly
Larrivet-Haut-Brion
LÉOGNAN
Malartic-Lagravière
D109
Domaine de Chevalier
0
1
2
KILOMETRES
Ferrande
MARTILLAC
Fieuzal
Haut-Gardère
Latour-Martillac
La Garde

Haut-Brion, a été racheté par des Américains. Il se situe au nord de Pessac, et c'est le premier château du Bordelais à avoir bénéficié d'une réputation internationale : il a été célébré, entre autres, par l'auteur anglais Samuel Pepys en 1663 et par le très francophile Thomas Jefferson, qui fut ambassadeur des États-Unis en France entre 1785 et 1789. C'est cette notoriété universelle qui explique, sans nul doute, que Haut-Brion soit la seule propriété extérieure au Médoc à avoir été intégrée dans le classement de 1855. La Mission Haut-Brion, qui se trouve en face de son homonyme partiel, de l'autre côté de la route, est aussi son rival le plus direct, avec le Domaine de Chevalier, qui se trouve au sud de Léognan.

Mais d'autres domaines des Graves font de grands vins, en particulier Les Carmes Haut-Brion à Pessac, La Tour Haut-Brion à Talence, et Haut-Bailly, La Louvière, Smith Haut Lafitte et De Fieuzal près de Léognan. Cependant, le niveau général de la vinification est nettement moins élevé qu'à Saint-Julien, Pauillac ou Saint-Estèphe, par exemple.

Les vins de Pessac-Léognan, comme ceux du Médoc, ont leur propre classement ; mais il est tout aussi trompeur pour les non-avertis. La première version date de 1953, la plus récente de 1959. Cette dernière comprend 13 châteaux producteurs de vins rouges, Haut-Brion apparaissant en tête, et les suivants par ordre alphabétique ! Pour ce qui concerne les blancs, on trouve 9 châteaux (ce sont pratiquement les mêmes), classés par ordre alphabétique ; cependant, Haut-Brion, qui produit de très petites quantités de blanc, n'y figure pas – à sa demande expresse.

Les vins de la partie nord des Graves présentent un caractère particulier qui permet de les distinguer lorsqu'on les déguste à l'aveugle avec des Médoc. Ainsi, malgré leurs grandes différences, Haut-Brion et La Mission Haut-Brion ont en commun des arômes riches et rôtis de terre, tirant sur le tabac et la boîte à cigares. Hormis La Mission, ces vins rouges paraissent plus parfumés, mais plus légers et plus souples que leurs homologues du Médoc. Les meilleurs d'entre eux séduisent par leurs senteurs irrésistibles ; à mon sens, aucun vin du Bordelais n'offre un bouquet aussi profond et aussi provocateur qu'un Haut-Brion d'un très grand millésime. Ce caractère très particulier des Graves est particulièrement saisissant avec Haut-Brion, La Mission et Pape Clément, mais également, dans une moindre mesure, avec Haut-Bailly, Domaine de Chevalier, Smith Haut Lafitte et La Louvière.

Comme deux champions qui s'observent avant l'assaut, Haut-Brion et La Mission Haut-Brion se font face, de part et d'autre de la N650. Pendant longtemps, les propriétaires et les vinificateurs de ces propriétés se sont ouvertement critiqués : ceux de La Mission estimaient que le cru voisin était trop léger, trop manipulé et trop cher, tandis que Haut-Brion reprochait à La Mission son caractère ample, alcoolique, sauvage et parfois marqué par l'acidité volatile – bref, son manque de finesse.

La Mission est indubitablement plus corpulent, plus riche et plus profondément coloré que Haut-Brion ; c'est aussi l'un des meilleurs crus de tout le Bordelais dans les petits millésimes, et les 1957, 1958, 1960, 1967, 1972, 1974 et 1977 le démontrent amplement. Lorsqu'il arrive à maturité, ce vin déploie le bouquet typique des Graves, avec des senteurs minérales de terre fraîche et de tabac. Haut-Brion a toujours été sensiblement plus léger – un peu trop, même, entre 1966 et 1976 ; cependant, en dehors de cette période, il s'est régulièrement imposé comme un grand classique des Graves et l'un des premiers crus les plus stupéfiants. En particulier depuis le milieu des années 80, il s'est révélé très régulier à haut niveau.

Depuis 1986, Pape Clément s'est davantage rapproché de Haut-Brion que de La Mission. Grâce à sa forte proportion de merlot et à son sol peu profond et graveleux, il ajoute à son bouquet typique de grillé, de minéral et de tabac un caractère lisse et souple et un fruit épanoui, et même opulent, qui rappellent les meilleurs Pomerol. Judicieusement vinifié, il est délicieux dès sa jeunesse, mais peut tenir 20 ans, voire plus, dans les meilleures années.

Lorsqu'on s'est éloigné du bruit et de la fureur des routes de Pessac et de Talence, la région des Graves devient charmante et très agréable. Les vins présentent un caractère de terre, de fumé et de tabac moins prononcé que ceux de la zone nord, et ils sont également plus légers. Les meilleurs crus proviennent de la région de Léognan. Le minuscule Domaine de Chevalier – dont le discret vignoble est caché par une forêt épaisse – réussit bien et produit, outre de petites quantités d'un blanc extraordinaire, un rouge souple, très parfumé, riche, crémeux et complexe. Malheureusement, les millésimes récents sont desservis par un boisé trop prononcé.

Tout près de là se trouve Haut-Bailly, qui produit un Graves intensément fruité, que l'on peut généralement boire vers 5 à 7 ans d'âge. Certains millésimes présentent un potentiel plus important, mais il ne s'agit pas d'un vin qu'il faut attendre longtemps. De Fieuzal, qui a accompli de gros progrès durant les années 80, propose un blanc comptant au nombre des meilleurs de l'appellation depuis 1985 ; quant au rouge, il présente désormais davantage de profondeur, d'ampleur et de complexité. C'est probablement le cru le plus sous-estimé de la région.

Smith Haut Lafitte est également une superbe réussite. Cette belle propriété, longtemps notoirement sous-performante, s'impose comme l'une des étoiles montantes de l'appellation depuis son rachat par la famille Cathiard.

Il existe, bien entendu, encore beaucoup de Graves, mais la plupart des autres crus classés proposent des vins généralement légers, sans grande complexité, qui peuvent être agréables, mais rarement très passionnants, tels les rouges de Malartic-Lagravière. Le domaine de Carbonnieux est plus intéressant, mais il pourrait, à mon avis, être d'un meilleur niveau, compte tenu de son potentiel. Il faudrait cependant que les propriétaires aient la volonté de faire mieux. Chose étrange, les vins blancs de cette propriété sont généralement délicieux, tandis que les rouges sont moins réguliers.

Les Pessac-Léognan, et les Graves en général, sont des crus que les amateurs devraient rechercher dans les millésimes médiocres ou moins bons. Les sols de cette région bénéficient d'un excellent drainage, et, dans les années comme 1958, 1964, 1974, 1987, 1993 et 1994, des propriétés telles que La Mission Haut-Brion, le Domaine de Chevalier et Haut-Brion proposent des vins excellents, issus de raisins relativement mûrs, alors que, dans le même temps, les Médoc se révèlent aqueux et décevants. En revanche, dans les années chaudes et sèches, favorables pour le nord du Médoc, pour Saint-Émilion et pour Pomerol, la vigne souffre ici de stress, et la vendange ne mûrit pas comme elle le devrait. Ainsi les 1982, 1989 et 1990 sont-ils moins réussis dans les Graves que dans les autres appellations du Bordelais. Les millésimes récents de haut niveau sont 1961, 1964, 1970, 1971, 1978, 1983 (meilleur que 1982), 1985, 1987 (une révélation), 1988 (meilleur que 1989 et 1990 pour certains châteaux), 1990, 1995 et 1996.

Les Graves comptent encore de nombreuses propriétés, dont beaucoup ne sont pas classées, ayant accompli des progrès remarquables et demeurant, pour le moins, sous-évaluées. Des châteaux sérieux comme La Louvière, Picque Caillou, Larrivet-Haut-Brion, Clos Floridène et Haut-Gardère méritent assurément l'attention des amateurs.

PESSAC-LÉOGNAN – REPÈRES

Situation : située sur la rive gauche de la Gironde, dans l'extrême nord des Graves, cette aire de production recouvre 10 communes.
Superficie sous culture de vigne : 1 200 ha.
Communes : Cadaujac, Canéjan, Graignan, Léognan, Martillac, Mérignac, Pessac, Saint-Médard-d'Eyrans, Talence, Villenave-d'Ornon.
Production annuelle moyenne : 6 720 000 bouteilles, dont 80 % de rouge et 20 % de blanc.
Crus classés : 16 au total, tous situés en Pessac-Léognan ; 6 sont classés pour les rouges et les blancs, 7 pour les rouges seulement et 3 pour les blancs.
Principaux cépages : pour les rouges, le cabernet sauvignon et le merlot prédominent, le cabernet franc servant de faire-valoir. Les blancs sont essentiellement composés de sauvignon blanc et de sémillon ; on trouve également de petites quantités de muscadelle.

GRAVES – REPÈRES

Situation : cette aire relativement vaste est située sur la rive gauche de la Garonne, au sud de Bordeaux.
Superficie sous culture de vigne : 3 100 ha.
Communes : près de 30, les plus importantes étant Cérons, Illats, Landiras, Langon, Podensac, Portets et Saucats.
Production annuelle moyenne : environ 12 000 000 de bouteilles, dont 70 % de rouge et 30 % de blanc.
Principaux cépages : merlot et cabernet sauvignon pour les rouges, sémillon et sauvignon blanc, ainsi que de toutes petites quantités de muscadelle, pour les blancs.

ROUGE – AVIS AUX AMATEURS

Niveau général de l'appellation : moyen à superbe.
Les plus aptes à une longue garde : Haut-Bailly, Haut-Brion, La Mission Haut-Brion, Pape Clément, Smith Haut Lafitte.
Les plus élégants : Haut-Bailly, Haut-Brion, Pape Clément, Smith Haut Lafitte.
Les plus concentrés : De Fieuzal, Haut-Brion, La Louvière, La Mission Haut-Brion, Pape Clément, Smith Haut Lafitte.
Le meilleur rapport qualité/prix : De Chantegrive, Les Carmes Haut-Brion, Clos Floridène, La Garde, La Louvière.
Le plus exotique : aucun.
Le plus secret (dans sa jeunesse) : Domaine de Chevalier.
Les plus sous-estimés : La Garde, La Louvière.
Les plus accessibles dans leur jeunesse : Les Carmes Haut-Brion, De Chantegrive, Clos Floridène, La Garde, La Louvière.
Les étoiles montantes : La Garde, La Louvière, Smith Haut Lafitte.
Meilleurs millésimes récents : 1995, 1994, 1990, 1988, 1983, 1979, 1978.

BLANC – AVIS AUX AMATEURS

Niveau général de l'appellation : moyen à superbe.
Les plus aptes à une longue garde : Domaine de Chevalier, Haut-Brion, Laville Haut-Brion, Smith Haut Lafitte.
Les plus élégants : Carbonnieux, Couhins-Lurton, La Garde, Latour-Martillac, Pape Clément, Smith Haut Lafitte.
Les plus concentrés : De Fieuzal, Haut-Brion, Laville Haut-Brion, La Louvière, Smith Haut Lafitte.
Le meilleur rapport qualité/prix : De Chantegrive, La Garde, La Louvière, Rahoul, De Rochemorin, La Vieille France.
Les plus exotiques : Clos Floridène, Latour-Martillac, La Vieille France.
Le plus secret (dans sa jeunesse) : Domaine de Chevalier.
Les plus sous-estimés : Clos Floridène, La Garde, De Rochemorin, Smith Haut Lafitte, La Vieille France.
Les étoiles montantes : La Louvière, Smith Haut Lafitte.
Meilleurs millésimes récents : 1994, 1989, 1985.

MON CLASSEMENT

EXCEPTIONNEL

Domaine de Chevalier (blanc uniquement)
Haut-Brion (rouge et blanc)
Laville Haut-Brion (blanc uniquement)
La Mission Haut-Brion

EXCELLENT

Les Carmes Haut-Brion
De Fieuzal
Haut-Bailly
La Louvière
Pape Clément (depuis 1985)
Smith Haut Lafitte (depuis 1991)

TRÈS BON

Bahans Haut-Brion
Clos Floridène (blanc uniquement)
Couhins-Lurton (blanc uniquement)
La Garde
La Tour Haut-Brion

BON

D'Archambeau, Baret, Carbonnieux, De Chantegrive, Cheret-Pitres, Domaine de Chevalier (rouge), De Cruzeau, Ferrande, Gazin Rocquencourt, Graville-Lacoste, Haut-Bergey, Haut-Gardère, Latour-Martillac, Olivier, Picque Caillou, Pontac Monplaisir, Rahoul, De Rochemorin, Le Thil Comte Clary, La Vieille France

AUTRES PROPRIÉTÉS NOTABLES DES GRAVES

Bardins, Bouscaut, Boyrein, Brondelle, Cabannieux, Du Caillou, Cantelys, Chicane, Courrèges Seguès du Château de Gaillat, La Fleur Jonquet, De France, De Gaillat, Du Grand Abord, Du Grand Bos, Haut-Calens, Haut Lagrange, Haut-Nouchet, De L'Hospital, Jean Gervais, Lafargue, Lamouroux, De Landiras, Larrivet-Haut-Brion, Lespault, Magence, Malartic-Lagravière, De Mauves, Périn de Naudine, Pessan, Peyreblanque, Piron, Saint-Jean-des-Graves, Saint-Robert, Le Sartre, Du Seuil, Domaine de la Solitude, La Tour de Boyrin, Du Tourte, Le Tuquet, Villa Bel-Air

COMMENTAIRES DE DÉGUSTATION

BOUSCAUT

Cru classé – ne mérite pas son rang
Propriétaire : SA Château Bouscaut
Adresse : 33140 Cadaujac
Tél. 05 57 83 10 16 – Fax 05 57 83 10 17
Visites : sur rendez-vous uniquement
Contact : Sophie Lurton-Cogombes

Superficie :
rouge – 37 ha ; blanc – 8 ha (Cadaujac – appellation Pessac-Léognan)
Vins produits :
rouge – Château Bouscaut – 95 000 b ; Château Valoux – 135 000 b ;
blanc – Château Bouscaut – 15 000 b ; Château Valoux – 25 000 b
Encépagement :
rouge – 50 % merlot, 35 % cabernet sauvignon, 15 % cabernet franc et malbec ;
blanc – 65 % sémillon, 35 % sauvignon
Densité de plantation : 6 600 pieds/ha – *Age moyen des vignes :* 35 ans
Rendement moyen : rouge – 50 hl/ha ; blanc – 40 hl/ha

Élevage :
rouge – fermentations et cuvaisons de 14-21 jours en cuves d'acier inoxydable ;
vieillissement de 18 mois en fûts (1/3 de bois neuf) ; collage et filtration ;
blanc – fermentations en fûts (60 % de bois neuf) ; élevage de 12 mois sur lies ;
fréquents bâtonnages ; collage ; pas de filtration

A maturité :
rouge – dans les 4 à 12 ans suivant le millésime ; blanc – dans les 2 à 6 ans

On aurait pu penser que la qualité du Château Bouscaut s'améliorerait, suite à son rachat par le célèbre Lucien Lurton à une société américaine. Malheureusement, il n'en a rien été. Malgré son rang, ce cru classé produit toujours des rouges et des blancs inintéressants. Le château, datant du XVIIIe siècle, avec sa belle pièce d'eau, a été entièrement restauré au cours des années 60, et c'est aujourd'hui l'un des plus élégants de la région. A la dégustation du vin, on a l'impression que la sélection est mal faite. Certains disent que le rouge, issu de jeunes vignes, est desservi par sa forte proportion de merlot, mais ce n'est pas mon avis. En fait, je pense tout simplement que Bouscaut produit trop, et que la sélection n'est pas suffisamment rigoureuse pour le grand vin. Certains observateurs espèrent que Sophie Lurton, qui tient cette propriété de son père depuis 1992, l'amènera à un meilleur niveau.

ROUGE

1990 • 78 Bien coloré, avec un nez séduisant de fumé, de boisé et de petits fruits mûrs, le Bouscaut 1990 est en réalité moins étoffé et moins apte à la garde que ses aînés de 1989 et 1988. **A boire jusqu'en 2005.** (1/93)

1989 • **82** Léger, moyennement corsé et correctement vinifié, le Bouscaut 1989 est très alcoolique, avec des tannins en excès pour son caractère sans détour et fruité. Il est également trop boisé. Il pourrait mériter une meilleure note s'il s'étoffait en développant davantage de présence en milieu de bouche, mais cela me semble improbable. **A boire.** (1/93)

1988 • **83** Le 1988 est un vin épicé, bien vinifié et assez corsé ; il sera parfait **jusqu'en 2002.** (11/90)

1986 • **75** Dépourvu de profondeur et de complexité, ce vin paraît issu d'une vendange trop abondante, et ses flaveurs souples, presque maigres, s'estompent rapidement en bouche. **A boire.** (3/90)

1983 • **84** Le 1983 est un Graves extrêmement souple, charnu et assez charpenté, plein de charme et très racé. Il est heureusement dépourvu des tannins agressifs qui desservent de nombreux vins de ce millésime. Très épicé au nez, il est joliment coloré et précoce pour un 1983. **A boire.** (3/88)

1982 • **85** C'est le meilleur Bouscaut des deux dernières décennies : vêtu d'une robe assez foncée, il dégage des arômes vifs, riches et épanouis de baies sauvages, se révèle gras, séveux et concentré en bouche, bien tannique et persistant en finale. C'est un Bouscaut très racé et impressionnant. **A boire jusqu'en 2000.** (1/85)

1981 • **74** Le 1981 libère un bouquet peu intense, assez fermé et épicé, qui introduit un ensemble raide, dur et austère. Je doute que le fruit puisse faire pièce aux tannins acerbes. **A boire.** (6/84)

1980 • **72** Pas très différent du 1981, si ce n'est qu'il est plus clair de robe et moins étoffé, le Bouscaut 1980 se révèle correct, mais sans grande complexité. **A boire – probablement en sérieux déclin.** (2/83)

1978 • **78** Ce Bouscaut de niveau moyen se distingue par un nez de chêne épicé et peu intense, par de modestes arômes de petits fruits, par un caractère tannique et par une finale ferme. **A boire – probablement en sérieux déclin.** (12/82)

1975 • **75** Très fermé, dur, désagréablement tannique et acerbe en bouche, le Bouscaut 1975 est plus coloré et plus charpenté que la moyenne, mais je ne pense pas que son fruité puisse contrebalancer ses tannins. **A boire.** (5/84)

1970 • **72** Dur et sévère dans sa jeunesse, ce vin n'a développé ni richesse ni caractère ; il est demeuré terriblement tannique, boisé et fermé, avec peu de charme et de fruit. (2/80)

BLANC

1989 • **71** Avec ses arômes ternes, sans intérêt et presque muets, ce vin se révèle assez maigre et dépouillé en bouche. Il manque à la fois de charme, d'étoffe et de caractère. **A boire.** (4/91)

1988 • **72** Le domaine n'a pas réussi à produire un vin blanc de qualité. Décharné, peu corsé et assez plat, le 1988 doit être bu **d'ici 2 ou 3 ans.** (11/90)

CARBONNIEUX – BON

Cru classé – mérite de nouveau son rang (depuis 1985)
Propriétaire : SC des Grandes Graves
Adresse : 33850 Léognan
Tél. 05 57 96 56 20 – Fax 05 57 96 59 19
Visites : sur rendez-vous uniquement
Contact : Anthony Perrin (gérant)

Superficie :
rouge – 45 ha ; blanc – 42 ha
(Léognan, Villenave-d'Ornon et Cadaujac – appellation Pessac-Léognan)
Vins produits :
rouge – Château Carbonnieux – 200 000 b ; Château La Tour Léognan – 50 000 b ;
blanc – Château Carbonnieux – 180 000 b ; Château La Tour Léognan – 50 000 b
Encépagement :
rouge – 60 % cabernet sauvignon, 30 % merlot, 7 % cabernet franc,
2 % malbec, 1 % petit verdot ;
blanc – 65 % sauvignon, 34 % sémillon, 1 % muscadelle
Densité de plantation : 6 600 pieds/ha
Age moyen des vignes : rouge – 30 ans ; blanc – 32 ans
Rendement moyen : rouge – 55 hl/ha ; blanc – 45 hl/ha

Élevage :
rouge – fermentations alcooliques en cuves d'acier inoxydable thermorégulées ;
achèvement des malolactiques en fûts pour 1/3 de la récolte
et en cuves pour le reste ;
vieillissement de 18 mois en fûts (1/3 de bois neuf) ; collage et filtration ;
blanc – fermentations en fûts (1/3 de bois neuf) ;
arrêt des malolactiques par sulfitage ;
élevage de 10-11 mois sur lies ; bâtonnages hebdomadaires ; ni collage ni filtration

A maturité :
rouge – dans les 3 à 10 ans suivant le millésime ; blanc – dans les 3 à 12 ans

Carbonnieux est l'un des plus vastes domaines des Graves, situé sur le point haut de la commune de Léognan. Le sol y est graveleux, en pente, drainé par un cours d'eau nommé l'Eau Blanche. Jusqu'au milieu des années 80, il avait le défaut de beaucoup de ses pairs de Pessac-Léognan : ses vins blancs étaient souvent délicieux, mais ses rouges inintéressants, légers et sans relief. Par la suite, il s'est nettement redressé, les blancs progressant encore et les rouges se révélant plus élégants, plus aromatiques, plus souples et mieux élaborés.

Cette propriété est sans doute l'une des plus belles de la région, mais aussi l'une des plus riches par son histoire, puisqu'on en trouve trace dès le XIIe siècle. Les bénédictins de l'abbaye de Sainte-Croix remirent le vignoble en état au XIIIe siècle, baptisant les blancs, exceptionnellement limpides, « eau minérale de Carbonnieux ». Cependant, l'aventure moderne de Carbonnieux commence en 1956, quand le château fut acheté par Marc Perrin. C'est son fils, Anthony, qui le dirige aujourd'hui. Au milieu des années 80, il fit appel au célèbre Denis Dubourdieu qui supervise désormais la vinification des blancs, plus intenses et plus concentrés. Parallèlement, les rouges ont acquis davantage de profondeur et d'intensité.

La plupart des millésimes de Carbonnieux, rouges ou blancs, doivent être bus dans les 7 ou 8 ans. Certains blancs, cependant, affichent un potentiel leur permettant de bien évoluer sur plus de deux décennies.

ROUGE

1998 • **85-86** Très bourguignon, avec ses arômes épanouis de cerise et de fraise, ce vin moyennement corsé est élégant et fruité. Précoce et rond, il sera parfait dans les **7 à 10 ans.** (3/99)

1997 • **82-84** Malgré son caractère légèrement corsé et aqueux, le Carbonnieux 1997 se révèle charmeur et déploie un doux fruité, tant au nez qu'en bouche. Un vin coulant, à boire sans cérémonie ces **4 à 7 prochaines années.** (1/99)

1996 • **86** Vêtu de rubis foncé, ce vin moyennement corsé et racé séduit par les arômes de cerise et de framboise, marqués de notes de pain grillé, qu'il présente tant au nez qu'en bouche. Évoquant un Volnay, il se montre élégant et sera agréable dès sa jeunesse, tout en étant capable d'une garde de **10 ans environ.** (1/99)

1995 • **87** Séduisant et sensuel, le Carbonnieux 1995, moyennement corsé, est d'un rubis profond, avec de subtils arômes de chêne fumé infusés de notes de tabac, de kirsch et de cassis. L'ensemble est tout à la fois rond, légèrement tannique, riche et enivrant ; il se caractérise par sa souplesse, son équilibre, sa finesse et par une belle élégance d'ensemble. **A boire jusqu'en 2011.** (11/97)

1994 • **79** D'un rubis moyennement foncé, le 1994 libère des arômes doux et mûrs de groseille, de cerise, de chêne neuf et épicé, et se montre austère et maigre en bouche, avec d'abondants tannins. Sec, boisé et dur, il manque à la fois de complexité, de fruité et de chair. (1/97)

1993 • **85** La robe grenat foncé du Carbonnieux 1993 prélude à un nez herbacé de tomate, de cèdre et de cuir neuf mêlé de fortes senteurs de poivre vert. Suit un vin doux, longiligne, pur, discret et légèrement tannique, mais bien fruité. **A boire dans les 3 ou 4 ans.** (1/97)

1992 • **86** Très coloré, le 1992 déploie un séduisant bouquet de tabac, de pain grillé et de fruits noirs, et révèle des tannins légers. Solidement corsé, il est expansif, superbe et soyeux. Ce vin délicieux, pur et élégant est à maturité parfaite et sera extrêmement agréable au cours de la **prochaine décennie.** (11/94)

1991 • **86** Le Carbonnieux 1991 est l'un des vins les plus séduisants du millésime. Avec sa robe d'un rubis moyen et son bouquet qui déborde littéralement du verre, il libère des senteurs généreuses de tabac, d'herbes, de fruits noirs et de chêne doux. Moyennement corsé, il révèle aussi un fruité crémeux, riche et abondant, et se montre élégant et bien équilibré, avec des tannins fondus et une finale superbe. Il sera bon pendant **6 ou 7 ans encore.** (1/94)

1990 • **85** Le nez intensément boisé du Carbonnieux 1990 semble dissimuler une belle richesse en extrait et un ensemble précoce et flatteur. La finale, charmeuse, est modérément dotée. **A boire jusqu'en 2008.** (1/93)

1989 • **83** Moyennement corsé et plaisant, le 1989 se révèle sans détour, boisé et tannique. Il est loyal et marchand, plutôt séduisant, même, avec son fruité assez étoffé, mais il manque de distinction. **A boire jusqu'en 2000.** (1/93)

1988 • **83** Élégant et assez léger, le 1988 se révèle charmeur et moyennement corsé, avec des arômes de douce fraise marqués d'un généreux boisé. Sans être ample, il est racé, parfumé et plein de grâce. **A boire dans les 6 ou 7 ans.** (1/93)

1986 • **85** Le 1986 impressionne par son fruit suave et gracieux de cerise, par ses généreux arômes de chêne neuf et grillé, par ses flaveurs souples et sa finale aux tannins mûrs. **A boire.** (3/90)

1985 • **85** Le 1985 rappelle davantage un Beaune premier cru qu'un Graves, avec ses doux arômes, amples et souples, et ses notes de chêne grillé. **A boire.** (3/89)

1983 • **85** Tout à la fois séduisant, charnu, épicé et juteux, le 1983 révèle un élégant fruité de cerise dans un ensemble doux et savoureux. Les tannins sont légers, et la finale souple. **A boire – peut-être en déclin.** (1/88)

1982 • **86** Ce vin, que je n'ai dégusté qu'en une seule occasion ces dix dernières années (c'était à la propriété), s'est révélé étonnamment délicieux. Outre un fruité mûr de cerise, il révèle un nez typiquement Graves, aux notes de tabac, de minéral et d'herbes, qui précède en bouche un ensemble moyennement corsé, opulent, séduisant et d'une excellente douceur. Accessible dès son plus jeune âge, il demeure intact, hormis son bord légèrement éclairci. Il devrait bien tenir **10 ans encore.** (9/95)

1981 • **73** D'un rubis léger, le Carbonnieux 1981 se révèle plutôt unidimensionnel, avec un fruité doux, épicé et confituré, un bouquet peu intense et une finale faible. **A boire – peut-être en sérieux déclin.** (11/84)

1978 • **79** Élaboré à une période où le château n'était pas particulièrement reconnu pour ses vins rouges, le 1978 est léger, délicat et fruité. Il présente un bouquet herbacé aux notes de terre et se montre souple, rond et moyennement corsé en bouche. **A boire.** (3/86)

BLANC

1993 • **89** Le Château Carbonnieux s'impose comme une référence pour ses vins blancs secs, vifs et élégants. Depuis quelques années, ceux-ci semblent plus riches et plus massifs, sans avoir rien perdu de leur élégance et de leur style sublimes. Riche et mielleux, le 1993 montre également une belle pureté, avec des arômes séduisants de chêne fumé qui contribuent à sa complexité. Il révèle en outre un caractère marqué par des senteurs de cire, d'herbes, de fruits et de fumé. **A boire dans les 10 à 15 ans.** (11/94)

1992 • **88** Avec son nez riche d'épices et de miel, le 1992 se montre moyennement corsé et d'une belle maturité en bouche, présentant suffisamment d'acidité de bon ressort et d'arômes de chêne grillé pour étayer sa richesse. C'est précisément pour leur caractère exubérant et très frais que les blancs secs de cette propriété sont les plus prisés du Bordelais. **A boire dans les 10 ans, voire au-delà.** (1/94)

LES CARMES HAUT-BRION - EXCELLENT

Non classé – mérite le rang de cru classé
Propriétaire : famille Chantecaille
Adresse : 197, avenue Jean-Cordier – 33600 Pessac
Tél. 05 56 51 49 43 – Fax 05 56 93 10 71
Visites : sur rendez-vous uniquement
Contacts : Didier et Caroline Furt

Superficie :
4,5 ha (Pessac – appellation Pessac-Léognan)
Vins produits :
Château Les Carmes Haut-Brion – 21 600 b ; Le Clos des Carmes – 2 400 b
Encépagement : 50 % merlot, 40 % cabernet franc, 10 % cabernet sauvignon
Densité de plantation : 8 000 pieds/ha – *Age moyen des vignes :* 30 ans
Rendement moyen : 49 hl/ha

Élevage :
fermentations et cuvaisons de 15-21 jours en cuves d'acier inoxydable ;
achèvement des malolactiques en fûts pour 80 % de la récolte,
en cuves pour le reste ;
vieillissement de 18 mois en fûts (35 % de bois neuf) ; filtration si nécessaire

A maturité : dans les 6 à 20 ans suivant le millésime

Au début des années 70, j'ai eu la chance de tomber, chez un détaillant, sur des magnums de ce cru vendus en promotion. Je ne savais rien de ce vin, mais j'ai pris le risque et en ai acheté deux flacons. Bien m'en a pris, car tous deux étaient extraordinaires. Cependant, par la suite, il m'a été impossible de mettre à nouveau la main sur ce vin. J'ignorais alors presque tout de ce précieux petit vignoble, situé sur un tertre graveleux, à Pessac, dans la banlieue de Bordeaux, près de Haut-Brion et de La Mission Haut-Brion, et qui compte parmi les domaines les moins connus des Graves.

On sait que cette vigne fut exploitée durant deux siècles par des moines. En 1584, en effet, Jean de Pontac, seigneur de Haut-Brion, fit don aux carmes de Notre-Dame d'un moulin à eau entouré de vignes. A 101 ans, il était temps pour lui de gagner son ciel... Les pères conservèrent l'appellation Haut-Brion durant près de deux cents ans, avant que l'usage n'y adjoigne Les Carmes. Le domaine fut confisqué à la Révolution, devenant bien national jusqu'à son rachat, au début du XIXe siècle, par Léon Colin, négociant en vins de Bordeaux et aïeul direct des actuels propriétaires.

Les Carmes Haut-Brion jouit, grâce à l'enceinte des murs, d'un microclimat favorisant une maturation précoce des raisins et réduisant les risques de gel. Récemment, Didier et Caroline Furt ont entrepris la rénovation des chais et acquis de petites cuves permettant une vinification parcellaire. Les vins bénéficient des conseils d'Yves Gloriès, doyen de la faculté d'œnologie de Bordeaux.

La propriété élabore un rouge riche et plein, grâce, surtout, aux vieux pieds de merlot qui se plaisent dans le sol graveleux et argileux. La vinification est traditionnelle, et les vins sont des Graves typiques, intenses, complexes et d'une belle couleur profonde. Malheureusement, la quantité produite est assez faible, et il n'est pas si facile de trouver des bouteilles de Les Carmes Haut-Brion.

Ce cru ressemble beaucoup à Haut-Brion et à La Mission Haut-Brion, ce qui n'est guère surprenant, puisque les vignobles sont fort proches. Je conseille aux amateurs de suivre de très près cette petite propriété de haut niveau.

1998 • **88-90** Ce petit bijou de propriété, située à proximité de Haut-Brion, propose généralement des vins de très haut niveau. Le 1998, qui pourrait bien se révéler extraordinaire, s'impose incontestablement comme l'une des divines surprises du millésime. Opaque et pourpre de robe, il exhale une très séduisante décoction d'arômes de fumé, d'herbes grillées, de cassis et de cerise. Moyennement corsé, d'une concentration et d'une pureté fabuleuses, il est souple en milieu de bouche, avec des tannins mûrs. Une vraie merveille, digne de l'attention des amateurs. **A boire entre 2002 et 2013.** (3/99)

1997 • **86-87** Semblable au 1996, le 1997 est cependant plus faible en acidité et moins structuré, ce qui contribue à son caractère précoce, souple et savoureux. Ce vin pur, complexe et impeccablement vinifié offre un beau déploiement d'arômes de cerise et de groseille nuancés de tabac et de fumé. Il faut le consommer ces **7 ou 8 prochaines années.** (1/99)

1996 • **87** Séduisant et sensuel, ce Graves rubis moyen regorge littéralement d'un abondant fruité de cerise confiturée aux notes de terre et de fumé. A la fois épicé, rond et généreux, s'exprimant tout en douceur, il s'impose comme l'un des vins les plus racés et les plus sous-estimés de son appellation. Bien qu'il ne soit pas de très longue garde, il saura se révéler charmeur ces **10 prochaines années.** (1/99)

1995 • **87** Cette merveille de propriété a donné en 1995 un Graves tout à fait classique, qui se caractérise par ses arômes de fruits rouges, de fumé et de tabac. Moyennement corsé, doux et rond, ce vin se révèle complexe et élégant, sans aspérités. Il est dominé par sa faible acidité et par son caractère savoureux et mûr de merlot, qui le rendent immédiatement séduisant. Un vin charnu et délicieux. **A boire dans les 10 ans.** (11/97)

1994 • **87** D'un rubis moyennement foncé, avec un doux nez de tabac et de fruits rouges fumés, le 1994 se montre modérément corsé et faible en acidité, avec des tannins souples et un caractère mûr et rond. Il est des plus agréables à déguster. Un vin charmeur, au potentiel de garde de **7 ou 8 ans.** (3/96)

1993 • **86** Le 1993 présente une couleur rubis assez profond, des arômes d'épices, de terre et de fruits rouges, ainsi que des flaveurs douces et mûres qui témoignent d'une excellente concentration. Moyennement corsé, avec une finale arrondie, il a, exactement comme d'autres Graves de la même année, des tannins moins importants que certains Médoc. J'ai particulièrement aimé son fruité doux et évolué, ainsi que son caractère précoce. **A boire dans les 5 ou 6 ans.**(11/94)

1990 • **86** Doté d'un nez typiquement Graves, aux douces notes de tabac herbacé, de fruits noirs rôtis et de minéral, le 1990 se révèle moyennement corsé, épicé et riche en bouche. Il est bien structuré, aussi souple qu'opulent. **A boire dans les 10 à 12 ans.** (1/93)

1989 • **86** Outre de séduisants arômes de fumé, de tabac et de minéral, Les Carmes Haut-Brion 1989 présente un fruité mûr, rôti et épanoui, et une finale alcoolique et souple. **A boire.** (1/93)

1988 • **87** Les Carmes Haut-Brion 1988 exhale un nez énorme de fumé, de bois de noyer et de prune. Concentré et souple, tout en étant structuré, il déploie une finale persistante. C'est un Graves séduisant et classique, doté des arômes de minéral et de cigare typiques de l'appellation. **A boire dans les 4 à 6 ans.** (1/93)

1987 • **86** Dans une dégustation à l'aveugle à Bordeaux, j'ai pris Les Carmes Haut-Brion 1987 pour un Haut-Brion. Son nez puissant, intense et mûr de fumé et de groseille jaillit littéralement du verre, et il s'impose en bouche comme un vin riche et très souple, à la finale opulente. **A boire.** (3/90)

1986 • **88** Impressionnant par sa robe rubis profond, Les Carmes Haut-Brion 1986 se montre charnu et moyennement corsé, avec d'abondants tannins qui lui permettent d'affronter une garde de 12 à 15 ans. Le bouquet révèle de douces senteurs de prune marquées d'un caractère très prononcé de minéral et de tabac. La bouche, moyennement corsée, montre une excellente richesse. L'ensemble pourrait être renoté à la hausse si ses tannins s'adoucissaient. **A boire jusqu'en 2005.** (3/90)

1985 • **87** Ce vin admirablement vinifié est profondément coloré, et exhale les très caractéristiques arômes de minéral et de tabac qui distinguent les meilleurs Graves. Souple et doux, il sera apprécié pour son fruit intense et pour sa belle persistance. **A boire jusqu'en 2000.** (3/89)

Millésimes anciens

Le 1959 (noté 93), dégusté en décembre 1995 en magnum, exhalait un nez doux et confituré semblable à celui d'un Porto et marqué de senteurs de tabac et de fumé. Il m'a fait me rendre compte que je ne dégustais pas suffisamment de vins de cette qualité... Parfaitement mûr, il était charnu, opulent et bien étoffé ; je pense qu'il tiendra bien **10 ans encore.**

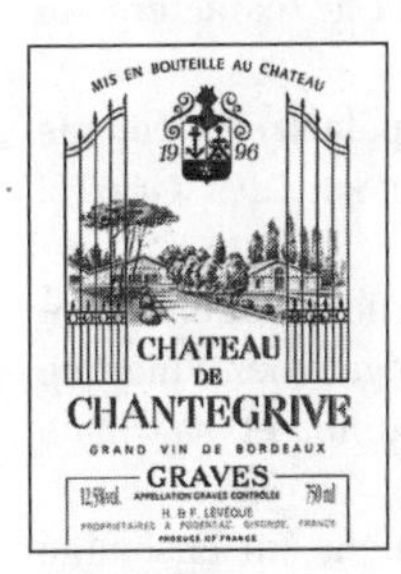

DE CHANTEGRIVE - BON

Non classé – équivaut à un bon cru bourgeois
Propriétaires : Françoise et Henri Lévêque
Adresse : BP 14 – 33720 Podensac
Tél. 05 56 27 17 38 – Fax 05 56 27 29 42
Visites : du lundi au vendredi (8 h-12 h et 14 h-18 h)
Contact : Marie-Hélène Lévêque

Superficie :
rouge – 42 ha ; blanc – 50 ha (Podensac, Illats, Virelade – appellation Graves)
Vins produits :
rouge – Château de Chantegrive – 290 000 b ; Château Mayne Lévêque – variable ;
blanc – Château de Chantegrive – 360 000 b ;
Cuvée Caroline (prestige) – 50 000-60 000 b ;
Château Mayne Lévêque – variable
Encépagement :
rouge – 50 % cabernet sauvignon, 40 % merlot, 10 % cabernet franc ;
blanc – 50 % sémillon, 40 % sauvignon, 10 % muscadelle
Densité de plantation : 6 200 pieds/ha
Age moyen des vignes : rouge – 20 ans ; blanc – 40 ans
Rendement moyen : 50 hl/ha

Élevage :
rouge – vinification effectuée sous contrôle électronique ;

vieillissement de 18 mois en fûts neufs ; collage ; légère filtration ;
blanc générique – fermentations en cuves d'acier inoxydable thermorégulées ;
élevage de 9 mois en cuves d'acier inoxydable ; collage ; légère filtration ;
Cuvée Caroline – macération pelliculaire de 15 heures ; fermentations en fûts neufs ;
élevage de 10-12 mois sur lies ; bâtonnage tous les 10 jours ; collage et filtration

---

A maturité :

rouge – dans les 3 à 7 ans suivant le millésime ; blanc – dans les 2 à 4 ans

Lorsque je déjeune ou dîne dans un restaurant de Bordeaux, je demande souvent les rouges et les blancs de ce charmant Château de Chantegrive, qui se trouve au bord de la N113, près du bourg de Podensac. Si Henri Lévêque peut prouver que ses ancêtres vignerons travaillent ici depuis 1753, il a dû, personnellement, effectuer de gros efforts, depuis 1962, pour tirer ce domaine de l'anonymat et lui donner sa belle réputation actuelle de producteur de vins rouges et blancs de bon niveau et d'un excellent rapport qualité/prix.

Le sol de la propriété est constitué de graviers mêlés à du sable fin s'appuyant sur une couche argilo-calcaire. La température et l'hygrométrie des bâtiments techniques sont entièrement contrôlées, du cuvier jusqu'à la cave d'élevage, ce qui est exceptionnel pour le Bordelais. Depuis le milieu des années 80, Henri Lévêque élabore une remarquable cuvée de blanc, la Cuvée Caroline, qui est du niveau de bien des crus classés. Ni les rouges ni les blancs n'ont un très grand potentiel de garde, et il faut généralement les boire dans les 3 à 7 ans qui suivent le millésime – je crois même qu'il est prudent de consommer les blancs avant qu'ils n'aient 5 ans. Néanmoins, ces vins sont toujours bien vinifiés, même dans les petits millésimes, et traduisent joliment le caractère de leur appellation.

Les amateurs économes, à la recherche de vins généreux pour le palais et cléments pour la bourse, pourront suivre de près ce domaine, sous-évalué, du sud des Graves.

1993 • **81** La robe du 1993 est d'un rubis moyennement profond, et son nez, étonnamment évolué, presque mûr et doux, de cerise et de cassis est également marqué par des touches de chêne. Son acidité est relativement faible, et sa finale épicée et arrondie. **A boire.** (11/94)

1990 • **85** Des arômes de vanille et de chêne neuf introduisent en bouche un ensemble délicieux, richement fruité et moyennement corsé, doté d'une belle concentration et étayé par une faible acidité. **A boire.** (1/93)

1990 • **86** Cuvée Édouard – Ce vin est rehaussé de généreuses notes de chêne neuf et grillé, et étayé par un fruit doux et mûr. Ses tannins sont bien présents. Quoique d'ores et déjà prêt, il tiendra bien **6 ou 7 ans encore.** (1/93)

1989 • **85** Un nez énorme et confit de pruneau et d'épices précède un ensemble légèrement corsé et doté d'un fruité opulent. Malheureusement, la finale est un peu courte. Il s'agit, dans l'ensemble, d'un vin plaisant à boire **d'ici 1 ou 2 ans.** (1/93)

1988 • **85** Cuvée Édouard – Cette propriété bien gérée a réussi un vin mûr, parfumé et savoureux. Moyennement corsé et à son apogée, il révèle, tant au nez qu'en bouche, des arômes de noix fumée, de tabac et de fruits rouges. Quel délice ! **A boire.** (3/94)

DOMAINE DE CHEVALIER
BON (rouge) – EXCEPTIONNEL (blanc)

Cru classé – équivaut à un 2e cru du Médoc
Propriétaire : famille Bernard
Adresse : 33850 Léognan
Tél. 05 56 64 16 16 – Fax 05 56 64 18 18
Visites : sur rendez-vous uniquement
Contacts : Olivier Bernard et Rémy Édange

Superficie :
rouge – 30 ha ; blanc – 4 ha (Léognan – appellation Pessac-Léognan)
Vins produits :
rouge – Domaine de Chevalier – 84 000 b ; L'Esprit de Chevalier – 84 000 b ;
blanc – Domaine de Chevalier – 12 000 b ; L'Esprit de Chevalier – 6 000 b
Encépagement :
rouge – 65 % cabernet sauvignon, 30 % merlot, 5 % cabernet franc ;
blanc – 70 % sauvignon, 30 % sémillon
Densité de plantation : 10 000 pieds/ha
Age moyen des vignes : rouge – 12 et 35 ans ;
blanc – 30 ans (sauf 1 ha de 10 ans)
Rendement moyen : rouge – 48 hl/ha ; blanc – 37 hl/ha

Élevage :
rouge – fermentations en cuves thermorégulées ; cuvaisons longues et douces ;
vieillissement de 18-22 mois en fûts (50 % de bois neuf) ; soutirage par gravité ;
collage au blanc d'œuf ; légère filtration ;
blanc – fermentations en fûts ; élevage de 18 mois sur lies ;
assemblage en décembre ;
collage à la bentonite ; légère filtration

A maturité : rouge – dans les 5 à 20 ans suivant le millésime ;
blanc – dans les 6 à 30 ans

Le Domaine de Chevalier est très ancien : en 1763, la carte de l'ingénieur géographe Pierre de Belleyme en fait mention sous le nom de « Chiballey ». Jean Ricard, un négociant, en fait l'acquisition en 1865, entreprenant la restauration du cru. Claude Ricard, son petit-fils – et pianiste de talent – travaillera à la belle réputation de la propriété, instaurant notamment, à l'instigation d'Émile Peynaud, la sélection des baies par tris successifs. Il devra malheureusement céder le domaine en 1983 à la grande maison de distillerie Bernard. Mais il continuera un temps d'en assurer la direction, avant de passer les rênes à Olivier Bernard. La vinification bénéficie aujourd'hui des conseils de Pascal Ribéreau-Gayon pour les rouges, de ceux de Denis Dubourdieu pour les blancs.

Le rouge du Domaine de Chevalier n'a pas ce caractère intense, riche, marqué par le terroir des Graves, qui distingue Haut-Brion et La Mission Haut-Brion, par exemple. Il présente certes, lui aussi, des arômes de minéral et de terroir, mais il est plus légèrement corsé et évoque davantage un Médoc qu'un Graves de Pessac et de Talence. Depuis l'arrivée des nouveaux propriétaires, c'est-à-dire depuis 1983, tous les millésimes paraissent illustrer une volonté du vinificateur de produire un vin plus corpulent, plus charpenté et plus puissant. Cependant, le charme sous-jacent et la finesse de ce rouge – qui ont fait son succès – ont souvent été masqués par un boisé en excès. Les trois derniers millésimes, toutefois, marquent un progrès de ce point de vue.

A ma connaissance, le Domaine de Chevalier est le seul blanc du Bordelais qui vieillisse plus de 18 mois en fûts de chêne. La production est faible, et le vin, fabuleux quand on le déguste au fût, se ferme généralement après la mise en bouteille pour ne se rouvrir que 10 ans après environ. Il est suffisamment racé pour évoluer plus longuement que le rouge – et avec davantage de grâce.

Si vous visitez la région, il se peut que vous ayez des difficultés à dénicher le Domaine de Chevalier. Pour ma part, la première fois que j'ai essayé de l'atteindre (vers la fin des années 70), je n'ai pas réussi. Le château aux façades crème est entouré, sur trois côtés, d'une forêt de pins ; vous le trouverez en suivant la D109, à l'est de Léognan, en direction de Cestas. Vous verrez ensuite des pancartes qui vous guideront jusqu'au château.

Le terroir est ici constitué d'un lit de graves, mais il contient également de l'argile et du fer. La culture de la vigne est assez périlleuse, à cause des gelées printanières et des fréquentes averses de grêle qui abîment les ceps. Le Domaine de Chevalier est sans doute le château du Bordelais qui souffre le plus de ces calamités naturelles.

Les vins sont assez chers – leurs prix sont comparables à ceux d'un deuxième cru du Médoc.

ROUGE

1998 • **87-89** Les millésimes récents du Domaine de Chevalier paraissent moins marqués de notes de chêne neuf ; les vins, désormais plus complexes, ne sont plus desservis par un boisé excessif. Rubis-pourpre foncé de robe, le 1998 se distingue par d'élégantes senteurs de terre et de fleurs nuancées de cerise noire et d'autres petits fruits. Moyennement corsé, avec des tannins souples, il déploie en bouche, par paliers, des arômes purs et opulents, ainsi qu'une finale de bon aloi tout en nuances. Ce vin bien étoffé pourrait se révéler extraordinaire. **A boire entre 2003 et 2015.** (3/99)

1997 • **86-87** Le 1997 est également bien vinifié. Moyennement corsé, avec un boisé bien fondu, il présente un fruité mûr de cerise nuancé d'herbes séchées, et déploie en bouche une texture riche et savoureuse. Le tout est étayé par une faible acidité. Vous apprécierez ce vin avant **10 à 12 ans d'âge.** (1/99)

1996 • **88** J'ai souvent critiqué les vins du Domaine de Chevalier pour leur boisé trop agressif par rapport à leur fruité ; cependant, les millésimes récents révèlent en la matière plus de subtilité. Le 1996, en particulier, s'est montré sous un bon jour lors de ma dégustation. Extrêmement élégant, avec un boisé bien fondu, il présente un fruité de cerise et de cassis aux notes de tabac. Il me semble que la propriété est revenue au style de vins qu'elle produisait dans les années 70 et au début des années 80. L'ensemble, moyennement corsé, est opulent et concentré ; il dévoile en bouche, outre une belle texture, des arômes séduisants dotés d'un bon potentiel de complexité. **A boire entre 2003 et 2016.** (1/99)

1995 • **80 ?** Le caractère terriblement boisé du Domaine de Chevalier 1995 décourage toute tentative pour apprécier le fruit qu'il recouvre. Bien sûr, ce vin est peu évolué et légèrement corsé, avec des notes de minéral, mais qu'en est-il du fruité, de la maturité et de l'étoffe ? (11/97)

1994 • **77 ?** Rubis moyennement foncé, le 1994 est décevant : il est creux, terriblement tannique, et il manque singulièrement de charme depuis la mise en bouteille. Le vin au fruité doux et mûr que j'ai connu au fût se révèle désormais peu séduisant et d'un équilibre assez douteux. Je ne pense pas qu'il puisse s'améliorer. Il me rappelle un peu le 1975. (1/97)

1993 • **76** Terriblement maigre, austère et tannique, le 1993 est totalement dépourvu de fruité et de charme. On décèle bien au nez quelques arômes épicés et de chêne neuf, mais ce vin se révèle très peu fruité et très peu charnu en bouche. Il est en fait tout en structure, acidité, alcool et tannins (issus du bois). (1/97)

1992 • **85** Le 1992 exhale un nez fruité, avec des notes de vanilline, et arbore une belle robe d'un rubis profond. Bien que plus léger et plus unidimensionnel que d'autres millésimes de cette propriété, il est concentré, doux et boisé. **A boire dans les 7 ou 8 ans.** (11/94)

1991 • **87** Dans les millésimes difficiles, le Domaine de Chevalier produit souvent des vins séduisants, et son 1991 ne fait pas exception à la règle. Outre sa couleur d'un rubis profond et son nez épicé de chêne, il révèle une structure admirable et un fruité doux, mûr et dense. Moyennement corsé, avec une finale longue et tannique, il est désormais à maturité parfaite. **A boire jusqu'en 2005.** (1/94)

1990 • **88** Je pensais que ce vin pourrait se révéler exceptionnel, mais il est en fait excessivement boisé, comme le sont d'ailleurs les millésimes de la propriété jusqu'à 1995. D'un rubis profond, il exhale, outre les légendaires bouffées de doux chêne neuf et épicé, des arômes confiturés de cerise et de groseille entremêlés de tabac et d'herbes. Moyennement corsé et doux, il est encore d'une excellente concentration, avec des tannins modérés. Un 1990 élégant et racé, qui devrait vieillir avec grâce. **A boire jusqu'en 2010.** (9/97)

1989 • **89** Rubis foncé de robe, le Domaine de Chevalier 1989 est charnu et épanoui. Ses arômes de chêne neuf grillé et fumé sont mieux infusés dans l'ensemble que de coutume, et il exhale un nez fumé (lui aussi) et herbacé de douce cerise et de cassis, qui précède un vin moyennement corsé, doté d'un fruité mûr et charnu, étayé par une faible acidité. Modérément tannique, avec une belle finale, il est moins évolué que le 1990. **A boire jusqu'en 2010.** (10/97)

1988 • **90** Ce 1988 du Domaine de Chevalier s'impose comme l'une des réussites du millésime. Rubis foncé, avec un bouquet peu évolué, mais généreux, de chêne neuf et fumé, de cassis et de fleurs, il se montre moyennement corsé, charnu et généreusement doté en bouche. C'est un grand succès de la propriété – le meilleur Domaine de Chevalier depuis le 1983. **A boire jusqu'en 2008.** (3/97)

1987 • **86** Le Domaine de Chevalier réussit généralement dans les moins bonnes années – son 1987 le reflète bien. Ce vin au bouquet intense de vanille, de grillé et de boisé est marqué par un fruit de framboise mûre et de cassis. Moyennement corsé et étonnant de concentration, il déploie en finale des tannins souples et amples. **A boire.** (3/90)

1986 • **88** Le 1986 a évolué moins régulièrement que je ne l'aurais pensé. Son nez séduisant de terre, de rôti, d'herbes, de minéral, de fruits noirs et rouges est indiscutablement plaisant, mais il révèle en bouche des tannins astringents non fondus dans l'ensemble. Malgré sa finale courte, ce vin est très bon, voire excellent, et l'on peut espérer qu'il continuera de bien évoluer ces 10 prochaines années, peut-être même en s'étoffant. **A boire jusqu'en 2012.** (11/95)

1985 • **86** Le 1985 se distingue par le fruit doux, mûr et riche qui caractérise le millésime, mais il se révèle plus tannique que la plupart de ses jumeaux de l'appellation. Il est lent à évoluer (pour un 1985), mais il est dépourvu de la concentration que l'on serait en droit d'attendre d'une propriété de ce niveau. **A boire jusqu'en 2005.** (3/90)

1984 • **85** Composé d'une proportion inhabituelle de cabernet sauvignon (près de 90 %), le 1984 du Domaine de Chevalier est fortement marqué de chêne neuf et grillé, mais il est bien étayé par un généreux fruité mûr et révèle, outre une excellente profondeur, des tannins modérés. C'est l'une des (rares) réussites du millésime. **A boire.** (3/89)

1983 • **91** Voici probablement le meilleur Domaine de Chevalier de ces dernières années. Tannique et dur dans sa jeunesse, il a réussi à fondre ses tannins dans un ensemble des plus classiques, qui révèle l'élégance, la douceur imposante et l'irrésistible complexité que peut atteindre ce cru. Le nez de tabac, de doux fruits noirs, de fumé, de réglisse et d'herbes rôties est aussi intense que renversant, et la bouche, moyennement corsée et charnue, exprime tout en rondeur un caractère ample et des plus savoureux. Ce vin à la fois opulent, riche et séduisant, aux tannins merveilleusement fondus, sera parfait **jusqu'en 2005.** (10/97)

1982 • **71 ?** Le Domaine de Chevalier 1982 est l'une des grandes déceptions de ce millésime. Plus fruité lorsqu'il était encore en fût, il accuse maintenant – en bouteille et en demi-bouteille – un cruel manque de fruit et de richesse en extrait. En outre, il est dur et creux, avec un excès de tannins astringents et un caractère trop fortement herbacé et végétal, signe d'un manque de maturité. La récolte fut fortement endommagée par la grêle, et il semblerait que ce vin le reflète. Cependant, on m'a dit qu'il existait de bonnes bouteilles de ce cru, auxquelles Michael Broadbent aurait attribué 4 étoiles (sur 5). Peut-être ai-je tout simplement été malchanceux ? (9/95)

1981 • **83** Quoique bien fait, ce vin manque d'ampleur aromatique, de profondeur et de charme. Vêtu de rubis, il est moyennement corsé, avec un caractère prononcé de chêne vanillé, des tannins agressifs et une finale courte. **A boire jusqu'en 2000.** (3/89)

1980 • **84** C'est une belle réussite pour ce millésime médiocre ! Le Domaine de Chevalier 1980 est intensément fruité, épicé et ouvert, et dégage un bouquet dominé par le chêne neuf et vanillé. Assez corsé, étonnamment concentré, peu tannique, ce vin est souple et racé. **A boire.** (10/84)

1979 • **85** Délicieux depuis la mise en bouteille, le Domaine de Chevalier 1979 est agréablement souple et fruité, assez corsé, et semble se refuser à passer la main. Son bouquet intense de petits fruits mûrs et de bois de cèdre est très plaisant. En bouche, ce vin marqué par le chêne se révèle souple, rond et persistant. **A boire.** (12/89)

1978 • **92** Le 1978 est, avec le 1970, le Domaine de Chevalier que je préfère dans cette décennie. Ce Graves classique se distingue par un nez de fumé, de doux cèdre, de cassis et d'autres petits fruits nuancé de cèdre. Toujours richement fruité, rond et généreux, il est moyennement corsé, élégant et d'une classe exceptionnelle, tout en révélant cette exquise finesse que le Domaine de Chevalier sait allier à une belle concentration et à une grande ampleur aromatique. **A boire jusqu'en 2005.** (10/97)

1977 • **76** Le Domaine de Chevalier est l'un des meilleurs 1977 ; tendre et fruité, il est modérément intense et assez corsé, et exhale d'agréables arômes de petits fruits. **A boire – probablement en sérieux déclin.** (3/81)

1976 • **78** Avec un nez ouvert, épicé, épanoui, marqué par le terroir et nuancé de brûlé, ce vin se montre très mûr, souple, moins concentré que d'habitude, mais joliment fruité. **A boire – peut-être en déclin.** (4/87)

1975 • **68** Tout le monde peut se tromper... et j'ai fait pour ma part une grosse erreur en achetant ce vin avant de l'avoir goûté. En effet, il s'est toujours montré décevant – comme en 1982, c'est la grêle qu'il faut blâmer. Il présente certes une remarquable robe rubis foncé, qui lui donne un air de jeunesse, mais, en bouche, il se révèle creux et extrêmement astringent, avec d'abondants tannins amers et une finale dure et déplaisante. **A boire jusqu'en 2000 ?** (12/90)

1974 • **76** Ce 1974 aromatique, souple et fruité n'a pas le caractère dur et creux qui dessert la plupart de ses jumeaux. Il est relativement tannique et équilibré. **A boire – probablement en sérieux déclin.** (6/80)

1973 • **87** J'ai goûté ce vin pour la première et dernière fois en 1990, mais ce fut une révélation. Alors que la plupart des 1973 étaient sur le déclin, celui-ci, que j'ai bu en compagnie d'un ami, à Bordeaux, arborait encore un beau rubis foncé et profond, à peine nuancé d'ambre. Il déployait un délicieux bouquet, ample et intense, de prune et de chêne vanillé et fumé, marqué de minéral. En bouche, c'était un pur velours : il révélait, outre un fruit onctueux, tendre et puissant, une finale longue et chaleureuse. Un 1973 peut-il vraiment atteindre un tel sommet ? C'est sans doute le meilleur vin de la rive gauche dans ce millésime. **A boire.** (4/90)

1971 • **67** Très décevant, ce vin décrépit, prématurément sénile, présente une robe fortement tuilée. En bouche, il est presque confit, avec une finale maigre et courte. Il a maintenant les deux pieds dans la tombe. (3/81)

1970 • **90** Un nez classique de douce groseille et de tabac introduit le Domaine de Chevalier 1970. Ce vin rond, ample et tendre, qui évoque un bourgogne, est aussi doux que de la soie au palais, avec des tannins et une acidité harmonieusement fondus dans l'ensemble. Il est à parfaite maturité depuis 1980, mais les bouteilles conservées dans de bonnes conditions révèlent toujours un vin fabuleusement élégant et complexe, qui n'accuse ni oxydation ni déperdition de son fruit, malgré une robe fortement nuancée de rouille. **A boire jusqu'en 2003.** (6/96)

1966 • **84** Bien qu'il ait conservé un peu de son fruit, le 1966 a pris une teinte très tuilée et semble nettement fatigué. Cependant, il libère toujours des arômes élégants et délicieux au caractère épicé qui le rendent encore très séduisant. **A boire – probablement en déclin.** (8/82)

1964 • **90** Lors de la première édition de cet ouvrage, j'avais déjà donné une assez bonne note au Domaine de Chevalier 1964. Depuis, j'ai dégusté deux bouteilles qui m'ont fait revoir mon appréciation à la hausse. En effet, j'ai découvert un vin d'un beau rubis foncé, quoique légèrement nuancé d'ambre et d'orangé, avec un bouquet riche et intensément concentré, un peu grillé, typique d'un grand millésime. En bouche, il est extrêmement corsé et alcoolique pour un Domaine de Chevalier, mais il se révèle également plein, intense et velouté. Bien qu'il ne soit pas tout à fait du niveau de son superbe jumeau de La Mission Haut-

Brion, ce vin est toujours somptueusement parfumé et sensuel, et déborde d'arômes séveux et gras. **A boire.** (11/89)

1961 • **86** Assez proche du 1964, le 1961 est cependant mieux coloré, quoique un peu plus rugueux en bouche ; en outre, bien des signes indiquent qu'il a connu ses plus beaux jours au début des années 70. Le bouquet complexe, fondu, de fruits rôtis et de noix est racé, mais le vin n'a ni la richesse ni la profondeur qui caractérisent souvent le millésime. J'ai goûté, en 1989, une bouteille qui déployait davantage de fruit, mais elle ne m'a pas impressionné autant que je l'attendais, compte tenu du millésime. C'est un bon Domaine de Chevalier, mais pas un très grand. **A boire.** (11/89)

Millésimes anciens

Les deux millésimes des années 50 que j'ai dégustés étaient excellents. Le Domaine de Chevalier 1959 (noté 89 en 1988) s'est révélé plus plein, plus riche, plus musclé et plus tannique que le 1961. Il tiendra facilement **jusqu'à la fin de ce siècle.** Quant au 1953 (noté 92 en 1989), il était à pleine maturité et exceptionnellement séduisant, avec un caractère proche du 1970 ou du 1978, c'est-à-dire fabuleusement voluptueux et sensuel. Cependant, mieux vaut être prudent et le consommer **sans trop attendre.**

BLANC

1996 • **78** Il y a peu d'espoir que ce vin puisse un jour se révéler charmeur ou plaisant, du fait de son acidité et de son boisé excessifs. Il tiendra incontestablement 25 à 30 ans, grâce à son acidité qui tapisse littéralement le palais, mais il n'est pas suffisamment charnu pour sa structure. Je conseille donc de ne pas trop l'attendre. **A boire entre 2005 et 2015.** (11/97)

1995 • **85** Ce vin blanc sec, solide et serré est fortement marqué par le soufre, le boisé et l'acidité. Il s'étoffe lentement et pourrait ultérieurement être renoté à la hausse ; cependant, son acidité piquante relativement importante ainsi que son boisé prononcé ne manquent pas d'inquiéter. Il est moyennement corsé et assez bien fait, avec un beau potentiel de garde. **A boire entre 2005 et 2015.** (3/97)

1994 • **91+** Ce vin pourrait s'imposer comme le meilleur Domaine de Chevalier depuis le 1983 et le 1985. Moins boisé que de coutume, il dégage un nez énorme et mielleux de cerise, de fumé et de melon, qui introduit un ensemble très corsé, puissant, dense et très concentré persistant en bouche plus de 45 secondes. C'est très certainement le cru le plus ample, le plus concentré et le plus puissant produit à la propriété ces deux dernières décennies. Si l'on en juge par ses aînés, il faut s'attendre à ce qu'il se referme pendant 10 à 15 ans après la mise en bouteille. Il tiendra parfaitement **25 à 30 ans, voire plus.** (3/97)

1993 • **89** Le Domaine de Chevalier 1993 ne révèle pas encore la mâche ni le caractère riche, gras et musclé de l'extraordinaire 1992. Toujours dans son enfance, ce vin aux arômes d'agrumes est fermé et peu évolué, mais il présente un abondant fruité vif et acidulé auquel s'ajoutent de généreuses notes de chêne neuf et grillé. Bien qu'il soit serré, fermé et très bon, je pense qu'il n'a ni la richesse ni la plénitude du 1992. Son potentiel de garde est de **15 à 20 ans, voire plus.** (11/94)

1992 • **90** Le 1992 exhale un nez serré, mais prometteur et riche, de melon, de cire et de fruits confits, agréablement marqué par des senteurs de chêne neuf. Très structuré et concentré, avec un beau fruité qu'il déploie par paliers, il présente aussi en bouche des effluves sous-jacents de minéral et de métal. Ce vin formidablement doté et peu évolué requiert une garde supplémentaire avant de s'ouvrir, mais il devrait se conserver sur les **25 prochaines années, voire au-delà.** (1/94)

1991 • **89** Le 1991 – qui est, avec le 1992 et le 1993, l'une des belles réussites du Domaine de Chevalier – est un vin moyennement corsé, à l'excellent fruité, qui révèle des arômes intenses de minéral et de chêne. Remarquablement long, il présente une finale explosive et tiendra vraisemblablement de longues années, car, même dans les millésimes légers, les vins blancs du Domaine de Chevalier ont un potentiel de garde de **15 à 20 ans.** (1/94)

1989 • **86** Le 1989 n'a pas la concentration du 1988 et m'a quelque peu déçu – j'en attendais beaucoup. Il exhale un bouquet intense débordant de chêne vanillé et discrètement nuancé de minéral, d'herbe fraîche et d'abricot pas tout à fait mûr. Cependant, ce vin moyennement corsé manque de concentration et de profondeur. **A boire.** (4/91)

1988 • **90** Le 1988 est un Domaine de Chevalier typique. Il révèle, outre une très belle précision, un nez parfumé et minéral marqué par le chêne, et une bouche austère masquant une profonde richesse sous-jacente et une persistance exceptionnelle. **A boire jusqu'en 2005.** (4/91)

1987 • **88** 1987 est un millésime très sous-coté pour les Graves blancs. Le Domaine de Chevalier de cette année se montre pourtant plus profond, plus riche et plus complexe que le 1989 et le 1986 – deux millésimes en général plus estimés par les amateurs. De couleur paille assez pâle, il exhale un bouquet bien évolué de miel, d'herbe fraîche et d'orange, avec des nuances minérales. Assez corsé, étonnamment tendre et doté d'une acidité moyenne, il présente une finale alcoolique et boisée. **A boire jusqu'en 2003.** (11/90)

1986 • **85** Vêtu d'une robe paille plutôt légère et libérant un bouquet très généreux et très boisé, le 1986 est un vin dur, fermé, extrêmement austère. **A boire jusqu'en 2000.** (3/90)

1985 • **93** Ce vin devrait s'imposer comme l'un des plus grands Domaine de Chevalier : il est somptueux pour un Graves blanc. Plus fermé maintenant que lorsque je l'ai goûté au fût, il a cependant du mal à dissimuler sa richesse et sa générosité extraordinaires. Corsé et bien étayé par une heureuse acidité, ce cru brillamment vinifié offre des arômes onctueux de figue et de melon nuancés de minéral. Il saura dignement récompenser ceux qui auront eu la patience de l'attendre. **A boire jusqu'en 2010.** (12/90)

1983 • **93** Le Domaine de Chevalier a réussi le meilleur Graves blanc de ce millésime, et c'est aussi l'un de ses plus beaux succès de la décennie. Bien qu'il soit apparu terriblement fermé la dernière fois que je l'ai goûté, il révélait un bouquet profond, minéral et onctueux, une richesse et une intensité exceptionnelles en bouche, et une finale fabuleusement riche et longue. Pour l'instant, il a fort peu évolué depuis qu'il est en bouteille, et son potentiel de garde est exceptionnel pour un blanc de ce domaine. **A boire jusqu'en 2015.** (1/91)

1982 • **87** Ce Domaine de Chevalier est plus charnu, plus pulpeux, mais aussi plus facile d'approche que ne le sont habituellement les blancs de la propriété. Il manque de charpente et de précision, et il n'a pas non plus la grande profondeur et la sidérante complexité du 1983 ; il dégage cependant un bouquet aux généreuses notes de chêne vanillé et grillé, et révèle, outre un caractère gras, corpulent et rond, une finale très alcoolique et boisée. **A boire jusqu'en 2003.** (3/90)

1981 • 82 Une fois passé la surprise d'une forte odeur de soufre, on découvre dans le 1981 un bouquet assez peu ample de minéral, de melon et d'herbes aromatiques ; relativement corsé, doté d'une haute acidité et marqué par le bois, ce vin n'a pas la générosité, l'équilibre ou la complexité qui caractérisent généralement les blancs de ce domaine. **A boire jusqu'en 2005.** (3/88)

1979 • 88 Ce vin montre à quel point le blanc du Domaine de Chevalier peut évoluer lentement. Il y a fort à parier que la plupart des acheteurs l'auront consommé avant qu'il n'ait 10 ans d'âge, alors que c'est précisément à ce moment qu'il a commencé à s'ouvrir et à s'épanouir. Les riches arômes de melon, d'herbes et de boisé s'élèvent joliment du verre. En bouche, le vin, assez corsé, se révèle très riche, très persistant, avec une finale longue et tonique. **A boire jusqu'en 2000.** (3/89)

1976 • 88 Le 1976 arbore une robe assez évoluée pour un vin de ce domaine. Le nez, plutôt direct, est ouvert et onctueux, et la bouche corsée et riche en glycérine, avec une finale longue, alcoolique et grasse. Je trouve ce blanc délicieux, mais assez atypique de la propriété. **A boire jusqu'en 2000.** (12/90)

1975 • 84 J'aimerais mieux connaître ce vin. Jusqu'ici, il m'a paru extrêmement atténué et étonnamment léger, dépourvu de générosité, de complexité ou de persistance. L'ai-je dégusté à un stade particulièrement ingrat de son évolution ? **A boire.** (12/90)

1971 • 73 Ayant goûté ce vin plusieurs fois, je me suis finalement convaincu qu'il s'agissait d'un millésime médiocre pour le Domaine de Chevalier. Sans détour, avec des arômes assez communs et dépourvus de distinction, le 1971 est moyennement corsé et compact, et révèle en bouche un manque de complexité et de saveur. **A boire.** (12/90)

1970 • 90 Voici un millésime exceptionnel ! Jaune d'or, le 1970 déploie un bouquet énorme et flamboyant d'épices, de fruit onctueux, de noix et de figue ; en bouche, il est assez corsé, riche, séveux et même opulent, avec une finale capiteuse, spectaculaire et remarquablement longue. Doté d'un caractère concentré et flamboyant, il se distingue particulièrement par sa très forte acidité, qui lui confère de la précision et de la netteté. **A boire jusqu'en 2005.** (12/90)

1966 • 88 Le 1966 s'annonce par un bouquet racé d'herbes aromatiques et de minéral. En bouche, il se révèle assez corsé et encore vivace, avec un caractère généreux, élégant et délicat. Il est relativement léger pour un Domaine de Chevalier, mais ample et intéressant. **A boire.** (3/86)

1962 • 93 Le 1962 dégage un bouquet exceptionnel, remarquablement frais, mais énorme, de fleurs printanières, de melon, d'herbes et de minéral. Corsé, extraordinairement riche et crémeux, mais en même temps très équilibré, ce splendide Domaine de Chevalier a atteint sa pleine maturité, sans pour autant révéler le moindre signe de faiblesse, ni par sa robe ni par son fruit. C'est un vrai tour de force. Bravo au vinificateur ! **A boire jusqu'en 2000.** (3/87)

COUHINS-LURTON - TRÈS BON

Cru classé – mérite son rang
Propriétaire : André Lurton
Adresse : 33850 Léognan
Adresse postale : Château Bonnet – 33420 Grézillac
Tél. 05 57 25 58 58 – Fax 05 57 74 98 59
Visites : non autorisées

Superficie :
5,5 ha (Léognan – appellation Pessac-Léognan)
Vin produit : Château Couhins-Lurton – 20 000 b (pas de second vin)
Encépagement : 100 % sauvignon blanc
Densité de plantation : 6 500 pieds/ha – *Age moyen des vignes :* 15-18 ans

Élevage :
fermentations en fûts de chêne (50 % de bois neuf) ; élevage de 12 mois sur lies ; fréquents bâtonnages ; collage et filtration

A maturité : dans les 3 à 8 ans suivant le millésime

André Lurton fait partie d'une famille très connue et omniprésente dans le Bordelais ; il dirige cette propriété – un vrai bijou – avec beaucoup de dynamisme. Son Graves blanc, uniquement de sauvignon, est fermenté et vieilli 12 mois en fûts de chêne ; c'est généralement un vin superbe, étonnant de complexité, de richesse et de persistance. Personnellement, je préfère le boire avant qu'il n'ait atteint 7 ou 8 ans d'âge, mais je dois avouer que j'apprécie surtout les vins de ce type quand ils sont jeunes et frais. Les prix n'ont pas suivi la courbe ascendante de la qualité, et les amateurs de Graves blancs devraient se mettre à la recherche de celui-ci, impeccablement vinifié mais relativement rare sur le marché.

1995 • 87 Le Couhins-Lurton est l'un des Graves blancs les mieux réussis du millésime. Outre un nez de citron et d'autres agrumes marqué en arrière-plan de notes fumées et herbacées, il présente un caractère moyennement corsé, étayé par une acidité piquante et tonique. Bien serré, il révèle une belle richesse crémeuse et devrait s'imposer comme un très bon, voire un excellent Couhins. **A boire dans les 10 ans.** (3/97)

1994 • 90 Ce vin délicat, aussi pur et aussi riche que de coutume, révèle des senteurs de réglisse, de fumé, de figue et de melon, qui introduisent un ensemble moyennement corsé et merveilleux d'intensité. On décèle, en milieu de bouche, un généreux fruit mûr, et la finale est élégante, sèche et vive. **A boire jusqu'en 2006.** (3/97)

1993 • 91 Il est vraiment dommage que ce Graves, qui est l'un de mes préférés, soit produit en quantités aussi restreintes. Entièrement issu de sauvignon blanc, il est d'une richesse et d'une intensité telles que l'on croirait qu'il contient du sémillon. Le 1993 est un Graves classique, qui libère, tant au nez qu'en bouche, des arômes intenses et merveilleux de minéral, de fumé et de confit. Moyennement corsé, il montre une belle pureté et de la vivacité, et déploie une finale d'une superbe précision. **A boire jusqu'en 2001.** (11/94)

DE FIEUZAL - EXCELLENT

Cru classé (en rouge) – équivaut à un 2e ou 3e cru du Médoc
Propriétaire : SA du Château de Fieuzal
Adresse : 124, avenue de Mont-de-Marsan – 33850 Léognan
Tél. 05 56 64 77 86 – Fax 05 56 64 18 88
Visites : sur rendez-vous uniquement
Contact : Isabelle Allory

Superficie :
rouge – 38 ha ; blanc – 10 ha (Léognan – appellation Pessac-Léognan)
Vins produits :
rouge – Château de Fieuzal – 140 000-150 000 b ;
L'Abeille de Fieuzal – 75 000-80 000 b ;
blanc – Château de Fieuzal – 40 000 b ; L'Abeille de Fieuzal – 20 000 b
Encépagement :
rouge – 60 % cabernet sauvignon, 33 % merlot,
4,5 % cabernet franc, 2,5 % petit verdot ;
blanc – 50 % sémillon, 50 % sauvignon
Densité de plantation : 8 300 pieds/ha
Age moyen des vignes : rouge – 30 ans ; blanc – 25 ans
Rendement moyen : 45 hl/ha

Élevage :
rouge – fermentations et cuvaisons de 21 jours en cuves d'acier inoxydable thermorégulées ; achèvement des malolactiques en fûts pour 20 % de la récolte, en cuves pour le reste ; vieillissement de 18 mois en fûts (60 % de bois neuf) ; collage au blanc d'œuf ; légère filtration ;
blanc – vendanges manuelles et sélectives (plusieurs passages sur une même parcelle) ; fermentations en fûts (80 % de bois neuf) ; élevage de 12 mois ; bâtonnages réguliers ; collage ; légère filtration

---

A maturité : rouge – dans les 5 à 20 ans suivant le millésime ;
blanc – dans les 4 à 10 ans

Ce château, autrefois connu sous le nom de Gardères, tient son nom de la famille Fieuzal, à laquelle il appartint jusqu'en 1851. A l'époque, le domaine était constitué des Châteaux de Fieuzal et Haut-Gardère, mais les frères Griffon, nouveaux acquéreurs, les séparèrent. Les deux domaines changèrent plusieurs fois de mains. La famille Ricard conserva De Fieuzal jusqu'en 1974, puis ce furent Gérard Gribelin – qui en est toujours l'administrateur – et Georges Négrevergne, avant que le Groupe des Banques Populaires ne fasse l'acquisition des deux châteaux en 1994 et 1995 et n'entreprenne de reconstituer le vignoble d'origine.

Le Château de Fieuzal est, depuis toujours, l'un des Graves les moins connus, ce qui ne manque pas de surprendre, compte tenu de la relative ancienneté de cette propriété et de la réputation dont elle jouit dans la région. Les chais sont situés dans cette zone de collines qui borde la D651, non loin de Léognan, dans la direction de Saucats. Il faut cependant préciser que, depuis le milieu des années 80, le domaine a, d'un seul coup, beaucoup gagné en notoriété, pour la bonne et simple raison que ses vins sont devenus sensiblement plus riches et plus complexes, parfois même stupéfiants, capables de rivaliser avec les meilleurs de l'appellation. Cela ne signifie pas que les vieux millésimes étaient mal vinifiés ; ils étaient généralement de bon niveau, mais n'avaient pas le caractère remarquable des vins plus récents.

Cette nouvelle renommée est due, pour une bonne part, au dynamique Gérard Gribelin. En 1977, il a équipé la propriété de cuves d'acier inoxydable thermorégulées et, dans les années 80, il a prolongé la cuvaison et utilisé davantage de chêne neuf. Depuis 1985, De Fieuzal propose une très belle série de vins blancs. Gérard Gribelin souligne que M. Dupouy, l'ancien directeur technique et vinificateur (maintenant à la retraite), a joué un rôle non négligeable dans cette amélioration. L'homme était incontestablement un perfectionniste, et il a fait preuve non seulement d'un réel talent, mais aussi d'une remarquable faculté d'adaptation en matière de vinification. C'est étonnant, mais l'amélioration de la qualité ne s'est pas accompagnée d'une augmentation notable des prix ; c'est pourquoi, à l'heure actuelle, De Fieuzal demeure l'un des Graves les plus intéressants à cet égard.

ROUGE

1998 • 85-86+ ? Vêtu d'un rubis-pourpre foncé, avec des arômes très boisés et fortement nuancés de minéral, le De Fieuzal 1998 présente des tannins verts et astringents, ainsi qu'une finale abrupte. Peut-être se révélera-t-il meilleur que je ne l'imagine, mais, pour l'heure, ses tannins ne manquent pas d'inquiéter. **A boire entre 2003 et 2012.** (3/99)

1997 • 86-88 Une robe rubis-pourpre foncé préludant à des arômes de fruits noirs confiturés, généreusement marqués de chêne neuf et grillé, annonce le De Fieuzal 1997. Ce vin faible en acidité est précoce et bien fait, mais il n'a ni l'ampleur ni la puissance de son aîné d'un an. **A boire entre 2000 et 2012.** (1/99)

1996 • 88+ Comme je l'avais espéré, le De Fieuzal 1996 s'est étoffé en milieu de bouche. Arborant une robe d'un pourpre soutenu, il présente d'intenses senteurs de charbon, de fumé, de minéral et de fruits noirs. Très richement extrait, il se montre doux et concentré au palais, et révèle dans une finale modérément persistante un caractère extrêmement musclé et tannique. Ce vin peu évolué, mais prometteur, devrait se maintenir 20 ans environ. **A boire entre 2006 et 2020.** (1/99)

1995 • 90 Quintessence de l'élégance, le 1995, vêtu de rubis-pourpre foncé, dégage d'attrayants arômes floraux et fumés de cassis et de minéral. Moyennement corsé, avec des tannins mûrs, il révèle en bouche des arômes doux, épanouis et riches, ainsi qu'une texture veloutée frisant l'opulence. Ses tannins, son acidité et son alcool ne sont nullement gênants, et il ne manifeste pas la moindre lourdeur. Ce vin presque parfait pourra être dégusté dès sa jeunesse ou conservé une vingtaine d'années. **A boire entre 2003 et 2020.** (11/97)

1994 • ? Avant la mise, le 1994 me semblait aussi bon, si ce n'est meilleur, que le 1993. Mais les deux bouteilles qui m'ont, par la suite, été présentées à la dégustation libéraient des arômes de moisi et de carton humide rendant impossible toute évaluation. Il est rare de tomber sur deux bouteilles bouchonnées à la suite. (1/97)

1993 • 87+ Très réussi, le 1993 est semblable à de l'encre : il arbore une robe qui rappelle davantage une grande année qu'un millésime moyen. D'une couleur très impressionnante, donc, ce vin exhale un nez pénétrant de tabac, de cassis, de réglisse et de fumé. Moyennement corsé, avec un niveau modéré de tannins, il est jeune et bien doté. Il sera d'une longévité exceptionnelle pour un 1993. **A boire jusqu'en 2015.** (1/97)

1992 • **86** Rubis-pourpre foncé, le 1992 présente un fruité riche et doux d'une excellente profondeur. Moyennement corsé, il dégage des arômes juteux de fruits noirs enrobés de chêne fumé, et se montre goûteux, racé et élégant. Ce Graves très aromatique tiendra **jusqu'en 2003.** (11/94)

1991 • **82** Comme beaucoup de 1991, celui du Château de Fieuzal se montre comprimé et compact ; il arbore cependant une superbe couleur rubis foncé et déploie un nez monolithique de terre, d'épices et de grillé. Profond et mûr, ce vin au caractère unidimensionnel devra être consommé dans les **10 ans.** (1/94)

1990 • **88** Le 1990 s'est bien étoffé depuis la mise en bouteille, et mes notes antérieures paraissent désormais assez mesquines. D'un rubis-pourpre foncé resplendissant, il s'est épanoui du point de vue aromatique, révélant de généreuses notes d'airelle, de cerise noire et de cassis. On décèle également, dans son bouquet modérément intense, d'opulentes senteurs de chêne neuf, de terre et de bois de cèdre. La bouche, moyennement corsée, dévoile un doux fruité joliment glycériné – la marque du millésime – et des tannins doux bien fondus dans l'ensemble. Ce vin encore jeune est des plus prometteurs. **A boire entre 2000 et 2012.** (8/97)

1989 • **87** D'un rubis-pourpre profond, mais légèrement ambré sur le bord, le 1989 est généreusement boisé et libère un bouquet modérément intense de cassis et de groseille, nuancé de terre et d'herbes, et bien marqué par le chêne. La bouche, moyennement corsée et faible en acidité, se prolonge dans une finale plutôt tannique. L'ensemble est plus compact et plus longiligne que ne l'est son cadet d'un an, légèrement plus doux et plus charnu. **A boire jusqu'en 2010.** (3/97)

1988 • **86** Ce vin profondément coloré et richement extrait exhale un excellent nez de douce groseille. Moyennement corsé, avec une finale compacte et très tannique (frisant l'astringence), il s'est refermé à la mise en bouteille et a requis une assez longue garde avant d'être prêt. Je doute, d'après le style de la vinification, qu'il puisse se défaire totalement de ses tannins ; il conservera donc toujours un caractère relativement austère. Ce De Fieuzal anguleux est capable de tenir une douzaine d'années. **A boire jusqu'en 2012.** (1/97)

1987 • **86** Étonnamment robuste, le 1987 se montre richement fruité, plus corsé et plus musclé que les meilleurs de ses jumeaux. Ses tannins sont souples et son acidité faible, mais la finale stupéfie par son caractère puissant et alcoolique. Quoique accessible, ce vin ne semble pas avoir beaucoup évolué depuis que je l'ai dégusté du fût. **A boire jusqu'en 2000.** (3/90)

1986 • **87** De Fieuzal a bien réussi dans une année pourtant irrégulière pour la partie sud de Pessac-Léognan. D'un rubis-pourpre profond et encore jeune d'aspect, le 1986 révèle un nez moins épanoui que celui des autres millésimes récents de la propriété ; on y décèle des notes de terre, d'épices, de chêne neuf, d'airelle et de cassis modérément doux. Ce vin assez corsé et très tannique a évolué extrêmement lentement et devrait tenir assez longtemps encore. Je pense qu'il est d'ores et déjà prêt, mais il se porterait bien d'une garde supplémentaire. **A boire entre 2001 et 2016.** (1/97)

1985 • **87** Le 1985, qui arrive tout juste à maturité, arbore une robe d'un rubis profond, mais assez éclairci sur le bord. Son doux nez de fruits confits, d'herbe, de fumé et de pain grillé introduit en bouche un ensemble ouvert, charnu et accessible, assez massif, bien riche, doté d'une finale souple et légèrement tannique. **A boire jusqu'en 2006.** (1/97)

1984 • **85** Remarquable par sa robe rubis foncé, le 1984 est un vin trapu et solidement charpenté, avec suffisamment de profondeur et de longueur. Il lui a fallu du temps pour révéler son caractère affirmé, bien équilibré et dominé par le cabernet sauvignon. C'est une fort belle réussite pour le millésime. **A boire jusqu'en 2000.** (1/89)

1983 • **86** Le nez élégant, épicé et richement fruité du 1983 est suivi, en bouche, par des tannins fermes d'une bonne tenue. Ce vin moyennement corsé montre une excellente concentration, une belle harmonie et de la persistance en bouche. Il est bien fait, racé et raffiné, et a développé davantage d'ampleur et d'étoffe ces dernières années. **A boire jusqu'en 2001.** (3/89)

1982 • **86** Ce vin m'a toujours paru séduisant, mais aussi faussement précoce ; rubis foncé, il dégage de riches arômes de chocolat et de baies sauvages, et présente un caractère marqué par le chêne grillé et fumé. Musclé et très intense pour un De Fieuzal, il rappelle le 1989, en moins concentré. **A boire.** (1/89)

1981 • **80** Le 1981 libère un agréable bouquet de baies sauvages et d'herbe fraîche. Étayé par une bonne acidité, il est assez étoffé, avec des tannins modérés. C'est un vin plutôt compact, réservé, pas trop ouvert. **A boire.** (1/89)

1978 • **82** D'un rubis profond légèrement ambré sur le bord, le 1978 exhale un bouquet étonnamment peu évolué et séduit par son fruit aux nuances de fumé. Moyennement corsé, il présente une profondeur et une persistance d'excellent aloi, mais révèle aussi d'abondants tannins. **A boire jusqu'en 2000.** (1/89)

1975 • **78** Ce vin, qui a commencé à se dessécher, présente certaines caractéristiques peu avenantes du millésime. D'un grenat profond, ambré et orangé sur le bord, il dégage un nez plus marqué par les épices et la terre que par le fruit. Comme beaucoup de 1975, il est desservi par des tannins féroces qui dévalent le palais sans retenue. L'ensemble est moyennement corsé et assez concentré, mais les tannins acerbes ne contribuent pas à le rendre plaisant. **A boire jusqu'en 2005.** (1/97)

1970 • **87** Après plusieurs dégustations, je puis affirmer que ce vin s'impose comme le meilleur De Fieuzal de la décennie. Arborant une robe grenat fortement nuancée de rouille sur le bord, il exhale un nez provocateur et ouvert de tabac, de fumé, de groseille et d'herbes, qui précède un ensemble moyennement corsé et plein, doté de savoureux arômes. La bouche s'exprime tout en rondeur, sans amertume ni sécheresse excessives, et la finale modérément longue ne révèle aucune austérité. **A boire jusqu'en 2002.** (1/97)

BLANC

1996 • **88** Voici l'une des réussites du millésime. Doté d'un fruit doux et séduisant, le De Fieuzal blanc 1996 exhale un nez fumé et généreusement boisé. Il est bien étayé par une acidité assez élevée et révèle une richesse crémeuse qui fait parfaitement pièce à sa structure. Il devrait se refermer après la mise et demandera une garde de quelques années avant d'être prêt. C'est un vin bien réussi, bien qu'il soit plus longiligne et moins opulent que les meilleurs millésimes de la propriété. **A boire entre 2003 et 2012.** (3/97)

1995 • **88** Bien réussi dans un millésime que l'on connaît généralement pour ses Graves et Pessac-Léognan décevants, maigres et légers, le De Fieuzal 1995 se présente comme un vin moyennement corsé, au nez herbacé d'agrumes et de fumé nuancé de boisé. Bien concentré, il est gras et doux en finale, grâce à son caractère bien glycériné. **A boire entre 2000 et 2010.** (3/97)

1994 • **92** Ce vin est tout simplement fabuleux. De Fieuzal, qui produit généralement l'un des meilleurs blancs des Graves, propose un 1994 dont les senteurs de miel, d'agrumes et de fumé jaillissent littéralement du verre. Moyennement corsé en bouche, ce vin y révèle, outre une concentration exquise, une précision superbe et une finale tout à la fois fraîche, longue, riche et structurée. Un cru somptueux, au potentiel de **15 ans, si ce n'est plus.** (3/97)

1993 • **92** Puissant et riche, le 1993 libère au nez et en bouche des arômes imposants et généreux de miel, de cire, de citron et de chêne neuf et épicé. Très corsé, révélant une texture épaisse marquée par la mâche, il est long et vif en finale. Comme tous les De Fieuzal blancs, il est composé à parts égales de sémillon et de sauvignon blanc, et vieilli à 80 % en fûts neufs. **A boire dans les 10 à 15 ans.** (1/97)

1992 • **91** Le 1992 exhale un nez énorme, crémeux et riche de chêne neuf et grillé, et révèle un fruité très mûr. Moyennement corsé et d'une belle concentration, avec une finale marquée par la mâche, il se montre généreux en bouche, sans toutefois faire preuve de la précision dans le dessin propre à ce cru dans certains autres millésimes. **A boire d'ici 2 ou 3 ans.** (1/94)

1991 • **86** Le 1991 est réussi pour une année aussi difficile. Bien que discret, il déploie une certaine élégance, avec des arômes vifs et légèrement corsés de citron et de miel marqués par des touches de chêne neuf et grillé. La finale est goûteuse et sèche. **A boire dans les 4 ou 5 ans.** (1/94)

1989 • **90** Comme beaucoup de Graves blancs de ce millésime faible en acidité, le De Fieuzal manque un peu de précision et de nervosité. Néanmoins, c'est incontestablement l'une des réussites de l'année. Libérant un bouquet de fumé onctueux et riche, il présente des arômes merveilleusement mûrs de pomme et de melon. **A boire jusqu'en 2000.** (3/93)

1988 • **92** Cet excellent Graves blanc déploie un bouquet très intense de miel, de fleurs et de chêne neuf et fumé. En bouche, il présente une opulence et une richesse qu'il doit, évidemment, aux bas rendements et aux vieilles vignes. C'est un vin remarquablement bien dessiné, généreusement doté et typique. **A boire jusqu'en 2005.** (1/96)

1987 • **88** D'un jaune d'or assez clair, ce vin libère un bouquet un peu fermé, mais séduisant, de figue, de melon, de miel et de chêne neuf. En bouche, il est moins concentré et moins plein que le 1988, mais il se montre délicat et complexe, étayé par une bonne acidité, avec une finale d'un bon niveau. **A boire.** (4/91)

1986 • **85** Je n'ai jamais été un fervent admirateur des Graves blancs 1986, et j'estime que ce De Fieuzal n'a pas la dimension des autres millésimes ; en effet, il est dépourvu de la complexité sous-jacente et de la précision qui le caractérisent habituellement. Il est bien étoffé, mais semble également trapu et carré, et n'a pas véritablement de cohérence. **A boire.** (4/91)

1985 • **93** A l'heure actuelle, c'est toujours le De Fieuzal blanc que je préfère. C'est également celui qui a marqué le renouveau de ce cru et son ascension dans le peloton de tête des vins de la région. Encore jeune par sa couleur, il déploie un bouquet merveilleusement intense et onctueux de figue, de melon, d'orange, d'herbe fraîche et de boisé. Corsé, riche, hautement extrait et persistant, ce Graves blanc harmonieux, admirablement doté et merveilleux d'équilibre est vraiment sensationnel. **A boire jusqu'en 2005.** (7/97)

LA GARDE – TRÈS BON

Non classé – équivaut à un bon cru bourgeois
Propriétaire : CVBG Dourthe Frères
Adresse : 33650 Martillac
Adresse postale : Dourthe Frères – BP 49
35, rue de Bordeaux – 33290 Parempuyre
Tél. 05 56 72 66 36 – Fax 05 56 72 71 07
Visites : sur rendez-vous uniquement
Contact : Guillaume Pouthier

Superficie :
rouge – 45 ha ; blanc – 5,5 ha (Martillac – appellation Pessac-Léognan)
Vins produits :
rouge – Château La Garde – 150 000 b ;
La Chartreuse du Château La Garde – 100 000 b ;
blanc – Château La Garde – 25 000 b (pas de second vin)
Encépagement :
rouge – 65 % cabernet sauvignon, 35 % merlot ; blanc – 100 % sauvignon
Densité de plantation : 6 500 pieds/ha
Age moyen des vignes : rouge – 22 ans ; blanc – 15 ans
Rendement moyen : rouge – 55 hl/ha ; blanc – 34 hl/ha

Élevage :
rouge – vendanges manuelles ; fermentations en cuves thermorégulées ;
achèvement des malolactiques pour une partie en fûts, pour l'autre en cuves ;
vieillissement de 15-20 mois en fûts (65 % de bois neuf) ;
collage au blanc d'œuf ; pas de filtration ;
blanc – vendanges manuelles et sélectives ; débourbage par le froid ;
fermentations en fûts (1/3 de bois neuf) ; élevage de 10-12 mois sur lies ;
bâtonnages réguliers ; collage ; pas de filtration

A maturité : rouge – dans les 2 à 6 ans suivant le millésime ;
blanc – dans les 2 à 4 ans

Depuis qu'elle a été reprise par l'importante maison de négoce Dourthe, en 1990, cette propriété propose d'excellents vins blancs et rouges, qui méritent assurément l'attention des amateurs. Ils représentent de surcroît de très bonnes affaires.

ROUGE

1995 • **88** Le nez du 1995 révèle de séduisantes senteurs douces et bien épanouies de cassis herbacé rehaussées de chêne neuf et vanillé. Ce vin élégant, savoureux et séveux, est également ample en bouche. Il présente un potentiel de garde de **7 ou 8 ans.** (11/97)

1994 • **88** Le 1994 se présente comme un Graves classique, doté d'un généreux fruité de douce groseille, de fumé et de tabac, et d'un caractère moyennement corsé. Merveilleusement doux et rond en milieu de bouche, il est tout à la fois opulent, délicieux, pur et riche, avec un potentiel de garde de **7 ou 8 ans.** (3/96)

1993 • **87** Le 1993 déploie un nez modérément intense et pur de cassis mûr, dans lequel on retrouve des touches de chêne neuf fort bien infusées. Moyennement corsé et élégant, il se montre imposant en bouche, et ses tannins ne sont ni agressifs ni astringents. Ce vin, que vous pouvez d'ores et déjà déguster, devrait tenir encore une dizaine d'années. (11/94)

HAUT-BAILLY – EXCELLENT

Cru classé – équivaut à un 3e cru du Médoc
Propriétaire : Robert G. Wilmers
Adresse : route de Cadaujac – 33850 Léognan
Tél. 05 56 64 75 11 – Fax 05 56 64 53 60
Visites : sur rendez-vous uniquement
Contact : Véronique Sanders

Superficie : 28 ha (Léognan – appellation Pessac-Léognan)
Vins produits :
Château Haut-Bailly – 120 000 b ; La Parde de Haut-Bailly – 60 000 b
Encépagement : 65 % cabernet sauvignon, 25 % merlot, 10 % cabernet franc
Densité de plantation : 10 000 pieds/ha – *Age moyen des vignes :* plus de 35 ans
Rendement moyen : 50 hl/ha

Élevage :
fermentations et cuvaisons de 21 jours ;
vieillissement de 12-14 mois en fûts (55 % de bois neuf) ;
collage ; pas de filtration

A maturité : dans les 5 à 20 ans suivant le millésime

Haut-Bailly est un domaine relativement récent, au moins par rapport à la moyenne des Graves. Cependant, son histoire est intéressante. Un certain Bellot des Minières, qui fut le deuxième propriétaire de Haut-Bailly à partir de 1872, estimait qu'il améliorait le vin en lui ajoutant une bonne dose de cognac ; il rinçait donc ses fûts avec cet alcool et en laissait une bonne quantité au fond. Aujourd'hui, on murmure que des producteurs, en Bourgogne, fortifient discrètement leur vin, quand l'année est mauvaise, en y ajoutant de l'eau-de-vie ; M. Bellot des Minières, quant à lui, était fier de cette pratique, qui apportait un « plus » à son bordeaux.

La famille Sanders a acheté le domaine en 1955. Il paraît que Daniel Sanders, amateur belge passionné, fut si émerveillé par le Haut-Bailly 1945 qu'il décida, après quelques investigations, de se porter acquéreur du château. Son fils Jean, qui vit à deux pas de là, au Château Courbon, où il produit un agréable Graves blanc et sec, en a repris les rênes à la mort de son père. La propriété a été rachetée en juillet 1998 par un banquier, Robert G. Wilmers, qui a maintenu Jean Sanders en place, mais a mis en œuvre un programme visant à préserver, voire à améliorer encore, la qualité des vins. Ainsi, l'égrappoir a été désolidarisé du fouloir, et une table de tri installée entre l'égrappage et le foulage ; de nouvelles petites cuves de 50 et 85 hl permettent désormais une vinification parcellaire ; un vaste projet de constructions agricoles verra le jour au début du prochain millénaire, la destruction d'anciens bâtiments laissant place à de nouvelles plantations sur des sols réputés excellents. Sans parler du fait que Denis Dubourdieu (pour les rouges) et Pascal Ribéreau-Gayon (pour les blancs) ont rejoint l'équipe du domaine comme œnologues-conseils.

Au début des années 60, la propriété a connu un passage difficile ; hormis le 1961 et le 1964, qui se sont révélés délicieux, il a fallu attendre 1979 pour que Haut-Bailly sorte d'une longue série de résultats médiocres. A partir des années 80, le cru s'est considérablement amélioré, grâce à différentes mesures, dont le déclassement de 30 % de la récolte vers un second vin, une proportion plus importante de bois neuf pour l'élevage (55 %) et des vendanges plus tardives permettant de rentrer des raisins à parfaite maturité.

Cependant, Haut-Bailly n'est pas facile à jauger dans sa jeunesse. En effet, et pour une raison qui m'échappe, il semble d'abord un peu superficiel et léger, avant de prendre du poids et de la profondeur en bouteille. J'avais interrogé Jean Sanders sur ce point : il m'avait répondu qu'il ne cherchait pas à faire un vin capable d'impressionner les critiques avant d'être mis en bouteille... Il estimait que le grand âge de ses vignes, les méthodes traditionnelles de vinification et le fait de ne pas filtrer (ce qui n'est pas si fréquent, aujourd'hui, dans le Bordelais) se conjuguaient pour donner un vin ayant besoin de temps afin de révéler tout son charme et tout son caractère.

Haut-Bailly n'atteint jamais la dimension ni la puissance de son voisin De Fieuzal, mais il déploie une élégance exceptionnelle dans les millésimes de haut vol.

1998 • **86-87** Ce cru délicat et subtil est souvent difficile à évaluer dans sa jeunesse. Cependant, le 1998 se présente comme un ensemble souple et fruité, qui révèle, tant au nez qu'en bouche, des arômes de cerise et de cassis. Incontestablement élégant, il manque en revanche de profondeur, de persistance et d'ampleur. Toutefois, il manifeste un équilibre et des proportions d'excellent aloi, et pourrait être renoté à la hausse s'il développait davantage de richesse. **A boire jusqu'en 2010.** (3/99)

1997 • **86-88** Plus charmeur et plus flatteur, pour l'heure, que son aîné d'un an, le Haut-Bailly 1997 arbore une robe d'un rubis moyennement profond, qui prélude à des effluves de doux fruits rouges, d'herbes séchées, de feuilles de tabac et de chêne épicé. L'ensemble qui suit en bouche déploie une texture aussi charnue qu'opulente ; faible en acidité, il séduit le dégustateur par sa rondeur désarmante. **A boire dans les 10 à 12 ans.** (1/99)

1996 • **87** Moins charmeur que de coutume, le 1996 de Haut-Bailly présente cependant des senteurs modérément intenses de groseille et de cerise rouge entremêlées de notes de terre, de fumé et de chêne neuf. Moyennement corsé et élégant, il ne se développera jamais en un ensemble puissant ou massif, mais il révèle un caractère bien affirmé et un beau potentiel de complexité. Sa finale recèle des tannins secs. **A boire entre 2003 et 2015.** (1/99)

1995 • **90** Ce vin d'un rubis profond, au nez classique de fumé, de cerise, de cassis et de groseille, est une pure merveille. Moyennement corsé, avec un fruité doux, riche et bien évolué, il est véritablement délicat et élégant (ni maigre ni dilué), et déploie une finale tout à la fois somptueuse, persistante, souple et veloutée. Une danseuse à l'équilibre impeccable, aux parfums et aux arômes de rêve. **A boire entre 2000 et 2018.** (11/97)

1994 • **88** Le Haut-Bailly 1994 – l'un des meilleurs Pessac-Léognan du millésime – arbore une robe rubis foncé marquée de pourpre, et déploie un doux nez de terre, de minéral et de cassis. Mûr, moyennement corsé et charnu en bouche, il est l'expression même de l'élégance pour un Graves rouge. Riche, mais éthéré, charmeur et tout en rondeur (ce qui n'est pas peu dire pour un 1994), il présente une acidité et des notes de chêne neuf joliment fondues dans l'ensemble. **A boire jusqu'en 2005.** (1/97)

1993 • **87** Vêtu de rubis foncé, le Haut-Bailly 1993 déploie un nez étonnamment intense, sensuel, doux et épicé de fruits rouges. Excellent, moyennement corsé et mûr, légèrement tannique, il est également charmeur, riche et d'une belle maturité, laissant en bouche une impression pure et bien équilibrée. Ce vin racé devrait se bonifier au terme d'une garde de 1 à 3 ans et se conserver les **10 premières années du prochain millénaire**. Il est, de plus, proposé à un prix raisonnable. (1/97)

1992 • **86** Le 1992 déploie des arômes pénétrants et élégants de fumé et de cerise, et se montre rond, mûr, généreux, charnu et fruité en bouche, laissant deviner un important pourcentage de merlot dans sa composition. Sa finale est douce, veloutée et gracieuse. On retrouve dans ce vin l'élégance classique de Haut-Bailly, alliée à une maturité, à une richesse en extrait et à une profondeur admirables. Ce 1992 impressionnant se conservera parfaitement **7 ou 8 ans encore**. (11/94)

1990 • **92** J'ai une légère préférence pour le Haut-Bailly 1990, très bien réussi, par rapport au 1989. D'un rubis sombre plus soutenu et plus riche que son aîné d'un an, il exhale un nez typiquement Graves aux notes de tabac fumé, de mûre et de cassis. Mûr, souple et généreux, il exprime une bouche tout en rondeur. C'est un vin moyennement corsé, racé et bien fait, dont toutes les composantes sont parfaitement équilibrées. Il tiendra bien ces **15 prochaines années**. (11/96)

1989 • **89** Vêtu de rubis profond, le 1989 de Haut-Bailly se présente comme un vin doux et mûr, au nez séduisant de fruits rouges, d'herbes et de tabac fumé. Souple et faible en acidité, il devrait continuer d'évoluer avec grâce en un ensemble élégant et soyeux, au potentiel de garde de **12 ans, voire plus**. (11/96)

1988 • **89** Étoffé et riche, le 1988 de Haut-Bailly se distingue par un nez profond, minéral et épicé, nuancé de doux chêne, et par ses arômes corsés, mais tendres et crémeux. Il déploie une merveilleuse finale veloutée. **A boire jusqu'en 2003.** (1/93)

1986 • **85** Dans ce millésime que l'on connaît pour ses vins puissants et tanniques, le Haut-Bailly se montre souple. Son bouquet très intense séduit par ses arômes de prune très mûre et de chêne doux et fumé. La bouche, moyennement corsée, dévoile un fruit riche et rond, et la finale est étonnamment lisse. **A boire jusqu'en 2005.** (1/97)

1985 • **86** Malgré son manque de profondeur, ce vin doté d'un doux fruit de cerise noire et de cassis déploie du charme et de la finesse. Les arômes de chêne neuf et de fumé que l'on décelait dans sa jeunesse se sont estompés au profit d'un caractère légèrement herbacé, masqué par le boisé. L'ensemble est moyennement corsé, avec des tannins souples et une attaque assez charnue. Malheureusement, le vin s'amenuise par la suite, se révélant plutôt léger, souple, mais sans grand intérêt. **A boire jusqu'en 2002.** (1/97)

1983 • **87** Typique de Haut-Bailly, le 1983 présente une robe rubis foncé et un bouquet riche, voluptueux et épanoui de cassis, auquel se mêlent de séduisants arômes de chêne vanillé. En bouche, le vin se révèle précoce, avec des tannins séveux, soyeux, mûrs et ronds bien en évidence. Assez corsé, velouté et gras, ce Haut-Bailly à son apogée évoque un Pomerol. **A boire.** (1/91)

1982 Le 1982 de Haut-Bailly est probablement le vin le plus terriblement irrégulier
• de ce millésime. Les bouteilles que j'ai récemment dégustées étaient assez
? médiocres. Le vin, fortement décoloré, présentait une couleur rouille délavée et libérait des arômes astringents et tanniques, dépourvus de gras, de charme et d'intensité. J'ai certes goûté de bonnes bouteilles, mais c'était il y a assez longtemps. Je ne pense pas que ce vin mérite l'attention. (9/95)

1981 Le 1981 n'est ni intensément concentré ni profond, mais il se révèle parfumé,
• élégant, épicé, tendre, fruité et remarquablement accessible. S'il n'a ni le punch ni
84 l'ampleur des 1979 et 1983, il est agréable et séduisant. **A boire.** (12/87)

1979 Dans ce millésime un peu sous-estimé, le Haut-Bailly a toujours compté parmi
• les vins les plus délicieux ; arborant une belle robe d'un rubis profond, il exhale
87 un bouquet riche et modérément intense de fruit mûr, de chêne et de fumé ; en bouche, il est tendre, soyeux, gras, séveux et fruité, avec des tannins légers et une finale veloutée. Un vin harmonieux et plein de charme. **A boire.** (3/88)

1978 Pour une raison qui m'échappe, ce 1978, aujourd'hui à pleine maturité, n'a
• ni la profondeur ni l'ampleur du 1979, malgré son caractère fruité et tendre,
81 vraiment plaisant. Il présente maintenant une teinte un peu tuilée et libère, outre un nez de chêne et d'herbe fraîche, des flaveurs assez déliées et tendres, et une finale soyeuse. **A boire.** (1/91)

1976 Haut-Bailly ne s'est guère distingué dans ce millésime marqué par une forte
• chaleur estivale ayant entraîné une surmaturité des raisins. Le 1976 a désor-
62 mais un côté vieux, présentant un caractère assez relâché, une faible acidité et quelque chose de dilué. (9/79)

1975 J'ai régulièrement noté ce cru maigre, végétal et tannique entre 65 et 75 ; la
• bouteille objet du présent commentaire était donc l'une des meilleures que
76 j'aie dégustées. Le nez s'était ouvert et révélait d'agréables arômes de groseille herbacée, mais l'ensemble, assez léger, était dépourvu de fruit et dominé par ses tannins. Je doute que ce vin puisse s'améliorer. (12/95)

1973 Ce vin est complètement passé. Ses arômes sont aqueux, végétaux et maigres,
• et il se montre léger et dépourvu de profondeur en bouche, avec un manque
55 absolu de nerf, de concentration et de longueur. Il illustre parfaitement un bordeaux **en complet déclin.** (9/88)

1971 Plein de charme, mais un peu léger et mou, le Haut-Bailly 1971 est maintenant
• en déclin. Il affiche une teinte très nettement tuilée et brunie, et ses arômes
75 veloutés, tendres et fruités, pourtant assez agréables, se dissipent rapidement dans le verre. **A boire d'urgence.** (12/83)

1970 Lors d'une dégustation des bordeaux 1970, il y a plusieurs années, Haut-Bailly
• s'est fort bien comporté, ce qui indique qu'il s'agit probablement du meilleur
87 millésime de ce château entre 1964 et 1979. Le vin dégage toujours ce nez ample et suave de fruit, de fumé et d'herbe fraîche qui jaillit littéralement du verre ; en bouche, il révèle un caractère assez corsé, des tannins tendres et veloutés, et une finale longue, onctueuse et alcoolique. **A boire.** (10/88)

1966 Arrivé à parfaite maturité, ce vin très fruité est cependant un peu plus fermé
• et plus sévère que le riche et opulent 1970. Il présente, outre une teinte
85 légèrement brunie sur le bord, une belle concentration et des arômes de terroir. Sa finale est souple et ronde. **A boire – peut-être en déclin.** (4/82)

1964 J'ai eu la chance de goûter ce vin à Bordeaux en 1990 et l'ai trouvé excellent,
• sinon exceptionnel. Son bouquet mûr, presque rôti, de caramel, de tabac, de
88 fumé et de petits fruits noirs a quelque chose de fabuleux, et l'ensemble, pulpeux, généreux et velouté, qui semble arrivé à maturité depuis longtemps déjà, n'a cependant rien perdu de son fruit. Il est souple, capiteux et très séduisant. **A boire.** (3/90)

1961 Ce vin splendide est très certainement le Haut-Bailly le plus fin qu'il m'ait
• été donné de goûter. Je l'ai même trouvé meilleur en 1990 que lorsque je
93 l'ai dégusté pour la première fois, en 1984. Son bouquet énorme de terre fraîche, de tabac et de petits fruits mûrs semble jaillir du verre. Opulent et presque onctueux, il est tout à la fois fabuleusement concentré, épais, riche et puissant. Il n'a plus rien d'astringent ni de dur, mais se montre maintenant assez fort, avec une finale merveilleusement intense, longue et débordant de richesse. Je pensais qu'il arriverait plus vite à son déclin, mais il me paraît encore capable de tenir. **A boire jusqu'en 2001.** (3/90)

Millésimes anciens

J'ai pu déguster de superbes bouteilles de Haut-Bailly 1928. Celle que j'ai goûtée en décembre 1995 (notée 90) était encore dans une forme éblouissante, malgré sa robe légèrement ambrée et orangée sur le bord. Le nez regorgeait de senteurs de doux cèdre, de tabac et de boîte à cigares, et l'ensemble, doté d'un fruité confit, exprimait en bouche un caractère velouté et soyeux. Un vin racé et séduisant, dont les tannins n'étaient nullement en excès (contrairement à ceux de nombreux 1928).

En revanche, un Haut-Bailly 1900 dégusté à Paris en mars 1996 m'a paru être un faux. Il évoquait davantage un jeune vin espagnol, marqué d'un boisé généreux – et peut-être excessif. La robe était d'un rubis-pourpre étonnamment sombre. La bouteille semblait authentique, mais le vin était trop rudimentaire, trop fruité et trop unidimensionnel pour être vraiment de 1900.

HAUT-BRION – EXCEPTIONNEL

1er cru classé en 1855 – devrait être maintenu
Propriétaire : Domaine de Clarence Dillon SA
Adresse : 33600 Pessac
Tél. 05 56 00 29 30 – Fax 05 56 98 75 14
Visites : sur rendez-vous uniquement
Contact : Carla Kuhn

Superficie :
rouge – 43,2 ha ; blanc – 2,7 ha (Pessac – appellation Pessac-Léognan)
Vins produits :
rouge – Château Haut-Brion – 165 000-215 000 b ;
Bahans Haut-Brion – 48 000 b ;
blanc – Château Haut-Brion – 9 600 b ; Les Plantiers du Haut-Brion – variable
Encépagement :
rouge – 55 % cabernet sauvignon, 25 % merlot, 20 % cabernet franc ;
blanc – 63 % sémillon, 37 % sauvignon
Densité de plantation : 8 000 pieds/ha

Age moyen des vignes : rouge – 36 ans ; blanc – 27 ans

Élevage :

rouge – vendanges manuelles ;
fermentations en cuves d'acier inoxydable thermorégulées ;
vieillissement de 22 mois en fûts neufs ; collage au blanc d'œuf ; pas de filtration ;
blanc – fermentations en fûts neufs ; élevage de 13-16 mois sur lies ;
collage au blanc d'œuf ; pas de filtration

A maturité : rouge – dans les 6 à 35 ans suivant le millésime ;
blanc – dans les 5 à 25 ans

Situé dans la banlieue industrielle de Pessac, Haut-Brion est le seul premier cru qui appartienne à des Américains. En 1935, la famille Dillon a acquis le domaine, qui se trouvait alors en très mauvais état, et investi des sommes importantes pour la rénovation des chais et du vignoble. Cette propriété est actuellement l'une des plus spectaculaires des Graves.

La vinification est aujourd'hui assurée par le très talentueux et séduisant Jean Delmas, fervent partisan d'une fermentation courte à température élevée (30 °C en moyenne). Comme la plupart des vins du Bordelais, Haut-Brion est élevé pendant une longue période (22 mois en moyenne) en fûts de chêne neuf. C'est souvent le dernier, avec Clinet en Pomerol, à être mis en bouteille.

Le style de Haut-Brion a évolué au fil du temps. Aux vins magnifiquement riches, presque suaves, au caractère de terroir des années 50 et du début des années 60, ont succédé, de 1966 à 1974, des bordeaux plus légers, plus maigres, accessibles, voire un peu simplistes, qui n'avaient pas la richesse et la profondeur que l'on peut espérer d'un premier cru. S'agissait-il d'un passage à vide ? Toujours est-il que l'équipe de Haut-Brion se montre très chatouilleuse sur la question. A partir de 1975, les vins ont retrouvé leur richesse d'antan, leurs arômes de terroir et leur concentration. Aujourd'hui, le domaine mérite indiscutablement son rang de premier cru. On peut même dire que, après 1978, il s'est régulièrement imposé comme l'un des meilleurs Graves – et l'un des crus que je préfère.

C'est peut-être une coïncidence, mais il se trouve que la propriété est revenue à un haut niveau au moment où Joan, la fille de Douglas Dillon, a été nommée à la présidence de la société (en 1975). Après le décès de son premier mari, le prince Charles de Luxembourg, elle a épousé le duc de Mouchy en 1978. C'est à la même époque que le domaine a commencé à effectuer des sélections plus sévères et à déclasser une plus grande proportion de la vendange pour vinifier un second vin, Bahans Haut-Brion, ce qui a évidemment entraîné une amélioration du grand vin. En outre, Jean Delmas s'est vu confier toute la responsabilité de la direction du domaine – et l'on sait, partout dans le Bordelais, qu'il est l'un des plus grands vinificateurs de l'Hexagone. Ses remarquables recherches sur les sélections clonales demeurent à ce jour inégalées. Les années 80 ayant connu des récoltes très abondantes, Delmas s'est mis, comme Christian Moueix à Petrus, en Pomerol, à pratiquer l'éclaircissage. Cela lui a permis d'obtenir une concentration nettement supérieure et une qualité remarquable, en particulier pour le 1989, qui semble, à ce stade, le plus grand Haut-Brion élaboré depuis les 1959 et 1961.

Il est intéressant de noter que, dans les dégustations à l'aveugle, Haut-Brion est souvent classé comme le plus précoce et le plus léger des grands crus. En vérité, il n'est pas si léger, mais il est tout simplement différent des Médoc corpulents, charnus et marqués par le chêne, et des crus plus souples de la rive droite, dominés par le merlot. Malgré son caractère précoce, il est parfaitement capable de vieillir 30 ans et plus dans les bonnes années, ce qui fait qu'il se maintient sur une période nettement plus longue que n'importe quel autre premier cru.

Si Haut-Brion a considérablement progressé depuis 1978, Bahans Haut-Brion a suivi le même chemin. Il compte aujourd'hui parmi les meilleurs seconds vins du Bordelais et surpasse même, certaines années, le très renommé second vin de Château Latour, Les Forts de Latour.

Quant au vin blanc élaboré au domaine, de nombreux observateurs estiment qu'il s'agit du meilleur de l'appellation. Cependant, et à la demande des propriétaires, il n'a jamais été classé, parce que la production est très faible. En tout cas, sous la houlette de Jean Delmas, qui a souhaité élaborer un Graves ayant l'opulence d'un grand Montrachet, ce blanc a progressivement gagné en stature et en qualité depuis les années 80. Les meilleurs millésimes récents ont été les 1985, 1989 et 1994, absolument stupéfiants.

J'ajouterai une remarque plus personnelle. Depuis près de trente ans que je déguste autant de vins de Bordeaux qu'il m'est possible, le seul véritable changement que j'aie noté dans mes goûts concerne Haut-Brion, vers lequel je me sens de plus en plus attiré. Son caractère intense, minéral et fumé, typique des Graves, me séduit beaucoup plus aujourd'hui. C'est sans doute parce que j'ai pris de l'âge et, ajouterait Jean Delmas, gagné en sagesse...

ROUGE

1998 • **94-96** Jean Delmas est ravi du Haut-Brion et de La Mission Haut-Brion 1998. Si l'on s'en tient aux chiffres et aux analyses, le Haut-Brion 1998 est plus étoffé que ses aînés de 1995 et 1996, et (toujours en chiffres) très proche de 1989 et 1990. C'est l'une des grandes réussites du millésime, qui s'impose, en outre, comme un modèle de puissance alliée à l'élégance. Opaque et pourpre de robe, ce vin exhale un nez de doux fruits noirs nuancé d'herbes rôties, de pain grillé et de minéral. Malgré sa texture sensationnelle et opulente, il se montre moyennement corsé en bouche, déployant par paliers des arômes fabuleusement purs et mûrs. L'ensemble est très dense, sans révéler cependant la plus infime trace de déséquilibre ou de lourdeur. C'est un grand classique, même s'il n'atteint pas l'opulence ni l'extravagante richesse de son aîné de 1989. Les amateurs de ce cru très caractéristique et complexe ne manqueront pas le 1998. **A boire entre 2004 et 2025.** (3/99)

1997 • **89-90** D'un rubis-pourpre soutenu et profond, le 1997 exhale un excellent nez aux senteurs bien évoluées de fruits noirs, de minéral, de terre et de pain grillé. Plus porté sur la finesse et sur un fruit riche que sur la puissance, la structure ou l'ampleur, ce vin moyennement corsé et opulent est étonnamment accessible, en particulier lorsqu'on le compare à son aîné d'un an. Il devrait évoluer assez rapidement et tiendra bien 15 ans, voire plus. **A boire entre 2001 et 2015.** (1/99)

1996 • **92+** Le Haut-Brion 1996, mis en bouteille à la fin du mois de juin 1998, est très peu évolué. Même Jean Delmas, qui gère la propriété, était surpris de son caractère fermé lors de notre dégustation de janvier 1999. Issu d'une sélection sévère (40 % de la récolte fut déclassée) et composé à 50 % de merlot, à 39 % de cabernet sauvignon et à 11 % de cabernet franc, ce vin présentait en cours d'élevage des arômes plus épanouis et un milieu de bouche plus doux qu'après la mise en bouteille. J'avais pensé qu'il serait plus ouvert, ce qui explique que je l'aie renoté à la baisse, mais je suis heureux d'en posséder dans ma cave personnelle, ce qui me permettra de suivre son évolution. C'est très certainement un vin capable d'une longue garde, même si je pense qu'il est moins réussi que son extraordinaire aîné d'un an. D'un rubis-pourpre profond, il offre un nez étonnamment serré qui libère cependant après aération (mais avec réticence) des notes de tabac frais, d'herbes séchées, de fumé, de goudron et de fruits noirs. La bouche, moyennement corsée et tannique, se dévoile par paliers, révélant un caractère complexe et extraordinaire de pureté. La finale aux tannins abondants suggère qu'une garde de 5 à 8 ans lui serait bénéfique. **A boire entre 2008 et 2030.** (1/99)

1995 • 96 Le Haut-Brion 1995 s'est montré brillant à chaque dégustation. Plus accessible et plus évolué que le 1996, il arbore un rubis-pourpre soutenu et propose une palette aromatique absolument renversante, où l'on distingue, entre autres, des arômes vanillés de fruits noirs, d'épices et de fumée. Ce vin multidimensionnel et riche développe son fruité mûr par paliers, et révèle une acidité et des tannins joliment fondus dans l'ensemble. Moyennement corsé, gracieux, exceptionnel et proche de la perfection, il sera accessible dès sa prime jeunesse. **A boire entre 2000 et 2030.** (11/97)

1994 • 93 Le 1994 est plus fermé au nez que le 1993, dont les arômes sont plus évolués et plus pénétrants. Il libère au mouvement du verre de douces senteurs de fruits noirs et de truffe, ainsi que des notes de minéral et de pierre. Épicé, puissant et très corsé, il est plus masculin et plus structuré que son aîné d'un an, et présente un caractère plus riche et plus complexe. Il est encore superbement sculpté et merveilleusement équilibré, aussi pur que peut l'être un vin, avec des arômes de boisé, une acidité et des tannins remarquablement fondus dans l'ensemble. **A boire entre 2002 et 2025.** (4/98)

1993 • 92 Le Haut-Brion 1993 est l'un des vins les plus grandioses de l'année, avec sa robe de couleur pourpre-prune foncé tirant sur le grenat et son nez expressif, très aromatique et doux, de fruits rouges, de cassis, de minéral, de crayon et de terre. Moyennement corsé et concentré, il n'a pas le caractère dur ou herbacé propre au millésime ; il dévoile par paliers des tannins doux et une pureté extraordinaire, montrant une belle persistance en bouche. Le Haut-Brion 1993 est proposé à un prix sensiblement plus raisonnable que celui d'autres millésimes récents de ce cru. Accordez-lui une garde de 1 ou 2 ans, et dégustez-le **entre 2001 et 2020.** (1/97)

1992 • 90 En 1992, seulement 60 % de la récolte fut sélectionnée pour le premier vin de Haut-Brion. Celui-ci se révèle élégant, mais avec des arômes imposants qui rappellent – un cran au-dessous, toutefois – ceux du superbe 1985. Sa merveilleuse robe rubis foncé prélude à un bouquet pénétrant de fruits noirs, de fumé et de minéral. D'ores et déjà très évolué et d'une richesse extraordinaire, ce vin moyennement corsé et élégant déploie une finale souple et modérément tannique, laissant présager qu'il sera à maturité d'ici 3 ou 4 ans, et qu'il se conservera ensuite **15 à 20 ans.** Quelle merveilleuse réussite pour un 1992 ! (11/94)

1991 • 86 Le 1991 de Haut-Brion est austère, tannique et fermé. Il arbore cependant une robe rubis foncé et un nez serré, mais prometteur, de minéral et de fruits noirs vanillés. Profond et d'une remarquable précision dans le dessin, il est également épicé – on peut se demander s'il sortira de sa coquille pour montrer un peu plus de charme et de finesse. Si tel n'est pas le cas, il pourrait se dessécher avant que ses tannins ne se fondent. **A boire jusqu'en 2008.** (1/94)

1990 • **96** J'ai tendance à oublier le caractère exceptionnel du Haut-Brion 1990, éclipsé par son brillantissime aîné de 1989. La bouteille objet du présent commentaire, dégustée à l'aveugle, confirme qu'il s'agit bien d'un vin grandiose, dont le prix n'est pas aussi élevé qu'on pourrait l'imaginer au regard de sa qualité. Il s'agit en effet d'un ensemble luxuriant et mûr, au nez assez évolué et odorant de cassis, de minéral, d'herbe fumée, de pierre chaude, de tabac et de doux chêne grillé. Tout à la fois gras, riche et moyennement corsé, ce vin superbe de concentration est fabuleusement doté ; malgré son côté précoce, il requiert une garde supplémentaire de 4 à 6 ans et tiendra parfaitement **20 à 25 ans, voire plus.** C'est un 1990 des plus discrets et assez sous-estimé, qui mérite incontestablement l'attention des amateurs. (4/98)

1989 • **100** Ce Haut-Brion est l'un des rares vins vraiment profonds issus de ce millésime plutôt surestimé, n'étaient les Pomerol, les Saint-Émilion et quelques Médoc vraiment réussis. Ce 1989 prodigieux est incontestablement l'un des premiers crus les plus grandioses que je connaisse. Il m'a toujours évoqué le 1959 dans sa jeunesse, mais je pense qu'il est encore plus riche, avec des arômes plus irrésistibles. Opaque et rubis-pourpre de robe, il exhale un doux nez de fruits confiturés, de tabac, de chêne épicé, de minéral et de fumé. Fabuleux de concentration, il est très glycériné et révèle une fabuleuse richesse en extrait ; il serait presque visqueux tant il est épais et bien doté. Sa faible acidité contribue à son caractère précoce et des plus séduisants. Ce vin n'a pas bougé depuis la mise en bouteille et demeure aussi extraordinaire du fait de sa volupté. Il requiert une garde de 4 ou 5 ans encore pour développer les fabuleux parfums typiques de Haut-Brion. Il devrait atteindre son apogée entre 2003 et 2005 et tiendra parfaitement **15 à 25 ans.** (4/98)

1988 • **91** Fait du même métal que le 1966, mais en plus puissant et en plus concentré, le 1988 de Haut-Brion se distingue par un bouquet dense de tabac, de fruits noirs et mûrs et de chêne épicé qui commence tout juste à se développer. Moyennement corsé, riche et tannique, avec un bon fruit sous-jacent, il demande à être attendu jusqu'à la fin de ce siècle. **A boire entre 2000 et 2025.** (1/93)

1987 • **88** Je regrette de n'avoir pas acheté davantage de ce vin, compte tenu du prix très intéressant auquel il était proposé au moment de sa diffusion. Délicieux dès la mise en bouteille, il exhale toujours un nez spectaculaire de terre, de cuir fin, de doux tabac et de cassis mûr. Sans être puissant ni massif, il se montre moyennement corsé, avec un fruité généreux, velouté et riche, et un caractère séduisant. Ce vin parfaitement mûr depuis le début des années 90 n'accuse aucun signe de déclin, mais je ne conseillerais pas aux amateurs de tenter le diable en conservant leurs bouteilles plus avant. **A boire.** (1/97)

1986 • **96** Le Haut-Brion 1986 demeure peu évolué, quand je l'aurais pensé à son apogée. Ce vin très concentré et puissant, plus tannique que la plupart des meilleurs millésimes de la propriété, révèle les légendaires arômes de tabac fumé et de doux cassis typiques de ce cru. Le nez est nuancé de senteurs minérales et de subtiles touches de chêne neuf. L'ensemble, moyennement corsé, riche et intensément fumé, n'est toujours pas à maturité, mais c'est incontestablement le Graves le mieux réussi du millésime ; il n'est pas loin de ses grandioses jumeaux des premiers crus médocains. **A boire entre 2000 et 2015.** (5/98)

1985 • **94** Ce vin s'est toujours imposé comme l'un des Haut-Brion les plus séduisants, les plus savoureux et les plus complexes des années 80. D'après mes notes de dégustation, il représente la quintessence de l'élégance et de la finesse pour ce domaine. D'un rubis-pourpre profond à peine éclairci sur le bord, il exhale un nez renversant d'intenses fruits noirs confiturés, de fumé, de cèdre, d'herbes et de chêne neuf, qui introduit en bouche un vin généreux et concentré, fabuleux d'équilibre, se dévoilant par paliers et tout en rondeur. Toutes ses composantes – alcool, acidité et tannins – sont merveilleusement fondues dans un ensemble frisant la perfection. **A boire jusqu'en 2010.** (10/97)

1984 • **84** Exhalant de séduisantes senteurs minérales de tabac et de fruit mûr, le Haut-Brion 1984 se montre moyennement corsé en bouche, mais étonnamment profond et persistant. Ce n'est pas un vin ample, mais il est souple et crémeux. **A boire.** (4/88)

1983 • **87** Parfaitement mûr, le très bon 1983 de Haut-Brion montre une grande profondeur et révèle un fruit riche, souple, gras et opulent. En outre, il déploie en finale une bonne dose de tannins souples. Quoique réussi, ce vin est toutefois assez quelconque et a évolué terriblement vite par rapport aux millésimes récents de la propriété. De tous les Haut-Brion actuellement à leur apogée, c'est celui qui rappelle le plus le 1978, avec ses très caractéristiques arômes de goudron fondu. **A boire jusqu'en 2004.** (7/97)

1982 • **94** Jean Delmas, l'administrateur de Haut-Brion, persiste à penser que le 1982 est une répétition du 1959 de la propriété. Je n'irai pas aussi loin, bien que j'estime qu'il s'agisse d'un vin moyennement corsé, riche et séduisant, doté des légendaires arômes de minéral, de tabac et de groseille mûre qui caractérisent ce premier cru complexe et opulent. A mon sens, il n'est pas comparable au 1989, qui atteint la perfection, mais il est généreusement doté et intense, avec des tannins doux et bien fondus. L'ensemble, réellement racé et bien affirmé, se prolonge dans une finale douce, ample et persistante. Ce 1982 a mis longtemps à se défaire de son manteau de tannins pour révéler son caractère typiquement Haut-Brion, et il sera parfait les **20 premières années du prochain millénaire.** (9/95)

1981 • **85** Mes premières notes étaient assez irrégulières, mais deux dégustations à la fin des années 80 m'ont révélé un 1981 flatteur, tendre et moyennement corsé, marqué de notes fumées de chêne vanillé et de flaveurs rondes et mûres. La finale était souple et opulente. Ce vin manque quelque peu de nerf et de richesse pour un Haut-Brion postérieur à 1978, mais il n'en est pas moins charmeur, légèrement corsé et précoce. **A boire jusqu'en 2000.** (1/91)

1979 • **93** Ce vin s'est bien étoffé en bouteille. Accessible dès son plus jeune âge, il demeure l'un des Haut-Brion les plus somptueux, les plus complexes et les plus gratifiants des vingt dernières années ; c'est certainement l'un des bordeaux les mieux réussis de la rive gauche pour le millésime. Sa robe a pris une teinte prune-grenat relativement foncée, et le nez, très Haut-Brion, révèle les arômes de fruits noirs confiturés, de terre, de tabac, de fumé et de doux cake typiques de ce cru. Riche et moyennement corsé, l'ensemble impressionne par sa race, sa pureté et son harmonie ; sans être d'une opulence exceptionnelle (comme le 1989 et le 1990), il est assez structuré et dévoile des parfums imposants. C'est un vin d'un équilibre parfait, qui conjugue merveilleusement puissance, richesse et élégance. **A boire jusqu'en 2006.** (10/97)

1978 • **90 ?** Au fur et à mesure de son développement, ce vin a acquis un nez prononcé de rôti et de goudron fondu qui, dans une certaine mesure, représente l'essence des Graves. Il est cependant totalement dépourvu des autres nuances que l'on retrouve généralement dans les Haut-Brion. Parfaitement mûr, avec une robe d'un grenat profond et des arômes de goudron qui se prolongent en bouche, il gratifie le dégustateur de généreuses saveurs de fumé, de goudron (encore !) et de doux fruits noirs. Étonnamment évolué – il est à son apogée depuis plus d'une décennie –, il doit, à mon sens, être dégusté ces toutes prochaines années. **A boire jusqu'en 2003.** (10/97)

1977 • **74** Dans ce millésime médiocre, Haut-Brion a été nettement surpassé par son voisin de La Mission. Vêtu de rubis moyen, ce vin présente un nez épicé et parfumé, mais assez végétal, et révèle en bouche, outre des arômes plutôt légers, une finale assez dure. Il vaut mieux le consommer rapidement. **A boire – peut-être en déclin.** (9/83)

1976 • **86** D'un rubis moyen quelque peu ambré sur le bord, le Haut-Brion 1976 est arrivé à parfaite maturité au début des années 80, mais il est encore très agréable. Il dégage un bouquet épicé et modérément fruité, aux notes de terre fraîche et de chêne, qui ne manque pas d'élégance. En bouche, il est souple, rond, assez corsé et plein de charme. Il semble même s'être étoffé vers la fin des années 80. Cependant, mieux vaut ne pas tenter le diable et ne plus l'attendre. **A consommer.** (1/90)

1975 • **93+** Honte à moi d'avoir sous-estimé ce vin lors des premières dégustations ! Depuis, j'en ai acheté aux enchères, pour son rapport qualité/prix des plus intéressants. Souple et léger dans sa jeunesse, il ne m'avait jamais paru très intense en comparaison de ses jumeaux de La Mission Haut-Brion et de La Tour Haut-Brion, deux spécimens phénoménaux. Cependant, il s'est bien amélioré ces dernières années et s'est considérablement étoffé (ou peut-être étais-je en mauvaise forme chaque fois que je l'ai dégusté dans sa jeunesse ?). Il a développé les arômes irrésistibles et complexes de tabac et d'herbes rôties, de cuir fin, de fumé et de doux fruit qui caractérisent les grands Haut-Brion. Très corsé et intense en bouche, où il révèle d'abondants tannins mûrs, il déploie une richesse et une intensité considérables. Ce vin est délicieux après 1 ou 2 heures de décantation, malgré son caractère tannique. Il est capable d'une garde de **15 à 20 ans encore.** Une chose est sûre : l'ayant dégusté près d'une demi-douzaine de fois en 1995, j'ai pu constater qu'il était vraiment formidable. Ne soyez pas étonné qu'il soit de nouveau noté à hausse : il n'est pas encore à son apogée. Impressionnant ! (12/95)

1974 • **76** Étant donné le caractère médiocre du millésime, ce Haut-Brion peut être considéré comme un relatif succès. Il est depuis longtemps arrivé à sa pleine maturité et libère, outre un fruit un peu maigre, un bouquet ouvert d'épices et de terre fraîche ; assez corsé, il présente aussi un caractère anguleux et une finale brève. **A boire – peut-être en déclin.** (3/79)

1971 • **88** A mon avis, le 1971 est le meilleur Haut-Brion produit entre 1966 et 1975. A son apogée depuis longtemps, il déploie des arômes somptueux, suaves et épanouis, richement fruités et marqués de terre fraîche. Relativement corsé, il révèle aussi un bouquet généreux, très intense et épicé, et un caractère souple et soyeux. Racé et délicieux, il doit être bu **rapidement.** (4/82)

1970 • **85** Quoique étonnamment peu corsé, le 1970 est assez plaisant et agréable, mais il manque de distinction. Ce vin anguleux est dépourvu de la complexité et des parfums exceptionnels qui caractérisent les meilleurs crus de la propriété. Déployant des senteurs végétales de tabac, il présente, outre un bon fruité épicé, une robe rubis moyen fortement ambrée sur le bord. Les tannins et l'acidité sont bien trop importants pour son fruit, sa richesse en extrait et son caractère glycériné. **A boire.** (6/96)

1966 • **86** Actuellement à son apogée, le 1966 exhale un séduisant bouquet fruité, modérément intense et bien marqué par le terroir. Il n'est ni très étoffé ni très riche, et serait même plutôt un peu maigre et léger. Il est agréable et séduisant, mais c'est, disons, un second couteau parmi les Haut-Brion, qui n'a pas tout à fait le niveau d'un premier cru. **A boire.** (11/84)

1964 • **90** Alors que 1964 a été une année très inégale pour les Médoc, en raison des fortes pluies qui se sont abattues sur de nombreux vignobles, elle a été très bonne pour les Graves. Le Haut-Brion 1964 est à pleine maturité, comme le montre sa robe au bord ambré. Il déploie un bouquet merveilleusement riche de terre fraîche, de tabac et de minéral. Épanoui, profond, souple et voluptueux en bouche, il est corsé et doit être bu **rapidement**, car il pourrait bien être près de sa fin. (10/88)

1962 • **88** Le 1962 s'est toujours présenté comme un excellent Haut-Brion, que j'ai régulièrement noté entre 85 et 95. La bouteille objet de la présente note révélait un vin épicé et doux, aux senteurs de tabac, d'herbes rôties, de fruits noirs et rouges. L'ensemble, moyennement corsé, rond et opulent, était à parfaite maturité. **A boire.** (12/95)

1961 • **100** Ce vin grenat foncé incarne la perfection, avec ses arômes fabuleusement intenses de tabac, de cèdre, de chocolat, de minéral et de doux fruits noirs et rouges rehaussés de chêne fumé. Il s'est toujours montré prodigieux, extrêmement corsé, déployant par paliers un doux fruit visqueux qui évoque la confiserie. Vraiment stupéfiant ! **A boire jusqu'en 2005.** (3/97)

Millésimes anciens

Le 1959 (noté 93) et le 1947 (noté 86) que j'ai dégustés en décembre 1995 m'ont déçu. La plupart des 1959 que j'avais goûtés auparavant méritaient une note entre 96 et 100, et étaient capables de rivaliser avec le splendide 1961. Cependant, si la bouteille objet du présent commentaire était extraordinaire, elle m'a révélé un vin moins concentré, moins structuré et moins évolué que le 1961. En outre, il présentait un caractère rôti moins prononcé et des arômes moins doux et moins onctueux que les exemples précédents.

En janvier 1997, j'ai pu déguster le Haut-Brion 1957 (noté 90). Ce vin doté de manière impressionnante, marqué d'un caractère exceptionnellement fumé, doux et riche était à parfaite maturité, comme l'attestait d'ailleurs sa robe grenat sombre fortement nuancée de rouille. Ce vin très parfumé, charnu et savoureux regorge d'un doux fruit généreux et bien glycériné. C'est un autre exemple de très haut vol issu d'un millésime sous-estimé.

D'un rubis profond très marqué par des touches ambrées et rouille, le 1955 (noté 97 en octobre 1994) offre un bouquet énorme et odorant de noix, de tabac et de pierre mouillée et des senteurs fumées qui rappellent le cassis. Moyennement corsé et extraordinairement riche d'élégance et de douceur, il est extrêmement concentré et parfaitement rond. Ce vin remarquablement jeune et impeccablement équilibré pourra tenir encore **10 à 20 ans.**

Il vaut mieux acheter le Haut-Brion 1953 (noté 95 en octobre 1994) en magnum ou en grand format. Bien qu'il ait été à maturité dès sa diffusion, il a conservé toutes les caractéristiques de ce cru et révèle encore des arômes très mûrs de cuir fin et de feuille de tabac. Extrêmement doux, vêtu d'une robe ambrée sur le bord, il présente toujours un fruité riche et crémeux, et se montre moyennement corsé. Il faut le boire **maintenant**, mais il convient de se montrer prudent avec les bouteilles de 75 cl.

Le 1949 (noté 91 en décembre 1995) libère les arômes de cigare et de cendrier typiques de Haut-Brion, ainsi que des senteurs d'herbes rôties et de fruit mûr. D'un grenat moyen fortement nuancé de rouille sur le bord, il se montre moyennement corsé en bouche, avec des arômes ronds, souples et doux. Ce vin demeure exceptionnel bien qu'il ait passé sa prime jeunesse, mais je conseille de le déguster **assez rapidement.**

Le 1947 et le 1948 ne m'ont pas particulièrement impressionné. Le second (noté 75 en mars 1997), issu d'une cave privée de Bordeaux, était atténué, sans tenue ni structure et, somme toute, assez ordinaire. Plusieurs dégustations du 1947 (mon année de naissance) m'ont révélé un vin trop alcoolique, desservi par une acidité en excès et dépourvu du caractère fruité et charnu nécessaire pour faire pièce à son imposante structure.

Merveilleusement caractéristique des vins de cette propriété, le 1945 de Haut-Brion (noté 100 en octobre 1994) se montre profond, avec une robe grenat, opaque et saine, qui n'est que très légèrement ambrée sur le bord, et un bouquet entêtant et énorme de fruits noirs et doux, de noix fumée, de tabac et de nicotine, qui jaillit littéralement du verre. Extraordinairement dense et massivement extrait, il libère en bouche des arômes onctueux et corsés ne révélant que peu de tannins, mais d'importants niveaux de glycérine et d'alcool. Il est encore fabuleusement riche et se pose comme un exemple monumental de Haut-Brion à pleine maturité ne présentant aucun signe d'altération. Fabuleux !

Le Haut-Brion 1943 (noté 89 en janvier 1997) est des plus intéressants ; il semblerait même que ce soit le millésime le mieux réussi des années de guerre. Mis en bouteille après la fin du conflit, il révèle une robe d'un grenat profond et un nez de terre fraîche, de goudron fondu et de viande mûre. Ses arômes provocants préludent à un vin dont le doux fruit est étayé par des tannins astringents. La finale est sèche et anguleuse. C'est un ensemble extrêmement complexe, fruité à l'attaque, qui s'amenuise cependant pour se révéler austère et anguleux en bouche.

Le millésime 1937 a la réputation – parfaitement justifiée, d'ailleurs – d'être plutôt dur. Austère et très tannique, le Haut-Brion de cette année (noté 89+ ? en décembre 1995) se distingue par sa robe sombre, dense et resplendissante, à peine ambrée sur le bord, et par son nez de minéral, de tabac, de cèdre et de café, qui introduit en bouche un vin musclé et assez corsé, débordant de puissance et de fruit. Cependant, le tout est dominé par les tannins légendaires inhérents au millésime. Le magnum que j'ai goûté aurait pu se maintenir **20 à 30 ans encore, voire davantage.**

Mes notes sur le 1928 (97 en octobre 1994) sont mitigées. A son meilleur niveau, ce vin est le plus concentré que je connaisse de ce château. Il montre un caractère énorme et charnu de nicotine, de caramel et de fruits noirs confiturés, ainsi qu'une texture onctueuse, et suinte littéralement du verre jusqu'au palais. Dans certaines dégustations, il m'a paru trop mûr, mais toujours sain et intact. Cependant, il est aussi très étrange, à cause de ce côté excessif, et semble vraiment hors du temps.

Le millésime 1926 (noté 97 en mars 1998), qui est l'un des meilleurs de sa décennie, a souvent été éclipsé par les 1921, 1928 et 1929. Ce Haut-Brion particulièrement réussi est d'un style inhabituel, dense et doux, avec un côté rôti et chocolaté. Sa robe est impressionnante, légèrement ambrée sur le bord, et il exhale un nez énorme de tabac, de menthe, de chocolat, de noix grillée et de canard fumé. Très corsé et très puissant, il est d'une épaisseur et d'une onctuosité étonnantes, mais aussi extrêmement tannique et rustique. Ce vin atypique se conservera **encore 20 à 30 ans.**

Impressionnant par sa robe dense, le Haut-Brion 1921 (noté 79 en décembre 1995) est extrêmement tannique et dégage un nez de vieux cuir, de sueur et de renfermé, entremêlé de vagues notes de café, de chocolat et d'herbes rôties. Il se révèle assez rugueux et plutôt disjoint, du fait de ses tannins rugueux.

BLANC

1996 • **93** Le Haut-Brion 1996 s'impose comme la réussite de ce millésime, que l'on connaît généralement pour ses vins blancs secs maigres et marqués par un très haut niveau d'acidité. Exceptionnel de concentration et étayé par une heureuse acidité, il se dévoile de manière fabuleuse en bouche, révélant par paliers des arômes d'agrumes, d'olives et de fumé. Moyennement corsé et relativement peu évolué, il requiert une assez longue garde pour que sa structure s'arrondisse. **A boire entre 2010 et 2025.** (11/97)

1995 • **92** Le Haut-Brion 1995 contient moins de sémillon que de coutume ; en effet, Jean Delmas estimait que ce cépage avait davantage souffert de la sécheresse que le sauvignon blanc. Ce vin est donc moins ample et moins grandiose que les autres millésimes, ce qui ne l'empêche pas de demeurer l'une des deux ou trois réussites de l'appellation en 1995. D'un or assez léger, il exhale un nez mielleux d'agrumes rehaussé de subtiles touches de chêne grillé et se montre moyennement corsé en bouche, où il révèle une concentration et une précision des plus exquises. Ce vin merveilleusement pur se refermera certainement pour ne se rouvrir qu'au terme d'une garde de 8 à 10 ans environ. **A boire entre 2007 et 2025.** (11/97)

1994 • **98** Ce vin blanc spectaculaire pourrait aisément rivaliser avec son aîné de 1989. Issu d'une récolte rentrée à la fin du mois d'août, il rappelle un grand cru de Bourgogne par sa belle onctuosité et se distingue par un nez absolument superbe de fruits confits et de chêne fumé, plus développé et plus ostentatoire que celui de son jumeau de Laville Haut-Brion. Fabuleusement riche et de bonne mâche, il manifeste une pureté et une précision d'excellent aloi. Ce vin très corsé et somptueux d'intensité devrait parfaitement se maintenir **30 ans, voire plus.** (7/97)

1993 • **94** Légèrement supérieur au 1992, le 1993 exhale un nez flatteur d'huile, de minéral, de fruits confits et de fruits mûrs. En bouche, il est très corsé et très concentré, avec une acidité admirable, une vivacité et une précision dans le dessin assez extraordinaires. Sa finale est riche, longue, sèche et rafraîchissante. Ce vin riche révèle plus de complexité aromatique que le 1992, il est plus musclé et davantage marqué par la mâche, mais tous deux résisteront parfaitement à l'épreuve du temps, sur **30 ans et plus.** (11/94)

1992 • **93** Le Haut-Brion 1992 est un monument, au nez énorme et ostentatoire de fruits doux et confits. Très corsé, avec un fruité généreux qu'il déploie par paliers, il est crémeux et charnu, et se montre plus évolué et plus spectaculaire que son jumeau de Laville. Il déploie également une belle acidité, ainsi qu'une finale explosive, longue et sèche. Ce vin éblouissant a une longue vie de **30 ans et plus.** (1/94)

1989 • **98** Il est difficile de savoir si le Haut-Brion 1989 se révélera meilleur que le 1994 et le 1985, tous deux très profonds, mais il s'agit incontestablement du vin blanc le plus riche et le plus ample que je connaisse de cette propriété. Jean Delmas estime qu'il évoque un grand cru de Bourgogne par son caractère charnu et de bonne mâche. Ce vin somptueux, produit à hauteur de 600 caisses seulement, est riche et alcoolique, étonnamment long et étoffé, avec de très caractéristiques arômes de minéral et de miel. Sa faible acidité suggère qu'il sera de moins longue garde que de coutume, mais je le crois tout de même capable de se maintenir 25 ans encore. Quel chef-d'œuvre ! **A boire jusqu'en** 2025. (1/97)

1988 • 85 Serré, avec un nez réticent et peu intense de minéral, de citron, de figue et de melon, le 1988 se distingue par sa structure serrée et par son acidité assez élevée. Il sera incontestablement de très longue garde ; reste à savoir s'il s'affirmera en développant davantage de charme. **A boire jusqu'en 2005.** (4/91)

1987 • 88 Ce vin, qui continue d'évoluer de belle manière, présente un nez élégant et modérément intense d'herbes, de minéral crémeux et de figue. Moyennement corsé et merveilleux de concentration, il est très parfumé, malgré son caractère délicat. Vous apprécierez ce vin à l'équilibre impeccable ces **toutes prochaines années.** (11/90)

1985 • 97 Ce vin se révèle absolument renversant depuis sa plus petite enfance. Incroyable de richesse, il est gras et velouté, et suinte littéralement d'un fruité aux notes de melon, d'herbe et de figue. L'ensemble, voluptueux, manifeste une longueur, une richesse et un caractère d'excellente tenue. Il ne s'est jamais refermé après la mise en bouteille, et demeure extrêmement corsé, intensément concentré et fabuleux de précision. Si vos moyens financiers vous le permettent, il serait intéressant de le déguster pour fêter la fin de ce siècle. **A boire jusqu'en 2020.** (1/97)

Millésimes anciens

Je n'ai pratiquement aucune note de dégustation sur les vieux millésimes de Haut-Brion blanc. J'ai apprécié les 1981, 1982 et 1983 (notés entre 86 et 89), et je conserve un excellent souvenir d'un 1976 extrêmement puissant et corsé. Il s'agit en effet d'un cru très rare et difficile à trouver, en raison des toutes petites quantités produites.

Second vin

BAHANS HAUT-BRION – TRÈS BON

1997 • 86-87 D'un rubis foncé, le Bahans Haut-Brion 1997 exhale un nez de tabac, de terre, de prune noire et de mûre subtilement nuancé de minéral. Sa finale recèle des tannins légers. Il s'agit, dans l'ensemble, d'un vin ouvert et des plus plaisants, que vous apprécierez avant qu'il n'atteigne **7 ou 8 ans d'âge.** (3/98)

1996 • 88 Le Bahans Haut-Brion 1996 se montre sous un aussi bon jour qu'avant la mise en bouteille, ce qui indique peut-être qu'il faudra que je renote le grand vin à la hausse au terme d'un vieillissement supplémentaire de 1 an environ. Étonnamment puissant et riche, ce 1996 exhale un nez de tabac et de fruits noirs caractéristique de Haut-Brion. Moins précoce que de coutume, mais assurément bien doté, il se distingue par des senteurs et des flaveurs d'herbes rôties, de terre fraîchement remuée et de doux fruits noirs. Ce vin tannique et structuré sera à son apogée **entre 2002 et 2012.** (1/99)

1995 • **89** Le 1995 est parfumé, rond, complexe et élégant, avec toutes les caractéristiques du grand vin, mais il est moins profond et plus immédiatement séduisant. Très Graves avec son nez de fumé et de rôti et ses doux arômes de cerise noire et de groseille infusés de notes de fumé, il sera parfait ces **10 prochaines années.** (11/97)

1994 • **88** L'excellent 1994 n'a heureusement pas hérité le caractère creux qui dessert souvent les vins de ce millésime. De couleur rubis foncé, avec un excellent nez doux et épicé de cassis et de fumé, il se révèle étonnamment mûr, velouté et concentré en bouche, déployant une finale délicieuse et plaisante. Ce Bahans est bien meilleur que nombre de ses jumeaux, et devrait se conserver **5 à 8 ans, voire plus.** (1/97)

1993 • **87** Le 1993, vin complexe de couleur rubis foncé, déploie les senteurs de tabac, de terre et de groseille douce caractéristiques de Haut-Brion, mais il n'en aura jamais le caractère massif ni la longévité. Charmeur et souple en bouche, il libère la palette aromatique classique des vins du nord des Graves, et se révèle bien mûr, épicé, avec une faible acidité et une finale douce. **A boire dans les 7 ou 8 ans.** (1/97)

1992 • **85** Avec sa robe d'un rubis moyennement foncé et son nez herbacé de fruits noirs, le 1992 est souple, modérément corsé, plein de charme et harmonieux. **A boire dans les 3 à 5 ans.** (11/94)

1991 • **76** Le 1991 se révèle dilué et court en bouche, manquant à la fois de couleur et de fruité. (11/94)

1990 • **88** Le 1990 s'est bien étoffé depuis mes premières dégustations, malgré sa robe légèrement ambrée sur le bord. Son nez fumé de tabac herbacé, d'herbes rôties et de cassis introduit en bouche un ensemble charnu et souple, aux tannins bien fondus et à la finale confiturée et faible en acidité. **A boire dans les 5 à 7 ans.** (11/96)

1989 • **90** Je suis très impressionné par le caractère du Bahans Haut-Brion 1989. Ce vin délicieux, qui approche de la pleine maturité, conserve une robe intacte. C'est un Graves classique, au doux nez de cassis, de tabac et d'herbes rôties, et au caractère moyennement corsé, savoureux et charnu. Pur et bien fait, il est étayé par une faible acidité et devrait se maintenir encore **5 à 8 ans.** (11/96)

1988 • **86** Ce Graves classique exhale les légendaires arômes de tabac et de fruits noirs de l'appellation. Il séduit par son caractère moyennement corsé, souple et rond, et devrait se conserver **jusqu'en 2001.** (1/93)

1982 • **85** Il est difficile de croire que ce vin est toujours en bonne forme alors qu'il était déjà délicieux à 2 ans d'âge. D'un rubis moyen légèrement ambré sur le bord, il est typiquement Graves au nez, libérant des senteurs de minéral, d'épices, de tabac et de fruits noirs et rouges. Faible en acidité et moyennement corsé, il est souple et séduisant et doit être consommé **sans plus attendre**, car je doute qu'il s'améliore. (9/95)

LARRIVET-HAUT-BRION
Cru classé – équivaut à un cru bourgeois
Propriétaire : Andros SA
Adresse : 84, route de Cadaujac – 33850 Léognan
Tél. 05 56 64 75 51 – Fax 05 56 64 53 47
Visites : sur rendez-vous uniquement
Contacts : Christine et Philippe Gervoson

Superficie :
rouge – 32 ha ; blanc – 9 ha (Léognan – appellation Pessac-Léognan)
Vins produits :
rouge – Château Larrivet-Haut-Brion – 100 000 b ;
Domaine de Larrivet – 100 000 b ;
blanc – Château Larrivet-Haut-Brion – 25 000 b ; Domaine de Larrivet – 30 000 b
Encépagement :
rouge – 50 % cabernet sauvignon, 50 % merlot ;
blanc – 60 % sauvignon, 35 % sémillon, 5 % muscadelle
Densité de plantation : 7 200 pieds/ha – *Age moyen des vignes :* 20 ans
Rendement moyen : rouge – 40 hl/ha ; blanc – 38 hl/ha

Élevage :
rouge – fermentations de 21-28 jours à 26-28 °C ;
vieillissement de 18 mois en fûts (50 % de bois neuf) ; collage et filtration ;
blanc – fermentations en fûts neufs ; élevage de 12 mois sur lies ;
collage et filtration

A maturité : rouge – dans les 3 à 10 ans suivant le millésime ;
blanc – dans les 2 à 15 ans

Situé à 15 km de Bordeaux, dans la partie sud de l'appellation, à proximité du célèbre Haut-Bailly, ce domaine était au XIXe siècle l'un des plus importants de la région, avec 125 ha comprenant le château, un parc, quelque 50 ha de vignes et 60 ha de prairies et de pins. Il s'appelait alors Haut-Brion-Larrivet.

Dans les années 35, la crise de la viticulture et les arrachages successifs réduisirent considérablement la production de ce vignoble situé sur un sol de graves mélangées à des cailloux, à du sable et à d'autres éléments silico-argileux. Mais le château a retrouvé, avec son acquisition par le groupe Andros, en 1987, l'unité qui fut la sienne au début du siècle. Depuis 1996 – soit depuis qu'il bénéficie des talents conjugués de Michel Rolland et Jean-Michel Arcaute –, la qualité des vins s'est notablement améliorée.

ROUGE

1998 • **87-88** Ce cru arbore une robe d'un rubis-pourpre dense, et exhale un fabuleux nez d'herbes fumées, de viande et de cerise noire confiturée. Persistant, mûr et savoureux, il déploie en bouche un gras d'excellente facture, ainsi que des tannins doux. Ce vin merveilleux devrait développer les arômes complexes caractéristiques d'un Pessac-Léognan de très haut vol. **A boire entre 2002 et 2014.** (3/99)

1997 • **86-88** Le 1997 de Larrivet-Haut-Brion pourrait se révéler légèrement plus dense que le 1996, mais il est encore en cours d'élevage. Sa robe d'un rubis-prune foncé et soutenu accompagne un doux nez de terre et de fumé, nuancé d'herbes séchées, de fruits noirs et d'encens. Suit en bouche un ensemble moyennement corsé, impressionnant de maturité et faible en acidité, qui déploie en outre une texture opulente. Ce vin évolué et des plus charmeurs pourrait ultérieurement être renoté aux alentours de 89. **A boire jusqu'en** 2007. (1/99)

1996 • **87** Ce vin – l'une des grandes réussites de la propriété ces dernières années – m'a séduit. Sans être puissant ni massif, il se révèle moyennement corsé en bouche, où il dévoile de très expressifs arômes de tabac et de cassis. Savoureux et velouté, il présente, tant au nez qu'en bouche, des nuances de fumé. Ce vin racé et peu évolué peut être dégusté **entre 2001 et 2010.** (1/99)

1992 • **85** Le Larrivet-Haut-Brion 1992 est séduisant, avec sa robe foncée, de couleur prune, et son nez assez intense de cerise noire confiturée et de cake épicé. Doux, rond et moyennement corsé, il présente un beau fruité et une pureté admirable, ainsi qu'une finale de velours. Ce vin léger est aussi très aromatique. **A boire dans les 3 ans.** (11/94)

1990 • **86** Le très bon 1990 de Larrivet est typiquement Graves, avec sa robe d'un rubis profond et son nez fumé et herbacé de bois de cèdre. Tout à la fois moyennement corsé, souple et délicieux en bouche, il déborde littéralement d'un fruité de cerise qui se prolonge dans sa finale lisse. **A boire.** (1/93)

1989 • **73** Ce 1989 moyennement corsé présente une couleur légère assez douteuse, et des tannins verts astringents et en excès. Il ne vaut vraiment pas grand-chose. (1/93)

1988 • **85** Malgré son caractère léger, le 1988 de Larrivet-Haut-Brion est d'une belle couleur rubis et présente, outre un nez fruité aux notes de terre, des arômes ronds, mûrs et charmeurs. La finale révèle des tannins souples. **A boire jusqu'en 2004.** (1/93)

1986 • **78** Étonnamment léger et quelque peu aqueux, le 1986 arbore une robe d'un rubis moyen, et présente un fruité souple de fraise et de cerise. **A boire.** (3/90)

1985 • **84** Le principal mérite de ce vin réside dans son bouquet de tabac et de fruit mûr, très caractéristique des Graves. On aurait souhaité trouver en bouche davantage de chair et d'étoffe. **A boire.** (3/89)

BLANC

1996 • **74** Ce vin blanc sec légèrement corsé et assez ordinaire pèche surtout par son acidité piquante et trop importante. Il sera de longue garde, mais manque à la fois de chair et de maturité. **A boire entre 2000 et 2010.** (3/97)

1995 • **76** Ce vin moyennement corsé et piquant, étayé par une acidité très importante, est fortement boisé et (étonnamment) marqué par le soufre. Maigre et austère en bouche, il tiendra certainement **une bonne vingtaine d'années,** mais je doute qu'il révèle jamais du charme ou du fruit. (3/97)

1994 • **84** Ce vin assez peu corsé, au nez herbacé et fumé de miel, présente une concentration supérieure à la moyenne et un fruité sans détour. Sa finale est courte et compacte. **A boire dans les 4 ou 5 ans.** (3/97)

1993 • **75** Le 1993 présente des arômes plats, souples et faibles en acidité, qui manquent autant de précision que de concentration. Il s'amenuise considérablement en bouche, se révélant extrêmement dilué. (11/94)

1992 • **88** Voici une grande réussite de cette propriété. Un nez énorme, crémeux et mûr jaillit littéralement du verre, préludant à des arômes de cire, de minéral et de grillé qui évoquent le sémillon. L'ensemble, riche et très corsé, dévoile en bouche, par paliers, un fruité extrêmement glycériné. Vous apprécierez ce Graves blanc sec et délicieux, riche et explosif, d'ici 4 ou 5 ans. (1/94)

LATOUR-MARTILLAC – BON (en blanc)

Cru classé – équivaut à un cru bourgeois en rouge, mérite son rang de cru classé en blanc (depuis 1987)
Propriétaire : famille Kressmann
Adresse : chemin de la Tour – 33650 Martillac
Tél. 05 57 97 71 11 – Fax 05 57 97 71 17
Visites : du lundi au vendredi (10 h-12 h et 14 h-17 h), sur rendez-vous uniquement le week-end
Contact : Tristan Kressmann

Superficie :
rouge – 28 ha ; blanc – 10 ha (Martillac – appellation Pessac-Léognan)
Vins produits :
rouge – Château Latour-Martillac – 120 000 b ; Lagrave-Martillac – 45 000 b ;
blanc – Château Latour-Martillac – 45 000 b ; Lagrave-Martillac – 20 000 b
Encépagement :
rouge – 60 % cabernet sauvignon, 35 % merlot,
5 % cabernet franc, malbec et petit verdot ;
blanc – 55 % sémillon, 40 % sauvignon, 5 % muscadelle
Densité de plantation : 7 600 pieds/ha
Age moyen des vignes : rouge – 35 ans ; blanc – 40 ans
Rendement moyen : rouge – 45 hl/ha ; blanc – 50 hl/ha

Élevage :
rouge – fermentations de 21 jours en cuves d'acier inoxydable thermorégulées ; achèvement des malolactiques pour une partie en fûts neufs, pour l'autre en cuves ;
vieillissement en fûts (50 % de bois neuf) ;
soutirage trimestriel ; collage ; légère filtration ;
blanc – fermentations en fûts (50 % de bois neuf) ; élevage de 15 mois sur lies ;
collage et filtration

A maturité : rouge – dans les 5 à 10 ans suivant le millésime ;
blanc – dans les 3 à 7 ans

Si l'on considère l'ancienneté moyenne des domaines des Graves, Latour-Martillac (qui a retrouvé son orthographe originale au début des années 90, après s'être longtemps appelé « La Tour ») est relativement récent, puisqu'il date du milieu du XIXe siècle. Il appartient à l'une des familles les plus connues du Bordelais, les Kressmann, depuis 1929. C'est Tristan Kressmann qui en assure aujourd'hui la direction.

Le vignoble se situe sur une croupe graveleuse, non loin du Château La Garde. Une parcelle de pieds de blancs greffée en 1884 est toujours en production.

Le vin blanc, qui s'est remarquablement amélioré depuis le millésime 1987, compte maintenant parmi les Graves les plus profonds. Malheureusement, on ne peut en dire autant du rouge, qui demeure un vin commun et médiocre, avec cependant quelques agréables arômes de cerise. Même en 1982 et 1989, deux années pourtant opulentes, il se révèle compact, rudimentaire et sans distinction.

ROUGE

1998 • **87-88** — Bien réussi pour la propriété, le 1998 est concentré, avec un doux fruité de cassis et de grillé nuancé de terre et de goudron. C'est un excellent vin, moyennement corsé et bien équilibré, doté de tannins mûrs, qu'il faudra apprécier **entre 2003-2016.** (3/99)

1997 • **86-87** — Plus riche et plus doux que son aîné d'un an, le 1997 de Latour-Martillac est également plus coloré, plus persistant et plus richement extrait. Le nez libère des notes de chêne grillé et fumé, et la bouche séduit par ses arômes de cassis aux nuances de réglisse. Ce vin tiendra bien **10 à 12 ans.** (1/99)

1996 • **83** — Moyennement corsé et sans détour, le 1996 de Latour-Martillac offre un fruité modérément intense, bien épicé, mais manquant quelque peu de complexité. C'est un vin léger, assez tannique, qu'il faut boire **entre 2002 et 2008.** (1/99)

1995 • **86** — Un nez fumé d'olives, de tabac, de cassis et de cerise introduit en bouche le 1995 de Latour-Martillac, un vin élégant, doux et souple. **A boire dans les 10 ans.** (11/97)

1994 • **81 ?** — Rubis-pourpre foncé, la robe du 1994 laisse deviner une bonne maturité et une belle richesse en extrait, mais ce vin présente peu d'intérêt d'un point de vue aromatique. En effet, il est complètement fermé, compact et dur en bouche, avec une petite pointe d'un fruité doux. Sa finale n'est que tannins astringents, acidité, boisé et alcool. Je ne suis pas sûr qu'il puisse se conserver longtemps, mais je le pense meilleur qu'il ne se révélait au moment de ma dégustation. (1/97)

1993 • **84** — Le 1993, raisonnablement bien fait, exhale le nez classique d'un jeune bordeaux, aux notes vanillées de terre, de crayon et de cassis, et libère encore, après aération, quelques senteurs herbacées de poivre vert – la marque du millésime. Épicé, moyennement corsé et modérément tannique, il montre une légère tendance à la maigreur et à l'austérité. **A boire dans les 4 ou 5 ans,** avant qu'il ne se dessèche. (1/97)

1992 • **75** — Le 1992 est incontestablement impressionnant par sa couleur rubis foncé très soutenue, mais, passé le premier bouquet, l'absence de nez, hormis de vagues notes herbacées de terre, peut légitimement susciter quelques inquiétudes. En bouche, c'est une explosion de tannins, d'arômes boisés et de terre, mais on relève peu de fruité, de maturité ou de charme. **A boire d'ici 3 ou 4 ans,** avant qu'il ne perde davantage de son maigre équilibre. (11/94)

1991 • **76** — Le 1991, légèrement corsé, agressif et herbacé, doit être dégusté dans les 3 **ou 4 ans.** (1/94)

1990 • **85** — Ni puissant ni massif, le 1990 de Latour-Martillac est assez corsé et élégant, avec des parfums de terre, de petits fruits et de minéral. Très mûr en bouche et extrêmement accessible, il déploie des tannins souples, une belle profondeur et une grande finesse, ainsi qu'un bel équilibre d'ensemble. **A boire dans les 7 ou 8 ans.** (1/93)

1989 • **80 ?** Il semble bien que les propriétaires aient essayé en 1989 de produire un vin plus dense et plus riche que de coutume, mais, ce faisant, ils ont extrait un excès de tannins plutôt astringents et déplaisants. L'ensemble est très boisé, rugueux et manque de charme. **A boire jusqu'en 2000.** (1/93)

BLANC

1996 • **75** Fait du même métal que le 1995, en moins concentré et en plus marqué par l'acidité, le 1996 de Latour-Martillac révèle des notes de chêne grillé et fumé nuancées de citron et de melon. Extrêmement acide en bouche, il ne développera pas, je le crains, beaucoup de charme. **A boire jusqu'en 2006.** (11/97)

1995 • **85** Marqué par l'acidité et par un boisé agressif, le 1995 présente, tant au nez qu'en bouche, des arômes herbacés de citron et d'autres agrumes. Moyennement corsé, avec une finale courte, mais plaisante, il devrait tenir 10 à 15 ans, compte tenu de son niveau d'acidité plus élevé que de coutume. On remarque cependant un caractère dur en milieu de bouche et en finale. **A boire jusqu'en 2005.** (11/97)

1994 • **90** Charnu et bien doté, le 1994 exhale des arômes généreux et intenses de chêne neuf et fumé, de fruit mûr et de figue. Riche et faible en acidité, il est onctueux et très concentré en bouche, mais peut-être un peu plus lourd que ses jumeaux de l'appellation. Vous apprécierez ce vin moyennement corsé ces **8 à 12 prochaines années.** (3/97)

1993 • **89** Moyennement corsé, avec un abondant fruité riche et concentré, le 1993 est également d'une merveilleuse précision et recèle une bonne acidité sous-jacente. Sa finale est longue, avec des arômes de fumé et de miel. **A boire dans les 10 ans.** (11/94)

1992 • **90** Issu de rendements raisonnables, le 1992 exhale un nez énorme, riche, mielleux et fumé, et déborde en bouche d'un fruité magnifique, marqué par la mâche. Il s'y montre moyennement corsé, pur et d'une merveilleuse précision dans le dessin, avec une finale remarquable et sèche. **A boire dans les 6 ou 7 ans.** (1/94)

1991 • **86** Le 1991 se montre délicieusement fruité et moyennement corsé, dans un ensemble très élégant. Ce Graves racé et léger, d'une belle profondeur, déploie un nez intense et une finale superbe et vive. **A boire d'ici 4 ou 5 ans.** (1/94)

1989 • **88** Quoique moins concentré que le 1987 ou le 1988, le 1989 de Latour-Martillac séduit par son nez d'herbe, de boisé et de citron, ainsi que par ses arômes bien persistants, moyennement corsés, richement fruités et souples. Ce vin d'ores et déjà délicieux ne tiendra cependant pas longtemps, du fait de sa faible acidité. **A boire.** (4/91)

1988 • **90** Le 1988 illustre un Graves à son niveau le plus complexe et le plus délicieux. Le nez de chèvrefeuille, d'épices, de melon et de figue est suffisamment boisé pour être précis et complexe, et la bouche révèle un ensemble moyennement corsé, persistant et riche, d'une excellente précision dans le dessin. La finale, étonnamment fraîche, mais corsée, est très intense. **A boire.** (2/91)

1987 • **88** Je l'ai dit maintes fois : si 1987 est un millésime assez piètre dans l'ensemble, il est cependant excellent pour les Graves blancs. Or, la plupart des critiques l'ont unanimement condamné, suivant une analyse plutôt manichéenne des choses. Latour-Martillac de cette année exhale un nez de miel, d'herbes et de fumé, et révèle en bouche des arômes riches, moyennement corsés et merveilleusement précis, qui se prolongent dans une finale opulente, persistante et bien relevée. **A boire.** (4/91)

LAVILLE HAUT-BRION - EXCEPTIONNEL

Cru classé – mérite son rang
Propriétaire : Domaine de Clarence Dillon SA
Adresse : 33600 Pessac
Tél. 05 56 00 29 30 – Fax 05 56 98 75 14
Visites : sur rendez-vous uniquement
Contact : Carla Kuhn

Superficie : 3,7 ha (Pessac – appellation Pessac-Léognan)
Vin produit : Château Laville Haut-Brion – 13 200 b (pas de second vin)
Encépagement : 70 % sémillon, 27 % sauvignon, 3 % muscadelle
Densité de plantation : 10 000 pieds/ha – *Age moyen des vignes :* 51 ans

Élevage :
fermentations à 20 °C et vieillissement de 15 mois en fûts neufs ;
collage au blanc d'œuf ; pas de filtration

A maturité : dans les 10 à 45 ans suivant le millésime

Après de nombreuses péripéties, qui, depuis le Moyen Age, firent passer ce château de main en main, Laville, qui tenait son nom d'un certain chevalier Arnaud de La Ville, seigneur du domaine au début du XVIIe siècle, devint Laville Haut-Brion au moment de son acquisition, en 1931, par Frédéric Woltner, propriétaire de La Mission Haut-Brion. Depuis 1983, il appartient à la société Domaine de Clarence Dillon.

Ce petit vignoble donne l'un des vins blancs français ayant le plus grand potentiel de garde. Le sol y est moins graveleux et plus lourd qu'à La Mission Haut-Brion, et le volume produit est faible, ce qui explique la relative rareté du vin. Le Laville Haut-Brion est fermenté et élevé en fûts de chêne neuf, et il développe au vieillissement une richesse crémeuse, aux notes de cire. Délicieux en fût, il se ferme cependant après la mise en bouteille, pour, parfois, ne se rouvrir qu'au terme d'une garde de 5 à 10 ans. Sa belle réputation et sa très haute qualité se répercutent évidemment sur les prix, qui sont très élevés. C'est peut-être ce qui explique que presque toute la production (95 %) soit exportée.

1996 • **90** Le 1996 est probablement l'un des vins les plus légers produits à la propriété dans les années 90. Il regorge cependant d'un riche fruité de melon et d'agrumes fabuleusement complexe et élégant. Sans être aussi corpulent ni aussi massif que le 1994 (un véritable monstre), il est impressionnant, avec son caractère net, vif et racé, qu'il exprime avec retenue et discrétion. L'ensemble est étayé par une acidité de bon niveau. Ce vin tiendra parfaitement **12 à 15 ans, voire plus.** (11/97)

1995
•
88

Quoique dépourvu de la complexité et de l'intensité du 1994 et des autres meilleurs millésimes, le 1995 de Laville Haut-Brion se révèle tonique, présentant, à la fois au nez et en bouche, des arômes de figue mûre, de melon et de cire. Légèrement corsé et extraordinaire de pureté, il est étayé par une acidité de haut niveau et sera parfait **entre 2000 et 2010.** Un Laville savoureux et rafraîchissant. (11/97)

1994
•
94

Serré et moyennement corsé, le Laville Haut-Brion 1994 se distingue par un nez intense et doux de grillé, de minéral, de miel et d'épices. La bouche révèle un fruité mûr et assez intense, mais il s'agit, dans l'ensemble, d'un vin peu évolué, pas encore épanoui, capable d'une garde de **20 à 25 ans.** (3/97)

1993
•
90

Le 1993 pourra rivaliser avec son aîné d'un an au terme d'une garde supplémentaire de quelques années, mais, pour l'instant, il se montre plus serré et moins corsé que le 1992, plus gras et plus robuste. Peu évolué, mais racé et plein de finesse, il possède une structure riche et ferme, et dégage des arômes d'épices, de fruits confits et de chêne neuf et grillé, ainsi qu'une belle acidité. **A boire jusqu'en 2010.** (11/94)

1992
•
91

Le 1992 de Laville est l'un des Graves blancs secs les moins évolués qu'il m'ait été donné de déguster. Avec sa robe assez soutenue de couleur paille et son nez serré, mais prometteur et fruité, de cire, il se montre moyennement corsé en bouche, où il révèle une bonne acidité, ainsi qu'une mâche et une richesse opulentes. Bien qu'il ne soit pas aussi monumental que le 1989, ce vin d'une longueur phénoménale est de toute première classe. **A boire dans les 20 à 30 ans.** (1/94)

1989
•
96

Réussite sensationnelle pour Laville Haut-Brion ; ce vin au bouquet voluptueux de miel, de melon archimûr, de figue et de chêne neuf et grillé est un véritable tour de force. En bouche, il est formidablement riche, concentré et intense, avec un caractère qui le rapproche davantage d'un grand cru blanc de Bourgogne que d'un Graves austère. Il est faible en acidité et très alcoolique, ce qui laisserait penser qu'il faut le boire dans les 10 à 15 ans. Par sa puissance et son caractère somptueux, c'est peut-être le vin le plus formidable jamais élaboré au domaine. La production, très faible, était de l'ordre de seulement 900 caisses. **A boire jusqu'en 2020.** (4/91)

1988
•
87

S'il n'a pas l'immense stature, le caractère massif et la puissance du 1989, le 1988 est très joliment vinifié, avec un nez de melon et de cire nuancé d'herbes aromatiques et de chêne neuf. Supérieur au 1989 par son acidité et sa belle précision, mais dépourvu de son côté flamboyant, il devrait en tout cas fort bien vieillir ; à défaut de montrer la sensualité de son cadet d'un an, il se révèle très aromatique, dans un style plus délicat et plus raffiné. **A boire entre 2000 et 2010.** (3/97)

1987
•
86

Le 1987 est un très bon millésime pour les blancs des Graves. Ce Laville Haut-Brion est relativement léger, mais il libère des arômes merveilleusement précis d'herbes fraîches, de melon et de figue, et montre beaucoup de charme. L'ensemble, moyennement corsé, est aussi tonique, grâce à l'heureuse acidité qui l'étaye. **A boire jusqu'en 2001.** (1/90)

1986
•
–

Le château a vinifié un 1986, mais, avant la diffusion officielle, il l'a déclassé, considérant que la qualité ne répondait pas à son attente.

1985
•
93

Ce 1985 est un Laville Haut-Brion somptueux, riche et onctueux, qui a encore, je crois, de belles années devant lui. Il compte parmi les vins les plus puissants et les plus riches qu'ait produits le château, mais il est bien étayé par une heureuse acidité qui lui assure de l'équilibre et de la fraîcheur. Il n'a ni la puissance ni le caractère très épanoui du 1989, mais il est peut-être plus typique du domaine par sa richesse et sa plénitude. **A boire jusqu'en 2008.** (12/90)

Millésimes anciens

Je n'ai pas goûté le 1984 depuis qu'il a été mis en bouteille, mais le 1983 (noté 90) est un Laville élégant, racé et typique, alors que le 1982 (noté 87) est trapu, carré et assez lourd, sans la finesse et la distinction du précédent.

Parmi les millésimes plus anciens, j'ai dégusté un 1976 puissant et parfaitement mûr (noté 91), un 1975 (noté 90) racé, assez fermé, bien serré et au grand potentiel de garde, et de splendides 1966 (92) et 1962 (88).

En 1990, j'ai enfin eu la chance de goûter le Laville Haut-Brion que Michael Broadbent qualifiait de spectaculaire, le Crème de Tête 1945. Lors d'une dégustation à l'aveugle, à côté de la cuvée normale de Laville 1945, j'ai noté une grande différence entre les deux vins. Tous deux sont vraiment sensationnels et ressemblent davantage à un vieux et puissant Sauternes qu'à un Graves blanc. Ils sont massifs, riches et onctueux, mais également très secs, bien que leur générosité et leur plénitude les rendent extrêmement puissants en bouche. Mais le Crème de Tête est de loin le plus riche et le plus étoffé des deux, et je l'ai noté 93.

LA LOUVIÈRE – EXCELLENT

Non classé – équivaut à un 4ᵉ cru du Médoc
Propriétaire : André Lurton
Adresse : 33850 Léognan
Adresse postale : Château Bonnet – 33240 Grézillac
Tél. 05 57 25 58 58 – Fax 05 57 74 98 59
Visites : du lundi au vendredi (9 h-12 h et 14 h-17 h)
Contact : Véronique Bouffard

Superficie :
rouge – 33,5 ha ; blanc – 13,5 ha (Léognan – appellation Pessac-Léognan)

Vins produits :
rouge – Château La Louvière – 180 000 b ; L de La Louvière – variable ;
blanc – Château La Louvière – 50 000 b ; L de La Louvière – variable

Encépagement :
rouge – 64 % cabernet sauvignon, 30 % merlot,
3 % cabernet franc, 3 % petit verdot ;
blanc – 85 % sauvignon, 15 % sémillon

Densité de plantation : 6 500-8 500 pieds/ha – *Age moyen des vignes :* 20-22 ans

Élevage :
rouge – fermentations en cuves d'acier inoxydable thermorégulées ;
vieillissement de 12-18 mois en fûts (50-75 % de bois neuf) ; soutirage trimestriel ;
collage et filtration ;
blanc – fermentations en fûts (50 % de bois neuf) ; élevage de 9-10 mois sur lies ;

fréquents bâtonnages ; collage et filtration

A maturité : rouge – dans les 3 à 12 ans suivant le millésime ;
blanc – dans les 2 à 6 ans

Bien que non classé, La Louvière produit à l'heure actuelle des vins supérieurs à nombre de crus classés des Graves et qui, depuis quelques années, ont atteint le niveau d'un quatrième cru du Médoc. André Lurton a acquis le domaine en 1965, et il l'a considérablement rénové. Le vignoble est idéalement situé, entre Haut-Bailly et Carbonnieux.

André Lurton cherche à élaborer des vins qui soient accessibles rapidement sans pour autant sacrifier la concentration, la fraîcheur et le fruit, et il y réussit fort bien. Alors que les rouges étaient auparavant un peu en retrait par rapport aux blancs, très brillants, les choses ont changé depuis le milieu des années 80, et ils révèlent aujourd'hui la même excellence. En outre, La Louvière demeure notoirement sous-estimé, et les amateurs, s'ils en ont la possibilité, ne manqueront donc pas d'acheter de nombreuses bouteilles de ses vins, qui peuvent indiscutablement rivaliser avec les meilleurs Graves.

ROUGE

1998 • **87-88** La Louvière est généralement bien vinifié. Le 1998 s'annonce par une robe d'un pourpre profond et par un excellent nez d'herbes fumées et de cassis. Moyennement corsé et d'une admirable pureté, il se déploie en bouche par paliers, révélant un caractère modérément tannique et une finale persistante. Sans être puissant ni massif, il est élégant et joliment concentré, et séduit par ses tannins souples et par sa belle texture. **A boire entre 2001 et 2014.** (3/99)

1997 • **85-87** Plus évolué que son aîné d'un an, le 1997 de La Louvière présente d'intenses arômes de cerise noire et de cassis entremêlés de notes de chêne neuf grillé et fumé, le tout étayé par une faible acidité. C'est un vin moyennement corsé, charnu et épanoui, doté d'un fruité riche, qu'il faut apprécier **dans les 10 à 12 prochaines années.** (1/99)

1996 • **87** Cette propriété propose un 1996 mûr, arborant une robe d'un rubis-pourpre foncé, qui allie magnifiquement un doux fruité de cassis à des notes d'olives provençales, de réglisse, de fumé et de chêne neuf et grillé. Cet ensemble moyennement corsé et d'une grande douceur déploie en bouche, par paliers, une finale concentrée. **A boire entre 2003 et 2015.** (1/99)

1995 • **87** Ouvert et extrêmement séduisant, le 1995 dégage les arômes caractéristiques de La Louvière – tabac, fumé, herbes, groseille et cassis herbacés –, qui jaillissent littéralement du verre. D'une excellente maturité, il est souple, moyennement corsé, avec un délicieux fruité rôti. Un Graves classique. **A boire dans les 10 à 12 ans.** (11/97)

1994 • **89** Le 1994 de La Louvière – l'une des révélations du millésime – mérite assurément l'attention des amateurs. Sa robe d'un rubis-pourpre profond prélude à un nez provocant aux arômes herbacés de cassis et de fumé. L'ensemble qui suit en bouche est modérément tannique, mais également riche, dense et puissant, admirable de pureté, avec une excellente, voire une extraordinaire concentration. Ce vin doté de manière impressionnante sera parfait **entre 2000 et 2012.** (3/96)

1993 • **87** Arborant une robe très soutenue de couleur rubis-pourpre foncé, le 1993 présente un nez serré, mais prometteur, de cerise noire et de cassis mûrs, de minéral et de chêne neuf et grillé. En bouche, il manifeste une excellente concentration et déploie un gras de belle qualité (ce qui n'est pas le propre des rouges de cette année), se montrant mûr, avec de la mâche. Riche, long et capiteux, il développe une finale moyennement tannique. Son fruité et ses tannins pourraient laisser penser qu'il faut le boire rapidement, mais je pense qu'il pourra tenir encore **10 à 15 ans.** (11/94)

1992 • **87** Le 1992 est bien réussi. Vêtu de rubis-pourpre soutenu, il déploie un nez énorme, épicé et doux, de cassis, d'herbes et de tabac. En bouche, on décèle des arômes de cassis et de fumé judicieusement infusés de touches de chêne, qui lui apportent de la structure et de la douceur. Ce vin assez corsé, opulent, délicieux, est déjà complexe. **A boire dans les 7 ou 8 ans.** (11/94)

1990 • **90** Outre sa robe d'un pourpre soutenu, le 1990 de La Louvière présente un nez peu évolué de fruits noirs, de fumé et de viande grillée. Très corsé et faible en acidité, il est intense et concentré, et déborde littéralement d'un fruité tout à la fois pur, doux et mûr, qu'il dévoile en bouche par paliers. Ce vin, qui sera à son apogée d'ici 2 ou 3 ans, est déjà délicieux à la dégustation. Il tiendra bien **12 à 15 ans, si ce n'est plus.** (11/96)

1989 • **88** Vêtu d'un rubis-pourpre foncé à peine éclairci sur le bord, le 1989, souple et bien épanoui, exhale un nez mûr de groseille entremêlé de senteurs de chêne neuf, d'herbes, d'olives et de tabac. Ce vin moyennement corsé, souple et tendre, mais également opulent, tiendra parfaitement **8 à 10 ans encore.** (11/96)

1988 • **89** Le 1988 compte certainement au nombre des meilleurs La Louvière qu'il m'ait été donné de goûter ! Concentré et harmonieux, ce vin dégage un bouquet de cassis nuancé de délicieuses notes de fumé, et déferle littéralement en bouche, révélant un caractère à la fois opulent et généreux. Il est étoffé du début à la fin. Avec ses tannins veloutés, il est capable de bien évoluer et de bien vieillir. **A boire jusqu'en 2002.** (4/91)

1986 • **85** La Louvière est généralement destiné à être bu rapidement, et le 1986 ne fait pas exception à la règle. C'est un vin tendre, mais riche en arômes, avec un bouquet de fruits épicés, de tabac et d'herbe fraîche, une belle couleur et un caractère charnu, pulpeux et concentré. **A boire.** (3/89)

1985 • **85** Ce La Louvière est plus charpenté que de coutume, ce qui est un peu étonnant, compte tenu du caractère souvent un peu mou des 1985. Moyennement corsé, il dégage des arômes de prune très mûre et de tabac. **A boire.** (3/89)

1984 • **74** Trop léger et trop fragile, manquant à la fois de nerf et d'arômes, ce 1984 est tendre, fruité et frais, mais superficiel. **A boire.** (3/89)

1983 • **87** Une belle réussite pour La Louvière ! Lors d'une dégustation des plus grands Graves organisée à mon intention par l'Union des grands crus, ce vin arborait l'une des robes les plus soutenues. Relativement corsé, avec des tannins bien fondus, il présente maintenant, outre une belle plénitude et un excellent équilibre, de la profondeur et de la concentration, et des arômes charmeurs de terre fraîche et de tabac. **A boire jusqu'en 2000.** (1/88)

1982 • **87** Quoique parfaitement mûr dès sa mise en bouteille, ce vin n'a rien perdu de son doux fruit crémeux de groseille ni de ses arômes de tabac et d'herbes. Toujours souple et faible en acidité, il est délicieux en bouche, mais moins puissamment structuré, moins richement extrait, moins coloré et moins intense que les millésimes plus récents de la propriété, qui paraissent, de ce fait, moins charmeurs dans leur jeunesse. **A boire d'ici 3 ou 4 ans.** (9/95)

1981 • 75 1981 est le millésime le moins réussi du début des années 80 : ce La Louvière moyennement corsé est un peu maigre, légèrement austère, et relativement compact et insipide en bouche. **A boire.** (6/84)

1978 • 83 A pleine maturité depuis longtemps, La Louvière 1978 est délicieusement fruité, tendre, rond et souple, et déploie des arômes de petits fruits et de tabac. Relativement corsé, mais assez peu tannique, il est accessible et doit être bu **sans délai.** (12/84)

BLANC

1996 • 79 Une acidité très importante (la marque du millésime) confère à ce vin un caractère compact et atténué. Certes, il affiche une excellente pureté et déploie de séduisants arômes, mais son acidité est terrible. Peut-être s'adoucira-t-il en vieillissant, mais j'en doute. **A boire jusqu'en 2006.** (11/97)

1995 • 87 Ce vin moyennement corsé et étayé par une acidité assez importante exhale d'irrésistibles arômes d'herbes crémeuses, de figue et de chêne fumé. La bouche est ample, et la finale révèle un fruit net, riche et mûr. Quoique moins expressif et moins riche que le 1994 et le 1993, ce vin est bien réussi pour un Graves blanc de ce millésime. **A boire jusqu'en 2003.** (11/97)

1994 • 90 De piquantes senteurs de terre, de minéral et de fumé se conjuguent avec un fruit mûr dans un ensemble souple, moyennement corsé et concentré. Malgré sa finale persistante et imposante, La Louvière 1994 paraît moins structuré que ses jumeaux, si bien que je conseillerais de le déguster dans les **10 ans du millésime.** (6/97)

1993 • 90 Cette propriété produit des vins blancs et rouges de plus en plus remarquables. Vous ne serez donc pas surpris par son superbe 1993 moyennement corsé, aux senteurs de miel et de fumé, qui développe en bouche des arômes généreux et une magnifique pureté. Son potentiel de garde est **d'une dizaine d'années.** (11/94)

1992 • 87-89 Le riche 1992, à faire tomber à la renverse, explose littéralement d'un fruité aux arômes de melon, de miel, de fumé et d'herbes. Bien qu'il n'ait ni la complexité ni la longueur du 1993, je l'ai régulièrement bien noté. **A boire jusqu'en 2002.** (11/94)

1989 • 86 Ce La Louvière relativement gras, très ouvert et richement fruité, manque un peu de nerf et de précision. Il est en revanche carré, avec un fruit solide et un caractère assez accessible. Cependant, il ne tiendra pas très longtemps. **A boire.** (11/93)

1988 • 87 Ce 1988 montre à quel point La Louvière peut être bon. Étayé par une acidité suffisante qui contribue à son caractère harmonieux, il révèle en bouche, outre des arômes de melon et de figue, une belle richesse et beaucoup d'onctuosité. Il est également nuancé de chêne grillé, et même d'un soupçon de pierre à fusil dans la finale. C'est un Graves blanc extrêmement bien vinifié et charmeur. **A boire.** (4/91)

1987 • 85 1987 est un millésime très sous-estimé pour les Graves blancs. Cette année-là, La Louvière a produit un vin délicieux et onctueux, aux senteurs de melon et de figue. Moyennement corsé, avec une nuance de boisé, il est étayé par une bonne acidité et déploie une finale longue et vivace. **A boire.** (11/90)

MALARTIC-LAGRAVIÈRE

Cru classé – équivaut à un cru bourgeois
Propriétaire : Alfred-Alexandre Bonnie
Adresse : 43, avenue de Mont-de-Marsan – 33850 Léognan
Tél. 05 56 64 75 08 – Fax 05 56 64 99 66
Visites : sur rendez-vous uniquement
Contact : Bruno Marly

Superficie :
rouge – 22 ha ; blanc – 5 ha (Léognan – appellation Pessac-Léognan)
Vins produits :
rouge – Château Malartic-Lagravière – 50 000 b ; Le Sillage de Malartic – 35 000 b ;
blanc – Château Malartic-Lagravière – 15 000 b ; Le Sillage de Malartic – 10 000 b
Encépagement :
rouge – 45 % cabernet sauvignon, 35 % merlot, 20 % cabernet franc ;
blanc – 80 % sauvignon, 20 % sémillon
Densité de plantation : 10 000 pieds/ha
Age moyen des vignes : rouge – 28 ans ; blanc – 25 ans
Rendement moyen : rouge – 45 hl/ha ; blanc – 45 hl/ha

Élevage :
rouge – vendanges manuelles ; tri dans le vignoble ;
fermentations de 14-28 jours en cuves d'acier inoxydable thermorégulées ;
achèvement des malolactiques pour une partie en fûts, pour l'autre en cuves ;
vieillissement de 16-18 mois en fûts neufs ; collage ; pas de filtration ;
blanc – vendanges manuelles avec tris successifs ;
débourbage en cuves d'acier inoxydable ;
fermentations en fûts (1/3 de bois neuf) ; élevage de 8-9 mois sur lies ;
collage et filtration

A maturité : rouge – dans les 5 à 12 ans suivant le millésime ;
blanc – dans les 3 à 10 ans

Cette propriété, située sur une croupe de graves sise sur une terrasse entaillée par l'Eau Blanche, appartenait autrefois au groupe Laurent Perrier ; elle a été rachetée en 1997 par Alfred-Alexandre Bonnie et son épouse Michèle. Depuis, elle bénéficie d'un nouveau chai de vieillissement, et une nouvelle cuverie a été achevée à temps pour les vendanges 1998. Le château lui-même est en cours de rénovation. Les rendements ont été considérablement réduits – aux alentours de 45 hl/ha –, et le grand vin est désormais issu d'une sélection plus sévère (le 1996 est composé de 60 % de la récolte totale, les millésimes précédents de 85 %). Pendant longtemps, en effet, les rendements ont été ici très élevés, l'ancien propriétaire, Jacques Marly, estimant que de jeunes vignes et de hauts rendements permettaient d'obtenir des vins meilleurs – ce qui est pour le moins original.

Michel Rolland et Athanase Fakorellis supervisent la vinification des rouges, Denis Dubourdieu celle des blancs. On peut donc espérer des progrès, ce dont semblent témoigner les tout derniers millésimes.

ROUGE

1998
•
86-88
Le 1998 s'impose comme l'un des meilleurs Malartic-Lagravière que j'aie dégustés. Tout à la fois élégant, souple et racé, il n'est ni très puissant ni très massif, mais il séduit par ses arômes mûrs et fumés de cerise noire et de cassis, présentés dans un ensemble souple, rond, moyennement corsé et doté de belles proportions. Ce vin doux et charmeur est incontestablement séduisant, voire fascinant. **A boire d'ici 10 à 12 ans.** (3/99)

1997
•
85-87
Le 1997 est une belle réussite de cette propriété trop longtemps sous-performante. Arborant une robe soutenue d'un rubis moyen, ce vin exhale un nez de douce cerise noire et de cassis subtilement nuancé de boisé. La bouche révèle une pureté et une richesse en extrait d'excellent aloi, et développe par paliers une finale étonnamment persistante, moyennement corsée et généreusement dotée. **A boire entre 2002 et 2014.** (1/99)

1996
•
76
Le 1996 manque d'étoffe. Sa robe est d'un rubis léger clair, et son nez généreusement boisé dégage des senteurs modérément intenses de cerise. L'ensemble, moyennement corsé, déploie une finale plaisante, mais sans détour et unidimensionnelle. Ce vin tannique et structuré pèche par manque de richesse en extrait. **A boire entre 2001 et 2010.** (1/99)

1995
•
76
Moyennement corsé, sans détour et monolithique, le Malartic-Lagravière 1995 est excessivement boisé. Son doux fruité de prune et de cerise est éclipsé par son caractère tannique et boisé. (11/97)

1994
•
74
Le 1994, dont la couleur est moins soutenue que celle du 1993, semble dépouillé et maigre, avec un caractère creux et une finale toute boisée, tannique, acide et alcoolique. Je ne crois pas que ce vin sorte jamais de sa léthargie. (1/97)

1993
•
77
Le 1993 exhale un nez fugace de terre et de terroir vaguement marqué de notes de groseille, qui s'atténue rapidement dans le verre. Rubis foncé, il dégage des arômes herbacés d'olives et de poivre vert. Légèrement corsé et très tannique, il présente une finale de moyenne tenue. **A boire dans les 2 à 4 ans.** (1/97)

1992
•
71
Avec sa robe rubis moyen, le 1992 a un nez fermé, presque inexistant, qui offre avec réticence quelques senteurs de bois vert et d'herbes sèches et rances. Compact, sévère et sans charme aucun, ce vin aux tannins abominablement durs ne recèle que peu de fruité et ne présente aucune qualité qui puisse le racheter. (11/94)

1991
•
72
Le 1991 présente une couleur pâle et aqueuse, et exhale un vague bouquet mou de fruits rouges terreux et d'épices. Peu profond, il se montre tannique et acide en fin de bouche. (1/94)

1990
•
73
Ce vin excessivement fermé et réservé présente une robe terriblement légère et des arômes étonnamment herbacés. (1/94)

1989
•
82
Le 1989 est extrêmement subtil, relativement peu corsé et précoce, mais suffisamment charpenté pour tenir quelques années encore. **A boire jusqu'en 2007.** (4/91)

1988
•
77
Le 1988 est maigre, austère, peu corsé et trop policé... Je l'aurais aimé un peu plus turbulent. **A boire jusqu'en 2000.** (1/93)

1986 • **82** D'un rubis moyen, le 1986 est plaisant, mais sans grande distinction, et semble avoir quelque peu souffert des grosses pluies qui se sont abattues sur la région des Graves juste avant les vendanges. **A boire.** (11/90)

1985 • **84** Épanoui, modestement fruité et fortement marqué de chêne neuf, le 1985 est un vin très plaisant, mais sans beaucoup de nerf ni de puissance. **A boire.** (3/90)

BLANC

1996 • **79** Compte tenu du nombre de Graves sans distinction et marqués par une trop haute acidité dans ce millésime, le Malartic-Lagravière n'est pas aussi mauvais que pourrait le suggérer la note que je lui ai attribuée. Légèrement corsé et étayé par une acidité tonique, il est frais, avec des arômes de pamplemousse et une finale assez piquante. C'est un vin rafraîchissant, à boire dans les 10 **à 12 ans.** (11/97)

1995 • **86** Ce vin moyennement corsé et piquant présente un fruité vif et herbacé, et révèle en bouche un caractère d'une pureté appréciable, rehaussé de très belles notes minérales. Le boisé contribue à la précision de l'ensemble. **A boire entre 2000 et 2007.** (11/97)

1994 • **89** Voici probablement le meilleur vin produit à la propriété depuis de nombreuses années. Le 1994, qui contient du sémillon (les millésimes précédents sont entièrement composés de sauvignon), est plus riche et plus intense que de coutume. Ce Graves charmeur présente un nez piquant et épicé de melon et de miel subtilement marqué de notes herbacées. Frais, avec un doux fruit, il est moyennement corsé et d'une merveilleuse précision. **A boire dans les 15 à 20 ans.** (3/97)

1993 • **72** Très maigre, aqueux et légèrement corsé, le 1993 est vert, avec des arômes vraiment trop herbacés. (11/94)

1992 • **76** Si vous avez un penchant pour les arômes de petits pois et de citron pas mûrs, il y a des chances pour que vous appréciiez plus que moi le 1992 de Malartic-Lagravière. Coupant et anguleux en bouche, il montre une pureté, une légèreté et une grande austérité qui pourraient présenter quelque intérêt pour les masochistes, mais ce n'est décidément pas mon style. (1/94)

1990 • **?** Je trouve curieux que ce vin soit entièrement composé de sauvignon, qu'il subisse une fermentation en cuves d'acier inoxydable et qu'il y soit élevé 7 à 8 mois. Cela me semble étonnant, car cette propriété a souvent produit des vins secs ayant un caractère trop acidulé et acerbe. Il est certain qu'avec son acidité ce blanc est capable de tenir longtemps. Mais est-il vraiment susceptible de donner du plaisir ? J'en doute. (4/93)

1989 • **82** Apre et réservé, le Malartic-Lagravière 1989 ressemble davantage à un Muscadet qu'à un Graves, avec sa robe légère d'un jaune paille tirant sur le vert, son caractère réticent et sa finale peu impressionnante. **A boire.** (4/91)

1988 • **87** Ce 1988 est, à mon avis, l'un des meilleurs blancs jamais produits par cette propriété. Cependant, je dois avertir les éventuels amateurs que son remarquable bouquet de minéral, de petits pois et d'herbe fraîchement tondue peut être trop intense pour ceux qui préfèrent les vins discrets. En bouche, ce Malartic-Lagravière présente un fruit riche et vif de melon, mais il est un peu trop léger et austère en finale, avec une acidité quelque peu élevée. **A boire.** (4/91)

1986 • **81** Un peu dilué et léger, mais vif, âpre et rafraîchissant, ce vin plaisant (si on le prend pour ce qu'il est), couleur jaune paille, est moyennement corsé. A boire. (3/89)

1985 • **85** Ce séduisant Malartic-Lagravière dégage des senteurs prononcées d'herbe fraîchement coupée et de petits pois. Jaune paille assez clair et très fruité (pour changer), ce vin moyennement corsé, vif et austère ne présente aucun signe de déclin. A boire jusqu'en 2000. (3/89)

Millésimes anciens

Si Malartic-Lagravière n'est jamais profond ni sensationnel, il a la capacité de bien vieillir, comme le prouvent les 1971, 1975, 1978 et 1979 que j'ai pu déguster en 1988. En effet, tous ces vins étaient en bonne forme et présentaient même un bouquet assez séduisant et légèrement onctueux d'herbe et de melon. En revanche, ils laissaient une impression d'austérité et de maigreur en finale. Ce type de vin a ses partisans, mais je dois avouer que je n'en suis pas...

LA MISSION HAUT-BRION – EXCEPTIONNEL

Cru classé – équivaut à un 1er cru du Médoc
Propriétaire : Domaine de Clarence Dillon SA
Adresse : 33600 Pessac
Tél. 05 56 00 29 30 – Fax 05 56 98 75 14
Visites : sur rendez-vous uniquement
Contact : Carla Kuhn

Superficie :
20,9 ha (Pessac – appellation Pessac-Léognan)
Vins produits :
Château La Mission Haut-Brion – 70 000-100 000 b ;
La Chapelle de La Mission – 14 000 b
Encépagement : 48 % cabernet sauvignon, 45 % merlot, 7 % cabernet franc
Densité de plantation : 10 000 pieds/ha – *Age moyen des vignes :* 21 ans

Élevage :
vendanges manuelles ;
fermentations et cuvaisons en cuves d'acier inoxydable thermorégulées ;
vieillissement de 20 mois en fûts neufs ; collage au blanc d'œuf ; pas de filtration

A maturité : dans les 8 à 40 ans suivant le millésime, voire au-delà

La Mission Haut-Brion, qui se trouve à Talence, produit l'un des plus grands vins de tout le Bordelais. On découvre le domaine sur la N250, en face de son vieux rival, Haut-Brion. Il se distingue par une série pratiquement inégalée de vins brillants qui commence presque au début de ce siècle.

Au XVIIe siècle, Mme de Lestonnac légua La Mission Haut-Brion aux Pères lazaristes, qui mirent en valeur les vignes – surtout un certain père Simon. On sait que l'archevêque de Bordeaux et le maréchal de Richelieu servaient souvent ce vin à leur table. Une famille originaire de La Nouvelle-Orléans, les Chiapella, en fit l'acquisition au XIXe siècle, contribuant à sa renommée mondiale. Mais c'est avec son rachat par la famille Woltner, en 1919, que La Mission s'est haussé au niveau d'un premier cru du Médoc et de son voisin Haut-Brion – dépassant même souvent celui-ci, grâce au talent du regretté Frédéric Woltner et de son fils Henri.

Le génie de Frédéric Woltner est universellement reconnu dans le Bordelais. Cet homme était indiscutablement un dégustateur et un œnologue très doué, et il a fait preuve d'un esprit pionnier en installant, dès 1926, des cuves de fermentation en métal faciles à entretenir, grâce à leur revêtement intérieur de verre. Bien des connaisseurs attribuent le caractère dense, riche, puissant et fruité de La Mission à ces cuves assez ventrues, dont la forme favorisait le contact des peaux avec le jus au cours de la fermentation. Les propriétaires actuels ont remplacé le vieux matériel, et la cuverie est désormais équipée dans les règles de l'art et entièrement informatisée.

Les vins du domaine se distinguent généralement par leur intensité, leur corpulence, leur belle couleur, leur grande richesse en extrait et leur bonne dose de tannins. J'ai eu le plaisir de goûter les meilleurs millésimes à partir du 1921, et j'en ai conclu que La Mission est capable de bien évoluer en bouteille sur 30 à 40 ans. Il a toujours été plus riche et plus puissant que son rival par excellence, Haut-Brion. C'est pourquoi il s'est taillé une meilleure réputation (il faut ajouter qu'il se maintient à haut niveau dans les petits millésimes, de même que Latour, à Pauillac). C'est actuellement l'un des vins les plus prisés du Bordelais.

Henri Woltner est décédé en 1974, et La Mission a ensuite été dirigé par Françoise et Francis Dewavrin-Woltner. En raison de dissensions familiales, la propriété a dû être vendue en 1983 (comme l'ont été les deux propriétés sœurs, La Tour Haut-Brion et Laville Haut-Brion) ; elle a été rachetée par les propriétaires actuels. Les Woltner sont désormais installés à Napa Valley, en Californie, où ils produisent un vin de chardonnay issu des coteaux pentus de Howell Mountain.

Depuis 1983, Jean Delmas s'est efforcé d'imprimer aux vins du domaine sa conception de la vinification. Il a complètement remanié l'équipe de vinificateurs, entrepris la construction d'un cuvier considéré comme l'un des plus modernes au monde et augmenté la proportion de chêne neuf pour l'élevage (celle-ci avait baissé, à la suite des difficultés financières de l'époque Woltner). Aujourd'hui, comme Haut-Brion, La Mission Haut-Brion est élevé uniquement en fûts de chêne neuf. En outre, Jean Delmas a planté davantage de merlot, qui représente désormais 45 % de l'encépagement, au détriment du cabernet sauvignon et du cabernet franc.

Les premiers vins élaborés par la nouvelle équipe ont été bons, mais ils ne présentaient ni la puissance ni l'extraordinaire richesse qu'avaient déployées les millésimes antérieurs. Quoique techniquement corrects, ils étaient dépourvus de... quelque chose. Cependant, avec l'installation de nouveaux équipements, arrivés à temps pour la vinification du 1987, la qualité s'est de nouveau hissée au niveau de la grande époque. Le vin est plus franc, et des défauts tels que le niveau élevé d'acidité volatile que l'on pouvait discerner dans certains anciens millésimes ne risquent plus, à l'heure actuelle, de montrer le bout du nez... On peut donc dire que, après une période de transition, de 1983 à 1986, La Mission Haut-Brion produit désormais de très grands vins, comme le démontrent le 1987, l'un des meilleurs du millésime, le 1988, remarquable, et le 1989, splendide – très certainement la réussite de la décennie pour le domaine. Les millésimes des années 90 sont certes d'une qualité légèrement inférieure, ayant été compromis par les pluies de septembre, mais ils s'imposent incontestablement parmi les meilleurs bordeaux.

Il est peu probable que La Mission « nouveau style » puisse vieillir aussi bien que les millésimes d'antan, mais il n'est plus, dans ses premières années, aussi tannique et inaccessible qu'autrefois. La Mission Haut-Brion demeure du niveau d'un premier cru.

1998 • **91-94** Il est toujours intéressant de comparer La Mission Haut-Brion à Haut-Brion. En 1998, tous deux s'imposent comme des vins extraordinaires, mais La Mission est plus charnu, plus visqueux et plus corsé, tout en étant moins racé et moins complexe que Haut-Brion, plus nuancé et incarnant l'élégance même. Vêtu d'un pourpre dense et soutenu, La Mission Haut-Brion 1998 se présente comme un vin épanoui, ample et de bonne mâche, doté de tannins assez abondants, mais mûrs et doux. Cet ensemble très corsé et multidimensionnel est la plus belle réussite de la propriété depuis les 1989 et 1990. Il sera à son apogée **entre 2003 et 2025.** (3/99)

1997 • **86-87** Très accessible, ce vin moyennement corsé présente un fruité souple et mûr de cassis nuancé de tabac et marqué de notes de pierre chaude et d'épices. Faible en acidité et charmeur, il pèche un peu par manque de corpulence et de persistance. Néanmoins, il est ouvert et savoureux, et sera des plus séduisants ces **10 à 12 prochaines années.** (1/99)

1996 • **89+ ?** Exactement comme son jumeau de Haut-Brion, le 1996 de La Mission Haut-Brion s'est révélé fermé et peu évolué lors de ma dégustation de janvier 1999. Mis en bouteille en juin 1998, il aurait dû, à mon sens, avoir surmonté le traumatisme du passage du bois au verre. Il recèle cependant un potentiel énorme, et je ne serais pas autrement surpris de devoir lui attribuer une note extraordinaire au terme d'une garde de 2 à 4 ans. D'un prune-pourpre resplendissant, il exhale des arômes de fruits noirs, de fumé et de minéral typiques de son terroir, et se montre moyennement corsé et modérément tannique en bouche, où il dévoile encore des notes de cèdre. La finale était totalement fermée, et j'ai eu l'impression que les tannins pourraient éventuellement prendre le dessus sur le fruité de l'ensemble. Ce vin musclé et structuré mettra plus longtemps à affirmer sa vraie personnalité que je ne l'avais pensé de prime abord. **A boire entre 2007 et 2020.** (1/99)

1995 • **91** Serré et fermé lors de ma dernière dégustation, le 1995 de La Mission ne révélait pas les mêmes parfums ni le même caractère précoce que lorsqu'il était encore en fût. Ne vous en faites pas, cependant : il est incontestablement de très haut vol et très racé, avec sa robe d'un rubis-pourpre dense qui précède un nez réticent, mais prometteur, aux doux arômes d'herbes rôties, de poivre et d'épices. Moyennement corsé, il est admirable de richesse, de puissance et de profondeur, mais, aussi extraordinaire soit-il, ne comptez pas qu'il surpasse en qualité des millésimes comme le 1994 ! **A boire entre 2003 et 2020.** (11/97)

1994 • **91** Le 1994 est extraordinaire, étonnamment évolué et velouté, avec une couleur pourpre foncé qui laisse deviner une très grande richesse en extrait. Son nez très aromatique, aux notes de fumé, de tabac, de cuir, d'herbes rôties et de cassis, est absolument renversant. Il se révèle voluptueux, rond et moyennement corsé en bouche, débordant littéralement de fruit, de glycérine, de complexité et de charme. Ce vin intensément parfumé est extrêmement ouvert, du moins pour l'instant. **A boire jusqu'en 2015.** (1/97)

1993 • **90** La Mission Haut-Brion 1993 est l'un des vins les plus prometteurs de l'année, et Jean Delmas peut, à juste titre, être fier des résultats qu'il a obtenus, sur les trois propriétés qu'il gère (Haut-Brion, La Mission Haut-Brion et La Tour

Haut-Brion), dans ce millésime grandement compromis par les pluies. La robe profonde, rubis-pourpre, de ce grand Graves prélude à un nez provocateur de cassis, de minéral, de fumé et de chêne doux. Moyennement corsé, avec des tannins étonnamment souples, ce vin est élégant et riche en bouche. Il s'agit d'un cru complexe et pur, dénué de tout caractère végétal ou astringent, que vous pourrez déguster pour votre plus grand plaisir, malgré sa finale quelque peu tannique. **A boire jusqu'en 2010.** (1/97)

1992 • **89** De couleur rubis foncé, avec un nez intense de cassis, de minéral et de fleurs, le 1992 libère en bouche des arômes souples et moyennement corsés, qui se déploient en cascade. Doux et opulent, il est très gras, et présente une finale somptueuse et vigoureusement alcoolique. Ce vin, auquel j'attribuerai peut-être une meilleure note dans l'avenir, est à déguster dans le courant des **10 prochaines années.** (11/94)

1991 • **87** Le 1991 de La Mission est un vin très réussi, à la robe d'un rubis profond et au nez très aromatique de fumé, de minéral et de fruits rouges. Suave, élégant et riche, avec des flaveurs harmonieuses bien accompagnées par un gras remarquable, il se montre long, moyennement corsé et bien équilibré. Tout à fait mûr, goûteux et aromatique, ce vin précoce est d'une excellente tenue pour le millésime. **A boire jusqu'en 2006.** (1/94)

1990 • **94+** Le 1990 de La Mission s'améliore en bouteille, tout comme son jumeau de Haut-Brion. Ce vin ostentatoire, qui est en fait bien meilleur que ne le suggérait la note que je lui avais initialement attribuée, révèle, outre un doux nez épicé de cèdre, de cake et de fruits noirs rôtis, une richesse admirable, et un caractère tout à la fois juteux, savoureux et voluptueux. Il déborde d'un généreux fruité bien glycériné, étayé par une faible acidité, et déploie par paliers une finale très corsée. Magnifique, intense et bien marqué par la mâche, il n'est pas loin du légendaire 1989 et tiendra parfaitement **20 ans.** (11/96)

1989 • **100** Je ne discuterai certainement pas avec quiconque me soutiendrait que le 1989 de La Mission est tout aussi profond que son jumeau de Haut-Brion. Ce vin spectaculaire s'impose, au fur et à mesure de son vieillissement, comme l'un des millésimes que je préfère de cette propriété, avec ses aînés de 1982, 1975, 1961, 1959 et 1955. Arborant une robe dense et épaisse de couleur pourpre, qui prélude à de douces senteurs de cassis rôti et de chocolat, rehaussées de bouffées de tabac, de goudron et de minéral, il se montre extrêmement corsé en bouche, onctueux, doux, confituré et riche. Quoique encore jeune et pas tout à fait épanoui, ce La Mission est délicieux ; son bouquet devrait se développer davantage jusqu'à la fin de ce siècle, et il tiendra bien les **15 à 20 premières années du prochain millénaire.** (11/96)

1988 • **90** La belle qualité du merlot (45 % de l'assemblage) explique peut-être le fruit opulent et la profondeur de ce vin. Superbement vinifié, généreux, corsé, riche et équilibré, il est parfaitement capable de bien évoluer sur **12 à 15 ans** encore. Il est tout à la fois ample, profond, concentré et souple. **A boire jusqu'en 2012.** (1/93)

1987 • **87** Après avoir consommé près de deux caisses de ce vin, je suis furieux de n'en avoir pas acheté davantage. Certes, il n'est pas phénoménal, mais c'est l'un des crus les plus parfumés et les plus séduisants du millésime. Ce grand classique, qui exhale le bouquet exotique de fumé, d'herbes rôties et de tabac typique des grands Graves, se montre remarquablement satiné en bouche, avec un fruit merveilleusement frais et mûr de cassis, étayé par une faible acidité.

L'ensemble, moyennement corsé, déploie une finale ronde. Il se maintient à son apogée, sans aucun signe de déclin. **A boire jusqu'en 2001.** (7/97)

1986 • 91 Ce 1986 moyennement corsé, qui se distingue par ses arômes d'herbes et de terre, doit encore se défaire de ses tannins. Arborant une robe toujours jeune de couleur rubis-pourpre foncé, il exhale avec réticence un nez peu évolué de doux cassis. Plus porté sur la structure et le côté épicé que sur la douceur du fruit, ce vin est encore dans sa toute petite enfance et devrait continuer d'évoluer ces 10 prochaines années. **A boire entre 2000 et 2012.** (5/97)

1985 • 92 Au contraire du 1986, serré et réservé, le 1985 est délicieusement opulent, riche et ouvert. D'un rubis-pourpre sombre légèrement nuancé de grenat sur le bord, il dégage un doux nez de fumé, de goudron fondu et de cassis, marqué en arrière-plan de notes de chêne grillé. Ce vin, qui s'est bien étoffé depuis la mise, est meilleur qu'il n'a jamais été, avec ses opulentes saveurs de fruits noirs confiturés entremêlées de notes de fumé et de rôti – caractéristiques des Graves. L'ensemble est déjà des plus plaisants du fait de son caractère moyennement corsé, charnu et épanoui. **A boire jusqu'en 2006.** (10/97)

1984 • 82 C'est un succès pour le millésime. Ce 1984 à la robe modérément foncée se montre rond, herbacé, fruité et accessible. **A boire.** (3/89)

1983 • 89 Voici le premier La Mission produit par Jean Delmas et son équipe. Grenat foncé de robe, il exhale un doux bouquet de goudron et de viande fumée aux senteurs animales, et révèle en bouche des arômes épicés de terre, de truffe et de cassis confituré infusés de notes de réglisse. Cet excellent Graves moyennement corsé a évolué rapidement. **A boire jusqu'en 2005.** (5/97)

1982 • 98 Le 1982 de La Mission, qui s'est ouvert après une période d'hibernation, révèle désormais les classiques arômes de fer, de tabac, de doux cassis et d'herbes rôties des grands Graves. Vêtu d'une robe opaque et pourpre, il est épais, presque visqueux en bouche, avec une texture douce, ample et bien marquée par la mâche. Ce vin gras et des plus concentrés a développé des arômes secondaires et se montre déjà délicieux. Certes, il est surpassé par le 1989 pour ce qui est de la complexité et de la classe, mais il est capable de rivaliser avec le 1959 et le 1961 pour ce qui est du charme et de la séduction. On pourrait même considérer qu'il s'agit d'une répétition du spectaculaire 1959. **A boire d'ici 25 à 30 ans.** (9/95)

1981 • 90 Il est certain que ce millésime de La Mission a été quelque peu mésestimé, éclipsé par le 1982, qui a tout de suite bénéficié d'une très belle réputation. Cependant, je trouve, depuis le début, qu'il s'agit d'un des meilleurs vins du millésime. Il paraît en effet très bien doté, avec un bouquet ample et riche de fumé et de petits fruits, un caractère assez corsé, chaleureux et profond, un fruit énorme en bouche et une longue finale. Il s'est défait de la plus grande partie de ses tannins et est maintenant à maturité ; je crois qu'il est capable de se maintenir encore 5 ou 6 ans. **A boire jusqu'en 2005.** (2/91)

1980 • 72 Lors de ma dernière dégustation de ce vin, je l'ai trouvé un peu inférieur à ce que donnaient mes notes précédentes. Il est extrêmement léger, moyennement corsé, avec un bouquet délicat, retenu et presque aqueux, et une finale courte et quelque peu diluée. Il faut le boire **rapidement**, avant qu'il ne s'affadisse davantage. (11/89)

1979 • **91** Le 1979 est l'un des rares millésimes des années 70 où, à mon avis, La Mission est inférieur à Haut-Brion. Néanmoins, dans cette année faste, le domaine a produit un vin merveilleusement élégant et remarquablement concentré, qui ressemble un peu au 1971. S'il n'a ni la profondeur ni la complexité que La Mission révèle généralement dans les très grandes années comme 1978 ou 1982, ce 1979 est néanmoins excellent. **A boire jusqu'en 2005.** (2/91)

1978 • **96** Tout comme son aîné de 1975, le 1978 de La Mission pourrait prétendre au titre de réussite de la propriété pour la décennie. D'un rubis-pourpre profond et intact, il est moins évolué que son jumeau de Haut-Brion et se révèle extrêmement parfumé, avec une structure souple et veloutée et un caractère bien épanoui et riche de cassis, de grave et de fumé. Ce vin concentré et très corsé, qui se dévoile en bouche par paliers, peut s'apprécier dès maintenant, mais il promet d'être encore meilleur après un certain temps de vieillissement. **A boire jusqu'en 2010.** (5/97)

1977 • **74** Alors que ce vin avait un caractère nettement chaptalisé et extrêmement herbacé, j'ai été surpris de constater qu'il était encore buvable et même, à sa manière, très accessible. Il est certain qu'il est un peu trop végétal, mais il se révèle en même temps tendre et bien épanoui. **A boire sans tarder.** (1/89)

1976 • **76** La Mission 1976 ne m'a jamais paru très bon ; il a d'ailleurs commencé à accuser des signes de vieillissement et à prendre une nuance tuilée alors qu'il n'avait que 4 ans d'âge. Pourtant, il paraît avoir fort peu changé depuis la première fois que je l'ai goûté. Très alcoolique et dépourvu de structure, il est également relativement mou, avec quelque chose de confit ou de rôti. Il présente malgré tout un fruit bien épanoui, un caractère suffisamment alcoolique et étayé par une faible acidité. **A boire.** (1/89)

1975 • **100** Ce vin extrêmement concentré est incontestablement la réussite du millésime. Ses tannins sont maintenant suffisamment fondus pour qu'on puisse l'apprécier à sa juste valeur. D'une structure très ample, il est à peine ambré sur le bord et a développé le fabuleux bouquet de tabac, de fruits noirs, de minéral, d'herbes rôties et de cèdre caractéristique des Graves. Tout à la fois énorme, massif, épais et savoureux, il est modérément tannique et devrait atteindre son apogée vers la fin de ce siècle. Il tiendra bien **30 à 40 ans encore.** Ce La Mission extraordinaire ressemble fort au 1945, tout en évoquant un peu le 1959, doux et mûr. (12/95)

1974 • **86** Lorsque j'ai goûté pour la première fois les 1974, les trois vins qui se sont distingués dans ce millésime médiocre ont été Latour, Trotanoy et La Mission Haut-Brion. Ce 1974, toujours très vivace, est certes assez vigoureux et nerveux pour ce cru, mais il présente une robe profonde d'un beau grenat foncé et un bouquet ample de minéral, de fumé, de terroir et d'épices. Relativement corsé en bouche, il découvre des tannins assez durs et une belle profondeur, surtout pour un 1974. Il est sûr que le sol de graves et le sous-sol günzien sont pour beaucoup dans le succès de ce vin, alors que des pluies abondantes ont marqué la saison. **A boire.** (3/91)

1973 • **58** Le bouquet épicé, un peu aqueux, du 1973 s'affadit après 30 à 40 secondes dans le verre. En bouche, le vin se révèle maigre et dur. (1/89)

1972 • **86** Ce vin montre bien que La Mission Haut-Brion peut connaître de belles réussites dans les petits millésimes. En effet, l'année 1972 a certainement été la pire de la décennie ; malgré tout, ce vin exhale un bouquet merveilleusement parfumé et épicé, bien qu'un peu herbacé, de petits fruits aux notes de cèdre. En bouche, il est épanoui, rond et épicé, assez corsé, avec une finale opulente et séduisante. Il faut néanmoins boire ce vin délicieux **assez rapidement.** Quel succès étonnant ! (11/89)

1971 • **87** Le 1971 est un vin remarquable, maintenant à pleine maturité. Assez rustique, il déploie un bouquet ample de boîte à cigares et de minéral, marqué par le terroir ; généreux en bouche, même s'il manque un peu de distinction, il déploie une finale poussiéreuse et puissante. **A boire jusqu'en 2000.** (10/90)

1970 • **?** Ce millésime de La Mission a la réputation d'être irrégulier d'une bouteille à l'autre ; certaines sont en effet marquées par un haut niveau d'acidité volatile, d'autres sont nettes et bien meilleures. Les trois dernières dégustations, dont celle-ci, ne m'ont révélé que les aspects négatifs de ce vin. Certes, il est très corsé, musclé, épais et riche, admirable de concentration, mais l'acidité volatile qui le dessert est plus qu'une nuance. Ce défaut est particulièrement gênant, et le vin commence à se déliter. J'ai bien sûr dégusté quelques exemples extraordinaires de ce 1970, mais pas ces trois dernières années. (6/96)

1969 • **67** Le nez assez terne et presque neutre de ce vin me rappelle des Cabernet de Californie ayant subi une filtration stérile. En bouche, ce 1969 est creux, avec des tannins durs et grossiers qui ont réduit à néant le peu de fruit encore présent. Même si 1963 et 1968 ont sans doute été des années encore pires pour beaucoup de châteaux, je trouve que les 1969 sont, dans l'ensemble, les bordeaux les moins intéressants de ces trente dernières années. (1/89)

1968 • **82** Dans les années 50, 60 et 70, La Mission Haut-Brion et Latour étaient considérés comme les deux meilleurs châteaux pour les millésimes très médiocres. Avec ce 1968, ce domaine a confirmé le phénomène en montrant qu'il était capable de produire du bon vin dans les pires conditions. En effet, cette année a été terrible du point de vue météorologique, et La Mission 1968, s'il n'a rien d'un grand vin, constitue une heureuse surprise. Il offre un bouquet tendre, réconfortant et généreusement fruité aux notes de cuir ; en bouche, il est rond, alcoolique (il a sans doute été un peu chaptalisé), avec une finale veloutée et douce, marquée par le chêne. Il manque de complexité, mais il est fruité, et son caractère chaleureux lui confère de l'allant et du charme. Ceux qui ont encore quelques bouteilles doivent les boire rapidement, car le vin s'affadit dans le verre en 3 ou 4 minutes. **A boire – peut-être en déclin.** (1/89)

1967 • **84** Au début des années 70, La Mission Haut-Brion 1967 s'imposait comme l'un des dix meilleurs vins des Graves et du Médoc. Mais il a commencé à perdre de son fruit et révèle, outre un caractère commun et trapu, des tannins durs qui paraissent avoir pris le dessus. Le vin a certes encore quelque charme et a conservé des arômes fruités, mais il faut le boire **sans tarder.** (1/89)

1966 • **89** La Mission Haut-Brion 1966 n'a jamais eu la richesse ou la profondeur du 1964 ; c'est cependant un vin toujours élégant, bien vinifié, qui dégage un bouquet fruité, avec des dominantes de cuir et de cèdre. Relativement corsé en bouche, persistant, velouté et souple en finale, il doit être consommé rapidement. En effet, il ne peut plus s'améliorer, et risque au contraire de perdre son fruit. **A boire jusqu'en 2000.** (1/89)

1964 • **91** Le millésime 1964 a été très favorable aux Pomerol, aux Saint-Émilion et aux Graves, mais la plupart des domaines du Médoc n'ont pas pu vendanger leur cabernet sauvignon avant l'arrivée des fortes pluies. La Mission Haut-Brion a été l'une des grandes réussites de l'année, mais il vient de passer le cap décisif et est entré, lentement, dans son déclin. Je puis l'affirmer, parce que je possède un certain nombre de bouteilles de ce cru, ce qui me permet de le goûter souvent. Sa robe rubis foncé commence à prendre une nuance ambrée et orangée, et le bouquet, typique de La Mission, révèle des notes de cèdre, de cuir et de fumé – et même des notes de truffe. L'ensemble présente encore des arômes généreux, un fruit épanoui, suave et séduisant, et une finale capiteuse et alcoolique. Ceux qui conservent des bouteilles de ce cru seraient avisés de les boire ces **toutes prochaines années.** (6/91)

1963 • **72** Dans ce millésime, que l'on considère comme l'un des deux ou trois pires de l'après-guerre, La Mission Haut-Brion a incontestablement enregistré une belle réussite. Le bouquet, certes un peu chaptalisé, conjugue le cèdre, les épices, le fumé et le fruit, mais il n'a rien de végétal ni de dilué. En bouche, le vin se distingue par son corps et son fruit éclatant, mais déploie en même temps une finale chaleureuse et alcoolique. Cependant, après quelques minutes dans le verre, il s'affadit complètement. **A boire – peut-être en déclin.** (1/89)

1962 • **84** Je n'ai jamais été emballé par le 1962. C'est un vin élégant et assez corsé, qui, quoique dépourvu de complexité et de profondeur, exhale un nez agréable et souple de cèdre, de fumé et de boîte à cigares. En bouche, il révèle un fruit bien épanoui et une finale tendre. **A boire – peut-être en déclin.** (1/89)

1961 • **100** Le 1961 de La Mission, qui est l'un des plus grands vins de ce millésime, s'est montré fabuleux au cours des dernières années, et les bouteilles qui auront été conservées dans de bonnes conditions tiendront parfaitement encore **10 à 20 ans.** Plus évolué et plus accessible que le 1959, le 1961 est toujours riche, épais et très aromatique, avec un nez d'anthologie, typique des vins des Graves. Il dégage en effet des arômes de tabac, de viande grillée, de minéral, d'épices et de fruits noirs et rouges très doux. Dense, très corsé et très alcoolique, il est également extrêmement riche et opulent, et se révèle absolument somptueux. (10/94)

Millésimes anciens

Il est intéressant de remarquer que nombre de 1959, tout comme les 1982, ont été vivement décriés pour leur faible acidité et leur potentiel de garde limité. Comment expliquer, alors, que tant de vins de cette année déploient plus de richesse, de fraîcheur et de plénitude que certains 1961 ? Ainsi, aussi grandiose que soit le 1961 de La Mission, le 1959 (également noté 100 en octobre 1994) se montre plus riche, plus coloré, plus concentré et plus puissant, et requiert une garde supplémentaire de 3 ou 4 ans avant d'être à parfaite maturité. Très épicé et extrêmement concentré, avec une robe dense de couleur pourpre-prune, ce vin encore jeune et terriblement peu évolué est formidablement doté ; il devrait être au meilleur de sa forme avant la fin de ce siècle et demeurer très agréable au cours des **20 à 25 premières années du prochain millénaire.**

Même en tenant compte de la magnificence du Haut-Brion et du Mouton Rothschild de la même année, le 1955 de La Mission (noté 100 en octobre 1994) s'impose comme le meilleur vin du millésime, avec ses doux arômes de cèdre, de girofle, de fumé et de framboise sauvage, ainsi que ses flaveurs riches, très corsées et remarquablement harmonieuses, regorgeant de fruit mûr, de glycérine et d'alcool capiteux. Ses tannins sont complètement fondus, et sa robe est très marquée sur le bord par des reflets de rouille, si bien qu'il est peu probable qu'une telle bouteille se bonifie au terme d'une garde supplémentaire. Cependant, on n'y décèle aucun signe de fragilité ou de déclin, ce qui laisse penser que l'on pourrait conserver ce vin complexe, étonnant et merveilleusement équilibré sans aucun problème sur les **10 à 15 prochaines années.**

Plusieurs personnes ayant suivi l'évolution du 1953 (noté 93 en octobre 1994) depuis sa jeunesse m'ont affirmé qu'il était déjà merveilleux à la fin des années 50. S'il n'a apparemment rien perdu de son fruité explosif, souple et sensuel, il ne se bonifiera pas davantage, et il convient donc de le consommer **maintenant.** Il prodigue de délicieux arômes de fumé et de fruits rouges, et présente une texture soyeuse et crémeuse, ainsi qu'une finale longue et capiteuse. Son faible niveau d'acidité lui confère une certaine fraîcheur, et ses tannins sont maintenant fondus. La Mission a également produit un 1951 de bonne tenue (noté 81) et un 1952 grandiose (noté 93). Je n'ai pas redégusté ces deux millésimes depuis 1991.

La Mission 1950 (noté 95 en octobre 1994) déploie un nez énorme de café fraîchement moulu, de bois de noyer, de cèdre et de chocolat. Superbement riche et dense, ce vin corsé et concentré, qui n'a subi aucun outrage du temps (sa robe est encore opaque, de couleur grenat foncé), est à son apogée et se maintiendra **15 à 20 ans.**

Avec son nez immense et légèrement roussi d'herbes rôties, de cassis fumé et de viande grillée, le 1949 (noté 100 en octobre 1994) est extraordinairement riche, mais également doux, gras et corpulent. Ce vin, qui est à pleine maturité, se révèle d'une intensité et d'une longueur fabuleuses. Il s'agit d'une magnifique réussite dans l'un des millésimes les plus harmonieux en Bordelais.

Le 1948 (noté 93 en octobre 1994) exhale des arômes puissants, grillés et riches de tabac, de groseille mûre et de marron fumé. Sa robe n'est aucunement altérée, et son fruité reste extrêmement concentré et riche en extrait. Très corsé, avec une finale hautement alcoolique et tannique, ce vin est incontestablement à pleine maturité et ne montre aucun signe de déclin. Il devrait donc tenir encore **10 à 20 ans.** Quant au 1947 (noté 95 en octobre 1994), il déploie un bouquet énorme, semblable à celui d'un Porto, qui illustre parfaitement la maturité extraordinaire signant le millésime. Il dégage des arômes de chocolat, de cèdre, de terre et de prune, et se montre très alcoolique, puissant et riche, en même temps que velouté et doux. Ce vin exceptionnel, d'une grande ampleur aromatique, semble issu des vendanges les plus tardives possible pour ce cru.

Le 1945 (noté 94 en octobre 1994) est incontestablement grandiose et fabuleusement concentré, mais il est également dur, rugueux et marqué par des arômes de cuir fin. Très opaque, il est extrêmement riche, puissant et aussi très tannique, si bien que l'on peut se demander qui, des tannins ou du fruité, se fanera en premier. Cependant, ce vin a le potentiel de garde pour se conserver encore **20 à 25 ans** – c'est justement là que réside le mystère de ce millésime.

L'extraordinaire millésime 1929 (noté 97 en octobre 1994), qui aurait fort bien pu être celui du siècle, rappelle 1982 et, plus récemment, 1990, avec des vins magnifiquement opulents et onctueux. Quand Henri Woltner émettait des doutes sur le potentiel de garde du 1929 de La Mission, sous prétexte qu'il était déjà fabuleux en 1933, il faisait vraiment fausse route. Ce vin arbore toujours un grenat très soutenu, seulement très légèrement ambré sur le bord, et déploie un nez merveilleusement exotique et sensuel de tabac, de cassis, de cèdre et de cuir. En bouche, il est très alcoolique, remarquablement doux, riche et ample, avec un fruité concentré absolument stupéfiant, qui étaye bien sa teneur en alcool. C'est vraiment un privilège que de déguster ce nectar très corsé, au velouté généreux.

Second vin

LA CHAPELLE DE LA MISSION

1997 • **83-85** La Chapelle de La Mission 1997 (issu des plus jeunes vignes de la propriété) est souple, rond et herbacé. C'est un vin ouvert, accessible, fruité et sans détour, que je conseille de déguster dans les **4 ou 5 ans de sa diffusion.** (3/98)

1996 • **85** Moyennement corsé et évolué, le 1996 sera parfait ces **5 à 7 prochaines années.** Cependant, il n'approche pas, même de très loin, son fabuleux aîné d'un an. (1/99)

1995 • **90** La Chapelle de La Mission 1995, l'un des meilleurs seconds vins du millésime, est une véritable révélation. Plus richement extrait que son cadet d'un an, il présente un caractère bien doté, moyennement corsé, somptueux et riche. Il ressemble fort au grand vin par ses doux arômes de fruits rouges mêlés de notes de fumé, de tabac et d'herbes rôties. L'ensemble, rond, épicé et généreux, s'exprime sans aspérités. **A boire dans les 7 ou 8 ans.** (11/97)

1993 • **86** La production du 1993 étant très restreinte (1 000 caisses seulement), il n'est pas étonnant que ce vin se montre goûteux, riche, moyennement corsé et doux. **A boire dans les 6 ou 7 ans.** La rigueur de cette maison dans ce millésime explique à l'évidence l'excellence tant du premier que du second vin. (11/94)

1992 • **86** En 1992, le second vin de La Mission Haut-Brion se révèle moyennement corsé, doux, fruité et séduisant, avec un caractère pur et mûr de cerise noire et de tabac fumé. **A boire d'ici 2 ou 3 ans.** (11/94)

OLIVIER – BON (depuis 1995)

Cru classé – devrait être maintenu

Propriétaire : famille De Bethmann

Adresse : 33850 Léognan

Tél. 05 56 64 73 31 – Fax 05 56 64 54 23

Visites : sur rendez-vous uniquement

Contact : Marie-France Héron

Superficie :
rouge – 33 ha ; blanc – 12 ha (Léognan – appellation Pessac-Léognan)

Vins produits :
rouge – Château Olivier – 90 000-155 000 b ;
Réserve d'O du Château Olivier – 70 000-135 000 b ;
blanc – Château Olivier – 30 000-50 000 b ;
Réserve d'O du Château Olivier – 22 000-42 000 b

Encépagement :
rouge – 55 % cabernet sauvignon, 35 % merlot, 10 % cabernet franc ;
blanc – 55 % sémillon, 40 % sauvignon, 5 % muscadelle

Densité de plantation : 8 000-10 000 pieds/ha

Age moyen des vignes : rouge – 20 ans ; blanc – 30 ans

Rendement moyen : rouge – 45-50 hl/ha ; blanc – 40-45 hl/ha

Élevage :
rouge – vendanges manuelles ; fermentations de 10-30 jours à 25-30 °C en cuves d'acier inoxydable thermorégulées ; vieillissement après les malolactiques de 12 mois en fûts (1/3 de bois neuf) ; collage et filtration ;
blanc – vendanges manuelles ; fermentations en fûts (1/3 de bois neuf) ; élevage de 12 mois sur lies ; collage et filtration

A maturité : rouge – dans les 2 à 8 ans suivant le millésime ;
blanc – dans les 2 à 4 ans

Ce domaine est l'un des plus anciens de tout le Bordelais, puisqu'on en trouve trace dès le XIIe siècle. L'un de ses visiteurs les plus célèbres, au XIVe siècle, fut le Prince Noir, fils du roi Édouard III d'Angleterre, qui emmena les chevaliers anglais à l'assaut des Français, pour s'assurer le contrôle de l'Aquitaine. Depuis la Seconde Guerre mondiale, ce sont des Allemands, les De Bethmann, qui sont propriétaires du domaine, mais il faut avouer qu'ils n'ont pas produit de très grands vins. Les rouges et les blancs vinifiés à Olivier sous leur direction ont été jusqu'à présent des vins simples, étonnamment légers et insipides pour un cru classé dont les vignobles sont excellemment situés, dans la région de Pessac-Léognan. Certains initiés ont insinué que l'exclusivité de diffusion accordée par De Bethmann à l'importante maison de négoce Eschenauer avait évité à ces vins de figurer dans les dégustations comparatives, où leur faiblesse aurait été trop apparente. Cependant, cette exclusivité a pris fin il y a déjà quelques années. Bien que l'on me dise, ici et là, qu'il y a une amélioration notable de la qualité d'Olivier, mes dégustations les plus récentes montrent que ce domaine a toujours besoin d'être sérieusement secoué.

Je suis certain que Jean-Jacques de Bethmann, l'actuel propriétaire, fait d'immenses efforts pour améliorer la qualité de son cru. Depuis les années 90, les vins sont issus d'une sélection plus stricte, et l'achat d'un concentrateur (osmose inverse) en 1998 permet d'espérer que les millésimes à venir seront plus intéressants. Les vins élaborés après 1994 sont d'ailleurs nettement meilleurs que leurs prédécesseurs.

ROUGE

1997 • **86-87** Vêtu de pourpre soutenu, le 1997 dégage des arômes de fruits noirs confiturés nuancés d'herbes rôties et de tabac herbacé. L'attaque révèle une belle douceur, et l'ensemble déploie, outre un caractère d'excellent aloi en milieu de bouche, une finale de très bonne tenue. Ce vin dominé par le fruit devrait développer autant de complexité que son aîné d'un an au terme de quelques années de garde. **A boire entre 2002 et 2012.** (1/99)

1996 • **86** Souple et moyennement corsé, le 1996 du Château Olivier déploie des arômes modérément intenses de cassis et de groseille, bien étayés par des tannins souples et par une heureuse acidité. Sans être ample, l'ensemble est joliment fait et harmonieux. **A boire entre 2000 et 2012.** (1/99)

1995 • **84** Plus austère que le 1996, le 1995 est compact, maigre et tannique. C'est un vin légèrement corsé, bien fait, mais inintéressant. **A boire entre 2000 et 2008.** (3/98)

1994 • **85** D'un rubis assez léger, le 1994 exhale des senteurs épicées de cerise et de groseille marquées en arrière-plan de touches de chêne grillé. Ce vin moyennement corsé est relativement fruité, épicé, avec les caractéristiques arômes de terre, de minéral et de tabac qui distinguent les vins issus de cette partie des Graves. **A boire entre 2001 et 2012.** (3/98)

1993 • **74** Le 1993 arbore un beau rubis moyennement foncé, mais présente des notes herbacées et végétales très prononcées, ainsi qu'un maigre fruité. Vous boirez ce Graves simple, aqueux, légèrement corsé, mais plaisant, dans les **2 ou 3 ans.** (1/97)

1992 • **75** Malgré sa couleur impressionnante et profonde et son bouquet épicé de chêne, le 1992 n'a ni le fruité, ni la concentration, ni la longueur du 1991. En bouche, son caractère creux devient plus évident. **A boire jusqu'en 2002.** (11/94)

1991 • **85** Compte tenu du niveau général assez moyen du millésime, le Château Olivier a réussi une performance plutôt méritoire. Son 1991 est en effet d'un rubis profond, avec un nez ouvert et accessible aux arômes d'herbes, de tabac, d'épices et de groseille. De généreuses touches de chêne neuf le font paraître bien évolué, sensuel et attirant, et, une fois passé ces senteurs boisées, on décèle dans ce vin moyennement corsé, doux et velouté un fruité riche et séduisant, et beaucoup de charme. **A boire jusqu'en 2004.** (1/94)

BLANC

1996 • **75** Ce vin étroit en bouche, marqué par une acidité piquante, manque autant d'étoffe que de concentration. Je doute de son aptitude à la garde. Ses abondants arômes de chêne neuf et fumé ne font que masquer son peu de fruité. **A boire jusqu'en 2005.** (3/97)

1995 • **82** Ce vin creux, mais plaisant, exhale un nez herbacé et révèle en bouche des arômes moyennement corsés et peu intenses de miel, fortement nuancés de chêne neuf. L'acidité et le boisé sont tous deux très prononcés, mais le vin est assez agréable. **A boire jusqu'en 2006.** (3/97)

1994 • **87** Ce vin moyennement corsé, aux intenses arômes d'agrumes, manifeste une belle élégance d'ensemble. Très accessible, il regorge d'un généreux fruité mûr et tiendra bien **4 ou 5 ans encore.** (3/95)

1993 • **81** Le 1993 est un vin simple, moyennement corsé et monolithique, avec des notes de chêne neuf et grillé. **A boire.** (11/94)

1992 • **84** Le délicat 1992 est moyennement corsé, avec un nez de pierre et d'agrumes. Il déploie en bouche des arômes agréables, mais sa finale est compacte. **A boire jusqu'en 2002.** (1/94)

1991 • **76** Dilué, le 1991 présente une finale sirupeuse et écœurante. (1/94)

PAPE CLÉMENT – EXCELLENT

Cru classé (en rouge) – équivaut à un 2ᵉ cru du Médoc
Propriétaires : Léo Montagne et Bernard Magrez
Adresse : 216, avenue du Docteur-Nancel-Pénard
33600 Pessac
Tél. 05 57 26 38 38 – Fax 05 57 26 38 39
Visites : sur rendez-vous uniquement
Contact : Éric Larramona

Superficie :
rouge – 30 ha ; blanc – 2,5 ha (Pessac – appellation Pessac-Léognan)
Vins produits :
rouge – Château Pape Clément – 100 000-120 000 b ;
Le Clémentin du Château Pape Clément – 20 000-50 000 b ;
blanc – Château Pape Clément – 6 000-8 000 b ;
Le Clémentin du Château Pape Clément – 2 000-4 000 b
Encépagement :
rouge – 60 % cabernet sauvignon, 30 % merlot, 10 % cabernet franc ;
blanc – 45 % sauvignon, 45 % sémillon, 10 % muscadelle
Densité de plantation : 7 500 pieds/ha
Age moyen des vignes : rouge – 38 ans ; blanc – 20 ans
Rendement moyen : rouge – 40-45 hl/ha ; blanc – 30 hl/ha

Élevage :
rouge – fermentations de 20-24 jours en cuves d'acier inoxydable ;
achèvement des malolactiques pour moitié en cuves et en fûts ;
vieillissement de 15-20 mois en fûts (60-90 % de bois neuf) ; soutirage trimestriel ;
collage au blanc d'œuf ; pas de filtration ;
blanc – débourbage de fût à fût ;
élevage de 10 mois sur lies (20-40 % de bois neuf) ;
collage et filtration

A maturité : rouge – dans les 5 à 20 ans suivant le millésime ;
blanc – dans les 3 à 8 ans

Pape Clément se trouve à Pessac, à quelques kilomètres de Haut-Brion, et c'est l'un des châteaux les plus intéressants de la région. Son histoire est prestigieuse puisqu'il fut acheté, en 1300, par Bertrand de Got, qui serait pape six ans plus tard sous le nom de Clément V. C'est ce prélat qui prit l'audacieuse décision de transférer le siège de la papauté à Avignon, inaugurant une période de l'histoire de l'Église qui devait devenir aussi fameuse que la captivité de Babylone et conduire au grand schisme d'Occident. C'est à cette époque que le vin produit non loin de la résidence pontificale prit le nom de Châteauneuf-du-Pape. Clément V, évidemment fort occupé, rétrocéda le vignoble de Pape Clément au clergé local, qui le conserva intact jusqu'à la Révolution. Le vignoble a appartenu de 1938 à 1998 aux héritiers du poète Paul Montagne, jusqu'à ce que Léo Montagne en vende la moitié à Bernard Magrez. De l'avis général, Pape Clément s'est maintenu à un excellent niveau dans les années 50 et 60, et au début de la décennie suivante. Mais une certaine négligence et la faiblesse des investissements consacrés aux installations de vinification provoquèrent une nette détérioration après 1975. Pendant dix ans, une vinification défectueuse entraîna souvent la présence de notes de moisi et un manque de fraîcheur. Cependant, la mauvaise passe prit fin en 1985 avec l'arrivée du très dynamique et passionné Bernard Pujol, à qui l'on doit la résurrection de Pape Clément – mais qui a quitté le domaine en 1999, remplacé par Éric Larramona. Le 1986, très profond, devait être le premier d'une belle série, et ces vins sont désormais tout bonnement en état de rivaliser avec Haut-Brion et La Mission Haut-Brion.

Le domaine, implanté sur des sols graveleux et extrêmement légers, jouit d'un microclimat semblable à celui de Haut-Brion ou des Carmes Haut-Brion. Il produit un rouge qui, à son meilleur niveau, déploie un bouquet remarquable et fascinant, regorgeant d'arômes de fruits noirs, avec des senteurs de tabac et de minéral. Une bonne proportion de merlot entre dans l'assemblage, si bien que le vin est généralement assez précoce ; néanmoins, il est également capable, dans les meilleurs millésimes, de bien évoluer sur plusieurs décennies. Vers la fin des années 80, Pape Clément s'est imposé comme l'un des domaines phares du Bordelais, avec des vins d'une belle profondeur en 1986, 1988, 1990 et 1996.

La nouvelle politique, vouée à la qualité, a également conduit à l'accroissement de la part du vignoble consacrée au blanc. Auparavant, le domaine n'en produisait qu'une centaine de caisses, réservées au château lui-même. Il en propose maintenant près de 600 caisses chaque année.

ROUGE

1998 • **88-91** Le Pape Clément 1998 pourrait se révéler extraordinaire. Rubis-pourpre foncé de robe, doté de senteurs douces et pures de mûre, de groseille, d'herbes séchées, de terre et de fumé, il se montre mûr, riche et moyennement corsé en bouche. Ce vin merveilleux de pureté, aux tannins modérément abondants, mais doux, se révèle en bouche par paliers et tout en rondeur, grâce à sa faible acidité. **A boire entre 2003 et 2015.** (3/99)

1997 • **86-88** Le 1997 se distingue par des notes de terre fraîchement remuée, de goudron et de minéral typiques des vins des Graves. Doté d'un bon fruité étayé par une faible acidité, il est doux en milieu de bouche et charnu en finale. **A boire jusqu'en 2010.** (1/99)

1996 • **90** Voici un autre vin élégant, multidimensionnel et très typique, qui doit son charme à sa complexité aromatique et à son harmonieux déploiement de fruit et de structure. Il éblouira les dégustateurs par sa puissance et par son caractère musclé. D'un rubis foncé resplendissant, avec un nez d'herbes rôties, de tabac, d'airelle et de cassis doux, il se montre moyennement corsé en bouche, où il déploie par paliers des flaveurs riches et soyeuses, d'une excellente pureté. On décèle des tannins souples en finale. Étonnamment précoce pour le millésime, le Pape Clément 1996 évolue rapidement, mais tiendra au moins 15 ans encore. **A boire entre 2001 et 2016.** (1/99)

1995 • **90** Plus souple et plus accessible que le 1996 (plus tannique), le Pape Clément 1995 arbore une robe d'un rubis-pourpre profond, et libère au nez de merveilleuses senteurs épicées de crayon à papier, de minéral, de fumé et de cassis marquées de notes de tabac. Moyennement corsé, riche et mûr, il déploie à l'attaque un doux fruité et laisse en bouche une impression d'ensemble d'élégance et d'équilibre impeccable. D'une belle texture, complexe, il est déjà plaisant à la dégustation. **A boire jusqu'en 2015.** (11/97)

1994 • **87** Le 1994 présente une robe d'un rubis modérément foncé plus léger que je ne le pensais. Ses arômes de tabac, de minéral et de groseille préludent à un vin moyennement corsé, mesuré et discret, au fruité doux, tout en rondeur et suave. Un Pape Clément élégant. **A boire dans les 7 ou 8 ans.** (1/97)

1993 • **86** Arborant une robe peu impressionnante d'un rubis moyennement foncé, le 1993 exhale le nez classique des vins des Graves, aux arômes de fruits rouges, de tabac et d'épices vaguement marqués de notes de terre fraîchement remuée et de pierre chaude. Plus léger que le grandiose 1990, il s'inscrit incontestablement dans le style du millésime, en se révélant bien équilibré, avec un doux fruité de groseille et de prune, ainsi qu'une finesse et une élégance d'ensemble indéniables. La finale est douce et ronde. Ce vin est plus séduisant que ne l'indiquent d'emblée mes notes de dégustation. **A boire dans les 7 ou 8 ans.** (1/97)

1992 • **83** Malgré sa robe d'un rubis assez léger – ce que l'on pourrait prendre pour un signe de dilution –, le 1992 révèle des arômes complexes de tabac, d'herbes, de cèdre et de fruits noirs et rouges, très typiques de Pape Clément. Légèrement corsé, avec une faible acidité, ce vin pourtant agréable se montre court et manque de concentration. **A boire dans les 2 ou 3 ans.** (11/94)

1991 • **87** Le 1991 est excellent, avec un bouquet intensément odorant de cèdre, de tabac, de fumé et de fruits noirs. Moyennement corsé et d'une belle profondeur, il est merveilleux d'élégance, et présente un fruité doux et confituré, ainsi qu'une finale satinée. Impressionnant et admirablement long, il est déjà délicieux et tiendra encore **6 ou 7 ans.** (1/94)

1990 • **91** Vêtu de rubis-pourpre foncé, le 1990 est riche et étoffé, avec un doux nez de fruits noirs, de tabac, d'herbes rôties et de viande. Moyennement corsé et concentré, il est aussi étonnamment tannique et peu évolué. Ce vin extraordinaire, qui s'impose comme l'une des plus belles réussites de la propriété, est parfaitement capable de rivaliser avec les 1986 et 1988, mais il requiert une garde plus importante que je ne l'avais pensé de prime abord. **A boire entre 2001 et 2019.** (11/96)

1989 • **87** Serré, avec un caractère maigre et austère, et des tannins astringents, le 1989 est moyennement massif et présente un fruité mûr. Le charme et la souplesse qu'il déployait juste après la mise en bouteille sont maintenant éclipsés par la structure. Ce vin impénétrable requiert une garde de 4 ou 5 ans, mais je doute que ses tannins se fondent suffisamment pour que l'ensemble atteigne une parfaite harmonie. (11/96)

1988 • **92** Véritable quintessence de Graves pour ce qui est de l'élégance et des parfums, le 1988 impressionne par sa couleur profonde (pour l'appellation) et par son nez fabuleusement parfumé de marron rôti, de tabac, de groseille, de pierre et de terre. C'est un Pape Clément étonnamment fermé et étoffé, mais qui se distingue par sa merveilleuse maturité et par ses abondants tannins veloutés. Des arômes de cerise noire et de fumé envahissent la finale. **A boire jusqu'en 2008.** (1/93)

1987 • **85** Assez proche de La Mission Haut-Brion, avec un caractère tendre, séduisant, velouté et accessible, ce vin est une belle réussite pour le millésime. Il est fruité et plein de charme. **A boire.** (11/90)

1986 • **91** Le 1986 est un vin remarquable, ce qui est étonnant si l'on considère qu'il est issu d'un vignoble inondé lors des fortes pluies qui ont précédé la vendange. Une sélection très sévère a sans doute permis de ne conserver que le raisin ramassé en dernier pour le grand vin. Rubis-pourpre profond de robe, il déploie un bouquet racé de cassis et de minéral, étayé par des arômes épicés de chêne neuf. Moyennement corsé, joliment épanoui et riche, ce Pape Clément n'est pas un chef-d'œuvre, mais il manifeste une belle harmonie et beaucoup de grâce, et déploie une finale longue et élégante. C'est indiscutablement le meilleur vin produit au domaine entre le 1961 et le 1988. **A boire jusqu'en 2008.** (2/91)

1985 • **87** Le 1985 – le meilleur Pape Clément depuis le 1975 – est un vin parfumé, souple et délicieux, ne manquant ni de finesse ni de charme. Profondément concentré et assez corsé, il est aussi persistant que complexe. **A boire jusqu'en 2000.** (3/89)

1983 • **78** Le 1983 est un Pape Clément correct. Outre sa robe rubis moyen, il présente un nez séduisant de plantes aromatiques, d'épices et de fruit mûr dominé par le chêne vanillé, et un caractère compact et rustique. **A boire – peut-être en déclin.** (3/89)

1982 • **62** Ce vin terriblement mauvais a généralement été noté entre 55 et 65. Dominé par des arômes de moisi et de champignons et par des senteurs fécales et de terre, il est délavé en bouche, ne révélant rien d'autre que des tannins, de l'alcool et de l'acidité. Il a été élaboré pendant une période difficile pour la propriété, mais il a été, fort heureusement, suivi par une série de millésimes fabuleux, à commencer par le 1986. (9/95)

1981 • **65** Ce vin s'est mieux tenu que le 1982, mais il est assez terne, fragile et comme dilué, avec des arômes de terre, de fût mal lavé et de basse-cour, et des saveurs légères qui déclinent. **A boire.** (1/89)

1979 • **75** Assez corsé et sans complexité, avec tout juste un soupçon du fameux bouquet de tabac et de minéral, ce vin est un Pape Clément peu intense, austère et assez terne. **A boire.** (1/89)

1978 • **72** Le 1978 a perdu presque tout son fruit et révèle des arômes de terre et de vieux champignons. La robe, rubis moyen, est maintenant très nettement tuilée, et la finale marquée par une acidité excessive, avec un caractère légèrement sale. On décèle encore un peu de fruit sous-jacent, mais l'ensemble décline rapidement. (1/89)

1976 • **62** Ce vin, qui a complètement perdu son fruit, n'a jamais été très représentatif de ce millésime. (7/88)

1975 • **87** C'est le meilleur Pape Clément de la décennie. Il exhale un bouquet intense et complexe de fumé, de châtaigne grillée et de terre fraîche. En bouche, il se montre moyennement corsé, plus léger que beaucoup de vins du millésime, mais il révèle aussi une belle concentration, une étonnante souplesse et une finale sophistiquée, épicée et minérale, aux notes de truffe et de charbon. **A boire jusqu'en 2008.** (10/97)

1970 • **84** Ce 1970 était remarquable dans sa jeunesse, mais, comme la plupart des Pape Clément de la décennie, il n'a pas résisté à l'épreuve du temps. A l'heure actuelle, il se relâche et a perdu beaucoup de son fruit. Assez corsé, très tendre et souple, ce vin déploie un bouquet racé de terre fraîche, de cèdre et d'épices ; quoique encore agréable, il s'affadit rapidement dans le verre. **A boire – probablement en sérieux déclin.** (12/84)

1966 • **85** Ce vin, arrivé à pleine maturité au début des années 70, s'impose comme l'un des plus beaux exemples du style de Pape Clément. Toujours élégant, avec le bouquet typique du cru – mariant le tabac grillé, la terre fraîche, le cèdre et la groseille –, il a perdu de son intensité (il a commencé à prendre une teinte tuilée à partir de la fin des années 70). Il est encore très bon, mais l'acidité et les tannins se sont affirmés dans la finale, et le fruit est moins ample. Superbe et plein de distinction à son apogée, le Pape Clément 1966 a commencé à décliner. **A consommer.** (11/87)

1964 • **88** J'avais acheté six bouteilles de ce vin, et j'ai trouvé les cinq premières superbes. Cependant, la dernière, bue en 1979, était nettement fatiguée. Plus tard, en 1988, j'ai dégusté à Bordeaux deux excellentes bouteilles, qui se sont révélées fort proches de ce que l'on peut attendre des bons millésimes de Pape Clément. En fait, si ce vin a été conservé dans de bonnes conditions, il dégage toujours un bouquet ample de fumé et de grillé, qui marie la truffe et les baies sauvages ; en bouche, il est relativement gras et alcoolique, avec une finale séveuse et persistante. Il convient, dans les ventes aux enchères, de rechercher plutôt les grandes bouteilles (magnums, par exemple) de ce 1964, qui demeure l'une des révélations du millésime. **A boire – peut-être en déclin.** (3/88)

1961 • **92** Extrêmement riche et corsé, le Pape Clément 1961 dégage un nez fruité et opulent proche de la châtaigne grillée, regorge littéralement d'intensité et de richesse, et déploie une finale longue, soyeuse et capiteuse. C'est, pour ainsi dire, la quintessence de ces saveurs de tabac et de minéral, typiques des Graves, que les amateurs associent généralement à Haut-Brion. Ce vin parfaitement mûr s'estompe dans le verre au terme d'une aération d'environ 30 minutes – ce qui indique qu'il doit être consommé rapidement. **A boire jusqu'en 2000.** (6/97)

BLANC

1996 • **88** Dans ce millésime connu pour ses Graves à l'acidité extrêmement élevée, le Pape Clément est bien fait et marie joliment un doux fruité d'agrumes à des notes herbacées qui dissimulent son haut niveau d'acidité. C'est un vin blanc sec rafraîchissant et très typique, aux arômes de fumé, d'épices, de métal et de minéral. Il vieillira de belle manière ces **10 à 15 prochaines années**, compte tenu de son acidité de haut niveau et de sa belle richesse en extrait. (11/97)

1995 • **87** Quoique moins réussi que le 1994, le 1995 de Pape Clément est dépourvu du caractère dilué et de l'acidité élevée qui marquent les Graves blancs de ce millésime. Son nez d'agrumes, de figue et de fumé introduit en bouche un ensemble moyennement corsé et bien concentré, doté d'une pureté et d'une élégance d'excellent aloi. Ce vin bien étayé par une heureuse acidité déploie une finale persistante et présente un bon potentiel de garde. **A boire entre 2000 et 2008.** (11/97)

1994 • **91** Composé à 10 % de muscadelle, à 35 % de sauvignon et à 55 % de sémillon, le Pape Clément 1994 est tout simplement extraordinaire, avec un nez qui jaillit littéralement du verre, révélant de copieux arômes de fruits tropicaux, de figue, de miel et de fumé. Riche et moyennement corsé, il est racé et délicieusement fruité en bouche, où il manifeste une pureté et une intensité d'excellent aloi. Ce vin impressionnant et irrésistible tiendra parfaitement **10 à 15 ans.** (3/97)

1993 • **90** Le 1993 est l'une des plus belles réussites de la propriété, avec son bouquet aromatique et merveilleusement mûr de fruits épicés et ses notes bien infusées de chêne. Moyennement corsé et riche, il déploie en bouche des arômes vifs de minéral, de melon et de miel, ainsi qu'une finale rafraîchissante. **A boire dans les 10 à 15 ans.** (11/94)

PICQUE CAILLOU – BON

Non classé – équivaut à un 5ᵉ cru du Médoc
Propriétaire : famille Denis – *Administrateur :* Paulin Calvet
Adresse : avenue Pierre-Mendès-France – 33700 Mérignac
Tél. 05 56 47 37 98 – Fax 05 56 47 17 72
Visites : sur rendez-vous uniquement
Contact : Nicolas Leclair

Superficie :
rouge – 20 ha ; blanc – 1 ha (Mérignac – appellation Pessac-Léognan)
Vins produits :
rouge – Château Picque Caillou – 60 000-70 000 b ;
Château Chênevert – 30 000-40 000 b ;
blanc – Château Picque Caillou – 2 000 b ; Petit Caillou Blanc – 2 000-3 000 b
Encépagement :
rouge – 45 % cabernet sauvignon, 45 % merlot, 10 % cabernet franc ;
blanc – 50 % sauvignon, 50 % sémillon
Densité de plantation : 10 000 pieds/ha
Age moyen des vignes : rouge – 25 ans ; blanc – 6 ans
Rendement moyen : rouge – 35-40 hl/ha ; blanc – 40 hl/ha

Élevage :
rouge – fermentations de 21-28 jours en cuves d'acier inoxydable ;
achèvement des malolactiques en cuves ;
vieillissement de 12-14 mois en fûts (1/3 de bois neuf) ;
collage et filtration ;
blanc – débourbage en cuves d'acier inoxydable ; fermentations en fûts de 1 an ;
élevage de 6-8 mois sur lies ; collage et filtration

A maturité : rouge – dans les 2 à 12 ans suivant le millésime ;
blanc – dans les 2 à 10 ans

Picque Caillou est le dernier vignoble survivant de la commune de Mérignac, qui est maintenant surtout connue pour abriter l'aéroport international de Bordeaux. Un sol léger, graveleux et pierreux, et une forte proportion de cabernet franc et de merlot dans l'assemblage donnent ici un vin fruité, merveilleusement aromatique, qui est vraiment très séduisant quand il est jeune. Ce terroir n'est d'ailleurs pas très différent de celui sur lequel sont implantés Haut-Brion et Pape Clément. La vinification y est très bien menée.

Après trois générations dans le giron de la famille Denis, propriétaire de ce domaine depuis 1920, Picque Caillou a été acquis, à la fin de 1997, par Isabelle et Paulin Calvet.

ROUGE

1993 Ce vin, que je n'ai dégusté qu'en une seule occasion, m'a paru étrangement végétal et pas mûr. (11/94)
•
?

1990 • **86** Cette propriété a bien rebondi avec un 1990 riche, aux senteurs de fumé, de tabac, de chêne et de terre, et doté d'un fruité merveilleusement rond et bien profond. Ce Graves classique et assez léger déploie une finale souple. **A boire d'ici 2 ou 3 ans.** (1/93)

1989 • **76** Le 1989 déçoit par son caractère trop mûr et par ses arômes confits et fumés. **A boire.** (1/93)

1988 • **86** Le 1988 est, avec le 1985, la plus belle réussite de la propriété dans les années 80. Rubis profond de robe, il dégage des arômes prononcés de terre et de groseille, et se montre charnu, voire opulent en bouche, où il déploie un très généreux fruité. **A boire d'ici 3 ou 4 ans.** (1/93)

RAHOUL - BON

Non classé – équivaut à un cru bourgeois
Propriétaire : Alain Thiénot
Adresse : route de Courneau – 33640 Portets
Tél. 05 56 67 01 12 – Fax 05 56 67 02 88
Visites : sur rendez-vous de préférence,
du lundi au vendredi (9 h-12 h et 14 h-17 h)
Contact : Nathalie Schwartz

Superficie :
rouge – 24 ha ; blanc – 2 ha (Portets – appellation Graves)
Vins produits :
rouge – Château Rahoul – 70 000 b ; Château La Garance – 55 000 b ;
blanc – Château Rahoul – 12 000 b (pas de second vin)
Encépagement :
rouge – 70 % merlot, 30 % cabernet sauvignon ;
blanc – 80 % sémillon, 20 % sauvignon
Densité de plantation : 5 600 pieds/ha
Age moyen des vignes : rouge – 20 ans ; blanc – 25 ans
Rendement moyen : rouge – 55 hl/ha ; blanc – 45 hl/ha

Élevage :
rouge – vendanges manuelles ; égrappage total ;
fermentations et cuvaisons de 20 jours en cuves d'acier inoxydable thermorégulées ;
vieillissement de 15-18 mois en fûts (1/3 de bois neuf) ; collage et filtration ;
blanc – vendanges manuelles ; fermentations en fûts (50 % de bois neuf) ;
clarification des moûts avant entonnage ; élevage de 6-8 mois sur lies fines ;
collage et filtration

A maturité : rouge – dans les 5 à 12 ans suivant le millésime ;
blanc – dans les 3 à 8 ans

C'est au chevalier Guillaume Rahoul, qui l'acquit en 1646, que ce domaine doit son nom. Il passa ensuite entre de nombreuses mains – dont les Balguerie, une illustre famille bordelaise, suivie d'Anglais, d'Australiens et de Danois –, avant d'être racheté par Alain Thiénot, un important négociant de Champagne également propriétaire du

Château Ricaud, à Loupiac. Depuis lors, le vignoble s'est agrandi, et des travaux ont été entrepris – notamment la construction d'une cuverie, rénovée en 1997-1998.

La propriété, qui se trouve près du bourg de Portets, sur un sol sablo-graveleux, est très estimée dans certains cercles, mais, personnellement, et jusqu'à ce jour, j'ai trouvé les vins un peu trop boisés et légèrement dépourvus d'équilibre. Cependant, les vignes sont encore jeunes, et il n'est pas impossible qu'en vieillissant elles donnent un vin au fruité suffisamment concentré pour faire pièce au bois. Il reste que les amateurs de crus bien marqués par le chêne peuvent penser que Rahoul, tel qu'il est, leur convient parfaitement.

ROUGE

1995 • **83** Vêtu de sombre, le 1995 se révèle plus mûr que le 1994, plus gras et plus alcoolique également, mais on distingue, en milieu de bouche et en finale, un caractère aqueux et légèrement disjoint. **A boire entre 2002 et 2008.** (11/97)

1994 • **84** D'un rubis moyennement profond, mais resplendissant, le 1994 de Rahoul se révèle souple, mûr et précoce, avec des arômes de petits fruits, d'herbes et de grillé étayés par une faible acidité. L'ensemble, modérément corsé, déploie une finale nette et accessible. **A boire dans les 5 à 7 ans.** (3/96)

1993 • **85** D'un beau rubis-pourpre foncé resplendissant, le 1993 exhale un nez riche et confituré de fumé, de grillé et de cerise noire. Les arômes denses, puissants et concentrés qu'il libère en bouche manquent de complexité, mais cette faiblesse est compensée par une intensité et une puissance considérables, et par une finale souple et légèrement tannique. Ce Graves moyennement corsé se conservera **environ 10 ans.** (11/94)

1992 • **85** Le 1992 est bien meilleur que je ne l'aurais pensé. L'appellation Graves en général a enregistré de belles réussites dans ce millésime, et le Château Rahoul en particulier est d'un rubis assez foncé, avec un nez riche et confituré de cerise noire, de fumé et de grillé. Moyennement corsé, doux et sans détour, il sera parfait dans les **3 ou 4 ans.** (11/94)

1991 • **83** Le 1991 du Château Rahoul est bien vinifié et séduisant, avec sa couleur rubis moyen et son nez doux et mûr de cassis, de tabac et d'épices. Un vin doux, rond et élégant. **A boire dans les 2 ou 3 ans.** (1/94)

1989 • **85** Un nez énorme de fumé et de cerise noire introduit en bouche un vin moyennement corsé, à la finale exotique et souple. L'ensemble est marqué par un caractère alcoolique très prononcé ; l'acidité qui l'étaye est assez faible. **A boire jusqu'en** 2007. (1/93)

1988 • **77** Ce vin compact et boisé, à la finale courte et creuse, m'a laissé indifférent. (1/93)

SMITH HAUT LAFITTE – EXCELLENT

Cru classé (en rouge) – équivaut à un 2e cru du Médoc
Propriétaires : Daniel et Florence Cathiard
Adresse : 33650 Martillac
Tél. 05 57 83 11 22 – Fax 05 57 83 11 21
Visites : sur rendez-vous uniquement
Contacts : Daniel et Florence Cathiard

Superficie :
rouge – 44 ha ; blanc – 11 ha (Martillac – appellation Pessac-Léognan)
Vins produits :
rouge – Château Smith Haut Lafitte – 120 000 b ;
Les Hauts de Smith – 36 000-48 000 b ;
blanc – Château Smith Haut Lafitte – 36 000 b ; Les Hauts de Smith – 12 000 b
Encépagement :
rouge – 50 % cabernet sauvignon, 35 % merlot, 15 % cabernet franc ;
blanc – 95 % sauvignon blanc, 5 % sauvignon gris
Densité de plantation : 7 000-9 000 pieds/ha
Age moyen des vignes : rouge – 30 ans ; blanc – 25 ans
Rendement moyen : rouge – 36 hl/ha ; blanc – 38-40 hl/ha

Élevage :
vendanges manuelles ;
rouge – fermentations et cuvaisons de 21-28 jours
en cuves d'acier inoxydable thermorégulées
à 28-30 °C ; achèvement des malolactiques en fûts (50 % de bois neuf) ;
vieillissement de 15-18 mois ; soutirage trimestriel ; ni collage ni filtration ;
blanc – pressurage des raisins avec un pressoir pneumatique ;
débourbage en cuves d'acier inoxydable à basse température ;
fermentations en fûts (50 % de bois neuf) ; élevage de 12 mois sur lies ;
collage à la bentonite ; filtration

A maturité : rouge – dans les 5 à 25 ans suivant le millésime ;
blanc – dans les 5 à 15 ans

Propriété de la famille Eschenauer pendant de longues années, le Château Smith Haut Lafitte était l'un des domaines les plus notoirement sous-performants de Bordeaux. Il a été racheté en 1991 par Florence et Daniel Cathiard, qui ont eu la malchance de débuter avec des millésimes plus ou moins desservis par les pluies (1991 à 1995). Cependant, leur souci constant de qualité, une sélection impitoyable et une gestion visionnaire de leur affaire leur ont permis de mieux réussir dans les années médiocres que leurs prédécesseurs dans des millésimes aussi favorables que 1982 et 1990. Ils ont notamment procédé à la remise en état du vignoble : à titre d'exemple, 17 000 pieds furent complantés la première année – ce qui est énorme ; le palissage fut entièrement refait, et certaines parcelles (sur un total de 4 ha) furent arrachées, puis replantées. Les bâtiments d'exploitation ont eux aussi bénéficié de gros investissements : le château a été restauré, les chais de vieillissement rénovés, un nouveau chai étant même construit pour les blancs. Quant au matériel, il s'est enrichi de pressoirs pneumatiques, d'une chaîne de mise en bouteille et de nouvelles chaînes de conditionnement. Sans parler des vendanges manuelles, de la mise en « lutte raisonnée » du vignoble, etc.

Aujourd'hui, Smith Haut Lafitte s'impose incontestablement comme l'une des étoiles du Bordelais ; sa renaissance illustre bien les progrès que des propriétaires consciencieux et actifs peuvent accomplir en peu de temps. Les vins, blancs et rouges, conjuguent une imposante richesse avec une élégance, une finesse et une complexité d'excellent aloi. Le marché international est parfois capricieux, et il me semble que les millésimes récents sont plutôt sous-cotés ; en effet, ce cru pourrait certainement prétendre à des prix plus élevés.

ROUGE

1998 • **90-92** Le 1998 de Smith Haut Lafitte pourrait bien s'imposer comme la plus belle réussite à ce jour de Daniel et Florence Cathiard. Sa robe d'un rubis-pourpre profond accompagne un élégant mélange de senteurs florales et de notes de liqueur de cerise noire, de cassis et de minéral subtilement nuancées de chêne neuf. L'attaque en bouche révèle, par paliers, un ensemble aérien, ainsi que de doux tannins parfaitement fondus. Ce vin merveilleux, aux amples arômes, incarne la pureté, l'équilibre et la complexité réunis. **A boire entre 2004 et 2022.** (3/99)

1997 • **86-88** Moyennement corsé et merveilleusement mûr, ce vin rubis foncé s'exprime tout en charme et en finesse. Son beau déploiement d'arômes de fruits noirs est bien étayé par des notes de chêne grillé et par une faible acidité. Bien qu'il se caractérise davantage par la finesse et l'élégance que par la puissance et la structure, il tiendra parfaitement **12 à 15 ans**, grâce à son bel équilibre. (1/99)

1996 • **90** Le 1996 de Smith Haut Lafitte s'impose comme un bordeaux des plus élégants. Sa robe rubis-pourpre foncé précède un beau déploiement de senteurs de mûre et de cassis, subtilement, mais joliment, nuancées de chêne neuf. L'attaque en bouche révèle, outre un caractère doux et pur, des proportions absolument stupéfiantes. L'ensemble atteste un magnifique équilibre tant en milieu de bouche qu'en finale. Sans être aussi énorme que certains de ses jumeaux, il est des plus complexes (au nez comme en bouche), et impressionne par son caractère retenu et subtil, et par son équilibre impeccable. **A boire entre 2003 et 2016.** (1/99)

1995 • **90** Ce vin se montre déjà sous un excellent jour, bien qu'il soit encore loin d'être à la pointe de sa maturité. Sa robe d'un rubis-pourpre foncé prélude à des senteurs d'herbes rôties mêlées de notes vanillées de cassis doux, de truffe et de minéral. Très bien doté, il révèle encore, à l'attaque en bouche, un fruité riche de cassis, et se montre moyennement corsé et extraordinaire d'équilibre, déployant par paliers sa belle intensité. Ce bordeaux élégant et souple, joliment fait et plein de grâce, sera au meilleur de sa forme **entre 2001 et 2018.** (11/97)

1994 • **88** Le 1994 est étonnamment souple, doux et velouté, avec un minimum de ces tannins astringents qui signent le millésime. Resplendissant d'une belle couleur pourpre, il exhale un nez épicé et fumé de cassis, et se révèle moyennement corsé et bien doté en bouche, avec une finale tannique. Ce vin jeune n'a pas encore le caractère complexe de son aîné d'un an, mais il devrait être à maturité d'ici 2 à 4 ans et se conserver ensuite **15 à 18 ans.** (1/97)

1993 • **87** Rubis-pourpre foncé, le 1993 est impressionnant pour un Pessac-Léognan de ce millésime. Il exhale le nez classique des vins des Graves, aux notes de fumé, de pierre chaude, de groseille douce et de mûre, avec une touche d'herbes rôties. A la fois élégant et très parfumé, il est moyennement corsé et concentré, mûr et doux à l'attaque en bouche. Légèrement tannique et joliment infusé de belles notes de chêne neuf, il est encore suave et savoureux. Cet exemple illustre bien le fait que les Graves peuvent être intenses sans aucune lourdeur. Un Smith Haut Lafitte superbe, à déguster dans les **6 ou 7 ans.** (1/97)

1992 • **86** Le 1992 est incontestablement un beau succès. Il déploie un bouquet fumé, marqué de touches élégantes et épicées de minéral et de cerise noire. Moyennement corsé et magnifiquement riche, il présente une texture veloutée et des tannins légers en finale. **A boire dans les 7 ou 8 ans.** (11/94)

1991 • **85** Rubis foncé, le 1991 de Smith libère un séduisant nez de cassis, de tabac, d'herbes et d'épices. Attestant un bel équilibre et une extraordinaire finesse, il est moyennement corsé, admirablement mûr, avec des tannins légers en finale. Ce vin est une vraie réussite, compte tenu de la qualité générale du millésime. **A boire jusqu'en 2004.** (1/94)

1990 • **86** Voici une étonnante réussite de cette propriété à l'époque sous-performante. Le 1990 de Smith arbore une robe rubis foncé, qui prélude à de séduisantes senteurs de doux fruits rouges, de vanille et d'épices, elles-mêmes suivies en bouche par un ensemble souple et velouté, d'une excellente maturité et doté d'un fruité savoureux, le tout étant bien rehaussé par un caractère généreusement glycériné. La finale est capiteuse et opulente. Ce vin sensuel et accessible sera parfait ces **5 à 7 prochaines années.** (1/93)

1989 • **81** Ce vin délicat et fruité est malheureusement desservi par un boisé trop imposant, qui masque complètement son caractère élégant. **A boire.** (1/93)

1988 • **75** Les arômes maigres et piquants de ce 1988 indiquent bien qu'il est issu d'une mauvaise vinification. En outre, ce vin trop léger est dépourvu de charme et d'équilibre. (1/93)

BLANC

1996 • **87** Malgré son haut niveau d'acidité, le Smith Haut Lafitte 1996 se révèle moyennement corsé, complexe et moelleux. Son nez modérément intense d'herbes grillées, de fumé et de fruits mûrs (pamplemousse et melon) précède en bouche un ensemble élégant et vif, d'une excellente pureté, à la finale sèche et rafraîchissante. **A boire entre 2000 et 2010.** (11/97)

1995 • **89** Le Smith 1995 est probablement l'une des grandes réussites du millésime. Outre un nez fumé et crémeux de figue et de melon, il présente des arômes moyennement corsés et rafraîchissants aux notes de pierre concassée. Ce vin vif, tout à la fois épicé, frais et tonique, est aussi intense que délicat. **A boire jusqu'en 2008.** (11/97)

1994 • **91** Ce vin entièrement composé de sauvignon et fermenté en fûts de chêne regorge d'un généreux fruité riche et crémeux de figue et de melon. Extrêmement pur, avec un boisé bien fondu dans l'ensemble, il n'est ni lourd ni alcoolique, mais complexe, joliment fait et plein de charme. Un Graves au potentiel de **15 ans environ.** (3/97)

1993 • **89** Composé à 100 % de sauvignon blanc, le 1993 exhale un nez riche de melon confit aux séduisantes notes de chêne neuf et grillé. Gras et généreusement doté, extrêmement frais et vif, il présente une belle acidité sous-jacente. **A boire dans les 2 ou 3 ans.** (11/94)

1992 • **87** Le 1992 allie les effluves herbacés d'agrumes et de melon du 1991 à des notes de miel et de chêne fumé. Il en résulte un vin riche et concentré, moyennement corsé en bouche, qui offre, outre une belle précision dans le dessin, un fruité généreux et une finale vive et longue. Déjà délicieux, il promet de bien se conserver ces **10 prochaines années, voire davantage.** (3/96)

1991 • **84** Entièrement composé de sauvignon blanc, le 1991 se révèle légèrement corsé, sec et vif au nez, avec des senteurs de melon et d'agrumes. En bouche, il est plus corsé, d'une pureté admirable, mais sa finale est trop courte pour que je lui décerne une meilleure note. **A boire.** (1/94)

LA TOUR HAUT-BRION – TRÈS BON

Cru classé – équivaut à un 5e cru du Médoc depuis 1983, à un 2e cru auparavant
Propriétaire : Domaine de Clarence Dillon SA
Adresse : 33600 Pessac
Tél. 05 56 00 29 30 – Fax 05 56 98 75 14
Visites : sur rendez-vous uniquement
Contact : Carla Kuhn

Superficie : 4,9 ha (Pessac – appellation Pessac-Léognan)
Vin produit : Château La Tour Haut-Brion – 24 000-30 000 b (pas de second vin)
Encépagement : 42 % cabernet sauvignon, 35 % cabernet franc, 23 % merlot
Densité de plantation : 10 000 pieds/ha – *Age moyen des vignes :* 23 ans

Élevage :
vendanges manuelles ;
fermentations en cuves d'acier inoxydable thermorégulées à 30 °C ;
vieillissement de 20 mois en fûts (30 % de bois neuf) ;
collage au blanc d'œuf ; pas de filtration

A maturité : depuis 1983, dans les 5 à 10 ans suivant le millésime ;
auparavant, dans les 8 à 35 ans

De 1935 à 1983, La Tour Haut-Brion a appartenu à la famille Woltner, également propriétaire de La Mission Haut-Brion. Puis les deux châteaux, ainsi que Laville Haut-Brion (qui produit du vin blanc), ont été vendus au propriétaire américain de Haut-Brion.

Les vins de La Tour Haut-Brion, jusqu'en 1983, étaient vinifiés dans les chais de La Mission Haut-Brion et bénéficiaient des mêmes traitements. Lorsque la seconde fermentation (malolactique) était terminée, le vinificateur sélectionnait les cuvées les plus prometteuses, qui étaient réservées à La Mission, les autres étant destinées à La Tour Haut-Brion. Dans des millésimes tels que 1975 ou 1982, la différence entre les deux vins est d'ailleurs négligeable. Pour doter La Tour Haut-Brion d'un caractère bien spécifique par rapport à La Mission, on y ajoutait une plus grande quantité de vin de presse, d'un pourpre tirant sur le noir et très tannique, ce qui donnait un ensemble plus ample, plus coloré et plus nerveux. Cette addition de vin de presse explique l'évolution relativement lente de la plupart des millésimes de La Tour Haut-Brion. Il est arrivé (notamment en 1973 et 1976) que La Tour soit meilleur que son célèbre compagnon d'écurie.

Depuis que la famille Dillon et Jean Delmas supervisent la vinification, le vin adopte un style totalement différent, et il n'est plus, dorénavant, le second de La Mission Haut-Brion. Jean Delmas a choisi, en effet, de lui donner un caractère plus léger, en l'élaborant uniquement à partir des vignes du domaine (qui sont, à l'heure actuelle, relativement jeunes). Il s'agit donc d'un vin moins impressionnant, plus souple, nettement inférieur non seulement à La Mission, mais aussi au second vin de Haut-Brion, Bahans Haut-Brion. Pour ceux qui aimaient le caractère vigoureux, musclé et robuste de La Tour Haut-Brion d'avant 1983, le nouveau style n'est pas seulement décevant, il représente une perte tragique ! Néanmoins, le vin, tel qu'il est aujourd'hui, est accessible dès sa jeunesse et, par conséquent – je le suppose –, répond davantage aux exigences actuelles.

1998 • **87-88** S'annonçant par une robe rubis profond et par des senteurs prononcées d'herbes, de cèdre et de cassis, ce vin moyennement corsé et élégant déploie en bouche une grande maturité et des tannins souples. Sa finale est modérément persistante. Quoique déjà complexe et évolué, il devrait se maintenir **10 ans ou plus.** (3/99)

1997 • **84-86** Plus léger que le 1996, l'élégant et souple 1997 se distingue par des arômes de cèdre et de fumé. Ce vin de cabernet exprime tout en rondeur un caractère accessible et sans détour. **A boire dans les 7 ou 8 ans.** (1/99)

1996 • **87** Très parfumé et étonnamment évolué pour le millésime, le 1996 de La Tour Haut-Brion arbore une robe prune foncé et dégage un nez prononcé de fumé, de cassis et d'herbes séchées. Moyennement corsé et modérément massif, c'est un bordeaux des plus classiques, généreusement épicé et doté d'un doux fruité, qui allie parfaitement élégance et complexité. Composé à parts égales de cabernet sauvignon et de cabernet franc, il tiendra parfaitement **une dizaine d'années.** (1/99)

1995 • **89+** Voici l'un des meilleurs vins élaborés à la propriété ces quinze dernières années : le 1995 dégage des parfums capiteux de grain de café, de tabac, d'épices, de fumé, d'herbes grillées et de doux fruits noirs et rouges. Rond et persistant en bouche, avec de généreux arômes de groseille, il présente une heureuse acidité sous-jacente qui lui confère une belle précision dans le dessin. Sa finale épicée, riche et douce révèle des tannins légers, mais présents. **A boire entre 2001 et 2015.** (11/97)

1994 • **89** Le 1994 se révèle étonnamment souple, parfumé, riche et moyennement corsé, dans un millésime davantage connu pour ses vins austères, tanniques et parfois creux. Rubis-pourpre foncé, il exhale le nez classique des vins des Graves, aux notes de fumé, d'herbes, de tabac et de fruits noirs et doux. D'une excellente précision dans le dessin, il est tout à la fois pur, net et bien sculpté, avec une finale douce aux tannins bien fondus. **A boire dans les 10 à 14 ans.** (1/97)

1993 • **88** Rubis modérément foncé, l'excellent 1993 exhale un nez épicé et poivré de fruits noirs et doux, et révèle en bouche de purs arômes de terre et de fumé, ainsi qu'une maturité et un caractère savoureux extrêmement sensuels. Moyennement corsé, avec une finale veloutée et flatteuse, il est déjà très séduisant et complexe, et devrait être agréable à déguster dans les **10 à 12 prochaines années.** (1/97)

1992 • **87** Le 1992 est réussi pour le millésime. D'une resplendissante couleur rubis moyen, il offre un nez acerbe et fumé de terre, de tabac, de prune et de cerise mûres. En bouche, il est souple, séduisant et bien concentré, avec une finale douce et élégante, mûre et ample. **A boire dans les 4 ou 5 ans.** (11/94)

1991 • **85** Avec sa robe de couleur rubis-pourpre foncé, et son nez doux et épicé de minéral et de tabac, le 1991 de La Tour Haut-Brion présente une excellente attaque en bouche, où il se révèle très riche. Il est cependant un peu court en finale. Ce vin séduisant et bien évolué demande à être consommé **d'ici 3 ou 4 ans.** (1/94)

1990 • **86** Moins concentré que le 1989, le 1990 de La Tour Haut-Brion est souple et fruité, avec les arômes de terre, de minéral, de tabac et de rôti qui caractérisent les vins issus du nord des Graves. Ce vin charnu doit être consommé ces **10 prochaines années.** (1/93)

1989 • **88** L'excellent La Tour Haut-Brion 1989 est essentiellement composé de cabernet sauvignon (85 %) et d'un peu de merlot (15 %). Moyennement corsé, avec un bouquet très prononcé d'herbes, de fumé et de cassis, il se montre extrêmement mûr, et déploie une finale énorme et alcoolique, étayée par une faible acidité. **A boire jusqu'en 2000.** (1/93)

1988 • **83** Le 1988 présente les légendaires tannins agressifs et durs propres au millésime. Bien corpulent et assez persistant en bouche, il n'est pas charmeur, mais, au contraire, puissant et austère. Ce vin sera au meilleur de sa forme **jusqu'en 2003.** (1/93)

1986 • **82** Le 1986 est tendre, souple et assez commercial ; c'est un vin qui manque de profondeur, d'ampleur et de complexité. **A boire jusqu'en 2002.** (11/90)

1985 • **84** Le 1985 est bon, mais légèrement court en bouche, un rien trop tannique pour l'ampleur de son fruit, et il manque quelque peu d'intérêt. **A boire jusqu'en 2001.** (3/89)

1984 • **82** Relativement léger pour un vin de cette propriété, La Tour Haut-Brion 1984 est plaisant et fruité, avec un caractère typiquement Graves. Il faut le boire **assez rapidement.** (3/88)

1983 • **84** Ce vin a le potentiel d'un bon La Tour Haut-Brion, mais il est plus léger et plus souple que les millésimes précédents. C'est le premier vin élaboré par l'équipe de Haut-Brion, qui venait de s'installer au domaine. D'un beau rubis assez foncé, épicé, ce vin tendre, souple et très facile d'approche a évolué assez rapidement. **A boire.** (3/89)

1982 • **95** Plus tannique que son jumeau de La Mission Haut-Brion, ce vin arbore une robe d'un rubis-pourpre terriblement sombre qui n'accuse aucun signe d'évolution. Le nez révèle de généreuses senteurs de terre rôtie et de doux cassis entremêlées de notes d'herbes, d'épices et de cuir fin. Très corsé, riche et modérément tannique, La Tour Haut-Brion 1982 n'a pas la douceur onctueuse, l'intensité, ni la richesse en extrait de La Mission, et requiert une garde de 2 ans encore avant d'être prêt. **A boire entre 2001 et 2018.** (9/95)

1981 • **85** Le 1981 est un vin robuste, agressif, assez tannique, avec beaucoup de punch et de puissance, mais il manque de finesse. Sa robe remarquablement foncée précède en bouche un ensemble corpulent, doté d'un fruit massif. **A boire jusqu'en 2005.** (3/88)

1980 • **75** Assez léger, un peu amer et relativement sommaire, ce 1980 dégage un bouquet intéressant de fumé et de terre fraîche, mais il manque de complexité en bouche. **A boire – peut-être en déclin.** (4/83)

1979 • **85** Semblable au 1981, en moins tannique, en plus ouvert et en plus fruité, ce 1979 arbore une belle couleur foncée et déploie un nez épicé, de la corpulence, de la richesse, un caractère assez corsé et une persistance intéressante. Le bouquet s'est maintenant épanoui pour révéler des notes de terre, de graves, de minéral et de fumé. C'est un La Tour Haut-Brion agréablement précoce, qui est aujourd'hui à son apogée. **A boire.** (10/84)

1978 • **95** La Tour Haut-Brion est l'une des grandes réussites du millésime, et j'essaie généralement d'en acheter dans les ventes aux enchères. D'un grenat-pourpre un peu trouble, il dégage des arômes explosifs de viande rôtie, d'herbe, de truffe, de réglisse, d'épices orientales et de doux cassis, qui précèdent en bouche un ensemble puissant, musclé et très corsé, doté d'abondants tannins.

Ce vin profond et riche atteint actuellement son apogée ; il devrait s'y maintenir 20 ans encore. Un succès remarquable. **A boire entre 2000 et 2020.** (4/98)

1976 • **80** Nettement meilleur que son jumeau de La Mission – aqueux et dépourvu de précision –, La Tour Haut-Brion n'est ni très profond ni complexe, mais il dégage un bouquet assez délié de fumé et de terre fraîche, et révèle, en bouche, des arômes tendres et quelque peu diffus. Relativement corsé, il déploie une finale courte et plutôt rugueuse. **A boire.** (10/80)

1975 • **96** Le 1975 de La Tour Haut-Brion a toujours été un grand vin. Malheureusement, comme beaucoup d'amateurs enthousiasmés par ce nectar, je n'ai pas su lui résister et l'ai donc goûté trop tôt : il ne m'en reste plus que deux bouteilles (sur une caisse et demie). Plus évolué dans ce millésime que La Mission, La Tour Haut-Brion déploie, au nez comme en bouche, de somptueux arômes de cassis doux, de cèdre, de tabac, de minéral, de chocolat et de fumé. Massivement doté et remarquablement équilibré, avec des tannins bien fondus dans l'ensemble (grâce à son fruit doux et confituré), il révèle la belle structure propre à presque tous les 1975. Magnifiquement extrait, il est capable d'une garde supplémentaire de **20 ans, voire plus.** (10/97)

1974 • **83** Tout comme son jumeau La Mission, ce La Tour Haut-Brion représente une belle réussite pour le millésime. C'est un vin robuste, quelque peu rustique et fruste, riche et solide, qui manque certes de finesse, mais affirme beaucoup de punch et libère des arômes généreux. Il est en outre relativement corsé et bien concentré. **A boire – peut-être en déclin.** (7/82)

1971 • **84** Plus ferme et plus dur que La Mission, avec peut-être un peu plus de tannins et d'acidité qu'il n'aurait fallu, La Tour Haut-Brion 1971 est à pleine maturité depuis déjà plusieurs années. Son bouquet, typique, de minéral et de tabac grillé est intéressant. En bouche, ce vin est relativement corsé, légèrement trop austère et dur, mais corpulent et robuste. **A boire.** (2/83)

1970 • **88 ?** Si je n'ai jamais trouvé excessive l'acidité volatile du soi-disant second vin de La Mission Haut-Brion, ce 1970 n'a jamais décroché la timbale du fait de son caractère costaud, tannique, charnu et trapu. Plus tannique et moins équilibré que le grandiose 1975, il est terriblement puissant et massif, et je doute qu'il perde sa rugosité. Il est parfaitement capable de tenir 20 à 30 ans, mais je ne vois pas l'intérêt de le conserver. **A boire.** (6/96)

1966 • **88** A pleine maturité, le 1966 présente la robe rubis foncé et dense typique des La Tour Haut-Brion, légèrement tuilée sur le bord. Ce vin corpulent, riche et épicé déploie un bouquet voluptueux, aux arômes de fruits, de terre, de graves et de tabac. En bouche, il se révèle moins massif qu'un certain nombre de millésimes du domaine, mais il se distingue par sa finesse et par son caractère harmonieux. **A boire.** (3/81)

1961 • **95** Je n'ai goûté qu'une fois ce vin, et je l'ai trouvé remarquablement concentré et riche, avec, m'a-t-il semblé, un très grand potentiel de garde. Très foncé de robe, mais légèrement nuancé d'ambre, ce La Tour Haut-Brion corpulent, étoffé et épais présente un bouquet, opulent et exotique, de groseille mûre, de cannelle, de tabac et de truffe. Très ample, regorgeant de fruit, avec une bonne dose de tannins encore bien présente, il m'a paru un vrai tour de force œnologique. **A boire jusqu'en 2030.** (3/79)

Millésimes anciens

J'aimerais avoir dégusté davantage de vieux millésimes de La Tour Haut-Brion, parce que ceux que j'ai goûtés se sont révélés extraordinaires. Le 1947 (noté 95 en 1990) est magnifiquement riche, même si son acidité volatile peut effrayer les puristes. Presque visqueux, avec un fruit très ample et de bonne mâche, c'est un excellent vin, que l'on peut boire pendant au moins **une décennie encore.**

Les deux autres grands millésimes que j'ai eu la chance de goûter sont le 1959 et le 1955. Le premier, que j'ai dégusté dans un restaurant de Bordeaux en 1988, était massif, peu évolué et étonnamment jeune ; il arborait toujours un pourpre très foncé et était encore à une bonne décennie de sa maturité. Je l'ai noté 92, mais je suis certain qu'il méritera une meilleure note lorsqu'il atteindra son apogée. Le 1955 (noté 94 en 1990) n'a pas un bouquet aussi puissant que celui de son jumeau de La Mission, mais c'est un Graves classique, extrêmement concentré et bien marqué par la mâche, qui est encore capable de tenir au moins **deux décennies.** Il est regrettable que La Tour Haut-Brion ne soit plus vinifié dans ce style ; pour se consoler, les amateurs pourront rester à l'affût des vieux millésimes des meilleures années, qui apparaissent de temps en temps dans les ventes aux enchères.

AUTRES PRODUCTEURS DES GRAVES

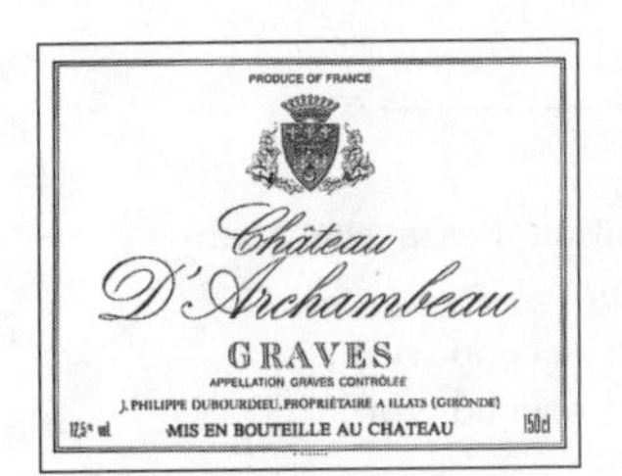

D'ARCHAMBEAU - BON

Non classé – équivaut à un bon cru bourgeois
Propriétaire : Jean-Philippe Dubourdieu
Adresse : 33720 Illats
Tél. 05 56 62 51 46 – Fax 05 56 62 47 98
Visites : sur rendez-vous de préférence,
du lundi au vendredi (9 h-12 h et 14 h-18 h)
Contacts : Jean-Philippe et Corinne Dubourdieu

Superficie :
rouge – 19 ha ; blanc – 6,6 ha (Illats – appellation Graves)
Vins produits :
rouge – Château d'Archambeau – 53 000 b ; Château Mourlet – 40 000 b ;
blanc – Château d'Archambeau – 27 000 b ; Château Mourlet – 18 000 b
Encépagement :
rouge – 45 % merlot, 40 % cabernet sauvignon, 15 % cabernet franc ;
blanc – 80 % sauvignon, 20 % sémillon
Densité de plantation : 5 500 pieds/ha
Age moyen des vignes : rouge – 15 ans ; blanc – 20 ans
Rendement moyen : rouge – 50 hl/ha ; blanc – 40 hl/ha

Élevage :
rouge – fermentations et macérations de 18 jours ;
achèvement des malolactiques en fûts ;
vieillissement de 12 mois en fûts et en cuves ; collage et filtration ;
blanc – fermentations en fûts pour 1/3 de la récolte et en cuves pour le reste ;

élevage de 8-10 mois sur lies fines avec sulfitage ; collage et filtration

A maturité : rouge et blanc – dans les 2 à 5 ans suivant le millésime

Je n'ai goûté que quelques millésimes des vins de ce domaine ; ils étaient tendres, de style assez commercial, mais ronds et aromatiques.

C'est cependant le vin blanc qui fait la fierté et la joie de cette petite propriété ; issu d'un sol graveleux, à l'aspect argileux, il est élaboré sous la direction de la famille Dubourdieu, qui excelle dans ce domaine. La vinification comprend une fermentation à froid et la fameuse macération pelliculaire (contact prolongé des peaux avec le jus en fermentation). Elle donne des vins remarquablement frais et aromatiques, onctueux et crémeux en bouche, avec une finale longue, joliment fruitée et généreuse. Les amateurs achèteront les millésimes récents, qu'il faut boire dans les 5 ans. Les prix pratiqués par le domaine demeurent raisonnables.

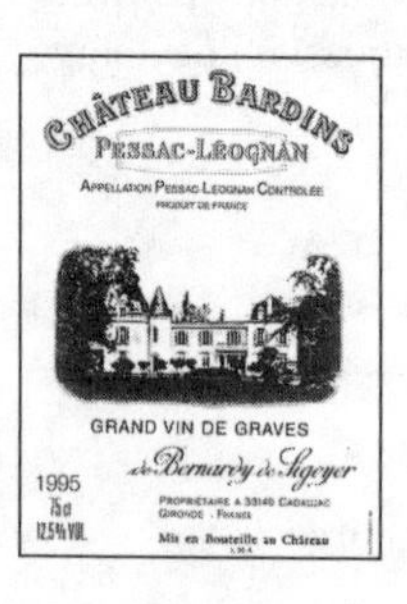

BARDINS

Non classé – équivaut à un cru bourgeois
Propriétaire : Yves de Bernardy de Sigoyer
Adresse : 124, avenue de Toulouse – 33140 Cadaujac
Tél. 05 56 30 75 85 – Fax 05 56 30 04 99
Visites : sur rendez-vous uniquement
Contact : Yves de Bernardy de Sigoyer

Superficie :
rouge – 7 ha ; blanc – 0,35 ha (Cadaujac – appellation Pessac-Léognan)
Vins produits :
rouge – Château Bardins – 40 000 b (pas de second vin) ;
blanc – Château Bardins – 2 240 b (pas de second vin)
Encépagement :
rouge – 42 % cabernet franc, 32 % merlot, 15 % cabernet sauvignon, 11 % malbec et petit verdot ;
blanc – sauvignon, sémillon et muscadelle à parts égales
Densité de plantation : 6 000 pieds/ha
Age moyen des vignes : rouge – 23 ans ; blanc – 30 ans
Rendement moyen : rouge – 50 hl/ha ; blanc – 48 hl/ha

Élevage :
rouge – fermentations et macérations de 21-35 jours en cuves thermorégulées ; vieillissement après les malolactiques de 12 mois en fûts (1/3 de bois neuf) ; collage ;
blanc – fermentations en fûts pour 1/3 de la récolte et en cuves pour le reste ; élevage de 8-10 mois sur lies fines avec sulfitage ; collage ; pas de filtration

A maturité : rouge – dans les 3 à 7 ans suivant le millésime ;
blanc – dans les 2 à 4 ans

Je n'ai dégusté que quelques millésimes de ce petit domaine situé dans la commune de Cadaujac et voisin du très renommé Château Bouscaut. Le propriétaire a choisi un encépagement intéressant, avec un fort pourcentage de cabernet franc pour le rouge, ce qui lui donne un caractère tendre, épicé et herbacé, et un très fort pourcentage de muscadelle pour le blanc, qui contribue à son caractère richement fruité et tendre et qui en fait un vin agréable à boire très rapidement.

BARET - BON

Non classé
Propriétaire : famille Ballande
Adresse : 33140 Villenave-d'Ornon
Adresse postale : Domaines Borie-Manoux
86, cours Balguerie-Stuttenberg – 33082 Bordeaux Cedex
Tél. 05 56 00 00 70 – Fax 05 56 87 60 30
Visites : sur rendez-vous uniquement
Contact : Philippe Castéja (Borie-Manoux)

Superficie :
rouge – 20 ha ; blanc – 4 ha (Villenave-d'Ornon – appellation Pessac-Léognan)
Vins produits :
rouge – Château Baret – 54 000 b ; Château de Camparian – 24 000 b ;
blanc – Château Baret – 18 000 b ; Château de Camparian – 12 000 b
Encépagement :
rouge – 60 % cabernet sauvignon, 35 % merlot, 5 % cabernet franc ;
blanc – 70 % sauvignon, 30 % sémillon
Densité de plantation : 7 000 pieds/ha
Age moyen des vignes : rouge – 30 ans ; blanc – 25 ans
Rendement moyen : rouge – 50-52 hl/ha ; blanc – 54-55 hl/ha

Élevage :
rouge – fermentations de 28 jours en cuves d'acier inoxydable thermorégulées ;
vieillissement après les malolactiques de 12-18 mois en fûts (30 % de bois neuf) ;
ni collage ni filtration ;
blanc – macération pelliculaire de 12-24 heures en petites cuves de béton ;
fermentations en fûts (30 % de bois neuf) pour 75 % de la récolte
et en cuves pour le reste ;
élevage de 6-8 mois sur lies ; fréquents bâtonnages ; ni collage ni filtration

---

A maturité : rouge – dans les 4 à 10 ans suivant le millésime ;
blanc – dans les 2 à 5 ans

De nombreux changements sont intervenus à Baret depuis qu'en 1981 Philippe Castéja, l'un des responsables de la grande maison de négoce Borie-Manoux, en assure la direction. Cette propriété, qui se trouve à la sortie de Bordeaux, dans la commune de Villenave-d'Ornon, propose maintenant de bons vins, qui méritent d'être mieux connus.

Les rouges sont désormais plus profonds, plus fruités et beaucoup plus intéressants et plaisants que dans les années 60 et 70 – ils étaient alors plutôt durs et dépourvus de distinction. Les blancs se sont améliorés depuis 1987 – depuis qu'ils sont en partie fermentés en fûts de chêne, à des températures moins élevées ; ils sont également élevés plus longuement sur lies. Ils s'imposent aujourd'hui au niveau des meilleurs blancs des Graves.

BOYREIN

Non classé
Propriétaire : Jean Médeville et Fils
Adresse : 33410 Roaillan
Adresse postale : Château Fayau – 33410 Cadillac
Tél. 05 57 98 08 08 – Fax 05 56 62 18 22
Visites : sur rendez-vous de préférence
du lundi au vendredi (9 h-12 h et 14 h-17 h),
sur rendez-vous le week-end
Contact : Jacques Médeville

Superficie :
rouge – 22 ha ; blanc – 10 ha (Roaillan – appellation Graves)
Vins produits :
rouge – Château Boyrein – 110 000 b ; Château Puy-Boyrein – 53 000 b ;
blanc – Château Boyrein – 27 000 b ; Château Puy-Boyrein – 26 000 b
Encépagement :
rouge – 50 % cabernet sauvignon, 30 % merlot, 20 % cabernet franc ;
blanc – 50 % sauvignon, 30 % sémillon, 20 % muscadelle
Densité de plantation : 5 000 pieds/ha
Age moyen des vignes : rouge – 25 ans ; blanc – 18 ans
Rendement moyen : rouge – 42 hl/ha ; blanc – 40 hl/ha

Élevage :
rouge – fermentations de 12-15 jours en cuves d'acier inoxydable ;
remontages manuels ;
achèvement des malolactiques en cuves de béton ;
vieillissement de 18 mois en cuves souterraines ; collage et filtration ;
blanc – stabilisation des moûts par le froid ; fermentations à moins de 20 °C ;
élevage en cuves souterraines ; pas de collage ; légère filtration

A maturité : rouge – dans les 2 à 7 ans suivant le millésime ;
blanc – dans les 1 à 5 ans

BRONDELLE

Non classé
Propriétaire : Vignobles Belloc-Rochet
Adresse : 33210 Langon
Tél. 05 56 62 38 14 – Fax 05 56 62 23 14
Visites : sur rendez-vous uniquement
Contact : Jean-Noël Belloc

Superficie :
rouge – 24 ha ; blanc – 16 ha (Langon – appellation Graves)
Vins produits :
rouge – Château Brondelle – 80 000 b ; Château La Rose Sarron – 40 000 b ;
blanc – Château Brondelle – 40 000 b ; Château La Rose Sarron – 20 000 b ;
Cuvée Anaïs – 15 000 b
Encépagement :
rouge – 60 % cabernet sauvignon, 40 % merlot ;
blanc – 50 % sémillon, 45 % sauvignon, 5 % muscadelle
Densité de plantation : rouge – 6 600 pieds/ha ; blanc – 5 000 pieds/ha
Age moyen des vignes : 20 ans
Rendement moyen : rouge – 53 hl/ha ; blanc – 55 hl/ha

Élevage :
rouge – fermentations de 21 jours à 28-30 °C ;
achèvement des malolactiques en cuves ;
vieillissement de 12 mois en fûts (25 % de bois neuf) ; collage et filtration ;
blanc – macération pelliculaire de 12 heures ; débourbage par le froid ;
fermentations en cuves à 18 °C ; élevage de 4 mois sur lies fines ;
collage et filtration

A maturité : rouge – dans les 2 à 8 ans suivant le millésime ;
blanc – dans les 1 à 5 ans

CABANNIEUX
Non classé – équivaut à un cru bourgeois
Propriétaire : Régine Dudignac-Barrière
Adresse : 44, route du Courneau – 33640 Portets
Tél. 05 56 67 22 01 – Fax 05 56 67 32 54
Visites : sur rendez-vous uniquement
Contact : Régine Dudignac-Barrière

Superficie :
rouge – 13 ha ; blanc – 6,5 ha (Portets – appellation Graves)
Vins produits :
rouge – Château Cabannieux – 85 000 b ;
Château de Curcier/Château Migot – 13 300 b ;
blanc – Château Cabannieux – 46 000 b ;
Château de Curcier/Château Migot – 4 000 b
Encépagement :
rouge – 50 % merlot, 45 % cabernet sauvignon, 5 % cabernet franc ;
blanc – 80 % sémillon, 20 % sauvignon
Densité de plantation : 5 000 pieds/ha
Age moyen des vignes : rouge – 30 ans ; blanc – 20 ans
Rendement moyen : rouge – 58 hl/ha ; blanc – 57 hl/ha

Élevage :
rouge – fermentations de 21 jours ; vieillissement de 18 mois en fûts

(20 % de bois neuf) ; collage et filtration ;
blanc – fermentations de 15 jours à faible température ; élevage selon le millésime en cuves d'acier inoxydable ou sur lies, en cuves puis en fûts pendant 3 mois ; collage et filtration

---

A maturité : rouge – dans les 2 à 8 ans suivant le millésime ;
blanc – dans les 2 à 4 ans

DU CAILLOU

Non classé
Propriétaire : SA du Château du Caillou
Adresse : route de Saint-Cricq – 33720 Cérons
Tél. 05 56 27 17 60 – Fax 05 56 27 00 31
Visites : sur rendez-vous uniquement
Contacts : Lionel et Karine Latorse

Superficie : 3 ha (Cérons – appellation Graves)
Vins produits :
Cuvée Saint-Cricq du Château du Caillou – 6 000 b ;
Château du Caillou – 11 000 b
Encépagement : 50 % sauvignon, 50 % sémillon
Densité de plantation : 6 000 pieds/ha – *Age moyen des vignes :* 30 ans
Rendement moyen : 40 hl/ha

Élevage :
vendanges manuelles ; débourbage à 7 °C ; stabilisation des moûts par le froid ; fermentations en cuves ; élevage de 7 mois sur lies, en fûts ; fréquents bâtonnages ; collage ; pas de filtration

---

A maturité : dans les 2 à 5 ans suivant le millésime

CANTELYS

Non classé
Propriétaires : Daniel et Florence Cathiard
Adresse : Menaut – 33650 Martillac
Adresse postale : GFA Malice – 4, chemin de Bourran 33650 Martillac
Tél. 05 57 83 11 22 – Fax 05 57 83 11 21
Visites : sur rendez-vous uniquement
Contacts : Daniel et Florence Cathiard

Superficie :
rouge – 29 ha ; blanc – 11 ha (Martillac – appellation Pessac-Léognan)
Vins produits :
rouge – Château Cantelys – 18 000 b (pas de second vin) ;
blanc – Château Cantelys – 10 000 b (pas de second vin)

Encépagement :
rouge – 50 % cabernet sauvignon, 50 % merlot ;
blanc – 70 % sauvignon blanc, 20 % sémillon, 10 % sauvignon gris
Densité de plantation : 7 500 pieds/ha – *Age moyen des vignes :* 10 ans
Rendement moyen : 30 hl/ha

Élevage :
rouge – fermentations de 21-28 jours
en cuves d'acier inoxydable thermorégulées à 28-32 °C ;
vieillissement de 12-14 mois en fûts (pas de bois neuf) ;
ni collage ni filtration ;
blanc – vendanges manuelles ; pressurage des raisins avec un pressoir pneumatique ;
débourbage à basse température en cuves d'acier inoxydable ;
fermentations en fûts (50 % de bois neuf) ; élevage de 10 mois sur lies ;
fréquents bâtonnages ; collage à la bentonite ; filtration

A maturité : rouge – dans les 2 à 6 ans suivant le millésime ;
blanc – dans les 2 à 5 ans

CHERET-PITRES – BON

Non classé – équivaut à un bon cru bourgeois
Propriétaires : Pascal et Caroline Dulugat
Adresse : 33640 Portets
Tél. et Fax 05 56 67 27 76
Visites : sur rendez-vous de préférence, tous les jours
Contacts : Pascal et Caroline Dulugat

Superficie :
5,6 ha (Portets, Arbanat et Virelade – appellation Graves)
Vins produits : Château Cheret-Pitres – 10 000 b ; Château Cheret – 30 000 b
Encépagement : 60 % merlot, 40 % cabernet sauvignon
Densité de plantation : 5 500 pieds/ha – *Age moyen des vignes :* 35 ans
Rendement moyen : 55 hl/ha

Élevage :
vieillissement de 18 mois pour moitié en vieux fûts et en cuves de béton ;
collage et filtration

A maturité : dans les 3 à 8 ans suivant le millésime

J'ai toujours apprécié les vins de Cheret-Pitres pour leur fruité riche aux arômes de tabac et de fumé. J'ai d'ailleurs d'excellentes notes sur les 1975, 1978, 1982 et 1985. Ce cru n'est pas très connu des amateurs, et constitue, de ce fait, une excellente affaire. Le vignoble, situé sur la commune de Portets, donne généralement des vins qui doivent leur gras et leur souplesse à une forte proportion de cabernet sauvignon et aux vieilles vignes dont ils sont issus. La propriété n'élabore pas de blanc.

CHICANE

Non classé
Propriétaire : François Gauthier
Adresse : 1, route de Garonne – 33210 Toulenne
Tél. 05 56 76 43 73 – Fax 05 56 76 42 60
Visites : sur rendez-vous uniquement
Contact : François Gauthier

Superficie :
5,4 ha (Toulenne – appellation Graves)
Vin produit : Château Chicane – 28 000 b (pas de second vin – vrac)
Encépagement : 55 % cabernet sauvignon, 35 % merlot, 10 % malbec
Densité de plantation : 3 300-5 000 pieds/ha – *Age moyen des vignes :* 20 ans
Rendement moyen : 45-50 hl/ha

Élevage :
fermentations de 21 jours en cuves d'acier inoxydable thermorégulées ;
vieillissement de 12 mois en fûts (25 % de bois neuf) ; collage et filtration

---

A maturité : dans les 2 à 5 ans suivant le millésime

Gérée par Pierre Coste jusqu'en 1993, cette propriété a ensuite été reprise par son neveu François Gauthier, architecte de profession. Celui-ci y a apporté de nombreux changements : les vignes sont désormais cultivées selon des méthodes très traditionnelles, avec, notamment, des labours réguliers ; on procède à une taille sévère et à un éclaircissage si nécessaire ; l'utilisation d'herbicides ou d'autres produits chimiques est prohibée ; la vendange n'est plus fermentée en cuves de 150 à 250 hl, qui ont été remplacées par des cuves d'acier inoxydable plus petites, d'une capacité de 50 à 80 hl. La propriété bénéficie des conseils de l'œnologue Denis Dubourdieu.

CLOS FLORIDÈNE – TRÈS BON (en blanc)

Non classé – devrait être promu cru classé
Propriétaires : Denis et Florence Dubourdieu
Adresse : quartier Videau – 33210 Pujols-sur-Ciron
Adresse postale : Château Reynon – 33410 Béguey
Tél. 05 56 62 96 51 – Fax 05 56 62 14 89
Visites : sur rendez-vous uniquement
Contact : Florence Dubourdieu

Superficie :
rouge – 5 ha ; blanc – 12 ha (Pujols-sur-Ciron et Illats – appellation Graves)
Vins produits :
rouge – Clos Floridène – 24 000 b ; Château Montalivet – variable ;
blanc – Clos Floridène – 50 000-53 000 b ; Château Montalivet – 10 000 b
Encépagement :
rouge – 80 % cabernet sauvignon, 20 % merlot ;
blanc – 40 % sauvignon, 40 % sémillon, 20 % muscadelle
Densité de plantation : rouge – 5 500 pieds/ha ; blanc – 7 000 pieds/ha

Age moyen des vignes : 25 ans
Rendement moyen : rouge – 40 hl/ha ; blanc – 37 hl/ha

Élevage :
rouge – fermentations plutôt longues à température élevée ;
vieillissement de 12 mois en fûts (25 % de bois neuf) ; collage et filtration ;
blanc – fermentations en fûts ; élevage de 11 mois sur lies ; fréquents bâtonnages ;
collage et filtration

A maturité : rouge – dans les 2 à 8 ans suivant le millésime ;
blanc – dans les 2 à 5 ans

Ce petit domaine appartient à Denis Dubourdieu, grand sorcier du bordeaux blanc. Celui-ci est en effet considéré, avec raison, comme l'homme qui a révolutionné la vinification du blanc dans toute la région en introduisant sa technique dite de macération pelliculaire. Il s'agit de laisser en contact les peaux et le jus à une température relativement basse. Dubourdieu estimait, et la science œnologique l'a depuis confirmé, que ce sont les peaux qui donnent au vin sa complexité aromatique et sa richesse fruitée.

Une dégustation des merveilles qu'il produit révèle des Graves blancs superbes, très proches en qualité des plus grands tels Laville Haut-Brion, Haut-Brion et Domaine de Chevalier. Les prix demeurent relativement bas, bien que le talent de Dubourdieu soit aujourd'hui reconnu dans toute l'Europe et que Clos Floridène ait une certaine notoriété. C'est un vin excellent, nettement sous-évalué, qui mériterait incontestablement d'être classé. Le domaine produit aussi une petite quantité d'un bon vin rouge, assez souple, qui n'a cependant pas les qualités éblouissantes du blanc.

COURRÈGES SEGUÈS DU CHÂTEAU DE GAILLAT

Non classé
Propriétaire : SCEA du Château de Gaillat
Adresse : 33210 Langon
Tél. 05 56 63 50 77 – Fax 05 56 62 20 96
Visites : sur rendez-vous uniquement
Contact : Hélène Bertrand-Coste

Superficie :
2 ha (Saint-Pardon-de-Conques – appellation Graves)
Vin produit : Château Courrèges Seguès du Château de Gaillat – 15 000 b
(pas de second vin)
Encépagement : 75 % sauvignon, 25 % merlot
Densité de plantation : 6 600 pieds/ha – *Age moyen des vignes :* 30 ans
Rendement moyen : 45 hl/ha

Élevage :
fermentations et cuvaisons de 18 jours à haute température ;
vieillissement de 12-18 mois en fûts (25 % de bois neuf) ; collage ; pas de filtration

A maturité : dans les 2 à 5 ans suivant le millésime

DE CRUZEAU – BON

Non classé – équivaut à un bon cru bourgeois
Propriétaire : André Lurton
Adresse : 33650 Saint-Médard-d'Eyrans
Adresse postale : SCEA Les Vignobles André Lurton
Château Bonnet – 33420 Grézillac
Tél. 05 57 25 58 58 – Fax 05 57 74 98 59
Visites : non autorisées

Superficie :
rouge – 50 ha ; blanc – 31 ha (Saint-Médard-d'Eyrans – appellation Pessac-Léognan)
Vins produits :
rouge – Château de Cruzeau – 160 000 b (pas de second vin) ;
blanc – Château de Cruzeau – 70 000 b (pas de second vin)
Encépagement :
rouge – 55 % cabernet sauvignon, 43 % merlot, 2 % cabernet franc ;
blanc – 85 % sauvignon, 15 % sémillon
Densité de plantation : rouge – 6 500-8 500 pieds/ha
Age moyen des vignes : 15-18 ans

Élevage :
rouge – fermentations en cuves d'acier inoxydable thermorégulées ;
vieillissement de 12 mois en fûts (25-35 % de bois neuf) ;
collage et filtration ; blanc – vendanges manuelles ;
fermentations pour une partie en cuves d'acier inoxydable thermorégulées
et pour l'autre en fûts (25 % de bois neuf) ;
élevage de 10 mois, sur lies pour les vins en fûts ;
collage et filtration

A maturité : rouge – dans les 5 à 8 ans suivant le millésime ;
blanc – dans les 2 à 6 ans

André Lurton, qui s'est constitué un véritable empire viticole dans les Graves, a acheté cette propriété en 1973 et a commencé à replanter massivement en 1979. Le vignoble est donc actuellement relativement jeune (pour le Bordelais), mais le vin se révèle déjà très prometteur. Le rouge, issu de vendanges mécaniques, est un Graves crémeux, ouvert, richement fruité, avec des nuances de fumé, particulièrement intéressant pour les amateurs préférant consommer leurs vins rapidement.

Le blanc, issu de raisin vendangé à la main, est vinifié et élevé en partie en fûts et en cuves d'acier inoxydable ; il se distingue par son fruit (il ressemble à un vin californien) et doit être bu relativement rapidement.

Les prix pratiqués sont très raisonnables, et c'est l'un des grands atouts de ce cru.

1998 • **85-87** Le 1998 arbore une robe rubis-pourpre foncé qui précède des arômes modérément intenses, herbacés et épicés, de petits fruits mûrs, eux-mêmes suivis en bouche de flaveurs élégantes et modérément concentrées. La finale recèle des tannins souples. **A boire avant 7 à 10 ans d'âge.** (3/99)

FERRANDE - BON

Non classé
équivaut à un bon cru bourgeois
Propriétaire : SCE du Château Ferrande
Adresse : 33640 Castres
Tél. 05 56 67 05 86
Visites : sur rendez-vous uniquement

Superficie :
rouge – 34 ha ; blanc – 9 ha (Castres – appellation Graves)
Vins produits :
Château Ferrande ; Château Guillon (en blanc et en rouge) ;
Encépagement :
rouge – 34 % merlot, 33 % cabernet sauvignon, 33 % cabernet franc ;
blanc – 60 % sémillon, 35 % sauvignon, 5 % muscadelle
Densité de plantation : rouge – 4 500-5 500 pieds/ha
Age moyen des vignes : 25 ans

A maturité : rouge – dans les 3 à 10 ans suivant le millésime ;
blanc – dans les 2 à 7 ans

Ce domaine, situé sur la commune de Castres, produit de bons vins très réguliers, mais sans grand intérêt. Je trouve que les rouges, comme les blancs, comptent parmi les Graves les plus marqués par le terroir. Au cours de différentes dégustations, j'ai constaté que l'on pouvait soit admirer, soit carrément détester ces arômes.

Les blancs, qui se sont énormément améliorés depuis une dizaine d'années, révèlent désormais davantage de fruit et de charme. Auparavant, non contents de présenter des notes de terre assez prononcées, ils étaient aussi extrêmement austères et anguleux. Ces vins ne sont pas très chers, mais ils vieillissent fort bien, surtout les rouges.

LA FLEUR JONQUET

Non classé
Propriétaire : Laurence Lataste
Adresse : Le Puy de Choyne – Arbanats – 33640 Portets
Adresse postale : 5, rue Amélie – 33200 Bordeaux
Tél. 05 56 17 08 18 – Fax 05 57 22 12 54
Visites : sur rendez-vous uniquement
Contact : Laurence Lataste

Superficie :
rouge – 3,5 ha ; blanc – 1 ha (Portets – appellation Graves)
Vins produits :
rouge – Château La Fleur Jonquet – 18 000-20 000 b ;
J de Jonquet – 2 000-4 000 b ;
blanc – Château La Fleur Jonquet – 6 000-7 000 b (pas de second vin)
Encépagement :
rouge – 70 % merlot, 15 % cabernet sauvignon, 15 % cabernet franc ;
blanc – 50 % sémillon, 40 % sauvignon, 10 % muscadelle

Densité de plantation : 5 500 pieds/ha
Age moyen des vignes : rouge – 10 ans ; blanc – 45 et 7-8 ans
Rendement moyen : rouge – 50-55 hl/ha ; blanc – 45-50 hl/ha

Élevage :
rouge – vendanges mécaniques ou manuelles, selon le millésime ;
fermentations de 21 jours en cuves de béton thermorégulées ;
achèvement des malolactiques en cuves ;
vieillissement de 12-15 mois en fûts (25 % de bois neuf) ; collage et filtration ;
blanc – vendanges manuelles ; fermentations en fûts (25 % de bois neuf) ;
élevage de 11 mois sur lies ; fréquents bâtonnages ; collage et filtration

A maturité : rouge – dans les 2 à 5 ans suivant le millésime ;
blanc – dans les 2 à 4 ans

DE FRANCE

Non classé
Propriétaire : SAB Thomassin
Adresse : 98, route de Mont-de-Marsan – 33850 Léognan
Tél. 05 56 64 75 39 – Fax 05 56 64 72 13
Visites : sur rendez-vous uniquement
Contact : Arnaud Thomassin

Superficie :
rouge – 28,5 ha ; blanc – 3,5 ha (Léognan – appellation Pessac-Léognan)
Vins produits :
rouge – Château de France – 120 000 b ; Château Coquillas – 75 000 b ;
blanc – Château de France – 13 300 b ; Ganga Cata – 1 600 b
Encépagement :
rouge – 60 % cabernet sauvignon, 40 % merlot ;
blanc – 70 % sauvignon, 20 % sémillon, 10 % muscadelle
Densité de plantation : 5 000-6 950 pieds/ha
Age moyen des vignes : rouge – 30 ans ; blanc – 10 ans
Rendement moyen : rouge – 56 hl/ha ; blanc – 50 hl/ha

Élevage :
rouge – fermentations de 21-28 jours
en cuves d'acier inoxydable thermorégulées à 30-32 °C ;
vieillissement de 12-18 mois en fûts (50 % de bois neuf) ; collage et filtration ;
blanc – fermentations en fûts (50 % de bois neuf) à 17 °C ; élevage de 8 mois ;
bâtonnages hebdomadaires, puis bimensuels ; collage et filtration

A maturité : rouge – dans les 4 à 10 ans suivant le millésime ;
blanc – dans les 2 à 5 ans

Pratiquement tout le vignoble de ce domaine, qui est le proche voisin du Château de Fieuzal, a été replanté depuis 1971. Le propriétaire, un industriel, n'a pas lésiné pour rénover la propriété et construire un nouveau chai équipé dans les règles de l'art, avec, notamment, des cuves d'acier inoxydable très modernes.

Les premiers résultats n'ont guère été concluants, mais, en 1986, Thomassin prit deux décisions importantes et très salutaires pour la qualité de ses vins : tout d'abord, il choisit de récolter le plus tard possible, afin de rentrer une vendange à maturité optimale ; ensuite, il instaura le principe d'une sélection extrêmement sévère, seules les meilleures cuves composant le grand vin. De fait, depuis cette date, la qualité s'est nettement améliorée, et ce cru, l'un des plus sous-estimés des Graves, est aujourd'hui l'un des mieux élaborés.

DE GAILLAT

Non classé
Propriétaire : famille Coste
Adresse : 33210 Langon
Tél. 05 56 63 50 77 – Fax 05 56 62 20 96
Visites : sur rendez-vous uniquement
Contact : Hélène Bertrand-Coste

Superficie : 12 ha (Langon – appellation Graves)
Vin produit : Château de Gaillat – 60 000 b (pas de second vin)
Encépagement : 65 % cabernet sauvignon, 30 % merlot, 5 % malbec
Densité de plantation : 6 000 pieds/ha
Age moyen des vignes : 30 ans – *Rendement moyen :* 50 hl/ha

Élevage :
fermentations de 21-35 jours à hautes températures ; remontages et pigeages ; vieillissement de 12-18 mois en fûts (10 % de bois neuf) ; collage et filtration

A maturité : dans les 2 à 5 ans suivant le millésime

GAZIN ROCQUENCOURT – BON

Non classé
Propriétaires :
Jean-Marie Michotte et Françoise Baillot-Michotte
Adresse : 74, avenue de Cestas – 33850 Léognan
Tél. 05 56 64 77 89 – Fax 05 56 64 77 89
Visites : sur rendez-vous uniquement

Superficie : 14 ha (Léognan – appellation Pessac-Léognan)
Vins produits : Château Gazin Rocquencourt – 77 000 b ;
Les Granges de Gazin – 13 000 b
Encépagement : 70 % cabernet sauvignon, 20 % merlot, 10 % cabernet franc
Densité de plantation : 6 250 pieds/ha – *Age moyen des vignes :* 24 ans
Rendement moyen : 50 hl/ha

Élevage :
fermentations de 21-28 jours en cuves d'acier inoxydable ; fréquents remontages ; vieillissement de 12 mois en fûts (25 % de bois neuf) ; collage et filtration

---

A maturité : dans les 2 à 10 ans suivant le millésime

DU GRAND ABORD

Non classé
Propriétaire : Vignobles MC Dugoua
Adresse : 56, route des Graves – 33640 Portets
Tél. 05 56 67 22 79 – Fax 05 56 67 22 23
Visites : sur rendez-vous de préférence
Contact : Colette Dugoua

Superficie :
rouge – 8 ha ; blanc – 3,5 ha (Portets – appellation Graves)
Vins produits :
rouge – Château du Grand Abord – 50 000-55 000 b ;
Château Bel Air – 52 000 b ;
blanc – Château du Grand Abord – 23 000 b (pas de second vin)
Encépagement :
rouge – 90 % merlot, 10 % cabernet sauvignon ;
blanc – 80 % sémillon, 20 % sauvignon
Densité de plantation : 5 500 pieds/ha
Age moyen des vignes : rouge – 40 ans ; blanc – 35 ans
Rendement moyen : rouge – 50-55 hl/ha ; blanc – 58 hl/ha

Élevage :
rouge – fermentations de 18 jours en cuves d'acier inoxydable à 28 °C ;
vieillissement de 12 mois en cuves d'acier inoxydable et de béton
(une cuvée spéciale, la Cuvée Passion, vieillit 12 mois en fûts neufs) ;
collage ; pas de filtration ;
blanc – fermentations en cuves d'acier inoxydable à 18-20 °C ;
collage et filtration

A maturité : rouge – dans les 2 à 5 ans suivant le millésime ;
blanc – dans les 1 à 4 ans

DU GRAND BOS

Non classé
Propriétaires : André Vincent
et SC du Château du Grand Bos
Adresse : 33640 Castres
Tél. 05 56 67 39 20 – Fax 05 56 67 16 77
Visites : sur rendez-vous uniquement
Contact : André Vincent

Superficie :
rouge – 10 ha ; blanc – 1 ha (Castres et Portets – appellation Graves)
Vins produits :
rouge – Château du Grand Bos – 36 000 b ;
Château Plégat-La Gravière – 30 000 b ;
blanc – Château du Grand Bos – 4 000 b (pas de second vin)
Encépagement :
rouge – 45 % cabernet sauvignon, 45 % merlot, 8 % petit verdot, 2 % cabernet franc ;
blanc – 60 % sémillon, 30 % sauvignon, 10 % muscadelle
Densité de plantation : 5 600 pieds/ha
Age moyen des vignes : rouge – 31 ans ; blanc – 27 ans
Rendement moyen : rouge – 52 hl/ha ; blanc – 44 hl/ha

Élevage :
rouge – macérations de 15-20 jours ; achèvement des malolactiques en cuves ; vieillissement de 15-18 mois en fûts (1/3 de bois neuf) ; soutirage trimestriel ; collage ; pas de filtration ;
blanc – pressurage lent ; débourbage à 10-12 °C ; fermentations en fûts (50 % de bois neuf) ; élevage de 8 mois sur lies ; fréquents bâtonnages ; collage et filtration

---

A maturité : rouge – dans les 2 à 5 ans suivant le millésime ;
blanc – dans les 1 à 4 ans

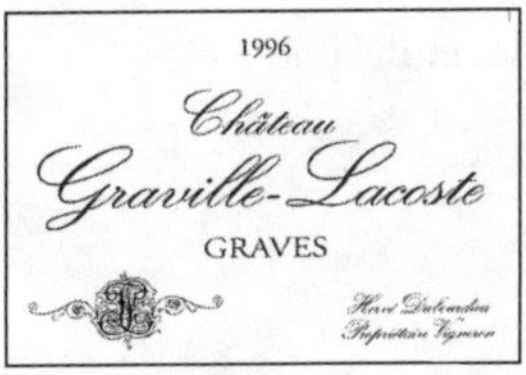

GRAVILLE-LACOSTE – BON
Non classé
Propriétaire : Hervé Dubourdieu
Adresse : 33210 Pujols-sur-Ciron
Adresse postale : Château Roumieu-Lacoste
33720 Barsac
Tél. 05 56 27 16 29 – Fax 05 56 27 02 65
Visites : sur rendez-vous uniquement
Contact : Hervé Dubourdieu

Superficie : 8 ha (Pujols-sur-Ciron – appellation Graves)
Vins produits : Château Graville-Lacoste – 60 000 b ;
Les Fleurs de Graville – 3 000 b
Encépagement : 70 % sémillon, 20 % sauvignon, 10 % muscadelle
Densité de plantation : 6 500 pieds/ha – *Age moyen des vignes :* 52 ans
Rendement moyen : 48 hl/ha

Élevage :
débourbage et stabilisation par le froid ;
fermentations à 18 °C en cuves d'acier inoxydable thermorégulées ;
élevage en cuves ; 4 soutirages ; collage ; pas de filtration

---

A maturité : dans les 1 à 4 ans suivant le millésime

HAUT-BERGEY – BON

Non classé – équivaut à un cru bourgeois
Propriétaire : Sylviane Garcin-Cathiard
Adresse : 33850 Pessac
Tél. 05 56 64 05 22 – Fax 05 56 64 06 98
Visites : sur rendez-vous uniquement
Contact : Sylviane Garcin-Cathiard

Superficie :
rouge – 17,5 ha ; blanc – 1,5 ha (Léognan – appellation Pessac-Léognan)
Vins produits :
rouge – Château Haut-Bergey – 70 000 b ; Les Hauts de Bergey – 30 000 b ;
blanc – Château Haut-Bergey – 8 000 b (pas de second vin)
Encépagement :
rouge – 64 % cabernet sauvignon, 35 % merlot, 1 % malbec ;
blanc – 73 % sauvignon, 27 % sémillon
Densité de plantation : rouge – 6 500 pieds/ha ; blanc – 6 800 pieds/ha
Age moyen des vignes : rouge – 28 ans ; blanc – 7 ans
Rendement moyen : rouge – 45 hl/ha ; blanc – 40 hl/ha

Élevage :
rouge – fermentations de 21 jours en cuves d'acier inoxydable thermorégulées ; vieillissement de 12-18 mois en fûts (1/3 de bois neuf) ; collage et filtration ;
blanc – fermentations en fûts (70 % de bois neuf) ; élevage de 10 mois sur lies ; collage et filtration

---

A maturité : rouge – dans les 3 à 10 ans suivant le millésime ;
blanc – dans les 2 à 10 ans

HAUT-CALENS

Non classé
Propriétaire : Albert Yung
Adresse : 33640 Beautiran
Tél. 05 56 67 05 25 – Fax 05 56 67 24 41
Visites : sur rendez-vous uniquement
Contact : Albert Yung

Superficie : 9 ha (Beautiran – appellation Graves)
Vins produits :
Château Haut-Calens – 67 000 b ; Château Belle-Croix – 27 000 b
Encépagement : 50 % cabernet sauvignon, 50 % merlot
Densité de plantation : 3 300-5 000 pieds/ha – *Age moyen des vignes :* 15 ans
Rendement moyen : 55 hl/ha

Élevage :
fermentations de 21 jours en cuves d'acier inoxydable thermorégulées ;
2 remontages quotidiens ;

vieillissement de 24 mois en cuves d'acier inoxydable ;
collage et filtration

A maturité : dans les 2 à 5 ans suivant le millésime

HAUT-GARDÈRE – BON

Non classé – équivaut à un cru bourgeois
Propriétaire : SA du Château de Fieuzal
Adresse : 124, avenue de Mont-de-Marsan – 33850 Léognan
Tél. 05 56 64 77 86 – Fax 05 56 64 18 88
Visites : sur rendez-vous uniquement

Superficie :
rouge – 20 ha ; blanc – 5 ha (Léognan – appellation Pessac-Léognan)
Vins produits :
rouge – Château Haut-Gardère – 60 000-70 000 b (pas de second vin) ;
blanc – Château Haut-Gardère – 20 000 b (pas de second vin)
Encépagement :
rouge – 55 % cabernet sauvignon, 40 % merlot, 5 % cabernet franc ;
blanc – 50 % sauvignon, 45 % sémillon, 5 % muscadelle
Densité de plantation : 8 300 pieds/ha – *Age moyen des vignes :* 15 ans
Rendement moyen : 45 hl/ha

Élevage :
fermentations de 21 jours en cuves d'acier inoxydable thermorégulées ;
achèvement des malolactiques en cuves ;
vieillissement de 18 mois en fûts (30 % de bois neuf) ;
collage ; légère filtration ;
blanc – vendanges manuelles et sélectives
(plusieurs passages dans une même parcelle) ;
fermentations en fûts (80 % de bois neuf) ; élevage de 12 mois sur lies ;
collage ; légère filtration

A maturité : rouge et blanc – dans les 2 à 6 ans suivant le millésime

Le Château Haut-Gardère a longtemps appartenu à la famille Fieuzal, également propriétaire du Château de Fieuzal. Séparés par de nouveaux acquéreurs, les deux domaines changèrent plusieurs fois de mains, jusqu'à ce que le Groupe des Banques Populaires les rachète, en 1994 et 1995, aux familles Gribelin et Négrevergne.

Haut-Gardère est une propriété très bien tenue ; son vignoble se situe sur une très belle croupe graveleuse de Léognan. Malgré la jeunesse des vignes, les millésimes récents ont révélé un vin blanc racé et un rouge parfumé, généreux et riche, aux arômes de tabac. Les prix demeurent extrêmement raisonnables ; en effet, les amateurs ne savent pas toujours qu'il s'agit d'un cru d'excellent niveau. Avant la dernière guerre, le Château Haut-Gardère jouissait d'une très bonne réputation, et ses vins se vendaient aussi cher que ceux du Domaine de Chevalier, du Château de Fieuzal et de Malartic-Lagravière.

HAUT LAGRANGE

Non classé
Propriétaire : Francis Boutemy
Adresse : 31, route de Loustalade – 33850 Léognan
Tél. 05 56 64 09 33 – Fax 05 56 64 10 08
Visites : sur rendez-vous uniquement
Contact : Francis Boutemy

Superficie :
rouge – 13,5 ha ; blanc – 1,7 ha (Léognan – appellation Pessac-Léognan)
Vins produits :
rouge – Château Haut Lagrange – 95 000 b (pas de second vin) ;
blanc – Château Haut Lagrange – 11 000 b (pas de second vin)
Encépagement :
rouge – 55 % cabernet sauvignon, 45 % merlot ;
blanc – 50 % sémillon, 40 % sauvignon blanc, 10 % sauvignon gris
Densité de plantation : 7 000 pieds/ha – *Age moyen des vignes :* 10 ans
Rendement moyen : rouge – 52 hl/ha ; blanc – 50 hl/ha

Élevage :
fermentations et cuvaisons en cuves de béton thermorégulées ;
vieillissement de 18 mois en cuves pour 80 % de la récolte,
en fûts (20 % de bois neuf) pour le reste ; collage et filtration ;
blanc – débourbage par le froid pendant 12-72 heures suivant le millésime ;
fermentations en cuves ; élevage de 9 mois en cuves pour 80 % de la récolte,
de 9 mois sur lies fines, en fûts, pour le reste ;
fréquents bâtonnages ; ni collage ni filtration

A maturité : rouge – dans les 2 à 6 ans suivant le millésime ;
blanc – dans les 2 à 4 ans

HAUT-NOUCHET

Non classé
Propriétaire : Louis Lurton
Adresse : 33650 Martillac
Tél. 05 56 72 69 74 – Fax 05 56 72 56 11
Visites : sur rendez-vous uniquement

Superficie :
rouge – 28 ha ;
blanc – 11 ha (Martillac – appellation Pessac-Léognan)
Vins produits :
rouge – Château Haut-Nouchet – 78 000 b ; Domaine du Milan – 42 000 b ;
blanc – Château Haut-Nouchet – 30 000 b ; Domaine du Milan – variable
Encépagement :
rouge – 72 % cabernet sauvignon, 28 % merlot ;
blanc – 78 % sauvignon, 22 % sémillon

Densité de plantation : 6 600 pieds/ha
Age moyen des vignes : rouge – 10 ans ; blanc – 13 ans
Rendement moyen : rouge – 32 hl/ha ; blanc – 21 hl/ha

Élevage :
rouge – fermentations de 21-28 jours en cuves d'acier inoxydable ;
vieillissement de 16 mois en fûts (1/3 de bois neuf) ; collage ; pas de filtration ;
blanc – fermentations en fûts (25 % de bois neuf) ; élevage de 6-8 mois sur lies ;
bâtonnages réguliers ; collage et filtration

A maturité : rouge – dans les 2 à 5 ans suivant le millésime ;
blanc – dans les 2 à 4 ans

Note : le vignoble du Château Haut-Nouchet est sous culture biologique depuis 1992. Les vins qui en sont issus bénéficient du label Ecocert.

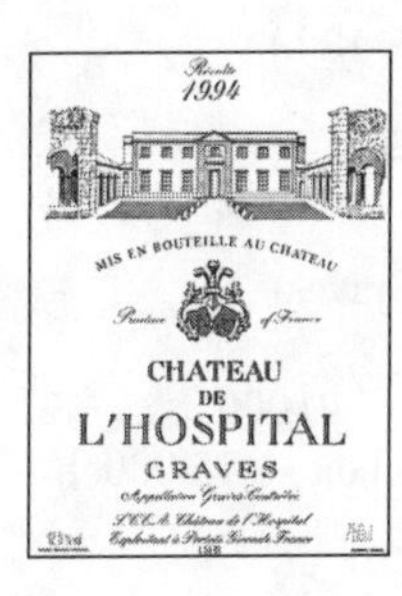

DE L'HOSPITAL
Non classé – équivaut à un cru bourgeois
Propriétaire : Marcel F. Disch
Adresse : Darrouban – 33640 Portets
Tél. 05 56 67 54 73 – Fax 05 56 67 09 33
Visites : sur rendez-vous uniquement
Contact : Danielle David

Superficie :
rouge – 7 ha ; blanc – 3 ha (Portets – appellation Graves)
Vins produits :
rouge – Château de L'Hospital – 30 000 b ; Château Thibaut-Ducasse – 15 000 b ;
blanc – Château de L'Hospital – 9 000 b ; Château Thibaut-Ducasse – 7 000 b
Encépagement :
rouge – 78 % merlot, 10 % cabernet sauvignon, 10 % cabernet franc, 2 % malbec ;
blanc – 63 % sémillon, 34 % sauvignon, 3 % muscadelle
Densité de plantation : 7 000 pieds/ha – *Age moyen des vignes :* 27 ans
Rendement moyen : rouge – 48-52 hl/ha ; blanc – 40 hl/ha

Élevage :
rouge – vendanges manuelles ; fermentations et cuvaisons de 18-25 jours
en cuves d'acier inoxydable avec système de contrôle des températures (28-30 °C) ;
vieillissement de 12-18 mois en fûts (25-35 % de bois neuf) ;
collage ; pas de filtration ;
blanc – vendanges manuelles ; pressurage des raisins avec un pressoir pneumatique ;
débourbage par le froid et stabilisation des moûts à 7 °C ;
fermentations en fûts (40 % de bois neuf) ; élevage de 6-8 mois sur lies fines ;
bâtonnages réguliers ; collage au blanc d'œuf ; pas de filtration

A maturité : rouge – dans les 5 à 10 ans suivant le millésime ;
blanc – dans les 3 à 8 ans

Je regrette d'avoir à le dire, mais je n'ai jamais beaucoup apprécié les vins de cette propriété, dont le beau château est classé monument historique. Le rouge est généralement très dur, austère et poussiéreux, et sa vinification me semble laisser à désirer (notamment la propreté des chais). Le blanc, produit en très faible quantité, présente des notes de fumé et de pierre à fusil, et il est parfois excessivement austère, avec quelque chose d'un peu trop terreux. Les vins de ce domaine sont assez faciles à trouver, mais ils sont en général trop chers.

JEAN GERVAIS

Non classé
Propriétaire : famille Counilh
Adresse : Vignobles Counilh et Fils
51-53, route des Graves – 33640 Portets
Tél. 05 56 67 18 61 – Fax 05 56 67 32 43
Visites : du lundi au vendredi (9 h-12 h et 14 h-18 h)
Contacts : Denis Counilh et Claude Montagné

Superficie :
rouge – 28 ha ; blanc – 13 ha (Portets – appellation Graves)
Vins produits :
rouge – Château Jean Gervais – 80 000 b ; Château Lanette – 40 000 b ;
blanc – Château Jean Gervais – 40 000 b ; Château Tour de Cluchon – 15 000 b
Encépagement :
rouge – 60 % merlot, 40 % cabernet sauvignon ;
blanc – 80 % sémillon, 15 % sauvignon, 5 % muscadelle
Densité de plantation : rouge – 6 000 pieds/ha ; blanc – 5 500 pieds/ha
Age moyen des vignes : rouge – 30 ans ; blanc – 35 ans
Rendement moyen : rouge – 50 hl/ha ; blanc – 60 hl/ha

Élevage :
rouge – fermentations de 12-18 jours en cuves d'acier inoxydable thermorégulées ;
fréquents remontages ; vieillissement de 18 mois en cuves de béton revêtues ;
collage ; pas de filtration ;
blanc – fermentations de 18-22 jours en cuves thermorégulées ;
élevage de 3-6 mois sur lies, en cuves rotatives,
et de 9-12 mois en cuves de béton revêtues ; collage ; pas de filtration

A maturité : rouge – dans les 2 à 5 ans suivant le millésime ;
blanc – dans les 1 à 4 ans

LAFARGUE

Non classé
Propriétaire : Jean-Pierre Leymarie
Adresse : 5, impasse de Domy – 33650 Martillac
Tél. 05 56 72 72 30 – Fax 05 56 72 64 61
Visites : sur rendez-vous de préférence,
du lundi au vendredi (9 h-16 h)
Contact : Jean-Pierre Leymarie

Superficie :
rouge – 18 ha ; blanc – 2 ha
(Martillac et Saint-Médard-d'Eyrans – appellation Pessac-Léognan)
Vins produits :
rouge – Château Lafargue – 80 000 b ; Château Haut de Domy – 53 000 b ;
blanc – Château Lafargue – 15 000 b (pas de second vin)
Encépagement :
rouge – 40 % cabernet sauvignon, 40 % merlot, 15 % cabernet franc,
2,5 % malbec, 2,5 % petit verdot ;
blanc – 50 % sauvignon blanc, 30 % sauvignon gris, 20 % sémillon
Densité de plantation : 6 500 pieds/ha
Age moyen des vignes : rouge – 19 ans ; blanc – 8 ans
Rendement moyen : 55 hl/ha

Élevage :
rouge – fermentations de 30 jours environ ;
vieillissement de 12-15 mois en fûts (1/3 de bois neuf) ; collage et filtration ;
blanc – fermentations en fûts neufs ; élevage de 6 mois sur lies ;
bâtonnages réguliers ; collage et filtration

A maturité : rouge – dans les 2 à 4 ans suivant le millésime ;
blanc – dans les 2 à 6 ans

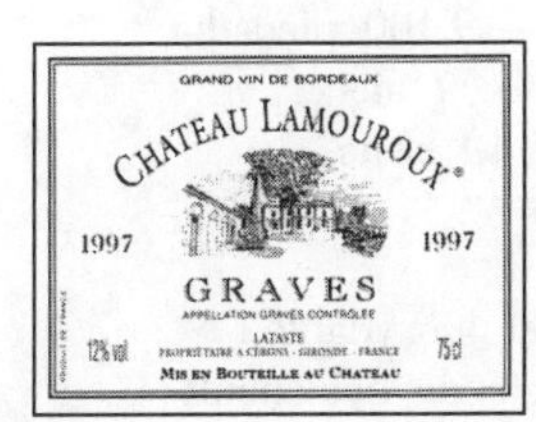

LAMOUROUX

Non classé
Propriétaire : Olivier Lataste
Adresse : Grand Enclos du Château de Cérons
33720 Cérons
Tél. 05 56 27 01 53 – Fax 05 56 27 08 86
Visites : sur rendez-vous uniquement
Contact : Olivier Lataste

Superficie :
rouge – 2 ha ; blanc – 24 ha (Cérons – appellation Graves)
Vins produits :
rouge – Château Lamouroux – 12 000 b (pas de second vin) ;
blanc – Grand Enclos du Château de Cérons – 12 000 b ;
Château Lamouroux – 60 000 b

Encépagement :
rouge – 50 % cabernet sauvignon, 50 % merlot ;
blanc – 60 % sémillon, 40 % sauvignon
Densité de plantation : 6 000 pieds/ha
Age moyen des vignes : rouge – 20 ans ; blanc – 30 ans
Rendement moyen : rouge – 45 hl/ha ; blanc – 40 hl/ha

Élevage :
rouge – fermentations de 15-20 jours ; vieillissement de 16 mois en fûts (pas de bois neuf) ; collage et filtration ;
blanc – fermentations en fûts (1/3 de bois neuf) ; élevage de 18 mois ; collage et filtration

---

A maturité : rouge – dans les 3 à 12 ans suivant le millésime ;
blanc – dans les 2 à 10 ans

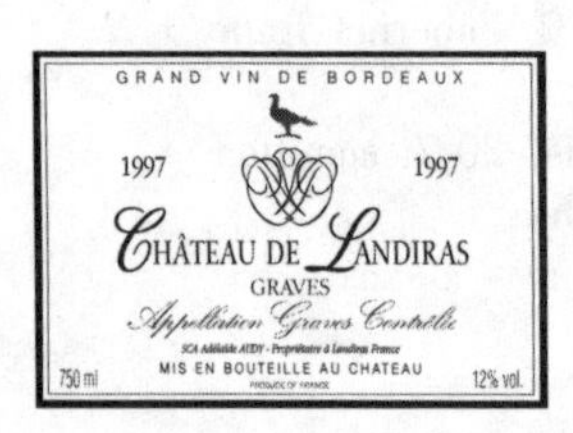

DE LANDIRAS

Non classé
Propriétaire : SCA Domaine La Grave
Adresse : 33720 Landiras
Tél. 05 56 62 44 70 – Fax 05 56 62 43 78
Visites : sur rendez-vous uniquement
Contact : Peter Vinding-Diers

Superficie :
rouge – 1,48 ha ; blanc – 12,8 ha (Landiras – appellation Graves)
Vins produits :
rouge – Château de Landiras – 2 400 b ; La Colombe de Landiras – 3 600 b ;
blanc – Château de Landiras – 24 000 b ; La Colombe de Landiras – 36 000 b
Encépagement :
rouge – 67 % cabernet sauvignon, 33 % merlot ;
blanc – 80 % sémillon, 20 % sauvignon gris
Densité de plantation : rouge – 5 000 pieds/ha ; blanc – 9 100 pieds/ha
Age moyen des vignes : rouge – 30 ans ; blanc – 7 ans
Rendement moyen : rouge – 45 hl/ha ; blanc – 40 hl/ha

Élevage :
rouge – fermentations plutôt courtes en cuves d'acier inoxydable ; achèvement des malolactiques en fûts (proportion variable de bois neuf) ; collage ; pas de filtration ;
blanc – fermentations en fûts, avec des levures indigènes ; élevage de 6-9 mois ; pas de collage

---

A maturité : rouge – dans les 3 à 10 ans suivant le millésime ;
blanc – dans les 2 à 8 ans

LESPAULT

Non classé
Propriétaire : SC du Château Lespault
Adresse : SCF Domaines Kressmann
chemin Latour – 33650 Martillac
Tél. 05 57 97 71 11 – Fax 05 57 97 71 17
Visites : non autorisées

Superficie :
rouge – 5 ha ; blanc – 2 ha (Martillac – appellation Pessac-Léognan)
Vins produits :
rouge – Château Lespault – 30 000 b (pas de second vin) ;
blanc – Château Lespault – 10 000 b (pas de second vin)
Encépagement :
rouge – 70 % merlot, 25 % cabernet sauvignon, 5 % malbec ;
blanc – 75 % sauvignon, 25 % sémillon
Densité de plantation : 7 200 pieds/ha
Age moyen des vignes : rouge – 40 ans ; blanc – 35 ans
Rendement moyen : rouge – 45 hl/ha ; blanc – 50 hl/ha

Élevage :
rouge – fermentations et cuvaisons de 21-28 jours
en cuves d'acier inoxydable thermorégulées ;
vieillissement de 16 mois en fûts (25 % de bois neuf) ; collage et filtration ;
blanc – vendanges manuelles ; pressurage lent ;
fermentations en fûts (25 % de bois neuf) ;
élevage de 8 mois sur lies ; collage et filtration

A maturité : rouge – dans les 2 à 6 ans suivant le millésime ;
blanc – dans les 2 à 4 ans

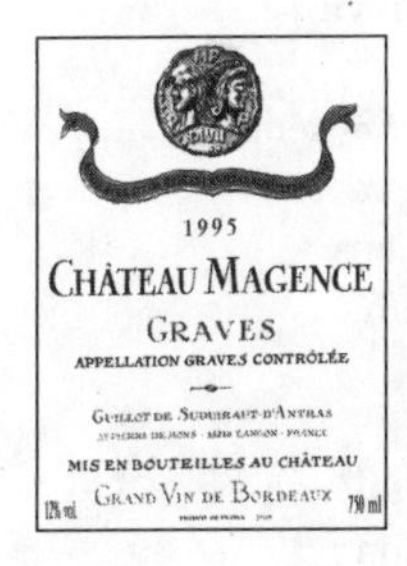

MAGENCE

Non classé
Propriétaire : famille Guillot de Suduiraut d'Antras
Adresse : 33210 Saint-Pierre-de-Mons
Tél. 05 56 63 07 05 ou 06 62 69 42 25 – Fax 05 56 63 41 42
Visites : sur rendez-vous de préférence du lundi au vendredi
(9 h-11 h et 14 h-17 h), sur rendez-vous uniquement le week-end
Contact : comte Jacques d'Antras

Superficie :
rouge – 21 ha ; blanc – 14 ha (Saint-Pierre-de-Mons – appellation Graves)
Vins produits :
rouge – Château Magence – 100 000 b ; Château Brannens – 30 000 b ;
blanc – Château Magence – 70 000 b ; Château Brannens – 20 000 b
Encépagement :
rouge – 45 % cabernet sauvignon, 31 % merlot, 24 % cabernet franc ;
blanc – 50 % sauvignon, 50 % sémillon

Densité de plantation : rouge – 5 500 pieds/ha ; blanc – 5 500 et 3 500 pieds/ha
Age moyen des vignes : rouge – 35 ans ; blanc – 38 ans
Rendement moyen : rouge – 52 hl/ha ; blanc – 50 hl/ha

Élevage :
rouge – fermentations, cépages séparés, de 8-10 jours en cuves d'acier inoxydable ; 2 remontages quotidiens ; vieillissement de 16-18 mois en cuves d'acier inoxydable jusqu'en 1996, ensuite en fûts (50 % de bois neuf) ;
collage à l'albumine ; filtration si nécessaire ;
blanc – fermentations, cépages séparés, en cuves d'acier inoxydable thermorégulées ; selon le millésime, macération pelliculaire pour 50-80 % de la récolte pendant 12-18 heures ;
fermentations de 5-8 jours à 20-21 °C maximum ; élevage de 3 mois sur lies ;
léger collage ; légère filtration si nécessaire

A maturité : rouge – dans les 2 à 10 ans suivant le millésime ;
blanc – dans les 2 à 10 ans

DE MAUVES

Non classé
Propriétaire : SARL Bouche Bernard et Fils
Adresse : 25, rue François-Mauriac – 33720 Podensac
Tél. 05 56 27 17 05 – Fax 05 56 27 24 19
Visites : sur rendez-vous de préférence
Contact : Bernard Bouche

Superficie :
rouge – 20 ha ; blanc – 2 ha (Podensac – appellation Graves)
Vins produits :
rouge – Château de Mauves – 133 000 b (pas de second vin) ;
blanc – Château de Mauves – 13 000 b (pas de second vin)
Encépagement :
rouge – 70 % cabernet sauvignon, 30 % merlot ; blanc – 100 % sémillon
Densité de plantation : 4 000 pieds/ha
Age moyen des vignes : rouge – 20 ans ; blanc – 40 ans
Rendement moyen : rouge – 55 hl/ha ; blanc – 50 hl/ha

Élevage :
rouge – fermentations de 21-28 jours en cuves thermorégulées ;
vieillissement de 24 mois en cuves ; collage et filtration ;
blanc – fermentations plutôt longues à 18 °C environ ;
élevage de 4-6 mois ; collage et filtration

A maturité : rouge – dans les 2 à 4 ans suivant le millésime ;
blanc – dans les 2 à 4 ans

PÉRIN DE NAUDINE
Non classé
Propriétaire : Olivier Colas
Adresse : 8, impasse des Domaines – 33640 Castres
Tél. 05 56 67 06 55 – Fax 05 56 67 59 68
Visites : sur rendez-vous de préférence
Contacts : Olivier Colas et Frank Artaud – Tél. 01 40 62 94 35

Superficie :
rouge – 8 ha ; blanc – 2 ha (Castres – appellation Graves)
Vins produits :
rouge – Château Périn de Naudine – 25 000-30 000 b ;
Les Sphinx de Naudine – 20 000 b ;
blanc – Les Sphinx de Naudine – 16 000 b (pas de second vin)
Encépagement :
rouge – 50 % merlot, 25 % cabernet sauvignon, 25 % cabernet franc ;
blanc – 60 % sémillon, 30 % sauvignon, 10 % muscadelle
Densité de plantation : 5 800 pieds/ha
Age moyen des vignes : rouge – 20 ans ; blanc – 6 ans
Rendement moyen : 60 hl/ha

Élevage :
rouge – fermentations en cuves d'acier inoxydable thermorégulées ;
vieillissement de 12 mois en fûts (25 % de bois neuf) ; collage ; pas de filtration ;
blanc – vendanges manuelles ; débourbage par le froid ; fermentations en fûts neufs ;
élevage sur lies de 6 mois ; collage et filtration

A maturité : rouge – dans les 2 à 4 ans suivant le millésime ;
blanc – dans les 2 à 4 ans

PESSAN
Non classé
Propriétaire : héritiers Bitot
Adresse : 33640 Portets
Adresse postale : Château Fayau – 33410 Cadillac
Tél. 05 57 98 08 08 – Fax 05 56 62 18 22
Visites : sur rendez-vous de préférence,
du lundi au vendredi
(9 h-12 h et 14 h-17 h)
Contact : Jacques Médeville

Superficie :
rouge – 8 ha ; blanc – 2 ha (Portets – appellation Graves)
Vins produits :
rouge – Château Pessan – 50 000 b (pas de second vin) ;
blanc – Château Pessan – 10 000 b (pas de second vin)
Encépagement :
rouge – 50 % cabernet sauvignon, 30 % merlot, 20 % cabernet franc ;

blanc – 70 % sauvignon, 30 % sémillon
Densité de plantation : 5 000 pieds/ha
Age moyen des vignes : rouge – 25 ans ; blanc – 20 ans
Rendement moyen : rouge – 48 hl/ha ; blanc – 44 hl/ha

Élevage :
rouge – fermentations de 15 jours en cuves d'acier inoxydable ;
vieillissement en cuves souterraines ; filtration ;
blanc – pressurage des raisins ; débourbage par le froid ;
fermentations de 6 mois en cuves d'acier inoxydable
à basse température (moins de 20 °C) ; collage à la bentonite ; filtration

---

A maturité : rouge – dans les 2 à 5 ans suivant le millésime ;
blanc – dans les 2 à 4 ans

PEYREBLANQUE

Non classé
Propriétaire : Jean Médeville et Fils
Adresse : 33720 Budos
Adresse postale : Château Fayau – 33410 Cadillac
Tél. 05 57 98 08 08 – Fax 05 56 62 18 22
Visites : sur rendez-vous de préférence, du lundi au vendredi (9 h-12 h et 14 h-17 h)
Contact : Jacques Médeville

Superficie :
rouge – 7 ha ; blanc – 1 ha (Budos – appellation Graves)
Vins produits :
rouge – Château Peyreblanque – 40 000 b (pas de second vin) ;
blanc – Château Peyreblanque – 6 000 b (pas de second vin)
Encépagement :
rouge – 90 % cabernet sauvignon, 10 % merlot ;
blanc – 80 % muscadelle, 20 % sauvignon
Densité de plantation : 5 000 pieds/ha – *Age moyen des vignes :* 7 ans
Rendement moyen : rouge – 50 hl/ha ; blanc – 55 hl/ha

Élevage :
rouge – fermentations de 15 jours en cuves d'acier inoxydable ;
vieillissement de 18 mois en fûts neufs pour 20 % de la récolte ; filtration ;
blanc – pressurage des raisins ; débourbage de 24 heures ;
fermentations en cuves d'acier inoxydable à 20 °C ; collage à la bentonite ; filtration

---

A maturité : rouge – dans les 2 à 5 ans suivant le millésime ;
blanc – dans les 2 à 5 ans

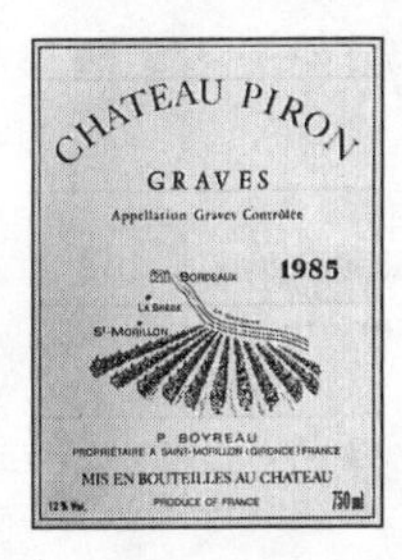

PIRON

Non classé – équivaut à un cru bourgeois
Propriétaire : Paul Boyreau – GFA du Château Piron
Adresse : 33650 Saint-Morillon
Tél. 05 56 20 25 61 – Fax 05 56 78 48 36
Visites : sur rendez-vous uniquement
Contact : Paul Boyreau

Superficie :
rouge – 6 ha ; blanc – 13 ha (Saint-Morillon – appellation Graves)
Vins produits :
rouge – Château Piron – 25 000-30 000 b (pas de second vin) ;
blanc – Château Piron – 25 000-30 000 b (pas de second vin)
Encépagement :
rouge – 50 % cabernet sauvignon, 50 % merlot ;
blanc – 50 % sauvignon, 50 % sémillon
Densité de plantation : 5 000 pieds/ha
Age moyen des vignes : rouge – 20 ans ; blanc – 25 ans
Rendement moyen : 45 hl/ha

Élevage :
rouge – fermentations en cuves d'acier inoxydable ;
vieillissement de 20-24 mois en cuves ;
collage et filtration ;
blanc – fermentations en cuves d'acier inoxydable thermorégulées ;
vieillissement de 12 mois pour une partie en fûts (50 % de bois neuf)
et pour l'autre en cuves ; collage et filtration

A maturité : rouge et blanc – dans les 2 à 6 ans suivant le millésime

PONTAC MONPLAISIR – BON

Non classé – équivaut à un cru bourgeois
Propriétaire : Jean Maufras
Adresse : 33140 Villenave-d'Ornon
Tél. 05 56 87 08 21 – Fax 05 56 87 35 10
Visites : sur rendez-vous uniquement
Contact : Alain Maufras – Tél. 06 09 28 80 88

Superficie :
rouge – 10,5 ha ; blanc – 4,1 ha (Villenave-d'Ornon – appellation Pessac-Léognan)
Vins produits :
rouge – Château Pontac Monplaisir – 51 000 b ; Château Limbourg – 6 500 b ;
blanc – Château Pontac Monplaisir – 27 000 b ; Château Limbourg – 6 500 b
Encépagement :
rouge – 60 % merlot, 40 % cabernet sauvignon ;
blanc – 50 % sauvignon ; 50 % sémillon
Densité de plantation : 6 500 pieds/ha
Age moyen des vignes : rouge – 25 ans ; blanc – 20 ans

Rendement moyen : rouge – 58 hl/ha ; blanc – 60 hl/ha

Élevage :
rouge – fermentations et macérations de 21-28 jours en cuves d'acier inoxydable et en cuves de béton émaillées ; vieillissement de 16-18 mois en fûts (30 % de bois neuf) ; collage ; pas de filtration ;
blanc – fermentations de 15 jours en cuves d'acier inoxydable ; élevage de 10 mois en fûts (35 % de bois neuf) ; bâtonnages réguliers ; collage ; pas de filtration

A maturité : rouge – dans les 3 à 6 ans suivant le millésime ;
blanc – dans les 1 à 4 ans

Le vignoble de Pontac Monplaisir se situe à proximité de celui de Baret, sur des sols légers, graveleux et sableux. Le blanc qui en est issu se présente comme un Graves classique, aux arômes intenses et prononcés d'herbes et de minéral. Moyennement corsé et regorgeant de fruit, il pourrait même se révéler trop herbacé au goût de certains. Il ne peut pas être conservé longuement et doit le plus souvent être dégusté avant d'avoir atteint 2 ou 3 ans d'âge. Le rouge est moins intéressant – il est généralement sans détour, plutôt léger, mais savoureux et correctement vinifié.

DE ROCHEMORIN – BON

Non classé – équivaut à un cru bourgeois
Propriétaire : André Lurton
Adresse : 33650 Martillac
Adresse postale : Château Bonnet – 33420 Grézillac
Tél. 05 57 25 58 58 – Fax 05 57 74 98 59
Visites : non autorisées

Superficie :
rouge – 62 ha ; blanc – 23 ha (Martillac – appellation Pessac-Léognan)
Vins produits :
rouge – Château de Rochemorin – 190 000 b ; Château Coucheroy – variable ;
blanc – Château de Rochemorin – 65 000 b ; Château Coucheroy – variable
Encépagement :
rouge – 60 % cabernet sauvignon, 40 % merlot ;
blanc – 90 % sauvignon, 10 % sémillon
Densité de plantation : 6 500-8 500 pieds/ha – *Age moyen des vignes :* 15-18 ans

Élevage :
rouge – fermentations en cuves d'acier inoxydable thermorégulées ; vieillissement de 12 mois en fûts (25-35 % de bois neuf) ; soutirage trimestriel ; collage et filtration ;
blanc – fermentations en fûts (25 % de bois neuf) ; élevage de 10 mois sur lies ; bâtonnages réguliers ; collage et filtration

A maturité : rouge – dans les 3 à 8 ans suivant le millésime ;

blanc – dans les 2 à 5 ans

Cette propriété, l'une des étoiles montantes de la région, se trouve dans la commune de Martillac ; son nom vient, semble-t-il, de l'expression arabe désignant une place fortifiée. Beaucoup de bons connaisseurs des Graves estiment que ce vignoble est l'un des mieux situés de l'appellation, puisqu'il est implanté sur des terrains assez élevés et excellemment drainés. Les vignes y sont encore relativement jeunes car André Lurton, le dynamique bâtisseur d'un empire viticole dans la région de Pessac-Léognan et dans l'Entre-Deux-Mers, qui a acquis le domaine en 1973, l'a complètement replanté (auparavant, le vignoble était encombré de grands arbres).

Pour ce qui concerne les millésimes récents, j'ai été assez séduit par le nez de tabac, de minéral et d'épices et par le caractère richement fruité de tous les vins rouges élaborés depuis 1985, qui ont ce style assez commercial, un peu passe-partout, qu'affectionne André Lurton. Les vins blancs sont remarquablement délicats et légers, très secs et aromatiques, et restent malgré tout des Graves typiques, avec quelque chose d'austère et des nuances de pierre à fusil. C'est une propriété qui intéressera ceux qui recherchent des vins bien faits, à des prix raisonnables.

1998 • **86-87** Arborant une robe rubis-pourpre foncé, le De Rochemorin 1998 se distingue par un nez de tabac, de cèdre et de cerise noire, et par les arômes moyennement corsés, élégants et délicats qu'il déploie en bouche. Sa finale est souple, avec des tannins doux. **A boire dans les 10 ans.** (3/99)

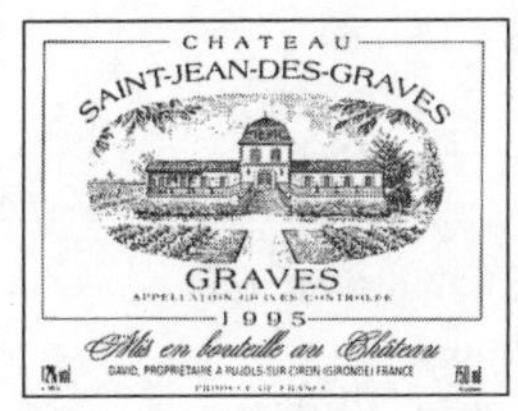

SAINT-JEAN-DES-GRAVES

Non classé

Propriétaire : Jean-Gérard David

Adresse : 33210 Pujols-sur-Ciron

Adresse postale : Château Liot – 33720 Barsac

Tél. 05 56 27 15 31 – Fax 05 56 27 14 42

Visites : sur rendez-vous uniquement

Contacts : Nicole et Jean-Gérard David

Superficie :
rouge – 9 ha ; blanc – 11 ha (Pujols-sur-Ciron – appellation Graves)

Vins produits :
rouge – Château Saint-Jean-des-Graves – 45 000 b (pas de second vin) ;
blanc – Château Saint-Jean-des-Graves – 48 000 b (pas de second vin)

Encépagement :
rouge – 70 % merlot, 30 % cabernet franc ; blanc – 50 % sauvignon, 50 % sémillon

Densité de plantation : 5 500 pieds/ha – *Age moyen des vignes :* 30-40 ans

Rendement moyen : rouge – 50 hl/ha ; blanc – 45 hl/ha

Élevage :
rouge – vieillissement pour moitié en fûts (un peu de bois neuf) et en cuves ; collage et filtration ;
blanc – fermentations de 15 jours en cuves thermorégulées ; élevage de 9 mois en cuves ; pas de collage ; filtration

---

A maturité : rouge – dans les 2 à 7 ans suivant le millésime ;
blanc – dans les 2 à 6 ans

SAINT-ROBERT
Non classé
Propriétaire : Foncier Vignobles
Adresse : 33210 Pujols-sur-Ciron
Adresse postale : Domaine de Lamontagne
33210 Preignac
Tél. 05 56 63 27 66 – Fax 05 56 76 87 03
Visites : du lundi au vendredi (8 h 30-12 h 30 et 14 h-18 h)
Contact : Geneviève Poupot

Superficie :
rouge – 23 ha ; blanc – 7 ha (Pujols-sur-Ciron – appellation Graves)
Vins produits :
rouge – Château Saint-Robert (et Cuvée Poncet-Deville) – 100 000 b (pas de second vin) ;
blanc – Château Saint-Robert (et Cuvée Poncet-Deville) – 40 000 b (pas de second vin)
Encépagement :
rouge – 50 % merlot, 30 % cabernet sauvignon, 20 % cabernet franc ;
blanc – 60 % sauvignon, 40 % sémillon
Densité de plantation : 7 000 pieds/ha
Age moyen des vignes : rouge – 20 ans ; blanc – 15 ans
Rendement moyen : 50 hl/ha

Élevage :
rouge – fermentations de 21 jours ; vieillissement de 10 mois en fûts
(25 % de bois neuf) pour la cuvée générique,
de 3 mois en fûts neufs pour la cuvée spéciale ; collage et filtration ;
blanc – fermentations en cuves et élevage de 6 mois sur lies, en cuves,
pour la cuvée générique ;
fermentations en fûts et élevage de 6 mois sur lies, en fûts, pour la cuvée spéciale ;
pas de collage ; filtration

A maturité : rouge – dans les 2 à 5 ans suivant le millésime ;
blanc – dans les 1 à 4 ans

LE SARTRE
Non classé
Propriétaire : GFA du Château Le Sartre
Adresse : 33850 Léognan
Tél. 05 57 96 56 20 – Fax 05 57 96 59 19
Visites : sur rendez-vous uniquement
Contact : Anthony Perrin

Superficie :
rouge – 18 ha ; blanc – 7 ha (Léognan – appellation Pessac-Léognan)
Vins produits :
rouge – Château Le Sartre – 120 000 b (pas de second vin) ;
blanc – Château Le Sartre – 35 000 b (pas de second vin)
Encépagement :
rouge – 70 % cabernet sauvignon, 30 % merlot ;
blanc – 70 % sauvignon, 30 % sémillon
Densité de plantation : 7 200 pieds/ha – *Age moyen des vignes :* 15 ans
Rendement moyen : rouge – 55 hl/ha ; blanc – 45 hl/ha

Élevage :
rouge – fermentations en cuves d'acier inoxydable ;
vieillissement de 20 mois en fûts ;
collage et filtration ;
blanc – fermentations en fûts (20 % de bois neuf) ; élevage de 10 mois sur lies ;
bâtonnages réguliers ; pas de soutirage ; collage et filtration

---

A maturité : rouge – dans les 2 à 8 ans suivant le millésime ;
blanc – dans les 1 à 5 ans

DU SEUIL
Non classé
Propriétaires : Robert et Susan Watts
Adresse : 33720 Cérons
Tél. 05 56 27 11 56 – Fax 05 56 27 28 79
Visites : sur rendez-vous uniquement
Contact : Robert Watts

Superficie :
rouge – 45 ha ; blanc – 2,85 ha (Cérons – appellation Graves)
Vins produits :
rouge – Château du Seuil – 33 300 b ; Domaine du Seuil – 15 000 b ;
blanc – Château du Seuil – 20 000 b ; Domaine du Seuil – 15 000 b
Encépagement :
rouge – 50 % merlot, 40 % cabernet sauvignon, 10 % cabernet franc ;
blanc – 80 % sémillon, 20 % sauvignon
Densité de plantation : 5 550 pieds/ha
Age moyen des vignes : rouge – 35 ans ; blanc – 15 ans
Rendement moyen : 55 hl/ha

Élevage :
rouge – fermentations en cuves d'acier inoxydable ;
vieillissement de 20 mois en fûts ;
collage et filtration ;
blanc – fermentations en fûts (20 % de bois neuf) ; élevage de 10 mois sur lies ;
bâtonnages réguliers ; pas de soutirage ; collage et filtration

---

A maturité : rouge – dans les 2 à 5 ans suivant le millésime ;
blanc – dans les 1 à 4 ans

DOMAINE DE LA SOLITUDE

Non classé
Propriétaire : communauté religieuse de la Sainte-Famille
Adresse : 33650 Martillac
Adresse postale : Domaine de Chevalier – 33650 Martillac
Tél. 05 56 72 74 74 – Fax 05 56 72 52 00
Visites : sur rendez-vous uniquement
Contact : Évelyne Brel

Superficie :
rouge – 20 ha ; blanc – 5 ha (Martillac – appellation Pessac-Léognan)
Vins produits :
rouge – Domaine de la Solitude – 60 000 b (pas de second vin) ;
blanc – Domaine de la Solitude – 18 000 b (pas de second vin)
Encépagement :
rouge – 40 % merlot, 30 % cabernet franc, 25 % cabernet sauvignon, 5 % malbec ;
blanc – 50 % sémillon, 50 % sauvignon
Densité de plantation : 5 500 pieds/ha – *Age moyen des vignes :* 30 ans
Rendement moyen : rouge – 43 hl/ha ; blanc – 35 hl/ha

Élevage :
rouge – fermentations de 21 jours en cuves thermorégulées à 30 °C maximum ;
vieillissement de 15 mois en fûts (pas de bois neuf) ; collage et filtration ;
blanc – fermentations en fûts (15 % de bois neuf) ; élevage de 14 mois sur lies ;
collage et filtration

A maturité : rouge – dans les 2 à 5 ans suivant le millésime ;
blanc – dans les 1 à 4 ans

Le Domaine de Chevalier est titulaire, depuis 1983, d'un fermage sur cette propriété, qui appartient à la communauté religieuse de la Sainte-Famille de Martillac.

LE THIL COMTE CLARY – BON

Non classé
Propriétaire : GFA Le Thil
Adresse : 33850 Léognan
Tél. 05 56 30 01 02 – Fax 05 56 30 04 32
Visites : sur rendez-vous uniquement
Contact : Jean de Laître

Superficie :
rouge – 8,6 ha ; blanc – 3 ha (Léognan – appellation Pessac-Léognan)

Vins produits :
rouge – Château Le Thil Comte Clary – 45 000 b ;
Château Crigean – 15 500 b ;
blanc – Château Le Thil Comte Clary – 19 200 b (pas de second vin)
Encépagement :
rouge – 70 % merlot, 30 % cabernet sauvignon ;
blanc – 50 % sémillon, 50 % sauvignon
Densité de plantation : 6 700 pieds/ha
Age moyen des vignes : rouge – 8 ans ; blanc – 7 ans
Rendement moyen : rouge – 55 hl/ha ; blanc – 50 hl/ha

Élevage :
rouge – fermentations de 21-28 jours en cuves d'acier inoxydable
avec contrôle électronique des températures ;
vieillissement de 12 mois en fûts (20 % de bois neuf) ; soutirage trimestriel ;
collage ; pas de filtration ;
blanc – macération pelliculaire ; pressurage des raisins ;
débourbage par le froid à 10 °C ;
fermentations en cuves d'acier inoxydable à 18 °C pour le sauvignon
et en fûts neufs pour le sémillon ;
élevage sur lies, en cuves, pour le sauvignon, et sur lies, en fûts, pour le sémillon ;
bâtonnages réguliers ; collage ; pas de filtration

A maturité : rouge – dans les 2 à 10 ans suivant le millésime ;
blanc – dans les 2 à 10 ans

Les rendements moyens indiqués concernent seulement 1995 et 1996. Le vignoble se situe à proximité de ceux de Carbonnieux, Smith Haut Lafitte et Bouscaut. La propriété a en fait été créée en 1990 par Jean de Laître, médecin à Paris.

Pour permettre le ramassage d'une vendange parfaitement mûre et saine, le vignoble est effeuillé des deux côtés ; un éclaircissage est également effectué. Les vendanges sont manuelles, et les raisins sont triés deux fois, à la vigne et à leur arrivée au cuvier.

La forte proportion de merlot s'explique par la nature des sols graveleux et du sous-sol argilo-calcaire.

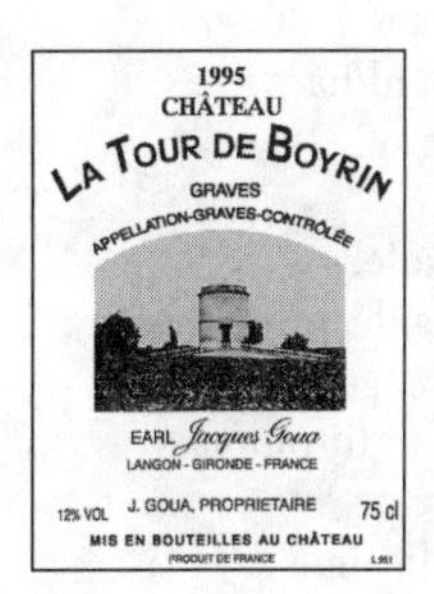

LA TOUR DE BOYRIN

Non classé
Propriétaire : Jacques Goua
Adresse : 41, cours du Maréchal-de-Lattre-de-Tassigny
33210 Langon
Tél. et Fax 05 56 63 18 62
Visites : sur rendez-vous uniquement
Contacts : Jacques et Marie Goua

Superficie :
rouge – 11 ha ; blanc – 9 ha (Roaillan et Langon – appellation Graves)
Vins produits :
rouge – Château La Tour de Boyrin – 86 000 b (pas de second vin) ;

blanc – Château La Tour de Boyrin – vrac
Encépagement :
rouge – 60 % cabernet sauvignon, 40 % merlot ;
blanc – 70 % sémillon, 20 % sauvignon, 10 % muscadelle
Densité de plantation : 5 000 pieds/ha
Age moyen des vignes : rouge – 30 ans ; blanc – 50 ans
Rendement moyen : rouge – 55 hl/ha ; blanc – 45 hl/ha

Élevage :
rouge – fermentations de 21-25 jours ;
vieillissement en cuves de béton et d'acier inoxydable ;
collage et filtration

A maturité : rouge – dans les 2 à 8 ans suivant le millésime ;
blanc – dans les 2 à 6 ans

DU TOURTE
Non classé
Propriétaire : Hubert Arnaud
Adresse : route de la Tourte – 33210 Toulenne
Adresse postale : Hubert Arnaud
44, rue de Fleurus – 75006 Paris
Tél. 01 46 88 40 08 – Fax 01 46 88 01 40
Visites : sur rendez-vous uniquement
Contact : Hubert Arnaud

Superficie :
rouge – 2 ha ; blanc – 2 ha (Toulenne – appellation Graves)
Vins produits :
rouge – Château du Tourte – 10 000 b (pas de second vin) ;
blanc – Château du Tourte – 12 000 b (pas de second vin)
Encépagement :
rouge – 70 % merlot, 30 % cabernet sauvignon ;
blanc – 85 % sémillon, 15 % sauvignon
Densité de plantation : 5 000 pieds/ha – *Age moyen des vignes :* 30 ans
Rendement moyen : rouge – 35-40 hl/ha ; blanc – 45 hl/ha

Élevage :
rouge – fermentations de 21 jours en cuves thermorégulées ;
vieillissement de 15 mois en fûts (50 % de bois neuf) ; pas de collage ; filtration ;
blanc – fermentations en cuves d'acier inoxydable thermorégulées ;
élevage de 10 mois en fûts (30 % de bois neuf) ; collage et filtration

A maturité : rouge – dans les 2 à 6 ans suivant le millésime ;
blanc – dans les 2 à 6 ans

LE TUQUET

Non classé
Propriétaire : Paul Ragon
Adresse : 33640 Beautiran
Tél. 05 56 20 21 23 – Fax 05 56 20 21 83
Visites : sur rendez-vous uniquement
Contact : Paul Ragon

Superficie :
rouge – 40 ha ; blanc – 15,5 ha (Beautiran – appellation Graves)
Vins produits :
rouge – Château Le Tuquet – 100 000 b ;
Château de Bellefont/Château Couloumey-Le Tuquet – 160 000 b ;
blanc – Château Le Tuquet – 60 000 b ;
Château de Bellefont/Château Couloumey-Le Tuquet – 40 000 b
Encépagement :
rouge – 45 % merlot, 35 % cabernet sauvignon, 20 % cabernet franc ;
blanc – 80 % sémillon, 20 % sauvignon
Densité de plantation : rouge – 5 000 pieds/ha ; blanc – 5 500 pieds/ha
Age moyen des vignes : rouge – 25 ans ; blanc – 30 ans
Rendement moyen : rouge – 57 hl/ha ; blanc – 48 hl/ha

Élevage :
rouge – fermentations de 17-21 jours en cuves d'acier inoxydable ;
vieillissement de 12 mois en fûts (30 % de bois neuf) ; collage et filtration ;
blanc – fermentations de 10-15 jours à basse température ;
élevage en cuves d'acier inoxydable ; collage et filtration

A maturité : rouge – dans les 2 à 5 ans suivant le millésime ;
blanc – dans les 1 à 5 ans

LA VIEILLE FRANCE – BON

Non classé
Propriétaire : Michel Dugoua
Adresse : 1, chemin de Malbec – 33640 Portets
Tél. 05 56 67 19 11 ou 06 11 70 15 24
Fax 05 56 67 17 54
Visites : du lundi au samedi (9 h-12 h et 14 h-19 h)
Contact : Michel Dugoua

Superficie :
rouge – 8,5 ha ; blanc – 4,8 ha (Portets – appellation Graves)
Vins produits :
rouge – Château La Vieille France – 20 000 b ;
Château Cadet La Vieille France – 20 000 b ;
blanc – Château La Vieille France – 15 000 b ;
Château La Vieille France Cuvée Marie – 3 000 b

Encépagement :
rouge – 75 % merlot, 25 % cabernet sauvignon ;
blanc – 80 % sémillon, 20 % sauvignon
Densité de plantation : 5 500 pieds/ha – *Age moyen des vignes :* 30 ans
Rendement moyen : 50,6 hl/ha

Élevage :
rouge – fermentations de 17-21 jours ; vieillissement de 12 mois en fûts (1/3 de bois neuf) ; collage et filtration ;
blanc – fermentations en fûts neufs ; élevage de 7-8 mois sur lies ; fréquents bâtonnages ; collage et filtration si nécessaire

---

A maturité : rouge – dans les 2 à 8 ans suivant le millésime ;
blanc – dans les 2 à 6 ans

VILLA BEL-AIR
Non classé
Propriétaire : famille Cazes
Adresse : 33650 Saint-Morillon
Tél. 05 56 20 29 35 – Fax 05 56 78 44 80
Visites : sur rendez-vous uniquement
Contact : Guy Delestrac

Superficie :
rouge – 24 ha ; blanc – 22 ha (Saint-Morillon – appellation Graves)
Vins produits :
rouge – Villa Bel-Air – 140 000 b (pas de second vin) ;
blanc – Villa Bel-Air – 132 000 b (pas de second vin)
Encépagement :
rouge – 50 % cabernet sauvignon, 40 % merlot, 10 % cabernet franc ;
blanc – 42 % sémillon, 42 % sauvignon, 16 % muscadelle
Densité de plantation : 7 500 pieds/ha – *Age moyen des vignes :* 10 ans
Rendement moyen : 45 hl/ha

Élevage :
rouge – fermentations et cuvaisons de 15 jours en cuves d'acier inoxydable thermorégulées ;
vieillissement après les malolactiques de 12 mois en fûts (pas de bois neuf) ; collage et filtration ;
blanc – débourbage par le froid ; fermentations en fûts neufs ; élevage de 8 mois sur lies ;
bâtonnages réguliers ; pas de collage ; filtration

A maturité : rouge – dans les 2 à 6 ans suivant le millésime ;
blanc – dans les 1 à 5 ans

POMEROL

Pomerol est la plus petite des grandes régions viticoles du Bordelais, mais elle produit quelques-uns des vins les plus chers, les plus passionnants et les plus séduisants du monde. Ils font l'objet d'une telle demande qu'il faut parfois se battre – ou presque – pour les acheter. Cependant, c'est aussi la seule des grandes appellations de la région à n'avoir jamais connu de classement hiérarchique rigide. Lorsque les négociants de Bordeaux ont établi le désormais célèbre classement de 1855 des vins de Gironde, ils ont complètement ignoré Pomerol et Saint-Émilion, qui se trouvent pourtant à moins de 30 km du grand port, sur la rive droite de la rivière. En fait, ces deux terroirs étaient déjà fort renommés pour leurs vins, mais le transport était difficile (les ponts n'ayant été construits qu'après 1820), et le commerce s'était surtout développé vers le nord de la France, ainsi que vers la Belgique et les Pays-Bas. En revanche, les gros producteurs du Médoc travaillaient directement avec les courtiers en vins de Bordeaux. Dans bien des cas, d'ailleurs, ces maisons de négoce étaient dirigées par des Anglais ou des Irlandais récemment établis en Aquitaine et ayant conservé des contacts dans leur pays d'origine. Le classement de 1855 a été, avant tout, une liste des plus grands domaines producteurs du Médoc (à laquelle on a ajouté le fameux Haut-Brion des Graves), tout simplement parce que, depuis toujours, ces châteaux vendaient leurs vins aux négociants bordelais qui les exportaient en Grande-Bretagne. Ceux-ci, qui ne devaient commencer un véritable commerce avec Pomerol et Saint-Émilion qu'aux alentours de 1870, ont tout naturellement fait figurer sur la liste les producteurs qui les intéressaient commercialement, ignorant, innocemment ou délibérément, ces deux régions viticoles.

Par la suite, les vins de Saint-Émilion ont fait l'objet de quatre classements : le premier date de 1954, et il a été révisé en 1969, 1985 et 1997. En revanche, les vins de Pomerol n'ont rien connu de semblable, ce qui est, au demeurant, étonnant, dans la mesure où ils ont commencé à cumuler le succès et la renommée juste après la Seconde Guerre mondiale – le célèbre négociant anglais Harry Waugh, qui travaillait alors pour Harvey's, la très fameuse maison de Bristol, ayant joué un rôle important dans cette promotion. Cette belle réputation n'a cessé depuis de s'affirmer, à tel point que beaucoup de Pomerol sont aujourd'hui plus recherchés que bien des Médoc et des Graves de très haut niveau.

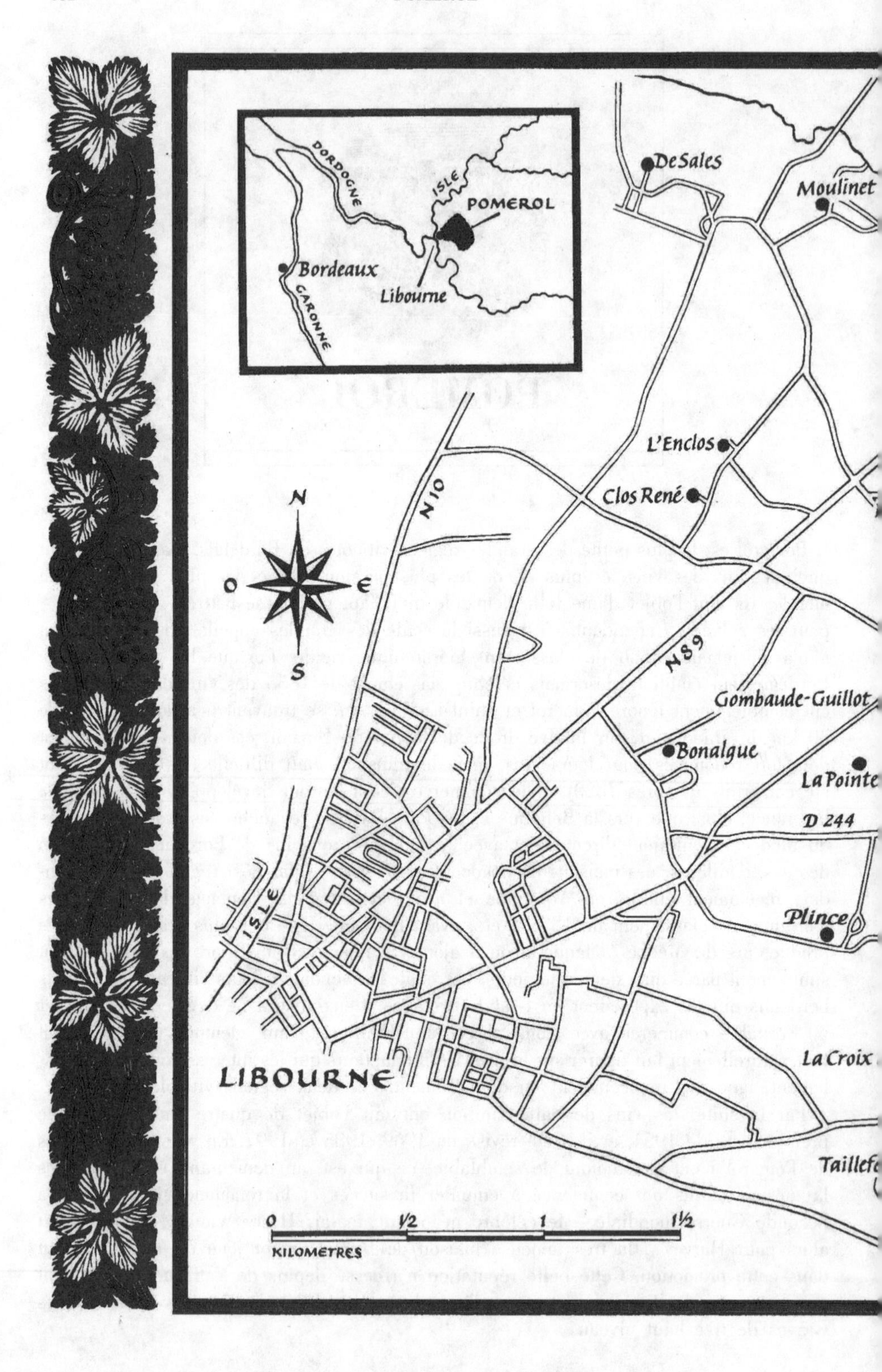
DORDOGNE
ISLE
POMEROL
Bordeaux
Libourne
GARONNE
De Sales
Moulinet
L'Enclos
Clos René
N10
N
O
E
S
N89
Gombaude-Guillot
Bonalgue
La Pointe
D 244
Plince
ISLE
La Croix
LIBOURNE
Taillefe
0
1/2
1
1½
KILOMETRES

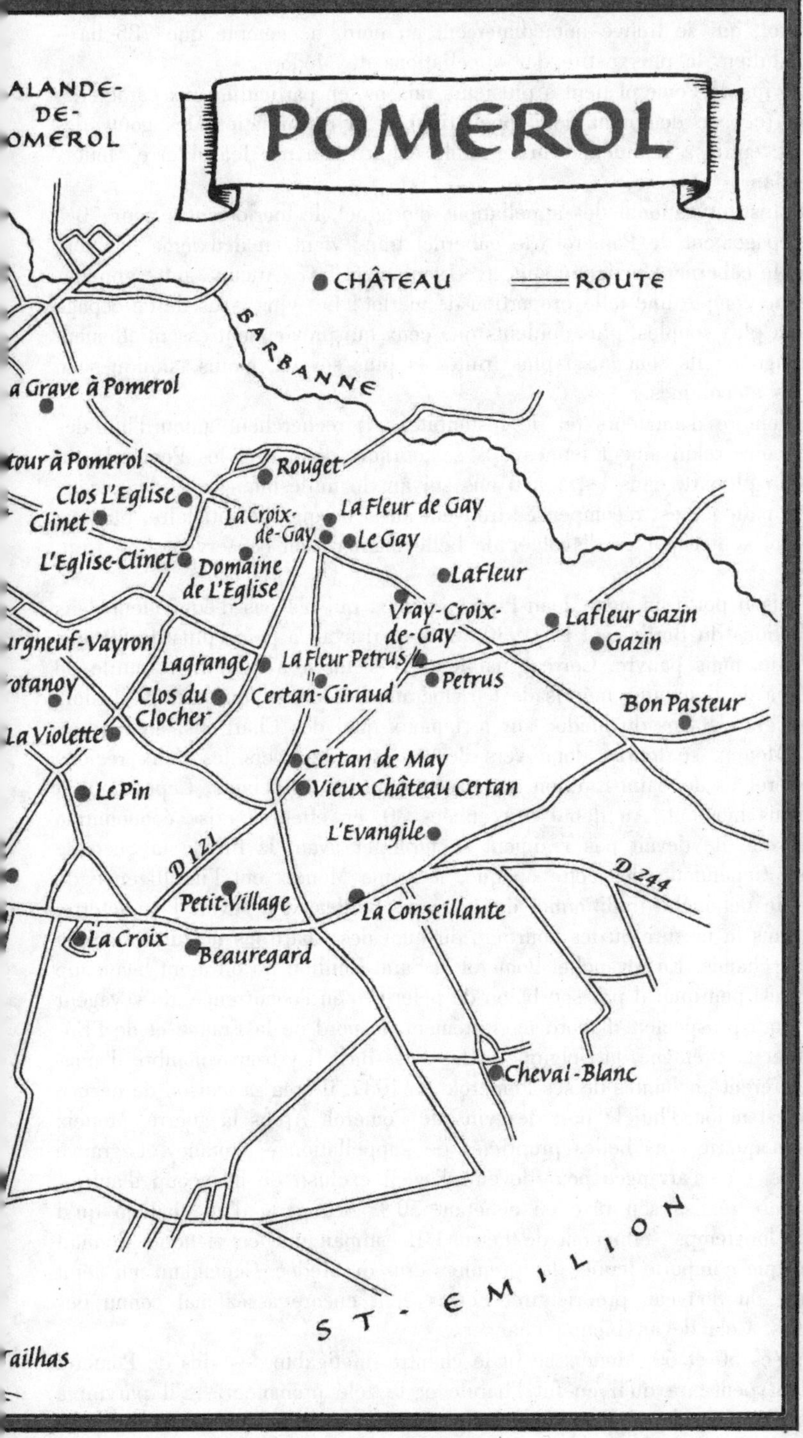
POMEROL
ALANDE-
DE-
OMEROL
CHÂTEAU
ROUTE
BARBANNE
a Grave à Pomerol
tour à Pomerol
Rouget
Clos L'Eglise
Clinet
La Croix-
de-Gay
La Fleur de Gay
Le Gay
L'Eglise-Clinet
Domaine
de L'Eglise
LaFleur
Vray-Croix-
de-Gay
Lafleur Gazin
Gazin
rgneuf-Vayron
Lagrange
La Fleur Petrus
Petrus
otanoy
Clos du
Clocher
Certan-Giraud
Bon Pasteur
La Violette
Certan de May
Le Pin
Vieux Château Certan
L'Evangile
D 121
D 244
Petit-Village
La Conseillante
La Croix
Beauregard
Cheval-Blanc
ST-EMILION
Tailhas

Alors que l'appellation Saint-Émilion est très vaste, avec un peu plus de 5 400 ha de vignes, Pomerol, qui se trouve immédiatement au nord, ne compte que 785 ha – moins que Saint-Julien, la plus petite des appellations du Médoc.

Le succès des vins de Pomerol tient à plusieurs raisons, en particulier aux caractéristiques du merlot (cépage dominant de l'appellation), à la modification des goûts des consommateurs et, enfin, à l'influence du véritable empire bâti par Jean-Pierre Moueix et son fils Christian.

Selon l'INAO (Institut national des appellations d'origine), le merlot entre pour 70 à 75 % dans l'encépagement de Pomerol ; le cabernet franc vient en deuxième position, avec 20 à 25 % ; le cabernet sauvignon suit, avec seulement 5 %. Aucune autre appellation d'Aquitaine ne compte une telle proportion de merlot ! Les vins issus de ce cépage sont ordinairement plus souples, plus opulents que ceux qui proviennent essentiellement du cabernet sauvignon ; ils sont aussi plus fruités et plus séveux, moins tanniques en apparence et plus alcooliques.

D'autre part, nombre d'amateurs (et de restaurateurs !) recherchent aujourd'hui des vins pouvant se boire relativement jeunes ; ils se tournent donc vers les Pomerol, qui sont prêts, pour la plupart, dans les 4 à 6 ans suivant le millésime. Cependant, ceux qui savent que la patience est récompensée trouvent aussi de quoi se satisfaire, puisque les grands Pomerol sont capables d'évoluer de belle manière, en conservant leur fruit, sur 15 à 25 ans.

La troisième raison porte un nom, Jean-Pierre Moueix, qui n'a pas d'équivalent dans les autres appellations du Bordelais ! En 1930, alors qu'il avait à peine plus de 20 ans, il a quitté sa belle, mais pauvre, Corrèze natale pour s'établir à Libourne. Inutile de dire qu'il bénéficia de l'unanime mépris de l'aristocratie bordelaise, qui contrôlait alors le commerce des grands vins du Médoc sur le fameux quai des Chartrons, en bordure de la Garonne. Moueix se tourna donc vers l'est, c'est-à-dire vers les deux régions viticoles de Pomerol et de Saint-Émilion, délaissées par les négociants. Cependant, il arrivait au mauvais moment. Au début des années 30, en effet, la crise économique faisait rage – et elle ne devait pas vraiment se terminer avant la fin de la Seconde Guerre mondiale. Cependant, dès cette époque, le jeune Moueix eut l'intelligence de comprendre que le débouché traditionnel des vins de Bordeaux, à savoir l'Angleterre, lui était fermé, dans la mesure où les courtiers du quai des Chartrons ne lui donnaient pas l'ombre d'une chance. En revanche, Pomerol et Saint-Émilion lui offraient beaucoup de possibilités. C'est pourquoi il prit son bâton de pèlerin – en l'occurrence, de voyageur de commerce – pour prospecter, d'abord modestement, le nord de la France et de l'Europe, en particulier la Bretagne, la Belgique et les Pays-Bas. Il y trouva nombre d'amateurs qui se déclarèrent enchantés de ses Pomerol. En 1937, il créa sa maison de négoce à Libourne, qui est aujourd'hui le port des vins de Pomerol. Après la guerre, Moueix fut en mesure d'acquérir trois belles propriétés de l'appellation – Trotanoy, Lagrange et La Fleur-Petrus – et s'arrangea pour devenir l'agent exclusif de beaucoup d'autres.

En 1964, Moueix réalisa son rêve en achetant 50 % des parts d'un château qu'il convoitait depuis longtemps – du nom de Petrus ! Il estimait que ce vignoble donnait un vin aussi bon que n'importe lequel des premiers crus du Médoc. Cependant, en dépit de l'enthousiasme du nouveau propriétaire, Petrus était encore assez mal connu des cercles d'amateurs. Cela devait bientôt changer...

Durant les années 50 et 60, Moueix se fit le chantre infatigable des vins de Pomerol – d'autres diraient peut-être qu'il en fut l'habile et le zélé promoteur... S'il parvint à se créer une position inégalée à Pomerol, et à y édifier un véritable empire, ce fut au prix d'un travail acharné et en produisant des vins exceptionnels, surtout dans ses deux domaines les plus prestigieux, Petrus et Trotanoy. Dès la fin des années 60, ces deux crus dépassaient régulièrement, en qualité, les premiers crus du Médoc.

L'extraordinaire ascension de Moueix et de ses vins a attiré l'attention sur Pomerol, ce qui n'a pas été sans conséquences bénéfiques pour les autres producteurs de cette appellation, jusque-là paisible et endormie. D'autres propriétés ont effectué de gros efforts pour améliorer la qualité de leurs vins. Aujourd'hui, alors que personne n'est en mesure de remettre sérieusement en cause la domination de Moueix sur le commerce des vins de Pomerol, de nombreux châteaux entendent bien disputer la première place à Petrus, jusque-là pourtant monarque incontesté !

Les châteaux les plus prestigieux de l'appellation se trouvent sur le plateau de Pomerol, et Petrus est implanté au lieu le plus élevé, la plus grande partie de son vignoble de 11 ha se situant sur un bouton d'argile ; ses prestigieux voisins, en revanche, sont établis sur des graves. Au sud de Petrus se trouvent La Fleur-Petrus, Certan de May, Vieux Château Certan, Le Pin, La Conseillante et L'Évangile. Au nord-ouest, on rencontre Lafleur, L'Église-Clinet et La Fleur de Gay. Cependant, alors que les cabernets, et en particulier le cabernet franc, se montrent aussi adaptés que le merlot aux sols de ces domaines, constitués de graves profondes (mélangées à un peu d'argile), le merlot est pratiquement hégémonique à Petrus (seulement 5 % de cabernet franc). D'autres propriétés de l'appellation ont favorisé ce dernier cépage.

En allant plus à l'ouest, vers la fin du plateau de Pomerol, là où se trouvent Trotanoy et Le Pin, les sols deviennent encore plus graveleux. Les domaines qui y sont implantés obtiennent souvent de bons résultats dans les années pluvieuses, parce que le drainage y est excellent. Plus à l'ouest encore, en direction de la N89 (qui relie Bordeaux à Libourne), le sol change et se compose essentiellement, pour commencer, d'un mélange de sable et de graves, devenant ensuite très léger, avec une dominante siliceuse. Les vignes cultivées ici ne peuvent donner de très grands vins, mais elles produisent des Pomerol tendres, fruités, extrêmement plaisants et souples ; toutefois, les meilleurs de ces vins sont loin d'avoir la puissance, le potentiel de garde et la richesse de ceux qui proviennent des sols (argileux, graveleux et ferreux) du plateau.

Ceux qui ne connaissent du Bordelais que le Médoc et les Graves risquent d'être surpris par la région de Pomerol, avec ses vignobles de petite taille et ses fermes modestes que l'on appelle pompeusement « châteaux », Petrus lui-même étant constitué d'un bâtiment qui s'apparente davantage à une belle demeure qu'à un véritable château. En fait, seul le plus vaste domaine de l'appellation, De Sales, qui comprend quelque 47 ha, peut s'enorgueillir d'un édifice digne de ce nom. Il existe, à Pomerol, trois autres grandes propriétés : Nenin, Taillefer (toutes deux de 25 ha) et La Pointe (20 ha) ; aucune d'entre elles, cependant, n'est en mesure de figurer dans le club fermé des très grands producteurs de rouges de la région. Cependant, le rachat de Nenin, en 1997, par Michel et Jean-Hubert Delon, de Léoville Las Cases, permet d'augurer une belle renaissance de cette propriété. La surface de la plupart des meilleurs vignobles de l'appellation est comprise entre 10 et 14 ha, mais elle est très inférieure dans certains cas. C'est ainsi que trois des domaines actuels les plus remarquables de Pomerol, Lafleur (4,5 ha), Certan de May (5 ha) et L'Église-Clinet (6 ha), pourraient fort bien vendre la totalité de leur production, s'ils le voulaient, dans la seule ville de Bordeaux.

Quels sont les traits distinctifs des vins de Pomerol ? Tout d'abord leur robe, d'un rubis dense, ensuite leur bouquet, intense, onctueux, parfois marqué de truffe et de moka, mais toujours épanoui et fruité, dominé par la cerise rouge et la framboise, enfin un caractère séveux, voluptueux, presque moelleux – dans les grands millésimes, bien sûr. Tout cela trahit évidemment le merlot !

Les Pomerol sont généralement les vins les plus aimables, les plus souples, les plus soyeux et les plus richement fruités du Bordelais ; on trouve cependant des styles très différents, reflétant les choix des divers producteurs. Cela dit, d'une manière générale, la vinification est ici de très haut niveau. Dans le Médoc, seule sans doute l'appellation Saint-Julien abrite des vinificateurs aussi talentueux.

Petrus est très souvent le meilleur vin de Pomerol, le plus massivement concentré, le plus riche et le mieux armé pour une longue garde. C'est bien entendu le sol d'argile lourd où poussent les vignes qui permet d'obtenir un vin aussi puissant. Cependant, jusqu'au début des années 80, Trotanoy s'est fréquemment trouvé extrêmement proche de Petrus, à tel point qu'on les confondait souvent dans les dégustations à l'aveugle ; c'était aussi, avec Lafleur, le vin le plus recherché, juste après Petrus ; cet état de fait n'est pas étonnant, dans la mesure où l'un et l'autre sont essentiellement issus de merlot (95 % pour Petrus, 80 % pour Trotanoy), et qu'ils sont traités de la même façon par la même équipe de vinificateurs. L'autre grand rival de Petrus, et qui, dans certains millésimes, a fait mieux que lui, est terriblement méconnu, puisqu'il s'agit de Lafleur. Il est intéressant de noter que son vignoble se trouve juste à côté de celui de Petrus, sur le plateau, et qu'il comporte lui aussi des vignes extrêmement âgées donnant de petites quantités d'un jus très concentré, très bien équilibré et débordant d'arômes exotiques.

Si Petrus, Trotanoy et Lafleur font depuis bien longtemps les vins les plus riches, les mieux colorés et les plus massifs de l'appellation, L'Évangile, La Conseillante, Petit Village, La Fleur-Petrus et L'Église-Clinet produisent les Pomerol les plus gracieux et les plus élégants – les plus « bourguignons », dirons-nous ! Pour bien connaître les Pomerol, il ne faut donc pas se limiter aux trois premiers, et un véritable amateur ne peut se dispenser de posséder au moins quelques bouteilles venant de ces cinq autres domaines.

La Conseillante et L'Évangile jouissent tous deux d'une belle réputation, mais ils se sont révélés irréguliers. Le premier a obtenu des résultats médiocres durant les années 60 et 70, mais est revenu à un très haut niveau dans les années 80, produisant même quelques-uns des plus grands vins de sa prestigieuse histoire ; les 1981, 1982, 1983, 1985, 1989 et 1990 sont en effet des Pomerol superbement voluptueux. L'Évangile, qui a également connu des hauts et des bas, peut parfois produire de grands vins, capables, tout simplement, de rivaliser avec Petrus, Trotanoy ou Lafleur ! Ce fut le cas en 1975, 1982, 1983, 1985, 1990 et 1995. Le domaine a été racheté par les Rothschild (de Lafite Rothschild) en 1989 : il n'est donc pas impossible que le vin soit en passe, à brève échéance, d'égaler Petrus, en qualité et en prix. L'Évangile 1990 et 1995, véritables vins de rêve, montrent que c'est parfaitement envisageable.

La Fleur-Petrus porte un nom forgé pour la gloire, mais le vin qu'il produit n'est malheureusement que rarement à l'unisson. Cependant, les choses pourraient changer, puisque le vignoble s'est agrandi d'une très belle parcelle rachetée à Le Gay au début des années 90. La Fleur-Petrus est plutôt un bon Pomerol qu'un très grand, et il est actuellement assez rapide à évoluer ; néanmoins, il se révèle également velouté, élégant et gracieux.

Petit Village n'était sans doute pas exploité aussi consciencieusement qu'il l'aurait fallu. C'est vers la fin des années 70 que ce vignoble, au remarquable potentiel, a commencé à produire de grands vins, sous la houlette de Bruno Prats ; ce dernier a vendu le château il y a quelques années, mais les vins ont continué à s'améliorer, les meilleurs millésimes récents étant les 1982, 1985, 1988 et 1989. Plus récemment, la qualité s'est révélée de bon niveau, mais moins régulière que je ne l'aurais pensé.

Depuis la diffusion de son 1985, L'Église-Clinet a rejoint le peloton restreint des grands de l'appellation. Ce domaine peut s'enorgueillir de somptueux vieux millésimes, comme en témoignent les 1921, 1929, 1945, 1947, 1948, 1949, 1950, 1957 et 1959, étonnamment riches, qui ont bien résisté à l'épreuve du temps. Malheureusement, il a été quelque peu oublié des amateurs, du fait d'une période de flottement dans le courant des années 60 et 70. Cette propriété, qui compte quelques-uns des plus vieux pieds de vignes de Pomerol, produit traditionnellement un vin débordant de fruit et intensément coloré – il révèle un concentré d'arômes de fruits noirs et de flaveurs minérales. Il faut dire qu'il fait partie des rares petits domaines de l'appellation à produire également un second vin, élaboré avec les cuves qui ne sont pas jugées assez riches pour le grand vin.

Il existe également des Pomerol d'un autre style, tirant un peu vers le Médoc. Ainsi, Vieux Château Certan comprend une assez forte proportion de cabernet franc et de cabernet sauvignon dans son vignoble, et ses vins rappellent, par certains côtés, les bons Médoc. Très célèbre, considéré comme le plus grand château de Pomerol durant le XIXe et une bonne partie du XXe siècle, il a malheureusement connu une période de relative médiocrité au cours des années 60 et 70, ce qui n'a pas été sans conséquences sur sa réputation. Il s'est totalement redressé depuis 1982.

On trouve aussi des Pomerol légers et souples, destinés à être bus assez rapidement. Ces vins ne durent généralement pas plus d'une décennie, mais sont souvent très intéressants dans une appellation qui se distingue – elle aussi – par une belle envolée des prix. La plupart sont issus de la partie ouest de Pomerol, aux sols sableux et légers. Les châteaux qui les produisent ne jouissent pas d'une très grande réputation, mais plusieurs d'entre eux, tels L'Enclos, Clos René et De Sales, sont capables de satisfaire à la fois le palais, le porte-monnaie et... l'impatience des amateurs.

Mais le fait le plus important de cette dernière décennie a sans doute été l'émergence de nouveaux châteaux, qui se sont imposés parmi l'élite de l'appellation : La Fleur de Gay, Clinet, Le Pin et Certan de May.

La Fleur de Gay a été inauguré avec le millésime 1982 par Alain Raynaud, le propriétaire de La Croix de Gay. Il est assez inhabituel, en Bordelais, de voir un propriétaire isoler une parcelle de ses meilleures vignes (il s'agit, en l'occurrence, de merlot situé juste à côté de Petrus et de Lafleur) pour en tirer une cuvée spécifique. C'est pourtant ce qu'a fait Alain Raynaud. Élevé exclusivement en fûts de chêne neuf, ce Pomerol est extraordinaire par sa richesse et son caractère exotique. Il suffit d'une seule gorgée d'un de ses grands millésimes (1983, 1985, 1986, 1987, 1988, 1989 et 1990) pour ensorceler à jamais l'imprudent buveur !

Clinet, comme bien d'autres, s'est longtemps montré fort irrégulier ; il a cependant redressé la barre en 1985, lorsque Jean-Michel Arcaute, gendre du propriétaire, a pris les rênes du château. En un temps record, cet homme efficace a su corriger tout ce qui n'allait pas, pour produire l'un des vins les plus complexes et les plus profondément concentrés de l'appellation. Clinet est maintenant, incontestablement, l'un des géants de Pomerol, capable de rivaliser avec les meilleurs. Les 1989, 1990, 1994 et 1995 frisent la perfection.

Un autre château, Le Pin, s'est également récemment imposé comme l'une des stars de l'appellation. Il s'agit d'un petit vignoble, presque uniquement complanté en merlot, qui donne l'un des bordeaux les plus extraordinairement parfumés, voluptueux et sensuels qui soient ; malheureusement, ce vin est produit en toutes petites quantités. Les propriétaires, les Thienpont, ont manifestement voulu élaborer un vin ressemblant à Petrus, en plus exotique encore. Une question demeure, toutefois : saura-t-il bien vieillir ? Il s'agit indiscutablement d'un vin « culte », fort prisé des amateurs millionnaires – en effet, il atteint des prix astronomiques dans les ventes aux enchères.

Il faut également citer, parmi les Pomerol de très haut vol, Latour à Pomerol, qui a élaboré quelques vins de rêve en 1947, 1950, 1959 et 1961, et Le Bon Pasteur, dirigé par l'un des œnologues les plus doués de la région, Michel Rolland, et son épouse Dany, tout aussi talentueuse.

Tout bien considéré, Pomerol compte aujourd'hui nettement moins de domaines médiocres qu'il y a dix ans. Cependant, il est certain que des châteaux comme Nenin, Taillefer et La Pointe pourraient produire de meilleurs vins. Il est dommage qu'ils ne le fassent pas, dans la mesure où ils disposent de grands vignobles – au moins si l'on considère la moyenne des surfaces de l'appellation – ; ils seraient capables d'offrir des vins pouvant servir de bonne introduction à l'amateur néophyte désireux de mieux connaître les Pomerol voluptueux, riches et charnus.

POMEROL – REPÈRES

Situation : sur la rive droite de la Dordogne. Pomerol est bordé au sud par la ligne de chemin de fer Libourne-Bergerac et par la ville de Libourne, au nord par un affluent de la Dordogne appelé la Barbane.
Superficie sous culture de vignes : 785 ha.
Commune : Pomerol.
Production annuelle moyenne : 4 400 000 bouteilles.
Crus classés : les vins de Pomerol ne sont pas classés.
Principaux cépages : le merlot prédomine, suivi du cabernet franc ; le cabernet sauvignon n'est présent qu'en toutes petites quantités.
Principaux types de sol : le plateau de Pomerol est essentiellement graveleux, avec de l'argile et du fer. A proximité de Lalande-de-Pomerol, le sol est graveleux, mais aussi très sableux.

AVIS AUX AMATEURS

Niveau général de l'appellation : moyen à superbe.
Les plus aptes à une longue garde : Clinet, L'Église-Clinet, L'Évangile, Le Gay, Gazin, Lafleur, Petrus, Trotanoy.
Les plus élégants : La Conseillante, Gazin, La Grave à Pomerol, Lafleur, Latour à Pomerol, Petrus, Vieux Château Certan.
Les plus concentrés : Clinet, L'Église-Clinet, L'Évangile, Le Gay, Gazin, Lafleur, Petrus, Trotanoy.
Le meilleur rapport qualité/prix : Le Bon Pasteur, L'Enclos, La Grave à Pomerol, La Loubière, De Sales.
Les plus exotiques : Le Pin, Clos l'Église (depuis 1997).
Les plus secrets (dans leur jeunesse) : Lafleur, Petrus, Vieux Château Certan.
Les plus sous-estimés : aucun.
Les plus accessibles dans leur jeunesse : La Conseillante, Petit Village, Le Pin.
Les étoiles montantes : La Fleur-Petrus, Nenin.

Meilleurs millésimes récents : 1995, 1990, 1989, 1982, 1975, 1970, 1964, 1961, 1950, 1949, 1948, 1947, 1945.

MON CLASSEMENT

EXCEPTIONNEL	*EXCELLENT*
Clinet	Le Bon Pasteur
La Conseillante	Certan de May de Certan
L'Église-Clinet	Clos l'Église (depuis 1997)
L'Évangile	La Croix du Casse
La Fleur de Gay	La Fleur-Petrus
Lafleur	Gazin
Petrus	Latour à Pomerol
Le Pin	Nenin (depuis 1997)
Trotanoy	Petit Village
	Vieux Château Certan

TRÈS BON

Beau Soleil, Certan-Giraud, La Croix de Gay, Du Domaine de l'Église, L'Enclos, Le Gay, Gombaude Guillot, La Grave à Pomerol (auparavant La Grave Trigant de Boisset)

BON

Beauregard, Bellegrave, Bonalgue, Bourgneuf Vayron, De Bourgueneuf, Clos du Clocher, Clos René, La Croix, Haut-Maillet, Rouget, De Sales, La Violette, Vray Croix de Gay

AUTRES PROPRIÉTÉS NOTABLES DE POMEROL

Beauchêne, La Cabanne, Le Caillou, Cantelauze, Le Carillon, Clos du Pèlerin, La Commanderie, La Croix Saint-Georges, La Croix Taillefer, La Croix Toulifaut, Ferrand, Feytit-Clinet, Feytit-Guillot, La Ganne, Grand Moulinet, Grange-Neuve, Guillot, Guillot Clauzel, Haut Cloquet, Haut Ferrand, Lafleur-Gazin, Lafleur du Roy, Lagrange, La Loubière, Mazeyres, Montviel, Moulinet, La Patache, Plince, Plincette, La Pointe, Pont-Cloquet, Prieurs de la Commanderie, Ratouin, Domaine du Rempart, La Renaissance, Rêve d'Or, La Rose Figeac, Saint-Pierre, Du Tailhas, Taillefer, Thibeaud-Maillet, Tour Robert, De Valois, Vieux Château Ferron, Vieux Maillet

COMMENTAIRES DE DÉGUSTATION

BEAUREGARD – BON

Équivaut à un 5e cru du Médoc
Propriétaire : Foncier Vignobles
Adresse : 33500 Pomerol
Tél. 05 57 51 13 36 – Fax 05 57 25 09 55
Visites : sur rendez-vous uniquement
Contact : Vincent Priou

Superficie : 17 ha (Catusseau)
Vins produits :
Château Beauregard – 70 000 b ; Le Benjamin de Beauregard – 30 000 b
Encépagement : 60 % merlot, 35 % cabernet franc, 5 % cabernet sauvignon
Densité de plantation : 6 000 pieds/ha – *Age moyen des vignes :* 30 ans
Rendement moyen : 45 hl/ha

Élevage :
fermentations de 14-28 jours
en cuves d'acier inoxydable thermorégulées à 25-33 °C ;
achèvement des malolactiques en fûts ; vieillissement de 15-20 mois en fûts
(60-75 % de bois neuf) ; collage ; pas de filtration

A maturité : dans les 5 à 12 ans suivant le millésime

Lorsqu'on quitte le petit village de Catusseau, on découvre le vignoble de Beauregard, au sud du plateau de Pomerol. C'est l'une des rares propriétés de l'appellation dont la demeure, assez grande, mérite le nom de « château ». Le vignoble révèle un excellent potentiel, et les connaisseurs estiment généralement que son sol graveleux peut produire un vin de haut niveau. Jusqu'au milieu des années 80, le domaine a surtout élaboré des crus rustiques et évoluant rapidement. Ensuite, l'administrateur, Paul Clauzel, a fait des vins plus fins, mieux colorés, montrant davantage de générosité et de concentration. En outre, il a amélioré les conditions d'hygiène dans les chais. La famille Clauzel a vendu cette propriété à Foncier Vignobles (filiale du Crédit foncier de France) en 1991, et les vins continuent de progresser.

Foncier Vignobles est probablement l'investisseur institutionnel le plus ancien de France, propriétaire depuis 1870 de Saint-Robert, dans les Graves, depuis 1936 de Bastor-Lamontagne, en Sauternais, et depuis 1989 de Puligny-Montrachet, en Bourgogne.

Après le rachat de la propriété, la gestion au jour le jour a été confiée à Vincent Priou, qui assure également les vinifications. Une restructuration complète du vignoble a été entreprise (modification de la taille, arrachage de certaines parcelles, réfection et mise en place d'un système de drainage, apport d'engrais organique, etc.), ainsi que la rénovation des installations techniques (réfection du cuvier et des chais antérieurs et construction de chais supplémentaires, pour répondre aux exigences d'un élevage plus long).

On note de fait, depuis quelques années, un changement de style de ce cru : les vins sont désormais plus séduisants et, en règle générale, d'un meilleur niveau.

1998 • **86-88** Ce vin puissant, mais quelque peu rugueux, arbore une robe rubis-pourpre foncé qui précède un ensemble moyennement corsé, très mûr, assez élégant et généreusement marqué de chêne grillé. Il n'est pas parfaitement souple, et son boisé et ses tannins ne sont pas aussi fondus que ceux de ses jumeaux de l'appellation. Cependant, il est des plus plaisants et pourrait même, s'il se fondait, mériter une note aux alentours de 89. **A boire entre 2002 et 2015.** (3/99)

1997 • **85-86** Vêtu de rubis foncé, ce 1997 mûr, nuancé de chêne neuf et grillé, séduit par ses arômes épicés et par son merveilleux fruité. Quoique manquant de complexité, il est moyennement corsé et gratifiant, capable d'une garde de 6 **ou 7 ans.** (1/99)

1996 • **87** Rubis profond de robe, avec un doux nez de cerise confiturée fortement marqué de notes de fraise, le 1996 de Beauregard se montre moyennement corsé, souple et élégant en bouche. C'est un vin modérément massif, nuancé de chêne neuf et grillé. **A boire dans les 6 à 8 ans.** (1/99)

1995 • **87** Cet excellent vin, d'un séduisant rubis foncé, exhale des arômes fumés, vanillés et chocolatés de fruits rouges. Moyennement corsé et mûr, il est faible en acidité et présente un doux fruité, ainsi qu'un caractère modérément tannique. C'est un Beauregard de très haut niveau. **A boire jusqu'en 2010.** (11/97)

1994 • **87** Rubis-pourpre, le 1994 exhale un nez fermé de terre, de fumé et de fruits noirs. Il est moyennement corsé, serré et d'une très bonne, voire d'une excellente concentration, mais il affiche aussi un niveau très élevé de tannins. Ce vin s'est refermé depuis la mise en bouteille, et requiert une garde de 1 ou 2 ans. **A boire entre 2001 et 2012.** (1/97)

1993 • **87** Le 1993 est l'une des révélations de l'année. Vêtu de prune foncé et doté d'un caractère voluptueux et doux, il dégage de riches arômes de cerise noire aux notes de fumé et se montre étonnamment crémeux. Il libère encore un merveilleux fruité mûr, qui jaillit littéralement du verre et persiste en bouche sans aucune aspérité. C'est un Pomerol bien fait, assez massif et savoureux. **A boire dans les 7 ou 8 ans.** (1/97)

1992 • **88** Le 1992 semble être le meilleur vin fait à la propriété depuis des années. Sa robe rubis foncé et son nez odorant, richement fruité et intensément épicé, annoncent un vin moyennement corsé en bouche, avec des arômes doux et charnus, qui déploie une finale douce et arrondie. C'est un 1992 étonnamment puissant et extrait. **A boire dans les 4 à 6 ans.** (11/94)

1990 • **87** Très corsé, musclé et trapu, le Beauregard 1990 est également très intense et très massif. Alors qu'il était confituré et dépourvu de caractère et de complexité en fût, il s'est maintenant considérablement étoffé et s'impose comme l'une des belles réussites de la propriété ces dernières années. **A boire dans les 7 ou 8 ans.** (1/93)

BELLEGRAVE – BON

Équivaut à un cru bourgeois
Propriétaire : Jean-Marie Bouldy
Adresse : René – 33500 Pomerol
Tél. 05 57 51 20 47 – Fax 05 57 51 23 17
Visites : du lundi au samedi (8 h-12 h et 14 h-17 h)
Contact : Jean-Marie Bouldy

Superficie : 8 ha (René – Pomerol)
Vins produits :
Château Bellegrave – 40 000 b ; Château des Jacobins – 8 000-10 500 b
Encépagement : 75 % merlot, 20 % cabernet franc, 5 % cabernet sauvignon
Densité de plantation : 6 000 pieds/ha – *Age moyen des vignes :* 35 ans
Rendement moyen : 45 hl/ha

Élevage :
vendanges manuelles ; fermentations et cuvaisons de 21-28 jours, pour une partie en cuves d'acier inoxydable thermorégulées

et pour l'autre en cuves de béton thermorégulées ;
achèvement des malolactiques en fûts pour 1/3 de la récolte,
le reste demeurant en cuves ;
vieillissement de 22 mois en fûts (1/3 de bois neuf) ;
collage au blanc d'œuf ; pas de filtration

A maturité : dans les 3 à 8 ans suivant le millésime

Le vignoble de Bellegrave, qui se trouve dans le sud-ouest de l'appellation, sur un plateau de graves à l'ouest de la N89, produisait des vins tendres, faciles à boire et à comprendre, devant être consommés dans leur jeunesse.

Il semble toutefois que le propriétaire, Jean-Marie Bouldy (également chargé de la gestion au jour le jour d'une propriété de Pomerol récemment acquise par Jean-Luc Thunevin, de Valandraud, et actuellement connue sous le nom de Bel-Air-Oüy – mais qui devrait être prochainement rebaptisée), sache exactement ce qu'il peut tirer de son terroir. Il obtient ainsi des vins nets, frais et fruités, qui savent séduire.

Il faut signaler que, depuis quelques années, de nombreuses améliorations ont été apportées tant à la vigne qu'aux installations techniques : effeuillage, vendanges manuelles, « lutte raisonnée » (engrais et produits de traitement biologiques), thermorégulation, etc. Les rendements sont aussi plus ténus, et un second vin est proposé depuis 1993. Tout cela devrait contribuer à une amélioration sensible de la qualité, ce dont semble témoigner le millésime 1998.

1998 • **85-87** Vêtu d'un rubis dense et soutenu, le Bellegrave 1998 exhale de très belles senteurs de chêne grillé et déploie en bouche des arômes gras et concentrés. S'il ne révèle pas encore une grande complexité, il présente en revanche une belle concentration, une très grande pureté, ainsi qu'un caractère savoureux et modérément tannique. **A boire entre 2000 et 2010.** (3/99)

1997 • **80-83** Vêtu de rubis foncé, ce vin moyennement corsé exhale un bouquet frais et vif aux notes de chêne neuf et épicé. Sa finale courte et aqueuse recèle des tannins souples. **A boire d'ici 4 ou 5 ans.** (1/99)

1996 • **84** Ce vin ouvert, dont les doux arômes de cerise noire et de fumé sont nuancés en arrière-plan de chêne épicé, se montre plaisant, légèrement corsé et pur en bouche. Il sera parfait dans les **2 à 5 ans.** (1/99)

1993 • **80** Monolithique, mais plaisant et fruité, le 1993 de Bellegrave est bien corpulent et légèrement tannique, avec une finale solide, mais assez quelconque. **A boire dans les 5 à 7 ans.** (11/94)

1992 • **85** Cette propriété – l'une des étoiles montantes de Pomerol – propose des vins qui s'améliorent d'un millésime à l'autre. Séduisant par son fruité de framboise et de prune bien nuancé de chêne neuf et grillé, le 1992 est légèrement marqué au nez et en bouche par des nuances de thé vert. Moyennement corsé et d'une belle profondeur, il déploie une finale souple et accessible. **A boire dans les 5 ou 6 ans.** (11/94)

1989 • **84** Très alcoolique et étayé par un très faible niveau d'acidité, le 1989 de Bellegrave ne conviendra pas à ceux qui préfèrent les vins gras, mûrs, confits et sans détour. Il est franc, trapu, mais bien doté, et se révèle délicieux. **A boire.** (11/90)

1988 Plus léger que de coutume, mais toujours doté d'un fruité mûr, savoureux et
• sans détour, le 1988 est moyennement corsé et accessible. **A boire.** (11/90)
82

1985 Le 1985 m'a séduit par son caractère tout la fois doux, confit et souple. Un
• vin moyennement corsé, agréable à boire sans cérémonie. **A consommer.** (3/90)
83

LE BON PASTEUR - EXCELLENT

Équivaut à un 4e ou 5e cru du Médoc
Propriétaire : SCEA fermière des Domaines Rolland
Adresse : Maillet – 33500 Pomerol
Adresse postale : Dany Rolland
Laboratoire vinicole Catusseau – 33500 Pomerol
Tél. 05 57 51 23 05 – Fax 05 57 51 66 08
Visites : sur rendez-vous uniquement
Contact : Dany Rolland

Superficie : 7 ha (Maillet – Pomerol)
Vin produit : Château Le Bon Pasteur – 40 000 b (pas de second vin)
Encépagement : 80 % merlot, 20 % cabernet franc
Densité de plantation : 6 000 pieds/ha – *Age moyen des vignes :* 30 ans
Rendement moyen : 42 hl/ha

Élevage :
fermentations et cuvaisons de 25-35 jours en cuves d'acier inoxydable de 70 hl ; achèvement des malolactiques en fûts ; vieillissement de 12-18 mois en fûts (80-100 % de bois neuf) ;
très légers collage et filtration si nécessaire

A maturité : dans les 5 à 14 ans suivant le millésime

Le Bon Pasteur appartient à Michel et Dany Rolland, les œnologues les plus doués du Bordelais, qui dirigent également un laboratoire vinicole à Libourne. Michel Rolland peut s'enorgueillir d'une liste de clients qui ressemble un peu au *Who's Who ?* de Pomerol, de Saint-Émilion et des autres grandes appellations de la région. Sa grande renommée lui a également valu d'être choisi comme conseil de quelques-uns des meilleurs vignobles du monde, depuis Ornellaia, en Italie, jusqu'au très célèbre Harlan Estate de Napa Valley, en Californie, en passant par Casa Lapostolle, au Chili.

Avec Michel Rolland et ses partisans, d'une part, et une association de producteurs appelée le Cercle du prestige de Pomerol, d'autre part, deux écoles se sont constituées, qui s'opposent sur la question de la date des vendanges et sur celle des techniques de vinification. La seconde école, représentée par la maison Jean-Pierre Moueix et par ses deux principaux porte-parole, Christian Moueix et l'œnologue Jean-Claude Berrouet, estime que le merlot ne doit pas être ramassé trop tard, soutenant qu'une vendange suffisamment précoce permet de conserver l'acidité du vin tout en préservant son équilibre. En outre, elle se prononce pour une macération plus brève, qui permet d'obtenir des vins plus élégants.

Michel Rolland et ses amis, en revanche, sont partisans d'une vendange aussi tardive que possible, afin d'obtenir une récolte à la limite de la surmaturité. Ils défendent également une macération prolongée, qui donne des vins profondément colorés, riches et aptes à une longue garde.

Les idées de Michel Rolland ont emporté l'adhésion de nombreux journalistes français, en particulier de Michel Bettane ; ce Parisien au franc-parler, qui est probablement le dégustateur et le critique spécialisé le plus pointu d'Europe, les défend vigoureusement, estimant qu'elles sont les mieux adaptées à la production de vins de haut niveau. Il faut avouer que deux des clients de Michel Rolland, Clinet et La Fleur de Gay, élaborent actuellement des vins capables de rivaliser avec Petrus.

Le vignoble du Bon Pasteur n'est pas l'un des mieux situés de Pomerol. Ses 7 ha s'étendent dans le nord-est de l'appellation, près du bourg de Maillet. On y trouve essentiellement deux types de sol, le premier de graves et d'argile, le second, plus léger, présentant des lits de graves profondes. Grâce au grand âge des vignes, à des vendanges tardives, à une longue macération et à l'utilisation d'au moins 80 % de fûts de chêne neuf pour l'élevage, Michel Rolland tire le meilleur parti possible du vignoble. Il a réussi des vins extraordinaires dans des millésimes comme 1982, 1988, 1989, 1990, 1995 et 1996.

1998 • 91-93 L'exquis 1998 s'impose comme Le Bon Pasteur le plus irrésistible depuis le somptueux 1982. Opaque et pourpre-noir de robe, il se distingue par d'admirables senteurs de mûre, de minéral et de fleurs subtilement nuancées de chêne grillé, qui accompagnent un ensemble moyennement corsé et fabuleux de concentration. Ce vin très tannique, étayé par une faible acidité, manifeste encore une richesse en extrait et une pureté sensationnelles. **A boire entre 2004 et 2015.** Bravo à Michel et Dany Rolland ! (3/99)

1997 • 86-89 Plus charmeur et plus souple que son aîné d'un an, Le Bon Pasteur 1997 arbore une robe rubis-pourpre foncé et déploie de généreuses senteurs de fruits rouges fumés et chocolatés subtilement nuancées de chêne grillé. Moyennement corsé, plus charnu et plus persistant en fin de bouche que le 1996, il devrait être à son apogée **entre 2001 et 2013.** (1/99)

1996 • 88 Plus léger qu'il n'était en cours d'élevage, le 1996 aurait mérité une meilleure note, n'étaient les tannins secs et légèrement graveleux que recèle sa finale. Moyennement corsé et marqué par le chêne neuf et épicé, il se distingue par de généreux arômes de cerise, de moka et de fumé, et par son caractère corpulent et très pur. La finale est ferme, structurée et musclée. Ce vin évoluera de belle manière ces **10 à 12 prochaines années.** (1/99)

1995 • 90 Le 1995 pourrait bien se révéler extraordinaire. D'une couleur prune foncé, avec des arômes de pain grillé, de crayon à papier, de fumé, de cerise noire et de cassis, il dévoile en bouche un caractère tout à la fois doux, moyennement corsé, rond et épicé. Ce Bon Pasteur savoureux, à la finale charnue et généreuse, sera au meilleur de sa forme **entre 2001 et 2012.** (11/97)

1994 • 89 Le 1994 exhale le nez légendaire des vins de merlot en général, et des Pomerol en particulier, et libère des arômes de moka, de chocolat, de cerise noire et de prune mûres. Moyennement corsé et modérément tannique, il révèle encore une excellente pureté et une richesse extraordinaire, et déploie une finale douce. **A boire entre 2000 et 2012.** (1/97)

1993 • **88** Le 1993, à la robe soutenue de couleur rubis-prune foncé, est très réussi pour le millésime (qui offre d'ailleurs de quoi satisfaire les amateurs d'excellentes affaires). Il exhale un doux nez de fumé, de café et de cerise noire, et se révèle étonnamment gras et doux en bouche, avec une acidité faible et une finale épicée, moyennement corsée et de bonne mâche. Ce Bon Pasteur est l'un des vins les plus concentrés, les plus délicieux et les plus complexes de 1993. **A boire jusqu'en 2007.** (1/97)

1992 • **86** Vêtu de rubis foncé et exhalant un nez de fumé, de moka, de chocolat et de cerise noire, le merveilleux 1992 déploie un fruité mûr. Moyennement corsé, très tannique et d'une belle profondeur, il présente plus de structure et une finale plus longue que bien d'autres vins de ce même millésime. Il se conservera encore **4 à 6 ans, peut-être davantage.** (11/94)

1990 • **91** Plus complet que son aîné d'un an, Le Bon Pasteur 1990 présente, outre un fruité mieux extrait, une texture plus ample, plus riche et plus douce. Étayé par une belle structure sous-jacente, il révèle d'impressionnantes saveurs de moka, de chocolat et de cerise confiturée nuancées de fumé et de vanille. Très corsé, il paraît bien plus jeune que le 1989 (malgré leur faible différence d'âge). Vous apprécierez ce vin extraordinaire **jusqu'en 2015.** (11/96)

1989 • **90** Ce vin, qui n'a pourtant pas été extrêmement demandé par les amateurs, obtient régulièrement une note entre 89 et 90 lors de mes dégustations. Le nez révèle une très intéressante décoction d'algues, d'alizés, de fumé et de cerise enrobée de chocolat. L'ensemble, moyennement corsé, est toujours quelque peu tannique, mais il développe de la complexité, ainsi que de la richesse et de la corpulence. Un délicieux 1989, à boire **d'ici 10 à 12 ans.** (11/96)

1988 • **89** Le 1988 est un pari sûr. Sa robe opaque d'un rubis sombre et profond (plus soutenue que celle du 1989) précède un énorme bouquet de chocolat, de prune, de groseille et d'herbes. Ce vin moyennement corsé, admirable de richesse en extrait, devrait se maintenir assez longuement. **A boire jusqu'en 2008.** (1/93)

1986 • **87** Le Bon Pasteur 1986 est excellent. La propriété est l'une des rares de Pomerol à avoir mieux réussi son 1986 que son 1985. D'un rubis profond, avec un nez puissant, énorme, riche, grillé et confit, ce vin révèle en bouche des arômes opulents et moyennement corsés, étayés par des tannins assez abondants. **A boire jusqu'en 2000.** (3/90)

1985 • **84** Ce vin moyennement corsé, souple et fruité est dépourvu de la concentration et de la structure des meilleurs millésimes. **A boire.** (3/90)

1984 • **80** D'un assez bon niveau, le Bon Pasteur 1984 est l'un des meilleurs Pomerol du millésime. Modérément coloré et moyennement extrait, ce vin aux arômes de prune atteste bien ce qu'un vinificateur aussi talentueux que Michel Rolland peut réussir dans un millésime désastreux. **A boire.** (3/90)

1983 • **85** Richement fruité, avec un merveilleux bouquet odorant de cassis, le 1993 se montre moyennement corsé, souple, opulent et précoce en bouche. **A boire.** (3/90)

1982 • **96** J'ai maintes fois dégusté ce vin – en magnum, en bouteille et en demi-bouteille. Hormis une demi-bouteille défectueuse (marquée par des notes de moisi), Le Bon Pasteur 1982, Pomerol des plus classiques, s'est toujours révélé prodigieux depuis sa diffusion en 1984. En 1982, le célèbre tandem Michel-Dany Rolland a hissé ce cru bien au-dessus du niveau de son terroir, incitant un critique américain à se pencher plus avant sur leur travail. Ce 1982 s'est toujours montré épais et riche, avec la texture crémeuse et la superbe opulence caractéristiques du millésime. La robe est maintenant légèrement ambrée sur le bord, mais l'ensemble conserve une couleur et un fruité intacts. Le nez, énorme et renversant, libère des notes de caramel, de doux fruits noirs, d'épices et de cèdre. Riche et très corsé, il est aussi doux que la soie, tout en attestant une concentration et une ampleur exceptionnelles. Il faut absolument l'apprécier au meilleur de sa forme ces **10 prochaines années**. C'est l'un des rares bordeaux à n'avoir jamais connu de période difficile au cours de son évolution. (4/98)

1981 • **85** Souple, richement fruité et élégant, le 1981 se montre moyennement corsé et épicé, avec un fruité confituré de cassis nuancé de moka. Parfaitement mûr et accessible, il révèle un caractère opulent et harmonieux, et doit être consommé **sans plus attendre.** (12/90)

1980 • **82** Bien réussi dans un millésime difficile, le 1980 est souple et moyennement massif. Mûr et doté d'un caractère savoureux et moelleux, **il doit être consommé – s'il n'a entamé son déclin.** (6/84)

1979 • **78** Ce millésime n'a jamais révélé le fruit riche, mûr et généreux que j'apprécie généralement dans les vins de la propriété. Quoique bien fait, il demeure austère et un peu maigre. **A boire.** (6/84)

1978 • **86** Réussi, le 1978 présente un nez de caramel, de grillé, d'herbes et de café. Bien doté, riche et concentré, il révèle en bouche, par paliers, un fruité mûr de merlot et une finale persistante, alcoolique et opulente à la fois. C'est l'un des meilleurs Pomerol du millésime. **A consommer.** (1/90)

BONALGUE – BON

Équivaut à un cru bourgeois

Propriétaire : Pierre Bourotte

Adresse : Vignobles Pierre Bourotte SA
16, rue Faidherbe – 33502 Libourne Cedex
Tél. 05 57 51 62 17 – Fax 05 57 51 28 28

Visites : sur rendez-vous uniquement

Contacts : Pierre Bourotte et Ludovic David

Superficie :
6,5 ha (Libourne)
Vins produits : Château Bonalgue – 24 000-30 000 b ;
Château Burgrave – 30 000 b
Encépagement : 80 % merlot, 20 % cabernet franc
Densité de plantation : 6 000 pieds/ha – *Age moyen des vignes :* 30 ans
Rendement moyen : 45 hl/ha

Élevage :
fermentations et cuvaisons de 30 jours en cuves d'acier inoxydable thermorégulées ; vieillissement de 15-16 mois en fûts (50 % de bois neuf) ; collage et filtration non systématiques

---

A maturité : dans les 4 à 10 ans suivant le millésime

Bien que cette propriété demeure dans une ombre relative, elle produit généralement un cru d'un assez bon niveau, et parfois même très bon dans les millésimes de haut vol. Le vignoble se situe sur un sol de graves et de sable mêlés, juste à l'entrée de Libourne, derrière le champ de courses. Les vins qu'il donne sont profondément colorés, trapus et charnus, peut-être un peu dépourvus de complexité, mais toujours amples, plaisants, débordant de caractère et de fruit.

1998 • **87-88** Le savoureux Bonalgue 1998, qui est une révélation du millésime, se présente vêtu de rubis-pourpre dense. Bien fait, extrêmement gras et riche et étayé par une faible acidité, il suinte littéralement d'un fruité de mûre, de prune et de cerise. Ce vin des plus séduisants – une véritable bombe fruitée – sera parfait ces **10 prochaines années.** (3/99)

1997 • **85-86** Aussi bien fait que son aîné d'un an, le 1997 de Bonalgue se présente vêtu de rubis foncé, avec de très caractéristiques senteurs de cerise et de kirsch, d'herbes séchées et de thé de Chine. Moyennement corsé et riche, il révèle des tannins légers et déploie une finale épicée. **A boire dans les 5 ou 6 ans.** (1/99)

1996 • **86** Le 1996 prolonge la lignée de ce cru régulier à très bon niveau. Son doux nez de prune entremêlé de cerise précède en bouche un doux fruité bien gras et légèrement boisé, qui contribue au caractère savoureux et charnu de l'ensemble. Ce vin charmeur et très accessible révèle davantage de profondeur et de maturité que certains de ses jumeaux valant deux fois plus cher. **A boire dans les 5 ou 6 ans.** (1/99)

1995 • **86** La robe rubis foncé du Bonalgue 1995 précède un doux nez épicé de fruits rouges et de cacahuète grillée. Suit un ensemble doux, rond et velouté, faible en acidité et modérément massif. Un vin séduisant, à boire **jusqu'en 2004.** (11/97)

1993 • **85** Cette petite propriété produit régulièrement des vins moyennement corsés, très aromatiques, solides et bien dotés. Bien qu'ils manquent parfois de complexité, ils offrent un fruité généreux, mûr et goûteux de cerise noire. Le 1993, merveilleusement concentré et modérément tannique, sera parfait au cours des **4 à 6 prochaines années.** Simple, mais gratifiant ! (3/96)

1989 • **85** Presque aussi bon que le 1982, le 1989 arbore un rubis-pourpre foncé et dégage un nez ostentatoire, mais séduisant, de mûre douce et charnue. Opulent et généreusement doté, il est tellement accessible qu'il en est presque décevant ; on l'avale d'ailleurs trop facilement pour ses 13° d'alcool. Il faut le boire **dès maintenant,** car il ne tiendra pas longtemps. (4/91)

1988 • **83** Plus tannique que le 1989, le 1988 est épicé et plus dur, tout en conservant les riches arômes de fruits noirs caractéristiques de ce cru. Vous apprécierez ce vin moyennement corsé **dès maintenant,** au meilleur de sa forme. (4/91)

1986 • **82** Un peu léger et moins impressionnant que je ne l'aurais pensé, le Bonalgue 1986 présente un fruité confit et sans détour. Bien extrait, avec une finale souple et douce, il doit être consommé dans les **3 ou 4 ans.** (3/90)

1985 • **85** Généreusement marqué de chêne neuf et grillé, ce vin moyennement corsé et opulent regorge d'arômes de petits fruits rouges et révèle en finale des tannins souples. **A boire.** (3/89)

1984 • **78** Assez épicé et robuste, le Bonalgue 1984 est aussi rugueux et dépourvu de charme. **A boire.** (3/88)

BOURGNEUF VAYRON – BON

Équivaut à un cru bourgeois

Propriétaire : Xavier Vayron

Adresse : 1, Le Bourgneuf – 33500 Pomerol

Tél. 05 57 51 42 03 – Fax 05 57 25 01 40

Visites : sur rendez-vous de préférence, tous les jours (9 h-12 h et 14 h-17 h)

Contacts : Xavier et Dominique Vayron

Superficie : 9 ha (Le Bourgneuf, près de Trotanoy)

Vin produit : Château Bourgneuf Vayron – 48 000-50 000 b (pas de second vin)

Encépagement : 90 % merlot, 10 % cabernet franc

Densité de plantation : 6 000 pieds/ha – *Age moyen des vignes :* 40 ans

Rendement moyen : 40 hl/ha

Élevage :

fermentations de 15-20 jours en cuves de béton thermorégulées ;
vieillissement de 22 mois en fûts (20 % de bois neuf) ;
collage au blanc d'œuf ; légère filtration

A maturité : dans les 5 à 10 ans suivant le millésime

Ce cru, l'un des plus anciens de Pomerol, appartient depuis six générations à la famille Vayron. La dénomination d'origine est Château Bourgneuf, et c'est pour le distinguer des autres crus homonymes que les propriétaires y ont accolé leur nom. Dès 1840, le vignoble a la superficie qu'on lui connaît aujourd'hui, l'achat d'une grande parcelle le portant à 9 ha d'un seul tenant.

Cette propriété se trouve au cœur de Pomerol, sur le plateau situé à l'ouest de Trotanoy, sur un sol essentiellement argilo-graveleux, avec un sous-sol argileux et mêlé de crasse de fer. Les vignes ont un âge moyen de 40 ans, et leur bonne exposition a valu à certaines parcelles d'être épargnées lors du gel dévastateur de 1956. Cependant, en dépit de cette situation privilégiée, de rendements raisonnables et de la vinification traditionnelle que respectent, à leurs dires, les propriétaires, les vins de ce domaine se sont souvent révélés monolithiques et unidimensionnels, très tanniques et corpulents, certes, mais dépourvus de la finesse et de l'élégance sous-jacentes qui font la race d'un cru. Tout cela m'a longtemps laissé perplexe, sachant le très grand potentiel que présente le vignoble.

Cependant, les derniers millésimes, rugueux et impressionnants, annoncent peut-être un avenir meilleur. Les vins se sont en effet bien améliorés ces dernières années, le 1995 marquant un net progrès par rapport à ses aînés, suivi de 1996 et 1997 extrêmement bien faits et d'un 1998 des plus prometteurs – à en juger par la dégustation que j'en ai faite en primeur. Espérons que Bourgneuf Vayron est à nouveau sur les rails...

1998 • **90-92** Depuis quelques années déjà, Bourgneuf nous a habitués à des Pomerol de très haut vol. En 1998, cette propriété fait mouche une fois de plus, avec un véritable monstre puissant et massif. La note que j'ai attribuée à ce vin est volontairement sévère, car je n'avais encore pas dégusté de Bourgneuf aussi bien doté ni aussi intense. Évoquant un Porto par sa robe d'un pourpre-noir soutenu, il révèle une énorme richesse en extrait (il est manifestement issu de petits rendements), ainsi qu'un caractère très corsé et visqueux. Le nez libère des notes de café torréfié, de viande grillée, de cerise noire confiturée et de réglisse, et l'ensemble manifeste en bouche une concentration superbe et une onctuosité d'excellent aloi. La finale persiste plus de 45 secondes. Une révélation du millésime. **A boire entre 2005 et 2020.** (3/99)

1997 • 87-89+ Le 1997 pourrait se révéler extraordinaire. Outre une robe d'un pourpre-noir soutenu, il présente des arômes de douce mûre et de liqueur de cerise nuancés de réglisse et de truffe. Puissant et d'une grande profondeur, il n'a pas la complexité ni la finesse qui caractérisent les Pomerol des meilleurs terroirs, mais il impressionne incontestablement par son ampleur, sa richesse et sa pureté. Pour l'instant, j'accorde le bénéfice du doute à ce vin imposant. **A boire entre 2002 et 2015.** (1/99)

1996 • 87+ ? Quoique un peu monolithique, le 1996 se montre sous un bon jour. D'un rubis-prune soutenu, avec des effluves de terre, de cerise noire, d'herbes séchées et de réglisse, il déploie en bouche des arômes moyennement corsés, musclés et concentrés, et des tannins assez abondants. Il pourrait être renoté à la hausse (aux alentours de 89) s'il développait davantage de complexité. Un Pomerol ample et robuste, à déguster **entre 2000 et 2012.** (1/99)

1995 • 89 Véritable révélation du millésime, le Bourgneuf 1995 est probablement le meilleur vin que je connaisse de cette propriété. Opaque et pourpre de robe, il offre un nez serré, mais prometteur, de cerise noire, de framboise et de café. Bien étoffé, il est moyennement corsé, puissant et ample en bouche, tout à la fois énorme, massif et opulent. Déjà excellent et luxuriant, il méritera une note encore plus élevée (presque extraordinaire) s'il développe davantage de complexité. **A boire entre 2000 et 2014.** (11/97)

1994 • 84 Le 1994 est à la fois tannique et longiligne, énorme et structuré, mais il se pourrait bien qu'il lui manque la richesse en extrait nécessaire pour étayer ses tannins. **A boire entre 2000 et 2008.** (1/97)

1993 • 85 Le 1993 manifeste un caractère rugueux et rustique, accompagné d'un doux fruité. Il est bien coloré, moyennement corsé, trapu et charnu en bouche, avec une finale épicée. **A boire dans les 5 à 7 ans.** (1/97)

1992 • 74 Le 1992 arbore une robe d'un rubis moyen et présente un bouquet léger, avec, en particulier, des arômes de fruits pas mûrs. Il est sans détour, unidimensionnel, et pâtit de tannins excessifs, ainsi que d'un caractère par trop végétal. **A boire.** (11/94)

1990 • 87 Rubis foncé de robe, avec un nez énorme de prune et d'épices presque trop mûrs, le 1990 de Bourgneuf est riche, opulent et bien marqué par la mâche. C'est l'un des millésimes les plus impressionnants que je connaisse de cette propriété. **A boire jusqu'en 2002.** (1/93)

1989 • 84 Mûr, trapu et carré, le 1989 de Bourgneuf regorge de fruit. Il est corpulent, avec une finale alcoolique dotée d'abondants tannins. **A boire.** (1/93)

1988 • 82 Quoique dépourvu du caractère fruité et capiteux de son cadet d'un an, le 1988 est bien fait, moyennement corsé et sans détour. Il sera agréable à boire dans les **5 à 7 ans.** (1/93)

1986 • 84 Le Bourgneuf 1986 atteste une judicieuse utilisation du bois neuf, avec ses arômes de chêne épicé et son merveilleux fruité souple. Sans détour et persistant en bouche, il doit être consommé **maintenant.** (3/90)

1985 Typique de cette propriété, le 1985 est épais et carré, avec un caractère confit.
• Vous apprécierez ce vin simple et sans détour **maintenant.** (3/89)
82

LA CABANNE

Équivaut à un cru bourgeois
Propriétaire : Jean-Pierre Estager
Adresse : 33500 Pomerol
Tél. 05 57 51 04 09 – Fax 05 57 25 13 38
Visites : sur rendez-vous uniquement
Contacts : François et Jean-Pierre Estager

Superficie : 10 ha (Pomerol)
Vins produits :
Château La Cabanne – 60 000 b ; Domaine de Compostelle – variable
Encépagement : 94 % merlot, 6 % cabernet franc
Densité de plantation : 5 800 pieds/ha – *Age moyen des vignes :* 30 ans
Rendement moyen : 47 hl/ha

Élevage :
fermentations de 20 jours en cuves d'acier inoxydable et en cuves revêtues ; achèvement des malolactiques en cuves ; vieillissement de 14-18 mois en fûts (60 % de bois neuf) ; collage et filtration

A maturité : dans les 5 à 12 ans suivant le millésime

La Cabanne est dirigé par Jean-Pierre Estager, l'un des vrais gentlemen de Pomerol. Outre ce domaine, il possède une propriété en Montagne-Saint-Émilion (Château La Papeterie), une autre en Lalande-de-Pomerol (Domaine de Gachet), et en exploite d'autres en fermage à Pomerol (Châteaux Haut-Maillet et Plincette) et en Saint-Émilion (Domaine des Gourdins). La Cabanne – dont la production, assez importante, est diffusée dans le monde entier – se présente comme un Pomerol solide et plutôt rond, aux arômes rustiques de poussière, de cèdre et de prune. En bouche, il est généreux, mais sans grande distinction ; il manque en effet de finesse, et présente souvent des tannins trop abondants. Néanmoins, s'il n'est pas époustouflant, c'est un vin fiable et bien fait, capable d'affronter l'épreuve du temps.

Le vignoble est d'un seul tenant autour du château, qui se trouve lui-même au cœur de l'appellation, non loin du célèbre Château Trotanoy.

1995 Le 1995 de La Cabanne ressemble fort à son aîné d'un an, à ceci près qu'il
• est moins précis, plus souple et plus faible en acidité. Il ne s'est pas encore
86 étoffé en milieu de bouche, et n'a ni la puissance ni la tenue du 1994. Il s'agit néanmoins d'un vin séduisant, moyennement corsé, d'une pureté et d'une maturité d'excellent aloi. Il pourrait être renoté à la hausse (entre 87 et 89) s'il se développait davantage en milieu de bouche. Ce 1995 n'aura pas la longévité de son prédécesseur ; il convient donc de le déguster **assez rapidement.** (11/97)

1994 • **87** Étonnamment riche, puissant et concentré, le 1994 marque un changement dans le style des vins de cette propriété, plutôt connue pour ses Pomerol relativement légers. Ce 1994, que j'ai dégusté en cours d'élevage, se distingue par sa belle couleur soutenue et par son fruité généreux et riche de cerise noire marqué par la mâche. Très profond et bien doté, il atteste une bonne tenue et déploie des tannins modérés. Quoique accessible dès sa jeunesse, ce vin sera capable d'une garde de **10 ans environ.** (3/96)

1993 • **77** Un fruité peu intense, mais net et épicé, introduit en bouche un ensemble maigre, rugueux et tannique, aussi dépourvu de maturité que de profondeur. **A boire jusqu'en 2003.** (1/94)

1992 • **80** Typique du millésime, le 1992 présente un fruité sans détour, mais séduisant et mûr. Légèrement corsé, avec une faible acidité et des tannins souples, il doit être consommé **jusqu'en 2000.** (11/94)

1990 • **84** Les arômes doux, fruités et boisés du 1990 précèdent une bouche bien profonde et souple, et une finale de bonne tenue. **A boire jusqu'en 2000.** (1/93)

1989 • **84** Plus fruité, plus alcoolique et plus tannique que de coutume – ce sont les caractéristiques du millésime –, le 1989 arbore une belle robe rubis foncé et déploie des senteurs de chêne neuf et grillé. Un Pomerol moyennement corsé, souple et généreusement fruité. **A boire.** (1/93)

1988 • **82** Les vins de cette propriété sont généralement accessibles et prêts à boire dès leur diffusion. Le 1988, léger et boisé, est bien fait, mais assez quelconque. **A boire dans les 3 à 5 ans.** (3/93)

1986 • **73** Extrêmement léger, le 1986 présente des arômes aqueux et dilués qui attestent bien l'abondance de la récolte du merlot. C'est un vin moyennement corsé, à consommer **d'ici 2 ou 3 ans.** (3/90)

1985 • **74** Le 1985 déploie un bouquet peu intense de cerise. En bouche, il est simple, plaisant, mais très quelconque. (3/89)

1984 • **80** Un peu austère, mais très certainement au-dessus de la moyenne, le 1984 de La Cabanne présente un fruit et une maturité de bon aloi. **A boire.** (3/88)

1982 • **72** Ce vin léger s'accroche désespérément à sa dernière étincelle de vie. Outre une robe fortement ambrée sur le bord et des arômes dilués et poussiéreux, il révèle en bouche un caractère maigre et compact, dépourvu de concentration et d'intensité. Il n'a vraiment aucun avenir. (9/95)

CERTAN-GIRAUD – TRÈS BON

Équivaut à un 5ᵉ cru du Médoc
Propriétaire : Établissements Jean-Pierre Moueix
Adresse : 33500 Pomerol
Tél. 05 57 74 48 94 – Fax 05 57 74 47 18
Visites : sur rendez-vous uniquement
Contact : Frédéric Lospied

Superficie : 7,5 ha (sur le plateau de Certan, à Pomerol)
Vin produit : Château Certan-Giraud – 52 500 b (pas de second vin)
Encépagement : 80 % merlot, 20 % cabernet franc

Densité de plantation : 5 500 pieds/ha – *Age moyen des vignes :* 30 ans
Rendement moyen : 52 hl/ha

Élevage :
fermentations et cuvaisons de 21 jours environ en cuves de béton ouvertes ;
achèvement des malolactiques en cuves ;
vieillissement de 12-14 mois en fûts (1/3 de bois neuf) ;
collage ; pas de filtration

A maturité : dans les 3 à 10 ans suivant le millésime

Certan-Giraud a pour voisins Petrus, Certan de May et Vieux Château Certan, sur le célèbre plateau de Pomerol : il y a donc fort à parier que son vignoble a quelque chose de très spécial. De fait, les vins de cette propriété sont de haut niveau, avec ce caractère riche, enveloppé et fruité propre aux Pomerol. La qualité a suivi une courbe ascendante jusqu'à une période de fléchissement qui s'est amorcée en 1984. Heureusement, les millésimes récents attestent que Certan-Giraud est désormais revenu à ce style épanoui, rond et savoureux qui a fait son succès en France et ailleurs.

Situé sur des sols profondément graveleux (qui comptent parmi les plus favorables de l'appellation), Certan-Giraud produit les Pomerol les moins chers du plateau – le site le plus prestigieux de cette aire de production. Il n'est pas impossible qu'une plus importante proportion de chêne neuf et une plus longue macération permettent d'obtenir des vins meilleurs encore. Cependant, c'est là un domaine qu'il faut prendre au sérieux, particulièrement depuis que Jean-Pierre Moueix l'a racheté.

1997 • **78-82** Ce vin modérément massif arbore une robe rubis moyen qui prélude à de doux arômes de terre subtilement nuancés de boisé. Plaisant, rond et accessible, il pèche malheureusement par son manque de concentration, de profondeur et de persistance, et par sa finale courte. Il faut le boire ces **4 ou 5 prochaines années.** (1/99)

1996 • **84** Je suis certain que ce terroir extraordinaire pourrait donner des vins bien plus riches et plus complexes que celui-ci. Rubis moyen de robe, avec un nez évolué de bois de cèdre, de kirsch, d'herbes rôties et d'épices, il révèle en bouche un bon fruité moyennement corsé et modérément glycériné. Richement extrait, mais unidimensionnel et sans détour, il doit être bu **d'ici 5 ou 6 ans.** (1/99)

1995 • **87** Le 1995, caractéristique de la propriété, se présente comme un très bon Pomerol, aux arômes souples, confiturés, peut-être même un peu trop mûrs. D'un rubis profond, avec un nez flamboyant de fumé et de minéral, il déploie en bouche des arômes incontestablement bien glycérinés et moyennement corsés. Ce vin énorme, charnu et faible en acidité se révèle encore savoureux et ample en bouche, débordant littéralement de puissance, d'intensité et de richesse. **A boire jusqu'en 2009.** (11/97)

1994 • **87** Plus riche et plus précis que le 1995 (qui manque quelque peu de structure), le 1994 de Certan-Giraud paraît s'être bien étoffé. D'un prune foncé, avec un nez doux et confituré de prune, de groseille et de cerise, il se montre souple, charnu et des plus plaisants en bouche. Vous apprécierez ce Pomerol délicieux dans les **4 à 7 ans.** (3/96)

1993 • **86** Les vins de Certan-Giraud ont tendance à être charnus, légèrement diffus, mais délicieusement fruités – parfois même gras et juteux. Bien que monolithique, le 1993 est pur et emplit le palais. Il recèle un excellent fruité et n'est pas alourdi par des tannins excessifs. **A boire dans les 4 à 6 ans.** (11/94)

1990 • **87** Fruité, mais assez diffus en cours d'élevage, le 1990 de Certan-Giraud se révèle plus impressionnant en bouteille. Riche, dense et bien doté, il présente un caractère opulent, étoffé et marqué par la mâche qui rappelle le 1982. **A boire dans les 10 ans.** (1/93)

1989 • **87** Rubis-noir de robe, le 1989 dégage un nez enivrant et intense de cassis. Ample et velouté, il déploie en bouche un caractère riche et alcoolique, étayé par une faible acidité et par d'abondants tannins. **A boire jusqu'en 2001.** (1/93)

1988 • **85** Quoique simple, le Certan-Giraud 1988 séduit par son aspect moyennement corsé, mûr et charnu. Il sera agréable ces **3 ou 4 prochaines années.** (1/93)

1986 • **78** Le Certan-Giraud 1986 est aqueux, dépourvu de complexité et fort décevant par rapport aux meilleurs millésimes de ces dix dernières années. Dommage qu'il n'ait pas été issu d'une sélection plus sévère – si tant est qu'il y ait eu une sélection – et élevé avec davantage de chêne neuf. **A boire.** (3/90)

1985 • **84** Le 1985 regorge de fruit, mais il est faible en acidité, et il faut dès maintenant profiter de son caractère onctueux. **A consommer.** (3/90)

1984 • **78** D'une belle couleur rubis, ce vin assez peu corsé se montre épicé, tendre et légèrement métallique ; il doit être bu **sans délai.** (3/88)

1983 • **87** Vêtu de rubis foncé, ce 1983 – l'un des meilleurs Pomerol du millésime – déploie un bouquet solide et épanoui, où la cerise noire se mêle à des senteurs d'herbes aromatiques et de tomate bien mûre. Dense, onctueux, corsé et modérément tannique, ce vin riche, gras et profondément concentré est vraiment très agréable. **A boire.** (12/90)

1982 • **88** J'aurais pensé que ce vin révélerait un caractère plus vieux, compte tenu de son évolution dans les 10 ans suivant le millésime. Il conserve cependant une robe épaisse et sombre d'un rubis-pourpre tirant sur le grenat. Le nez libère de généreux arômes doux et confiturés de terre, de tabac, de moka, de chocolat et de fruits rouges, et la bouche, très corsée et onctueuse, est opulente et bien marquée par la mâche. C'est certainement l'un des meilleurs Certan-Giraud que je connaisse. **A boire.** (9/95)

1981 • **84** S'il n'est pas du niveau du 1982 ou du 1983, ce 1981 est malgré tout séduisant, fruité et délicieux. Arrivé assez tôt à maturité, il arbore une couleur rubis foncé et libère un bouquet de prune plutôt intense. En bouche, il est relativement bien corsé, avec des tannins légers et une finale ronde et séveuse. **A boire – peut-être en déclin.** (6/84)

CERTAN DE MAY DE CERTAN – EXCELLENT

Équivaut à un 2e cru du Médoc
Propriétaire : Odette Barreau-Badar
Adresse : 33500 Pomerol
Tél. 05 57 51 41 53 – Fax 05 57 51 88 51
Visites : sur rendez-vous uniquement
Contacts : Jean-Luc Barreau et Odette Barreau-Badar

Superficie : 5 ha (Pomerol)
Vin produit : Château Certan de May de Certan – 26 000 b (pas de second vin)
Encépagement : 70 % merlot, 25 % cabernet franc, 5 % cabernet sauvignon
Densité de plantation : 5 500 pieds/ha – *Age moyen des vignes :* 40 ans
Rendement moyen : 40 hl/ha

Élevage :
fermentations de 28-42 jours en cuves d'acier inoxydable ;
vieillissement de 14-16 mois en fûts (40 % de bois neuf) ; collage ; pas de filtration

---

A maturité : dans les 6 à 20 ans suivant le millésime

Ce vignoble – un vrai petit bijou – compte parmi les belles étoiles de Pomerol. Il est superbement situé, sur les sols les plus élevés de l'appellation, entre Vieux Château Certan et Petrus. Pendant longtemps, ce cru a été vinifié dans un autre domaine, mais, depuis 1974, les propriétaires actuels, Mme Odette Barreau-Badar et son fils Jean-Luc, ont pris les choses en main jusqu'au moindre détail. Ils ont réussi une splendide série de Pomerol remarquablement riches et concentrés, qui font de Certan de May l'un des champions de l'appellation.

Si cette propriété produit aujourd'hui des vins prometteurs et de haut niveau, ce n'est pas par hasard. En 1976, en effet, les vieilles cuves de bois ont été remplacées par des cuves d'acier inoxydable. En outre, Jean-Luc Barreau a su prendre les décisions qui s'imposaient pour améliorer la qualité de ce cru. C'est ainsi qu'il vendange le plus tard possible. De plus, il procède à une macération extrêmement longue, de près de 1 mois, ce qui lui permet d'obtenir des vins très riches en extrait, vêtus d'un pourpre opaque très foncé, et suffisamment tanniques pour résister à l'épreuve du temps. L'utilisation d'une bonne proportion de fûts de chêne neuf (40 %) pour l'élevage donne également à Certan de May un parfait équilibre entre le boisé et le fruit concentré et épanoui. Cependant, ce n'est pas un Pomerol que l'on peut boire précocement. Depuis le milieu des années 70, la plupart des millésimes ont eu besoin de 7 à 10 ans de vieillissement pour être prêts.

Il est néanmoins dommage que cette propriété, autrefois l'une de mes préférées en Pomerol, soit aussi irrégulière depuis la fin des années 80.

1998 • **91-93+** Ce vin ample, terriblement tannique et fermé requiert incontestablement de la patience. Il rivalise parfaitement avec son aîné de 1982, encore jeune et peu évolué. Arborant une robe d'un pourpre dense, il n'est pas facile à jauger, mais son étoffe et ses qualités des plus impressionnantes se révèlent au fur et à mesure qu'il s'aère. Le nez, pourtant retenu, libère graduellement des arômes de douce liqueur de cerise, de kirsch, de cassis, d'herbes séchées, de cèdre et de chêne grillé, et la bouche est littéralement tapissée par un ensemble extrêmement riche en extrait, terriblement tannique et d'une concentration exceptionnelle. C'est l'un des crus les moins évolués du millésime, mais il recèle manifestement la concentration et l'intensité nécessaires pour faire pièce à ses tannins. **A boire entre 2008 et 2025.** (3/99)

1997 • **87-89** Arborant une robe moins soutenue que celle de la plupart des meilleurs Pomerol, le Certan de May 1997 est bien évolué du point de vue aromatique. Ses fabuleuses senteurs de prune confiturée nuancées d'herbes de Provence séchées et de chêne épicé précèdent en bouche un ensemble crémeux et moyennement corsé, extrêmement mûr, tout à la fois complet, savoureux et charnu. La finale est épicée et capiteuse. Certes, ce vin ne fera pas de vieux os, mais il sera des plus agréables ces 10 à 12 prochaines années. Un ensemble séduisant, net et bien équilibré, à boire **avant 2012.** (1/99)

1996 • **87 ?** Ce vin, au nez intense de cèdre, d'herbes séchées et de cerise noire, ne manque pas d'inquiéter en raison de ses tannins acerbes. Quoique moyennement corsé et bien vinifié, il pèche par sa texture granuleuse et par ses tannins anguleux et rustiques. S'il s'assouplissait (ce dont je doute), il mériterait bien la note que j'ai, pour l'heure, assortie d'un point d'interrogation. **A boire entre 2004 et 2015.** (1/99)

1995 • **90+** L'impressionnant 1995, à la robe dense de couleur rubis-pourpre, présente un nez modérément intense d'olive noire, de cèdre, de framboise et de cerise, allié à des notes de chêne neuf et grillé. Son boisé et ses tannins abondants sont bien perceptibles en bouche. Malgré ses arômes agressifs de vanille et ses tannins puissants, il faut souligner sa profondeur extraordinaire, son style concentré, généreux, extrêmement musclé et massif. Il s'agit d'un vin énorme, peu évolué et doté de manière formidable, qui pourrait bien être le meilleur qu'ait produit la propriété depuis le 1988. Il demande incontestablement de la patience. **A boire entre 2006 et 2020.** (11/97)

1994 • **87** Rubis-pourpre foncé, le Certan de May 1994 exhale les légendaires arômes de cacahuète grillée, d'herbes, de cerise noire et de groseille caractéristiques de ce cru. Semblable au 1983, charnu et ouvert, avec un niveau modéré de tannins, il est étonnamment évolué, doux et séduisant en bouche. Les amateurs devront cependant être prêts à accepter son fort caractère herbacé s'ils veulent l'apprécier pleinement. **A boire dans les 10 à 12 ans.** (1/97)

1993 • **?** Les échantillons de 1993 qui m'ont été présentés étaient marqués par un caractère de moisi, de cave humide et de vieux bois, qui dominait complètement le côté aromatique du vin. C'est regrettable, car celui-ci arborait une très belle couleur, et révélait une structure mûre, très corsée et puissante, ainsi que des tannins modérés dans une finale longue et imposante. Je réserve mon jugement en attendant de le regoûter. (11/94)

1992 • **87 ?** D'abord, les bonnes nouvelles. Le 1992 de Certan de May est sans aucun doute un vin puissant et concentré, dont le caractère herbacé, propre à ce cru, est heureusement très atténué. Il exhale un nez extraordinairement riche de cassis, auquel se mêlent des senteurs de chêne neuf et fumé, de tabac et d'herbes. Moyennement corsé, avec une texture soyeuse, il révèle une concentration parfaite, déployant une faible acidité et des tannins doux. Son potentiel de garde est de **10 à 12 ans,** mais il est d'ores et déjà prêt. La mauvaise nouvelle est qu'il existe des bouteilles de ce vin qui révèlent au nez, mais pas en bouche, des arômes de carton humide et de moisi. S'il ne s'agit pas d'un problème de bouchon, il se pourrait que le responsable en soit la vapeur que l'on utilise pour fabriquer ou nettoyer les fûts. En effet, il est possible que l'humidité dégagée par cette vapeur soit absorbée par le bois, qui communique ainsi au vin ces arômes impurs de boisé. (11/94)

1990 • **91** Débordant d'un fruité doux et confituré de cèdre et de cassis herbacé entremêlé de notes de chêne grillé et d'herbes rôties, le 1990 de Certan de May se montre riche et très corsé en bouche. Ce vin souple, étayé par une faible acidité, est déjà nuancé d'ambre sur le bord. Précoce et flatteur, il sera parfait ces **12 prochaines années.** (11/96)

1989 • **87** Je me suis montré plutôt réservé dans mon appréciation de ce vin. En effet, il se montrait assez curieux en fût, plus conventionnel mais dépourvu de tenue en bouteille. Les amateurs de fruit et de boisé n'apprécieront peut-être pas ses senteurs rances et giboyeuses de viande de bœuf mûre. L'ensemble, quoique bien concentré, est dominé par des tannins durs et présente des arômes assez inhabituels. Ce vin très particulier n'est pas à la hauteur de ses aînés de 1979, 1981, 1982, 1985, 1986 et 1988. **A boire jusqu'en 2009.** (11/96)

1988 • **92+** Fermé, mais musclé et puissant, le 1988 est vêtu d'un rubis-pourpre profond qui atteste son caractère peu évolué. Il paraît extrêmement prometteur, à en juger par son nez de feuille de tabac, d'épices, de cèdre, de cerise noire et de groseille. La bouche frise l'exotisme avec ses arômes charnus et très corsés de viande et d'herbes rôties. Ce vin intense et riche a indiscutablement un grand potentiel. **A boire entre 2000 et 2015.** (10/97)

1987 • **87** Le Certan de May 1987 s'impose comme l'un des vins les plus amples, les plus massifs et les plus alcooliques du millésime. Il pourrait même être renoté à la hausse. Il séduit assurément par son nez modérément intense de fumé, de grillé et de petits fruits, et par ses arômes concentrés, opulents, herbacés et fruités à la fois. Un vin somptueux. **A boire.** (3/90)

1986 • **90** Vêtu d'un rubis à peine nuancé d'orange sur le bord, le Certan de May 1986 se distingue par son nez herbacé, fumé et boisé de cassis et de tabac. L'ensemble, structuré et moyennement corsé, s'est défait du gras qu'il présentait il y a quelques années, mais il retient de la richesse, du muscle et du ressort. Ce 1986 évoque davantage un Médoc qu'un Pomerol. **A boire entre 2000 et 2015.** (9/97)

1985 • **94** Ce vin flamboyant révèle un beau déploiement de senteurs de cèdre, de fumé, de réglisse, de fruits noirs confiturés et d'épices orientales. La bouche, charnue, exprime des saveurs douces, confiturées et opulentes de fruits noirs, de terre et de boisé, nuancées d'herbes rôties. Ce vin voluptueux et faible en acidité est actuellement à son apogée et devrait s'y maintenir quelques années. **A boire jusqu'en 2008.** (9/97)

1983 • **86** Presque trop tannique, trop boisé et trop astringent, le Certan de May 1983 se montre massif et extrêmement puissant en bouche, où il révèle une texture rugueuse et une excellente concentration. Sa finale est rugueuse, elle aussi. Il lui faudra du temps pour que ses tannins se fondent. **A boire jusqu'en 2010.** (3/85)

1982 • **96+** Le Certan de May 1982 est, à mon sens, l'un des vins les plus grandioses de ce millésime (je le note régulièrement entre 96 et 100). Les bouteilles de ma cave personnelle m'ont toujours révélé un vin fabuleux de concentration, impressionnant, mais terriblement peu évolué – il n'est pas vraiment flatteur ni ouvert. La note ci-dessus a été établie d'après un exemple issu de ma cave, fraîche et humide. Arborant une robe intacte et épaisse, d'un rubis-pourpre opaque, le Certan de May 1982 libère avec réticence des parfums extrêmement mûrs de fruits noirs (notamment de cerise confiturée), mêlés de notes de terre, de truffe, de cèdre et de chocolat. L'ensemble qui suit en bouche est très corsé et des plus concentrés ; il est irrésistible, du fait de sa richesse insolente, de son caractère fabuleusement extrait, glycériné et tannique. Ce vin majestueux – le meilleur jeune millésime de Certan de May que je connaisse – évolue très lentement. **A boire entre 2002 et 2030.** (9/95)

1981 • 90 Dans ce millésime plutôt connu pour ses vins austères et émaciés, Certan de May s'impose comme une belle réussite. On peut même penser qu'il sera plus apte à une longue garde que ses jumeaux, compte tenu de sa vigueur et de sa jeunesse. Arborant un rubis foncé resplendissant et intact, il révèle, non sans réticence, des senteurs de minéral, de cerise noire, de terre et d'épices. La bouche, puissante, riche, mais légèrement austère, déploie, par paliers, de remarquables arômes épais, totalement atypiques du millésime. **A boire jusqu'en 2012.** (9/97)

1979 • 93 Le Certan de May 1979, l'un des deux meilleurs Pomerol du millésime, est encore en bonne forme. Sa robe épaisse de couleur grenat est à peine ambrée sur le bord, et son nez flamboyant révèle des arômes d'herbes rôties, de doux fruits confiturés, de terre, de minéral, de fumé et de viande. Ce vin étonnamment corsé est intense, riche et concentré. Ses tannins sont bien fondus dans un ensemble qui conserve une fraîcheur et une présence en bouche des plus remarquables. **A boire jusqu'en 2010.** (9/97)

1978 • 85 Le Certan de May 1978 se montre épicé, légèrement poivré et herbacé, mais également riche en bouche, quelque peu poussiéreux, épanoui et corsé. Vêtu de rubis foncé et très richement extrait, il exprime aussi un caractère un peu rustique évoquant un Côtes-du-Rhône. **A boire.** (11/89)

1976 • 84 Le Certan de May 1976 est un vin opulent, corpulent et ample, très épanoui, riche, dense, corsé et alcoolique, qui révèle davantage de structure et de générosité que la plupart de ses jumeaux. **A boire – peut-être en déclin.** (7/90)

Millésimes anciens

Lors d'une dégustation à l'aveugle, j'ai pris le Certan de May 1945 (noté 96 en octobre 1994) pour un Petrus ou un grand millésime de Trotanoy. Ce vin présente une robe opaque de couleur grenat et déploie un nez énorme de viande grillée. En bouche, il se montre spectaculaire, avec un fruité sous-jacent, doux et merveilleux, et déploie une finale alcoolique et capiteuse, à la texture onctueuse et glycérinée. Massif, il a la concentration voulue pour masquer ses tannins et devrait demeurer agréable pendant **20 ans, ou même davantage.**

CLINET – EXCEPTIONNEL

Équivaut à un 1er cru du Médoc depuis 1987
Propriétaire : SA du Château Clinet
Adresse : 33500 Pomerol
Adresse postale : SA Vignobles Audy – Château Jonqueyres 33750 Saint-Germain-du-Puch
Tél. 05 56 68 55 88 – Fax 05 56 30 11 45
Visites : non autorisées
Contact : Alexis Arcaute

Superficie : 9 ha (Pomerol)
Vins produits : Château Clinet – 42 000 b ; Fleur de Clinet – 6 000 b
Encépagement : 80 % merlot, 10 % cabernet franc, 10 % cabernet sauvignon
Densité de plantation : 6 600 pieds/ha – *Age moyen des vignes :* 38 ans
Rendement moyen : 45 hl/ha

Élevage :
fermentations et macérations de 30-40 jours (parfois jusqu'à 45 jours) en cuves d'acier inoxydable avec système de refroidissement par ruissellement ; vieillissement de 24 mois en fûts neufs ; soutirage trimestriel de fût à fût ; ni collage ni filtration

---

A maturité : dans les 7 à 18 ans suivant le millésime

Pour les grands vins, on fait souvent appel à la notion de terroir, c'est-à-dire au caractère particulier qu'un cru tient du vignoble dont il est issu. Cependant, Clinet, qui bénéficie certes d'un terroir magique, dans la partie la plus élevée du plateau de Pomerol (à moins de 1 km des très grands Lafleur et Petrus), démontre justement que le talent d'un homme, passionné par son métier et en quête de perfection, peut être plus décisif que le sol. En effet, Jean-Michel Arcaute, qui a épousé la fille de l'ancien propriétaire de Clinet, Georges Audy, a pris la direction du domaine en 1986 (et l'a d'ailleurs conservée après son rachat au GAN, en 1998, par Jean-Louis Laborde, son partenaire à Pajzos, propriété de Tokay). En très peu de temps, il réussissait à tirer Clinet de sa médiocrité pour l'amener au tout premier rang des Pomerol. Comment a-t-il fait ?

Tout d'abord, il s'en est remis au célèbre œnologue Michel Rolland pour ce qui est de la date des vendanges, de la vinification et de l'élevage. Ce qui veut dire que, depuis 1987, Clinet est l'une des dernières propriétés de Pomerol à récolter. En outre, le domaine a abandonné le recours aux machines à vendanger, utilisées ici depuis 1982. En contrepartie, le 1987 a non seulement été le meilleur vin du millésime pour l'appellation, mais peut-être même l'un des deux meilleurs vins de tout le Bordelais, l'autre étant Mouton Rothschild. Par la suite, Jean-Michel Arcaute a produit un grand 1988, ainsi que de très grands 1989, 1990 et 1995. Les macérations durent plus de 1 mois, et la proportion de cabernet sauvignon dans l'encépagement a été réduite à 10 %.

Clinet est aujourd'hui l'un des plus crus les plus remarquables de son appellation, voire de tout le Bordelais, et il mérite vraiment que l'on fasse un effort pour le trouver.

1998
•
90-92 ?

C'est une véritable gageure de juger ainsi Clinet dans sa toute petite enfance. En effet, ce cru se révèle alors souvent tannique, quelque peu dépourvu de structure et marqué par de généreux arômes de chêne neuf, et ce n'est qu'après une année de vieillissement en bouteille qu'il commence à dévoiler son potentiel. Terriblement peu évolué, boisé et très corsé, le 1998 était complètement fermé lors de ma dégustation. Admirablement doté et concentré, il est très tannique, mais révèle également une intense richesse en extrait. Sa robe d'un rubis-pourpre opaque précède un nez de terre, de truffe, de coquille d'huître, de pain grillé et de fruits noirs confiturés. En bouche, les tannins dominent, mais la finale se distingue par son caractère doux, gras et intense. **A boire entre 2005 et 2022.** (3/99)

1997 • **86-88** Le Clinet 1997 me paraît actuellement plus léger que lors de mes précédentes dégustations. Rubis-pourpre foncé de robe, il se montre gras et épanoui en bouche, où il déploie encore des arômes amples et ouverts de mûre, de truffe et d'épices orientales. Malheureusement, la finale est un peu courte. Je pense cependant que ce vin est actuellement à un stade ingrat de son évolution, car il ne révèle pas la profondeur et l'intensité qui le caractérisaient jusqu'à maintenant. **A boire entre 2003 et 2016.** (1/99)

1996 • **91+ ?** Musclé, peu évolué et richement extrait, le Clinet 1996 présente une montagne de tannins, d'où le point d'interrogation accompagnant la note que je lui ai attribuée. Sa robe d'un prune-pourpre soutenu introduit un nez au boisé agressif et aux senteurs de café torréfié, de mûre et de prune. Très atypique pour un Pomerol de ce millésime par son caractère riche, intense et très mûr, il se montre moyennement corsé et puissant, mais également très fermé, et requiert, de ce fait, une garde de 5 à 7 ans. Il sera intéressant de suivre son évolution pour voir si les tannins se fondent harmonieusement dans cet ensemble concentré. Si tel n'est pas le cas, le vin révélera une structure et des tannins légèrement rustiques. **A boire entre 2007 et 2020.** Le Clinet 1996 suscitera davantage de controverses que je ne l'avais pensé de prime abord. (1/99)

1995 • **96** Le 1995 de Clinet est un spécimen extraordinaire, véritable vin de garde peu évolué apparaissant comme une essence de Pomerol. Son fruité de mûre et de liqueur de cassis est tout simplement fabuleux. Il présente une robe soutenue de couleur pourpre-noir et se révèle extrêmement corsé et puissant en bouche, déployant par paliers de copieux arômes fruités de réglisse, de cassis et de mûre d'une richesse massive et littéralement imbibés de glycérine. Un vin dense et impressionnant, onctueux et épais, à consommer à son apogée **entre 2006 et 2025.** (11/97)

1994 • **92** Le 1994, dont la robe pourpre-grenat est semblable à de l'encre, exhale un nez somptueux et intense de truffe noire, de réglisse, de cèdre et de fruits noirs. Il présente une richesse phénoménale et semble presque trop concentré. Ce vin énorme, au potentiel de garde de 25 à 30 ans, est d'une intensité et d'une pureté absolument remarquables ; son onctuosité et sa richesse proches de celles d'une liqueur valent l'expérience. C'est un Pomerol exceptionnellement dense et massif, d'un style qui porte à la controverse, mais qui récompensera largement ceux qui sauront l'attendre. Il a un niveau élevé de tannins, mais une richesse en extrait de la même ampleur. **A boire entre 2004 et 2025.** (1/97)

1993 • **90** La robe très soutenue, de couleur prune, du 1993 précède un vin extrêmement gras, puissant et riche, qui s'impose comme l'un des plus concentrés du millésime et rappelle le fabuleux 1987 de cette propriété. Il offre, à la fois au nez et en bouche, de généreux arômes de cerise et de cassis confiturés, auxquels se mêlent des notes de terre, de truffe et de tabac. On décèle également des touches de fumé et de réglisse. Il s'agit d'un vin délicieux, complexe et moyennement corsé, étonnamment réussi dans un millésime moyen. **A boire jusqu'en 2012.** (1/97)

1992 • **88+** Le 1992, peu évolué pour le millésime, se montre très impressionnant avec sa robe opaque et dense de couleur pourpre. Richement doté, il est moyennement corsé, affiche un bel équilibre d'ensemble et présente un niveau d'acidité extrêmement bas et une superbe persistance en bouche. Ce vin a un potentiel de garde de **10 à 15 ans, si ce n'est plus.** Stupéfiant ! (11/94)

1991 • **87** En 1991, année globalement désastreuse pour les Pomerol, Clinet a donné le meilleur vin de l'appellation. Celui-ci arbore une robe surprenante, d'un rubis-pourpre profond, qui ne reflète aucunement la météo désastreuse ayant sévi pendant les vendanges. Moyennement corsé, il exhale un nez pur et complexe de framboise sauvage, ainsi que de subtiles senteurs boisées, et se montre étonnamment mûr et riche, avec une persistance en bouche particulièrement longue. **A boire dans les 6 à 8 ans.** Il est difficile d'imaginer les efforts qui ont été nécessaires pour produire un vin aussi riche et aussi séduisant dans une année comme 1991. (1/94)

1990 • **95** Il est aisé – et injuste – de sous-estimer le 1990 de Clinet, qui succède à un 1989 ayant atteint la perfection. Néanmoins, ce vin s'améliore régulièrement à chaque dégustation, bien qu'il ait été extraordinaire dès sa toute petite enfance. Opaque et pourpre de robe, il exhale un nez fabuleusement doux de fruits noirs confiturés, de violette, de minéral et de chêne grillé. Très corsé et riche, somptueux de pureté, il est très hautement extrait et bien étayé par une acidité et des tannins parfaitement fondus. Au fur et à mesure qu'il évolue, ce vin ample et doté de manière impressionnante se rapproche de son légendaire aîné de 1989. **A boire entre 2000 et 2020.** (11/96)

1989 • **100** Le 1989 de Clinet présente un nez qui jaillit littéralement du verre, exhalant des senteurs pures de fleurs, de framboise, de groseille, de vanille et de truffe. Ce vin très corsé exprime une bouche tout en rondeur, d'une richesse massive et d'une concentration fabuleuse, sans lourdeur ni défaut. C'est probablement l'un des crus jeunes les plus profonds que j'aie dégustés. Son doux fruité, qu'il révèle par paliers, et sa texture remarquable sont réellement légendaires. Si les Clinet 1989 et 1990 sont tous deux d'ores et déjà accessibles (ils sont extrêmement souples du fait de leur forte proportion de merlot), ils sont peu évolués. Les amateurs de vins jeunes ne devraient pas hésiter à ouvrir une ou deux bouteilles dès maintenant. Les puristes attendront idéalement 1 ou 2 ans encore. Légèrement plus aromatique et plus persistant que son cadet, le 1989 de Clinet devrait tenir 25 à 30 ans. **A boire entre 2001 et 2030.** (11/96)

1988 • **90** Le Clinet 1988 est un autre vin éblouissant. Arborant une robe d'un pourpre-noir profond, il exhale un bouquet typiquement Pomerol aux notes de truffe, de prune et de chêne neuf subtilement nuancé de boisé. Très corsé, avec une richesse en extrait extraordinaire et une finale tannique, il sera parfait **jusqu'en 2010.** (1/93)

1987 • **90** Rubis foncé, le 1987 libère un bouquet de réglisse, de cassis, d'herbes aromatiques et de chêne neuf. Ce vin étonnamment puissant, assez corsé et concentré représente une formidable réussite pour le domaine. Stupéfiant ! **A boire jusqu'en 2000.** (1/91)

1986 • **88** Le 1986, qui n'est pas aussi séduisant que le 1985, est néanmoins réussi pour le millésime. D'un rubis assez foncé, il dégage un bouquet d'épices et de chêne, et révèle, outre une bouche profonde et persistante, une finale aux tannins durs. **A boire jusqu'en 2002.** (3/89)

1985 • **87** Déployant un nez intense de petits fruits un peu confits, avec un voile d'arômes de chêne aux notes de pain grillé, ce vin séveux, délicieusement sensuel et séduisant, se révèle en bouche ample et crémeux, et procure un plaisir exquis. Sa faible acidité et son caractère de surmaturité indiquent cependant qu'il ne sera pas de longue garde. **A boire.** (4/91)

1984 • **78** Regorgeant de senteurs de thé et de fruits épicés, ce vin se montre tendre, suave et satisfaisant, mais dépourvu de structure. **A boire sans délai – peut-être en déclin.** (3/88)

1982 • **73** Si Clinet s'affirme aujourd'hui comme une étoile du vignoble français, il était en 1982 l'une des propriétés les plus sous-performantes de l'Hexagone. Les vendanges étaient faites à la machine, les rendements trop importants, la sélection quasi inexistante, et les vins élevés avec seulement une toute petite proportion de bois neuf. Ils étaient diffus, dépourvus de structure, avec des arômes de moisi – comme l'est d'ailleurs le 1982, proche du trépas. (9/95)

Millésimes anciens

Clinet a produit tant de vins médiocres dans les années 60, 70 et au début des années 80 que l'on serait tenté de conclure – hâtivement – que les premiers millésimes de haut vol de cette propriété ont été les 1987 et 1988. Cependant, un magnum de Clinet 1947, dégusté en décembre 1995 et noté 96, démontre brillamment que ce vignoble a le potentiel pour produire de très grands vins. Dans la série de crus goûtés ce jour-là, le 1947 de Clinet s'est distingué non seulement comme le plus puissant et le plus concentré, mais également comme le plus jeune, le plus pur et le plus exubérant. Opaque et grenat-pourpre de robe, ce vin intense, riche et dense se montre très parfumé et très mûr, révélant en bouche, outre une texture ample et opulente, une pureté et une concentration magnifiques. La finale, longue, puissante et massive, recèle quelques tannins bien dissimulés par un extrait abondant. **A boire dans les 25 à 30 ans.**

CLOS DU CLOCHER – BON
Équivaut à un cru bourgeois
Propriétaire : GFA du Clos du Clocher
Adresse : 33500 Pomerol
Adresse postale : Établissements Jean-Bernard Audy
35, quai du Priourat – BP 79 – 33502 Libourne
Tél. 05 57 51 62 17 – Fax 05 57 51 28 28
Visites : sur rendez-vous uniquement
Contacts : Pierre Bourotte et Ludovic David

Superficie : 6 ha (Pomerol)
Vins produits :
Clos du Clocher – 18 000-24 000 b ; Esprit du Clocher – 6 000-12 000 b
Encépagement : 80 % merlot, 20 % cabernet franc
Densité de plantation : 5 500 pieds/ha – *Age moyen des vignes :* 25 ans
Rendement moyen : 45 hl/ha

Élevage :
fermentations et cuvaisons plutôt longues ;
vieillissement de 12-18 mois en fûts (50 % de bois neuf) ; collage ; légère filtration

---

A maturité : dans les 5 à 12 ans suivant le millésime

Cette propriété, méconnue et sous-estimée, s'étend au sud de la grande église qui domine les vignobles de Pomerol. Sa très petite production est rarement disponible hors des frontières européennes. Ses vins, essentiellement composés de merlot (80 %) et d'un peu de cabernet franc (20 %), sont très aromatiques et très corsés, manquant peut-être de finesse et de délicatesse, mais réellement séduisants. Ils évoquent souvent les bourgognes, avec leur caractère souple et soyeux, fruité et vraiment très plaisant.

Tout bien considéré, il s'agit donc d'un domaine méritant l'intérêt, qui peut produire d'excellents vins dans les bons millésimes. Les prix, cependant, sont relativement élevés ; en effet, la production est faible, et les amateurs de plus en plus nombreux (surtout, d'ailleurs, dans les pays du Benelux).

1998 • **87-89** Arborant une robe impressionnante d'un rubis-pourpre foncé soutenu, le Clos du Clocher 1998 est très tannique et très mûr, et étayé par une faible acidité. Tout à la fois puissant, massif et ample, il requiert 2 ou 3 ans de garde avant d'être prêt. **A boire entre 2002 et 2015.** (3/99)

1997 • **83-85** Un caractère de prune et de raisin marqué de surmaturité annonce le Clos du Clocher 1997. Ce vin rubis foncé se révèle épicé, moyennement massif et modérément corsé. Sa faible acidité et son aspect évolué et fragile suggèrent qu'il vaut mieux le déguster dans les **5 ou 6 ans.** (1/99)

1996 • **86** Le 1996 se distingue par de très caractéristiques arômes de thé de Chine, de confiture de cerise et d'herbes séchées. Ouvert et faible en acidité, il est moyennement corsé, et séduit par son caractère savoureux, charnu et charmeur. **A boire dans les 4 à 6 ans.** (1/99)

1995 • **86** Doux, bien vinifié et séduisant, le Clos du Clocher 1995 dégage des senteurs de fumé, d'herbes séchées et de cerise noire mêlées de touches de terre et de chêne épicé. Moyennement corsé et sans détour, il est cependant plaisant, rond et fruité, avec une finale modérément tannique. **A boire entre 2001 et 2010.** (11/97)

1993 • **80 ?** La robe du 1993, d'un rubis moyennement profond, prélude à des senteurs épicées, fruitées, mais diluées. Ce vin semble en fait dominé par ses tannins et par sa corpulence, plutôt que par son niveau de maturité et par sa richesse en extrait. Et il est plus que probable que son fruité se desséchera avant qu'il ne dégage le moindre charme. (11/94)

1992 • **85 ?** Plutôt réussi pour le millésime, le 1992 du Clos du Clocher se montre moyennement corsé et charnu, avec de la mâche, et déploie un fruité doux, abondant et mûr de cassis et de moka. A parfaite maturité, il laisse en bouche une impression d'élégance, mais les tannins astringents que l'on perçoit en finale suscitent quelque inquiétude quant à son potentiel de garde. A mon avis, il serait plus raisonnable de le consommer rapidement, **d'ici 3 ou 4 ans.** (11/94)

1990 • **87** Si l'on peut reprocher sa structure lâche et son faible potentiel de garde au 1990 du Clos du Clocher, nul ne saurait en revanche contester sa robe impressionnante, ses arômes tout à la fois énormes, profonds et riches de chocolat, d'herbe, de prune et de cassis bien marqués par la mâche. La finale, capiteuse et opulente, est plaisante. Une merveille, à savourer ces **6 ou 7 prochaines années.** (1/93)

1989 • **88** Le 1989 est probablement le millésime le plus réussi que je connaisse de cette propriété. D'un rubis-pourpre profond, il libère un nez pénétrant de mûre et de vanille, et révèle en bouche un fruité très richement extrait, étayé par une faible acidité et par des tannins d'une belle tenue. Ce vin concentré, impressionnant dès sa jeunesse, tiendra parfaitement **10 à 12 ans.** (1/93)

1988 • **85** Mûr et charnu, bien marqué par la mâche et par le boisé, le Clos du Clocher 1988 conviendra aux amateurs de Pomerol pulpeux. **A boire.** (1/93)

1986 • **84** Plus musclé et plus tannique que le 1985, le 1986 n'en a cependant ni le charme ni le fruit débordant, mais il peut sembler meilleur que ne le laisse penser ma note à ceux qui aiment les Pomerol penchant vers le Médoc. **A boire.** (3/90)

1985 • **85** Le 1985 exhale un nez intense, séduisant et parfumé de cerise, et présente un caractère assez corsé, de l'élégance et un charme considérable. A la dégustation, il se révèle plus agréable que ne le suggère ma note. **A boire – peut-être en déclin.** (3/88)

1984 • **79** Le Clos du Clocher 1984 est un vin fragile, léger, suave et épicé. **A boire – peut-être en déclin.** (3/88)

1982 • **87** Jusqu'au 1989, le 1982 était mon Clos du Clocher préféré. Rubis-grenat foncé de robe – il est à peine nuancé d'ambre –, ce vin extraverti offre un bouquet débordant de châtaigne grillée, de prune mûre et de réglisse. En bouche, il est opulent, généreux et faible en acidité, avec une finale séveuse et chaleureuse. Il est très séduisant à la dégustation. **A boire.** (11/90)

CLOS L'ÉGLISE – EXCELLENT (depuis 1997)

Équivaut à un 2e cru du Médoc
Propriétaire : Sylviane Garcin-Cathiard
Adresse : Clinet – 33500 Pomerol
Adresse postale : Château Haut-Bergey – 33850 Léognan
Tél. 05 56 64 05 22 – Fax 05 56 64 06 98
Visites : sur rendez-vous uniquement
Contact : Sylviane Garcin-Cathiard

Superficie : 6 ha (Clinet)
Vin produit : Clos l'Église – 20 000 b (pas de second vin)
Encépagement : 60 % merlot, 40 % cabernet franc
Densité de plantation : 6 500 pieds/ha – *Age moyen des vignes :* 25 ans
Rendement moyen : 28-35 hl/ha

Élevage :
vendanges manuelles ; fermentations en cuves de bois thermorégulées de 60 hl ; achèvement des malolactiques et vieillissement de 24 mois en fûts neufs ; ni collage ni filtration

A maturité : dans les 5 à 12 ans suivant le millésime

Le nom de nombreux domaines de Pomerol fait référence à une église, tout simplement parce qu'ils se trouvent à proximité de la grande église qui trône au milieu des vignobles. Propriété de la famille Moreau (qui possède également Plince, dans la même appellation) jusqu'en 1997, Clos l'Église jouit d'une excellente situation, à côté de Clinet. Ce cru, dont j'ai goûté plusieurs bons millésimes (notamment le 1964), a souvent eu un caractère un peu austère, proche de celui d'un Médoc, du fait de son fort pourcentage de cabernet sauvignon. En fait, il manquait de richesse et d'opulence quand l'année était bonne, et l'on ne devait donc pas s'étonner qu'il soit maigre et terne lorsque les conditions n'étaient pas favorables ; quand le cabernet n'arrivait pas à parfaite maturité, il était en effet herbacé ou même franchement végétal. En outre, l'utilisation de machines à vendanger n'arrangeait rien de ce point de vue.

Depuis 1997, la propriété a été reprise par Sylviane et Gaston Garcin, qui possèdent également le Château Haut-Bergey, dans les Graves. Dès leur premier millésime, ils ont enregistré un succès éclatant, transformant, en l'espace d'une année seulement, un cru plutôt herbacé et maigre en une véritable petite merveille. En effet, dès leur acquisition, les Garcin n'ont ménagé aucun effort pour hisser Clos l'Église dans le peloton de tête des meilleurs Pomerol. Outre un changement radical dans la conduite du vignoble (lutte raisonnée, suppression du désherbage chimique pour revenir à une culture plus traditionnelle), ils ont renoué avec des vendanges manuelles et entièrement renové les installations techniques. La cuverie a été refaite et équipée de cuves de bois thermorégulées, et tout est prévu pour que les manipulations se fassent uniquement par gravité. Quant au chai de vieillissement, il est, désormais, méconnaissable. Bien entendu, c'est Michel Rolland, le célèbre œnologue de Libourne, qui conseille la propriété.

Après un 1997 bien réussi, Clos l'Église propose un 1998 de très haut vol. Ce sont les deux meilleurs millésimes que je connaisse de la propriété. Sachant le souci de qualité qui anime les Garcin, je pense que Clos l'Église est désormais un cru à suivre (et à boire) sérieusement.

1998 • **92-95** Issu d'une matière première plus riche et plus concentrée encore que celle de son aîné d'un an, le Clos l'Église 1998 est faible en acidité, ce qui ne devrait pas déranger les amateurs désireux de pleinement apprécier ce vin dans un délai raisonnable. Opaque et pourpre-noir de robe, il exhale un nez extraordinaire de liqueur de cerise noire nuancé de mûre, de café torréfié, de métal froid, de chêne neuf et grillé et de truffe. Très corsé, fabuleux de concentration, il est tout simplement merveilleux en milieu de bouche, explosant de richesse et de douceur. La finale persiste au-delà de 30 secondes. Grâce à sa faible acidité, à ses tannins doux et à son caractère massif, ce vin promet d'être éblouissant. C'est assurément le meilleur Clos l'Église jamais produit. **A boire entre 2002 et 2020.** (3/99)

1997 • **90-92** Le millésime 1997 marque la percée de Clos l'Église ; les nouveaux propriétaires, Sylviane et Gaston Garcin, ont décroché la timbale en récoltant une vendange extrêmement mûre, en effectuant une sélection des plus sévères et en refusant de filtrer et de coller les vins. Le Clos l'Église 1997 est somptueux, très concentré et très complexe ; il séduira immédiatement. Contrairement à ses aînés, généralement maigres et végétaux, ce vin exotique arbore un rubis-pourpre dense et libère un fascinant nez de liqueur de prune nuancé de mûre, de café, de moka et de chocolat. Très corsé et doté d'une texture superbe, il régale le palais d'un fruit extrêmement pur, et déploie par paliers une finale persistante et veloutée. Un Clos l'Église exquis, à savourer dès sa diffusion et dans les **15 à 18 ans**. Bravo ! (1/99)

1992 • **78** Ce vin légèrement corsé, aux tannins modérés, libère des arômes moyennement intenses de chêne et présente un fruité herbacé de groseille. Il faudra le déguster dans les **2 ou 3 ans**, car il ne recèle pas suffisamment de profondeur ou de fruité pour conserver plus avant son équilibre. (11/94)

1990 • **87** Le 1990 est l'une des plus belles réussites de cette propriété depuis de longues années. Son excellent bouquet de cassis, de chêne neuf et épicé et d'herbes subtiles se montre moyennement corsé en bouche. Il séduit par son élégance, par son caractère mûr et charnu, ainsi que par sa finale riche et persistante. **A boire dans les 5 à 8 ans.** (1/93)

1989 • **76** Léger, avec des arômes très herbacés, le 1989 finit court en bouche. **A boire.** (1/93)

1988 • **72** Très proche du 1989, en moins alcoolique et moins corpulent, le 1988 doit être consommé dans les **2 ou 3 ans.** (1/93)

1986 • **81** Les conditions climatiques ayant été favorables, le 1986 montre davantage de richesse que le 1985, trop léger et trop aqueux. Le cabernet, vendangé tard, a donné au vin davantage de profondeur, mais on ne peut que le trouver assez court en bouche si on le compare aux autres Pomerol du millésime. L'ensemble révèle certes quelques bons arômes de chêne, mais il s'agit d'un vin léger, aussi dépourvu de chair que de muscle. **A boire.** (3/90)

1985 • **78** J'ai trouvé le 1985 assez corsé et élégant, mais un peu léger et dépourvu d'étoffe et de persistance. **A boire.** (3/90)

1984 • **82** D'une couleur étonnamment profonde, avec un nez herbacé et épicé, ce vin austère et un peu maigre a cependant suffisamment de fruit pour se révéler agréable. **A boire.** (3/88)

1983 • **83** Libérant un bouquet modérément intense et herbacé, ce vin tendre et assez corsé, dont les tannins légers sont bien fondus, présente maintenant un caractère épicé et assez satisfaisant. **A boire.** (1/89)

1982 • **74** Le 1982 de ce domaine est en principe l'un des Pomerol que j'aime le moins. Il n'a jamais révélé le caractère extrait et intense typique du millésime, ni le fruit doux, mûr, ample, opulent et de bonne mâche qui distingue ses jumeaux. Légèrement corsé et végétal, il présente des arômes de thé dans un ensemble épicé et aqueux. Il essaie de survivre, mais qui cela intéresse-t-il ? (9/95)

CLOS RENÉ - BON

Équivaut à un 5e cru du Médoc

Propriétaire : héritiers Lasserre

Adresse : 33500 Pomerol

Adresse postale : Jean-Marie Garde
Clos René – 33500 Libourne

Tél. 05 57 51 10 41 – Fax 05 57 51 16 28

Visites : sur rendez-vous de préférence, du lundi au vendredi

Contact : Jean-Marie Garde (administrateur)

Superficie : 11 ha (Pomerol)

Vin produit : Château Clos René – 81 600 b (pas de second vin)

Encépagement : 60 % merlot, 30 % cabernet franc, 10 % malbec

Densité de plantation : 5 500-6 000 pieds/ha – *Age moyen des vignes :* 35 ans

Rendement moyen : 45 hl/ha

Élevage :

vendanges manuelles ; cuivaisons de 14-21 jours ;
vieillissement de 16 mois en fûts (25 % de bois neuf)

A maturité : dans les 5 à 15 ans suivant le millésime

Clos René se trouve à l'ouest des principaux châteaux de Pomerol, au sud de l'appellation Lalande-de-Pomerol. Les vins produits dans cette zone sont généralement ouverts, assez fruités, souples et accessibles. Bien que Clos René ne fasse pas exception à la règle, j'ai remarqué une évolution (depuis 1981) vers un vin plus charpenté, plus foncé, un peu plus étoffé et plus concentré. On peut penser que les conseils de Michel Rolland, le très estimé œnologue de Libourne, ne sont pas étrangers à cette transformation d'un bon Pomerol, rond et fruité, en un cru plus fin et plus sérieux. Quoi qu'il en soit, il est incontestable que les millésimes des années 80 ont été les meilleurs que l'on ait vus au domaine depuis sans doute fort longtemps. Relativement méconnu, ce vin est encore proposé à des prix raisonnables.

1996 • 81-83 Légèrement corsé et plutôt massif en bouche, le Clos René 1996 témoigne bien des problèmes qu'ont connus les viticulteurs de Pomerol avec les pluies importantes s'étant abattues sur la région, notamment au moment des vendanges. D'un rubis moyennement foncé, avec un nez aux doux arômes de fruits rouges qui rappelle celui d'un Zinfandel, ce vin affiche une concentration et une pureté de bon aloi, mais n'est pas bien doté. **A boire dans les 5 à 7 ans.** (11/97)

1992 • 75 Le 1992, doux et aqueux, est marqué par des arômes de fruits rouges et mûrs, et par des notes prononcées de cacahuète grillée. Il est souple et même diffus, et devra être bu **d'ici 1 ou 2 ans.** (11/94)

1991 • 78 Le Clos René 1991 est étonnamment évolué et semble à maturité. Avec son nez aux senteurs d'herbes, de fumé et de thé, il ne sera agréable que dans les **2 ou 3 ans** à venir. En effet, bien qu'il soit riche et étoffé, sa finale est relativement courte ; mais, dans l'ensemble, on peut considérer qu'il est réussi pour un 1991 de la rive droite. (1/94)

1990 • 88 Des arômes extrêmement mûrs de prune et de pruneau introduisent le Clos René 1990. Ce vin charnu et explosif exprime une bouche extrêmement puissante, dotée d'un fruité charnu étayé par une faible acidité. Aussi doux que la soie, il s'impose comme la réussite la plus impressionnante de la propriété depuis plusieurs années. **A boire dans les 10 à 12 ans.** (1/93)

1989 • 85 Outre un séduisant bouquet très mûr, presque doux, de cassis confituré, le 1989 de Clos René est plaisant de prime abord, mais il se montre ensuite plutôt léger, alcoolique, souple et fruité. **A consommer.** (1/93)

1988 • 86 Plus tannique que le 1989, le Clos René 1988 est également plus structuré. Riche et complet, il est actuellement au meilleur de sa forme. **A boire.** (1/93)

1986 • 84 Doté de beaux tannins, le 1986 donne une impression générale de douceur, avec un fruit souple et soyeux. Personnellement, j'aime mieux le 1985, mais ce 1986 peut satisfaire ceux qui préfèrent les Pomerol relativement légers. **A boire.** (3/90)

1985 • **87** Le 1985 dégage un fruit ample, épanoui, riche et onctueux. Ce vin au caractère relativement corsé affiche une belle concentration, et déploie une finale longue et soyeuse. **A consommer.** (3/90)

1983 • **86** Très réussi, le 1983 est étonnamment dense pour un Clos René. Il est aussi très corsé, épanoui et corpulent, et regorge de flots de fruit voluptueux. Presque confit, mais intensément parfumé, avec une finale généreuse en tannins ronds, c'est un vin réellement très sensuel. **A boire.** (3/90)

1982 • **86** Séveux, riche et fruité, mais, curieusement, un peu moins profond et moins étoffé que le 1983, le Clos René 1982 est un vin capiteux, souple et délicieux, dont la finale déploie des tannins ronds et agréables. **A boire.** (1/85)

1981 • **84** Souple, épicé, intensément fruité et débordant d'arômes de cassis, le Clos René 1981 est un vin riche et équilibré, relativement corsé, aux tannins assez légers. **A boire.** (6/84)

1979 • **74** Le Clos René 1979 est relativement fade et anodin. Offrant des arômes modérément intenses de petits fruits mûrs, il est peu corsé et peu tannique. **A consommer – peut-être en déclin.** (6/83)

1978 • **83** Joliment concentré, rond et fruité, ce vin manque de nerf et de complexité. Moyennement corsé, il présente malgré tout des arômes de fruit mûr. **A boire.** (4/84)

1976 • **73** Diffus, dépourvu de structure et très fragile, le Clos René 1976 est arrivé à maturité depuis longtemps. Sa robe rubis moyennement foncée est maintenant nettement tuilée, et il présente un caractère confit, et même sucré, sur un fond excessivement tendre et peu cohérent. Il était plus séduisant autrefois, mais il est aujourd'hui bien fatigué. **A boire – probablement en sérieux déclin.** (12/84)

1975 • **80** Ce 1975 typique, tannique, encore jeune et fermé n'a cependant pas le caractère lourd, concentré et rigide de tant de vins du millésime. Modérément coloré, il révèle encore les tannins omniprésents propres aux 1975. **A consommer.** (5/84)

Millésimes anciens

Le Clos René produit dans les grandes années des vins que je note aux alentours de 85, mais son 1947, absolument sublime, est un hommage à l'excellence de ce millésime. Ceux qui en trouveront lors d'une vente aux enchères auront bien de la chance, car il sera probablement adjugé pour un prix inférieur à sa vraie valeur. Cette propriété, qui est en général sous-estimée, a fait un 1947 présentant une viscosité comparable à celle des grands Pomerol de la même année. Avec sa robe épaisse, de couleur grenat, ce vin exhale un nez d'abricot, de café et de cerise noire confiturée. Très corsé, il développe en bouche du fruité et de la mâche. Actuellement à maturité, mais toujours remarquablement sain, ce « macho » se montrera encore luxuriant pendant **10 à 15 ans.**

LA CONSEILLANTE – EXCEPTIONNEL

Équivaut à un 2e cru du Médoc
Propriétaire : SC des héritiers Nicolas
Adresse : 33500 Pomerol
Tél. 05 57 51 15 33 – Fax 05 57 51 42 39
Visites : sur rendez-vous uniquement
Contact : Bernard Nicolas

Superficie : 12 ha (Pomerol et Saint-Émilion)
Vin produit : Château La Conseillante – 60 000-72 000 b (pas de second vin)
Encépagement : 70 % merlot, 25 % cabernet franc, 5 % malbec et pressac
Densité de plantation : 5 000-5 500 pieds/ha – *Age moyen des vignes :* 40 ans
Rendement moyen : 47 hl/ha

Élevage :
fermentations et cuvaisons de 21 jours en cuves d'acier inoxydable thermorégulées ; vieillissement après les malolactiques de 21 mois en fûts (90 % de bois neuf) ; collage ; pas de filtration

---

A maturité : dans les 5 à 20 ans suivant le millésime

Fort d'une belle renommée, La Conseillante produit des vins comptant parmi les plus élégants, les plus opulents et les plus délicieux de Pomerol. Cependant, il faut porter à son passif un certain nombre de millésimes des années 70, plutôt dilués et évoluant beaucoup trop rapidement ; ce défaut s'est surtout fait sentir entre 1971 et 1980. Par la suite, cette propriété appartenant à la famille Nicolas a redressé la barre ; durant les années 80, elle a connu de belles réussites dans pratiquement tous les millésimes, et les 1981, 1985, 1989 et 1990 s'imposent parmi les meilleurs bordeaux de l'année. Le vignoble est excellemment situé, à l'est de Pomerol, non loin de L'Évangile, de Petit Village et de Vieux Château Certan, tout près de la limite de l'appellation Saint-Émilion. D'ailleurs, les sols profonds de graves mêlées d'argile et de dépôts ferreux de La Conseillante se retrouvent non seulement à L'Évangile, son voisin immédiat, mais aussi de l'autre côté de la route, sur Saint-Émilion, à Figeac et à Cheval Blanc.

La Conseillante est vinifié avec grand soin, dans des cuves d'acier inoxydable. Les vins sont généralement élevés en fûts de chêne avec 90 % de bois neuf, sauf en 1989 et 1990, quand le parc a été entièrement renouvelé. Si ce cru n'a pas la puissance de Petrus, de Trotanoy, de Lafleur ou de Certan de May, il se révèle toujours plus souple et arrive plus précocement à maturité. Il peut aussi paraître relativement décevant dans sa prime jeunesse, mais il s'étoffe rapidement après quelques années de bouteille, ce qui explique que je l'aie souvent sous-estimé dans ma notation. C'est peut-être la forte proportion (25 %) de cabernet franc dans l'encépagement qui lui donne ce caractère léger, trompeur dans sa petite enfance. Les millésimes récents arrivent généralement à maturité après 6 à 8 ans. Très recherché, et parfois remarquable et profond, La Conseillante est un vin cher, souvent même nettement plus cher que les deuxièmes crus du Médoc.

1998 • **88-90** Parmi les qualités de ce vin, on citera son caractère ouvert et précoce, ainsi que sa volupté extrême. Cependant, je me demande s'il n'aurait pas gagné à être un peu plus intense et plus concentré. Il pourrait en effet s'imposer comme la plus belle réussite de la propriété après les 1989 et 1990, en particulier s'il s'étoffait. Sa robe d'un rubis foncé est nettement moins soutenue que celle de ses jumeaux les plus réussis de l'appellation ; elle précède des senteurs très parfumées de poivre, de confiture de framboise et de cerise, nuancées de chêne grillé et de réglisse. La bouche, remarquable, exprime tout en finesse et en élégance une texture veloutée. La Conseillante 1998 sera agréable dès sa diffusion en raison de son caractère précoce, ouvert et faible en acidité, mais il tiendra parfaitement **12 à 15 ans.** (3/99)

1997
•
85-86 ?
Le 1997 de La Conseillante s'est montré irrégulier lors de trois dégustations en janvier 1999. Plus léger que son aîné d'un an, il s'annonce par une robe rubis moyen qui prélude à un ensemble souple et ouvert, aux arômes odorants de cerise, de framboise et de chêne neuf. La finale est sans détour et quelque peu dépourvue de complexité. Il sera intéressant de regoûter ce vin lorsqu'il sera en bouteille ; il sera charmeur ou un peu aqueux, suivant le traitement qu'il aura subi avant la mise. Dans tous les cas, il faudra le consommer avant qu'il n'atteigne **7 ou 8 ans d'âge.** (1/99)

1996
•
88
Charnu et dominé par le fruit, La Conseillante incarne généralement l'élégance (il affiche même un style bourguignon certaines années, telles 1989 ou 1990). Le 1996 se révèle ouvert et séduisant dans un millésime plutôt rugueux et tannique. Rubis profond de robe, avec un nez doux et ouvert de framboise nuancé de pain grillé, de réglisse et de fumé, il se montre moyennement corsé, souple, rond et charmeur en bouche, où il déploie magnifiquement les arômes de framboise caractéristiques de son terroir. C'est un vin que l'on peut d'ores et déjà apprécier ou conserver en cave pendant 12 à 15 ans. **A boire jusqu'en 2014.** (1/99)

1995
•
89
Il serait tentant de décerner une note extraordinaire à ce vin pour son caractère séduisant, mais je pense que sa richesse en extrait et sa concentration ne lui permettent pas d'y prétendre. Il est néanmoins extrêmement plaisant. Vêtu d'un pourpre profond, il présente un nez ouvert de cerise noire, de framboise, de fumé et d'herbes rôties, et libère en bouche des arômes moyennement corsés, ainsi qu'un fruité mûr, rond et bien doté. Exceptionnel d'élégance et de pureté, il déploie une finale souple et veloutée. C'est une véritable soie – du charme à l'état pur. **A boire entre 2000 et 2014.** (11/97)

1994
•
88
Rubis-grenat moyennement foncé, le 1994 exhale un nez peu évolué, épicé et poivré, de fruits noirs (de truffe aussi ?), ainsi que le légendaire fruité – doux, charmeur et séduisant – si caractéristique de ce cru, d'ailleurs relégué à l'arrière-plan par le caractère austère et tannique propre au millésime. Ce vin, plus massif et plus structuré que son aîné d'un an, requiert, de manière assez inhabituelle, une garde de 1 ou 2 ans avant d'être prêt. Son potentiel est de **10 à 12 ans.** (1/97)

1993
•
87
Le 1993, d'un beau rubis foncé, est très réussi pour le millésime. Il déploie au nez de charmantes senteurs de framboise sauvage et de vanille douce, et développe en bouche de jolis arômes, charnus et ronds, qui caressent le palais. La finale regorge de glycérine et d'arômes de fruits noirs. Ce vin, moyennement massif, doté d'une faible acidité, est déjà délicieux et flatteur. **A boire dans les 6 ou 7 ans.** (1/97)

1992
•
79
Moyennement corsé, le 1992 présente un nez séduisant, mais dilué, de framboise et de vanille, ainsi qu'une texture souple et une finale courte, creuse et boisée. Compte tenu de son manque de concentration, il faudra le boire

d'ici 2 ou 3 ans. Quelle déception pour ce cru – l'un des plus racés et les plus élégants du Bordelais, qui est aussi l'un de mes préférés ! (11/94)

1991 • **83** On retrouve bien le caractère soyeux, doux et gracieux, typique de La Conseillante, dans le 1991, dont la robe d'un rubis moyen prélude à un nez parfumé de framboise et de chêne neuf grillé et fumé. Malgré sa finale courte, ce vin révèle en milieu de bouche un fruité admirable. **A boire dans les 3 ou 4 ans.** (1/94)

1990 • **97** Ce vin exprime maintenant tout son charme – une robe d'un rubis profond, un flamboyant déploiement d'arômes de chêne neuf et grillé, de cerise noire, de framboise, de kirsch, de réglisse et d'épices orientales, une bouche veloutée, souple, sensuelle et accessible, étayée par une faible acidité. Le 1990 de La Conseillante est probablement le vin le plus séduisant qui soit ; il témoigne parfaitement du caractère bourguignon que l'on prête souvent aux Pomerol. Malgré sa belle opulence, sa précocité et sa faible acidité, ce cru demeure jeune. Il peut être dégusté dès maintenant, mais il est également capable d'évoluer de belle manière **12 à 20 ans encore.** (4/98)

1989 • **97** Très proche de son cadet d'un an, le 1989 est cependant légèrement plus tannique et plus structuré, mais il est également irrésistible par son caractère tout à la fois très parfumé, exotique, souple, ample et délicieux. Les deux millésimes sont typiques de La Conseillante par leur soyeux, qui peut faire croire au consommateur que leur potentiel de garde est restreint – c'est ainsi que je m'étais trompé au sujet du 1982 (qui n'a toutefois jamais été aussi stupéfiant que les 1989 et 1990). Ce 1989, qui s'améliore régulièrement, témoigne bien de la capacité (inexpliquée) des bordeaux les plus souples, les plus précoces et les plus délicieux à vieillir de belle manière lorsqu'ils sont conservés dans de bonnes conditions. Les heureux propriétaires des 1989 et 1990 de La Conseillante ne devraient pas hésiter à les apprécier dès maintenant et dans les **20 ans.** (4/98)

1988 • **86** Le 1988 souffre de la comparaison avec ses deux cadets. Moyennement corsé et velouté, il exprime une bouche souple, charnue et pleine de charme. **A boire.** (1/93)

1987 • **86** Meilleur que le 1988, le 1987 de La Conseillante se révèle ample, souple, délicieusement fruité et plein de charme. Séduisant et savoureux, ce vin évoquant un bourgogne exprime un caractère tout en rondeur, du fait de sa faible acidité et de son absence de tannins. C'est un ensemble moyennement corsé qui atteste bien la belle maturité du merlot. **A boire.** (4/91)

1986 • **87** Ce vin a évolué rapidement. Sa robe d'un grenat modérément foncé est fortement nuancée de rouille et d'orange sur le bord, et le nez, parfumé, révèle des senteurs de tabac, d'herbes rôties, de petits fruits et de vanille. Moyennement corsé et soyeux, il libère en bouche des arômes ronds et généreux de fumé et de petits fruits. La finale est légèrement tannique. **A boire jusqu'en 2005.** (5/97)

1985 • **94** Figurant parmi les plus fabuleux Pomerol de 1985, ce vin pourrait prétendre au titre de réussite du millésime. Parfaitement mûr depuis la fin des années 80, il se distingue par de flamboyantes senteurs de fumé, d'herbes rôties et de mûre confiturée, entremêlées de notes de kirsch et de pain grillé. La bouche exprime une généreuse décoction de petits fruits rouges, de chocolat, de café et de moka. Un vin moyennement corsé, soyeux et séduisant, à apprécier **jusqu'en 2005.** (4/98)

1984 • **84** Très réussi pour le millésime, le 1984 de La Conseillante déploie un bouquet odorant de framboise confiturée et de chêne épicé. L'ensemble qui suit en bouche est souple, mûr et moyennement corsé. **A boire.** (4/91)

1983 • **87** Ce vin mérite une note de 90 pour son bouquet, mais de 85 seulement pour ses saveurs. Parfaitement mûr depuis plusieurs années maintenant, il arbore une robe fortement nuancée d'ambre et de rouille, et son nez, doux et confituré, libère de très caractéristiques parfums de fleurs, de truffe, de cerise noire, de terre et de fumé qui jaillissent littéralement du verre. Les tannins et l'acidité transpercent sous le fruit, et la bouche révèle un caractère de plus en plus herbacé au fur et à mesure que ce vin vieillit. C'est un ensemble rond, sensuel et parfaitement mûr, qu'il faut consommer **sans délai.** (11/97)

1982 • **95 ?** Le 1982 de La Conseillante se montre toujours sous un meilleur jour quand je le déguste ailleurs que chez moi. En effet, bien que les bouteilles de ma cave personnelle n'aient jamais donné l'impression d'avoir été soumises à des excès de température, elles sont généralement plus évoluées et présentent un vin plus ambré. Elles sont certes exceptionnelles, mais les bouteilles que j'ai pu goûter ailleurs révèlent davantage de richesse et d'intensité, ce qui me fait penser qu'elles reflètent plus fidèlement les sommets atteints par La Conseillante en 1982. Souvent, dans les dégustations à l'aveugle, j'ai confondu ce vin avec Lafleur, ce qui donne une idée de son caractère grandiose. Sans qu'il puisse rivaliser avec ses fabuleux cadets de 1989 et 1990, le 1982, parfaitement mûr, exhale un nez exceptionnellement doux de cake, de cerise confiturée et de groseille. Aussi soyeux et voluptueux que le sont généralement les meilleurs millésimes de ce cru, il se montre opulent, riche et concentré en bouche. Quoique délicieux dès sa plus tendre enfance, il est capable de durer entre **10 et 15 ans.** Il n'y a d'ailleurs aucune raison de ne pas l'apprécier dès maintenant. Ce vin irrésistible atteste bien les sommets de séduction et d'intensité aromatiques que peuvent atteindre les bordeaux. (9/95)

1981 • **89** Le 1981 entame son déclin. Ce vin extraordinaire, délicieux dans sa jeunesse, s'est montré moins séduisant depuis le milieu des années 70, lorsqu'il a commencé à se défaire du gras de sa petite enfance. Il demeure cependant excellent, peut-être même extraordinaire en grand format (magnum). D'un rubis profond légèrement éclairci sur le bord, il exhale un nez grillé de cerise et de framboise, qui précède en bouche un ensemble fumé aux notes d'herbes rôties, de douce cerise et de framboise (encore), judicieusement infusé de chêne épicé. L'acidité est d'un bon niveau, mais les tannins et le gras se sont fondus. **A boire.** (11/97)

1979 • **78** Assez léger et dépourvu d'étoffe, La Conseillante 1979 est à maturité ; peu tannique, peu corsé et relativement souple, ce vin semble quelque peu dilué, mais il est agréable et plaisant. **A boire.** (4/83)

1978 • **75** Le 1978 n'est pas très différent du 1979, et il souffre des mêmes maux – manque de profondeur, de nerf et de corps. Sa robe rubis moyen est un peu nuancée d'ambre sur le bord, et il se révèle tendre, mûr, un peu diffus et assez corsé, mais dépourvu de structure, avec une finale quelconque. **A boire – peut-être en déclin.** (6/87)

1976 • **72** Le 1976 a pris un aspect très bruni, et il est en passe de se déliter. Si l'on se dépêche de le goûter, on y trouvera peut-être encore un fruit très mûr, confit et tendre, et un caractère assez velouté pour séduire. Mais il faut faire vite ! **A boire – en sérieux déclin.** (6/84)

1975 • **89** Le 1975 se montre sous un bon jour et se révèle bien meilleur que je ne l'aurais imaginé. Il m'a étonné par son nez doux et confituré de fleurs, de kirsch et de cerise noire aux vagues senteurs de truffe, par son caractère moyennement corsé, souple et rond, et par sa finale aux tannins durs. Alors que je l'avais souvent trouvé dépourvu de structure et de profondeur, il s'est particulièrement distingué lors d'une dégustation en janvier 1996. Quoique parfaitement mûr, il peut tenir encore **5 à 10 ans**. Sa robe fortement nuancée de rouille et d'orange suggère une évolution plus avancée que ne le laissent entendre le nez et la bouche. Il se peut que ce cru présente quelques différences d'une bouteille à l'autre, celle-ci se révélant plus puissante et plus intense que les flacons précédemment dégustés. (1/96)

1971 • **80** Charmeur, fruité et remarquablement accessible au moment de son apogée, en 1976, ce 1971 s'est depuis nettement affadi, prenant une teinte de plus en plus brunie et perdant son fruit. Il est encore assez souple et rond, mais le temps de sa splendeur n'est plus qu'un beau souvenir... **A boire – en sérieux déclin.** (6/82)

1970 • **93** Le 1970 de La Conseillante se distingue par les douces senteurs de truffe, de caramel, de moka, de grillé et de cerise noire confiturée typiques de ce cru. La bouche, opulente et veloutée, exprime des arômes tout à la fois souples, ronds et concentrés, ainsi qu'une finale capiteuse, alcoolique et riche. Cette note a été établie d'après ma dernière bouteille de ce vin fabuleux. J'ai peut-être dégusté les onze autres trop tôt, mais chacune a été consommée en un rien de temps une fois ouverte. Je conseille aux amateurs qui auraient encore du 1970 de La Conseillante en 75 cl de le boire dès maintenant ; en revanche, les grands formats peuvent tenir **10 ans ou plus**, ce qui permettra aux heureux détenteurs d'apprécier quelque temps encore ce vin stupéfiant. (6/96)

1966 • **85** Avec son bouquet de cèdre et de tabac, fort proche de celui d'un Médoc, La Conseillante 1966 a atteint son apogée il y a assez longtemps. Cependant, il lui reste suffisamment de fermeté et de charpente pour tenir encore. Avec une robe rubis un peu tuilée, ce vin est assez réservé, mais complexe et intéressant. **A boire.** (5/84)

1964 • **88** Vers la fin des années 80, j'ai dégusté une excellente bouteille de La Conseillante 1964, et je suis donc amené à revoir à la hausse la note attribuée à ce vin lors de la première édition de cet ouvrage. D'un rubis moyen un peu tuilé, ce 1964 déploie un nez sensationnel de fumé, d'herbes aromatiques et de prune très mûre et onctueuse nuancé de noisette. En bouche, il se révèle rond, généreux et même opulent, montrant une belle concentration et déployant une finale longue et chaleureuse. Relativement charpenté et musclé pour ce cru, il doit être consommé **maintenant.** (11/89)

1961 • **87** Il semblerait que ce vin commence tout juste à perdre son fruit et à se dessécher. Plus anguleux qu'autrefois, avec une robe nuancée d'ambre, de rouille et d'orange, il présente une finale où l'on décèle des tannins de plus en plus agressifs, qui laissent deviner un ensemble déjà **sur le déclin.** (12/95)

Millésimes anciens

J'avoue n'avoir jamais imaginé qu'autant de Pomerol de 1959 puissent se montrer aussi riches et aussi concentrés. Moyennement corsé, La Conseillante de cette année (noté 95 en septembre 1994) offre un nez très aromatique de fleurs, de mûre et de fumé, ainsi que des tannins ronds et un fruité merveilleux, à la fois pur, doux et explosif. Il témoigne bien de la capacité de cette propriété à élaborer des vins riches et imposants, extraordinairement élégants et complexes.

Cela fait plusieurs années que je n'ai pas goûté le 1949 de cette propriété (noté 97 en mai 1995), mais chacune des six bouteilles que j'ai déjà dégustées (sur les douze que j'avais achetées en excellent état) était absolument exceptionnelle, avec un nez merveilleusement mûr et confituré de fruits noirs, des arômes doux, expansifs et moyennement corsés, ainsi qu'une texture soyeuse. Point intéressant, La Conseillante, qui n'est jamais le vin le plus tannique, le plus puissant ou le plus musclé, se déguste très bien jeune, mais son fruité demeure intact pendant des décennies. Un ami de la famille Nicolas, le propriétaire actuel, m'a confié avoir consommé au début des années 50 plusieurs caisses de ce 1949, qui se montrait extrêmement goûteux ; preuve s'il en est que c'est l'équilibre d'un vin, et non ses tannins, qui lui permet d'évoluer avec grâce.
Je fonde de grands espoirs sur les 1989 et 1990, qui seront à mon avis aussi époustouflants et d'aussi longue garde que le 1949. Le 1947 (noté 92 en décembre 1995) est parfaitement mûr depuis plusieurs années. A peine nuancé de rouille et d'orange sur le bord, ce vin se montre délicat et élégant, doté d'un fruité moyennement corsé de douce mûre entrelacé de senteurs d'herbes, de fumé et de cèdre. Sa finale est longue, souple et alcoolique. **A boire.**

LA CROIX - BON

Équivaut à un cru bourgeois
Propriétaire : SC Joseph Janoueix
Adresse : 33500 Pomerol
Adresse postale : Maison Joseph Janoueix
37, rue Pline-Parmentier – BP 192 – 33506 Libourne Cedex
Tél. 05 57 51 41 86 – Fax 05 57 51 53 16
Visites : sur rendez-vous uniquement
Contact : Jean-Marie Guinaudeau

Superficie : 10 ha (Catusseau)
Vins produits :
Château La Croix – 55 000 b ; Château Le Gabachot – 10 000-13 000 b
Encépagement : 60 % merlot, 20 % cabernet franc, 20 % cabernet sauvignon
Densité de plantation : 5 600 pieds/ha – *Age moyen des vignes :* 43 ans
Rendement moyen : 45 hl/ha

Élevage :
fermentations et cuvaisons de 21 jours en cuves de ciment ;
achèvement des malolactiques en fûts pour une partie de la récolte,
en cuves pour le reste ;
vieillissement de 18-20 mois en fûts (40 % de bois neuf) ; collage ; pas de filtration

A maturité : dans les 4 à 12 ans suivant le millésime

La Croix est une propriété réputée située aux alentours de Libourne, en bordure de la D24, sur des sols de graves et de sable. Si les vins issus de cette zone ne figurent pas parmi les dix à douze meilleurs Pomerol, ceux de La Croix sont imposants, bien colorés, tanniques et corsés ; s'il fallait leur trouver un défaut, ce serait un certain manque de distinction et de finesse. Les millésimes les plus réussis se révèlent plaisants, simples et rustiques, capables d'une garde de 6 à 12 ans. Certaines bouteilles ont un goût de moisi, ce qui peut laisser penser que les conditions sanitaires de la vinification ne sont pas parfaites – heureusement, ce défaut est rare ! Ce château n'a jamais bénéficié de beaucoup de publicité, et, puisqu'il produit des vins réellement typiques de Pomerol, on peut considérer qu'il est sous-estimé.

1993 • **78** Le 1993 de La Croix se présente comme un vin unidimensionnel, sans détour et moyennement corsé, qui déploie des notes de fruits rouges marquées par un caractère herbacé et terreux et par des senteurs épicées. Sa finale est modérément tannique. **A boire jusqu'en 2001.** (11/94)

1990 • **87** Ce vin riche et onctueux, au fruité rustique et épais, se révèle ample et sans détour en bouche. Il sera des plus agréables **jusqu'en 2004.** (1/93)

1989 • **85** Riche, onctueux et hautement extrait, le 1989 dévoile, par paliers, des arômes de terre et de fruits épicés. Sa finale est persistante et alcoolique. Quoique dépourvu de structure et de tenue, il se révèle imposant, énorme et intense en bouche. Cet ensemble explosif et rustique ne plaira peut-être pas à tous les amateurs. **A boire jusqu'en 2005.** (1/93)

1988 • **82** Souple, fruité et agréable, le 1988 de La Croix est rond et accessible en bouche. **A boire jusqu'en 2004.** (1/93)

1986 • **84** Outre un bouquet de terre généreusement marqué de tabac et de cassis, le 1986 de La Croix présente un caractère séduisant et bien épanoui. La bouche est alcoolique, mûre et bien glycérinée, mais la finale est rugueuse et dure. **A boire jusqu'en 2000.** (3/90)

1985 • **84** Ce vin très corsé, à la texture douce, ronde et généreuse, regorge d'un fruité exubérant et charnu aux notes de fruits rouges. **A boire.** (3/90)

1983 • **86** Très puissant et titrant 14°8 d'alcool naturel, La Croix 1983 arbore une robe d'un rubis-grenat profond et révèle en bouche des arômes denses, confits, visqueux et puissants. Très corsé, épais et bien marqué par la mâche, il compense son manque de finesse et d'élégance par sa belle puissance. **A boire.** (3/89)

1982 • **86** Réussi – mais légèrement moins alcoolique que le 1983, massif et énorme –, le 1982 de La Croix, rubis foncé de robe, dévoile par paliers un fruité riche et mûr étayé par des tannins souples, et déploie une finale impressionnante de longueur et épicée. **A boire jusqu'en 2000.** (1/91)

1981 • **84** La Croix 1981 présente d'importantes variations d'une bouteille à l'autre. Certains flacons arboraient une robe pâle, tandis que d'autres se distinguaient par un fruité riche et mûr de cerise et par un caractère très corsé et massif. La note indiquée ici concerne les meilleures bouteilles. **A boire.** (11/84)

LA CROIX DU CASSE – EXCELLENT

Équivaut à un 5e cru du Médoc depuis 1986
Propriétaire : famille Arcaute-Audy
Adresse : 33500 Pomerol
Adresse postale :
Société fermière du Château La Croix du Casse
Château Jonqueyres – 33750 Saint-Germain-du-Puch
Tél. 05 56 68 55 88 – Fax 05 56 30 11 45
Visites : sur rendez-vous uniquement
Contact : Alexis Arcaute

Superficie : 9 ha (Pomerol)
Vins produits :
Château La Croix du Casse – 48 000 b ; Domaine du Casse – 7 200 b
Encépagement : 80 % merlot, 20 % cabernet franc
Densité de plantation : 6 000 pieds/ha – *Age moyen des vignes :* 33 ans
Rendement moyen : 48 hl/ha

Élevage :
fermentations et macérations de 30-40 jours
en cuves d'acier inoxydable thermorégulées ;
achèvement des malolactiques en fûts ;
vieillissement de 24 mois en fûts (60 % de bois neuf) ;
soutirage trimestriel ; ni collage ni filtration

A maturité : dans les 4 à 10 ans suivant le millésime

Jean-Michel Arcaute – celui-là même qui a tiré le Château Clinet de la médiocrité pour l'imposer comme l'une des étoiles de son appellation – dirige cette propriété depuis 1988. Il en a, dès ce premier millésime, nettement amélioré les vins. Situé au sud du bourg de Catusseau, sur une terrasse de sable et de graves, ce petit domaine n'a évidemment pas la réputation – ni la situation – de Clinet. Cependant, les millésimes 1988, 1989, 1994 et 1995 révèlent, semble-t-il, toute la richesse en extrait et tout le caractère qu'il est possible de tirer de ce vignoble. Précisons que Michel Rolland est l'œnologue-conseil de la propriété.

1998 • **87-89+ ?** Ce vin opaque et pourpre-noir de robe, très richement extrait et terriblement tannique, évoque un Pomerol 1975. Puissant, regorgeant d'arômes de chêne neuf, il déploie une certaine agressivité, ainsi qu'un caractère rustique aux notes de terre. Il pourrait être renoté à la hausse (une note extraordinaire) si ses tannins se fondaient tandis que son boisé se ferait plus subtil. Si tel n'est pas le cas, il suscitera vraisemblablement des controverses. **A boire entre 2003 et 2015.** (3/99)

1997 • **86-88** Le 1997 de La Croix du Casse se distingue par un caractère de prune et de raisin très évolué, nuancé de généreuses notes de cerise noire et de mûre. On décèle également dans ce vin d'abondants arômes de chêne neuf et grillé. Malgré son côté tannique, l'ensemble laisse surtout une impression de précocité, de profondeur, de maturité et d'ampleur. **A boire entre 2000 et 2012.** (1/99)

1996 • **88** Jean-Michel Arcaute nous gratifie, une fois encore, d'un Pomerol des plus impressionnants. Arborant une robe prune-pourpre soutenu, le 1996 exhale un nez pur et épicé de doux chêne, de minéral, de fruits noirs et de prune. Étonnamment ouvert pour le millésime, il se révèle ample et moyennement corsé en bouche, régalant le palais de sa texture savoureuse. Les tannins de la finale sont parfaitement dissimulés par le caractère gras, richement extrait et mûr de l'ensemble. Vous apprécierez ce vin soyeux et séduisant dans les **10 à 12 ans.** (1/99)

1995 • **90** D'un rubis-pourpre dense, l'extraordinaire 1995 libère un nez absolument renversant de cassis, de mûre, de minéral et de chêne neuf et épicé. Moyennement corsé, il regorge d'arômes de pain grillé et d'un abondant fruité doux littéralement imprégné de glycérine et de tannins. Il est très persistant en milieu de bouche, et sa finale emplit le palais. Un Pomerol impressionnant de carrure, pur et riche, qui mérite incontestablement l'attention des amateurs. **A boire entre 2000 et 2015.** (11/97)

1994 • **89** Le 1994 se révèle plus en forme après la mise en bouteille que lorsqu'il était encore en fût (les vins ne sont ici jamais collés ni filtrés). Prune foncé, il exhale un nez exotique de tabac, de café, de cerise noire et de cassis doux et confiturés. Étonnamment opulent pour un 1994, il est encore mûr, richement extrait et d'une belle pureté, avec un niveau modéré de tannins et une faible acidité. Ce vin intéressant et moyennement corsé peut être dégusté dans les **10 à 12 ans.** (1/97)

1993 • **86** La séduisante robe rubis foncé du 1993 est joliment complétée par des notes de chêne grillé et fumé, et par un généreux fruité de cassis et de cerise. Ce vin riche, rond, bien gras et mûr, à l'acidité faible, montre un caractère charmeur et sans détour. **A boire dans les 6 ou 7 ans.** (1/97)

1992 • **86** Le 1992 arbore une robe de couleur rubis tirant sur le pourpre, et révèle un nez modérément intense de cerise noire et douce, et de chêne neuf et grillé. Moyennement corsé, il présente une excellente extraction d'arômes et une faible acidité, ainsi que des tannins modérés dans sa finale. **A boire dans les 4 à 7 ans.** (11/94)

1990 • **89** Le 1990 est probablement la plus belle réussite de la propriété à ce jour. Arborant une robe d'un rubis-noir profond, il exhale un nez ample et doux de cassis, et révèle en bouche des arômes souples, opulents et superbement dotés. L'ensemble, persistant, est étayé par une faible acidité et déploie une finale riche et longue. **A boire dans les 7 à 9 ans.** (1/93)

1989 • **87** D'un rubis-pourpre tirant sur le noir, avec un nez énorme, riche et ample débordant de notes de prune mûre, de chocolat, de cèdre et de chêne neuf et grillé, le délicieux La Croix du Casse 1989 révèle une bouche moyennement corsée, très alcoolique et splendide de concentration. La finale recèle des tannins souples. **A boire.** (1/93)

1988 • **86** Profond et bien doté, La Croix du Casse 1988 libère des arômes très corsés et admirables de richesse en extrait. Doté de bons tannins et d'une acidité fraîche, il déploie une finale gratifiante et modérément persistante. **A boire jusqu'en 2000.** (1/93)

1984 • **77** Ce vin, qui est somme toute assez bien fait, révèle un bon fruité épicé, mais son caractère alcoolique est trop imposant. **A consommer.** (3/88)

LA CROIX DE GAY – TRÈS BON
Équivaut à un 5e cru du Médoc
Propriétaire : GFA La Croix de Gay
Adresse : 33500 Pomerol
Tél. 05 57 51 19 05 – Fax 05 57 14 15 62
Visites : du lundi au samedi (8 h-12 h et 14 h-18 h), sur rendez-vous le dimanche
Contact : Marie-France Cubiller

Superficie : 12 ha (Pomerol)
Vins produits : Château La Croix de Gay – 40 000 b ; La Commanderie – 20 000 b
Encépagement : 80 % merlot, 10 % cabernet franc, 10 % cabernet sauvignon
Densité de plantation : 5 800 pieds/ha – *Age moyen des vignes :* 40 ans
Rendement moyen : 50 hl/ha

Élevage :
fermentations et cuvaisons de 15 jours en cuves de béton thermorégulées ; vieillissement de 12-14 mois en fûts (1/3 de bois neuf) ; collage au blanc d'œuf ; légère filtration

---

A maturité : dans les 3 à 17 ans suivant le millésime

Le vignoble de La Croix de Gay est constitué de plusieurs parcelles disséminées dans toute l'appellation, ce qui est assez rare en Pomerol. On peut donc dire que le vin est représentatif des Pomerol.

Cette grande découverte de l'Anglais Harry Waugh, immédiatement après la guerre, s'est montrée fort irrégulière, et même médiocre, au cours des années 70 et au début de la décennie suivante. Cependant, l'élégant Dr Raynaud, copropriétaire et gérant du domaine, en a nettement amélioré le vin, pour en faire un des Pomerol les plus séduisants et les plus accessibles. En 1982, il a lancé la cuvée spéciale La Fleur de Gay, issue d'une parcelle de très vieux pieds de merlot située entre Petrus et Lafleur ; ce vin (voir plus loin l'article qui lui est consacré) est assez rare, même à Bordeaux, mais c'est l'un des plus magnifiques de l'appellation, capable de rivaliser avec les meilleurs Pomerol pour la complexité et l'intensité.

Des esprits chagrins ont contesté cette création en disant qu'elle portait préjudice au vin générique en le privant de la meilleure source de richesse et de concentration. Cependant, malgré l'absence du produit des vieilles vignes en question, on ne peut nier que La Croix de Gay se soit très nettement amélioré. Le vignoble est situé tout à fait au nord du plateau de Pomerol, juste derrière le cimetière et la D245 (qui traverse l'appellation). Le sol est constitué de graves mêlées à du sable.

1998 • **87-90** Voici la plus belle réussite de La Croix de Gay depuis plusieurs années. Ce vin doté d'une belle texture, qu'il développe en bouche par paliers, est marqué par la cerise noire et le cassis, ainsi que par de subtiles notes de chêne neuf. Son caractère moyennement corsé et riche, sa faible acidité et sa finale aussi persistante que concentrée laissent deviner qu'il évoluera avec grâce ces 12 à 15 prochaines années. Impressionnant ! (3/99)

1997 • **85-87** Doté d'arômes épicés marqués de notes de cerise et de confiture de fraise, le 1997 de La Croix de Gay se présente comme un vin élégant et moyennement corsé. Très pur et très doux en bouche, il est peut-être plus concentré et plus persistant que son aîné, plus léger. **A boire dans les 5 à 7 ans.** (1/99)

1996 • **85** Arborant une robe rubis moyen et libérant un nez modérément intense d'herbes rôties nuancé de confiture de cerise, ce vin séduisant et accessible révèle une bouche légère et faible en acidité. Son abord facile suggère qu'il doit être consommé **d'ici 5 ou 6 ans.** (1/99)

1995 • **87** Séduisant, élégant et attrayant, le 1995 arbore un rubis foncé et déploie de copieuses senteurs de prune, de cerise et de fruits rouges conjuguées avec de subtiles touches de chêne neuf. Le vin est rond et savoureux, joliment étayé par un généreux fruité et suffisamment de gras. **A boire jusqu'en 2006.** (11/97)

1994 • **87+** La robe dense et soutenue, de couleur rubis-pourpre, du 1994 laisse deviner un vin intense et mûr. Suivent des arômes de fruits rouges, auxquels se mêlent des notes herbacées, vanillées et épicées. On décèle en bouche, après une attaque douce et charnue, un caractère moyennement corsé, bien riche et pur. Ce vin racé et concentré se révélera excellent. **A boire entre 2000 et 2012.** (1/97)

1993 • **86** Bien fait pour le millésime, le 1993, de couleur rubis foncé, exhale un doux nez de cerise noire marqué de séduisantes notes de chêne neuf. Élégant, rond, souple et opulent, avec un faible niveau d'acidité, il est vraiment délicieux. **A boire dans les 6 à 8 ans.** (1/97)

1992 • **86** Rond, charmeur et séduisant, le 1992 offre des arômes fruités de cassis doux, auxquels se mêlent délicieusement des touches de chêne neuf et grillé. Il s'agit d'un vin élégant et moyennement corsé, profond, à la finale modérément tannique. **A boire dans les 4 ou 5 ans.** (11/94)

1991 • **82** Le 1991 de La Croix de Gay, plutôt léger, dégage un nez doux et fruité, avec des notes de chêne neuf et grillé, ainsi qu'une finale légèrement corsée et plaisante. **A boire dans les 2 ou 3 ans.** (1/94)

1990 • **86** Des arômes opulents de chêne doux grillé et vanillé et de fruits rouges et mûrs jaillissent littéralement de ce 1990 séduisant. La bouche se porterait mieux de davantage de profondeur, mais il s'agit, dans l'ensemble, d'un vin richement fruité, souple, élégant et intéressant, qui se maintiendra parfaitement ces **7 ou 8 prochaines années.** (1/93)

1989 • **87** Très corsé, concentré et étonnamment profond, le 1989 de La Croix de Gay présente d'excellents tannins et une belle richesse en extrait. Malgré sa faible acidité, ce vin devrait se maintenir 6 ou 7 ans encore, grâce à son caractère tannique et alcoolique. Il atteste parfaitement le souci de qualité qui anime les propriétaires. **A boire jusqu'en 2005.** (1/93)

1988 • **86** Très boisé, avec une belle concentration et une texture souple, veloutée, presque opulente, le 1988 est doux comme de la soie en finale. **A consommer.** (1/93)

1986 • **85** Vêtu de rubis foncé, ce vin moyennement corsé atteste une judicieuse utilisation du chêne neuf. Il séduit par son fruité doux et mûr de prune, et présente, outre une belle persistance, une finale modérément tannique. **A boire jusqu'en 2000.** (3/90)

1985 • **85** Très réussi, le 1985 déploie un nez épicé, élégant, modérément intense et mûr. La bouche, moyennement corsée et joliment infusée de chêne neuf, est veloutée en finale. **A boire.** (3/89)

1984 • **80** Léger, mais fruité, souple et rond, le 1984 est tout simplement délicieux. **A boire.** (3/89)

1983 • **80** D'un rubis moyen légèrement nuancé de grenat sur le bord, le 1983 de La Croix de Gay présente un nez herbacé de prune. Il révèle également des arômes ronds, mous et alcooliques qui manquent de tenue. Sa finale est souple, chaleureuse, mais dépourvue de structure. **A boire.** (11/90)

1982 • **77** La robe du 1982 est d'un rubis moyen légèrement tuilé sur le bord. Le nez, monolithique et mûr, manque de distinction ; il précède en bouche un ensemble moyennement corsé, légèrement aqueux et faible en acidité. La finale, parfaitement mûre, est terne. **A consommer.** (3/89)

1961 • **85** Ce vin, que j'ai dégusté en magnum, était élégant, rond, fruité, accessible et délicieux. Il n'était cependant pas comparable à ses jumeaux, généralement d'un meilleur niveau. (12/95)

Millésimes anciens

En 1995, j'ai enfin eu le privilège de déguster le fameux 1947 de La Croix de Gay, que Harry Waugh avait rendu célèbre par ses appréciations des plus laudatives. Ce vin superbe, au caractère rôti, visqueux et riche, se révèle aussi intense qu'un Porto. Il a été noté 92.

Le deuxième meilleur vieux millésime que je connaisse de ce cru est le 1964 (noté 90 en 1990). Comme de nombreux Pomerol de cette année grandiose (pour l'appellation), il se montre riche, corsé et alcoolique, débordant de fruit, avec une texture somptueuse et opulente.

DU DOMAINE DE L'ÉGLISE – TRÈS BON

Équivaut à un 5e cru du Médoc depuis 1986
Propriétaires : familles Castéja et Preben-Hansen
Adresse : 33500 Pomerol
Adresse postale : Domaines Borie-Manoux
86, cours Balguerie-Stuttenberg – 33082 Bordeaux Cedex
Tél. 05 56 00 00 70 – Fax 05 57 87 60 30
Visites : sur rendez-vous uniquement
Contact : Philippe Castéja

Superficie : 7 ha (Pomerol)
Vin produit : Château du Domaine de l'Église – 30 000 b (pas de second vin)
Encépagement : 80 % merlot, 20 % cabernet franc
Densité de plantation : 7 500 pieds/ha – *Age moyen des vignes :* 30 ans
Rendement moyen : 47 hl/ha

Élevage :
fermentations de 21 jours environ en cuves thermorégulées ;
achèvement des malolactiques en cuves ; vieillissement de 16-18 mois en fûts
(65 % de bois neuf) ; collage ; pas de filtration

A maturité : dans les 5 à 15 ans suivant le millésime

Ce vignoble, fort bien situé, se trouve à côté du cimetière de Pomerol, sur la partie haute du plateau, sur un sol de graves mêlées de sable. On pense que le château et son vignoble sont les plus anciens de la commune. Longtemps avant la Révolution, cette propriété a en effet été exploitée par les moines hospitaliers de Saint-Jean-de-Jérusalem, qui avaient créé une léproserie à Pomerol, et portait le nom de Domaine de la Porte Rouge. Après 1789, elle a été vendue, comme beaucoup d'autres. En 1973, elle a été achetée par l'importante maison de négoce Borie-Manoux.

Durant les années 70 et au début des années 80, les vins vinifiés ici étaient solides et fiables, et ils se sont encore améliorés depuis quelques années. Aujourd'hui, le Domaine de l'Église est plus riche et plus profond, assez remarquable. A noter que ce vignoble, durement touché par les gelées de 1956, a été replanté.

1997 • **85-86** De très séduisantes senteurs de café torréfié, de petits fruits, de chocolat et de grillé se dégagent du Domaine de l'Église 1997. Ce vin rubis foncé se montre rond, charnu et savoureux ; il affiche une belle concentration, mais finit court. Vous apprécierez ce Pomerol net et bien vinifié **jusqu'à 4 à 7 ans d'âge.** (3/98)

1995 • **87** Arborant une robe impressionnante de couleur pourpre-noir, le 1995 développe d'excellents arômes de cerise noire et de cassis. Il est moyennement corsé en bouche, étonnamment opulent et onctueux, et d'une belle pureté. **A boire entre 2001 et 2016.** (11/97)

1994 • **86** Rubis foncé, le 1994 libère de séduisantes senteurs de cerise confiturée, de terre et d'épices. Moyennement massif, plaisant et mûr, sans aspérité ni caractère végétal, il sera agréable dans les **7 ou 8 ans.** (1/97)

1993 • **78** Avec sa robe légère de couleur rubis moyennement foncé, le 1993 est doux et aqueux. Il présente en bouche des arômes accessibles et ternes, qui manquent de concentration et de précision. **A boire dans les 4 ou 5 ans.** (1/97)

1990 • **82** Malheureusement, un fruit trop mûr et des rendements trop élevés ont donné en 1990 un vin souple, moyennement massif et faible en acidité. Quoique rond et savoureux, il manque tout à la fois de complexité, de structure et de tenue. **A boire jusqu'en 2000.** (1/93)

1989 • **90** La maison Borie-Manoux est généralement très sérieuse lorsqu'il s'agit de la qualité de ses vins de haut niveau. Le Domaine de l'Église 1989 l'atteste bien. D'une richesse splendide, hautement extrait et extrêmement impressionnant, ce vin rubis-noir de robe présente des arômes fabuleusement dotés évoquant la prune et le pruneau. L'ensemble, étayé par une heureuse acidité pour le millésime, recèle des tannins souples et présente un caractère très alcoolique. Ce Domaine de l'Église riche et ample est l'un des plus massifs que je connaisse, séduisant dès sa jeunesse du fait de sa belle souplesse. **A boire jusqu'en 2015.** (1/93)

L'ÉGLISE-CLINET – EXCEPTIONNEL

Équivaut à un 2e cru du Médoc depuis 1985
Propriétaire : GFA Château L'Église-Clinet
Adresse : 33500 Pomerol
Tél. 05 57 25 99 00 – Fax 05 57 25 21 96
Visites : sur rendez-vous uniquement
Contact : Denis Durantou

Superficie : 6 ha (Pomerol)
Vins produits :
Château L'Église-Clinet – 12 000-15 000 b ; La Petite Église – 15 000-20 000 b
Encépagement : 70-80 % merlot, 20-30 % cabernet franc
Densité de plantation : 6 500 pieds/ha – *Age moyen des vignes :* 40-45 ans
Rendement moyen : 30-35 hl/ha

Élevage :
fermentations de 15-21 jours en cuves de béton ;
achèvement des malolactiques en cuves d'acier inoxydable ;
vieillissement de 15-18 mois en fûts
(40-70 % de bois neuf) ; collage au blanc d'œuf ; pas de filtration

---

A maturité : dans les 5 à 15 ans suivant le millésime

L'Église-Clinet appartient depuis fort longtemps à la famille Durantou. Le domaine tel qu'on le connaît aujourd'hui date de 1822. M. Mauleon-Rouchut réunit en effet, cette année-là, plusieurs parcelles du Clos l'Église, propriété de sa famille depuis le XVIIIe siècle, à une parcelle achetée à Clinet, créant ainsi le Château L'Église-Clinet actuel. Le vignoble entoure l'église Saint-Jean-de-Pomerol.

Si L'Église-Clinet est, en raison de sa faible production, l'un des domaines de Pomerol les moins connus, il donne souvent un vin typique, gras, savoureux, séveux, richement fruité et remarquablement vinifié. Le vignoble est fort bien situé, sur le plateau de Pomerol et sur des sols profonds de graves mêlées de sable, d'argile et de fer. Contrairement à ce qui s'est généralement passé dans le reste de l'appellation, les vignes n'ont pas été arrachées après le gel dévastateur de 1956, et elles sont donc actuellement fort vieilles, certains pieds étant même plus que centenaires.

Jusqu'en 1983, c'est Pierre Lasserre, propriétaire de Clos René, un autre domaine de Pomerol, plus vaste et plus connu, qui a exploité ce vignoble en métayage. Il y faisait un vin riche, bien équilibré, souple, fermé et d'une bonne tenue. Le jeune et très consciencieux Denis Durantou a pris la suite ; il a fait de gros efforts pour pousser ce petit vignoble de 6 ha jusqu'aux plus hauts sommets de la hiérarchie des Pomerol. Il n'a pas pour seul atout son grand talent, mais aussi la chance de posséder des vignes de 40-45 ans d'âge en moyenne. En outre, dans des années difficiles, il déclasse près d'un quart de la récolte pour faire un second vin, La Petite Église. On doit donc chaudement féliciter Denis Durantou pour le travail qu'il accomplit sur cette propriété.

L'Église-Clinet est un cru assez cher, mais les bons amateurs savent que ce vin compte parmi les dix à douze meilleurs de l'appellation.

1998
•
92-95

Quoique ne surpassant pas ses fabuleux aînés de 1985 ou 1995, L'Église-Clinet s'impose comme l'une des étoiles de 1998 – c'est un vin véritablement puissant et massif dans le contexte du millésime en Pomerol. Vêtu d'un rubis-pourpre soutenu et intense, il régale le nez de senteurs de réglisse, d'épices, de douce mûre et de liqueur de cerise. La bouche, moyennement corsée et d'une pureté exceptionnelle, révèle, par paliers, des vagues d'un fruit concentré qui dévale littéralement le palais. Contrairement à son voisin de Clinet, ce cru dévoile des tannins et un boisé parfaitement fondus. Il est également plus précoce, avec une très grande richesse en extrait, une faible acidité et des tannins impressionnants. **A boire entre 2002 et 2020.** (3/99)

1997
•
89-92

Bien évolué en raison de sa faible acidité, le 1997 de L'Église-Clinet arbore une robe d'un rubis-pourpre soutenu et se présente en bouche comme un vin moyennement corsé, débordant d'un fruité de cerise noire confiturée nuancé de cassis, de truffe, de framboise et de fumé. Dominé par le fruit et regorgeant de gras, il fait preuve d'une grande persistance. Vous apprécierez ce 1997 séduisant, aussi souple que velouté, ces **10 à 15 prochaines années.** (1/99)

1996
•
93

Figurant parmi les rares Pomerol vraiment profonds du millésime, L'Église-Clinet 1996 se révèle étonnamment riche et concentré, et se montre magnifique en bouteille, bien que plus serré qu'en fût. Sa robe d'un rubis-pourpre foncé introduit un nez de charbon, de cassis confituré et de framboise légèrement marqué de surmaturité, qui développe après aération d'autres notes de chêne épicé. La bouche, moyennement corsée, dévoile, par paliers, des arômes gras et concentrés, très complexes et tout en nuances. Ce Pomerol musclé requiert une garde de 3 à 5 ans et sera à maturité **entre 2004 et 2020.** (1/99)

1995
•
96

L'Église-Clinet 1995 – l'un des vins les plus somptueux du millésime – s'est révélé fabuleux aussi bien au fût qu'en bouteille. Vêtu d'une robe opaque de couleur pourpre, il est fermé au nez, mais laisse échapper une décoction d'arômes de framboise, de kirsch, de fumé, de cerise et de truffe. Très corsé et très bien doté, avec un niveau élevé de tannins, il est bien étayé par un abondant fruité très riche. Ce vin dense est généreux et multidimensionnel ; d'une précision exceptionnelle, il laisse à peine deviner son immense potentiel. Une légende en perspective ! Sa texture extraordinaire persiste tant en bouche que j'avais du mal à m'en défaire. Obtenir un tel niveau d'intensité et de richesse sans lourdeur constitue incontestablement un tour de force en matière de vinification. **A boire entre 2008 et 2030.** (11/97)

1994
•
90

Avec sa robe soutenue d'un rubis-pourpre foncé, le 1994 exhale un nez serré, mais prometteur, aux senteurs de cerise mûre, de groseille et de mûre marquées de vagues notes de truffe noire. Moyennement corsé, il libère un fruité pur, qu'il dévoile en bouche par paliers, et l'on distingue dans sa finale des tannins marquants. Plus ample et plus riche que son aîné d'un an, il n'en a cependant pas le charme, mais il se révélera impressionnant au terme d'une garde de 2 ou 3 ans. **A boire entre 2002 et 2022.** (1/97)

1993
•
87

Je ne suis pas très amateur de vins aux notes herbacées, et c'est peut-être le bouquet de celui-ci, aux senteurs épicées et de poivre vert, qui m'a empêché de lui attribuer une note plus élevée. Rubis-pourpre foncé, avec un nez intense et bien évolué, doux et fruité, de poivre, de viande grillée et de fumé, le 1993 de L'Église-Clinet déploie joliment, dès l'attaque en bouche, un fruité mûr et doux, et une faible acidité. Moyennement corsé, il offre au palais les légendaires arômes de kirsch et de framboise sauvage si caractéristiques de cette propriété. Ce vin devrait être au meilleur de sa forme au terme d'une garde de 1 ou 2 ans et se conservera **12 à 14 ans.** Je conseille cependant de le déguster dans sa jeunesse, son fruité pouvant se faner avant que ses tannins ne se fondent. (1/97)

1992 • **85** Avec sa robe d'un rubis profond et son nez épicé et mûr de cerise noire et de chêne fumé, le 1992 dégage en bouche des arômes mûrs et moyennement corsés. Il est également d'une intensité admirable, et déploie une finale épicée, riche et charnue. Un vin délicieux et sans détour. **A boire dans les 3 ou 4 ans.** (11/94)

1991 • **84** Le 1991, qui fait partie du petit nombre des Pomerol qui, cette année-là, sont souples, mûrs et buvables, déploie un bouquet séduisant de fruits noirs et rouges, de tabac, de thé et de chocolat. Moyennement corsé et excellemment doté pour le millésime, il se montre épicé, doux et rond. **A boire dans les 2 ou 3 ans.** (1/94)

1990 • **92** Riche et complet, le 1990 de l'Église-Clinet continue de s'étoffer. Vêtu d'un rubis-pourpre opaque, il exhale des arômes assez peu évolués de douce cerise noire confiturée, de fumé et de chocolat. L'ensemble, très corsé, déploie par paliers d'amples arômes et un généreux fruité doux étayés par une faible acidité. Plus profond, plus persistant, mais également moins évolué que le 1989, ce vin requiert une garde de 2 ou 3 ans et doit être consommé dans **les 20 ans.** (11/96)

1989 • **90 ?** Le 1989 s'est révélé irrégulier lors des dernières dégustations. La plus récente montrait un vin d'un grenat profond ambré sur le bord, doté de doux arômes de chocolat et de cerise noire confiturée, ainsi que de saveurs précoces, opulentes et capiteuses, étayées par une faible acidité. Ce Pomerol charnu, d'une excellente, voire d'une extraordinaire concentration, présentait encore des notes de cèdre et d'épices après une certaine aération. Il semblerait qu'il évolue assez rapidement, si bien que je conseille de le déguster dans les **15 ans.** Cette bouteille m'a semblé plus avancée que celles que j'avais précédemment dégustées. (11/96)

1988 • **88** Moyennement corsé et admirable de concentration, le 1988 se distingue par un nez de chêne fumé et de prune. **A boire avant 2002.** (1/93)

1986 • **92** Ce vin densément coloré, débordant de fruit et d'intensité, demeure jeune. Je l'ai toujours préféré à d'autres millésimes comme le 1982, le 1983 ou le 1989. Très corsé et d'une excellente concentration, il présente un léger caractère de surmaturité. Il peut être dégusté dès maintenant ou conservé en cave pendant **20 à 30 ans.** (12/95)

1985 • **95** Dans ce millésime qui propose moins de vins superbes qu'on ne l'avait initialement pensé, L'Église-Clinet pourrait bien s'imposer, avec L'Évangile, comme le cru le plus apte à une longue garde. Plus concentré, même, que certaines grandes stars de l'appellation (Petrus ou Trotanoy), il arbore une robe dense et opaque de couleur rubis-pourpre et exhale un nez peu évolué, mais prometteur, de kirsch, de framboise, de minéral et de truffe. Moyennement corsé et riche, il se dévoile en bouche par paliers, révélant une magnifique pureté et un caractère jeune, intense et riche. Ce vin qui évolue à pas lents sera parfait **entre 2001 et 2020.** (9/97)

1984 • **81** Hormis sa finale un peu dure, ce vin atteste une vinification bien menée, avec sa belle couleur et son fruité de bon aloi. **A boire d'ici 2 ou 3 ans.** (3/89)

1983 • **86** Très réussi, le 1983 de L'Église-Clinet affiche un rubis foncé légèrement ambré sur le bord. Son bouquet intense, mûr et gras révèle des senteurs de cerise noire, et la bouche, dense et bien évoluée, est marquée par la mâche. Ce vin très corsé, faible en acidité, avec des tannins souples, a évolué assez rapidement et doit être consommé **sans délai.** (3/89)

1982 • **89** Un généreux fruité mûr et charnu ne suffit pas à faire de L'Église-Clinet un 1982 des plus irrésistibles. Plus profond en décembre 1995 que lorsque je l'avais dégusté au fût et juste après la mise, ce vin se montre riche, très corsé, trapu, mais dépourvu de complexité. Il est cependant agréable et séveux en bouche. **A boire.** (12/95)

1981 • **84** Moins puissant et moins riche que ses cadets de 1982 et 1983, le 1981 de L'Église-Clinet est léger, mais doté d'un bon fruité souple et épicé. Moyennement corsé et assez tannique, il déploie une finale de bon aloi. **A boire.** (6/84)

1978 • **82** Parfaitement mûr, avec un nez chocolaté, fruité et un peu fumé, le 1978 se montre plaisant, bien qu'il manque de corpulence et de richesse. Un vin souple, rond et modérément tannique. **A boire.** (1/85)

1975 • **92** Presque aussi concentré que L'Évangile et La Mission Haut-Brion, le 1975 de L'Église-Clinet demeure jeune. Il arbore une robe épaisse d'un rubis-pourpre foncé parfaitement intact. Son fruit confituré, doux et ample accompagne une belle corpulence et d'abondants tannins. Ce vin peu évolué, mais accessible, devrait évoluer de belle manière ces **25 à 30 prochaines années, voire davantage.** (11/96)

1971 • **92** Le 1971 pourrait certainement prétendre au titre de réussite du millésime. Je me souviens de l'avoir dégusté dans sa toute petite enfance, mais je n'avais jamais imaginé qu'il se révélerait aussi impressionnant. Riche et opulent, il est également extraordinaire d'intensité, avec ce caractère visqueux, épais et savoureux typique des Pomerol. Il pourrait aisément rivaliser avec ses jumeaux de Petrus et Trotanoy, deux des meilleurs vins de l'appellation. Quoique parfaitement mûr, il tiendra bien **10 ans encore.** (12/95)

1964 • **89** Ce vin doux et délicieux se distingue par une robe d'un rubis-grenat profond terriblement ambré sur le bord. Très alcoolique, il regorge d'un généreux fruité mûr, mais n'a pas la richesse intense ni la complexité du 1971. **A boire.** (9/95)

1961 • **92** Outre sa robe soutenue d'un grenat opaque nuancé d'ambre sur le bord, le 1961 de L'Église-Clinet libère un nez énorme de sauce soja, de viande grillée, de moka et de cerise confiturée. Très corsé, persistant et bien équilibré, l'ensemble qui suit en bouche atteste une excellente richesse. Un vin parfaitement mûr et velouté, à savourer dans les **10 ans.** (9/95)

Millésimes anciens

Le très corpulent 1959 (noté 96 en octobre 1995) exhale un nez énorme et renversant de cerise très mûre, de kirsch, d'épices orientales, de cake et de glace crémeuse au chocolat. Tout à la fois épais, doux et onctueux, il révèle en bouche un caractère visqueux et jeune qu'il est difficile d'imaginer. Je rêve de trouver ce vin dans une vente aux enchères. Il devrait tenir encore **15 à 20 ans**, soit davantage que le 1961.

Le 1950 (noté 95 en septembre 1995) est un autre chef-d'œuvre issu d'une appellation et d'un millésime totalement ignorés. Cette année superbe en Pomerol a donné un L'Église-Clinet souple, velouté, très mûr et d'une concentration énorme. Suintant littéralement d'un fruité de cerise noire et de cassis entremêlé de cèdre, de minéral, de fumé et de vanille, ce vin demeure épais et remarquablement jeune, avec un caractère massif, corpulent et bien marqué par la mâche. **A boire dans les 10 à 20 ans.**

Le 1949 (noté 99 en septembre 1995) frise la perfection. Outre une richesse époustouflante, il révèle une intensité et une onctuosité extraordinaires, ainsi qu'une concentration en kirsch et en essence de cerise noire souvent caractéristique de son voisin, Lafleur. Vêtu d'une robe opaque et pourpre absolument intacte, ce 1949 ressemblait davantage, dans le verre, à un Porto qu'à un vin de table, témoignant d'une viscosité, d'une richesse en extrait et d'une épaisseur exceptionnelles. Très corsé, colossal et encore jeune, il exprime une bouche tout en rondeur du fait de ses tannins mûrs et de sa faible acidité. C'est très certainement l'un des grands vins les plus sous-estimés de ce siècle. Son potentiel de garde est de **25 ans environ.**

Véritable tour de force en matière de vinification, le 1947 (noté 100 en septembre 1995) est assurément l'un des vins les plus grandioses que je connaisse. J'aurais même été disposé à lui attribuer une note supérieure si cela avait été possible. Opaque et pourpre de robe, avec un nez énorme et renversant de cerise noire, de cassis, de moka, de café, de tabac et d'épices orientales, il se montre extrêmement corsé et dévoile, par paliers, un fruité mûr, richement extrait, généreusement glycériné et alcoolique. Ce vin témoigne d'un équilibre exceptionnel malgré son caractère énorme et massif.

Le remarquable 1945 (noté 98 en septembre 1995) est heureusement dépourvu du caractère dur et astringent qui dessert de nombreux vins de ce millésime de grande garde. Ses senteurs de truffe, de vanille, de chocolat ainsi que ses parfums de fruits noirs et rouges sont tout simplement renversants. La bouche, visqueuse, atteste une fabuleuse richesse en extrait et une corpulence massive, et la finale révèle, par paliers, des notes fruitées, bien glycérinées et très alcooliques. Un vin remarquable, doté d'une finale époustouflante de puissance !

Vêtu d'une robe opaque d'un rubis-grenat sombre, le 1921 (noté 100 en septembre 1995) regorge d'un généreux fruité doux, confituré et opulent. Fabuleux de concentration et très alcoolique – il évoque un Porto –, ce vin demeure jeune et massif, attestant bien la grande supériorité de Pomerol sur le Médoc quand il s'agit de merlot et de cabernet franc des plus opulents et des plus luxuriants. Les 1921 de Petrus et L'Église-Clinet sont probablement deux des crus les plus profonds qu'il m'ait été donné de déguster.

L'ENCLOS – TRÈS BON

Équivaut à un 5e cru du Médoc

Propriétaire : GFA du Château L'Enclos

Adresse : 1, L'Enclos – 33500 Pomerol

Tél. 05 57 51 04 62 – Fax 05 57 51 43 15

Visites : sur rendez-vous de préférence

Contact : Hugues Weydert

Superficie : 9,45 ha (Pomerol et Libourne)

Vin produit :

Château L'Enclos – 52 800 b (pas de second vin)

Encépagement : 82 % merlot, 17 % cabernet franc, 1 % pressac

Densité de plantation : 6 000 pieds/ha – *Age moyen des vignes :* 33 ans

Rendement moyen : 47 hl/ha

Élevage :
fermentations et macérations de 21-28 jours en cuves thermorégulées ;
vieillissement de 17 mois en fûts (1/3 de bois neuf) ; collage au blanc d'œuf ;
légère filtration

A maturité : dans les 3 à 15 ans suivant le millésime

Situé sur des sols de sable, de graves et de silex, à l'extrémité ouest de l'appellation, L'Enclos est une propriété qui ne fait guère de bruit, mais qui produit un vin très fin. Peut-être ai-je eu de la chance et suis-je tombé uniquement sur les meilleurs millésimes de ce château, mais j'ai en tout cas été favorablement impressionné par ces Pomerol toujours veloutés et moelleux, riches, souples et joliment concentrés, dotés d'arômes très purs de mûre et d'une remarquable harmonie. En règle générale, L'Enclos n'a besoin que de 3 ou 4 ans de bouteille pour révéler son fruit opulent, riche et soyeux, mais il peut se maintenir beaucoup plus longtemps.

Les amateurs pensent généralement que les Pomerol sont chers, et ils le sont effectivement parce que les vignobles ne sont pas grands et que la demande internationale est très forte pour ces délicieux vins de merlot. Cependant, L'Enclos compte parmi les Pomerol les plus intéressants sous le rapport qualité/prix.

1997 • **85-86** Ce vin charnu, accessible et faible en acidité déploie des arômes modérément riches de chocolat et de cerise noire nuancés de moka. Moyennement corsé et souple, avec une finale courte, il sera parfait ces **5 ou 6 prochaines années.** (3/98)

1995 • **86** Une robe rubis-pourpre foncé introduit en bouche un vin satiné aux arômes de cerise et de moka. Précoce et charnu du fait de sa faible acidité, ce L'Enclos doit être consommé dans les **7 ou 8 ans.** (11/97)

1994 • **72** Étonnamment peu corsé, dilué et végétal, le 1994 manque de profondeur et de maturité. Quelle déception pour cette propriété de bon niveau ! (3/96)

1992 • **74** Ce piètre résultat s'explique très certainement par des dilutions et une sélection défectueuse. Le 1992 de L'Enclos est en effet léger, maigre et compact ; il faut le boire **rapidement.** (11/94)

1991 • **72** Cette propriété, l'une de mes préférées en Pomerol, a produit un 1991 décevant par son caractère simple et aqueux. Ce vin est dépourvu de fruit et de caractère. (1/94)

1990 • **89** Plus structuré et plus riche que son aîné d'un an, le 1990 arbore une robe sombre et libère de séduisants arômes de tabac, de prune et de café, dans un ensemble très corsé et extrêmement mûr. C'est certainement la plus belle réussite de la propriété depuis le 1982. **A boire dans les 3 à 12 ans.** (1/93)

1989 • **87** Ce vin des plus plaisants gratifie le dégustateur d'un fruit opulent et concentré de mûre et de violette qui dissimule parfaitement les copieux tannins de la finale. Très corsé, aussi doux que de la soie, il est merveilleusement fait et intensément parfumé. **A boire dans les 8 à 10 ans.** (1/93)

1988 • **83** Ce vin sans détour, doté d'un fruité souple et bien concentré, séduit par son bouquet épicé de prune et de moka. Développant une finale modérément persistante, il est agréable et devrait évoluer correctement (sans plus) ces **3 prochaines années.** (1/93)

1986 • **84** Le 1986 n'est pas aussi bon que ses aînés de 1975, 1979 ou 1982, mais il est, comme eux, très typique de ce château. Il présente en effet, outre un caractère précoce, tendre et fruité, des arômes de prune et de mûre, de la souplesse et du velouté. Il faut l'apprécier surtout pour son charme, sans en attendre trop de profondeur ou de complexité. **A boire.** (11/90)

1985 • **85** Le 1985 est délicieusement riche, persistant, ouvert et velouté, et peut déjà être bu avec grand plaisir. Assez corsé, il révèle des flots d'arômes de caramel et de petits fruits ; c'est un Pomerol qui vous donne l'impression de croquer une confiserie. **A consommer.** (3/90)

1983 • **86** L'Enclos 1983 est succulent, gras et séveux, avec un caractère précoce, exubérant et fruité ; en bouche, il est rond, épanoui et pulpeux, et déploie une finale veloutée. **A boire.** (3/89)

1982 • **87** Délicieux dès sa petite enfance, le 1982 de L'Enclos séduit toujours par ses arômes de thé, de canard fumé et de cerise, présentés dans un ensemble moyennement corsé, opulent et soyeux. La robe légèrement ambrée et la faible acidité de ce vin suggèrent qu'il vaut mieux le consommer dans les **3 ou 4 ans.** (9/95)

1979 • **85** Délicieusement fruité, avec un beau parfum qui évoque le cassis, ce vin assez corsé se montre soyeux et velouté en bouche, légèrement tannique, avec une finale ronde et généreuse. C'est un vin vraiment plein de charme. Il faut le boire **maintenant**, bien qu'il ne manifeste aucun signe alarmant de déclin. (1/91)

1975 • **89** Ce vin très fin est suave, épanoui, rond, aimable et moelleux, et il déploie, outre des parfums explosifs de mûre, un bouquet complexe de petits fruits et de truffe, ainsi qu'une finale veloutée. L'Enclos 1975 est relativement fruité et parfaitement mûr ; c'est l'une des bonnes surprises du millésime. **A boire jusqu'en 2001.** (1/85)

1970 • **86** L'Enclos 1970 est assez proche, par son caractère, du 1975 et du 1982. S'il est peut-être un peu plus tannique, il révèle lui aussi cette personnalité veloutée, généreuse, moelleuse et accessible, cette belle couleur rubis profond et ce fruit abondant, sans oublier sa finale caressante. **A boire.** (1/85)

L'ÉVANGILE – EXCEPTIONNEL

Équivaut à un 1er cru du Médoc

Propriétaire : SC du Château L'Évangile

Adresse : 33500 Pomerol

Tél. 05 57 51 15 30 ou 05 57 51 45 95 – Fax 05 57 51 45 78

Visites : sur rendez-vous uniquement

Contact : Simone Ducasse

Superficie : 14,5 ha (Pomerol)

Vins produits :

Château L'Évangile – 54 000 b ; Blason de L'Évangile – 14 600 b

Encépagement : 75 % merlot, 25 % cabernet franc

Densité de plantation : 5 600-6 300 pieds/ha – *Age moyen des vignes :* 40 ans

Rendement moyen : 35 hl/ha

Élevage :

fermentations de 12-14 jours et cuvaisons de 15-20 jours ;

achèvement des malolactiques en cuves ; vieillissement de 16-20 mois en fûts (35-40 % de bois neuf) ; collage ; pas de filtration

A maturité : dans les 6 à 25 ans suivant le millésime

Les heureux mortels qui ont goûté les 1947, 1950, 1961, 1975, 1982, 1985, 1989, 1990, 1995 et 1997 de L'Évangile savent assez que ce domaine est capable de produire des vins irrésistibles et d'une richesse majestueuse. Bordé au nord par les vignobles de La Conseillante, de Vieux Château Certan et de Petrus, et au sud par celui de Cheval Blanc (Saint-Émilion), L'Évangile est idéalement situé, sur des sols profonds de graves mêlées d'argile et de sable. Ce sont des atouts décisifs, et c'est pourquoi j'ai l'intime conviction que ce cru, bien qu'il n'ait pas été très régulier sous la direction de la famille Ducasse, pourrait bien concurrencer, moyennant un peu plus d'attention aux détails, Petrus et Lafleur. C'est peut-être ce qui arrivera prochainement, dans la mesure où les Rothschild (de Lafite) ont pris le contrôle du domaine en 1990. Parfaitement conscients de l'énorme potentiel de ce vignoble, ils ont fermement l'intention de faire aussi bien que Petrus ou Lafleur – et, malheureusement, probablement aussi cher.

Le regretté Louis Ducasse connaissait bien les remarquables possibilités de son terroir ; il disait souvent, aux critiques quelque peu sceptiques, que L'Évangile était l'égal, en plus complexe encore, de son voisin Petrus. La remarquable Mme Ducasse (93 ans en 1998) assure toujours la gestion quotidienne de la propriété. Je me souviens d'un déjeuner passé en compagnie de cette grande dame au tout début des années 90 ; elle avait fait servir les 1947, 1961 et 1964 de sa cave personnelle. Et ce fut un plaisir de constater que, lors de ce somptueux repas de truffes, de ris de veau et de filet de bœuf, Mme Ducasse ne fut pas la dernière à faire honneur à l'excellence des plats et des boissons.

Si l'équipe technique de Lafite Rothschild continue de vendanger tardivement des raisins riches et concentrés, si les rendements sont maintenus autour de 35 hl/ha et si la proportion de chêne neuf pour l'élevage atteint les 50 %, il y a fort à parier que L'Évangile s'imposera comme l'une des grandes stars de Pomerol, aussi bien dans les grands que dans les petits millésimes.

1998 • **90-92** A en juger par les commentaires laudatifs qui circulaient dans le Bordelais sur L'Évangile 1998, je m'attendais à être très marqué par ce vin. Je dois avouer qu'il m'a fait moins d'impression qu'à certaines personnes que je connais. Sa robe est d'un rubis foncé soutenu, et son nez exhale de légendaires arômes de framboise nuancés d'herbes séchées, de réglisse et de terre. Élégant et moyennement corsé, il est exceptionnel de pureté et extraordinaire de concentration, et déploie une finale modérément tannique. Cependant, il est moins souple et moins savoureux que les 1989, 1990 ou 1995, et n'a pas non plus la structure ou la concentration du 1985. Si la plupart des Pomerol du millésime évoquent les 1975, il ne me paraît pas que celui-ci soit aussi profond ni aussi grandiose que son aîné. **A boire entre 2003 et 2020.** (3/99)

1997 • **89-91** Le 1997 se distingue par une légère surmaturité. Son fruité de mûre et de framboise est nuancé de thé et de raisin, et la bouche déploie, outre un caractère moyennement corsé, une finale bien glycérinée, confiturée et faible en acidité. Ce vin sera plaisant et accessible un peu plus rapidement que le 1996. **A boire entre 2001 et 2015.** (1/99)

1996 • **90 ?** Tout comme son voisin de Clinet, L'Évangile 1996 suscitera certainement des controverses. Ce vin donne en effet l'impression d'être trop richement extrait, avec sa robe rubis-pourpre foncé, ses arômes de prune, de raisin, de thé noir de Chine, de mûre et de liqueur de cerise. La bouche, riche et puissante, est également tannique et quelque peu dépourvue de structure. Moyennement corsée, elle déploie une finale persistante et très, voire trop mûre. Ce vin requiert une garde de quelques années pour s'affirmer, mais il pourrait bien se révéler exceptionnel. **A boire entre 2003 et 2016.** (1/99)

1995 • **92+** Ce 1995, que j'ai dégusté en trois occasions, se montre fermé et peu évolué, indiscutablement moins impressionnant en bouteille qu'il ne l'était en fût. Toujours extraordinaire, il s'impose comme l'une des belles réussites du millésime, et pourrait se révéler apte à une plus longue garde, tout en étant moins opulent que son aîné de 1990. Sa robe dense de couleur rubis-pourpre accompagne des arômes de minéral, de framboise, de terre et d'épices. Ce vin semble atténué (collage ?) par rapport aux échantillons d'avant-mise, qui déployaient de beaux arômes charnus et parfumés. Sa finale très tannique et le généreux fruité doux que l'on décèle en bouche laissent deviner que l'ensemble évoluera en un cru tout à fait spécial. Malgré les tannins féroces, on décèle bien la pureté, la profondeur et la maturité extraordinaires de ce vin. N'attendez pas qu'il soit prêt avant 4 ou 5 ans. Il requiert en effet une garde plus importante que je ne l'avais d'abord pronostiqué. **A boire entre 2005 et 2020.** (11/97)

1994 • **92** Le 1994 est l'un des vins les plus réussis du millésime, avec sa robe dense et soutenue de couleur pourpre, qui prélude à un nez fabuleusement doux de framboise et de cassis, marqué en arrière-plan de notes de minéral et de réglisse. Moyennement corsé, d'une texture irréprochable et opulente, il est également d'une pureté somptueuse, superbement extrait et équilibré. Il s'agit d'un vin formidable – l'un des rares 1994 à avoir des tannins bien étayés par un fruité extrêmement riche. Fabuleux ! **A boire entre 2001 et 2020.** (1/97)

1993 • **89** Rubis-pourpre foncé, le 1993 exhale un doux nez de framboise, de truffe noire et de terre. D'un faible niveau d'acidité, ce vin charnu ne trahit aucunement le caractère végétal et de poivre vert qui dessert tant les vins de ce millésime, mais se révèle doux et étonnamment puissant, offrant une grande précision dans le dessin. Très élégant, il déploie ses doux arômes de fruits noirs dans un ensemble moyennement corsé et souple, aux notes de cèdre. Vous pourrez déguster ce vin impressionnant dans les **10 à 15 ans.** (1/97)

1992 • **78** L'Évangile 1992, qui était bien plus impressionnant avant la mise en bouteille, se montre maintenant moyennement corsé, doux et creux. D'une structure légère, avec des tannins durs, il présente un manque évident de fruit et de profondeur. Cependant, compte tenu du potentiel qu'il déployait au fût, je me demande s'il n'est pas au nombre des 1992 qui ont été endommagés au moment de la mise en bouteille. Il s'agit vraiment d'une performance déplorable, surtout de la part de cet excellent vignoble, dont les critères de qualité sont extrêmement élevés. A boire dans les **4 ou 5 ans.** (11/94)

1990 • **96** Le 1990 s'impose comme l'un des meilleurs L'Évangile des temps modernes ; il est capable de rivaliser avec des millésimes aussi superbes que 1995, 1985, 1982, 1975, 1950 et 1947. D'un pourpre profond, avec un nez jeune, mais prometteur, de doux fruits noirs, de chocolat, de caramel, de truffe et de minéral, il révèle une bouche très corsée et d'une richesse exceptionnelle, épaisse et admirablement glycérinée. Son évolution dans le verre indique qu'il est encore très jeune. Sa finale recèle un fruité doux et richement extrait, qui masque parfaitement des tannins modérés. Vous apprécierez ce vin fabuleusement pur et riche **jusqu'en 2020.** (11/96)

1989 • 90 Les meilleures bouteilles de L'Évangile 1989 constituent de très belles surprises. Ce vin plus précoce et plus mûr que son cadet d'un an arbore un rubis-pourpre sombre (à peine ambré sur le bord), dégage un nez doux, exotique et chocolaté de caramel et d'herbes rôties, et libère en bouche des saveurs mûres, épaisses et bien glycérinées, étayées par une faible acidité. L'ensemble, plus complexe et plus riche que je ne l'aurais imaginé, est délicieux et presque à son apogée – ce qui explique peut-être qu'il se montre sous un aussi bon jour. Ce vin formidable est en fait bien meilleur que je n'ai pu dans un premier temps le laisser croire à mes lecteurs. Je suggère de le déguster dans les **10 ans**, car je doute qu'il ait la puissance, la corpulence et le potentiel de garde du 1990. (11/96)

1988 • 87 Le 1988 déploie les arômes de mûre et de prune typiques de ce cru. Profond et harmonieux, il est plein de grâce et de charme, révélant un caractère précoce et un beau potentiel. **A boire jusqu'en 2007.** (1/93)

1986 • 87 Ce vin parfaitement mûr déploie un nez herbacé, mais richement fruité, aux notes de cèdre et de terre. Légèrement dépourvu de tenue, il commence à perdre son fruité et son gras, si bien que je conseillerais de le déguster **sans tarder.** (12/95)

1985 • 95 L'Évangile 1985 demeure relativement jeune et peu évolué. Sa robe rubis foncé ne montre aucun signe d'altération, et son bouquet énorme, complexe et multidimensionnel de cassis, de framboise, d'épices exotiques ne se révèle qu'au mouvement du verre. Ce vin riche, assez corsé et tannique, très concentré et très équilibré, évolue beaucoup plus lentement que nombre d'autres crus du millésime. **A boire jusqu'en 2015.** (10/94)

1984 • 76 Les parfums doux de thé vert du 1984 saturent les sens du dégustateur. La bouche, légère, souple et fruitée, s'amenuise rapidement en une finale aqueuse. **A boire.** (3/89)

1983 • 90 Ce 1983 s'impose régulièrement comme une belle réussite de la propriété. Arborant un rubis-pourpre foncé, il exhale un nez renversant de framboise, d'épices orientales et de minéral. Loin d'être puissant ou massif, il s'exprime surtout en élégance, révélant un caractère moyennement corsé et merveilleusement serré, séduisant par ses saveurs souples, rondes et opulentes. Ce vin, remarquable de fraîcheur et de tonicité, est bien persistant en bouche et devrait se maintenir à son apogée **jusqu'en 2005.** (12/95)

1982 • 96 Toutes les bouteilles de L'Évangile 1982 que j'ai dégustées étaient rien moins que spectaculaires. Ce vin, qui évolue à pas lents, révèle un caractère pur et épais, ainsi qu'un nez exotique de cuir fin, de cassis confituré, de fumé, de viande grillée et de truffe, qui fait littéralement tourner les têtes. Tout à la fois épais, opulent et de bonne mâche, il impressionne par sa carrure et par son ampleur aromatique, et déploie une finale fabuleusement longue et marquée par la mâche. Ce L'Évangile colossal, qui évoque ses aînés de 1961 et 1947, devrait vieillir de belle manière ces **20 prochaines années, voire au-delà.** (9/95)

1981 Étonnamment léger, diffus et peu concentré, le 1981 représente un échec pour
• cet excellent domaine. Il est moyennement corsé et sans beaucoup d'intérêt.
73 **A boire sans délai.** (4/84)

1979 Ce vin, arrivé à maturité vers 1985, se montre séduisant et sensuel, et révèle,
• outre des parfums souples de cassis et de framboise, un merveilleux bouquet
88 de violette, de minéral et d'épices ; assez corsé, il déploie une finale veloutée et moelleuse. Il a quelque chose d'un grand cru de Chambolle-Musigny ! **A boire.** (1/91)

1978 Agréablement charnu et épicé, ce Pomerol pourtant assez solide manque, je
• ne sais pourquoi, de complexité. C'est certes un bon vin, franc et joliment
84 concentré, mais il n'a rien de particulièrement intéressant. **A boire.** (4/84)

1975 A peine ambré sur le bord, L'Évangile 1975 exhale un nez énorme de cake
• et de doux cèdre, marqué de généreuses senteurs de fruits noirs aux notes
96 de truffe. Parmi les millésimes récents, seul le 1982 présente un bouquet semblable. Ce vin puissant et massif, dont le fruité riche et confituré est bien étayé par de copieux tannins, révèle en bouche un caractère très corsé et une extraction superbe, mais se montre suffisamment souple pour être accessible. Il atteint son apogée. **A boire entre 2000 et 2025.** (12/95)

1971 Sur le déclin, ce 1971 arbore une robe rubis de plus en plus tuilée et libère
• des senteurs évoquant la végétation en décomposition. En bouche, il est plutôt
70 instable, révélant des arômes d'épices et de menthe nuancés de grillé et de courtes notes pharmaceutiques. **A boire – en sérieux déclin.** (3/80)

1970 A pleine maturité, ce vin se montre assez rond, fruité, tendre, élégant et char-
• mant, avec le bouquet typique de ce château, évoquant la framboise et la
84 violette. Plutôt corsé et velouté, il doit être bu **rapidement.** (3/81)

1966 Encore à son apogée – ayant donc mieux résisté à l'épreuve du temps que
• le 1970 –, le 1966 présente aussi davantage de corps et de tannins ; il arbore
85 une belle robe resplendissant d'un rubis foncé à peine ambré, et libère une finale longue, agréable, riche et onctueuse. C'est un vin harmonieux, souple et très fruité. **A boire.** (3/79)

1964 Vêtu d'un grenat foncé légèrement ambré sur le bord, le corpulent L'Évangile
• 1964 dégage de doux arômes de fruits noirs fumés entremêlés de notes de
87 terre. La bouche, ronde et généreuse, s'exprime tout en rondeur et en intensité. L'ensemble est en fait plus monolithique que ne le suggèrent les arômes. Lorsqu'il a été bien conservé, ce vin parfaitement mûr peut tenir encore 3 **ou 4 ans.** (3/94)

1961 Le 1961 exhale un nez énorme de café, de fruits noirs doux et confiturés,
• de noix crémeuse et de truffe. Sa texture sirupeuse et sa concentration, ainsi
99 que sa richesse et sa viscosité, sont incroyables. Avec sa richesse semblable à celle d'un Porto, ce vin très corsé et massif est à pleine maturité et rappelle le grandiose 1947. Mme Ducasse m'a confié, et cela est intéressant, que les deux tiers du vignoble auraient été replantés en 1957 – on en déduit donc que l'assemblage du 1961 serait composé à 66 % de jeunes vignes de 4 ans ! Ceux qui ont la chance de posséder quelques bouteilles de ce nectar devraient les déguster au cours des **10 prochaines années.** (3/94)

Millésimes anciens

Le 1947 de L'Évangile mérite souvent la note parfaite, mais la bouteille que j'ai dégustée en décembre 1995 a été notée 97. Ce vin fabuleux, tout à la fois épais, confituré et très corsé, est doté d'une intensité, d'une pureté et d'une puissance extraordinaires. Il déploie, par paliers, de généreux arômes de fruits noirs, de truffe et de cèdre. Véritable quintessence de L'Évangile, il devrait tenir **une quinzaine d'années encore.**

FEYTIT-CLINET

Équivaut à un cru bourgeois
Propriétaires : familles Chasseuil et Domergue
Adresse : 33500 Pomerol
Adresse postale : Établissements Jean-Pierre Moueix
54, quai du Priourat – BP 129 – 33502 Libourne Cedex
Tél. 05 57 51 78 96 – Fax 05 57 51 79 79
Visites : sur rendez-vous
et pour les professionnels uniquement
Contact : Frédéric Lospied

Superficie : 6,95 ha (Pomerol)
Vin produit : Château Feytit-Clinet – 24 000 b (pas de second vin)
Encépagement : 85 % merlot, 15 % cabernet franc
Densité de plantation : 5 500-6 000 pieds/ha – *Age moyen des vignes :* 20 ans
Rendement moyen : 60 hl/ha

Élevage :
fermentations et cuvaisons de 18 jours environ en cuves de béton thermorégulées ;
achèvement des malolactiques en cuves ;
vieillissement de 18 mois en fûts (20 % de bois neuf) ;
soutirage trimestriel de fût à fût ; collage ; pas de filtration

---

A maturité : dans les 5 à 12 ans suivant le millésime

Bien qu'il soit exploité en métayage par la très célèbre maison Jean-Pierre Moueix depuis 1967, Feytit-Clinet produit généralement un vin relativement commun, sans beaucoup de distinction. Le vignoble, situé sur la partie ouest du plateau de Pomerol (près de Latour à Pomerol), devrait théoriquement faire mieux. Il est possible que les rendements soient trop élevés, bien que les Moueix soient généralement partisans de modération en la matière. Ce cru est, le plus souvent, prêt à boire dès sa diffusion ; il présente un potentiel de garde de 5 à 12 ans.

1998 • **87-89** Il s'agit certainement du meilleur Feytit-Clinet que je connaisse. Pourpre foncé, doté d'un caractère profond, intense et richement extrait, il est un peu fermé, mais prometteur, et déploie en bouche des arômes moyennement corsés et d'une très grande richesse, aux notes de terre, de réglisse, de cerise noire et d'airelle. L'ensemble, ample et modérément tannique, regorge de gras. C'est une belle réussite de cette propriété généralement sous-performante de Pomerol. **A boire entre 2002 et 2016.** (3/99)

1993 • **76** Le 1993 est une piètre performance, car, malgré sa très belle couleur, il présente, tant au nez qu'en bouche, un fruité immature et un caractère végétal. De plus, les tannins durs et astringents que l'on distingue dans sa finale ne permettent pas d'envisager une bonne évolution. (11/94)

1992 • **76** Alors que le 1992 déployait au fût un fruité mûr et opulent, il se montre maintenant dur, vert et tannique – sans charme aucun. Que s'est-il donc passé ? (11/94)

1990 • **86** Moyennement corsé, avec un nez grillé et vanillé et des arômes très mûrs, le 1990 de Feytit-Clinet regorge d'un généreux fruité onctueux et déploie une finale douce, souple et de bonne mâche. C'est probablement l'un des meilleurs exemples de ce cru depuis plusieurs années. **A boire.** (1/93)

1989 • **84** Outre un nez mûr, modérément intense, sans détour et épicé, le 1989 présente un caractère moyennement corsé et très richement extrait. Ses tannins, abondants, sont étonnamment durs. **A boire jusqu'en 2002.** (1/93)

1988 • **84** Ce vin sans détour, épicé et mûr est bien étayé par une heureuse acidité, qui lui confère de la précision dans les arômes et le dessin. Déployant un bouquet élégant et confit, ainsi qu'une finale persistante, opulente et épicée, ce Pomerol n'est pas énorme en comparaison de ses homologues, mais il est charmeur et racé, et devrait se maintenir à son meilleur niveau **jusqu'en 2003.** (1/93)

1985 • **84** Un intense bouquet de cerise et de chêne grillé précède en bouche un ensemble d'une belle richesse, assez élégant et doté de tannins fermes. **A boire.** (3/89)

LA FLEUR DE GAY – EXCEPTIONNEL

Équivaut à un 2e cru du Médoc
Propriétaire : GFA La Croix de Gay
Adresse : 33500 Pomerol
Tél. 05 57 51 19 05 – Fax 05 57 74 15 62
Visites : du lundi au samedi (8 h-12 h et 14 h-18 h), sur rendez-vous le dimanche
Contact : Marie-France Cubiller

Superficie :
4 ha (Pomerol ; à proximité de Petrus pour la parcelle principale)
Vin produit : Château La Fleur de Gay – 15 000 b (pas de second vin)
Encépagement : 100 % merlot
Densité de plantation : 5 800 pieds/ha – *Age moyen des vignes :* 40 ans
Rendement moyen : 35 hl/ha

Élevage :
fermentations et macérations de 28 jours en cuves de béton thermorégulées ; achèvement des malolactiques et vieillissement de 18 mois en fûts neufs ; collage au blanc d'œuf ; pas de filtration

A maturité : dans les 5 à 20 ans suivant le millésime

La Fleur de Gay, cuvée spéciale de La Croix de Gay, a été lancé par Alain Raynaud en 1982. Ce cru est issu d'une parcelle de très vieilles vignes située entre Petrus et Lafleur, dans le vignoble de La Croix de Gay. Exclusivement élevé en fûts de chêne neuf, il se distingue par un fruit d'une pureté exceptionnelle et par une opulence et une suavité fabuleuses. C'est Michel Rolland qui supervise la vinification et l'élevage de ce vin voluptueusement aromatique, intense et corsé. Les millésimes produits jusqu'à ce jour paraissent capables d'évoluer généralement sur 10 à 20 ans.

1998 • **91-93** Le 1998 est assurément la plus belle réussite de cette toute petite propriété depuis le 1989. Sa robe fabuleuse d'un pourpre-noir soutenu introduit des arômes de mûre, de myrtille, de fleurs, de minéral et de douce vanille, qui eux-mêmes précèdent en bouche un ensemble d'une intensité exceptionnelle. Ce Pomerol développe merveilleusement et tout en rondeur un caractère moyennement corsé et superbe de concentration. On décèle encore dans ce vin riche et complexe, qui se dévoile en bouche par paliers, des tannins abondants, mais souples. A boire à son apogée **entre 2003 et 2020.** (3/99)

1997 • **85-86** Moyennement corsé et plaisant, le 1997 s'exprime incontestablement en finesse et en élégance, mais il pèche par manque de concentration en milieu et en fin de bouche. Le nez et la finale présentent un fruité modérément intense de doux cassis nuancé de chêne neuf et de minéral. Cet ensemble racé tiendra **6 ou 7 ans.** (1/99)

1996 • **85** Compte tenu de son terroir, le 1996 de La Fleur de Gay, léger, est décevant. Son nez de chêne neuf, d'herbes séchées et de fruits rouges introduit en bouche un vin élégant, mais comprimé, bien fait, mais anodin. La finale révèle des tannins secs et astringents. Je doute que l'ensemble s'assouplisse ou s'étoffe, si bien que je conseille de le déguster dans les **7 ou 8 ans.** (1/99)

1995 • **90+** Ce vin s'est refermé après la mise en bouteille. Il arbore un rubis-pourpre dense et resplendissant, et déploie un nez de minéral et de pain grillé. Celui-ci, marqué par des touches de prune, révèle encore de généreuses senteurs de cerise noire et de cassis, mêlées de notes vanillées diffusées par le chêne neuf. L'ensemble, moyennement corsé, révèle, outre des arômes de cassis nuancés de fenouil, des tannins abondants, ainsi qu'un caractère impressionnant de pureté, de profondeur et de longueur. Ce vin requiert de la patience. **A boire entre 2003 et 2018.** (11/97)

1994 • **89+** Vêtu de rubis-grenat foncé, le 1994 déploie un nez doux et épicé aux senteurs de chêne et de fruits noirs. Bien structuré, modérément tannique et moyennement corsé, il présente un excellent fruité sous-jacent, richement extrait et bien glycériné, mais demande à être attendu 3 ou 4 ans de plus, étant encore légèrement austère et peu évolué. **A boire entre 2003 et 2014.** (1/97)

1993 • **87** Ce 1993 de couleur rubis foncé, enveloppé de notes de chêne neuf épicé et de pain grillé, est très serré, mais tout en lui indique qu'il vieillira bien. Il est doté d'un fruité généreux et pur de cerise noire mêlé de senteurs épicées, et se révèle moyennement corsé, élégant, concentré et bien vinifié, ressemblant un peu au 1987. Il touche à sa maturité et devrait se conserver **10 à 12 ans.** (1/97)

1992 • **87** Le 1992 arbore une robe pourpre des plus soutenues pour le millésime. Avec son nez mûr de prune, de mûre et de grillé, ses tannins assez abondants et sa faible acidité, il est moyennement corsé, merveilleusement concentré et profond. Il s'agit d'un 1992 excessivement fermé et bien structuré, au potentiel de garde de **10 à 15 ans.** Bravo ! (11/94)

1991 • **85** Le 1991 de La Fleur de Gay est d'une excellente tenue pour le millésime. Sa belle robe d'un rubis moyen introduit un nez épicé et mûr de cassis, dans lequel se fondent harmonieusement des senteurs de chêne neuf et fumé. Moyennement corsé et de faible acidité, il est d'ores et déjà agréable et bien évolué. **A boire dans les 3 à 6 ans.** (1/94)

1990 • **92** Il semblerait que j'aie sous-estimé le 1990 de La Fleur de Gay. Ce vin extraordinaire, qui s'est étoffé, n'a pas eu à rougir de la comparaison avec le 1989. Opaque et pourpre de robe, il exhale un nez doux et confituré de fruits noirs, et se révèle modérément corsé en bouche, où il déploie par paliers, outre des tannins mûrs, un caractère richement extrait et bien glycériné, ainsi qu'une finale pure, souple et faible en acidité. Ce vin m'a stupéfait par la manière dont il s'est épanoui, en développant de la richesse, de la complexité et du caractère. **A boire jusqu'en 2015.** (11/96)

1989 • **94+** Peu évolué et pas encore affirmé, en particulier pour un 1989, ce La Fleur de Gay arbore une robe opaque de couleur pourpre et déploie un nez doux et pur de framboise, de cassis, de réglisse, de violette et de minéral, judicieusement infusé de belles notes de boisé. La bouche, moyennement corsée, révèle, par paliers, un fabuleux fruité d'une harmonie et d'une précision extraordinaires, et l'ensemble, stupéfiant, d'une intensité et d'une élégance suprêmes, libère une finale longue de plus de 35 à 40 secondes. Contrairement à la plupart de ses jumeaux de l'appellation, ce 1989 requiert une garde de 1 ou 2 ans encore et tiendra parfaitement les **15 ans qui suivront, voire au-delà.** (11/96)

1988 • **93** Le somptueux 1988 n'a été produit qu'en toutes petites quantités. Il vaut cependant la peine que l'on fasse des pieds et des mains pour en dénicher une ou deux bouteilles. Sa robe rubis-pourpre tirant sur le noir – l'une des plus soutenues du millésime – précède un nez plutôt fermé par rapport à celui, opulent et parfumé, qu'il déployait dans sa petite enfance. Il ne faut toutefois pas être sorcier pour détecter les parfums de fumé, de chêne grillé, de prune, de quatre-épices et d'épices orientales qui accompagnent un fruité des plus mûrs. Extrêmement concentré, mais également structuré et très tannique, ce vin massif, corsé et plutôt agressif a mis un certain temps à développer toute sa séduction. Cependant, il s'impose aujourd'hui comme un ensemble luxuriant, moelleux et stupéfiant. **A boire jusqu'en 2010.** (1/93)

1987 • **90** Tout à la fois gras, séduisant et opulent, le 1987 de La Fleur de Gay séduit par ses amples arômes de fruits rouges étayés par une faible acidité et par des tannins légers. L'ensemble, fabuleux de richesse et hautement extrait, est bien structuré grâce à un judicieux élevage en fûts neufs. Ce vin exotique, qui saura séduire le plus grand nombre, ne tiendra plus très longtemps, mais cela n'a aucune importance. C'est l'une des rares réussites du millésime. **A boire jusqu'en 2002.** (4/91)

1986 • **89+** J'ai quelque peu surestimé ce vin, dont j'espérais qu'il se révélerait extraordinaire. Il peut encore le devenir, mais, pour l'heure, son caractère unidimensionnel m'a conduit à le renoter à la baisse. D'un rubis-pourpre profond légèrement éclairci sur le bord, il libère un nez ferme et généreusement marqué de bois neuf. L'ensemble qui suit en bouche est puissant et musclé, mais également austère ; il ne séduit pas et refuse obstinément de s'ouvrir. Quoique doté d'une belle corpulence et d'un bon fruité, ce vin se serait bien porté d'un peu plus de complexité et de charme, surtout à près de 15 ans d'âge. **A boire jusqu'en 2012.** (4/97)

1985 • **89** Extrêmement mûr, avec un bouquet étonnamment intense et des saveurs luxuriantes, le 1985 de La Fleur de Gay se montre très corsé en bouche, où il déploie des tannins bien fondus qui contribuent à son caractère satiné. Compte tenu de sa souplesse, je conseille de ne pas le conserver plus avant. Il doit déjà être des plus mémorables. **A boire.** (1/91)

1983 • **88** Ce vin, qui a atteint son apogée depuis plusieurs années, perd déjà du fruit et du gras. Sa robe d'un rubis-grenat sombre est à peine ambrée sur le bord, et le nez déploie des senteurs de sous-bois, de cerise et de mûre douces et confiturées, nuancées de thé, de fumé et d'herbes. La bouche, moyennement corsée, commence à révéler des tannins secs en finale, et l'ensemble, qui était charnu et très corsé dans sa jeunesse, se dessèche. **A consommer.** (4/97)

1982 • **79** Comme les choses ont changé ! Le premier millésime de La Fleur de Gay n'a pas évolué favorablement. Sa robe est en effet fortement ambrée, et si le vin, épicé, avec des arômes de terre, présente la maturité inhérente au millésime, il est diffus et manque de concentration et de précision. (9/95)

LA FLEUR-PETRUS - EXCELLENT

Équivaut à un 3e cru du Médoc
Propriétaire : SC du Château La Fleur-Petrus
Adresse : 33500 Pomerol
Adresse postale : Établissements Jean-Pierre Moueix
54, quai du Priourat – BP 129 – 33502 Libourne Cedex
Tél. 05 57 51 78 96 – Fax 05 57 51 79 79
Visites : sur rendez-vous et pour les professionnels uniquement
Contact : Frédéric Lospied

Superficie :
13,7 ha (sur le plateau de Pomerol, au nord de Petrus et à l'est de Lafleur)
Vin produit : Château La Fleur-Petrus – 42 000 b (pas de second vin)
Encépagement : 80 % merlot, 20 % cabernet franc
Densité de plantation : 5 500-6 000 pieds/ha – *Age moyen des vignes :* 30 ans
Rendement moyen : 40 hl/ha

Élevage :
fermentations de 20 jours en cuves de béton thermorégulées ;
achèvement des malolactiques en fûts pour 1/4 de la récolte,
en cuves pour le reste ; vieillissement de 18 mois en fûts (50 % de bois neuf) ;
soutirage trimestriel de fût à fût ; collage ; pas de filtration

---

A maturité : dans les 5 à 15 ans suivant le millésime

Situé entre Lafleur et Petrus (d'où son nom), à l'est du plateau de Pomerol, où se trouvent tant de grands domaines, La Fleur-Petrus a tout pour produire l'un des Pomerol les plus exquis. La célèbre maison Jean-Pierre Moueix l'a acheté en 1952, et le vignoble a été totalement replanté après 1956, puisqu'il fut presque entièrement détruit par le gel. Le vin était généralement plus léger et moins riche que les autres Pomerol vinifiés par l'équipe Moueix – Petrus, Trotanoy et Latour à Pomerol –, mais les connaisseurs appréciaient son élégance et son caractère souple, suave et soyeux. La propriété a bénéficié de l'achat d'une parcelle de vieilles vignes à Le Gay, son voisin immédiat. Elle propose désormais régulièrement des vins qui comptent au nombre des meilleurs de l'appellation et qui font honneur à sa réputation.

La Fleur-Petrus est cher, ce qui n'a rien d'étonnant compte tenu de son nom, de sa qualité et de sa toute petite production.

1998 • **91-94** Véritable vin de garde, le splendide 1998 est également somptueux et intense, et marie une grande élégance à un caractère exceptionnellement musclé et concentré. D'un rubis-noir dense, plus marqué par le fruit que certains autres Pomerol élaborés par Christian Moueix, il se révèle très corsé, merveilleusement pur, déployant par paliers de généreux arômes de douce cerise noire et de cassis joliment nuancés de subtiles notes de chêne grillé. L'ensemble, admirable de persistance et faible en acidité, est encore très intense et recèle des tannins souples. Il laisse en bouche une impression de structure et d'opulence. **A boire entre 2005 et 2020.** (3/99)

1997 • **90-92** Le 1997 de La Fleur-Petrus est exceptionnel dans le contexte du millésime. Outre un nez fabuleusement doux de framboise et de myrtille entremêlé de notes de minéral et de chêne épicé, il révèle en rondeur un caractère moyennement corsé, et exprime une bouche tout en finesse et en fruit. Sa finale, étonnamment persistante, est d'une excellente tenue. Ce Pomerol énorme, puissant et massif, privilégie l'harmonie et la richesse sans toutefois laisser transparaître une once de muscle ou de tannins. Compte tenu de son équilibre et de sa profondeur, ce vin sera merveilleux dès sa jeunesse, mais il est également capable d'une garde de **12 à 15 ans, voire plus.** (1/99)

1996 • **89+** Le 1996 pourrait bien prétendre à une note extraordinaire au terme d'une garde de 1 ou 2 ans. Impressionnant par sa robe d'un rubis-pourpre soutenu, il exhale un nez doux et pur de cerise, de liqueur de prune, de chêne épicé et de fleurs. La bouche, moyennement corsée et elle aussi superbe de pureté, révèle une profondeur d'excellent aloi ; elle manifeste une belle élégance d'ensemble, et allie parfaitement puissance et finesse. **A boire jusqu'en 2015.** (1/99)

1995 • **93** Époustouflant dès sa naissance, le 1995 de Lafleur-Petrus n'a rien perdu à la mise en bouteille. Sa robe d'un pourpre foncé laisse deviner une profondeur et une concentration très importantes, tandis que son nez éclate de doux arômes de kirsch mêlés de notes de framboise, de minéral et de fumé. Très corsé, ce vin est encore superbe de richesse et de pureté, nanti d'abondants tannins, avec un caractère multidimensionnel. Ce Lafleur-Petrus formidable est probablement la plus belle réussite de la propriété depuis une vingtaine d'années. J'ai déjà signalé que le vignoble s'était agrandi d'une belle parcelle, achetée au Château Le Gay. Je pense que celle-ci contribue à améliorer la qualité du cru, comme l'atteste ce 1995, merveilleusement réussi. **A boire entre 2005 et 2025.** (11/97)

1994 • **89+** Le 1994 exhale un beau nez aux notes de kirsch, de cerise et de pain grillé, et se révèle moyennement corsé, réservé, pur et mesuré en bouche. Impressionnant par sa couleur très soutenue, il déploie un fruité sous-jacent doux et concentré, et sa finale est modérément tannique. C'est un vin très bien doté, très riche en extrait et bien équilibré. **A boire entre 2003 et 2018.** (1/97)

1993 • **87** Le 1993, d'excellente qualité, est moyennement corsé, peu évolué et structuré, avec une robe rubis-pourpre très sombre et un séduisant nez de fleurs et de fruits noirs. Il est aussi bien épicé et d'une belle longueur en bouche. **A boire entre 2002 et 2016.** (1/97)

1992 • **87** L'excellent 1992 présente une robe rubis-pourpre profond, et un nez énorme et doux de fruits noirs confiturés, de caramel et de vanille. Moyennement corsé, riche et mûr, ce vin dense, concentré, élégant et néanmoins puissant, devrait se révéler exceptionnel **entre 8 et 15 ans d'âge.** (11/94)

1990 • **88** Bien moins concentré que le 1989, le 1990 de La Fleur-Petrus dégage un bouquet de tabac, de café, de moka et de fruits rouges entremêlé de senteurs de chêne neuf. Moyennement corsé et modérément doté, il présente une bouche admirable de pureté, bien étayée par une heureuse acidité et par des tannins modérés – ce qui est assez rare dans ce millésime. **A boire dans les 8 à 10 ans.** (1/93)

1989 • **91** En 1989, un éclaircissage de 50 % de la récolte a permis d'obtenir un vin plus intense, qui s'impose peut-être comme le meilleur La Fleur-Petrus depuis le 1950 et le 1947. Vêtu d'un rubis profond et opaque, ce vin au nez serré, mais expressif, d'épices exotiques, de moka et de cerise noire extrêmement mûre et très odorante révèle en bouche un caractère moyennement corsé, d'une profondeur et d'une persistance d'excellent aloi. Ses flaveurs intenses sont bien étayées par un niveau très élevé d'alcool et de tannins. **A boire jusqu'en 2009.** (1/93)

1988 • **85** Tout à la fois séduisant, mûr, savoureux et agréable, le 1988 de La Fleur-Petrus est moyennement corsé et d'une belle profondeur, avec ce qu'il faut de tannins et de persistance. **A boire jusqu'en 2000.** (1/93)

1987 • **87** C'est l'un des meilleurs La Fleur-Petrus de ces dernières années. Vêtu d'un rubis-pourpre étonnamment foncé, il exhale un nez généreux, riche et mûr aux notes de pruneau, et déploie une finale opulente et alcoolique. **A boire.** Une révélation du millésime ! (11/90)

1986 • **83** J'aurais aimé trouver davantage de chair et de profondeur dans ce 1986, relativement inconsistant, quoique agréable. Il est assez précoce, quelque peu compact et émoussé, très évolué, avec des tannins légers en finale. Étant donné le niveau d'ensemble du millésime, on se demande vraiment pourquoi ce vin n'est pas plus concentré. **A consommer.** (3/90)

1985 • **85** La Fleur-Petrus 1985 est fruité, racé, suave et délicieux. Très épanoui et assez corsé, il libère un bouquet aromatique, et déploie une finale tendre et veloutée. **A boire.** (3/90)

1983 • **81** Relativement léger, mais charmant, ce vin modérément corsé exhale un bouquet très ouvert et fruité de prune et d'épices, nuancé d'un peu de boisé. C'est une réussite moyenne pour cette propriété. **A boire.** (3/85)

1982 • **90 ?** Ce 1982 s'est souvent montré irrégulier depuis sa mise en bouteille. Certaines dégustations ont révélé un vin aux excellents arômes de prune et de mûre nuancés de vanille, doté d'une texture souple et manifestant une concentration et un caractère extraordinaires ; d'autres ont livré un cru plus herbacé, marqué par des tannins et par une acidité importante. Lorsque je l'ai goûté récemment, il s'est présenté sous un très bon jour et m'a semblé à parfaite maturité. **A boire.** (9/95)

1981 • **84** Très tendre, quelque peu confit et trop souple, La Fleur-Petrus 1981 demeure délicieusement fruité, savoureux et assez corsé, mais il faut le boire **assez rapidement.** (10/84)

1979 • **85** Le 1979 est un vin élégant, souple et très fruité, au nez de prune mûre et d'épices, avec des arômes bien marqués de chêne vanillé. D'un rubis relativement foncé, il présente un caractère assez corsé, séveux et heureusement concentré ; il n'est ni corpulent, ni costaud, ni très riche, mais plutôt suave et délicat, et néanmoins fruité et très intéressant. **A boire.** (2/83)

1978 • **84** Proche du 1979, mais très légèrement nuancé d'ambre, La Fleur-Petrus 1978 présente un fruit de merlot souple, riche, gras et épanoui, un caractère assez corsé et des tannins légers et arrondis. **A boire.** (2/85)

1977 • **73** Dans ce millésime médiocre, La Fleur-Petrus a produit un vin correct, tendre, fruité et moyennement corsé. La bouche n'est pas trop végétale ni marquée par les rafles, et le bouquet est franc et plaisant. **A consommer – probablement en sérieux déclin.** (4/82)

1976 • **83** La Fleur-Petrus 1976 est à son apogée depuis longtemps et présente maintenant une robe très tuilée. Ce vin très tendre, rond et peu compact, a un charme fou ; comme la plupart de ses jumeaux, il est cependant quelque peu mou et aqueux, et faible en acidité. **A boire – probablement en sérieux déclin.** (1/80)

1975 • **90** Ce vin extraordinaire, mais encore jeune, arbore un rubis-pourpre resplendissant absolument intact. Plus discret et moins exubérant au nez que la plupart de ses jumeaux, il conjugue de doux arômes de fruits rouges avec des notes de terre et de chêne neuf. Moyennement corsé, racé et concentré, avec des tannins puissants, il est assez fruité, glycériné et richement extrait pour vieillir de belle manière. Vous apprécierez ce délicieux La Fleur-Petrus dans les **10 à 15 prochaines années.** (12/95)

1970 • **87** Belle réussite pour le millésime ! Ce vin, qui est actuellement à son apogée, se montre rond et richement fruité, avec un caractère assez corsé et velouté, et une belle persistance. Il évoque surtout la cerise noire, riche et presque cuite, et les épices. **A consommer.** (1/91)

1966 • **84** Arrivé à pleine maturité depuis longtemps, La Fleur-Petrus 1966 déploie un bouquet de chêne et de truffe, ainsi que des arômes tendres et mûrs de merlot. Assez corsé et un peu tuilé, il ne doit plus être attendu. **A consommer – peut-être en déclin.** (1/80)

1964 • **85** 1964 a été un splendide millésime pour les vins de Pomerol, et tout spécialement pour les propriétés de Jean-Pierre Moueix. Solide et quelque peu rustique pour un La Fleur-Petrus, ce vin se révèle corpulent, confit et mûr, avec un caractère corsé et aromatique, mais il présente aussi une légère rudesse en bouche. **A boire.** (4/78)

1961 • **92** Outre de doux arômes de truffe noire et un fruité visqueux de bon aloi, le 1961 de La Fleur-Petrus révèle un caractère ample et élégant. Ce vin doté d'un équilibre extraordinaire est riche et persistant. Parfaitement mûr, mais bien conservé, il tiendra encore **10 à 15 ans.** (12/95)

Millésimes anciens

D'un rubis-grenat profond, le 1947 de La Fleur-Petrus (noté 90 en décembre 1995) exhale un nez épicé de fleurs et de petits fruits rouges. Moyennement corsé, avec l'onctuosité et la viscosité caractéristiques du millésime, il déploie une finale souple, ronde et veloutée. Ce vin est à parfaite maturité depuis longtemps ; il faut donc le consommer sans plus attendre.

Deux autres vieux millésimes excellents : le 1950 (noté 95 en 1989) et le 1952 (noté 91 en 1989).

LE GAY – TRÈS BON

Équivaut à un 4e cru du Médoc
Propriétaire : Marie-Geneviève Robin
Adresse : 33500 Pomerol
Tél. 05 57 84 67 99 – Fax 05 57 74 96 51
Visites : sur rendez-vous uniquement
Contact : François Boyé

Superficie : 8 ha (Pomerol)
Vin produit :
Château Le Gay – 24 000 b (pas de second vin)
Encépagement : 50 % merlot, 50 % cabernet franc
Densité de plantation : 5 900 pieds/ha – *Age moyen des vignes :* 20 ans et 5 ans
Rendement moyen : 40 hl/ha

Élevage :
fermentations et cuvaisons de 21 jours en cuves de béton thermorégulées ; vieillissement de 18-20 mois en fûts (60-80 % de bois neuf) ; collage et filtration

---

A maturité : dans les 10 à 25 ans suivant le millésime

Le Gay, qui se trouve au nord du plateau de Pomerol, appartient à la même famille depuis cent cinquante ans. A la mort de sa sœur Thérèse, voilà déjà quelques années, Marie Robin en est devenue la seule propriétaire, ainsi que du domaine, immédiatement voisin, de Lafleur (confié à Jacques et Sylvie Guinaudeau). En raison de son grand âge, Mme Robin ne peut assurer personnellement la gestion du vignoble, qui a été transférée, par jugement de 1994, à Mme Janson-Leclercq et à François Boyé.

Depuis l'arrivée de ces nouveaux gérants, de nombreuses améliorations ont été apportées tant au vignoble – qui a fait l'objet d'une complète restructuration (arrachages, replantations et complantations) – qu'aux installations techniques, entièrement rénovées (nouveaux chais et thermorégulation dans le cuvier). La vente d'une parcelle de 3 ha à La Fleur-Petrus a permis de financer les importants travaux entrepris.

De fait, après une baisse notable de qualité, Le Gay revient à un meilleur niveau, comme l'attestent les récents millésimes.

Ainsi, les vins sont habituellement puissants, riches, tanniques, parfois massifs et impénétrables. Certaines années, Le Gay peut se révéler rude et sévère, alors qu'il sait aussi se distinguer par un caractère harmonieux et par un fruit mûr, qu'il conjugue dans un parfait équilibre avec une acidité et des tannins d'excellent aloi. Ce vin compte parmi les Pomerol les plus difficilement accessibles dans leur jeunesse, et il a souvent besoin de 8 à 10 ans pour se défaire de son manteau de tannins. Il n'est donc pas fait pour ceux qui préfèrent les bordeaux tendres et faciles...

1998 • **85-88** Cette propriété n'a pas vraiment produit de vins exceptionnels depuis que sa meilleure parcelle de vieilles vignes a été vendue à La Fleur-Petrus. Cependant, le 1998 se présente comme sa plus belle réussite depuis la cession en question, même s'il est nettement moins intéressant que ses jumeaux de très haut vol de Pomerol. Rubis foncé de robe, ce vin moyennement corsé et doté d'une structure ferme révèle des senteurs de viande, de fruits noirs et d'herbes séchées, ainsi qu'un fruité séveux et sous-jacent. Il sera prêt d'ici 5 ou 6 ans et tiendra **15 ans environ.** (3/99)

1997 • **85-87** Le 1997 s'est amélioré depuis ma dernière dégustation. Christian Moueix m'a expliqué qu'il était issu d'une sélection extrêmement sévère – 900 caisses seulement ont été produites, dans le but d'obtenir le meilleur grand vin possible. Il s'agit en effet d'un ensemble de très bonne tenue, qui présente davantage de gras que les millésimes précédents. Vêtu de rubis-pourpre foncé, ce vin révèle un caractère modérément tannique et structuré, et exprime une douceur et une pureté d'excellent aloi. C'est incontestablement, avec le 1998, l'exemple le plus réussi de ce cru depuis que sa meilleure parcelle est rattachée à La Fleur-Petrus. **A boire entre 2003 et 2015.** (1/99)

1996 • **74** Vêtu de rubis foncé, le 1996 se montre creux et tannique, pratiquement inexistant en milieu de bouche. Il manque tout à la fois de profondeur, de charme et de gras. **A boire entre 2001 et 2008.** (1/99)

1995 • **82** Dépourvu du charme, du fruit, de la chair et de la profondeur que l'on attend généralement d'un Pomerol, le 1995, d'un rubis foncé, pèche par excès de tannins, de corps et de structure en regard de son fruité. Il ne sera pas agréable rapidement, du fait de son caractère sévère. **A boire entre 2005 et 2015.** (11/97)

1994 • **86** D'un rubis-pourpre profond, le 1994 de Le Gay libère un nez épicé et boisé de minéral et de fruits noirs, et se montre moyennement corsé, avec un caractère tout à la fois charnu, musclé et tannique. Ce vin, dont le fruité peut parfaitement faire pièce à sa structure, arrive à maturité et tiendra bien **une décennie.** (3/96)

1992 • **78** Le 1992 de Le Gay est atypique : léger et dilué, il n'a pas la robustesse ni l'intensité sauvage caractéristiques de ce cru. D'un rubis moyennement foncé, il est court en bouche, maigre et tannique. **A boire dans les 3 ou 4 ans.** (11/94)

1990 • **88** Le caractère rugueux, les arômes de cuir et les tannins astringents du 1990 ne m'ont pas permis de lui décerner une meilleure note. Ce vin rubis foncé est bien épicé, avec des notes animales et charnues. Moyennement corsé, il dévoile en bouche des tannins rustiques et une finale épicée. Il est plus rugueux et moins velouté que son aîné d'un an, mais il se pourrait bien que ces défauts s'estompent au terme d'une garde de 4 ou 5 ans. Le potentiel de ce vin est de **20 ans, au moins.** (11/97)

1989 • **90** Voici une propriété dont le 1989 surpasse le 1990. Vêtu d'un rubis-pourpre profond, jeune d'aspect, ce vin présente un caractère dense, tannique et musclé, qui commence tout juste à révéler de la douceur et de l'opulence. Ce Le Gay « artisanal », robuste et musclé est peu évolué pour le millésime ; il touche à sa maturité et tiendra bien **15 à 20 ans encore.** (11/97)

1988 • **86** Modérément riche, profond et corsé, le 1988 de Le Gay est bien marqué de boisé. Il devrait, dans le meilleur des cas, atteindre très prochainement son apogée et se maintenir **jusqu'en 2010.** (1/93)

1986
•
87
Le Gay 1986 séduira avant tout ceux qui aiment les vins « à l'ancienne » – costauds, corpulents et solides, capables de secouer sérieusement le palais grâce à leurs flots de tannins agressifs. Il demeure dense et assez fermé, et ne révèle qu'au compte-gouttes le fruit mûr que suggèrent sa belle couleur profonde et son ampleur. Ce Pomerol requiert une certaine garde pour s'assouplir et se structurer. Mais les amateurs auront-ils la patience d'attendre ? **A boire jusqu'en 2010.** (3/90)

1985
•
86
Je n'apprécie pas spécialement Le Gay dans sa jeunesse, mais, avec l'âge, il acquiert généralement de la finesse et de l'ampleur. De fait, le 1985 s'est longtemps montré assez chiche, maussade et trouble, et aussi terriblement tannique. C'était un vin corsé et profond, qui déployait une belle richesse, mais semblait exiger une infinie patience. L'ensemble s'est pourtant ouvert, développant progressivement une bonne tenue et de la souplesse. **A boire jusqu'en 2008.** (3/89)

1983
•
83
C'est un bon Le Gay, alcoolique, tannique, un peu gauche et disgracieux, mais puissant et épanoui. Sa faible acidité ne laisse guère espérer une évolution longue et harmonieuse, mais il plaira à ceux qui apprécient les vins sans détour, corsés, riches et agressifs. **A boire jusqu'en 2000.** (9/87)

1982
•
89+ ?
Le 1982 de Le Gay fait, tour à tour, l'espoir et le désespoir des amateurs, compte tenu des importantes différences qu'il présente d'une bouteille à l'autre. D'un rubis-grenat foncé à peine ambré sur le bord, il déploie des arômes intenses et piquants de terre, d'épices, de poivre vert et de doux fruit confituré, qui susciteront certainement des controverses. Encore peu évolué et dense, ce vin impressionnant de longueur tapisse littéralement le palais de ses abondants tannins. Cependant, certaines bouteilles révèlent des senteurs de moisi assez repoussantes. Même les bons spécimens requièrent une garde de 3 ou 4 ans ; ne vous précipitez donc pas pour les déguster. Quand Dr Jekyll et Mr Hyde rencontrent M. Le Gay... (9/95)

1981
•
?
Quand je l'ai dégusté au fût, Le Gay 1981 était délicieusement fruité, souple et profond ; en revanche, les bouteilles se sont montrées extrêmement irrégulières – j'en ai fait l'expérience plusieurs fois. Les meilleures sont riches, fruitées et agréables, alors que les autres ont des arômes franchement déplaisants. Comme il est impossible de deviner quels sont les bons flacons, il vaut mieux éviter ce vin. (4/88)

1979
•
84
Belle réussite de la propriété, le 1979 est richement fruité, avec un nez de cassis et de violette et des arômes de terre fraîche et de truffe. Relativement corsé, il déploie des tannins assez modérés et une finale de bon aloi. **A boire.** (6/82)

1975
•
89+ ?
Malgré son caractère peu évolué, le 1975 de Le Gay impressionne par sa richesse en extrait. Ce vin, dont les arômes commencent tout juste à s'épanouir, présente un nez doux et très mûr de cerise noire nuancé de minéral et de terre. La bouche, tout à la fois ample, puissante, musclée et tannique, manque encore de maturité, et la robe, d'un rubis-grenat foncé, demeure intacte, sans nuance d'ambre sur le bord. Desservi par des tannins terriblement présents, ce Le Gay, qui évoque un 1945 ou un 1948 par son caractère puissant et massif, compte cependant un atout dans sa très belle extraction. Il est difficile de prédire si ses tannins se fondront harmonieusement (pour ma part, j'en doute), mais l'ensemble regorge d'un généreux fruité exotique. Il s'imposera peut-être comme un vin merveilleux d'ici une quinzaine d'années – c'est à mon sens un pari des plus risqués. (12/95)

1966 • **83** Le Gay 1966 présente, outre une robe rubis moyennement foncé un peu tuilée, un caractère austère évoquant un Médoc, des notes de terre et un bouquet assez fermé. Quelque peu dépourvu d'étoffe, il déploie une finale solide et plutôt rustique. **A boire – peut-être en déclin.** (9/82)

1962 • **85** Toujours assez ferme, quoique à maturité depuis quelque temps déjà, ce 1962 exhale un bouquet modérément intense de prune mûre aux senteurs minérales. En bouche, il est concentré, étonnamment bien équilibré et intéressant. **A boire – peut-être en déclin.** (11/79)

1961 • **68** Quelle déception pour ce très bon millésime ! Le Gay 1961 présente un bouquet bizarre de médicament, un caractère assez incohérent et dépourvu d'équilibre, ainsi que des flaveurs fruitées, mais acerbes. **A boire – probablement en sérieux déclin.** (11/79)

Millésimes anciens

Les somptueux vieux millésimes de Le Gay sont la chasse gardée des initiés. Lors d'une dégustation en janvier 1999, comme en de précédentes occasions, j'ai été stupéfait par la très grande qualité des 1950 (noté 96), 1949 (noté 92), 1948 (noté 90+), 1947 (noté 100) et 1945 (noté 96). Tous ces vins sont encore en parfaite forme, arborant des robes d'un grenat foncé à peine ambré sur le bord. Le caractère épais, à la limite du visqueux, des 1945, 1947 et 1950 évoque furieusement certains des crus les plus extraordinaires produits dans les années magiques de l'après-guerre (1945-1950). Malheureusement, la propriété n'élabore plus aujourd'hui de vins de ce niveau ; cela dit, les amateurs qui auraient la chance de trouver de vieux millésimes ne sauraient laisser passer ces merveilles irrésistibles.

GAZIN – EXCELLENT

Équivaut à un 5e cru du Médoc
Propriétaire : GFA du Château Gazin
Adresse : Gazin – 33500 Pomerol
Tél. 05 57 51 07 05 – Fax 05 57 51 69 96
Visites : sur rendez-vous uniquement
Contact : Nicolas de Bailliencourt

Superficie : 24 ha (Gazin)
Vins produits :
Château Gazin – 70 000 b ; L'Hospitalet de Gazin – 20 000 b
Encépagement : 90 % merlot, 7 % cabernet sauvignon, 3 % cabernet franc
Densité de plantation : 5 600 pieds/ha – *Age moyen des vignes :* 35 ans
Rendement moyen : 43 hl/ha

Élevage :
fermentations de 21 jours en cuves de béton thermorégulées ;
achèvement des malolactiques en fûts ;
vieillissement de 15-18 mois en fûts (50 % de bois neuf) ;
collage ; filtration si nécessaire

A maturité : dans les 5 à 15 ans suivant le millésime

Les critiques spécialisés tenaient généralement Gazin en haute estime, sans doute parce que le vignoble, l'un des plus vastes de la commune, est idéalement situé, derrière Petrus, à l'extrémité nord-est de l'appellation. D'ailleurs, en 1969, ce domaine a vendu 5 ha à Petrus. Dans les années 60 et 70, il a produit une série de vins assez médiocres, mais il a opéré une remontée spectaculaire depuis la fin des années 80, avec des réussites de tout premier ordre.

Assez curieusement, Gazin a toujours été un vin cher. Sa réputation et le proche voisinage de Petrus et de L'Évangile – situation stratégique s'il en est – y sont sans doute pour beaucoup. Les derniers millésimes devraient satisfaire les amateurs recherchant des Pomerol de haute qualité, à la fois charnus, souples et délicieux.

1998 • **89-92** Sa puissance et sa très grande richesse en extrait auraient dû valoir au Gazin 1998 une note extraordinaire, mais ses tannins féroces et ses généreux arômes de chêne neuf ne sont pas totalement fondus. Prune de robe, il exhale des senteurs de fumé, de camphre, de charbon, de liqueur de mûre, de truffe et de pain grillé qui jaillissent littéralement du verre. Ce vin impressionnant, qui développe en bouche, par paliers, un caractère moyennement corsé et très richement extrait, demande à être attendu. **A boire entre 2005 et 2020.** (3/99)

1997 • **90-91** Vêtu d'une fabuleuse robe densément colorée, le 1997 de Gazin exhale un bouquet généreusement boisé aux notes d'épices orientales, de réglisse, de cerise noire, de prune et d'herbes séchées et fumées. Profond et moyennement corsé, il révèle en bouche des tannins souples et une belle concentration. Vous apprécierez ce vin merveilleux dans les **12 à 15 ans** suivant une garde de 2 à 4 ans. (1/99)

1996 • **89** Gazin s'impose depuis près d'une dizaine d'années comme l'un des Pomerol les plus impressionnants. C'est une bonne nouvelle pour les amateurs, car cette vaste propriété peut produire jusqu'à 10 000 caisses annuellement. Étonnamment tannique et austère, le 1996 arbore une robe dense de couleur rubis-pourpre et se distingue par un nez de réglisse, de cerise noire, de moka et de café très généreusement marqué de chêne neuf et grillé. L'ensemble, moyennement corsé et modérément tannique, atteste une très belle concentration, mais il est peu évolué et requiert une garde de 5 ou 6 ans. Je le crois capable d'une grande longévité. C'est incontestablement une superbe réussite pour un Pomerol de ce millésime. **A boire entre 2005 et 2018.** (1/99)

1995 • **90+** D'un rubis-pourpre profond, le 1995 s'est refermé depuis la mise en bouteille. Son nez ne révèle qu'avec réticence des arômes de chêne neuf, de fumé et d'épices, marqués en arrière-plan par un fruité confituré, et l'on décèle à peine son caractère exotique de viande et d'herbes grillées. En bouche, l'ensemble est moyennement corsé, profond, très fin et frisant la perfection, n'étaient les tannins durs de la finale. Ce vin très amplement parfumé et profond regorge de fruité, ainsi que d'arômes épicés de chêne neuf. **A boire entre 2002 et 2018.** (11/97)

1994 • **90** Le 1994 est généreusement boisé, avec une robe opaque de couleur rubis-pourpre ; il exhale un nez énorme de cèdre, de cassis, de fumé et de viande grillée. Onctueux, épais et de bonne mâche en bouche, il y déploie une finale musclée et modérément tannique, où l'on décèle beaucoup de puissance et de richesse. Ce Pomerol impressionnant demande de la patience. **A boire entre 2003 et 2018.** (1/97)

1993 • 89 Le Gazin 1993, qui figure parmi les Pomerol les plus réussis de l'année, déploie, outre une belle couleur foncée, une palette aromatique des plus impressionnantes, avec notamment des senteurs de framboise sauvage, de cerise, de moka et d'olives provençales. Profond et dense, étonnamment gras et glycériné pour un 1993, il est tout à la fois savoureux, ample et moyennement corsé, pur, riche et concentré. Ce vin au potentiel de **10 à 12 ans, voire plus,** devrait se révéler fabuleux. (1/97)

1992 • 89 Le Gazin est l'un des vins les plus remarquables de ce millésime. Avec sa robe opaque de couleur rubis-pourpre et son nez doux, envahissant, pénétrant de vanille, de caramel, de cerise et de fumé, il est moyennement corsé et riche, libérant en bouche des arômes mûrs et concentrés. Ce vin impeccablement vinifié est succulent. S'il peut être dégusté dès maintenant, il se maintiendra **une dizaine d'années, voire plus.** Bravo ! (11/94)

1990 • 93 Vêtu d'un rubis-pourpre opaque, ce vin puissant, riche et bien équilibré exhale un nez doux et jeune de cerise noire, de chocolat, de cèdre et de chêne grillé. La bouche révèle, outre un caractère jeune, riche et dense, des tannins modérés ; elle exprime, par paliers, un fruité sous-jacent doux et confituré, qui garantit la belle longévité de l'ensemble. Ce Gazin complexe et jeune, mais harmonieux, présente une acidité et des tannins bien fondus. **A boire avant 2016.** (11/96)

1989 • 89 Ce vin merveilleusement précoce se distingue par une robe rubis foncé absolument intacte. Son nez énorme et doux de cerise, de cèdre, d'épices, d'herbes et de caramel introduit en bouche un ensemble d'une excellente concentration, étayé par une faible acidité. La finale, ronde et généreuse, recèle des tannins souples. Ce vin parfaitement mûr promet de bien tenir encore **une dizaine d'années.** (11/96)

1988 • 87 Le renouveau de Gazin s'est amorcé avec le 1988, un vin merveilleusement séduisant, riche, doux et ample à la fois. Très plaisant, avec des tannins légers et une texture riche et savoureuse, il déploie une finale satinée et alcoolique. En outre, son bouquet énorme d'herbes, de moka et de doux fruit ne passe pas inaperçu. **A boire jusqu'en 2003.** (1/93)

1986 • 79 Légèrement végétal, avec un bouquet épicé aux notes de prune, le 1986 de Gazin semble se déliter en bouche, ne révélant que des traces d'alcool et de tannins. **A boire.** (3/90)

1985 • 76 Bien mûr et moyennement corsé, mais plutôt terne, le 1985 est dans l'ensemble médiocre et dépourvu de complexité. **A boire.** (3/89)

1984 • 64 Ce vin très marginal est aqueux, léger et diffus. **A éviter.** (3/88)

1982 • 81 Le 1982 de Gazin a manifestement été élaboré à une époque où la qualité n'était pas la préoccupation première du domaine. Moyennement corsé, avec un côté rond, aqueux et coulant, il dégage un nez herbacé de thé, d'épices et de douce cerise confiturée. Je ne pense pas que son fruité tienne encore. Un vin plaisant, mais dépourvu de distinction. **A boire sans plus tarder.** (9/95)

1961 • 93 Ce vin moyennement corsé se distingue par un nez renversant de caramel, de chocolat et de café, ainsi que par des saveurs douces, exotiques et amples de cerise noire et de cake. La finale, veloutée et charnue, est bien marquée par la mâche. Quoique parfaitement mûr depuis plusieurs années, ce 1961 ne révèle aucun signe d'altération de sa robe ni de son fruit, mais je conseille de le déguster **maintenant.** (12/95)

GOMBAUDE GUILLOT – TRÈS BON

Équivaut à un 5e cru du Médoc

Propriétaire : Claire Laval

Adresse : 3, Les Grandes Vignes – 33500 Pomerol

Tél. 05 57 51 17 40 – Fax 05 57 51 16 89

Visites : sur rendez-vous uniquement

Contact : Claire Laval

Superficie : 7 ha (plateau de Pomerol)

Vins produits :

Château Gombaude Guillot – 25 000-30 000 b ; Cadet de Gombaude – 6 000 b

Encépagement : 65 % merlot, 30 % cabernet franc, 5 % malbec

Densité de plantation : 6 000 pieds/ha – *Age moyen des vignes :* 35 ans

Rendement moyen : 43 hl/ha

Élevage :

fermentations de 21-28 jours en cuves de béton thermorégulées ; vieillissement de 12-14 mois en fûts (50 % de bois neuf) ; collage ; pas de filtration

A maturité : dans les 5 à 15 ans suivant le millésime

Cette propriété évolue de manière très intéressante. Je me souviens d'avoir goûté ses vins au début des années 80 et d'avoir été quelque peu déçu par différents millésimes de la décennie précédente. Cependant, une dégustation verticale plus récente m'a démontré que Gombaude Guillot pouvait être de très bon niveau.

Le vignoble est constitué de trois parcelles situées sur trois types de sol différents ; la seule se trouvant sur le plateau repose sur un sol assez lourd, d'argile et de graves, avec une certaine proportion de fer ; la deuxième à un sol mélangé de sable et de graves ; la troisième, enfin, est implantée essentiellement sur des graves.

De vieilles vignes et des rendements inférieurs à ceux de bien des domaines plus prestigieux permettent souvent d'obtenir ici des vins étonnamment riches et concentrés. Il faut noter qu'en 1985 la propriété a lancé une Cuvée Spéciale, issue d'une sélection des meilleures parcelles et élevée uniquement en fûts de chêne neuf. Ce fut un tel succès que le château a réitéré l'expérience, notamment en 1988 et 1989.

Comme le montrent les notes ci-après, ce cru n'est pas toujours régulier à haut niveau ; cependant, quand il décroche la timbale, il se hisse sans peine parmi les dix ou douze meilleurs Pomerol de l'appellation.

1990 • **85** — Une séduisante robe d'un rubis moyen et un nez prononcé de cerise, de fumé et d'herbes annoncent le 1990 de Gombaude Guillot. Ce vin rond et charnu, d'une souplesse exceptionnelle, regorge d'un fruité sans détour, bien marqué par la mâche et par la glycérine. Faible en acidité et d'une belle maturité, il doit être consommé dans les **5 à 8 ans.** (1/93)

1989 • **86** D'un rubis-pourpre moyen, avec des arômes de prune noire et de cassis rôtis, le 1989 se montre moyennement corsé et concentré en bouche, où il déploie un caractère à la fois soyeux et opulent, qui distingue les belles réussites du millésime. Bien persistant, avec une faible acidité et des tannins modérés, ce Pomerol souple avait, curieusement, été mieux noté avant la mise en bouteille. **A boire jusqu'en 2005.** (1/93)

1989 • **87** Cuvée Spéciale – Entièrement vieilli en fûts neufs, ce vin est plus riche et mieux doté en fruit que la cuvée générique, mais la différence entre les deux est moins flagrante en 1989 que dans les millésimes précédents. Très corsé, doux et soyeux, il doit être dégusté **jusqu'en 2008.** (1/93)

1988 • **84** Rubis de robe, avec un bouquet épicé, le Gombaude Guillot 1988 se distingue par ses flaveurs moyennement corsées et bien concentrées. La finale recèle quelques tannins acerbes, mais le vin laisse en bouche une impression d'ensemble de bonne plutôt que de grande profondeur. **A boire jusqu'en 2004.** (1/93)

1988 • **89** Cuvée Spéciale – Bien qu'il ait été entièrement vieilli en fûts de chêne neuf, ce vin présente moins de senteurs vanillées et fumées qu'on n'aurait pu le penser. Riche et très corsé, il gratifie tant le nez que la bouche de ses arômes de cassis, de prune et de minéral. Cette merveille devrait évoluer avec grâce **jusqu'en 2003.** (1/93)

1987 • **78** Ce Pomerol léger et relativement tendre est certes bien vinifié, mais quelque peu dilué et sans grand intérêt. **A boire.** (11/90)

1985 • **88** De couleur rubis-pourpre, avec un bouquet intense de cassis et d'autres petits fruits noirs, ce Gombaude Guillot est riche, avec un caractère onctueux et des flots d'un fruit suave et extrêmement mûr. Très généreusement doté, ce vin est prêt et délicieux. **A boire jusqu'en 2001.** (4/91)

1985 • **93** Cuvée Spéciale – Attention, pas de confusion ! La Cuvée Spéciale 1985 est du niveau des plus grands Pomerol tels Lafleur, L'Évangile, L'Église-Clinet et Petrus ! C'est un vin encore très jeune, comme le laisse penser sa robe opaque d'un pourpre-noir. Le bouquet, énorme et fascinant, révèle des notes de minéral, de cassis très mûr et de chêne neuf et grillé. Ce vin puissant, exceptionnel de concentration et d'équilibre, déploie une finale qui persiste plus de 1 minute. Les tannins sont abondants, mais souples. Quoique d'ores et déjà prêt, il appréciera une garde de 2 ou 3 ans et tiendra bien **jusqu'en 2008.** (1/91)

1982 • **87** Ce vin énorme, rond, généreusement doté et bien marqué par la mâche a atteint son apogée, comme l'indique d'ailleurs sa robe bordée d'ambre. Son nez exhale d'amples senteurs de noix grillée, de fumé et de prune très mûre, qui précèdent en bouche un ensemble opulent, alcoolique et capiteux. Un vin des plus plaisants, à boire sans cérémonie **maintenant.** (12/90)

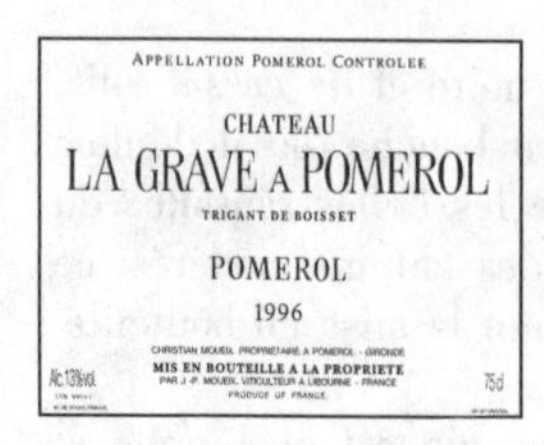

LA GRAVE À POMEROL – TRÈS BON
(La Grave Trigant de Boisset jusqu'en 1992)
Équivaut à un 5e cru du Médoc
Propriétaire : Christian Moueix
Adresse : 33500 Pomerol
Adresse postale : Établissements Jean-Pierre Moueix
54, quai du Priourat – BP 129 – 33502 Libourne Cedex
Tél. 05 57 51 78 96 – Fax 05 57 51 79 79
Visites : sur rendez-vous et pour les professionnels uniquement
Contact : Frédéric Lospied

Superficie : 8 ha (nord-ouest du plateau de Pomerol)
Vin produit : Château La Grave à Pomerol – 42 000 b (pas de second vin)
Encépagement : 90 % merlot, 10 % cabernet franc
Densité de plantation : 5 500-6 000 pieds/ha – *Age moyen des vignes :* 25 ans
Rendement moyen : 50 hl/ha

Élevage :
fermentations de 20 jours, pour moitié en cuves d'acier inoxydable et en cuves de béton thermorégulées ; achèvement des malolactiques en fûts pour 1/4 de la récolte, en cuves pour le reste ; vieillissement de 18 mois en fûts (1/3 de bois neuf) ; soutirage trimestriel de fût à fût ; collage ; pas de filtration

---

A maturité : dans les 3 à 12 ans suivant le millésime

La Grave est une propriété relativement obscure de Pomerol, dont les vins s'améliorent chaque année. Depuis 1971, elle appartient au méticuleux Christian Moueix, qui dirige également la maison de négoce de son père, les Établissements Jean-Pierre Moueix, à Libourne.

Le domaine se situe à l'est de la N89, en direction de Périgueux, la capitale de la truffe. Jouxtant la frontière de Lalande-de-Pomerol, le vignoble est implanté sur des sols très graveleux et sableux, donnant des vins un peu plus légers et moins puissants que ceux du plateau.

Tous les millésimes postérieurs à 1980 ont été réussis, le 1982 et le 1990, en particulier, s'imposant comme de grands classiques. En règle générale, les vins doivent être bus dans les 5 ou 6 ans, mais certains sont capables d'une garde de 12 à 15 ans. Sans être au nombre des Pomerol les plus onéreux, ils ne figurent pas non plus parmi les meilleures affaires de l'appellation. Cependant, compte tenu de l'amélioration régulière des millésimes récents, ces vins méritent incontestablement l'attention des amateurs.

1998
•
88-90

C'est peut-être l'exemple de ce cru le plus puissant que j'aie dégusté. Étonnamment corpulent, robuste, avec de très abondants tannins poudreux (alors qu'il est généralement élégant et savoureux), le 1998 de La Grave à Pomerol développera très certainement en vieillissant un caractère plus racé et plus féminin. Pour l'heure, il se présente vêtu d'un rubis foncé d'encre, et révèle de doux arômes de fruits noirs, de terre et d'herbes séchées, contenus dans un ensemble très corsé et d'une admirable richesse qui recèle, assurément, le potentiel lui permettant de se voir attribuer une note extraordinaire. **A boire entre 2003 et 2012.** (3/99)

1997 • **86-88** Ce vin charmeur et séduisant, au nez sensuel de cerise, de fruits rouges, de café, d'herbes rôties et de cèdre, est moyennement corsé et tout en rondeur. Il s'agit d'un Pomerol soyeux, pur et joliment concentré, à déguster dans les **7 ou 8 ans suivant sa diffusion.** (3/98)

1996 • **86-87** Ce vin harmonieux, aux arômes de café, de cerise et de fumé, se révèle bien concentré, avec une acidité et des tannins joliment fondus. Il sera agréable à déguster dès sa jeunesse, du fait de son caractère rond et de sa douceur des plus séduisantes. **A boire jusqu'en 2007.** (3/98)

1995 • **88** Le 1995, merveilleux et charmeur, est l'une des plus belles réussites de la propriété ces dernières années. Arborant un rubis foncé, il dégage de généreux arômes de cerise douce, auxquels se mêlent de belles notes de chêne neuf et épicé. Moyennement corsé et d'une excellente concentration, il dévoile en bouche, par paliers, son beau caractère généreux et sensuel. Un Pomerol classique et modérément massif, à consommer dans les **10 à 12 ans.** (11/97)

1992 • **86** Ce vin doux et moyennement corsé, au nez séduisant et herbacé de cerise et de groseille, déploie en bouche des arômes de noix grillée et de fruits rouges. Souple et rond, il donne une impression d'élégance et de grâce. **A boire dans les 3 ou 4 ans.** (11/97)

1990 • **89** C'est l'un des meilleurs La Grave à Pomerol que je connaisse. D'un rubis profond, il dégage un bouquet odorant de doux fruits noirs, de grillé et de moka, et révèle en bouche un généreux fruité, tout à la fois profond, crémeux, séveux et voluptueux. Un vin fabuleusement souple, à apprécier **jusqu'en 2001.** (1/93)

1989 • **87** Plus concentré, plus alcoolique et plus structuré que le 1988, le 1989 se distingue par un excellent bouquet épicé de chêne grillé, de cerise noire et de prune. Moyennement corsé et capiteux, il manifeste une belle concentration et regorge littéralement de tannins. **A boire avant 2002.** (1/93)

1988 • **86** Outre un bouquet intense dominé par le chêne neuf, le 1988 révèle un caractère moyennement corsé et épicé, ainsi qu'un fruité mûr, étayé par des tannins modérés et une faible acidité. La finale est assez alcoolique. Ce vin n'a pas l'ampleur de son cadet d'un an, mais il conviendra mieux aux amateurs de Pomerol discrets et policés. **A boire jusqu'en 2001.** (1/93)

1986 • **81** Plus tannique que de coutume, le 1986 laisse en bouche une impression d'ensemble de légèreté et de délicatesse, avec son fruité discret et moyennement corsé. **A boire.** (3/90)

1985 • **84** Typique de La Grave à Pomerol, le 1985 est élégant, souple et fruité. **A consommer.** (3/90)

1983 • **85** Plutôt ample et richement fruité, le 1983 arbore une robe rubis-grenat. Moyennement corsé, il présente un fruité mûr de grillé et de prune, heureusement étayé par une acidité d'un niveau étonnamment bon. **A boire.** (1/89)

1982 • **86** Parfaitement mûr depuis la fin des années 80, le 1982 séduit par son nez végétal et fruité de cerise aux notes de poivre, d'olives et de moka. Moyennement corsé et rond, il est également souple et accessible, mais, bien qu'il se maintienne en bonne forme, je ne vois pas l'intérêt de le conserver plus avant. **A boire.** (9/95)

LAFLEUR – EXCEPTIONNEL

Équivaut à un 1er cru du Médoc

Propriétaire : Marie-Geneviève Robin

Adresse : 33500 Pomerol

Adresse postale : Château Grand Village – 33240 Mouillac

Tél. 05 57 84 44 03 – Fax 05 57 84 83 31

Visites : sur rendez-vous uniquement

Contacts : Sylvie et Jacques Guinaudeau

Superficie : 4,5 ha (Pomerol)

Vins produits : Château Lafleur – 12 000 b ; Les Pensées de Lafleur – 3 000 b

Encépagement : 50 % merlot, 50 % cabernet franc

Densité de plantation : 5 900 pieds/ha – *Age moyen des vignes :* plus de 30 ans

Rendement moyen : 38 hl/ha

Élevage :

fermentations et macérations de 15-21 jours ;
achèvement des malolactiques en cuves ;
vieillissement de 18 mois en fûts (33-50 % de bois neuf) ;
collage au blanc d'œuf ; filtration si nécessaire

A maturité : dans les 8 à 40 ans suivant le millésime

Depuis toujours, je me sens personnellement très attaché à ce petit vignoble de Pomerol. Vers le milieu des années 70, alors que je commençais à découvrir les vins de Lafleur, je n'arrivais pas à dénicher quoi que ce fût à leur propos dans la littérature spécialisée. Pourtant, dans un petit groupe de dégustation dont je faisais partie, nous les trouvions aussi fabuleux que ceux de Petrus. J'ai visité le domaine pour la première fois en 1978 ; je parlais alors très peu le français. J'ai pu rencontrer les anciennes propriétaires, la regrettée Thérèse Robin et sa sœur Marie, qui se montrèrent tout à fait charmantes. Le château était, et demeure, davantage une grange qu'une cave de vinification. Les deux demoiselles, malgré leur âge avancé, ne craignaient pas d'enfourcher leurs bicyclettes pour aller jusqu'à Le Gay, qui faisait également office de lieu de réception pour Lafleur. Elles étaient amusées par ma taille et m'appelaient « M. le Taureau » ! Et sans doute étais-je un peu disproportionné dans ce minuscule chai où s'entassaient non seulement les barriques, mais aussi toute une population de canards, de poulets et de lapins qui leur tenaient compagnie. J'étais et je reste stupéfait de constater que des vins si racés, si prodigieux, aient pu être élaborés dans des locaux aussi peu salubres.

Aujourd'hui, Thérèse est décédée, et Marie a confié les rênes du domaine à sa nièce et à son neveu, Sylvie et Jacques Guinaudeau. Ces derniers, qui ont débuté en 1985, n'ont, par la suite, pas hésité à déclasser toute la vendange 1987, et ils ont en outre créé un second vin, Les Pensées de Lafleur, ce qui est vraiment remarquable, compte tenu du faible volume de la production. Le chai demeure inchangé, mais les diverses tribus de la basse-cour ont été priées de déménager – et l'on n'y marche donc plus sur les déjections. En outre, les vins de Lafleur sont désormais vieillis avec 33 à 50 % de chêne neuf, suivant le millésime.

Mais le vin est-il pour autant meilleur ? Il faut avouer qu'il demeure le seul de l'appellation capable de rivaliser avec Petrus, et parfois même de le surpasser ; Jean-

Pierre Moueix en personne en a convenu un jour devant moi ! J'ai eu d'ailleurs la chance de pouvoir comparer de très nombreuses fois Lafleur et Petrus, et je puis dire que le premier est un vin tout aussi extraordinaire que le second. Dans bien des millésimes, si l'on s'en tient au caractère aromatique, il est plus complexe, sans doute grâce au cabernet franc.

La grandeur de Lafleur est due, pour une bonne partie, à son terroir, constitué d'un lit profond de graves enrichies de fer et d'un peu de sable, mais qui se caractérise aussi par des dépôts très importants de phosphore et de potasse. Au fil des années, les rendements sont demeurés extrêmement bas, reflétant ce qui était déjà la philosophie du père des sœurs Robin – « la qualité vaut mieux que la quantité ».

Les vieux millésimes de Lafleur sont légendaires, mais la propriété a également connu quelques résultats mitigés. Les 1970 et 1971 auraient dû être meilleurs et, plus récemment, le 1981 est desservi par des notes fécales. Cependant, la vinification est désormais supervisée par un œnologue, et, bien qu'il ait fallu remplacer certains vieux pieds (Lafleur n'avait pas du tout été replanté après les gels de 1956), l'âge moyen des vignes demeure vénérable. Depuis 1982 (les millésimes 1982 et 1983 ont été vinifiés par Christian Moueix et Jean-Claude Berrouet), Lafleur est devenu moins exotique, peut-être du fait de l'influence des œnologues actuels, qui veulent que les vins respectent divers paramètres techniques. Néanmoins, et tout en se pliant à ces nouvelles règles du jeu, Lafleur demeure l'un des crus les plus grandioses, les plus exotiques et les plus distingués de tout Pomerol, voire du Bordelais – ce qui n'est pas rien !

1998 • 91-93 Sachant que la plupart des Pomerol du millésime sont des plus profonds et que j'adore généralement les vins de Lafleur, je m'attendais à être ébloui par ce 1998. Serait-ce parce que je l'ai dégusté entre Petrus et Trotanoy (mais je suis généralement capable de me concentrer sur un cru en faisant abstraction de ce qui se présente avant ou après) ? Toujours est-il qu'il m'a paru moins massif et moins policé que je ne l'aurais pensé, compte tenu du caractère de ses jumeaux de l'appellation. Il n'en demeure pas moins extraordinaire, avec sa robe d'un pourpre soutenu, son doux nez de kirsch et d'épices, et sa bouche moyennement corsée, tannique, concentrée, mais en même temps retenue et étonnamment élégante. Ce vin est encore impressionnant de pureté et superbe de persistance, mais je doute qu'il se révèle véritablement profond, bien qu'il soit, je le répète, tout à fait remarquable. **A boire entre 2008 et 2025.** (3/99)

1997 • 89-91 Le 1997 de Lafleur arbore une robe rubis foncé nuancée de pourpre. Moyennement corsé, avec de remarquables senteurs de kirsch et de framboise, il révèle en bouche, outre une pureté et une maturité d'excellent aloi, des tannins modérés. Plus doux et plus gras que le 1996, il sera prêt plus rapidement, ce qui ne l'empêche pas de s'imposer comme l'un des vins du millésime les plus aptes à une longue garde. **A boire entre 2004 et 2018.** (1/99)

1996 • 90+ ? Comme je le subodorais, le 1996 de Lafleur est très peu évolué et austère. Semblable à un Médoc par son caractère fermé et tannique, il ne révèle aucunement le côté généreux typique de son appellation. D'un pourpre sombre soutenu, il présente des senteurs de framboise et d'autres petits fruits nuancées des notes de minéral et de métal caractéristiques de son terroir. Tout à la fois puissant, persistant et riche, il se montre cependant terriblement tannique, et il n'est pas certain que ses tannins se fondent harmonieusement dans l'ensemble. Bref, c'est un vin impressionnant de structure, mais je ne parierais pas à coup sûr sur lui. **A boire entre 2012 et 2025.** (1/99)

1995 • **93+** Le 1995 est un Lafleur stupéfiant – un monstre tannique et étonnamment peu évolué, qui requiert davantage de garde que n'importe lequel de ses jumeaux du Bordelais. Arborant une robe opaque de couleur pourpre-noir, il exhale un nez fermé, mais prometteur, aux arômes d'essence de mûre, de framboise et de cerise. L'ensemble, judicieusement infusé du légendaire caractère de minéral du terroir de Lafleur, est encore très corsé, marqué par des tannins extrêmement astringents et secs. Il se dévoile en bouche par paliers. C'est le type même de vin sur lequel je me serais précipité il y a vingt ans. Aujourd'hui, je ne peux que l'admirer en regrettant de n'avoir pas vingt ans de moins. En effet, il est tout simplement formidable, prodigieux et incroyablement prometteur, mais je ne pense pas qu'il soit accessible avant une bonne vingtaine d'années. **A boire entre 2020 et 2050.** (11/97)

1994 • **93+** Le 1994 conviendra aux amateurs qui sauront s'armer de patience. Sa robe opaque de couleur pourpre introduit un nez d'une concentration exceptionnelle, au caractère tannique, massif, peu évolué et très prometteur. Ses arômes provocateurs de réglisse, de violette, de framboise sauvage et de truffe ouvrent sur un vin également énorme, tannique et peu évolué en bouche, qu'il faudra attendre jusqu'au prochain millénaire bien entamé... **A boire entre 2008 et 2030.** (1/97)

1993 • **90+** Avec sa robe d'un pourpre foncé, opaque au centre, le Lafleur 1993 se révèle structuré et tannique, manquant de charme en raison de sa puissance démesurée. Il libère des arômes fabuleusement doux de framboise sauvage, de kirsch et de truffe (semblables à ceux de L'Évangile), mais, une fois que ceux-ci sont passés, le dégustateur doit se contenter d'une force sans retenue, d'un caractère moyennement corsé et de tannins féroces. Ce vin, pourtant pur, est dense et peu évolué. **A boire entre 2005 et 2020.** (1/97)

1992 • **91** Le 1992 de Lafleur est un vin si puissant qu'il faut le goûter pour y croire. En effet, ce millésime compte tant de vins légers et dilués qu'on a peine à imaginer la concentration que recèle celui-ci. Sa robe impressionnante, très soutenue, d'un rubis-pourpre tirant sur le noir, introduit un nez de cassis doux et de cerise noire confiturée, auquel se mêlent des arômes d'épices orientales et de minéral. Moyennement corsé, il est admirablement dense, remarquablement doté, et déploie en bouche, par paliers, un fruité riche. Il se montre par ailleurs assez tannique et d'une longueur exceptionnelle. Ce Lafleur ferait figure de grand vin dans n'importe quel millésime, mais il est particulièrement grandiose pour un 1992. Époustouflant ! **A boire entre 2000 et 2015.** (11/94)

1990 • **97** Tout aussi puissant, aussi concentré et aussi musclé que le 1989, le 1990 de Lafleur présente cependant des tannins plus mûrs et mieux fondus dans l'ensemble. Ce vin d'une richesse en extrait phénoménale, qui regorge d'arômes de cerise noire, traduit bien le caractère très mûr de son millésime. Lors de cette dégustation, mon assistant, Pierre-Antoine Rovani, fit remarquer que, contre toute attente, ce Lafleur ressemblait fort à un Rayas, le célèbre Châteauneuf-du-Pape essentiellement composé de grenache. Cette observation est judicieuse et conforme à une certaine réalité, puisque ces deux crus tiennent généralement leur caractère exotique et irrésistible de la vendange très mûre dont ils sont issus. Malgré son ampleur – il est plus développé que le 1989 –, le 1990 sera très certainement d'aussi longue garde que son aîné d'un an, compte tenu de sa corpulence massive et de sa viscosité, mais aussi de sa finale et de son caractère profonds. Ce vin requiert une garde de 5 à 10 ans encore, et tiendra bien 40 ans. (11/96)

1989 • **95+** Je n'ai malheureusement pas pu goûter ce vin autant de fois que je l'aurais voulu. Lors de cette dégustation en particulier, le Lafleur 1989 s'était refermé et paraissait muet et plus atténué qu'auparavant. Tout à la fois énorme, corsé, puissant et tannique, il arbore une robe pourpre foncé et dégage un nez de terre, de truffe, de prune, de réglisse et de minéral. Il regorge d'un fruité et d'une richesse en extrait énormes, et déploie en finale des tannins qui tapissent littéralement le palais. Je conseillerais de ne pas ouvrir de bouteille avant 5 ou 6 ans. **A boire entre 2005 et 2030.** (11/96)

1988 • **94** Le Lafleur 1988, qui pourrait parfaitement prétendre au titre de réussite du millésime, demeure jeune et requiert une garde supplémentaire de 3 ou 4 ans au moins. Retenant une robe intacte, d'un prune dense et opaque, il révèle au mouvement du verre un nez réticent, mais prometteur, de kirsch, de minéral, de violette et d'épices orientales. Très corsé, dense et concentré, il manifeste une puissance exceptionnelle, et déploie, par paliers, un fruité richement extrait et d'une superbe pureté, ainsi que des tannins qui tapissent littéralement le palais. Un vin pour connaisseurs. **A boire entre 2003 et 2035.** (7/97)

1986 • **94+** C'est l'un des rares 1986 de la rive droite capables de rivaliser avec les puissants Médoc. Ce vin tout à la fois structuré, tannique et peu évolué, qui requiert encore 5 ou 6 ans de garde, se distingue par un nez de cerise noire confiturée, de minéral et de terre, ainsi que par des tannins denses et rustiques. Très corsé et très puissant, il n'est pour l'heure pas vraiment plaisant à boire, mais, à coup sûr, impressionnant. L'admirerai-je toujours plus que je ne l'aimerai ? **A boire entre 2005 et 2030.** (7/97)

1985 • **96** Plus ample que son jumeau de Petrus, le 1985 de Lafleur exhale un bouquet très intense (dû aux vieilles vignes) et très spécial, évoquant la prune mûre, le minéral et la violette. D'un rubis-pourpre soutenu, avec un fruité profond, d'une richesse exceptionnelle, il est très corsé, et déploie une finale puissante et longue. Un Lafleur gigantesque. **A boire jusqu'en 2015.** (1/91)

1984 • **84** Incontestablement réussi pour le millésime, le Lafleur 1984 présente un doux nez mûr et une bouche plus légère que de coutume. Je dois cependant admettre qu'il m'a surpris par sa persistance et par la profondeur de son fruit. **A boire.** (2/89)

1983 • **93** D'un rubis profond remarquablement ambré sur le bord, le 1983 de Lafleur est le seul grand millésime de ce cru qui soit arrivé à maturité – au moins parmi ceux des deux dernières décennies. Je l'ai dégusté en bouteille et en magnum : c'est vraiment un Lafleur spécial et des plus exotiques. Son nez – superbe – de kirsch confituré, de prune, de réglisse et d'épices orientales jaillit littéralement du verre. La bouche, souple, ronde et charnue, est envahie de doux tannins et d'arômes moyennement corsés et bien glycérinés. Vous apprécierez ce vin opulent, ouvert et étonnamment évolué ces 10 prochaines années. **A boire jusqu'en 2010.** (11/97)

1982 • **97** Le Lafleur 1982 se révèle maintenant à la hauteur des très grands espoirs que j'avais fondés sur lui : il manifeste depuis quelques années une richesse absolument extraordinaire. Totalement différent du 1975 – épais, tannique et colossal – ou des gigantesques 1985, 1988 et 1989, il se rapprocherait davantage du 1990, et se distingue particulièrement par ses parfums de quintessence de confiture de cerise noire, ainsi que par son nez très typique et mûr de liqueur de cerise. Rubis foncé de robe, avec de fabuleuses senteurs exotiques d'encens conjuguées avec les notes de confiture de cerise déjà évoquées, ce vin épais et alcoolique regorge tellement de glycérine et de richesse en extrait qu'il en est presque irréel. Imaginez en outre qu'il est mâtiné d'une petite dose de marmelade d'orange, de soja et de prune juteuse, et le Lafleur 1982 deviendra réalité. Ses arômes épais et exotiques sont presque trop intenses pour la majorité des dégustateurs, mais ils plaident merveilleusement en faveur des vieilles vignes de merlot et de cabernet franc. L'ensemble était en fait plus souple il y a une dizaine d'années, mais il a acquis davantage de tenue et de tannins en prenant de l'âge. Je n'hésiterais pas une seule seconde à en ouvrir une bouteille, mais ce vin sera incontestablement meilleur dans les 5 ou 6 ans et devrait bien tenir **jusqu'en 2025.** (9/95)

1981 • ? Le Lafleur 1981 souffre de fortes différences d'une bouteille à l'autre. Les bonnes bouteilles révèlent un vin moyennement corsé, savoureux et souple, doté de tannins légers et d'un fruité épicé, concentré et velouté, bien marqué par la mâche ; les autres sont desservies par des notes fécales et de moisi qui refusent de s'estomper malgré une certaine aération. Avis aux joueurs... (3/87)

1979 • **98+** Dès le début des années 90, je pensais que le Lafleur pourrait s'imposer comme la réussite du millésime, en particulier auprès de collectionneurs sérieux qui ne jugent pas un vin uniquement sur son potentiel de garde, mais aussi d'après sa richesse en extrait, ses arômes et sa complexité. Ce 1979 très atypique révèle une concentration et une épaisseur phénoménales, un corps massif et des tannins abondants, et ne ressemble en rien à ceux produits à la propriété au début et au milieu des années 80. Il est peu évolué, présente un nez serré, mais prometteur et riche, de minéral, de terre mouillée (truffe), de mûre et de prune très douces. Quiconque ne l'a pas goûté aurait peine à croire que l'on ait pu produire en 1979 un vin aussi impressionnant, corsé et aromatique, avec de telles quantités de glycérine. Ce Lafleur demeure le seul grand vin de son millésime. Ne touchez pas à vos bouteilles avant la fin de cette décennie – elles peuvent d'ailleurs être conservées sans aucun problème pendant les **30 premières années du prochain millénaire.** (10/94)

1978 • **93** Au fil du temps, le Lafleur 1978 s'affirme de plus en plus comme l'une des réussites de l'année avec La Mission Haut-Brion et Latour. D'un grenat-prune profond, il exhale un nez renversant de cerise noire entrelacé de minéral, de réglisse, de cèdre et d'épices. Moyennement corsé, avec des tannins puissants, ce vin richement extrait est atypique du millésime. Massif, ample, musclé et viril, il commence tout juste à développer une certaine complexité et des arômes secondaires. J'ai toujours pensé qu'il évoluerait dans la ligne du 1966 ; désormais, je suis plus que jamais persuadé qu'il en est la réplique parfaite. **A boire entre 2000 et 2020.** (11/97)

1976 • **78** Comme de nombreux Pomerol de ce millésime marqué par la chaleur torride et la sécheresse de l'été, le Lafleur 1976 se distingue par un caractère très mûr, par une structure diffuse et par une texture souple et dépourvue de tenue. Les arômes qu'il déploie en bouche plaisent par leur caractère charnu et mûr, mais ils sont étayés par une faible acidité, et les tannins s'estompent rapidement. **A consommer – peut-être en sérieux déclin.** (9/82)

1975 • **100** Le 1975 de Lafleur présente un fruité sous-jacent richement extrait et absolument époustouflant, que n'ont pas ses cadets, pourtant grandioses, de 1982, 1985, 1988, 1989 et 1990. Encore extrêmement tannique, il arbore une robe opaque d'un grenat-pourpre tirant sur le noir, qui précède un nez énorme de fruits noirs confiturés, de terre, de minéral et d'épices. Avec ses proportions massives et sa montagne de tannins, ce vin monumental, qui se rapproche un peu du 1928, est fait pour le siècle prochain. Si vous avez la chance d'en posséder une bonne quantité, vous pouvez en apprécier une bouteille en la décantant 4 à 6 heures à l'avance. En revanche, si vos réserves sont maigres, je vous conseille de les conserver jusqu'à la fin de ce siècle – au moins. Ce vin présente un potentiel de garde de **50 à 75 ans**, dans un millésime irrégulier, curieux, mais parfois somptueux. (12/95)

1971 • **83** Le Lafleur 1971, qui a depuis longtemps atteint sa maturité, présente un caractère opulent et savoureux, légèrement confituré, de cèdre, d'épices et d'herbes. Souple et ample en bouche, il se distingue par un généreux fruit mûr et par des tannins peu abondants. **A consommer – probablement en sérieux déclin.** (2/84)

1970 • **88 ?** Ce vin musclé, énorme et très corsé a toujours révélé de curieux arômes de moisi. Sa robe opaque de couleur grenat précède de doux arômes de fumé, de rôti, de gibier et d'herbes conjugués avec des notes de terre humide et d'épices orientales. Incontestablement rugueux du fait de ses tannins astringents, ce Lafleur massif et immature n'atteindra jamais, je le crains, une parfaite harmonie. **A boire dans les 20 ans.** (6/96)

1966 • **96** En magnum, le Lafleur 1966 arbore toujours une robe profonde, de couleur rubis-pourpre, légèrement ambrée sur le bord, et son nez offre des essences de cerise noire, auxquelles se mêlent des arômes de pierre mouillée et d'acier. Très corsé et extrêmement concentré, d'une profondeur et d'une précision dans le dessin absolument magnifiques, ce vin admirablement structuré présente d'énormes réserves de fruit et une finale étonnamment longue. **A boire jusqu'en 2012.** (10/94)

1964 • **89** Encore foncé de robe et à peine ambré sur le bord, le 1964 de Lafleur s'impose comme un vin énorme et intense, suintant littéralement de richesse en extrait et de corpulence. Bien que tannique encore, il s'est peu à peu ouvert pour révéler un caractère puissant, classique et bien marqué par la mâche, peut-être légèrement dépourvu de complexité, mais très ample en bouche. **A boire jusqu'en 2010.** (6/84)

1962 • **91** Lors de mes trois dernières dégustations, ce vin méritait une note inférieure à 95. Ses tannins rugueux présentent une légère rusticité, mais son bouquet de kirsch, de noix rôtie, de bois de balsa et de terre est aussi irrésistible que magnifique. La bouche, charnue et corsée, est concentrée et bien grasse, et révèle par paliers une belle richesse glycérinée. Ce vin de bonne mâche, remarquablement conservé, semble se porter de mieux en mieux. **A boire jusqu'en 2015.** (12/96)

1961 • **98** Je n'ai pas eu beaucoup de chance avec le 1961 jusqu'à ces dernières années ; cependant, mes quatre dégustations les plus récentes m'ont révélé un vin des plus extraordinaires. Cette bouteille particulière, extrêmement jeune, arborait une robe opaque d'un grenat tirant sur le noir, et exhalait un puissant nez de truffe noire, de cerise douce et très mûre et de viande grillée. Il s'agit d'un ensemble sensationnel, d'une corpulence énorme et d'une extraction massive, au caractère terriblement exubérant, dont la finale épaisse et exotique regorge de tannins. Il est encore loin de son apogée. (12/95)

Millésimes anciens

Rugueux et musclé, le 1959 (noté 88 en décembre 1987) impressionne par son ampleur et par sa corpulence, mais il manque de charme et de finesse, tout comme ses cadets de 1964 et 1970. Il devrait cependant tenir encore 10 à 15 ans. Je lui ai toujours préféré le 1955 (noté 92 en décembre 1987), pour son caractère exotique et minéral de fruits noirs typique de ce cru, ainsi que pour sa texture onctueuse et son caractère massif. La finale recèle encore d'abondants tannins rugueux.

Le millésime 1950, qui était absolument spectaculaire à Pomerol, compte au nombre des secrets les mieux gardés du Bordelais. On pourrait parfaitement confondre le Lafleur 1950 (noté 100 en octobre 1994) avec un 1945 ou un 1947, compte tenu de sa concentration extrême. Il arbore toujours une couleur pourpre tirant sur le noir et offre un bouquet de cèdre, d'épices et de fruits noirs. Incroyablement concentré et massif, plein et riche, ce vin à la texture visqueuse et pourvu d'une bonne mâche déploie en finale des tannins très doux ; il tiendra facilement pendant encore 15 à 20 ans.

La robe du 1949 de Lafleur (noté 96+ en octobre 1994) est d'un pourpre-grenat très soutenu. Elle prélude à un nez un peu serré, qui s'épanouit au mouvement du verre en exhalant des arômes intenses et purs de cerise confiturée, auxquels se mêlent des senteurs de minéral et de réglisse. Ce vin à la concentration sensationnelle déploie par couches un fruité riche et épais, ainsi que des tannins abondants. Doux, remarquablement jeune, il n'est toujours pas à pleine maturité, et tiendra jusqu'en 2010.

Plusieurs 1947 de Lafleur ont été mis en bouteille en Belgique, et ceux que j'ai goûtés étaient en général très bons – parfois excellents. C'est néanmoins une mise en bouteille au château dans toute sa splendeur qui fait l'objet de la présente note de dégustation. Ce vin vous laisse sans voix. Extraordinairement profond, il surpasse même Petrus et Cheval Blanc dans ce millésime, bien que l'on puisse les considérer tous trois comme parfaits. Plus épanoui et plus évolué que le 1945 et le 1949 de la propriété, le 1947 (noté 100 en octobre 1994) présente une robe épaisse légèrement ambrée sur le bord, qui rappelle celle d'un vin de Porto. Le nez offre toute une palette d'arômes, allant du caramel à la fraise des bois et à la cerise confiturée, en passant par des senteurs de noix et de miel, de chocolat et de truffe. Ce Lafleur est infiniment plus onctueux et visqueux que tout autre vin sec qu'il m'ait été donné de goûter, et il ne révèle ni acidité volatile ni sucre résiduel, contrairement à la plupart des autres 1947. Sa richesse et sa fraîcheur sont absolument incroyables, et sa finale, longue de plus de 1 minute, tapisse le palais de plusieurs couches d'un fruité concentré. Lafleur a produit nombre de grands vins, mais celui-ci semble être la quintessence même de ce vignoble minuscule et merveilleux, longtemps ignoré des critiques viticoles. C'est, à ce jour, le seul cru qui m'ait ému jusqu'aux larmes.

Le 1945 (noté 100 en octobre 1994) ressemble au 1947 par sa texture épaisse, sa richesse et sa complexité aromatique, mais il est moins évolué, d'une couleur plus foncée, avec une structure plus classique que ce dernier – qui, lui, rappellerait davantage un Porto. Toujours jeune, mais étonnamment onctueux, riche et puissant, il pourra tenir encore 40 à 50 ans. Le 1975 sera-t-il aussi mémorable ?

Second vin

LES PENSÉES DE LAFLEUR

1996 • ? Les amateurs chanceux qui mettraient la main sur une bouteille de Pensées de Lafleur 1996 doivent savoir que ce vin tapisse littéralement le palais de ses abondants tannins. Il se montre assez rugueux en bouche, et je doute qu'il acquière un jour de la précision ou de l'équilibre. **A boire entre 2005 et 2012.** (1/99)

1993 • **86** Il semblerait que le 1993 (produit à hauteur de 500 caisses seulement) soit issu des cuvées les plus souples et les plus douces. Impressionnant de couleur et modérément tannique, il est bien mûr, avec ce caractère exotique de cerise noire confiturée que l'on ne retrouve que dans les meilleurs millésimes de Lafleur. **A boire dans les 10 à 15 ans.** (11/94)

1992 • **86** De couleur rubis foncé, le 1992 exhale un doux nez de cerise noire, de minéral et de terre. On discerne bien son fruité velouté et confituré sous sa structure et sa rudesse. Depuis que ses tannins se sont fondus, ce vin s'impose comme une belle réussite de ce millésime. Je trouve admirable qu'une propriété produisant seulement 1 500 caisses par an accepte de déclasser presque le tiers de sa récolte (soit 500 caisses en second vin), afin d'élaborer un grand vin exceptionnel. Quelle volonté perfectionniste ! **A boire jusqu'en 2002.** (11/94)

1991 • **74** Lafleur n'ayant pas diffusé de 1991 sous son nom, l'essentiel de la production du château a été écoulé sous sa seconde étiquette, Les Pensées de Lafleur – et l'on comprend très bien pourquoi. En effet, le seul aspect positif de ce vin léger, dilué, court et compact est son bon fruité de cerise. **A boire d'ici 2 ou 3 ans.** (1/94)

1990 • **89** Ce vin regorgeant de tannins laisse en bouche une impression de fruit très mûr et confituré aux arômes de cerise et de kirsch. Extrêmement puissant, doté d'une richesse charnue, il se distingue particulièrement par son caractère exotique à la limite du flamboyant. **A boire jusqu'en 2002.** (1/93)

1989 • **89** Un second vin peut-il vraiment être aussi délicieux ? Ce 1989 atteste bien les extrêmes que les producteurs consciencieux peuvent atteindre en ne retenant pour le grand vin que les cuvées absolument sublimes. Étonnant de richesse, avec des arômes exotiques de minéral et de cassis incroyables de profondeur et de densité, ce vin très corsé, bien structuré et hautement concentré devrait parfaitement évoluer ces 10 prochaines années. **A boire jusqu'en 2010.** (1/93)

LAFLEUR-GAZIN

Équivaut à un cru bourgeois

Propriétaire : Nicole Delfour-Borderie

Adresse : 33500 Pomerol

Adresse postale : Établissements Jean-Pierre Moueix
54, quai du Priourat – BP 129 – 33502 Libourne Cedex
Tél. 05 57 51 78 96 – Fax 05 57 51 79 79

Visites : sur rendez-vous et pour les professionnels uniquement

Contact : Frédéric Lospied

Superficie : 7,2 ha (Pomerol, entre Lafleur et Gazin)
Vin produit : Château Lafleur-Gazin – 36 000 b (pas de second vin)
Encépagement : 80 % merlot, 20 % cabernet franc
Densité de plantation : 5 500-6 000 pieds/ha – *Age moyen des vignes :* 20 ans
Rendement moyen : 50 hl/ha

Élevage :
fermentations de 18-20 jours en cuves de béton ;
achèvement des malolactiques en cuves ;
vieillissement de 18 mois en fûts (20 % de bois neuf) ;
soutirage trimestriel de fût à fût ; collage ; pas de filtration

A maturité : dans les 5 à 10 ans suivant le millésime

Situé entre Gazin et Lafleur (comme son nom l'indique), le Château Lafleur-Gazin est donné en fermage aux Établissements Jean-Pierre Moueix. Les vins sont généralement sans détour, souples et ronds, mais je m'étonne qu'ils soient aussi simples et aussi légers, compte tenu de la belle situation du vignoble dont ils sont issus.

1997 • **86-87** Plus herbacé que son aîné d'un an, avec des arômes de prune et de cerise entremêlés de notes de truffe et de terre, le 1997 de Lafleur-Gazin révèle aussi – et c'est étonnant – davantage de corpulence et de tannins. Il est marqué par un caractère végétal. **A boire entre 2000 et 2010.** (1/99)

1996 • **86** Moyennement corsé et bien vinifié, l'élégant 1996 séduit par son nez de café et de fruits rouges nuancé de tabac. Étonnamment souple pour le millésime, il atteste cependant un bel équilibre d'ensemble. **A boire ces 8 à 10 prochaines années.** (1/99)

1993 • **74** Une robe d'un rubis moyennement foncé et un nez vert et herbacé annoncent le Lafleur-Gazin 1993. La bouche, dure, austère et compacte, manque de fruit, de charme et de finesse. (11/94)

1992 • **72** Le 1992 est impressionnant de couleur, mais il se montre maintenant dur, austère et fermé, alors qu'il déployait avant la mise en bouteille plus de fruité et de corps et semblait de meilleure qualité. En bouche, il est creux et dur, et paraît dépouillé. (11/94)

1990 • **85** Ce vin, qui s'est étoffé, présente désormais des arômes charnus, gras et souples, un fruité riche et confit et une finale juteuse. **A consommer.** (1/93)

1989 • **78** Avec son caractère atténué, son acidité plus élevée que de coutume et ses tannins durs, verts et peu agréables, le Lafleur-Gazin 1989 atteste une vendange trop précoce. Cependant, il est bien vinifié et assez alcoolique. **A boire jusqu'en 2000.** (1/93)

1988 • **84** Auparavant, le 1988, tannique, austère et maigre, manquait autant de fruit que de caractère. Cependant, il s'est étoffé en bouteille, et révèle désormais un fruit plus riche, un caractère sensuel et boisé, ainsi qu'une texture souple. **A boire.** (1/93)

LAGRANGE
Équivaut à un cru bourgeois
Propriétaire : Établissements Jean-Pierre Moueix
Adresse : 33500 Pomerol
Adresse postale : Établissements Jean-Pierre Moueix
54, quai du Priourat – BP 129 – 33502 Libourne Cedex
Tél. 05 57 51 78 96 – Fax 05 57 51 79 79
Visites : sur rendez-vous et pour les professionnels uniquement
Contact : Frédéric Lospied

Superficie : 8 ha (plateau de Pomerol, à côté de l'église)
Vin produit : Château Lagrange – 36 000 b (pas de second vin)
Encépagement : 95 % merlot, 5 % cabernet franc
Densité de plantation : 5 500-6 000 pieds/ha – *Age moyen des vignes :* 28 ans
Rendement moyen : 50 hl/ha

Élevage :
fermentations de 18-20 jours en cuves de béton thermorégulées ;
achèvement des malolactiques en fûts pour 1/3 de la récolte,
en cuves de béton pour le reste ;
vieillissement de 18 mois en fûts (30 % de bois neuf) ;
soutirage trimestriel de fût à fût ;
collage ; pas de filtration

A maturité : dans les 5 à 12 ans suivant le millésime

Comme bien d'autres propriétés, Lagrange appartient à la maison Jean-Pierre Moueix. Bien situé à proximité du plateau de Pomerol, son vignoble a été, pour une bonne part, replanté récemment, l'encépagement comprenant aujourd'hui 95 % de merlot et 5 % de cabernet franc. Le vin se présente généralement comme un Pomerol assez robuste, densément coloré, relativement puissant et tannique, mais dépourvu de complexité. Les vieux millésimes tels 1970, 1975 et 1978 se sont révélés assez corpulents, pesants et rudes, lents à évoluer. Je dois dire que je n'apprécie pas beaucoup ce style.

1998 • **88-89+** Le 1998 est probablement la plus belle réussite de la propriété à ce jour. Sa robe d'un rubis-pourpre riche et opaque annonce de généreux arômes de liqueur de cerise noire contenus dans un ensemble épais, bien glycériné et extraordinaire de pureté. La finale est aussi persistante qu'opulente. Malgré son caractère peu évolué et fermé, ce vin impressionne par sa richesse et par sa très belle extraction. **A boire entre 2003 et 2016.** (3/99)

1997 • **85-87** Marqué par le chêne neuf, le 1997 de Lagrange présente des arômes mûrs et révèle des notes de petits fruits nuancées de terre et d'herbes séchées. Moyennement corsé, doux et mûr, il s'impose comme un bon Pomerol dans sa catégorie. **A boire jusqu'en 2010.** (1/99)

1996 • **76** Ce 1996 d'un niveau moyen pèche par manque de fruit. Le nez révèle des notes herbacées de cuir fin, et la bouche, moyennement corsée, présente, outre une bonne concentration, une finale rustique aux nuances de terre. L'ensemble est trop tannique pour son maigre fruité. **A boire entre 2001 et 2007.** (1/99)

1995 • **86** Doté d'un nez flatteur et pur de cerise noire, de chocolat, de sous-bois et de boisé, ce vin moyennement corsé et faible en acidité révèle une excellente concentration. Séduisant par son caractère mûr et dense, il tiendra bien ces **10 à 12 prochaines années.** (11/97)

1994 • **86** Les arômes doux et confits aux notes de fruits noirs du Lagrange 1994 sont entremêlés de senteurs de fumé et de chêne neuf et grillé. L'ensemble, moyennement corsé, doux, pur et bien fait, devrait se révéler très bon et plus flatteur que de coutume. **A boire dans les 10 ans.** (3/96)

1993 • **77** D'un rubis assez foncé, le 1993 offre des notes d'épices et de terre mouillée, et se montre moyennement corsé, dur et maigre en bouche. Avec l'âge, il est très probable que ses tannins prendront le dessus sur son fruité. (11/94)

1992 • **84+** Arborant une robe d'un rubis profond et dégageant un nez épicé et serré, le 1992 de Lagrange pâtit de son caractère compact et de la rudesse de ses tannins. On y décèle un bon fruité sous-jacent, mais ce vin robuste et rude doit être attendu encore 1 ou 2 ans. S'il ne se dessèche pas, il pourra être conservé pendant **une décennie environ.** (11/94)

1990 • **86** Le 1990 se montre sous un très bon jour – meilleur, même, que je ne l'aurais imaginé. D'un rubis profond, avec un nez de cerise rôtie et des arômes tout à la fois gras, confiturés et trapus, ce Pomerol corpulent sera délicieux ces **3 ou 4 prochaines années.** (1/93)

1989 • **75** Typique de ce cru, le 1989 est rugueux, austère et maigre, trop tannique pour pouvoir évoluer avec grâce. **A boire jusqu'en 2000.** (1/93)

1988 • **77** Ce vin creux et insipide manque de surcroît de distinction. (1/93)

1986 • **73** Ce vin s'est toujours montré terne et sans complexité, avec un fruité insuffisant et une finale extrêmement tannique. Peut-être n'ai-je pas bien décelé ses éventuelles qualités, mais je conseillerais tout de même de le déguster sans tarder, en raison de son équilibre douteux. **A boire.** (3/90)

1985 • **83** Accessible, souple et fruité, le 1985 de Lagrange doit être apprécié **maintenant.** (3/89)

LATOUR À POMEROL – EXCELLENT

Équivaut à un 2e cru du Médoc

Propriétaire : Lily Lacoste

Adresse : 33500 Pomerol

Adresse postale : Établissements Jean-Pierre Moueix
54, quai du Priourat – BP 129 – 33502 Libourne Cedex
Tél. 05 57 51 78 96 – Fax 05 57 51 79 79

Visites : sur rendez-vous et pour les professionnels uniquement

Contact : Frédéric Lospied

Superficie : 8 ha (Pomerol)

Vin produit : Château Latour à Pomerol – 36 000 b (pas de second vin)

Encépagement : 85 % merlot, 15 % cabernet franc

Densité de plantation : 5 500-6 000 pieds/ha – *Age moyen des vignes :* 35 ans
Rendement moyen : 40 hl/ha

Élevage :
fermentations de 20 jours en cuves de béton thermorégulées ;
achèvement des malolactiques en cuves ;
vieillissement de 18 mois en fûts (50 % de bois neuf) ;
soutirage trimestriel de fût à fût ; collage ; pas de filtration

A maturité : dans les 6 à 20 ans suivant le millésime

Les vins de Latour à Pomerol sont remarquablement colorés et foncés, et s'imposent généralement comme des Pomerol puissants, opulents et charnus. Le vignoble est composé de deux parcelles, dont une se trouve près de l'église de Pomerol, sur un profond lit de graves, et l'autre, plus petite, plus à l'ouest, près de la N89, sur un sol plus sableux et plus léger (elle est voisine de La Grave à Pomerol, qui appartient à Christian Moueix).

Ce cru, qui peut être majestueux, compte, dans certains millésimes, parmi les deux ou trois meilleurs de l'appellation. Les 1947, 1961 et 1970 attestent bien qu'il est capable d'égaler les plus grands bordeaux ; cependant, hormis le 1982, aucun millésime de ces trente dernières années ne rappelle ces vins superbes. D'aucuns estiment que sa corpulence et son caractère rapprochent Latour à Pomerol de Petrus, mais, pour ma part, je ne le pense pas. Riche et plein, il ressemble davantage aux vins des autres propriétés de la maison Moueix, tel Trotanoy.

Latour à Pomerol ne coûte généralement que le cinquième du prix de Petrus et la moitié de celui de Trotanoy ou de Lafleur. Compte tenu de sa qualité et de la faiblesse de la production, il s'agit d'une bonne affaire.

1998 • **90-93** Voici la plus belle réussite de cette propriété depuis le 1970 et le 1982. Son doux fruité aux complexes arômes de mûre, de cassis et de cerise est joliment rehaussé de doux chêne neuf et grillé, et des senteurs de minéral, de fleurs et de caramel contribuent encore à la complexité de l'ensemble. Ce vin très corsé et modérément tannique, qui se développe en bouche par paliers, révèle une extraordinaire pureté ; il séduira assurément les amateurs de Pomerol. **A boire entre 2002 et 2017.** (3/99)

1997 • **87-89** Plus souple, mais très proche du 1996, le 1997 de Latour à Pomerol arbore une robe rubis foncé et libère des senteurs de cappuccino entremêlées de notes de mûre et de cassis. Ce vin ouvert, ample et élégant déploie en bouche une très belle texture, ainsi qu'une finale moyennement corsée et soyeuse. **A boire jusqu'en 2012.** (1/99)

1996 • **88** Ce vin, qui se montre sous un bon jour depuis la mise en bouteille, s'annonce par une robe d'un rubis foncé soutenu. Ses excellents arômes de mûre et de cerise mâtinés de grillé, de noix rôtie et de vanille précèdent en bouche un ensemble moyennement corsé, dense et admirable de concentration, qui révèle des flaveurs modérément intenses de chêne épicé, ainsi que des tannins doux. D'ores et déjà délicieux, le 1996 de Latour à Pomerol sera à son apogée **entre 2000 et 2014.** (1/99)

1995 • **89+** Le 1995 devrait se révéler extraordinaire, bien qu'il ait paru dominé par sa structure ferme juste après la mise en bouteille. D'un rubis-pourpre foncé, il dégage de très caractéristiques arômes d'herbes fumées, de fruits noirs, de métal, de mûre et d'épices, et se montre moyennement corsé et ample en bouche, généreux et mûr, d'une richesse et d'une pureté d'excellent aloi. Son caractère tannique et sa légère astringence m'ont cependant empêché de lui attribuer une note plus élevée. Il pourrait se révéler excellent, voire extraordinaire, après quelques années de vieillissement en bouteille. **A boire entre 2004 et 2020.** (11/97)

1994 • **89** La robe sombre, d'un pourpre foncé, du Latour à Pomerol 1994 introduit un nez piquant et confituré de fraise, de cerise noire, de tabac herbacé et d'épices. Ce vin délicieux, moyennement corsé et faible en acidité, qui montre un caractère gras, mûr et très séduisant, déploie une finale douce, longue et savoureuse. **A boire dans les 10 à 14 ans.** (1/97)

1993 • **87** Le 1993 fait bonne impression dès le prime abord, avec sa belle robe d'un pourpre foncé et son excellent nez, généreusement fruité, d'épices et de moka. Moyennement corsé, il étonne par sa richesse et par son bel équilibre d'ensemble, et, bien qu'il ne soit pas massif, s'impose comme un vin bien fait et élégant, avec une faible acidité et un abondant fruité mûr. **A boire jusqu'en 2010.** (1/97)

1992 • **86** Le 1992 est l'exemple même de ce qu'un vigneron consciencieux devrait faire dans un millésime léger. En effet, plutôt que de rechercher la puissance, l'intensité, la structure ou le potentiel de garde, on a adopté ici la meilleure stratégie, qui consistait à domestiquer le charme et le fruité qu'offrait le millésime. Il en est résulté un vin séduisant, accessible, agréablement fruité et doux, aux arômes de fruits rouges, d'herbes et de café. Parfaitement mûr, il se montre plein d'attraits en milieu de bouche et souple en finale. **A boire jusqu'en 2002.** (11/94)

1990 • **88** Déjà délicieux, le Latour à Pomerol 1990 se montre extrêmement mûr et souple. Vinifié dans un style plus onctueux, plus riche et plus charnu que le 1989, il révèle un généreux fruité d'une excellente maturité, et déploie en bouche des arômes flatteurs, doux, confits et boisés. **A boire jusqu'en 2004.** (1/93)

1989 • **87** D'un rubis-pourpre très profond, avec un bouquet très intense de bois neuf, d'épices, de prune et de cassis, ce vin paraît presque doux en bouche tant il est mûr. Très ample, avec une finale très tannique, il sera parfait **jusqu'en 2015.** (1/93)

1988 • **87** Outre un nez doux et boisé de petits fruits rouges et de thé, le Latour à Pomerol 1988 révèle une bouche mûre, riche et admirable de concentration, aussi persistante que douce. Vous apprécierez ce vin opulent ces **7 ou 8 prochaines années.** (1/93)

1986 • **87** Plus costaud et plus tannique que de coutume, le 1986 affiche une excellente couleur rubis et dégage un nez de cèdre, de thé et de prune admirablement rehaussé de chêne neuf. **A boire jusqu'en 2002.** (3/90)

1985 • **88** Le 1985 évoque, à mon sens, son extraordinaire aîné de 1970, avec sa richesse et son caractère mûr, sensuel et très corsé. Tout à la fois étoffé, persistant et puissant en bouche, il est ample et doté de généreux tannins. **A boire jusqu'en 2005.** (3/89)

1984 • **82** Ce vin ferme et rugueux révèle, malgré son caractère réservé, un certain fruité masqué par de copieux tannins. **A boire.** (3/89)

1983 • **88** Fabuleusement réussi, ce Latour à Pomerol s'impose comme l'un des 1983 de l'appellation les plus riches, les plus puissamment structurés, les plus amples et les plus opaques de robe. Bien que ses tannins se soient fondus dans l'ensemble, il conserve un caractère énorme, costaud, mûr et musclé. Son bouquet regorgeant de senteurs de moka, de chocolat et de prune est un véritable délice. **A boire jusqu'en 2005.** (5/91)

1982 • **94** C'est étonnant, mais quatre des huit bouteilles de Latour à Pomerol 1982 que j'ai ouvertes étaient bouchonnées. Cela me rend d'autant plus furieux qu'il s'agit d'un vin spectaculaire. Cependant, aussi riche et somptueux soit-il, il n'atteint pas le niveau de ses légendaires aînés de 1947, 1948, 1950, 1959 et 1961. Parfaitement mûr tout en étant capable d'une garde de 10 ans encore, il présente (lorsqu'il n'est pas bouchonné...) une robe d'un rubis-grenat foncé et des senteurs intensément parfumées et puissantes d'épices, de doux pain grillé, de cerise noire, de moka et d'herbes. Les arômes riches et opulents qui suivent dévalent littéralement le palais, exprimant une bouche sans astringence ni piquant. Un vin délicieux et charnu. Je me demande si d'autres amateurs ont également fait l'expérience de bouteilles bouchonnées. **A boire jusqu'en 2010.** (9/95)

1981 • **85** Ce très bon Latour à Pomerol a été quelque peu éclipsé par les 1982 et 1983. D'une couleur modérément foncée pour un 1981, il se révèle dense, épanoui, riche et assez corsé en bouche, avec un bel équilibre et un caractère velouté, mais il est finalement moins remarquable que je ne l'avais escompté. **A boire.** (3/89)

1979 • **85** Précocement gras, souple et très accessible, ce Latour à Pomerol me paraît généreusement doté, charmant et soyeux, mais très peu tannique. Moyennement corsé, il arbore une robe rubis foncé, et il a évolué rapidement. **A boire.** (10/84)

1978 • **83** Bien vinifié, le Latour à Pomerol 1978 se révèle confit, tendre, épanoui et rond. Comme de nombreux Pomerol du millésime, il présente une sorte de surmaturité et finit court, mais c'est un vin plaisant et fruité. **A boire – peut-être en déclin.** (2/83)

1976 • **86** En 1976, la propriété a réussi un vin riche, parfumé, épicé et concentré, qui n'a pas ce caractère de surmaturité que l'on retrouve chez ses jumeaux de l'appellation. Séveux, soyeux, crémeux, gras et fruité, ce vin assez corsé est joliment étayé par des notes de chêne neuf épicé. Arrivé à maturité depuis plus d'une décennie, avec des tannins parfaitement fondus, il doit être consommé **maintenant.** (1/89)

1975 • **67** Dans un millésime qui compte tant de Pomerol superbes, ce vin est, inexplicablement, décevant. Sévère, tannique, creux et totalement dépourvu de charme, il manque de fruit, d'étoffe et de couleur. (11/88)

1971 • **82** Ce vin, qui a atteint son apogée vers le milieu des années 70, est aujourd'hui passé. Arborant une robe un peu tuilée, il se montre tendre, rond et assez corsé, et ses tannins se sont bien fondus. Le bouquet, racé, marie le cèdre et les épices, mais il s'évanouit dans le verre. **A boire – probablement en déclin.** (10/82)

1970 • **93** Ce vin s'est toujours montré opulent, riche et fabuleusement concentré. Malgré sa robe fortement ambrée, il conserve un généreux fruité, et se révèle doux et bien glycériné en milieu de bouche. Le nez complexe, aux notes de truffe, de café, de moka, de chocolat et de cerise noire, introduit un ensemble tout à la fois gras, mûr et exotique, qui s'impose incontestablement comme l'une des belles réussites de son millésime. Que les amateurs ne tentent pas le diable en l'attendant encore. **A boire.** (6/96)

1966
•
87

Le 1966 est remarquablement mûr, riche et dense, ce qui paraît assez atypique pour un millésime ayant donné de nombreux vins maigres, élégants et introvertis. Encore d'une belle couleur foncée, légèrement nuancée d'orangé sur le bord, ce Latour à Pomerol déploie un bouquet profond de fruit mûr et de boisé, marqué de notes de goudron et de truffe. Puissant, corsé et riche, il doit être bu **rapidement.** (4/81)

1961
•
100

Si le 1947 de Cheval Blanc est unanimement considéré comme la réussite du siècle, il serait juste qu'il partage ce titre avec le 1961 de Latour à Pomerol. Donner une note à un tel vin rappelle Shakespeare, qui écrivait qu'il était odieux de faire des comparaisons. Il est en effet hors concours, et, si je ne devais plus boire qu'un seul bordeaux, ce serait bien celui-ci. Arborant une robe encore très soutenue d'une couleur pourpre foncé aucunement teintée de rouille, d'ambre ou d'orange, il présente une richesse considérable, ainsi qu'une précision dans le dessin et un équilibre étonnants qui le rendent émouvant. Son nez est extraordinairement riche, avec des arômes intenses de prune confiturée, de cassis, de réglisse et de truffe. Aussi visqueux qu'un Porto, il déploie une finale longue de près de 1 minute et constitue une référence à lui seul. Ce vin phénoménal est plus grandiose encore que les 1961 de Petrus et Latour (deux vins parfaits), et, compte tenu de sa jeunesse (c'est le moins évolué de tous les 1961), il pourra se conserver encore **20 à 30 ans.** (12/96)

Millésimes anciens

Le 1959 (noté 98 en décembre 1995) présente, tant au nez qu'en bouche, d'amples arômes de café et de caramel liquide, ainsi que de cerises noire et rouge, de groseille et de cassis doux et confiturés. Ce vin onctueux, épais, d'une richesse extraordinaire, est parfaitement mûr malgré son caractère encore puissant et massif. Il faut le boire **dès à présent...** Quelle merveilleuse perspective pour les heureux détenteurs de quelques bouteilles !

Les 1950 et 1948 sont également prodigieux. Le 1950 de Latour à Pomerol (noté 98 en mars 1997), puissant et massif, est encore en parfaite forme. Visqueux et très corsé, ce vin d'une richesse incroyable, qui regorge littéralement de fruit, de richesse en extrait et de glycérine, est capable de se maintenir **20 ans encore.** Les Pomerol de 1950 sont des répliques parfaites des fabuleux 1947. Le 1948 (noté 96 en mars 1996) s'est imposé dans une dégustation à l'aveugle regroupant plusieurs bordeaux du même millésime. Parfaitement mûr, ce vin exotique, parfumé, très étoffé et d'une grande richesse se distinguait particulièrement par ses généreux arômes de café, de moka et de kirsch. Quelle révélation !

J'ai eu l'immense privilège de déguster le 1947 de Latour à Pomerol en plusieurs occasions. Je lui ai souvent attribué la note suprême (100), notamment lors de ma dernière dégustation de décembre 1995. Tout comme son cadet de 1961, ce 1947 pourrait prétendre au titre de réussite du siècle. Sa robe d'un pourpre extraordinairement opaque est à peine éclaircie sur le bord. Tout à la fois exotique, séduisant et fabuleux de concentration, ce vin gigantesque persiste longuement en bouche, où il évoque un mélange hypothétique de ses jumeaux de Petrus et de Cheval Blanc. Que dire d'un vin aussi parfait et aussi irrésistible, sinon qu'il est doux, dense, époustouflant – une authentique friandise ? Il tiendra bien **20 ans encore.**

MOULINET

Équivaut à un cru bourgeois
Propriétaire : GFA du Domaine Moulinet
Adresse : 33500 Pomerol
Adresse postale : Château Fonplégade
33330 Saint-Émilion
Tél. 05 57 74 43 11 – Fax 05 57 74 44 67
Visites : non autorisées

Superficie : 18 ha (Pomerol)
Vins produits : Château Moulinet – 80 000 b ; Clos Sainte-Anne – 52 000 b
Encépagement : 60 % merlot, 30 % cabernet sauvignon, 10 % cabernet franc
Densité de plantation : 5 400 pieds/ha – *Age moyen des vignes :* 25 ans
Rendement moyen : 50 hl/ha

Élevage :
fermentations de 21 jours pour moitié en cuves de béton
et en cuves d'acier inoxydable ;
vieillissement de 18 mois en fûts (1/3 de bois neuf) ; collage ; pas de filtration

---

A maturité : dans les 3 à 20 ans suivant le millésime

Cette propriété, l'une des plus vastes de Pomerol, se situe dans la partie nord-ouest de l'appellation, à proximité du Château de Sales. Ici, le sol donne généralement des vins assez légers, et Moulinet est probablement l'un des plus légers de tous. Étonnamment clair de robe et assez peu parfumé, c'est un cru auquel les propriétaires – la famille Armand Moueix – donnent un caractère assez commercial. A son meilleur niveau, dans des millésimes tels que 1982 et 1989, il peut être rond, fruité et élégant, mais il est ordinairement assez terne et sans relief, quoique bien vinifié et plutôt régulier.

1996 • **83-85** Hormis sa faible acidité, ce Pomerol simple et sans détour ne présente aucun signe de dilution. Rubis profond, il séduit par son nez modérément intense regorgeant de fruité, ainsi que par ses saveurs rondes, soyeuses et légèrement tanniques. A boire dans les **4 ou 5 ans.** (11/97)

1990 • **83** Moyennement corsé, accessible et relativement léger, le 1990 de Moulinet présente un caractère très alcoolique et des tannins souples, mais manque de concentration et de tenue. A son meilleur niveau, il est charmeur et plaisant, capable d'une garde de **3 ou 4 ans.** (1/93)

1989 • **85** Le 1989 est aussi réussi que peut l'être un vin de cette propriété. Quoique sans détour et dépourvu de complexité, il se révèle ample, confit, mûr et des plus plaisants, doté d'un fruité souple, moyennement corsé, trapu et opulent. Sa finale est très alcoolique. **A boire.** (1/93)

1988 • **79** Quoique théoriquement capable d'une plus longue garde que le 1989, le 1988 ne sera jamais aussi plaisant en raison de son caractère maigre, compact et court. **A boire.** (1/93)

1986 • **78** Austère et maigre pour un Pomerol, le 1986 ne tiendra plus guère, du fait de son manque de caractère et de corpulence. **A boire.** (3/90)

1985 Meilleur que la moyenne, ce vin modérément corsé présente un fruité souple
• et sans détour. Bien qu'il affiche un style plutôt commercial, il n'en demeure
82 pas moins agréable, mûr et accessible. **A boire.** (3/90)

NENIN – EXCELLENT (depuis 1997)[1]
Équivalait à un cru bourgeois jusqu'en 1997
Propriétaire : SCA du Château Nenin
Adresse : Catusseau – 33500 Pomerol
Adresse postale : Château Léoville Las Cases
33250 Saint-Julien-Beychevelle
Tél. 05 57 51 00 01 – Fax 05 57 51 77 47
Visites : du lundi au vendredi (9 h-11 h et 14 h-16 h 30)
Contact : Lionel Bares

Superficie : 25 ha (Catusseau)
Vins produits : Château Nenin ; Fugue de Nenin
Encépagement : 75 % merlot, 25 % cabernet franc
Densité de plantation : 6 000 pieds/ha – *Age moyen des vignes :* 28 ans

---

Élevage :
fermentations et cuvaisons non encore définies ; vieillissement prévu de 18 mois en fûts (30 % de bois neuf) ; collage ; pas de filtration

---

A maturité : dans les 5 à 15 ans suivant le millésime

Nenin, l'un des châteaux les plus anciens de Pomerol, a appartenu à la famille Despujol de 1847 à 1997, lorsqu'il fut racheté par Jean-Hubert Delon et sa sœur Geneviève d'Alton, propriétaires de Léoville Las Cases, ce qui laisse présager un avenir brillant. Ce cru compte beaucoup de fidèles partisans, mais je dois avouer que je n'ai jamais compris pourquoi. J'ai certes été très impressionné par le 1947 (dégusté en 1983), mais, hormis cette très grande bouteille et peut-être aussi un excellent 1975, j'ai trouvé Nenin plutôt rugueux et rustique.

En règle générale, ce vin était plutôt ferme, dur, bien marqué par la mâche, et, depuis 1976, la propriété n'avait pas particulièrement brillé, produisant des Pomerol manquant tout à la fois d'intensité, de caractère et de complexité. Les rendements étaient-ils trop élevés ? Ou est-ce l'utilisation des machines à vendanger (depuis 1982) qui s'est révélée préjudiciable ? Il faut cependant souligner que les anciens propriétaires avaient sérieusement tenté de sortir le domaine de l'ornière, ayant notamment la sagesse de faire appel au très talentueux Michel Rolland, le célèbre œnologue de Libourne, qui s'était empressé d'utiliser davantage de chêne neuf pour l'élevage et d'insister sur le respect de meilleures conditions sanitaires pour les vinifications. Malgré cela, les derniers millésimes n'avaient guère été encourageants.

Cependant, il y a fort à parier que les choses changeront radicalement avec la volonté perfectionniste des Delon. Ainsi, de nombreuses améliorations ont d'ores et déjà été

1. L'absence de précisions concernant le rendement ou la production s'explique par le fait que le domaine vient d'être repris par Jean-Hubert Delon et sa sœur Geneviève d'Alton, et que l'on ne saurait définir des moyennes sur un ou deux millésimes...

apportées : reprise du palissage des vignes, arrachage et complantations, modernisation ou enrichissement du matériel viti-vinicole, etc. Et l'on ne peut douter que très rapidement le domaine retrouve son prestige.

1998 • **90-92** Cette magnifique réussite de Jean-Hubert Delon marque la percée de Nenin et signe sa renaissance. Issu d'une sélection de 60 % de la production totale, le 1998 arbore une robe d'un pourpre dense et se montre tout à la fois somptueux, gras et riche en bouche. Son généreux fruité de cerise noire est bien étayé par un caractère très corsé et glycériné, ainsi que par des tannins doux. L'ensemble ne manifeste pas encore toute la complexité que, vraisemblablement, il développera ultérieurement, mais il est extraordinaire de pureté (on n'en attendait pas moins des Delon), et gratifie le palais, par paliers, d'une finale persistante et concentrée. **A boire entre 2005 et 2015.** (3/99)

1997 • **87-89** Plus ample, plus complet et plus concentré que le 1996, le 1997 de Nenin présente également un fruit plus mûr, davantage de texture et une finale plus persistante. Sa robe rubis-pourpre profond introduit un ensemble moyennement corsé aux séduisants arômes de prune et de cerise noire nuancés de grillé. Très profond et superbe d'équilibre, ce vin un peu tannique est également bien épicé, avec un fruité très doux. Il devrait bien tenir **10 à 12 ans.** Voici un exemple attestant en Pomerol la supériorité du millésime 1997 sur le 1996. (1/99)

1996 • **85** Le millésime fut difficile en Pomerol. Malgré les tannins maigres et rustiques qu'il présente en finale, le Nenin 1996, moyennement corsé, révèle d'agréables arômes de prune et de chocolat, et atteste une vinification nette. Je conseille de le déguster dans les **5 ou 6 ans**, compte tenu de l'équilibre entre le fruit et les tannins. (1/99)

1995 • **86** D'un resplendissant rubis moyennement foncé, le 1995 déploie d'abondants et doux arômes de cerise et de prune. Modérément corsé et faible en acidité, il se montre séduisant et souple, tant en milieu de bouche qu'en finale. **A boire dans les 3 ou 4 ans.** (11/97)

1994 • **87** L'excellent 1994 me semble le meilleur Nenin de ces vingt dernières années. Rubis foncé, il est sans détour, souple et bien mûr, avec des tannins doux, et un caractère soyeux et caressant – qu'il tient du merlot. Ce vin déjà agréable tiendra encore **5 ou 6 ans.** (3/96)

1993 • **86 ?** Le 1993 présente un rubis-pourpre foncé très sain, et dégage un nez doux de framboise sauvage et de cerise. Moyennement corsé, il révèle en finale des tannins fermes. Si l'un des échantillons que j'ai dégustés déployait un nez marqué par des arômes de bois moisi, les autres, en revanche, étaient sains, purs et mûrs, et montraient un bon potentiel. Comme beaucoup d'autres vins de ce millésime, le 1993 de Nenin tiendra **10 à 15 ans.** (11/94)

1990 • **84** Étonnamment bien coloré, le 1990 de Nenin séduit par son nez de minéral, de fruits noirs et de fleurs. Moyennement corsé et modérément tannique, avec une finale courte et rugueuse, il tiendra **jusqu'en 2001.** (1/93)

1989 • **78** Terriblement léger et simple pour le millésime, le 1989 évoque davantage un bordeaux générique qu'un des meilleurs Pomerol. Il est assez fruité, avec des tannins souples, mais pèche par son caractère insipide. **A boire.** (4/91)

1988 • **76** Le 1988 ressemble fort à son cadet d'un an, à ceci près qu'il est plus herbacé et déploie des arômes assez prononcés de moisi qui ne manquent pas d'inquiéter. **A boire jusqu'en 2000.** (4/91)

1986 • **83** Plus léger et plus tannique que le 1985, le 1986 est un Pomerol assez souple, à boire **sans trop tarder.** (3/90)

1985 • **84** Loin d'être puissant et massif, ce vin bien vinifié et doté d'un bon fruité riche se révèle charmeur, avec un caractère moyennement corsé, souple et fruité. Il séduit par sa texture ouverte. **A boire.** (3/89)

1984 • **75** Une robe rubis moyen et un nez sucré (trop chaptalisé) annoncent le Nenin 1984. Ce vin souple et léger, mais agréable, doit être consommé **sans délai.** (3/88)

1982 • **76** Le 1982 a été produit alors que la propriété traversait une période difficile (les millésimes suivants sont nettement meilleurs). Il s'agit d'un vin légèrement corsé, souple et aqueux, qui commence à se dessécher et à se déliter. La robe d'un rubis moyen est fortement ambrée, et le nez dégage des arômes de vieux chai et de moisi. Un Nenin rugueux et dépourvu de profondeur, à boire **sans plus attendre.** (9/95)

PETIT VILLAGE – EXCELLENT
Équivaut à un 3e cru du Médoc
Propriétaire : AXA Millésimes
Adresse : 33500 Pomerol
Adresse postale : Châteaux et Associés – 33250 Pauillac
Tél. 05 56 73 24 20 – Fax 05 56 59 26 42
Visites : sur rendez-vous uniquement
Contact : Stéphanie Destruhaut
Tél. 05 56 59 66 12 – Fax 05 56 59 24 63

Superficie : 10 ha (Pomerol)
Vin produit : Château Petit Village – 42 000 b (pas de second vin)
Encépagement : 65 % merlot, 17 % cabernet franc, 18 % cabernet sauvignon
Densité de plantation : 5 500 pieds/ha – *Age moyen des vignes :* 40 ans
Rendement moyen : 40 hl/ha

Élevage :
fermentations et macérations de 22-35 jours en cuves de béton thermorégulées ; achèvement des malolactiques en fûts ; vieillissement de 12-18 mois en fûts (80 % de bois neuf) ; collage au blanc d'œuf ; légère filtration

---

A maturité : dans les 5 à 15 ans suivant le millésime

Petit Village est un domaine en pleine évolution. La qualité de ce cru s'est nettement améliorée depuis 1971, du jour où le dynamique Bruno Prats, qui était également propriétaire du célèbre Cos d'Estournel, a pris en main les vinifications. Le château a bénéficié, outre des investissements financiers importants, de toute l'attention voulue de la part du propriétaire et d'une technologie vinicole à la pointe du progrès. C'est ce qui explique qu'il ait donné une belle série de vins allant du bon à l'exceptionnel. A la fin des années 80, la propriété a été vendue à une compagnie d'assurances qui en a confié la gestion à Jean-Michel Cazes, de Lynch-Bages, et à sa remarquable équipe technique dirigée par Daniel Llose.

Les vins de Petit Village sont généralement marqués par des notes de fumé et de grillé qu'ils tiennent du chêne neuf ; bien vinifiés, ils se révèlent gras et souples, et regorgent d'arômes de cassis. Les millésimes récents présentent un potentiel de garde de 10 à 15 ans, bien qu'ils soient prêts à boire à 5 ou 6 ans d'âge.

On peut affirmer que Petit Village compte aujourd'hui parmi les dix à douze meilleurs Pomerol. Il faut dire que le vignoble est superbement situé ; bordé au nord par Vieux Château Certan et Certan de May, à l'est par La Conseillante et au sud par Beauregard, il repose sur un sol de graves et sur un sous-sol où le fer se mêle à des dépôts argileux. La forte proportion de merlot dans l'encépagement donne au vin un caractère riche et voluptueux – lorsque les rendements sont raisonnables, et la vendange à parfaite maturité.

Les vins de Petit Village constituent généralement des affaires intéressantes, dans la mesure où l'amélioration de la qualité ne s'est pas encore totalement répercutée sur les prix.

1998 • **88-90** Ce 1998 est certainement le Petit Village le plus réussi depuis le 1982. Riche et concentré, il arbore une robe d'un rubis-pourpre opaque, qui prélude à un doux nez parfumé de mûre et de cerise, nuancé de chocolat et de chêne neuf et grillé. L'ensemble qui suit en bouche, intense et moyennement corsé, impressionne par sa richesse en extrait. Modérément tannique et faible en acidité, il finit sur une note savoureuse et soyeuse. Quoique accessible dès sa jeunesse, il sera capable d'une garde de **15 ans environ.** (3/99)

1997 • **86-87** Voici un Pomerol précoce, charnu et gras, doté d'un fruité de mûre et de cerise bien marqué par la mâche. Vêtu d'une robe soutenue, il est moyennement corsé et faible en acidité, et déploie, outre de généreux arômes de chêne neuf et fumé, une finale savoureuse. **A boire dans les 10 ans.** (1/99)

1996 • **86** Le Petit Village 1996 exhale de séduisantes et intenses senteurs d'herbes fumées, de viande grillée et de confiture de cerise. La bouche, généreusement boisée, évoque le cassis, et l'ensemble, moyennement corsé et faible en acidité, se révèle sensuel et opulent. C'est un Pomerol accessible et des plus plaisants, à savourer **jusqu'en 2007.** (1/99)

1995 • **86** Plus structuré et plus précis en bouteille qu'il ne l'était en fût, le Petit Village 1995 présente une robe assez évoluée de couleur rubis-grenat foncé. Ses doux arômes de terre, d'herbes et de cerise précèdent en bouche un ensemble gras, rond, généreusement doté, sans détour, mais très plaisant. Ce vin séduisant et charnu sera des plus agréables ces **3 à 6 prochaines années.** (11/97)

1994 • **81** D'un rubis moyennement foncé, le 1994 déploie des arômes sans détour de terre, d'épices, de groseille et de cerise. Dur et terne, il pèche par manque d'intensité, de maturité et de longueur en bouche. **A boire dans les 5 ou 6 ans.** (1/97)

1993 • **78** Rubis foncé, le 1993 exhale un nez végétal et herbacé, se montre maigre et dépouillé, et manque totalement de distinction. (1/97)

1992 • **79** De couleur rubis moyen, le 1992 exhale un nez doux, herbacé, légèrement marqué par le chêne, mais manquant de fruité. Quelques arômes de cerise noire sont perceptibles en bouche, mais, dans l'ensemble, ce vin est sans détour, moyennement corsé et sans structure bien définie. **A boire d'ici 1 ou 2 ans.** (11/94)

1991 • **74** Le 1991, à la robe rubis léger, offre un nez atténué aux arômes herbacés conjugués avec des senteurs de café, de bois neuf et de fruits rouges. L'attaque est bonne, et l'on distingue dès l'abord une certaine douceur et un fruité herbacé. En bouche, les flaveurs se dissipent rapidement, et la finale est maigre et courte. **A boire ces toutes prochaines années.** (1/94)

1990 • **90** Ce vin ostentatoire est des plus délicieux et des plus plaisants. Affichant une opulente richesse aux notes de fumé et de boisé, il se montre alcoolique, et manifeste, outre une texture somptueuse et voluptueuse, une souplesse et une maturité extraordinaires. **A boire jusqu'en 2004.** (1/93)

1989 • **88** Souple et rond, le délicieux Petit Village 1989 est franc et presque ostentatoire. Son nez énorme de chocolat, de prune et de chêne doux, qui jaillit littéralement du verre, introduit en bouche un ensemble ample, gras et des plus plaisants, qui tapisse le palais d'un fruit mûr et charnu. Il est évident que ce vin généreux manque de structure et d'acidité ; il ne doit donc pas être trop attendu. **A boire jusqu'en 2005.** (1/93)

1988 • **92** Ce vin ne sera pas de longue garde ; cependant, il sera assurément séduisant du fait de son caractère somptueux, velouté et extrêmement concentré. La robe d'un rubis-pourpre foncé suggère une belle richesse en extrait. Elle précède d'amples senteurs d'épices exotiques, de lard, de prune confiturée et de chêne neuf et grillé qui font tourner les têtes. La bouche s'exprime tout en velours et en souplesse, révélant un vin capiteux, concentré et d'une splendide richesse en extrait. **A boire avant 2000.** (1/93)

1987 • **85** Les Pomerol 1987 peuvent être délicieux ; les consommateurs et les restaurateurs en quête de vins agréables à déguster dès à présent feraient bien de reconsidérer ce millésime. Souple et épicé, avec des notes de boisé et de prune, le Petit Village 1987 étonne par sa belle concentration et par sa texture ronde et veloutée. La finale, capiteuse, est alcoolique et grillée. **A boire jusqu'en 2001.** (2/91)

1986 • **87** Le Petit Village 1986 séduit immédiatement par ses intenses arômes de chêne neuf fumé et de fruits noirs. En bouche, ce vin est assez corsé et modérément concentré, avec des tannins souples et une structure peut être plus affirmée que celle des autres millésimes récents de la propriété. **A boire jusqu'en 2000.** (3/90)

1985 • **89** Ce vin opulent, très épanoui, parfumé, délicieusement riche et tendre, manque un peu de charpente et de nerf, mais il dévoile un fruit épicé et gras qui ne peut que séduire l'amateur. Tout en rondeur, il déploie une finale merveilleuse, explosive ! **A boire.** (3/90)

1983 • **87** Très souple, gras et richement fruité, ce vin rubis-grenat de robe se montre corsé, et regorge d'arômes de mûre et de chêne neuf un peu fumé. En bouche, il est suave, épanoui, charnu et délicieux. **A boire jusqu'en 2000.** (7/88)

1982 • **93** Je consomme régulièrement le Petit Village 1982 depuis le milieu des années 80, ne pouvant résister plus longtemps à son déploiement d'arômes – fabuleux et ostentatoires – d'herbes rôties, de moka, de cerise noire et de chêne neuf et fumé. Ce vin, qui s'est toujours montré épais, séveux et opulent, se distingue particulièrement par la belle précision et par le caractère racé qu'il commence à développer, et il n'y a, à mon sens, aucune raison de l'attendre encore. Sa robe, d'un grenat foncé fortement ambré sur le bord, introduit un nez renversant qui précède une bouche regorgeant littéralement d'un fruité confituré et d'arômes corpulents, gras et mûrs. L'ensemble, opulent et trapu, est étayé par une faible acidité ; il présente la texture épaisse et charnue typique des vins issus de merlot. Une véritable confiserie, à consommer **sans plus tarder.** (9/95)

1981 • **85** Nettement plus léger et moins concentré que le puissant 1982 et le 1983, profondément fruité, le 1981 de Petit Village affiche un caractère précoce, tendre, épanoui et gras. Outre un beau fruit de merlot, il présente encore des tannins ronds et mûrs, et une finale longue et voluptueuse. **A consommer.** (3/87)

1979 • **84** Le Petit Village 1979 n'a pas la concentration de ses cadets de 1981, 1982 et 1983, mais il est assez fruité et corsé, et déploie un bouquet aux notes de fumé et de grillé, ainsi qu'une finale agréable. **A boire assez rapidement.** (2/83)

1978 • **83** Vêtu d'un rubis moyen fortement ambré et tuilé sur le bord, le 1978 se distingue par un bouquet épicé, légèrement herbacé et marqué par le chêne. Il exprime une bouche souple, modérément concentrée, fruitée, où l'on décèle des arômes un peu herbacés de petits fruits, des tannins légers, et une finale tendre et ronde. **A boire.** (2/89)

PETRUS – EXCEPTIONNEL

Équivaut à un 1er cru du Médoc
Propriétaire : SC du Château Petrus
Adresse : 33500 Pomerol
Adresse postale : Établissements Jean-Pierre Moueix
54, quai du Priourat – BP 129 – 33502 Libourne Cedex
Tél. 05 57 51 78 96 – Fax 05 57 51 79 79
Visites : sur rendez-vous et pour les professionnels uniquement
Contact : Frédéric Lospied

Superficie : 11,5 ha (au point culminant de Pomerol, à 40 m d'altitude)
Vin produit : Château Petrus – 36 000 b (pas de second vin)
Encépagement : 96 % merlot, 4 % cabernet franc
Densité de plantation : 5 500-6 000 pieds/ha – *Age moyen des vignes :* 32 ans
Rendement moyen : 35 hl/ha

Élevage :
fermentations de 20-24 jours en cuves de béton thermorégulées ;
achèvement des malolactiques en cuves pour 80 % de la récolte,
en fûts pour le reste ;
vieillissement de 20 mois en fûts neufs ; soutirage trimestriel de fût à fût ;
collage au blanc d'œuf ; pas de filtration

A maturité : dans les 10 à 30 ans suivant le millésime

Jouissant d'une situation exceptionnelle – une boutonnière argileuse surplombant le plateau –, Petrus fut longtemps la propriété de Mme Loubat, grande dame de Pomerol. A son décès, en 1961, ses neveux Lily-Paul Lacoste et Guy Lignac héritèrent du domaine, avant que Jean-Pierre Moueix n'acquière les parts du second, en 1964. Depuis, Petrus est une copropriété de Mme Lacoste et de Jean-Pierre Moueix.

Le plus célèbre des Pomerol s'impose aussi, depuis deux décennies, comme le plus prestigieux – et le plus onéreux – des bordeaux rouges. Chose étonnante, ce joyau n'a pas d'histoire... Tout commence en fait par une anecdote : Mme Loubat eut l'idée d'expédier une caisse de son vin au couronnement d'Élisabeth II d'Angleterre, lui assurant ainsi une belle promotion, puisqu'il devint le nectar préféré de la cour. On sait aussi que les Kennedy l'appréciaient, mais, jusque dans les années 70, il n'était que modestement connu. Qu'on en juge : le millésime 1975 se vendait 40,20 F départ propriété ! C'est donc la magie qui a peu à peu opéré et créé le mythe – magnifiquement soutenu, à dire vrai, par le travail considérable de Jean-Pierre Moueix.

Le sol de Petrus est essentiellement argileux, avec des bordures plus graveleuses. Le merlot règne sur 11 ha du vignoble, 50 ares étant plantés en cabernet franc. Si la moyenne d'âge des pieds est de 32 ans, celle des vignes donnant la sélection finale est supérieure à 40 ans. Cette sélection, effectuée sous la direction de Christian Moueix, est extrêmement sévère.

Petrus bénéficie des soins jaloux d'une équipe nombreuse capable d'intervenir massivement pour ce qui est des labours sur terrain difficile, des traitements phytosanitaires et des vendanges. Les vins sont généralement composés de merlot (le cabernet n'entre qu'une année sur trois en moyenne dans la composition).

Les millésimes légendaires sont ici légion, et c'est bien entendu ce qui explique les prix astronomiques qu'atteint Petrus. Les 1945, 1947, 1948, 1950, 1961, 1964, 1970, 1971, 1975, 1982, 1989, 1994, 1995 et 1998 comptent parmi les vins les plus monumentaux que j'aie jamais goûtés. Cependant, et alors que ce cru a été pratiquement déifié de façon systématique par la presse spécialisée, il est incontestable que la propriété a un temps accusé une baisse, notamment en 1976, 1978, 1979, 1981, 1983 et 1986. Heureusement, elle a retrouvé sa forme depuis 1989, avec toute une série de vins grandissimes.

1998
•
96-98+

A ce stade précoce, Petrus – un véritable monstre produit à hauteur de 2 500 caisses seulement – s'impose comme la réussite incontestée du millésime. D'ailleurs, j'ai rarement dégusté un Petrus aussi puissant, aussi concentré et aussi tannique que celui-ci. Les amateurs qui espéraient un autre 1982, 1989 ou 1990 seront déçus, car ce vin ressemble davantage à ses aînés de 1975 ou de 1964 (que, certes, je n'ai pas connu dans sa jeunesse). Imposant, puissant et massif, évoquant un Porto, il révèle des tannins féroces, qui sont cependant bien accompagnés par une concentration et une intensité surréalistes. Le caractère typique de ce cru ne fait pas défaut ; on retrouve bien le fruité tout à la fois doux, confituré et épais de moka, de caramel et de liqueur de cerise noire, présenté dans un ensemble des plus concentrés et des plus massifs. Ce vin fabuleux demandera à être attendu 8 à 15 ans au moins après sa diffusion. **A boire entre 2012 et 2040.** (3/99)

1997
•
90-94

Le 1997 de Petrus sera non seulement meilleur que le 1996, mais il demeurera surtout l'apanage des initiés. Sa robe d'un rubis-pourpre soutenu précède un nez aux généreuses senteurs de doux café, de moka et de mûre entremêlées de notes de cerise subtilement nuancées de chêne neuf. L'ensemble, moyennement corsé, n'est ni puissant ni massif, mais se révèle fabuleusement riche, déployant par paliers des arômes gras et magnifiquement extraits qui tapissent littéralement le palais. Ce vin dense et mûr recèle encore, dans une finale étonnamment persistante, des tannins modérés. Il sera à son apogée **entre 2007 et 2025.** (1/99)

1996 • **92** Le 1996 de Petrus se montre sous un excellent jour en bouteille, mais je rejoins Christian Moueix sur le fait que le 1997 est d'un meilleur niveau et le 1998 tout simplement exceptionnel. Énorme, monolithique et carré, ce 1996 impressionne par sa robe d'un pourpre opaque, qui prélude à de doux arômes de petits fruits nuancés de terre, de pain grillé et de café. Très corsé et musclé, ce vin très tannique révèle un caractère peu évolué et requiert une certaine garde. Issu d'une sélection de seulement 50 % de la récolte, il est véritablement gigantesque, mais n'a pas la douceur de son cadet d'un an ni la générosité, la richesse et la pureté exceptionnelles du très complexe 1995. **A boire entre 2010 et 2035.** (1/99)

1995 • **96+** Il sera intéressant de suivre l'évolution du Petrus 1995 – incontestablement l'une des grandes étoiles du millésime. Ce vin, qui ne sera pas accessible dès sa jeunesse (contrairement aux 1989 et 1990, par exemple), développe des ressemblances avec le 1975, musclé et très peu évolué. Sa robe d'un rubis-pourpre opaque précède un nez renversant de pain grillé, de fruits noirs confiturés et de café torréfié, lui-même suivi d'un ensemble d'une corpulence massive, qui colore littéralement les dents du fait de sa très grande richesse en extrait. La bouche révèle de riches arômes de doux fruits noirs, bien étayés par des tannins puissants et très présents. Ce vin formidablement doté dévoile sa belle richesse par paliers, et s'impose comme un monstre énorme et tannique, qui requiert une garde d'au moins 10 ans avant d'être prêt. Oubliez les balivernes selon lesquelles les vins de merlot sont plutôt doux, souples et accessibles ; lorsqu'ils sont vinifiés à la manière d'un Petrus ou d'autres grands Pomerol, les vins issus de vieilles vignes de merlot à petits rendements sont aussi aptes à une longue garde que ceux qui proviennent du cabernet sauvignon. Le Petrus 1995 durera **un demi-siècle, voire plus. A boire entre 2007 et 2050.** (11/97)

1994 • **93+** Avec sa robe opaque de couleur pourpre et son nez de vanille douce, de pain grillé, de cerise et de cassis confituré, le Petrus 1994, très corsé et densément doté, se dévoile en bouche par paliers, révélant, outre une douceur sous-jacente, un caractère glycériné et une profondeur énorme. Ce vin tannique et classique, très corpulent et d'une belle pureté, développe une finale peu évoluée ; il requiert une demi-douzaine d'années avant d'être prêt. **A boire entre 2006 et 2035.** (1/97)

1993 • **92+** Le 1993, qui pourrait prétendre au titre du vin le plus concentré de l'année, arbore une robe soutenue de couleur pourpre-prune et exhale un doux nez de fruits noirs, d'épices orientales et de vanille. Énorme et d'une richesse formidable, il est encore puissant, dense et extraordinairement pur – un véritable tour de force en matière de vinification. Dans un millésime n'offrant que peu de vins réellement riches et longs, Petrus se révèle magnifiquement doté et massif, avec une acidité moyenne et un niveau modéré de tannins. Il requiert une garde de 6 à 8 ans avant d'être bu. C'est l'un des vins de cette année les plus aptes à une longue garde – il se conservera parfaitement **30 ans.** Impressionnant ! (1/97)

1992 • **90+** Le 1992 se pose comme l'un des deux plus grands succès du millésime. Cette année-là, Petrus n'a donné que 2 600 caisses d'un vin étonnamment concentré, puissant et riche, à la robe sombre et soutenue de couleur rubis-pourpre et au nez serré, mais prometteur, de cerise noire et douce, de vanille et de caramel, avec des notes herbacées de moka. Son fruité d'une rare densité et sa richesse superbe sont magnifiquement étayés par des tannins merveilleusement doux. Il tiendra **15 à 20 ans, si ce n'est plus.** (11/94)

Il est intéressant de noter que le vignoble de Petrus, comme celui de son homologue Trotanoy, a été protégé par une couverture plastique noire pendant les pluies du mois de septembre 1992, si bien que celles-ci n'ont pu gorger ni le sol ni les raisins. Ce procédé s'est à l'évidence révélé judicieux.

1990 • **100** Ce vin bien doté, d'une richesse phénoménale, s'est révélé magique depuis ma première dégustation au fût. Arborant une robe dense d'un prune-pourpre confituré, il exhale un nez renversant où se mêlent les fruits noirs, le chêne neuf et grillé, le caramel et les fleurs. Tout à la fois massif, épais et très corsé, il présente une acidité plus faible et des tannins plus doux que son aîné d'un an. La bouche, d'une extraordinaire opulence, s'exprime en rondeur, révélant, outre des vagues d'arômes, une finale longue de plus de 45 secondes. Quoique parfaitement accessible en raison de sa texture voluptueuse, le Petrus 1990 n'a pas encore développé d'arômes secondaires. **A boire entre 2006 et 2035.** (11/97)

1989 • **100** Les amateurs fortunés auront plaisir à comparer le 1989 et le 1990 de Petrus. Le premier paraît légèrement plus foncé de robe, avec des arômes plus serrés, mais c'est couper les cheveux en quatre... Il s'agit en effet d'un vin riche et très corsé, étonnant d'opulence et de concentration, aussi exotique que flamboyant, qui demeure jeune et requiert une garde de 5 ou 6 ans encore avant d'être prêt. En bouche, il donne l'impression d'être plus tannique que son cadet d'un an, mais il affiche un bel équilibre d'ensemble et promet de tenir **une bonne trentaine d'années.** Une réussite stupéfiante ! (11/97)

1988 • **91** Sans être prodigieux, ce Petrus 1988 est extraordinaire – ce qui est rassurant. Sa robe d'un rubis-pourpre foncé resplendissant introduit un vin jeune, peu évolué et très tannique, doté d'un caractère moyennement corsé et d'un fruit sous-jacent doux et mûr. Ce Petrus requiert une garde de 5 ou 6 ans. **A boire entre 2004 et 2016.** (12/95)

1987 • **87** Si l'on se fie à l'évolution des Petrus 1980 et 1984, je ne serais pas autrement étonné de devoir renoter celui-ci à la hausse (de 3 ou 4 points). Ce vin, l'un des plus corsés et des moins évolués du millésime, révèle de très abondants tannins, mais il est bien étayé par une richesse et une corpulence sous-jacentes d'excellent aloi. On lui reprochera cependant son caractère terriblement fermé, voire impénétrable, ce qui m'a empêché de mieux le noter. Si vous êtes millionnaire et que votre enfant est né en 1987, n'hésitez pas ; le Petrus 1987 sera encore en bonne forme pour fêter sa majorité. **A boire jusqu'en 2010.** (11/90)

1986 • **87** Plus je déguste ce vin, plus je le trouve irrésistible. Tout en développant des arômes de thé vert, de fumé et de cerise rehaussés en arrière-plan de notes de chêne neuf, le Petrus 1986 s'est défait du gras de sa petite enfance et a légèrement perdu de sa présence en bouche, pour révéler une austérité et une structure tannique dignes d'un Médoc et atypiques d'un Pomerol. Assez peu corsé, il traverse, semble-t-il, une période ingrate. S'épanouira-t-il ou continuera-t-il de perdre son fruit ? **A boire jusqu'en 2010.** (2/97)

1985 • **88** Ce vin, qui était splendide en fût, a vraisemblablement été mis en bouteille à une époque où la propriété collait et filtrait ses vins à l'excès (Petrus n'est plus filtré depuis la fin des années 80). Moyennement corsé, il est bien concentré, mais plutôt inintéressant, et se distingue par un fruité herbacé de cassis et d'autres petits fruits. Sa robe d'un rubis diffus est fortement ambrée sur le bord. **A boire jusqu'en 2010.** (2/97)

1984 Étonnamment bon, le 1984 de Petrus se présente vêtu d'une robe profonde,
• et exhale un nez intense, confituré et herbacé. Moyennement corsé et d'une
87 belle persistance, il regorge de tannins. **A boire.** (11/90)

1983 Parfaitement mûr (même en double magnum), le 1983 de Petrus est herbacé
• et végétal ; moyennement corsé, avec de généreux arômes fruités manquant
87 ? quelque peu de tenue, il présente un caractère joliment glycériné et alcoolique, qui n'est malheureusement pas étayé par un fruité suffisant. Ce vin n'est décidément pas aussi harmonieux ni aussi équilibré qu'il devrait l'être. **A boire jusqu'en 2008.** (12/95)

1982 Le Petrus 1982 ne s'est pas montré tout à fait à la hauteur de mes espérances ;
• en effet, j'avais pensé, en le dégustant du fût, qu'il serait parfait. Il s'agit
98 néanmoins d'un vin colossal, au nez peu évolué, doux et ample de fruit mûr, d'herbes de Provence, de chocolat et d'épices. Très corsé, tannique et extrêmement concentré, il requiert une garde de 4 à 7 ans et tiendra bien 25 à **30 ans, si ce n'est plus.** (4/98)

1981 Alors qu'il était stupéfiant en fût, le Petrus 1981 ne s'est jamais vraiment
• montré sous un bon jour en bouteille. Je l'ai régulièrement renoté à la baisse.
86 Lors de la dégustation qui fait l'objet du présent commentaire, ce vin a révélé un caractère discret, léger et aqueux, ainsi qu'un nez végétal de cerise et de café entremêlé de senteurs de chêne épicé. Piquant, maigre et austère, il est dépourvu de la douceur, de la mâche et de l'onctuosité typiques de Petrus, et ressemble plutôt à un Médoc. C'est très certainement l'un des crus que j'ai le plus surestimés ces vingt dernières années. A plus de 16 ans d'âge, il ne présente pratiquement pas de dépôt, si bien que je me demande s'il n'a pas été collé et/ou filtré à l'excès. **A boire jusqu'en 2006.** (12/95)

1980 Étonnamment réussi, le 1980 de Petrus se distingue par un nez doux et confi-
• turé d'herbes rôties et de goudron, qui introduit en bouche un vin riche, moyen-
89 nement corsé et d'une belle persistance, de plus en plus impressionnant au fur et à mesure de son vieillissement. Il est à son apogée. **A boire jusqu'en 2006.** (12/95)

1979 Le 1979 ne s'est jamais montré à la hauteur du potentiel stupéfiant qu'il
• déployait en fût. Même en impériale, il se révèle maigre, compact et tannique,
86 aussi dur qu'austère, et dépourvu du charme et de la richesse des meilleurs Pomerol du millésime. Malgré sa belle robe d'un rubis moyen, il laisse à désirer, bien qu'il ne soit pas desservi par les notes végétales qui affectent le 1978. (12/95)

1978 Bien que je n'aie jamais été très amateur du 1978 de Petrus, j'étais tout prêt
• à lui accorder le bénéfice du doute et à me laisser séduire par une impériale.
83 Sa robe d'un rubis moyen introduit un nez herbacé de tomate pas mûre, qui précède en bouche un ensemble assez corsé, d'une concentration et d'une persistance moyennes. Ce Pomerol atypique est dépourvu de distinction. **A boire jusqu'en 2008.** (12/95)

1976 Parfaitement mûr dès sa diffusion, le 1976 a toujours révélé d'intenses arômes
• de tomate très mûre, de légumes rôtis, de fruits noirs et rouges nuancés de
88 chêne doux et grillé. Quoique plaisant et gras, il n'a ni la corpulence ni la profondeur d'un grand millésime de Petrus. **A boire.** (12/95)

1975 • **98+** Ce vin jeune et rustique, d'une puissance brutale, se distingue par sa robe opaque d'un rubis-pourpre tirant sur le grenat, et par son nez naissant de cerise noire très mûre, de chocolat, de moka et de truffe. Extrêmement corsé et doté de tannins féroces, mais étayé par une concentration stupéfiante, il peut déjà être apprécié des amateurs de vins légèrement sauvages. Ce véritable monstre (le dernier Petrus vinifié dans ce style) ne sera pas à maturité avant une dizaine d'années et tiendra bien **50 ans, si ce n'est plus.** (12/95)

1973 • **87** Outre qu'il s'impose comme la réussite du millésime, le 1973 est le seul Petrus des années 70 qui soit actuellement accessible. Dans cette année que l'on connaît généralement pour ses vins aqueux, issus de rendements trop importants, ce vin riche, souple et gras révèle une concentration sensationnelle et un caractère des plus parfumés. De nombreux amis m'ont affirmé qu'il était encore en bonne forme. **A consommer.** (12/84)

1971 • **95** Agréable à déguster depuis le milieu des années 70, ce Petrus magnifique se distingue par sa robe grenat-prune fortement orangée sur le bord et par son doux bouquet fruité aux notes de chocolat et de moka. Très corsé, riche et velouté, il déploie en bouche des vagues d'arômes soyeux, ainsi qu'un caractère alcoolique et modérément tannique qui lui permet de résister à l'épreuve du temps. Ce vin charnu et onctueux est certainement la grande réussite du millésime – c'est un Petrus des plus séduisants. **A boire jusqu'en 2005.** (3/94)

1970 • **98+** Vêtu de grenat foncé nuancé de rouille, ce vin s'est développé de belle manière ces dernières années. Serré et réservé dans sa petite enfance, il s'est épanoui en un ensemble puissant et massif, corsé et richement extrait, doté d'un caractère tout à la fois confituré, épais et onctueux. Véritablement renversant, avec ses amples senteurs d'épices, de tabac, de cerise noire et de moka, il est encore capable d'une garde de 20 ans, bien qu'il soit déjà à maturité. Ce Petrus spectaculaire surpasse maintenant le 1971, qui l'avait éclipsé pendant près de deux décennies. Les heureux propriétaires de ce nectar l'apprécieront **jusqu'en 2025.** (6/96)

1967 • **92** Dans ce millésime connu pour ses vins légers, seul Trotanoy peut rivaliser avec le grandiose Petrus. Parfaitement épanoui, avec une robe d'un beau rubis foncé à peine tuilé, ce vin généreux, chaleureux, trapu et charnu révèle en bouche une texture visqueuse et massive, ainsi que des tannins bien fondus. Merveilleusement évolué et manifestement issu d'un merlot très mûr, il sera parfait ces prochaines années. Je l'ai récemment dégusté (en magnum) en compagnie de mon épouse pour célébrer mes 50 ans : il demeure somptueux et exprime tout en rondeur un caractère complexe, intense et savoureux. **A boire jusqu'en 2005.** (5/98)

1966 • **89** L'excellent Petrus 1966 exhale un nez doux et fruité de cèdre et d'herbes. Très corsé, dense et rugueux, légèrement dépourvu d'équilibre, il révèle une bouche très corsée, regorgeant de tannins, d'alcool et d'arômes très visqueux de fruits rouges et mûrs qui ne se sont jamais vraiment bien fondus dans l'ensemble. **A boire jusqu'en 2002.** (6/91)

1964 • **97** Le 1964, dont la robe profonde de couleur rubis-grenat est tout juste marquée en bordure par quelques touches orangées et rouille, offre un bouquet énorme de fumé, de grillé, de fruits confiturés, de café et de moka. Massif, extrêmement alcoolique et gras, avec des tannins très abondants, il révèle une richesse en extrait et une persistance en bouche absolument époustouflantes. La seule critique que l'on pourrait lui adresser est qu'il est peut-être « trop » énorme et « trop » robuste. Ceux qui ont la chance de posséder quelques bouteilles de ce vin devraient les conserver encore quelques années avant de les déguster. Certes, ce sera une épreuve, mais quelle récompense ! **A boire jusqu'en 2025.** (11/95)

1962
•
91
Le nez mentholé et chocolaté, aux notes d'herbes et de cèdre, de ce vin parfaitement mûr évoque un Médoc. Moyennement corsé, doté de bonnes proportions et d'une belle structure, il arbore une robe d'un rubis foncé resplendissant à peine ambrée sur le bord. Sans être puissant ni opulent, il s'impose comme un Petrus extraordinaire, vinifié dans un style plus gracieux et plus élégant que de coutume. Je n'aurais jamais deviné, dans une dégustation à l'aveugle, qu'il s'agissait d'un Pomerol. **A boire jusqu'en 2015.** (12/95)

1961
•
100
Aussi riche qu'un Porto – il rappelle en cela les Petrus et Cheval Blanc 1947 –, le Petrus 1961 est parfaitement mûr et présente une robe fortement nuancée d'ambre et de grenat. Regorgeant de généreux arômes très épanouis, épais et visqueux aux notes de cerise noire nuancées de moka, il exprime une bouche très corsée et onctueuse, extrêmement glycérinée et très alcoolique. Une véritable friandise chocolatée, généreusement marquée de cerise et de café. **A boire jusqu'en 2010.** (12/95)

Millésimes anciens

Onctueux, doux et fabuleusement fruité, le 1959 (noté 93 en décembre 1995) est épais et confituré. Outre de généreux arômes corsés et très glycérinés, il déploie une finale longue et capiteuse. Ce vin parfaitement mûr, mais toujours intense et vivace, tiendra bien **10 à 15 ans encore.**

C'est l'extraordinaire Petrus 1950 (noté 99 en octobre 1994 – avec son jumeau de Lafleur) – que m'a servi, il y a plusieurs années déjà, Jean-Pierre Moueix qui m'a fait prendre conscience de la splendeur de ce millésime en Pomerol. Ce vin gigantesque est encore jeune. Moins évolué que d'autres, plus récents et réellement renversants, comme le 1961, il est massif et riche, déployant la robe spectaculaire et soutenue ainsi que la texture douce et onctueuse typiques de ce cru dans les années de bonne maturité. Son potentiel de garde est de **20 à 30 ans encore.**

Quoique irrégulier, le 1949 (noté 95 en octobre 1994) s'est toujours montré énorme, épais, grandiose et marqué par la mâche, mais il ne révèle aucunement ce caractère onctueux semblable à celui d'un Porto que l'on retrouve dans le 1947 ou le 1950. La première fois que je l'ai dégusté, il y a plus de dix ans, il m'a semblé massif et unidimensionnel, mais extraordinairement riche. Depuis, il a commencé à révéler l'aspect exotique et charnu caractéristique de Petrus, ainsi que des arômes merveilleusement purs de prune et de cerise noire aux notes de moka et de café. Ce vin, qui évolue de belle manière, demeure remarquablement jeune à plus de 45 ans d'âge.

Le 1948 (noté 95 en novembre 1997) est issu d'un millésime largement ignoré de la presse spécialisée. Les consommateurs avisés seraient bien inspirés de se mettre en quête de bouteilles de ce cru en parfait état de conservation. Dans le passé, j'ai cité de nombreux vins de ce millésime injustement oublié, en particulier Vieux Château Certan, La Mission Haut-Brion et Cheval Blanc, mais le Petrus 1948 m'a complètement dérouté lors de dégustations à l'aveugle, avec son nez de cèdre, de cuir, d'herbes et de cassis qui donnait l'impression qu'il s'agissait d'un premier cru classé de Pauillac. Arborant une robe encore très dense, très légèrement orangée sur le bord, ce vin riche, plus austère et plus longiligne que d'habitude, se montre très corsé et d'une grande richesse aromatique en bouche, déployant une finale épicée et moyennement tannique. Bien qu'il ait déjà dépassé le cap de sa maturité, il est capable de tenir encore 10 à 15 ans. Petit avertissement : certaines bouteilles présentent un taux d'acidité volatile excessif (même pour l'époque).

Le Petrus 1947 (noté 100 en avril 1998) s'impose comme le vin le plus luxuriant du siècle. Même s'il ne ressemble pas autant à un Porto que le Cheval Blanc de la même année, il n'en est pas moins massif, onctueux et visqueux, avec une puissance, une richesse et un doux fruité absolument étonnants. Son nez explose littéralement d'arômes de fruits confiturés, de fumé et de caramel crémeux, et sa viscosité évoque celle... d'une huile de moteur. Il est en fait si doux, si épais et si riche qu'une cuillère semblerait presque pouvoir y tenir debout seule... Ce vin, qui révèle un fruité généreux et féerique, ainsi qu'un taux d'alcool très élevé et des tannins bien fondus, pourrait être bu dès maintenant, compte tenu précisément de toutes ces qualités et de son caractère gras, mais il pourra aisément tenir encore 20 ans.

Autant le 1947 se montre énorme, juteux, succulent et fruité, autant le 1945 (noté 98+ en octobre 1998) est peu évolué, tannique et colossal, et requiert une garde supplémentaire de 5 à 10 ans. Sa robe est marquée de plus de notes pourpres que celle du 1947, et son nez offre des arômes de fruits noirs, de réglisse, de truffe et de viande fumée. Ce vin massif, d'une grande richesse en extrait et aux tannins formidablement présents, est tout simplement un géant qui sommeille et qui pourrait se révéler parfait.

Le 1929 (noté 100 en septembre 1995) arbore une robe d'un rubis-grenat profond légèrement ambré et orangé sur le bord. Ce vin ample, qui regorge d'extraordinaires senteurs de café, de moka, de cerise noire, d'herbes et de cèdre, révèle une bouche intacte, tout à la fois onctueuse, épaisse, tannique, d'une concentration massive, évoquant, à s'y méprendre, un vin de 30 à 35 ans d'âge.

Lors d'une dégustation en septembre 1995, le Petrus 1921 (noté 100) s'est révélé rien de moins que paradisiaque. Sa robe opaque est fortement ambrée sur le bord, et son nez puissant et massif révèle des notes de framboise, de café fraîchement moulu et de friandise au moka et au caramel. L'ensemble – l'un des vins les plus doux, les plus opulents, les plus épais et les plus séveux que je connaisse – est extraordinaire de richesse et d'opulence, avec un caractère savoureux rehaussé de très intéressantes notes de cèdre. Ce Petrus énorme et incroyablement concentré ressemblait à s'y méprendre au 1950 ou au 1947.

En décembre 1996, j'ai dégusté un magnum issu d'une cave privée de Saint-Émilion que l'on pensait être un Petrus 1900. C'était un vin excellent, pas exceptionnel (il fut noté 89), qui révélait encore de doux arômes de cerise et de mûre.

Note : je signale à l'attention des éventuels acquéreurs de vieux millésimes de Petrus que de nombreuses contrefaçons circulent sur le marché. Les millésimes les plus prisés (1947, 1961, 1970, 1982, 1989 et 1990) sont généralement les plus sujets à caution. Les amateurs devront, autant que possible, se faire préciser la provenance des flacons.

LE PIN – EXCEPTIONNEL

Équivaut à un 1er cru du Médoc
Propriétaire : GFA du Château Le Pin
Adresse : 33500 Pomerol
Adresse postale : Hofte Cattebeke
9680 Etikhove – Belgique
Tél. 05 57 51 33 99 – Fax 05 57 51 09 66
Visites : sur rendez-vous uniquement
Contact : Jacques Thienpont

Superficie : 2 ha (Pomerol)
Vin produit : Château Le Pin – 7 200-8 400 b (pas de second vin)
Encépagement : 92 % merlot, 8 % autres cépages
Densité de plantation : 6 000 pieds/ha – *Age moyen des vignes :* 35 ans
Rendement moyen : 30-37 hl/ha

Élevage :
fermentations de 15 jours environ ;
achèvement des malolactiques en fûts neufs (généralement) ;
vieillissement de 18 mois en fûts neufs ; soutirage trimestriel de fût à fût ;
collage au blanc d'œuf ; pas de filtration

A maturité : dans les 4 à 12 ans suivant le millésime

En 1979, les Thienpont ont acheté le minuscule Château Le Pin, situé au cœur même du plateau de Pomerol, à proximité de Vieux Château Certan, dont ils sont également propriétaires (auparavant, ce domaine appartenait à Mme Laubie, dont la famille l'avait acquis en 1924). Leur but avoué était d'élaborer un vin riche et majestueux, capable de rivaliser avec Petrus. Les premiers millésimes, qui ont emballé les amateurs, se présentent comme des Pomerol d'une richesse splendide, mais également très imposants et très boisés. On peut dire qu'ils figurent désormais parmi les vins les plus grandioses de leur appellation ; ils sont également parmi les plus onéreux et les plus exotiques.

Leur caractère ostentatoire s'explique en partie par le fait que Le Pin est l'une des rares propriétés du Bordelais à procéder à la fermentation malolactique en fûts de chêne neuf. Cette méthode, qui requiert beaucoup de travail et d'attention, n'est mise en œuvre que par les domaines ayant une faible production, car la surveillance doit être permanente. C'est probablement à cette technique particulière que l'on doit les amples senteurs exotiques nuancées de fumé qui caractérisent le cru. En outre, il est certain que le sol de graves enrichi de fer de cette partie du plateau de Pomerol a également contribué à faire de ce vin rare (il est produit en quantités minuscules) un véritable objet de culte.

Si l'on devait adresser un reproche à Le Pin, ce serait au sujet de son potentiel de garde, à mon sens assez limité. Cependant, il est incontestable que ce Pomerol somptueux et complexe, qu'il faut généralement boire dans les 10 à 12 ans suivant la vendange, est le tout premier vin de l'appellation, et même de l'ensemble du Bordelais – à l'exception, peut-être, du très sensuel Haut-Marbuzet de Saint-Estèphe –, pour ce qui est de la séduction, du charme et du pur plaisir de déguster et de boire.

1998 • **94-96** C'est certainement l'un des Le Pin les plus impressionnants que j'aie dégustés à un stade aussi précoce. Généralement, ce cru s'étoffe et développe davantage de précision et de complexité après quelques années – le 1998 est donc tout simplement fabuleux pour un jeune exemple de ce cru. Ce vin grandiose, vêtu de pourpre foncé, exhale des senteurs merveilleusement douces de mûre, de confiture de cerise et de chocolat nuancées de surmaturité. En bouche, il exprime tout en rondeur et par paliers une pureté phénoménale et une onctuosité sensationnelle. Contrairement à ses jumeaux de l'appellation, il est tannique et structuré, mais l'ensemble est plus soyeux et mieux fondu. Ce 1998 très corsé et magnifiquement réussi incarne la quintessence du cru – il marie la plus grande opulence à un velouté sensuel. **A boire entre 2002 et 2018.** (3/99)

1997 • **90-92** Déjà bien évolué, Le Pin 1997 déploie un nez complexe aux arômes de café torréfié, de fumé, d'herbes de Provence, de douce liqueur de kirsch et de cerise noire. Rond et velouté, il manifeste au palais une persistance et une concentration d'excellent aloi, ainsi qu'une faible acidité. Vous apprécierez ce vin savoureux, séveux et séduisant **jusqu'à 10 ou 11 ans d'âge.** (3/98)

1996 • **91** Ce vin s'est assoupli depuis ma première dégustation. Très ouvert lorsque je l'ai goûté en janvier 1999, il arborait une robe rubis foncé préludant à un nez bien évolué de café torréfié, de chocolat fondu et de cerise noire confiturée aux notes exotiques de noix de coco. Tout à la fois rond, souple et moyennement corsé, ce Le Pin s'impose comme l'un des vins les plus flamboyants et les plus épanouis du millésime. S'affermira-t-il en bouteille ? Les disponibilités de ce cru 1996 sont extrêmement réduites, car il est issu d'une sélection de seulement un tiers de la récolte totale. **A boire jusqu'en 2012.** (1/99)

1995 • **93+** Vêtu d'un rubis dense, Le Pin 1995 dégage des arômes de crayon à papier, de noix grillée, de fumé, d'épices, de cake et de cerise noire mêlés de notes de chocolat blanc. Sensuel et très corsé, il est faible en acidité, mais manifeste en finale d'abondants tannins et beaucoup de tenue. Ce vin aux généreux arômes de cola, de kirsch et de framboise se révèle bien mieux structuré en bouteille que lorsqu'il était en fût. Il me paraît d'ailleurs en tout point aussi structuré et aussi tannique que son cadet de 1996. **A boire entre 2002 et 2018.** (11/97)

1994 • **91+** Plus discret, moins ostentatoire et moins flamboyant que son aîné d'un an, le 1994 resplendit d'une belle couleur rubis-pourpre foncé, et présente à l'attaque en bouche des arômes épicés, soyeux et veloutés, aux notes de chêne doux. Moyennement corsé, avec davantage de structure et de concentration que le 1993, il déploie, outre un généreux fruité, un niveau modéré de tannins, ainsi qu'une finale longue, riche et confiturée. Une fois encore, le chêne neuf, une pureté extraordinaire et une grande saveur en bouche permettent à ce vin impressionnant de se distinguer lors de dégustations à l'aveugle. **A boire jusqu'en 2012.** (1/97)

1993 • **90** Le 1993 arbore la robe bien évoluée, de couleur prune-grenat foncé, si caractéristique de ce cru, et présente au nez des arômes exotiques et coquins de boisé, d'herbes aromatiques et de cerise noire confiturée. Ces senteurs très prononcées sont suivies, comme on pouvait s'y attendre, d'un vin tout à la fois délicieux, luxuriant, moyennement corsé, avec une faible acidité, et débordant littéralement de fruité. Ceux d'entre vous qui se souviennent de la joie avec laquelle ils se ruaient sur les gaufres chantilly de leur enfance apprécieront sans aucun doute, d'un point de vue viticole, ce que ce vin peut offrir. **A boire jusqu'en 2010.** (1/97)

1992 • **82 ?** Le 1992 de Le Pin est trop marqué par des arômes de chêne neuf et grillé pour sa structure délicate et fragile. D'un rubis assez profond, il déploie au nez des senteurs boisées et agressives, ainsi que des arômes légèrement fumés et herbacés, et libère en bouche des flaveurs moyennement corsées de cerise noire qui ne dominent pas cette enveloppe boisée. D'un faible niveau d'acidité et légèrement dilué, ce vin très marqué par des touches de vanille et de fumé devra être consommé assez rapidement. Compte tenu du prix exorbitant auquel se vend la production microscopique de la propriété (un peu plus de 500 caisses d'un vin généralement exotique et brillantissime), il eût été préférable que celle de 1992 fût entièrement déclassée. **A boire jusqu'en 2002.** (11/94)

1990 • **98** C'est probablement le vin le plus profond élaboré à ce jour par la propriété. Arborant une robe dense d'un rubis-prune foncé, il exhale un nez spectaculaire et exotique, où l'on décèle des senteurs d'épices exotiques, de kirsch confituré et de fruits noirs entremêlées de généreuses notes de pain grillé. En bouche, c'est une véritable bombe fruitée et veloutée, qui dévoile par paliers, outre un caractère concentré, fabuleusement glycériné et mûr, des tannins doux et bien fondus. Il est difficile de résister à ce vin corsé, luxuriant et voluptueux, bien qu'il soit encore dans sa toute petite enfance. **A boire jusqu'en 2012.** (12/96)

1989 • **96** La robe rubis-pourpre foncé du Le Pin 1989 est peut-être légèrement plus soutenue que celle du 1990. Le nez révèle de doux arômes d'herbes rôties, de noix de coco et de cassis confituré, copieusement marqués de chêne neuf et grillé. L'ensemble, très corsé et d'une concentration massive, se distingue encore par un caractère généreusement glycériné qui s'exprime par paliers, ainsi que par des tannins plus abondants que ceux du 1990. Ce vin fabuleux, fascinant, qui sort de l'ordinaire, est incontestablement irrésistible. Mais vaut-il réellement les 20 000 à 25 000 F que les meilleures bouteilles atteignaient aux enchères fin 1997 ? **A boire jusqu'en 2012.** (12/96)

1988 • **92** Ce vin, qui a évolué de belle manière en bouteille, arbore une robe d'un rubis profond nuancé de pourpre. Son boisé agressif s'est bien fondu, laissant désormais s'exprimer de généreuses notes de pain grillé, de cerise noire douce et riche et de cassis nuancées de prune. Moyennement corsé et extrêmement concentré, il gratifie le palais d'arômes bien dotés et chocolatés, et révèle davantage de tannins et de structure que de coutume. Un vin merveilleusement charnu et des plus plaisants. **A boire entre 2000 et 2010.** (11/97)

1987 • **88** Le Pin 1987 s'impose tout d'abord par son bouquet énorme, exotique et parfumé, dominé par le chêne neuf et fumé ; cependant, après quelques minutes d'aération, les arômes de petits fruits rouges bien mûrs prennent le dessus. En bouche, ce vin se révèle merveilleusement séveux, séduisant et précoce. Il est absolument délicieux et doit être consommé **dans les 2 ou 3 ans.** Quel beau succès pour le millésime ! (11/90)

1986 • **91** Le 1986 est certainement moins opulent et moins charmeur que le fabuleux 1985, délicieusement onctueux, riche et charnu en diable. Pourtant, ce vin est loin d'être un vilain petit canard ! Il déploie un nez extraordinaire de chêne fumé et de prune, et se révèle merveilleusement concentré et puissant en bouche, où il s'impose comme l'exemple le plus tannique de ce cru depuis le premier millésime. Ce vin n'a pas le charme précoce et immédiat des 1982, 1983 et 1985, mais les amateurs patients pourront en apprécier les qualités épanouies. **A boire jusqu'en 2008.** (11/90)

1985
•
93
Ce vin a traversé une période ingrate, durant laquelle il révélait un caractère disjoint, trop boisé et léger, mais il a bien évolué. Sa robe d'un prune profond est maintenant légèrement éclaircie sur le bord, et son nez, qui jaillit littéralement du verre, offre de séduisantes senteurs d'herbes fumées, de doux cassis confituré et de chêne grillé. En bouche, des arômes de caramel et de moka se mêlent à un fruité de cerise confiturée dans un ensemble irrésistible par son caractère onctueux, épais et aussi doux que du satin. **A boire jusqu'en 2008.** (12/96)

1984
•
87
Ce vin est sans doute l'un des 1984 les plus remarquables. Outre des arômes très séduisants et suaves de chêne, d'herbes aromatiques, de café et de chocolat, il révèle en bouche des saveurs rondes et opulentes, extraordinairement épanouies (surtout pour ce millésime), étayées par un très beau fruit. La finale est veloutée et épicée. **A boire.** (11/90)

1983
•
98
Outre son bouquet énorme d'où jaillissent des arômes de chêne fumé, d'épices et de fruits doux, le 1983 révèle une texture splendide, opulente et voluptueuse, et déploie cette douceur fabuleuse et ce fruité mûr qui sont la griffe de la propriété. Avec un taux d'acidité assez bas, il est également très gras et superbement riche en extrait, et sa finale est sensationnelle. S'il a pu paraître plus léger dans son enfance, présentant moins de richesse aromatique à la fois au nez et en bouche, il s'impose, maintenant qu'il est à la pointe de sa maturité, comme l'un des deux ou trois exemples que je préfère de ce vin exotique et coquin. **A boire jusqu'en 2008.** (10/94)

1982
•
100
Ce vin hors normes affiche un exotisme et une opulence sans retenue, impossibles à imaginer pour quiconque ne l'aurait pas dégusté. Son nez pénétrant, spectaculaire et intense, exhale des senteurs de fruits rouges et noirs confiturés, de caramel, de cacao, de sauce soja et de vanille. Extrêmement riche et épais, il déploie en bouche, par paliers, un fruit concentré, et révèle un caractère doux, ample et terriblement luxuriant qui le rend plus délicieux encore que son jumeau de Pichon-Lalande. Valant aux alentours de 10 000 F la bouteille – si tant est que l'on puisse en trouver –, il s'impose comme l'un des vins les plus fabuleux que je connaisse. Combien de temps encore se maintiendra-t-il ? Très probablement une dizaine d'années, si l'on en juge par sa richesse en extrait et par son équilibre extraordinaires. Mais cela suppose que les amateurs puissent résister à son charme immédiat. **A boire jusqu'en 2010.** (9/95)

1981
•
89
Le 1981 n'a rien perdu de ses arômes de chêne neuf et grillé. D'un rubis moyennement foncé, avec un doux nez herbacé de cerise noire, il exprime avec élégance et souplesse un caractère modérément corsé et parfaitement mûr. Ce vin est très bon, mais pas exceptionnel. **A boire jusqu'en 2005.** (12/95)

Note : Le Pin, cru prestigieux, est maintenant la coqueluche des contrefacteurs, qui semblent avoir un faible pour le 1982.

PLINCE

Équivaut à un cru bourgeois
Propriétaire : GFA du Château Plince
Adresse : 33500 Libourne
Tél. 05 57 51 20 24 – Fax 05 57 51 59 62
Visites : sur rendez-vous uniquement
Contact : Michel Moreau

Superficie :
8,3 ha (près de Nenin et en face de La Pointe)
Vin produit : Château Plince – 59 000 b (pas de second vin)
Encépagement : 68 % merlot, 24 % cabernet franc, 8 % cabernet sauvignon
Densité de plantation : 5 500 pieds/ha – *Age moyen des vignes :* 30 ans
Rendement moyen : 53 hl/ha

Élevage :
fermentations de 21-28 jours en cuves de béton thermorégulées ;
achèvement des malolactiques en cuves ;
vieillissement de 15 mois en fûts (20 % de bois neuf) ;
collage ; filtration si nécessaire

A maturité : dans les 5 à 10 ans suivant le millésime

Plince est un Pomerol solide, assez riche, costaud, épicé et profond, rarement complexe, mais généralement très agréable. Les Moreau, qui possédaient aussi le Clos l'Église (racheté par Gaston et Sylviane Garcin, du Château Haut-Bergey), exploitent cette propriété, dont la production est commercialisée par la maison Jean-Pierre Moueix, de Libourne.

A mon avis, Plince est un vin régulier, net et bien vinifié. Bien qu'il n'ait pas le potentiel pour être vraiment grandiose, il tire le meilleur parti de ses possibilités. Habituellement trapu et vigoureux, il peut vieillir 8 à 10 ans.

1996 • **84-86** Ce vin dense, rubis-pourpre foncé, est monolithique et peu expressif, mais corpulent, solide et moyennement corsé en bouche, avec un fruité doux et sans détour de prune et de cerise. **A boire dans les 5 ou 6 ans.** (11/97)

1993 • **80** Le 1993, très coloré et très intense, est unidimensionnel et trapu, et son fruité est dominé par ses tannins. Il devrait tenir encore 4 ou 5 ans. (1/94)

1992 • **76** J'ai apprécié la robustesse sans complication du 1992 de Plince lorsque je l'ai goûté au fût, mais, depuis la mise en bouteille, ce vin a perdu beaucoup de son charme et de son élégance. Il se montre maintenant dur, sec et maigre, avec des tannins rugueux et un nez de cerise noire rance. **A boire d'ici 1 ou 2 ans.** (11/94)

1990 • **82** Ce vin moyennement corsé, sans détour et monolithique présente un fruit trapu, dépourvu de complexité, mais bien marqué par la mâche. Il est faible en acidité et trop simple pour mériter une note plus élevée. **A boire.** (1/93)

1989 • **85** Doté des arômes de prune et de fruits noirs très mûrs caractéristiques du millésime, le Plince 1989 étonne par son intensité et par sa richesse en extrait. Titrant 13° à 13°5, avec une finale bien tannique, il s'impose comme l'un des vins les plus impressionnants que je connaisse de cette propriété. **A boire jusqu'en 2000.** (1/93)

1988 • 80 Bien que sinueux et dépourvu de charme, le 1988 vieillira bien en raison de son haut niveau de tannins. **A boire jusqu'en 2004 ou 2005.** (1/93)

1986 • 82 Étonnamment précoce pour le millésime, ce vin moyennement corsé présente un fruité mûr, confit et suffisamment complexe. Sa finale, plaisante, n'a cependant rien de remarquable. **A boire.** (3/90)

1985 • 84 Très mûr, savoureux et charnu, le 1985 révèle un caractère gras et corsé, étayé par une faible acidité et des tannins peu abondants. Sa finale est savoureuse. **A consommer.** (3/89)

LA POINTE

Équivaut à un cru bourgeois
Propriétaire : Bernard d'Arfeuille
Adresse : 33500 Pomerol
Tél. 05 57 51 17 57 – Fax 05 57 51 42 33
Visites : sur rendez-vous uniquement
Contact : Stéphane d'Arfeuille

Superficie : 22 ha (Pomerol)
Vins produits :
Château La Pointe – 120 000 b ; Château La Pointe Riffat – 25 000 b
Encépagement : 75 % merlot, 25 % cabernet franc
Densité de plantation : 5 500 pieds/ha – *Age moyen des vignes :* 25 ans et plus
Rendement moyen : 40-55 hl/ha

Élevage :
fermentations et cuvaisons de 16-21 jours
en cuves d'acier inoxydable thermorégulées ;
achèvement des malolactiques en cuves ;
vieillissement de 15-18 mois en fûts (1/3 de bois neuf) ;
collage et filtration

A maturité : dans les 3 à 10 ans suivant le millésime

La Pointe est une propriété assez irrégulière : les vins qui en sont issus peuvent être ronds, simples et généreux, comme en 1970, mais ils sont trop souvent désagréablement légers et dépourvus d'étoffe. Les vieux millésimes, tels 1975, 1976, 1978 et 1979, manquent tous du fruit riche, souple, tonique et bien marqué par la mâche typique des bons Pomerol. Du fait de sa production importante, ce vin bénéficie d'une large promotion. Les propriétaires ont sensiblement augmenté la proportion de merlot dans l'encépagement. Mais, tout bien considéré, c'est un Pomerol assez médiocre.

1998 • 87-90 Cette propriété généralement sous-performante propose en 1998 le meilleur vin que je lui connaisse. Opaque et pourpre-noir de robe, il se distingue par ses arômes mûrs et confiturés de cerise et de mûre, nuancés de réglisse et de boisé. La bouche développe par paliers un caractère opulent et très corsé, et l'ensemble est tout simplement formidable, quoique atypique de La Pointe. **A boire entre 2002 et 2015.** (3/99)

1995 • **83** D'un beau rubis moyennement foncé, avec un nez de grillé et de douce cerise, le 1995 de La Pointe se révèle assez corsé en bouche, où il dévoile un caractère plaisant et bien équilibré. Faible en acidité et modérément concentré, il doit être consommé **entre 2000 et 2008.** (11/97)

1994 • **76** Arborant une robe moyennement foncée couleur d'airelle, le 1994 présente des arômes herbacés, boisés et vaguement fruités qui attestent bien son caractère dilué. Ce vin peu corsé déploie une finale tannique. **A boire jusqu'en 2006.** (3/96)

1989 • **74** Ce vin rubis moyen, dont la robe quelque peu éclaircie sur le bord est signe de dilution, se montre légèrement corsé, fruité, alcoolique et dépourvu de complexité en bouche. Il laisse vraiment à désirer. **A boire jusqu'en 2004.** (1/93)

1988 • **76** Léger, moyennement corsé et dépourvu de complexité, le 1988 doit être consommé **jusqu'en 2002.** (1/93)

1986 • **84** Ce vin, qui pourrait bien compter au nombre des meilleurs Pomerol du millésime, déploie des notes de chêne neuf et épicé, et séduit par son fruité de prune. Moyennement corsé, avec une finale de bonne tenue, il doit être consommé **maintenant.** Alors que les Pomerol sont généralement chers du fait de leur petite production, celui-ci demeure à un prix assez raisonnable pour sa qualité. (3/90)

1985 • **83** Assez léger, mais témoignant d'un bon équilibre, ce vin moyennement corsé et richement fruité sera agréable à boire sans cérémonie. **A consommer sans délai.** (3/89)

ROUGET – BON

Équivaut à un cru bourgeois
Propriétaire : famille Labruyère
Adresse : 33500 Pomerol
Tél. et Fax 05 57 51 05 85
Visites : sur rendez-vous uniquement
Contact : Antoine Ribeiro

Superficie : 17,6 ha (Pomerol)
Vins produits :
Château Rouget – 29 000 b ; Vieux Château des Templiers – 29 000 b
Encépagement : 85 % merlot, 15 % cabernet franc
Densité de plantation : 6 000 pieds/ha – *Age moyen des vignes :* 40 ans
Rendement moyen : 30 hl/ha

Élevage :
fermentations et cuvaisons en cuves d'acier inoxydable thermorégulées ;
achèvement des malolactiques en fûts depuis 1997 ;
vieillissement de 15 mois en fûts (1/3 de bois neuf) ; ni collage ni filtration

---

A maturité : dans les 5 à 15 ans suivant le millésime

Cette ancienne et fort belle propriété, située dans la partie la plus septentrionale de l'appellation, offre, au-delà des arbres, une jolie vue sur la Barbanne. C'est l'un des domaines les plus illustres de l'histoire de Pomerol. Dans l'une des premières éditions du *Bordeaux et ses vins* de Cocks et Féret, ce vignoble était classé quatrième de l'appellation. Aujourd'hui, il a été dépassé par beaucoup d'autres, mais son vin peut toujours se révéler très riche et très intéressant. C'est ainsi que les superbes 1945 et 1947 demeuraient en parfaite forme à la fin des années 80.

Jusque récemment, Rouget était géré par Jean-François Brochet, qui vinifiait de manière traditionnelle et conservait dans ses chais des stocks importants de vieux millésimes. En règle générale, ses vins ne convenaient guère à ceux qui aiment les crus précoces. Très foncés de robe, riches et corsés, souvent tanniques aussi, ils demandaient 8 à 10 ans de garde en cave avant d'être accessibles. Cela dit, s'ils se montraient parfois un peu rudes et plutôt rustiques, ils se révélaient le plus souvent délicieux, riches, épanouis et épicés.

En 1992, Jean-François Brochet vendit Rouget à la famille Labruyère, déjà propriétaire en Moulin-à-Vent, en Bourgogne (copropriétaire, notamment, du Domaine Jacques Prieur), et qui a des intérêts en Californie (Behringer, Howell Mountain et Stanley Lane). Dès cette acquisition, des travaux de grande envergure furent entrepris : restructuration du vignoble, qui était en mauvais état (arrachages et complantations), rénovation de l'ancienne cuverie et création d'un chai de vieillissement, installation d'une salle de dégustation et de locaux de réception, etc. De plus, le vignoble bénéficie désormais d'un éclaircissage permettant une réduction substantielle des rendements, les raisins sont triés à la vigne, et les vins achèvent leurs malolactiques en fûts.

Actuellement, la gestion du domaine est assurée par Antoine Ribeiro, également chargé des vinifications – et en cela conseillé par l'œnologue Michel Rolland. Les vins se sont améliorés, comme l'attestent les deux derniers millésimes. Ils sont plus souples, moins rustiques, mais toujours aussi foncés de robe et concentrés que par le passé. Ils demeurent intéressants sous le rapport qualité/prix, les anciens millésimes eux-mêmes demeurant raisonnablement cotés.

1998 • **87-89** C'est le meilleur Rouget depuis le 1982 ; il s'impose d'ailleurs comme l'une des révélations du millésime. Arborant une robe impressionnante d'un rubis-pourpre sombre et soutenu, il exhale de belles senteurs de mûre mâtinées de réglisse, de grillé et de fumé. Ce vin peu évolué, dont la faible acidité et la richesse en extrait sont dissimulées par ses abondants tannins, révèle encore un gras et une persistance d'excellent aloi. Il devrait, de surcroît, s'imposer comme une très bonne affaire dans le contexte du millésime. **A boire entre 2001 et 2014.** (3/99)

1997 • **84-87** Je ne serais pas surpris que ce vin s'étoffe et qu'il mérite ultérieurement une note plus élevée que son aîné d'un an. Arborant une robe d'un rubis soutenu aux nuances pourpres, il exhale un nez de cerise noire et d'autres petits fruits confiturés nuancé de terre et d'épices. La bouche, moyennement corsée et élégante, déploie un merveilleux fruité, ainsi qu'une finale sans détour, mûre et concentrée. **A boire dans les 6 ou 7 ans.** (1/99)

1996 • **85** Il semblerait que cette propriété fasse des efforts pour produire des vins de meilleure qualité. Vêtu d'un rubis léger décevant, le 1996 s'annonce par un nez de fruits mûrs (notamment de cerise) et de chêne neuf et grillé. La bouche exprime joliment et avec élégance un caractère moyennement corsé, aux arômes de cerise très caractéristiques. Vinifié dans un style proche de celui de De Sales, ce vin sera en bonne forme ces **5 ou 6 prochaines années.** (1/99)

1990 • **85** Plus gras, avec davantage de fruit mûr que de coutume, le 1990 est moyennement corsé et étonnamment évolué, et déploie une finale souple et alcoolique. **A boire dans les 4 ou 5 ans.** (1/93)

1989 • **84** Extrêmement riche et moyennement corsé, avec des tannins poussiéreux, le 1989 de Rouget affiche un caractère très alcoolique, mais d'une excellente maturité. Sa finale, persistante, est longue et dure. Ce vin, qui ne sera jamais élégant, mais plutôt rugueux, est intéressant à déguster. **A boire jusqu'en 2006.** (1/93)

1988 • **84** Assez réussi pour le millésime, le 1988 se distingue par un fruité de cerise noire partiellement masqué par ses tannins. Moyennement corsé, il dévoile un bouquet naissant de fruits et de terre entremêlé de senteurs minérales et herbacées. **A boire jusqu'en 2006.** (1/93)

1986 • **82** Pour des raisons qui m'échappent, le 1986 semble avoir été vinifié dans un style précoce et commercial. Souple et fruité, mais dépourvu de complexité, il n'est pas à la hauteur de ce que l'on attend de cette propriété. **A consommer.** (3/90)

1985 • **84** Ce vin, qui se montrait sous un meilleur jour en fût, s'est refermé après la mise en bouteille. Il arbore toujours une belle couleur rubis, mais son charme et sa profondeur sont masqués, peut-être même éclipsés, par une montagne de tannins rustiques. C'est un Pomerol rugueux et peu évolué, dans le contexte de ce millésime particulier. **A boire jusqu'en 2005.** (3/89)

1983 • **82** Richement fruité et épicé, mais également gras et concentré, le 1983 de Rouget se montre moyennement corsé et assez tannique en bouche. Un vin ample, à déguster **jusqu'en 2000.** (2/88)

1982 • **85** Il semblerait que j'aie surestimé le Rouget 1982 lors de mes précédentes dégustations. Encore relativement fermé et dur, il ne révèle plus le fruit mûr, riche et intense que j'avais trouvé dans les échantillons tirés du fût. Il s'agit néanmoins d'un très bon vin. **A boire jusqu'en 2000.** (1/91)

1981 • **80** Quoique de bonne facture, le 1981 souffre de la comparaison avec le puissant 1982 et avec le 1983, gras et savoureux. Il révèle cependant un bon fruité, mais ses tannins sont durs et agressifs, et sa finale honnête, mais assez quelconque. **A boire.** (6/83)

1978 • **82** Moyennement corsé et trapu, le Rouget 1978 séduit par son caractère fruité et épicé, mais il se montre légèrement pataud et déséquilibré au palais, avec des tannins modérés. **A boire.** (6/83)

1971 • **80** Parfaitement mûr et poussiéreux en bouche, le 1978 arbore une robe d'un rubis moyennement foncé et ambré, et se distingue par un bouquet épicé de terre et de cèdre. La bouche, joliment concentrée, est assez rugueuse. **A boire – peut-être même sur le déclin.** (6/84)

1970 • **84** Ce vin ample, plutôt gras et bien doté, est moyennement corsé, avec un riche fruité de cassis et de cèdre. Cependant, il montre toujours une texture rugueuse, et ses tannins sont très présents. **A boire.** (6/84)

1964 • **87** Voici un vin parfaitement réussi. Alors que Rouget est généralement ample, rugueux et tannique, le 1964 affiche davantage d'harmonie. Très profondément fruité, avec de généreux arômes de terre et de cassis, ce Pomerol très corsé conjugue de la puissance avec un bel équilibre d'ensemble. Étonnamment persistant, il s'impose comme l'un des succès de l'appellation. **A boire.** (1/85)

DE SALES – BON

Équivaut à un cru bourgeois
Propriétaire : GFA du Château de Sales
Adresse : 33500 Libourne
Tél. 05 57 51 04 92 – Fax 05 57 25 23 91
Visites : sur rendez-vous de préférence
Contact : Bruno de Lambert

Superficie : 47,5 ha (nord-ouest de Pomerol et entre Libourne et Pomerol)
Vins produits :
Château de Sales – 150 000-180 000 b ;
Château Chantalouette – 50 000-100 000 b
Encépagement : 70 % merlot, 15 % cabernet franc, 15 % cabernet sauvignon
Densité de plantation : 5 600 pieds/ha – *Age moyen des vignes :* plus de 25 ans
Rendement moyen : 49 hl/ha

Élevage :
fermentations et macérations de 17-22 jours
en cuves de béton thermorégulées à 30 °C ;
achèvement des malolactiques en cuves ;
vieillissement de 18 mois pour une partie en fûts (pas de bois neuf)
et pour l'autre en cuves ;
soutirage trimestriel de fût à fût ; collage au blanc d'œuf ; légère filtration

A maturité : dans les 3 à 10 ans suivant le millésime

Le Château de Sales, le plus grand vignoble de Pomerol, est la seule propriété de la région à pouvoir s'enorgueillir d'un château digne de ce nom. Appartenant à la famille Lambert, il se trouve au nord-ouest de l'appellation, sur des sols de sable mêlé de graves. Ce cru, qui s'améliore sans cesse, compte parmi les plus agréables de Pomerol ; réputé pour son très bon fruit souple, brillant, rond, généreux et mûr, il est généralement séveux et soyeux. La propriété fait de bons vins depuis toujours, mais les millésimes récents se sont particulièrement distingués. Jamais puissants, agressifs, corpulents ou trop boisés, ils sont délicieux à boire jeunes, mais savent aussi vieillir sur 10 à 12 ans.

Quoique toujours bon, De Sales ne sera jamais grandiose, mais il ne m'a, jusqu'ici, jamais déçu. En outre, il est intéressant sous le rapport qualité/prix.

1998 • **86-88** Constituant incontestablement la plus belle réussite de la propriété depuis le 1982, le 1998 de De Sales se distingue par son caractère moyennement corsé et mûr aux notes de douce cerise et de noix rôtie. Doté de tannins souples et d'un savoureux fruité étayé par une acidité admirable, il déploie encore une texture ouverte, accessible et bien glycérinée, non dépourvue de structure. Ce vin ample devrait évoluer de belle manière ces **10 à 12 prochaines années.** (3/99)

1997 • **85-86** Plus étoffé que son aîné d'un an, le De Sales 1997 révèle aussi un fruité plus doux, étayé par une plus faible acidité. Ce vin dominé par un fruité pur et net de cerise noire sera parfait ces **7 ou 8 prochaines années.** (1/99)

1996 • **79** Quoique plaisant, ce vin d'un rubis moyen présente une finale sèche. Cependant, il révèle un fruité mûr de cerise nuancé de notes de terre et de poussière. On décèle également dans l'ensemble des touches de noix rôtie. **A boire dans les 3 ou 4 ans.** (1/99)

1995 • **87** Le 1995 pourrait être à terme l'une des plus belles réussites de la propriété depuis le 1982. D'un rubis foncé, il présente un nez séduisant de cerise confiturée, de terre et de kirsch marqué de curieuses notes de bois de balsa. Souple en bouche, il y révèle, outre une très belle concentration et une texture ronde et veloutée, un caractère des plus plaisants. La finale, riche et nette, contient des notes de fruits rouges. Quoique d'ores et déjà agréable, ce 1995 devrait durer **6 ou 7 ans encore.** Une révélation ! (11/97)

1993 • **?** Ce vin, tout comme son aîné d'un an, est marqué par des arômes de moisi, de bois humide et de chien mouillé. Je réserve mon appréciation. (11/94)

1990 • **89** Puissant et riche, le De Sales 1990 rappelle le 1989 par ses senteurs douces et sans détour d'épices, de caramel et de petits fruits. Moyennement corsé, il déploie un fruité mûr et charnu, et une finale persistante. **A boire jusqu'en 2002.** (1/93)

1989 • **85** Étonnamment corsé pour ce cru, le 1989 se distingue par un bouquet profond et intense de cerise noire nuancé de vanille et de grillé. La bouche exprime une belle maturité et un caractère alcoolique et capiteux ; la finale, tannique, est persistante et riche. **A boire jusqu'en 2001.** (1/93)

1988 • **84** Le 1988 sera apprécié pour son caractère franc ces **4 à 6 prochaines années.** (1/93)

1986 • **80** Quoique léger, ce vin moyennement corsé dégage un certain charme et de la séduction. **A boire.** (4/91)

1985 • **83** Voici un vin très souple, accessible et fruité. Il serait certes meilleur s'il présentait davantage de tenue et de persistance, mais il est difficile de trouver un Pomerol aussi agréable à déguster sans cérémonie à un prix aussi raisonnable. **A boire jusqu'en 2001.** (4/91)

1984 • **78** Ce vin moyennement corsé, souple, fruité et ouvert est assez séduisant et heureusement dépourvu de notes végétales ou pas mûres. **A boire sans délai.** (4/91)

1983 • **85** Peut-être légèrement atypique de la propriété, le De Sales 1983 est gras, confituré et alcoolique. Outre un fruité opulent, il révèle un bouquet mûr aux notes de cerise et de pêche, et présente en bouche une texture souple et visqueuse. Il faut le consommer **assez rapidement** du fait de sa faible acidité. (4/91)

1982 • **85** Ce vin s'est maintenu plus longtemps que je ne l'aurais pensé. Moyennement corsé et soyeux, il est doté d'un bon fruité charnu et présente, tant au nez qu'en bouche, de savoureux arômes de moka, de bière et de cerise. Sa robe est fortement ambrée sur le bord, et il commence à se dessécher ; il faut donc le consommer **rapidement.** (9/95)

1981 • **86** Remarquablement réussi pour le millésime, le De Sales 1981 se présente comme un vin assez riche et plutôt concentré, doté d'un fruité charnu et mûr, étayé par des notes de chêne épicé. Moyennement corsé en bouche, persistant en finale, il est aussi gracieux que savoureux. **A boire.** (11/84)

TROTANOY – EXCEPTIONNEL

Équivaut à un 2e cru du Médoc, parfois à un 1er cru
Propriétaire : SC du Château Trotanoy
Adresse : 33500 Pomerol
Adresse postale : Établissements Jean-Pierre Moueix
54, quai du Priourat – BP 129
33502 Libourne Cedex
Tél. 05 57 51 78 96 – Fax 05 57 51 79 79
Visites : sur rendez-vous et pour les professionnels uniquement
Contact : Frédéric Lospied

Superficie :
7,2 ha (ouest de Pomerol, sur un des coteaux les plus élevés, jouxtant Petrus)
Vin produit : Château Trotanoy – 30 000-36 000 b (pas de second vin)
Encépagement : 85 % merlot, 15 % cabernet franc
Densité de plantation : 5 500-6 000 pieds/ha – *Age moyen des vignes :* 30 ans
Rendement moyen : 35 hl/ha

Élevage :
fermentations de 7-10 jours en cuves de béton thermorégulées ;
macérations de 7 jours ;
achèvement des malolactiques en fûts pour 30 % de la récolte,
en cuves pour le reste ;
vieillissement de 18-20 mois en fûts (2/3 de bois neuf) ;
soutirage trimestriel de fût à fût ;
collage ; pas de filtration

A maturité : dans les 7 à 20 ans suivant le millésime

Trotanoy était autrefois considéré comme un très grand vin, à la fois de Pomerol et du Bordelais, qui avait souvent la profondeur d'un premier cru.

La propriété, rachetée par la maison Jean-Pierre Moueix en 1953, n'est pas signalée, car le château lui-même est la résidence de Jean-Jacques Moueix. Le vignoble, de dimensions assez modestes, se trouve à 1 km à l'ouest de Petrus, entre l'église de Pomerol et le bourg de Catusseau, sur des sols d'argile et de graves. Le nom « Trotanoy » vient d'ailleurs de *trop ennoy* (trop ennui), car le sol pouvait durcir comme du ciment et devenir très difficile à cultiver. Le vin est vinifié et élevé exactement de la même manière qu'à Petrus, à ceci près qu'il vieillit avec seulement 66 % de chêne neuf.

Jusqu'à la fin des années 70, Trotanoy était un vin d'une richesse opulente, intense et corsé, qui avait souvent besoin d'une bonne décennie de garde pour atteindre son apogée. Dans certains millésimes, il pouvait presque rivaliser avec Petrus en puissance, en intensité et en concentration. Dans les années peu favorables, il comptait parmi les vins les meilleurs, parfois les plus brillants du Bordelais. C'est ainsi qu'en 1967, 1972 et 1974, Trotanoy s'est hissé au tout premier rang des bordeaux.

Ensuite, Trotanoy est devenu plus léger, bien qu'il ait paru renouer avec sa tradition en 1982 en se montrant particulièrement opulent, riche et sensuel. Jusqu'en 1995, les vins ont été simplement bons, mais pas irrésistibles. Certes, le minuscule vignoble a été en partie replanté, et le produit des vignes jeunes entre dans l'assemblage, ce qui n'est pas sans conséquence pour le vin. Quoi qu'il en soit, Trotanoy ne compte plus désormais parmi les trois ou quatre meilleurs Pomerol ; il a en effet été surpassé (si l'on excepte le millésime 1982) par différents châteaux, en particulier Clinet, L'Église-Clinet, Vieux Château Certan, Le Pin, Lafleur, La Fleur de Gay, L'Évangile, La Conseillante et même, certaines années, Le Bon Pasteur. Compte tenu de ce que je sais du talent et de l'esprit de compétition de Christian Moueix et de son équipe, je doute qu'ils se satisfassent de la situation actuelle. Les années récentes se sont d'ailleurs révélées excellentes – le 1995 et le 1998, notamment, sont sensationnels.

Trotanoy est un vin cher, parce qu'il est très estimé des amateurs du monde entier. Cependant, il coûte rarement plus de la moitié de Petrus – il ne faut pas l'oublier, dans la mesure où, certaines années, il est fort proche de son prestigieux compagnon d'écurie.

1998 • **94-98** Disons les choses clairement – il faut remonter à 1961 pour trouver un Trotanoy aussi fabuleusement puissant, aussi riche et aussi potentiellement complexe. Issue d'une vendange récoltée à maturité optimale et produite à hauteur de 2 800 caisses, cette merveille arbore une robe d'un pourpre-noir soutenu et dégage un fabuleux nez de truffe, de réglisse, de cassis, de cerise très mûre, de cèdre et de café. C'est un ensemble massif, étonnamment corsé et fabuleux de concentration, qui déploie en bouche des tannins doux, mais fermes, et requiert une garde de 8 à 10 ans. Les amateurs en quête d'un Trotanoy évolué, dans le style du 1990 et du 1995, devront recalibrer leur palais pour déguster le 1998. **A boire entre 2008 et 2025.** (3/99)

1997 • **90-91** Le 1997 surpasse son aîné d'un an en dégustation comparative. Sa robe rubis-pourpre dense introduit d'extraordinaires senteurs de mûre, de cerise, de minéral et de grillé, qui elles-mêmes précèdent en bouche un ensemble moyennement corsé et très puissant, étayé par de doux tannins et par une faible acidité. Le milieu de bouche révèle un gras de bon aloi, et l'ensemble se distingue par sa maturité exceptionnelle. La finale persiste au-delà de 30 secondes. Ce vin se refermera-t-il, comme le 1996 ? **A boire entre 2003 et 2020.** (1/99)

1996 • **89+** Je ne serais pas surpris de devoir ultérieurement attribuer une note extraordinaire au Trotanoy 1996. Lors de ma dégustation de janvier 1999, ce vin avait commencé à se resserrer et à se refermer. D'un prune moyen, mais dense, il exhale un nez serré, mais prometteur, où l'on décèle des arômes doux et purs de mûre et de cerise nuancés de minéral. Outre sa puissance et sa richesse exceptionnelles, l'ensemble révèle une belle texture bien marquée par la mâche, ainsi qu'une finale musclée et tannique. **A boire entre 2006 et 2017.** (1/99)

1995 • **93+** Extrêmement réussi, le 1995 affiche un potentiel énorme et pourrait même mériter une bien meilleure note que celle que je lui ai pour l'instant attribuée. D'un pourpre foncé très soutenu, avec un nez absolument renversant de truffe noire, de cerise, de framboise et de kirsch mêlé de senteurs de chêne épicé et de sang de bœuf, il se montre très corsé et dense, aussi puissant et aussi peu évolué que son rival de Lafleur. Ample de carrure et très richement extrait, ce vin est vraiment superbe, mais ne commettez surtout pas l'erreur de croire qu'il sera accessible à court terme. Bien qu'il soit splendide, il requiert une garde de 5 ou 6 ans au moins, du fait de son niveau très élevé de tannins. **A boire entre 2005 et 2020.** Bravo ! (11/97)

1994 • **89+** Rubis-pourpre foncé, le 1994 présente une palette aromatique très fermée. Celle-ci ne révèle qu'après une minutieuse recherche un fruité doux et mûr qui semble s'être recroquevillé depuis la mise en bouteille. Ce Trotanoy masculin, puissant et peu évolué requiert une garde de 3 ou 4 ans. Très bien doté et moyennement corsé, il s'impose comme un véritable vin de garde, charnu et massif, d'une richesse en extrait absolument extraordinaire. **A boire entre 2003 et 2020.** (1/97)

1993 • **90** Dans un millésime largement oublié, le Trotanoy 1993 est un vin à rechercher. Sa robe soutenue, de couleur pourpre, introduit un nez doux et mûr de cerise noire, de réglisse et de terre. En bouche, les arômes sont de tout premier ordre, ce vin se révélant opulent, moyennement corsé et modérément tannique, avec un fruité sous-jacent doux, concentré et confituré. Quelle réussite formidable pour un 1993 ! **A boire entre 2001 et 2018.** (1/97)

1992 • **88** Le 1992 présente une robe dense et soutenue de couleur rubis foncé et dégage un merveilleux nez vanillé de cerise noire, de moka et de minéral. Moyennement corsé, il libère en bouche des arômes concentrés, avec un fruité fabuleusement souple et succulent, et une finale longue, capiteuse et riche. Ce vin ample et aromatique est modérément tannique. **A boire dans les 12 ans.** (11/94)

1990 • **91** Plus puissant, plus richement extrait et plus alcoolique que le 1989, le Trotanoy 1990 est également plus glycériné et plus tannique. Sa robe d'un rubis profond demeure intacte, et les tannins agressifs que recèle sa finale suggèrent qu'il est capable d'une longévité de 10 à 15 ans encore. Ce Trotanoy sans détour, doté d'un doux fruité et étayé par une faible acidité, est le plus riche qui ait été produit entre 1982 et 1995. **A boire jusqu'en 2012.** (11/96)

1989 • **88** Élégant et parfaitement mûr, le Trotanoy 1989 est vêtu de rubis profond légèrement ambré sur le bord. Le nez révèle un fruit doux et mûr, nuancé d'herbes de Provence, d'olive noire et de cèdre. Moyennement corsé, rond et élégant, il est fruité, souple et accessible. **A boire dans les 8 à 10 ans.** (11/96)

1988 • **86** Exhalant un séduisant nez de prune et de vanille, le 1988 manifeste une belle concentration et déploie en bouche, outre des tannins relativement durs, une finale épicée et persistante. Certes, il est savoureux, mais j'aurais préféré qu'il fût plus intéressant. **A boire jusqu'en 2008.** (11/96)

1986 • **84** Je n'ai jamais beaucoup apprécié le 1986 de Trotanoy. Quoique parfaitement mûr, il est extrêmement végétal, avec un nez de thé vert et de rôti. D'un rubis moyen légèrement ambré sur le bord, il révèle un doux fruité de cerise à l'attaque, mais le milieu de bouche est des plus creux. La finale, moyennement corsée, est diluée. **A boire jusqu'en 2005.** (3/97)

1985 • **85** Voici un autre vin décevant, qui perd rapidement son fruit et son gras. Sa robe d'un rubis-grenat moyen est fortement nuancée de rouille sur le bord, et le nez dégage des notes d'olives et de légumes grillés, ainsi que des senteurs sans détour de cerise. La bouche, moyennement corsée et souple, révèle un fruité maigre, où percent l'acidité et les tannins. **A boire avant 2003.** (3/97)

1984 • **84** Le Trotanoy 1984 est très réussi dans le contexte de ce millésime difficile. Mûr et tannique, avec une structure ferme, il est assez profond et bien persistant. **A boire.** (3/89)

1983 • **81** Ce vin décevant est le premier d'une série médiocre issue de cette propriété pourtant prestigieuse dont on pouvait attendre mieux. Léger, assez terne et manquant d'équilibre, le Trotanoy 1983 présente des tannins en excès pour son fruité maigre. La note que je lui ai attribuée peut paraître bien généreuse ; en effet, au fur et à mesure de son vieillissement, ce vin perdra son fruité au lieu de s'étoffer, comme je l'avais espéré de prime abord. **A boire.** (1/89)

1982 • 94 Parfaitement mûr et fabuleusement séduisant, le 1982 de Trotanoy est complexe et parfumé, et dégage d'intenses senteurs de fruit confituré, de moka, d'herbes rôties et de doux chêne grillé. Très corsé et ample en bouche, il y révèle un fruité opulent, concentré et souple, étayé par une faible acidité. C'est probablement le Trotanoy le plus somptueux depuis le superbe 1975. Bien qu'il soit encore jeune, il est souple et délicieux, et sera parfait ces **10 à 15 prochaines années.** (9/95)

1981 • 85 Le Trotanoy 1981 est un vin élégant, mais un peu rigide ; modérément riche, il déploie, outre un beau fruit mûr et profond, un bouquet d'épices, de chêne et de cuir. Assez corsé et bien concentré, il présente une finale légèrement tannique. **A boire jusqu'en 2000.** (12/90)

1979 • 86 Étonnamment précoce et joliment souple et fruité, le Trotanoy 1979 a continué à se bonifier en bouteille. A maturité depuis déjà quelques années, il n'a rien de corpulent ni de massif, mais exprime plutôt un caractère rond, ample et élégant, ainsi qu'un bel équilibre d'ensemble. **A boire.** (12/90)

1978 • 84 Le Trotanoy 1978 a très vite atteint son apogée. Dégageant un bouquet très ouvert qui évoque les herbes aromatiques, la tomate fraîche et le cassis, il se révèle assez corsé, tendre et velouté, mais n'a pas la profondeur de fruit caractéristique de ce cru. Un peu austère et herbacé, avec des tannins fondus, il doit être consommé **sans délai.** (12/90)

1976 • 84 Ce vin est généralement très estimé de la critique, et je l'ai moi-même beaucoup apprécié, mais il a maintenant dépassé son apogée, et se montre quelque peu confit et dépourvu d'acidité. Onctueux et épanoui, gras, presque poivré, il est voluptueux en bouche, où il révèle un caractère exotique très séduisant ; cependant, sa charpente est insuffisante. **A boire – peut-être en déclin.** (10/83)

1975 • 95 Avec le 1998, le 1970 et le 1982, l'exquis 1975 s'impose, à mon sens, comme l'un des quatre meilleurs vins produits à la propriété ces vingt-cinq dernières années ; d'ailleurs, il se montre sous un excellent jour depuis longtemps déjà. Son bouquet doux, parfumé et complexe révèle des arômes de moka, de caramel et de cerise noire confiturée, qui précèdent en bouche un ensemble très corsé, velouté et superbe de concentration. La finale est ferme. Vous apprécierez ce vin grandiose, tout à la fois massif, bien doté et complexe, ces **10 à 15 prochaines années.** Comme la plupart de ses jumeaux de l'appellation, il se distingue par un fruit doux et confituré qui fait défaut aux Médoc de ce millésime. Quel somptueux Trotanoy ! (12/95)

1974 • 86 Le 1974 de Trotanoy est l'un des meilleurs vins du millésime (en tout cas, le meilleur Pomerol) ; à maturité depuis plusieurs années déjà, il ne doit plus être attendu. Remarquablement concentré, et étonnamment fruité et épanoui, ce vin relativement corsé déploie une finale souple aux nuances de moka, de café et de chocolat. **A boire.** (2/91)

1971 • 93 Je me souviens d'avoir trouvé ce vin absolument délicieux vers le milieu des années 70, et, chaque fois que j'y reviens, il me semble qu'il s'est encore amélioré. Toujours superbe, il regorge d'un fruit velouté, épanoui et voluptueux de merlot, et régale le palais de ses arômes opulents et de sa finale persistante, corsée et capiteuse. C'est sans doute le deuxième vin du millésime – il n'est dépassé que par Petrus. Étant donné le temps qu'il lui a fallu pour parvenir à son apogée, ce vin a encore 2 ou 3 ans devant lui. **A boire jusqu'en 2002.** (2/91)

1970 • **96+** Ce vin classique, qui a évolué de belle manière ces dernières années, est moins épanoui, et peut-être même plus concentré (et plus tannique), que son jumeau de Petrus. Il révèle un caractère ample, massif, épais et riche, et déborde littéralement d'arômes concentrés de fruits rouges et de chocolat nuancés de cuir fin, de réglisse et de viande fumée. Sa robe d'un grenat opaque est encore intacte, son nez commence tout juste à s'épanouir, et sa bouche manifeste une telle concentration que je me hasarderai à dire qu'il s'agit du Trotanoy le plus concentré de l'après-guerre. En outre, il est possible qu'il soit encore disponible à un prix relativement raisonnable. Le Trotanoy 1970 est l'une des trois réussites du millésime ; c'est également, avec le 1998, le meilleur vin produit à la propriété depuis les extraordinaires 1961 et 1945. Il faudra le consommer **entre 2000 et 2030.** (6/96)

1967 • **91** Quelle réussite spectaculaire pour le millésime ! Alors que je croyais que le Trotanoy 1967 allait perdre son fruit, la dernière dégustation m'a révélé un vin toujours présent, exubérant et tout simplement délicieux. Corsé et remarquablement concentré, il est également très complexe, et se révèle étonnamment opulent et riche pour un 1967. C'est vraiment un beau succès ! **A boire.** (12/90)

1966 • **85** Ce Trotanoy longtemps très tannique, raide et fermé, a conservé sa très belle couleur et sa concentration. Corpulent et vigoureux, il pourrait bien perdre son fruit avant que ses tannins ne se fondent. **A boire.** (1/87)

1964 • **90** Ce Trotanoy remarquablement étoffé, profond et bien coloré, arbore toujours une robe intacte. Sa générosité et sa concentration sont étonnantes, et son moelleux évoque un Porto. Dans la première édition de ce livre, j'avais noté qu'il présentait Une légère amertume, que je n'ai cependant pas retrouvée lors des deux dernières dégustations. C'est réellement une belle réussite pour le château. Ce vin est depuis longtemps à son apogée, mais il peut tenir encore, étant donné sa concentration et son ampleur. **A boire jusqu'en 2002.** (11/90)

1962 • **88** Meilleur Pomerol du millésime, ce délicieux Trotanoy libère un beau bouquet épicé de cèdre et de tabac, et révèle en bouche un caractère tendre, généreux et rond. Harmonieux et séduisant, mais également très persistant, il doit être consommé **jusqu'en 2002.** (1/83)

1961 • **98** Le 1961, que j'ai toujours noté entre 95 et 100, est incontestablement le plus grandiose Trotanoy de l'après-guerre. Il présente une robe épaisse et soutenue, de couleur prune et encre, tout juste ambrée sur le bord, et offre au nez un bouquet de framboise sauvage confiturée, de fumé, de girofle, de goudron et de caramel absolument magnifique et renversant. Très gras et d'une très belle extraction, il déploie en bouche des arômes denses, onctueux, épais et doux, et se montre massif, très corsé et étonnamment riche. Ce vin, qui est maintenant à pleine maturité, devrait se conserver encore **10 à 20 ans.** (10/94)

Millésimes anciens

Avec sa robe presque noire, le 1945 (noté 95 en octobre 1994) offre un nez réticent, mais naissant, de minéral, de réglisse et de prune confiturée. Encore impénétrable et terriblement tannique, il est d'une concentration et d'une richesse en extrait si stupéfiantes qu'on ne peut qu'espérer que toutes ces composantes se fondront un jour. Si tel était le cas, ce vin aurait un potentiel de garde de 100 ans. A l'heure actuelle, il n'est pas encore prêt, et ceux qui ont la chance d'en posséder quelques bouteilles devraient soit le décanter plusieurs heures avant de le goûter, soit attendre 15 à 20 ans pour ce faire... ou encore d'ores et déjà inscrire leurs enfants à une session d'initiation à la dégustation. Quel vin étonnant !

VIEUX CHÂTEAU CERTAN - EXCELLENT
Équivaut à un 2e cru du Médoc
Propriétaire : famille Thienpont
Adresse : 33500 Pomerol
Tél. 05 57 51 17 33 - Fax 05 57 25 35 08
Visites : sur rendez-vous uniquement
Contact : Alexandre Thienpont

Superficie : 13,5 ha (Pomerol)
Vins produits :
Vieux Château Certan – 50 000-60 000 b ; La Gravette de Certan – variable
Encépagement : 60 % merlot, 30 % cabernet franc, 10 % cabernet sauvignon
Densité de plantation : 5 800 pieds/ha – *Age moyen des vignes :* 30-35 ans
Rendement moyen : 35 hl/ha

Élevage :
fermentations et cuvaisons de 30 jours environ en cuves de bois ; achèvement des malolactiques pour le merlot et vieillissement de 18-22 mois en fûts (50 % de bois neuf) ; collage ; pas de filtration

---

A maturité : dans les 5 à 20 ans suivant le millésime

Ce domaine, l'un des plus célèbres de Pomerol, fait la fierté et la joie de la famille Thienpont, qui en est propriétaire. Au siècle dernier et au début de celui-ci, on considérait que Vieux Château Certan produisait le vin le plus fin de Pomerol, mais, après la Seconde Guerre mondiale, il a été surpassé par Petrus. Cependant, les deux crus pourraient difficilement être plus différents. Le premier doit son caractère et sa complexité à sa forte proportion de cabernet sauvignon et de cabernet franc, alors que Petrus est presque uniquement issu de merlot. Le vignoble de Vieux Château Certan, avec son sol de graves et son sous-sol ferreux mêlé d'argile, se trouve au centre même du plateau de Pomerol ; il est entouré par toute l'aristocratie de l'appellation, c'est-à-dire Certan de May, La Conseillante, L'Évangile, Petit Village et Petrus. Le vin qui en est issu n'a jamais eu la puissance de Petrus ni celle d'aucun des vins essentiellement composés de merlot que produit ce plateau, mais il se distingue souvent par une élégance et un parfum qui évoquent un grand Médoc.

Une visite au chai de Vieux Château Certan suffit à convaincre que l'on sacrifie ici, sans remords, à la tradition. Les fermentations se déroulent toujours dans de vieilles cuves de bois, et le domaine n'utilise pas plus de 50 % de bois neuf pour l'élevage. Le vin demeure en cuves jusqu'à près de 2 ans et, selon les propriétaires, n'est pas filtré à la mise en bouteille. Depuis la fin de la Seconde Guerre mondiale et jusqu'en 1985, Vieux Château Certan a été vinifié par Léon Thienpont ; après le décès de ce dernier, c'est son fils Alexandre qui a pris en main les rênes de la propriété (il avait auparavant fait ses classes comme régisseur au Château La Gaffelière, à Saint-Émilion). En voyant ce jeune homme un peu timide prétendre diriger ce prestigieux domaine, les vétérans du lieu ont raillé son manque d'expérience ; cependant, il a très vite fait ses preuves, notamment en introduisant la technique de l'éclaircissage du vignoble – déjà pratiquée par son voisin Christian Moueix à Petrus –, en imposant la « lutte raisonnée » – diminuant considérablement les traitements annuels – et en proscrivant l'apport d'engrais. Il a aussi élaboré un second vin dès 1985, établi la vinification séparée des différents cépages, mais également celle d'un même cépage selon l'âge des pieds et le support. Enfin, les installations techniques ont été rénovées, le matériel ancien progressivement remplacé, et la cuverie équipée d'un système de thermorégulation.

Étant donné sa belle réputation séculaire et les efforts accomplis par le maître des lieux, il ne faut pas s'étonner que Vieux Château Certan atteigne des prix élevés.

1998 • **94-96** Qualifié d'atypique par son auteur car il ne contient pas de cabernet franc, le Vieux Château Certan 1998 est composé à 90 % de merlot et à 10 % de cabernet sauvignon. Issu d'une vendange ramassée à maturité optimale (entre le 21 et le 26 septembre) et de rendements de 34 hl/ha, il est – pour le décrire brièvement – l'exemple le plus profond de ce cru depuis la période historique des somptueux 1945, 1947, 1948, 1949 et 1950. Massif, vêtu de pourpre-noir, il révèle en bouche une formidable richesse, une texture visqueuse, ainsi que de très abondants tannins. Puissant et imposant, il requiert une garde de 8 à 10 ans au moins. C'est un géant, concentré et magnifiquement réussi, qu'il faut impérativement acheter en primeur. Bravo ! D'ailleurs, j'en viens à souhaiter que Vieux Château Certan produise davantage de vins atypiques... **A boire entre 2010 et 2035.** (3/99)

1997 • **85-87** Élégant et charmeur, ce vin rubis foncé et faible en acidité est plus boisé que son aîné d'un an. Sa finale est moyennement corsée, herbacée et dominée par le fruit. Bon, mais inintéressant, il sera parfait dès sa jeunesse, tout en étant capable d'une garde de **10 à 12 ans.** (1/99)

1996 • **87** Ce vin, que j'ai goûté en trois occasions en janvier 1999, a obtenu une note un peu plus élevée lors d'une des dégustations, mais j'ai pour habitude de prendre en compte la note la plus sévère. Prune foncé de robe, il s'annonce par un nez complexe d'herbes rôties, d'épices orientales, de terre et de douce cerise noire. C'est un vin élégant et très concentré, doux en milieu de bouche et modérément tannique en finale, qui s'exprime tout en finesse. **A boire entre 2003 et 2016.** (1/99)

1995 • **88 ?** Il m'était difficile d'évaluer la qualité de ce vin, du fait des différences que présentaient les échantillons. Je l'ai dégusté en bouteille, en trois occasions en l'espace de deux semaines. Par deux fois, il s'est révélé extrêmement fermé et ferme, arborant une couleur prune-grenat très évoluée, et déployant des tannins très abondants, de doux arômes de cassis et de prune aux notes d'olives, ainsi qu'une finale moyennement corsée aux tannins astringents. Ces deux échantillons laissaient présager que le vin serait prêt d'ici 5 à 7 ans et qu'il se conserverait 20 ans environ. La troisième bouteille était curieusement évoluée, d'une couleur similaire aux deux premières, mais révélait des arômes plus ouverts, aux notes d'herbes de Provence, de cerise noire et de cassis, dans un ensemble moyennement corsé, confituré et riche. Je pense qu'il s'agit là d'un simple phénomène de variation de bouteille, mais, si les deux premiers échantillons étaient d'une qualité identique, le troisième, ouvert et très évolué, m'a laissé perplexe. (11/97)

1994 • **88** Le 1994 se montre sous un bon jour et ne présente aucun caractère excessivement tannique ou astringent. Rubis foncé, avec un doux nez de cerise confiturée, d'épices orientales et de fumé, il se révèle dense, riche et moyennement corsé en bouche, d'une excellente concentration et d'une superbe pureté. Ce vin très charnu affiche encore une belle acidité, si bien qu'il sera agréable à boire **jusqu'en 2010.** (1/97)

1993 • **84** Le 1993 est assez décevant depuis sa mise en bouteille, avec son caractère vert, herbacé et moyennement corsé aux notes épicées et de fruits rouges. Il est maigre et manque de maturité en bouche. **A boire jusqu'en 2006.** (1/97)

1992 • **78** D'un rubis moyen, le 1992 de Vieux Château Certan exhale un nez assez intense de cerise herbacée. Moyennement corsé, épicé et compact, il révèle, outre des tannins assez présents, une finale courte et sans consistance. **A boire dans les 2 ou 3 ans.** (11/94)

1990 • **91** Ce vin, auquel j'avais attribué une note bien plus élevée, se révèle peu évolué et tannique, mais prometteur. J'ai été surpris par ses tannins aussi abondants qu'acerbes, mais il me semble qu'ils sont bien étayés par des arômes doux et confiturés de noix de coco, ainsi que par un fruit de cerise et de cassis aux notes d'épices et de terre. Ce vin très corsé et musclé se montre actuellement plus tannique que lors de mes précédentes dégustations. **A boire entre 2003 et 2020.** (11/96)

1989 • **85** Austère et légèrement corsé, le Vieux Château Certan 1989 arbore une robe légèrement ambrée et orangée sur le bord. Bien que ce vin ne m'ait pas paru « cuit », il se pourrait qu'il ait souffert d'une exposition à de trop fortes températures. Quoi qu'il en soit, j'espère le redéguster d'ici peu, en espérant que cet exemple n'est pas représentatif du cru. (11/96)

1988 • **91** Typique de Vieux Château Certan, le 1988 se distingue par son énorme bouquet de cassis, d'herbes et de chêne neuf, qui introduit en bouche un vin moyennement corsé, aux profonds arômes de cerise noire judicieusement rehaussés de chêne grillé. Quoique richement extrait et profond, l'ensemble affiche un équilibre impeccable et devrait bien évoluer. **A boire jusqu'en 2010.** (1/93)

1987 • **85** Le caractère intensément herbacé que ce vin présentait en fût s'est maintenant estompé, laissant s'exprimer un ensemble flatteur aux notes de cassis, d'herbes et de cèdre. Bien profond, avec des tannins légers et une finale charnue et de bonne tenue, ce vin doit être consommé **sans plus attendre.** (4/91)

1986 • **92** Voici l'une des réussites de la rive droite dans ce millésime. Conservant une belle robe d'un rubis profond, le Vieux Château Certan 1986 exhale un nez complexe évoquant le cèdre, le cake, les épices orientales, les herbes rôties et le cassis. La bouche, modérément tannique, impressionne par les arômes concentrés qui dévalent littéralement le palais du dégustateur. C'est un vin moyennement corsé et riche, souple – mais suffisamment épanoui pour être apprécié maintenant –, qui allie magnifiquement puissance et finesse. **A boire jusqu'en 2012.** (3/96)

1985 • **87** D'un rubis-grenat moyennement foncé et légèrement ambré sur le bord, le Vieux Château Certan 1985 présente des notes très prononcées d'herbes rôties, d'olives et de tabac herbacé. Des arômes de petits fruits rouges percent dans cet ensemble charmeur, modérément corsé, fragile et souple. Sans être puissant ni terriblement concentré, ce vin est tout à la fois rond, savoureux et complexe. **A boire jusqu'en 2002.** (3/96)

1984 • 78 Malgré son caractère maigre, ce vin séduit par son caractère épicé et par son bon fruité. **A boire.** (3/89)

1983 • 88 Très réussi pour le millésime, le Vieux Château Certan se présente vêtu de rubis foncé, avec un nez riche, boisé et légèrement mentholé de fruits rouges. Moyennement corsé et charnu, il déploie en bouche des arômes ronds et gras, ainsi que de beaux tannins souples. Comme beaucoup de Pomerol du millésime, il manque un peu d'acidité, mais n'en demeure pas moins généreux. **A boire.** (1/89)

1982 • 88 ? Mes dégustations du Vieux Château Certan 1982 ont été marquées par des différences d'une bouteille à l'autre. Les magnums, exeptionnels, méritaient une note entre 90 et 92. En revanche, les bouteilles classiques présentaient un vin souple et herbacé, merveilleusement délicieux et rond, mais quelque peu dépourvu de concentration et de complexité. Quoique très bon, ce vin est loin d'être extraordinaire. Arborant un rubis foncé resplendissant légèrement ambré, il exhale un nez poivré et herbacé de vanille et d'olives, et régale le palais d'un fruité confituré de cerise noire. Moyennement corsé, savoureux et opulent à la fois, ce vin parfaitement mûr manifeste une excellente concentration et déploie une finale faible en acidité et très peu tannique. **A boire dans les 5 ou 6 ans.** (9/95)

1981 • 87 Le 1981 est extrêmement bon, richement fruité, avec un bouquet de cèdre et de cassis subtilement nuancé d'herbe fraîche. Évoquant un Médoc par son caractère ferme et par sa belle charpente, il se révèle plutôt corsé, avec des tannins assez rigides. C'est un vin bien vinifié, étonnamment généreux pour le millésime. **A boire jusqu'en 2005.** (7/91)

1979 • 78 Plutôt léger pour un vin de cette réputation, le Vieux Château Certan 1979, vêtu de rubis moyen, libère un bouquet assez intense de cerise et de chêne ; il est modérément corsé, tendre, relativement peu tannique, et offre une finale satisfaisante. **A boire.** (7/83)

1978 • 82 Plus coloré que le 1979, plus concentré aussi, le 1978 présente un caractère assez riche, souple et corsé. Légèrement tannique, il déploie une finale ronde et séduisante. **A boire.** (7/83)

1976 • 75 Très peu complexe, dégageant un nez léger de prune bien mûre nuancé de chêne, ce 1976 se montre moyennement concentré, sans tannins marqués, avec une finale plaisante, mais assez quelconque. **A boire – peut-être en déclin.** (7/83)

1975 • 90 Voici le meilleur Vieux Château Certan de la décennie ! Remarquablement puissant et riche, mais également complexe et bien équilibré, ce vin arbore une robe d'un rubis assez foncé, et libère un bouquet parfumé, épanoui, généreux et épicé de prune et de cèdre. En bouche, il est corsé, étoffé et concentré, avec des tannins modérés. Actuellement à son apogée, il tiendra **jusqu'en 2000.** (12/88)

1971 • 74 Le 1971 est un petit vin, assez plaisant, mais manquant de concentration, de richesse, de caractère et de persistance. Il a atteint son apogée depuis longtemps déjà, et il est possible qu'il ait commencé à perdre son fruit. **A boire – peut-être en déclin.** (9/79)

1970 • **80** Évoquant un bourgogne par ses arômes de cerise et ses notes de terre fraîche, de boisé et d'épices, le Vieux Château Certan 1970 se montre modérément concentré, léger, fruité et plein de charme. Il n'a cependant pas la puissance, la richesse et la profondeur que l'on pourrait attendre d'un vin de ce domaine. **A consommer.** (4/80)

1966 • **74** Bien que fortement tuilé et bruni, le 1966 demeure solide et déploie, outre un fruit mûr et assez corsé, une texture quelque peu sévère et réservée. Il finit court, sur des tannins astringents. Il rappelle un Médoc, mais n'est pas très impressionnant. **A boire – peut-être en déclin.** (2/82)

1964 • **90** Ce très beau vin rond, généreux, velouté et profondément fruité libère un bouquet suave et épanoui de chêne et de truffe ; en bouche, il est tendre, ample et relativement corsé, et déploie une finale longue et soyeuse. La dernière fois que je l'ai goûté (en magnum), il était toujours somptueusement riche et débordant d'arômes. **A boire.** (3/91)

1961 • **86** Mes notes de dégustation sur le 1961 de Vieux Château Certan sont assez contradictoires. Il y a plusieurs années, je l'avais trouvé étoffé et puissant, mais assez rude, peu expressif et totalement dépourvu de finesse. Cependant, lors d'une dégustation verticale des vins de cette propriété, il s'est montré certes un peu rugueux, mais déployant également un fruit riche et profond, fleurant encore la jeunesse. L'ensemble, corsé, ample et puissant, manifestait une persistance impressionnante. Ma note reflète les meilleures bouteilles. **A boire.** (5/83)

Millésimes anciens

Le 1952 de Vieux Château Certan (noté 94 en octobre 1994) est en parfaite forme. Doux, avec des arômes de cèdre, ce géant qui sommeille déploie un nez énorme de bois de noyer, de fumé et de grillé qui rappelle un Graves de premier ordre. Très corsé, fabuleusement concentré et riche, il est encore très tannique et très jeune, et se conservera aisément **10 à 20 ans.**

Le 1950 (noté 97 en octobre 1994) est issu d'un millésime extraordinaire en Pomerol. Remarquablement riche et encore jeune, il présente une robe d'un grenat-pourpre étonnant, et déploie des arômes sensationnels et mûrs de chocolat et de cassis mêlés à des senteurs d'herbes, de réglisse, d'épices orientales et de café. Très corsé, aussi visqueux qu'un Porto (rappelant en cela le 1947), ce gros calibre compte certainement au nombre des vins les plus puissants et les plus méconnus de ce siècle.

Le Vieux Château Certan 1948 (noté 98 en décembre 1997) est un autre vin grandiose et profond de ce millésime oublié des années 40. Je l'avais déjà dégusté quatre fois en 1994, et il s'est toujours montré exceptionnel. Sa robe opaque, de couleur grenat-pourpre foncé, prélude à un nez énorme et exotique de caramel, de cassis doux, de sauce soja, de noix et de café. En bouche, il déploie des arômes épais et fabuleusement intenses, marqués par la mâche, ainsi que des tannins très abondants qui tapissent le palais. Étonnamment gras et très alcoolique, il est également extrêmement concentré, et, bien que déjà à pleine maturité, ne montre aucun signe de déclin, ce qui permet de lui prêter **15 à 20 ans** de vie supplémentaire. Remarquable !

Le 1947 (noté 97 en octobre 1994) est un vin époustouflant que je déguste régulièrement depuis longtemps. Typique des Pomerol de l'année, il a cette texture visqueuse, semblable à celle d'un Porto, qui est la marque du millésime. Plus évolué que le 1948, il révèle au nez des senteurs de fumé, de viande, de truffe et de cassis, et déploie en bouche des arômes très gras, très alcooliques et richement extraits, marqués par la mâche. Sa robe est aussi plus ambrée que celle de son cadet d'un an, mais quel grand vin ! Comme tant d'autres Pomerol, il est d'une onctuosité et d'une épaisseur telles qu'on se demande si une cuillère n'y tiendrait pas debout toute seule. **A boire dans les 10 à 12 ans.**

Le 1945 (noté 98-100 en octobre 1994), que j'ai dégusté deux fois, est une réussite merveilleuse dans un millésime qui peut être terriblement tannique. Sa robe très sombre, de couleur prune, a juste pris une touche grenat sur le bord, et son nez énorme exhale des arômes de viande fumée, de framboise sauvage, de prune, de réglisse et de goudron. Dense, puissant et extrêmement tannique, avec de la mâche et une richesse en extrait absolument époustouflante, ce vin explosif est à pleine maturité ; pourtant, je ne vois vraiment pas ce qui pourrait l'empêcher de tenir encore **deux décennies.**

Vêtu d'un grenat foncé très ambré sur le bord, le 1928 (noté 96 en octobre 1994) déploie un nez épicé, poivré, herbacé et doux de caramel et de fruits noirs. En bouche, il se montre très corsé et libère des arômes énormes marqués par la mâche, ainsi que des tannins très abondants et une finale rustique et astringente. Ce vin est en parfaite forme et se maintiendra encore **10 à 20 ans.**

AUTRES PRODUCTEURS DE POMEROL

BEAU SOLEIL – TRÈS BON

Propriétaires : familles Arcaute et Audy
Adresse : 33500 Pomerol
Adresse postale : GFA du Château Beau Soleil
Château Jonqueyres – 33750 Saint-Germain-du-Puch
Tél. 05 56 68 55 88 – Fax 05 56 30 11 45
Visites : sur rendez-vous uniquement
Contact : Alexis Arcaute

Superficie : 3,5 ha (Pomerol)
Vin produit : Château Beau Soleil – 22 000 b (pas de second vin)
Encépagement : 95 % merlot, 5 % cabernet franc
Densité de plantation : 6 600 pieds/ha – *Age moyen des vignes :* 35 ans
Rendement moyen : 48 hl/ha

Élevage :
fermentations et cuvaisons jusqu'à 45 jours
en petites cuves d'acier inoxydable thermorégulées ;
achèvement des malolactiques
et vieillissement de 24 mois en fûts (80 % de bois neuf) ;
soutirage trimestriel de fût à fût ; ni collage ni filtration

---

A maturité : dans les 5 à 15 ans suivant le millésime

Les amateurs seraient bien avisés de suivre l'évolution de cette propriété, placée sous la talentueuse houlette de Jean-Michel Arcaute et Michel Rolland.

1998 • **85-87** Des arômes de cerise noire confiturée, de fumé, d'herbes rôties et de réglisse généreusement marqués de boisé annoncent le Beau Soleil 1998. Ce vin merveilleux, moyennement corsé et mûr, manque quelque peu de structure, mais il est bien vinifié et manifeste une impressionnante richesse en extrait. **A boire entre 2002 et 2012.** (3/99)

1997 • **86-87** Je parierais plus sûrement sur le 1997 de Beau Soleil que sur son aîné d'un an. Sa robe dense de couleur rubis-prune introduit un nez doux et épanoui de mûre, de cerise et d'épices. Suit un ensemble moyennement corsé et faible en acidité, qui séduit dès l'attaque en bouche par son beau déploiement de fruit. La finale, boisée, recèle des tannins plutôt légers. Ce vin devrait se révéler très bon. **A boire entre 2001 et 2010.** (1/99)

1996 • **85-86 ?** Le 1996 me paraît à un stade ingrat de son évolution ; il est, pour l'heure, dominé par son boisé et présente en outre des tannins secs. Cependant, il arbore une resplendissante robe d'un rubis-pourpre soutenu et se montre bien corpulent, d'une belle richesse et très structuré. Il faudrait que le boisé se fonde davantage pour que l'ensemble soit harmonieux. **A boire entre 2002 et 2010.** (1/99)

BEAUCHÊNE

Propriétaire : famille Leymarie
Adresse : 15, impasse du Vélodrome – 33500 Libourne
Adresse postale : Charles Leymarie et Fils
90-92, avenue Foch – 33500 Libourne
Tél. 05 57 51 07 83 – Fax 05 57 51 99 94
Visites : sur rendez-vous uniquement
Contact : Gregory Leymarie

Superficie : 9,7 ha (Libourne)
Vins produits : Château Beauchêne ; 12 000 b ; Clos Mazeyres – 43 000 b
Encépagement : 65 % merlot, 30 % cabernet franc, 5 % cabernet sauvignon
Densité de plantation : 5 500 pieds/ha – *Age moyen des vignes :* 40 ans
Rendement moyen : 44 hl/ha

Élevage :
fermentations et cuvaisons de 15-30 jours en cuves de béton thermorégulées ;
achèvement des malolactiques en fûts pour le grand vin ;
vieillissement de 18 mois en fûts neufs ;
collage ; légère filtration

A maturité : dans les 3 à 15 ans suivant le millésime

Le Château Beauchêne représente de 12 à 15 % de la production totale du domaine, le reste étant diffusé sous le nom de Clos Mazeyres. Il s'agit d'une microvinification portant sur une parcelle de très vieilles vignes de merlot (55-60 ans de moyenne d'âge). Le premier millésime de cette cuvée prestige fut le 1995.

DE BOURGUENEUF – BON

Propriétaire : famille Meyer
Adresse : SCEA Château de Bourgueneuf
Vignobles Meyer – 33500 Pomerol
Tél. 05 57 51 16 76 – Fax 05 57 25 16 89
Visites : du lundi au vendredi (8 h-12 h et 14 h-18 h)
Contact : Jean-Michel Meyer

Superficie : 5 ha (Pomerol)
Vin produit : Château de Bourgueneuf – 25 000 b (pas de second vin)
Encépagement : 60 % merlot, 40 % cabernet franc
Densité de plantation : 5 500 pieds/ha – *Age moyen des vignes :* 40 ans
Rendement moyen : 44 hl/ha

Élevage :
fermentations et cuvaisons de 21 jours
en cuves d'acier inoxydable ou en cuves de béton ;
vieillissement de 12 mois en cuves et de 8 mois en fûts (50 % de bois neuf) ;
collage ; pas de filtration

A maturité : depuis 1994, dans les 5 à 20 ans suivant le millésime

LE CAILLOU

Propriétaire : GFA Giraud-Belivier
Adresse : André Giraud – Château Le Caillou – 33500 Pomerol
Tél. 05 57 51 06 10 – Fax 05 57 51 74 95
Visites : sur rendez-vous de préférence,
les lundi, mardi, jeudi et vendredi
(9 h-12 h et 14 h-18 h)
Contact : Sylvie Giraud

Superficie :
7 ha (Le Caillou, sur le plateau de Pomerol, et dans le nord-ouest de l'appellation)
Vin produit : Château Le Caillou – 40 000 b (pas de second vin)
Encépagement : 75 % merlot, 25 % cabernet franc
Densité de plantation : 5 500 pieds/ha – *Age moyen des vignes :* 25 ans
Rendement moyen : 46 hl/ha

Élevage :
fermentations de 21-28 jours en cuves de béton ;
vieillissement en fûts pour les deux tiers de la récolte, en cuves pour le reste ;
soutirage trimestriel ; collage ; pas de filtration

A maturité : dans les 5 à 15 ans suivant le millésime

CANTELAUZE
Propriétaire : Jean-Noël Boidron
Adresse : 6, place Joffre – 33500 Libourne
Tél. 05 57 51 64 88 – Fax 05 57 51 56 30
Visites : sur rendez-vous uniquement
Contact : Jean-Noël Boidron

Superficie : 0,8 ha (Pomerol)
Vin produit :
Château Cantelauze – 2 400 b (pas de second vin)
Encépagement : 90 % merlot, 10 % cabernet franc
Densité de plantation : 5 850 pieds/ha – *Age moyen des vignes :* 15 ans
Rendement moyen : 22,5 hl/ha

Élevage :
fermentations de 21-28 jours en cuves d'acier inoxydable thermorégulées,
sans adjonction de levures ;
vieillissement de 12-18 mois en fûts neufs ;
collage ; pas de filtration

A maturité : dans les 5 à 12 ans suivant le millésime

LE CARILLON
Propriétaire : Louis Grelot
Adresse : 33500 Pomerol
Tél. 05 57 84 56 61
Visites : sur rendez-vous uniquement
Contact : Louis Grelot

Superficie : 1 ha (Pomerol)
Vin produit :
Château Le Carillon – 4 700 b (pas de second vin)
Encépagement : 100 % merlot
Densité de plantation : 5 500 pieds/ha – *Age moyen des vignes :* 8 ans
Rendement moyen : 35 hl/ha

Élevage :
fermentations de 21 jours en cuves de bois ;
vieillissement après les malolactiques de 18 mois minimum en fûts
(25 % de bois neuf) ; collage ; pas de filtration

A maturité : dans les 3 à 10 ans suivant le millésime

CLOS DU PÈLERIN

Propriétaires : Norbert et Josette Égreteau
Adresse : 1, Grand-Garrouilh – 33500 Pomerol
Tél. 05 57 74 03 66 – Fax 05 57 25 06 17
Visites : sur rendez-vous de préférence
Contacts : Norbert et Josette Égreteau

Superficie : 3,2 ha (Pomerol)
Vin produit :
Clos du Pèlerin – 20 000 b (pas de second vin)
Encépagement : 80 % merlot, 10 % cabernet franc, 10 % cabernet sauvignon
Densité de plantation : 6 000 pieds/ha – *Age moyen des vignes :* 30 ans
Rendement moyen : 44 hl/ha

Élevage :
fermentations de 21 jours environ ;
vieillissement de 12 mois en cuves et en fûts (1/3 de bois neuf),
puis de 12 mois en cuves d'acier inoxydable ;
collage ; pas de filtration

A maturité : dans les 3 à 10 ans suivant le millésime

LA COMMANDERIE

Propriétaire : Marie-Hélène Dé
Adresse : 1, chemin de la Commanderie
33500 Pomerol
Tél. 05 57 51 79 03 – Fax 02 35 69 65 15
Visites : sur rendez-vous uniquement
Contact : Marie-Hélène Dé

Superficie : 5,5 ha (Catusseau)
Vins produits :
Château La Commanderie – 32 000 b ; Château Haut-Manoir – 8 000 b
Encépagement : 80 % merlot, 20 % cabernet franc et cabernet sauvignon
Densité de plantation : 5 500 pieds/ha – *Age moyen des vignes :* 40 ans
Rendement moyen : 50 hl/ha

Élevage :
fermentations de 15-30 jours en cuves d'acier inoxydable ;
vieillissement de 24 mois en cuves et en fûts (30 % de bois neuf) ;
collage et filtration

A maturité : dans les 3 à 10 ans suivant le millésime

LA CROIX SAINT-GEORGES

Propriétaire : SC Joseph Janoueix
Adresse : 33500 Pomerol
Adresse postale : Maison Joseph Janoueix
37, rue Pline-Parmentier – BP 192 – 33506 Libourne
Tél. 05 57 51 41 86 – Fax 05 57 51 53 16
Visites : sur rendez-vous uniquement
Contact : Jean-Philippe Janoueix

Superficie :
4,5 ha (Pomerol, entre Vieux Château Certan, Petit Village et Le Pin)
Vin produit : Château La Croix Saint-Georges – 25 000 b (pas de second vin)
Encépagement : 95 % merlot, 5 % cabernet franc
Densité de plantation : 5 600 pieds/ha – *Age moyen des vignes :* 27 ans
Rendement moyen : 45 hl/ha

Élevage :
fermentations de 28-35 jours en cuves thermorégulées ;
vieillissement de 12-15 mois en fûts (40 % de bois neuf) ;
8 soutirages ; collage au blanc d'œuf ; pas de filtration

A maturité : dans les 3 à 10 ans suivant le millésime

LA CROIX TAILLEFER

Propriétaire : SARL La Croix Taillefer
Adresse : 33500 Pomerol
Tél. 05 57 25 08 65 – Fax 05 57 74 15 39
Visites : sur rendez-vous de préférence,
les lundi, mardi, jeudi et vendredi (9 h-12 h)
Contact : Maryse François

Superficie : 2 ha (partie sud-est de Pomerol)
Vin produit : Château La Croix Taillefer – 12 000 b (pas de second vin)
Encépagement : 100 % merlot
Densité de plantation : 6 000 pieds/ha – *Age moyen des vignes :* 50 ans
Rendement moyen : 48 hl/ha

Élevage :
fermentations de 21 jours en cuves d'acier inoxydable thermorégulées ;
vieillissement de 18 mois en fûts (40 % de bois neuf) ; collage et filtration

A maturité : dans les 3 à 10 ans suivant le millésime

LA CROIX TOULIFAUT

Propriétaires : Jean et Françoise Janoueix
Adresse : 33500 Pomerol
Adresse postale : Maison Joseph Janoueix
37, rue Pline-Parmentier – BP 192 – 33506 Libourne
Tél. 05 57 51 41 86 – Fax 05 57 51 76 83
Visites : sur rendez-vous uniquement
Contact : Jean-Philippe Janoueix

Superficie : 1,6 ha (Pomerol, entre Beauregard et Figeac)
Vin produit : Château La Croix Toulifaut – 9 500 b (pas de second vin)
Encépagement : 100 % merlot
Densité de plantation : 5 700 pieds/ha – *Age moyen des vignes :* 30 ans
Rendement moyen : 42 hl/ha

Élevage :
fermentations et cuvaisons de 28-35 jours en cuves de béton ;
vieillissement de 18-20 mois en fûts neufs ;
collage au blanc d'œuf ; pas de filtration

FERRAND

Propriétaire : Henri Gasparoux et Fils
Adresse : chemin de la Commanderie
33500 Libourne
Tél. 05 57 51 21 67 – Fax 05 57 25 01 41
Visites : du lundi au vendredi (13 h 30-17 h 30)
Contact : Chantal Petit

Superficie : 12 ha (Pomerol et Libourne)
Vin produit :
Château Ferrand – 80 000 b (pas de second vin)
Encépagement : 50 % merlot, 50 % cabernet franc
Densité de plantation : 5 500 pieds/ha – *Age moyen des vignes :* 30 ans
Rendement moyen : 50 hl/ha

Élevage :
fermentations de 21-28 jours en cuves d'acier inoxydable thermorégulées ;
vieillissement de 12-18 mois en fûts (1/3 de bois neuf) ; collage et filtration

A maturité : dans les 3 à 10 ans suivant le millésime

FEYTIT-GUILLOT

Propriétaire : Irène Lureau
Adresse : Catusseau – 33500 Pomerol
Tél. 05 57 51 46 58 – Fax 05 56 63 19 37
Visites : sur rendez-vous uniquement
Contact : Irène Lureau

Superficie : 1,3 ha (Pomerol)
Vin produit : Château Feytit-Guillot – 8 600 b (pas de second vin)
Encépagement :
70 % merlot, 20 % cabernet franc, 10 % cabernet sauvignon et malbec
Densité de plantation : 5 000 pieds/ha – *Age moyen des vignes :* 25 ans
Rendement moyen : 50 hl/ha

Élevage :
fermentations en cuves de béton ; élevage de 6 mois en cuves ;
vieillissement de 14 mois en fûts de 1 an en provenance de Cheval Blanc ;
collage ; pas de filtration

A maturité : dans les 3 à 10 ans suivant le millésime

LA GANNE

Propriétaire : Michel Dubois
Adresse : 224, avenue Foch – 33500 Libourne
Tél. 05 57 51 18 24 – Fax 05 57 51 62 20
Visites : sur rendez-vous uniquement
Contacts : Paule et Michel Dubois

Superficie : 3,8 ha (Libourne)
Vins produits : Château La Ganne – 16 000 b ; Vieux Château Brun – 3 200 b
Encépagement : 80 % merlot, 20 % cabernet franc
Densité de plantation : 6 000 pieds/ha – *Age moyen des vignes :* 35 ans
Rendement moyen : 35 hl/ha

Élevage :
fermentations et macérations de 21-28 jours en cuves de béton thermorégulées ;
achèvement des malolactiques en fûts pour une partie de la récolte,
en cuves pour l'autre ;
vieillissement de 12 mois en fûts (1/3 de bois neuf) ;
collage au blanc d'œuf ; pas de filtration

A maturité : dans les 3 à 10 ans suivant le millésime

GRAND MOULINET

Propriétaire : Jean-Pierre Fourreau
Adresse : Ollet-Fourreau – 33500 Néac
Adresse postale : Château Haut-Surget – 33500 Néac
Tél. 05 57 51 28 68 – Fax 05 57 51 91 79
Visites : sur rendez-vous uniquement
Contacts : Jean-Pierre et Patrick Fourreau

Superficie : 2 ha (Grand Moulinet – Pomerol)
Vin produit : Château Grand Moulinet – 11 000 b (pas de second vin)
Encépagement : 90 % merlot, 5 % cabernet franc, 5 % cabernet sauvignon
Densité de plantation : 5 500 pieds/ha – *Age moyen des vignes :* 20 ans
Rendement moyen : 42 hl/ha

Élevage :
fermentations et cuvaisons de 21-28 jours en cuves d'acier inoxydable et en cuves de béton ; vieillissement de 12 mois en fûts neufs ; collage et filtration

---

A maturité : dans les 3 à 10 ans suivant le millésime

GRANGE-NEUVE

Propriétaire : SGE Gros et Fils
Adresse : Grange-Neuve – 33500 Pomerol
Tél. 05 57 51 23 03 – Fax 05 57 25 36 14
Visites : sur rendez-vous uniquement
Contact : Jean-Marie Gros

Superficie :
7 ha (partie ouest de Pomerol)
Vins produits :
Château Grange-Neuve – 30 000 b ; La Fleur des Ormes – 12 000-13 000 b
Encépagement : 100 % merlot
Densité de plantation : 6 700 pieds/ha – *Age moyen des vignes :* 40 ans
Rendement moyen : 45 hl/ha

Élevage :
fermentations et cuvaisons de 28 jours environ ; remontages réguliers ; vieillissement de 12-18 mois en fûts (1/3 de bois neuf) ; collage au blanc d'œuf ; légère filtration

---

A maturité : dans les 3 à 10 ans suivant le millésime

GUILLOT

Propriétaire : GFA Luquot Frères
Adresse : Les Grands Champs – 33500 Catusseau
Adresse postale : 152, avenue de l'Épinette
33500 Libourne
Tél. 05 57 51 18 95 – Fax 05 57 25 10 59
Visites : sur rendez-vous uniquement
Contact : Jean-Paul Luquot

Superficie : 4,7 ha (Pomerol)
Vin produit : Château Guillot – 29 000 b (pas de second vin)
Encépagement : 71 % merlot, 29 % cabernet franc
Densité de plantation : 5 950 pieds/ha – *Age moyen des vignes :* 29 ans
Rendement moyen : 52 hl/ha

Élevage :
fermentations de 20-25 jours en cuves de béton thermorégulées ;
vieillissement de 16 mois en fûts (1/3 de bois neuf) ; collage ; pas de filtration

A maturité : dans les 3 à 10 ans suivant le millésime

GUILLOT CLAUZEL

Propriétaire : Mme Paul Clauzel
Adresse : 33500 Pomerol
Tél. 05 57 51 14 09 – Fax 05 57 51 57 66
Visites : sur rendez-vous uniquement
Contact : Mme Paul Clauzel

Superficie : 1,7 ha (Catusseau)
Vins produits :
Château Guillot Clauzel – 4 200-4 800 b ; Château Graves Guillot – 3 000-3 600 b
Encépagement : 60 % merlot, 40 % cabernet franc
Densité de plantation : 7 000 pieds/ha – *Age moyen des vignes :* 50 et 25 ans
Rendement moyen : 30-35 hl/ha

Élevage :
fermentations de 20-35 jours en cuves d'acier inoxydable thermorégulées ;
3 remontages quotidiens ;
achèvement des malolactiques et vieillissement de 12-15 mois en fûts
(60 % de bois neuf) ; collage si nécessaire ; pas de filtration

A maturité : dans les 3 à 10 ans suivant le millésime

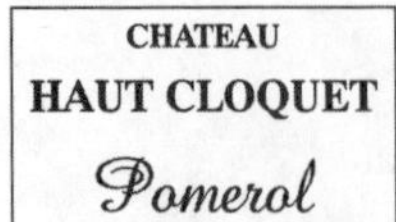

1995

HAUT CLOQUET

Propriétaire : François de Lavaux
Adresse : 33500 Pomerol
Adresse postale : Établissements Horeau-Beylot
BP 125 – 33501 Libourne Cedex
Tél. 05 57 51 06 07 – Fax 05 57 51 59 61
Visites : sur rendez-vous uniquement
Contact : François de Lavaux

Superficie : 3 ha (Pomerol)
Vin produit : Château Haut Cloquet – 18 000 b (pas de second vin)
Encépagement : 50 % merlot, 30 % cabernet sauvignon, 20 % cabernet franc
Densité de plantation : 5 500 pieds/ha – *Age moyen des vignes :* 15-20 ans
Rendement moyen : 40-45 hl/ha

Élevage :
fermentations et macérations de 18-23 jours en cuves d'acier inoxydable et en cuves de béton thermorégulées ; achèvement des malolactiques généralement en cuves, parfois en fûts pour une petite partie ; vieillissement de 8-12 mois par rotation, en cuves de béton pour 40 % de la récolte, en fûts pour le reste (10-15 % de bois neuf) ; collage et filtration

---

A maturité : dans les 3 à 10 ans suivant le millésime

HAUT FERRAND

Propriétaire : Henry Gasparoux et Fils
Adresse : chemin de la Commanderie – 33500 Libourne
Tél. 05 57 51 21 67 – Fax 05 57 25 01 41
Visites : du lundi au vendredi (13 h 30-17 h 30)
Contact : Chantal Petit

Superficie :
4,5 ha (Pomerol et Libourne)
Vin produit :
Château Haut Ferrand – 20 000 b (pas de second vin)
Encépagement : 70 % merlot, 30 % cabernet franc
Densité de plantation : 5 500 pieds/ha – *Age moyen des vignes :* 25 ans
Rendement moyen : 45 hl/ha

Élevage :
fermentations traditionnelles en cuves d'acier inoxydable thermorégulées ; vieillissement de 15-18 mois en fûts (1/3 de bois neuf) ; collage et filtration

---

A maturité : dans les 3 à 10 ans suivant le millésime

HAUT-MAILLET – BON

Équivaut à un cru bourgeois

Propriétaire : famille Delteil

Administrateur : Jean-Pierre Estager

Adresse : 33500 Pomerol

Adresse postale : 33-41, rue de Montaudon 33500 Libourne

Tél. 05 57 51 04 09 – Fax 05 57 25 13 38

Visites : sur rendez-vous uniquement

Contact : Jean-Pierre Estager

Superficie : 5 ha (Pomerol)

Vin produit : Château Haut-Maillet – 30 000 b (pas de second vin)

Encépagement : 70 % merlot, 30 % cabernet franc

Densité de plantation : 5 800 pieds/ha – *Age moyen des vignes :* 25 ans

Rendement moyen : 48 hl/ha

Élevage :

fermentations et cuvaisons de 20 jours en cuves d'acier inoxydable ou en cuves revêtues et thermorégulées ; vieillissement après les malolactiques de 14-18 mois en fûts (30 % de bois neuf) ; collage et filtration

---

A maturité : dans les 4 à 10 ans suivant le millésime

Jean-Pierre Estager, plus connu comme propriétaire de La Cabanne, exploite et administre également ce petit vignoble, situé à la limite de Pomerol et à proximité du Bon Pasteur.

1997 • **75-80** Plus tannique que le 1996, le 1997 est également plus austère et plus serré. Il pourra être renoté (légèrement) à la hausse si ses tannins se fondent et si son fruité se fait plus présent. Si tel n'est pas le cas, il se révélera plus atténué et plus comprimé. **A boire entre 2000 et 2007.** (1/99)

1996 • **80** Légèrement corsé et sans détour, ce Pomerol simple, mais plaisant, se distingue par une robe prune-grenat bien évoluée. Le nez libère des arômes modérément intenses de cerise et d'airelle, et l'attaque en bouche, très douce, précède un caractère souple et dépourvu de complexité. **A boire dans les 4 ou 5 ans.** (1/99)

LAFLEUR DU ROY

Équivaut à un cru bourgeois

Propriétaire : Yvon Dubost

Adresse : 13, rue des Lavandières – 33500 Pomerol

Tél. 05 57 51 74 57 – Fax 05 57 25 99 95

Visites : sur rendez-vous uniquement

Contact : Laurent Dubost

Superficie :

3,2 ha (Catusseau, dans la partie sud de Pomerol)

Vin produit : Château Lafleur du Roy – 20 000 b (pas de second vin)
Encépagement : 80 % merlot, 10 % cabernet franc, 10 % cabernet sauvignon
Densité de plantation : 5 500 pieds/ha – *Age moyen des vignes :* 30 ans
Rendement moyen : 50 hl/ha

Élevage :
fermentations de 21 jours en cuves d'acier inoxydable thermorégulées ; vieillissement de 18 mois en fûts (20 % de bois neuf) ; soutirage trimestriel ; collage au blanc d'œuf ; pas de filtration

---

A maturité : dans les 4 à 10 ans suivant le millésime

LA LOUBIÈRE

Propriétaire : Marie-Claude Rivière
Adresse : 33500 Pomerol
Tél. 05 57 25 08 65 – Fax 05 57 74 15 39
Visites : sur rendez-vous de préférence,
les lundi, mardi, jeudi et vendredi (9 h-12 h)
Contact : Maryse François

Superficie : 2,5 ha (partie sud-est de Pomerol)
Vin produit : Château La Loubière – 14 000 b (pas de second vin)
Encépagement : 100 % merlot
Densité de plantation : 6 000 pieds/ha – *Age moyen des vignes :* 40 ans
Rendement moyen : 45 hl/ha

Élevage :
fermentations de 21 jours en cuves d'acier inoxydable thermorégulées ; vieillissement de 15 mois en fûts (1/3 de bois neuf) ; collage et filtration

---

A maturité : dans les 3 à 10 ans suivant le millésime

MAZEYRES

Équivaut à un cru bourgeois
Propriétaire : Caisse de retraite de la Société générale
Adresse : 56, avenue Georges-Pompidou – 33500 Libourne
Tél. 05 57 51 00 48 – Fax 05 57 25 22 56
Visites : sur rendez-vous uniquement
Contact : Alain Moueix

Superficie :
19,75 ha (partie sud et est de l'appellation, sur la commune de Libourne)
Vins produits : Château Mazeyres – 85 000 b ; Château Beaulieu – 20 000 b
Encépagement : 80 % merlot, 20 % cabernet franc
Densité de plantation : 6 000 pieds/ha – *Age moyen des vignes :* plus de 33 ans
Rendement moyen : 43-53 hl/ha

Élevage :
fermentations de 21 jours en cuves d'acier inoxydable thermorégulées ;
achèvement des malolactiques en fûts neufs pour 1/3 de la récolte,
en cuves pour le reste ; vieillissement de 18 mois en fûts neufs ;
léger collage au blanc d'œuf ; pas de filtration

A maturité : dans les 3 à 8 ans suivant le millésime

1997 • **74-76** Légèrement corsé et herbacé, le 1997 de Mazeyres est étonnamment tannique et végétal. C'est un vin anodin, qui finit court en bouche. (1/99)

1996 • **74** Ce vin rubis moyen, maigre et aqueux, pèche par des arômes trop prononcés et très herbacés de poivron vert. **A boire dans les 4 ou 5 ans.** (1/99)

MONTVIEL
Propriétaires : Yves et Catherine Péré-Vergé
Adresse : 1, rue du Grand-Moulinet – 33500 Pomerol
Adresse postale : 15, rue Henri-Dupuis – 62500 Saint-Omer
Tél. 05 57 51 87 92 – Fax 03 21 95 47 74
Visites : sur rendez-vous uniquement
Contact : Jean-Marie Bouldy
Tél. 05 57 51 20 47 – Fax 05 57 51 23 14

Superficie : 5,2 ha (Pomerol)
Vins produits : Château Montviel – 18 000-20 000 b ; La Rose Montviel – variable
Encépagement : 80 % merlot, 20 % cabernet franc
Densité de plantation : 6 000 pieds/ha – *Age moyen des vignes :* 25 ans
Rendement moyen : 45 hl/ha

Élevage :
fermentations de 28 jours en cuves d'acier inoxydable thermorégulées ;
achèvement des malolactiques en fûts ;
vieillissement de 18 mois en fûts (40 % de bois neuf) ;
collage ; pas de filtration

A maturité : dans les 3 à 10 ans suivant le millésime

1998 • **86-88** Si le Montviel 1998 continue de se montrer sous un aussi bon jour que lors de ma dégustation de mars 1999, il s'imposera comme l'une des révélations du millésime. Arborant une robe rubis-pourpre foncé, et libérant de douces senteurs de mûre et de liqueur de cerise nuancées en arrière-plan de réglisse et de grillé, il est tout à la fois long, moyennement corsé et profond, avec des tannins modérément agressifs. Ce vin ample et puissant tiendra parfaitement 10 à 15 ans. (3/99)

LA PATACHE

Propriétaire : SARL de La Diligence
Adresse : La Patache – 33500 Pomerol
Adresse postale : BP 78 – 33330 Saint-Émilion
Tél. 05 57 55 38 03 – Fax 05 57 55 38 01
Visites : sur rendez-vous de préférence, du lundi au vendredi (8 h-18 h)
Contact : Philippe Lauret

Superficie : 4 ha (La Patache – Pomerol)
Vin produit : Château La Patache – 20 000 b (pas de second vin)
Encépagement : 70 % merlot, 30 % cabernet franc
Densité de plantation : 6 600 pieds/ha – *Age moyen des vignes :* 20 ans
Rendement moyen : 50 hl/ha

Élevage :
fermentations en cuves d'acier inoxydable ; achèvement des malolactiques en fûts pour une partie de la récolte, en cuves pour le reste ; vieillissement de 18 mois en fûts (40 % de bois neuf) ; collage ; pas de filtration

A maturité : dans les 3 à 10 ans suivant le millésime

PLINCETTE

Propriétaires : héritiers Coudreau
Administrateur : Jean-Pierre Estager
Adresse : 33500 Pomerol
Adresse postale : 33-41, rue de Montaudon – 33500 Libourne
Tél. 05 57 51 04 09 – Fax 05 57 25 13 38
Visites : sur rendez-vous uniquement
Contacts : François et Jean-Pierre Estager

Superficie : 2 ha (Pomerol)
Vin produit : Château Plincette – 12 000 b (pas de second vin)
Encépagement : 70 % merlot, 30 % cabernet franc
Densité de plantation : 5 800 pieds/ha – *Age moyen des vignes :* 18 ans
Rendement moyen : 48 hl/ha

Élevage :
fermentations de 20 jours en cuves d'acier inoxydable ou en cuves revêtues et thermorégulées ; vieillissement de 14-18 mois en fûts (20 % de bois neuf) ; collage et filtration

A maturité : dans les 3 à 10 ans suivant le millésime

PONT-CLOQUET

Propriétaire : Stéphanie Rousseau
Adresse : Petit Sorillon – 33230 Abzac
Tél. 05 57 49 06 10 – Fax 05 57 49 38 96
Visites : sur rendez-vous uniquement
Contact : Stéphanie Rousseau

Superficie : 0,5 ha (Pomerol)
Vin produit : Château Pont-Cloquet – 1 700 b (pas de second vin)
Encépagement : 80 % merlot, 20 % cabernet franc
Densité de plantation : 6 000 pieds/ha – *Age moyen des vignes :* 41 ans
Rendement moyen : 27 hl/ha

Élevage :
fermentations de 30 jours à 31 °C maximum ; achèvement des malolactiques en fûts ; vieillissement de 18 mois en fûts neufs ; collage ; pas de filtration

---

A maturité : dans les 3 à 10 ans suivant le millésime

PRIEURS DE LA COMMANDERIE

Propriétaire : Clément Fayat
Adresse : René – 33500 Pomerol
Adresse postale : Château La Dominique
33330 Saint-Émilion
Tél. 05 57 51 31 36 – Fax 05 57 51 63 04
Visites : non autorisées

Superficie : 3,5 ha (René – Pomerol)
Vins produits :
Château Prieurs de la Commanderie – 15 000 b ; Château Saint-André – 3 000 b
Encépagement : 75 % merlot, 15 % cabernet franc, 10 % cabernet sauvignon
Densité de plantation : 6 000 pieds/ha – *Age moyen des vignes :* 30 ans
Rendement moyen : 40-42 hl/ha

Élevage :
fermentations de 21-28 jours
en cuves d'acier inoxydable thermorégulées à 30-32 °C ;
vieillissement de 12-18 mois en fûts (1/3 de bois neuf) ; collage et filtration

---

A maturité : dans les 3 à 10 ans suivant le millésime

Ce vignoble, situé dans la partie ouest de Pomerol, était autrefois connu sous le nom de Château Saint-André. Il appartient à Clément Fayat, qui possède également le Château La Dominique, en Saint-Émilion. Les rares millésimes de Prieurs de la Commanderie que j'ai dégustés étaient bien faits, mais assez quelconques. Le terroir sableux et minéral de cette partie de l'appellation donne généralement des vins plutôt légers.

1998 • **85-87** Le 1998 est la plus belle réussite de la propriété depuis plusieurs années. Rubis-pourpre foncé de robe, il libère de doux parfums de petits fruits entremêlés de généreuses notes de chêne neuf et grillé, et nuancés de cèdre et de café. L'ensemble qui suit en bouche, élégant et moyennement corsé, manifeste une concentration et une pureté d'excellent aloi ; il est suffisamment souple pour être apprécié ces **8 ou 9 prochaines années.** (3/99)

1997 • **82-84** Arborant une robe rubis foncé moins évoluée que celle du 1996, le 1997 se distingue par un nez confituré de prune et de raisin. Modérément tannique, avec une finale sèche manquant quelque peu de structure, il n'est ni aussi élégant ni aussi richement fruité que le 1996. Peut-être est-il tout simplement à un stade ingrat de son évolution ? **A boire entre 2001 et 2008.** (1/99)

1996 • **86** Ce vin souple et charnu arbore un grenat évolué, et déploie un généreux fruité rond et ouvert aux notes de cerise et de kirsch copieusement marquées de chêne grillé. Il séduira le plus grand nombre par sa faible acidité et par son style charnu. **A boire dans les 5 ou 6 ans.** (1/99)

RATOUIN

Propriétaire : GFA Famille Ratouin
Adresse : René – 33500 Pomerol
Adresse postale : Château La Dominique
33330 Saint-Émilion
Tél. 05 57 51 47 92 ou 05 57 51 19 58
Fax 05 57 51 47 92
Visites : sur rendez-vous uniquement
Contact : Jean-François Beney

Superficie : 2,5 ha (Pomerol)
Vins produits :
Château Ratouin Cuvée Rémi – 1 800 b ; Château Ratouin – 12 000 b
Encépagement : 80 % merlot, 20 % cabernet franc
Densité de plantation : 6 000 pieds/ha – *Age moyen des vignes :* 40 ans
Rendement moyen : 50 hl/ha

Élevage :
fermentations et cuvaisons de 21-30 jours en cuves de béton et en cuves d'acier inoxydable ; vieillissement de 12 mois en fûts (30 % de bois neuf) pour 70 % de la récolte, en cuves de béton pour le reste ; collage au blanc d'œuf ; filtration si nécessaire

---

A maturité : dans les 3 à 10 ans suivant le millésime

DOMAINE DU REMPART
Propriétaire : Paulette Estager
Adresse : Propriétés Jean-Marie Estager
55, rue des Quatre-Frères-Robert – 33500 Libourne
Tél. 05 57 51 06 97 – Fax 05 57 25 90 01
Visites : non autorisées

Superficie :
2 ha (Pomerol, à proximité du Château Gazin)
Vin produit :
Domaine du Rempart – 13 500 b (pas de second vin)
Encépagement : 100 % merlot
Densité de plantation : 6 000 pieds/ha – *Age moyen des vignes :* 20 ans
Rendement moyen : 50 hl/ha

Élevage :
fermentations de 22 jours en cuves de béton revêtues ; vieillissement de 24 mois en cuves ou en vieux fûts ; collage et filtration

---

A maturité : dans les 3 à 10 ans suivant le millésime

LA RENAISSANCE
Propriétaire : François de Lavaux
Adresse : 33500 Pomerol
Adresse postale : Établissements Horeau-Beylot
BP 125 – 33501 Libourne
Tél. 05 57 51 06 07 – Fax 05 57 51 59 61
Visites : sur rendez-vous uniquement
Contact : François de Lavaux

Superficie : 3 ha (Pomerol)
Vin produit : Château La Renaissance – 30 000 b (pas de second vin)
Encépagement : 85 % merlot, 15 % cabernet sauvignon
Densité de plantation : 5 500 pieds/ha – *Age moyen des vignes :* 15-25 ans
Rendement moyen : 40 hl/ha

Élevage :
fermentations et macérations de 18-23 jours
en cuves d'acier inoxydable et en cuves de béton thermorégulées ;
achèvement des malolactiques généralement en cuves ;
vieillissement de 8-12 mois par rotation en cuves de béton pour 40 % de la récolte,
en fûts (10-15 % de bois neuf) pour le reste ; collage et filtration

---

A maturité : dans les 3 à 10 ans suivant le millésime

RÊVE D'OR

Propriétaire : Maurice Vigier
Adresse : Cloquet – 33500 Pomerol
Tél. 05 57 51 11 92 – Fax 05 57 51 87 70
Visites : sur rendez-vous uniquement
Contact : Maurice Vigier

Superficie :
7 ha (Cloquet – Pomerol)
Vins produits : Château Rêve d'Or – 18 000 b ; Château du Mayne – 18 000 b
Encépagement : 80 % merlot, 20 % cabernet sauvignon
Densité de plantation : 5 500 pieds/ha – *Age moyen des vignes :* 40 ans
Rendement moyen : 45 hl/ha

Élevage :
fermentations et cuvaisons de 21-28 jours
en cuves d'acier inoxydable thermorégulées ;
vieillissement de 18 mois en fûts (30 % de bois neuf) ; collage ; pas de filtration

---

A maturité : dans les 3 à 10 ans suivant le millésime

LA ROSE FIGEAC

Propriétaire : GFA Despagne-Rapin
Adresse : 33500 Pomerol
Adresse postale : Maison-Blanche – 33570 Montagne
Tél. 05 57 74 62 18 – Fax 05 57 74 58 98
Visites : sur rendez-vous uniquement
Contact : Gérard Despagne

Superficie :
5,5 ha (1 ha à l'extrême nord de Pomerol et 4,5 ha à l'extrême sud)
Vins produits :
Château La Rose Figeac – 15 000 b ;
Château Hautes Graves Beaulieu – 3 000-4 000 b
Encépagement : 85 % merlot, 15 % cabernet franc
Densité de plantation : 5 350 pieds/ha – *Age moyen des vignes :* 40 ans
Rendement moyen : 50 hl/ha

Élevage :
fermentations de 20-25 jours en cuves revêtues ;
vieillissement de 12-15 mois en fûts neufs ; collage et filtration

---

A maturité : dans les 3 à 10 ans suivant le millésime

SAINT-PIERRE

Propriétaire : famille de Lavaux
Adresse : 33500 Pomerol
Adresse postale : Établissements Horeau-Beylot
BP 125 – 33501 Libourne
Tél. 05 57 51 06 07 – Fax 05 57 51 59 61
Visites : sur rendez-vous uniquement
Contact : Mme Dubreuil-Lureau

Superficie : 3 ha (Pomerol)
Vin produit : Château Saint-Pierre – 15 000-18 000 b (pas de second vin)
Encépagement : 65 % merlot, 20 % cabernet franc, 15 % cabernet sauvignon
Densité de plantation : 5 500 pieds/ha – *Age moyen des vignes :* 35 ans
Rendement moyen : 30-40 hl/ha

Élevage :
fermentations et macérations de 18-23 jours en cuves d'acier inoxydable
et en cuves de béton thermorégulées ;
achèvement des malolactiques généralement en cuves ;
vieillissement de 8-12 mois par rotation, en cuves de béton pour 40 % de la récolte
et en fûts (10-15 % de bois neuf) pour le reste ; collage et filtration

---

A maturité : dans les 3 à 10 ans suivant le millésime

DU TAILHAS

Équivaut à un cru bourgeois
Propriétaire : SC du Château du Tailhas
Adresse : route de Saint-Émilion – 33500 Pomerol
Tél. 05 57 51 26 02 – Fax 05 57 25 17 70
Visites : sur rendez-vous de préférence du lundi au vendredi
(9 h-12 h et 14 h-18 h), sur rendez-vous uniquement le samedi
Contact : Luc Nebout

Superficie : 10,5 ha (Libourne)
Vins produits : Château du Tailhas – 60 000 b ; Château La Garenne – variable
Encépagement : 70 % merlot, 15 % cabernet franc, 15 % cabernet sauvignon
Densité de plantation : 5 600 pieds/ha – *Age moyen des vignes :* 35 ans
Rendement moyen : 45 hl/ha

Élevage :
fermentations de 21 jours en cuves de béton
et en cuves d'acier inoxydable thermorégulées ;
achèvement des malolactiques en fûts neufs pour une partie de la récolte,
en cuves pour le reste ;
vieillissement de 10-18 mois par rotation en cuves et en fûts neufs ;
collage ; filtration si nécessaire

A maturité : dans les 3 à 10 ans suivant le millésime

TAILLEFER

Équivaut à un cru bourgeois
Propriétaires : héritiers Bernard Moueix
Adresse : 33500 Libourne
Tél. et Fax 05 57 25 50 45
Visites : sur rendez-vous uniquement
Contact : Sandrine Yonnet

Superficie : 12 ha (Libourne)
Vins produits :
Château Taillefer – 60 000 b ; Château Fontmarty – 18 000 b
Encépagement : 75 % merlot, 25 % cabernet franc
Densité de plantation : 6 000 pieds/ha – *Age moyen des vignes :* 25 ans
Rendement moyen : 50 hl/ha

Élevage :
fermentations et cuvaisons de 21-28 jours en cuves de béton ;
vieillissement après les malolactiques de 15 mois en fûts (1/3 de bois neuf) ;
collage ; pas de filtration

A maturité : dans les 3 à 10 ans suivant le millésime

THIBEAUD-MAILLET

Propriétaires : Roger et Andrée Duroux
Adresse : 33500 Pomerol
Tél. 05 57 51 82 68 – Fax 05 57 51 58 43
Visites : sur rendez-vous de préférence (9 h-12 h et 14 h-20 h)
Contacts : Roger et Andrée Duroux

Superficie : 1,2 ha (Pomerol)
Vin produit :
Château Thibeaud-Maillet – 5 000-6 000 b (pas de second vin)
Encépagement : 85 % merlot, 15 % cabernet franc
Densité de plantation : 5 000 pieds/ha – *Age moyen des vignes :* 25 ans
Rendement moyen : 50 hl/ha

Élevage :
fermentations de 28 jours en cuves thermorégulées ;
vieillissement de 16-18 mois en fûts (50 % de bois neuf) ; collage ; légère filtration

A maturité : dans les 3 à 10 ans suivant le millésime

TOUR ROBERT

Propriétaire : Dominique Leymarie
Adresse : 11, chemin de Grangeneuve – 33500 Libourne
Tél. 06 09 73 12 78 – Fax 05 57 51 99 94
Visites : sur rendez-vous uniquement
Contact : Dominique Leymarie

Superficie : 4,6 ha (Libourne, entre Mazeyres et De Sales)
Vins produits :
Château Tour Robert – 6 000-8 000 b ; Château Robert – 18 000-20 000 b
Encépagement : 65 % merlot, 30 % cabernet franc, 5 % cabernet sauvignon
Densité de plantation : 6 000 pieds/ha – *Age moyen des vignes :* 30 ans
Rendement moyen : 43 hl/ha

Élevage :
fermentations de 21-40 jours en cuves de béton à 29-31 °C ;
vieillissement de 12-15 mois en fûts (60-70 % de bois neuf) ; collage et filtration

A maturité : dans les 3 à 10 ans suivant le millésime

DE VALOIS

Propriétaire : Frédéric Leydet
Adresse : SCEA des Vignobles Leydet
Rouilledinat – 33500 Libourne
Tél. 05 57 51 19 77 – Fax 05 57 51 00 62
Visites : du lundi au vendredi (8 h-12 h et 14 h-19 h),
le samedi jusqu'à 12 h
Contact : Frédéric Leydet

Superficie : 7,8 ha (Pomerol et Libourne, près de Taillefer et Du Tailhas)
Vin produit : Château de Valois – 45 000 b (pas de second vin)
Encépagement :
75 % merlot, 13 % cabernet franc, 10 % cabernet sauvignon, 2 % malbec
Densité de plantation : 6 000 pieds/ha – *Age moyen des vignes :* 30 ans
Rendement moyen : 45 hl/ha

Élevage :
fermentations de 7 jours à 30-33 °C ;
cuvaisons de 28-42 jours à 22 °C maximum ;
vieillissement de 14-16 mois en fûts (35 % de bois neuf) pour 60 % de la récolte,
en cuves pour le reste ; collage et filtration

A maturité : dans les 3 à 10 ans suivant le millésime

VIEUX CHÂTEAU FERRON

Propriétaire : famille Garzaro
Adresse : 36, route de Montagne – 33500 Libourne
Adresse postale : Château Le Prieur – 33750 Baron
Tél. 05 56 30 16 16 – Fax 05 56 30 12 63
Visites : sur rendez-vous uniquement
Contact : Élie Garzaro

Superficie : 4 ha (Libourne)
Vins produits : Vieux Château Ferron – 15 000 b ; Clos des Amandiers – 10 000 b
Encépagement : 90 % merlot, 10 % cabernet franc
Densité de plantation : 7 300 pieds/ha – *Age moyen des vignes :* 35 ans
Rendement moyen : 47 hl/ha

Élevage :
fermentations de 15-21 jours
en cuves d'acier inoxydable et en cuves de béton thermorégulées ;
vieillissement après les malolactiques de 12-14 mois en fûts neufs ;
collage ; pas de filtration

A maturité : dans les 3 à 10 ans suivant le millésime

VIEUX MAILLET

Propriétaire : GFA du Château Vieux Maillet
Adresse : 33500 Pomerol
Tél. et Fax 05 57 51 04 67
Visites : sur rendez-vous uniquement
Contact : Isabelle Motte

Superficie :
2,6 ha (Maillet – Pomerol)
Vin produit :
Château Vieux Maillet – 15 500 b (pas de second vin)
Encépagement : 80 % merlot, 20 % cabernet franc
Densité de plantation : 5 600 pieds/ha – *Age moyen des vignes :* 30 ans
Rendement moyen : 48 hl/ha

Élevage :
fermentations de 18-25 jours en cuves de béton thermorégulées ;
achèvement des malolactiques en fûts ; vieillissement de 12-16 mois en fûts
(40-50 % de bois neuf) ; collage et filtration

A maturité : dans les 3 à 10 ans suivant le millésime

LA VIOLETTE - BON

Équivaut à un cru bourgeois
Propriétaire : famille Servant-Dumas
Adresse postale : SARL Vignobles Servant-Dumas
33870 Vayres
Tél. 05 57 55 54 60 – Fax 05 57 55 54 64
Visites : sur rendez-vous uniquement
Contact : Jean-Pierre Dumas

Superficie :
4 ha (sur le point culminant de Pomerol)
Vin produit :
Château La Violette – 24 000 b (pas de second vin)
Encépagement : 80 % merlot, 20 % cabernet franc
Densité de plantation : 5 500 pieds/ha – *Age moyen des vignes :* 35 ans
Rendement moyen : 40 hl/ha

Élevage : 24 mois en fûts

A maturité : dans les 5 à 15 ans suivant le millésime

Cette propriété peu connue, mais bien située, à proximité de l'église de Pomerol, propose chaque année environ 24 000 bouteilles d'un vin assez irrégulier, qui peut cependant se révéler d'une richesse splendide. Les 1962, 1967 et 1982, que je n'ai dégustés qu'en une seule occasion, méritaient tous d'excellentes notes pour leur caractère, leur complexité, leur intensité et leur richesse en extrait de très bon aloi. D'autres millésimes, en revanche, décevaient par leur manque de structure, par leur aspect dur et rustique, ainsi que par leurs arômes de moisi et de vieux fût.

VRAY CROIX DE GAY - BON

Équivaut à un cru bourgeois
Propriétaire : SCE Baronne Guichard
Adresse : 33500 Pomerol
Adresse postale : Château Siaurac – 33500 Néac
Tél. 05 57 51 64 58 – Fax 05 57 51 41 56
Visites : sur rendez-vous uniquement
Contact : Gino Bartoletto

Superficie : 3,65 ha (Pomerol)
Vin produit : Château Vray Croix de Gay – 24 000 b (pas de second vin)
Encépagement : 80 % merlot, 15 % cabernet franc, 5 % cabernet sauvignon
Densité de plantation : 5 500 pieds/ha – *Age moyen des vignes :* 35 ans
Rendement moyen : 40 hl/ha

Élevage :
fermentations de 21-28 jours en cuves de ciment ;

vieillissement après les malolactiques de 18 mois en fûts (30 % de bois neuf) ; collage et filtration

A maturité : dans les 5 à 12 ans suivant le millésime

1998
•
88-91+ ?

Voici un géant, lourd et massif, qui évoque certains Pomerol de 1975. D'un rubis-pourpre tirant sur le noir, ce 1998 se montre tout à la fois puissant et dense, tapissant le palais de ses abondants tannins (d'où le point d'interrogation accompagnant la note que je lui ai attribuée). Le nez libère des senteurs d'herbes rôties, de cappuccino et de douce cerise, et l'ensemble, qui suinte littéralement de richesse en extrait, est à peine marqué par une certaine astringence. Très corsé et extrêmement concentré, ce 1998 s'impose comme l'exemple le plus musclé et le plus costaud que je connaisse de ce cru. J'aimerais voir si le tout se fond harmonieusement d'ici 1 an, car ce vin est actuellement un peu anguleux et manque légèrement de structure, mais il regorge de potentiel. A boire entre 2006 et 2020. (3/99)

SAINT-ÉMILION

La ville de Saint-Émilion est le principal centre d'intérêt touristique du Bordelais. Certains prétendent même que ce vieux village médiéval fortifié, juché sur sa colline comme une île au milieu d'une mer de vignes, est tout simplement le plus beau de France.

Les vignerons de Saint-Émilion forment une communauté très soudée et sont persuadés, aujourd'hui comme hier, qu'ils font les meilleurs vins de Bordeaux. Très chatouilleux sur la question, ils ont été ulcérés par le classement de 1855 des vins de la Gironde, qui les a purement et simplement ignorés. L'appellation Saint-Émilion est la plus vaste du Bordelais pour les vins rouges de haute qualité, avec une superficie sous culture de vigne de plus de 5 000 ha.

La ville ne se trouve guère qu'à trois quarts d'heure de voiture de Bordeaux. L'appellation est limitée au nord par celle de Pomerol, au sud et à l'est par ses appellations satellites de Montagne, Lussac, Puisseguin et Saint-Georges, ainsi que par celles des Côtes de Francs et des Côtes de Castillon. Les très bons vignobles de cette aire de production se trouvent dans diverses zones géographiques bien précises. Pour simplifier, disons que les meilleurs sont généralement situés sur le plateau calcaire, sur les coteaux calcaires (que l'on appelle « côtes ») et sur les terrasses graveleuses voisines de Pomerol. Cependant, on s'aperçoit, depuis le début des années 90, que les autres terroirs peuvent aussi donner des vins de très haut niveau, lorsqu'ils sont exploités par des viticulteurs consciencieux recherchant la perfection. Les vignobles des « côtes » couvrent les collines calcaires qui entourent immédiatement la ville – certains se trouvent même intra-muros. En fait, les crus les plus fins et les plus célèbres de l'appellation, tels Ausone, Beau-Séjour Bécot et Beauséjour Duffau, Belair, Canon, Magdelaine, L'Arrosée et Pavie, en sont issus ; les coteaux abritent, en totalité ou en partie, les vignobles de dix des treize premiers grands crus officiels de Saint-Émilion. Les vins de ces côtes ont chacun un caractère bien spécifique, mais tous ont en commun un aspect ferme, assez retenu et relativement austère quand ils sont jeunes. Cependant, après un certain vieillissement, ils se défont de leur raideur juvénile pour se révéler riches, puissants et complexes.

Le plus célèbre des domaines des côtes est certainement Ausone, avec ses caves étonnantes, creusées à même le calcaire, et son vignoble pentu peuplé de vieux ceps

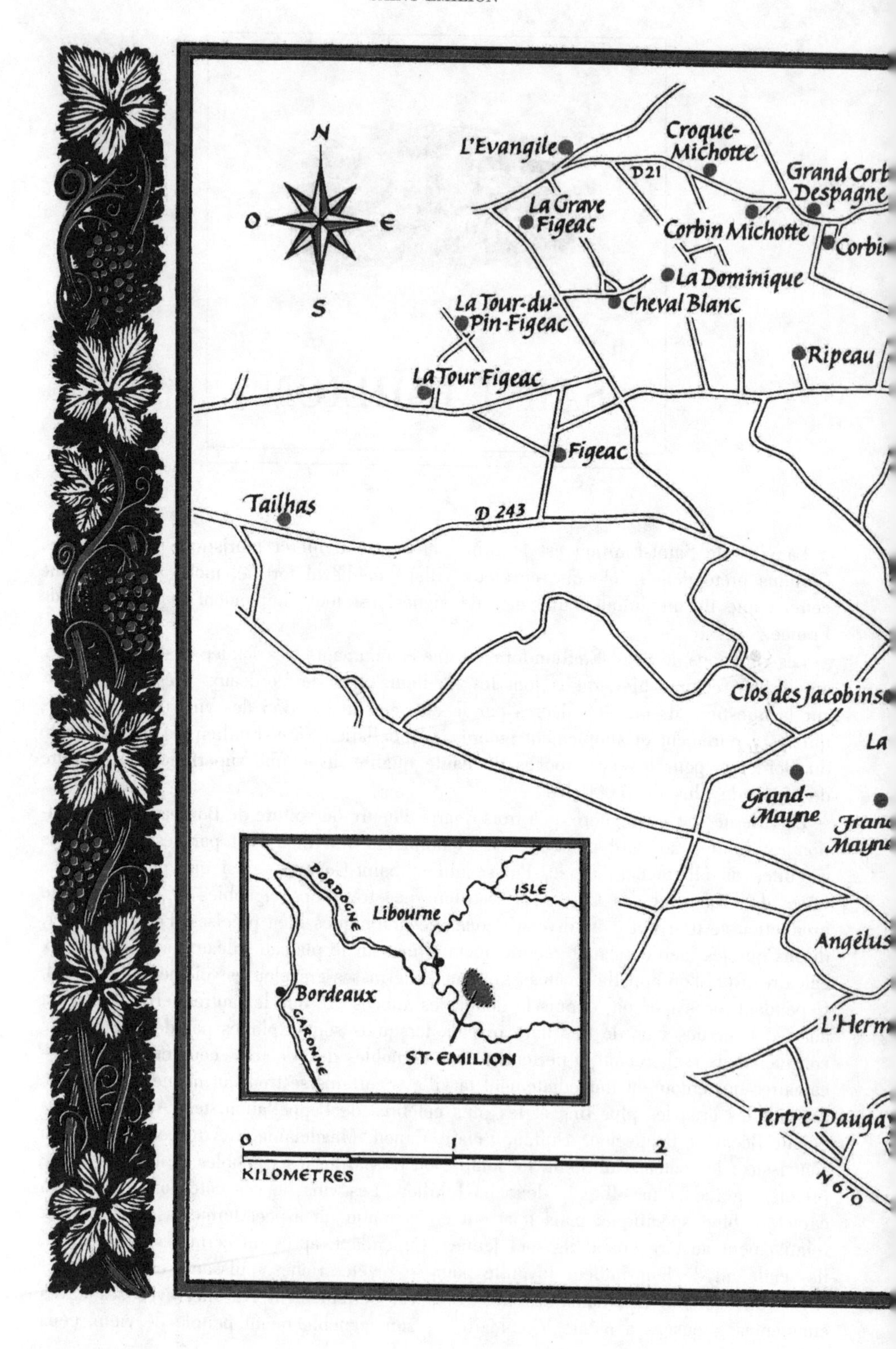
N
O
E
S
L'Evangile
Croque-Michotte
D21
Despagne
La Grave Figeac
Corbin Michotte
La Dominique
Cheval Blanc
La Tour-du-Pin-Figeac
Ripeau
La Tour Figeac
Figeac
Tailhas
D 243
Clos des Jacobins
Grand-Mayne
Angélus
DORDOGNE
ISLE
Libourne
Bordeaux
GARONNE
ST-EMILION
0
1
2
KILOMETRES
N 670

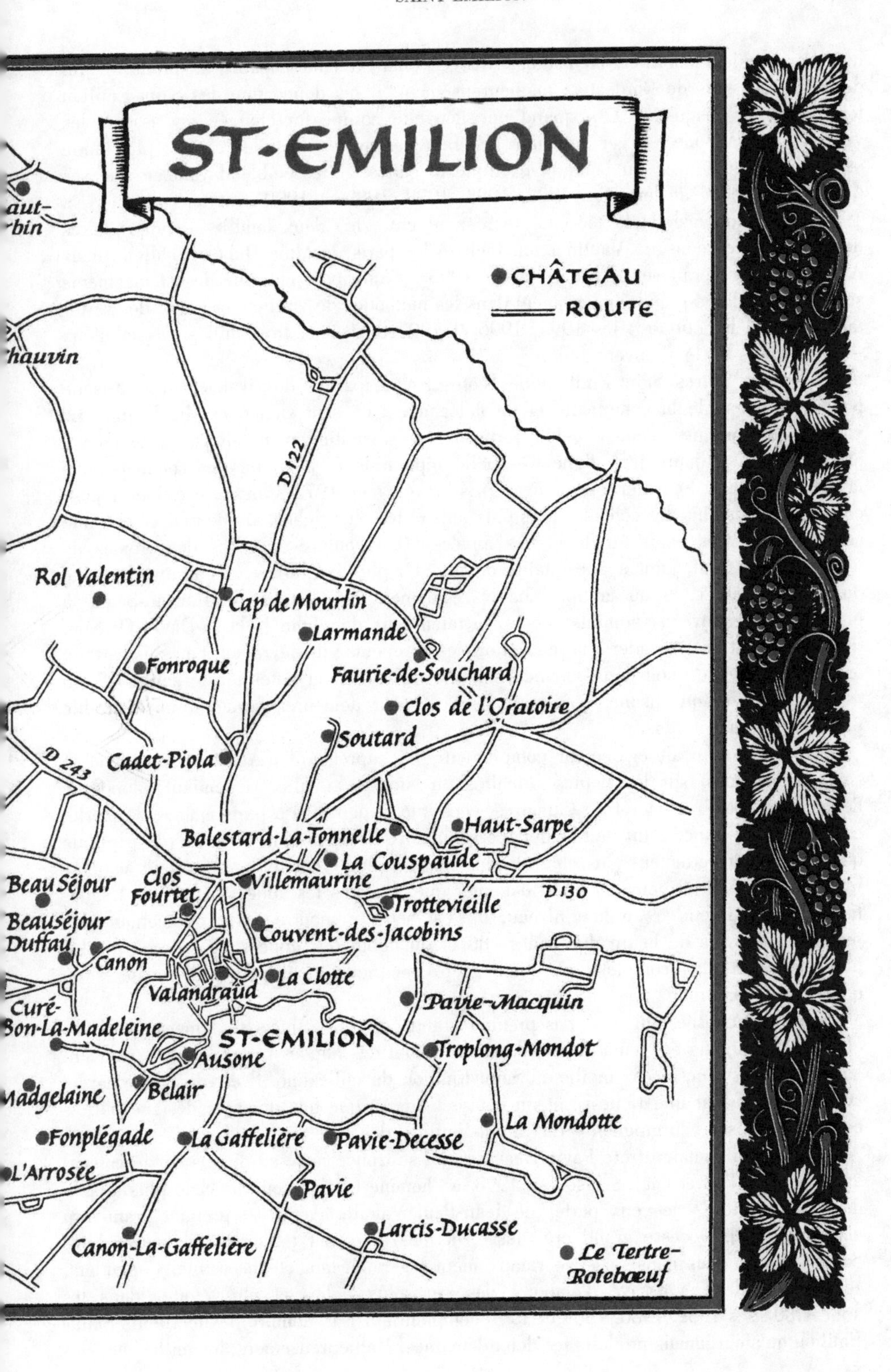
ST-EMILION
CHÂTEAU
ROUTE
Chauvin
D122
Rol Valentin
Cap de Mourlin
Larmande
Fonroque
Faurie-de-Souchard
Clos de l'Oratoire
Soutard
D 243
Cadet-Piola
Balestard-La-Tonnelle
Haut-Sarpe
La Couspaude
Beau Séjour
Clos Fourtet
Villemaurine
D130
Trottevieille
Beauséjour Duffau
Couvent-des-Jacobins
Canon
La Clotte
Valandraud
Pavie-Macquin
Curé-Bon-La-Madeleine
ST-EMILION
Troplong-Mondot
Ausone
Belair
La Mondotte
Fonplégade
La Gaffelière
Pavie-Decesse
L'Arrosée
Pavie
Larcis-Ducasse
Canon-La-Gaffelière
Le Tertre-Roteboeuf

noueux. Au siècle dernier, on estimait que ce château était capable de produire l'un des meilleurs vins de Bordeaux ; malheureusement, il n'a donné que des Saint-Émilion fort médiocres jusqu'en 1976, quand une nouvelle équipe fut chargée d'y assurer les vinifications. Ausone est généralement différent des autres vins des côtes : plus raide et plus tannique, avec un bouquet exotique et suave, il ressemble davantage que ses pairs à un Médoc austère. Ses 1982, 1983, 1988, 1989 et 1990 sont tous réussis. En 1997 – conséquence de la mésentente régnant entre les deux familles copropriétaires de ce cru –, les consorts Vauthier ont racheté les parts de Mme Dubois-Challon ; mais Alain Vauthier gérait seul Ausone depuis 1995, ce qui avait entraîné des changements subtils (mais d'une grande importance) dans les méthodes de vinification, avec des résultats des plus bénéfiques ; les 1995, 1996 et 1997 d'Ausone, trois millésimes fabuleux – irrésistibles –, le prouvent bien.

Seuls deux autres Saint-Émilion des côtes sont capables de rivaliser avec Ausone pour ce qui est de la complexité et de l'élégance : ce sont Canon et Magdelaine. Le vignoble du premier, comme celui d'Ausone, est essentiellement situé sur le coteau calcaire ; il a toujours joui d'une très belle réputation et a atteint des sommets sous la direction d'Éric Fournier, qui en avait pris les rênes en 1972. Canon s'est alors imposé comme l'un des vins des côtes les plus puissants et les plus riches. Malheureusement, une contamination des chais au début des années 90 a conféré aux vins des arômes de moisi, et ce défaut, joint à une qualité de plus en plus irrégulière, a entraîné la vente du domaine en 1996 au groupe Chanel, également propriétaire de Rauzan-Ségla, à Margaux. Les nouveaux administrateurs, le talentueux duo John Kolassa-David Orr, ont immédiatement fait procéder à la rénovation des bâtiments ; ils devraient, j'en suis certain, amener Canon à de nouveaux sommets. Malgré son excellent potentiel de garde, ce cru évolue plus vite qu'Ausone, qui, pour sa part, peut demeurer fermé et impénétrable pendant 30 ans et plus.

Magdelaine pourrait également compromettre la suprématie d'Ausone. Son vignoble se situe lui aussi sur les pentes calcaires du sud de la ville. Cependant, alors que l'encépagement d'Ausone et de Canon est constitué, à peu près à parts égales, de merlot et de cabernet franc, celui de Magdelaine compte 75 % de merlot. C'est ce qui explique que ce cru soit nettement plus charnu, plus rond et plus crémeux que ses deux concurrents directs. Mais il convient aussi d'ajouter que, si, dans les années 70 et 80, Magdelaine s'est maintenu à un bon niveau, il s'est souvent montré assez quelconque. En revanche, les vins de la fin des années 80 et du début des années 90 se sont révélés plus étoffés et plus complets, ce qui suggère une nette amélioration des critères de qualité à la propriété.

Quant à L'Arrosée, qui n'est pas premier grand cru classé, mais seulement grand cru classé, il a toujours été remarquable depuis le début des années 60, et s'impose souvent au nombre des cinq ou six meilleurs Saint-Émilion du millésime. Il est de bonne garde, et se distingue par une richesse et un bouquet aromatique tels qu'on le désigne parfois comme le plus « bourguignon » des Saint-Émilion des côtes.

Pavie et son domaine frère Pavie Decesse (qui se trouve juste au-dessus sur le coteau) appartenaient l'un et l'autre, jusqu'en 1998, à l'homme le plus courtois et le plus affable de Saint-Émilion – je veux parler de Jean-Paul Valette. Pavie est premier grand cru classé et Pavie Decesse grand cru classé, et tous deux ont toujours été de très bons Saint-Émilion, mais dans un style relativement léger, élégant et accessible. Cependant, Jean-Paul Valette a essayé d'élaborer des vins plus riches et plus étoffés dans les années 80 ; ses 1982, 1986, 1989 et 1990 comptent ainsi au nombre des meilleurs Saint-Émilion qu'aient jamais produits les deux domaines. Malheureusement, les millésimes des années 90 ont attesté une baisse de la qualité, et, en 1997, Pavie Decesse fut racheté par Gérard Perse. Cet homme dynamique, qui avait déjà contribué à la renaissance de Monbousquet (un autre domaine de Saint-Émilion lui appartenant), devait également, un an plus tard, ajouter Pavie et La Clusière à son patrimoine, devenant ainsi le propriétaire foncier le plus important de l'appellation.

Belair, proche voisin d'Ausone, produit rarement des vins grandioses. Plus léger, plus délicat et plus rapide à évoluer qu'Ausone, ce cru peut se révéler racé, élégant, dans un style moyennement corsé ; il peut par ailleurs atteindre des sommets, comme en 1983 et 1989, mais il est le plus souvent terne et assez quelconque, et convient mieux aux amateurs de vins rouges austères et spartiates.

Parmi les autres grands des côtes, un certain nombre de propriétés ont pataugé dans la médiocrité jusqu'à une époque récente, mais elles se sont enfin décidées à produire des vins qui se révèlent meilleurs d'une année sur l'autre. C'est ainsi que Beauséjour Duffau-Lagarrosse et Clos Fourtet, d'André Lurton, ont effectué un grand bond en avant vers la fin des années 80. Des deux, le second produit un vin un peu plus commercial ; il a délaissé le caractère dur, tannique, austère et sévère typique du Saint-Émilion des côtes, pour adopter un style plus moderne, plus souple, plus fruité et surtout plus facile d'approche. Ce n'est pas le cas de Beauséjour, qui, tout en s'étant nettement amélioré, continue à défendre le style traditionnel du terroir avec un vin tannique, ferme, assez bien coloré et de bonne garde. Chacun s'accorde à reconnaître que ce cru a magnifiquement réussi en 1988, 1989 et 1990 ; ce dernier millésime, puissant et massif, est d'ailleurs probablement le vin jeune le plus profond que je connaisse.

Un autre château, sur ces collines de l'ouest de la ville, porte un nom proche du cru précédent ; il s'agit de Beau-Séjour Bécot, qui appartient à la famille Bécot. Si sa rétrogradation (de premier grand cru classé à grand cru classé), lors de l'établissement du nouveau classement en 1985, ne m'a pas surpris, j'ai en revanche été stupéfait par l'ardeur avec laquelle les propriétaires se sont attelés à faire un vin plus complexe et plus riche après cette censure. Leurs efforts ont été récompensés lors du classement suivant (en 1996), puisqu'ils ont retrouvé leur ancien statut. En outre, ils élaborent depuis peu une cuvée spéciale de vieilles vignes de merlot appelée La Gomerie. Ce vin intense et d'une richesse luxuriante évoque Le Pin, autre petit trésor, mais de Pomerol.

Trois autres vignobles des côtes ont un potentiel suffisant pour produire des vins comptant parmi les plus profonds de l'appellation, même si, jusque récemment, ils ne s'étaient que très rarement hissés à la hauteur des espérances des amateurs. La Gaffelière, Trotte Vieille et Angélus (premiers grands crus classés) bénéficient en effet d'une exposition et d'un sol qui leur permettent depuis quelques années de produire de grands Saint-Émilion.

La Gaffelière, qui m'a souvent laissé perplexe, a longtemps été l'un des derniers de la classe des premiers grands crus. Pourtant, son vignoble est superbement situé, et, lors de dégustations verticales des vins des années 60 et 70, on découvre que les millésimes 1961 et 1970 sont tout simplement merveilleux. Il a fallu attendre 1982 pour que le château se réveille ; depuis, La Gaffelière a retrouvé la forme. Il n'a certes jamais compté au nombre des Saint-Émilion les plus solides, mais c'est peut-être, de tous les premiers grands crus, le plus subtilement élégant et le plus fin.

Trotte Vieille a lui aussi longtemps coiffé le bonnet d'âne ; cependant, sous la direction de Philippe Castéja, il a effectué des progrès spectaculaires vers la fin des années 80.

De grand cru classé, Angélus a été promu premier grand cru lors du reclassement de 1996 ; cette distinction était tout à fait méritée. La propriété, qui avait traversé une période difficile, produisant des vins médiocres dans le courant des années 60 et 70, s'est bien redressée au cours de la dernière décennie. Depuis 1988, son vin s'impose comme un Saint-Émilion remarquablement intense et riche, qui compte non seulement au nombre des crus les plus extraordinaires de l'appellation, mais de tout le Bordelais. Plus que tout autre château de la région, il atteste les résultats exceptionnels auxquels peut aboutir un vigneron consciencieux et désireux de perfection. Ici, c'est Hubert de Boüard qui, las de la médiocrité de ses précédesseurs, a décidé de produire de grands vins sans sacrifier à aucun compromis. Il a ainsi obtenu de belles réussites dans de grands millésimes comme 1989, 1990 et 1995, mais ses 1992, 1993 et 1994 sont peut-être plus remarquables encore, car ils sont issus de trois années difficiles.

Cependant, les nouvelles stars de Saint-Émilion ne se trouvent pas toutes sur les coteaux ou sur le plateau. C'est ainsi que Canon-la-Gaffelière est un domaine des « pieds de côte », c'est-à-dire situé en bas des coteaux. Il a produit des vins réellement très profonds vers la fin des années 80 et continue de s'imposer comme l'une des étoiles de l'appellation dans cette décennie.

Il convient également de garder un œil sur Troplong Mondot. La grande qualité des derniers millésimes a largement dépassé les frontières de Saint-Émilion. C'est Christine Fabre, l'une des femmes les plus en vue de la région, qui dirige ce domaine, dont le vin a toutes les qualités pour entrer dans le club des grands classiques de l'appellation. En effet, ce cru sous-estimé s'est particulièrement distingué à la fin des années 80 et dans les années 90 ; il aurait, à mon sens, mérité d'être promu premier grand cru en 1996.

Un autre domaine, Pavie Macquin, devrait retenir l'attention des amateurs. Exactement comme Angélus, Troplong Mondot, Canon-la-Gaffelière et Trotte Vieille, il a produit des vins médiocres dans les années 70 et au début des années 80 ; mais ses 1988, 1989 et 1990 ont été superbes, et il continue sur cette belle lancée. Outre que ce cru est aujourd'hui l'une des stars de l'appellation, c'est également l'une des rares propriétés du Bordelais à être cultivées en biodynamie. Superbement situé sur le plateau, juste au-dessus du coteau calcaire que l'on appelle la Côte de Pavie, son vignoble donne une véritable essence de vieilles vignes.

Tertre Rotebœuf est un petit bijou situé dans un écrin de coteaux, près de Larcis Ducasse. Cette propriété produit des vins monumentaux depuis le milieu des années 80, sous l'œil vigilant, attentif, pointilleux et scrupuleux du propriétaire, François Mitjavile. Pour tout avouer, ce domaine est probablement la plus grande découverte que j'aie jamais faite dans le Bordelais. François Mitjavile défend une vinification sans compromis ni compromission, et il élabore le seul vin que l'on puisse, en toute justice, appeler « le Petrus de Saint-Émilion » – quelle richesse et quelle séduction ! A mon sens, Tertre Rotebœuf aurait mérité d'être promu premier grand cru classé en 1996, mais... trop de gens sont jaloux du succès de ce petit domaine.

On trouve également de grands vins dans une autre partie de l'appellation, dite « terrasses de graves » (ou encore « graves et sables anciens ») et située à seulement 4 km de la ville. Le sol y est constitué de graves mêlées d'argile et de sable. Les meilleurs domaines de cette zone – en l'occurrence Cheval Blanc, Figeac, La Dominique, Corbin et Corbin Michotte – produisent des vins séveux, voluptueux et veloutés ; délicieux dès leur jeunesse, ils savent aussi fort bien vieillir. Ces châteaux se trouvent à proximité de la limite sud de Pomerol ; les vins qui en sont issus sont souvent très proches, par leur fruit et par leur caractère souple et pulpeux, des Pomerol immédiatement voisins, L'Évangile et La Conseillante.

De nombreux amateurs considèrent Cheval Blanc comme le plus grand Saint-Émilion des graves. Même après la renaissance d'Ausone, ce vin demeure la quintessence du

Saint-Émilion : opulent, sensuellement riche, exotique et étonnamment accessible dans sa jeunesse, il est cependant capable d'une garde de 30 à 40 ans dans les grands millésimes comme 1982 et 1990. La zone graveleuse des terrasses ne comprend que deux premiers grands crus, Cheval Blanc et Figeac ; cependant, un examen objectif montre que La Dominique mériterait lui aussi cet honneur.

Le vignoble de Cheval Blanc se situe sur un sol profondément graveleux, contenant également de l'argile, du sable et des dépôts ferreux. La grande particularité de ce cru réside peut-être dans le fait que nul autre vignoble du Bordelais ne saurait donner un cabernet franc aussi parfumé, aussi enivrant, aussi luxuriant et aussi irrésistiblement riche. Ce vin s'impose en effet par sa richesse, sa profondeur et son fruité dans des millésimes comme 1921, 1929, 1947, 1948, 1949, 1953, 1961, 1964, 1982, 1983, 1985, 1990 et 1995, ce qui explique d'ailleurs qu'il soit souvent apprécié et dégusté bien avant d'atteindre son apogée.

On compare souvent Cheval Blanc à Figeac, son voisin immédiat, mais ce sont deux crus de styles diamétralement différents. Issu d'un sol plus sableux et composé d'une forte proportion de cabernet sauvignon pour un Saint-Émilion, Figeac est généralement plus léger que Cheval Blanc, avec des arômes plus herbacés. Cependant, il peut aussi se révéler complexe, fruité, souple et charmeur dans les grandes années ; on l'apprécie alors dès 4 ou 5 ans d'âge. Malheureusement, rares sont les millésimes récents (tels 1964, 1970, 1975, 1982 et 1990) qui présentent l'étoffe leur permettant de résister à l'épreuve du temps. Pourtant, Figeac bénéficie d'un terroir extraordinaire, et, lorsqu'il décroche la timbale, il peut se distinguer par sa complexité et par son caractère somptueux ; mais cela n'arrive, hélas, que très rarement.

La Dominique, voisin septentrional de Cheval Blanc, est un domaine en pleine ascension qui produit un vin fort impressionnant : riche et séveux, fruité et profond, c'est un cru très corpulent qui présente un potentiel de garde de 10 à 20 ans. Ce Saint-Émilion mériterait d'être premier grand cru classé. Certains millésimes (1955, 1970, 1971, 1982, 1989 et 1990) sont au niveau des meilleurs.

Mais je simplifierais à l'excès si j'affirmais que les grands Saint-Émilion ne peuvent venir que de la zone des graves, des côtes ou du plateau calcaire. D'autres secteurs, dont les sols sont légèrement différents, comptent également des châteaux capables de produire des vins d'excellente tenue.

C'est ainsi que, sur les glacis sableux (sur argile) en pente du nord et du nord-est de l'appellation, des domaines comme Larmande, Cap de Mourlin et Cadet-Piola remportent souvent de beaux succès. De même à l'est, sur le plateau argilo-sableux (à sous-sol calcaire), Soutard, le domaine le plus remarquable de cette zone, propose d'excellents vins ; deux de ses voisins, La Clotte et Balestard La Tonnelle, sont également de bon niveau et notoirement surperformants.

Depuis quelques années, une autre propriété, qui ne se trouve pas dans les secteurs déjà cités, produit elle aussi un vin remarquable ; il s'agit du Clos des Jacobins, situé à 1 km au nord-ouest de la ville.

L'appellation Saint-Émilion a créé son propre classement en 1954. En théorie, le système adopté aurait dû être le plus fiable de toute la région de Bordeaux, dans la mesure où il est fondé sur la réputation, l'analyse du sol et la dégustation. A la différence du classement de 1855, caractérisé par la rigidité et l'immobilisme (seul Mouton Rothschild a été promu, en 1973), il est censé être révisé tous les dix ans, si bien que n'importe quel vignoble peut, en principe, être promu ou rétrogradé. Cependant, la première révision, qui est intervenue en 1969 (et a été valable jusqu'en 1985), avait changé fort peu de chose ; elle avait établi un classement à quatre étages en distinguant, pour le plus haut niveau, douze premiers grands crus classés, dont deux se sont vu ajouter la lettre « A », les dix restants étant les premiers grands crus classés « B ». Le deuxième niveau était constitué de soixante-douze grands crus classés, alors que le troisième niveau regroupait les grands crus. Ensuite, au quatrième niveau, on trouve les vins qui n'ont droit qu'à l'appellation Saint-Émilion, dont beaucoup sont issus des grandes coopératives. Lors du classement de 1996, aucun premier grand cru ne fut rétrogradé ; en revanche, deux propriétés, Angélus et Beau-Séjour Bécot, furent promues, ce qui n'était que justice.

On note actuellement à Saint-Émilion une tendance à effectuer des microvinifications sur de petites parcelles, soigneusement choisies et généralement complantées en merlot. Il se pourrait même que cette mode s'étende à tout le Bordelais. Les premiers résultats ont donné les vins les plus séduisants, les plus exotiques, les plus concentrés et les plus ravageurs de la région. Seul le temps permettra de déterminer leur aptitude à la garde et de dire, rétrospectivement, si les prix démentiels qu'ils atteignent sont justifiés. Il est incontestable qu'ils sont le produit d'une vinification sans compromission, effectuée par des viticulteurs perfectionnistes, qui recherchent sans relâche la meilleure qualité possible. La grande star parmi ces cuvées prestige est actuellement le Château de Valandraud, issu d'un assemblage de diverses parcelles et dont le premier millésime est le 1991. Avant cette date, Jean-Luc Thunevin, son talentueux et très consciencieux propriétaire, n'avait jamais encore élaboré de vin, mais son cru est devenu la coqueluche des collectionneurs et atteint des prix inimaginables ; il se vend même plus cher qu'Ausone et Cheval Blanc, ce qui, on le comprend, peut déstabiliser l'élite de la région. D'une richesse exceptionnelle, il est issu d'une vendange tardive et de tout petits rendements ; en outre, il est mis en bouteille sans collage ni filtration, chose rare dans le Bordelais. Même des années aussi difficiles que 1993 et 1994 ont été réussies ; quant aux De Valandraud de 1995 et 1996, ils sont tout simplement spectaculaires. Tous ces millésimes donnent à penser qu'ils sont capables d'une garde de 15 à 20 ans, mais il n'existe pas de précédent, et il est donc difficile de prédire leur évolution malgré leur caractère prometteur.

Parmi les autres cuvées prestige issues de microvinifications, on citera La Gomerie, élaboré par Gérard Bécot, de Beau-Séjour Bécot. Entièrement composé de merlot, il est fermenté et vieilli en fûts neufs. C'est un vin issu d'une vendange très mûre, mis en bouteille sans collage ni filtration, et qui, jusqu'à présent, a toujours impressionné par sa richesse, par sa texture crémeuse et par son caractère puissant et massif. Quoique plus précoce que De Valandraud, il paraît capable d'une garde de 10 à 15 ans, voire plus.

La Mondotte est un nouveau membre de ce club huppé. Élaboré pour la première fois en 1995, il connut le succès un an après, avec le millésime 1996 (produit à hauteur de 800 caisses). Entièrement issu de merlot de 30 ans d'âge provenant d'une parcelle située entre Tertre Roteboeuf et Canon-la-Gaffelière, il est fermenté et vieilli en fûts neufs. C'est probablement l'un des jeunes bordeaux les plus concentrés que je connaisse. Tout porte à croire qu'il peut tenir 20 ans ou plus. Ce vin est élaboré par le très perfectionniste Stephan de Neipperg, également propriétaire de Canon-la-Gaffelière.

Deux autres crus font parler d'eux : La Couspaude et Ferrand Lartigue. Tous deux sont produits en quantités infimes, essentiellement à base de merlot, bien que La Couspaude comprenne environ 30 % de cabernet sauvignon et franc. On reproche souvent à ce dernier vin, élaboré par la famille Aubert, bien connue à Saint-Émilion, son caractère trop boisé, mais il est bien fait, et se révèle tout à la fois exotique, flamboyant et spectaculaire. Il est en tout point aussi séduisant que Ferrand Lartigue, qui, lui, est issu d'une petite propriété produisant des vins exquis depuis le milieu des années 90.

Vinifié par Éric Prissette, Rol Valentin affiche le même style somptueux et très riche que les deux crus précédents. C'est un vin exceptionnel, qui déborde littéralement d'un beau fruit joliment rehaussé de boisé.

Compte tenu du succès que rencontrent ces microcuvées de luxe, il y a de fortes chances pour que d'autres producteurs se mettent à en élaborer, ce qui ouvrirait aux amateurs de nouvelles perspectives gustatives – à condition, bien entendu, qu'ils puissent les trouver et qu'ils aient les moyens de les acheter.

L'appellation Saint-Émilion produit des vins qui plaisent énormément au grand public. Charnus, précoces, ronds et généreux, ils se laissent boire et aimer facilement, et ils ne sont pas difficiles à comprendre. Si les prix des premiers grands crus classés sont élevés, ce n'est pas le cas de ceux de la plupart des grands crus classés, souvent très intéressants.

Dans la mesure où les sols, les styles de vinification et les encépagements sont très divers dans cette vaste appellation, il est difficile de généraliser pour ce qui concerne la qualité des millésimes. On peut toutefois raisonnablement affirmer que les grands millésimes de Saint-Émilion ont été 1982, 1983 et 1990 (certainement les trois plus grands pour l'après-guerre), ainsi que 1961 (bien entendu), 1964, 1970, 1986, 1989 et 1995. Pour que l'année soit bonne dans cette région, il faut que le temps ait été favorable à la floraison et au mûrissement du merlot et du cabernet franc, les deux cépages dominants.

Cette appellation compte un nombre très important de domaines, et j'ai dû effectuer (moi aussi !) une sélection sévère ; j'ai donc privilégié les premiers grands crus classés et les grands crus classés. Cela signifie qu'il m'a fallu, du même coup, délaisser les Saint-Émilion génériques (à l'exception des plus remarquables), ce qui, je le reconnais, est quelque peu arbitraire et injuste. Toutefois, il faut convenir que ces vins, parfois très bons, n'atteignent jamais la régularité à un haut niveau, qui reste l'apanage des meilleures propriétés.

SAINT-ÉMILION – REPÈRES

Situation : cette appellation de la rive droite se situe au sud-est de Pomerol, à environ 35 km de Bordeaux.
Superficie sous culture de vigne : 5 435 ha environ.
Communes : Saint-Émilion, Saint-Hippolyte, Saint-Christophe-des-Bardes, Saint-Laurent-des-Combres, Saint-Pey-d'Armens, Saint-Sulpice-de-Faleyrens, Vignonet, Saint-Étienne-de-Lisse.
Production annuelle moyenne : 2 800 000 caisses.
Crus classés : 68 au total, dont 2 premiers grands crus classés A, 12 premiers grands crus classés B et 55 grands crus classés.
Principaux cépages : merlot, cabernet franc.
Types de sol : très divers. Les coteaux situés au sud de Saint-Émilion sont généralement calcaires. En revanche, l'argile, le sable et les graves dominent vers Pomerol.

AVIS AUX AMATEURS

Niveau général de l'appellation : moyen à superbe.

Les plus aptes à une longue garde : **Angélus, L'Arrosée, Ausone, Beauséjour Duffau, Canon-la-Gaffelière, Cheval Blanc, La Dominique, Magdelaine, La Mondotte, Pavie Decesse (depuis 1997), Pavie Macquin, Troplong Mondot, De Valandraud.**
Les plus élégants : **Ausone, Belair, Chauvin, Figeac, La Gaffelière, Laplagnotte-Bellevue, Trotte Vieille.**
Les plus concentrés : **Angélus, L'Arrosée, Ausone, Beauséjour Duffau, Canon-la-Gaffelière, Cheval Blanc, Destieux, La Dominique, Larmande, Magdelaine, Monbousquet, La Mondotte, Moulin Saint-Georges, Pavie Decesse (depuis 1997), Pavie Macquin, Troplong Mondot, De Valandraud.**
Le meilleur rapport qualité/prix : **Corbin, Corbin Michotte, Daugay, La Fleur de Jaugue, Lucie, Rolland-Maillet.**
Les plus exotiques : **Cheval Blanc, La Couspaude, Ferrand Lartigue, La Gomerie, Gracia, L'Hermitage, La Mondotte, Tertre Roteboeuf, Rol Valentin, De Valandraud.**
Les plus secrets (dans leur jeunesse) : **Ausone, Belair, Canon, Fonroque, Larcis Ducasse.**
Les plus sous-estimés : **Clos des Jacobins, Clos de l'Oratoire, Faugères, Larmande, La Tour Figeac, Monbousquet, Moulin Saint-Georges, Pavie Macquin.**
Les plus accessibles dans leur jeunesse : **Dassault, Tertre Rotebœuf.**
Les étoiles montantes : **Barde-Haut, Chauvin, Clos de l'Oratoire, Daugay, Destieux, Faugères, La Fleur de Jaugue, Grand-Pontet, Les Grandes Murailles, Monbousquet, Pavie Decesse, Rol Valentin.**
Meilleurs millésimes récents : **1995, 1990, 1983, 1982, 1964, 1961.**

MON CLASSEMENT

EXCEPTIONNEL

Angélus, Ausone, Canon-la-Gaffelière, Cheval Blanc, La Gomerie, La Mondotte, Tertre Rotebœuf, Troplong Mondot, De Valandraud

EXCELLENT

L'Arrosée, Beau-Séjour Bécot, Beauséjour (Duffau-Lagarrosse), Canon, Clos de l'Oratoire, La Couspaude, La Dominique, Ferrand Lartigue, Figeac, Grand Mayne, L'Hermitage (depuis 1997), Larmande, Monbousquet (depuis 1994), Pavie Macquin, Rol Valentin (depuis 1995), Soutard

TRÈS BON

Balestard La Tonnelle, Barde-Haut (depuis 1997), Cadet-Piola, Chauvin, Clos Fourtet, Clos des Jacobins, Corbin Michotte, Faugères, La Gaffelière, Gracia (depuis 1997), Grand-Pontet, Magdelaine, Moulin Saint-Georges, Quinault L'Enclos

BON

Béard, Belair, Dubois-Challon, Bellefont-Belcier, Bergat, Cap de Mourlin, Chante-Alouette-Cormeil, Clos La Madeleine, Clos Saint-Martin, La Clotte, Corbin, Couvent des Jacobins, Croque Michotte, Curé-Bon, Dassault, Daugay, Destieux, Faurie de Souchard, de Ferrand, Fleur Cardinale, La Fleur Pourret, Fonplégade, Fonroque, Franc-Mayne, Godeau, Haut-Brisson, Haut-Corbin, Haut-Sarpe, Le Jurat, Larcis Ducasse, Laroze, Lucie, Mauvezin, Pavie, Pavie Decesse, Petit-Faurie-de-Soutard, Ripeau,

Rocher Bellevue Figeac, Rolland-Maillet, Saint-Georges Côte Pavie, Tertre Daugay, La Tour Figeac, La Tour du Pin Figeac-Moueix, Trotte Vieille

AUTRES PROPRIÉTÉS NOTABLES DE SAINT-ÉMILION

Bellevue, Berliquet, Bernateau, La Bienfaisance, La Bonnelle, Bouquey, Cadet-Bon, Cantenac, Capet-Guillier, Le Castelot, Du Cauze, Cheval Noir, Clos Labarde, Clos Larcis, Clos Trimoulet, La Clusière, La Commanderie, Côte de Baleau, Côtes de Rol, La Couronne, Coutet, La Croix Figeac Lamarzelle, La Croix de Jaugue, Croix de Labrie, Cruzeau, La Fleur, Fombrauge, Fonrazade, Galius, La Grâce Dieu, La Grâce Dieu Les Menuts, La Grâce Dieu des Prieurs, Grand Corbin, Grand Corbin-Despagne, Grand Corbin Manuel, Les Grandes Murailles, La Grave Figeac, Guadet-Saint-Julien, Haut Mazerat, Haut-Quercus, Haut-Villet, Jacques Blanc, Jean Faure, Jean Voisin, Lafleur Vachon, Laniote, Laplagnotte-Bellevue, Laroque, Leydet-Figeac, Leydet-Valentin, Lusseau, Magnan La Gaffelière, Martinet, Matras, Monlot Capet, Moulin Bellegrave, Moulin du Cadet, Du Paradis, De Pasquette, Patris, Domaine de Peyrelongue, Pipeau, Pontet-Fumet, Le Prieuré, Puy-Blanquet, Puy-Razac, Quercy, Du Rocher, La Rose-Pourret, Roylland, Saint-Lô, Sansonnet, Tauzinat l'Hermitage, Tour Baladoz, La Tour du Pin Figeac-Giraud-Bélivier, Trimoulet, Du Val d'Or, Vieux Sarpe, Villemaurine, Yon-Figeac

COMMENTAIRES DE DÉGUSTATION

ANGÉLUS - EXCEPTIONNEL

1er grand cru classé B – équivaut à un 1er cru du Médoc
Propriétaire : De Boüard de Laforest et Fils
Adresse : Mazerat – 33330 Saint-Émilion
Tél. 05 57 24 71 39 – Fax 05 57 24 68 56
Visites : sur rendez-vous uniquement
Contact : Emmanuelle d'Aligny

Superficie :
23,4 ha (Saint-Émilion)

Vins produits : Château Angélus – 110 000 b ; Le Carillon de l'Angélus – 15 000 b
Encépagement : 50 % merlot, 47 % cabernet franc, 3 % cabernet sauvignon
Densité de plantation : 6 500-7 000 pieds/ha – *Age moyen des vignes :* 30 ans
Rendement moyen : 40 hl/ha

Élevage :
fermentations et cuvaisons de 14-21 jours
en cuves d'acier inoxydable thermorégulées ;
achèvement des malolactiques en fûts ; vieillissement de 18-22 mois en fûts neufs ;
collage au blanc d'œuf ; pas de filtration

A maturité : dans les 4 à 12 ans suivant le millésime

Situé près du clocher de Saint-Émilion, au cœur d'un amphithéâtre, sur le célèbre « pied de côte » exposé plein sud, le Château Angélus est depuis quatre générations la propriété de la famille Boüard de Laforest. Il tire son nom d'une parcelle de vignes très anciennes d'où les vignerons pouvaient, dit-on, entendre les trois églises du pays sonner simultanément la prière de l'Angélus.

Angélus a toujours compté parmi les Saint-Émilion les plus populaires auprès du public. La production, dont une bonne part est exportée, est assez importante, l'étiquette est belle, et le vin souple et plein de charme ; ce cru a réussi à se créer des inconditionnels parmi les amateurs. Le vignoble, superbement ouvert au sud, est situé dans la vallée du Mazerat, sur des sols argilo-calcaires, et limono-argilo-calcaires vers le bas des coteaux. Pendant les années 60 et 70, les vins qui en étaient issus se révélaient agréablement et intensément fruités dans leur petite enfance, mais ils ne tenaient pas plus de quelques années. Cependant, les choses ont bien changé dans les années 80, lorsque le célèbre œnologue libournais Michel Rolland a été consulté par les propriétaires. Il a imposé l'élevage en fûts de chêne neuf, alors que les vins étaient jusqu'alors vieillis en cuves. En outre, le cru a bénéficié de l'achèvement des fermentations malolactiques en fûts (exactement comme pour Le Pin à Pomerol), ce qui a contribué à sa complexité et à son intensité ; cette pratique n'est possible que dans les petits domaines, dans la mesure où elle impose un travail énorme, éreintant, qui coûte évidemment fort cher.

Les résultats de toutes ces améliorations ont été fabuleux. Il faut souligner que le jeune administrateur, Hubert de Boüard de Laforest, prend soin d'opérer également une sélection très stricte, ne retenant que les meilleurs lots pour le grand vin. Et Angélus, qui n'avait pas été promu au rang de premier cru lors du reclassement de 1985, a finalement été distingué lors du suivant, dix ans plus tard.

Le style du « nouvel » Angélus révèle toujours un vin précoce, au fruit intense, souple, riche et gras. Cependant, à l'heure actuelle, il est également plus coloré et plus concentré que par le passé, avec des tannins plus abondants lui permettant de mieux vieillir. Les meilleurs millésimes des trente ou quarante dernières années ont sans doute été les 1988, 1989, 1990, 1995, 1996 et 1997, tous remarquablement profonds. En revanche, il faut se méfier des millésimes antérieurs à 1986, qui sont bien souvent complètement passés.

1998 • **90-92** Ce domaine a, me semble-t-il, opéré un changement subtil et progressif vers un style plus gracieux et plus policé ; Angélus n'a plus la puissance ni l'intensité qui le caractérisaient en 1988, 1989 et 1990, et son 1998 traduit parfaitement le « nouveau style ». D'un pourpre foncé soutenu, il présente de légendaires senteurs de minéral, de cerise noire, de cassis, d'herbes séchées, de cuir fin et de vanille. Moyennement corsé et riche, il manifeste en bouche une concentration et une pureté d'excellent aloi, et déploie une finale modérément boisée, structurée et épicée. Ce vin merveilleusement fait, qui allie parfaitement richesse et élégance, requiert, à en juger par les tannins agressifs qu'il révèle en fin de bouche, une garde de 4 ou 5 ans. **A boire entre 2005 et 2018.** (3/99)

1997 • **88-91** Vêtu de pourpre-noir soutenu, l'Angélus 1997 s'annonce par un nez de douce mûre et de truffe nuancé d'olives provençales et de chêne grillé et fumé. L'ensemble qui suit en bouche est étonnamment puissant pour le millésime. Moyennement corsé et modérément tannique, il atteste une belle puissance et pourrait prétendre à une note extraordinaire après la mise en bouteille (les vins de cette propriété ne sont pas filtrés). **A boire entre 2002 et 2016.** (1/99)

1996 • **91+** Le puissant et massif Angélus 1996 arbore un rubis-pourpre tirant sur le noir, et impressionne par son nez généreusement marqué d'herbes séchées, de viande rôtie, de cuir fin et neuf, de liqueur de prune et de cassis. La bouche révèle des notes très prononcées d'olives. Ce vin tout à la fois doux, très corsé et d'une concentration exceptionnelle est étonnamment peu évolué et tannique. Il se révèle cependant plus souple et plus précoce qu'avant la mise. Je conseille toutefois une garde de 7 ou 8 ans. **A boire entre 2007 et 2025.** (1/99)

1995 • **95** Superbement réussi pour le millésime, le 1995, à la robe opaque de couleur pourpre, est massif, puissant et riche, débordant de tannins doux et mûrs. On distingue au nez des senteurs d'olives provençales, de cerise noire confiturée, de mûre, de truffe et de grillé. Ce vin très corsé, épais et pur, se dévoile en bouche par paliers et s'impose comme le plus concentré de tous les premiers grands crus de Saint-Émilion en 1995. **A boire entre 2002 et 2025.** (11/97)

1994 • **92** D'un pourpre-noir semblable à de l'encre, le 1994 exhale de paradisiaques senteurs de viande fumée, d'épices à barbecue et de bois de noyer, accompagnées de généreuses notes de cassis et de kirsch. Il révèle, outre un caractère pur et dense absolument phénoménal, un équilibre d'ensemble admirable, compte tenu de son style massif et musclé. Ce vin énorme, qui déborde littéralement de richesse en extrait, constitue un véritable tour de force en matière de vinification. **A boire entre 2000 et 2020.** (1/97)

1993 • **92** Avec sa robe opaque de couleur pourpre tirant sur le noir et son nez intensément aromatique de fumé, d'olives, de chocolat, de fruits noirs, de bois de noyer, de chêne épicé et doux, le 1993 d'Angélus est l'un des quatre ou cinq vins les plus concentrés du millésime. Il semble presque incroyable qu'un vin aussi étonnamment riche, corsé et massivement extrait soit issu d'un millésime pareil. Accordez-lui une garde de 2 ou 3 ans avant de le déguster ces **15 à 18 prochaines années.** (1/97)

1992 • **89** Si la plupart des 1992 sont peu corsés – parfois même dilués –, Angélus se révèle comme l'une des réussites du millésime. Avec sa couleur rubis-pourpre foncé, il déploie un nez énorme de fumé, de réglisse et d'herbes, ainsi que des senteurs explosives de chocolat et de cassis mûr. La finale offre des tannins doux, et l'on ne décèle aucun signe de dilution dans ce vin impressionnant, plein de charme, gras et profond, qui est également pur et souple. **A boire jusqu'en 2004.** (11/94)

1991 • **87** Angélus est l'une des rares propriétés de Saint-Émilion à avoir réussi leur 1991. Celui-ci dégage un nez complexe de chocolat, de café, de chêne neuf et grillé, d'herbes et de fruits rouges confiturés. Moyennement corsé, doux et rond, il offre également un fruité mûr et succulent, qui procure un plaisir immédiat. Ce vin, qui représente une performance remarquable dans un millésime particulièrement difficile, devrait se maintenir encore **4 ou 5 ans.** (1/94)

1990 • **96** Opaque et pourpre de robe, Angélus 1990 est plus souple et plus faible en acidité que son aîné d'un an, en raison de la très grande maturité du millésime. Il paraît ainsi plus précoce, avec des arômes plus flatteurs. Néanmoins, il laisse en bouche l'impression d'un ensemble énorme, charnu, épais et extrêmement riche, doté des légendaires senteurs de chêne fumé et vanillé, de cassis confituré, d'épices et d'olives typiques de ce cru. **A boire jusqu'en 2018.** (11/96)

1989 • **96** Le 1989 se distingue par sa finale énorme, plus tannique que celle du 1990. Il m'est d'ailleurs difficile – pour l'instant, du moins – de déterminer où va ma préférence, car ces deux crus sont absolument fabuleux dans leur genre et dans leur millésime respectifs. Il est fort possible que je consomme le 1990 avant son aîné, mais ils sont tous deux capables de bien évoluer sur 25 à 30 ans, sachant que le premier requiert davantage de garde que le second, qui atteindra son apogée **d'ici 5 ou 6 ans.** (11/96)

1988
•
91
Riche, à la limite de l'opulence, le 1988 exhale un nez explosif de réglisse, de chêne neuf et épicé, de cassis, d'olives et de minéral. La bouche, très corsée, profonde et concentrée, déploie, outre une excellente richesse en extrait, une finale persistante, capiteuse et modérément tannique. **A boire jusqu'en 2006.** (4/91)

1986
•
89
Vêtu de rubis foncé, avec un nez ample et précoce de prune mûre, d'épices, de fumé et de chêne neuf subtilement nuancé d'herbes, le 1986 révèle une bouche d'une richesse exceptionnelle, mais également d'une longueur et d'une maturité d'excellent aloi. **A boire jusqu'en 2006.** (3/90)

1985
•
87
Le 1985 séduit par son caractère souple, ainsi que par les amples arômes de petits fruits et d'herbes dont il régale le nez autant que la bouche. Très corsé et concentré, mais également précoce et délicieux, ce vin opulent doit être apprécié **maintenant.** (3/90)

1984
•
72
Arborant une robe assez claire, le 1984 exhale un bouquet presque bourguignon, un peu boisé, de cerise et de champignon. Un vin tendre et parfaitement mûr. **A boire sans délai – peut-être en déclin.** (3/89)

1983
•
83
Tout comme le 1982, ce vin est arrivé beaucoup trop rapidement à maturité. Compte tenu du millésime, il est certes issu d'une belle matière première, mais il a certainement été trop collé et trop filtré (la filtration a été abandonnée dès la fin des années 80). Vêtu d'un rubis moyen légèrement ambré sur le bord, il présente un nez herbacé et boisé de cassis. La bouche est souple, mais manque quelque peu de structure, révélant même un caractère mou. Les tannins se sont fondus dans l'ensemble, mais le vin doit être bu **sans délai.** (1/89)

1982
•
77
Le lecteur se souviendra qu'au moment de l'élaboration du 1982, la propriété ne pratiquait pas de sélection, et les conditions de vinification et d'élevage étaient radicalement différentes de ce qu'elles sont aujourd'hui. Ce vin, qui était doux et mûr juste après la mise en bouteille, arbore maintenant une robe fortement ambrée et orangée, avec des nuances de rouille. Diffus et mou, il révèle encore un peu de fruit doux et confituré, marqué de notes de terre et de vieux champignons. **Il est sur le déclin.** (9/95)

1978
•
75
Typique des Angélus d'avant 1988, le 1978 est léger et parfaitement mûr. Il arbore une robe extrêmement tuilée et commence à perdre de son fruit. Plaisant et charmeur, c'est un vin léger, agréable à consommer sans cérémonie. **A boire – probablement en sérieux déclin.** (3/83)

1976
•
55
Le 1976 est un véritable désastre : léger, pâle de robe, dépourvu de fruit, de caractère et de charme, il n'a pour lui que de l'alcool et de vagues arômes. (6/80)

1975
•
50
Le 1975 est un vin fort médiocre. Outre sa robe terriblement brunie, il présente des arômes végétaux de feuilles en décomposition et un fruit à peine perceptible. Sa maigreur est inexcusable, car ce millésime, peut-être un peu irrégulier, est tout de même excellent. (3/86)

L'ARROSÉE – EXCELLENT
Grand cru classé – devrait être promu 1er grand cru
équivaut à un 3e cru du Médoc
Propriétaire : GFA du Château L'Arrosée
Adresse : 33330 Saint-Émilion
Tél. 05 57 24 70 47
Visites : sur rendez-vous uniquement
Contact : François Rodhain

Superficie : 10 ha (Saint-Émilion)
Vin produit : Château L'Arrosée – 35 000-40 000 b (pas de second vin)
Encépagement : 50 % merlot, 30 % cabernet sauvignon, 20 % cabernet franc
Densité de plantation : 5 500 pieds/ha – *Age moyen des vignes :* 25 ans
Rendement moyen : 30 hl/ha

Élevage :
fermentations et cuvaisons de 20-25 jours
en cuves de béton thermorégulées à 30 °C ;
achèvement des malolactiques en cuves ; vieillissement de 12 mois en fûts neufs ;
soutirage trimestriel ; collage au blanc d'œuf ; pas de filtration

---

A maturité : dans les 5 à 20 ans suivant le millésime

Situé sur le front sud des coteaux de Saint-Émilion, dans le prolongement d'Ausone, L'Arrosée produit, sur un sol aux deux tiers argilo-calcaire et pour le reste silico-graveleux, l'un des vins les moins connus de l'appellation, mais qui va sans doute se tailler une belle réputation au fur et à mesure que l'on aura vent de sa remarquable qualité.

Le domaine, acheté à la marquise de Reverseaux par la famille Rodhain en 1911, est dirigé par François Rodhain depuis 1956. Dans le passé, la production était malheureusement vendue en vrac à la coopérative de Saint-Émilion (et ce pendant une trentaine d'années), car la propriété ne comportait pas de chai. Le vin n'est mis en bouteille au château que depuis le milieu des années 60.

L'Arrosée est unique par son style. Charnu, mais ferme et puissant, il est toujours parfumé, riche et étoffé. C'est un Saint-Émilion doté d'un caractère bien affirmé, qui rappelle parfois les vins du sud du Médoc, comme La Lagune. Dans certains millésimes – tels 1985, 1986, 1989 et 1990 –, il ressemble à un bourgogne riche et voluptueux – pour être précis, le 1985 m'évoque toujours un Richebourg d'Henri Jayer ! Ce cru est incontestablement de très haut vol, et le célèbre auteur hollandais Hubrecht Duijker le considère même comme le meilleur de l'appellation.

1998 • **87-89** Ce vin discret, vêtu de rubis foncé, exhale un nez de framboise et de cerise noire marqué de très belles notes de chêne neuf et grillé. Loin d'être massif, plutôt retenu et harmonieux, il exprime en bouche un caractère moyennement corsé et tout en nuances. Riche, mais peu évolué, il devrait se révéler impressionnant ; cependant, il requiert une certaine garde. L'attaque et le milieu de bouche témoignent d'une belle douceur, mais l'ensemble s'amenuise par la suite. **A boire entre 2003 et 2015.** (3/99)

1997 • **86-87** Outre des senteurs de douce prune et de cerise nuancées de pain grillé, le 1997 présente un caractère moyennement corsé, élégant et souple. L'attaque en bouche est douce, mais la finale est abrupte, avec des tannins secs. Ce vin devrait se révéler bon, voire très bon, mais il est légèrement anguleux. **A boire entre 2001 et 2010.** (1/99)

1996 • **87+ ?** Ce vin serré et fermé ne s'est pas encore étoffé, pas plus qu'il n'a commencé à pleinement se révéler. Rubis moyen de robe, il présente un nez assez réticent de prime abord, qui développe cependant après aération des notes de minéral poussiéreuses nuancées de cerise noire et de framboise. La bouche exprime un fruité de cerise et de mûre subtilement marqué de très belles notes de framboise. L'ensemble, ferme et élégant, est nerveux et austère, mais doté d'un beau potentiel. Cependant, il semblerait que je l'aie surnoté lorsqu'il était en fût. **A boire entre 2004 et 2016.** (1/99)

1995 • **90** Outre sa robe d'un rubis moyennement foncé, le 1995 présente un nez délicieusement fruité et complexe de kirsch, de pain grillé et de fumé. Très parfumé, il regorge littéralement d'arômes de framboise, de groseille et de cerise. Ce vin n'est ni puissant ni massif, mais plutôt élégant, multidimensionnel, rond et velouté, avec un fruité d'une douceur et d'une richesse telles qu'il en est irrésistible. C'est l'un des 1995 les plus séduisants. **A boire jusqu'en 2012.** (11/97)

1994 • **87+** Rubis foncé, avec un nez réticent, le 1994 paraît être en sommeil. Il manque de charme en bouche, se montre dense, moyennement corsé et concentré, mais également fermé et tannique. Je pense qu'il évoluera bien, mais les tannins rugueux que l'on perçoit dans sa finale pourraient le desservir dans 7 ou 8 ans. Ce vin sera agréable à déguster dans les **15 prochaines années**, après une garde de 2 ou 3 ans en cave. (1/97)

1993 • **88** Le 1993 de L'Arrosée est une réussite impressionnante pour le millésime. Ce vin d'un rubis moyennement foncé exhale un nez merveilleux, semblable à celui d'un bourgogne, aux notes de cerise confiturée et de chêne doux, fumé et grillé, marquées d'une petite touche de cèdre. Relativement corsé, il dévoile en bouche une douce ampleur qui rappelle celle des grands crus de Bourgogne, et se révèle tout à la fois soyeux, velouté, admirablement complexe et élégant. Vous dégusterez ce 1993 bien évolué et bien fait dans les **5 ou 6 ans.** (1/97)

1992 • **87** Alors que les rendements furent généralement assez élevés en 1992, ceux de L'Arrosée restèrent limités à 36 hl/ha, donnant un vin qui compte parmi les plus sensuels de ce millésime. Fidèle au style de la propriété, il offre, à la fois au nez et en bouche, des arômes généreux de chêne neuf et grillé, de cerise noire et de framboise. Il est également succulent, expansif et mûr, doux comme de la soie. **A boire dans les 3 à 5 ans.** Serait-ce le Richebourg de Saint-Émilion ? (11/94)

1990 • **93** L'impressionnant L'Arrosée 1990 exhale un nez provocant, pénétrant et extrêmement parfumé de minéral, de truffe et de fruits noirs (notamment de cassis confituré), joliment rehaussé de belles notes boisées. Riche, souple et moyennement corsé, avec des tannins modérés, mais bien fondus dans l'ensemble, ce vin opulent et complexe se dévoile en bouche par paliers, et s'impose comme l'une des grandes réussites de ce millésime de très haut vol. **A boire jusqu'en 2015.** (11/96)

1989 • **88** D'un rubis foncé légèrement éclairci sur le bord, L'Arrosée 1989 dégage de généreuses senteurs de terre et de cerise noire judicieusement infusées de belles notes de chêne doux et grillé. Il s'est révélé plus riche, plus gras, plus intense et plus précis lors de cette dégustation qu'à l'occasion des précédentes. **A boire dans les 8 ans.** (11/96)

1988 • **83** Le 1988 est d'un moins bon niveau que les millésimes précédents. Moyennement corsé, épicé et fruité, il déploie une belle profondeur, mais pèche par manque de persistance, de complexité et d'intensité. **A boire jusqu'en 2000.** (4/91)

1986 • **92** Curieusement, ce millésime de L'Arrosée a tardé à se montrer sous son vrai jour. Il s'est longtemps révélé puissant et musclé, très concentré, avec des tannins extrêmement abondants. Ceux-ci commencent maintenant à se fondre, pour laisser s'exprimer un ensemble aux séduisants arômes d'herbes, de poussière, de cerise noire, de kirsch et de minéral, subtilement marqués en arrière-plan par des notes vanillées. La bouche, moyennement corsée et concentrée, révèle des tannins fermes, mais il s'agit, dans l'ensemble, d'un vin très accessible, qui demeure jeune, comme en témoigne sa robe d'un rubis-pourpre à peine ambré sur le bord. C'est incontestablement, de tous les millésimes élaborés à la propriété après 1961, le plus apte (avec le 1982) à une longue garde. **A boire jusqu'en 2012.** (12/97)

1985 • **93** Le 1985, à son apogée depuis plusieurs années maintenant, arbore une robe d'un rubis profond légèrement ambré sur le bord, qui précède un nez absolument renversant (il a toujours été ainsi) de cerise noire très mûre et de framboise entremêlé d'un boisé de très grande qualité. Ce vin souple et richement fruité, qui se dévoile en bouche par paliers, révélant un caractère alcoolique et généreusement glycériné, est somptueux et luxuriant. **A boire avant 2004.** (12/97)

1984 • **86** Serait-ce le meilleur Saint-Émilion du millésime ? Il est certain que François Rodhain est l'un de ces perfectionnistes qui vendangent très tard, dans le but de récolter les raisins les plus mûrs possible. En outre, c'est à compter de cette année qu'il a commencé à élever toute sa production en fûts neufs. Véritable révélation, le 1984 est ample et souple, avec des arômes de boisé et de cerise noire qui évoquent davantage un Clos Vougeot qu'un Saint-Émilion. Un vin mûr et fruité, étonnant de profondeur. **A boire.** (3/89)

1983 • **88** Quoique parfaitement mûr, ce vin présente des tannins agressifs et légèrement rustiques, qui, je le crains, ne s'estomperont jamais totalement. D'un grenat sombre ambré sur le bord, il déploie de puissants arômes de terre fraîche (ou de truffe noire ?) et se montre moyennement corsé en bouche, où il révèle un excellent fruité. Malheureusement, les tannins durs que recèle la finale ne me permettent pas de lui attribuer une meilleure note. **A boire dans les 6 ou 7 ans.** (12/97)

1982 • **93** Dans le passé, j'ai souvent attribué au 1985 et au 1986 de L'Arrosée une meilleure note qu'au 1982, mais le temps dément mes appréciations. En effet, ce 1982 est tout simplement superbe. Délicieux et précoce lorsqu'il avait 7 à 10 ans d'âge, il s'est ensuite étoffé en acquérant de la structure et de la précision. S'il est agréable à déguster, c'est incontestablement le cru le plus ample, le plus concentré et le plus riche élaboré à la propriété dans l'extraordinaire décennie 80. D'un rubis-pourpre opaque tirant sur le grenat, il exhale un nez renversant de fruits noirs et rouges confiturés, d'herbe et de doux chêne (bien qu'il soit moins boisé que le 1985 ou le 1986). Très corsé, il déploie magnifiquement l'opulence et l'onctuosité typiques du millésime. Vous apprécierez ce vin étonnant de richesse, complexe et très réussi dans les 10 à **15 ans, voire au-delà.** (9/95)

1981 • **85** — Ce vin aux proportions classiques, qui allie puissance et équilibre, est l'un des meilleurs Saint-Émilion du millésime. D'un rubis moyennement foncé, avec un nez intensément parfumé aux notes de cerise noire mûre et de chêne épicé, il se révèle modérément corsé et assez tannique en bouche. Étonnamment puissant pour le millésime, il déploie une finale raisonnablement longue. **A boire.** (3/90)

1978 • **87** — C'est l'un des meilleurs Saint-Émilion du millésime ! Si, en 1978, de nombreux crus se révèlent trop mûrs du fait d'une vendange tardive, ce n'est pas le cas de L'Arrosée, extrêmement bien vinifié et remarquablement structuré. Vêtu d'un rubis foncé un peu ambré, ce vin corpulent et étoffé, au bouquet profond et riche de fruit mûr et de chêne, évoque davantage un Médoc qu'un Saint-Émilion. En bouche, il se montre corsé, concentré et musclé, et déploie une finale persistante. **A boire – s'il n'est déjà sur le déclin.** (1/85)

1970 • **85** — Ce vin corsé et corpulent présente une robe rubis foncé légèrement ambrée sur le bord et libère un bouquet de cerise noire épicé et boisé. La bouche, corsée, riche, rustique et persistante, exprime une finale longue, mais légèrement astringente – du fait, peut-être, de tannins excessifs ? **A boire.** (3/89)

1964 • **87** — Parfaitement mûr, mais encore loin du déclin, ce vin merveilleusement parfumé dégage des senteurs énormes, riches et profondes qui s'amplifient encore davantage dans le verre. Très charnu et concentré, il est également de bonne mâche et bien étoffé, et révèle en bouche un caractère étonnamment alcoolique. **A boire – sans doute sur le déclin.** (6/84)

1961 • **94** — J'espère que des millésimes plus récents pourront atteindre le niveau de leur grandiose aîné de 1961. Celui-ci est en effet parfaitement capable d'égaler les meilleurs Saint-Émilion de ce millésime légendaire. Outre une robe d'un rubis-grenat moyen, il présente des senteurs, amples et épicées, de confiture et de cake fruité. Débordant littéralement d'intensité, il se montre séveux et exubérant en bouche, où il déploie encore un caractère très généreux et soyeux. Ce vin à la texture opulente offre également une finale longue et alcoolique, nuancée de notes de fumé. **A boire – peut-être en déclin.** (12/90)

AUSONE – EXCEPTIONNEL

1er grand cru classé A – mérite son rang
équivaut à un 1er cru du Médoc
Propriétaires : Micheline, Alain et Catherine Vauthier
Adresse : 33330 Saint-Émilion
Tél. 05 57 24 68 88 – Fax 05 57 74 47 39
Visites : non autorisées

Superficie : 7 ha (Saint-Émilion)
Vins produits : Château Ausone – 20 000-25 000 b ; Chapelle Madeleine – 7 000 b
Encépagement : 50 % merlot, 50 % cabernet franc
Densité de plantation : 6 000-6 500 pieds/ha – *Age moyen des vignes :* 45-50 ans
Rendement moyen : 35 hl/ha

Élevage :
fermentations et cuvaisons de 21-28 jours en cuves de bois thermorégulées ;

achèvement des malolactiques et vicillissement de 19-23 mois en fûts neufs ; soutirage trimestriel ; léger collage au blanc d'œuf ; pas de filtration

A maturité : dans les 15 à 50 ans suivant le millésime

Juchée sur les coteaux de Saint-Émilion, sous les murs médiévaux de la ville, la petite propriété d'Ausone représente la quintessence du Bordelais. En effet, ce domaine, qui jouit d'une situation exceptionnelle, se distingue par son minuscule vignoble complanté de très vieux pieds et par ses vastes caves creusées à même le calcaire. Pour certains, dont Alain Vauthier, l'un des copropriétaires, le nom du château se réfèrerait au poète latin Ausone (310-395), qui possédait effectivement des vignes et une villa à cet endroit précis ; d'autres prétendent que lesdites vignes étaient plus proches de Bordeaux que de Saint-Émilion, et que, s'il existe bien des ruines romaines à proximité d'Ausone, il est fort douteux que le poète s'y soit jamais rendu.

En dépit de son passé prestigieux et de sa situation idéale pour produire de très grands bordeaux, Ausone n'a longtemps élaboré que des vins médiocres – desséchés, passés et légèrement colorés –, dans les années 60 particulièrement, les deux familles alors propriétaires s'opposant sur les méthodes de vinification.

Mais, en mars-avril 1997, et malgré sa légendaire discrétion, Alain Vauthier a fait la « une » des journaux en parvenant à racheter Ausone (ce qui n'est pas un mince exploit quand on a comme concurrent François Pinault, déjà propriétaire de Latour, qui jouit du soutien de la famille adverse en la personne de Mme Dubois-Challon, propriétaire de Belair, prête à lui vendre ses parts). Faisant jouer leur droit de préemption sur ces parts familiales, Alain Vauthier et sa sœur Catherine acquirent donc les 3,5 ha convoités (soit la moitié du domaine) pour la somme de 60 millions de francs – ce qui est plus de deux fois le prix négocié à l'hectare pour Latour, mais demeure inférieur à ce que sera plus tard celui de Cheval Blanc.

Depuis qu'Alain Vauthier est seul maître d'œuvre à Ausone (en fait depuis 1995, après que la gestion lui en eut été confiée par jugement), de très gros efforts ont été entrepris pour rehausser le niveau d'Ausone. Ils passent entre autres par d'importants travaux de rénovation des bâtiments et des murs de soutènement, et par un programme complet de restructuration technique : tout le matériel de travail de la vigne a été changé, un réseau de captage des eaux de pluie a été créé, les chais et le cuvier ont été dotés de thermorégulation, et le chai de vieillissement bénéficie désormais d'un système complexe d'aération et de contrôle de l'hygrométrie, ce qui a fait disparaître cette très légère odeur de champignons courante dans les caves calcaires. De plus, depuis 1987, le vignoble est en « lutte raisonnée » (traitement spécifique non systématique).

Il faut bien dire que les débuts d'Alain Vauthier ont été absolument spectaculaires, avec des 1995, 1996, 1997 et 1998 révélant l'élégance, la finesse et l'extraordinaire caractère minéral typiques d'Ausone. Les vins sont également plus concentrés et plus intenses que par le passé. Le 1995, en particulier, s'est magnifiquement étoffé et développé en cours d'élevage, sans rien perdre de sa « typicité », comme le prédisaient les détracteurs de la nouvelle équipe. Sous la houlette d'Alain Vauthier, Ausone atteindra, j'en suis convaincu, de nouveaux sommets.

1998
•
91-93+
Tout acheteur de ce vin devra être prêt à l'attendre au moins 10 à 15 ans. S'annonçant par une robe d'un pourpre-noir extrêmement soutenu, qui prélude à des arômes de minéral, de fruits et de fleurs, il se révèle férocement tannique en bouche, mais fabuleusement extrait, avec une pureté extraordinaire et une

intensité, due aux vieilles vignes, qui explose littéralement en milieu de bouche et se prolonge en finale. Ce vin riche et peu évolué, massif pour un Ausone, requiert une très longue garde. **A boire entre 2012 et 2040.** (3/99)

1997 • **91-92+** Impressionnant de richesse en extrait, le 1997 a révélé, lors de mes deux dégustations de janvier et mars 1999, des senteurs de fleurs et de grillé et de généreux arômes de cassis. D'un rubis-pourpre sombre et soutenu, ce vin mûr, faible en acidité et très tannique est étonnamment riche pour le millésime. Doux en milieu de bouche, il est des plus prometteurs. **A boire entre 2007 et 2025.** (3/99)

1996 • **93+** Comme je le soupçonnais, le 1996 commence à se refermer. Les nuances qu'il a développées après 30 minutes d'aération dans le verre m'ont fortement impressionné. Arborant une robe rubis-pourpre tirant sur le noir, ce vin déploie avec réticence des arômes de mûre, de myrtille, de minéral, de fleurs et de truffe, subtilement nuancés de boisé. L'attaque en bouche est élégante ; elle révèle une douce maturité, ainsi qu'une richesse délicate et concentrée. L'ensemble s'exprime davantage en subtilité qu'en flamboyance ; le caractère doux que l'on perçoit en milieu de bouche distingue le 1996 de ses aînés, souvent inintéressants, des années 70 et 80. Discret pour l'instant, mais racé, cet Ausone est incontestablement capable d'une très longue garde. **A boire entre 2008 et 2040.** (1/99)

1995 • **93** 1995 est un millésime historique pour Ausone. C'était en effet, après plus d'une décennie de luttes intestines entre co-indivisaires, l'année où Alain Vauthier reprenait les rênes de la propriété et maîtrisait entièrement le travail de la vigne, les vinifications et l'élevage des vins. Le 1995 présente l'extraordinaire caractère de minéral typique de ce cru, mais il est plus parfumé, plus riche et manifeste en bouche une personnalité plus pleine et plus multidimensionnelle que les millésimes précédents. En outre, il exprime merveilleusement le terroir dont il est issu. Arborant un rubis-pourpre très dense, il exhale un nez naissant, mais serré, de fleurs printanières, de minéral, de terre et de fruits noirs. Moyennement corsé, riche et opulent, il est étonnamment sensuel pour un jeune Ausone, et manifeste un équilibre absolument exquis entre son acidité, ses tannins, son fruité et son caractère alcoolique. Sans être parfait, il présente cependant tous les éléments requis pour évoluer de manière merveilleuse en bouteille. Compte tenu de son style peu épanoui, il faudra l'attendre 3 ou 4 ans encore ; il vieillira lentement sur les 30 à 40 ans suivants. **A boire entre 2003 et 2045.** (11/97)

1994 • **86 ?** Rubis modérément foncé, le 1994 est austère, moyennement corsé et bien marqué par des notes vanillées, de pierre et de minéral. Bien que plus mûr et doté d'un fruité plus profond que le 1993, il a une ampleur moindre et n'impressionne nullement. Accordez-lui quelques années afin de voir s'il possède de la matière derrière ses tannins coupants. (1/97)

1993 • **85 ?** Plutôt discret, le 1993 libère un bouquet réservé et peu évolué, aux senteurs de minéral et de crayon marquées de notes de groseille. Austère et moyennement corsé, mais aussi tannique, maigre et comprimé, il se desséchera vraisemblablement avant que ses tannins ne se fondent. Dégustez ce vin assez léger dans les **10 ans**, malgré son caractère astringent. (1/97)

1992 • **80 ?** Très tannique, avec une structure bien affirmée, le 1992 présente un nez très réticent de poussière, de fruits rouges, de fleurs, de bois et de minéral. Très peu corsé et creux, il offre en bouche des effluves de cerise auxquels se mêlent des senteurs herbacées. Bien trop tannique et trop nerveux pour se montrer agréable rapidement, il pèche aussi par manque de profondeur et de présence en bouche. Il est d'ailleurs fort possible qu'il se dessèche avant que ses tannins ne se fondent. (11/94)

1990 • **92+** Ni charmeur ni précoce – il est en fait fermé –, le 1990 arbore un rubis sombre et dense absolument intact. Le fruit se révèle maintenant plus doux, et l'ensemble est plus musclé, plus riche et plus ample en bouche, sans cependant avoir rien perdu du légendaire caractère minéral et épicé de groseille typique de ce cru. Ce vin moyennement corsé est bien étayé par de doux arômes fruités sous-jacents, mais il requiert une garde de 10 à 15 ans encore. Pourra-t-il jamais égaler le 1982 et le 1983 ? Peut-être, mais n'y comptez pas trop. **A boire entre 2008 et 2030.** (11/96)

1989 • **88** Vêtu d'une robe ambrée sur le bord, l'Ausone 1989 exhale un nez dur de tabac herbacé et de minéral, aux notes de bois moisi et de terre. Moyennement massif, épicé et élégant, il révèle en bouche un caractère modérément corsé et déploie dans une finale âcre une véritable montagne de tannins astringents. Ce vin requiert une longue garde avant d'être prêt. **A boire entre 2005 et 2020.** (11/96)

1988 • **91** Contrairement à certains de ses jumeaux, davantage portés sur les tannins que sur le fruit (ce qui est assez inquiétant), le 1988 d'Ausone regorge de généreux arômes richement extraits de fruits noirs et rouges présentés dans un ensemble moyennement corsé, intense, superbe de puissance et de concentration. **A boire entre 2008 et 2040.** (1/93)

1987 • **87** Très réussi, le 1987 titre 13° d'alcool naturel et étonne par sa belle maturité. Ses arômes exotiques et minéraux sont caractéristiques du cru, et l'ensemble, moyennement corsé, racé et richement fruité, tiendra parfaitement une dizaine d'années encore. Ce vin pourrait se révéler aussi bon que le merveilleux 1976 s'il continuait de s'affirmer et de s'étoffer en bouteille. Je pense même qu'il pourrait se maintenir 10 ans encore. **A boire jusqu'en 2010.** (12/90)

1986 • **78 ?** Bien qu'il soit assez quelconque, l'Ausone 1986 est plus profond, plus riche et plus intéressant que le décevant 1985. D'un rubis-grenat profond à peine ambré sur le bord, il révèle au nez une véritable décoction de cerise herbacée et de fruits aux notes de terre, le tout nuancé d'épices et de minéral. Ce vin tannique, dont le maigre fruité est masqué par sa structure et par son astringence, accuse un creux en milieu de bouche et pèche par manque de richesse et de profondeur. Même en lui accordant le bénéfice du doute, je ne pense pas qu'il puisse se révéler supérieur à la moyenne – et encore ! **A boire entre 2000 et 2020.** (11/97)

1985 • **75 ?** Je n'ai jamais été impressionné par le 1985 d'Ausone. Ce vin, qui continue de vivoter, manque tout à la fois de concentration, d'intérêt, de complexité et d'ampleur aromatique. Sa robe d'un rubis-grenat léger est à peine ambrée sur le bord, et son nez, assez quelconque, dégage des senteurs poussiéreuses de fruits séchés, de terre et d'épices. Assez peu corsé et plutôt tannique, il déploie en bouche un fruit maigre et une finale acidulée et astringente. Il me semble que ce vin se desséchera avant que ses tannins ne se fondent. **A boire jusqu'en 2008.** (11/97)

1983 • **94** Très corsé, puissant et riche, le 1983 est également plus alcoolique que la normale. Avec sa couleur rubis et son aspect confituré, il est très concentré, mais faible en acidité, et offre de fantastiques arômes d'épices orientales et de minéral. **A boire jusqu'en 2010.** (10/94)

1982
•
95+

Ce vin se montre enfin à la hauteur des appréciations laudatives et de la note très élevée que je lui avais attribuées en cours d'élevage ; c'est probablement l'un des vins jeunes les plus extraordinaires que j'aie dégustés. Après une période d'hibernation d'une dizaine d'années environ, il s'est enfin décidé à révéler ce bouquet provocant de minéral, d'épices, de terre, de fruits noirs et rouges typique du domaine. Très ample en bouche, massif par ses abondants tannins et par sa richesse en extrait, ce vin puissant et peu évolué devrait s'imposer comme l'un des Ausone les plus grandioses de l'après-guerre. Bien qu'il présente maintenant la richesse opulente et la douceur exotique inhérentes au millésime, il requiert encore quelques années de garde pour atteindre son apogée et présente un potentiel de **50 ans environ.** Je conseille aux amateurs de ne pas toucher une seule bouteille avant la fin de ce siècle. (9/95)

1981
•
82

Malgré son caractère fermé, ce vin d'un rubis moyen révèle un fruit d'une belle maturité, mais ses tannins durs ne manquent pas d'inquiéter. Quoique moyennement massif et bien concentré, l'Ausone 1981 est austère et rugueux. **A boire jusqu'en 2010.** (1/90)

1980
•
75

Léger dans un millésime du même acabit, le 1980 d'Ausone se présente vêtu de rubis moyen, avec un bouquet discret et sans détour de prune et d'herbes. Moyennement corsé et assez intense en bouche, il doit être consommé **sans plus attendre.** (6/84)

1979
•
87 ?

Lorsque je les avais dégustés au fût, le 1979 m'avait davantage plu que le 1978, pourtant très prisé. Cependant, ce vin s'est maintenant refermé, se montrant réservé et muet. D'un rubis léger, avec un bouquet épicé et serré de cerise noire mûre, d'épices et de terre brûlée légèrement nuancé de boisé, il se révèle toujours étonnamment austère et peu évolué. Le merveilleux fruit qui faisait le charme de sa jeunesse refera-t-il surface pour contrebalancer ses tannins ? **A boire entre 2000 et 2015.** (2/91)

1978
•
88 ?

Encore remarquablement jeune et peu évolué, le très classique 1978 arbore toujours une robe rubis foncé et déploie des senteurs de fruits mûrs, de minéral et de chêne épicé. Moyennement corsé, avec d'abondants tannins et une finale persistante, il demeure austère et se développe à pas lents – il est vraisemblablement taillé pour une très longue garde. Mais son fruit tiendra-t-il ? **A boire jusqu'en 2015.** (3/91)

1976
•
94

Le 1976, qui est le vin le plus réussi de la propriété dans la décennie 70, s'impose également, avec le Lafite Rothschild de la même année, comme l'un des deux plus grands succès du millésime. Très profond et étonnamment coloré, avec un nez voluptueux, intense et complexe de minéral, de réglisse, de truffe et de cassis mûr et épicé, il est très corsé, puissant et ample, et d'une dimension extraordinaire pour un 1976. Il se révèle même plus énorme que d'autres Ausone plus récents, tels les 1978, 1979, 1985 et 1986. Il s'agit vraiment d'une vinification magnifiquement réussie dans une année difficile. **A boire jusqu'en 2010.** (10/94)

1975
•
74

Extrêmement sévère et dur, le 1975 est dominé par des senteurs d'herbes et de terre humide et sale. Austère, creux et dépourvu de fruit, il est capable d'une garde de 50 ans, mais il n'a vraiment aucun charme. (12/95)

1971
•
78

D'un rubis léger ambré sur le bord, ce vin plaisant, mais dépourvu d'étoffe, exhale des parfums peu intenses de chêne épicé, de minéral et de feuilles en décomposition. Sans être terriblement concentré, il est bien fruité, avec un caractère savoureux et de bonne tenue. C'est un vin agréable. Un magnum dégusté à la propriété en 1988 méritait une meilleure note (86), mais il était loin d'être profond. **A boire.** (3/88)

1970 • **69** Très léger, avec un bouquet évoquant les fleurs fanées et un fruit poussiéreux, le 1970 d'Ausone se distingue par sa robe tuilée et par un fruité qui commence à se dessécher. Ce vin moyennement corsé fait figure de vilain petit canard parmi les huit « grands » du Bordelais dans cet excellent millésime. Très décevant. (1/87)

1967 • **65** Un bouquet aqueux et insipide introduit en bouche un vin terne et dilué, à la robe fortement brunie. Sans être totalement mauvais, c'est un Ausone très décevant. (9/83)

1966 • **78** J'ai dégusté ce vin en deux occasions à Bordeaux ; il s'agissait de bouteilles en parfait état de conservation. D'un grenat moyen nuancé d'ambre et de rouille, le 1966 séduit, de prime abord, par son nez de fruit fané, de cuir fin et d'herbes séchées. La bouche est souple et douce à l'attaque, mais elle s'amenuise rapidement pour révéler un ensemble moyennement corsé, dur, astringent et creux. Ce vin est incontestablement **sur le déclin.** (3/97)

1961 • **88** Ce vin, irrésistible par son nez mûr de fruits séchés, d'herbes, de minéral et de vieux thé évoquant un Porto, révèle en bouche davantage de douceur et de gras que l'on n'en attend généralement de ce cru. Il présente même un caractère confit sous-jacent laissant deviner que la vendange dont il est issu était peut-être trop mûre. L'ensemble est marqué en arrière-plan de notes de terre, de tannins durs et d'une certaine acidité, mais il est plutôt dominé par ses qualités que par ses défauts. **A boire.** (3/97)

Millésimes anciens

Pour être aimable, on dira des vieux millésimes d'Ausone, et notamment de ceux d'après-guerre, qu'ils ont simplement survécu. Si la plupart des vins des années 40 ou 50 sont toujours buvables, je doute, en revanche, qu'ils soient plaisants. De bons millésimes comme 1945, 1947, 1952, 1955 et 1959 sont certes encore capables d'évoluer, mais ils sont tous « typiquement Ausone », c'est-à-dire austères, maigres et souvent dépourvus de charme. Pour des raisons qui m'échappent, ils manquent de richesse et de profondeur, mais il est vrai qu'ils sont desservis par des tannins abondants, secs et astringents. L'un des millésimes que je préfère est le 1955, mais il est loin d'être de très haut vol.

Le 1949, que j'ai dégusté en septembre 1995 (noté 86), arborait une robe d'un grenat moyen fortement nuancé de rouille sur le bord et séduisait par ses arômes de minéral et de fruits noirs. L'ensemble – typiquement Ausone, encore – est moyennement corsé, austère, maigre et doté d'une acidité très importante.

Lorsque j'ai goûté pour la première fois l'Ausone 1929 (noté 96 en septembre 1994), je l'ai qualifié de « royaume du cèdre ». Ce vin, dont la robe légèrement teintée de rouille accompagne un nez fabuleux d'épices, de cèdre et de fruits doux et confiturés, déploie une merveilleuse maturité, ainsi que l'austérité et la finale sèche légendaires de ce cru. Bien qu'il demeure riche, moyennement corsé et intact, je ne me hasarderais pas à le conserver plus avant. Il révèle cependant plus de fruité, de richesse et de complexité que ne le laisserait supposer sa robe légère.

L'Ausone 1921 (noté 92 en septembre 1995) était moins élégant et moins visqueux que le 1929, mais toujours remarquablement riche et parfumé. Plus tannique, avec un caractère typiquement Ausone évoquant un Médoc, il révélait des arômes complexes, mais souples, de petits fruits entremêlés de minéral, de fleurs séchées et d'épices, introduisant en bouche un ensemble moyennement corsé, concentré et bien équilibré. Il s'agit d'un vin parfaitement mûr, qui perdait de son fruité au fur et à mesure de son aération.

Mes notes de dégustation indiquent que j'ai attribué 90 au nez de l'Ausone 1900 et 99 aux parfums qu'il dégage. Si, en général, les vins de cette propriété offrent au nez un bouquet intense, ils déploient en bouche des arômes plutôt courts, et il est assez incroyable que celui-ci, à près de 100 ans, affiche encore tant de richesse et de senteurs. Il révèle un nez énorme de girofle rôtie, de café et de fruits rouges mielleux, qui introduit en bouche un vin ample, extrêmement doux et rond, aux arômes alcooliques et confiturés et à la finale remarquablement longue. Sa robe légèrement teintée de rouille rappelle celle d'un Zinfandel blanc, et son extrême douceur me conduit à penser que les fermentations se sont arrêtées trop tôt et qu'il reste un peu de sucre résiduel. Ce vin demeure néanmoins étonnamment frais et vivace.

Le 1874 d'Ausone (noté 96 en septembre 1995) m'a fait comprendre la raison pour laquelle je n'avais jamais vraiment apprécié ce cru – tout simplement parce que je n'avais pas pu attendre 121 ans qu'il arrive à pleine maturité... Lors de ma dégustation, ce vin révélait encore un doux nez de tomate, d'herbe, de minéral et de fruits noirs, et présentait une bouche moyennement corsée, bien glycérinée et marquée par la mâche. La finale, capiteuse et fabuleusement longue, était nuancée de minéral. Ce vin pourrait bien tenir 30 à 40 ans encore.

BALESTARD LA TONNELLE – TRÈS BON

Grand cru classé – équivaut à un 5e cru du Médoc
Propriétaire : GFA Capdemourlin
Adresse : 33330 Saint-Émilion
Tél. 05 57 74 62 06 – Fax 05 57 74 59 34
Visites : sur rendez-vous uniquement
Contact : Jacques Capdemourlin

Superficie : 10,6 ha (Saint-Émilion)
Vins produits :
Château Balestard La Tonnelle – 56 000 b ; Chanoine de Balestard – variable
Encépagement :
65 % merlot, 20 % cabernet franc, 10 % cabernet sauvignon, 5 % malbec
Densité de plantation : 5 400 pieds/ha – *Age moyen des vignes :* 33 ans
Rendement moyen : 43 hl/ha

Élevage :
fermentations et cuvaisons de 21-28 jours en cuves d'acier inoxydable
avec système de refroidissement au fréon ;
vieillissement après achèvement des malolactiques
de 18 mois en fûts (40 % de bois neuf) pour 70 % de la récolte,
en cuves pour le reste ; collage et filtration

A maturité : dans les 5 à 14 ans suivant le millésime

J'ai toujours considéré Balestard La Tonnelle comme le Lynch-Bages (de moindre ampleur) de Saint-Émilion. Cette propriété, qui appartient à Jacques Capdemourlin, produit en effet un vin densément coloré, étoffé, profond, riche et de bonne mâche, parfois même un peu trop corpulent et trop alcoolique, mais généralement plein de charme. Il doit normalement être consommé après 5 ou 6 ans de garde, mais peut également évoluer de belle manière sur 10 ans et plus.

La propriété doit son nom à François Villon, qui évoque dans un poème « le divin nectar qui porte le nom de Balestard ». Le vignoble, entouré d'une rangée de grands cyprès, comporte un moulin à vent juché sur un tertre et se trouve sur un plateau calcaire voisin de Château Soutard, à l'est de Saint-Émilion. Ce cru est régulier à haut niveau depuis les années 90, et, étant donné les prix raisonnables pratiqués par Jacques Capdemourlin, il représente l'une des meilleures affaires de Saint-Émilion.

1997 • **79-82** Ce vin comprimé, tannique et unidimensionnel n'a pas la douceur, le gras ni le fruit qui feraient pièce à sa structure. (1/99)

1996 • **83** Vêtu d'un rubis-grenat évolué, le 1996 exhale un nez épicé de terre et d'herbes séchées. Moyennement corsé et presque mûr, il déploie en finale un doux fruité de cerise. A boire ces **5 à 6 prochaines années.** (1/99)

1995 • **86** Reflétant bien la faible acidité et le caractère mûr et confit de son millésime, le 1995 s'est montré moyennement corsé, mais quelque peu dépourvu de tenue, les trois fois que je l'ai dégusté. Mon appréciation peut paraître un peu réservée, mais ce Balestard a bien des qualités. (3/96)

1994 • **85 ?** Affichant toujours un rubis foncé resplendissant, le 1994 exhale un nez riche, doux, fumé et charnu de cerise noire et de réglisse. Doux, persistant et de bonne mâche en bouche, où il manifeste une excellente pureté, il déploie une finale modérément tannique. Un Saint-Émilion concentré, charnu et trapu, à apprécier ces **10 à 12 prochaines années.** (3/96)

1992 • **75** Rubis léger de robe, avec un nez épicé et terne, ce vin moyennement corsé et tannique, à la finale maigre et rugueuse, s'atténuera davantage au fur et à mesure de son vieillissement. (11/94)

1990 • **87** Ce vin ample, gras et boisé, au nez de chocolat et d'herbes, est admirable de densité, très alcoolique et presque ostentatoire. **A boire jusqu'en 2002.** (1/93)

1989 • **86** Outre son nez confituré de framboise et de mûre, le 1989 présente un caractère gras dépourvu d'acidité, mais il est très alcoolique et exprime une bouche charnue, ample et trapue. Des plus plaisants dans sa jeunesse, il pourrait, compte tenu de sa ressemblance avec le 1982 – qui a développé davantage de tenue et de structure ces dix dernières années – se révéler de plus longue garde que je ne le subodore. Il affiche vraiment le style maison. **A boire jusqu'en 2005.** (4/91)

1988 • **83** Étroit, compact et austère, le 1988 pose l'éternel problème du manque d'équilibre entre les tannins (excessifs) et le fruit (insuffisant). **A boire jusqu'en 2000.** (4/91)

1986 • **85** Explosif, puissant et massif, le 1986 se distingue par un beau déploiement de fruit, de corpulence et de mâche. Il n'est pas délicat, ni particulièrement charmeur, mais il retient incontestablement l'attention du dégustateur du fait de son intensité et de son caractère musclé. Ce vin est typique de Balestard, mais il présente une finale légèrement plus tannique que de coutume, qui accompagne bien son caractère robuste et imposant. **A boire jusqu'en 2001.** (3/89)

1985 • **86** Puissant, gras et riche, sans être imposant, le 1985 est corpulent et regorge d'un fruité charnu et tonique. **A boire – peut-être sur le déclin.** (3/89)

1984 • **77** Très réussi pour l'appellation et le millésime, le 1984 est fruité, souple et net, étonnamment charnu et solide. **A boire – peut-être en déclin.** (3/88)

1983 • **86** Ce vin ample paraîtra peut-être trop énorme au goût de certains dégustateurs. Outre une robe d'un rubis-noir, il présente un bouquet mûr et explosif de prune, de goudron et de truffe. Puissant, dense et alcoolique en bouche, il est tout simplement gigantesque. C'est en fait un vin... anachronique, qui suscitera certainement des controverses chez les amateurs. **A boire.** (1/89)

1982 • **89** Je me souviens d'avoir acheté ce vin pour le prix modique de 35 F la bouteille, estimant qu'il constituait une affaire formidable. Opaque et pourpre-noir de robe, il est épais et riche, sans complexité, mais ample et de bonne mâche – bref, des plus gratifiants. Aussi étonnant que cela puisse paraître, il demeure jeune, présentant toujours un caractère ample, savoureux et séveux. Débordant littéralement de gras et de richesse en extrait, il a, contre toute attente, développé un nez plus complexe qui dévoile désormais des senteurs intenses et parfumées de réglisse, de viande rôtie et de cerise noire confiturée. Ce Balestard puissant, épais et riche devrait vieillir de belle manière ; peut-être se révélera-t-il même plus complexe encore ? **A boire jusqu'en 2005.** (9/95)

1981 • **84** J'ai toujours apprécié le caractère charnu et sans détour, ainsi que le fruit riche, du Balestard 1981. Cependant, il commence à perdre de sa puissance et de sa tonicité – ses arômes généreux, évolués et corsés s'atténuent un peu. **A boire – peut-être en déclin.** (3/87)

BARDE-HAUT – TRÈS BON (depuis 1997)

Grand cru – équivaut à un 5e cru du Médoc
Propriétaire : Dominique Philippe
Adresse : Saint-Christophe-des-Bardes
33330 Saint-Émilion
Tél. 05 57 24 78 21 – Fax 05 57 24 61 15
Visites : sur rendez-vous uniquement
Contact : Dominique Philippe

Superficie :
17 ha (limite de Saint-Émilion et de Saint-Christophe-des-Bardes)
Vins produits :
Château Barde-Haut – 40 000 b ; Le Vallon de Barde-Haut – 40 000 b
Encépagement : 75 % merlot, 25 % cabernet franc
Densité de plantation : 6 000 pieds/ha – *Age moyen des vignes :* 33 ans
Rendement moyen : 38 hl/ha

Élevage :
fermentations et cuvaisons de 21 jours en cuves de béton thermorégulées ; achèvement des malolactiques et vieillissement de 18-20 mois en fûts neufs ;

collage ; pas de filtration

A maturité : dans les 5 à 18 ans suivant le millésime

Propriété de Dominique Philippe depuis 1996, ce cru impressionnant est issu d'un vignoble proche de Troplong Mondot, à la limite orientale de la commune de Saint-Émilion, sur l'extrémité du plateau. Son terroir tout en déclivité, essentiellement composé d'une faible couche d'argile sur une roche calcaire affleurante, jouit d'une exposition plein sud.

Le domaine bénéficie, depuis 1997, des conseils de l'œnologue Michel Rolland, chargé de l'amener à de nouveaux sommets.

1998 • **86-87** Ce vin, que j'ai dégusté en trois occasions, m'a révélé des tannins agressifs et une finale plus courte que je ne l'attendais. Cependant, il est au moins très bon, et s'améliorera sans nul doute au fur et à mesure de son évolution. Son impressionnante robe de couleur rubis-pourpre précède un ensemble élégant, doté d'un doux fruité de cerise noire et d'épices marqué de boisé. L'ensemble s'exprime tout en douceur, mais révèle moins de gras et de saveur que son aîné d'un an. **A boire jusqu'en 2010.** (3/99)

1997 • **90-92** Ce vin, qui achève actuellement son élevage en fût avant la mise en bouteille, est une véritable révélation du millésime ; il s'impose parmi les grands noms de son appellation. Outre une robe d'un pourpre-noir soutenu, il présente un somptueux bouquet de mûre, de cassis, de réglisse et de pain grillé, qui précède en bouche un ensemble moyennement corsé et charnu, doté d'un fruité fabuleux et étayé par une faible acidité. La finale est persistante et soyeuse. Quel début impressionnant pour cette étoile montante ! **A boire entre 2001 et 2012.** (1/99)

BEAU-SÉJOUR BÉCOT – EXCELLENT

1er grand cru classé B – devrait être maintenu
Propriétaires : Gérard et Dominique Bécot
Adresse : 33330 Saint-Émilion
Tél. 05 57 74 46 87 – Fax 05 57 24 66 88
Visites : sur rendez-vous uniquement
Contacts : Gérard et Dominique Bécot

Superficie :
16,5 ha (sur le plateau de Saint-Émilion, à proximité de l'église)

Vins produits :
Château Beau-Séjour Bécot – 70 000-75 000 b ;
Tournelle de Beau-Séjour Bécot – 15 000-20 000 b

Encépagement : 70 % merlot, 24 % cabernet franc, 6 % cabernet sauvignon
Densité de plantation : 6 000 pieds/ha – *Age moyen des vignes :* 35 ans
Rendement moyen : 42 hl/ha

Élevage :
fermentations et cuvaisons de 20-28 jours
en cuves d'acier inoxydable thermorégulées ;

achèvement des malolactiques et vieillissement de 18-20 mois en fûts (50-90 % de bois neuf) ; ni collage ni filtration

---

A maturité : dans les 5 à 12 ans suivant le millésime

Le niveau de qualité de Beau-Séjour Bécot s'est nettement amélioré depuis le milieu des années 80. Ironie du sort, c'est précisément à ce moment (en 1985) que ce château fut déclassé, pour ne retrouver son rang que dix ans plus tard, au moment du classement de 1996. Le vignoble, bien situé sur le plateau calcaire de Saint-Émilion, donne des vins riches et corsés, souples et charnus. Il est incontestable qu'ils doivent leur caractère séduisant ainsi que leur texture charnue et de bonne mâche au fait qu'ils sont issus d'une vendange très mûre, à leur élevage avec une forte proportion de chêne neuf et à une mise en bouteille la plus naturelle possible. La propriété bénéficie également des conseils du célèbre œnologue libournais Michel Rolland.

Depuis 1985, les vins de Beau-Séjour Bécot se distinguent par leur caractère plus riche, plus étoffé et indiscutablement plus boisé que par le passé.

1998 • **91-93** Ce vin ostentatoire, presque extrême, aura ses détracteurs, mais, pour ce qui est du plaisir, il ne souffre aucun reproche. D'un rubis-pourpre soutenu, il se révèle extrêmement doté, confituré et généreusement boisé, suintant littéralement de gras et de richesse en extrait. Moyennement corsé, il dévoile dans une finale puissante et massive des tannins modérément agressifs. C'est un ensemble concentré et riche, qui s'apprivoisera au terme d'une garde de 3 à 5 ans. **A boire entre 2003 et 2017.** (3/99)

1997 • **87-88** Affichant un style très proche de celui du 1996, le 1997 est cependant plus faible en acidité, avec une robe d'un rubis foncé plus évolué. Son nez énorme et charnu révèle des senteurs de chêne fumé et de confiture de cerise, et sa bouche, moyennement corsée, atteste un caractère opulent et accessible. **A boire avant qu'il n'ait 8 ou 9 ans d'âge.** (1/99)

1996 • **89** Voici un vin généreusement boisé et des plus plaisants. Une robe prune-pourpre foncé précédant un doux fruit confituré (de cassis et de cerise) nuancé de chêne neuf et grillé annonce le Beau-Séjour Bécot 1996. Ce vin moyennement corsé, presque extraordinaire de richesse, se développe joliment et par paliers en milieu de bouche, et déploie une finale persistante, aux tannins souples. Il requiert une garde de 2 ou 3 ans et devrait se maintenir **15 ans, voire plus.** (1/99)

1995 • **89** La robe prune foncé de ce vin sensuel prélude à de doux arômes épicés et vanillés de cerise noire et de cassis qui jaillissent littéralement du verre. La bouche révèle un ensemble souple, rond, des plus plaisants, qui exprime tout en rondeur un caractère généreux, charmeur et opulent. Quant à la finale, elle est riche et dotée de manière impressionnante. Je conseille une garde de 1 an encore avant de déguster ce vin. **A boire entre 2000 et 2014.** (11/97)

1994 • **87** Rubis foncé, le 1994 exhale le nez généreusement boisé et grillé typique des vins de la propriété. Il est moyennement corsé, plus structuré et de plus longue garde que le 1993, mais moins charmeur et moins précoce. Bien qu'il soit d'une qualité égale à celle de son aîné, je ne pense pas qu'il se révèle aussi agréable à déguster. **A boire jusqu'en 2012.** (11/97)

1993 • **87** Les amateurs souhaitant réaliser une bonne affaire dans un millésime peu prisé devraient se tourner vers le Beau-Séjour Bécot 1993, délicieux et moyennement corsé. Rubis foncé, avec un nez, bien évolué et précoce, de fumé et de cerise douce et confiturée, il se révèle épicé, rond, très long, et offre une belle pureté en bouche, où il laisse encore une impression d'élégance et de bel équilibre d'ensemble. La finale est toute soyeuse. **A boire dans les 5 ans.** (1/97)

1992 • **86** Avec sa structure solide, le 1992, mûr et concentré, arbore une robe très soutenue et révèle des arômes doux et mûrs de fruits noirs et rouges, ainsi que des senteurs généreuses et spectaculaires d'épices et de chêne. Il est suffisamment rond pour être dégusté maintenant et devrait se conserver encore **4 ou 5 ans.** Beau-Séjour Bécot a fait un pas de plus vers le haut de l'échelle. (11/94)

1990 • **88** Très réussi, le 1990 arbore une robe opaque d'un rubis-pourpre foncé et exhale un nez énorme, épicé, boisé et vanillé de cerise noire. Moyennement corsé et d'une excellente tenue, avec des tannins de bon niveau et une finale étonnamment longue et structurée, il sera au meilleur de sa forme **jusqu'en 2005.** (1/93)

1989 • **87** Les millésimes précédents de ce cru se sont souvent révélés trop boisés dans leur jeunesse. Et, si l'on devait adresser un reproche aux propriétaires, ce serait l'usage d'une trop grande proportion de chêne neuf. Cependant, une telle pratique se révèle favorable dans une année comme 1989, lorsque le vin est concentré et doté d'un fruit assez confit étayé par une faible acidité ; en effet, le chêne neuf contribue à la précision et à la tenue de l'ensemble. Ce 1989 terriblement alcoolique, opulent et concentré se distingue par son fruité riche de cerise noire, par sa texture luxuriante et par sa finale aux généreux tannins doux. Il est délicieux depuis sa petite enfance. **A boire jusqu'en 2002.** (4/91)

1988 • **85** Le 1988 ressemble au 1989 par son bouquet au boisé agressif, qui s'estompe après une certaine aération pour laisser s'exprimer un fruit mûr de groseille. Les tannins sont également plus agressifs que ceux du 1989, mais ils sont bien étayés par un fruité très concentré et bien persistant. En tout état de cause, le 1988 sera certainement de plus longue garde que son cadet, mais se révélera-t-il aussi plaisant ? **A boire jusqu'en 2004.** (4/91)

1986 • **87** Avec le 1989 et, bien évidemment, le 1998, le 1986 est certainement le meilleur vin que je connaisse de la propriété. Fortement marqué de chêne fumé, stupéfiant par son généreux fruité, il se montre très puissant, corsé et riche en bouche. En outre, il impressionne par sa robe d'un rubis tirant sur le noir et séduit assurément par son bouquet sensuel, ainsi que par sa texture opulente. **A boire jusqu'en 2005.** (3/90)

1985 • **85** Riche, mûr et assez alcoolique, le 1985, moyennement corsé, est précoce du fait de sa faible acidité. Il est également très charmeur et des plus fruités. **A boire.** (3/90)

1983 • **86** Étonnamment coloré, avec un bouquet boisé de framboise mûre, ce vin moyennement corsé déploie en bouche des arômes tout à la fois opulents, concentrés et souples. **A boire.** (1/89)

1982 • **72** Le 1982 a été élaboré à une époque où les vins de Beau-Séjour Bécot étaient plutôt... inintéressants (c'est un euphémisme). Souple, compact et dépourvu de complexité, il manque autant de profondeur que d'intensité. Il sera d'assez longue garde, mais ne sera jamais qu'un ensemble maigre et aqueux, totalement atypique du millésime. (9/95)

1981 • **70** Étonnamment léger de robe, le 1981 présente un nez terne et à peine perceptible. Il me semble trop boisé, creux et maigre. Vraiment décevant ! (9/84)

1979 • **72** Si l'on considère son rang et son prix, ce petit vin maigre laisse beaucoup à désirer. D'un rubis moyen, avec des senteurs simples, peu intenses et boisées de cerise, il se révèle assez corsé, tannique, mais finit court en s'amenuisant. Il est certes buvable, mais les vins génériques de la cave coopérative de Saint-Émilion le surpassent largement. **A boire – probablement en sérieux déclin.** (11/82)

1978 • **78** Assez réussi et d'un bon niveau, le 1978 est moyennement corsé et bien concentré. Souple et doté d'un fruit confit, il manifeste un bon équilibre d'ensemble et finit sans aspérité. **A boire – peut-être en sérieux déclin.** (10/82)

1976 • **62** Totalement passé et desséché, le 1976 présente des arômes végétaux de basse-cour et révèle une bouche moyennement corsée, souple et aqueuse, qui finit très court. (10/83)

1975 • **75** Un 1975 acceptable. D'un rubis moyen, avec un bouquet naissant de cerise et de boisé, ce vin dur, serré et tannique révèle un caractère moyennement corsé et une finale de bon aloi. **A boire.** (5/84)

1971 • **80** Le 1971 est probablement le Beau-Séjour Bécot le plus réussi de cette décennie. Bien fait, il présente un bouquet ouvert, un peu confit et boisé, et exprime une bouche moyennement corsée et épicée, attestant une belle maturité. La finale recèle des tannins légers. **A boire – peut-être en déclin.** (12/84)

1970 • **65** Ce vin très largement passé est trop tannique pour son fruité maigre. Il est compact et décharné, et ne s'améliorera certainement pas avec le temps. (5/84)

BEAUSÉJOUR (DUFFAU-LAGARROSSE) – EXCELLENT

1er grand cru classé B – devrait être maintenu,
équivaut à un 2e ou 3e cru du Médoc
Propriétaires : héritiers Duffau-Lagarrosse
Adresse : 33330 Saint-Émilion
Tél. 05 57 24 71 61 – Fax 05 57 74 48 40
Visites : sur rendez-vous uniquement
Contact : Jean-Michel Dubos

Superficie : 7 ha (Saint-Émilion)
Vins produits : Château Beauséjour – 37 000 b ; Croix de Mazerat – variable
Encépagement : 65 % merlot, 25 % cabernet franc, 10 % cabernet sauvignon
Densité de plantation : 6 500 pieds/ha – *Age moyen des vignes :* 35 ans
Rendement moyen : 38-42 hl/ha

Élevage :
fermentations de 25-30 jours en cuves d'acier inoxydable
et en cuves de béton thermorégulées ;
achèvement des malolactiques en cuves ;
vieillissement de 16-18 mois en fûts (50 % de bois neuf) ;
collage au blanc d'œuf ; pas de filtration

A maturité : dans les 10 à 30 ans suivant le millésime

Saint-Émilion compte deux domaines de noms similaires (Beau-Séjour Bécot et Beauséjour), tous deux situés sur les coteaux. L'un et l'autre se classent parmi l'élite de l'appellation, c'est-à-dire parmi les premiers grands crus. Cependant, ces deux vins ne pouvaient être plus différents. Si Beau-Séjour Bécot séduit et se distingue surtout par son fruit opulent et confituré généreusement étayé de notes de chêne neuf et grillé, Beauséjour Duffau, en revanche, se montre généralement plus réservé, plus austère et plus minéral. Il ressemblerait davantage à Ausone, alors que Beau-Séjour Bécot évoque plutôt La Dominique ou Cheval Blanc.

Cette minuscule propriété appartient à la même famille depuis que le vignoble d'origine, situé sur des sols calcaires et argilo-calcaires, a été scindé, en 1869, en deux « Beau(-)séjour ».

Beauséjour Duffau est aujourd'hui géré par Jean-Michel Dubos, qui a largement contribué à en améliorer la qualité depuis le milieu des années 80 ; c'est notamment lui qui a décidé de l'élaboration d'un second vin, composé des cuves les moins réussies. Comme l'indiquent les notes qui suivent, le Beauséjour Duffau 1990 est probablement l'un des vins jeunes les plus profonds que j'aie jamais dégustés ; il s'imposera certainement comme l'une des légendes de ce siècle. Je signale cependant aux amateurs ne comptant pas la patience au nombre de leurs qualités que ce cru ne leur convient pas, car il ne commence à s'assouplir que vers 10 ans d'âge.

1998 • **91-93** C'est certainement le meilleur vin fait à la propriété depuis le 1990, qui est tout simplement parfait. Vêtu de pourpre-noir, le Beauséjour Duffau 1998 exhale une fabuleuse décoction d'arômes de violette, de mûre et de myrtille nuancés de minéral et de doux chêne. Doté de remarquables proportions malgré sa puissance et sa profondeur, il impressionne tant par la douceur qu'il manifeste en milieu de bouche que par l'intensité due aux vieilles vignes que révèle sa finale. Ce vin magnifique stupéfie encore par sa texture et par les nuances qu'il déploie en bouche. **A boire entre 2002 et 2020.** (3/99)

1997 • **87-89** Ce vin pourpre foncé au nez de minéral et de mûre nuancé de terre et de réglisse est peut-être plus impressionnant que son aîné d'un an. Persistant et riche, doté d'un fruité racé, il s'impose comme un véritable vin de garde étoffé et très tannique. Ses tannins sont cependant doux et mieux fondus que ceux du 1996. **A boire entre 2008 et 2018.** (1/99)

1996 • **87 ?** Il semblerait que j'aie surestimé ce vin lors des premières dégustations. Je n'ai pu le goûter qu'une seule fois en bouteille, mais il présentait à peine la complexité, la concentration et l'intensité qui le caractérisaient en fût. Sa robe rubis foncé précède de séduisantes senteurs de mûre et de minéral, typiques du vignoble dont il est issu. La bouche m'a paru plus légère et plus anguleuse que lors de mes précédentes dégustations, et l'on décèle dans la finale modérément longue des tannins secs et astringents. Quoique très bon, ce vin n'est pas aussi exceptionnel que je l'avais imaginé. En outre, on peut penser qu'il aura tendance à se dessécher, si l'on en juge par ses tannins. **A boire entre 2005 et 2015.** (1/99)

1995 • **89+** Ce 1995, qui s'est souvent révélé fabuleux en fût, présente une robe soutenue de couleur pourpre. Celle-ci introduit un nez aux doux arômes de kirsch, de cerise noire, de minéral et de truffe, évocateurs du caractère intense de vieilles vignes que l'on retrouve souvent dans Lafleur, le grandiose Pomerol. Cependant, ce 1995 s'est totalement refermé. Il révèle, après une longue aération, des senteurs de terre, de minéral et de fruits noirs, et montre en bouche un caractère très réticent et un niveau très élevé de tannins. **A boire entre 2009 et 2025.** (11/97)

1994 • **87 ?** Le Beauséjour Duffau 1994 est assez difficile à évaluer. Présentant une couleur prune-grenat foncé un peu trouble, il exhale un doux nez d'essence de vieilles vignes, de cerise et de minéral, marqué en arrière-plan de notes de terre et d'épices. Dense, traditionnel, avec des tannins féroces, il pourrait se dessécher si son fruité se fanait avant que ses tannins ne se fondent. Ce vin ne conviendra pas à ceux qui recherchent un plaisir immédiat. **A boire entre 2004 et 2016.** (1/97)

1993 • **87** Avec sa robe dense de couleur rubis-grenat, le 1993 de Beauséjour Duffau révèle un nez de fumé, de terre et de fruits noirs. Moyennement corsé, bien riche et bien équilibré, il est modérément tannique, et se présentera au terme d'une garde de 2 ou 3 ans comme un Saint-Émilion séduisant et assez massif. **A boire entre 2002 et 2010.** (1/97)

1992 • **87+** Cette minuscule propriété a produit en 1992 moins de 2 000 caisses d'un vin réussi qui se distingue de ceux, assez médiocres, de certains autres premiers grands crus classés. Avec sa robe profonde, opaque et sombre de couleur rubis-pourpre, ce vin déploie un bouquet entêtant de cerise noire très mûre, auquel se mêlent des senteurs de minéral, de fleurs, de terre et de bois neuf. Étonnamment dense, moyennement corsé, très concentré et remarquablement tannique, il est puissant et riche, et aura besoin de 1 ou 2 ans encore pour que ses tannins se fondent. Son potentiel de garde est de **10 à 15 ans.** C'est le moins évolué de tous les 1992, et il témoigne bien que Beauséjour Duffau produit actuellement des vins comptant au nombre des meilleurs bordeaux. (11/94)

1990 • **100** J'ai pu déguster ce 1990 une bonne demi-douzaine de fois depuis la mise en bouteille. Je pense qu'il s'imposera, d'ici 15 à 20 ans, comme l'un des vins les plus grandioses de ce siècle, capable de rivaliser avec des légendes comme le 1961 de Latour à Pomerol. Figurant parmi les 1990 les plus concentrés, il arbore toujours une robe opaque d'un pourpre trouble et dégage des senteurs fabuleusement intenses de fruits noirs (prune, cerise et cassis), nuancées de fumé, de notes d'herbes rôties et de noix, et marquées d'un irrésistible caractère minéral. Somptueux de concentration et extraordinaire de pureté, ce Beauséjour Duffau allie, d'une manière jusqu'ici inégalée, de la richesse et de la complexité à un équilibre et une harmonie d'ensemble exceptionnels. Aussi bon que puisse être habituellement ce cru, je n'en connais aucun millésime qui approche, de près ou de loin, un tel niveau. Plus d'une fois, lors de dégustations à l'aveugle, je l'ai confondu avec un Petrus 1989 ou 1990, mais il est en fait plus prodigieux encore que ces deux vins. A boire à son meilleur niveau **entre 2002 et 2030.** (5/98)

1989 • **88** Alors qu'on m'avait dit qu'il était aussi bon que son cadet d'un an, le 1989 de Beauséjour Duffau m'a paru moins ample. D'un rubis-pourpre opaque et modérément foncé, il exhale un nez de cerise noire et de beurre de cacahuète qui évoque le grenache. La bouche, moyennement corsée, épicée et tannique, est prometteuse, mais dépourvue de l'étoffe et de la concentration d'un autre monde qui caractérisent le 1990. Ce vin requiert une garde de 1 ou 2 ans en bouteille. S'il promet de tenir aussi longuement que le 1990, il n'atteindra pas les mêmes sommets. **A boire jusqu'en 2012.** (11/96)

1988 • **87** D'une excellente profondeur, ce vin étoffé, au riche bouquet d'épices et de terre, regorge littéralement d'arômes de réglisse, de prune, d'épices, de chêne neuf et d'herbes subtiles. D'une concentration exceptionnelle, il est bien étayé par un caractère modérément alcoolique et par une heureuse acidité. Bien vinifié et complexe, il devrait se maintenir **jusqu'en 2010.** (1/93)

1986 • **83** En fût comme en bouteille, ce 1986 m'a toujours donné l'impression d'un vin assez léger, dépourvu de structure et de complexité, avec une finale tannique et très boisée. Il a certes développé un peu de fruit et de charme, mais il ne compte pas parmi les meilleurs du millésime. **A boire jusqu'en 2012.** (3/89)

1985 • **84** Le 1985 ne montre pas autant de profondeur que je l'avais espéré. Il est assez léger et moyennement corsé, souple et joliment persistant en bouche, où il révèle un bon fruité épicé. Cependant, c'est un vin assez quelconque pour un premier grand cru. **A boire jusqu'en 2005.** (3/89)

1983 • **86** Voici un excellent Beauséjour. D'un rubis moyen légèrement ambré sur le bord, il offre un bouquet modérément intense de fruits noirs, de fumé, de vanille et de minéral. En bouche, il se montre assez corsé, avec quelques tannins qui doivent encore se fondre, mais il semble fort bien doté en extrait. **A boire jusqu'en 2001.** (1/89)

1982 • **89+ ?** Le 1982 de Beauséjour Duffau m'a surpris par sa jeunesse et par ses tannins encore féroces. Sous son aspect rugueux, on décèle une concentration d'un excellent, voire d'un extraordinaire niveau. La robe, d'un rubis-pourpre foncé resplendissant, est à peine éclaircie et nuancée de grenat sur le bord ; le nez offre des senteurs provocantes de fruits noirs très mûrs, de minéral et de cuir fin, tandis que la bouche, riche et très corsée, exprime un caractère tannique étonnamment austère pour le millésime. C'est un vin difficile à comprendre ; on peut, en effet, se demander si son fruit se maintiendra le temps que ses tannins se fondent (auquel cas il méritera une meilleure note encore), ou si le vin demeurera tannique et peu évolué sans jamais pleinement se développer. Je parierais cependant qu'il deviendra au moins excellent, peut-être extraordinaire – c'est juste une question de patience. **A boire jusqu'en 2006.** (9/95)

1981 • **82** Rubis moyen de robe, avec un caractère ferme, astringent et raide, ce vin présente une structure admirablement serrée. Cependant, j'aurais aimé qu'il révèle davantage de fruit et de profondeur ! **A boire.** (11/84)

1979 • **74** Inexcusablement léger, faible, fragile, et n'ayant ni la richesse ni la concentration que l'on s'attend à trouver dans un vin de cette classe, le Beauséjour Duffau 1979 n'est guère tannique, et il faut donc le consommer **sans délai.** (7/83)

1978 • **61** Plus corpulent, plus riche et plus consistant que le très pâle 1979, le 1978, en dépit de son caractère charnu et de son étoffe, est desservi par un bouquet bizarre, métallique, qui lui paraît étranger. Si l'on arrive à faire abstraction de ces arômes, le vin se révèle bien structuré et fruité. **A boire – peut-être en déclin.** (7/83)

1976 • **70** Ce 1976 révèle un fruit relativement concentré, un caractère assez corsé et assez charpenté, et libère un bouquet non dépourvu de charme. Ce n'est pas un gros calibre, mais il est bien fait et plaisant. **A boire – peut-être en déclin.** (7/83)

1970 • **60** Les flaveurs extrêmement maigres, dures et acides de ce vin ne traduisent en rien le caractère du millésime 1970. L'ensemble est étonnamment dilué et creux, et l'on peut se perdre en conjectures sur les causes de cet échec. (7/83)

1964 • **62** Dans un millésime qui a vu tant de beaux Saint-Émilion, Beauséjour a élaboré un vin insipide, triste, médiocrement coloré et guère fruité. Sans charme et sans séduction, très décevant ! (7/83)

BELAIR DUBOIS-CHALLON – BON

1er grand cru classé B
équivaut à un 5e cru du Médoc depuis 1979
Propriétaire : Hélyette Dubois-Challon
Adresse : 33330 Saint-Émilion
Tél. 05 57 24 70 94 – Fax 05 57 24 67 11
Visites : sur rendez-vous uniquement
Contact : Mme Delbeck

Superficie : 12,5 ha (Saint-Émilion)
Vin produit : Château Belair Dubois-Challon – 50 000 b (pas de second vin)
Encépagement : 75 % merlot, 25 % cabernet franc
Densité de plantation : 6 600 pieds/ha – *Age moyen des vignes :* 30 ans
Rendement moyen : 39 hl/ha

Élevage :
fermentations stimulées par les levures indigènes
obtenues par la culture biodynamique d'une part du vignoble ;
vieillissement de 18-26 mois en fûts (50 % de bois neuf) ;
soutirage trimestriel ; collage au blanc d'œuf ; pas de filtration

---

A maturité : dans les 5 à 15 ans suivant le millésime

Comme beaucoup d'autres domaines du Bordelais, Belair a récemment émergé d'une longue période de médiocrité. Cependant, il jouissait d'une belle réputation au XIXe siècle (on trouve d'ailleurs trace de son existence dès le XIVe), et Bernard Ginestet, l'un des grands critiques français des vins de Bordeaux, va même jusqu'à le baptiser audacieusement « le Lafite Rothschild des coteaux de Saint-Émilion ». C'est peut-être aller un peu vite... Le petit vignoble de Belair appartient à Hélyette Dubois-Challon, qui était aussi, jusqu'en 1997, copropriétaire d'Ausone, propriété voisine. L'amélioration des critères de qualité à Belair a suivi celle de ce dernier domaine : c'est le millésime 1976 qui a marqué la renaissance d'Ausone, et c'est à la même époque que Belair a commencé à produire des vins de haut niveau.

Les vinifications sont aujourd'hui assurées par Pascal Delbeck. Les notes de dégustation qui suivent montrent que Belair s'est effectivement nettement amélioré, mais qu'il demeure serré, austère, réservé et discret. Il faut préciser, toutefois, que, si une partie des vignes se trouve sur les coteaux, l'autre est sur le plateau. Le cru qui en est issu pourrait-il être meilleur ?

1997 • **86-87** Pascal Delbeck a élaboré un Belair 1997 atypique, souple, évolué et plaisant, qui sera prêt à boire assez prochainement. Ce vin, dont la robe rubis sombre précède un doux nez de cerise noire infusé de minéral, est moyennement corsé, avec une finale ronde et séduisante, aux tannins légers. Il requiert une garde de 2 ou 3 ans, et tiendra bien 10 à 12 ans. (3/98)

1996 • **80-85** Anguleux et légèrement corsé, avec des arômes de minéral, le 1996 se montre austère et spartiate, dépourvu de fruité, de chair et de gras. **A boire entre 2003 et 2012.** (3/98)

1995 • **85** Ce vin exhale des senteurs de cassis et de groseille qui le disputent à de caractéristiques arômes de pierre mouillée et de minéral. Moyennement corsé, boisé, dur et austère, mais aussi extraordinairement subtil et discret, il est peut-être un peu trop policé. **A boire entre 2002 et 2015.** (11/97)

1994 • **85** Vêtu d'un rubis moyennement sombre, le 1994 exhale de douces senteurs de cerise et de groseille, et se montre légèrement corsé et faible en acidité en bouche, où il libère les arômes de terre typiques de ce cru. Il est également épicé et tannique, avec une finale compacte. **A boire entre 2000 et 2007.** (1/97)

1993 • **76** Grenat moyennement foncé, le 1993 présente des arômes de moisi et de vieux fût. Il est dominé par un caractère végétal de pierre concassée, et se révèle maigre et légèrement corsé en bouche. (1/97)

1992 • **74 ?** Le 1992, avec sa robe légère, faible et délavée, présente un nez muet qui introduit en bouche un vin péchant par absence de fruité, de profondeur et de poigne. Dilué et creux, ce Belair manque singulièrement de présence en fin de bouche. Trois dégustations successives alors qu'il était encore en fût ont donné des résultats similaires. (11/94)

1990 • **89** Malgré son caractère peu évolué, ce vin moyennement corsé révèle un fruit doux, presque trop mûr, de généreux arômes de minéral et de pierre copieusement marqués de boisé. On distingue également des notes très mûres de cerise et de prune qui rappellent vaguement Lafleur, Pomerol grandiose. **A boire jusqu'en 2010.** (1/93)

1989 • **88** Le Belair 1989 se distingue par un nez énorme, fumé, rôti et exotique, aux notes de prune et d'épices orientales. Les tannins, abondants, sont doux, et l'ensemble est bien étayé par une heureuse acidité. Un caractère alcoolique très richement extrait et un fruité complexe se conjuguent pour donner un vin extrêmement réussi. **A boire jusqu'en 2010.** (1/93)

1988 • **85** Simplement bon, mais pas exceptionnel, le 1988 ne séduira personne par son caractère plutôt maigre et austère. Outre des tannins de bon aloi, il présente un bon fruité sous-jacent de groseille et laisse en bouche une impression d'équilibre et de grâce. **A boire jusqu'en 2010.** (4/91)

1987 • **86** Tout à la fois élégant, mûr et souple, ce vin délicieusement fruité et complexe est (étonnamment) meilleur et (paradoxalement) moins onéreux que les 1985, 1986 et 1988, plus prisés. L'ensemble est richement extrait, et la finale séduit par sa maturité et sa persistance. Un Saint-Émilion réussi pour le millésime. **A boire.** (3/90)

1986 • **76** Une déception pour Belair ! La robe d'un rubis moyen semble légèrement délavée, et, quoique fermé, le bouquet révèle des senteurs de fruits rouges un peu herbacées et poussiéreuses. En bouche, le vin est astringent, trop tannique et très austère, avec une finale aussi dépourvue de charme que de concentration. Son avenir est incertain. **A boire jusqu'en 2005.** (3/90)

1985 • **77** Ce 1985 me laisse perplexe. Il me semble en effet un peu léger, manquant de nerf et d'intensité. Mais je ne l'ai peut-être pas compris, ni en fût ni en bouteille. **A boire jusqu'en 2005.** (3/89)

1983 • **88** Étonnamment puissant et riche pour ce cru, le 1983 arbore une excellente couleur et déploie un caractère profond, épanoui, tannique et corsé. C'est un vin corpulent, qui pourrait s'imposer comme le Belair de ces vingt dernières années le plus apte à la longue garde. Très impressionnant ! **A boire jusqu'en 2005.** (2/89)

1982 • **88** Cela fait dix ans que j'ai du mal à déterminer lequel, du 1983 (souple, précoce, mais puissant) ou du 1982 (plus structuré et exotique) de Belair, est le meilleur. Le 1982, qui est désormais sorti de sa période ingrate, libère des senteurs complexes de doux fruits noirs, d'herbes et de minéral, mâtinées de notes de cuir et de champignon. Suit un ensemble d'une excellente concentration et joliment extrait, aux tannins bien présents. Ce Saint-Émilion traditionnel peut parfaitement rivaliser avec son cadet d'un an. **A boire jusqu'en 2008.** (12/96)

1981 • **74** Comme le diraient des Bordelais pris par leur enthousiasme, le 1981 est un vin tout en finesse et en élégance ! Léger, fruité et souple, ce Belair rubis moyen se montre agréable en bouche, avec quelques tannins durs en finale. Il est cependant peu probable qu'il gagne en arômes ou en profondeur. **A boire.** (3/87)

1979 • **85** Le 1979 est le premier Belair intéressant depuis une vingtaine d'années. Outre des parfums de groseille bien mûre, de chêne épicé et de violette, il révèle une bouche assez corsée, dotée d'un fruit précoce et séveux et de tannins légers. Ce vin délicieusement souple et fruité est très élégant. **A boire.** (1/87)

1978 • **80** Ce vin est un tout petit peu trop léger et fugace en bouche, mais il est également souple, plaisant, coulant et fruité, avec une finale de belle tenue. **A boire.** (2/86)

1976 • **75** Le Belair 1976 est de bon niveau, mais il aurait pu être meilleur, si l'on en juge par le caractère remarquable d'Ausone cette même année. Assez léger, tendre, fruité et suave, avec cette nuance de surmaturité typique du millésime, il ne présente apparemment pas de tannins. Il a atteint son apogée au début des années 80. **A boire – peut-être en déclin.** (6/82)

1975 • **70** Ce vin m'a paru creux, excessivement tannique et dépourvu de fruit. D'un rubis moyen un peu bruni sur le bord, il présente un bouquet austère, et une finale dure et brève. C'est un de ces 1975 dont les tannins dominent le fruit. (5/84)

1971 • **65** Relativement maigre, avec un nez peu perceptible, ce vin à la couleur brunie est desséché et astringent, et manque de charme. A l'heure actuelle, il est rare qu'un domaine renommé produise un vin aussi médiocre. (7/81)

1970 • **68** Bien coloré, mais un peu tuilé, le Belair 1970 est dur et épicé, et finit sur des notes amères et rugueuses. C'est un 1970 atypique. (7/81)

BELLEFONT-BELCIER – BON

Grand cru – équivaut à un cru bourgeois

Propriétaires : Jacques Berrebi, Daniel Julien et Alain Laguillaumie

Adresse : 33330 Saint-Laurent-des-Combes

Tél. 05 57 24 72 16 – Fax 05 57 74 45 06

Visites : du lundi au jeudi (8 h 30-17 h 30)

Contact : Nadine Antelme

Superficie : 13 ha (Saint-Laurent-des-Combes)

Vins produits :

Château Bellefont-Belcier – 50 000 b ; Marquis de Bellefont – variable

Encépagement : 83 % merlot, 10 % cabernet franc, 7 % cabernet sauvignon
Densité de plantation : 5 000 pieds/ha – *Age moyen des vignes :* 30 ans
Rendement moyen : 40 hl/ha

Élevage :
fermentations alcooliques de 8-10 jours en cuves de béton ;
achèvement des malolactiques et vieillissement de 16-18 mois en fûts
(70 % de bois neuf) ; ni collage ni filtration

A maturité : dans les 3 à 8 ans suivant le millésime

Constitué de plateaux et de côtes argilo-calcaires, et d'un pied de côte en amphithéâtre légèrement sablonneux sur fond également argilo-calcaire, le vignoble de Bellefont-Belcier, orienté plein sud sur la commune de Saint-Laurent-des-Combes, non loin des extraordinaires terroirs de Larcis Ducasse et Tertre Roteboeuf, est d'un seul tenant, avec, au centre, le château et les chais.

D'importants travaux y ont été entrepris ces dernières années – arrachage et reprise d'une nouvelle parcelle, replantée au printemps 1999, équipement des chais pour un traitement de la vendange par gravité, acquisition de petites cuves permettant une sélection parcellaire –, qui, conjugué avec le travail de l'œnologue Michel Rolland, désormais chargé de veiller sur les vinifications, ont indiscutablement contribué à l'amélioration du cru. Alors qu'ils étaient généralement sans détour, souples et accessibles, dépourvus de race et de complexité, les vins de Bellefont-Belcier se révèlent maintenant, depuis le milieu des années 90, de meilleure facture : issus d'une vendange plus tardive et plus mûre, et d'une sélection plus sévère (seules les meilleures cuves font le grand vin), les 1994, 1995 et 1996 sont de très bonne qualité – en tout cas bien meilleurs que leurs prédécesseurs.

1997 • **78-80** Le 1997 est plus léger, mais également moins complexe et moins concentré que son aîné d'un an. Que s'est-il donc passé entre les deux millésimes ? (1/99)

1996 • **87** L'excellent 1996, vinifié par le fils de François Mitjavile, est une révélation du millésime. Sa robe rubis foncé précède de douces senteurs de cerise noire nuancées de fumé, d'herbes séchées et de grillé, elles-mêmes suivies en bouche d'un ensemble moyennement corsé, rond et généreux. Ce vin d'ores et déjà délicieux tiendra bien **7 ou 8 ans encore.** (1/99)

1995 • **87** Constituant presque une révélation de ce millésime, le Bellefont-Belcier 1995 arbore une robe dense, et libère un nez riche et confituré de fruits noirs entremêlé de senteurs d'herbes, de réglisse et de grillé. Les arômes épais et de bonne mâche qu'il dévoile au palais attestent un caractère hautement extrait et très glycériné. Un vin souple, opulent et faible en acidité, à déguster dans les **7 ou 8 ans suivant sa diffusion.** (11/97)

1994 • **86** Solide, charnu et trapu, le 1994 se distingue par un fruité modérément extrait et glycériné. Il faut le boire **avant 7 ou 8 ans d'âge.** (3/96)

BERLIQUET
Grand cru classé – équivaut à un cru bourgeois
Propriétaire : vicomte Patrick de Lesquen
Adresse : 33330 Saint-Émilion
Tél. 05 57 24 70 48 – Fax 05 57 24 70 24
Visites : sur rendez-vous uniquement
Contact : Patrick Valette

Superficie :
9 ha (Saint-Émilion)

Vins produits : Château Berliquet – 25 000 b ; Les Ailes de Berliquet – 15 000 b
Encépagement : 70 % merlot, 25 % cabernet franc, 5 % cabernet sauvignon
Densité de plantation : 5 500 pieds/ha – *Age moyen des vignes :* 35 ans
Rendement moyen : 45 hl/ha

Élevage :
fermentations et cuvaisons de 20-30 jours
en cuves d'acier inoxydable thermorégulées ;
achèvement des malolactiques en fûts neufs par lots séparés ;
vieillissement de 14-16 mois en fûts (80-100 % de bois neuf) ;
soutirage trimestriel de fût à fût ; collage ; filtration si nécessaire

A maturité : dans les 4 à 12 ans suivant le millésime

Le nom de Berliquet est l'un des plus anciens du Saint-Émilionnais, puisqu'il figure déjà sur les cartes de Belleyme, en 1768 ; on a également retrouvé, datant de 1794, quelques lignes d'un courtier de Libourne vantant l'excellence de ce cru.

Berliquet a tout d'abord appartenu à la famille de Sèze, célèbre pour le rôle tenu par le propriétaire de Mondot dans le procès de Louis XVI, dont il fut l'avocat. Le comte de Carles, grand-père de l'actuel propriétaire, l'a racheté aux Pérès en 1918.

Cette propriété, qui comporte de magnifiques caves souterraines, est remarquablement située et très bien exposée, aux portes du bourg de Saint-Émilion. En effet, il serait difficile de rêver meilleure place sur le plateau calcaire, à proximité de Canon, de Magdelaine et de Tertre Daugay. En 1985, Berliquet a été le seul château à être promu grand cru classé.

Cependant, ce beau domaine est demeuré dans une ombre relative, car, jusqu'en 1978, son entière production était vinifiée et diffusée par l'énorme coopérative de la ville. Depuis cette date, la vinification, l'élevage et la mise en bouteille sont effectués au château. Les vins de Berliquet étaient généralement solides, mais assez quelconques. Néanmoins, sous la houlette de Patrick Valette, désormais responsable des vinifications, les choses sont en train de changer. Son premier millésime, le 1997, est probablement la plus belle réussite que je connaisse de cette propriété, suivi d'un beau 1998.

1998 • **87-88** Le 1997, qui était l'une des révélations de son millésime, est, à mon sens, légèrement plus riche et mieux équilibré que le 1998, plus tannique. Cependant, ce dernier vin est d'une excellente facture, arborant une robe d'un rubis-pourpre foncé soutenu, et dégageant un doux nez de mûre et de cerise confiturées, de viande grillée et d'herbes séchées. Cet ensemble moyennement corsé et modérément tannique est racé et bien fait – bref, des plus séduisants. **A boire entre 2002 et 2012.** (3/99)

1997 • **87-89** Voici le meilleur Berliquet que je connaisse. Sa robe d'un pourpre foncé soutenu introduit un nez de cassis et de cerise, qui précède en bouche un vin moyennement corsé et d'une pureté d'excellent aloi. Celui-ci exprime par paliers un caractère complexe, ainsi qu'une finale tout en rondeur et d'une excellente tenue. Une révélation du millésime, à savourer dès maintenant et **jusqu'en 2012.** (1/99)

1996 • **78** Anguleux, rugueux et tannique, le 1996 ne présente pas le fruité nécessaire pour faire pièce à son caractère musclé et structuré. Je crains qu'il ne se dessèche au terme d'une garde de **10 à 15 ans.** (11/97)

1995 • **75** Une robe d'un rubis moyennement profond et un nez de terre, de goudron et d'épices dominant un fruité maigre annoncent le Berliquet 1995. Ce vin comprimé et atténué révèle une austérité anguleuse et une finale maigre, tannique et astringente. Je ne pense pas qu'il puisse se fondre en un ensemble harmonieux. (11/97)

1990 • **86** Ce vin souple et savoureux séduit par son nez de cerise et d'herbes marqué en arrière-plan de notes de terre et d'épices. Moyennement corsé, opulent et parfaitement mûr, il se montre charnu en bouche. **A boire jusqu'en 2003.** (11/97)

1989 • **82** Arborant un rubis moyen et exhalant un nez épicé et mûr de terre et de fruits rouges, le Berliquet 1989 manifeste une tenue étonnante et révèle une heureuse acidité pour le millésime. Malheureusement, il n'a pas la concentration ni la profondeur de ses jumeaux les plus réussis. Ses tannins sont modérément astringents. **A boire.** (4/91)

1988 • **79** Ce vin compact et relativement atténué se porterait bien d'un peu plus de gras, de profondeur et de charme. Épicé, mais maigre et décharné, il présente une finale modérément tannique, mais étonnamment courte. **A boire – peut-être en déclin.** (1/93)

CADET-PIOLA – TRÈS BON

Grand cru classé – équivaut à un 5e cru du Médoc
Propriétaire : GFA Jabiol
Adresse : 33330 Saint-Émilion
Tél. et Fax 05 57 74 47 69
Visites : sur rendez-vous uniquement
Contact : Amélie Jabiol

Superficie : 7 ha (dans le nord de Saint-Émilion, sur le plateau calcaire)
Vins produits : Château Cadet-Piola – 36 000 b ; Chevaliers de Malte – variable
Encépagement :
51 % merlot, 28 % cabernet sauvignon, 18 % cabernet franc, 3 % malbec
Densité de plantation : 5 600 pieds/ha – *Age moyen des vignes :* 30 ans
Rendement moyen : 38 hl/ha

Élevage :
fermentations et cuvaisons de 21 jours en cuves d'acier inoxydable
avec système de contrôle interne des températures ;

vieillissement après les malolactiques de 18 mois en fûts (40 % de bois neuf) ; collage ; pas de filtration

A maturité : dans les 6 à 17 ans suivant le millésime

C'est sans doute du fait de sa très faible production que Cadet-Piola est longtemps demeuré dans l'ombre. Ce cru, qui ne compte ni parmi les Saint-Émilion des coteaux ni parmi ceux des graves, se situe en fait à 500 m seulement au nord du bourg de Saint-Émilion. Le château, qui jouit d'une vue splendide sur la petite ville, se dresse sur un tertre rocheux et sur un sol argilo-calcaire ; le bâtiment sert uniquement aux vinifications, car personne n'y habite. D'après les propriétaires, le domaine bénéficie d'un microclimat ; il y fait, semble-t-il, plus chaud que partout ailleurs dans l'appellation.

Les Jabiol, qui possèdent également Faurie de Souchard, un autre domaine de Saint-Émilion, élaborent à Cadet-Piola des vins d'un style traditionnel ; outre une robe rubis tirant sur le noir, ils révèlent un caractère riche, intense et corsé, et surpassent, depuis plus de dix ans, certains premiers grands crus plus connus et plus onéreux. Ils constituent, à l'évidence, d'excellentes affaires.

1995 • **87** Arborant une robe impressionnante, d'un rubis-pourpre soutenu, le 1995 de Cadet-Piola se distingue par un nez de mûre et de myrtille entremêlé de vagues notes de chêne doux et de minéral. Moyennement corsé et mûr, mais terriblement tannique, il est également bien doté et musclé. Du fait de son caractère peu évolué et malgré sa faible acidité, il requiert une garde de 2 ou 3 ans. Son potentiel est de **10 à 12 ans.** (11/97)

1994 • **86** D'un rubis-pourpre resplendissant, avec des arômes de réglisse, d'olives et de douce cerise noire, le Cadet-Piola 1994 se montre moyennement corsé en bouche, où il déploie une finale rugueuse et tannique. Ce Saint-Émilion bien fait, solide et musclé pourrait peut-être développer une certaine austérité qui le rapprocherait d'un Médoc. **A boire dans les 8 à 10 ans.** (3/96)

1993 • **85** Sachant que Cadet-Piola a tendance à produire des vins denses et rustiques, on aurait pu penser que le 1993 de cette propriété serait, comme les autres Saint-Émilion de ce millésime, rugueux, dur et tannique – presque capable de dissoudre l'émail des dents ! Pourtant, il se révèle doux, charnu, moyennement corsé, souple et plaisant. **A boire dans les 4 à 6 ans.** (11/94)

1992 • **72** Le 1992 est compact, avec une robe d'un rubis moyen et un bouquet aqueux, court et pas impressionnant du tout. Ses arômes, bien que doux et mûrs, n'ont aucune consistance et sont dominés par un goût astringent, sec et tannique. Ce vin se desséchera d'ici 2 à 4 ans ; il est donc préférable de le boire **très vite.** (11/94)

1990 • **87** Typique de ce cru, le 1990 de Cadet-Piola est profondément coloré, très structuré, terriblement peu évolué – presque impénétrable. Outre une robe d'un rubis-pourpre tirant sur le noir, ce vin présente un caractère dur et extrêmement tannique, mais il révèle la concentration requise pour faire pièce à son aspect rugueux. Il ne conviendra qu'à ceux qui sauront s'armer de patience. **A boire jusqu'en 2010.** (1/93)

1989 • **87** Meilleur que ne le suggère la note que je lui ai pour l'heure attribuée, ce 1989 impressionne par sa robe d'un rubis-noir, mais son nez est fermé. La bouche en impose avec son caractère musclé, dur, tannique, rugueux – bref, absolument gigantesque. L'ensemble, aussi musclé et peu évolué que le sont généralement les vins de cette propriété, tiendra parfaitement **jusqu'en 2010.** (4/91)

1988 • **86** Ce vin est terriblement tannique, mais ses amples et riches arômes de cerise noire entremêlés de boisé, de chocolat et d'herbes de Provence suggèrent qu'il est suffisamment profond pour ne pas être submergé par ses tannins. Moyennement corsé, il devrait se maintenir une bonne dizaine d'années encore. **A boire jusqu'en 2010.** (1/93)

1986 • **85 ?** Presque noir de robe, le 1986 est terriblement peu évolué et tannique. En fait, son haut niveau de tannins m'aurait quelque peu inquiété, n'était le généreux fruit riche, persistant et de bonne mâche que l'on décèle à la dégustation. Reste à savoir si le fruit se maintiendra tandis que les tannins se fondront dans l'ensemble. **A boire jusqu'en 2010.** (11/90)

1985 • **86** Tannique, mais bien structuré pour le millésime, le 1985 arbore une robe rubis qui précède un nez intense, épicé et confit. Très corsé, dense et de bonne mâche, ce vin regorge de caractère. **A boire jusqu'en 2000.** (3/90)

1983 • **85** Quoique moins réussi que son aîné d'un an, le Cadet-Piola 1983 se distingue par sa robe profondément colorée, par son caractère mûr et très corsé, ainsi que par sa structure admirable. Un vin très concentré, musclé et puissant. **A boire.** (1/89)

1982 • **87+** Arborant toujours une robe d'un rubis-pourpre foncé, ce vin d'une admirable richesse présente des arômes prometteurs, mais encore peu évolués, de réglisse, de fruits noirs et d'épices. Très corsé et d'une excellente concentration, il tapisse le palais de ses tannins, mais manque un peu de complexité. Plus souple qu'il y a une dizaine d'années, mais toujours tannique, il peut être apprécié dès maintenant par les masochistes, mais je conseillerais plutôt de le conserver encore 2 ou 3 ans ; il tiendra bien **jusqu'en 2010.** (9/95)

CANON – EXCELLENT

1er grand cru classé B – équivaut à un 3e ou 4e cru du Médoc
Propriétaires : famille Wertheimer et groupe Chanel
Adresse : 33330 Saint-Émilion
Tél. 05 57 55 23 45 – Fax 05 57 24 68 00
Visites : sur rendez-vous uniquement
Contacts : John Kolasa et Florence Defrance

Superficie :
18 ha (dont 15 ha en production ; coteaux de Saint-Émilion)
Vins produits : Château Canon – 35 000 b ; Clos J. Kanon – variable
Encépagement : 55 % merlot, 45 % cabernet franc
Densité de plantation : 6 500 pieds/ha – *Age moyen des vignes :* 35 ans
Rendement moyen : 35 hl/ha

Élevage :
fermentations et cuvaisons de 15 jours en cuves de bois thermorégulées ; vieillissement de 18 mois en fûts (65 % de bois neuf) ; collage au blanc d'œuf ; pas de filtration

A maturité : dans les 7 à 25 ans suivant le millésime

Canon, qui fait partie des Saint-Émilion des coteaux, bénéficie d'une situation splendide, sur le versant sud-ouest de l'appellation, où il est entouré d'autres premiers grands crus classés comme Belair, Magdelaine, Clos Fourtet et Beauséjour. Son vignoble, qui se situe aussi bien sur les coteaux que sur le plateau, comprend des sols divers, allant de l'argilo-calcaire à des terres sableuses sur un sous-sol calcaire.

Propriété de la famille Fournier depuis 1919, le domaine a été racheté en novembre 1996 par le groupe Chanel (famille Wertheimer), mais c'est à un propriétaire du XVIIIe siècle, Jacques Canon, qu'il doit son nom. Il est aujourd'hui dirigé par le tandem David Orr-John Kolasa (qui s'occupe également de Rauzan-Ségla).

Sous l'ancienne équipe, les fermentations, très traditionnelles, se déroulaient à des températures assez élevées, dans des cuves de chêne – ce qui sous-entend que le domaine n'essayait pas avant tout de plaire aux amateurs de bordeaux très souples. En effet, Canon est un Saint-Émilion tannique et puissant, destiné à une longue, longue garde. Il est généralement marqué par un boisé très prononcé (l'élevage se fait chaque année avec un minimum de 65 % de chêne neuf) qui peut parfois masquer son fruit, notamment dans les millésimes légers. C'est d'ailleurs le seul reproche que je pourrais lui adresser.

J'adore Canon dans des millésimes comme 1982, 1983, 1985, 1986, 1988 et 1989. Dans les années 80, sous la direction d'Éric Fournier et de son talentueux maître de chai Paul Cazenave, ce vin a souvent atteint un niveau comparable, voire supérieur, à celui des très grands de l'appellation, tels Cheval Blanc et Ausone. Cependant, des performances assez médiocres au début des années 90 ont quelque peu ébranlé la confiance des consommateurs. La pollution des chais vieillissants, entre 1992 et 1996, n'a pas aidé à redorer le blason de Canon ; en effet, les vins étaient desservis, tant au nez qu'en bouche, par des arômes de moisi.

Dès leur arrivée, les nouveaux propriétaires ont procédé à de nombreux aménagements : les bâtiments techniques ont été rénovés – mais en conservant leur aspect d'origine –, ce qui a permis d'éliminer les arômes peu engageants ; le cuvier a été entièrement refait ; les systèmes de thermorégulation et de ventilation ont été transformés ; les chais ont été restaurés ; un bâtiment climatisé faisant office de salle de mise et de stockage a été construit. Un programme d'arrachage assez sévère a été entrepris, qui devrait s'étaler sur cinq ans, afin d'assainir le plateau. Sans parler des divers équipements permettant des vinifications parcellaires, de la mise en place de porte-greffes et du choix de cépages mieux adaptés au sol...

A son meilleur niveau, Canon est un vin d'une richesse splendide, profond et concentré, qui est également musclé et corsé. Lorsqu'il atteint son apogée, il se distingue généralement par son caractère richement fruité, aux magnifiques notes de cèdre. Je m'explique mal qu'il ne soit pas mieux connu, car il est certainement l'un des trois ou quatre meilleurs Saint-Émilion des années 80, et tout porte à croire qu'il retrouvera son lustre d'antan sous la houlette des nouveaux propriétaires.

1998 • **86-87** Les nouveaux propriétaires de Canon ne ménagent pas leurs efforts pour reconduire la propriété à un très haut niveau. Le 1998 est une réussite rassurante à cet égard. Sans être profond, il est très bon, et arbore une robe rubis foncé qui prélude à de doux arômes de minéral et de cerise noire. Moyennement corsé et d'une très grande pureté, il est tout à la fois frais, tonique et élégant. **A boire entre 2002 et 2012.** (3/99)

1997 • **82-85** Charmeur et doté d'un fruité mûr, le Canon 1997 inquiète malheureusement par ses tannins acerbes et granuleux. Son caractère astringent se traduit en finale par une dureté inhabituelle, mais, dans l'ensemble, le vin est plus fruité, plus mûr et plus pur que son aîné d'un an. **A boire entre 2003 et 2010.** (1/99)

1996 • **80** Maigre, austère et délicat, le Canon 1996 présente une couleur rubis foncé et un caractère moyennement corsé, mais il pèche par manque de persistance et d'intensité. Anguleux et comprimé, il se dessèchera certainement ces 15 prochaines années. **A boire entre 2002 et 2015.** (1/99)

1995 • **74** Je n'ai trouvé dans ce vin aucune qualité qui puisse racheter son caractère nerveux, maigre et austère, son acidité très élevée et ses tannins féroces. Et, malgré ma bonne volonté, il m'est difficile d'imaginer qu'il puisse évoluer favorablement. **A boire entre 2000 et 2008.** (11/97)

1994 • **?** Non content d'être austère, maigre et déplaisant en bouche, le 1994 est encore desservi par des arômes de bois humide, de carton mouillé, de moisi et de bouchon semblables à ceux qui affectent le 1993. (1/97)

1993 • **?** Le 1993, étouffé et peu séduisant, présente, outre des tannins très sévères, un bouquet de moisi, de chien mouillé et de carton. **A éviter.** (1/97)

1992 • **?** Lorsque je l'ai dégusté au fût, j'ai pensé que le 1992 de Canon serait au nombre des Saint-Émilion les plus réussis. Cependant, comme chez beaucoup d'autres vins de ce millésime, son fruité fragile semble avoir souffert du collage systématiquement pratiqué avant la mise en bouteille dans le Bordelais. Il se montre maintenant étonnamment mûr, mais également dur et rugueux, et paraît avoir été quelque peu vidé de sa substance. Sa robe est intacte, et, si l'attaque en bouche ainsi que le fruité se présentent bien, ce vin manque de profondeur et de longueur. On n'en perçoit que les tannins, l'alcool, l'acidité et le boisé. Est-il simplement fermé, ou vide et creux ? **A boire – peut-être en déclin.** (11/94)

1990 • **87** Le 1990 de Canon n'a pas le niveau de son aîné d'un an. Puissant et peu évolué, il est marqué par des tannins astringents et par un caractère rugueux. Son bouquet de framboise est nuancé de notes de café et de chocolat que l'on perçoit tant au nez qu'en bouche. L'ensemble, tannique et moyennement corsé, a requis une assez longue garde. **A boire entre 2000 et 2025.** (1/93)

1989 • **92** Sans pouvoir rivaliser avec son aîné de 1982 pour ce qui est de la concentration et de la complexité, le 1989 évoque une synthèse du 1985 et du 1986. D'un rubis-pourpre profond, avec un nez modérément intense de cassis entremêlé de notes de chêne neuf et épicé, il est très corsé et rappelle un bourgogne par son caractère tannique et profondément doté. Sa richesse en extrait et sa pureté sont impressionnantes. **A boire jusqu'en 2008.** (5/95)

1988 • **87** Impressionnant par sa robe d'un rubis-pourpre profond et irrésistible par son nez épicé de minéral, de goudron et de cassis, le 1988 est très tannique, mais étayé par une excellente concentration. Très persistant, avec une puissance et une profondeur sous-jacentes de bon aloi, il donne vraiment l'impression d'être issu de tout petits rendements. Ce Canon moins généreux que de coutume aura été capable d'une garde de 20 ans au moins. **A boire jusqu'en 2012.** (1/93)

1987 • **85** Canon a obtenu de bons résultats dans ce millésime parfois sous-estimé. D'un rubis moyen, avec un bouquet odorant de fruits noirs et de chêne épicé, le 1987 se révèle en effet souple, accessible et plein de grâce. **A boire.** (3/90)

1986 • **89+** Le 1986 est tenu par ses abondants tannins. Sa robe d'un rubis-grenat foncé est encore intacte, et l'on décèle au nez des senteurs de minéral, de terre et de fumé, marquées en arrière-plan de prune noire et de cassis. L'attaque en bouche est riche, moyennement corsée et élégante, et la finale abondamment tannique. Quoique accessible, ce vin demeure jeune et tonique. **A boire jusqu'en 2015.** (12/97)

1985 • **89** Ce 1985 offre, tant au nez qu'en bouche, un merveilleux déploiement de notes de kirsch, de cerise, de minéral et de chêne fumé. Moyennement corsé et souple, il est opulent et moelleux en bouche, où il révèle, outre une belle texture, un caractère charmeur, riche et racé. Vous apprécierez ce vin, déjà à son apogée, **avant 2007.** (12/97)

1983 • **88** Une robe rubis-grenat foncé légèrement nuancée d'ambre et de rouille et un nez avenant aux senteurs de cuir, de terre, d'épices, de douce prune et de cake annoncent le Canon 1983. Ce vin d'une belle richesse, étayé par une faible acidité, révèle un alcool capiteux et finit sur des tannins rustiques. Parfaitement mûr, il a évolué rapidement, mais les bouteilles qui auront été conservées à des températures fraîches tiendront bien **10 à 12 ans encore.** (12/97)

1982 • **94** Ce 1982, qui s'est toujours montré spectaculaire, était tout simplement somptueux pendant les 5 ou 6 ans qui ont suivi la mise en bouteille. Depuis la fin des années 80, il révèle davantage de structure, tout en ayant conservé sa puissance, son gras et sa concentration. Il est encore capable d'une longue garde, et je chercherais querelle à quiconque voudrait l'apprécier immédiatement. Sa robe dense, encore intacte, précède un nez modérément intense de fruits noirs, de fleurs et de chêne grillé. L'ensemble qui suit en bouche est incontestablement le Canon le plus concentré que je connaisse. Tout à la fois riche, épais et très corsé, il est également ample, très doux, avec un fruit profond parfaitement capable de dominer ses tannins. **A boire dans les 25 ans.** (9/95)

1981 • **75** Si le 1978 et le 1979 de Canon sont bons, les 1985, 1986, 1988 et 1989 excellents, et le 1982 grandiose – voire légendaire –, le 1981 m'a déçu. L'obsession du vieillissement en bois neuf a desservi un vin qui, dès sa plus petite enfance, se révélait trop léger et trop fragile pour pouvoir pleinement absorber les tannins et les notes de chêne vanillé dues aux fûts neufs. Ce Canon 1981 est donc trop tannique, maigre et dépourvu d'équilibre. N'en attendez donc pas des merveilles... **A boire jusqu'en 2000.** (2/88)

1980 • **72** Si le Canon 1980 est bien fruité et assez coloré, il pèche par son bouquet trop boisé. Certes, il est assez réussi pour le millésime, mais j'aurais souhaité qu'il soit moins marqué de notes végétales et plus porté sur le fruité, souple et plaisant, de cassis. **A boire – peut-être en déclin.** (7/87)

1979 • **86** Voici l'un des meilleurs Saint-Émilion du millésime. Une impressionnante robe rubis foncé encore intacte annonce un vin bien concentré, profond et corpulent, mais dont les tannins sont peut-être un peu trop présents. Ce 1979 jeune et musclé recèle un bon potentiel, mais je doute que son fruit tienne le temps que ses tannins se fondent. **A boire jusqu'en 2003.** (1/91)

1978 • **85** Semblable au 1979, mais plus maigre et plus austère, le Canon 1978 requiert une certaine garde pour mieux se développer. Vêtu d'un rubis foncé légèrement ambré, ce vin relativement ample et tannique a évolué plus lentement que je ne le pensais. Il est plus dur et moins charmeur que de coutume. **A boire jusqu'en 2005.** (1/91)

1976 • **70** Le 1976 n'est pas l'un de mes Canon préférés. Diffus, il manque à la fois de profondeur et de structure. Un peu tuilé, il ne présente pas le fruit suffisant pour équilibrer son caractère excessivement tannique et boisé. Il ne peut que devenir encore plus ingrat. Si vous tenez vraiment à le boire, **n'attendez pas !** (10/82)

1975 • **68** Le Canon 1975 n'a pas bien évolué. Encore férocement tannique, avec un fruit qui commence à se dessécher, ce vin n'a pas la richesse en extrait ni la concentration qui pourraient faire pièce à son caractère dur et astringent. La robe, auparavant rubis moyen, est maintenant fortement nuancée d'orange et d'ambre, et les tannins poussiéreux masquent le peu de fruit qui reste. L'avenir de ce vin est des plus incertains. (1/89)

1971 • **65** Décevant ! Maigre et atténué, aussi dépourvu de fruit que de charme, le Canon 1971 a commencé à se dessécher, et sa finale est acerbe et amère. **A boire au plus vite.** (1/89)

1970 • **84** Certes bon, ce 1970 est cependant loin du niveau que Canon avait atteint sous l'égide d'Éric Fournier (qui avait pris la direction du domaine en 1972). Parfaitement mûr, il se révèle peut-être un peu plus léger et moins concentré que je ne l'avais espéré, mais il se montre parfumé et épicé, avec un caractère fruité, onctueux et un peu grillé. Les tannins se sont fondus. **A boire – peut-être en déclin.** (2/85)

1966 • **86** Il s'agit de l'une des belles réussites de Canon. Riche, intense, profondément concentré, ce vin est encore en pleine forme. Outre un bouquet énorme, ouvert et ample de fruit mûr et de caramel fondant, il exprime une bouche très harmonieuse, révélant des arômes souples, généreux, veloutés, corsés et charnus à la fois. La dernière fois que je l'ai goûté, cependant (en 1987, en demi-bouteille), le fruit montrait des signes de fatigue. **A boire.** (6/87)

1964 • **88** C'est l'un des meilleurs Canon des années 60. Ce vin corsé, riche, opulent et encore vigoureux déploie un bouquet épicé et un peu grillé de prune et de goudron. Capiteux et alcoolique, il est très persistant et révèle, tout compte fait, davantage de muscle que de finesse. **A boire.** (4/91)

1961 • **88** Parfaitement mûr depuis ma première dégustation, il y a environ dix ans, l'extraordinaire Canon 1961 arbore une robe grenat foncé et déploie un nez exubérant et intense de viande grillée, de fruits confiturés et d'épices séchées, mâtiné d'irrésistibles notes de truffe et de légumes grillés. Moyennement corsé, il est encore frais et débordant de richesse en extrait, et révèle en finale des tannins qui persisteront certainement une fois que le fruit se sera fané. **A boire jusqu'en 2002.** (11/95)

Millésimes anciens

Le 1959 de Canon est spectaculaire, peut-être parce qu'il était issu de vieilles vignes (en effet, les très sévères gelées de 1956 avaient épargné ce vignoble). Son doux nez de chocolat et de cerise noire ainsi que sa robe grenat et opaque ne montrent aucun signe de déclin, et, s'il déploie un caractère herbacé sous-jacent, sa richesse est superbe, et ses arômes épais et visqueux, marqués par la mâche, sont sensationnels. Il recèle suffisamment de richesse et de tannins pour évoluer sur **15 à 20 années encore** et s'impose comme une magnifique réussite de cette propriété.

CANON-LA-GAFFELIÈRE – EXCEPTIONNEL

Grand cru classé – devrait être promu 1er grand cru classé équivaut depuis 1985 à un 2e ou 3e cru du Médoc
Propriétaires : comtes von Neipperg
Adresse : 33330 Saint-Émilion
Tél. 05 57 24 71 33 – Fax 05 57 24 67 95
Visites : sur rendez-vous uniquement
Contact : Cécile Gardaix

Superficie : 19,5 ha (Saint-Émilion)
Vins produits :
Château Canon-la-Gaffelière – 70 000 b ; Côte Migon-la-Gaffelière – 10 000 b
Encépagement : 55 % merlot, 40 % cabernet franc, 5 % cabernet sauvignon
Densité de plantation : 5 500 pieds/ha – *Age moyen des vignes :* 32 ans
Rendement moyen : 40 hl/ha

Élevage :
depuis 1997, fermentations de près de 28 jours en cuves de bois thermorégulées ; achèvement des malolactiques en fûts sur lies fines ; fréquents bâtonnages ; vieillissement de 13-20 mois en fûts neufs ; ni collage ni filtration

---

A maturité : dans les 3 à 14 ans suivant le millésime

Bien qu'il fasse partie des côtes de Saint-Émilion, ce vignoble est en fait en grande partie situé sur des sols plats, argilo-calcaires et sableux, qui se trouvent au pied du coteau. Pendant plus de vingt ans, tout en bénéficiant d'une belle promotion, Canon-la-Gaffelière a produit des vins légers, ternes et médiocres, à des prix étonnamment élevés. Cependant, tout a changé depuis que le jeune et talentueux Stephan von Neipperg a pris la direction de la propriété – qui appartenait à son père depuis 1971. En fait, je crois qu'aucun grand cru classé de Saint-Émilion n'a connu redressement aussi spectaculaire.

A l'heure actuelle, le domaine vendange plus tardivement pour atteindre la meilleure maturité possible ; il élabore un second vin, ce qui lui permet de déclasser les cuvées les moins réussies, et pratique des cuvaisons plus longues de manière à obtenir davantage d'intensité et de matière colorante. En outre, le vieillissement se fait désormais en fûts neufs.

Il faut aussi noter que l'on est ici – comme dans les deux autres propriétés gérées par Stephan von Neipperg, La Mondotte et le Clos de l'Oratoire – très soucieux de l'écosystème, et que l'on tend en conséquence à intervenir le moins possible ; de même, la protection sanitaire du vignoble, strictement préventive et en cas de risque avéré, se fait avec des produits de contact de faible toxicité et très peu dosés. Toutes ces dispositions, conjuguées avec une nutrition parcimonieuse du sol, une sélection sévère et des rendements peu élevés – sans parler de la pratique d'un second tri après éraflage – concourent à l'élaboration de l'un des Saint-Émilion les plus opulents et les plus flatteurs. Canon-la-Gaffelière est incontestablement l'une des étoiles montantes de son appellation ; les millésimes depuis la fin des années 80 l'attestent bien.

1998
•
90-93
Canon-la-Gaffelière s'impose généralement comme l'un des vins les plus exotiques du Bordelais. Très réussi, le puissant et massif 1998 se distingue par sa robe d'un pourpre épais et par son nez exotique d'herbes rôties, de fruits noirs confiturés, d'encens, de pain grillé, de violette et de café. Explosif, extrêmement concentré et richement extrait, il regorge de tannins souples. C'est un ensemble riche et très corsé, dont la finale persiste en bouche au-delà de 40 secondes. Complexe, flamboyant à la limite de l'ostentatoire, ce vin suscitera sûrement l'admiration de nombreux amateurs, mais également la controverse chez ceux qui recherchent davantage de finesse et de retenue. **A boire entre 2002 et 2017.** (3/99)

1997
•
89-92
Le sensationnel 1997 se distingue par sa robe d'un pourpre-noir opaque et par son nez exotique de cappuccino et de fruits noirs nuancé de réglisse et de chêne neuf et grillé. La bouche, opulente, sensuelle et très corsée, révèle un fruité fabuleusement pur, étayé par une heureuse acidité et par un gras des plus séduisants. Ce vin massif et savoureux sera accessible dès sa jeunesse, tout en étant capable d'une garde de 15 ans ou plus. Quelle réussite sensationnelle pour le millésime ! **A boire entre 2001 et 2014.** (1/99)

1996
•
90
Voici l'un des crus de Saint-Émilion les plus expressifs et les plus impressionnants de structure. Tout, en lui, depuis sa robe d'un pourpre soutenu jusqu'à son caractère charnu, puissant et de bonne mâche, en passant par ses arômes explosifs de pain grillé, de fruits noirs confiturés, de chocolat, de café torréfié et de fumé, atteste sa très grande richesse en extrait. Doté de tannins souples pour le millésime, ce Canon déploie par paliers une finale généreuse et multidimensionnelle. Il devrait évoluer de belle manière ces 10 prochaines années et se maintenir 15 à 20 ans. **A boire entre 2007 et 2020.** (1/99)

1995
•
91+
Le 1995 est massif, avec un nez chocolaté et épais de boîte à cigares, de cassis et de cerise. Très corsé, il regorge d'un généreux fruité superbement extrait, de glycérine et d'alcool, et libère en bouche des arômes épicés et riches, ainsi que des tannins très abondants. Ce vin, à la finale longue et opulente et aux tannins doux (plutôt qu'astringents), requiert une garde de 4 ou 5 ans au moins. **A boire entre 2004 et 2020.** (11/97)

1994
•
90
Le 1994 arbore une robe dense de couleur pourpre, et libère des notes étonnamment pures d'olives provençales et de cassis confituré, ainsi que des arômes de pain grillé et fumé. Mûr et gras, moyennement corsé et plutôt tannique, il est musclé et élégant. Ce vin impressionnant et bien équilibré requiert une garde de 2 ou 3 ans et se conservera parfaitement ensuite **16 ou 17 ans.** (1/97)

1993
•
88
Le 1993, à la robe soutenue de couleur pourpre foncé, est l'un des vins les plus impressionnants du millésime. Il offre au nez de généreux arômes de fruits noirs, de terre, de prune et de réglisse, marqués de notes de fumé. Moyennement corsé et richement fruité, il est doux, étonnamment mûr et bien glycériné dès l'attaque en bouche, avec une faible acidité ; son fruité et sa texture masquent bien son caractère légèrement tannique. Ce vin séduisant tiendra **10 à 12 ans.** Il constitue une excellente affaire dans un millésime oublié. (1/97)

1992
•
87
Atypique du millésime, le 1992 est riche, concentré et délicieux, avec une robe rubis très foncée. Moyennement corsé, il déploie un bouquet épicé et grillé de cassis, et une excellente richesse en extrait. De bonne tenue, il devrait susciter l'intérêt des consommateurs. **A boire dans les 6 ou 7 ans.** (3/96)

1990 • **92** Ce vin profond, dont la robe d'un rubis-pourpre soutenu est encore intacte, exhale de copieux arômes de viande grillée, de cassis, de cèdre et de doux chêne. Très corsé, avec des tannins modérés, il manifeste en bouche un caractère extrêmement concentré, épais et riche. L'ensemble, faible en acidité, mais bien structuré, devrait atteindre son apogée très prochainement et se maintenir **10 à 15 ans.** (11/96)

1989 • **89** Le 1989 se développe magnifiquement, mais plus rapidement que je ne l'avais prévu. Sa robe d'un grenat sombre est légèrement ambrée sur le bord, et son nez, très ample, révèle des senteurs généreusement boisées et herbacées d'olives et de fruits noirs nuancées de séduisantes notes de soja et d'épices orientales. L'ensemble, moyennement corsé, épais et juteux, exprime un caractère souple et doux. **A boire dans les 10 ans.** (11/96)

1988 • **90** Doté de toutes les qualités du 1989, le 1988 révèle en outre de la structure, de la précision et davantage de profondeur et de concentration. Il dégage une splendide palette de senteurs allant du chêne neuf et fumé au cassis confituré, en passant par les épices orientales. La bouche, très corsée, séduit par sa rondeur et par ses amples arômes, et la finale, opulente et veloutée, est aussi persistante que capiteuse. Un vin fabuleux, merveilleux de pureté et de richesse en extrait. **A boire jusqu'en 2004.** (11/97)

1986 • **87** Le Canon-la-Gaffelière 1986 est l'une des révélations de ce millésime. Une macération plus prolongée qu'auparavant, l'utilisation de près de 65 % de bois neuf pour l'élevage et une attention constante ont donné un vin vêtu de rubis-noir, d'une concentration et d'une persistante exceptionnelles, que son opulence et son gras merveilleux rendent des plus agréables à la dégustation. Je doute que ce soit le Saint-Émilion du millésime le plus apte à une longue garde, mais il est certainement plus précoce et plus séduisant que nombre de ses jumeaux ; et c'est en cela qu'il est intéressant. **A boire jusqu'en 2005.** (3/90)

1985 • **85** Bien fait, souple et richement fruité, le 1985 se distingue par son caractère savoureux et par ses arômes amples. Il doit être consommé **sans délai.** (3/89)

1984 • **73** Bien fait et d'une bonne tenue, le 1984 est simple, fruité et mûr. **A boire – peut-être en déclin.** (7/89)

1983 • **82** Léger et souple, ce 1983 fruité et épicé est déjà prêt. Il est moyennement corsé en bouche, où il déploie un caractère plaisant et accessible, ainsi que des tannins légers. **A boire – peut-être en déclin.** (3/85)

1982 • **76** D'un rubis délavé fortement ambré sur le bord, le 1982, épicé et herbacé, est encore un peu fruité, bien qu'il soit sur le déclin. Élaboré bien avant que le talentueux Stephan de Neipperg ne prenne les rênes de la propriété, ce vin simple et insipide doit être bu **rapidement** : en effet, il ne gagne pas au vieillissement. (9/95)

1981 • **72** Plutôt creux et dépourvu du fruit qui pourrait faire pièce à ses tannins et à son boisé, le 1981 doit être bu assez rapidement, avant qu'il ne perde davantage d'équilibre. **A boire – peut-être en sérieux déclin.** (2/83)

1979 • **75** Le 1979 de Canon-la-Gaffelière est depuis longtemps prêt à boire. Souple et légèrement herbacé, il est moyennement corsé en bouche. Quoique séduisant par son fruité, il manque de race et doit être consommé **au plus vite,** à moins qu'il n'ait déjà entamé son déclin. (2/84)

1978 • **75** — Ce vin parfaitement mûr évoque un bourgogne par la rapidité de son déclin. D'un rubis pâle un peu tuilé, il est rond, souple et fruité, léger et peut-être dépourvu de complexité, mais incontestablement bien fait. **A boire – en sérieux déclin.** (2/84)

CAP DE MOURLIN - BON
Grand cru classé – équivaut à un bon cru bourgeois
Propriétaire : GFA Capdemourlin
Adresse : 33330 Saint-Émilion
Adresse postale : Château Roudier – 33570 Montagne
Tél. 05 57 74 62 06 – Fax 05 57 74 59 34
Visites : sur rendez-vous uniquement
Contact : Jacques Capdemourlin

Superficie : 14 ha (pieds de côtes de Saint-Émilion)
Vins produits : Château Cap de Mourlin – 70 000 b ; Capitan de Mourlin – variable
Encépagement :
60 % merlot, 25 % cabernet franc, 12 % cabernet sauvignon, 3 % malbec
Densité de plantation : 5 400 pieds/ha – *Age moyen des vignes :* 35 ans
Rendement moyen : 45 hl/ha

Élevage :
fermentations et cuvaisons de 21-28 jours
en cuves d'acier inoxydable et en cuves de béton
avec système de refroidissement au fréon ; vieillissement après les malolactiques
de 12-18 mois en fûts (50 % de bois neuf) pour 60 % de la récolte,
en cuves d'acier inoxydable pour le reste ; collage et filtration

---

A maturité : dans les 3 à 10 ans suivant le millésime

La famille Capdemourlin est propriétaire à Saint-Émilion depuis plus de cinq siècles. Elle possède également, outre le célèbre grand cru classé Balestard La Tonnelle, le Château Petit-Faurie-de-Soutard et le Château Roudier, un excellent Montagne-Saint-Émilion. Jusqu'en 1983, deux grands crus de l'appellation portaient le nom de Cap de Mourlin, l'un appartenant à Jean Capdemourlin et l'autre à Jacques. Les deux domaines n'en font plus qu'un aujourd'hui, si bien que les amateurs ne risquent plus de les confondre...

Les vins de cette propriété sont généralement robustes et très corsés, extrêmement fruités et musclés. Ils pèchent parfois par un léger manque de finesse, qu'ils compensent par leur caractère ample et gratifiant. Le vignoble est situé sur le terrain plat, sableux et rocheux des « pieds de côtes ».

1995 • **80** — Vêtu de rubis moyen, le 1995 pèche par son manque de tenue et par le creux qu'il accuse en milieu de bouche. Sa finale est également dépourvue de fruit et de profondeur. Une déception pour ce Saint-Émilion, généralement régulier à bon niveau. (11/97)

1994
•
84 ?
Quoique austère et tannique, avec une finale dure, le 1994 est moyennement corsé, bien fruité et profond. Il est cependant dominé par des tannins qui, je le crains, ne s'estomperont pas. (3/96)

1992
•
76
Séduisant par les notes de menthe et de confiture que recèle son bouquet, le Cap de Mourlin 1992 arbore une robe rubis moyen et se révèle légèrement tannique, compact, musclé, mais souple en bouche. Il manque de profondeur et de longueur. **A boire dans les 4 ou 5 ans.** (11/94)

1990
•
87
Si vous recherchez un vin élégant et tout en finesse, oubliez ce 1990, puissant et massif. Tout à la fois ample, charnu et rustique, il présente des tannins très abondants. Ceux-ci sont heureusement étayés par un généreux fruité gras de cassis aux notes de doux chêne, copieusement rehaussé par un caractère extrêmement gras et alcoolique. **A boire jusqu'en 2003.** (1/93)

1989
•
86
Doté de généreux arômes de chêne neuf grillé et fumé, le 1989 se révèle très corsé et très alcoolique, avec une faible acidité. Sa finale, persistante, est riche et confiturée, et ses tannins, bien qu'abondants, sont souples. **A boire jusqu'en 2006.** (4/91)

1988
•
85
Plutôt atypique, avec son caractère maigre, discret et assez rugueux, le 1988 se distingue par ses abondants tannins, bien étayés par une belle concentration. C'est l'un des rares crus dont les tannins soient contrebalancés par un fruité adéquat. **A boire jusqu'en 2004.** (4/91)

CHAUVIN – TRÈS BON

Grand cru classé – équivaut à un 5e cru du Médoc depuis 1990
Propriétaires : Marie-France Février et Béatrice Ondet
Adresse : 1, Les Cabannes Nord – 33330 Saint-Émilion
Tél. 05 57 24 76 25 – Fax 05 57 74 41 34
Visites : sur rendez-vous uniquement
Contacts : Marie-France Février et Béatrice Ondet

Superficie : 12,5 ha (Saint-Émilion)
Vins produits :
Château Chauvin – 40 000 b ; La Borderie de Chauvin – 4 000-15 000 b
Encépagement : 80 % merlot, 15 % cabernet franc, 5 % cabernet sauvignon
Densité de plantation : 5 500 pieds/ha – *Age moyen des vignes :* 30 ans
Rendement moyen : 45 hl/ha

Élevage :
fermentations et cuvaisons de 21-42 jours
en cuves d'acier inoxydable thermorégulées ;
achèvement des malolactiques en fûts neufs pour 35-50 % de la récolte,
en cuves pour le reste ; vieillissement de 12-15 mois en fûts
(50 % de bois neuf) ; collage ; pas de filtration

A maturité : dans les 3 à 10 ans suivant le millésime

Depuis 1891, quatre générations se sont succédé à la tête du Château Chauvin. Ce sont actuellement les filles d'Henri Ondet, petit-fils du premier propriétaire, qui administrent le domaine, situé au nord-ouest de l'appellation, près de Pomerol et de la côte Rol, dans le voisinage de Cheval Blanc. Le sol en glacis sableux issu des dépôts fluviatiles de l'Isle et de la Barbanne repose sur 40 à 80 cm de crasse de fer.

Cette propriété a accompli d'immenses progrès ces dernières années, comme l'attestent les millésimes 1995, 1996 et 1997. Il faut dire que de constants investissements ont notamment permis l'aménagement d'un cuvier en acier inoxydable avec maîtrise thermique individuelle, l'installation dans les chais d'un tapis roulant électrique favorisant un tri drastique des grappes et l'acquisition d'un pressoir pneumatique. Des vendanges plus tardives, l'élaboration d'un second vin et le concours de Michel Rolland pour les vinifications ont, bien entendu, largement contribué à cette amélioration. Chauvin pourrait bien être l'une des étoiles montantes de l'appellation.

Signalons également l'acquisition par Marie-France Février et Béatrice Ondet, en mars 1998, d'une petite entité de 2,3 ha composée de deux parcelles, l'une contiguë, l'autre incluse dans le Château Chauvin. Les vignes (essentiellement de merlot, avec 10 à 15 % de cabernet franc et de cabernet sauvignon) y sont âgées de plus de 40 ans. Le sol, identique à celui de Chauvin, est sableux, sur sous-sol argileux mêlé de crasse de fer. La production annuelle atteint les 6 000 bouteilles.

1997 • 86-88 Moins complexe et moins élégant que son aîné d'un an, le 1997 est cependant plus gras, plus opulent et plus imposant. Il séduit par son rubis profond, par son doux nez de cerise noire mâtiné de fumé, de pain grillé et d'herbes séchées, et dévoile en bouche un caractère rond, moyennement corsé et ouvert. **A boire dans les 7 à 9 ans.** (1/99)

1996 • 88 Arborant une robe rubis foncé, le 1996 exhale un excellent bouquet de pain grillé nuancé de cerise confiturée. La bouche, moyennement corsée et bien glycérinée, exprime une belle élégance d'ensemble et un bon équilibre. La finale, richement fruitée, est aussi savoureuse. On décèle également dans cet ensemble racé et tout en finesse un caractère un peu tannique. **A boire dans les 10 à 12 ans.** (1/99)

1995 • 87 Semblable au 1994, le 1995 arbore une robe d'un rubis-pourpre profond qui prélude à des senteurs douces, presque trop mûres et confiturées de fruits noirs, d'épices et de boisé. Suit un ensemble séduisant, opulent et charnu, qui doit être dégusté dans les **6 à 10 ans** en raison de son très faible niveau d'acidité. (11/97)

1994 • 87 Pourpre de robe, avec un nez très confituré de cerise noire abondamment rehaussé de chêne doux et grillé, le 1994 de Chauvin se montre moyennement corsé et opulent en bouche. Faible en acidité et modérément tannique, il pourrait bien s'imposer comme l'une des révélations du millésime. (3/96)

1993 • 82 Vêtu de rubis, le 1993 est légèrement corsé et doux. D'une belle pureté, avec un séduisant fruité de groseille et de cerise légèrement marqué par des senteurs herbacées, il révèle des tannins légers et une finale courte. **A boire jusqu'en 2003.** (11/94)

1992 • 79 Le 1992 de Chauvin est rubis moyen, avec un nez peu intense, un fruit charmeur et des tannins modérés. Il manque cependant de profondeur. Compte tenu de sa bonne maturité et de son fruité, il sera plaisant et léger pendant encore **3 ou 4 ans.** (11/94)

1990 • 88 Tout à la fois fruité, onctueux et d'une richesse explosive, le 1990 révèle, outre un caractère moyennement corsé et une excellente concentration, d'abondants tannins souples et veloutés. Admirablement doté et opulent, il est des plus plaisants et s'impose comme la plus belle réussite de la propriété depuis longtemps. **A boire jusqu'en 2005.** (1/93)

1989 • 86 1989 est la première année où le talentueux (et omniprésent) œnologue libournais Michel Rolland a supervisé les vinifications à Chauvin. Le vin est ample et concentré, opulent et profondément extrait, et se révèle des plus plaisants. **A boire jusqu'en 2001.** (4/91)

1988 • 84 D'un rubis moyen, avec un nez subtilement épicé de prune et d'herbe, ce vin richement extrait se distingue par son caractère moyennement corsé, ainsi que par ses beaux arômes serrés et épicés de vanille et de boisé. **A boire jusqu'en 2002.** (4/91)

CHEVAL BLANC - EXCEPTIONNEL

1er grand cru classé A – équivaut à un 1er cru du Médoc
Propriétaires : Bernard Arnault et Albert Frère
Adresse : 33330 Saint-Émilion
Tél. 05 57 55 55 55 – Fax 05 57 55 55 50
Visites : sur rendez-vous uniquement
Contact : Cécile Supery

Superficie :
37 ha (Saint-Émilion, à proximité de Figeac et à la limite de Pomerol)
Vins produits : Château Cheval Blanc – 100 000 b ; Petit Cheval – 40 000 b
Encépagement : 66 % cabernet franc, 34 % merlot
Densité de plantation : 6 000 pieds/ha – *Age moyen des vignes :* 40 ans
Rendement moyen : 38 hl/ha

Élevage :
fermentations et cuvaisons de 21-28 jours
en cuves d'acier inoxydable et en cuves de béton thermorégulées ;
achèvement des malolactiques en cuves ; vieillissement de 18 mois en fûts neufs ;
soutirage trimestriel ; collage au blanc d'œuf ; pas de filtration

A maturité : dans les 5 à 20 ans suivant le millésime

Cheval Blanc est sans aucun doute l'un des plus grands bordeaux. Pendant la majeure partie de ce siècle, nul ne lui a contesté la première place dans la hiérarchie des Saint-Émilion, et on l'a généralement considéré comme le meilleur vin de l'appellation. Avant la renaissance d'Ausone, vers le milieu des années 70, Cheval Blanc était seul à porter le flambeau. C'est un vin doté d'un caractère remarquable et unique. Le domaine se trouve à la limite de Pomerol, dans ce que l'on appelle les graves de Saint-Émilion ; un simple fossé le sépare de L'Évangile et de La Conseillante, et il ne faut donc pas s'étonner que l'on ait reproché à Cheval Blanc d'être plus proche d'un Pomerol que d'un Saint-Émilion.

Des « huit grands » bordeaux, c'est probablement Cheval Blanc qui demeure le plus longuement à un très bon niveau ; en effet, il est délicieux dès la mise en bouteille, mais il peut aussi se maintenir très longtemps (dans les bons millésimes), et aucun des premiers crus du Médoc ne peut se vanter de l'égaler sur ce point. Seul Haut-Brion l'approche, à la fois sur le terrain de la précocité et sur celui de l'aptitude à la garde

– quand tout va bien, il a suffisamment d'étoffe, d'harmonie et d'intensité pour vieillir sur 20 à 30 ans.

Pour moi, Cheval Blanc est Cheval Blanc, et il ne ressemble ni à un Pomerol ni à un autre Saint-Émilion. Il faut dire que son encépagement (66 % de cabernet franc, 34 % de merlot) est très inhabituel, aucun autre château d'importance ne recourant à ce point au cabernet franc. Pourtant, curieusement, ce cépage atteint son apogée dans ces sols de graves, de sable et d'argile, sur une base rocheuse riche en oxyde de fer ; il y donne un vin extrêmement riche, épanoui, intense et onctueux.

En outre, Cheval Blanc présente l'originalité d'être resté entre les mains de la même famille, les Fourcaud-Laussac, depuis 1852. Jusqu'en 1989, l'un des copropriétaires, héritier de cette lignée et demeurant sur place, était Jacques Hébrard ; cet homme à la silhouette imposante s'était fixé pour tâche de porter plus haut encore la réputation de Cheval Blanc. Ensuite, Bernard Grandchamp a assuré la direction du domaine, mais il s'est retiré en 1990, alimentant les rumeurs selon lesquelles il aurait existé des querelles de famille à propos de la propriété. Aujourd'hui – y compris depuis son rachat, en novembre 1998, par Albert Frère, homme d'affaires belge, et Bernard Arnault, grande figure du luxe français, pour la coquette somme de 21 millions de francs l'hectare, soit un total de 800 millions de francs –, Cheval Blanc est géré par le talentueux et très respecté Pierre Lurton. L'ancienne équipe est d'ailleurs demeurée en place, et l'on n'envisage pas, pour l'heure, d'investissements tapageurs – il faut dire que le vignoble est en excellent état, et que les installations techniques existantes sont très performantes. En revanche, le château lui-même devrait être restauré.

Le style de Cheval Blanc n'est évidemment pas pour rien dans son immense popularité. Rubis foncé de robe, il révèle, dans les grands millésimes, une opulente richesse, un caractère fruité, corsé, voluptueux et séveux, et il est, curieusement, très accessible quand il est jeune. Son bouquet est très particulier. A son meilleur niveau, Cheval Blanc est encore plus parfumé que les premiers crus du Médoc tel Margaux ; il dégage des senteurs de minéral, de menthe, d'épices exotiques, de tabac et de fruits noirs à la fois très mûrs et très intenses, qui, souvent, enivrent le dégustateur. Nombreux sont d'ailleurs ceux qui, trompés par ce beau déploiement de charme précoce, commettent l'erreur de prédire que ce vin vieillira mal. En fait, dans les millésimes riches et généreux, Cheval Blanc évolue exceptionnellement bien – même s'il y a fort à parier que bon nombre de bouteille sont consommées bien avant que le vin puisse exprimer toute sa majesté.

Comme le montrent les notes de dégustation qui suivent, Cheval Blanc est généralement un vin voluptueux et exotique, d'une richesse et d'une profondeur hors du commun. Cependant, dans certains millésimes, il s'est montré l'un des plus décevants des « huit grands » du Bordelais. C'est ainsi qu'il n'a pas été particulièrement heureux dans les années 60 et 70. En revanche, en portant une attention plus soutenue aux détails de la vinification, Jacques Hébrard est parvenu à maintenir ce cru à un haut niveau pendant les années 80. Les 1982, 1983 et 1990 sont ainsi les plus belles réussites du château depuis les splendides 1947, 1948 et 1949.

Avec Haut-Brion, Cheval Blanc demeure l'un des deux vins les moins chers parmi les « huit grands ».

1998 • **90-93** Cheval Blanc vendangea son merlot pendant les deux dernières semaines de septembre et rentra son cabernet franc après les pluies de la fin de ce mois. Les rendements furent modestes – 32 hl/ha –, et 72 % de la production fit le grand vin, composé à 52 % de merlot et à 48 % de cabernet franc. Magnifiquement fait, le 1998 s'impose comme la plus belle réussite de la propriété depuis le 1990, bien qu'il n'affiche pas la maturité ni l'opulence de son remarquable aîné. Néanmoins, il impressionne par sa douceur et par son caractère bien affirmé. Vêtu d'un rubis-pourpre sombre et profond, il libère des arômes de liqueur de mûre, de vanille et de noix de coco nuancés de café. Ce 1998 moyennement corsé se distingue encore par son élégance et par sa douceur, par son gras stupéfiant et par ses tannins veloutés et bien fondus. En raison de sa forte proportion de cabernet franc, Cheval Blanc est souvent difficile à jauger dans sa jeunesse, mais il s'étoffe considérablement au fur et à mesure de son évolution, au point de mériter une note plus élevée après quelques années. Cela dit, le 1998 s'est vraiment montré à son avantage pour un jeune Cheval Blanc. **A boire entre 2002 et 2016.** (3/99)

1997 • 88-89 Composé à 70 % de merlot et à 30 % de cabernet franc, le 1997 s'annonce par des senteurs de douce confiture de cerise nuancées d'épices orientales et par les légendaires notes de noix de coco typiques de ce cru. Mûr et moyennement corsé, ce vin charmeur et faible en acidité affiche une belle persistance pour le millésime, mais il vaut mieux l'apprécier sans trop tarder, pour son caractère incontestablement séduisant. **A boire jusqu'en 2012.** (1/99)

1996 • 90 Élégant et modérément massif, le Cheval Blanc 1996 se distingue par une robe prune-grenat foncé assez évoluée. Véritable quintessence de l'élégance, il exhale un nez complexe de fruits noirs, de noix de coco, de fumé et de pain grillé. Ce vin moyennement corsé présente un doux fruit et une belle complexité dès l'attaque en bouche ; sa finale est aussi opulente que veloutée. Très souple et précoce pour un 1996, il sera à son apogée **entre 2000 et 2015.** (1/99)

1995 • 92 Joliment fait et séduisant, le Cheval Blanc 1995 est composé d'une plus forte proportion de merlot que de coutume (50 % merlot et 50 % cabernet franc). Bien qu'il soit moins étoffé que son cadet d'un an, il n'en est pas moins extraordinaire, avec son bouquet exotique absolument emballant de fumé, de cassis et de café. Les arômes complexes, riches et moyennement corsés qu'il dévoile en bouche sont purs et bien dotés, et la finale recèle des tannins étonnamment fermes. Contrairement au 1996, plus doux et plus mûr, le 1995 se révèle plus structuré et peut-être capable d'une plus longue garde. **A boire entre 2002 et 2020.** (11/97)

1994 • 88+ ? Rubis-pourpre foncé, le 1994 exhale un nez complexe et épicé de tabac, de vanille, de cassis et de minéral, avec des notes florales. Il est plus énorme et plus structuré que son aîné d'un an, mais en est-il meilleur pour autant ? Les tannins qu'il développe en finale tapissent le palais, mais déforment à la fois sa jolie palette aromatique et son attaque en bouche, douce, moyennement corsée et riche. Comme je l'ai souvent écrit, Cheval Blanc est un cru qui a tendance à s'étoffer et à prendre une certaine ampleur aromatique avec le temps, et l'on peut penser qu'il en sera ainsi pour le 1994. Si tel est le cas, la note que je lui attribue semblera vraiment sévère, mais, si ses tannins se montrent toujours aussi astringents en même temps que son fruité se fane, je l'aurai alors surestimé. **A boire entre 2002 et 2017.** (1/97)

1993 • 87 Rubis foncé de robe, avec des touches de pourpre, le séduisant Cheval Blanc 1993 présente le nez légendaire de ce cru, aux arômes légèrement mentholés de fruits noirs et doux, de noix de coco et de vanille. Moyennement corsé, élégant et bien fait, il est encore doux, délicieux, caractéristique des vins de cette propriété, mais manque d'ampleur et de richesse en bouche. Un 1993 savoureux et charmeur, à déguster dans les **7 ou 8 ans.** (1/97)

1992 • **77** Le Cheval Blanc 1992 se révèle très peu corsé et creux, surtout pour un vin de cette propriété. Son nez, dominé par des senteurs de vanilline, est marqué par des touches de baies confiturées, d'herbes et de café. Il n'a pas de profondeur, de corps ni de longueur. Buvez-le **d'ici 3 ou 4 ans**, car ses tannins marqués donnent à penser qu'il se desséchera rapidement. (11/94)

1990 • **99** Ce 1990 se révèle de plus en plus somptueux à chaque dégustation. Déployant tous les signes d'un millésime chaud et mûr – il est faible en acidité, très mûr, avec un léger caractère de surmaturité, une texture opulente et grasse, un fruit très doux et une finale persistante et voluptueuse –, il libère un nez généreux aux senteurs de noix de coco, de chêne neuf et grillé, de cassis fumé et de cerise qui m'a fait le confondre avec Le Pin. La bouche, très corsée, riche et concentrée, dévoile par paliers une belle richesse en extrait qui dissimule d'abondants tannins. Je suis de plus en plus convaincu que ce 1990 est le Cheval Blanc le plus profond produit à la propriété depuis le légendaire 1982. Il peut être apprécié dès maintenant pour son caractère charnu et faible en acidité, mais il est encore jeune, comme l'atteste sa robe d'un pourpre plus foncé que celle du 1989, plus mûr. Cette merveille d'exotisme et d'opulence devrait tenir encore **10 à 15 ans**. Un Cheval Blanc irrésistible. (6/98)

1989 • **89** Depuis sa mise en bouteille, le 1989 s'est montré sous un excellent jour, mais il n'est pas exceptionnel dans le contexte du millésime. Il s'est en fait révélé meilleur durant cette dégustation que lors des précédentes, mais, encore une fois, il ne s'agit pas d'une grande réussite de la propriété. Outre une robe déjà ambrée sur le bord, ce vin exhale un nez de crayon à papier, de cèdre, d'épices, de fruits noirs et de vanille qui évoque davantage un jeune Lafite qu'un Cheval Blanc exotique, tel qu'on l'attend d'un millésime chaud et sec. L'ensemble, très accessible, est moyennement corsé et légèrement tannique ; je l'ai régulièrement noté entre 87 et 89, ce qui indique qu'il est d'une excellente facture, mais, compte tenu du millésime et du terroir, il est loin d'être l'un des meilleurs 1989. Ce vin tiendra bien **10 à 15 ans encore**, du fait des tannins modérés que recèle sa structure élégante, mais que les amateurs ne s'attendent pas à un miracle ! (11/96)

1988 • **87** D'une excellente maturité, avec un bouquet frais, presque mentholé, de prune aux notes de fumé, de tabac et de chêne neuf, le Cheval Blanc 1988 est très bon et présente des tannins un peu agressifs. Cependant, il ne révèle pas la profondeur que l'on attend des meilleurs crus. J'en espérais davantage. **A boire jusqu'en 2002.** (1/93)

1987 • **85** Très réussi pour le millésime, le Cheval Blanc 1987 exhale un nez doux, épicé et herbacé qui précède en bouche un ensemble précoce, gras, rond et fruité, manquant quelque peu de structure et de tenue. Son séduisant fruit de cassis herbacé est étayé par de généreuses notes de doux chêne fumé. **A boire.** (3/90)

1986 • **92** J'avais pensé, à un moment, que le 1986 de Cheval Blanc serait meilleur que son aîné d'un an, mais le 1985, au caractère ouvert, charmeur et exotique, présente davantage d'attraits que le 1986, plus réservé, plus tannique et peu évolué. Arborant un rubis foncé jeune, soutenu et encore intact, le 1986 développe un bouquet de tabac herbacé mâtiné de notes de douce mûre, de framboise et de cerise. Son boisé, si perceptible dans sa jeunesse, est maintenant relégué à l'arrière-plan par des arômes de cèdre. Évoquant davantage un Médoc qu'un Saint-Émilion opulent, ce vin se révèle moyennement corsé, modérément tannique et d'une belle précision. Bien fait, riche et intense, il lui a fallu une certaine garde pour être prêt. **A boire jusqu'en 2012.** (12/97)

1985 • **93** Parfaitement mûr, mais capable de tenir 10 à 15 ans encore, ce vin libère un nez flamboyant de fruits noirs confiturés, de réglisse, d'épices orientales, d'herbes et de viande grillée. Moyennement corsé et d'une richesse opulente, il est gras et séveux, et semble s'améliorer à chaque dégustation. Une fois encore, Cheval Blanc manifeste son incroyable capacité à s'étoffer en bouteille. **A boire jusqu'en 2005.** (1/98)

1983 • **95** Le 1983, qui se bonifie et évolue très avantageusement en bouteille, illustre bien le style des vins que fait traditionnellement Cheval Blanc. Sa robe rubis foncé est très soutenue et, bien qu'elle se soit légèrement éclaircie sur le bord, elle s'est mieux conservée que celle des autres 1983 de la rive droite. Son nez énorme de menthe, de fruits noirs confiturés et de café est sensationnel et, curieusement, très développé. Ce vin sensuel, au fruité riche et onctueux, est concentré, très corsé et faible en acidité. Il est aussi parfaitement rond, et l'on décèle d'importants tannins dans sa finale généreuse. S'il se montre déjà merveilleux, il se conservera de belle manière et se bonifiera peut-être encore au cours des **20 prochaines années.** Il demeure sous-évalué. (12/97)

1982 • **100** Le Cheval Blanc 1982 est une véritable légende des temps modernes. Absolument spectaculaire pendant les 7 ou 8 ans qui ont suivi la mise en bouteille, il a progressivement développé davantage de précision et de structure, tout en se montrant plus tannique. En 1998, il m'a paru plus jeune que cinq ou six ans plus tôt. Sa robe épaisse d'un grenat opaque est maintenant légèrement ambrée sur le bord, et son nez, autrefois plus ostentatoire, libère désormais de généreux arômes de fruits rôtis, de café, de chocolat fondu et de doux fruits noirs d'une richesse luxuriante. Tout à la fois exotique, très corsé, modérément tannique et massif, ce Cheval Blanc se distingue particulièrement par son opulence et par son intensité hors du commun. Cependant, je le trouve plus précis aujourd'hui. Alors que je pensais qu'il serait parfaitement mûr en 1993, il requiert encore une garde de 3 ou 4 ans et devrait se maintenir à son apogée **20 ans ou plus.** Ce vin est incontestablement bâti pour la longue durée. La seule question que les collectionneurs fortunés peuvent se poser à son sujet est de savoir si le 1990 pourra un jour l'égaler. (4/98)

1981 • **90** J'ai goûté ce vin plusieurs fois en cours d'élevage, et deux fois lors de dégustations comparatives, avant la mise en bouteille : je ne lui avais alors donné que des notes moyennes. Plusieurs dégustations après la mise en bouteille m'ont révélé un vin différent, relativement riche, épicé, onctueux, doté d'un caractère tendre et soyeux, d'une bonne concentration et de tannins modérés. Ce n'est pas un très gros calibre, comme le 1982 ou le 1983, mais il est délicieux et bien épanoui. **A boire jusqu'en 2000.** (10/90)

1980 • **80** Le Cheval Blanc 1980 constitue une relative réussite pour ce millésime médiocre. Rubis moyen de robe, il libère un bouquet modérément intense d'herbes aromatiques, de cèdre et de fruit, et déploie en bouche des arômes assez corsés et bien concentrés, ainsi qu'une finale souple. **A boire.** (10/90)

1979 • **84** Quoique charmeur et élégant, le Cheval Blanc 1979 manque de profondeur et de richesse (sans doute à cause de rendements excessifs). Il déploie néanmoins un bouquet modérément intense de prune mûre, ainsi que des arômes de bois de cèdre et d'herbes aromatiques. La bouche, tendre et très précoce, est accessible et ronde. C'est un Cheval Blanc léger, mais bien vinifié, qui évolue rapidement. **A boire.** (3/89)

1978 • **87** Ce Cheval Blanc bien structuré ne révèle pas, fort curieusement d'ailleurs, le fruit précoce, charnu et plaisant qui caractérise ce cru dès son plus jeune âge. Sa robe d'un rubis très foncé précède un bouquet obstinément fermé, qui laisse tout de même percer des senteurs de minéral et de cassis riche et mûr nuancées d'herbes aromatiques et de noix grillée. En bouche, ce vin se montre tannique, plutôt corsé et admirablement intense. Il évoque le 1966, austère et racé, en plus concentré. **A boire jusqu'en 2008.** (10/90)

1977 • **68** Cheval Blanc a connu une année 1977 désastreuse, 75 % de la vendange ayant été perdue à cause du mauvais temps. Ce vin aurait dû être déclassé. Clair de robe, avec des arômes souples de légumes et des flaveurs superficielles, il déploie une finale astringente, dure et déplaisante. (10/90)

1976 • **82** Dans ce millésime marqué par la sécheresse, la chaleur et des pluies crève-cœur au moment de la vendange, Cheval Blanc a produit un vin ouvert, très mûr, marqué de notes rôties. A l'heure actuelle (il est à son apogée depuis quelques années), il s'est étoffé tout en acquérant des nuances tuilées. Cependant, il libère aussi un bouquet bien développé de fruit mûr, de minéral, de noix et de chêne grillé. En bouche, il se révèle opulent et gras, et déploie un caractère généreux, savoureux, charnu, onctueux et fruité. Faible en acidité et très tendre, le Cheval Blanc 1976 est prêt depuis sa diffusion, mais a bien évolué. C'est un vin que j'ai sous-estimé de prime abord. **A boire.** (10/90)

1975 • **90** Il y a quinze ans, ce vin était l'un des 1975 les plus précoces et les plus agréables à déguster, mais il évolue désormais très lentement. Typiquement Cheval Blanc par sa complexité exotique très caractéristique, il exhale un nez modérément intense de chocolat, de menthe, de cèdre et de doux fruit. Bien que sa robe d'un rubis-grenat profond soit fortement ambrée sur le bord, ce vin retient un généreux fruité doux et mûr, bien glycériné et superbement extrait. Riche et ferme, il conjugue puissance et tannins rugueux avec de généreux arômes de doux fruit confituré. J'admire et apprécie ce vin capable d'une garde de **15 ans, ou plus.** (12/95)

1973 • **55** Le Cheval Blanc 1973 est complètement passé. C'est maintenant un vin pâle, aqueux en bouche, maigre et dilué en finale. (3/91)

1971 • **84** Quelque peu décevant, quoique très bon, le 1971 arbore une robe très tuilée ; il présente encore, outre un fruit suave très généreux, un bouquet aux nuances de brûlé et de grillé, et un caractère assez corsé. C'est un Cheval Blanc plaisant, sans grande complexité. **A boire.** (10/90)

1970 • **85** Ce vin, arrivé à maturité depuis plus d'une décennie, est meilleur que le 1971. D'un rubis grenat relativement foncé, un peu tuilé, il déploie un bouquet de bois de cèdre et de tabac doux, et se révèle onctueux, épanoui et rond en bouche, où il déploie une concentration satisfaisante et des tannins ronds. C'est un vin assez corsé, mais souple, qui n'a cependant pas la précision et la concentration que l'on attend d'un premier grand cru. Il faut le boire sans trop attendre. **A boire.** (10/90)

1967 • **77** Maintenant sur le déclin, le Cheval Blanc 1967 a été très agréable jusqu'à 10 ans d'âge. Actuellement, son bouquet de prune et de tabac commence à révéler des nuances de feuilles en décomposition et de moisi. En bouche, le vin est tendre et rond, mais il s'estompe rapidement. **A boire – probablement en sérieux déclin.** (4/90)

1966 • 85 Vraiment réussi, sans être exceptionnel, le Cheval Blanc 1966 arbore un rubis moyen ambré sur le bord et dégage un bouquet racé, mais peu expansif, de minéral, de cassis et de chêne épicé. En bouche, ce vin plutôt discret révèle un caractère assez corsé et modérément charnu, mais ni la volupté ni la concentration que l'on attend d'un vin de ce niveau dans un millésime tel que celuici. **A boire.** (10/90)

1964 • 95 Le 1964 est extraordinairement riche, épais, puissant et concentré. C'est le vin le plus imposant qui ait été fait au château depuis les 1947, 1948 et 1949. Sa robe rubis foncé n'a qu'une légère touche ambrée, et son nez puissant, mais pas totalement épanoui, offre des senteurs de fruits mûrs et rôtis, de cèdre, d'herbes, de minéral et de graves. Il demeure étonnamment jeune et tannique, et déploie par paliers un fruité mûr. Ce Cheval Blanc massif et de pure tradition, qui évolue très lentement, est un pur nectar. **A boire jusqu'en 2010.** (10/94)

1962 • 76 Compact, manquant d'envergure – en un mot, décevant –, le Cheval Blanc 1962 n'a jamais compté parmi mes préférés, dans ce millésime généralement sous-estimé. Maintenant sur le déclin, perdant son fruit et se desséchant, ce vin léger et assez plaisant offre toujours un certain charme et un caractère fruité et rond. Il est préférable de choisir les grands formats, car les bouteilles classiques risquent fort d'être plus que fatiguées. Certains m'affirment pourtant avoir goûté quelques bons échantillons de ce vin. **A boire d'urgence.** (10/90)

1961 • 93 Dans les dégustations à l'aveugle, j'ai régulièrement pris ce Cheval Blanc pour un grand vin des Graves. D'un rubis-grenat foncé opaque et nuancé de rouille sur le bord, ce vin déploie un bouquet bien développé de tabac grillé, marqué de notes de terre et de graves. En bouche, il est tendre, épanoui, corsé, extrêmement souple, manifestement à son apogée. J'ai noté une irrégularité anormale des bouteilles, mais les meilleures révèlent un vin merveilleusement riche et séveux. **A boire.** (10/90)

Millésimes anciens

Dans les années 50, le meilleur millésime de Cheval Blanc est probablement le 1953 (noté 95 en mars 1996). Bien qu'il soit parfaitement mûr depuis quinze à vingt ans, il n'a rien perdu de sa magie et s'impose comme le Cheval Blanc le plus parfumé et le plus irrésistible que je connaisse, avec le 1982. Sans être puissant ni massif, ce vin est incroyablement séduisant, terriblement souple et soyeux.

Le 1959 est un autre millésime réussi de cette décennie (noté 92 en février 1995). Quoique plus dense et plus structuré que le 1961, il n'atteindra pas, à mon sens, les mêmes sommets, mais il présente indiscutablement l'étoffe lui permettant de se conserver plus longuement.

Le 1955 (noté 90 en mars 1995) est plus rugueux, plus corsé et moins séduisant que ne le sont habituellement les vins de cette propriété. Il est cependant très impressionnant, riche et capable de bien évoluer ces **5 à 10 prochaines années.**

Cela fait près de dix ans que je n'ai pas dégusté le 1950. Aussi doux que de la soie, il représentait une belle réussite dans un millésime sous-estimé.

Si j'ai parfois accordé la note suprême au Cheval Blanc 1949, je l'ai plus souvent noté aux alentours de 95 et, lors de ma dernière dégustation, en décembre 1995, lui ai attribué un 96. C'est un grand Cheval Blanc. Certes, il n'évoque pas autant un sirop ou un Porto que le 1947, mais il est plus classique, ce qui ne veut pas dire qu'il soit timoré. Tout au contraire, il est incroyable de richesse, doux, ample et très corsé à la fois, avec un fruité généreusement extrait, alcoolique et très glycériné. Bien qu'il soit prêt depuis plusieurs dizaines d'années, il conserve ce merveilleux nez exotique d'épices orientales, de cèdre et de doux fruit typique du cru. La bouche, épaisse et riche, séduit irrésistiblement par son caractère onctueux, tonique et pur. Vous apprécierez ce Cheval Blanc dans les **10 à 20 ans**.

Le 1948 (noté 96 en octobre 1994) est peut-être le vin le moins évolué que la propriété ait produit dans les années 40. Sa robe opaque est de couleur prune ou réglisse, et son nez énorme de terre, de soja, de cèdre et d'herbes rôties introduit en bouche un vin corpulent, intense et structuré, à la puissance extraordinaire, qui se conservera encore parfaitement **une vingtaine d'années.**

C'est après avoir dégusté un Cheval Blanc 1947 impeccable (noté 100 en novembre 1997), en magnum, par quatre fois au cours des trois dernières années, que j'ai pris conscience de la chance que j'avais de pratiquer un tel métier. Les seuls millésimes récents dont on puisse dire qu'ils arrivent à la cheville des 1947 de la rive droite pour ce qui est de la richesse, de la texture et de la viscosité seraient le 1982 et le 1990. Que dire de ce vin gigantesque, plus proche du Porto que du bordeaux rouge ? Sa texture est si épaisse qu'elle rappelle celle d'une huile de moteur ; son nez énorme de cake, de chocolat, de cuir fin, de café et d'épices orientales est enivrant, et son onctuosité ainsi que son fruité riche et doux sont absolument époustouflants. Lorsqu'on apprend que ce vin présente à l'analyse un taux d'acidité anormalement bas, un taux d'alcool excessivement élevé et une acidité volatile qui horrifierait les œnologues modernes, on s'explique difficilement qu'il soit encore, à plus de 50 ans d'âge, remarquablement frais, profondément complexe, et qu'il affiche une concentration aussi phénoménale. En fait, il conduit à sérieusement repenser les méthodes modernes de vinification. A l'exception d'un seul double magnum qui était défectueux, ce vin s'est montré parfait ou proche de la perfection chaque fois que je l'ai dégusté. Mais, attention, il existe de nombreuses contrefaçons, et notamment de faux magnums, qui circulent sur le marché.

Le Cheval Blanc 1921, qui jouit d'une excellente réputation, est l'un des vins les plus prisés de ce millésime. Il m'avait déçu en deux occasions avant ma dégustation de décembre 1995, lors de laquelle il m'a paru tout simplement irréel (noté 98). Vêtu d'une robe opaque, mais fortement ambrée sur le bord, il présente des arômes remarquablement frais de doux fruits noirs confiturés, d'épices orientales, de café, d'herbes et de chocolat. Épais et onctueux, regorgeant littéralement de fruit, il exprime une bouche énorme, massive et très corsée, qui titre aux alentours de 14° d'alcool naturel. Il ressemble à s'y méprendre au 1947 ou au 1949.

CLOS FOURTET – TRÈS BON

1er grand cru classé B – équivaut à un 5e cru du Médoc

Propriétaire : famille Lurton

Adresse : 1, Châtelet Sud – 33330 Saint-Émilion

Tél. 05 57 24 70 90 – Fax 05 57 74 46 52

Visites : sur rendez-vous uniquement

Contacts : Tony Ballu et Jean-Louis Rivière

Superficie : 19 ha (Saint-Émilion, en face de l'église)
Vins produits : Clos Fourtet – 70 000 b ; Domaine de Martialis – 30 000 b
Encépagement : 72 % merlot, 22 % cabernet franc, 6 % cabernet sauvignon
Densité de plantation : 6 600 pieds/ha – *Age moyen des vignes :* 20 ans
Rendement moyen : 40 hl/ha

Élevage :
fermentations et cuvaisons de 30 jours en cuves d'acier inoxydable thermorégulées ; achèvement des malolactiques en fûts ; vieillissement de 12-18 mois en fûts (60-100 % de bois neuf) ; collage au blanc d'œuf ; pas de filtration

---

A maturité : dans les 3 à 12 ans suivant le millésime

Clos Fourtet est un vignoble des « côtes » de Saint-Émilion, situé à l'entrée de la ville, en face de l'église et de l'hostellerie de Plaisance. Jusque récemment, la seule chose intéressante que la propriété pouvait offrir à l'amateur était ses vastes caves – d'immenses carrières souterraines –, qui comptent sans doute parmi les plus belles du Bordelais. Comme bien d'autres premiers grands crus nettement surestimés de Saint-Émilion, ce château – l'un des plus anciens de l'appellation – a en effet produit, pendant vingt ans, des vins assez bons, mais qui n'étaient pas du niveau de son rang. Ils étaient desservis par un fruit doucereux, terne, assez grossier et astringent, et par une curieuse tendance à vieillir sans s'améliorer. En bref, ils n'évoluaient pas bien en bouteille...

Cependant, tout cela a changé pour le mieux, et la famille Lurton fait de très louables efforts pour améliorer la qualité de ce cru, notamment depuis 1989. Propriétaire de nombreux domaines viticoles dans le Bordelais, elle a entrepris d'importants travaux de rénovation à Clos Fourtet. C'est désormais un cru à suivre – et à acheter –, avec plus d'attention que par le passé.

1998 • 88-90 Richement fruité et ouvert, le Clos Fourtet 1998 atteste une vinification impeccable. Vêtu de rubis, ce vin moyennement corsé et dominé par le fruit est aussi exubérant que corpulent. Il séduit en bouche par ses arômes de pierre et de minéral, et par son fabuleux fruité nuancé de doux chêne. C'est un vin que l'on pourra apprécier dès sa diffusion et dans les **10 à 15 ans.** (3/99)

1997 • 87-89 Une robe d'un pourpre soutenu annonce le Clos Fourtet 1997. Ce vin, dont le nez doux et pur de mûre n'a pas encore développé de nuances secondaires, se montre en bouche moyennement corsé et faible en acidité ; il séduit par son caractère mûr des plus plaisants. Il atteste bien le charme délicieux de nombreux vins de ce millésime, qui pèchent malheureusement par leurs prix exorbitants. **A boire jusqu'en 2010.** (1/99)

1996 • 89 A l'issue de l'une des trois dégustations du Clos Fourtet 1996, j'ai attribué à ce vin la note de 90. Sa robe est d'un rubis foncé soutenu, et il libère au nez de douces senteurs de mûre et de framboise nuancées de chêne grillé et de fleurs. Charnu, étonnamment ample et précoce pour le millésime, il est faible en acidité et déploie par paliers une finale persistante dominée par le fruit. L'ensemble est séduisant et charmeur ; son caractère fruité est mis en évidence par des tannins bien mûrs. Il affiche la corpulence et la richesse en extrait lui permettant d'affronter une garde de 15 à 20 ans, mais il devrait être accessible dès sa jeunesse. Les amateurs me reprocheront peut-être mon jugement sévère, car ce vin se montre sous un excellent jour. **A boire entre 2003 et 2018.** (1/99)

1995 • 88 Très réussi, le Clos Fourtet 1995 présente une robe prune moyennement foncée qui précède de doux arômes de cerise noire et de kirsch, mêlés de notes de minéral et de chêne grillé. Raisonnablement corsé et très serré en bouche, ce vin extraordinaire de précision et de pureté déploie une finale épicée d'une excellente tenue. Il s'est considérablement refermé depuis la mise en bouteille, mais il révèle une douceur et une profondeur d'excellent aloi. Il requiert cependant une certaine garde avant d'être prêt, du fait de son niveau élevé de tannins. **A boire entre 2004 et 2018.** (11/97)

1994 • 88 L'impressionnante robe pourpre soutenu du 1994 laisse deviner un vin très puissant et très massif. Celui-ci présente en bouche le niveau très élevé de tannins inhérent au millésime, caractère cependant étayé par un généreux fruité de cassis, de séduisants arômes de fumé, ainsi qu'un bon taux de glycérine et une belle longueur en bouche. Ce Clos Fourtet, doté de manière remarquable, pourrait se révéler extraordinaire ; il requiert une garde de 2 ou 3 ans avant d'être prêt. **A boire entre 2002 et 2018.** (1/97)

1993 • 86 Très réussi pour le millésime, le 1993 arbore une robe dense de couleur rubis-pourpre et exprime de séduisants arômes de cerise noire mêlés de senteurs de minéral et de bois. Il a un peu de ce caractère herbacé propre au millésime, ce qui n'est pas gênant, compte tenu de son fruité doux et charnu, et de sa texture veloutée. Sa faible acidité et son côté bien évolué laissent penser qu'il devra être dégusté dans les **7 ou 8 ans.** (1/97)

1992 • 86 Le Clos Fourtet 1992 présente davantage de fruité, de maturité, de profondeur et de longueur en bouche que je ne l'avais d'abord imaginé. Moyennement corsé, il exhale un nez plaisant de fruits noirs confiturés et de grillé, et montre un fruité riche et expansif, ainsi qu'une texture veloutée. Cette belle réussite devrait être dégustée dans les **5 ou 6 ans.** (11/94)

1990 • 90 Arborant une robe impressionnante d'un rubis-noir profond, le 1990 exhale un nez spectaculaire de fruits noirs, de fumé, de noix rôtie, de fleurs et d'herbes. Moyennement corsé, savoureux et somptueux d'intensité, ce vin tannique et structuré déploie également une finale complexe, capiteuse et concentrée. Bravo ! **A boire jusqu'en 2010.** (1/93)

1989 • 86 Alcoolique et exubérant, le 1989 de Clos Fourtet est un vin accessible, dont le manque de tenue, de précision et de tannins ne laisse pas d'inquiéter. **A boire jusqu'en 2004.** (1/93)

1988 • 79 Le 1988 se défend mal lors de dégustations comparatives. Son fruité s'est estompé, et ses tannins se révèlent durs, maigres et très agressifs. En fait, je dirais que ce vin est trop chargé en tannins, au détriment de sa concentration et de son fruit. **A boire sans délai.** (4/91)

1986 • 78 Le 1986 manque tout à la fois de complexité, de tenue et de profondeur. **A boire.** (3/90)

1985 • 84 En 1985, Clos Fourtet est probablement le plus léger de tous les premiers grands crus de Saint-Émilion. D'un rubis moyen, avec des tannins doux et des arômes souples, fruités, mais sans complexité, il déploie une finale agréable et facile. **A boire.** (3/90)

1983 • **78** Légèrement corsé, souple et unidimensionnel, le 1983 manque de tannins et finit court. Une déception pour le millésime. **A boire.** (3/89)

1982 • **84** Cette propriété, qui a longtemps végété dans une certaine médiocrité, a réussi un bon 1982. Une robe rubis moyen et un bouquet séduisant de chêne vanillé et de fruits rouges mûrs et herbacés introduisent en bouche un vin moyennement corsé et précoce, qui caresse le palais de son fruité riche et souple. **A boire.** (3/89)

1981 • **78** Voici un Saint-Émilion plutôt massif, doté d'un fruité plus étoffé que la moyenne. Malheureusement, l'ensemble, assez frêle, est dominé par des notes de noix. De beaux arômes de cerise mûre attestent bien qu'il est issu d'une vendange mûre, mais les tannins dus au chêne neuf sont bien trop imposants. **A boire.** (2/87)

1979 • **82** Foncé de robe, le Clos Fourtet 1979 séduit par son fruit mûr, par son caractère moyennement corsé et par sa finale nette et de bon aloi. Le bouquet s'est épanoui, et l'ensemble est à maturité. **A boire – peut-être en déclin.** (6/84)

1978 • **84** Ce 1978 inaugure une série de Clos Fourtet de bon niveau, mais pas exceptionnels. Ce vin, qui s'est joliment comporté en bouteille, révèle de séduisantes senteurs de cassis et régale le dégustateur de ses arômes moyennement corsés, ainsi que de son fruité ouvert, souple et mûr. La finale recèle des tannins modérés. **A boire – peut-être en déclin.** (5/83)

1975 • **70** Ce vin, qui semble avoir perdu de son fruité et s'être desséché, révèle un excès de tannins et une structure creuse dépourvue de charme. (5/84)

1971 • **70** Bien coloré pour un 1971, ce Clos Fourtet n'a que peu de nez, déploie un fruit terne, rugueux et insipide, ainsi qu'une finale aux tannins astringents. Son fruité ne peut vraiment pas faire pièce à ses tannins. **A boire – probablement en sérieux déclin.** (2/79)

1970 • **72** Semblable au 1971 par certains côtés, le 1970 est cependant plus ample et plus mûr, tout en révélant un caractère tannique, légèrement rugueux et quelque peu dénué de complexité. Il est en fait assez inintéressant. **A boire – probablement en sérieux déclin.** (8/78)

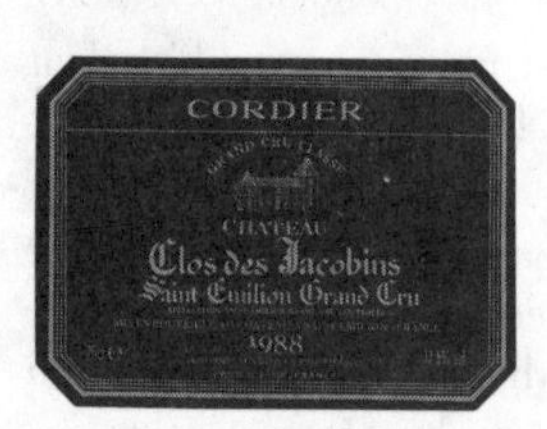

CLOS DES JACOBINS – TRÈS BON

Grand cru classé – équivaut à un 5e cru du Médoc
Propriétaire : Domaines Cordier
Adresse : 33330 Saint-Émilion
Adresse postale : Domaines Cordier
53, rue du Dehez – 33290 Blanquefort
Tél. 05 56 95 53 00 – Fax 05 56 95 53 01
Visites : sur rendez-vous uniquement
Contact : service des relations publiques

Superficie : 8,5 ha (Saint-Émilion)
Vin produit : Château Clos des Jacobins – 55 000 b (pas de second vin)
Encépagement : 70 % merlot, 30 % cabernet franc
Densité de plantation : 6 500 pieds/ha – *Age moyen des vignes :* 30 ans

Rendement moyen : 55 hl/ha

Élevage :
fermentations et cuvaisons de 40 jours en cuves vitrifiées thermorégulées ; vieillissement de 12 mois en fûts (1/3 de bois neuf) ; soutirage trimestriel ; collage au blanc d'œuf ; pas de filtration

A maturité : dans les 3 à 12 ans suivant le millésime

C'est en 1964 que l'importante maison de négoce Cordier a fait l'acquisition de ce beau château couvert de lierre, situé juste à l'entrée de la ville de Saint-Émilion – et dont la légende veut qu'il tienne son nom des révolutionnaires y ayant séjourné. Malgré ses vins de bon niveau, le Clos des Jacobins ne bénéficie pas d'une grande publicité, et c'est sûrement le moins connu des crus de la gamme Cordier. Ce Saint-Émilion issu d'un terroir sableux et argileux, et qui bénéficie des conseils de l'œnologue Georges Pauli, s'est montré remarquablement régulier au cours de la dernière décennie, se révélant généralement profondément coloré, riche, rond, crémeux et onctueux, avec un fruit mûr et opulent. L'absence de tannins astringents ou agressifs en fait un vin à boire dans les 10 à 12 ans qui suivent le millésime.

1997 • **83-85** Outre un nez doux et confituré plus marqué par le cassis que celui du 1996, le 1997 révèle également une plus faible acidité, une texture plus mûre et plus riche, ainsi que davantage de volume et de persistance. **A boire ces 4 ou 5 prochaines années.** (1/99)

1996 • **82** Sans détour, souple et fruité, ce 1996 se révèle plaisant par ses arômes de réglisse et d'herbes de Provence. Moyennement corsé et ouvert, évoquant en bouche la cerise, il doit être consommé **avant 4 ou 5 ans d'âge.** (1/99)

1993 • **83** Bien coloré, modérément tannique, mais quelque peu dénué de complexité, le Clos des Jacobins n'a pas en 1993 le charme et le gras qu'il déploie habituellement. **A boire jusqu'en 2003.** (11/94)

1990 • **86** Outre un nez ample de cassis herbacé, le 1990 déploie en bouche des arômes gras et opulents, étayés par une faible acidité et par des tannins modérés ; ceux-ci sont bien dissimulés par un fruité généreux et très persistant. **A boire jusqu'en 2002.** (1/93)

1989 • **86** Souple et opulent, le 1989 manifeste une belle maturité, mais, malheureusement, il finit court. Il doit être consommé assez rapidement en raison de son caractère alcoolique et de sa faible acidité. **A boire jusqu'en 2000.** (1/93)

1988 • **88** Ce vin merveilleusement fait arbore une robe rubis foncé qui précède un nez de fleurs printanières, d'olives, de cassis fumé et de réglisse. La bouche regorge d'un fruité opulent, riche et concentré, assez persistant, étayé par des tannins modérés. Je préfère ce vin à son cadet d'un an. **A boire jusqu'en 2003.** (1/93)

1986 • **86** Le Clos des Jacobins pourrait mériter le surnom de « Figeac du pauvre ». Son bouquet de bois de cèdre, d'herbe fraîche et de cassis est en effet fréquemment confondu avec celui de ce cru dans les dégustations à l'aveugle. Le 1986, bien musclé et alcoolique, déploie une finale aux abondants tannins ronds. **A boire jusqu'en 2000.** (3/90)

1985 • **84** Le 1985 se montre très tendre, fruité, assez corsé, agréable et idéal à consommer sans cérémonie. **A boire.** (3/89)

1983 • **87** Voici l'une des belles réussites de l'appellation dans ce millésime de bon niveau, mais très irrégulier. Le Clos des Jacobins 1983 est rubis foncé de robe, avec des arômes intenses et souples de mûre. Séveux, épanoui, crémeux et gras à la fois, il déploie, outre un caractère modérément tannique et généreusement alcoolique, une finale persistante. **A boire.** (3/85)

1982 • **89** Le 1982 est probablement le meilleur Clos des Jacobins que je connaisse. Grenat foncé de robe, avec un bouquet herbacé, mûr et confituré de mûre, il se montre corsé, suave et épanoui, et déploie en bouche des flots d'un fruit satiné. C'est un vin tendre, voluptueusement fruité et vraiment délicieux. Dans les dégustations à l'aveugle, je l'ai régulièrement confondu avec Figeac. **A boire jusqu'en 2001.** (5/97)

1981 • **85** Réussi pour le millésime, le 1981 est cependant nettement surclassé par le remarquable 1982 et le très ample 1983. Ce vin précocement tendre et intensément fruité dégage un bouquet complexe de bois de cèdre et d'herbe fraîche. Assez corsé et séveux, il est joliment concentré, et doit être consommé **sans plus attendre – s'il n'est déjà en déclin.** (11/90)

CLOS DE L'ORATOIRE – EXCELLENT (depuis 1990)

Grand cru classé – équivaut à un 4ᵉ ou 5ᵉ cru du Médoc
Propriétaires : comtes de Neipperg
Adresse : Château Peyreau – 33330 Saint-Émilion
Tél. 05 57 24 71 33 – Fax 05 57 24 67 95
Visites : sur rendez-vous uniquement
Contact : Cécile Gardaix

Superficie : 10,3 ha (Saint-Émilion)
Vin produit : Clos de l'Oratoire – 55 000 b (pas de second vin – vrac)
Encépagement : 90 % merlot, 10 % cabernet franc
Densité de plantation : 5 500 pieds/ha – *Age moyen des vignes :* 28 ans
Rendement moyen : 37 hl/ha

Élevage :
depuis 1997, fermentations de près de 28 jours en cuves de bois thermorégulées ; achèvement des malolactiques en fûts sur lies fines ; fréquents bâtonnages ; vieillissement de 15-21 mois en fûts neufs ; collage ; pas de filtration

---

A maturité : dans les 3 à 8 ans suivant le millésime

J'ai souvent eu l'occasion d'apprécier ce Saint-Émilion solide, robuste et charnu, qui compense son manque de finesse par un caractère séveux et savoureux. Quoique dépourvus de complexité, les 1982, 1983 et 1985 sont appréciables pour leur fruit juteux et croquant. La qualité de ce cru s'est considérablement améliorée, depuis son rachat en 1991 par Stephan von Neipperg, également propriétaire de Canon-la-Gaffelière et de La Mondotte. (Voir aussi Canon-la-Gaffelière.)

Le vignoble du Clos de l'Oratoire n'est pas excellemment situé ; il se trouve au nord-est de l'appellation, sur des sols sableux, très légers et pas très bien drainés.

1998
•
89-92
Pourpre-noir de robe, doté de stupéfiants arômes d'herbes rôties, de jus de viande, de réglisse et de fruits noirs, le 1998 est puissant et massif, tout à la fois corpulent, complexe et d'une richesse explosive. Il présente d'abondants tannins et un boisé agressifs qui doivent encore se fondre dans l'ensemble ; cependant, il impressionne par sa concentration, par sa richesse et par sa belle présence en bouche. Ce monstre méritera certainement une note extraordinaire... **A boire entre 2003 et 2015.** (3/99)

1997
•
88-91
Le 1997 impressionne incontestablement par sa fabuleuse robe rubis-pourpre tirant sur le noir. Son nez exotique de chêne fumé, nuancé de fruits noirs confiturés, de réglisse, de grillé et d'épices orientales, introduit en bouche un ensemble superbement fruité, extrêmement mûr, onctueux pour le millésime et faible en acidité. Un magnifique 1997, qui sera des plus séduisants dès sa diffusion. **A boire jusqu'en 2012.** (1/99)

1996
•
90
Stephan von Neipperg ne ménage pas ses efforts pour amener le Clos de l'Oratoire à des sommets de qualité. Les amateurs s'intéresseront à ce cru avant que les prix ne décollent, ce qui ne manquera pas d'arriver, car les millésimes récents sont tout simplement somptueux. Le 1996 est encore meilleur en bouteille qu'il ne l'était en fût. Opaque et prune-pourpre de robe, il se distingue par d'intenses senteurs d'épices orientales, d'expresso, de viande rôtie, de doux cèdre exotique et de mûre qui jaillissent littéralement du verre. Ce vin exotique, presque ostentatoire, est moyennement corsé et modérément tannique ; il se révèle doux en milieu de bouche (ce qui est toujours bon signe) et déploie une finale tout à la fois dense, concentrée, puissante et persistante. L'ensemble, musclé et doté de manière impressionnante, sera parfait **entre 2002 et 2017.** (1/99)

1995
•
89
L'impressionnant, presque extraordinaire 1995 est une véritable révélation du millésime. Ce vin d'un rubis-pourpre dense offre au nez des arômes séduisants et charnus de douce cerise mêlés de notes de chêne grillé et fumé. Moyennement corsé et épicé, il se dévoile en bouche par paliers, y révélant, outre de la tenue et une excellente précision dans le dessin, d'abondants tannins dans une finale longue, capiteuse et richement dotée. Je conseille une garde de quelques années avant de le déguster. **A boire entre 2001 et 2015.** (11/97)

1994
•
87
Ce Saint-Émilion moyennement corsé et mûr est dense et bien marqué par la mâche. Débordant d'un généreux fruité pur de cerise noire entremêlé de senteurs d'herbes de Provence, d'olives et de chêne grillé, il sera agréable à boire ces **6 ou 7 prochaines années** du fait de sa faible acidité. (3/96)

1993
•
86
Le Clos de l'Oratoire a produit un 1993 intéressant, dont la robe soutenue, de couleur rubis foncé, introduit un nez mûr et moyennement intense de fruits noirs, d'herbes, de chêne épicé et de terre – un nez digne d'éloges. Modérément corsé, ce cru se montre expansif, doux et concentré en bouche, et déploie des tannins légers. Un vin bien fait. **A boire dans les 4 à 6 ans.** (11/94)

1990
•
88
Véritable révélation du millésime, ce vin impressionnant arbore une robe opaque d'un rubis-pourpre foncé et dégage un nez confituré de fruits très mûrs et de boisé. Très corsé et intense en bouche, il devrait acquérir davantage de finesse en prenant de l'âge. **A boire jusqu'en 2005.** (1/93)

CLOS SAINT-MARTIN – BON

Grand cru classé – équivaut à un bon cru bourgeois
Propriétaire : GFA Les Grandes Murailles (famille Reiffers)
Adresse : 33330 Saint-Émilion
Tél. 05 57 24 71 09 – Fax 05 57 24 69 72
Visites : sur rendez-vous uniquement
Contact : Sophie Fourcade

Superficie : 1,3 ha (Saint-Émilion,
entre Beauséjour Duffau-Lagarrosse et Beau-Séjour Bécot)
Vin produit : Clos Saint-Martin – 6 000 b (pas de second vin)
Encépagement : 70 % merlot, 15 % cabernet franc, 15 % cabernet sauvignon
Densité de plantation : 6 000 pieds/ha – *Age moyen des vignes :* 35 ans
Rendement moyen : 35 hl/ha

Élevage :
fermentations et cuvaisons de 25 jours
environ en cuves d'acier inoxydable thermorégulées ;
vieillissement de 18 mois en fûts neufs ; collage et filtration si nécessaire

A maturité : dans les 5 à 10 ans suivant le millésime

Certains de mes collègues français ont beaucoup vanté la qualité des vins de cette minuscule propriété – le plus petit grand cru classé de l'appellation –, située sur des sols d'argile et de calcaire, derrière l'église de Saint-Martin, à laquelle elle doit son nom. La production est très faible. Les meilleurs millésimes que je connaisse sont le 1990, le 1997 et le 1998. S'ils sont vraiment représentatifs du Clos Saint-Martin, ce cru mérite une appréciation meilleure que celle que je lui ai attribuée. C'est le célèbre œnologue libournais Michel Rolland qui conseille la propriété.

1998
•
90-92
Malheureusement produit à hauteur de 600 caisses seulement, le Clos Saint-Martin 1998 s'impose incontestablement comme l'une des révélations du millésime. D'ailleurs, mes notes de dégustation sur ce vin riche et complexe commencent par des exclamations persuasives. Arborant une robe d'un pourpre-noir très soutenu, il exhale des arômes épais et séveux de fruits noirs nuancés de minéral, de chêne neuf et fumé et d'herbes séchées, qui introduisent en bouche un ensemble très corsé et très bien doté. Celui-ci révèle des tannins modérés, qui sont pour l'essentiel dissimulés par un gras et par une richesse en extrait d'excellent aloi. Ce vin impressionnant de pureté et d'intensité requiert une garde de 4 ou 5 ans. **A boire entre 2004 et 2016.** (3/99)

1997
•
88-89
Voici une révélation du millésime. Cette excellente propriété propose un 1997 profond et richement fruité, admirable de concentration et de précision, qui déploie en bouche des arômes amples et de bonne mâche, aux notes de mûre et de cerise. L'ensemble, d'une excellente facture, est moyennement corsé et mûr ; il révèle une finale quelque peu tannique. **A boire entre 2001 et 2012.** (1/99)

1995 • **81** Malgré sa robe rubis foncé et ses senteurs de petits fruits, le 1995 est souple et aqueux, et doit être dégusté dans les **2 ou 3 ans.** (11/97)

1994 • **81** Rubis moyen, avec un caractère léger et sans détour, le 1994 manque de concentration et de complexité. **A boire dans les 3 ou 4 ans.** (3/96)

1993 • **85** Évoquant un bourgogne par sa douceur et par son ampleur, ce Saint-Émilion bien mûr et faible en acidité exprime une bouche ronde, charnue et bien glycérinée. **A boire dans les 4 ou 5 ans.** (11/94)

1992 • **83** Souple, rond et richement fruité, le 1992 est avenant et aussi souple qu'un bourgogne. **A boire dans les 2 ou 3 ans.** (11/94)

1990 • **89** Foncé de robe, avec un nez pur et spectaculaire, le 1990 révèle un caractère très corsé, profond et complexe, ainsi qu'une richesse en extrait massive qui dissimule parfaitement ses abondants tannins. Sa finale, persistante, est épicée. **A boire jusqu'en 2010.** (1/93)

1989 • **86** Le 1989 recélait suffisamment de tannins souples pour bien vieillir. Cependant, je doute que les amateurs aient résisté au caractère harmonieux et à la richesse opulente de ce vin. **A boire jusqu'en 2002.** (1/93)

1988 • **86** Un bouquet intense d'herbes, de fruits noirs et de chêne neuf annonce le Clos Saint-Martin 1988. C'est un vin riche, souple et généreusement doté, qui allie judicieusement finesse et puissance. **A boire.** (1/93)

LA CLOTTE - BON

Grand cru classé

équivaut à un cru bourgeois, parfois à un 5e cru

Propriétaires : héritiers Chailleau

Adresse : 33330 Saint-Émilion

Tél. et Fax 05 57 24 66 85

Visites : sur rendez-vous uniquement

Contact : Nelly Moulierac

Superficie : 6,6 ha (Saint-Émilion)

Vins produits : Château La Clotte – 13 500 b ; Clos Bergat Bosson – variable

Encépagement : 70 % merlot, 30 % cabernet franc

Densité de plantation : 6 000 pieds/ha – *Age moyen des vignes :* 43 ans

Rendement moyen : 30 hl/ha

Élevage :

fermentations et cuvaisons de 35-40 jours

en cuves de béton thermorégulées à 32 °C maximum ;

4 remontages quotidiens ; achèvement des malolactiques

et vieillissement de 18 mois en fûts

(30 % de bois neuf) ; collage ; pas de filtration

A maturité : dans les 3 à 12 ans suivant le millésime

Le petit vignoble de La Clotte appartient à la famille Chailleau, plus connue comme propriétaire du Logis de la Cadène, le très charmant restaurant situé au cœur de Saint-Émilion. C'est la maison Jean-Pierre Moueix qui a la charge de gérer le domaine ; en échange, elle a le droit de diffuser (dans le monde entier et en exclusivité) les trois quarts de la production. Le reste est vendu au restaurant.

J'ai souvent apprécié ce cru ; c'est un Saint-Émilion bien vinifié et charnu, qui peut être dégusté dès sa mise sur le marché, mais qui est également capable de conserver son fruit pendant 10 à 12 ans. Parmi les meilleurs millésimes récents, mentionnons les 1975, 1982, 1983, 1985, 1986, 1988, 1989 et 1990. Le vignoble est fort bien situé, à la limite du plateau calcaire, de l'autre côté des vieux murs d'enceinte de Saint-Émilion.

1997 • 85-86 Sans détour et assez simple, La Clotte 1997 se révèle plutôt trapu et faible en acidité. Immédiatement séduisant du fait de son caractère bien gras et alcoolique, il plaira au plus grand nombre par son fruité accessible et épicé de cerise. **A boire dans les 4 ou 5 ans.** (3/98)

1993 • 85 Le 1993 est lui aussi moyennement corsé, bien mûr, fruité et légèrement tannique, avec une faible acidité et une texture douce et soyeuse. **A boire jusqu'en 2003.** (11/94)

1992 • 85 Les vins de cette propriété sont dans l'ensemble souples, avec un fruité séduisant et mûr de fruits confiturés. Le 1992, moyennement corsé, en est un témoignage parfait. **A boire d'ici 3 ou 4 ans.** (11/94)

1990 • 89 Véritablement renversant, avec ses séduisants arômes de fruits rouges confiturés, d'herbes et de vanille qui attirent l'attention du dégustateur, ce 1990 révèle en bouche, par paliers, un caractère généreux, complexe et extrêmement concentré. **A boire jusqu'en 2005.** (1/93)

LA CLUSIÈRE

Grand cru classé – équivaut à un cru bourgeois

Propriétaires : Gérard et Chantal Perse

Adresse : 33330 Saint-Émilion

Tél. 05 57 55 43 43 – Fax 05 57 24 63 99

Visites : sur rendez-vous uniquement

Contact : Laurence Arguti

Superficie : 2,5 ha (Saint-Émilion)

Vin produit : Château La Clusière – 3 400 b (pas de second vin)

Encépagement : 100 % merlot

Densité de plantation : 5 400 pieds/ha – *Age moyen des vignes :* 30 ans

Rendement moyen : 27 hl/ha

Élevage :

fermentations et macérations en cuves d'acier inoxydable ;
achèvement des malolactiques et élevage sur lies de 12 mois en fûts neufs ;
fréquents bâtonnages ; ni collage ni filtration

A maturité : dans les 6 à 15 ans suivant le millésime

Ceux qui ont visité le Château Pavie ont probablement été entraînés par l'ancien propriétaire, Jean-Paul Valette, jusqu'en haut du coteau où se trouvent les caves souterraines ; c'est également sur cette hauteur que l'on découvre le petit vignoble et le chai de La Clusière.

Jusque récemment, le vin issu de ce terroir argilo-calcaire était, le plus souvent, d'une texture étonnamment serrée, avec des tannins durs et un caractère peu généreux. On pouvait penser qu'il aurait montré quelque souplesse au terme d'une certaine garde, mais ce n'était pas le cas. J'avais en effet dégusté de nombreux flacons relativement vieux, qui ne s'étaient en rien bonifiés – et c'était bien là que résidait le problème de La Clusière, qui demeurait, malgré l'âge, nerveux, musclé, austère.

Cela dit, depuis son rachat, fin 1997, par Gérard et Chantal Perse – déjà propriétaires de Monbousquet, qu'ils ont tiré de la médiocrité, et de Pavie Decesse –, les choses sont en train de changer. Dès leur arrivée, les Perse ont en effet appliqué à La Clusière les méthodes ayant si bien réussi à leurs autres domaines : importante réduction des rendements, double tri des raisins (à la vigne et au cuvier), malolactiques en fûts, vendanges à maturité optimale, mise en bouteille sans collage ni filtration. Depuis peu, ils expérimentent aussi la méthode de l'élevage sur lies.

Je me dois de dire que ce souci de perfection a d'ores et déjà donné des résultats, comme en témoigne le millésime 1998.

1998 • **90-92** Le premier millésime de La Clusière produit sous la houlette de Gérard Perse est certainement le meilleur exemple que je connaisse de ce cru. Tout comme ses homologues de Pavie et Pavie Decesse, il est tout simplement impressionnant et suscitera assurément l'attention des amateurs. Entièrement composé de merlot et issu de tout petits rendements de 15 hl/ha, La Clusière 1998 arbore une robe d'un rubis-pourpre soutenu et exhale d'élégants et doux parfums de mûre et de groseille. Moyennement corsé, racé et pur, il développe en bouche, par paliers, une belle texture, ainsi que des arômes mûrs dominés par le fruit et nuancés de fumé. Cet ensemble élégant, au caractère affirmé, recèle encore de doux tannins. **A boire entre 2002 et 2015.** (3/99)

1997 • **77-79** Plaisant et bien fait, ce vin pèche par manque de complexité, de corps et d'intensité. (3/98)

1992 • **76** Un nez d'herbes et de terre annonce un vin modérément doté et serré, assez corpulent et musclé, mais dénué de charme et de fruit. Le 1992 est austère, avec des tannins féroces ; il se dessèchera certainement avant de révéler quelque grâce ou élégance. (11/94)

1990 • **89** D'un rubis profond, avec un bouquet qui jaillit littéralement du verre, offrant des senteurs de vanille et de framboise mûre, ce 1990 opulent déploie en bouche, par paliers, un fruité riche et doux, généreusement glycériné, ainsi qu'une finale persistante et veloutée. Quoique déjà délicieux, il révèle la profondeur et l'équilibre nécessaires pour bien évoluer ces **8 à 10 prochaines années.** (1/93)

1989 • **77 ?** Ce vin alcoolique présente des tannins verts, durs et pas mûrs, qui indiquent qu'il est issu d'une vendange à maturité du point de vue analytique, mais pas du point de vue physiologique. Il est nerveux et dépourvu de charme. (1/93)

1988 • **79** Légèrement meilleur que le 1989, le 1988 est bien trop maigre, avec un excès de tannins agressifs qui lui ôtent tout charme. (1/93)

CORBIN - BON

Grand cru classé
équivaut généralement à un bon cru bourgeois,
mais peut atteindre le niveau d'un 1er grand cru
Propriétaire : SC des Domaines Giraud
Adresse : 1, Grand-Corbin – 33330 Saint-Émilion
Tél. 05 57 74 48 94 – Fax 05 57 74 47 18
Visites : sur rendez-vous uniquement
Contact : Philippe Giraud

Superficie : 12,6 ha (Saint-Émilion)
Vin produit : Château Corbin – 86 000 b (pas de second vin)
Encépagement : 71 % merlot, 29 % cabernet franc
Densité de plantation : 5 500 pieds/ha – *Age moyen des vignes :* 30 ans
Rendement moyen : 51 hl/ha

Élevage :
fermentations et cuvaisons de 21 jours en cuves de béton ouvertes ;
vieillissement de 12-14 mois en fûts (1/3 de bois neuf) ; collage ; pas de filtration

---

A maturité : dans les 3 à 12 ans suivant le millésime

Corbin est indiscutablement capable de produire des vins riches, profondément fruités et délicieux. C'est lors d'un dîner que j'ai découvert ce cru : le 1970 était servi à l'aveugle ; je l'ai trouvé vraiment très plaisant, rond, corsé, concentré et débordant de fruit. Depuis lors, j'ai toujours suivi de près la production de ce domaine. Dans les grands millésimes, tels 1970, 1975, 1982, 1989 et 1990, ce vin est capable de rivaliser avec les meilleurs Saint-Émilion, mais il pèche par son irrégularité.

Corbin se situe sur le plateau de graves, près de la limite de l'appellation Pomerol. Le célèbre professeur Enjalbert, de Bordeaux, souligne que le vignoble se trouve sur une bande de terrain dont la composition est proche de celle du sol de Cheval Blanc. Corbin se distingue particulièrement dans les millésimes chauds, secs et ensoleillés ; il arbore alors une belle couleur foncée et déploie un caractère gras, corsé et admirablement concentré. Malheureusement, ce vin est relativement cher, car il est depuis longtemps connu et apprécié en Grande-Bretagne et au Benelux.

1997 • **84-85** Bien fait, charnu et fruité, le Corbin 1997 présente un caractère moyennement corsé et bien profond, aux robustes notes d'épices et de cerise noire. Ce vin sera délicieux ces **3 ou 4 prochaines années.** (3/98)

1996 • **80 ?** Trop tannique pour son fruité assez quelconque et peu concentré, le 1996 présente, outre une robe d'un rubis moyen, des arômes de cerise, d'herbes et de terre. Malheureusement, les tannins poussiéreux et le caractère rustique que l'on décèle en bouche n'augurent pas bien de son développement futur. Ce 1996 est capable d'une garde de 10 ans, mais il n'est pas suffisamment charnu ou fruité pour faire pièce à ses tannins. **A boire entre 2000 et 2006.** (11/97)

1995 • **86** Vêtu d'une robe soutenue, le 1995 révèle un doux fruité bien mûr, étayé par une faible acidité. C'est un vin précoce et accessible, à déguster avant qu'il n'ait **5 à 7 ans.** (11/97)

1994 • **85** Assez peu intense, avec un caractère moyennement corsé, fruité et plaisant, le 1994 manque cependant de complexité. A boire avant qu'il n'ait **5 ou 6 ans** d'âge. (3/96)

1993 • **80** Le 1993 est un vin correct et moyennement corsé, qui révèle un fruité évolué et savoureux de groseille nuancé d'épices. Il manque cependant de complexité et de concentration. **A boire dans les 4 ou 5 ans.** (11/94)

1990 • **87** Bien qu'il ait atteint son apogée assez rapidement, ce 1990 demeure délicieux et charnu. Sa robe d'un grenat foncé est modérément nuancée de rouille et d'orange sur le bord, et le nez séduit par ses arômes de cake, d'épices et de confit. L'ensemble qui suit en bouche est souple, opulent et moyennement corsé, mais également bien charnu et très glycériné. Ce vin évoque son aîné d'un an. **A boire jusqu'en 2004.** (11/97)

1989 • **87** Étayé par des tannins souples et par une faible acidité, le 1989 laisse en bouche une impression de puissance, de précocité, d'opulence et même d'onctuosité. Ceux qui aiment les vins énormes, très mûrs – de type australien – apprécieront assurément celui-ci. **A boire jusqu'en 2004.** (3/95)

1988 • **74** Le 1988 est léger et aqueux, avec un caractère insipide et herbacé. (4/91)

1986 • **75** Trop lâche de structure et manquant de précision, le 1986 semble issu de rendements excessifs. Il est fruité, souple et plaisant, très accessible, mais il se porterait mieux de davantage de concentration et de structure. **A boire.** (3/90)

1985 • **83** Le 1985 présente le caractère très mûr typique du cru. Souple, avec un fruité exubérant, il est agréable, mais finit malheureusement un peu trop court, sur une note alcoolique. **A boire.** (3/90)

CORBIN MICHOTTE – TRÈS BON

Grand cru classé

équivaut généralement à un 5e cru du Médoc,

mais peut atteindre le niveau d'un 1er grand cru

Propriétaire : Jean-Noël Boidron

Adresse : 33330 Saint-Émilion

Tél. 05 57 51 64 88 – Fax 05 57 51 56 30

Visites : sur rendez-vous uniquement

Contact : Emmanuel Boidron

Superficie :

7 ha (Saint-Émilion, à proximité de Pomerol, non loin de Cheval Blanc et de Figeac)

Vins produits :

Château Corbin Michotte – 30 000 b ; Château Les Abeilles – variable

Encépagement : 65 % merlot, 30 % cabernet franc, 5 % cabernet sauvignon

Densité de plantation : 5 850 pieds/ha – *Age moyen des vignes :* 35 ans

Rendement moyen : 37 hl/ha

Élevage :

fermentations et cuvaisons de 14-28 jours en cuves de béton revêtu thermorégulées ; vieillissement de 12-18 mois en fûts (50 % de bois neuf) ;

collage au blanc d'œuf ; filtration si nécessaire

A maturité : dans les 3 à 12 ans suivant le millésime

Corbin Michotte est l'un des cinq châteaux se trouvant à la limite de Pomerol et dont le nom comporte le terme « Corbin ». Il fit autrefois partie d'un grand domaine féodal ayant appartenu, sous l'occupation anglaise, au Prince Noir.

De petite taille, cette propriété au terroir sablo-limoneux, reposant sur un sous-sol sablo-argileux fortement ferrugineux mêlé de quelques graves, a été rachetée en 1959 par Jean-Noël Boidron, qui y a effectué d'importants travaux – les bâtiments du XIXe siècle, notamment, étaient en ruine. Le vignoble est complanté de pieds relativement âgés, ce qui contribue, semble-t-il – au même titre que le caractère minéral de la terre –, au bouquet très distinctif du cru. A mon sens, celui-ci évoque davantage un Pomerol qu'un Saint-Émilion ; profondément coloré, avec des arômes très prononcés et confits de fruits noirs, il se distingue par sa texture riche et opulente.

1998 • **86-87** Ce vin dominé par le fruit, tout à la fois savoureux, séveux et accessible, dégage d'irrésistibles senteurs d'herbes séchées, d'algues et de cerise noire. Moyennement corsé, il exprime une bouche souple et veloutée, et sera parfait ces **7 ou 8 prochaines années.** (3/99)

1997 • **86-87** Plus confituré que le 1996, avec une légère surmaturité, le 1997 se distingue par un caractère gras aux notes de cerise et d'autres petits fruits, le tout entremêlé de notes de terre, de fumé et d'épices. Moyennement corsé et faible en acidité, ce vin séduisant et des plus agréables pourrait bien se révéler extraordinaire dans le contexte du millésime. **A boire dans les 5 ou 6 ans.** (1/99)

1996 • **86** Le 1996 demeure fidèle au style de la propriété, même dans un millésime plutôt tannique et dur. Ce cru privilégie généralement la maturité et un caractère rond, séduisant et précoce. Rubis foncé de robe, le 1996 est de fait rond et souple, avec de généreux arômes de fruits rouges herbacés mâtinés de fumé et de terre. L'ensemble, mûr et moyennement corsé, sera parfait ces **7 ou 8 prochaines années.** (1/99)

1995 • **89** Réussi et extrêmement plaisant, le 1995 est d'un rubis profond, avec un nez de cerise, de boîte à épices et de prune confiturée. Faible en acidité et moyennement corsé, il libère en bouche un fruité riche, juteux et opulent. Ce Saint-Émilion exubérant, fruité et savoureux devrait être disponible à un prix raisonnable. Si l'on s'en tenait simplement au plaisir qu'il procure, il mériterait une note plus élevée encore. **A boire jusqu'en 2007.** (11/97)

1994 • **89** D'un rubis-pourpre dense, avec un nez merveilleusement expressif de cassis confituré, de minéral et de fleurs, le 1994 de Corbin Michotte se montre moyennement corsé en bouche, où il révèle, par paliers, un caractère mûr et richement extrait. C'est incontestablement une révélation du millésime. **A boire jusqu'en 2005.** (3/96)

1990 • **87** Semblable au 1989, mais en plus profond, ce vin mûr doit être consommé dans les **7 ou 8 ans.** (1/93)

1989 • **86** Rubis-pourpre de robe et suintant littéralement de richesse en extrait, le 1989 présente un caractère très corsé et richement parfumé. Ses senteurs de prune très mûre et de minéral précèdent en bouche un ensemble très alcoolique (il titre presque 14° d'alcool naturel), très tannique et faible en acidité. **A boire jusqu'en 2002.** (1/93)

1988 • 83 Moyennement corsé, plaisant et bien fait, le 1988 est assez persistant et rehaussé par une heureuse acidité. **A boire.** (4/91)

1985 • 86 Ce vin parfaitement mûr se présente vêtu de rubis foncé, avec un nez épicé de cassis et de prune, et une bouche opulente, ronde et généreusement dotée, qui exprime une texture souple et soyeuse. **A boire.** (11/90)

1982 • 87 Ce vin stupéfiant a évolué rapidement et doit être consommé. Outre un bouquet rôti et confit de minéral, il développe un caractère riche, alcoolique, charnu et capiteux, bien marqué par la mâche. Très corpulent, avec une finale souple, extrêmement glycérinée et elle aussi alcoolique, il s'impose comme un Saint-Émilion délicieux, qu'il serait dommage de ne pas apprécier dès maintenant. **A boire.** (3/90)

LA COUSPAUDE - EXCELLENT

Grand cru classé – équivaut à un 3e ou 4e cru du Médoc
Propriétaire : SCE Vignobles Aubert
Adresse : 33330 Saint-Émilion
Tél. 05 57 40 01 15 ou 05 57 40 15 76 – Fax 05 57 40 10 14
Visites : sur rendez-vous uniquement
Contact : Jean-Claude Aubert

Superficie : 7 ha (sur les hauteurs de Saint-Émilion, non loin du centre-ville)
Vins produits :
Château La Couspaude – 36 000 b ; Junior de La Couspaude – variable
Encépagement : 70 % merlot, 20 % cabernet franc, 10 % cabernet sauvignon
Densité de plantation : 6 500 pieds/ha – *Age moyen des vignes :* 30 ans
Rendement moyen : 35-40 hl/ha

Élevage :
fermentations et cuvaisons de 21-30 jours
en cuves d'acier inoxydable thermorégulées jusqu'en 1997,
en foudres de bois de 68 hl permettant une vinification parcellaire ensuite ;
achèvement des malolactiques en fûts neufs ;
vieillissement de 18-20 mois en fûts (50 % de bois neuf, la moitié de la récolte étant transférée dans d'autres fûts neufs après les malolactiques) ;
collage au blanc d'œuf ; pas de filtration

A maturité : dans les 5 à 15 ans suivant le millésime

Situé sur la côte nord-est de Saint-Émilion, La Couspaude tire son nom de « La Croix Paute », qui désignait au Moyen Age la croisée des chemins bordant l'entrée occidentale du domaine – et dont on peut penser qu'elle était l'un des innombrables points de rencontre des pèlerins se rendant à Saint-Jacques-de-Compostelle, le sanctuaire situé dans l'église monolithe, à 400 m de là, constituant une étape rituelle des « jacquets ».

La Couspaude appartient à la famille Robin depuis 1908, mais ce sont Édith, héritière du domaine en 1963, et son mari Étienne Aubert qui vont faire sa renommée.

Ce petit vignoble clos de murs, situé sur une fine couche argilo-calcaire au sous-sol rocheux favorisant la régulation hydrique, se distingue depuis quelques années par ses vins au caractère exotique, épanoui, riche et sensuel. Il faut dire que Michel Rolland est l'œnologue-conseil de la propriété depuis 1985. Alors qu'il était assez quelconque, ce cru se révèle maintenant flamboyant et généreux. D'aucuns lui reprochent son excès de bois (je dois avouer qu'il s'agit d'un élément dominant), mais je pense que ces arômes se fondront au fur et à mesure du vieillissement, du fait de la grande richesse et de la concentration de l'ensemble. On le remarque dès 1994, et la tendance se confirme pour les millésimes suivants.

Précisions enfin qu'il y a de fortes probabilités pour que les prix de La Couspaude augmentent en proportion de sa réputation auprès des consommateurs.

1998 • **90-92** La Couspaude est l'un des Saint-Émilion « nouveau style » qui ont attiré l'attention sur cette appellation. La propriété a décroché la timbale en 1998, proposant un vin opaque et pourpre de robe, au nez renversant de noix rôtie, de chêne fumé et grillé, de cassis confituré et de kirsch. Cet ensemble moyennement corsé et modérément tannique est plus structuré et plus musclé que de coutume. Il s'impose comme un Saint-Émilion extraordinaire. Son potentiel lui permet d'affronter une garde de 15 ans ou plus. **A boire entre 2003 et 2015.** (3/99)

1997 • **88-91** Le 1997 pourrait en fait se révéler plus profond que son aîné d'un an. Vêtu d'un rubis-pourpre plus soutenu, il libère des arômes épais et confiturés de cerise noire nuancés de fumé, de minéral et de café. L'ensemble est épicé et ouvert, moyennement corsé et charnu, et étayé par une faible acidité. Ce vin séduisant et flamboyant sera délicieux dès sa diffusion, mais il est capable d'une garde de 10 à 12 ans, voire plus. **A boire jusqu'en 2012.** (1/99)

1996 • **89** Le 1996 de La Couspaude est réussi. Moyennement corsé et richement fruité, il est sensuel, étonnamment doux et parfumé pour le millésime. Son nez bien épanoui révèle des notes de pain grillé, de liqueur de cerise, de fumé et de cassis, qui précèdent un ensemble souple, opulent et doté de tannins légers. **A boire avant 10 à 12 ans d'âge.** (1/99)

1995 • **90** Le 1995 de La Couspaude est fait à la manière d'un Le Pin, suivant la nouvelle école de Saint-Émilion. Issu d'une vendange très mûre et entièrement vieilli en fûts neufs (les fermentations malolactiques s'y déroulent aussi), il est mis en bouteille sans filtration préalable. Avec son nez mûr et confituré de kirsch, de cassis et de réglisse, mâtiné de généreuses notes de fumé et de pain grillé, le 1995 se révèle très corsé et faible en acidité, avec un caractère flamboyant qui ne manquera pas de faire tourner les têtes. Les traditionalistes lui reprocheront son côté trop ostentatoire et sensuel, mais il s'agit d'un vin agréable, et nul ne songerait à contester le fait qu'il soit des plus charmeurs. Après tout, n'attend-on pas de ce breuvage qu'il nous procure avant tout du plaisir ? Ce 1995 vieillira de belle manière. **A boire entre 2000 et 2015.** (11/95)

1994 • **89** Le 1994 s'est étoffé et pourrait mériter une note extraordinaire au terme d'un vieillissement supplémentaire en bouteille. D'un rubis-pourpre profond, avec un nez énorme, grillé et fumé, aux généreuses senteurs d'herbes de Provence et de cerise noire confiturée, ce vin riche et bien doté se révèle gras, dense et boisé, capable d'une garde de **5 ou 6 ans encore.** (3/96)

1993 • **86** Le point faible du 1993 est cette petite touche de poivre vert que l'on retrouve dans son fruité. Cependant, ce vin est par ailleurs profondément coloré et dense, concentré et richement doté, avec de la mâche. D'une pureté et d'une maturité superbes, il déploie une finale persistante. **A boire jusqu'en 2003.** (11/94)

1992 • **85** Le 1992 de La Couspaude est de bon niveau pour une année aussi difficile. Sa robe rubis profond introduit en bouche un vin moyennement corsé, doux et velouté, au nez magnifiquement pur, séduisant et mûr de cerise noire et de chêne fumé. **A boire dans les 2 ans.** (11/94)

COUVENT DES JACOBINS - BON

Grand cru classé – équivaut à un 5e cru du Médoc
Propriétaires : Alain et Rose-Noëlle Borde
Adresse : rue Guadet – 33330 Saint-Émilion
Tél. 05 57 24 70 66 – Fax 05 57 24 62 51
Visites : sur rendez-vous uniquement
Contacts : Alain et Rose-Noëlle Borde

Superficie : 10,7 ha (Saint-Émilion)
Vins produits : Couvent des Jacobins – 40 000 b ; Château Beau-Mayne – 13 000 b
Encépagement : 70 % merlot, 25 % cabernet franc, 5 % cabernet sauvignon
Densité de plantation : 6 000 pieds/ha – *Age moyen des vignes :* 45 ans
Rendement moyen : 40 hl/ha

Élevage :
fermentations et cuvaisons de 21 jours
en cuves d'acier inoxydable et en cuves de béton ;
vieillissement de 15-18 mois en fûts (1/3 de bois neuf) ; collage ; pas de filtration

---

A maturité : dans les 4 à 14 ans suivant le millésime

Ce domaine – véritable étoile montante de Saint-Émilion – doit son nom à un monastère dominicain du XIIIe siècle, autrefois établi sur le site. Il est remarquablement dirigé par la famille Joinaud-Borde, qui en est propriétaire depuis 1902.

Le vignoble, situé tout près du bourg de Saint-Émilion, sur les fameuses côtes de sable et d'argile, donne des vins assez foncés de robe, riches, joliment alcooliques, bien étoffés, avec un caractère affirmé. Durant les années 80, le Couvent des Jacobins s'est nettement amélioré, grâce, notamment, à l'élaboration d'un second vin permettant de déclasser les cuves jugées indignes du grand vin et à l'utilisation d'une proportion de fûts de chêne neuf (33 %) pour l'élevage.

Cette propriété, que l'on découvre sur la gauche à l'entrée principale de la ville, se distingue en outre par les plus remarquables caves de la région, qui justifieraient à elles seules la visite, même si ses vins n'étaient pas aussi bons.

1990 • **85** Outre un bouquet épicé dominé par des arômes de petits fruits confiturés et herbacés, le 1990 présente une belle maturité, un caractère tout à la fois souple, opulent et soyeux, et une finale douce et capiteuse, qui pèche seulement par manque de structure. Certes, ce vin ne fera pas de vieux os, mais il est des plus agréables. **A boire jusqu'en 2001.** (1/93)

1989 • **86** Le 1989 présente une ressemblance assez remarquable avec son merveilleux aîné de 1982. Profondément coloré et intensément parfumé, il révèle en bouche des arômes moyennement corsés et très richement extraits, onctueux, gras et confits à la fois, étayés par un caractère alcoolique et une faible acidité. **A boire jusqu'en 2000.** (4/91)

1986 • **87** Ce 1986 devrait s'imposer comme l'un des vins les plus aptes à une longue garde élaborés à la propriété depuis une vingtaine d'années. Sa robe d'un rubis-pourpre profond précède un nez épicé et boisé de cassis entremêlé de senteurs d'herbes, qui introduit en bouche un ensemble moyennement corsé et extrêmement mûr, doté d'une finale d'excellente tenue et regorgeant de tannins souples. **A boire jusqu'en 2001.** (3/90)

1985 • **86** Ce Saint-Émilion classique – tout à la fois souple, généreux et accessible – regorge de généreuses senteurs de cassis judicieusement nuancées de chêne grillé. Moyennement corsé, il est ample et charnu en bouche, et révèle une belle complexité aromatique. **A boire.** (3/90)

1983 • **85** Presque aussi concentré et aussi profond que le 1982, le 1983 du Couvent des Jacobins exprime une bouche souple, fruitée et moyennement corsée. Un vin mûr et bien coloré. **A boire – peut-être sur le déclin.** (11/89)

1982 • **87** Arborant toujours une impressionnante robe d'un grenat foncé, le 1982 se distingue par un bouquet complexe de petits fruits aux notes de cèdre, d'herbes, de chocolat et de réglisse. La bouche, charnue et profonde, révèle un caractère riche et très corsé, et séduit par sa texture soyeuse. Un vin parfaitement mûr, à boire **avant 2001.** (12/96)

DASSAULT - BON

Grand cru classé – équivaut à un bon cru bourgeois
Propriétaire : SARL Château Dassault
Adresse : 1, Couperie – 33330 Saint-Émilion
Tél. 05 57 24 71 30 – Fax 05 57 74 40 33
Visites : sur rendez-vous uniquement
Contact : Laurence Brun-Vergriette

Superficie : 24 ha (Saint-Émilion)
Vins produits : Château Dassault – 90 000 b ; Château Mérissac – 70 000 b
Encépagement : 65 % merlot, 30 % cabernet franc, 5 % cabernet sauvignon
Densité de plantation : 5 200 pieds/ha – *Age moyen des vignes :* 30 ans
Rendement moyen : 40 hl/ha

Élevage :
fermentations et cuvaisons de 20 jours minimum
en cuves d'acier inoxydable thermorégulées ;
achèvement des malolactiques en fûts neufs pour 50-70 % de la récolte,
en cuves pour le reste ; vieillissement de 18 mois en fûts
(50-70 % de bois neuf) ; collage ; pas de filtration

A maturité : dans les 3 à 9 ans suivant le millésime

Créé en 1862 par Victor Beylot, ce qui était alors le Château Couperie fut le témoin des temps fastueux ayant suivi la révolution viticole du XVIIIe siècle. Il fut racheté en 1955 par Marcel Dassault, qui lui donna son nom – et les moyens d'être classé en 1969. Le domaine revint en héritage à ses fils Serge, Claude et Laurent. Depuis 1995, c'est Laurence Brun-Vergriette qui l'administre.

Dassault produit régulièrement des vins fruités, souples, accessibles et sans détour, qui doivent être bus dans leur jeunesse. Très soigneusement vinifiés et d'un style peut-être un peu trop commercial, ils sont en tout cas séduisants et faciles d'approche. Il faut cependant savoir qu'une garde en cave améliore rarement Dassault. Serait-ce le Saint-Émilion idéal au restaurant ?

Bien que j'hésite à le dire, je dois souligner que certaines bouteilles, notamment dans les millésimes suivant l'excellent 1990, présentent des arômes de bouchon, de moisi et de carton humide. Certes, ce défaut n'affecte pas toute la production, mais je l'ai remarqué lors de nombreuses dégustations, autant dans les échantillons de fûts qu'après la mise.

1997 • **85-86** Rubis foncé de robe, le très bon Dassault 1997 exhale des notes de cerise noire et de framboise écrasée. Moyennement corsé et opulent, il est également plaisant et accessible en raison de sa faible acidité. **A boire jusqu'en 2006.** (1/99)

1996 • **76 ?** Ce cru m'a souvent paru douteux, en raison des très caractéristiques senteurs de moisi que l'on percevait, notamment, dans les échantillons tirés du fût. Ce problème – si problème il y avait – paraît avoir été résolu avec le 1996, mais le vin demeure terne et manque de complexité. Il est à des lieues de certains de ses aînés, et se situe nettement en dessous du 1997, délicieux et fruité. (1/99)

1995 • **85** Le 1995 pourra se révéler à terme de très bonne tenue. D'un pourpre très soutenu, il exprime un caractère doux et charnu, se montre bien doté et séduisant. Reste à voir ce qui subsistera de ses arômes et de sa présence en bouche après collage. **A boire jusqu'en 2006.** (11/97)

1994 • **79** Le 1994 est desservi par un caractère austère et par des tannins rugueux, deux défauts propres au millésime. Il est maigre, astringent et bien boisé, mais manque de fruité. (1/97)

1993 • **82 ?** Les deux échantillons de Dassault 1993 qui m'ont été proposés présentaient des arômes de carton moisi que j'ai d'ailleurs retrouvés dans d'autres vins de ce millésime. Diverses hypothèses ont été avancées pour expliquer ce phénomène, depuis les fûts mal lavés jusqu'à l'emploi de substances chlorées dans les chais, en passant par l'utilisation de bouchons défectueux et de filtres contaminés. Il reste que le Dassault 1993, légèrement corsé, plaisant et de style commercial, libère un fruité d'airelle derrière son nez de carton moisi. **A boire dans les 3 ou 4 ans.** (1/97)

1990 • **87** Voici la plus belle réussite que je connaisse de cette propriété. Outre un bouquet précoce de doux fruit confit, de réglisse et de cerise noire, le Dassault 1990 présente une bouche explosive. Vous apprécierez ce vin savoureux, gras et de bonne mâche ces **6 ou 7 prochaines années.** (1/93)

1989 • **84** Amplement parfumé et jeune, le Dassault 1989 est souple et alcoolique, mais dépourvu de structure et de précision. Néanmoins, il se montre agréable. **A boire.** (4/91)

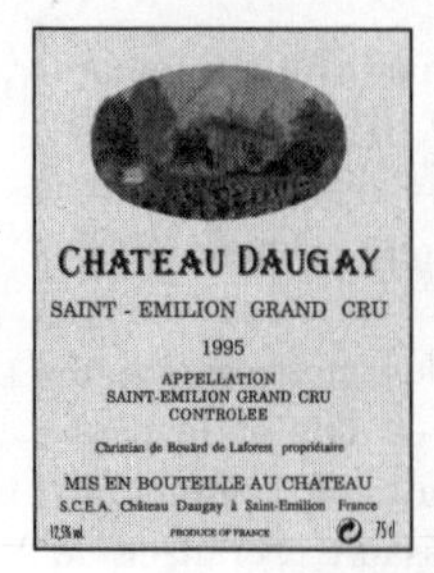

DAUGAY – BON

Non classé – équivaut à un cru bourgeois
Propriétaire : Christian de Boüard
Adresse : 33330 Saint-Émilion
Tél. 05 57 24 78 12 – Fax 05 57 24 68 56
Visites : sur rendez-vous uniquement

Superficie :
5,5 ha (pied de côte sud de Saint-Émilion)
Vin produit : Château Daugay – 35 000 b (pas de second vin)
Encépagement : 65 % merlot, 35 % cabernet franc
Densité de plantation : 6 600 pieds/ha – *Age moyen des vignes :* 25 ans
Rendement moyen : 45 hl/ha

Élevage :
fermentations et cuvaisons de 21-28 jours
et vieillissement de 18 mois en cuves d'acier inoxydable thermorégulées ;
collage si nécessaire ; pas de filtration

A maturité : dans les 3 à 12 ans suivant le millésime

Cette petite propriété appartient au frère d'Hubert de Boüard, qui gère le Château Angélus, auquel Daugay était d'ailleurs rattaché jusqu'en 1984. C'est un Saint-Émilion de qualité, plutôt sous-estimé si l'on tient compte des cours actuels.

1996 • **85-86** Ce vin moyennement corsé et épicé, à dominante de cabernet franc, exhale des arômes herbacés de cassis et de groseille. D'une belle profondeur, il est plus souple que la majorité des vins de cette partie de l'appellation. **A boire dans les 6 ou 7 ans.** (3/98)

1995 • **85** Charnu et mûr, le 1995 se présente vêtu de rubis foncé, et laisse en bouche une belle impression d'élégance. Ses arômes de fruits noirs herbacés sont bien évolués, et la bouche exprime une grande richesse. **A boire jusqu'en 2005.** (11/97)

1994 • **86** Le 1994, d'une couleur moins soutenue que le 1993, partage le même style ouvert, fumé, richement fruité, bien glycériné et moyennement corsé. Il montre également une faible acidité, et sa finale est charnue. **A boire dans les 4 ou 5 ans.** (1/97)

1993 • **86** Impressionnant pour le millésime, avec sa superbe couleur rubis-pourpre foncé et son nez doux et complexe d'herbes aromatiques, de fruits noirs et de fumé, le 1993 de Daugay se montre souple en bouche (il est composé pour moitié de merlot et pour l'autre de cabernet franc) et d'une belle, voire d'une excellente concentration. Parfaitement mûr, avec une acidité faible, il s'impose comme l'une des révélations les plus voluptueuses du millésime. **A boire dans les 4 à 6 ans.** (1/97)

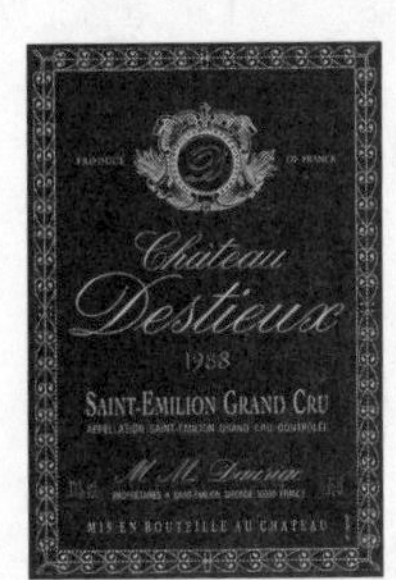

DESTIEUX – BON

Grand cru – équivaut à un bon cru bourgeois
Propriétaire : Christian Dauriac
Adresse : 33330 Saint-Émilion
Tél. 05 57 24 77 44 – Fax 05 57 40 37 42
Visites : sur rendez-vous uniquement
Contact : Christian Dauriac

Superficie :
8 ha (Saint-Hippolyte)
Vins produits : Château Destieux – 26 000 b ; Château Laubarède – variable
Encépagement : 2/3 merlot, 1/3 cabernet franc
Densité de plantation : 5 000 pieds/ha – *Age moyen des vignes :* 45 ans
Rendement moyen : 29 hl/ha

Élevage :
fermentations et macérations de 21 jours en cuves d'acier inoxydable jusqu'en 1998, en cuves de bois ensuite ; achèvement des malolactiques et vieillissement de 18 mois en fûts neufs ; léger collage ; pas de filtration

A maturité : dans les 5 à 15 ans suivant le millésime

Situé à Saint-Hippolyte (commune satellite de Saint-Émilion), sur des sols d'argile et de calcaire, le vignoble de Destieux – 8 ha d'un seul tenant – bénéficie d'un microclimat particulièrement chaud qui le protège du gel. Son nom, ancienne contraction de « des yeux », suggère bien l'étendue du regard, qui embrasse les vignobles voisins jusqu'au fleuve en contrebas, la Dordogne.

Destieux est un cru séduisant par son caractère confit, charnu et rugueux, par sa concentration et par son côté alcoolique. La belle série de Saint-Émilion qu'a produite cette propriété doit être portée au crédit du propriétaire, M. Dauriac – qui a notamment procédé à la rénovation du cuvier Inox, à la création d'un chai pour le second vin et à l'installation d'un système de pigeage –, ainsi qu'à celui de son talentueux œnologue, Michel Rolland. Les vins de Destieux comptent parmi les plus profondément colorés et les plus puissants de l'appellation. Si le muscle et la corpulence faisaient seuls la grandeur d'un vin, Destieux décrocherait à coup sûr la timbale. Généralement sous-coté, il est proposé à prix raisonnable.

1997 • **86-87** Vinifié dans le même style que le 1996, le Destieux 1997 arbore une robe pourpre-noir qui introduit un doux nez de mûre nuancé de truffe et de réglisse. En bouche, on décèle des arômes de terre et d'herbes, ainsi que de très abondants tannins. Cependant, l'ensemble se révèle expressif et savoureux, grâce à sa faible acidité. **A boire dans les 10 à 12 ans.** (1/99)

1996 • **86+** Vêtu de rubis-pourpre foncé, le 1996 libère un nez de douce mûre et de cerise, et présente en bouche un caractère moyennement corsé et savoureux, ainsi que des tannins agressifs. L'ensemble se portera bien d'une garde de 1 à 3 ans et tiendra parfaitement 10 ans ou plus. **A boire entre 2002 et 2012.** (1/99)

1995 • **85** Bien vinifié et vêtu de rubis-pourpre foncé, ce 1995, moyennement corsé et modérément tannique, présente au nez de douces senteurs de terre et de cassis, et révèle dès l'attaque en bouche un bon fruité épicé, suivi d'arômes de cuir fin et de fer. D'une belle profondeur, avec une finale un peu dure, il sera au meilleur de sa forme **entre 2001 et 2010.** (11/97)

1993 • **70** Le 1993 est dur et austère, excessivement tannique, avec de la mâche et sans le moindre charme. Bien qu'il ait un potentiel de garde de **10 à 15 ans,** je doute fort qu'il se montre un jour agréable à la dégustation. (11/96)

1989 • **85** S'il manquait de précision dans sa petite enfance, le 1989 de Destieux s'est ensuite développé en un vin riche, puissant, dense et magnifiquement extrait, peut-être excessivement tannique. **A boire jusqu'en 2005.** (4/91)

1988 • **77** S'il impressionne par sa robe rubis-pourpre, le Destieux 1988 est dénué de charme et de finesse ; en outre, ses tannins sont si astringents et excessifs qu'on imagine mal qu'il puisse se fondre un jour en un ensemble harmonieux et gracieux. (4/91)

1986 • **86** Tout à la fois puissant, dense et tannique, avec un fruité d'une profondeur fabuleuse, le Destieux 1986 se révèle très corsé, et déploie une finale très richement extraite et tannique. Ce devrait être l'un des vins récents de la propriété les plus aptes à une longue garde. Son fruité est apte à contrebalancer ses tannins. **A boire jusqu'en 2005.** (3/90)

1985 • **87** Voici un autre vin terriblement dense, aux parfums amples, doté d'un somptueux fruité et d'une texture voluptueuse. Son potentiel de garde est moyen ; il faut le consommer **avant 2001.** (3/90)

LA DOMINIQUE – EXCELLENT

Grand cru classé – devrait être promu 1er grand cru
équivaut à un 3e cru du Médoc
Propriétaire : Clément Fayat
Adresse : 33330 Saint-Émilion
Tél. 05 57 51 31 36 – Fax 05 57 51 63 04
Visites : sur rendez-vous uniquement
Contact : Emmanuel Villega

Superficie :
22 ha (Saint-Émilion, jouxtant Cheval Blanc)
Vins produits :
Château La Dominique – 80 000 b ; Saint-Paul de Dominique – 22 000 b
Encépagement : 80 % merlot, 15 % cabernet franc, 5 % cabernet sauvignon
Densité de plantation : 5 500 pieds/ha – *Age moyen des vignes :* 29 ans
Rendement moyen : 38 hl/ha

Élevage :
fermentations et cuvaisons de 21-28 jours
en cuves d'acier inoxydable thermorégulées ;
achèvement des malolactiques et vieillissement de 18 mois en fûts
(50-70 % de bois neuf) ; collage au blanc d'œuf ; légère filtration

---

A maturité : dans les 5 à 20 ans suivant le millésime

La Dominique est superbement situé près de la limite de Pomerol, à deux pas de Cheval Blanc, sur un sol composé, pour l'essentiel, de graves calcaires et d'argile sableux. Tout un système de drainage, installé vers le milieu du siècle dernier, a largement amélioré sa capacité à faire un bon vin lorsque l'année est pluvieuse. Les grands Saint-Émilion issus de cette propriété en 1971, 1982, 1989, 1990 et 1995 auraient normalement dû assurer sa promotion au rang de premier grand cru classé lors du reclassement de 1996. Malheureusement, il n'en fut pas ainsi. Ce cru n'a toujours pas le lustre et la réputation des premiers de l'appellation ; ce qui, d'une certaine manière, permet aux amateurs de se procurer ses vins à des prix raisonnables.

Clément Fayat, le propriétaire, qui a également acheté le Château Clément-Pichon (cru bourgeois du Médoc) en 1978, s'est attaché les services du très estimé Michel Rolland, qui supervise actuellement la vinification et l'élevage de La Dominique. C'est un vin richement coloré, intense, très mûr, opulent et corsé. En outre, la création d'une seconde étiquette permettant de déclasser les cuves les moins réussies et le produit des jeunes vignes a encore permis d'améliorer la qualité du grand vin. Aujourd'hui, La Dominique demeure sous-évalué.

Il faut enfin signaler que Clément Fayat a progressivement acquis des parcelles jouxtant La Dominique, mais que la législation actuelle lui interdit de les inclure dans ce domaine. C'est ainsi qu'est né Saint-Domingue, propriété de 4,6 ha (dont 2,7 ha en production) complantée exclusivement en merlot, sur des sols de graves et de sables anciens. Après d'importants travaux de drainage et de restructuration (5 700 pieds/ha, moyenne d'âge des vignes de 30 ans), ces parcelles se sont vu appliquer les mêmes soins et les mêmes techniques que La Dominique. La production annuelle, de grande qualité (les rendements ne dépassent pas 25 hl/ha), atteint 6 000 bouteilles.

1998 • 87-88 Ouvert et étonnamment souple, le 1998 de La Dominique est rubis foncé de robe, avec de généreux arômes de cassis et de vanille. Moyennement corsé et d'une très grande pureté, il présente des tannins doux. **A boire avant 10 à 12 ans d'âge.** (3/99)

1997 • 86-87 Légèrement marqué de surmaturité, le nez de La Dominique 1997 évoque la prune et la mûre. La bouche révèle des arômes de framboise et de chêne neuf, et l'ensemble, souple et moyennement corsé, sensuel et faible en acidité, regorge littéralement de tannins doux et d'une montagne d'un fruit opulent et confituré. **A boire dans les 7 ou 8 ans.** (1/99)

1996 • 88 Impressionnant par sa robe rubis-pourpre foncé, ce vin fumé et généreusement boisé dégage d'abondantes senteurs de pain grillé, de cerise noire, de framboise, d'herbes séchées et de fumé. L'attaque révèle un doux fruité, et l'ensemble se montre en bouche moyennement corsé et faible en acidité, développant encore une belle finale bien glycérinée. J'avais remarqué, avant la mise en bouteille, une certaine astringence et des tannins inhabituels dans les échantillons qui m'avaient été présentés, mais ces deux défauts mineurs ne se retrouvent pas dans les trois bouteilles que j'ai dégustées. **A boire entre 2001 et 2012.** (1/99)

1995 • 89 Tout aussi tannique que le 1996, le 1995 déploie un fruité plus doux, ainsi qu'un nez de vanille, de framboise et de mûre plus mûr et plus intense. La bouche révèle, outre un caractère moyennement corsé et une douceur de bon aloi, des tannins modérés et un ensemble généreux, riche et classique. **A boire entre 2003 et 2016.** (11/97)

1994 • 88 Le 1994 révèle les légendaires tannins astringents et rugueux propres au millésime, mais il regorge aussi d'un généreux fruité, crémeux et mûr, de cassis et de groseille. Je pense donc que le bon équilibre entre fruité et tannins est ici respecté. Ce vin dense, de couleur rubis-pourpre foncé, exhale un nez doux et parfumé de boisé, de terre, de fumé et de cassis. Moyennement corsé et mûr, il est également d'une concentration et d'une pureté admirables, avec un niveau assez modéré de tannins. **A boire entre 2002 et 2016.** (1/97)

1993 • 86 Le 1993 pourrait bien se révéler de meilleure qualité que ne le suggère la note que je lui ai attribuée. Sa robe extrêmement soutenue de couleur pourpre-bleu introduit des arômes de prune douce très mûre, de cassis, de réglisse, de grillé et de bois fumé. C'est un vin moyennement corsé, énorme et riche, qui ne présente ni tannins durs ni astringence. Un excellent 1993, dense et bien doté. **A boire jusqu'en 2012.** (1/97)

1992 • 79 Moyennement corsé, le 1992 exhale un nez fugace, mais séduisant et mûr, d'herbes, de cassis et de vanille. Il révèle aussi un fruité bien évolué, mais sa finale est courte et compacte, et l'on y décèle des tannins modérés. Il rappelle vaguement le 1981 de la propriété, en plus léger et en plus austère. **A boire jusqu'en 2002.** (11/94)

1990 • 92 Marqué d'une légère surmaturité, le doux 1990 exhale un nez de cassis confituré et de tabac herbacé mâtiné de réglisse et de terre. Dense et très corsé, il présente en bouche un caractère de vendange tardive, ainsi que des arômes amples et corsés étayés par une faible acidité et par une bonne mâche, et auxquels il est difficile de résister. Compte tenu de son ampleur et de sa profondeur, ce vin devrait vieillir de belle manière ces **10 à 15 prochaines années.** (11/96)

1989 • 93 J'ai dégusté le 1989 en plusieurs occasions depuis que je l'ai acheté, pour un prix modeste, en primeur. Aussi précoce que le sont généralement les vins de cette propriété, il arbore une robe opaque de couleur pourpre et exhale un nez intense de douce framboise, de cèdre et de grillé. La bouche, synonyme d'opulence, est visqueuse, avec de superbes et généreux arômes de fruits noirs confiturés, joliment rehaussés de belles notes boisées. Ce vin doux et ample, exubérant et flamboyant, doit être consommé dans les **10 à 15 ans.** C'est en quelque sorte une version supérieure du 1971. (11/96)

1988 • 87 Dans une certaine mesure, il est dommage que le 1989 soit aussi spectaculaire, parce qu'il éclipse un peu le 1988, qui, pourtant, est réellement digne d'intérêt. C'est un Saint-Émilion plus typique, ou plus « classique », comme on dit à Bordeaux, déployant un bouquet alléchant, précoce et ample de prune et de doux chêne vanillé. La bouche exprime tout en rondeur un caractère opulent, fruité, riche et exubérant, relativement bien corsé, ainsi qu'une finale longue et satinée. **A boire jusqu'en 2001.** (4/91)

1986 • 88 Une robe rubis-grenat profond et un nez riche et épicé de chêne neuf et grillé, de fruit confit et de minéral annoncent La Dominique 1986. C'est un vin très corsé et intense, à la finale impressionnante de richesse en extrait, fabuleuse de puissance et de persistance. Il n'a ni l'opulence ni le charme précoce de millésimes tels que 1982, 1989 ou 1990, mais il est déjà à maturité, avec un caractère plus ferme, plus structuré et plus Médoc que ne le sont généralement les vins de cette propriété. **A boire jusqu'en 2005.** (11/95)

1985 • **74**
Très décevant, avec des arômes verts qu'il tient de fûts pas propres et de rendements trop élevés, ce 1985 n'a pas bien évolué en bouteille. **A éviter.** (12/88)

1983 • **87**
D'un grenat foncé fortement ambré et orangé sur le bord, ce vin exhale un nez expressif et séduisant d'herbes, de fruit confituré, de terre et de vanille. On décèle en bouche des tannins rustiques, mais l'ensemble, parfaitement mûr, est souple, charnu et faible en acidité. Je conseille aux amateurs de profiter de son fruit intense avant qu'il ne s'estompe au profit des tannins, de l'acidité et de l'alcool. **A boire.** (6/96)

1982 • **91**
Ce vin était si peu cher que j'en dégustais plusieurs fois par mois – du moins jusqu'à ce que mes stocks commencent à trop s'amenuiser. Sans être aussi exceptionnel que ses cadets de 1989 et de 1990, il manifeste une opulence splendide, mais révèle également des tannins agressifs. Sa robe d'un rubis-pourpre profond tirant sur le prune est à peine éclaircie sur le bord, et le nez libère des senteurs de fruits noirs confiturés entremêlés de réglisse, de fumé et de pain grillé. La bouche, moyennement corsée, ample et de bonne mâche, déploie une finale assez tannique ; il me semble que ce vin développera davantage de précision au terme d'une certaine garde. J'avais initialement pensé que ce 1982 serait parfaitement mûr aux alentours de 13 ans d'âge, mais il est encore en pleine adolescence et n'atteindra son apogée que d'ici 1 ou 2 ans. Un La Dominique délicieux, trapu et charnu. **A boire dans les 12 à 15 ans.** (9/95)

1981 • **84**
La Dominique 1981 est complexe, assez étoffé et joliment équilibré, avec un nez de chêne neuf, de fruit mûr et d'herbes. Bien vinifié, il est à son apogée. **A boire.** (2/89)

1980 • **78**
Bien réussi pour le millésime, le 1980 est fruité et souple, avec un bouquet quelque peu herbacé et vert. En bouche, il déploie, outre un fruit d'une bonne tenue, un caractère assez corsé et une finale plaisante et souple. **A boire – peut-être en déclin.** (6/84)

1979 • **75**
Je n'ai jamais beaucoup apprécié ce vin, qui m'a toujours paru maigre, austère et dépourvu de générosité. Il n'est certes pas mauvais – son bouquet est même assez plaisant –, mais c'est une déception pour ce domaine. **A boire.** (11/88)

1978 • **85**
Ce vin parfaitement mûr, tout à la fois merveilleusement épanoui, charnu et fruité, déploie un nez de cèdre, d'épices, d'herbes et de boisé. Moyennement corsé et légèrement tannique, avec une finale souple et épicée, il est vraiment plaisant. **A boire jusqu'en 2000.** (1/91)

1976 • **83**
Bien qu'il affiche une structure un peu relâchée (comme beaucoup de 1976), ce vin est heureusement dépourvu du caractère excessivement mou et disjoint qui dessert nombre de ses jumeaux. Outre un bouquet pleinement évolué, épanoui, de bois de cèdre, de chêne et d'épices, il exprime une bouche tendre, joliment concentrée et exubérante. L'ensemble, assez corsé, ne manque pas de charme. **A boire – peut-être en déclin.** (2/84)

1975 • **79**
Typique du millésime, ce vin dur et astringent était prometteur, mais également obstinément tannique et fermé. Bien qu'il soit demeuré fermé et un peu muet, il présente une belle robe, un nez assez épanoui nuancé de cèdre, un fruit onctueux, et une finale suffisamment ample et persistante. Cependant, le fruit est quelque peu masqué par les tannins. **A boire.** (3/88)

1971 • **90**
Attention ! Une seule gorgée de ce 1971 peut transformer instantanément un libre buveur en sectateur intégriste de La Dominique. Une réussite exceptionnelle pour le domaine : c'est non seulement le meilleur Saint-Émilion du

millésime, mais aussi l'un des meilleurs bordeaux. Vêtu de grenat moyen, il présente un bouquet concentré, confit et riche d'herbes aromatiques, de bois de cèdre, d'épices orientales et de petits fruits mûrs ; il se révèle séveux et soyeux en bouche, où il libère des flots d'un fruit épanoui et une finale opulente et alcoolique. C'est vraiment l'une des belles surprises du millésime. Il est arrivé à maturité depuis plus d'une décennie, et, bien qu'il ne donne pas de signes de fatigue, il ne faudrait pas tenter le diable. **A boire.** (1/90)

1970 • **88** Le 1970 est un Saint-Émilion séduisant et parfaitement mûr. Bien qu'il n'indique aucun signe de déclin, il serait préférable de le consommer très prochainement. Sa robe rubis moyen est légèrement tuilée, et il se montre souple, aromatique et mûr, avec une concentration admirable et une finale veloutée. **A boire dans les 2 à 4 ans.** (1/91)

FAUGÈRES – TRÈS BON

Grand cru – équivaut à un 5e cru du Médoc
Propriétaire : Corinne Guisez
Adresse : 33330 Saint-Étienne-de-Lisse
Tél. 05 57 40 34 99 – Fax 05 57 40 36 14
Visites : sur rendez-vous uniquement
Contacts : Alain Dourthe et Valérie Canfailla

Superficie : 28 ha (Saint-Étienne-de-Lisse)
Vin produit : Château Faugères – 110 000 b (pas de second vin)
Encépagement : 70 % merlot, 25 % cabernet franc, 5 % cabernet sauvignon
Densité de plantation : 6 000 pieds/ha – *Age moyen des vignes :* 30 ans
Rendement moyen : 45 hl/ha

Élevage :
fermentations et cuvaisons de 21 jours en cuves d'acier inoxydable thermorégulées ; achèvement des malolactiques en fûts pour 20 % de la récolte, en cuves pour le reste ; vieillissement de 14-16 mois en fûts (50 % de bois neuf) ; collage au blanc d'œuf ; filtration

A maturité : dans les 3 à 15 ans suivant le millésime

Le Château Faugères appartient à la famille Guisez depuis 1823. Ces dix dernières années, Péby Guisez (prématurément décédé, à l'âge de 52 ans, en octobre 1997) et son épouse Corinne y ont apporté nombre d'améliorations, notamment de petites cuves permettant une sélection parcellaire.

Exposé plein sud, le vignoble de Faugères repose sur une terre argilo-calcaire au sous-sol de roches tendres molassiques.

Signalons que, depuis 1998, le domaine propose une cuvée spéciale, Château Péby-Faugères, issue de 8 ha en « lutte raisonnée » situés au cœur de la propriété, sur un sol argilo-limono-sableux calcaire assez profond. Élevé 14 à 16 mois en fûts neufs, ce vin, composé à 90 % de merlot et pour le reste de cabernet sauvignon, devrait être présenté lors du prochain classement, en vue d'une promotion au rang de grand cru classé.

1998 Impressionnant par sa robe d'un pourpre soutenu, le Faugères 1998 se distingue
• par un nez fabuleux aux arômes de fumé, de réglisse, de mûre et de cassis.
88-89 Tout à la fois dense, souple et riche, il exprime en bouche une texture crémeuse et un caractère modérément tannique, et déploie, par paliers, une finale moyennement corsée et d'une grande précision. **A boire entre 2002 et 2015.** (3/99)

1997 Révélation de son millésime, le Faugères 1997 présente un fruité plus doux,
• davantage d'ampleur et de gras que son aîné d'un an. Faible en acidité, il
87-90 déploie tant au nez qu'en bouche des arômes charnus de framboise généreusement marqués de chêne neuf et grillé. Ce vin excellent, voire extraordinaire, devrait être agréable dès sa diffusion et capable d'évoluer **10 à 14 ans.** (1/99)

1996 Cette propriété impeccablement menée par Corinne Guisez propose un 1996
• d'un rubis-pourpre dense, aux senteurs de chêne neuf et grillé, de fruits noirs
87 et d'épices. Riche et moyennement corsé, ce vin modérément tannique s'impose comme l'une des révélations du millésime. Avis aux amateurs : son prix demeure raisonnable. **A boire entre 2001 et 2012.** (1/99)

1995 Arborant un rubis-pourpre foncé, le Faugères 1995 exhale un nez fumé et
• sensuel de cerise noire, de réglisse, de vanille et d'épices. Moyennement corsé
87 et élégant, mais également puissant et ample en bouche, il y manifeste une profondeur exceptionnelle et un bel équilibre d'ensemble. La finale, persistante, est légèrement tannique, mais il s'agit tout compte fait d'un vin accessible et sans détour, à consommer ces **7 ou 8 prochaines années.** C'est aussi une excellente affaire. Une révélation ! (11/97)

1993 Ce vin solide, moyennement corsé et mûr révèle en bouche, outre une belle
• concentration, de généreux arômes de fruits noirs et une finale épicée et modé-
85 rément tannique. **A boire dans les 7 ou 8 ans.** (11/94)

1992 Le Faugères 1992 présente, dans un ensemble moyennement corsé et tannique,
• un fruit mûr et des notes épicés, boisées et herbacées. **A boire dans les 4**
85 **ou 5 ans.** (11/94)

FERRAND LARTIGUE – EXCELLENT

Grand cru – équivaut à un 3e ou 4e cru du Médoc
Propriétaires : Pierre et Michèle Ferrand
Adresse : 33330 Saint-Émilion
Tél. 05 57 74 46 19 – Fax 05 57 74 49 19
Visites : sur rendez-vous uniquement
Contact : Laurent Descos

Superficie : 6 ha (Saint-Émilion)
Vin produit : Château Ferrand Lartigue – 24 000 b (pas de second vin)
Encépagement : 90 % merlot, 10 % cabernet franc
Densité de plantation : 5 900 pieds/ha – *Age moyen des vignes :* 40 ans
Rendement moyen : 30 hl/ha

Élevage :
fermentations et cuvaisons de 14-21 jours en cuves d'acier inoxydable thermorégulées ; achèvement des malolactiques en fûts neufs ;

vieillissement de 16-18 mois en fûts
(70 % de bois neuf) ; léger collage au blanc d'œuf ; pas de filtration

A maturité : dans les 4 à 15 ans suivant le millésime

L'acquisition de parcelles aux sols argilo-calcaires, de graves et de côtes a récemment porté la surface de ce vignoble de 2 ha, acquis en 1993, à 6 ha – les propriétaires y ont entrepris des travaux, notamment la création d'un chai de vinification et d'élevage climatisé.

C'est désormais Louis Mitjavile (le fils de François Mitjavile, de Tertre Roteboeuf) qui est chargé des vinifications dans cette propriété vouée à la production de vins de très haut vol. Le 1998 (95 % de merlot et 5 % de cabernet franc) est son premier millésime.

1998 • **91-93** Est-ce la main du vinificateur ou la matière première inhérente au millésime ? Toujours est-il que Ferrand Lartigue nous propose en 1998 la plus belle réussite de sa courte histoire. Vêtu de pourpre-noir soutenu, ce vin se distingue par ses senteurs aussi exquises qu'éblouissantes d'épices orientales, de pain grillé, de liqueur de cerise, de chocolat, de réglisse et de fumé. Plus puissant que de coutume, l'ensemble se révèle riche et concentré, et traduit fidèlement un intense caractère de merlot. Très réussi, à la fois ample et massif, il requiert une garde de 2 à 3 ans pour atteindre son apogée ; il tiendra parfaitement **15 ou 16 ans.** (3/99)

1997 • **86-88** Moyennement corsé et ouvert, le 1997 est marqué de notes grillées. Ce vin opulent et des plus plaisants regorge d'un généreux fruité de cerise confiturée étayé par une faible acidité. Sa finale est séduisante. Il promet d'être délicieux dès sa diffusion et devrait se maintenir **5 ou 6 ans.** (1/99)

1996 • **90** Le 1996 s'impose comme l'une des grandes réussites de l'appellation. Sans être premier grand cru ni même grand cru classé, ce vin se révèle supérieur à bien d'autres au pedigree plus noble. Pourpre dense de robe, avec un nez généreusement boisé aux notes de framboise, de kirsch et de cassis, il se montre doux en milieu de bouche, déployant une pureté fabuleuse, des tannins modérés et une finale impressionnante de longueur. L'ensemble est d'ores et déjà accessible, mais les amateurs des précédents millésimes de ce cru préféreront probablement l'attendre encore 1 ou 2 ans, pour mieux l'apprécier ensuite. Le 1996 a un potentiel de garde étonnamment long pour la propriété. **A boire entre 2001 et 2013.** (1/99)

1995 • **89** Ouvert et sensuel, le 1995 de Ferrand Lartigue se présente avec une robe rubis-pourpre et un nez confituré de fruits confits et de grillé. Faible en acidité, mûr et velouté en bouche, il y déploie de copieux arômes de cassis et de cerise noire. Quoique d'ores et déjà délicieux, ce vin moyennement corsé tiendra bien ces **10 prochaines années.** Une révélation du millésime ! (11/97)

1994 • **89+** Puissant et moyennement corsé, le 1994 déploie, outre une couleur rubis-pourpre foncé, un nez très aromatique de fruits noirs et rouges, de fumé et de grillé. Plus ample et plus massif que le 1993, c'est un Saint-Émilion souple, soyeux et très sensuel, que vous dégusterez avant qu'il n'ait **10 ans d'âge.** (1/97)

1993 • **88** Élégant et complexe, le 1993, de couleur rubis-pourpre foncé, exhale un doux nez de grillé et de fumé conjugué à des senteurs de cassis et de cerise mûre. Moyennement corsé, d'une excellente pureté et d'une belle maturité, il est aussi racé et soyeux, et peut être dégusté dans les 5 à 7 ans. (1/97)

FIGEAC – EXCELLENT

1er grand cru classé B – équivaut à un 2e cru du Médoc
Propriétaire : Thierry Manoncourt
Adresse : 33330 Saint-Émilion
Tél. 05 57 24 72 26 – Fax 05 57 74 45 74
Visites : sur rendez-vous uniquement

Superficie : 40 ha (Saint-Émilion, sur le plateau de graves)
Vins produits : Château Figeac – 120 000 b ; La Grange Neuve de Figeac – variable
Encépagement : 35 % cabernet franc, 35 % cabernet sauvignon, 30 % merlot
Densité de plantation : 5 800 pieds/ha – *Age moyen des vignes :* 40 ans

Élevage :
vendanges manuelles ;
fermentations de 21-25 jours pour moitié en cuves de bois et pour l'autre en cuves d'acier inoxydable ;
achèvement des malolactiques en fûts pour une partie de la récolte, en cuves pour le reste ; vieillissement de 18 mois en fûts neufs ;
collage au blanc d'œuf ; pas de filtration

A maturité : dans les 3 à 15 ans suivant le millésime

Ce domaine tient son nom de la famille Figeacus, qui le créa au IIe siècle de notre ère. Il s'agissait alors d'une villa gallo-romaine, qui évolua jusqu'à devenir, au Moyen Age, une terre noble. Du XIVe au XIXe, soit durant plus de six siècles, Figeac appartint aux Decazes et à leur descendance, la famille de Carle. Mais, en raison de la crise économique, la comtesse de Carle dut se séparer, dans les années 1832-1838, d'une trentaine d'hectares de vignes – qui donnèrent naissance au désormais célébrissime Cheval Blanc. Acheté en 1892 par la famille Manoncourt, Figeac retrouva son prestige dès 1954 grâce à l'actuel propriétaire, Thierry Manoncourt : le premier classement des vins de Saint-Émilion l'élut d'emblée au rang de premier grand cru classé.

Cette propriété relativement vaste (une quarantaine d'hectares) se trouve sur un plateau de graves, à peu près en face de Cheval Blanc, de l'autre côté de la route. Nombreux sont les initiés qui, pendant longtemps, ont considéré que Figeac était le deuxième meilleur cru de Saint-Émilion. Cependant, puisque Ausone réussit magnifiquement depuis le millésime 1976, et que le public connaît aujourd'hui beaucoup mieux les grands Saint-Émilion, Figeac doit faire face à une concurrence accrue.

Aimable et aristocratique d'allure, Thierry Manoncourt – aujourd'hui secondé par sa fille et son gendre, la comtesse et le comte d'Aramon – produit un vin qui sait séduire le consommateur. Dans les meilleurs millésimes, Figeac est fort proche, par le style et par la qualité, du très onéreux Cheval Blanc – bien que la différence de prix soit sensible. Figeac est généralement de couleur rubis, richement fruité, doté de parfums très nets de menthe, d'herbes aromatiques, de cèdre et de fruits noirs. Tout à la fois précoce, souple et charmeur, il est très agréable quand il est jeune et évolue rapidement, bien que l'encépagement du domaine comporte une plus forte proportion que les autres grands domaines de l'appellation de ce cabernet sauvignon tannique et astringent. Les millésimes récents (même les plus admirablement concentrés) ont, pour la plupart, été prêts dès l'âge de 5 ou 6 ans, et seuls les meilleurs Figeac se sont révélés capables d'une garde de 15 ans ou plus. Ce défaut n'est d'ailleurs pas passé inaperçu.

Cependant, de nombreux critiques spécialisés estiment que ce cru pourrait être plus profond et même s'imposer comme le meilleur de l'appellation s'il était issu de vendanges un peu plus tardives et de macérations plus longues (elles sont étonnamment brèves). L'un des œnologues les plus talentueux de Libourne m'a dit un jour que Figeac serait peut-être meilleur que Cheval Blanc si c'était lui qui le vinifiait.

Ce domaine réussit généralement bien dans les petits millésimes ; ainsi, les 1968, 1974 et 1977 sont nettement meilleurs que leurs pairs, même s'ils n'ont rien de fabuleux. J'ai souvent eu du mal à évaluer convenablement Figeac pendant sa première année. En effet, dans sa toute petite enfance, il paraît maigre, marqué par des notes végétales de rafle ; il n'acquiert de l'étoffe et du corps qu'au cours de sa deuxième année. C'est peut-être à son fort pourcentage de cabernet franc et de cabernet sauvignon qu'il doit cette particularité. Figeac est généralement vendu aussi cher que les meilleurs deuxièmes crus de Médoc, mais la qualité du vin justifie son prix.

Une visite à Saint-Émilion me paraîtrait incomplète si elle ne comprenait pas un rendez-vous avec M. Manoncourt, en son château. On peut en effet y découvrir un splendide domaine, doté de très vastes et belles caves, bien aménagées.

1998
•
88-91

C'est incontestablement le Figeac le plus réussi depuis le 1990, fabuleusement riche et complexe. Cette propriété a produit un 1998 tout à la fois sensuel, multidimensionnel et élégant, vêtu de rubis foncé, avec des senteurs de cèdre, de boîte à cigares, d'épices et de cassis. Moyennement corsé et rond, il exprime une bouche souple et veloutée, où l'on distingue un beau fruité et des tannins joliment fondus. Sans être puissant ni massif, ce vin marie parfaitement une grande richesse à des parfums intenses et racés. **A boire entre 2001 et 2015.** (3/99)

1997
•
86-87

Très bon, voire excellent, le 1997 est charmeur et délicieux, avec des arômes d'herbes séchées, de cerise noire, de réglisse et de cake. La bouche, souple et opulente, évoque la groseille, mais l'ensemble n'est pas vraiment profond ni très corpulent. Cependant, il est merveilleux d'harmonie et atteste une vinification impeccable. **A boire dans les 7 ou 8 ans.** (1/99)

1996
•
82

Je sais que les propriétaires de Figeac estiment que je suis injustement sévère à l'égard de leurs vins, mais je suis en fait un très grand amateur de ce cru. Lorsqu'il se révèle exceptionnel, comme en 1964, 1982, 1990 et peut-être 1998, je me fais un devoir d'en posséder dans ma cave personnelle (à l'exception, bien sûr, du 1998) et je consomme mes bouteilles avec grand plaisir. Cependant, de trop nombreux millésimes pèchent par manque de concentration et par une évolution trop rapide. C'est précisément le cas du 1996. Rubis moyen de robe, il présente un nez mûr de cèdre, de tabac, de cake et de cerise, qui introduit en bouche un ensemble moyennement corsé et léger, incontestablement dilué. On décèle encore des tannins légers dans la finale abrupte. **A boire dans les 7 ou 8 ans.** (1/99)

1995 • **89** Pour son 50e millésime, la famille Manoncourt a élaboré un vin rubis foncé, tout en délicatesse et en complexité. Le nez, fabuleux et multidimensionnel, séduit par son côté fumé et grillé, et par ses senteurs d'épices orientales, de menthol et de cerise, qui introduisent en bouche des arômes doux, ronds et riches de kirsch, mêlés de notes de cassis, d'herbes et de tabac. Le nez est impressionnant, la bouche un peu moins, mais l'ensemble est souple, bien évolué, capable d'une belle garde, et néanmoins déjà accessible. **A boire jusqu'en 2010.** (11/97)

1994 • **84 ?** Le rubis moyennement foncé du 1994 précède un nez de poivre vert, d'olives et de cassis. Ce vin manifeste un caractère herbacé qui pourrait, d'ici 3 ou 4 ans, développer des notes de cèdre. Bien que trop tannique, il se révèle moyennement corsé et pur, avec un fruité mûr et doux, et laisse une impression assez massive en milieu de bouche. Les amateurs de vins austères seront plus séduits que je ne l'ai été. **A boire entre 2000 et 2010.** (1/97)

1993 • **79** Rubis foncé, le 1993 dégage un nez végétal et de poivron vert. Maigre, avec une texture rugueuse, il présente un doux fruité à l'attaque en bouche, mais se dessèche ensuite pour révéler une finale légèrement corsée et comprimée, aux tannins sévères. Est-ce un vin de choix pour accompagner des terrines de légumes ? **A boire dans les 4 ou 5 ans.** (1/97)

1990 • **94** Ce Figeac grandiose – plus riche, plus complet et plus complexe que le 1982 – se distingue par une robe d'un pourpre foncé et soutenu, assez atypique de ce cru. Le nez révèle de fabuleuses senteurs d'olives, de cake, de fruits noirs confiturés, de minéral et de réglisse, et la bouche, moyennement corsée, déborde littéralement d'un doux fruité confituré extrêmement glycériné. L'ensemble, charnu et élégant, allie avec bonheur élégance et complexité ; il est bien étayé par des tannins modérés et par une heureuse acidité. D'ores et déjà accessible du fait de son doux fruité, le Figeac 1990 promet d'être encore plus plaisant au terme d'une garde supplémentaire de 2 à 4 ans, et tiendra parfaitement **20 ans.** Il s'imposera à coup sûr comme l'un des vins les plus exotiques et les plus irrésistibles des années 90. Somptueux ! (11/96)

1989 • **83** Vêtu de rubis moyen, le 1989 est maigre, rugueux et herbacé, et manque tout autant de charme que de concentration et d'intensité. Il n'est pas étonnant qu'il présente un caractère aussi vert et aussi végétal, en raison de sa forte proportion de cabernet franc et de cabernet sauvignon, mais je ne me souvenais pas qu'il fût aussi dénué de parfums et d'intensité. (11/96)

1988 • **83** D'un rubis moyen, le 1988 est maigre, piquant et austère, avec des tannins en excès et des arômes bien trop herbacés. L'ensemble, léger, finit étonnamment court. **A boire jusqu'en 2000.** (1/93)

1986 • **87** J'avais surestimé ce vin dans sa jeunesse, espérant qu'il allait développer davantage de gras et de maturité au cours de son vieillissement. Il libère toujours un bouquet de terre, de menthe et d'herbes entremêlé de senteurs de chêne neuf et de fruits noirs. Les tannins sont encore bien présents, mais l'ensemble ne s'est pas étoffé en milieu de bouche et demeure austère, déployant une finale aux tannins durs. Délicieux dès sa jeunesse, ce vin demeure savoureux, très bon, voire excellent, mais il ne s'est pas révélé aussi exceptionnel que je l'avais imaginé de prime abord. **A boire jusqu'en 2006.** (11/97)

1985 • **86** D'un rubis-grenat foncé légèrement ambré sur le bord, le Figeac 1985 se distingue par un nez fumé et herbacé de cèdre qu'accompagne un fruit mûr très marqué de bois neuf. Parfaitement mûr depuis plusieurs années déjà, il doit être consommé assez rapidement, à en juger par sa souplesse et par les nuances ambrées et orangées de sa robe. Moyennement corsé et concentré, il est élégant et plaisant. **A boire jusqu'en 2002.** (11/96)

1983 • 87 Ce vin parfaitement mûr s'annonce par un nez herbacé de réglisse, de fumé et de fruits rouges confiturés. La bouche révèle des arômes souples de cake étayés par des tannins veloutés et par une faible acidité, et la finale, alcoolique, est étonnamment chaleureuse. Ce vin atteint la fin de son apogée ; il faut donc le consommer très prochainement, avant qu'il n'entame son déclin, que son fruité ne se fane et que son alcool ne prenne le dessus. **A boire.** (11/96)

1982 • 93 Ce merveilleux Figeac est probablement l'une des plus belles réussites de ce cru (je pense cependant que le 1990 sera un sérieux rival). Délicieux depuis quelques années, il ne s'est jamais distingué par sa puissance, mais plutôt par sa complexité et par ses parfums exceptionnels. Son nez intense de petits fruits, d'épices orientales et d'herbes est tout simplement provocant. Quant à la bouche, elle exprime tout en rondeur, outre une merveilleuse maturité, une texture aussi douce que la soie, et les légendaires arômes d'olives, de cassis et de fruits vanillés typiques de Figeac. Il est difficile de prédire avec assurance le potentiel de garde de ce vin, mais il est certain qu'il est maintenant à son apogée et qu'il s'y maintiendra **15 ans environ.** (9/95)

1981 • 92 Que ce soit en fût ou en bouteille, ce vin ne m'a jamais beaucoup impressionné, car il est relativement terne et d'un style commercial. Herbacé, assez souple, velouté et raisonnablement corsé, il déploie des tannins légers et une faible acidité qui expliquent la rapidité de son évolution. **A boire.** (3/88)

1979 • 83 Le Figeac 1979 libère un bouquet modérément intense de fruit charnu et épicé et de bois de cèdre ; assez riche et concentré, mais sans plus, il est suffisamment corsé et présente une finale souple et dépourvue de tannins. C'est certes un bon vin, mais, pour la réputation du château et pour le prix, c'est une déception. **A boire – peut-être en déclin.** (2/84)

1978 • 85 Dans sa prime jeunesse, le Figeac 1978 semblait très fruité, souple, sans détour, destiné à être bu rapidement. En bouteille, il a évolué de manière intéressante, gagnant en profondeur et en richesse, et développant davantage de corps. A l'heure actuelle, il paraît nettement plus sérieux qu'auparavant, bien qu'il se montre encore relativement léger et manquant de concentration. **A boire.** (3/91)

1977 • 75 C'est l'une des rares réussites de ce millésime médiocre. Ce 1977 est fruité, souple et velouté, avec suffisamment de corps et une bonne persistance. **A boire – probablement en sérieux déclin.** (10/84)

1976 • 86 Ce 1976, qui m'a toujours impressionné, s'impose comme l'une des belles réussites du millésime. Surmonté d'un bouquet joliment complexe, ample et profond de cèdre et de fruit mûr, il se montre riche, séveux et corsé en bouche, sans ce caractère dilué et mou qui dessert nombre de ses jumeaux. Rond, concentré et généreux, ce Figeac de bonne tenue (pour le millésime) doit être consommé **rapidement – s'il n'est en sérieux déclin.** (6/83)

1975 • 87 Si sa robe très évoluée suggère un vin de 30 à 40 ans d'âge, le Figeac 1975 exhale, en revanche, un nez superbe et renversant de cèdre, de groseille et de cassis mûrs et confiturés, d'épices orientales et de thé vert. L'ensemble qui suit en bouche commence à se dessécher, révélant des arômes très prononcés de thé et des tannins qui commencent à prendre le pas sur le fruit. Il recèle encore des notes mûres de cerise, d'herbes et de café, mais il se pourrait bien qu'il soit assez prêt du déclin. Cependant, comme pour me contredire, il est resté intact en carafe pendant deux jours avant de s'estomper. **A boire.** (12/95)

1971 • 84 J'ai toujours trouvé que ce vin manquait de richesse et de profondeur – je le considérais donc comme décevant, puisque le millésime a généralement été assez bon pour les appellations de la rive droite. Cependant, en 1984, j'ai eu l'occasion de goûter deux bouteilles de ce Figeac 1971, qui s'est révélé épanoui, profond et délicieusement fruité, avec des notes de grillé ; je m'interroge donc sur cette irrégularité des bouteilles. **A boire – probablement en sérieux déclin.** (12/84)

1970 • 90 Bien qu'ayant atteint son apogée depuis plus d'une décennie, ce vin n'en continue pas moins de déployer un bouquet d'herbes aromatiques, de minéral et de prune. En bouche, il est épanoui, séveux et généreux, et semble avoir acquis davantage d'étoffe et d'intensité depuis le milieu des années 80. Ses tannins se sont complètement fondus dans l'ensemble, et ce vin laisse en bouche une impression de rondeur, de générosité et de souplesse soyeuse. Je crois maintenant qu'il faut le boire, mais je me suis si souvent trompé sur le potentiel de garde de Figeac qu'il n'est pas impossible qu'il se maintienne plus longtemps. **A boire.** (1/91)

1966 • 85 Résultat louable pour Figeac : bien vinifié, fruité et aromatique, le 1966 dégage des senteurs de fruit mûr et de bois de cèdre. Bien qu'il ait été à son apogée lors de ma dernière dégustation, il présentait l'étoffe et l'équilibre nécessaires pour bien vieillir. Dénué de l'ampleur et de la corpulence du 1964 ou du 1970, ce 1966 n'en est pas moins élégant et séduisant. **A boire.** (1/82)

1964 • 94 Après avoir goûté plusieurs bouteilles et une caisse de magnums de 1964, je puis affirmer qu'il s'agit de l'un des deux ou trois plus grands vins que je connaisse de cette propriété. Il était fabuleux dans les années 70 et montre bien quels énormes écarts de qualité – assurément les plus importants du Bordelais – Figeac peut connaître. Ce 1964 témoigne encore parfaitement de la qualité du millésime – il est opulent et révèle un fruité intense, profond et riche, ainsi qu'une texture de velours. Il offre également au nez de sensationnels arômes de cèdre, de noisette, de prune, d'herbes et de fumé. Extrêmement doux et mûr, il résiste merveilleusement à l'épreuve du temps. **A boire.** (10/94)

1962 • 80 Quoique toujours plaisant, le 1962 commence à perdre son fruit, et sa robe acquiert des nuances très tuilées. C'est un vin plutôt léger. **A boire rapidement – peut-être en déclin.** (7/80)

1961 • 94 ? Plusieurs dégustations récentes de ce vin en bouteille classique m'ont révélé qu'il commençait à se déliter et à perdre son fruit. Cependant, un magnum dégusté outre-Atlantique (il avait été conservé dans une cave fraîche) contenait un vin qui m'a littéralement époustouflé par sa qualité extraordinaire ; il justifiait l'adage selon lequel « il n'y a pas de grands vins, mais seulement de grandes bouteilles ». D'un grenat foncé modérément nuancé de rouille sur le bord, ce 1961 exhalait un nez énorme et parfumé de cake, de cèdre, de prune confite et d'autres fruits noirs, qui introduisait en bouche un ensemble tout à la fois opulent, riche et luxuriant, doté d'une finale aux doux tannins. Ce magnum en particulier était à parfaite maturité, mais capable de tenir **10 ans encore.** (7/97)

Millésimes anciens

Le 1959 (noté 91 en 1990) n'a pas été redégusté depuis la dernière édition de cet ouvrage, mais je pense que les bouteilles qui auront été conservées dans de bonnes conditions sont toujours impressionnantes. Il s'agit d'un vin puissant, riche et rôti, qui traduit bien le millésime torride dont il est issu.

Le 1955 de Figeac (noté 95 en octobre 1994) est un vin brillant, qui compte parmi les grands méconnus de ce siècle – ceux que l'on trouve parfois dans les ventes aux enchères et qui sont adjugés à des prix dérisoires car la presse n'en a que très peu parlé. Contrairement à la tradition de ce château, dont les vins évoluent en général rapidement, le 1955 est moins épanoui que le 1964, qui, lui, est à la pointe de sa maturité, et il est encore plus riche que le 1982 et le 1990, du moins tels qu'ils se montrent maintenant. Il offre un nez extraordinairement odorant de prune, de cassis, de menthe, d'herbes, de fumé et d'épices. Beaucoup plus dense et plus concentré que ne le sont normalement les Figeac, cette merveille, dont les tannins doivent encore s'arrondir, peut parfaitement vieillir **un demi-siècle de plus.**

Il serait aléatoire d'acheter aujourd'hui une bouteille de 1953 qui n'aurait pas été conservée dans des conditions idéales. A son meilleur niveau, ce vin (noté 93 en octobre 1994) exhale un nez énorme de fumé, d'herbes, de minéral, de fruits et de menthol. Il présente aussi des arômes veloutés et moyennement corsés, des tannins très fondus et une finale capiteuse et alcoolique. Il a été au mieux de sa forme pendant les vingt dernières années et il est peu probable qu'il se bonifie encore.

Le 1950 (noté 88 en décembre 1996) est un autre excellent spécimen de ce millésime sous-estimé, qui a donné de très bons Saint-Émilion et des Pomerol splendides. D'un grenat fortement ambré et nuancé de rouille, ce vin dégage un nez intense de fumé, d'épices de barbecue, de cèdre et de fruits secs, qui introduit en bouche un ensemble souple, rond et moyennement corsé. Ce Figeac est certainement à son apogée depuis une bonne dizaine d'années.

Le splendide 1949 (noté 94 en janvier 1996) est l'un des Figeac les plus grandioses que j'aie dégustés. Libérant un nez de boîte à cigares et de cake, il exprime tout en rondeur des arômes fabuleusement riches, qui dévalent littéralement le palais sans y laisser la moindre sensation de lourdeur, malgré la douceur du fruit très glycériné qui les étaye. C'est un Figeac somptueux, que j'aimerais déguster en magnum ou autre grand format.

Le 1947 (noté 70 en novembre 1996) révélait un fruité passé et desséché, ainsi qu'un nez végétal en phase avec sa robe trop évoluée fortement nuancée d'ambre et de rouille. La bouche présentait des tannins poussiéreux et un alcool piquant, mais l'ensemble manquait cruellement de chair et de fruit. Quelle déception – surtout qu'il s'agit de l'année de ma naissance !

LA FLEUR

Grand cru – équivaut à un cru bourgeois

Propriétaire : Lily Lacoste

Adresse : 33330 Saint-Émilion

Adresse postale : Établissements Jean-Pierre Moueix 54, quai du Priourat – BP 129 – 33502 Libourne Cedex

Tél. 05 57 51 78 86 – Fax 05 57 51 79 79

Visites : sur rendez-vous et pour les professionnels uniquement

Contact : Frédéric Lospied

Superficie : 9 ha (sur la colline du nord de Saint-Émilion)
Vin produit : Château La Fleur – 24 000 b (pas de second vin)
Encépagement : 90 % merlot, 10 % cabernet franc
Densité de plantation : 5 500-6 000 pieds/ha – *Age moyen des vignes :* 20 ans
Rendement moyen : 50 hl/ha

Élevage :
fermentations de 18 jours en cuves de béton ;
achèvement des malolactiques en cuves ;
vieillissement de 18 mois en fûts (20 % de bois neuf) ; soutirage trimestriel ;
collage ; pas de filtration

A maturité : dans les 2 à 6 ans suivant le millésime

C'est Christian Moueix, copropriétaire de Petrus, qui gère cette petite propriété de Saint-Émilion. Elle a longtemps donné des vins dénués de caractère ; ils étaient en effet sans détour, souples, légers et accessibles. A partir des années 90, ils ont révélé davantage de fruit et de profondeur, tout en se montrant plus charmeurs et plus séduisants. Ce cru est distribué par la maison Jean-Pierre Moueix. En règle générale, il doit être consommé dans les 5 ou 6 ans du millésime, car il n'a pas l'étoffe nécessaire pour vieillir plus longuement.

1998 • **86-88** Alors qu'il est généralement fruité, souple et accessible, ce vin se révèle en 1998 plus structuré et plus tannique que de coutume, avec une robe plus dense et plus soutenue, et un caractère plus musclé et plus riche que ses aînés. Son doux nez de cerise noire marqué en arrière-plan de notes de terre et de boisé introduit en bouche un ensemble moyennement corsé, doté d'une plus grande précision que les millésimes précédents. Ce devrait être un bon vin, mais il requiert – c'est inhabituel – une garde de 2 à 4 ans. **A boire entre 2002 et 2010.** (3/99)

1997 • **85-86** Très proche du 1996 par son style, le 1997 présente cependant davantage de corpulence et de structure. Sa robe d'un rubis profond accompagne un nez riche et confituré, ainsi qu'un caractère ample et massif, étayé par une faible acidité. La finale est nette et séduisante. **A boire jusqu'en 2009.** (1/99)

1996 • **86** L'excellent 1996 conviendra parfaitement aux restaurateurs ou aux consommateurs en quête de vins immédiatement séduisants. Depuis quelques années, la propriété propose régulièrement des crus sans détour, ouverts et dotés d'un fruité mûr et très accessible. Rubis moyen de robe, son 1996 exhale un fabuleux nez de cerise très (presque trop) mûre, nuancé de framboise et de groseille. En bouche, il se montre moyennement corsé et velouté, et exprime, outre un généreux fruité, une pureté d'excellent aloi. Vous apprécierez cet ensemble satiné ces **5 ou 6 prochaines années.** (1/99)

1995 • **87** Les consommateurs et les restaurateurs en quête d'un bordeaux souple, séduisant et richement fruité qui n'aurait pas la cote d'un bijou de la place Vendôme devraient se tourner vers La Fleur 1995. Ce Saint-Émilion séduisant, moyennement corsé, rond et velouté affiche un rubis assez foncé, mais profond, et dégage un merveilleux nez bien évolué de cerise noire confiturée, d'épices et de fraise. La bouche est souple, tout en finesse et fruité savoureux. Vous apprécierez ce vin délicieux dans les **7 ou 8 ans.** (11/97)

1994 • **86** Bien réussi dans un millésime qui a davantage favorisé la rive droite que la rive gauche, ce 1994 arbore une robe rubis moyen et séduit par son nez de petits fruits rouges aux notes d'épices et de vanille. On décèle, à l'attaque en bouche, des arômes moyennement corsés et concentrés, sans détour, mais plaisants et purs, sans aucune prétention. Un vin savoureux, presque bourguignon. **A boire dans les 5 à 8 ans.** (11/97)

1993 • **86 ?** Le 1993, qui déploie assurément des tannins un peu trop abondants, est néanmoins bien étayé par une bonne profondeur et par une bonne maturité. **A boire jusqu'en 2002.** (11/94)

1992 • **86** Charnu, succulent, juteux et gras, le 1992 de La Fleur est également opulent, débordant d'arômes de fruits confiturés et de chêne grillé qu'il jette littéralement au visage du dégustateur. Il se conservera parfaitement pendant encore **3 à 5 ans.** (11/94)

1990 • **86** Un nez luxuriant de doux chêne vanillé, de fleurs et de petits fruits rouges annonce La Fleur 1990. Tout en fruité soyeux, ce vin gras et de bonne mâche, doté de tannins souples, sera parfait ces **5 à 7 prochaines années.** Quoique dépourvu de complexité, il est des plus délicieux. (1/93)

FONPLÉGADE – BON

Grand cru classé – équivaut généralement à un cru bourgeois, dans certains millésimes à un 5e cru du Médoc
Propriétaire : Armand Moueix
Adresse : 33330 Saint-Émilion
Tél. 05 57 74 43 11 – Fax 05 57 74 44 67
Visites : sur rendez-vous de préférence, les lundi, jeudi et vendredi (10 h-18 h)
Contact : Sébastien Nugues

Superficie : 18 ha (Saint-Émilion)
Vins produits :
Château Fonplégade – 80 000 b ; Château Côtes Trois Moulins – 50 000 b
Encépagement : 60 % merlot, 35 % cabernet franc, 5 % cabernet sauvignon
Densité de plantation : 5 400 pieds/ha – *Age moyen des vignes :* 35 ans
Rendement moyen : 50 hl/ha

Élevage :
fermentations de 21 jours environ en cuves d'acier inoxydable pour une moitié de la récolte, en cuves de béton pour l'autre ; vieillissement de 18 mois en fûts (1/3 de bois neuf) ; collage ; pas de filtration

A maturité : dans les 3 à 12 ans suivant le millésime

Fonplégade mériterait d'être mieux connu qu'il ne l'est actuellement. Son vignoble est magnifiquement situé sur les coteaux sud de Saint-Émilion, non loin de Magdelaine, et le château lui-même – l'un des plus attrayants de la région – fut construit au XIXe siècle par l'un des propriétaires du domaine, un négociant du nom de Boisard. Depuis 1953, Fonplégade appartient à la famille Armand Moueix.

Le style de ce cru n'a pas changé depuis de longues années. C'est l'un des meilleurs vins de la gamme Armand Moueix ; il se distingue généralement par sa robe profondément colorée, par son généreux fruité riche et confit de cerise noire, par ses nuances de chêne neuf grillé et fumé, ainsi que par sa texture opulente et souple. C'est un vin que l'on peut apprécier dès sa jeunesse, mais qui peut également être conservé en cave pendant une dizaine d'années ou plus. Il demeure sous-estimé parmi les Saint-Émilion.

1995 • 86 D'un rubis-bleu tirant sur le noir, avec dans sa palette aromatique de généreuses senteurs de cassis doux, le 1995 se révèle bien glycériné et un peu épicé en bouche, où il dévoile par paliers son abondant fruité. La finale est longue et rassurante. **A boire entre 2001 et 2012.** (11/97)

1994 • 75 Austère, anguleux et manquant de charme avant la mise, le 1994 ne se révèle pas sous un meilleur jour depuis qu'il est en bouteille. D'un rubis moyennement foncé, avec un bord aqueux, il exhale un nez de poussière et de filtre. Court, comprimé et inintéressant, il n'a ni le fruité ni la profondeur suffisants pour bien vieillir. (1/97)

1993 • 85 Le séduisant 1993 ne déploie pas les notes végétales et de poivron vert que l'on retrouve dans nombre de ses jumeaux. Rubis foncé, moyennement corsé, il libère un doux fruité de prune mûre, avec une faible acidité. Savoureux et accessible en bouche, ce vin bien fait, mais peu intéressant, sera agréable ces **5 ou 6 prochaines années.** (1/97)

1992 • 80 D'un rubis-pourpre moyen, avec un nez épicé auquel se mêlent des senteurs de cerise confiturée, le 1992 de Fonplégade se montre moyennement corsé et relativement tannique, avec une acidité faible. Moyennement concentré, il est plaisant, mais fondamentalement dénué d'intérêt. **A boire dans les 4 ou 5 ans.** (11/94)

1990 • 88 D'une excellente concentration et doté d'abondants tannins, le 1990 arbore une robe soutenue et présente un caractère robuste et corsé bien étayé par une heureuse acidité. Ce vin bien fait – le meilleur Fonplégade depuis des années – doit être consommé dans les **8 à 10 ans.** (1/93)

1989 • 85 Ce vin alcoolique, au fruité généreux, devrait se maintenir encore un peu, bien qu'il soit dénué de la concentration et de la complexité hors pair des belles réussites de ce millésime. Cependant, il est rond, souple et déjà délicieux. **A boire jusqu'en 2002.** (1/93)

FONROQUE – BON

Grand cru classé – équivaut à un cru bourgeois
Propriétaire : GFA Château Fonroque
Adresse : 33330 Saint-Émilion
Adresse postale : Établissements Jean-Pierre Moueix
54, quai du Priourat – BP 129 – 33502 Libourne Cedex
Tél. 05 57 51 78 96 – Fax 05 57 51 79 79
Visites : sur rendez-vous et pour les professionnels uniquement
Contact : Frédéric Lospied

Superficie :
18 ha (Saint-Émilion, sur le versant ouest de la colline, au lieu-dit Cadet)
Vin produit : Château Fonroque – 78 000 b (pas de second vin)
Encépagement : 70 % merlot, 30 % cabernet franc
Densité de plantation : 5 500-6 000 pieds/ha – *Age moyen des vignes :* 35 ans
Rendement moyen : 45 hl/ha

Élevage :
fermentations de 18 jours environ en cuves de béton thermorégulées ;
achèvement des malolactiques en cuves ;
vieillissement de 18 mois en fûts (25 % de bois neuf) ;
soutirage trimestriel de fût à fût ; collage au blanc d'œuf ; pas de filtration

---

A maturité : dans les 4 à 12 ans suivant le millésime

Le vignoble de Fonroque se situe un peu à l'écart, à l'ouest de Saint-Émilion. Il appartient à Jean-Jacques Moueix et à sa sœur, Mme Curat. Le nom de Moueix est généralement associé à des propriétés plus connues de Pomerol et de Saint-Émilion, telles Petrus, Trotanoy et Magdelaine, et l'on oublie souvent que les vins de Fonroque constituent d'excellentes affaires, qu'ils sont toujours bien vinifiés et qu'ils présentent un caractère intéressant très typé.

Dans l'ensemble, il s'agit d'un cru robuste, tannique, riche et moyennement corsé, capable de bien vieillir. Il requiert même, dans les bons millésimes, une garde de 2 ou 3 ans avant d'être prêt.

1997 • **78-82** Vêtu de rubis foncé, ce vin moyennement corsé et austère est marqué de notes de terre et de minéral. Il se desséchera vraisemblablement ces **5 ou 6 prochaines années.** (1/99)

1996 • **76** Maigre, dur et rustique, le Fonroque 1996 révèle des senteurs animales, des tannins granuleux et pèche par manque de fruit et d'intensité. (1/99)

1995 • **87** Épicé et moyennement corsé, le Fonroque 1995, d'un rubis foncé, exhale un nez ferme, mais prometteur, de fer, de terre, de kirsch confituré et de groseille. D'une grande richesse, il dévoile en bouche de très caractéristiques arômes de terre et de truffe, et déploie une finale solide et modérément tannique. Ce vin musclé et charnu est une belle réussite ! **A boire entre 2000 et 2012.** (11/97)

1992 • **74 ?** Lorsque je l'avais dégusté du fût, le 1992 de Fonroque m'avait paru excellent, avec sa robe d'un rubis profond, son nez énorme et épicé de terre, de viande et de rôti, ainsi que ses arômes mûrs et moyennement corsés. Malheureusement, depuis la mise en bouteille, il se montre sauvage et tannique, déjà dénué de fruité ; on peut affirmer qu'il se desséchera d'ici 2 ou 3 ans. Tout en muscle et sans cervelle, c'est un vin dépourvu de charme qu'il vaut mieux éviter. (11/94)

1990 • **88** Opulent, ample, doux et de bonne mâche, le 1990 est corpulent et intense, et doté d'une belle profondeur. Débordant d'un généreux fruité, copieusement épicé et herbacé et subtilement nuancé de chêne vanillé (imparti par le bois neuf), ce Fonroque – le meilleur de sa décennie – doit être dégusté dans les **10 ans.** (1/93)

1989 • **86** L'excellent 1989 traduit bien l'ampleur, la richesse et le caractère alcoolique et capiteux inhérent au millésime. Opulent et charnu en bouche, il s'y développe de belle manière et s'y révèle délicieux. **A boire jusqu'en 2000.** (4/91)

1988 • **83** Bien étayé par un fruité mûr et sous-jacent et par une heureuse acidité, le 1988 présente des notes de chêne neuf et épicé, ainsi qu'une finale aux tannins agressifs. Il est plaisant, mais assez quelconque. **A boire jusqu'en 2000.** (4/91)

1983 • **85** Typiquement Fonroque, avec sa robe terriblement foncée et des tannins abondants, mais souples, ce 1983 dévoile en bouche, par paliers, des vagues d'un fruit mûr et moyennement corsé. **A boire.** (3/88)

1982 • **85** Vinifié dans un style ouvert et intensément fruité, marqué de notes d'épices et de confit, le Fonroque 1982 se révèle très corsé en bouche. Sa robe rubis foncé légèrement ambrée précède un ensemble velouté, à la finale souple et généreuse. Vous apprécierez ce vin ample, charnu, doté d'un fruit luxuriant et d'abondants tannins mûrs **ces toutes prochaines années.** (1/90)

FRANC-MAYNE - BON

Grand cru classé – équivaut à un cru bourgeois
Propriétaires : Georges Fourcroy et associés
Adresse : 33330 Saint-Émilion
Tél. 05 57 24 62 61 – Fax 05 57 24 68 25
Visites : sur rendez-vous uniquement
Contact : Lise Bessou

Superficie :
7 ha (partie nord-ouest de Saint-Émilion)
Vins produits :
Château Franc-Mayne – 30 000 b ; Les Cèdres de Franc-Mayne – 10 000 b
Encépagement : 90 % merlot, 10 % cabernet franc
Densité de plantation : 6 500 pieds/ha – *Age moyen des vignes :* 30-35 ans
Rendement moyen : 43 hl/ha depuis 1996, 50 hl/ha auparavant

Élevage :
fermentations et cuvaisons de 30 jours environ en cuves thermorégulées ;
achèvement des malolactiques en fûts ;
vieillissement de 15-18 mois en fûts (80 % de bois neuf) ;
soutirage trimestriel ; collage ; pas de filtration

A maturité : dans les 3 à 8 ans suivant le millésime

Lorsque le Groupe Axa, un géant des assurances, se porta acquéreur de Franc-Mayne en 1987, ses dirigeants eurent la bonne idée d'en confier la gestion à Jean-Michel Cazes, propriétaire de Lynch-Bages, et à son vinificateur, le talentueux Daniel Llose. C'est ainsi que ces derniers furent chargés de superviser la rénovation du domaine et la vinification. En 1996, la propriété fut rachetée par la société de négoce belge Fourcroy, déjà propriétaire de la liqueur Mandarine impériale.

Il y a à Saint-Émilion dix-sept propriétés qui incluent le vocable « Franc » dans leur dénomination, mais c'est celle-ci, la plus connue, qui produit le meilleur vin. Son vignoble est situé dans la partie nord-ouest de l'appellation, sur le flanc de coteau qui mène à l'appellation Côtes de Francs. Le sol argilo-calcaire est mêlé de sable et de molasse.

Ce cru ne compte pas parmi mes Saint-Émilion préférés, mais il s'est nettement amélioré sous la houlette de Jean-Michel Cazes, et l'on peut attendre qu'il progresse encore sous la nouvelle direction. Il doit généralement être consommé dans les 7 ou 8 ans suivant le millésime.

1998 • **86-87** De très caractéristiques senteurs de menthe, de vanille et de cassis évoquent davantage un Médoc ou un Cabernet de Californie qu'un vin de la rive droite. S'annonçant par une robe rubis-pourpre foncé, le 1998 de Franc-Mayne est moyennement corsé et élégant en bouche, où il déploie un excellent fruité joliment étayé par une acidité et un boisé bien fondus. Il tiendra bien **10 à 12 ans**. (9/99)

1996 • **84-86** Les vins de Franc-Mayne étaient autrefois extrêmement végétaux, mais ils se sont nettement améliorés sous la houlette du nouveau propriétaire. Malgré quelques touches herbacées, le 1996 se montre ainsi moyennement corsé, avec un séduisant fruité de groseille et de cassis mûr légèrement marqué de notes de menthe, et présenté dans un ensemble sans détour et savoureux. Ce 1996 sera prêt d'ici quelques années, et devrait se conserver **une décennie**. (11/97)

1993 • **76** Comme celle de la plupart des vins de la propriété, la robe du 1993 est impressionnante, soutenue, de couleur rubis-pourpre foncé. Cependant, ce Franc-Mayne présente indiscutablement un problème, car, outre son nez par trop végétal et herbacé, il libère en bouche des arômes creux dominés par un caractère boisé et tannique, et par sa structure. Ce vin manque de fruité, de gras et de richesse en extrait. A boire **rapidement**, car il se desséchera vite. (11/94)

1992 • **76** Vêtu de rubis foncé, le 1992 est moyennement corsé et creux, et libère un bouquet très marqué par un caractère herbacé et végétal. Court en bouche, il déploie en finale des tannins excessifs. Ce n'est vraiment pas mon style. (11/94)

1991 • **73** Le nez du 1991, agressif et herbacé, révèle un manque évident de fruité et trop de verdeur. On y décèle néanmoins quelques arômes de fruits doux et dilués, mais il s'agit en fait d'une piètre performance de la part de cette propriété. (1/94)

1990 • **89** Bien plus riche que le 1989, pourtant de haut vol, le 1990 est faible en acidité, mais sensationnel de richesse et de profondeur. Doté d'un fruit de cerise noire bien marqué par la mâche, il déploie en bouche une texture visqueuse et une finale éblouissante. Ce vin d'une richesse explosive pourrait bien mériter une meilleure note encore d'ici quelques années. **A boire jusqu'en 2007.** (1/93)

1989 • **87** Pourpre de robe, avec un nez épicé et confituré, le 1989 suinte littéralement d'un fruité de cassis. Souple, mais ample, il est également faible en acidité, et déploie une finale très alcoolique. Vous apprécierez ce Saint-Émilion luxuriant et savoureux **jusqu'en 2000.** (1/93)

1988 • **79** Un nez séduisant, épicé et intensément herbacé annonce le Franc-Mayne 1988. C'est un vin creux et atténué, à la finale courte. Malgré sa belle couleur, il ne présente guère d'intérêt. **A boire – peut-être en déclin.** (4/91)

1986 • **79** Fruité, savoureux et confit, le 1986 de Franc-Mayne manque quelque peu de complexité, mais il déploie un charme immédiat et des arômes séduisant. A boire – peut-être en déclin. (3/89)

LA GAFFELIÈRE – TRÈS BON

1er grand cru classé B – mérite son rang depuis 1985
Propriétaire : Léo de Malet-Roquefort
Adresse : 33330 Saint-Émilion
Tél. 05 57 24 72 15 – Fax 05 57 24 65 24
Visites : sur rendez-vous uniquement
Contacts : Éric Degliane et Jean-Marie Galeri

Superficie :
22 ha (Saint-Émilion, entre le village et la station ferroviaire)
Vins produits : Château La Gaffelière – 90 000 b ; Clos La Gaffelière – 5 000 b
Encépagement : 65 % merlot, 30 % cabernet franc, 5 % cabernet sauvignon
Densité de plantation : 5 800-6 600 pieds/ha – *Age moyen des vignes :* 40 ans
Rendement moyen : 43 hl/ha

Élevage :
fermentations et cuvaisons de 15-21 jours
en cuves d'acier inoxydable thermorégulées ;
achèvement des malolactiques en fûts pour la moitié de la récolte,
en cuves pour le reste ;
vieillissement de 16-18 mois en fûts (50 % de bois neuf) ;
soutirage tous les 4 mois ; collage au blanc d'œuf ; légère filtration

A maturité : dans les 5 à 15 ans suivant le millésime

Ce fort beau château à quatre étages, flanqué d'un chai impressionnant, se trouve immédiatement au pied des murs de Saint-Émilion. C'est l'une des propriétés les plus anciennes de l'appellation, et elle appartient à la même famille depuis plus de quatre cents ans. Le propriétaire actuel, le comte Léo de Malet-Roquefort, est un excellent cavalier et un grand chasseur devant l'Éternel, ce qui n'a rien de surprenant puisque ses ancêtres, descendants des Normands, ont été distingués par Guillaume le Conquérant pour leur héroïsme et leur bravoure lors de la bataille de Hastings.

La Gaffelière est un cru qu'il est difficile d'évaluer. Les millésimes des années 60 et 70 sont de bon niveau, et le 1970, notamment, est des plus impressionnants. Il a ensuite fallu attendre douze ans pour qu'un autre grand vin soit produit à la propriété. On peut s'interroger sur un tel « passage à vide », dans la mesure où le vignoble est excellemment situé, sur des sols argilo-calcaires ; d'autre part, à chacune de mes visites, j'ai pu constater l'extrême netteté des installations, ainsi que la compétence du comte Léo et de son équipe.

Quoi qu'il en soit, on soulignera simplement que les millésimes d'avant le milieu des années 80 étaient rarement intéressants. Depuis, La Gaffelière a fait honneur à son rang de premier grand cru classé, et il figure actuellement parmi l'élite de l'appellation. Se caractérisant avant tout par son élégance et par son caractère tendre, il n'est jamais terriblement tannique, ni très robuste, mais, à son meilleur niveau, il déploie une finesse inégalée à Saint-Émilion.

Le comte de Malet-Roquefort est également propriétaire du Château Tertre Daugay, situé dans la même appellation.

1998 • **88-90** S'imposant régulièrement comme l'un des Saint-Émilion les plus racés et les plus élégants, La Gaffelière se montre maintenant plus étoffé en milieu de bouche, plus concentré et plus souple qu'il y a dix ou quinze ans. Racé et savoureux, le 1998 se distingue par une robe rubis foncé nuancée de pourpre et par un nez complexe de petits fruits, d'herbes séchées, de cuir fin et de grillé. L'ensemble qui suit est moyennement corsé, doux au palais, et révèle une concentration et une pureté d'excellent aloi. La finale, classique, exprime un bel équilibre et une grande finesse. **A boire entre 2003 et 2014.** (3/99)

1997 • **86-88** Plus opulent et plus doux que le cru précédent, le 1997 est également plus faible en acidité, avec des tannins moins marquants. Moyennement massif et racé, il regorge de généreux arômes floraux de cerise rouge et de groseille. La bouche révèle une pureté et une texture d'excellent aloi, et finit sur une note soyeuse. **A boire dans les 7 à 10 ans.** (1/99)

1996 • **87** Véritable incarnation de l'élégance, le 1996 révèle du charme, du fruit et du velouté. Les tannins que l'on décèle dans sa finale laissent deviner un plus grand potentiel de garde que je ne l'avais pensé de prime abord. Rubis profond de robe, avec un nez de douce cerise noire nuancé de poivre et de minéral et subtilement marqué de chêne neuf, ce vin présente en bouche une acidité et des tannins bien fondus, ainsi qu'une finale longue et pure. **A boire entre 2002 et 2012.** (1/99)

1995 • **87** Rubis foncé de robe, avec un nez épicé de chêne fumé, le 1995 de La Gaffelière libère des arômes souples et mûrs de cerise et de groseille dans un ensemble comprimé, mais séduisant, moyennement corsé et tout en finesse. Malgré les tannins, on retient de ce vin son beau fruité et sa finale sèche et vive. **A boire entre 2000 et 2010.** (11/97)

1994 • **84** Le 1994 est un joli vin, discret et élégant, rubis moyennement foncé, aux arômes assez vifs et acidulés de cerise et de terre. Il manque de chair et de matière, et j'en attendais davantage d'intensité et de charme d'après les échantillons qui m'avaient été présentés avant la mise en bouteille. Mais il a depuis perdu beaucoup de fruité, de glycérine et de richesse en extrait. **A boire jusqu'en 2006.** (1/97)

1993 • **77** Maigre, serré et légèrement corsé, le 1993 de La Gaffelière est dépouillé en milieu de bouche et en finale. Il manque à la fois de fruité, de glycérine et de profondeur, et son avenir me semble plutôt compromis. (3/96)

1992 • **85** Plutôt corsé, doux et souple, le 1992 est bien fruité, avec des touches de chêne neuf et grillé. Rond et gracieux, ce vin est vraiment réussi pour le millésime, surtout si l'on considère son aspect séduisant, soyeux et raffiné. **A boire dans les 3 ou 4 ans.** (11/94)

1991 • **78** Le 1991 de La Gaffelière est un vin creux, typique des 1991 de la rive droite. Moyennement corsé, il donne pourtant une certaine impression d'élégance et de maturité, et déploie une finale épicée. **A boire d'ici 2 ou 3 ans.** (1/94)

1990 • **90** Une robe rubis foncé, d'abondants arômes de doux chêne neuf, de petits fruits mûrs et des senteurs florales annoncent La Gaffelière 1990. Moyennement massif et racé, ce vin aux belles proportions est bien étayé par des tannins modérés et par une heureuse acidité. Il laisse en bouche une impression de race et de richesse. C'est probablement la plus belle réussite de la propriété depuis le 1970 et le 1947. **A boire jusqu'en 2008.** (1/93)

1989 • 89 Outre un bouquet enivrant de cerise noire, de fleurs printanières, de minéral et de chêne neuf et grillé, le 1989 présente un caractère moyennement corsé, rehaussé d'une bonne acidité pour le millésime. Ses tannins sont souples, et sa finale longue, veloutée et riche. Un vin racé, mais imposant, à boire **jusqu'en 2010.** (1/93)

1988 • 87 Bien fait, mais moins impressionnant que le 1989, le 1988 est discret, élégant et charmeur. Il est heureusement dépourvu des tannins en excès qui desservent nombre de ses jumeaux. **A boire jusqu'en 2000.** (4/91)

1986 • 87 Ce 1986 pourrait bien s'imposer comme l'un des succès de la propriété dans les années 80. Riche et élégant, il se distingue par un bouquet de chêne neuf et épicé, de cassis et de cèdre. Moyennement corsé, merveilleux de précision et d'une belle tenue, il est racé et plein de grâce. **A boire jusqu'en 2006.** (3/91)

1985 • 86 Ce vin moyennement corsé, aux tannins doux, déploie un bouquet très intense, richement fruité, épicé et herbacé, ainsi qu'une finale souple. **A boire.** (3/91)

1984 • 76 Très léger de robe, avec de vagues parfums de petits fruits cristallisés et de chêne neuf, le 1984 est souple et d'une bonne maturité. **A boire.** (3/89)

1983 • 84 Ce vin de bonne facture, qui ne s'est pas distingué lors des premières dégustations, est très certainement de plus haut vol que ses aînés des années 70. D'un rubis moyennement foncé, avec un excellent bouquet de fruits rouges écrasés, il se montre moyennement corsé, assez tannique et élégant. **A boire.** (1/89)

1982 • 88 Bien réussi, alors qu'il a été élaboré dans une période difficile pour la propriété, le 1982 déploie les arômes élégants et subtils typiques du cru. Séduisant par ses gracieuses senteurs de doux chêne grillé entremêlées de notes de cerise noire et mûre, il se révèle moyennement corsé et aussi doux que de la soie en bouche, exprimant tout en rondeur un caractère généreusement épicé et faible en acidité. **A boire dans les 3 ou 4 ans.** (9/95)

1981 • 72 Ce vin a perdu le peu de fruit qu'il avait et se montre maintenant terriblement maigre, atténué et compact. Il manque absolument de charme, et son avenir me paraît incertain. (11/90)

1979 • 76 Parfaitement mûr, mais relativement creux, le 1979 de La Gaffelière dégage un nez modérément intense de petits fruits, de vanille et d'herbes. Légèrement corsé, rond et plaisant, il déploie une finale souple et nette. Je doute cependant qu'il s'améliore. (11/90)

1978 • 67 Extrêmement herbacé, à la limite du végétal, le 1978 révèle en bouche des arômes doux et mous, dépourvus de concentration. Je ne suis pas sûr qu'il soit encore buvable. (11/90)

1975 • 79 Bien meilleur que je ne l'aurais pensé de prime abord, le 1975 est heureusement dépourvu des tannins durs typiques du millésime. Plutôt souple et élégant, il révèle, tant au nez qu'en bouche, des arômes moyennement corsés, mûrs et fruités, joliment rehaussés de notes de chêne neuf et vanillé. La robe est légèrement ambrée sur le bord, et, compte tenu de sa légèreté et de sa souplesse, l'ensemble doit être consommé **au plus vite – s'il n'est sur le déclin.** (11/90)

1971 • **68** J'indiquais, dans la première édition de cet ouvrage, que le 1971 de La Gaffelière était sur le point de se déliter. Il est maintenant totalement passé, comme en témoigne d'ailleurs son bouquet légèrement oxydé aux notes de bois et de champignons en décomposition. La bouche, très maigre, manque de concentration et finit sur une note alcoolique et acide. Ce vin est décidément loin de sa prime jeunesse. (11/90)

1970 • **86** Le 1970 est l'une des plus belles réussites de la propriété dans les années 60 et 70. Encore assez riche et élégant, il se distingue par un bouquet fumé et confit, qui introduit une bouche ronde et soyeuse, à la finale opulente et moyennement corsée. A son apogée depuis longtemps, ce vin commence à perdre de son fruit et de son charme. **A boire – en déclin.** (11/90)

1966 • **78** Voici un vin franc, austère et maigre, mais qui demeure assez élégant et charmeur malgré son caractère compact et son manque de complexité. Il a atteint son apogée. **A boire – peut-être sur le déclin.** (10/78)

1964 • **60** Des arômes curieux, plutôt diffus et creux semblent se disputer la primauté dans ce vin au bouquet bizarre et médicamenteux, qui suggère un défaut de vinification. (4/80)

1961 • **85** Je disais, dans mon dernier commentaire sur ce vin, qu'il devait être consommé. Cependant, une bouteille dégustée en France en 1990 m'a révélé un ensemble plus profond et plus frais que celui que je connaissais, qui aurait pu tenir 7 ou 8 ans encore. D'un rubis moyen légèrement nuancé d'ambre et de rouille sur le bord, ce 1961 exhale un nez qui traduit bien l'intensité et l'opulence inhérentes au millésime. La bouche, étoffée et mûre, est bien étayée par un fruit sous-jacent, épicé et minéral, et la finale est longue et alcoolique. C'est un vin que je conseille de boire assez rapidement, quoique la dernière bouteille que j'aie dégustée suggère qu'il pourrait tenir encore. **A boire – peut-être sur le déclin.** (11/90)

Millésimes anciens

Les deux meilleurs vieux millésimes que je connaisse de La Gaffelière sont un 1953 (noté 89 en 1988) délicieusement élégant, rond et parfumé, et un 1947 (noté 1988 et dégusté pour mon 40e anniversaire en 1987) riche, gras, étonnamment intense et corsé.

LA GOMERIE – EXCEPTIONNEL

Grand cru – équivaut à un 2e cru du Médoc
Propriétaires : Gérard et Dominique Bécot
Adresse : 33330 Saint-Émilion
Tél. 05 57 74 46 87 – Fax 05 57 24 66 88
Visites : sur rendez-vous uniquement
Contacts : Gérard et Dominique Bécot

Superficie : 2,5 ha (Saint-Émilion)
Vin produit : Château La Gomerie – 9 000 b (pas de second vin)
Encépagement : 100 % merlot – *Densité de plantation :* 5 800 pieds/ha
Age moyen des vignes : 35 ans – *Rendement moyen :* 37 hl/ha

Élevage :
fermentations et cuvaisons de 25-30 jours en cuves de bois ;
vieillissement de 20 mois en fûts neufs ; ni collage ni filtration

---

A maturité : dans les 2 à 15 ans suivant le millésime

« En l'an 1276, Dom Berhaud, abbé de Fayze, reçut en donation d'Hélie, vicomte de Castillon, le manoir de La Gomerie avec ses appartenances et ses revenus. Édouard Ier, roi d'Angleterre, confirma cette donation. »

Durant plus de quatre siècles, La Gomerie demeura attachée à l'abbaye de Fayze, qui y construisit un prieuré. Ayant acquis son indépendance, le domaine prospéra jusqu'à la Révolution, qui ordonna le démembrement de ses 200 ha. Le vignoble actuel représente l'ancien enclos du prieuré, soit environ 2,5 ha, situés en majorité sur les sables anciens du pied de côte ouest de Saint-Émilion et pour le reste sur un plateau calcaire à astéries.

Élaboré par Gérard Bécot, le propriétaire de Beau-Séjour Bécot, La Gomerie est donc une microvinification. Ce vin entièrement composé de merlot est fermenté et vieilli en fûts neufs. Il n'est pas étonnant, au vu de sa qualité, qu'il soit la coqueluche d'une presse enthousiaste. En effet, si l'on fait abstraction de son prix élevé et de la difficulté qu'il y a à s'en procurer, ce cru puissant et massif impressionne par son caractère riche et crémeux ; il séduira assurément quiconque le dégustera. Il me semble que Gérard Bécot essaie – avec succès, d'ailleurs – de reproduire à La Gomerie une cuvée prestige du style Le Pin. A ce jour, on compte peu de millésimes, mais il s'agit en tout état de cause d'un vin impressionnant. Comment vieillira-t-il ? Seul le temps le dira.

1998
•
91-94

Que l'on me pardonne, mais La Gomerie 1998 est probablement l'un des vins les plus séduisants que puisse offrir le Bordelais. Tout à la fois gras, savoureux et suintant de glycérine et de richesse en extrait, il titille tous les sens du dégustateur. Sa robe d'un rubis-pourpre soutenu accompagne un ensemble généreusement boisé, évoquant un Porto par sa viscosité et sa richesse. Comme ses aînés, il est heureusement dépourvu de la structure et des tannins inhérents au millésime, et s'impose comme un vin étonnamment ouvert, gras et amplement parfumé, regorgeant de fruité. Sensuel et très corsé, il est réservé aux épicuriens. **A boire entre 2002 et 2015.** (3/99)

1997
•
89-91

Le 1997 ressemble fort à son aîné d'un an. Vêtu de pourpre foncé et soutenu, il regorge de généreuses senteurs de pain grillé entremêlées de notes de café torréfié, de confiture de mûre, de liqueur de cerise et d'abondantes touches de fumé et de chêne grillé. L'ensemble est riche, plus faible en acidité que le 1996, et déploie en bouche, outre des tannins souples et une texture visqueuse, une finale capiteuse, charnue et opulente. **A boire entre 2000 et 2013.** (1/99)

1996
•
92

Réponse de Saint-Émilion au Le Pin de Pomerol, le spectaculaire 1996 de La Gomerie se distingue par sa robe rubis foncé et par ses senteurs explosives de pain grillé, de noix rôtie, de kirsch et de fruits noirs. Très corsé et doté de tannins souples, il déploie une finale intense et concentrée, regorgeant littéralement de glycérine et de richesse en extrait. Ce vin flamboyant et très corsé sera à son meilleur niveau **entre 2001 et 2008.** (1/99)

1995
•
93

Le fabuleux 1995, premier millésime de La Gomerie, ressemble furieusement, lui aussi, à un Le Pin. Sa robe dense, rubis-pourpre, précède un nez exotique d'épices orientales, de soja, de café, de cerise et de fruits rouges mûrs. Très corsé, épais et onctueux en bouche, ce vin est merveilleux de concentration, avec d'abondants tannins doux bien fondus dans l'ensemble. Sa faible acidité ajoute à son caractère voluptueux. Ce cru stupéfiant de richesse fera certainement tourner les têtes. **A boire jusqu'en 2012.** (11/97)

GRACIA – TRÈS BON (depuis 1997)

Non classé – équivaut à un 5e cru du Médoc
Propriétaire : Michel Gracia
Adresse : Saint-Christophe-des-Bardes
Tél. 05 57 24 77 98 – Fax 05 57 74 46 72
Visites : sur rendez-vous uniquement
Contact : Michel Gracia

Superficie :
1,83 ha (partie nord-ouest de Saint-Christophe-des-Bardes)
Vin produit : Château Gracia – 4 000 b (pas de second vin)
Encépagement : 79 % merlot, 16 % cabernet franc, 5 % cabernet sauvignon
Densité de plantation : 5 000 pieds/ha – *Age moyen des vignes :* 27 ans
Rendement moyen : 22 hl/ha

Élevage :
fermentations et cuvaisons de 30 jours en cuves de béton ;
achèvement des malolactiques et vieillissement de 18-24 mois en fûts neufs ;
ni collage ni filtration

C'est en 1997 que Michel Gracia a créé ce domaine – qui fait partie de ce que l'on appelle les « garagistes », du fait que ces crus seraient, ou auraient été dans un premier temps, vinifiés dans un garage...

Les vins, issus d'un sol argilo-calcaire, font ici l'objet de soins attentifs – vendanges manuelles, double tri sélectif à la vigne et au cuvier, macération initiale à froid et finale à chaud, etc. Les deux premiers millésimes ont été remarquables, le 1998 se révélant même stupéfiant de richesse.

1998 • **90-93** Ce vin spectaculaire, issu de rendements de 22 hl/ha, a été vendangé et éraflé à la main. Tout de pourpre-noir vêtu, il exhale un doux nez de chocolat et de liqueur de cerise nuancé de réglisse et d'épices orientales. Très corsé et extrêmement opulent, il exprime une bouche riche et visqueuse, remarquable de concentration. Ce vin, qui sera mis en bouteille sans collage ni filtration, recèle toutes les qualités lui permettant de se développer en un ensemble vraiment profond. Il n'a malheureusement été produit qu'à hauteur de 325 caisses. **A boire entre 2001 et 2012.** (3/99)

1997 • **88-90** Ce vin sensuel et des plus plaisants arbore une robe rubis-pourpre foncé. Regorgeant de généreuses senteurs de chêne neuf et fumé, il déploie par paliers, tant en milieu de bouche qu'en finale, un caractère opulent, profond et souple, nuancé de kirsch et de cassis. **A boire jusqu'en 2010.** (1/99)

GRAND CORBIN

Grand cru – équivaut à un bon cru bourgeois
Propriétaire : Société familiale Alain Giraud
Adresse : 5, Grand-Corbin – 33330 Saint-Émilion
Tél. 05 57 24 70 62 – Fax 05 57 74 47 18
Visites : sur rendez-vous uniquement
Contact : Philippe Giraud

Superficie : 13,2 ha (Saint-Émilion)
Vins produits :
Château Grand Corbin – 82 000 b ; Château Tour du Pin Franc – 10 000 b
Encépagement : 68 % merlot, 27 % cabernet franc, 5 % cabernet sauvignon
Densité de plantation : 5 500 pieds/ha – *Age moyen des vignes :* 35 ans
Rendement moyen : 51 hl/ha

Élevage :
fermentations et cuvaisons de 21 jours en cuves de béton ouvertes ;
vieillissement de 12-14 mois en fûts (1/3 de bois neuf) ; collage et filtration

---

A maturité : dans les 2 à 14 ans suivant le millésime

Cette propriété bien située, à la limite de Saint-Émilion et de Pomerol, produit généralement des vins joliment colorés, ronds et trapus, qu'il faut déguster avant qu'ils n'aient 10 ans d'âge. Elle appartient aux Giraud, implantés depuis longtemps à Pomerol. Leurs vins sont réussis lorsque ce cépage atteint une parfaite maturité, mais, quand l'année est difficile, ils ont tendance à se montrer trop herbacés, à la limite du végétal. Parmi les meilleurs millésimes récents, je citerai l'excellent 1985 et le très prometteur 1996, ainsi que le 1989, doux, alcoolique et charnu, qui ne fera certes pas de vieux os, mais qui se révélera délicieux ces 6 ou 7 prochaines années.

1996 • **87-88** Le Grand Corbin 1996 est bien réussi, avec une robe opaque de couleur pourpre et un nez épicé de grillé et de fruits confiturés. Riche et moyennement corsé, il est encore puissant et long en bouche, avec une belle concentration et une acidité de bon niveau laissant présager un potentiel de 12 à 15 ans, **voire davantage**. C'est l'un des exemples les plus structurés que je connaisse de ce cru. (3/97)

1993 • **86** Corsé et opulent, le Grand Corbin 1993 arbore une belle couleur et manifeste un caractère charnu, dominé par le merlot et marqué par des senteurs d'herbes rôties, de café et de cerise noire. D'une faible acidité, il déborde d'un fruité juteux, et sa finale est alcoolique. Ce Saint-Émilion bien en chair tapisse le palais. Il demeurera au meilleur de sa forme **jusqu'en 2002**. (11/94)

GRAND MAYNE - EXCELLENT

Grand cru classé – équivaut à un 4e ou 5e cru du Médoc
Propriétaire : GFA Jean-Pierre Nony
Adresse : 1, Le Grand-Mayne – 33330 Saint-Émilion
Tél. 05 57 74 42 50 – Fax 05 57 24 68 34
Visites : sur rendez-vous uniquement
Contacts : Jean-Pierre et Marie-Françoise Nony

Superficie :
17 ha (à l'ouest du village de Saint-Émilion)
Vins produits :
Château Grand Mayne – 85 000 b ; Les Plantes du Mayne – 20 000 b
Encépagement : 67 % merlot, 25 % cabernet franc, 8 % cabernet sauvignon
Densité de plantation : 5 550 pieds/ha – *Age moyen des vignes :* 30 ans
Rendement moyen : 40 hl/ha

Élevage :
fermentations et cuvaisons de 30 jours en cuves d'acier inoxydable thermorégulées ;
achèvement des malolactiques en fûts neufs ;
vieillissement de 14-20 mois en fûts (70 % de bois neuf) ; collage et filtration

---

A maturité : dans les 5 à 15 ans suivant le millésime

Le Château Grand Mayne, longtemps dénommé Le Mayne, appartint durant deux siècles à la famille Laveau, qui l'avait acquis en 1685. Jean Laveau, dit « fils de l'Aîné », fut au début du XIXe le plus important viticulteur de Saint-Émilion – à sa mort, en 1836, il était à la tête de 288 ha comptant, entre autres, Le Mayne et Soutard. Le domaine fut racheté en 1934, sous le nom de Grand Mayne, par Jean Nony, père de l'actuel propriétaire.

Le célèbre Pr Enjalbert, qui fait autorité en matière de sols de Saint-Émilion et de Pomerol, démontre parfaitement dans ses cours et dans ses écrits que Grand Mayne bénéficie d'un des meilleurs sites de l'appellation. L'altitude exceptionnelle du vignoble (55 m au-dessus du niveau de la mer) et son sol essentiellement constitué d'argile et de calcaire mêlés à des dépôts ferrugineux en font l'un des terroirs les plus privilégiés de Saint-Émilion. D'autre part, le château, avec sa belle couleur crème, a été complètement rénové, et il est superbe à voir quand il se découpe sur le ciel bleu d'un jour d'été.

Pendant les années 80, la qualité de ce cru s'est améliorée d'un millésime sur l'autre, et Michel Rolland, le célèbre œnologue de Libourne, y met en pratique sa conception de la vinification. Grand Mayne est de fait l'un des Saint-Émilion les plus opulents et les plus riches qui soient. Il se distingue souvent par son caractère exceptionnellement corsé et extrêmement glycériné, qu'il doit au vignoble magnifiquement exposé dont il est issu. Depuis 1975, les vins sont fermentés en cuves d'acier inoxydable thermorégulées, et, depuis le milieu des années 80, ils sont élevés avec 70 % de bois neuf – ce qui représente, au moins à mon avis, la proportion idéale pour équilibrer leur fruit intense et riche.

Ce château, qui est réellement l'une des étoiles montantes de l'appellation, pratique encore des prix raisonnables – les amateurs avisés agiront donc en conséquence.

Si mon enthousiasme en faveur de Grand Mayne vous semble excessif, apprenez que le regretté baron Philippe de Rothschild, après avoir goûté le millésime 1975 dans un restaurant en Belgique, en commanda immédiatement plusieurs caisses, proposant de les échanger contre un nombre similaire de bouteilles de Mouton Rothschild de la même année.

1998 • **86-88** Moins riche et moins corpulent que je ne l'avais imaginé, le Grand Mayne 1998 est racé, retenu et discret. Sa robe d'un rubis-pourpre foncé et soutenu prélude à de doux arômes de cassis et de myrtille nuancés de senteurs de chêne grillé et de métal. Véritable dentelle, il exprime une bouche moyennement corsée et gracieuse, dotée d'un fruité à la fois subtil, tendre, souple et accessible. Il tiendra bien **10 à 12 ans.** (3/99)

1997 • **87-89** Vêtu de rubis-pourpre sombre et soutenu, le Grand Mayne 1997 offre au nez de doux arômes de fruits confiturés (en particulier de cassis) nuancés de réglisse, de crayon à papier et de fleurs. Très mûr et doté du potentiel lui permettant de prétendre à une note extraordinaire, ce vin révèle une texture magnifique, merveilleusement marquée par la mâche et joliment infusée de notes de chêne grillé et fumé. Sa faible acidité et son caractère mûr augurent d'un avenir prometteur. **A boire jusqu'en 2008.** (1/99)

1996 • **88** J'ai dégusté ce vin en trois occasions après sa mise en bouteille. Bien que je l'aie noté 88 lors de deux d'entre elles et 89 la troisième fois, j'ai opté pour la note la plus sévère compte tenu de son caractère peu évolué. Le 1996 de Grand Mayne s'annonce par une robe d'un pourpre dense, qui introduit un nez séduisant de fleurs blanches, de mûre et de cerise douces, de minéral et de pain grillé. Il s'agit d'un ensemble moyennement corsé et élégant, extrêmement profond, doté d'une finale nette, modérément tannique et marquée de minéral. On y décèle également des notes de chêne neuf. **A boire entre 2003 et 2014.** (1/99)

1995 • **90** Constituant assurément l'une des révélations du millésime, le Grand Mayne 1995, opaque et pourpre de robe, déploie un nez doux et crémeux de framboise marqué de subtiles notes de chêne grillé et fumé. Aussi puissant qu'élégant, avec une belle richesse qu'il dévoile par paliers, ce vin révèle une acidité et des tannins joliment fondus, et présente une finale impressionnante, très corsée et persistante. Il sera agréable dès sa jeunesse, mais pourra aussi tenir une bonne dizaine d'années. **A boire entre 2000 et 2013.** (11/97)

1994 • **?** Trois dégustations du 1994 alors qu'il était encore en fût ont révélé des arômes de moisi et de carton. Trois dégustations après la mise en bouteille me convainquent que la palette aromatique de ce vin a été déformée par du chêne de mauvaise qualité – ou par autre chose. Je ne sais si ces odeurs désagréables finiront par se dissiper au terme d'une garde en cave, mais tout cela est bien regrettable, quand on sait la qualité du travail accompli par la famille Nony à Grand Mayne. (1/97)

1993 • **?** Le Grand Mayne 1993, à la robe rubis foncé et au nez boisé et herbacé de vanille, révèle un caractère moyennement corsé, astringent et austère, marqué d'arômes de bois humide et pourri, et de chien mouillé. Deux échantillons présentaient les mêmes défauts, si bien que je réserve mon appréciation. (1/97)

1992 • **86** D'une excellente qualité pour le millésime, le 1992 de Grand Mayne est d'une séduisante couleur rubis-pourpre foncé, et déploie un nez énorme et épicé de cassis et de cerise. Moyennement corsé et parfaitement mûr, il présente des tannins légers et une finale opulente, succulente et capiteuse. **A boire d'ici 3 ou 4 ans.** (11/94)

1990 • **90** Impressionnant par sa robe soutenue, le 1990 de Grand Mayne exhale des arômes de cerise noire, de minéral et de fumé nuancés d'herbes rôties. Tout à la fois riche, épicé, persistant et massif, il révèle en bouche un caractère très corsé, doux et confituré. Je le crois capable d'une garde de **12 à 15 ans, voire plus.** (11/96)

1989 • **92** Le 1989 peut être dégusté dès à présent, mais il sera encore meilleur au terme d'une garde de 1 ou 2 ans. Opaque et pourpre de robe, avec un doux nez de framboise, de minéral et de chêne grillé, il dévoile au palais des arômes denses et moyennement corsés, d'une pureté et d'une harmonie extraordinaires. Sa finale, épicée et persistante, est souple, mais tannique. Vous apprécierez ce vin bien fait et d'une belle richesse en extrait ces **12 à 15 prochaines années.** (11/96)

1988 • **87** Ce vin ample et alcoolique, à la limite de l'ostentatoire, se distingue par ses intenses senteurs de vanille et de prune noire, ainsi que par les arômes charnus et de bonne mâche dont il gratifie le palais. **A boire jusqu'en 2003.** (1/93)

1987 • **85** Le 1987 de Grand Mayne est l'une des grandes réussites de ce millésime injustement décrié. Sa robe d'un rubis étonnamment sombre précède un nez prononcé et riche de cassis, lui-même suivi en bouche d'un ensemble souple et généreusement doté, étayé par des tannins doux et par une faible acidité. **A boire très prochainement.** (4/91)

1986 • **87** Le 1986 se montre sous un très bon jour, avec son nez de cèdre, de fruit mûr et de chêne épicé, et son caractère très profond et richement extrait. La finale, tannique, impressionne par sa puissance et sa persistance. **A boire jusqu'en 2002.** (3/90)

1985 • **86** Bien coloré, avec un nez modérément intense de chêne épicé et de fruit mûr, le 1985 se montre moyennement corsé et ample, mais d'une belle précision. Il laisse en bouche une impression d'élégance. **A boire.** (3/89)

GRAND-PONTET – TRÈS BON

Grand cru classé – mérite son rang depuis 1988

Propriétaire : famille Bécot-Pourquet

Adresse : 33330 Saint-Émilion

Tél. 05 57 74 46 87 ou 05 57 74 46 88

Fax 05 57 24 66 88

Visites : sur rendez-vous uniquement

Contacts : Gérard et Dominique Bécot

Superficie :
14 ha (partie ouest du plateau de Saint-Émilion, non loin de Beau-Séjour Bécot)
Vins produits :
Château Grand-Pontet – 70 000 b ; Le Dauphin de Grand-Pontet – 5 000-15 000 b
Encépagement : 75 % merlot, 15 % cabernet franc, 10 % cabernet sauvignon
Densité de plantation : 6 000 pieds/ha – *Age moyen des vignes :* 35 ans
Rendement moyen : 40 hl/ha

Élevage :
fermentations et cuvaisons de 20-28 jours
en cuves d'acier inoxydable thermorégulées ;
achèvement des malolactiques en fûts neufs pour 60 % de la récolte,
en fûts de 1 an pour le reste ;
vieillissement de 18-20 mois en fûts (50-90 % de bois neuf) ; ni collage ni filtration

A maturité :
avant 1988, dans les 3 à 7 ans suivant le millésime ; dans les 6 à 15 ans ensuite

Grand-Pontet se situe non loin du plus célèbre Château Beau-Séjour Bécot ; ils appartiennent tous deux à la famille Bécot. Le vignoble jouit d'une belle situation sur la partie ouest du plateau calcaire de Saint-Émilion, et nombreux sont les initiés qui estimaient que ce domaine aurait pu prétendre au statut de premier cru classé – si seulement son vin était meilleur et issu d'une sélection plus sévère.

Les améliorations ont été notables, et les millésimes depuis 1988 sont particulièrement impressionnants. Il se pourrait donc bien que cette propriété soit promue lors d'un prochain reclassement.

1998 • **87-88** Des senteurs d'herbes séchées, de doux chêne grillé et de cassis jaillissant littéralement du verre annoncent le Grand-Pontet 1998. Ce vin pourpre foncé est moyennement corsé et trapu ; il pourrait être renoté à la hausse si son boisé et ses tannins se fondaient plus harmonieusement dans l'ensemble. **A boire entre 2002 et 2014.** (3/99)

1997 • **87-88** Le 1997 conviendra aux épicuriens. Rubis-pourpre foncé, il est totalement dominé par le fruit, et déploie des notes de prune confiturée nuancées de kirsch, de chêne neuf grillé et de fumé. Ce vin moyennement corsé et opulent est souple et savoureux ; il sera agréable dès la mise en bouteille, tout en étant capable d'une garde de 10 ans environ. **A boire jusqu'en 2009.** (1/99)

1996 • **89** Cette étoile montante de Saint-Émilion est quelque peu sous-estimée si l'on se réfère à la qualité – très régulière à haut niveau – des millésimes récents. Le 1996 se présente comme un vin flamboyant, rubis-pourpre foncé de robe, doté d'un bouquet explosif aux notes de liqueur de prune, de chêne neuf grillé, de cerise noire, de fumé et d'herbes séchées. En bouche, il est riche et confituré, et révèle une certaine surmaturité ; l'ensemble est moyennement corsé, épicé et doté de manière impressionnante. La finale, moyennement corsée elle aussi, est plutôt tannique. **A boire entre 2003 et 2014.** (1/99)

1995 • **88** Rubis-pourpre foncé, avec un nez sans détour et bien évolué d'épices, de grillé et de cerise noire, le Grand-Pontet 1995 se présente comme un vin tout à la fois souple, rond, généreux, moyennement corsé et faible en acidité, doté d'une finale légèrement tannique. L'ensemble, charnu et savoureux, témoigne d'une belle précision. **A boire dans les 12 ans.** (11/97)

1994 • **88** Moyennement corsé, le 1994 révèle le caractère de chêne neuf typique des vins de la famille Bécot. Il déploie un fruité généreux et riche, une acidité faible, et sa texture est de bonne mâche. Très pur et d'une belle maturité, il développe encore une finale musclée et bien glycérinée, au demeurant élégante. **A boire dans les 10 ans.** (1/97)

1993 • **87** Les amateurs avisés feraient bien d'accorder quelque attention au Grand-Pontet 1993, qui, compte tenu de la faible réputation du millésime, est proposé à un prix raisonnable. Ce vin rubis foncé présente un nez doux et mûr de fruits rouges, massivement infusé de notes de fumé et de chêne neuf et grillé. Savoureux, rond et souple en bouche, doté d'une faible acidité, il se révèle délicieux et complexe, dans un registre boisé. **A boire jusqu'en 2004.** (1/97)

1992 • **82** Le 1992, très alcoolique, dégage un nez capiteux et présente un boisé très agressif (trop de chêne neuf ?), ainsi qu'un fruité mûr. Légèrement corsé, doux et trapu, ce Saint-Émilion typique et bien en chair vous flattera le palais pendant **2 ou 3 ans encore.** (11/94)

1990 • **89** Délicieusement fruité, avec des montagnes d'arômes de doux chêne neuf et fumé, le Grand-Pontet 1990 suinte littéralement de flaveurs onctueuses. Regorgeant de fruité, il exprime une bouche soyeuse et très corsée, et une finale opulente, d'une persistance splendide. Il sera très agréable ces **4 à 8 prochaines années.** Une révélation ! (11/95)

1989 • **84** Plus léger que la plupart des vins de ce millésime, le 1989 se révèle aqueux en milieu de bouche, avec un caractère alcoolique, trapu et souple. **A boire.** (1/93)

1988 • **82** Assez terne, le bouquet du 1988 révèle de vagues notes épicées de fruit mûr nuancées de boisé. La bouche, souple et boisée également, manifeste une belle concentration, mais pèche par manque de complexité. **A boire dans les 2 ou 3 ans.** (1/93)

1986 • **83** Typiquement Saint-Émilion, avec un fruit souple et confit, le Grand-Pontet 1986 présente une finale capiteuse et alcoolique. Un vin de charme. **A boire.** (3/90)

1985 • **77** Léger, simple et fruité, le 1985 manque de corpulence, mais il séduit par son caractère sans détour et de bon aloi. **A boire – peut-être en déclin.** (3/89)

L'HERMITAGE – EXCELLENT (depuis 1997)

Grand cru – équivaut à un 5e cru du Médoc
Propriétaire : GFA du Château Matras
Adresse : 33330 Saint-Émilion
Tél. 05 57 24 72 46 – Fax 05 57 51 70 19
Visites : sur rendez-vous uniquement
Contact : Véronique Gaboriaud

Superficie :
4 ha (Saint-Émilion, à proximité de Matras)
Vin produit : Château L'Hermitage – 10 000 b (pas de second vin)
Encépagement : 65 % merlot, 35 % cabernet franc
Densité de plantation : 5 500 pieds/ha – *Age moyen des vignes :* 45 ans
Rendement moyen : 27 hl/ha

Élevage :
fermentations et cuvaisons de 21 jours en cuves d'acier inoxydable thermorégulées ; achèvement des malolactiques et vieillissement de 18 mois en fûts neufs ;

ni collage ni filtration

A maturité : dans les 3 à 15 ans suivant le millésime

L'histoire de ce domaine mérite d'être contée, car elle n'est pas commune. En effet, lorsque Jean-Bernard Lefebvre, père de Véronique Gaboriaud, l'actuelle propriétaire, acquiert L'Hermitage, en 1981, il l'inclut dans Château Matras. Mais, en 1997, Véronique, son époux Francis et leur fils Jérôme décident de rendre à ces 4 ha leur identité, et d'y élaborer un vin de qualité. Pour ce faire, ils entreprennent d'importants travaux, restaurant notamment la chapelle Notre-Dame-de-Mazerat, en ruine, dont ils utilisent une partie comme... chai de vinification.

La particularité des vendanges à L'Hermitage réside dans le fait qu'elles se font à légère surmaturité. Les techniques d'élevage sont quant à elles traditionnelles, avec achèvement des malolactiques et vieillissement en fûts neufs.

Les deux premiers millésimes de L'Hermitage, très bons, sont des plus prometteurs.

1998 • **88-90** Composé à 70 % de merlot et à 30 % de cabernet franc, L'Hermitage 1998 est opulent, riche et dominé par le fruit. Ce vin moyennement corsé, vêtu de pourpre soutenu, présente une pureté et un potentiel d'excellent aloi. Il s'impose profondément en bouche et révèle, dans une finale persistante, des tannins modérés. Impressionnant et bien fait, il s'impose comme l'une des révélations du millésime. **A boire entre 2002 et 2015.** (3/99)

1997 • **87-90** Ce vin richement fruité, au nez complexe d'herbes séchées, de chêne épicé et de cerise noire, pourrait bien s'imposer comme l'une des révélations de ce millésime. Moyennement corsé et mûr, il manifeste en bouche une pureté d'excellent aloi, et déploie une finale opulente et faible en acidité. Ce vin velouté et des plus plaisants sera parfait **jusqu'à 7 à 10 ans d'âge.** (1/99)

LARCIS DUCASSE – BON

Grand cru classé – équivaut à un 5e cru du Médoc
Propriétaire : Jacques-Olivier Gratiot
Adresse : 33330 Saint-Émilion
Tél. 05 57 24 70 84 – Fax 05 57 24 64 00
Visites : sur rendez-vous uniquement
Contact : Brigitte Seguin

Superficie :
11 ha (Saint-Émilion et Saint-Laurent-des-Combes)
Vin produit : Château Larcis Ducasse – 65 000 b (pas de second vin)
Encépagement : 65 % merlot, 25 % cabernet franc, 10 % cabernet sauvignon
Densité de plantation : 5 000 pieds/ha – *Age moyen des vignes :* 35 ans
Rendement moyen : 45 hl/ha

Élevage :
fermentations et cuvaisons de 15-42 jours en cuves de béton thermorégulées ;
achèvement des malolactiques en cuves ;
vieillissement de 18 mois en fûts (1/3 de bois neuf) ;

soutirage de fût à fût 2 ou 3 fois par an ; collage au blanc d'œuf ; filtration

---

A maturité : dans les 8 à 20 ans suivant le millésime

Larcis Ducasse est un vignoble des côtes de Saint-Émilion, situé au sud-est de la ville et jouxtant Pavie. Il est implanté sur des coteaux argilo-calcaires parfaitement ouverts au sud. Bien que ce cru jouisse d'une excellente réputation, les millésimes du début des années 80 étaient plutôt quelconques ; en effet, avant 1982, les vins présentaient un caractère maigre, austère, presque squelettique (je conserve cependant un excellent souvenir du très profond 1945). Ils se sont améliorés depuis.

1997 • **75-77** Ce vin rubis moyen n'offre pas grand-chose de mieux qu'un doux fruité. **A boire entre 2000 et 2009.** (1/99)

1996 • **81** Malgré son terroir magnifique, cette propriété a produit en 1996 un vin anodin. Rubis moyen de robe, il libère des senteurs de cerise noire herbacée nuancées de notes poussiéreuses de coquillages concassés. Sans détour et monolithique, ce vin carré et épicé sera à son meilleur niveau **entre 2000 et 2008.** (1/99)

1995 • **87** D'un rubis-pourpre foncé, le 1995 arbore une robe plutôt soutenue, qui prélude à un nez modérément intense, épicé, mûr et richement fruité, aux notes de terre et de chêne neuf. Suit un vin qui présente en bouche, outre une belle pureté, un caractère moyennement corsé et tannique dans un ensemble ferme, mesuré et élégant. Gardez-le 1 ou 2 ans, son potentiel est de **10 à 12 ans.** (11/97)

1994 • **87** La robe soutenue et sombre, de couleur rubis-pourpre, du 1994 accompagne un nez doux et mûr de cerise, de cassis et d'épices orientales. Ce joli vin, moyennement corsé et élégant, est velouté et d'une excellente concentration en bouche. Il n'a pas le caractère creux ni les tannins durs qui affligent nombre de ses jumeaux. Vous dégusterez ce Larcis bien fait et souple dans les **8 à 10 ans.** (1/97)

1993 • **85** Le 1993, dont la robe d'un rubis assez foncé est marquée de touches roses sur le bord, offre un fruité doux et pur de cerise et de groseille dans un ensemble suave, moyennement corsé et subtilement épicé. Élégant, discret, souple et savoureux, avec une faible acidité, ce Larcis Ducasse ne présente aucun caractère végétal ni astringent. **A boire dans les 6 ou 7 ans.** (1/97)

1992 • **76** D'un rubis léger, le 1992 manque de profondeur. Ses tannins durs lui confèrent une certaine rugosité en fin de bouche. Son maigre fruité se dessèchera certainement assez vite. Ce vin témoigne bien des difficultés que la propriété n'est pas parvenue à surmonter dans ce millésime particulier. (11/94)

1991 • **76** Le 1991 de Larcis Ducasse est un vin souple et herbacé, que vous consommerez dans les **3 ou 4 ans.** (1/94)

1990 • **90** Impressionnant de richesse, avec un nez épicé de cèdre et de cassis, le 1990 exprime une bouche riche et corsée, crémeuse et veloutée. Il révèle par paliers un généreux fruité étayé par des tannins modéré. Ce vin aurait été monumental s'il avait eu un tout petit peu plus de concentration. **A boire jusqu'en 2008.** (1/93)

1989
•
86
Bien que ses abondants tannins et sa structure lui permettent d'affronter une garde de 30 ans, le 1989 de Larcis Ducasse n'a pas le fruit, la profondeur et l'intensité de son aîné d'un an. Il est étoffé et tannique, et n'atteindra son apogée que vers 2005. Imposant et peu évolué, il pourra ultérieurement mériter une meilleure note, si son fruité ne se dessèche pas avant que ses tannins ne se fondent. **A boire jusqu'en 2010.** (4/91)

1988
•
87
Le 1988 est excellent. Très corsé et riche, il impressionne par sa persistance, son caractère bien doté et son aptitude à se conserver une vingtaine d'années. Un vin classique et admirable, destiné aux amateurs patients. **A boire jusqu'en 2010.** (1/93)

1986
•
85
Moyennement corsé et d'une belle maturité, le 1986 déploie des arômes riches et persistants de cèdre et de prune, ainsi qu'une finale tout à la fois concentrée, souple et alcoolique, dotée de tannins très présents. **A boire jusqu'en 2002.** (3/90)

1985
•
79
Vraisemblablement issu d'une vendange trop abondante, le 1985 manque de précision, de profondeur et de netteté. **A boire.** (3/89)

1983
•
86
Alors qu'il ne se montrait pas sous un bon jour après la mise en bouteille, le Larcis Ducasse 1983 semble s'être remis de l'opération, et se révèle plus riche et plus étoffé que je ne l'aurais imaginé. D'un rubis moyennement foncé légèrement ambré sur le bord, il exhale un nez énorme et épicé de cèdre, d'herbes et de fruits rouges. Complexe, avec un caractère bien affirmé, ce vin classique et moyennement corsé déborde de tannins et de richesse en extrait. **A boire jusqu'en 2001.** (3/90)

1982
•
87
Ce vin est desservi par d'importantes différences d'une bouteille à l'autre. Les meilleurs flacons (qui ont donné lieu au présent commentaire) sont profondément colorés, à peine éclaircis sur le bord. Outre un nez herbacé et piquant de cerise et de terre, ils révèlent en bouche des arômes moyennement corsés et concentrés. Leurs tannins astringents ne les desservent pas, du fait de leur caractère glycériné et souple. Les meilleures bouteilles peuvent tenir **10 ans.** (9/95)

1981
•
75
Trop anguleux, dénué de chair, de générosité et de fruit, le 1981 est un vin assez quelconque pour cette propriété réputée. **A boire rapidement – peut-être en déclin.** (6/84)

1979
•
78
D'un rubis moyen, avec des senteurs assez intenses de fruit et d'épices, le Larcis Ducasse 1979 dégage des flaveurs modérément amples, qui peuvent paraître plutôt ternes par rapport à celles des autres Saint-Émilion. Il présente une fermeté et une texture sous-jacentes de bon aloi. **A boire – peut-être en déclin.** (11/83)

1978
•
72
Assez médiocre, ce vin pâle et léger évoque au nez la fraise et la cerise. La bouche, plutôt quelconque, est creuse, courte et aqueuse, avec une finale assez tannique, marquée de notes sèches et boisées. **A boire – peut-être en déclin.** (9/82)

LARMANDE - EXCELLENT

Grand cru classé – équivaut à un 3e cru du Médoc
Propriétaire : groupe La Mondiale
Adresse : 33330 Saint-Émilion
Tél. 05 57 24 71 41 – Fax 05 57 74 42 80
Visites : sur rendez-vous uniquement
Contact : Mark Dworkin

Superficie : 24,8 ha (Saint-Émilion)
Vins produits : Château Larmande – 115 000 b ; Le Cadet de Larmande – 30 000 b
Encépagement : 65 % merlot, 30 % cabernet franc, 5 % cabernet sauvignon
Densité de plantation : 6 000 pieds/ha – *Age moyen des vignes :* 30 ans
Rendement moyen : 41 hl/ha

Élevage :
fermentations et cuvaisons de 30 jours en cuves d'acier inoxydable thermorégulées ; achèvement des malolactiques et vieillissement de 15-18 mois en fûts (2/3 de bois neuf) ; soutirage trimestriel ; collage au blanc d'œuf ; pas de filtration

A maturité : dans les 4 à 15 ans suivant le millésime

Note : le groupe La Mondiale a racheté le Château Pavillon-Cadet en 1993. Cette petite propriété de 2,5 ha a été rattachée au Château Larmande lors du classement de 1996.

Je me rappelle ma première visite à Larmande ; c'était vers le milieu des années 70, et Martin Bamford, l'un des observateurs les plus avisés du Bordelais, me l'avait conseillée. Il m'avait dit que ce cru avait toutes les chances de s'imposer comme l'un des meilleurs Saint-Émilion, car les propriétaires d'alors, les Méneret, recherchaient la meilleure qualité possible.

Situé au nord de l'appellation, Larmande doit son nom à un très ancien lieu-dit. C'est en fait l'un des plus vieux vignobles de Saint-Émilion, dont on trouve la trace dès le XIIIe siècle. Pendant une grande partie de ce siècle-ci, il a appartenu à la famille Méneret-Capdemourlin, et a été géré, avec enthousiasme, par Philippe et Dominique Méneret, avant d'être racheté. Cependant, le niveau de qualité s'est maintenu.

Vers le milieu des années 70, les chais ont été entièrement rénovés et équipés de cuves d'acier inoxydable thermorégulées. En outre, les meilleurs millésimes sont vieillis avec une proportion plus importante de chêne neuf (près de 60 %).

La belle qualité de Larmande tient au fait qu'il est issu de vendanges tardives, d'une sélection sévère (un second vin est élaboré depuis les années 80) et de faibles rendements. Dans l'ensemble, les vins se révèlent de haut vol depuis le milieu des années 70. C'est l'un des rares premiers crus classés qui puissent se targuer d'une telle régularité à bon niveau.

1998
•
88-89

J'aurais été tenté de franchir le pas et d'attribuer à ce vin une note extraordinaire, n'étaient ses tannins massifs et agressifs. Il est cependant impressionnant par son généreux fruité de cassis et de cerise noire nuancé de chêne neuf grillé. Toujours bien vinifié, nonobstant le millésime, ce cru se révèle en 1998 plus puissant et plus structuré que de coutume, avec une profondeur et une richesse d'excellent aloi. Il exprime tout en nuances une finale stupéfiante. A boire à son meilleur niveau **entre 2003 et 2014.** (3/99)

1997 • **86-87** Rubis foncé de robe, le séduisant et sensuel Larmande 1997 se montre souple et velouté. Il offre, tant au nez qu'en bouche, des arômes de réglisse, d'herbes séchées, de cerise noire et de groseille, étayés par une faible acidité. La finale, opulente, est satinée et charnue. **A boire jusqu'en 2010.** (1/99)

1996 • **88** Larmande, l'une des propriétés les mieux gérées de Saint-Émilion, propose un 1996 ample et riche, aux arômes et aux flaveurs de grillé, de réglisse, d'épices orientales, de cake et de cerise noire fumée. Moyennement corsé et modérément tannique, il manifeste une belle richesse et se montre persistant et concentré en finale. Ce vin se portera bien d'une garde de 2 à 4 ans, et tiendra parfaitement **15 ans ou plus.** (1/99)

1995 • **88** Fait du même métal que le 1995, mais avec davantage de gras et de fruité, le Larmande 1995 est également plus faible en acidité. Sa robe d'un rubis-pourpre foncé précède un nez intense d'herbes, de pain grillé, de cassis et de mûre confiturés, mêlé de notes boisées. Il se révèle doux, rond et moyennement corsé, offrant un mélange sensuel de gras, de fruité, de doux tannins et d'alcool capiteux. **A boire dans les 10 à 12 ans.** (11/97)

1994 • **86+ ?** Le Larmande 1994 s'est refermé depuis la mise en bouteille, et il pourrait bien se révéler moins bon que je ne l'avais pronostiqué. Avec sa robe d'un rubis-pourpre foncé et son nez serré et atténué aux notes de boisé, il est doux et impressionnant à l'attaque en bouche, mais laisse ensuite la place à des tannins durs et amers qui dérangent un ensemble que l'on trouverait autrement séduisant, moyennement corsé et musclé. Ce vin requiert, ce qui est assez exceptionnel pour ce cru, plusieurs années de garde avant d'être dégusté. **A boire entre 2003 et 2015.** (1/97)

1993 • **86** D'un rubis-pourpre foncé, la robe du 1993 est bien soutenue pour le millésime. Ce vin, élaboré dans le style traditionnel de la propriété (généreusement boisé et fumé, avec des notes de cerise noire), se révèle mûr dès l'attaque en bouche, moyennement corsé, avec une finale ferme, musclée et solide. On y décèle quelques tannins secs qui desservent légèrement l'ensemble – et dont je ne suis d'ailleurs pas convaincu qu'ils se fondront joliment dans une texture veloutée. Un Saint-Émilion rustique et boisé, à boire **jusqu'en** 2004. (1/97)

1992 • **85** Cette propriété de bonne tenue a produit en 1992 un vin aux arômes doux, mûrs et nets de cassis, affichant une fraîcheur qui rappelle celle d'un Cabernet de Californie. Moyennement corsé et rond, il déploie en finale de séduisantes touches de chêne neuf et des tannins très abondants. **A boire dans les 4 ou 5 ans.** (11/94)

1990 • **88** Ce vin charmeur et caractéristique se distingue par sa belle robe et par son excellent fruité mûr de cassis et de prune. Très corsé, il déploie une finale très tannique. L'ensemble traduit bien le millésime – il présente en effet d'abondants tannins durs, un généreux fruité, savoureux et de bonne mâche, ainsi qu'une acidité extrêmement faible. Tout y est. **A boire jusqu'en 2003.** (1/93)

1989 • **88** Aussi structuré et aussi concentré que le 1988, le 1989 conviendra aux amateurs de vins merveilleusement ronds, souples, alcooliques et opulents – bref, des plus plaisants. L'ensemble est également extrêmement mûr, capiteux et voluptueux. **A boire jusqu'en 2001.** (1/93)

1988
•
90

Le 1988 de Larmande est l'un des vins les plus plaisants du millésime. Délicieux dès sa jeunesse, il a continué d'évoluer régulièrement et de manière impressionnante. Arborant toujours une robe pourpre foncé à peine ambrée sur le bord, il exhale d'intenses et généreux arômes de réglisse, de minéral et de cerise. Ces mêmes notes se retrouvent en bouche, où elles se conjuguent à un subtil caractère de tabac herbacé. L'ensemble, très corsé, riche et pur, est épicé et fumé. **A boire jusqu'en 2004.** (11/97)

1986
•
87

Austère et structuré (en cela, il est typique du millésime), le Larmande 1986 semble pourtant s'être étoffé : il présente désormais plus de gras et de fruité que dans sa jeunesse. Rubis-pourpre foncé de robe, il libère un nez de terre, de minéral, de fumé et de fruits rouges et mûrs qui ne se révèle qu'au mouvement du verre. La bouche, moyennement corsée et très tannique, manifeste avec persistance une pureté et une maturité d'excellent aloi. **A boire jusqu'en 2008.** (11/97)

1985
•
87

Parfaitement mûr, le 1985 de Larmande s'annonce par une robe grenat foncé à peine ambrée sur le bord et par un nez de terre et de douce cerise noire herbacée et épicée légèrement marqué de surmaturité. L'ensemble est également nuancé de vanille. La bouche exprime tout en rondeur un caractère souple et épanoui, délicieusement fruité et étayé par une faible acidité. **A boire jusqu'en 2001.** (11/97)

1983
•
87

Le Larmande 1983 se distingue par son caractère énorme, riche, très corsé et opulent. Profondément coloré et puissant, il présente désormais des tannins fondus et devrait se révéler agréable ces **5 ou 6 prochaines années.** (1/89)

1982
•
88

Bien qu'il soit déjà à son apogée, le 1982 de Larmande n'a rien perdu de son fruit, ce qui signe généralement les grands bordeaux. Arborant une robe grenat foncé légèrement ambrée sur le bord, il exhale un nez doux et confituré d'herbes, de réglisse, de petits fruits et d'épices orientales. La bouche, épaisse et onctueuse, regorge de fruit, et l'ensemble allie merveilleusement souplesse et velouté. Pourquoi donc attendre pour l'apprécier ? Ce vin tiendra bien **5 ou 6 ans encore.** (9/95)

1981
•
83

Voici le millésime le plus léger et le plus élégant de la propriété au début des années 80. Une robe d'un rubis moyen et un nez mûr, mais modérément intense et légèrement herbacé, de prune annoncent le 1981 de Larmande. Ce vin moyennement corsé révèle en bouche, outre une belle concentration, une excellente finale vive et nette. **A boire – peut-être en déclin.** (6/84)

1980
•
75

Bien réussi dans le contexte du millésime, le 1980 de Larmande est assez léger et souple, mais il exhale un bouquet odorant, légèrement intense, d'herbes, de boisé et de cerise, et révèle au palais des arômes moyennement corsés, souples et plaisants. **A boire – peut-être en déclin.** (6/84)

1978
•
82

Déjà à parfaite maturité, ce vin moyennement corsé est très racé, élégant et fruité. Outre d'excellentes senteurs modérément intenses de cèdre, d'herbes et de prune, il présente en bouche un bel équilibre. **A boire – peut-être en déclin.** (6/84)

LUCIE – BON

Grand cru – équivaut à un bon cru bourgeois
Propriétaire : Michel Bartolussi
Adresse : 33330 Saint-Émilion
Adresse postale : 316, Grands-Champs
33330 Saint-Sulpice-de-Faleyrens
Tél. 05 57 74 44 42 – Fax 05 57 24 73 00
Visites : sur rendez-vous uniquement
Contact : Michel Bartolussi – Tél. 05 57 24 72 63

Superficie : 4,4 ha (Saint-Émilion)
Vins produits : Château Lucie – 15 000 b ; Bord Lartigue – 5 000 b
Encépagement : 90 % merlot, 10 % cabernet franc
Densité de plantation : 6 500 pieds/ha – *Age moyen des vignes :* 30 ans
Rendement moyen : 35 hl/ha

Élevage :
fermentations et cuvaisons de 28 jours en cuves de béton ;
achèvement des malolactiques en fûts pour 60 % de la récolte,
en cuves pour le reste ;
vieillissement de 16 mois en fûts ; ni collage ni filtration

A maturité : dans les 4 à 10 ans suivant le millésime

1997 • **84-85** Rubis moyen de robe, le Lucie 1997 séduit par son fruité sans détour, mais les tannins secs que recèle sa finale ne manquent pas d'inquiéter. (3/98)

1996 • **85-87** Ce vin bien fait et structuré est moyennement corsé et modérément massif, avec de doux arômes de fruits rouges mêlés de notes grillées et épicées. Il a un peu perdu de l'opulence charnue qu'il affichait au printemps 1997 et se montre maintenant plus tannique. Accessible, précoce et séduisant, il constitue de surcroît une excellente affaire. **A boire avant 5 à 7 ans d'âge.** (3/98)

1995 • **87** Rubis foncé, avec un nez herbacé de cerise confiturée et de fruits rouges, ce Saint-Émilion rond, fruité et ouvert présente un caractère accessible et une finale souple. Il sera parfait ces **2 ou 3 prochaines années.** (11/97)

MAGDELAINE – TRÈS BON

1er grand cru classé B – équivaut à un 3e cru du Médoc
Propriétaire : Établissements Jean-Pierre Moueix
Adresse : 33330 Saint-Émilion
Adresse postale : Établissements Jean-Pierre Moueix
54, quai du Priourat – BP 129 – 33502 Libourne Cedex
Tél. 05 57 51 78 96 – Fax 05 57 51 79 79
Visites : sur rendez-vous et pour les professionnels uniquement
Contact : Frédéric Lospied

Superficie : 10,4 ha
(terrasses calcaires en limite de Saint-Émilion, près de Canon et de Belair, et côte argileuse au sud, dans le voisinage de La Gaffelière)·
Vins produits : Château Magdelaine – 36 000 b ; Château Saint-Brice – 12 000 b
Encépagement : 75 % merlot, 15 % cabernet franc, 10 % cabernet sauvignon
Densité de plantation : 6 000 pieds/ha – *Age moyen des vignes :* 34 ans
Rendement moyen : 40 hl/ha

Élevage :
fermentations et cuvaisons de 20-28 jours
en cuves d'acier inoxydable thermorégulées ;
achèvement des malolactiques en fûts neufs pour 60 % de la récolte,
en fûts de 1 an pour le reste ;
vieillissement de 18-20 mois en fûts (50-90 % de bois neuf) ; ni collage ni filtration

---

A maturité :
avant 1988, dans les 3 à 7 ans suivant le millésime ; dans les 6 à 15 ans ensuite

Propriété des Établissements Moueix – célèbre négoce libournais – depuis 1952, Magdelaine est un vignoble des « côtes » de Saint-Émilion, merveilleusement situé pour les deux tiers sur le plateau calcaire qui surplombe la vallée de la Dordogne et pour le reste sur la côte argileuse, au sud.

De tous les domaines prestigieux de cette partie de l'appellation, c'est le plus fortement complanté en merlot (75 %), ce qui fait paraître le vin souple, charnu et épanoui, alors qu'il ne l'est pas. C'est au contraire l'un des Saint-Émilion les plus lents à évoluer, demandant souvent près de 7 ans pour révéler sa personnalité.

Nombreux sont les initiés estimant que Magdelaine présente un potentiel extraordinaire ; cependant, les millésimes de la fin des années 70 et du début des années 80 se sont révélés très bons, mais sans rien d'exceptionnel. Depuis 1989, les vins se sont néanmoins nettement améliorés : plus impressionnants, ils révèlent davantage de fruit, de chair et de complexité.

Compte tenu de la toute petite production et de la grande renommée de ce cru, du fait aussi qu'il appartient à la maison Moueix, Magdelaine se vend généralement assez cher, à des prix comparables à ceux des meilleurs deuxièmes crus du Médoc.

1998 • **90-93** Ce 1998, qui est probablement le Magdelaine le plus profondément coloré que je connaisse, impressionne par sa robe d'un rubis-noir soutenu. Moyennement corsé et bien équilibré, il est mieux étoffé et plus tannique que de coutume, et déploie en bouche, par paliers, des arômes extrêmement purs de liqueur de cerise noire. Ce vin aussi intense qu'élégant n'est jamais puissant ni massif, mais il incarne l'équilibre, la pureté et le fruit réunis. **A boire entre 2003 et 2015.** (3/99)

1997 • **87-89** Plus gras, mieux doté et plus impressionnant de richesse en extrait que le 1996, le 1997 s'annonce aussi par une robe rubis-pourpre foncé plus soutenue. On décèle dans ce vin un fruité plus doux, plus gras et plus persistant que celui de son aîné ; le milieu de bouche est souple et bien glycériné. L'ensemble révèle, une fois encore, le légendaire fruité de kirsch et de confiture de cerise typique de ce cru. Le Magdelaine 1997 sera parfait d'ici 2 ou 3 ans, et tiendra parfaitement les **15 ans qui suivront.** Il est magnifiquement réussi dans le contexte du millésime. (1/97)

1996 • **88** Je suis heureux de constater que le Magdelaine 1996 s'est affirmé après sa mise en bouteille et qu'il est en fait mieux doté que je ne l'avais pensé. Sa robe rubis foncé accompagne le fruité typique de ce cru, aux arômes de kirsch et de confiture de cerise entremêlés de notes de chêne neuf et épicé. La bouche, moyennement corsée et élégante, est harmonieuse. L'ensemble se refermera sûrement d'ici peu, mais il s'imposera, lorsqu'il s'épanouira à nouveau, comme un Saint-Émilion racé et classique, qu'il faudra apprécier **entre 2003 et 2015.** (1/99)

1995 • **91** Extrêmement réussi, le Magdelaine 1995 présente une robe soutenue de couleur rubis-pourpre, qui précède un doux nez de kirsch et de cerise noire mâtiné de notes sensuelles, grillées et vanillées. Mûr, riche et persistant en bouche, ce vin magnifique, extraordinaire d'intensité, de pureté et d'équilibre, est encore harmonieux, étonnamment séduisant et accessible. Ses admirateurs seront nombreux. **A boire entre 2000 et 2020.** (11/97)

1994 • **88** La robe opaque, de couleur rubis foncé et grenat en son centre, du 1994 précède d'abondants arômes de cerise noire et confiturée. Ce vin moyennement corsé et élégant, d'une excellente pureté et bien équilibré, est savoureux et tannique – un Saint-Émilion racé et goûteux. Lors de ma dernière dégustation, j'ai d'ailleurs été plutôt surpris de constater combien il se montrait voyant – spectaculaire –, les vins de Magdelaine ayant plutôt tendance, malgré leur fort pourcentage de merlot, à se refermer après la mise en bouteille. **A boire jusqu'en 2015.** (1/97)

1993 • **87** Le 1993, de couleur rubis foncé, présente un nez modérément intense aux arômes de cerise douce. Moyennement corsé et élégant, il est confituré, doux et assez massif. Outre un fruité pur et un caractère charmeur, il révèle une longueur et une structure suffisantes pour durer **10 à 12 ans.** Attendez cependant 1 ou 2 ans avant de le déguster. (1/97)

1992 • **86** Rubis foncé, avec un nez épicé de cerise noire, de chêne et de thé, le 1992 se révèle assez corsé et modérément tannique. Plus profond et plus riche que la plupart des grands crus classés de Saint-Émilion, il est assez long en bouche, où il dégage un fruité moyen, marqué par des arômes de cerise noire. Ce vin élégant et racé a un potentiel de garde de **10 ans environ.** (11/94)

1990 • **92** Ce 1990 est l'un des Magdelaine les plus somptueusement réussis. Le nez révèle d'intéressantes senteurs d'herbes, de fruits rouges, de minéral et de vanille, et la bouche regorge de copieux, voire d'opulents, arômes de doux tabac et de café, qui évoquent également le thé à l'orange. L'ensemble, extrêmement mûr et étayé par une faible acidité, présente des tannins modérés, mais fermes. Alors que Magdelaine se montre souvent trop austère pour un Saint-Émilion, le 1990 constitue une exception : il est luxuriant. **A boire jusqu'en 2008.** (3/96)

1989 • **90** Toujours vêtu d'un rubis-pourpre profond et jeune, le 1989 de Magdelaine sort d'une période d'hibernation pour révéler de doux arômes de kirsch et de cerise noire entremêlés de notes subtilement herbacées d'épices et de terre. La bouche marie de manière tout à fait classique une belle élégance à une douceur et à une finesse d'excellent aloi, et l'on décèle dans la finale des tannins modérés. Dans l'ensemble, il s'agit d'un vin de haut vol, au caractère retenu et à la structure ferme, qui requiert une garde supplémentaire – ce qui est atypique du millésime dans le Bordelais. **A boire entre 2000 et 2020.** (3/97)

1988
•
87
Malgré son bouquet discret, le 1988 révèle une maturité et une intensité de bonne tenue, ainsi qu'un séduisant fruité de cerise entremêlé de chêne neuf grillé. **A boire jusqu'en 2005.** (1/93)

1986
•
75
Ce vin s'est montré médiocre à toutes mes dégustations. D'un rubis moyen nuancé de grenat et d'ambre sur le bord, il se distingue par des notes de terre et d'herbes qui dominent son fruit et la typicité du millésime. Les tannins abondent, mais le milieu de bouche est creux et peu impressionnant. Austère et dénué d'étoffe, le Magdelaine 1986 pèche encore par manque de fruit et de profondeur. Il a vraisemblablement été élaboré à une période difficile pour la propriété. (3/95)

1985
•
84
Léger et subtil, avec un doux fruité de kirsch présenté dans un ensemble moyennement corsé et comprimé, le 1985 évoque un bourgogne par ses arômes de cerise, de minéral et de terre. On pourrait dire qu'il est racé et élégant, mais ce n'est pas exactement le cas ; il est plutôt dépourvu de concentration, et tout simplement trop maigre et trop dépouillé pour un cru de sa classe et issu de son terroir. **A boire jusqu'en 2003.** (3/97)

1983
•
85
Brutalement tannique, peu évolué et agressif, le 1983 de Magdelaine arbore une excellente couleur et déploie un caractère moyennement corsé, étayé par un généreux fruité riche et mûr ; mais ses tannins féroces le rapprochent du 1975. **A boire jusqu'en 2010.** (1/90)

1982
•
88+ ?
J'ai récemment renoté le Magdelaine 1982 à la baisse ; outre le fait qu'il se montre irrégulier, il présente un caractère plus compact et plus linéaire que je ne l'aurais pensé. Alors qu'il révélait en fût un séduisant fruité souple, il se montre maintenant terriblement tannique et peu évolué, et paraît dépourvu, en milieu de bouche, de l'étoffe qui lui aurait assuré une bonne note. La robe est d'un resplendissant rubis moyennement foncé, et le nez exhale de douces senteurs de cerise entremêlées de notes de boisé, de terre et d'herbes. Moyennement corsé, lisse, extrêmement policé et réservé, ce vin n'est pas à la hauteur de mes espérances. Il faut lui accorder une garde de 1 ou 2 ans, avant de le déguster ces **12 prochaines années.** (9/95)

1981
•
80
Voici un vin qui a perdu son merveilleux caractère parfumé et souple de fruits rouges, ainsi que ses arômes modérément intenses, du fait d'un trop long vieillissement en fûts de chêne. Malgré sa belle couleur, il est maintenant dur, astringent, tannique et dépourvu de fruit. Le bouquet évoque la vanille et le boisé, mais la bouche est réservée et fermée. **A boire jusqu'en 2000.** (3/87)

1979
•
84
Ce vin accessible, doté de flaveurs rondes, souples, soyeuses et précoces, présente en bouche, outre un caractère moyennement corsé, une belle concentration et des tannins légers. **A boire.** (5/82)

1978
•
86
Très mûr, confituré et intensément fruité, le 1978 de Magdelaine est rond, généreux et joliment concentré. Malgré son léger manque d'acidité, il affiche un bel équilibre d'ensemble et présente des arômes de chêne épicé et vanillé. **A boire.** (3/86)

1975
•
88
Le Magdelaine 1975 continue d'évoluer à pas lents. Ce vin prometteur, musclé et débordant d'arômes épicés de minéral, se révèle très richement extrait et très tannique. Sa robe d'un grenat foncé est légèrement ambrée sur le bord, et son nez exhale des senteurs de terre et de fumé mâtinées de généreuses

notes de fruits noirs (notamment de cerise). La bouche exprime un caractère moyennement corsé et puissant, et la finale recèle des tannins astringents. Alors que Magdelaine est généralement un cru élégant et racé, ce 1975 laisse au palais une impression de puissance et de corpulence. Je doute que ses tannins se fondent harmonieusement, mais il n'en demeure pas moins un bordeaux impressionnant et classique, qui requiert une garde de 1 ou 2 ans encore. **A boire jusqu'en 2015.** (10/96)

1970 • 89 Le 1970 a mis un quart de siècle à atteindre son apogée. Outre son impressionnante robe grenat légèrement ambrée sur le bord, il présente de très caractéristiques arômes de sous-bois, de terre, de cassis et de cerise, généreusement rehaussés en arrière-plan par des notes de minéral. Ce vin puissant et moyennement corsé, extrêmement épicé, est charnu, mais aussi terriblement tannique. Je doute qu'il se révèle jamais harmonieux, mais il est savoureux et complexe. **A boire jusqu'en 2010.** (11/96)

1967 • 82 Constituant l'une des réussites du millésime, le Magdelaine 1967 présente toujours, bien qu'il ait entamé son déclin, un intéressant bouquet de chocolat, de cèdre et de menthe. Ses arômes souples, riches et étonnamment profonds sont malheureusement desservis par une légère astringence. (2/85)

1962 • 85 Merveilleux succès que ce Magdelaine 1962. Bien qu'il ait atteint son apogée depuis plusieurs années déjà, il conserve son fruité et dégage un bouquet explosif de cèdre, d'herbe, d'épices et de fruit mûr, qui ne manque pas d'impressionner le dégustateur. Les arômes ronds et généreux qu'il exprime en bouche sont bien corpulents et pas tanniques. Contrairement à ce que suggère sa robe tuilée, ce vin est encore très vivant. **A boire.** (1/81)

1961 • 92 Le 1961 est l'un des Magdelaine les plus grandioses que je connaisse ; il présente malheureusement quelques différences d'une bouteille à l'autre. Son nez renversant jaillit littéralement du verre, révélant des senteurs de cake, de cèdre, de cassis et de groseille confiturés. L'ensemble, opulent et irrésistible, déploie, par paliers, un généreux fruité riche, exotique et corsé. **A boire jusqu'en 2005.** (3/97)

Millésimes anciens

Les vieux millésimes de Magdelaine présentent des variations (fort gênantes) d'une bouteille à l'autre. En outre, il existe de nombreuses mises belges, qui n'ont donc pas été effectuées au château (c'était autrefois une pratique courante de vendre les vins en fût ; ils étaient mis en bouteille par les négociants étrangers qui les achetaient). J'ai ainsi dégusté certains 1953, 1955 et 1959 intéressants, alors que les meilleurs exemples se révélaient tout simplement impressionnants. Le 1953 (noté 88 en décembre 1996), le 1955 (noté 87 en décembre 1996) et le 1959 (noté 90 en novembre 1996) m'ont étonné par leur puissance et leur richesse. Le 1952, dégusté une seule fois en 1991, a été noté 88. Il m'avait semblé présenter la structure et l'étoffe nécessaires pour tenir **10 à 15 ans encore.** Il faut cependant être extrêmement vigilant sur la provenance des bouteilles et sur la manière dont elles ont été conservées, en particulier lorsqu'il s'agit de vins de plus de 20 ans d'âge.

MONBOUSQUET – EXCELLENT (depuis 1994)

Grand cru – équivaut à un 3e ou 4e cru du Médoc
Propriétaires : Gérard et Chantal Perse
Adresse : 33330 Saint-Sulpice-de-Faleyrens
Tél. 05 57 24 67 19 – Fax 05 57 74 41 29
Visites : sur rendez-vous uniquement
Contact : Laurent Lusseau

Superficie : 33 ha (Saint-Émilion)
Vins produits :
Château Monbousquet – 90 000 b ; L'Angélique de Monbousquet – 40 000 b
Encépagement : 60 % merlot, 30 % cabernet franc, 10 % cabernet sauvignon
Densité de plantation : 5 400 pieds/ha – *Age moyen des vignes :* 32 ans
Rendement moyen : 28 hl/ha

Élevage :
fermentations et cuvaisons de 21 jours
pour moitié en cuves d'acier inoxydable thermorégulées
et en cuves de bois ; élevage sur lies de 18-24 mois en fûts neufs ;
ni collage ni filtration

A maturité :
avant 1993, dans les 3 à 8 ans suivant le millésime ;
ensuite, dans les 5 à 20 ans, voire au-delà

Les lecteurs entre deux âges (comme moi) se souviennent peut-être des Monbousquet souples, ternes et d'un style commercial produits dans les années 70, sous la houlette de la famille Querre – dont ils faisaient, cela dit, la joie et la fierté.

En 1993, Monbousquet fut racheté par Gérard Perse, qui a fait fortune avec une chaîne de supermarchés. Celui-ci s'est immédiatement attelé à la complète rénovation du domaine, entreprenant notamment la restructuration du vignoble, l'installation d'un gigantesque système de drainage, la réfection complète du cuvier (acquisition de cuves de bois et d'acier inoxydable), la rénovation du château lui-même, qui était en fort mauvais état. Il a également imposé l'élevage en fûts neufs sur lies, la réduction des rendements à moins de 30 hl/ha, et s'est attaché le concours de l'œnologue Michel Rolland pour les vinifications.

Les résultats sont là : Gérard Perse a rapidement élaboré quelques-uns des Saint-Émilion les plus concentrés et les plus fascinants qui soient. Mais c'est surtout le 1993 – l'une des réussites de l'appellation dans une année difficile – qui traduit le souci de qualité animant le propriétaire. Monbousquet produit désormais des vins très intéressants, qui conviendront parfaitement aux amateurs en quête de crus complets et complexes. C'est indiscutablement l'une des étoiles montantes de l'appellation.

A signaler aussi : Gérard Perse produit depuis 1997, sur 1 ha, un bordeaux blanc sec composé à 60 % de sauvignon blanc, à 30 % de sauvignon gris et pour le reste de parts égales de muscadelle et de sémillon. Les vignes sont jeunes (5 ans), et l'élevage se fait durant 8 mois en fûts neufs. Sans doute la proportion exceptionnelle de sauvignon gris, cépage remarquablement aromatique, explique-t-elle en partie qu'il s'agisse là d'une réussite magnifique – malheureusement produite à hauteur de 200 caisses seulement.

1998 • **90-93** Monbousquet s'impose désormais comme l'un des Saint-Émilion les plus opulents, les plus sensuels et les plus appréciés des amateurs. Le 1998 ne fait pas exception à la règle, son auteur estimant même qu'il s'agit de sa plus belle réussite à ce jour. Une robe d'un pourpre-noir profond et soutenu introduit de stupéfiantes senteurs de mûre, de framboise et de chêne neuf grillé, qui jaillissent littéralement du verre. L'ensemble qui suit en bouche, très corsé, ouvert et doté d'une belle texture, regorge d'un généreux fruité mûr, concentré et copieusement glycériné. Ce vin des plus séduisants connaîtra un succès immédiat dès sa diffusion ; en effet, bien qu'il soit plus structuré que ses aînés, il sera agréable dès sa jeunesse, tout en étant capable d'une garde de **12 à 15 ans, voire plus.** En 1998, les rendements à la propriété furent de l'ordre de 28 hl/ha. Je signale encore aux amateurs que Gérard Perse produit également à Monbousquet 3 000 bouteilles d'un délicieux vin blanc, essentiellement issu de sauvignon blanc, avec un peu de sémillon et de muscadelle. Titrant 13,8 % d'alcool naturel, le 1998 est étonnamment riche et concentré, et se révèle de très haut niveau. (3/99)

1997 • **89-92** Les amateurs n'ayant pu se procurer le 1995 se tourneront vers le 1997 de Monbousquet. Pourpre foncé de robe, ce vin incontestablement sensuel se distingue par un nez très fumé, généreusement marqué de mûre et nuancé de cerise et de minéral. Très corsé et faible en acidité, il déploie une finale opulente et veloutée. C'est un bordeaux vinifié pour les épicuriens. **A boire jusqu'en 2012.** (3/99)

1996 • **90** Je me dois de chaudement féliciter Gérard Perse, le propriétaire de Monbousquet. Il est maintenant l'un des plus importants acteurs du Saint-Émilionnais, depuis qu'il a racheté les châteaux Pavie, Pavie-Decesse et La Clusière. C'est une bonne nouvelle pour les amateurs, car son objectif premier est la qualité. Ainsi, il a réduit les rendements de la propriété et met tout en œuvre pour que ses vins expriment le plus naturellement possible le caractère de leur terroir. Lors d'une dégustation à l'aveugle à laquelle je participais à New York, et où Monbousquet figurait comme révélation parmi les meilleurs 1995, ce cru fut classé premier par les 125 personnes présentes. J'ai eu vent des critiques de la vieille garde de Saint-Émilion au sujet des acquisitions (jugées agressives) de Gérard Perse, mais il est impossible de reprocher à cet homme son souci constant de la qualité. Le 1996 de Monbousquet s'impose comme une grande réussite. Plus tannique que le 1995, il exhale un nez exotique de kirsch, de cassis, d'herbes rôties, d'expresso et de moka. La bouche, qui montre une texture d'excellent aloi, impressionne par sa profondeur et par sa richesse ; elle est nuancée de doux chêne grillé. La robe d'un rubis-pourpre foncé soutenu laisse deviner un vin dense, et la finale, aussi persistante que précise, se révèle modérément tannique. Ce vin magnifiquement vinifié mettra plus longtemps à affirmer sa vraie nature que son aîné de 1995 flamboyant et ouvert. **A boire entre 2002 et 2007.** (1/99)

1995 • **92** Quoique très proche du 1996, le 1995 présente un fruité plus accessible. Malgré son niveau élevé de tannins, il est mieux étayé par une faible acidité et par davantage de gras et de glycérine. Vêtu d'une robe opaque de couleur pourpre, ce vin exhale un nez fabuleux, aux généreux arômes de fruits noirs et marqué de notes épicées de chêne neuf. Il est tellement corsé, richement extrait et généreux qu'il faut vraiment le boire pour y croire. Je pense surtout aux amateurs qui se souviennent de ce que fut Monbousquet pendant des décennies. Le 1995 est plus accessible que son cadet d'un an, plus puissant et plus massif, mais il ne sera pas prêt avant 3 ou 4 ans. **A boire entre 2003 et 2022.** (11/97)

1994 • **90** La robe opaque, de couleur pourpre, du 1994 introduit un nez serré, mais prometteur, de confiture de cerise, de cassis, d'herbes fumées et de viande grillée. Moyennement corsé, dense et de bonne mâche, il déploie les tannins rugueux qui sont la marque du millésime, mais son fruité, sa richesse en extrait et son caractère glycériné sont parfaitement aptes à contrebalancer sa structure. Ce vin requiert une garde de 2 ou 3 ans et promet de bien se conserver **15 ans.** (1/97)

1993 • **89** Le 1993 est l'une des révélations du millésime. Généreusement boisé, avec une robe dense de couleur pourpre, il exhale de beaux et doux arômes de cerise noire et de cassis mêlés de senteurs de fumé et de chêne neuf. Très richement extrait et tout en rondeur, il est gras, bien glycériné, pur et de bonne mâche en bouche. **A boire dans les 10 à 12 ans.** (1/97)

LA MONDOTTE - EXCEPTIONNEL (depuis 1996)

Non classé – équivaut à un 1er ou 2e cru du Médoc
Propriétaires : comtes de Neipperg
Adresse : 33330 Saint-Sulpice-de-Faleyrens
Adresse postale : Château Canon-la-Gaffelière
33330 Saint-Émilion
Tél. 05 57 24 71 33 – Fax 05 57 24 67 95
Visites : non autorisées (en cours de rénovation)
Contact : Cécile Gardaix

Superficie :
4 ha (Saint-Laurent-des-Combes, entre Troplong Mondot et Tertre Roteboeuf)
Vin produit : Château La Mondotte – 10 000-13 000 b (pas de second vin)
Encépagement : 75 % merlot, 25 % cabernet franc
Densité de plantation : 5 500 pieds/ha – *Age moyen des vignes :* 38 ans
Rendement moyen : 30 hl/ha

Élevage :
depuis 1997, fermentations et cuvaisons de 30 jours
en cuves de bois thermorégulées ;
achèvement des malolactiques en fûts sur lies fines ; fréquents bâtonnages ;
vieillissement de 24-30 mois en fûts neufs ; collage ; pas de filtration

A maturité : dans les 4 à 28 ans suivant le millésime

Situé à l'est du plateau argilo-calcaire de Saint-Émilion, sur des sols d'argile limoneuse au substrat rocheux, La Mondotte est issu du fait que, la Commission de classement des vins de Saint-Émilion ayant refusé à son propriétaire l'autorisation d'inclure ces 4 ha dans Canon-la-Gaffelière, celui-ci a relevé le défi en décidant de faire de ce cru un vin d'exception. Rendements réduits, vendange méticuleuse, bois neuf et autres dispositions de rigueur ont visiblement permis au très talentueux Stephan von Neipperg – qui possède également outre Canon-la-Gaffelière, le Clos de l'Oratoire – de réussir son pari.

La Mondotte est probablement, en effet, le jeune bordeaux le plus concentré que je connaisse. Il est inutile d'ergoter sur le fait de savoir s'il tend ou non à être le Petrus ou le Le Pin de Saint-Émilion. C'est tout simplement un vin spectaculaire, qui fait déjà tourner les têtes, suscitant bien des jalousies. De fait, si les 1996, 1997 et 1998 reflètent vraiment le caractère de ce cru, celui-ci mériterait d'être promu au premier rang du classement. (Voir aussi Canon-la-Gaffelière.)

1998 • 94-98 D'accord : parlons d'abord des critiques que l'on adresse généralement à ce cru. Il est produit en trop petites quantités (moins de 1 000 caisses), il est trop riche, trop concentré, trop extrait, trop massif et, malheureusement, trop parfumé. Cela dit, La Mondotte s'impose régulièrement comme l'un des vins les plus profonds qui soient, et Stephan von Neipperg devrait être encouragé à poursuivre dans cette voie. Bref, ce cru devrait inspirer toutes les propriétés sous-performantes du Bordelais sur le thème « faites des vins profonds et vous serez unanimement reconnus ». Évoquant un Porto sec et millésimé, La Mondotte est stupéfiant de complexité, qualité qu'il ne manquera pas de révéler à chaque étape de son évolution, tout comme les 1996 et 1997. Le 1998, vêtu d'un pourpre d'encre tirant sur le noir, sera-t-il meilleur que ses deux aînés ? Je ne saurais l'affirmer, mais il est massif et très hautement extrait, avec un nez renversant de café torréfié, de fumé, de mûre et de liqueur de cerise. Énorme, il est incroyablement harmonieux, et présente un superbe équilibre entre les tannins, le gras et l'alcool. Tout à la fois époustouflant, profond et provocateur, il s'impose comme le jeune vin le plus impressionnant qui soit. **A boire entre 2008 et 2025.** (3/99)

1997 • 93-95 Le 1997 de La Mondotte ressemble fort à son aîné d'un an, à ceci près qu'il est moins précis dans le dessin et qu'il est plus faible en acidité. En revanche, il est fait du même métal pour ce qui est de la maturité, du gras et de la richesse en extrait. Massif et onctueux, il déploie une finale fabuleusement persistante, aux notes de douce mûre, de myrtille et de kirsch ; il suinte littéralement en bouche tant il est remarquable de concentration et de complexité. **A boire entre 2002 et 2020.** (1/99)

1996 • 97+ Produit à hauteur de 800 caisses seulement, entièrement issu de merlot de 30 ans d'âge provenant d'un coteau situé entre Tertre Roteboeuf et Canon-la-Gaffelière, ce vin stupéfiant s'impose comme l'une des étoiles montantes du Bordelais. Les amateurs qui n'éprouveraient aucun plaisir à déguster le 1996 feraient bien de changer leur fusil d'épaule et... de boire autre chose. Étonnant tant pour l'appellation que dans le contexte du millésime, La Mondotte 1996 se distingue par sa richesse remarquable, par sa concentration extraordinaire et par ses tannins remarquablement fondus. Sa robe épaisse et pourpre laisse deviner un caractère hautement extrait. Il s'agit en effet d'un vin très concentré, qui régale le nez de ses spectaculaires senteurs de café torréfié, de réglisse, de mûre et de cassis, nuancées de chêne neuf et fumé. La bouche, très corsée, se dévoile par paliers, révélant tout en rondeur un fruité d'une profondeur extrême, un caractère fabuleusement visqueux et une finale longue de 45 secondes. Ce Saint-Émilion puissant et massif, évoquant un Fonseca sec et millésimé, sera à son meilleur niveau **entre 2006 et 2025.** (1/99)

MOULIN DU CADET

Grand cru classé – équivaut à un cru bourgeois

Propriétaire : SC du Château Moulin du Cadet

Adresse : 33330 Saint-Émilion

Adresse postale : Établissements Jean-Pierre Moueix

54, quai du Priourat – BP 129 – 33502 Libourne Cedex

Tél. 05 57 51 78 96 – Fax 05 57 51 79 79

Visites : sur rendez-vous et pour les professionnels uniquement

Contact : Frédéric Lospied

Superficie : 4,9 ha (Saint-Émilion sur le coteau, à proximité de Fonroque)

Vin produit : Château Moulin du Cadet – 30 000 b (pas de second vin)

Encépagement : 85 % merlot, 15 % cabernet franc

Densité de plantation : 5 500-6 500 pieds/ha – *Age moyen des vignes :* 25 ans

Rendement moyen : 50 hl/ha

Élevage :

fermentations et cuvaisons de 20 jours en cuves de béton thermorégulées ; achèvement des malolactiques en fûts pour 20 % de la récolte, en cuves pour le reste ; vieillissement de 18 mois en fûts (40 % de bois neuf) ; soutirage trimestriel ; collage au blanc d'œuf ; pas de filtration

---

A maturité : dans les 3 à 8 ans suivant le millésime

Cette minuscule propriété de 5 ha environ se situe sur le plateau, au nord de Saint-Émilion. Il produit généralement des vins parfumés et légers, dépourvus de profondeur, mais très séduisants au nez. C'est la maison de négoce Jean-Pierre Moueix qui assure la gestion de ce cru ; on peut donc espérer qu'il présentera davantage de profondeur et de richesse.

1998 • **86-88** Voici un vin impressionnant de pureté et de maturité. Moyennement corsé, avec des senteurs de cerise et de mûre, il est modérément structuré, et déploie en bouche un caractère persistant, pur et corpulent. **A boire avant 10 à 12 ans d'âge.** (3/99)

1993 • **86** Si vous êtes en quête d'un 1993 opulent et voluptueux, doté d'un fruité charnu, savoureux et de bonne mâche, tournez-vous vers le Moulin du Cadet. Moyennement corsé, mûr, fruité et faible en acidité, il convient parfaitement aux amateurs recherchant des vins au charme immédiat. **A boire jusqu'en 2001.** (11/94)

1990 • **86** Moyennement corsé et très fruité, le 1990 regorge littéralement de généreux arômes gras et savoureux. Un vin irrésistible, à apprécier dans les **3 ou 4 ans.** (1/93)

1989 • **85** Bien concentré et persistant, le 1989 est riche, doux et ample en bouche. **A boire.** (4/91)

MOULIN SAINT-GEORGES – TRÈS BON

Grand cru – équivaut à un 3e ou 4e cru du Médoc
Propriétaires : Catherine et Alain Vauthier
Adresse : 33330 Saint-Émilion
Tél. 05 57 24 70 26 – Fax 05 57 74 47 39
Visites : non autorisées

Superficie : 7 ha (Saint-Émilion)
Vin produit : Château Moulin Saint-Georges – 35 000 b (pas de second vin)
Encépagement : 66 % merlot, 34 % cabernet franc et cabernet sauvignon
Densité de plantation : 5 500 pieds/ha – *Age moyen des vignes :* 20 ans
Rendement moyen : 42 hl/ha

Élevage :
fermentations et cuvaisons de 21 jours en cuves d'acier inoxydable thermorégulées ; achèvement des malolactiques en fûts neufs pour 80-90 % de la récolte, en cuves pour le reste ; vieillissement de 15-20 mois en fûts neufs ; collage et filtration si nécessaire

A maturité : dans les 3 à 15 ans suivant le millésime

Alain Vauthier, propriétaire d'Ausone, possède également ce petit domaine, que son grand-père avait acquis en 1920, et qui s'est enrichi de quelques parcelles alentour. Bien situé, en contrebas d'Ausone, entre Saint-Georges Côte Pavie, La Gaffelière et Pavie Macquin, Moulin Saint-Georges bénéficie d'un terroir argilo-calcaire au sol profond. Depuis 1978, de nombreux aménagements y ont été effectués, le vignoble étant en partie replanté et mis en « lutte raisonnée ».

Alain Vauthier élabore ici des vins superbes, que l'on peut considérer comme des Ausone de moindre ampleur.

1998 • **87-88** Bien réussi, quoique moins complet et moins concentré que son aîné de 1996, le Moulin Saint-Georges 1998 se distingue par sa robe d'un pourpre profond et par ses arômes (notamment de mûre et de minéral) d'une intensité admirable. Moyennement corsé et très tannique, il est peu évolué, mais doté d'un caractère très affirmé. Il requiert une garde de 2 ou 3 ans. **A boire entre 2003 et 2014.** (3/99)

1997 • **87-88** Outre un nez extrêmement fruité dominé par la framboise et la cerise, le 1997 présente un caractère moyennement corsé et faible en acidité, des arômes doux et confiturés, ainsi qu'une finale souple et charnue. **A boire dans les 7 ou 8 ans.** (1/99)

1996 • **89** Rubis-pourpre foncé de robe, avec un nez complexe et subtilement boisé de prune et d'autres fruits noirs, de minéral et de fer, le 1996 s'impose comme un vin riche et moyennement corsé. Ce classique, qui s'exprime en élégance, manifeste une pureté extraordinaire. C'est, en quelque sorte, l'Ausone du pauvre. **A boire entre 2001 et 2015.** (1/99)

1995 • **90** Le fabuleux Moulin Saint-Georges 1995 est une révélation de l'année. Avec sa robe dense de couleur pourpre et son doux nez de framboise et de groseille mêlé de notes de chêne grillé et de minéral, il se montre tout à la fois profond, riche, mûr, élégant, harmonieux et impressionnant de pureté. Un

Saint-Émilion somptueux et vraiment imposant, assurément plein d'avenir ! **A boire entre 2001 et 2016.** (11/97)

PAVIE – BON

1er grand cru classé B
équivaut à un 4e ou 5e cru du Médoc
Propriétaires : Gérard et Chantal Perse
Adresse : 33330 Saint-Émilion
Tél. 05 57 55 43 43 – Fax 05 57 24 63 99
Visites : sur rendez-vous uniquement
Contact : Laurence Arguti

Superficie : 37 ha (Saint-Émilion)
Vin produit : Château Pavie – 88 000 b (pas de second vin)
Encépagement : 60 % merlot, 30 % cabernet franc, 10 % cabernet sauvignon
Densité de plantation : 5 400 pieds/ha – *Age moyen des vignes :* 43 ans
Rendement moyen : 25 hl/ha (depuis 1998)

Élevage :
depuis 1998, fermentations et cuvaisons de 21 jours
en cuves de bois thermorégulées ;
élevage sur lies de 12 mois en fûts neufs ; ni collage ni filtration

---

A maturité : dans les 7 à 20 ans suivant le millésime

Pavie, le plus étendu de tous les premiers crus classés de Saint-Émilion, produit sept fois plus qu'Ausone et deux fois plus que La Gaffelière, qu'il jouxte. Il jouit d'une excellente situation au sud-est du village (tout près du centre), dans la partie est des coteaux. On dit donc qu'il est un vignoble de « côtes ». Ce cru bénéficie d'une réputation mondiale.

Propriété de la famille Valette jusqu'en 1998, Pavie était géré par Jean-Paul Valette depuis 1967, date de son retour du Chili. C'était l'un des viticulteurs les plus avenants de la région ; son hospitalité légendaire, conjuguée au fait que le domaine possède de superbes caves creusées à même le calcaire, faisait de Pavie une étape obligée pour les touristes.

Malgré sa production et sa renommée, ce domaine ne s'est cependant pas distingué au sein des premiers grands crus classés de l'appellation. Les vins qui en étaient issus, trop légers et faiblement colorés, avaient une fâcheuse tendance à évoluer rapidement en développant des nuances tuilées. Parfaitement conscient de ces défauts, Jean-Paul Valette les avait voulus plus densément concentrés, plus profondément colorés et plus corsés à partir de 1979. Cela n'insinue pas que les millésimes antérieurs étaient tous insipides et maigres, mais ils étaient nombreux, tels 1966, 1974, 1975 et 1976, à être d'un niveau inférieur à la moyenne. Toutefois, Pavie n'était pas un vin à apprécier dans sa jeunesse ; la plupart des millésimes, notamment ceux des années 80 et du début des années 90, demeuraient obstinément fermés, requérant une garde de 7 à 10 ans au moins pour se fondre. En outre, les performances du début de la décennie 90 furent particulièrement décevantes, et c'est peut-être ce qui incita Jean-Paul Valette à vendre la propriété.

Le domaine fut ainsi vendu, en février 1998, à Gérard et Chantal Perse, déjà propriétaires de Pavie Decesse et de Monbousquet, et qui acquirent en même temps La Clusière. Rarement, dans le Bordelais, projet qualitatif ambitieux aura été si rapidement réalisé. En effet, dès août 1998, l'ancien cuvier de 1923 avait été remplacé par 20 cuves de bois thermorégulées permettant une vinification parcellaire ; puis, très vite, Gérard Perse entreprit la construction d'un chai de vieillissement révolutionnaire. Pour ce qui est du vignoble, en mauvais état, une restructuration d'envergure fut mise en œuvre, comprenant d'importantes complantations, l'installation d'un système de drainage des sols et de captage des résurgences de sources. Bien entendu, les rendements furent notablement réduits, le travail en vert de la vigne imposé, de même que l'élevage sur lies. Et Alain Raynaud, propriétaire de Quinault et copropriétaire de La Fleur et de La Croix de Gay, a définitivement abandonné la médecine pour se consacrer à l'activité viticole : il conseille tous les vignobles Perse.

Là encore, les résultats sont parlants : dès son premier millésime (1998), Gérard Perse a obtenu de très beaux résultats, qui laissent présager pour la propriété un avenir des plus prometteurs.

1998 • **91-93** Vinifié par Gérard Perse dans le style de Lafite Rothschild, le Pavie 1998 traduit parfaitement la race et la complexité légendaires de son terroir, tout en se révélant très riche et très intense. Véritable quintessence de l'élégance, il est intensément parfumé et imposant de puissance. D'un rubis-pourpre dense, il exhale de doux arômes de fruits noirs et rouges entremêlés de subtiles notes de boisé, de minéral et d'épices. Ce vin moyennement corsé, qui déploie en bouche, par paliers, un généreux fruité, se distingue encore par son caractère exquis et fabuleusement proportionné. **A boire entre 2005 et 2025.** (3/99)

1997 • **83-85** Rubis foncé et herbacé, avec un caractère de terre, le Pavie 1997 est maigre en bouche, dépourvu du charme, du gras et de la richesse de ses jumeaux mieux réussis. Compte tenu de ses tannins secs, de son caractère moyennement corsé, de l'ampleur et de la profondeur qu'il présente, je suggère de le déguster dans les **7 ou 8 ans.** (3/98)

1996 • **84-86** Tout de rubis sombre vêtu, le Pavie 1996 est acidulé et retenu, avec des arômes moyennement intenses de groseille mâtinés de notes de terre et d'épices. Bien qu'issu d'une vinification nette et de bon niveau, il est discret, maigre et anguleux, manquant tout à la fois d'étoffe, de chair et de longueur. **A boire entre 2000 et 2012.** (3/98)

1995 • **78** D'un rubis-prune moyennement foncé, le Pavie 1996 exhale de caractéristiques arômes poivrés et épicés de feuille, évoquant vaguement la cerise rouge et la groseille. Rigide et austère, avec un caractère anguleux et des tannins sévères, il révèle un doux fruité à l'attaque en bouche, mais c'est ensuite la structure qui domine l'ensemble. Ce vin pourrait être bon, mais je pense plutôt qu'il se dessèchera. **A boire entre 2000 et 2010.** (11/97)

1994 • **80 ?** Le 1994, sévère et légèrement corsé, manque de fruité, de charme et de texture. Les tannins que l'on perçoit dans sa finale sont tels que, très probablement, son fruité ne survivra pas à une garde en cave de **8 à 10 ans.** (1/97)

1993 • **75** Le 1993 de Pavie, de couleur rubis foncé, exhale un nez aux indéfinissables arômes de fruits rouges, de poivron vert et de terre. Il est nerveux, très structuré, dur et astringent, et se desséchera vraisemblablement bien avant que ses tannins ne se fondent. (1/97)

1992 • **78** Le 1992 de Pavie est un vin légèrement corsé et compact, auquel ses tannins excessifs confèrent une texture rugueuse et une finale très dure. Son potentiel de garde est de 10 ans, voire plus, mais, son fruité n'étant pas suffisant pour étayer sa structure, il est vraisemblable qu'il se desséchera d'ici **4 ou 5 ans.** (11/94)

1991 • **82** Le Château Pavie est l'un des rares premiers grands crus classés de Saint-Émilion à avoir produit un 1991. Si celui-ci n'est pas particulièrement grandiose, sa robe rubis moyen introduit un séduisant nez épicé de cerise et de vanille. Moyennement corsé et d'une bonne profondeur en bouche, il y déploie des tannins légers. **A boire d'ici 6 ou 7 ans.** (1/94)

1990 • **92** Vêtu d'un rubis-grenat profond et soutenu, l'impressionnant Pavie 1990 exhale un bouquet doux, mais expressif, de truffe, d'épices orientales, de cerise noire et d'herbes fumées. Très corsé et puissant, il régale le palais d'arômes charnus, d'une richesse évoquant le sang de bœuf. Peu évolué, intense, profond, concentré et musclé, il requiert une garde de 3 ou 4 ans et se maintiendra sans problème **jusqu'aux alentours de 2018.** (11/96)

1989 • **89+** La robe, d'un rubis-grenat profond, du Pavie 1989 demeure intacte, sans aucune nuance ambrée. Ce vin s'annonce par un nez exotique et épicé de cake, de terre et de chocolat, mâtiné en arrière-plan de douces notes boisées. Persistant et jeune, avec des tannins durs, il se montre moyennement corsé et concentré en bouche. Il évolue lentement et requiert une garde de 2 ou 3 ans, au terme de laquelle il pourrait être renoté à la hausse. **A boire entre 2003 et 2016.** (11/96)

1988 • **86** Ce vin peu évolué, structuré et tannique est bien équilibré par un fruité élégant et mûr de tabac et de cerise noire, rehaussé d'une heureuse acidité. Sa finale, persistante, est épicée et tannique. **A boire jusqu'en 2005.** (1/93)

1986 • **90** Hormis le 1990 et le 1998, le 1986 s'impose comme le meilleur Pavie de ces trente dernières années. Très corsé, profond et tannique, il manifeste une belle richesse en extrait et déploie, outre un bouquet généreusement marqué de doux chêne grillé, une finale extrêmement persistante. En raison de ses abondants tannins, il est nécessaire de le conserver quelque temps avant de l'apprécier. Ce Pavie impressionnant est assurément l'une des étoiles du millésime à Saint-Émilion. **A boire jusqu'en 2010.** (3/90)

1985 • **86** Le 1985 est ferme, tannique et discret, surtout pour le millésime. Profondément coloré et moyennement corsé, il requiert une certaine garde, malgré son caractère mûr, mais se révélera des plus gracieux par la suite. **A boire jusqu'en 2005.** (3/90)

1983 • **88** Parfaitement mûr, le Pavie 1983 séduit par son bouquet aux riches senteurs de framboise et de prune entremêlées de notes de chêne neuf et d'herbes. Sa robe, d'un rubis moyennement foncé, a développé quelques nuances ambrées sur le bord, mais sa bouche regorge d'arômes de fruits rouges tout à la fois opulents, riches et amples, qui tiennent leur belle précision de l'acidité et des tannins qui les étayent. Étonnamment accessible et exubérant, ce Pavie devrait continuer à évoluer de belle manière. **A boire jusqu'en 2005.** (3/91)

1982 • **89** Le 1982 de Pavie commence enfin à s'ouvrir, tandis que ses tannins se fondent harmonieusement. Impressionnant par sa robe d'un rubis-grenat soutenu, il exhale un nez classique de cèdre, de cassis, de vanille et d'herbes rôties évoquant un Médoc. Moyennement corsé et d'une excellente concentration, il recèle encore des tannins modérés, mais assez présents, ce qui ne nuit en rien à l'élégance et au caractère retenu de l'ensemble. Ce vin, qui peut être apprécié dès maintenant, n'atteindra cependant pas son apogée avant 2 à 4 ans, et tiendra parfaitement **jusque vers 2010.** (9/95)

1981 • 85 Ce millésime a évolué plutôt rapidement. Outre un bouquet racé et complexe de vanille, d'épices et de cerise mûre qui séduit le dégustateur, il présente une bouche moyennement corsée et parfumée, marquée de notes de doux chêne qui se sont bien fondues dans le fruit. Bref, il s'agit d'un très bon Pavie, élégant et moyennement massif. **A boire – peut-être en déclin.** (11/90)

1979 • 85 Séduisant et proche de la maturité, le Pavie 1979 arbore une robe d'un rubis étonnamment foncé, à peine nuancé d'ambre. Le bouquet, grillé et fumé, d'herbes et de petits fruits précède en bouche un vin moyennement corsé, bien puissant et massif, doté de tannins modérés. L'ensemble est savoureux, mais compact. **A boire jusqu'en 2000.** (3/91)

1978 • 78 Ouvert et quelque peu dépourvu de tenue, le Pavie 1978 n'a pas la concentration, la structure et la fermeté qu'il faudrait, mais il présente un fruité doux et mûr (presque trop mûr) de merlot, charmeur, mais unidimensionnel. Le bouquet est un peu desservi par de légères notes végétales. **A boire.** (4/82)

1976 • 56 Plutôt décevant, le Pavie 1976 est insipide, terne et aqueux, avec des arômes assez quelconques. Le nez, végétal, est trop épicé et trop boisé, et la bouche est maigre et creuse. (9/80)

1975 • 72 Le Pavie 1975 fait figure de petit vin dans ce millésime. Moyennement corsé et (étonnamment) peu tannique, il présente des arômes fruités doux et mûrs, mais assez peu concentrés et compacts. **A boire – peut-être en déclin.** (5/84)

1971 • 81 Plein de grâce et bien équilibré, le Pavie 1971 est fruité, souple et élégant ; il m'a toujours impressionné en s'imposant comme le Saint-Émilion le plus réservé et le plus atténué du millésime. Moyennement corsé, il demeure charmeur et plein de finesse, bien qu'il commence à perdre son fruit. Il est cependant très discret. **A boire – peut-être en déclin.** (3/86)

1970 • 83 Élaboré dans une période difficile pour la propriété, le Pavie 1970 est cependant assez réussi. Sans être très complexe, il se montre trapu, sans détour, « carré » (comme le dirait Michael Broadbent), avec un bouquet rôti de cerise mûre et des arômes boisés, étoffés, mais dénués de complexité. **A boire.** (3/88 – dégusté en magnum)

1961 • 90 Ce vin ne m'a pas beaucoup impressionné les premières fois que je l'ai goûté, mais, en 1988, dans une dégustation à l'aveugle, il a révélé un nez énorme et épicé de cèdre et de prune noire, ainsi que des arômes aussi opulents que concentrés, étonnants de jeunesse. La finale regorgeait d'alcool et de tannins. Je fus stupéfait en apprenant qu'il s'agissait du Pavie 1961. Cette bouteille en particulier aurait été capable d'une garde de 10 à 15 ans encore et ne ressemblait en rien aux spécimens passés que j'avais goûtés précédemment. Le vrai Pavie daignera-t-il se faire connaître ? **A boire jusqu'en 2005.** (2/88)

PAVIE DECESSE - BON

Grand cru classé – équivaut à un 5e cru du Médoc
Propriétaires : Gérard et Chantal Perse
Adresse : 33330 Saint-Émilion
Tél. 05 57 55 43 43 – Fax 05 57 24 63 99
Visites : sur rendez-vous uniquement
Contact : Laurence Arguti

Superficie : 10 ha (Saint-Émilion)
Vin produit : Château Pavie Decesse – 24 000 b (pas de second vin)
Encépagement : 90 % merlot, 10 % cabernet franc
Densité de plantation : 5 400 pieds/ha – *Age moyen des vignes :* 43 ans
Rendement moyen : 36 hl/ha

Élevage :
depuis 1997, fermentations et cuvaisons de 21 jours
en cuves de bois thermorégulées ;
élevage sur lies de 12 mois en fûts neufs ; ni collage ni filtration

---

A maturité : dans les 5 à 15 ans suivant le millésime

Je recommande particulièrement aux amateurs désireux de connaître la région de ne pas se limiter à la visite de Pavie, mais de s'avancer jusqu'à Pavie Decesse, accessible par un chemin assez long, qui serpente jusqu'en haut du coteau depuis Pavie. La vue y est en effet littéralement époustouflante.

De 1971 à 1997, ce château a appartenu à Jean-Paul Valette, qui possédait également Pavie, premier grand cru classé situé à quelques centaines de mètres plus bas sur le coteau. Il a été racheté en février 1997 par Chantal et Gérard Perse, désormais propriétaires de Pavie, de Monbousquet et de La Clusière.

Dès l'arrivée des Perse, ce domaine de 10 ha, implanté sur un sol crayeux et argilo-calcaire, a fait l'objet d'importants travaux : construction d'un cuvier de bois et de deux chais de vieillissement (l'un pour la première année, l'autre pour la seconde), complantations d'envergure, installation d'une nouvelle salle de dégustation offrant l'une des plus belles vues qui soient sur le vignoble de Saint-Émilion. Les rendements ont été considérablement réduits, l'élevage se fait désormais sur lies – ce qui explique la densité des vins –, et Michel Rolland est l'œnologue de la propriété, qui bénéficie aussi des conseils d'Alain Raynaud.

Une fois de plus, Gérard Perse a réussi son pari en élaborant, notamment en 1998, un vin superbe, qui laisse deviner pour Pavie Decesse un avenir grandiose.

1998
•
90-92+

Ce vin d'un rubis-pourpre tirant sur le noir déploie, par paliers, de doux arômes de cerise noire et de cassis subtilement nuancés de chêne grillé. Fabuleusement proportionné, regorgeant de gras et de richesse en extrait, il révèle en bouche, outre des tannins modérés, une finale imposante et persistante, longue de plus de 30 secondes. Ici, le boisé est subtil et retenu ; il offre un contraste saisissant avec le caractère flamboyant et fumé de Monbousquet, qui appartient au même Gérard Perse. **A boire entre 2002 et 2020.** (3/99)

1997 • **87-89** Bien que le 1997 n'ait pas été vinifié par le tandem Perse/Rolland, il est le résultat d'une sélection sévère des toutes meilleures cuvées. Totalement différent de son aîné d'un an, il arbore une robe dense de couleur rubis-pourpre, qui prélude à un bouquet aux généreux arômes de douce cerise noire et de cassis nuancés de pain grillé. Moyennement corsé et doté d'un abondant fruité de framboise, il est faible en acidité et révèle, dans une finale persistante, des tannins doux. Un vin élégant et racé, à boire à son apogée **entre 2001 et 2012.** (1/99)

1996 • **77 ?** Gérard Perse, nouveau maître de Pavie Decesse, a désormais la tâche peu enviable de vendre le 1996 de ce cru, dernier millésime vinifié par les précédents propriétaires. Bien qu'il soit plaisant, ce vin n'a pas grand-chose pour lui : trop tannique, il n'a ni le fruit ni la concentration nécessaires, et laisse une impression d'ensemble de maigreur. En outre, les tannins secs que recèle la finale rendent douteuse une évolution harmonieuse. Il ne peut que décliner. **A boire entre 2000 et 2007.** (1/99)

1995 • **82 ?** Je pense avoir égaré les amateurs en attribuant une note de 86-88 au Pavie Decesse 1995, suite à ma première dégustation des primeurs. Depuis la mise en bouteille, ce vin se montre terriblement austère, et révèle un niveau extrêmement élevé de tannins. Une fois passé son séduisant nez aux doux arômes de cassis, d'airelle et de cerise, il se montre creux en milieu de bouche, avec une finale dure et acerbe, aux tannins astringents. Je préférais décidément ce vin lorsqu'il était encore en fût, mais deux dégustations en bouteille me poussent à remettre en cause mes impressions premières. **A boire entre 2000 et 2010.** (11/97)

1994 • **82 ?** La robe soutenue, de couleur pourpre foncé, du 1994 laisse deviner une belle intensité, mais ce vin est dominé par son acidité élevée et ses tannins amers. Énorme et structuré, il manque tout à la fois de charme, de glycérine, de présence en milieu de bouche et de profondeur. Une garde de 4 ou 5 ans lui sera peut-être bénéfique, mais je pense qu'il se révélera plutôt comme un vin comprimé et atténué, au potentiel de **12 à 15 ans.** (1/97)

1993 • **86** Les vins de cette propriété auraient plutôt tendance à se montrer astringents et austères dans leur jeunesse, mais le 1993 est étonnamment réussi. Vêtu de rubis foncé, il affiche en effet un niveau élevé de tannins, et déploie des arômes joliment extraits de cerise et de prune mûres bien étayés par des notes d'épices, de chêne, d'herbes et de bois. Il s'agit d'un vin moyennement corsé, bien structuré et d'une belle pureté. **A boire entre 2000 et 2008.** (1/97)

1992 • **84** Après avoir goûté le 1992 au fût et deux fois après la mise en bouteille, je puis affirmer que, des deux Pavie appartenant alors aux consorts Valette, c'est celui-ci (d'ailleurs le moins cher) qui se révèle le meilleur. Sa robe rubis foncé accompagne un nez épicé et fruité de terre, marqué par de subtiles touches boisées et par des notes herbacées. Moyennement corsé et épicé en bouche, il est étriqué, austère et musclé. Ce vin gagnera à être conservé encore 1 an avant d'être dégusté et tiendra ensuite **3 ou 4 ans.** (11/94)

1991 • **78** Bien que léger, le 1991 de Pavie Decesse montre de la corpulence et de la maturité. En bouche, il présente des arômes moyennement dotés, ainsi qu'une finale assez brève. **A boire dans les 2 ou 3 ans.** (1/94)

1990 • **90** Outre ses puissants arômes de doux fruit, de minéral, de chocolat et d'herbes, le Pavie Decesse 1990 présente une texture énorme et charnue, ainsi qu'un caractère profond et très richement extrait, étayé par des tannins généreux et par une heureuse acidité. Un vin sensationnel, d'une puissance exceptionnelle. **A boire avant 2010.** (1/93)

1989 • **88** Très corsé et dense, le 1989 de Pavie Decesse est tannique et riche, mais aussi (ce qui n'est pas étonnant) peu évolué pour le millésime. Il déploie des senteurs herbacées et minérales, et dévoile en bouche un fruité de cerise bien étayé par une acidité tonique. **A boire jusqu'en 2010.** (1/93)

1988 • **86** D'une concentration et d'une persistance d'excellent aloi, le Pavie Decesse 1988 séduit par son bouquet de terre, de minéral et de fruits exotiques, mais il présente en finale des tannins très abondants. **A boire jusqu'en 2009.** (1/93)

1986 • **89** Extrêmement impressionnant par son caractère puissant et tannique, le 1986 ne sera pas prêt avant plusieurs années. Opaque de robe, très réservé et peu évolué, il devrait cependant s'imposer comme l'une des révélations du millésime. **A boire jusqu'en 2010.** (4/91)

1985 • **88** Le 1985 de Pavie Decesse pourrait se révéler meilleur que son jumeau de Pavie. Très profondément coloré, avec d'intenses arômes de cassis, de chêne grillé et de goudron, il se montre ample, riche, persistant et structuré en bouche, où il déploie un généreux fruité, serré et très corsé. Ce devrait être un vin de très longue garde. **A boire jusqu'en 2005.** (3/90)

PAVIE MACQUIN – EXCELLENT

Grand cru classé – équivaut à un 3e ou 4e cru du Médoc
Propriétaire : famille Corre-Macquin
Adresse : 33330 Saint-Émilion
Tél. 05 57 24 74 23 – Fax 05 57 24 63 78
Visites : sur rendez-vous uniquement
Contact : Nicolas Thienpont

Superficie : 14,5 ha (Saint-Émilion, côte Pavie)
Vins produits :
Château Pavie Macquin – 50 000 b ; Les Chênes de Macquin – variable
Encépagement : 70 % merlot, 25 % cabernet franc, 5 % cabernet sauvignon
Densité de plantation : 5 500 pieds/ha – *Age moyen des vignes :* 35 ans
Rendement moyen : 36 hl/ha

Élevage :
fermentations et cuvaisons de 28-35 jours en cuves de béton ;
achèvement des malolactiques
et vieillissement de 18-20 mois en fûts (60 % de bois neuf) ;
collage et filtration si nécessaire

A maturité : dans les 5 à 20 ans suivant le millésime

Pavie Macquin doit la seconde partie de son nom à Albert Macquin, qui fut, en son temps, le grand spécialiste du greffage des vignes européennes sur des porte-greffes américains. Cette pratique s'est révélée indispensable après la destruction, au XIXe siècle, de la plus grande partie du vignoble bordelais par le phylloxéra.

Cette propriété, excellemment située sur ce que l'on appelle la côte de Pavie, est voisine de Troplong Mondot et de Pavie. Les vins qu'elle a produits dans les années 70 et 80 ont souvent été décevants, mais ils se sont grandement améliorés avec les millésimes 1988, 1989 et 1990, essentiellement parce que la famille Corre a eu la brillante idée de faire appel au talentueux Nicolas Thienpont (de Vieux Château Certan, en Pomerol) pour s'occuper du vignoble et de tout ce qui a trait à la culture de la vigne, alors que la vinification et l'élevage des vins étaient confiés à Michel Rolland. C'est enfin Stéphane Deremoncourt, chargé des vinifications de Canon-la-Gaffelière, de La Mondotte et du Clos de l'Oratoire, qui est ici maître de chai. A eux trois, ils ont remis en selle cette propriété, qui s'impose aujourd'hui comme une étoile montante.

Note : le vignoble de Pavie Macquin est cultivé en méthode comparative : biodynamie et « lutte raisonnée ».

1998 • **91-94+** J'ai adoré ce Pavie Macquin. Les vieilles vignes du domaine ont donné en 1998 un ensemble qui n'a rien du caractère ostentatoire typique de nombreux Saint-Émilion « nouveau style ». Fabuleux de concentration, il révèle une noblesse et une grandeur inimaginables pour quiconque ne l'a pas dégusté. Bref, il traduit parfaitement l'essence de son terroir. Ce pourrait bien être la plus belle réussite de la propriété à ce jour, ce qui n'est pas peu dire, sachant que certains millésimes récents ont été impressionnants. D'un pourpre-noir soutenu, avec de stupéfiants arômes de mûre, de myrtille et de cassis nuancés de bouffées de minéral et de métal, ce vin présente en bouche une extraordinaire pureté, ainsi que des proportions magnifiques. Moyennement corsé et suintant littéralement de fruité et de richesse en extrait, il requiert une garde de 4 à 6 ans – peut-être davantage, suivant l'évolution de ses tannins. Le Pavie Macquin 1998 est incontestablement l'une des étoiles du millésime. **A boire entre 2005 et 2020.** (3/99)

1997 • **91-93** Le fabuleux 1997 de Pavie Macquin est l'une des révélations du millésime ; il incarne, par son intensité, une essence de vieilles vignes. Pourpre-noir et opaque de robe, il exhale de généreuses senteurs de pain grillé entremêlées de notes de minéral, de confiture de mûre et de liqueur de framboise. La bouche, moyennement corsée, riche et intense, déploie par paliers un généreux fruité, ainsi qu'une finale longue de plus de 30 secondes. Les tannins, quoique marqués, sont doux. Ce 1997 formidable sera de très grande garde pour le millésime. **A boire entre 2002 et 2018.** (1/99)

1996 • **89+ ?** Le Pavie Macquin 1996 pourrait parfaitement soutenir la comparaison avec les tout meilleurs de l'appellation. Il affiche ainsi un caractère extrêmement concentré typique des crus issus de vieilles vignes, tout en étant peu évolué et terriblement tannique. Vinifié sans compromission, ce vin présente une belle intensité, ainsi que des tannins abondants et marquants. Le nez et la bouche traduisent les légendaires arômes de minéral et de myrtille habituels de ce cru. L'ensemble, moyennement corsé, structuré et musclé, requiert une garde de 8 à 10 ans. **A boire entre 2010 et 2020.** (1/99)

1995 • **89+ ?** Semblable au 1996, le Pavie Macquin 1995 exhale de copieuses senteurs de fruits noirs, marquées d'un caractère intense et prononcé de vieilles vignes. Vous remarquerez également, outre les arômes de minéral, la belle profondeur qu'il déploie en milieu de bouche. Cependant, ses abondants tannins qui tapissent littéralement le palais ne plairont vraisemblablement qu'aux masochistes. Ce vin présente certes de nombreuses qualités, mais son caractère extrêmement tannique ne laisse pas d'inquiéter. Il sera cependant extraordinaire si ses tannins se fondent dans l'ensemble sans qu'il perde de son fruité. **A boire entre 2008 et 2025.** (11/97)

1994 • **88 ?** Rubis foncé, le 1994 exhale un nez semblable à celui d'un Musigny – aux arômes de violette, de cerise noire et de pierre concassée. Tannique, musclé et rugueux, il suinte littéralement de personnalité et de caractère, mais requiert une garde de 4 à 6 ans avant d'être bu. Il pourrait éventuellement se révéler extraordinaire, mais il est, depuis la mise en bouteille, dominé par sa structure et par ses tannins, si bien qu'il me semble moins sûr que lorsque je l'avais dégusté au fût. On peut se demander si, malgré sa richesse et son caractère, s'il évoluera avec grâce sur les prochaines années, ou si au contraire il se desséchera. **A boire entre 2005 et 2020.** (1/97)

1993 • **89+** La robe rubis-pourpre foncé du 1993 prélude à un nez de kirsch, de terre et de truffe. Ce vin puissant et peu évolué, très corsé et confituré requiert une garde d'au moins 7 à 10 ans. Il est curieusement riche, musclé et massif pour le millésime, et présente un potentiel de garde de 20 à 25 ans. Mais combien d'amateurs auront la patience d'attendre que ce Pavie-Macquin, traditionnel et doté de manière impressionnante, parvienne au meilleur de sa forme ? **A boire entre 2005 et 2020.** (1/97)

1992 • **84** Doux, élégant et goûteux, le 1992 est moyennement corsé. Il révèle aussi une maturité et un équilibre absolument remarquables, et sa finale est agréable et douce. **A boire dans les 3 ou 4 ans.** (11/94)

1990 • **91** Gras, doux et mûr, le Pavie Macquin 1990 présente, tant au nez qu'en bouche, un fruité confituré de mûre et de cassis entremêlé de notes prononcées de fumé. Concentré et doux (du fait de sa maturité et non d'un quelconque sucre résiduel), il est moyennement corsé et doté d'une faible acidité qui laisse deviner une maturité précoce. Il sera à son meilleur niveau **entre 2000 et 2008.** (11/96)

1989 • **90** Le 1989 demeure l'une des grandes révélations de son millésime. Arborant toujours une robe jeune de couleur rubis-pourpre, il exhale un bouquet aux généreuses senteurs de mûre et de cassis, joliment nuancé de notes de pierre, de fleurs et de minéral, et marqué de subtiles touches épicées et vanillées. Tout à la fois très corsé, richement extrait et élégant, ce vin sera à maturité d'ici 1 ou 2 ans et tiendra parfaitement **jusqu'aux alentours de 2015.** (11/96)

1988 • **87** L'excellent Pavie Macquin 1988 est profondément coloré, avec un bouquet épicé de fruits noirs joliment nuancé de doux chêne vanillé. Moyennement corsé, concentré et racé, il est extrêmement généreux, et exprime une bouche persistante et tout en finesse. **A boire dans les 6 à 8 ans.** (1/93)

QUINAULT L'ENCLOS – TRÈS BON (depuis 1997)

Grand cru – équivaudra, très vraisemblablement, à un 3e ou 4e cru du Médoc

Propriétaires : Alain et Françoise Raynaud

Adresse : 30, boulevard de Quinault – 33500 Libourne

Tél. 05 57 74 19 52 – Fax 05 57 25 91 20

Visites : tous les jours (8 h-12 h et 14 h-17 h)

Contact : Françoise Raynaud

Superficie : 15 ha (Libourne)
Vins produits :
Château Quinault L'Enclos – 50 000 b ; Château Quinault La Fleur – 30 000 b
Encépagement :
70 % merlot, 15 % cabernet franc, 10 % cabernet sauvignon, 5 % malbec
Densité de plantation : 5 800 pieds/ha – *Age moyen des vignes :* 50 ans
Rendement moyen : 48 hl/ha

Élevage :
macération à froid de 7 jours à 10 °C ;
fermentations à 30 °C et cuvaisons de 35 jours en cuves d'acier inoxydable
et en cuves de ciment thermorégulées ;
achèvement des malolactiques et vieillissement de 18 mois en fûts neufs,
dont 8 mois sur lies ; ni collage ni filtration

A maturité : trop tôt pour l'estimer

Je fonde de grands espoirs sur cette propriété située au cœur de la ville de Libourne – et qui rappelle en cela Haut-Brion, au centre de Pessac, lui aussi clos de murs et assis sur des sols graveleux. Le château, récemment acheté par Alain et Françoise Raynaud, a été sauvé par eux d'un projet d'urbanisation visant à aménager le centre-ville en empiétant sur son domaine.

Le vignoble, âgé de 50 ans, bénéficie d'un microclimat lui assurant une température moyenne supérieure de plusieurs degrés à celle de la région, ce qui le protège des attaques du froid – en 1956, un tiers des pieds seulement fut atteint par le gel – et favorise la maturation des raisins.

Dès leur arrivée, les Raynaud ont pris toutes les mesures visant à une amélioration notable de la qualité : mise en « lutte raisonnée » du vignoble, contrôle draconien des rendements, ébourgeonnage, éclaircissage, vendanges manuelles et, surtout, double tri des baies, avant et après éraflage, grâce à une machine conçue par Alain Raynaud lui-même. La vinification a été entièrement revue, avec, notamment, une macération préfermentaire à froid, l'achèvement des malolactiques en fûts neufs et l'élevage sur lies durant 8 mois.

A n'en pas douter, Quinault est une valeur d'avenir.

1998 • **92-95** Le 1998 marque la percée de cette propriété. Issu d'une vendange achevée le 27 septembre, le 1998 se révèle d'une richesse et d'une complexité extraordinaires. Vêtu d'un pourpre-bleu soutenu, il exhale d'irrésistibles senteurs de mûre, de myrtille, de cassis et de minéral subtilement nuancées de belles notes boisées. Malgré sa grande richesse, la bouche ne manifeste ni lourdeur ni extraction excessive. Les tannins sont doux, et l'ensemble exprime tout en rondeur un caractère fabuleux, moyennement corsé et persistant. Ce vin stupéfiant et doté de belles proportions s'impose comme une étoile aussi bien de son appellation que du millésime. A l'instar de nombreux Saint-Émilion « nouveau style », celui-ci sera mis en bouteille sans collage ni filtration. **A boire entre 2001 et 2018.** (3/99)

1997 • **87-89** Le 1997 est séduisant et magnifique d'élégance. Vêtu de rubis-pourpre foncé, il exhale un nez fabuleux de framboise nuancé de senteurs minérales et florales. Moyennement corsé et mûr, il manifeste en bouche une grande pureté et une faible acidité. Vous apprécierez ce vin charmeur et racé **avant 10 à 12 ans d'âge.** (1/99)

ROL VALENTIN – EXCELLENT (depuis 1995)
Grand cru – équivaut à un 5e cru du Médoc
Propriétaire : Éric Prissette
Adresse : 33330 Saint-Émilion
Tél. 05 57 74 43 51 – Fax 05 57 74 45 13
Visites : sur rendez-vous uniquement
Contact : Éric Prissette

Superficie : 3,8 ha (Saint-Émilion)
Vins produits :
Château Rol Valentin – 8 000 b ; Les Valentines – 1 000-4 000 b
Encépagement : 90 % merlot, 5 % cabernet franc, 5 % cabernet sauvignon
Densité de plantation : 6 600 pieds/ha – *Age moyen des vignes :* 35 ans
Rendement moyen : 25 hl/ha

Élevage :
fermentations et cuvaisons de 21-28 jours en petites cuves de bois ; élevage sur lies ; fréquents bâtonnages ; vieillissement de 14-18 mois en fûts neufs ; collage ; pas de filtration

A maturité : dans les 5 à 18 ans suivant le millésime

1998 • **90-93** Le superbe 1998 perpétue une lignée de vins bien réussis produits par cette étoile montante de Saint-Émilion. Le vignoble de Rol Valentin se situe sur le plateau à proximité de Pomerol, non loin de La Dominique. Il est complanté en merlot (90 %), en cabernet franc (5 %) et en cabernet sauvignon (5 %). Vêtu de pourpre-noir soutenu, ce 1998 déploie un nez extravagant de crème de cassis, de doux chêne neuf et de réglisse. Profond, puissant et très corsé, il présente une richesse en extrait et un gras des plus abondants, qui dissimulent parfaitement ses tannins rugueux. **A boire entre 2003 et 2014.** (3/99)

1997 • **90-91** Le 1997 me paraît très légèrement plus concentré que son aîné d'un an. Vêtu de pourpre soutenu, ce vin impressionnant de richesse en extrait s'annonce par un nez retenu, mais prometteur, qui libère des notes évoluées de mûre et de vanille. L'ensemble, profond et moyennement corsé, est plus tannique et plus généreusement boisé que le 1996. C'est un Saint-Émilion charnu, qu'il faudra attendre quelques années. **A boire entre 2003 et 2016.** (1/99)

1996 • **90** Ce vignoble, situé à proximité de Cheval Blanc et de La Dominique, nous propose une réussite exemplaire en 1996. Ce vin rubis-pourpre foncé se distingue par un doux nez de cassis nuancé de réglisse, de chêne neuf grillé et d'herbes fumées. Moyennement corsé, mûr et riche, il est des plus séduisants. L'ensemble, qui atteste une vinification impeccable, est issu de tout petits rendements. Il a été mis en bouteille sans collage ni filtration. **A boire entre 2001 et 2014.** (1/99)

SOUTARD – EXCELLENT

Grand cru classé – devrait être promu 1er grand cru, équivaut à un 3e ou 4e cru du Médoc
Propriétaire : famille de Ligneris
Adresse : 33330 Saint-Émilion
Tél. 05 57 24 72 23 – Fax 05 57 24 66 94
Visites : sur rendez-vous uniquement
Contact : François de Ligneris

Superficie : 22 ha (Saint-Émilion)
Vins produits : Château Soutard – 120 000 b ; Clos de la Tonnelle – 10 000 b
Encépagement : 65 % merlot, 35 % cabernet franc
Densité de plantation : 5 500 pieds/ha – *Age moyen des vignes :* 35 ans
Rendement moyen : 48 hl/ha

Élevage :
fermentations et cuvaisons de 40-45 jours en cuves de béton et en cuves d'acier inoxydable ; vieillissement de 12 mois en fûts (1/3 de bois neuf) ;
ni collage ni filtration

A maturité : dans les 10 à 25 ans suivant le millésime

Cette propriété, l'une des plus anciennes de Saint-Émilion, appartient à la même famille depuis 1785. Elle se situe au nord de l'appellation, sur des sols essentiellement calcaires.

Très apprécié au Benelux, mais très peu connu hors des frontières européennes, ce cru est pourtant l'un des Saint-Émilion les plus classiques, issu d'une vinification traditionnelle et doté d'un grand potentiel de garde ; sur ce terrain, seul Ausone et une petite poignée d'autres châteaux sont capables de rivaliser avec lui.

Les vins de Soutard sont élevés avec au moins un tiers de bois neuf à chaque millésime, et ils sont généralement mis en bouteille plus tard que ceux des autres domaines. Ils arborent le plus souvent une robe d'un rubis foncé opaque (ils ne sont ni collés ni filtrés), et se distinguent, dans leur jeunesse, par un caractère puissant et férocement tannique qui peut parfois dérouter le dégustateur. Néanmoins, ils comptent au nombre des tout meilleurs Saint-Émilion, connus principalement des initiés, et conviennent parfaitement aux amateurs en quête de vins capables de durer 20 ans et plus.

1993 • **87** Cette propriété a élaboré en 1993 un vin très corsé, concentré et mûr, d'une étonnante souplesse et d'une belle structure sous-jacente, avec des tannins modérés. Il présente un caractère confituré, marqué par du merlot juteux, et devrait se montrer, avec le temps, plus tannique et plus précis dans le dessin. Ce vin énorme, charnu, tapisse le palais. **A boire dans les 10 à 15 ans.** (3/96)

1992 • **77** D'un rubis moyen, le 1992 libère des arômes herbacés et fumés de fruits rouges que l'on perçoit plus modestement en bouche qu'au nez. Il faut le boire dans les **3 ou 4 ans** qui viennent, avant que son fruité fragile ne soit dominé par ses tannins. (11/94)

1991 • **64** Le Château Soutard aurait dû y réfléchir à deux fois avant de mettre son 1991 sur le marché. Creux, léger, insipide et végétal, il est terriblement décevant – presque imbuvable. (1/94)

1990 • **88** Très proche en qualité du 1989, le 1990 est typique de la propriété, avec des proportions massives et des tannins généreux. Très structuré, intense et concentré, ce vin classique déploie une finale tout à la fois puissante, tannique et riche. **A boire jusqu'en 2010.** (1/93)

1989 • **90** Le 1989 de Soutard est (on aurait pu le deviner), l'un des vins les moins évolués du millésime. Sa robe impressionnante, d'un rubis-pourpre opaque, introduit un bouquet épicé et vanillé de prune et de réglisse, lui-même suivi en bouche d'un ensemble très corsé, musclé et densément concentré, qui requiert une garde de 7 à 10 ans au moins. Ce vin présente un potentiel de 20 ans, voire plus. C'est l'un des crus les plus impressionnants du millésime ; et il se pourrait bien qu'il s'impose comme plus apte à la garde que ses jumeaux de l'appellation. **A boire entre 2000 et 2020.** (4/91)

1988 • **87** Tout à la fois peu évolué, dense, concentré et réservé, ce vin puissant, aux arômes herbacés de vanille et de cassis, affiche une belle richesse en extrait, qui est cependant masquée par de très abondants tannins. Il pourra sans peine affronter une garde de 20 ans ou plus. **A boire jusqu'en 2020.** (1/93)

1986 • **86** Soutard s'impose, une fois encore, comme l'un des Saint-Émilion les plus aptes à la garde. Il ne fait aucun doute que ses auteurs l'ont voulu débordant de richesse en extrait et de tannins, pour en faire un vin assurément capable de tenir 20 ans au moins. Très peu évolué et fermé, ce 1986 est terriblement tannique, mais également bien doté d'un fruité tout à la fois concentré, opulent et hautement extrait. **A boire jusqu'en 2015.** (3/90)

1985 • **90** Ce vin d'une richesse sensationnelle et d'une belle complexité se montre aussi tannique et profond en bouche, où il allie magnifiquement muscle et grâce. Plus souple que de coutume, mais tout de même capable de se maintenir une vingtaine d'années, il sera au meilleur de sa forme **jusqu'en 2010.** (3/90)

1982 • **87** Voici un Saint-Émilion traditionnel, incontestablement bâti pour la durée, qui saura récompenser les amateurs prêts à attendre 10 ans qu'il arrive à maturité. Énorme, peu évolué, avec des tannins abondants, mais presque durs, le Soutard 1982 est encore très fermé. Il arbore une robe très foncée et déploie une richesse, une maturité et une corpulence d'excellent aloi, qui pourraient me conduire à le renoter à la hausse ; pour l'heure, il est dominé par son caractère tannique. **A boire entre 2000 et 2025.** (3/89)

1981 • **84** Fermé, avec un nez mûr et épicé de prune, le 1981 se distingue par sa structure serrée et fermée, par sa belle puissance et par sa grande richesse. C'est un vin impressionnant. **A boire jusqu'en 2005.** (6/84)

1979 • **84** Bien réussi, le 1979 est encore fermé et tannique, contrairement à la plupart de ses jumeaux. D'un rubis foncé, il est ample de carrure, avec, dans sa jeunesse, des arômes bruts qui ont mis longtemps à se policer. **A boire jusqu'en 2005.** (6/84)

1978 • **84** Totalement différent du 1979, le 1978 est plus souple et plus mûr, avec davantage de fruité doux en milieu de bouche. Très corsé, étayé par une acidité relativement faible, il déploie une finale modérément tannique, mais plutôt riche et d'une bonne tenue. **A boire.** (6/84)

1975 • **87** Très impressionnant, avec sa robe rubis encore jeune et ses arômes riches, savoureux, mûrs et très corsés à la fois, le 1975 de Soutard tapisse littéralement le palais du dégustateur de ses abondants tannins. Sa finale est persistante. Ample et typique du cru, il continue d'évoluer rapidement. **A boire jusqu'en 2005.** (10/84)

1966 • **82** Moins ample et moins intense qu'on n'aurait pu l'imaginer, le 1966 de Soutard est à son apogée. Vêtu d'une robe sombre, tuilée sur le bord, il laisse en bouche une impression de douceur, de maturité et d'harmonie, et l'on distingue dans sa finale des tannins légers. Étonnamment élégant et plus léger que je ne l'aurais pensé, il doit être consommé **sans plus tarder – peut-être déjà sur le déclin.** (6/81)

1964 • **90** C'est l'un des rares Soutard grandioses qui soient arrivés à maturité. Son bouquet énorme révèle des senteurs de cassis rôti, de noix grillée et de chêne fumé légèrement marquées d'une touche d'acidité volatile qui ajoute à son charme plus qu'il ne le dessert. La bouche exprime avec volupté et opulence des arômes corsés, un fruité généreux et une finale capiteuse et très alcoolique. Ce vin classique est dense et superbe de concentration. **A boire jusqu'en 2005.** (3/90)

Millésimes anciens

Le seul vieux millésime de Soutard que je connaisse est le 1955 (noté 88 en 1989). Je subodore qu'il a dû se montrer terriblement rustique à une époque de son existence ; cependant, ses tannins se sont fondus, l'ensemble demeurant tout de même relativement ferme. C'est un vin riche et très corsé, aux senteurs minérales et aux généreux arômes de fruits noirs, notamment de prune.

TERTRE DAUGAY – BON

Grand cru classé – équivaut à un cru bourgeois
Propriétaire : Léo de Malet-Roquefort
Adresse : 33330 Saint-Émilion
Tél. 05 57 24 72 15 – Fax 05 57 24 65 24
Visites : sur rendez-vous uniquement
Contacts : Éric Degliame et Claude Diligeard

Superficie : 15,5 ha (Saint-Émilion)
Vins produits : Château Tertre Daugay – 73 000 b ; Château de Roquefort – 7 000 b
Encépagement : 60 % merlot, 40 % cabernet franc
Densité de plantation : 6 600 pieds/ha – *Age moyen des vignes :* 25 ans
Rendement moyen : 40 hl/ha

Élevage :
fermentations de 21-28 jours en cuves d'acier inoxydable thermorégulées ;
vieillissement de 18-20 mois en fûts (60 % de bois neuf) ;
collage au blanc d'œuf ; légère filtration

A maturité : dans les 5 à 15 ans suivant le millésime

A cause d'une vinification défectueuse et d'un certain laxisme dans la gestion, cette propriété avait complètement perdu sa réputation dans les années 60 et 70. En 1978, le comte Léo de Malet-Roquefort, déjà propriétaire de La Gaffelière, la racheta et y effectua d'importants travaux, tant dans le vignoble que dans les chais. Il fallut du temps pour que les vignes reviennent à un bon niveau, mais les millésimes 1988 et 1989 m'ont semblé prometteurs, après une si longue période de médiocrité.

Historiquement parlant, Tertre Daugay compte parmi les plus anciennes propriétés de Saint-Émilion. Il est situé à flanc de coteau, à proximité de la plupart des premiers grands crus classés. Son nom actuel vient d'un terme gascon qui signifie « la colline du guetteur ». L'excellente exposition du tertre permet à la vendange d'atteindre une parfaite maturité, tandis que son sol, composé d'argile et de calcaire mêlé d'importants dépôts ferreux, devrait contribuer à faire des vins concentrés et très corpulents.

1997 • 79-82 Rubis foncé de robe, ce vin boisé et légèrement corsé présente à l'attaque en bouche des arômes mûrs de cerise et de petits fruits, mais il s'amenuise par la suite, se révélant plus atténué, compact et anguleux. **A boire avant 5 à 7 ans d'âge.** (3/98)

1993 • 75 Légèrement corsé et maigre, le 1993 pèche par manque de fruité et par des tannins en excès. (11/94)

1990 • 86 D'une excellente concentration, le 1990 arbore une robe d'un rubis sombre et profond. Complexe et faible en acidité, il déploie une finale opulente et persistante. Il sera agréable à déguster ces **8 à 10 prochaines années.** (1/93)

1989 • 87 Voici l'une des plus belles réussites de Tertre Daugay depuis plusieurs années : le 1989 est concentré et corsé, doté d'un caractère alcoolique et capiteux ; ample de carrure, il déborde d'un fruité riche et opulent. **A boire jusqu'en 2005.** (1/93)

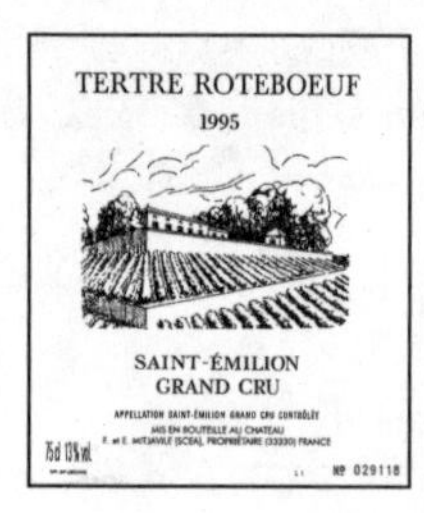

TERTRE ROTEBŒUF – EXCEPTIONNEL

Grand cru – équivaut à un 2e cru du Médoc
Propriétaires : François et Émile Mitjavile
Adresse : 33330 Saint-Laurent-des-Combes
Tél. 05 57 24 70 57 – Fax 05 57 74 42 11
Visites : sur rendez-vous uniquement

Superficie : 5,6 ha (Saint-Laurent-des-Combes)
Vin produit : Château Tertre Rotebœuf – 22 000 b (pas de second vin)
Encépagement : 85 % merlot, 15 % cabernet franc
Densité de plantation : 6 000-7 000 pieds/ha – *Age moyen des vignes :* 32 ans
Rendement moyen : 35 hl/ha

Élevage :
fermentations et cuvaisons de 21-28 jours
en cuves de béton avec contrôle des températures ;
achèvement des malolactiques et vieillissement de 16-18 mois en fûts neufs ;
collage et filtration si nécessaire

A maturité : dans les 3 à 15 ans suivant le millésime

Il est fort dommage que le monde du vin, qui peut être trop commercial par certains aspects, ne compte pas davantage de gens de la trempe de François Mitjavile. Alors que de nombreux producteurs fort connus poussent les rendements au point de dénaturer à la fois l'expression du terroir et celle du millésime, il est rassurant de voir que cet homme passionné se fait l'ardent défenseur de la qualité à tout prix.

Son minuscule vignoble, excellemment situé, attire désormais l'attention des amateurs du monde entier, et il faut espérer que ce succès ne changera en rien l'optique dans laquelle il est géré. En effet, François Mitjavile a l'ambition d'y produire des vins aussi intenses et aussi richement extraits que Lafleur, Petrus ou Certan de May ; pour ce faire, il n'hésite pas à vendanger le plus tard possible, à réduire les rendements et à élever son entière production dans des fûts de chêne neuf, afin de tirer le meilleur parti de la puissance de la matière première. Il est incontestable que les millésimes récents se distinguent par leur fruité éblouissant et par leur caractère aussi flamboyant que spectaculaire – ces qualités leur ont d'ailleurs valu les appréciations extrêmement laudatives de la presse spécialisée en Europe.

Le vignoble, pentu mais abrité, se situe tout près de Larcis Ducasse et doit son nom aux bœufs qui étaient autrefois employés à cultiver la terre. Il s'impose désormais comme l'une des grandes stars du Bordelais.

1998 • **92-95** Le volubile François Mitjavile nous gratifie d'un vin tout à la fois explosif, sensuel et époustouflant. Magnifiquement réussi, le 1998 de Tertre Roteboeuf exhale de légendaires senteurs de chocolat fondu, de réglisse et de confiture de cerise, qui jaillissent littéralement du verre au visage du dégustateur. La robe d'un prune-pourpre soutenu introduit en bouche un ensemble fabuleux de concentration et de richesse en extrait, aussi somptueusement pur que mûr. La finale, très corsée et étayée par une faible acidité, est onctueuse. Il s'agit incontestablement de la plus belle réussite de la propriété depuis le 1990, puissant, massif et des plus séduisants. Ce vin voluptueux sera délicieux dès sa diffusion et tiendra parfaitement **12 à 15 ans, si ce n'est plus**. Fabuleux ! (3/99)

1997 • **87-88** Doté d'un intense fruité chocolaté nuancé d'épices orientales, de fumé, de cerise noire et de chêne grillé, le très bon 1997 se montre charnu et faible en acidité en bouche. **A boire avant 7 ou 8 ans d'âge.** (1/99)

1996 • **90** Quoique moins somptueux en bouteille qu'il ne l'était en fût, le 1997 demeure un vin extraordinaire, fidèle au style de ce cru magnifique. Rubis profond, avec un nez des plus plaisants aux notes de fumé, de crème brûlée, de café torréfié et de confiture de cerise enrobée de chocolat, il se montre moyennement corsé en bouche, où il exprime, me semble-t-il, davantage de structure, de muscle et de tannins que lorsqu'il était encore en cours d'élevage. En fait, l'ensemble déploie à l'attaque des arômes doux et une véritable explosion de fruit, mais il se referme par la suite et présente une finale modérément tannique, mais de bon aloi. Contrairement à la plupart des millésimes qui peuvent être dégustés dès leur diffusion, le Tertre Roteboeuf 1996 requiert une garde de 2 ou 3 ans et devrait bien vieillir ces **15 ou 16 prochaines années.** (1/99)

1995 • **95** C'est le troisième millésime (les deux autres étaient le 1989 et le 1990) où Tertre Rotebœuf présente une richesse exotique et une opulence semblables à celles de Le Pin en Pomerol. D'un rubis-pourpre dense, avec d'irrésistibles arômes de truffe, de moka et de caramel, le 1995 se révèle dense et très corsé, et dévoile par paliers son fruité mûr et intense. Charnu, fabuleusement pur et multidimensionnel, ce vin doté d'amples arômes se montre sous un meilleur jour encore en bouteille que lorsqu'il était en fût. **A boire entre 2001 et 2018.** (11/97)

1994 • **90** Chaque fois que je l'ai dégusté au fût, le 1994 s'est révélé plus étonnant et plus souple, mais il semble maintenant s'être refermé. Sa robe, d'un rubis-pourpre foncé très soutenu, introduit un nez serré aux notes de terre, qui ne dégage qu'avec réticence des arômes de cerise et de cassis confiturés mêlés de senteurs de viande grillée et de fumé. Moyennement corsé, plus tannique qu'avant la mise en bouteille, ce vin dense, gras et ample en bouche révèle une pureté, une maturité et une richesse extraordinaires. J'ai tendance à privilégier la note attribuée à un vin déjà en bouteille par rapport à celle que je lui avais donnée avant la mise, le contenu de la bouteille étant le plus important. J'ai peut-être redégusté celui-ci à un stade ingrat de son évolution, car il est incontestablement massif et riche, peut-être même extraordinaire, mais j'attendais qu'il soit plus intense. **A boire jusqu'en 2012.** (1/97)

1993 • **90** Rubis-pourpre de robe, le Tertre Roteboeuf 1993 présente un nez doux, fermé et peu évolué de cassis et de prune, marqué de notes de terre et de chêne neuf. Dense, moyennement corsé et modérément tannique, il n'a cependant pas le caractère exotique, ouvert et flamboyant du 1989 et du 1990. Malgré tout doté de manière impressionnante, il se bonifiera au terme d'une garde de 3 à 5 ans. **A boire entre 2001 et 2015.** (1/97)

1992 • **77** Je suis en principe un inconditionnel des vins de cette propriété, mais même elle, pourtant gérée avec un soin des plus scrupuleux, n'a pu triompher des mauvaises conditions climatiques du mois de septembre 1992, produisant un vin légèrement corsé, doux, épicé et herbacé, qui manque de profondeur et d'acidité. **A boire d'ici 1 ou 2 ans.** (11/94)

1991 • **83** Ironie du sort, le 1991 se révèle plus profond, plus mûr et plus fruité que le 1992, dilué et légèrement corsé. Ce vin boisé et doux, aux arômes de fruits rouges, sera plaisant ces **3 ou 4 prochaines années.** (1/94)

1990 • **98** Le 1990 m'a tellement stupéfait lors de ma dernière dégustation que je l'ai renoté à la hausse, mais j'attendrai, bientôt, le haut de l'échelle. Son doux nez de café, de fruits rouges confiturés, de fumé, de caramel et d'épices, qui jaillit littéralement du verre, introduit en bouche un ensemble merveilleux de concentration, visqueux et souple à la fois. Quel que soit son niveau de tannins, ceux-ci sont parfaitement dissimulés par une fruité confituré richement extrait et extrêmement glycériné. Ce vin spectaculaire est tellement éblouissant que je ne saurais conseiller aux amateurs de l'attendre plus avant. Toutefois, il peut encore tenir **10 à 15 ans.** (4/98)

1989 • **95** Ce vin grandiose, doté de manière massive, exhale des arômes explosifs de lard et de doux fruits. On m'a déjà fait remarquer qu'il évoquait la cerise très mûre enrobée de chocolat. Ce vin se portera bien d'une garde de 2 ou 3 ans et se maintiendra les **20 ans qui suivront.** Il pourrait en fait se révéler plus classique que le 1990, mais pas à proprement parler meilleur. (12/97)

1988 • **91** L'extraordinaire 1988 est aussi concentré que le sont généralement les vins de cette propriété. Sa richesse en extrait absolument éblouissante accompagne une finale puissante, corsée et concentrée. Ce vin est moins spectaculaire et moins onctueux que le 1989, mais il plaira davantage aux amateurs de bordeaux tanniques et un peu longilignes. C'est probablement l'un des vins les plus irrésistibles qui soient, produit par un viticulteur des plus passionnés. Je sais qu'ils sont difficiles à trouver, mais les vinificateurs comme François Mitjavile méritent le soutien, voire l'hommage, des amateurs. **A boire jusqu'en 2010.** (4/91)

1986 • 91 Ce vin prodigieux se distingue par sa richesse et sa maturité fabuleuse, et par sa finale étonnamment longue, opulente et charnue. Extrêmement séduisant, il déploie en bouche un caractère très corsé, et, malgré son charme précoce, il devrait tenir encore 2 ou 3 ans. **A boire jusqu'en 2002.** (3/91)

1985 • 90 Le 1985 est étonnamment riche et aussi puissamment aromatique qu'un vin valant trois ou quatre fois son prix. Très corsé, avec une texture opulente évoquant un 1982, il présente des parfums et des flaveurs pénétrantes et de très grande classe. **A boire jusqu'en 2000.** (11/96)

1984 • 81 Plutôt réussi, ce 1984 est assez coloré, bien fait, souple et charnu. **A boire.** (3/91)

1983 • 87 Ce vin parfaitement mûr arbore une robe d'un rubis profond légèrement ambrée sur le bord. Son nez énorme et épicé révèle de généreuses senteurs de minéral et de fruits noirs très mûrs. La bouche, charnue et très corsée, est bien marquée par la mâche et manifeste, outre une très belle richesse en extrait, un caractère très velouté. La fin de bouche est persistante, mais également capiteuse et alcoolique. **A boire jusqu'en 2000.** (3/90)

1982 • 87 C'est le seul millésime de Tertre Rotebœuf que je connaisse qui ait été élaboré avant que François Mitjavile ne pratique une sélection sévère et le vieillissement en fûts de chêne neuf. La matière première était indiscutablement de très haute qualité, mais le vin aurait été meilleur s'il avait présenté davantage de tenue et de structure, ce que lui aurait apporté le bois neuf. Cependant, il est des plus plaisants, avec son généreux fruité de cerise très mûre entremêlé de notes de caramel, d'herbes et de terre, et son caractère aussi souple que gras. Il sera parfait dans les **3 ou 4 ans.** (9/95)

LA TOUR DU PIN FIGEAC – MOUEIX – BON

Grand cru classé – équivaut à un cru bourgeois
Propriétaire : Jean-Michel Moueix
Adresse : 33330 Saint-Émilion
Tél. 05 57 51 52 58 – Fax 05 57 51 52 87
Visites : sur rendez-vous uniquement
Contact : Francis Lafon – Tél. 05 57 25 53 54

Superficie : 8 ha (Saint-Émilion)
Vin produit : Château La Tour du Pin Figeac – 45 000 b (pas de second vin)
Encépagement : 70 % merlot, 30 % cabernet franc
Densité de plantation : 5 500 pieds/ha – *Age moyen des vignes :* 30 ans
Rendement moyen : 50 hl/ha

Élevage :
fermentations et cuvaisons de 14-21 jours en cuves d'acier inoxydable ;
vieillissement de 12-15 mois en fûts (1/3 de bois neuf) ;
collage au blanc d'œuf ; filtration si nécessaire

A maturité : dans les 3 à 12 ans suivant le millésime

Ce vignoble, situé sur un sol argilo-calcaire et graveleux au substrat de sables anciens, se trouve à la limite de Pomerol, entre Cheval Blanc et La Tour Figeac. Acquis en 1947 par la famille Moueix, il est revenu en héritage à Jean-Michel Moueix.

Les vins qui en sont issus sont généralement sans détour, charnus et fruités, dotés d'une belle corpulence et capables d'une garde de 6 à 12 ans. Rares sont les millésimes qui s'améliorent après 12 ans d'âge.

1995 • **87** Bien que dépourvu de complexité, ce vin sensuel, sans détour et flatteur se montre moyennement corsé, généreusement fruité et faible en acidité. Il séduit par son caractère délicieux et souple. **A boire dans les 7 ou 8 ans.** (11/97)

1994 • **87** Semblable au 1993, mais avec davantage de notes de framboise et de cerise, ce vin moyennement corsé et opulent révèle un fruité souple, étayé par une faible acidité. Il est heureusement dépourvu des tannins durs et de l'astringence qui sont la marque de ce millésime. **A boire dans les 5 ou 6 ans.** (1/97)

1993 • **86** Ce vin au fruité souple de fraise et de cerise ne tend pas à la complexité ni à la séduction intellectuelle. D'un rubis moyennement foncé, il est simplement agréable, doté d'arômes délicieusement fruités et faible en acidité. **A boire d'ici 3 ou 4 ans.** (1/97)

1990 • **89** Ce vin séduisant, vêtu d'une impressionnante robe rubis foncé, est un Saint-Émilion des plus intéressants. Outre sa couleur dense, il présente un bouquet énorme de fruits confiturés (notamment la prune et la framboise), et se montre très corsé et charnu en bouche, où il déploie encore un généreux fruité. Vraiment impressionnant. **A boire jusqu'en 2008.** (1/93)

1989 • **88** Tout à la fois puissant, concentré et corsé, le 1989 regorge de richesse en extrait, et se distingue par un bouquet pénétrant de fruits noirs et de chêne neuf subtilement nuancé d'herbes. Puissant, massif et explosif, il est étayé par une bonne acidité et manifeste un bel équilibre d'ensemble. Sa finale est extraordinaire. **A boire jusqu'en 2003.** (1/93)

1988 • **87** Le 1988 peut parfaitement rivaliser avec son cadet d'un an. D'une excellente richesse en extrait, il se montre plus élégant, mais moins puissant, que le 1989, avec un nez bien doté, grillé et confit, entremêlé de senteurs de réglisse, de toast et de fleurs printanières. Ce vin corsé et intense pour le millésime sera à son meilleur niveau **jusqu'en 2004.** (1/93)

1986 • **87** Suintant littéralement d'arômes de fruits rouges, le 1986 révèle une bouche très corsée et une finale extrêmement tannique. Bien qu'il n'ait pas le charme de l'excellent 1985, il sera capable d'une garde de 20 ans environ. **A boire jusqu'en 2005.** (3/90)

1985 • **87** L'impressionnant 1985 manifeste une tenue et un équilibre d'excellent aloi. Opaque de robe, il est puissant et concentré, riche et corsé, mais suffisamment souple pour être apprécié dès maintenant. **A boire jusqu'en 2000.** (3/89)

1982 • **85** Figurant parmi les plus belles réussites de la propriété, le 1982 est rubis foncé, avec un bouquet séduisant et épicé de fruits rouges. La bouche, moyennement corsée, exprime un caractère soyeux et velouté, ainsi que des tannins modérés. La finale, d'une bonne tenue, est opulente. **A boire.** (1/85)

TROPLONG MONDOT – EXCEPTIONNEL

Grand cru classé – devrait être promu 1er grand cru, équivaut à un 2e ou 3e cru du Médoc

Propriétaire : GFA Valette

Adresse : 33330 Saint-Émilion

Tél. 05 57 55 32 05 – Fax 05 57 55 32 07

Visites : sur rendez-vous uniquement

Contact : Christine Valette

Superficie : 30 ha (Saint-Émilion)

Vins produits : Château Troplong Mondot – 100 000 b ; Mondot – 30 000 b

Encépagement : 80 % merlot, 10 % cabernet franc, 10 % cabernet sauvignon

Densité de plantation : 6 000 pieds/ha – *Age moyen des vignes :* 45 ans

Rendement moyen : 39 hl/ha

Élevage :

fermentations et cuvaisons en cuves d'acier inoxydable thermorégulées ; achèvement des malolactiques et vieillissement de 18-24 mois en fûts (75 % de bois neuf) ; collage au blanc d'œuf ; filtration si nécessaire

---

A maturité : dans les 5 à 15 ans suivant le millésime

Ce très beau château, qui jouit d'une vue magnifique sur la ville et sur les vignobles de Saint-Émilion, se situe sur le coteau faisant face à la côte de Pavie. Son vignoble, qui bénéficie d'une bonne exposition et d'un drainage naturel, compte beaucoup de vieilles vignes. Depuis que le domaine bénéficie des conseils de l'œnologue Michel Rolland, et que Christine Valette assure un contrôle étroit du vignoble et des vinifications (depuis le milieu des années 80), la qualité des vins s'est nettement améliorée. Issus de cuvaisons relativement longues en cuves d'acier inoxydable, ils sont élevés en fûts de chêne (dont 75 % de neufs) et, en outre, ne sont filtrés qu'en cas de nécessité. Il faut encore souligner que l'élaboration d'une seconde étiquette permettant le déclassement des cuves les moins réussies a également contribué à améliorer la qualité du grand vin.

Les appellations Pomerol et Saint-Émilion ont connu, l'une et l'autre, des femmes propriétaires remarquables – presque légendaires. Je pense d'abord à Mme Fournier, de Château Canon, et, bien sûr, à la célèbre Mme Loubat, de Petrus. C'est maintenant Christine Valette qui marche sur leurs pas, puisque sous sa direction, marquée par une exigence de haute qualité, Troplong Mondot a élaboré de grands vins en 1988, 1989, 1990, 1994, 1995 et 1997.

1998
•
88-90

Lors de trois dégustations, le Troplong Mondot 1998 s'est montré étonnamment élégant, moins puissant et moins intense que ses aînés de 1989, 1990 ou 1995. Impressionnant par sa robe d'un pourpre soutenu, il exhale un magnifique bouquet de cassis et de mûre subtilement nuancé de chêne neuf. Celui-ci précède un ensemble moyennement corsé et racé, superbe de concentration, qui exprime tout en finesse un caractère floral ; la finale recèle des tannins secs. Ce vin modérément tannique se bonifiera au terme d'une garde de 4 ou 5 ans et tiendra parfaitement **15 à 17 ans**. Remarquerait-on un léger changement de style par rapport aux millésimes récents, puissants et massifs ? (3/99)

1997 • **88-90** Peu évolué pour le millésime, le 1997 se révèle plus accessible que le cru précédent en raison de ses tannins plus souples et de son fruité plus doux. Sa robe d'un rubis-pourpre foncé prélude à un ensemble moyennement corsé, racé et charmeur, marqué par des notes de chêne grillé joliment infusées. Ce vin recèle également de généreuses notes de mûre et de cassis nuancées de réglisse, d'épices orientales et de chêne neuf. **A boire entre 2002 et 2015.** (1/99)

1996 • **89** Je suis satisfait de la manière dont le 1996 a évolué en bouteille, bien qu'il ne soit pas aussi extraordinaire que les autres millésimes récents de la propriété. Ses tannins autrefois féroces semblent plus policés depuis la mise en bouteille, mais l'ensemble est encore peu évolué et requiert une garde de 6 ou 7 ans avant d'être prêt. Rubis-pourpre profond de robe, le 1996 de Troplong Mondot exhale un nez puissant de cassis et de chêne neuf épicé. C'est un vin moyennement corsé, qui révèle un doux fruit à l'attaque en bouche, mais auquel ses abondants tannins confèrent une certaine austérité, tout en contribuant à sa tenue et à sa précision. Cependant, l'ensemble présente la profondeur requise pour faire pièce à son caractère tannique. Un Troplong Mondot à attendre quelques années, pour mieux le savourer à son apogée, **entre 2007 et 2019.** (1/99)

1995 • **92** Fermé, mais extrêmement prometteur, le Troplong Mondot 1995, tout de pourpre sombre vêtu, présente un nez réticent aux irrésistibles arômes de sous-bois, de fruits noirs confiturés, de minéral et de vanille. Profond, riche et moyennement corsé, il exprime tout en rondeur sa pureté et sa richesse en extrait extraordinaires. Ses tannins sont plus doux et mieux fondus que ceux du 1996. C'est un véritable vin de garde, que vous conserverez 5 ou 6 ans encore. Il est proche en qualité des splendides 1989 et 1990. **A boire entre 2005 et 2020.** (11/97)

1994 • **90** La robe opaque, de couleur rubis-pourpre, du 1994 prélude à un nez serré, mais prometteur, aux notes de chêne neuf et grillé, de fruits noirs, de réglisse et d'épices. Destiné à une longue garde, avec ses abondants tannins, sa concentration et sa maturité extraordinaires, ce vin est encore très fermé, en dépit de la richesse et de la maturité explosives qu'il déploie en fin de bouche. Il devrait s'arrondir au terme d'une garde de 5 ou 6 ans. **A boire entre 2005 et 2015.** (1/97)

1993 • **87+** Le 1993 arbore une robe de couleur rubis foncé pourpre au centre, et exhale des senteurs épicées et grillées de prune, de cerise noire et de cassis. Moyennement corsé et tannique en bouche, il y déploie une douceur, une maturité et une pureté d'excellent aloi. Il s'agit d'un vin peu évolué, qui requiert une garde de 1 ou 2 ans, mais qui devrait se conserver ensuite une douzaine d'années. **A boire entre 2001 et 2012.** (1/97)

1992 • **89** Lors de trois dégustations distinctes de vins de Saint-Émilion après leur mise en bouteille, le 1992 de Troplong Mondot a complètement éclipsé les autres participants – et même considérablement gêné certains premiers grands crus classés. Ce vin arbore une robe très soutenue de couleur pourpre tirant sur le noir, et exhale un nez énorme, doux et mûr de cassis, auquel se mêlent des senteurs de chêne neuf grillé, d'herbes et de réglisse. Fabuleusement concentré pour le millésime, avec un fruité mûr et une densité absolument superbes, il présente des tannins modérés, ainsi qu'une finale longue, pure et merveilleusement proportionnée. **A boire jusqu'en 2003.** (11/94)

1991 • **85** Dans ce millésime désastreux pour Pomerol et pour Saint-Émilion, le 1991 de Troplong Mondot se distingue par sa robe rubis assez foncé et par son nez épicé et mûr de cassis, de vanille, de réglisse et de grillé. Moyennement corsé, il est riche, séduisant et élégant en bouche, et se montre souple et bien doté. **A boire dans les 3 à 5 ans.** (6/95)

1990 • **98** Que Troplong Mondot ait somptueusement réussi en 1990 ne surprend personne. Opaque et pourpre de robe, ce vin terriblement peu évolué regorge littéralement de puissance et d'une très grande richesse en extrait. Son nez de chocolat, de cassis et de tabac herbacé accompagne un ensemble classique, très corsé et puissant, qui tapisse le palais de ses arômes opulents, tanniques et glycérinés. Je pense que le 1990 évoluera plus rapidement que le 1989 en raison de sa plus faible acidité. **A boire jusqu'en 2020.** (12/97)

1989 • **96** Légèrement moins évolué que le 1990, mais plus musclé et plus tannique, le 1989 de Troplong Mondot est cependant aussi riche et aussi séduisant. Vêtu d'une robe d'un rubis-pourpre sombre et opaque, il exhale des arômes de réglisse, de prune, de cerise noire et de doux cassis joliment infusés de notes de chêne neuf grillé et fumé. La bouche révèle, par paliers, un caractère très corsé, riche et concentré. Ce vin spectaculaire devrait évoluer plus lentement que son cadet d'un an. **A boire entre 2003 et 2025.** (12/97)

1988 • **89** Merveilleusement fait et élégant, le 1988 arbore un rubis-pourpre profond, qui précède un nez fascinant de prune, de chêne neuf épicé et de minéral, lui-même suivi en bouche d'un vin riche et complexe, étayé par une acidité tonique. Un beau résultat, dû à une sélection sévère. **A boire jusqu'en 2007.** (12/96)

1986 • **89** Aussi élégant et complexe que le 1985, mais plus structuré, le 1986 est moyennement corsé et bien nuancé de chêne neuf grillé. Son bouquet modérément intense libère des senteurs de cèdre et de cassis, et sa bouche, d'une excellente persistante, révèle un caractère harmonieux et fondu. **A boire jusqu'en 2005.** (3/90)

1985 • **87** Une robe d'un rubis profond et un nez complexe de chêne épicé et de groseille mûre annoncent le Troplong Mondot 1985. Il s'agit d'un vin moyennement corsé et d'une excellente profondeur, aussi précis dans les arômes que dans le dessin et doté de tannins fermes, mais souples. **A boire jusqu'en 2005.** (3/90)

1984 • **73** Très léger, aqueux et court en bouche, le 1984 est cependant buvable. Il faut le consommer **sans plus tarder – peut-être en sérieux déclin.** (3/87)

1982 • **79** Ce vin souple, sans détour et dénué de complexité a été élaboré avant que Christine Fabre ne prenne les rênes de la propriété. C'est un vin plaisant et herbacé, qui commence à perdre de son fruité ; en effet, l'acidité, les tannins et l'alcool prennent peu à peu le dessus. (9/95)

1981 • **79** Assez proche du 1982, en moins charnu, moins mûr et moins concentré, le 1981 de Troplong Mondot est très modérément corsé, mais souple et fruité. On décèle en finale des tannins légers. **A boire – peut-être en déclin.** (1/85)

TROTTE VIEILLE – BON

1er grand cru classé B – mérite son rang depuis 1986
Propriétaires : familles Castéja et Preben-Hansen
Adresse : 33330 Saint-Émilion
Adresse postale : Domaines Borie-Manoux
86, cours Balguerie-Stuttenberg – 33082 Bordeaux Cedex
Tél. 05 56 00 00 70 – Fax 05 57 87 60 30
Visites : sur rendez-vous uniquement
Contact : Domaines Borie-Manoux

Superficie : 10 ha (Saint-Émilion)
Vin produit : Château Trotte Vieille – 40 000-44 000 b (pas de second vin)
Encépagement : 55 % merlot, 40 % cabernet franc, 5 % cabernet sauvignon
Densité de plantation : 6 500 pieds/ha – *Age moyen des vignes :* 40-45 ans
Rendement moyen : 40 hl/ha

Élevage :
fermentations et cuvaisons de 21 jours en cuves de béton ;
achèvement des malolactiques et vieillissement de 12-18 mois en fûts
(80-90 % de bois neuf) ; collage au blanc d'œuf ; pas de filtration

---

A maturité : dans les 5 à 20 ans suivant le millésime

Trotte Vieille est l'un des célèbres premiers grands crus de Saint-Émilion. Il doit son nom, dit-on, à une vieille femme qui aurait hanté les lieux en « trottinant ». Son vignoble, relativement isolé, se trouve dans la partie est de l'appellation, sur des sols argilo-calcaires de 30 cm d'épaisseur qui font souffrir la vigne. Depuis 1949, il appartient à la maison de négoce Borie-Manoux, bien connue sur la place de Bordeaux, qui est également propriétaire de Batailley (cinquième cru de Pauillac), du Domaine de l'Église (un Pomerol en pleine ascension), ainsi que de beaucoup d'autres châteaux moins connus du Bordelais.

Trotte Vieille m'a bien souvent déçu ! Jusqu'au milieu des années 80, ses vins comptaient parmi les plus médiocres de l'appellation ; ils manquaient généralement de concentration et de caractère, et se montraient même terriblement légers et ternes. Cependant, les choses ont beaucoup évolué depuis 1985. On doit très probablement ce changement de cap au talentueux Philippe Castéja. Outre le fait qu'il a instauré une sélection plus sévère, il procède désormais à des vendanges plus tardives et à des macérations plus longues. En outre, les vins sont vieillis avec 80 à 90 % de bois neuf. De ce fait, ils se révèlent plus profonds et capables de rivaliser avec les meilleurs Saint-Émilion.

1997 • **86-87** — Tout aussi bien fait que son aîné d'un an, le 1997 de Trotte Vieille arbore une robe d'un rubis profond et déploie des arômes de chêne neuf fumé mâtinés de notes de réglisse et de framboise. Doté d'une belle texture et faible en acidité, il déploie une finale charnue et accessible. **A boire jusqu'en 2010.** (1/99)

1996 • **87** — Le 1996 de Trotte Vieille marque une nette amélioration de ce premier grand cru de Saint-Émilion. Souple et élégant, avec un fruité de mûre et de cerise joliment infusé de chêne neuf et fumé, il se montre moyennement corsé en bouche, où il manifeste une grande pureté et déploie une finale racée et d'une belle texture. Un excellent 1996, à apprécier dès son plus jeune âge. **A boire entre 2002 et 2012.** (1/99)

1995 • ? J'avais bien noté le Trotte Vieille 1995 lorsqu'il était en fût, mais deux dégustations après la mise m'ont révélé un vin d'un rubis moyennement foncé, bien évolué et déjà ambré sur le bord. Austère, dur, tannique et dépourvu d'équilibre, il ne ressemble en rien aux échantillons d'avant-mise qui m'avaient été présentés. Je réserve donc mon appréciation. (11/97)

1994 • **85** Rubis foncé, le 1994 présente un gentil nez de cèdre et de cerise infusé de notes herbacées. Doux et moyennement corsé, il déploie des facettes totalement différentes, avec une faible acidité et un niveau très élevé de tannins. L'attaque en bouche est souple, mais les tannins se font ensuite très présents, et la finale est courte et atténuée. Ce vin devrait se conserver **7 à 9 ans.** (1/97)

1993 • **84** Bien meilleur que beaucoup de premiers crus classés de Saint-Émilion, le Trotte Vieille 1993 arbore une robe d'un rubis moyennement foncé et déploie un doux nez aux arômes de cerise légèrement marqués d'une touche d'herbes de Provence. Il est austère en bouche, mais avec davantage de précision, de maturité et de gras que ses jumeaux. **A boire dans les 4 à 6 ans.** (1/97)

1992 • **78** Légèrement corsé et doux, le 1992 ne montre pas les tannins agressifs et le caractère végétal que l'on retrouve dans nombre de vins de cette même année, mais il ne présente pas vraiment non plus de densité ni de profondeur. On accorde cependant un certain charme à ses arômes de fruits rouges et à son caractère agréable, accessible et dilué, qui rappelle certains bourgognes. **A boire d'ici 2 ou 3 ans.** (1/97)

1991 • **72** Le 1991 semble avoir suscité beaucoup d'enthousiasme à la propriété, mais je ne comprends vraiment pas pourquoi. En effet, il est dilué, maigre, avec un fruité végétal, et n'a ni tenue ni concentration. (1/97)

1990 • **88** Le 1990 est – au moins – très bon. Très corsé, extrêmement puissant et doté d'un caractère bien affirmé, il est boisé, peu évolué et tannique. **A boire jusqu'en 2005.** (1/93)

1989 • **90** Ce vin extrêmement impressionnant arbore une robe opaque et noire, et dégage un nez sensationnel de réglisse, de chocolat et de prune très mûre. La bouche, très ample, révèle une concentration hors normes et de très abondants tannins, et la finale est tout à la fois persistante, intense, alcoolique et opulente. Compte tenu de son ampleur, du fait qu'il est étayé par une bonne acidité et qu'il a vieilli en fûts neufs, ce 1989 atteindra vraisemblablement l'équilibre parfait entre son fruité luxuriant et concentré et ses arômes de chêne grillé. Ce pourrait bien être le meilleur Trotte Vieille de ces 30 à 40 dernières années. **A boire jusqu'en 2015.** (4/91)

1988 • **86** Très bon, mais peu évolué et des plus tanniques, le 1988 a eu besoin de temps pour perdre son caractère rugueux. Rubis foncé de robe, il regorge d'un fruité mûr et richement extrait, et laisse en bouche une impression de persistance et de corpulence. **A boire jusqu'en 2008.** (4/91)

1987 • **85** Le Trotte Vieille 1987 est l'une des réussites de l'appellation. Outre un nez herbacé et épicé de mûre, il présente en bouche des arômes souples, boisés et mûrs, ainsi qu'une texture souple et étonnamment puissante. **A boire.** (4/91)

1986 • **87** Rubis profond de robe, avec un nez bien développé, précoce et ample de prune et d'herbes, le 1986 se distingue par son caractère très prononcé de chêne fumé. La bouche, tannique, boisée et très corsée, manifeste une belle concentration, mais on aurait pu penser qu'elle présenterait davantage de complexité, car il s'agit, après tout, d'un des meilleurs crus de Saint-Émilion. **A boire jusqu'en 2008.** (3/90)

1985 • **86** Développant des arômes très mûrs de petits fruits marqués de chêne neuf, le 1985 se montre doux et généreux en bouche, avec des notes moyennement corsées et rondes, et une finale aux tannins souples. **A boire.** (3/90)

1983 • **75** Si on le compare aux autres premiers crus de Saint-Émilion, Trotte Vieille est l'un des vins les moins réussis de ce millésime. Malgré sa belle couleur, il présente un bouquet cuit, bizarre et diffus. La bouche, tout aussi curieuse, est assez quelconque. **A boire – peut-être en déclin.** (2/87)

1982 • **79** Parfaitement mûr, le Trotte Vieille 1982 est diffus, et manque quelque peu de précision et de tenue. Il est cependant sans détour, charnu et trapu, avec un fruité velouté de cassis et une finale très alcoolique. Je ne pense pas qu'il faille le conserver plus avant. **A boire – peut-être en déclin.** (1/90)

1981 • **70** Pâle de robe, le 1981 est aussi dénué de fruit que de corpulence. Ce vin léger et décharné, au nez assez curieux, est vraiment décevant. (4/84)

1979 • **84** Assez réussi, le 1979 est bien coloré, moyennement corsé et joliment concentré. Bien mûr et modérément tannique, c'est l'un des rares succès de la propriété à cette époque. **A boire.** (2/84)

1978 • **64** Ce vin fragile, aux nuances tuilées, semble sur le point de se déliter. Creux et maigre, il manque de tenue et n'a pas grand-chose à offrir au dégustateur. (2/84)

1976 • **55** Un échec ! Ce vin vraisemblablement issu d'une vendange trop mûre et gorgée d'eau manque de structure et développe un caractère confituré et aqueux. La finale est plus dure que de coutume. Il n'a décidément rien de séduisant ! (9/80)

1975 • **70** Le 1975 n'offre pas de quoi susciter l'intérêt. Léger et maigre, moyennement corsé et tannique, il n'a – comme diraient les critiques anglais – que la peau sur les os. (5/84)

DE VALANDRAUD – EXCEPTIONNEL

Non classé – devrait être promu 1er grand cru,
équivaut à un 1er cru du Médoc

Propriétaire : Établissements Thunevin
Adresse : 1, rue Vergnaud – 33330 Saint-Émilion
Tél. 05 57 55 09 13 – Fax 05 57 55 09 12
Visites : non autorisées

Superficie : 2,5 ha (Saint-Émilion et Saint-Sulpice-de-Fayens)

Vins produits :
Château de Valandraud – 7 100 b ; Virginie de Valandraud – 4 200 b

Encépagement : 75 % merlot, 20 % cabernet franc, 5 % malbec

Densité de plantation : 6 600 pieds/ha – *Age moyen des vignes :* 35 ans

Rendement moyen : 35 hl/ha

Élevage :
fermentations et cuvaisons de 8-10 jours
en cuves de bois thermorégulées à 28-32 °C maximum ;

achèvement des malolactiques et vieillissement de 21 mois en fûts neufs ;
soutirage trimestriel ; ni collage ni filtration

A maturité : dans les 5 à 25 ans suivant le millésime

Le très talentueux Jean-Luc Thunevin peut s'enorgueillir du battage médiatique entourant son cru et des prix faramineux qu'il atteint. Avec son épouse Muriel, ce viticulteur qui recherche avec passion (et obsession) la meilleure qualité, produit sur sa minuscule propriété (il s'agit en fait de plusieurs parcelles disséminées dans l'appellation) un vin d'une richesse extraordinaire, mis en bouteille sans collage ni filtration. Son expérience passée de détaillant et de restaurateur ainsi que son activité de négociant lui auront certainement permis de se forger une philosophie relativement aux grands vins et à leur élaboration.

Bien sûr, il est encore trop tôt pour prédire la manière dont le Château de Valandraud évoluera en vieillissant, mais il s'agit incontestablement d'un vin extraordinairement riche, concentré et d'une fabuleuse précision. Il s'est toujours montré somptueux, même dans des millésimes difficiles comme 1992, 1993 et 1994. Plus que tout autre cru de Saint-Émilion, celui-ci est actuellement la coqueluche des amateurs (très) fortunés du monde entier.

Il faut également signaler deux acquisitions récentes de Jean-Luc Thunevin. En 1998, il a acheté 6,5 ha entre Larcis Ducasse, Pavie et la RN Libourne-Bergerac, en bas de côtes. Complanté à 66 % en vieux merlot et pour le reste en vieux cabernet franc, le Clos Badon-Thunevin constitue ainsi la troisième marque du Château de Valandraud. Le travail des vignes et la vinification sont identiques à ceux des deux autres vins.

D'autre part, en 1999, Jean-Luc Thunevin a racheté à Saint-Étienne-de-Lisse, en Saint-Émilion grand cru, le Château Bel-Air Ouÿ – qui devrait prochainement être rebaptisé. Cette propriété de 10 ha, dont 5,5 ha complantés en vieilles vignes de plus de 40 ans (80 % merlot, 15 % cabernet franc et 5 % cabernet sauvignon), bénéficie d'un terroir classique pour l'appellation – essentiellement calcaire, avec 0,05 ha d'argile rouge. Le vignoble, également réparti sur le plateau et sur la côte nord-est, fait l'objet d'un plan de restructuration et d'une ample remise en état, gérés au jour le jour par Jean-Marie Bouldy, du Château Bellegrave. La vinification, en revanche, demeure l'apanage de Jean-Luc Thunevin.

1998 • **90-92** Le succès qu'a connu Jean-Luc Thunevin avec son Château de Valandraud a très certainement contribué à encourager les vignerons de Saint-Émilion en quête d'une qualité plus élevée. Opaque et pourpre de robe, le 1998 se distingue par de fabuleuses senteurs de cerise noire, de terre et de vanille. Tout à la fois souple, velouté et voluptueux, il déploie des tannins abondants, mais souples, et dévoile encore, au fur et à mesure qu'il se développe en bouche, des arômes d'herbes séchées, de cuir fin et de viande. Ce vin riche, persistant et concentré, doté d'une belle texture, ne peut rivaliser avec son exquis aîné de 1995, mais il s'agit incontestablement d'une réussite de très haut vol. **A boire entre 2001 et 2015.** (3/99)

1997 • **88-91** Plus précoce et plus séduisant que le 1996, le 1997 de Valandraud impressionne par sa robe d'un prune-pourpre soutenu et par son doux fruité de cerise noire, de chêne neuf et grillé, d'épices et de chocolat. Moyennement corsé et modérément tannique, il exprime tout en rondeur une bouche veloutée, ainsi qu'une finale extrêmement persistante. La faible acidité et le style charmeur et évolué de ce vin suggèrent qu'il faut le consommer avant qu'il n'ait **12 à 15 ans d'âge.** (1/99)

1996
•
91

Le 1996 s'est bien raffermi depuis la mise en bouteille. Arborant la légendaire robe épaisse typique de ce cru (rubis-prune foncé tirant sur le pourpre), il exhale un bouquet exotique qui commence à peine à s'épanouir, où l'on décèle des notes d'iode, de café torréfié, de fruits noirs confiturés et de pain grillé. La bouche, moyennement corsée, révèle une texture formidable et des tannins doux ; l'ensemble se distingue par sa pureté et sa persistance extraordinaires. **A boire entre 2003 et 2018.** (1/99)

1995
•
95

Le splendide 1995 est l'une des plus belles réussites de Jean-Luc Thunevin depuis ses débuts en 1991. Opaque et pourpre de robe, il dégage au nez de sensationnels arômes d'herbes rôties et de fruits noirs (cerise, cassis et mûre), marqués de très belles notes de chêne grillé (le boisé, tout en nuances, ne domine pas). Ce vin très concentré, qui est incontestablement de la race des très grands, exprime par paliers et en rondeur sa belle richesse en extrait et son caractère glycériné. Sa finale est longue de plus de 30 secondes. Ses tannins, très discrets, sont bien étayés par un fruité extrêmement riche et mûr. Ce vin s'impose comme l'un des exemples les plus grandioses de ce cru. **A boire entre 2003 et 2020.** (11/97)

1994
•
94+

Le puissant et massif 1994 présente une robe opaque de couleur pourpre et une palette aromatique assez fermée (on distingue, après aération, des notes de cassis doux, de boisé et de fumé). Fabuleusement pur, avec des parfums superbes et intenses, il dévoile par paliers une finale très corsée et visqueuse. Il s'agit assurément de l'une des réussites du millésime, que vous conserverez encore 2 ou 3 ans au moins avant de la déguster. **A boire entre 2002 et 2020.** (1/97)

1993
•
93

Le 1993 est l'un des vins les plus concentrés du millésime. Sa robe opaque, de couleur pourpre, introduit un nez fabuleusement doux et mûr de cerise noire et de cassis, judicieusement infusé de subtiles notes de boisé et légèrement marqué d'une touche de minéral et de truffe. Très corsé, exceptionnellement dense et tout en rondeur, ce vin incroyablement intense est un véritable tour de force dans un millésime où l'on n'en connaît pas de cet acabit. Accordez-lui une garde de 2 ou 3 ans, et dégustez-le sur les **10 à 20 ans qui suivront.** (1/97)

1992
•
88

Cette minuscule propriété, qui pourrait bien s'imposer comme le Le Pin de Saint-Émilion, a magnifiquement réussi en 1992. Avec sa robe opaque et très soutenue de couleur rubis-pourpre foncé et son nez riche de chêne doux, étayé par d'abondants arômes de cassis et de cerise confiturés, ce vin est assez corsé et d'une grande richesse, et se montre étonnamment opulent, avec beaucoup de mâche (ce qui est rare pour le millésime), déployant une finale longue, luxuriante, concentrée et faible en acidité. Il devrait se révéler merveilleux sur les **5 à 7 années à venir.** Bravo ! (11/94)

1991
•
83

Le caractère boisé du 1991 (très marqué par le chêne neuf) masque son fruité moyennement généreux, doux et mûr ; par ailleurs, bien que ce vin soit bon, il est d'un rapport qualité/prix tout à fait déraisonnable. (1/94)

VILLEMAURINE

Grand cru classé – équivaut à un cru bourgeois
Propriétaire : Robert Giraud SA
Adresse : 33330 Saint-Émilion
Adresse postale : Domaine de Loiseau – BP 31
33240 Saint-André-de-Cubzac
Tél. 05 57 43 01 44 – Fax 05 57 43 33 17
Visites : sur rendez-vous uniquement

Superficie : 7 ha (coteaux de Saint-Émilion)
Vin produit : Château Villemaurine – 40 000 b (pas de second vin)
Encépagement : 85 % merlot, 10 % cabernet franc, 5 % cabernet sauvignon
Densité de plantation : 6 000 pieds/ha – *Age moyen des vignes :* 40 ans
Rendement moyen : 45 hl/ha

Élevage :
fermentations de 7 jours et cuvaisons de 14 jours
en cuves d'acier inoxydable thermorégulées ;
vieillissement après les malolactiques de 18 mois en fûts (1/3 de bois neuf) ;
collage et filtration

A maturité : dans les 3 à 10 ans suivant le millésime

Villemaurine est l'un des vignobles les plus intéressants de Saint-Émilion. Il doit, dit-on, son nom (« ville maure ») à un camp établi à cet endroit lors de l'invasion arabe du VIIIe siècle. Le domaine compte d'immenses et splendides caves, qui méritent vraiment une visite. Quant au vin, il est sensiblement moins passionnant. Bien que le propriétaire, Robert Giraud (qui est aussi un important négociant), affirme que la qualité s'est améliorée, je trouve, pour ma part, que ce cru manque de richesse et de concentration, qu'il est assez diffus, dur et maigre, et dénué de caractère.

1997 • **72-74** Léger, avec un niveau très élevé d'acidité (ce qui est surprenant pour le millésime), le 1997 de Villemaurine n'est pas très parfumé et, pour tout dire, pas très bien doté. (3/98)

1995 • **71** Marqué par une acidité très importante, le 1995 est comprimé, dépourvu de charme et de fruit. (3/96)

1994 • **69** Maigre, avec un niveau très élevé d'acidité, le 1994 est sans détour et étique en bouche. (3/96)

1993 • **75** De copieux arômes de chêne neuf masquent malheureusement le peu de fruit que présente ce vin. Il est très léger et très tannique, et loin d'être délicieux. Je pense qu'il se dessèchera rapidement. (11/94)

1990 • **75** Incroyablement boisé, le 1990 est léger, aussi dépourvu de profondeur que de caractère. (1/93)

1989 • 80 — Pourpre-noir de robe, avec un nez épicé et herbacé de terre et de cassis, le 1989 de Villemaurine est énorme, monolithique et de bonne mâche. Il impressionne par son caractère tannique, mais manque quelque peu d'ampleur. **A boire jusqu'en 2003.** (1/96)

1988 • 78 — Doté de copieux tannins, le 1988 exhale un bouquet de prune ample et boisé, mais sans détour et mûr. Sa finale est ample et alcoolique. **A boire jusqu'en 2002.** (4/91)

AUTRES PRODUCTEURS DE SAINT-ÉMILION

BÉARD – BON

Grand cru – équivaut à un cru bourgeois
Propriétaires : Véronique Goudichaud et Corinne Dubos
Adresse : 33330 Saint-Laurent-des-Combes
Tél. 05 57 24 72 96 – Fax 05 57 24 61 88
Visites : sur rendez-vous uniquement

Superficie : 8 ha (Saint-Laurent-des-Combes)
Vin produit : Château Béard – 48 000 b (pas de second vin)
Encépagement : 60 % merlot, 25 % cabernet franc, 15 % cabernet sauvignon
Densité de plantation : 5 500 pieds/ha – *Age moyen des vignes :* 30 ans
Rendement moyen : 50 hl/ha

Élevage :
fermentations et cuvaisons de 15-21 jours en cuves de béton ;
vieillissement de 12-13 mois pour moitié en cuves et en fûts (1/3 de bois neuf) ;
collage et filtration

A maturité : dans les 3 à 8 ans suivant le millésime

J'ai malheureusement trop rarement dégusté les vins de cette propriété pour m'en faire une idée. Cependant, les rares millésimes que j'ai goûtés – 1985, 1986, 1988, 1989 – étaient bien vinifiés, avec un fruité pur et un caractère trapu et robuste. Ce domaine, créé en 1858, appartient actuellement à la famille Goudichaud. Les vendanges sont faites manuellement, aucun traitement chimique n'est utilisé dans les vignes, et la vinification et l'élevage sont traditionnels. Sans être un Saint-Émilion de premier ordre, le vin de Béard est régulier à bon niveau et constitue une bonne affaire.

BELLEVUE

Grand cru classé – équivaut à un cru bourgeois
Propriétaire : SC du Château Bellevue
Adresse : 33330 Saint-Émilion
Adresse postale : SC du Château Bellevue – BP 125
33501 Libourne Cedex
Tél. 05 57 74 41 61 – Fax 05 57 51 59 61
Visites : sur rendez-vous uniquement

Contacts : Jean de Coninck et Mme Cazenave

Superficie : 6 ha (Saint-Émilion, à côté de Beau-Séjour Bécot et en face d'Angélus)
Vins produits : Château Bellevue et Château Ramonet
Encépagement : 67 % merlot, 16,5 % cabernet franc, 16,5 % cabernet sauvignon
Densité de plantation : 5 700 pieds/ha – *Age moyen des vignes :* 20-25 ans

Élevage :
fermentations et cuvaisons de 15-21 jours en cuves de béton thermorégulées ; vieillissement de 12 mois en fûts (50 % de bois neuf) ; collage ; pas de filtration

A maturité : dans les 3 à 8 ans suivant le millésime

BERGAT - BON

Grand cru classé – équivaut à un cru bourgeois
Propriétaires : familles Castéja et Preben-Hansen
Adresse : 33330 Saint-Émilion
Adresse postale : Domaines Borie-Manoux
86, cours Balguerie-Stuttenberg – 33082 Bordeaux Cedex
Tél. 05 56 00 00 70 – Fax 05 57 87 60 30
Visites : sur rendez-vous uniquement
Contact : Philippe Castéja

Superficie : 4 ha (plateau de Saint-Émilion)
Vins produits : Château Bergat – 18 000 b ; Enclos de Bergat – variable
Encépagement : 55 % merlot, 35 % cabernet franc, 10 % cabernet sauvignon
Densité de plantation : 6 500 pieds/ha – *Age moyen des vignes :* 30 ans
Rendement moyen : 42 hl/ha

Élevage :
fermentations et cuvaisons de 21 jours en cuves de béton ; vieillissement après les malolactiques de 12-18 mois en fûts (60 % de bois neuf) ; collage au blanc d'œuf ; pas de filtration

A maturité : dans les 3 à 10 ans suivant le millésime

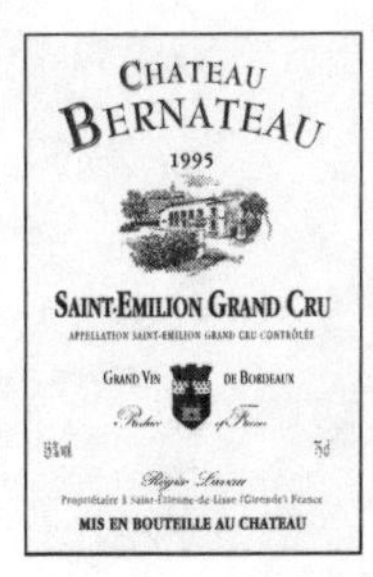

BERNATEAU

Grand cru
Propriétaires : Régis et Jacqueline Lavau
Adresse : 33330 Saint-Étienne-de-Lisse
Tél. 05 57 40 18 19 – Fax 05 57 40 27 31
Visites : sur rendez-vous uniquement
Contact : Régis Lavau

Superficie :
14 ha (Saint-Émilion, Saint-Étienne-de-Lisse et Saint-Sulpice-de-Faleyrens)
Vins produits :
Château Bernateau – 80 000 b ; Château Tour Peyronneau – 20 000 b
Encépagement : 85 % merlot, 12 % cabernet franc, 3 % cabernet sauvignon
Densité de plantation : 5 500 pieds/ha – *Age moyen des vignes :* 35 ans
Rendement moyen : 50 hl/ha

Élevage :
fermentations et cuvaisons de 21 jours minimum
en cuves d'acier inoxydable thermorégulées ;
vieillissement de 12-14 mois en cuves et en fûts (50 % de bois neuf) ;
collage et filtration

LA BIENFAISANCE
Grand cru
Propriétaire : famille Duval-Fleury
Administrateur : Patrick Baseden
Adresse : 33330 Saint-Christophe-des-Bardes
Tél. 05 57 24 65 83 – Fax 05 57 24 78 26
Visites : sur rendez-vous uniquement
Contact : Christine Peytour

Superficie : 14 ha (Saint-Émilion et Saint-Christophe-des-Bardes)
Vins produits :
Château La Bienfaisance – 48 000 b ; Vieux Château Peymouton – 32 000 b
Encépagement : 80 % merlot, 15 % cabernet franc, 5 % cabernet sauvignon
Densité de plantation : 6 500 pieds/ha – *Age moyen des vignes :* 25 ans
Rendement moyen : 43 hl/ha

Élevage :
fermentations et cuvaisons de 21 jours minimum
en cuves de béton revêtues et thermorégulées ;
vieillissement après les malolactiques de 13-15 mois en fûts (1/3 de bois neuf) ;
collage au blanc d'œuf et légère filtration

LA BONNELLE
Grand cru
Propriétaire : François Sulzer
Adresse : 33330 Saint-Pey-d'Armens
Tél. 05 57 47 15 12 – Fax 05 57 47 16 83
Visites : sur rendez-vous uniquement
Contact : Olivier Sulzer

Superficie : 10 ha (Saint-Pey-d'Armens)

Vins produits :
Château La Bonnelle – 40 000 b ; Château La Croix Bonnelle – 25 000 b
Encépagement : 70 % merlot, 20 % cabernet franc, 10 % cabernet sauvignon
Densité de plantation : 5 500 pieds/ha – *Age moyen des vignes :* 30 ans
Rendement moyen : 50 hl/ha

Élevage :
fermentations de 5 jours et cuvaisons de 15 jours
en cuves d'acier inoxydable thermorégulées ;
vieillissement de 12 mois en cuves et en fûts (1/3 de bois neuf) ;
collage ; pas de filtration

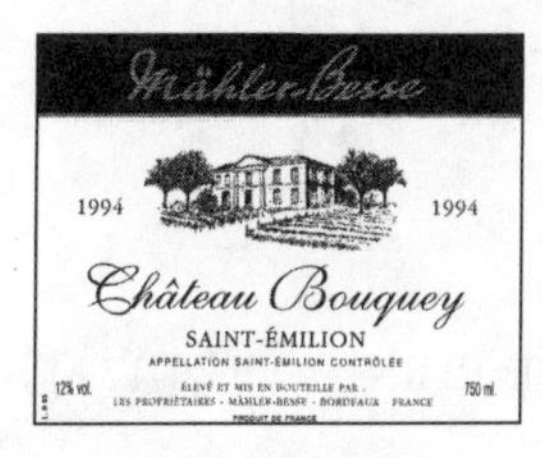

BOUQUEY

Grand cru
Propriétaire : Mähler-Besse SA
Adresse : 33330 Saint-Hippolyte
Adresse postale : Mähler-Besse SA
49, rue Camille-Godard – 33026 Bordeaux Cedex
Tél. 05 56 56 04 30 – Fax 05 56 56 04 59
Visites : sur rendez-vous uniquement
Contact : Mähler-Besse SA

Superficie : 5 ha (Saint-Hippolyte, à côté de La Couronne)
Vins produits : Château Bouquey – 40 000 b ; Château Les Fougères – variable
Encépagement : 60 % merlot, 25 % cabernet sauvignon, 15 % cabernet franc
Densité de plantation : 5 000 pieds/ha – *Age moyen des vignes :* 25 ans
Rendement moyen : 50 hl/ha

Élevage :
fermentations de 5 jours et cuvaisons de 22 jours maximum
en petites cuves coniques d'acier inoxydable thermorégulées ;
vieillissement selon le millésime de 6 mois en fûts
(très peu de bois neuf) ou de 24 mois en cuves ;
collage à l'albumine ; pas de filtration

CADET-BON

Grand cru classé – équivaut à un cru bourgeois
Propriétaire : SA Lorienne
Adresse : 1, Le Cadet – 33330 Saint-Émilion
Tél. 05 57 74 43 20 – Fax 05 57 24 66 41
Visites : sur rendez-vous uniquement
Contacts : Marceline et Bernard Gans

Superficie : 4,5 ha (Saint-Émilion)
Vin produit :
Château Cadet-Bon – 21 500 b (pas de second vin ; vrac)

Encépagement : 70 % merlot, 30 % cabernet franc
Densité de plantation : 6 600 pieds/ha – *Age moyen des vignes :* 35 ans
Rendement moyen : 48 hl/ha

Élevage :
fermentations et cuvaisons de 10-25 jours en cuves d'acier inoxydable ;
achèvement des malolactiques en fûts neufs pour une partie de la récolte,
en cuves pour l'autre ; vieillissement de 12-13 mois en fûts (1/3 de bois neuf) ;
collage au blanc d'œuf ; pas de filtration

A maturité : dans les 5 à 15 ans suivant le millésime

CANTENAC

Grand cru
Propriétaire : Nicole Roskam-Brunot
Adresse : RD 670 – 33330 Saint-Émilion
Tél. 05 57 51 35 22 – Fax 05 57 25 19 15
Visites : sur rendez-vous de préférence (9 h-12 h et 14 h 30-17 h)
Contact : Nicole Roskam-Brunot

Superficie : 12 ha (Saint-Émilion)
Vins produits : Château Cantenac – 60 000 b ; Château Jean Melin – 18 000 b
Encépagement : 80 % merlot, 15 % cabernet franc, 5 % cabernet sauvignon
Densité de plantation : 6 000 pieds/ha – *Age moyen des vignes :* 21 ans
Rendement moyen : 52 hl/ha

Élevage :
fermentations et cuvaisons de 21-28 jours ;
vieillissement de 18 mois en fûts (30 % de bois neuf) ; collage et filtration

CAPET-GUILLIER

Grand cru
Propriétaires : familles Bouzerand et Galinou
Adresse : 33330 Saint-Hippolyte
Tél. 05 57 24 70 21 – Fax 05 57 24 68 96
Visites : du lundi au vendredi (9 h-12 h et 14 h-17 h),
sur rendez-vous uniquement le week-end
Contact : Élisabeth Galinou

Superficie : 15 ha (Saint-Hippolyte)
Vins produits :
Château Capet-Guillier – 64 000 b ; Château Grands Sables Capet – 43 000 b
Encépagement : 60 % merlot, 25 % cabernet franc, 15 % cabernet sauvignon
Densité de plantation : 5 500 pieds/ha – *Age moyen des vignes :* 35 ans
Rendement moyen : 52 hl/ha

Élevage :
fermentations et cuvaisons de 21 jours en cuves de béton ;
vieillissement de 13 mois en fûts (1/3 de bois neuf) ; collage et filtration

LE CASTELOT

Grand cru
Propriétaires : Jean et Françoise Janoueix
Adresse : 33330 Saint-Émilion
Adresse postale : Maison Janoueix – 37, rue Pline-Parmentier
BP 192 – 33506 Libourne Cedex
Tél. 05 57 51 41 86 – Fax 05 57 51 53 16
Visites : sur rendez-vous uniquement
Contact : Maison Janoueix

Superficie : 9 ha (Saint-Émilion, à côté de Tertre Daugay)
Vins produits :
Château Le Castelot – 34 000-39 000 b ;
Château Haut-Castelot – 19 000-21 000 b
Encépagement : 70 % merlot, 20 % cabernet franc, 10 % cabernet sauvignon
Densité de plantation : 5 000 pieds/ha – *Age moyen des vignes :* 45-60 ans
Rendement moyen : 48-50 hl/ha

Élevage :
fermentations et cuvaisons de 21-28 jours en cuves de béton thermorégulées ;
vieillissement après les malolactiques de 24 mois en fûts (1/3 de bois neuf) ;
collage au blanc d'œuf ; pas de filtration

DU CAUZE

Grand cru
Propriétaire : Bruno Laporte
Adresse : 33330 Saint-Émilion
Tél. 05 57 74 62 47 – Fax 05 57 74 59 12
Visites : sur rendez-vous uniquement
Contact : M. Lladères – Tél. 05 57 74 45 21

Superficie :
19,9 ha (Saint-Christophe-des-Bardes)
Vin produit : Château du Cauze – 130 000 b (pas de second vin)
Encépagement : 90 % merlot, 10 % cabernet sauvignon
Densité de plantation : 5 500 pieds/ha – *Age moyen des vignes :* 40 ans
Rendement moyen : 50 hl/ha

Élevage :
fermentations et cuvaisons de 35 jours environ ;
vieillissement après les malolactiques de 12-18 mois en fûts (25 % de bois neuf) ;
collage ; pas de filtration

1998 • **87-88** Ce vin pourrait bien être l'une des révélations du millésime. Son généreux fruité de cerise noire confiturée nuancé de fleurs, de réglisse et d'herbes rôties est joliment rehaussé de doux chêne grillé. Au palais, il se montre profond, moyennement corsé et riche, et déploie un gras d'excellent aloi en milieu de bouche. C'est un vin fruité, fabuleusement exubérant et des plus plaisants, qu'il faut savourer **avant 10 à 12 ans d'âge.** (3/99)

CHANTE-ALOUETTE-CORMEIL – BON

Grand cru – équivaut à un bon cru bourgeois
Propriétaire : Yves Delol
Adresse : 33330 Saint-Émilion
Tél. 05 57 51 02 63 – Fax 05 57 51 93 39
Visites : sur rendez-vous uniquement
Contacts : Yves et Samuelle Delol

Superficie : 11 ha (Saint-Émilion)
Vin produit : Château Chante-Alouette-Cormeil – 42 000 b (pas de second vin)
Encépagement : 65 % merlot, 20 % cabernet franc, 15 % cabernet sauvignon
Densité de plantation : 5 600 pieds/ha – *Age moyen des vignes :* 20 ans
Rendement moyen : 40 hl/ha

Élevage :
fermentations et cuvaisons de 21-42 jours en cuves d'acier inoxydable pour un tiers de la récolte, en cuves de béton pour le reste ; vieillissement de 14 mois en fûts de 2 ans ; collage au blanc d'œuf ; pas de filtration

A maturité : dans les 3 à 10 ans suivant le millésime

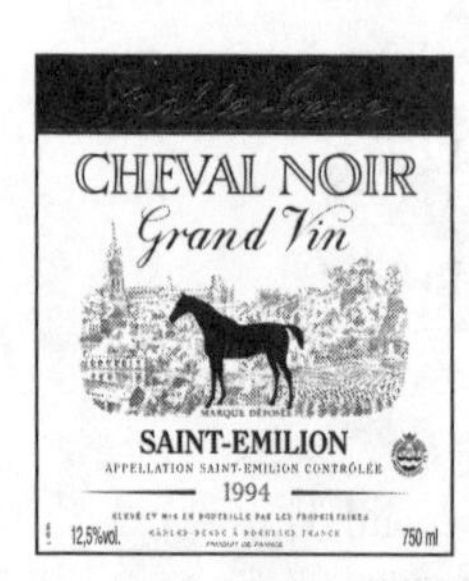

CHEVAL NOIR

Grand cru
Propriétaire : Mähler-Besse SA
Adresse : 33330 Saint-Émilion
Adresse postale : Mähler-Besse SA
49, rue Camille-Godard – 33026 Bordeaux Cedex
Tél. 05 56 56 04 30 – Fax 05 56 56 04 59
Visites : sur rendez-vous uniquement
Contact : Mähler-Besse SA

Superficie : 5 ha (Saint-Émilion, à proximité d'Angélus et de Cormeil-Figeac)
Vin produit : Château Cheval Noir – 35 000 b (pas de second vin)
Encépagement : 60 % merlot, 20 % cabernet franc, 20 % cabernet sauvignon
Densité de plantation : 5 000 pieds/ha – *Age moyen des vignes :* 25 ans
Rendement moyen : 50 hl/ha

Élevage :
fermentations de 5 jours et cuvaisons de 22 jours maximum
en petites cuves coniques d'acier inoxydable thermorégulées ;
vieillissement après les malolactiques de 24 mois en cuves
pour 90 % de la récolte, en fûts (très peu de bois neuf) pour le reste ;
collage à l'albumine ; filtration

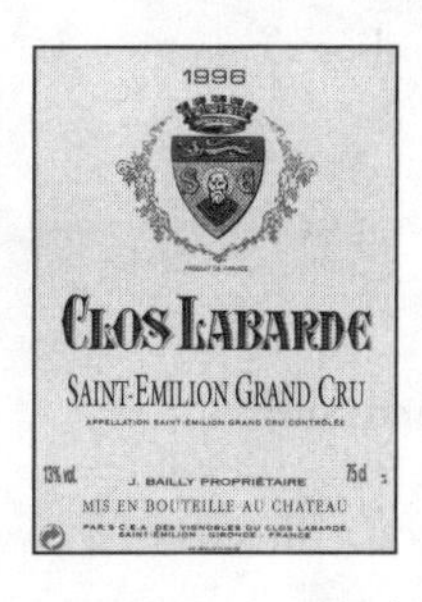

CLOS LABARDE

Grand cru
Propriétaire : Jacques Bailly
Adresse : Bergat – 33330 Saint-Émilion
Tél. 05 57 74 43 39 – Fax 05 57 74 40 26
Visites : du lundi au vendredi (11 h-12 h et 14 h-18 h)
Contact : Nicolas Bailly

Superficie :
4,5 ha (Saint-Laurent-des-Combes, lieu-dit La Barde)
Vin produit : Clos Labarde – 28 000 b (pas de second vin)
Encépagement : 70 % merlot, 20 % cabernet franc, 10 % cabernet sauvignon
Densité de plantation : 4 500 pieds/ha – *Age moyen des vignes :* 35 ans
Rendement moyen : 46 hl/ha

Élevage :
fermentations de 5 jours et cuvaisons de 28-30 jours
en cuves de béton thermorégulées ;
vieillissement après les malolactiques de 22 mois en cuves pour 2/3 de la récolte,
en fûts (1/3 de bois neuf) pour le reste ; collage et filtration

CLOS LARCIS

Grand cru
Propriétaire : Robert Giraud SA
Adresse : 33330 Saint-Émilion
Adresse postale : Domaine de Loiseau – BP 31
33240 Saint-André-de-Cubzac
Tél. 05 57 43 01 44 – Fax 05 57 43 33 17
Visites : sur rendez-vous uniquement
Contact : Philippe Giraud

Superficie : 0,85 ha (Saint-Émilion à proximité de Pavie et de Larcis Ducasse)
Vin produit : Clos Larcis – 5 000 b (pas de second vin)
Encépagement : 90 % merlot, 10 % cabernet sauvignon
Densité de plantation : 6 000 pieds/ha – *Age moyen des vignes :* 40 ans
Rendement moyen : 45 hl/ha

Élevage :
fermentations de 7 jours et cuvaisons de 14 jours

en cuves d'acier inoxydable thermorégulées ;
vieillissement après les malolactiques de 16-18 mois en fûts (50 % de bois neuf) ;
collage et filtration

CLOS LA MADELEINE – BON

Grand cru déclassé en 1996 – équivaut à un cru bourgeois
Propriétaire : SA du Clos La Madeleine
Adresse : La Gaffelière Ouest – 33330 Saint-Émilion
Tél. 05 57 55 38 03 – Fax 05 57 55 38 01
Visites : sur rendez-vous uniquement
Contact : Philippe Lauret

Superficie : 2 ha (Saint-Émilion)
Vin produit : Clos La Madeleine – 6 000 b (pas de second vin)
Encépagement : 50 % merlot, 50 % cabernet franc
Densité de plantation : 6 600 pieds/ha – *Age moyen des vignes :* 35 ans
Rendement moyen : 45 hl/ha

Élevage :
fermentations et cuvaisons de 14 jours en cuves d'acier inoxydable thermorégulées ;
achèvement des malolactiques et vieillissement de 12-18 mois en fûts
(50 % de bois neuf) ; collage ; pas de filtration

A maturité : dans les 4 à 15 ans suivant le millésime

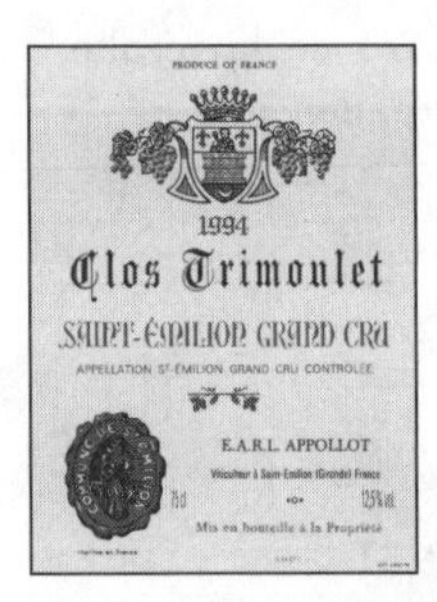

CLOS TRIMOULET

Grand cru
Propriétaire : EARL Appollot
Adresse : 33330 Saint-Émilion
Tél. 05 57 24 71 96 – Fax 05 57 74 45 88
Visites : sur rendez-vous uniquement
Contact : Guy Appollot

Superficie :
11 ha (Saint-Émilion, Saint-Christophe-des-Bardes et Saint-Hippolyte)
Vin produit : Clos Trimoulet – 65 000 b (pas de second vin)
Encépagement : 80 % merlot, 10 % cabernet franc, 10 % cabernet sauvignon
Densité de plantation : 5 500 pieds/ha – *Age moyen des vignes :* 30 ans
Rendement moyen : 55 hl/ha

Élevage :
fermentations et cuvaisons de 21 jours en cuves thermorégulées ;
vieillissement de 14 mois en fûts (20 % de bois neuf) pour 70 % de la récolte,
en cuves pour le reste ; collage et filtration

LA COMMANDERIE

Grand cru
Propriétaire : Domaines Cordier
Adresse : Fortin – 33330 Saint-Émilion
Adresse postale : Domaines Cordier
53, rue du Dehez – 33290 Blanquefort
Tél. 05 56 95 53 00 – Fax 05 56 95 53 01
Visites : sur rendez-vous uniquement
Contact : Domaines Cordier

Superficie : 5,35 ha (Saint-Émilion, Saint-Christophe-des-Bardes et Saint-Hippolyte)
Vin produit : Château La Commanderie – 35 000 b (pas de second vin)
Encépagement : 90 % merlot, 10 % cabernet franc
Densité de plantation : 6 000-6 500 pieds/ha – *Age moyen des vignes :* 25 ans
Rendement moyen : 49 hl/ha

Élevage :
fermentations et cuvaisons de 18-21 jours en cuves de béton revêtues ; vieillissement de 18-20 mois en fûts (1/3 de bois neuf) ; soutirage trimestriel ; collage au blanc d'œuf ; filtration

CÔTE DE BALEAU

Grand cru – équivaut à un 5e cru du Médoc
Propriétaire : famille Reiffers
Adresse : 33330 Saint-Émilion
Tél. 05 57 24 71 09 – Fax 05 57 24 69 72
Visites : sur rendez-vous uniquement
Contact : Sophie Fourcade

Superficie :
8 ha (1 km à l'ouest de Saint-Émilion)
Vin produit : Château Côte de Baleau – 35 000-40 000 b (pas de second vin)
Encépagement : 65 % merlot, 35 % cabernet franc
Densité de plantation : 6 000 pieds/ha – *Age moyen des vignes :* 30 ans
Rendement moyen : 38-40 hl/ha

Élevage :
fermentations et cuvaisons de 25-30 jours en cuves d'acier inoxydable thermorégulées ; achèvement des malolactiques et vieillissement de 18 mois en fûts (60 % de bois neuf) ; collage et filtration si nécessaire

A maturité : dans les 5 à 15 ans suivant le millésime

1998 • **86-88** Cette propriété, qui est l'une des étoiles montantes de son appellation, appartient à la famille Reiffers, qui possède également le Clos Saint-Martin et Les Grandes Murailles. C'est le plus vaste des trois domaines, et il produit autour de 3 000 caisses annuellement (contre 600 pour Les Grandes Murailles et 500 pour le Clos Saint-Martin). Les vins bénéficient des conseils du célèbre et omniprésent œnologue Michel Rolland. Vêtu d'un pourpre soutenu, le Côte de Baleau 1998 présente, tant au nez qu'en bouche, des arômes épais et séveux de cerise confiturée et de chêne neuf épicé. Doté d'une impressionnante texture, il déploie, par paliers, un fruité admirable et magnifiquement glycériné, ainsi que des tannins modérés. Ce vin stupéfiant, pur et d'excellente facture, mérite assurément l'attention des amateurs. **A boire entre 2003 et 2012.** (3/99)

CÔTES DE ROL

Grand cru
Propriétaire : Robert Giraud SA
Adresse : 33330 Saint-Émilion
Adresse postale : Domaine de Loiseau – BP 31
33240 Saint-André-de-Cubzac
Tél. 05 57 43 01 44 – Fax 05 57 43 33 17
Visites : sur rendez-vous uniquement
Contact : Philippe Giraud

Superficie : 3 ha (plusieurs centaines de mètres au nord-est de Saint-Émilion)
Vin produit : Château Côtes de Rol – 20 000 b (pas de second vin)
Encépagement : 80 % merlot, 10 % cabernet franc, 10 % cabernet sauvignon
Densité de plantation : 6 000 pieds/ha – *Age moyen des vignes :* 30 ans
Rendement moyen : 50 hl/ha

Élevage :
fermentations de 7 jours et cuvaisons de 14 jours
en cuves d'acier inoxydable thermorégulées ;
vieillissement après les malolactiques de 15 mois en fûts (25 % de bois neuf) ;
collage et filtration

LA COURONNE

Grand cru
Propriétaire : Mähler-Besse SA
Adresse : 33330 Saint-Hippolyte
Adresse postale : Mähler-Besse SA
49, rue Camille-Godard – 33026 Bordeaux Cedex
Tél. 05 56 56 04 30 – Fax 05 56 56 04 59
Visites : sur rendez-vous uniquement
Contact : Mähler-Besse SA

Superficie : 9 ha (Saint-Hippolyte)
Vin produit : Château La Couronne – 48 000 b (pas de second vin)
Encépagement : 60 % merlot, 25 % cabernet sauvignon, 15 % cabernet franc
Densité de plantation : 5 000 pieds/ha – *Age moyen des vignes :* 20 ans
Rendement moyen : 50 hl/ha

Élevage :
fermentations de 5 jours et cuvaisons de 22 jours maximum
en petites cuves coniques d'acier inoxydable thermorégulées ;
vieillissement après les malolactiques de 12 mois en fûts
(30 % de bois neuf) ; collage à l'albumine ; pas de filtration

COUTET
Grand cru
Propriétaires : Jean et Alain David-Beaulieu
Adresse : 33330 Saint-Émilion
Tél. 05 57 74 43 21 – Fax 05 57 74 40 78
Visites : sur rendez-vous uniquement
Contact : Alain David-Beaulieu

Superficie : 12 ha (Saint-Émilion)
Vins produits : Château Coutet – 45 000 b ; Château Belles-Cimes – 20 000 b
Encépagement :
45 % merlot, 45 % cabernet franc, 5 % cabernet sauvignon, 5 % malbec
Densité de plantation : 5 500 pieds/ha – *Age moyen des vignes :* 38 ans
Rendement moyen : 42 hl/ha

Élevage :
fermentations et cuvaisons de 21-28 jours
en cuves d'acier inoxydable thermorégulées ;
vieillissement de 12 mois en fûts (1/3 de bois neuf) ; collage et filtration

LA CROIX FIGEAC LAMARZELLE
Grand cru
Propriétaire : SC Rocher Bellevue Figeac
Adresse : 33330 Saint-Émilion
Adresse postale : SC RBF – 14, rue d'Aviau
33000 Bordeaux
Tél. et Fax 05 56 81 19 69
Visites : sur rendez-vous uniquement
Contacts : Pierre et Charlotte Dutruilh

Superficie : 3,5 ha
(Saint-Émilion, terrasses graveleuses au sud de Figeac et à l'ouest de Lamarzelle)
Vins produits :
Château La Croix Figeac Lamarzelle – 18 000 b ;
Pavillon La Croix Figeac – 4 000 b
Encépagement : 75 % merlot, 22 % cabernet franc ; 3 % cabernet sauvignon
Densité de plantation : 5 500-6 000 pieds/ha – *Age moyen des vignes :* 29 ans
Rendement moyen : 47 hl/ha

Élevage :
fermentations et cuvaisons de 28-35 jours en cuves d'acier inoxydable ;
achèvement des malolactiques en fûts neufs pour 40 % de la récolte,
en cuves pour le reste ;
vieillissement de 15-18 mois en fûts (40 % de bois neuf) ; collage ; pas de filtration

LA CROIX DE JAUGUE
Non classé – équivaut à un cru bourgeois
Propriétaire : Georges Bigot
Adresse : 150, avenue du Général-de-Gaulle – 33500 Libourne
Tél. 05 57 51 51 29 – Fax 05 57 51 29 70
Visites : sur rendez-vous uniquement
Contact : Georges Bigot

Superficie : 4,5 ha (Saint-Émilion)
Vins produits :
Château La Croix de Jaugue – 15 000-20 000 b ;
Château La Fleur de Jaugue (cuvée prestige) – 12 000-15 000 b
Encépagement : 75 % merlot, 25 % cabernet franc
Densité de plantation : 6 500 pieds/ha
Age moyen des vignes : 10-15 ans et 35 ans
Rendement moyen : 55-60 hl/ha

Élevage :
fermentations et cuvaisons de 20-28 jours en cuves de béton thermorégulées ;
vieillissement de 12-13 mois en cuves de béton et d'acier inoxydable
pour la cuvée générique, en fûts (1/3 de bois neuf) pour la cuvée prestige ;
collage ; légère filtration

A maturité : dans les 3 à 8 ans suivant le millésime

1998 • **88-89** La Fleur de Jaugue – Avis aux amateurs : ce Saint-Émilion régulier à bon niveau demeure raisonnable par rapport à plusieurs de ses homologues, dont les prix atteignent des sommets. Vêtu d'un rubis-pourpre dense, le 1998 présente, outre un fruité ample, séveux et savoureux de cerise noire nuancé de terre, de boisé et d'herbes séchées, une bouche tout à la fois moyennement corsée, capiteuse et charnue, ainsi qu'une finale persistante et richement fruitée. **A boire dans les 10 à 12 ans.** (3/99)

1997 • **86-87** La Fleur de Jaugue – D'un style très proche de celui du 1996, le 1997 est très mûr et doté d'un fruit magnifique, mais il est plus évolué. Tout en chair et en fruit, il offre encore un beau déploiement d'arômes de cerise et d'épices. **A boire dans les 5 ou 6 ans.** (1/99)

1996 • **87** La Fleur de Jaugue – Ce vin rubis profond très réussi se distingue par de généreuses senteurs de douce cerise et de prune nuancées d'herbes séchées et de fumé, et à peine marquées de terre et de chêne neuf. Charnu et doté d'un fruité mûr, il présente une excellente texture et s'impose comme un Saint-Émilion savoureux. **A boire dans les 5 ou 6 ans.** (1/99)

CROIX DE LABRIE

Grand cru – équivaut à un 5e cru du Médoc
Propriétaires : Michel et Ghislaine Puzio-Lesage
Adresse : 33330 Saint-Émilion
Tél. et Fax 05 57 24 64 60
Visites : non autorisées
Contact : Ghislaine Puzio-Lesage

Superficie :
1,5 ha (Vignonet et Saint-Sulpice-de-Faleyrens)
Vins produits : Château Croix de Labrie – 2 500 b ; Petit Labrie – 1 000 b
Encépagement : 100 % merlot
Densité de plantation : 4 500 pieds/ha – *Age moyen des vignes :* 40 ans

Élevage :
fermentations et cuvaisons de 15-20 jours en cuves d'acier inoxydable ;
achèvement des malolactiques et vieillissement de 16-22 mois en fûts neufs ;
collage et filtration si nécessaire

A maturité : dans les 5 à 15 ans suivant le millésime

1998 • **90-94** Ce cru vinifié par Michel Puzio-Lesage et distribué par Jean-Luc Thunevin, du célèbre Château de Valandraud, sera presque impossible à dénicher, mais ceux qui auront la chance de mettre la main sur quelques bouteilles feront l'expérience d'une des dégustations les plus extraordinaires que propose le millésime. S'annonçant par une robe d'un pourpre-noir soutenu et visqueux laissant deviner une texture et une richesse incroyables, ce vin très corsé révèle un caractère tout à la fois épais, riche et intensément concentré, qui inondera littéralement les sens du dégustateur. L'ensemble suinte d'un généreux fruité de mûre et de groseille confiturées, joliment rehaussé de tannins modérés et de notes de chêne grillé. Cette réussite fabuleuse, somptueusement persistante en bouche, devrait vieillir parfaitement ces **15 à 20 ans.** (3/99)

CROQUE MICHOTTE – BON

Grand cru – équivaut à un bon cru bourgeois
Propriétaire : GFA Géoffrion
Adresse : 33330 Saint-Émilion
Tél. 05 57 51 13 64 – Fax 05 57 51 07 81
Visites : sur rendez-vous uniquement
Contact : Pierre Carle

Superficie : 13,7 ha (Saint-Émilion, à la limite de Pomerol, près de Gazin)
Vins produits :
Château Croque Michotte – 64 000 b ;
Les Charmilles de Croque Michotte – 6 000-10 000 b
Encépagement : 75 % merlot, 25 % cabernet franc
Densité de plantation : 6 000 pieds/ha – *Age moyen des vignes :* 40 ans

Rendement moyen : 38 hl/ha

Élevage :
fermentations et cuvaisons de 28-35 jours en cuves thermorégulées ;
vieillissement de 12 mois en fûts (35-50 % de bois neuf)
puis de 6-7 mois en cuves ;
collage non systématique ; pas de filtration

A maturité : dans les 4 à 12 ans suivant le millésime

Le vignoble de Croque Michotte jouit d'une excellente situation dans la partie graveleuse de Saint-Émilion, à la limite de Pomerol, près de Gazin et non loin de Cheval Blanc et de La Dominique. Ce cru doit généralement être dégusté dans les 5 ou 6 ans suivant le millésime ; il s'améliore rarement passé 10 ans d'âge. Charnu et somptueux, il a ses fidèles et convient tout particulièrement aux amateurs manquant de patience.

1998 • **85-87** Mûr et dominé par le fruit, le Croque Michotte 1998 arbore une robe rubis foncé, et libère des arômes racés et accessibles de mûre et de cerise. Moyennement corsé et d'une grande pureté, il déploie une finale nette, mais légèrement tannique. **A boire dans les 7 ou 8 ans.** (3/99)

CRUZEAU
Grand cru
Propriétaire : GFA Luquot Frères
Adresse : 152, avenue de l'Épinette – 33500 Libourne
Tél. 05 57 51 18 95 – Fax 05 57 25 10 59
Visites : sur rendez-vous uniquement
Contact : Jean-Paul Luquot

Superficie : 4,4 ha (Libourne)
Vin produit : Château Cruzeau – 27 000 b (pas de second vin)
Encépagement : 75 % merlot, 25 % cabernet franc
Densité de plantation : 5 500 pieds/ha – *Age moyen des vignes :* 26 ans
Rendement moyen : 51 hl/ha

Élevage :
fermentations et cuvaisons de 20 jours en cuves de béton thermorégulées ;
vieillissement après les malolactiques de 16 mois en fûts (pas de bois neuf) ;
collage ; pas de filtration

CURÉ-BON – BON

Grand cru classé – équivaut à un 5e cru du Médoc
Propriétaire : SA Lorienne
Adresse : 9, rue Magdeleine – 33330 Saint-Émilion
Adresse postale : SA Lorienne – 1, Le Cadet
33330 Saint-Émilion
Tél. 05 57 74 43 20 – Fax 05 57 24 66 41
Visites : sur rendez-vous uniquement
Contacts : Marceline et Bernard Gans

Superficie : 4,2 ha (Saint-Émilion)
Vin produit : Château Curé-Bon – 18 000 b (pas de second vin ; vrac)
Encépagement : 84 % merlot, 15 % cabernet franc, 1 % petit verdot et malbec
Densité de plantation : 6 660 pieds/ha – *Age moyen des vignes :* 30 ans
Rendement moyen : 48 hl/ha

Élevage :
fermentations et cuvaisons de 20-45 jours en cuves d'acier inoxydable ; achèvement des malolactiques en fûts neufs pour une partie de la récolte, en cuves pour l'autre ; vieillissement en fûts (40-60 % de bois neuf) ; collage au blanc d'œuf ; pas de filtration

---

A maturité : dans les 5 à 15 ans suivant le millésime

Cette minuscule propriété, magnifiquement située sur les coteaux de Saint-Émilion, est entourée des célèbres châteaux Canon, Belair et Ausone. Le vin qui en est issu jouit d'une bonne réputation, mais il est rarement disponible hors de l'Hexagone. C'est un cru que j'ai rarement eu l'occasion de déguster, mais les millésimes que je connais se sont révélés étonnamment tanniques, fermes et capables d'une longue garde.

FAURIE DE SOUCHARD – BON

Grand cru classé – équivaut à un bon cru bourgeois
Propriétaire : GFA Jabiol-Sciard
Adresse : 33330 Saint-Émilion
Tél. 05 57 74 43 80 – Fax 05 57 74 43 96
Visites : sur rendez-vous uniquement
Contact : Françoise Sciard

Superficie : 11 ha (Saint-Émilion)
Vins produits : Château Faurie de Souchard – 58 000 b ; Souchard – 7 000 b
Encépagement : 65 % merlot, 26 % cabernet franc, 9 % cabernet sauvignon
Densité de plantation : 5 500 pieds/ha – *Age moyen des vignes :* 25 ans
Rendement moyen : 45 hl/ha

Élevage :
fermentations et cuvaisons de 21 jours ;
achèvement des malolactiques en fûts neufs pour 1/3 de la récolte,
en cuves pour le reste ;

vieillissement de 18-20 mois en fûts (1/3 de bois neuf) ; collage et filtration

---

A maturité : dans les 5 à 15 ans suivant le millésime

Faurie de Souchard, l'une des plus anciennes propriétés de Saint-Émilion, appartient à la famille Jabiol depuis 1933. Le vignoble, qui se situe aussi bien sur le plateau calcaire que sur des sols sableux et argilo-calcaires, donne généralement des vins très corsés, tanniques et intenses, qui requièrent une certaine garde en bouteille. Contrairement à la majorité des crus de l'appellation, dont le potentiel n'excède pas 5 ou 6 ans, la plupart des millésimes de cette propriété peuvent se maintenir 10 à 15 ans. S'il fallait adresser un reproche à ces vins, ce serait leur excès de tannins par rapport à leur richesse en extrait.
Note : le deuxième vin n'est produit que certaines années.

DE FERRAND - BON

Grand cru – équivaut à un bon cru bourgeois
Propriétaires : héritiers du baron Bich
Adresse : 33330 Saint-Hippolyte
Tél. 05 57 74 47 11 – Fax 05 57 24 69 08
Visites : sur rendez-vous uniquement
Contact : Jean-Pierre Palatin

Superficie : 30 ha (Saint-Hippolyte)
Vins produits :
Château de Ferrand – 135 000 b ; Château des Grottes – 60 000 b
Encépagement : 70 % merlot, 15 % cabernet franc, 15 % cabernet sauvignon
Densité de plantation : 5 400 pieds/ha – *Age moyen des vignes :* 30 ans
Rendement moyen : 50 hl/ha

Élevage :
fermentations et cuvaisons de 21-28 jours en cuves de ciment thermorégulées ; vieillissement de 6 mois en fûts neufs ; collage ; pas de filtration

---

A maturité : dans les 4 à 12 ans suivant le millésime

Le regretté baron Bich, célébrissime créateur des stylos du même nom, a considérablement amélioré la qualité de cette propriété, qu'il a achetée en 1978.

Le vignoble se situe sur la commune de Saint-Hippolyte sur un plateau calcaire. Le cru qui en est issu doit sa belle qualité à une vendange tardive et à son élevage en fûts de chêne neuf. Il peut généralement tenir assez longuement en bouteille.

FLEUR CARDINALE – BON

Grand cru – équivaut à un cru bourgeois
Propriétaires : Claude et Alain Asséo
Adresse : 33330 Saint-Étienne-de-Lisse
Tél. 05 57 40 14 05 – Fax 05 57 40 28 62
Visites : sur rendez-vous uniquement
Contacts : Claude et Alain Asséo

Superficie : 10 ha (Saint-Étienne-de-Lisse)
Vins produits :
Château Fleur Cardinale – 45 000 b ; Château Bois Cardinal – 12 000 b
Encépagement : 70 % merlot, 10 % cabernet franc, 20 % cabernet sauvignon
Densité de plantation : 6 000 pieds/ha – *Age moyen des vignes :* 35-40 ans
Rendement moyen : 45 hl/ha

Élevage :
fermentations et cuvaisons de 21-35 jours à 28-32 °C
en cuves d'acier inoxydable thermorégulées ;
achèvement des malolactiques en fûts neufs pour 40-60 % de la récolte,
en cuves pour le reste ;
vieillissement de 13-16 mois en fûts neufs et de 1 an ;
collage non systématique ; pas de filtration

A maturité : dans les 3 à 8 ans suivant le millésime

Le Château Fleur Cardinale est un cru bien vinifié, que l'on peut apprécier dès son plus jeune âge du fait de son caractère rond et généreux. S'il est le plus souvent dépourvu de complexité, il est solide et robuste. Le vignoble, qui se trouve sur la commune de Saint-Étienne-de-Lisse, ne jouit pas d'une excellente situation, mais les vins qui en sont issus sont réguliers, grâce aux excellents conseils de Michel Rolland, œnologue de la propriété.

LA FLEUR POURRET – BON

Grand cru – devrait être maintenu
Propriétaire : AXA Millésimes
Adresse : 33330 Saint-Émilion
Adresse postale : Château Petit Village – 33500 Pomerol
Tél. 05 57 51 21 08 – Fax 05 57 51 87 31
Visites : non autorisées

Superficie : 3 ha (plateau de Saint-Émilion, près de Grand-Pontet)
Vin produit : Château La Fleur Pourret – variable (pas de second vin)
Encépagement : 60 % merlot, 30 % cabernet franc, 10 % cabernet sauvignon
Densité de plantation : 9 500 pieds/ha – *Age moyen des vignes :* 30 ans

---

Élevage :
fermentations et cuvaisons de 25-30 jours en cuves de béton thermorégulées ;
vieillissement de 15-18 mois en fûts de 1 an ;

collage au blanc d'œuf ; filtration

A maturité : dans les 3 à 10 ans suivant le millésime

Situé juste en dehors de la ville fortifiée de Saint-Émilion, sur des sols graveleux, ce cru m'a fortement impressionné les rares fois où je l'ai dégusté. Il donne généralement des vins très fruités, profondément colorés et charnus, étonnants de race et de richesse en extrait.

FOMBRAUGE
Grand cru
Propriétaire : Bernard Magrez
Adresse : 33330 Saint-Émilion
Tél. 05 57 24 77 12 – Fax 05 57 24 66 95
Visites : sur rendez-vous uniquement
Contact : Thérèse Polledri

Superficie :
75 ha (52 ha en production ; Saint-Christophe-des-Bardes, Saint-Étienne-de-Lisse et Saint-Hippolyte)
Vins produits : Château Fombrauge – 240 000 b ; Château Maurens – 72 000 b
Encépagement : 75 % merlot, 15 % cabernet sauvignon, 10 % cabernet franc
Densité de plantation : 5 500 pieds/ha – *Age moyen des vignes :* 27 ans
Rendement moyen : 40 hl/ha

Élevage :
fermentations alcooliques de 5-10 jours et cuvaisons de 21 jours en cuves de béton thermorégulées ;
vieillissement de 16 mois en fûts (40 % de bois neuf) ; collage ; pas de filtration

Fombrauge a été récemment acquis par Bernard Magrez (société William Pitters), qui y a accompli de notables transformations : restructuration du vignoble, taille plus courte, vendange verte, effeuillage ; stricte sélection parcellaire ; réorganisation des chais (700 fûts actuellement, 300 de plus à l'horizon 2000).

FONRAZADE
Grand cru
Propriétaire : Guy Balotte
Adresse : 33330 Saint-Émilion
Tél. 05 57 24 71 58 – Fax 05 57 74 40 87
Visites : sur rendez-vous uniquement
Contact : Fabienne Balotte

Superficie :
13 ha (Saint-Émilion, à côté d'Angélus)
Vins produits : Château Fonrazade – 6 000 b ; Château Comte des Cordes – 6 000 b

Encépagement : 75 % merlot, 25 % cabernet sauvignon
Densité de plantation : 5 500 pieds/ha – *Age moyen des vignes :* 30 ans
Rendement moyen : 45-48 hl/ha

Élevage :
fermentations et cuvaisons de 21 jours minimum
en cuves de béton revêtues et thermorégulées ;
vieillissement de 18 mois en fûts (50 % de bois neuf) ;
collage au blanc d'œuf ; pas de filtration

GALIUS

Grand cru
Propriétaire : Union des producteurs de Saint-Émilion
Adresse : 33330 Saint-Émilion
Adresse postale : Haut-Gravet – BP 27 – 33330 Saint-Émilion
Tél. 05 57 24 70 71 – Fax 05 57 24 65 18
Visites : du lundi au samedi (8 h 30-12 h et 14 h-18 h)
Contact : Patrick Foulon

Superficie :
10 ha (Saint-Émilion, Saint-Sulpice-de-Faleyrens et Vignonet)
Vin produit : Château Galius – 66 000 b (pas de second vin)
Encépagement : 70 % merlot, 20 % cabernet franc, 10 % cabernet sauvignon
Densité de plantation : 5 500 pieds/ha – *Age moyen des vignes :* 30 et 37 ans
Rendement moyen : 50 hl/ha

Élevage :
fermentations et cuvaisons de 15-20 jours en cuves de béton thermorégulées ;
vieillissement de 11 mois en fûts (1/3 de bois neuf) ; collage et filtration

GODEAU – BON

Grand cru – équivaut à un bon cru bourgeois,
peut-être même à un 5e cru du Médoc
Propriétaire : Grégoire Bonte
Adresse : 33330 Saint-Laurent-des-Combes
Tél. 05 57 24 72 64 – Fax 05 57 24 65 89
Visites : sur rendez-vous uniquement
Contact : Grégoire Bonte

Superficie : 5,5 ha (Saint-Laurent-des-Combes)
Vins produits : Château Godeau – 24 000 b ; Château Godeau Ducarpe – 8 000 b
Encépagement : 75 % merlot, 15 % cabernet sauvignon, 10 % cabernet franc
Densité de plantation : 6 500 pieds/ha – *Age moyen des vignes :* 30 ans
Rendement moyen : 46 hl/ha

Élevage :
fermentations et cuvaisons de 18-25 jours en cuves d'acier inoxydable ; vieillissement de 12 mois en fûts (1/3 de bois neuf) ; collage et filtration

A maturité : dans les 5 à 15 ans suivant le millésime

LA GRÂCE DIEU

Grand cru
Propriétaire : SCEA Pauty
Adresse : 33330 Saint-Émilion
Tél. 05 57 24 71 10 – Fax 05 57 24 67 24
Visites : sur rendez-vous uniquement
Contact : Christine Ghizzo

Superficie : 13 ha (Saint-Émilion)
Vins produits :
Château La Grâce Dieu – 175 000 b ; Château Étoile Pourret – 12 000 b
Encépagement : 70 % merlot, 15 % cabernet franc, 15 % cabernet sauvignon
Densité de plantation : 6 000 pieds/ha – *Age moyen des vignes :* 25 ans
Rendement moyen : 51 hl/ha

Élevage :
fermentations de 20 jours et vieillissement de 16-18 mois en cuves de béton ; collage et filtration

LA GRÂCE DIEU LES MENUTS

Grand cru
Propriétaire : SCEA Vignobles Pilotte-Audier
Adresse : 33330 Saint-Émilion
Tél. 05 57 24 73 10 – Fax 05 57 74 40 44
Visites : sur rendez-vous uniquement
Contacts : Odile Audier et Max Pilotte

Superficie : 13,5 ha (Saint-Émilion)
Vins produits :
Château La Grâce Dieu Les Menuts – 85 000 b ;
Vieux Domaine des Menuts – variable
Encépagement : 65 % merlot, 30 % cabernet franc, 5 % cabernet sauvignon
Densité de plantation : 6 000 pieds/ha – *Age moyen des vignes :* 35 ans
Rendement moyen : 50 hl/ha

Élevage :
fermentations de 20-25 jours en cuves thermorégulées avec immersion du chapeau ; vieillissement après les malolactiques de 12 mois en fûts (1/3 de bois neuf) pour 80 % de la récolte, en cuves pour le reste ;
collage ; filtration non systématique

LA GRÂCE DIEU DES PRIEURS

Grand cru
Propriétaire : famille Laubie
Adresse : 33330 Saint-Émilion
Tél. 05 57 69 02 78 ou 05 57 74 42 97
Fax 05 57 49 42 47
Visites : sur rendez-vous uniquement
Contact : Alain Laubie

Superficie : 6,7 ha (Saint-Émilion)
Vins produits :
Château La Grâce Dieu des Prieurs – 26 000 b ; Château Fortin – 18 000 b
Encépagement : 90 % merlot, 10 % cabernet franc
Densité de plantation : 5 000 pieds/ha – *Age moyen des vignes :* 35 ans
Rendement moyen : 55 hl/ha

Élevage :
fermentations et cuvaisons de 21 jours en cuves thermorégulées ;
vieillissement de 22 mois en cuves et en fûts (10 % de bois neuf) ;
collage ; pas de filtration

GRAND CORBIN-DESPAGNE

Grand cru déclassé en 1996 – équivaut à un bon cru bourgeois
Propriétaire : famille Despagne
Adresse : 33330 Saint-Émilion
Tél. 05 57 51 08 38 – Fax 05 57 51 29 18
Visites : sur rendez-vous uniquement
Contact : François Despagne

Superficie : 26,5 ha (Saint-Émilion)
Vin produit : Château Grand Corbin-Despagne – 87 000 b (pas de second vin)
Encépagement : 75 % merlot, 20 % cabernet franc, 5 % cabernet sauvignon
Densité de plantation : 6 200 pieds/ha – *Age moyen des vignes :* 33 ans
Rendement moyen : 49 hl/ha

Élevage :
fermentations de 5-8 jours et cuvaisons de 20-25 jours en cuves de béton et en cuves d'acier inoxydable thermorégulées ;
vieillissement de 12-18 mois en fûts (40 % de bois neuf) ; collage ; pas de filtration

A maturité : dans les 5 à 12 ans suivant le millésime

1998 • **88-89+** Le 1998 marque la percée de cette propriété, qui ne ménage pas ses efforts pour améliorer sa qualité. Arborant une robe pourpre-noir, le Grand Corbin-Despagne 1998 se révèle épais et intense, et déploie en bouche, outre un caractère visqueux, un généreux fruité de cerise noire et de cassis nuancé de chêne neuf et grillé, de réglisse et de terre. Sa finale est moyennement corsée et modérément tannique. **A boire entre 2003 et 2014.** (3/99)

GRAND CORBIN MANUEL

Grand cru
Propriétaire : Pierre Manuel
Adresse : 33330 Saint-Émilion
Tél. et Fax 05 57 51 12 47
Visites : sur rendez-vous de préférence
Contact : Pierre Manuel

Superficie : 7 ha (Saint-Émilion)
Vins produits :
Château Grand Corbin Manuel – 42 000 b ; Clos de la Grande Métairie – variable
Encépagement : 55 % merlot, 25 % cabernet sauvignon, 20 % cabernet franc
Densité de plantation : 6 000 pieds/ha – *Age moyen des vignes :* 32 ans
Rendement moyen : 45 hl/ha

Élevage :
fermentations et cuvaisons de 21-28 jours en cuves thermorégulées ;
vieillissement après les malolactiques de 24 mois par rotation en cuves et en fûts (50 % de bois neuf) ; collage et filtration

LES GRANDES MURAILLES

Grand cru classé – équivaut à un 5e cru du Médoc
Propriétaire : famille Reiffers
Adresse : 33330 Saint-Émilion
Tél. 05 57 24 71 09 – Fax 05 57 24 69 72
Visites : sur rendez-vous uniquement
Contact : Sophie Fourcade

Superficie :
1,96 ha (plateau argilo-calcaire de Saint-Émilion)
Vin produit : Château Les Grandes Murailles – 7 000 b (pas de second vin)
Encépagement : 95 % merlot, 5 % cabernet franc
Densité de plantation : 6 000 pieds/ha – *Age moyen des vignes :* 35 ans
Rendement moyen : 35 hl/ha

Élevage :
fermentations et cuvaisons de 25-35 jours
en cuves d'acier inoxydable thermorégulées ;
achèvement des malolactiques et vieillissement de 18 mois en fûts neufs ;
collage et filtration si nécessaire

A maturité : dans les 5 à 15 ans suivant le millésime

1998
•
87-89+
Ce château appartient à la famille Reiffers, également propriétaires des domaines Clos Saint-Martin et Côte de Baleau, qui connaissent tous deux une véritable renaissance sous sa houlette. Produit à hauteur de 700 caisses et composé à 95 % de merlot et à 5 % de cabernet franc, Les Grandes Murailles 1998 arbore une robe d'un rubis-pourpre soutenu, et exhale un nez parfumé de mûre confiturée et de cerise, nuancé de minéral et de fumé. Tout à la fois souple, pur, mûr et moyennement corsé, il se développe en bouche par paliers, révélant une belle richesse, ainsi qu'un fruité évoquant un Porto. **A boire entre 2003 et 2014.** (3/99)

1997
•
87-89
D'un rubis-pourpre foncé nuancé de grenat sur le bord, le 1997 stupéfie par son nez de confiture de myrtille, de framboise, de terre humide et de chêne grillé, qui précède en bouche un ensemble moyennement corsé, pur et élégant, regorgeant de fruit et s'exprimant tout en finesse. Sans être puissant ni massif, ce 1997 s'impose comme un vin délicieusement fruité. **A boire entre 2000 et 2010.** (1/99)

LA GRAVE FIGEAC

Grand cru – équivaut à un cru bourgeois depuis 1885
Propriétaire : Jean-Pierre Clauzel
Adresse : 1, Cheval Blanc Ouest – 33330 Saint-Émilion
Tél. 05 57 51 38 47 – Fax 05 57 74 17 18
Visites : sur rendez-vous de préférence
Contact : Jean-Pierre Clauzel

Superficie : 6,4 ha (Saint-Émilion, près de Cheval Blanc et de Figeac)
Vins produits : Château La Grave Figeac – 25 000 b ; Pavillon Figeac – 11 000 b
Encépagement : 65 % merlot, 35 % cabernet franc
Densité de plantation : 5 500 pieds/ha – *Age moyen des vignes :* 35 ans
Rendement moyen : 43 hl/ha

Élevage :
fermentations et cuvaisons de 20-25 jours en cuves de béton thermorégulées ; vieillissement de 12-18 mois en fûts (1/3 de bois neuf) ; collage ; pas de filtration

Lorsqu'en 1991 j'ai dégusté les 1982 et les 1983 de cette propriété, qui étaient encore en parfaite forme, ce fut pour moi une véritable découverte. Cependant, les millésimes suivants se sont révélés moins bons ; manquant de structure, ils étaient également dépourvus du caractère et de la concentration de leurs aînés.

Le vignoble est excellemment situé en bordure de Pomerol, tout près des châteaux Figeac et Cheval Blanc. Ce domaine a été racheté en 1993 par Jean-Pierre Clauzel, qui, je n'en doute pas, en améliorera la qualité.

GUADET-SAINT-JULIEN

Grand cru classé – équivaut à un cru bourgeois
Propriétaire : Robert Lignac
Adresse : 4, rue Guadet – 33330 Saint-Émilion
Tél. 05 57 74 40 04 – Fax 05 57 24 63 50
Visites : sur rendez-vous uniquement
Contact : Geneviève Lignac

Superficie : 6 ha (plateau de Saint-Émilion)
Vin produit : Château Guadet-Saint-Julien – 24 000 b (pas de second vin)
Encépagement : 75 % merlot, 25 % cabernet franc
Densité de plantation : 5 200 pieds/ha – *Age moyen des vignes :* 35 ans
Rendement moyen : 35 hl/ha

Élevage :
fermentations de 15-21 jours en cuves de ciment thermorégulées ;
vieillissement de 18-20 mois en fûts (40 % de bois neuf) ; collage ; pas de filtration

A maturité : dans les 3 à 9 ans suivant le millésime

Le vignoble de Guadet-Saint-Julien est au nord de Saint-Émilion, sur un plateau calcaire, tandis que les chais de vinification se situent à l'intérieur de la ville. C'est un cru souple, rond, plutôt monolithique et sans détour, mais fort agréable dans les meilleurs millésimes. Il est préférable de le consommer dans sa jeunesse.

HAUT-BRISSON – BON

Grand cru – équivaut à un bon cru bourgeois
Propriétaire : GFA du Château Haut-Brisson
Adresse : 33330 Vignonet
Tél. 05 57 84 69 57 – Fax 05 57 74 93 11
Visites : sur rendez-vous uniquement
Contact : Patrick Moulinet

Superficie : 10,5 ha (Vignonet et Saint-Émilion)
Vins produits :
Château Haut-Brisson (nouvelle étiquette) – 40 000 b ;
Château Haut-Brisson (ancienne étiquette – second vin) – 25 000 b
Encépagement : 60 % merlot, 30 % cabernet sauvignon, 10 % cabernet franc
Densité de plantation : 6 500 pieds/ha – *Age moyen des vignes :* 25 ans
Rendement moyen : 48 hl/ha

Élevage :
fermentations de 10 jours environ ;
cuvaisons de 20 jours en cuves d'acier inoxydables thermorégulées ;
vieillissement en fûts neufs de 15 mois pour le premier vin,
de 12 mois pour le second ; collage et filtration

A maturité : dans les 3 à 10 ans suivant le millésime

HAUT-CORBIN – BON

Grand cru classé – équivaut à un bon cru bourgeois
Propriétaire : SMABTP
Adresse : 33330 Vignonet
Adresse postale : Château Cantemerle – 33460 Macau
Tél. 05 57 97 02 82 – Fax 05 57 97 02 84
Visites : sur rendez-vous uniquement
Contact : Philippe Dambrine

Superficie : 6 ha (Saint-Émilion)
Vin produit : Château Haut-Corbin – 30 000 b (pas de second vin ; vrac)
Encépagement : 65 % merlot, 25 % cabernet sauvignon, 10 % cabernet franc
Densité de plantation : 6 600 pieds/ha – *Age moyen des vignes :* 40 ans
Rendement moyen : 50 hl/ha

Élevage :
fermentations de 4-5 jours ; cuvaisons de 25-30 jours en cuves de béton ;
achèvement des malolactiques en fûts pour 30 % de la récolte,
en cuves pour le reste ;
vieillissement de 12 mois en fûts (30 % de bois neuf) ; soutirage trimestriel ;
léger collage au blanc d'œuf ; pas de filtration

A maturité : dans les 3 à 8 ans suivant le millésime

HAUT MAZERAT

Grand cru
Propriétaire : EARL Christian Gouteyron
Adresse : 4, Mazerat – 33330 Saint-Émilion
Tél. 05 57 24 71 15 – Fax 05 57 24 67 28
Visites : sur rendez-vous uniquement
Contact : Christian Gouteyron

Superficie :
6 ha (sud-ouest de Saint-Émilion, près de Beauséjour, Canon, Angélus, Berliquet)
Vin produit : Château Haut Mazerat – 40 000 b (pas de second vin)
Encépagement : 60 % merlot, 30 % cabernet franc, 10 % cabernet sauvignon
Densité de plantation : 5 700 pieds/ha – *Age moyen des vignes :* 35 ans
Rendement moyen : 51 hl/ha

Élevage :
fermentations et cuvaisons de 15 jours
en cuves avec contrôle de température interne ;
vieillissement de 18-20 mois par rotation en cuves et en fûts ; collage et filtration

HAUT-QUERCUS

Grand cru
Propriétaire : Union des producteurs de Saint-Émilion
Adresse : 33330 Saint-Émilion
Adresse postale : Haut-Gravet – BP 27 – 33330 Saint-Émilion
Tél. 05 57 24 70 71 – Fax 05 57 24 65 18
Visites : du lundi au vendredi (8 h 30-12 h et 14 h-18 h)
Contact : Patrick Foulon

Superficie :
4,5 ha (Saint-Émilion, Saint-Christophe-des-Bardes, Saint-Étienne-de-Lisse, Saint-Hippolyte, Saint-Laurent-des-Combes)
Vin produit : Château Haut-Quercus – 30 000 b (pas de second vin)
Encépagement : 60 % merlot, 25 % cabernet franc, 15 % cabernet sauvignon
Densité de plantation : 5 500 pieds/ha – *Age moyen des vignes :* 30-37 ans
Rendement moyen : 50 hl/ha

Élevage :
fermentations et cuvaisons de 15-20 jours en cuves de béton thermorégulées ; vieillissement de 11 mois en fûts (1/3 de bois neuf) ; collage et filtration

HAUT-SARPE – BON

Grand cru classé – équivaut à un bon cru bourgeois
Propriétaires : Jean et Françoise Janoueix
Adresse : 33330 Saint-Émilion
Adresse postale : Maison Janoueix – 37, rue Pline-Parmentier BP 192 – 33506 Libourne Cedex
Tél. 05 57 51 41 86 – Fax 05 57 51 53 16
Visites : sur rendez-vous uniquement
Contact : Maison Janoueix

Superficie : 21 ha (nord-est de Saint-Émilion, près de Balestard La Tonnelle)
Vins produits : Château Haut-Sarpe – 70 000 b ; Château Vieux Sarpe – 24 000 b
Encépagement : 70 % merlot, 30 % cabernet franc
Densité de plantation : 6 000 pieds/ha – *Age moyen des vignes :* 35 ans
Rendement moyen : 46 hl/ha

Élevage :
fermentations de 21-28 jours en cuves d'acier inoxydable et en cuves de béton thermorégulées ; vieillissement après les malolactiques de 24 mois en fûts (30 % de bois neuf) ; collage ; pas de filtration

A maturité : dans les 5 à 12 ans suivant le millésime

Haut-Sarpe est une bonne propriété, qui appartient à la maison de négoce Janoueix, de Libourne. Le château, l'un des plus beaux de la région, se situe au nord-est de Saint-Émilion, non loin de Balestard La Tonnelle. Il produit des vins profondément colorés, rustiques et généreusement parfumés, qui se distinguent généralement par leur caractère tannique et ferme. Les bons millésimes requièrent une garde de 5 ou 6 ans et sont capables de tenir 15 ans environ. (Voir aussi Vieux Sarpe.)

HAUT-VILLET

Grand cru
Propriétaire : GFA du Château Haut-Villet
Adresse : Saint-Étienne-de-Lisse – 33330 Saint-Émilion
Tél. 05 57 47 97 60 – Fax 05 57 47 92 94
Visites : tous les jours (10 h-12 h et 14 h-18 h)
Contact : Éric Lenormand

Superficie : 7,5 ha (Saint-Étienne-de-Lisse)
Vins produits :
Château Haut-Villet – 30 000 b ; Château Moulin-Villet – 10 000 b ;
Cuvée Pomone – 3 000 b
Encépagement : 70 % merlot, 28 % cabernet franc, 2 % cabernet sauvignon
Densité de plantation : 5 500-6 400 pieds/ha – *Age moyen des vignes :* 40 ans
Rendement moyen : 38 hl/ha

Élevage :
fermentations en cuves d'acier inoxydable thermorégulées ;
achèvement des malolactiques et vieillissement de 16 mois en fûts
(40 % de bois neuf) ; collage ; pas de filtration

1998
•
87-88

Cuvée Pomone – La cuvée prestige du Château Haut-Villet montre souvent une fâcheuse tendance à être trop boisée, mais le 1998 paraît mieux équilibré que ses aînés. Moyennement corsé et très richement extrait, il révèle en bouche une très grande pureté, ainsi que des tannins agressifs. L'ensemble, dont la structure et le fruité riche ne sont pas encore parfaitement fondus, est peu évolué, mais il est doté de manière impressionnante et recèle un très beau potentiel. **A boire entre 2004 et 2012.** (3/99)

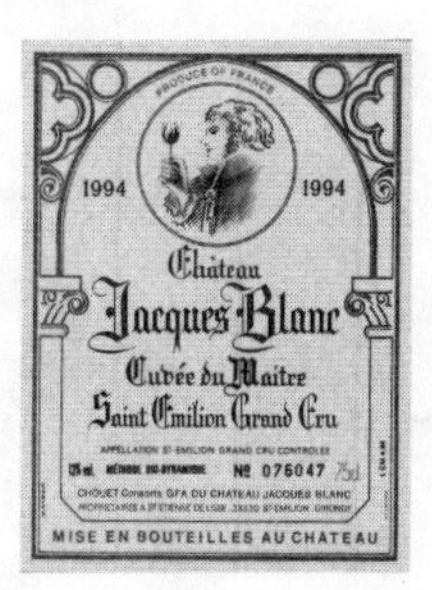

JACQUES BLANC

Grand cru
Propriétaires : Pierre et Viviane Chouet
Adresse : 33330 Saint-Étienne-de-Lisse
Tél. 05 57 40 18 01 – Fax 05 57 40 01 98
Visites : sur rendez-vous uniquement
Contacts : Pierre et Viviane Chouet

Superficie : 20 ha (Saint-Étienne-de-Lisse)
Vins produits :
Château Jacques Blanc Cuvée du Maître – 35 000 b ;
Château Jacques Blanc Cuvée Aliénor – 60 000 b

Encépagement : 66 % merlot, 32 % cabernet franc, 2 % cabernet sauvignon
Densité de plantation : 5 000 pieds/ha – *Age moyen des vignes :* 35 ans
Rendement moyen : 50 hl/ha

Élevage :
fermentations de 21 jours en cuves d'acier inoxydable thermorégulées ;
expérimentation du microbullage et éclatement régulier du chapeau ;
vieillissement après les malolactiques de 12-18 mois en fûts (30 % de bois neuf) ;
collage au blanc d'œuf ; légère filtration

JEAN FAURE

Grand cru – équivaut à un cru bourgeois
Propriétaire : Michel Amart
Adresse : 33330 Saint-Émilion
Tél. 05 57 51 49 36 – Fax 05 57 25 06 42
Visites : tous les jours (8 h-12 h et 14 h-19 h)
Contact : Michel Amart

Superficie :
20 ha (Saint-Émilion, à proximité de Cheval Blanc et de Figeac)
Vin produit : Château Jean Faure – 100 000 b (pas de second vin)
Encépagement : 60 % cabernet franc, 30 % merlot, 10 % malbec
Densité de plantation : 5 555 pieds/ha – *Age moyen des vignes :* 42 ans
Rendement moyen : 49 hl/ha

Élevage :
fermentations et cuvaisons traditionnelles ;
vieillissement en fûts (25 % de bois neuf) ; collage ; pas de filtration

Voici un vin difficile à jauger, en raison de sa très forte proportion de cabernet franc. Cependant, le propriétaire estime que les sols sableux de ce vignoble, qui se situe à proximité de Cheval Blanc et de Figeac, sont parfaitement adaptés à ce cépage.

JEAN VOISIN

Grand cru
Propriétaire : SCEA du Château Jean Voisin
Adresse : 33330 Saint-Émilion
Tél. 05 57 24 70 40 – Fax 05 57 24 79 57
Visites : sur rendez-vous uniquement
Contact : Pierre Chassagnoux

Superficie : 14,5 ha (Saint-Émilion)
Vins produits :
Château Jean Voisin Cuvée Amédée – 46 000 b ; Château Jean Voisin – 40 000 b
Encépagement : 75 % merlot, 20 % cabernet franc, 5 % cabernet sauvignon
Densité de plantation : 5 200 pieds/ha – *Age moyen des vignes :* 20 ans

Rendement moyen : 45 hl/ha

Élevage :
fermentations et cuvaisons de 20-30 jours en cuves d'acier inoxydable et en cuves de béton thermorégulées ; achèvement des malolactiques en fûts pour 20 % de la récolte, en cuves pour le reste ; vieillissement de 12 mois en fûts (1/3 de bois neuf) ; collage au blanc d'œuf ; filtration si nécessaire

LE JURAT – BON

Grand cru – équivaut à un bon cru bourgeois
Propriétaire : SMABTP
Adresse : 33330 Saint-Émilion
Tél. 05 57 97 02 82 – Fax 05 57 97 02 84
Visites : sur rendez-vous uniquement
Contact : Philippe Dambrine

Superficie : 7,5 ha (Saint-Émilion)
Vin produit : Château Le Jurat – 40 000 b (pas de second vin ; vrac)
Encépagement : 90 % merlot, 10 % cabernet sauvignon
Densité de plantation : 6 600 pieds/ha – *Age moyen des vignes :* 30 ans
Rendement moyen : 50 hl/ha

Élevage :
fermentations de 4-5 jours et cuvaisons de 25-30 jours en cuves de béton ; 2 remontages quotidiens ; macération à froid de 4-5 jours à 8-10 °C ; vieillissement de 12 mois en fûts (20 % de bois neuf) ; soutirage trimestriel ; léger collage au blanc d'œuf ; pas de filtration

A maturité : dans les 3 à 10 ans suivant le millésime

LAFLEUR VACHON

Grand cru
Propriétaire : Vignobles Raymond Tapon
Adresse : 33330 Saint-Émilion
Tél. 05 57 74 61 20 – Fax 05 57 24 69 32
Visites : sur rendez-vous uniquement
Contact : Nicole Tapon

Superficie : 4 ha (Saint-Émilion)
Vin produit :
Château Lafleur Vachon – 20 000 b (pas de second vin)
Encépagement :
70 % merlot, 20 % cabernet franc, 6 % cabernet sauvignon, 4 % malbec
Densité de plantation : 5 500 pieds/ha – *Age moyen des vignes :* 35 ans
Rendement moyen : 48 hl/ha

Élevage :
fermentations et cuvaisons de 17-23 jours en cuves avec système de ruissellement ; vieillissement de 18-20 mois en fûts (10-20 % de bois neuf) ; collage ; pas de filtration

LANIOTE

Grand cru classé
Propriétaire : Arnaud de la Filolie
Adresse : 33330 Saint-Émilion
Tél. 05 57 24 70 80 – Fax 05 57 24 60 11
Visites : tous les jours ouvrables, sur rendez-vous pour les groupes
Contact : Arnaud de la Filolie

Superficie : 5 ha (Saint-Émilion)
Vins produits :
Château Laniote – 32 000-35 000 b ; La Chapelle Laniote – 5 000 b
Encépagement : 70 % merlot, 20 % cabernet franc, 10 % cabernet sauvignon
Densité de plantation : 6 500 pieds/ha – *Age moyen des vignes :* 35 ans
Rendement moyen : 49 hl/ha

Élevage :
fermentations et cuvaisons de 21-28 jours en cuves de béton thermorégulées ; vieillissement de 12 mois en fûts (35-40 % de bois neuf) ; collage ; pas de filtration

A maturité : dans les 3 à 9 ans suivant le millésime

Cette minuscule propriété, qui appartient à la même famille depuis sept générations, se situe au nord-ouest de Saint-Émilion, sur un sol riche de calcaire mêlé de fer. Je n'ai pas souvent dégusté les vins qu'il produit, mais le meilleur que je connaisse est le 1982, qui était encore opulent et souple, bien que parfaitement mûr, en 1990. Les 1981, 1983 et 1985 se sont révélés d'un niveau supérieur à la moyenne, mais somme toute assez quelconques.

1997 • **85-87** Plus sensuel et plus séduisant que son aîné d'un an, avec davantage de fruit, le 1997 se montre moyennement corsé et très pur. Il se distingue par des arômes très marqués de confiture de cerise noire nuancés d'herbes, d'épices et de fumé. **A boire dans les 6 ou 7 ans.** (1/99)

1996 • **?** Desservi par des tannins agressifs, le 1996 de Laniote n'a pas le fruité, le gras ni l'intensité nécessaires à son équilibre. Il est maigre et acerbe en bouche, et dominé par son austérité. Je réserve mon jugement. (1/99)

LAPLAGNOTTE-BELLEVUE

Grand cru – équivaut à un bon cru bourgeois
Propriétaires : Henry et Claude de Labarre
Adresse : 33330 Saint-Christophe-des-Bardes
Tél. 05 57 24 78 67 – Fax 05 57 24 63 62
Visites : sur rendez-vous uniquement
Contacts : Frank et Marguerite Glaunes

Superficie :
6,1 ha (Saint-Christophe-des-Bardes)
Vin produit : Château Laplagnotte-Bellevue – 30 000 b (pas de second vin)
Encépagement : 70 % merlot, 15 % cabernet franc, 15 % cabernet sauvignon
Densité de plantation : 6 000 pieds/ha – *Age moyen des vignes :* 30 ans
Rendement moyen : 40-48 hl/ha

Élevage :
fermentations et cuvaisons de 18-21 jours en cuves de ciment ; vieillissement de 15-18 mois en fûts (25-30 % de bois neuf) ; collage au blanc d'œuf ; très légère filtration

A maturité : dans les 2 à 10 ans suivant le millésime

1998 • **85-87** Ce vin rubis foncé est séduisant, avec son fruité de cerise noire. Incontestablement élégant et féminin, il développe en bouche de doux arômes de framboise. Vous apprécierez cet ensemble moyennement corsé, aussi souple que savoureux, ces **7 ou 8 prochaines années.** (3/99)

1997 • **85-86** Ce vin charmeur, ouvert et richement fruité révèle, tout en rondeur, un caractère légèrement corsé et souple. Il faut le boire dans les **5 ou 6 ans.** (1/99)

1996 • **86** Ce 1996 souple et richement fruité, d'un rubis moyennement foncé, exhale un nez doux et racé de cerise noire nuancé de senteurs florales, de terre et d'épices. Sa finale dévoile des tannins secs. Élégant, dominé par le fruit et s'exprimant tout en finesse, il doit être apprécié ces **5 ou 6 prochaines années.** (1/99)

LAROQUE

Grand cru classé – équivaut à un cru bourgeois
Propriétaire : SCA Famille Beaumartin
Adresse : 33330 Saint-Émilion
Tél. 05 57 24 77 28 – Fax 05 57 24 63 65
Visites : sur rendez-vous de préférence
Contact : Bruno Sainson

Superficie :
58 ha, dont 27 ha pour le Château Laroque (Saint-Christophe-des-Bardes)
Vins produits : Château Laroque – 150 000 b ; Château Peymouton – 100 000 b
Encépagement : 87 % merlot, 11 % cabernet franc, 2 % cabernet sauvignon

Densité de plantation : 5 265 pieds/ha – *Age moyen des vignes :* 30 ans
Rendement moyen : 44 hl/ha

Élevage :
fermentations et macérations avec les peaux
de 28 jours en cuves de béton thermorégulées ;
vieillissement de 12 mois en fûts (33-50 % de bois neuf) ; collage et filtration

A maturité : dans les 3 à 8 ans suivant le millésime

LAROZE – BON

Grand cru classé – équivaut à un bon cru bourgeois
Propriétaire : famille Meslin
Adresse : 33330 Saint-Émilion
Tél. 05 57 24 79 79 – Fax 05 57 24 79 80
Visites : sur rendez-vous uniquement
Contact : Guy Meslin

Superficie : 27 ha (Saint-Émilion)
Vin produit : Château Laroze – 70 000-110 000 b (pas de second vin)
Encépagement : 59 % merlot, 38 % cabernet franc, 3 % cabernet sauvignon
Densité de plantation : 5 700 pieds/ha – *Age moyen des vignes :* 20 ans
Rendement moyen : 48 hl/ha

Élevage :
fermentations de 21 jours en petites cuves d'acier inoxydable thermorégulées ;
achèvement des malolactiques en fûts pour 30 % de la récolte,
en cuves pour le reste ;
vieillissement de 12-18 mois en fûts (40 % de bois neuf) ; soutirage trimestriel ;
collage au blanc d'œuf ; pas de filtration

A maturité : dans les 4 à 8 ans suivant le millésime

Certes, les vins de Laroze ne se distinguent pas par leur profondeur, mais il faut, à mon sens, souligner leur côté parfumé, souple, fruité et accessible. Le consommateur gardant à l'esprit qu'ils doivent être dégustés dans les 4 à 8 ans suivant le millésime appréciera leur caractère des plus charmeurs.

Le vignoble, situé sur des sols légers et sableux, ne bénéficie pas des meilleurs terroirs de Saint-Émilion, mais les vins sont élevés dans des chais modernes et bien équipés.

1998 • **86-88** Voici un excellent Saint-Émilion. Vêtu de rubis profond, le 1998 de Laroze déploie un généreux fruité épicé et herbacé de mûre et de cerise. La bouche révèle, outre des tannins souples et modérés, une tenue et une persistance d'excellent aloi. Cependant, cet ensemble puissant est moins évolué que de coutume. **A boire entre 2003 et 2012.** (3/99)

1997 • **85-87** Moyennement corsé, plus léger et moins évolué que le 1996, le 1997 arbore une robe rubis. Très pur, avec une finale épicée et d'une grande précision, il peut être dégusté **jusqu'en 2006.** (1/99)

1996 • **86** Un nez de prune et de cerise très (voire trop) évolué, marqué de surmaturité, annonce le Laroze 1996. Ce vin vêtu de rubis-grenat foncé se distingue par des arômes doux et amples, ainsi que par une texture épanouie et opulente. La finale est d'une excellente tenue. Certes, il ne fera pas de vieux os, mais il se révélera séduisant ces **5 ou 6 prochaines années**, grâce à son caractère bien affirmé et évolué. (1/99)

LEYDET-FIGEAC

Grand cru
Propriétaire : SCEA des Vignobles Leydet
Adresse : Rouilledinat – 33500 Libourne
Tél. 05 57 51 19 77 – Fax 05 57 51 00 62
Visites : du lundi au vendredi (8 h-12 h et 14 h-19 h) et le samedi matin
Contact : Bernard Leydet

Superficie :
3,85 ha (Saint-Émilion, près de La Tour Figeac, non loin de Figeac et de Cheval Blanc)
Vin produit : Château Leydet-Figeac – 22 000 b (pas de second vin)
Encépagement : 70 % merlot, 15 % cabernet franc, 15 % cabernet sauvignon
Densité de plantation : 6 000 pieds/ha – *Age moyen des vignes :* 25 ans
Rendement moyen : 45 hl/ha

Élevage :
fermentations alcooliques de 7 jours
et cuvaisons de 28-42 jours en cuves ;
achèvement des malolactiques en cuves au-dessous de 22 °C ;
vieillissement de 14-16 mois en cuves pour 20 % de la récolte, en fûts pour le reste (40 % de bois neuf) ; collage et filtration

LEYDET-VALENTIN

Grand cru
Propriétaire : Bernard Leydet
Adresse : Clos Valentin – 33330 Saint-Émilion
Tél. 05 57 24 73 05 – Fax 05 57 51 00 62
Visites : sur rendez-vous uniquement
Contact : Bernard Leydet

Superficie : 5 ha (nord-ouest de Saint-Émilion)
Vin produit : Château Leydet-Valentin – 30 000 b (pas de second vin)
Encépagement : 60 % merlot, 35 % cabernet franc, 5 % malbec
Densité de plantation : 5 500 pieds/ha – *Age moyen des vignes :* 20 ans
Rendement moyen : 52 hl/ha

Élevage :
fermentations et cuvaisons traditionnelles en cuves de béton thermorégulées ; vieillissement de 18-20 mois en fûts (1/3 de bois neuf) ; collage ; légère filtration si nécessaire

LUSSEAU

Grand cru – équivaut à un 5e cru du Médoc
Propriétaire : Laurent Lusseau
Adresse : 287, Perey-Nord – 33330 Saint-Sulpice-de-Faleyrens
Tél. 05 57 74 46 54 – Fax 05 57 74 41 29
Visites : sur rendez-vous uniquement
Contact : Laurent Lusseau

Superficie : 0,4 ha (Saint-Sulpice-de-Faleyrens)
Vin produit : Château Lusseau – 2 800 b (pas de second vin)
Encépagement : 80 % merlot, 20 % cabernet franc
Densité de plantation : 5 400 pieds/ha – *Age moyen des vignes :* 36 ans
Rendement moyen : 35 hl/ha

Élevage :
fermentations et cuvaisons de 21 jours en cuves d'acier inoxydable ; achèvement des malolactiques et vieillissement de 18 mois en fûts neufs ; ni collage ni filtration

---

A maturité : dans les 3 à 12 ans suivant le millésime

1998 • **87-88** Vinifié par le maître de chai de Monbousquet, le Lusseau 1998 est sensuel et des plus plaisants. Ce vin fumé, qui se distingue par ses arômes de cerise noire confiturée nuancés de pain grillé, est moyennement corsé et souple en bouche, où il révèle encore un généreux fruité étayé par une faible acidité. Vous apprécierez de Saint-Émilion opulent pour son caractère ouvert et accessible **jusqu'en 2010.** (3/99)

1997 • **87-88** Mieux réussi que son aîné, le 1997 se distingue par une robe plus dense et plus soutenue, et par un nez confituré de framboise et d'autres petits fruits, nuancé de terre et d'épices. Ce vin moyennement corsé et copieusement fruité manifeste en bouche une pureté d'excellent aloi. Sensuel et faible en acidité, il est d'ores et déjà agréable, mais peut être conservé **10 ans environ.** (1/99)

1996 • **86** C'est au maître de chais de Monbousquet que l'on doit ce vin d'un très bon niveau, mais sous-estimé. Moyennement corsé, le 1996 révèle, tant au nez qu'en bouche, des arômes de cerise noire. Il est séduisant et souple, doté d'une belle richesse charnue. L'ensemble est accessible et capable de bien tenir ces **5 à 7 prochaines années.** (1/99)

MAGNAN LA GAFFELIÈRE

Grand cru
Propriétaire : SA du Clos La Madeleine
Adresse : Magnan – 33330 Saint-Émilion
Tél. 05 57 59 38 03 – Fax 05 57 55 38 01
Visites : sur rendez-vous uniquement
Contact : Philippe Lauret

Superficie : 8 ha (Saint-Émilion)
Vin produit : Château Magnan La Gaffelière – 55 000 b (pas de second vin)
Encépagement : 75 % merlot, 25 % cabernet franc
Densité de plantation : 6 600 pieds/ha – *Age moyen des vignes :* 30 ans
Rendement moyen : 53 hl/ha

Élevage :
fermentations et cuvaisons de 30 jours environ en cuves de béton thermorégulées ;
vieillissement de 18 mois en cuves ; collage ; pas de filtration

MARTINET

Grand cru
Propriétaire : famille de Lavaux
Adresse : 33330 Saint-Émilion
Adresse postale : Établissements Horeau-Beylot
BP 125 – 33501 Libourne Cedex
Tél. 05 57 51 06 07 – Fax 05 57 51 59 61
Visites : sur rendez-vous uniquement
Contact : François de Lavaux

Superficie : 20 ha (Saint-Émilion)
Vin produit : Château Martinet – 120 000 b (pas de second vin)
Encépagement : 65 % merlot, 35 % cabernet franc et cabernet sauvignon
Densité de plantation : 5 500 pieds/ha – *Age moyen des vignes :* 50 ans
Rendement moyen : 40-45 hl/ha

Élevage :
fermentations et cuvaisons de 18-23 jours
en cuves d'acier inoxydable thermorégulées ;
vieillissement après les malolactiques de 8-12 mois par rotation en cuves de béton
pour 40 % de la récolte, en fûts (10-15 % de bois neuf) pour le reste ;
collage et filtration

MATRAS

Grand cru classé – équivaut à un cru bourgeois
Propriétaire : GFA du Château Matras
Adresse : 33330 Saint-Émilion
Tél. 05 57 24 72 46 – Fax 05 57 51 70 19
Visites : sur rendez-vous uniquement
Contact : Véronique Gaboriaud

Superficie :
9 ha (Saint-Émilion, près d'Angélus, de Beauséjour, de Canon et de Berliquet)
Vins produits : Château Matras – 32 000 b ; L'Hermitage de Matras – 20 000 b
Encépagement : 60 % cabernet franc, 40 % merlot
Densité de plantation : 5 500 pieds/ha – *Age moyen des vignes :* plus de 40 ans
Rendement moyen : 45 hl/ha

Élevage :
fermentations et cuvaisons de 21 jours en cuves d'acier inoxydable thermorégulées ; vieillissement après les malolactiques de 18 mois en fûts (30 % de bois neuf) ; collage ; pas de filtration

---

A maturité : dans les 3 à 10 ans suivant le millésime

MAUVEZIN – BON

Grand cru déclassé en 1996
équivaut à un bon cru bourgeois
Propriétaire : Pierre Cassat
Adresse : 33330 Saint-Émilion
Tél. 05 57 24 72 36 – Fax 05 57 74 48 54
Visites : sur rendez-vous uniquement
Contact : Olivier Cassat

Superficie : 3,5 ha (Saint-Émilion)
Vin produit : Château Mauvezin – 15 000 b (pas de second vin)
Encépagement : 50 % merlot, 40 % cabernet franc, 10 % cabernet sauvignon
Densité de plantation : 5 400 et 6 600 pieds/ha
Age moyen des vignes : 40-45 ans
Rendement moyen : 40 hl/ha

Élevage :
fermentations alcooliques de 10 jours et cuvaisons de 21 jours en cuves thermorégulées ;
vieillissement de 12 mois en fûts (30-80 % de bois neuf) ; collage et filtration

---

A maturité : dans les 3 à 10 ans suivant le millésime

MONLOT CAPET

Grand cru

Propriétaire : Bernard Rivals

Adresse : 33330 Saint-Hippolyte

Tél. 05 57 24 62 32 – Fax 05 57 24 62 33

Visites : du lundi au vendredi (9 h-18 h), sur rendez-vous le week-end

Contact : Bernard Rivals

Superficie : 7 ha (Saint-Hippolyte)

Vin produit :

Château Monlot Capet – 45 000 b (pas de second vin)

Encépagement :

70 % merlot, 25 % cabernet franc, 5 % cabernet sauvignon

Densité de plantation : 5 000 pieds/ha – *Age moyen des vignes :* 27 ans

Rendement moyen : 48 hl/ha

Élevage :

fermentations et cuvaisons de 28-35 jours en cuves de béton à 27-30 °C ; vieillissement de 18 mois en fûts (50 % de bois neuf) ; collage et filtration

MOULIN BELLEGRAVE

Grand cru

Propriétaire : Florian Perrier

Adresse : Vignonet – 33330 Saint-Émilion

Tél. 05 57 74 97 08 – Fax 05 57 74 92 79

Visites : sur rendez-vous uniquement

Contact : Florian Perrier

Superficie :

7 ha (Vignonet, Saint-Pey-d'Armens et Saint-Sulpice-de-Faleyrens)

Vins produits :

Château Moulin Bellegrave – 40 000 b ; Château des Graves – 25 000 b

Encépagement :

60 % merlot, 20 % cabernet franc, 20 % cabernet sauvignon

Densité de plantation : 5 000 pieds/ha – *Age moyen des vignes :* 30 ans

Rendement moyen : 45 hl/ha

Élevage :

fermentations et cuvaisons en cuves d'acier inoxydable thermorégulées ; vieillissement après les malolactiques de 6 mois en fûts (20 % de bois neuf) ; collage et filtration

DU PARADIS

Grand cru

Propriétaire : GFA Château du Paradis

Adresse : 33330 Saint-Émilion

Adresse postale : Vignobles Raby-Saugeon

BP 1 – 33330 Saint-Émilion

Tél. 05 57 55 07 20 – Fax 05 57 55 07 21

Visites : sur rendez-vous de préférence, du lundi au vendredi (10 h-18 h)

Contact : Janine Raby-Saugeon

Superficie : 16 ha (Vignonet et Saint-Émilion)

Vin produit : Château du Paradis – 100 000 b (pas de second vin)

Encépagement : 75 % merlot, 20 % cabernet franc, 5 % cabernet sauvignon

Densité de plantation : 5 000 pieds/ha – *Age moyen des vignes :* 25 ans

Rendement moyen : 47 hl/ha

Élevage :

fermentations et cuvaisons de 21-28 jours en cuves thermorégulées ; vieillissement de 18 mois en cuves ; collage et filtration

DE PASQUETTE

Grand cru

Propriétaire : GFA Jabiol

Adresse : 33330 Saint-Émilion

Tél. et Fax 05 57 74 47 69

Visites : sur rendez-vous uniquement

Contact : Amélie Jabiol

Superficie :

3 ha (Saint-Émilion, au pied des coteaux, près de Tertre Daugay et de L'Arrosée)

Vin produit :

Château de Pasquette – 14 000 b (second vin très rarement diffusé)

Encépagement : 80 % merlot, 10 % cabernet franc, 10 % cabernet sauvignon

Densité de plantation : 5 500 pieds/ha – *Age moyen des vignes :* 35 ans

Rendement moyen : 35 hl/ha

Élevage :

fermentations et cuvaisons de 18 jours en cuves d'acier inoxydable ; vieillissement de 22 mois en fûts (20 % de bois neuf) ; collage et filtration

PATRIS

Grand cru
Propriétaire : Michel Querre
Adresse : 33330 Saint-Émilion
Adresse postale : Les Hospices de la Madeleine
BP 51 – 33330 Saint-Émilion
Tél. 05 57 55 51 60 – Fax 05 57 55 51 61
Visites : sur rendez-vous et pour les professionnels uniquement
Contacts : Thierry Delon et Laurent Simon

Superficie : 12 ha (Saint-Émilion)
Vins produits : Château Patris – 24 000 b ; Filius de Château Patris – 30 000 b
Encépagement : 78 % merlot, 15 % cabernet franc, 7 % cabernet sauvignon
Densité de plantation : 5 400 pieds/ha – *Age moyen des vignes :* 40 ans
Rendement moyen : 45 hl/ha

Élevage :
fermentations et cuvaisons en cuves thermorégulées ;
achèvement des malolactiques en fûts pour la moitié de la récolte,
en cuves pour le reste ; vieillissement de 12-15 mois en fûts
(50 % de bois neuf) ; collage ; filtration non systématique

1998 • **86-88** Je n'ai pas une grande expérience de ce Saint-Émilion, mais le 1998 présente un nez confituré de cerise et d'eau-de-vie, manifestement marqué de surmaturité. C'est un vin riche, moyennement corsé, tout à la fois gras, séveux et savoureux, étayé par une faible acidité. Très ample en bouche et extrêmement séduisant, il pourrait mériter une note extraordinaire. **A boire entre 2001 et 2012.** (3/99)

PETIT-FAURIE-DE-SOUTARD – BON

Grand cru classé – équivaut à un bon cru bourgeois
Propriétaire : Françoise Capdemourlin
Adresse : 33330 Saint-Émilion
Adresse postale : Château Roudier – 33570 Montagne
Tél. 05 57 74 62 06 – Fax 05 57 74 59 34
Visites : sur rendez-vous uniquement
Contact : Jacques Capdemourlin

Superficie : 8 ha (Saint-Émilion)
Vins produits :
Château Petit-Faurie-de-Soutard – 42 000 b ;
Petit-Faurie-de-Soutard Deuxième – variable
Encépagement : 60 % merlot, 30 % cabernet franc, 10 % cabernet sauvignon
Densité de plantation : 5 400 pieds/ha – *Age moyen des vignes :* 31 ans
Rendement moyen : 46 hl/ha

Élevage :
fermentations de 21-28 jours en cuves de béton émaillées
avec système de refroidissement au fréon ; vieillissement après les malolactiques
de 8-16 mois en fûts (35 % de bois neuf) ; collage et filtration

A maturité : dans les 5 à 12 ans suivant le millésime

Cette propriété très sous-estimée de Saint-Émilion appartient à la famille Capdemourlin, qui se consacre davantage à la promotion de son autre domaine, Balestard La Tonnelle. Cependant, ce vignoble, qui était autrefois rattaché au Château Soutard, jouit d'une belle situation sur le plateau calcaire, et les vins qu'il produit ressemblent à ceux de Balestard par leur caractère gras et par leur fruit richement extrait, tout en étant peut-être un peu plus structurés et d'une meilleure tenue du fait de leur niveau plus élevé de tannins. Les millésimes récents les plus réussis ont été 1982, 1983, 1985, 1989 et 1990. Contrairement à Balestard, Petit-Faurie-de-Soutard requiert une garde de 3 ou 4 ans pour que ses tannins se fondent ; son potentiel moyen est de 10 ans.

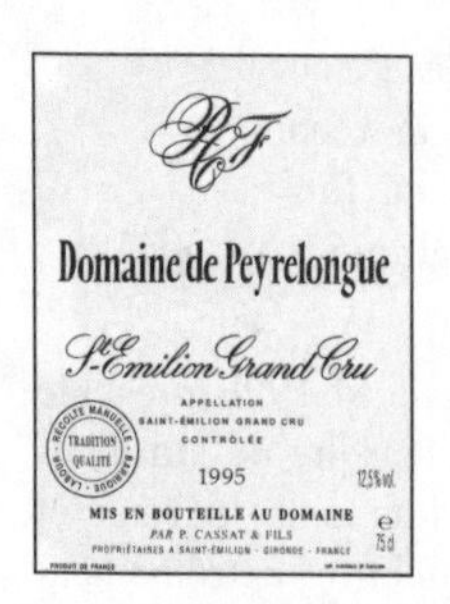

DOMAINE DE PEYRELONGUE

Grand cru
Propriétaire : Pierre Cassat
Adresse : 33330 Saint-Émilion
Tél. 05 57 24 72 36 – Fax 05 57 74 48 54
Visites : sur rendez-vous uniquement
Contact : Olivier Cassat

Superficie : 6 ha (Saint-Émilion)
Vin produit : Domaine de Peyrelongue – 36 000 b (pas de second vin)
Encépagement : 65 % merlot, 25 % cabernet franc, 10 % cabernet sauvignon
Densité de plantation : 5 400 pieds/ha – *Age moyen des vignes :* 35-40 ans
Rendement moyen : 45 hl/ha

Élevage :
fermentations alcooliques de 10 jours et cuvaisons de 15 jours
en cuves thermorégulées ;
vieillissement de 12 mois en fûts (10-15 % de bois neuf) ; collage et filtration

PIPEAU

Grand cru
Propriétaires : Dominique Lauret et Richard Mestreguilhem
Adresse : 33330 Saint-Laurent-des-Combes
Tél. 05 57 24 72 95 – Fax 05 57 24 71 25
Visites : du lundi au vendredi (9 h-12 h et 14 h-18 h)
Contacts : Dominique Lauret et Richard Mestreguilhem

Superficie : 35 ha (Saint-Laurent-des-Combes)
Vin produit : Château Pipeau – 150 000 b (pas de second vin)

Encépagement : 80 % merlot, 10 % cabernet franc, 10 % cabernet sauvignon
Densité de plantation : 6 600 pieds/ha – *Age moyen des vignes :* 35 ans
Rendement moyen : 45 hl/ha

Élevage :
fermentations et cuvaisons de 28-35 jours ;
vieillissement de 18 mois en fûts (1/3 de bois neuf) ;
collage ; pas de filtration

PONTET-FUMET

Grand cru
Propriétaire : SCEA Vignobles Bardet
Adresse : 17, La Cale – 33330 Vignonet
Tél. 05 57 84 53 16 – Fax 05 57 74 93 47
Visites : sur rendez-vous uniquement
Contact : Philippe Bardet

Superficie : 13 ha (Vignonet)
Vin produit : Château Pontet-Fumet – 80 000 b (pas de second vin)
Encépagement : 80 % merlot, 20 % cabernet franc
Densité de plantation : 6 000 pieds/ha – *Age moyen des vignes :* 25 ans
Rendement moyen : 50 hl/ha

Élevage :
fermentations et cuvaisons de 35-56 jours
en cuves d'acier inoxydable et en cuves de béton ;
vieillissement de 18-24 mois en fûts (1/3 de bois neuf) ; collage et filtration

LE PRIEURÉ

Grand cru classé – équivaut à un cru bourgeois
Propriétaire : SCE Baronne Guichard
Adresse : 33330 Saint-Émilion
Adresse postale : SCE Baronne Guichard
Château Siaurac – 33500 Néac
Tél. 05 57 51 64 58 – Fax 05 57 51 41 56
Visites : sur rendez-vous uniquement
Contact : Gino Bortoletto

Superficie : 6 ha (Saint-Émilion, près de Trotte Vieille, de Troplong Mondot et de Lasserre, en face d'Ausone)
Vin produit : Château Le Prieuré – 35 000 b (pas de second vin)
Encépagement : 60 % merlot, 30 % cabernet franc, 10 % cabernet sauvignon
Densité de plantation : 5 500 pieds/ha – *Age moyen des vignes :* 30 ans
Rendement moyen : 43 hl/ha

Élevage :
fermentations et cuvaisons de 21-28 jours en cuves de béton thermorégulées ;
achèvement des malolactiques en fûts neufs pour 30 % de la récolte,
en cuves pour le reste ;
vieillissement de 20 mois en fûts (30 % de bois neuf) ;
collage à l'albumine ; pas de filtration

A maturité : dans les 3 à 8 ans suivant le millésime

PUY-BLANQUET

Grand cru – équivaut à un cru bourgeois
Propriétaire : Roger Jacquet
Adresse : 33330 Saint-Étienne-de-Lisse
Tél. 05 57 40 18 18 – Fax 05 57 40 29 14
Visites : sur rendez-vous uniquement
Contact : Pierre Meunier

Superficie : 23 ha (Saint-Étienne-de-Lisse)
Vins produits :
Château Puy-Blanquet – 120 000 b ; Château Laberne – 33 000 b
Encépagement : 80 % merlot, 15 % cabernet franc, 5 % cabernet sauvignon
Densité de plantation : 5 300 pieds/ha – *Age moyen des vignes :* 25 ans
Rendement moyen : 50 hl/ha

Élevage :
fermentations et cuvaisons de 21 jours en cuves de béton ;
vieillissement après les malolactiques de 12 mois en cuves pour 80 % de la récolte,
en fûts (1/3 de bois neuf) pour le reste ; collage et filtration

---

A maturité : dans les 3 à 8 ans suivant le millésime

PUY-RAZAC

Grand cru
Propriétaire : Guy Thoilliez
Adresse : 33330 Saint-Émilion
Tél. et Fax 05 57 24 73 32
Visites : sur rendez-vous uniquement
Contact : Guy Thoilliez

Superficie : 6 ha (Saint-Émilion)
Vin produit : Château Puy-Razac – 40 000 b (pas de second vin)
Encépagement : 50 % merlot, 50 % cabernet franc
Densité de plantation : 5 200 pieds/ha – *Age moyen des vignes :* 20 ans
Rendement moyen : 52 hl/ha

Élevage :
fermentations et cuvaisons de 21 jours en cuves de béton ;
vieillissement de 22 mois en cuves ; collage et filtration

QUERCY

Grand cru
Propriétaire : famille Apelbaum-Pidoux
Adresse : 3, La Grave – 33330 Vignonet
Tél. 05 57 84 56 07 – Fax 05 57 84 54 82
Visites : sur rendez-vous uniquement
Contact : Stéphane Apelbaum

Superficie : 6 ha (Vignonet)
Vins produits : Château Quercy – 15 000 b ; Graves de Peyroutas – variable
Encépagement : 70 % merlot, 30 % cabernet franc
Densité de plantation : 6 500 pieds/ha – *Age moyen des vignes :* 45 ans
Rendement moyen : 40 hl/ha

Élevage :
fermentations et macérations de 20-40 jours en cuves de béton ;
achèvement des malolactiques en fûts pour une partie de la récolte,
en cuves pour le reste ; vieillissement de 18 mois en fûts (50 % de bois neuf) ;
collage au blanc d'œuf ; filtration

RIPEAU – BON

Grand cru classé – équivaut à un cru bourgeois
Propriétaire : GFA du Château Ripeau – Françoise de Wilde
Adresse : 33330 Saint-Émilion
Tél. 05 57 74 41 41 – Fax 05 57 74 41 57
Visites : sur rendez-vous de préférence
Contact : Françoise de Wilde

Superficie : 15,5 ha (Saint-Émilion, près de Cheval Blanc et de Figeac)
Vins produits :
Château Ripeau – 90 000 b ; Roc de Ripeau – jeunes vignes plantées en 1997
Encépagement : 60 % merlot, 30 % cabernet franc, 10 % cabernet sauvignon
Densité de plantation : 5 500 pieds/ha – *Age moyen des vignes :* 35 ans
Rendement moyen : 44 hl/ha

Élevage :
fermentations et macérations de 28-35 jours en cuves thermorégulées ;
vieillissement de 10-18 mois en fûts (50 % de bois neuf) ; collage et légère filtration

A maturité : dans les 3 à 12 ans suivant le millésime

Ripeau – l'une des plus anciennes propriétés de Saint-Émilion – tient son nom du lieu-dit où se trouvent le château et le vignoble. Il repose sur un sol essentiellement sableux mêlé de graves. Les actuels propriétaires, qui sont dans les lieux depuis 1976, y ont effectué d'importants travaux de rénovation. Le vin de Ripeau est généralement trapu et fruité, bien qu'il manque quelque peu d'étoffe. Cependant, il peut tenir au moins 10 ans dans les bonnes années.

DU ROCHER

Grand cru
Propriétaire : GFA du Château du Rocher
Adresse : 33330 Saint-Étienne-de-Lisse
Tél. 05 57 40 18 20 – Fax 05 57 40 37 26
Visites : sur rendez-vous de préférence
Contact : baron de Montfort

Superficie : 15 ha (Saint-Étienne-de-Lisse)
Vin produit : Château du Rocher – 90 000 b (pas de second vin)
Encépagement : 70 % merlot, 15 % cabernet franc, 15 % cabernet sauvignon
Densité de plantation : 5 500 pieds/ha – *Age moyen des vignes :* 30 ans
Rendement moyen : 45 hl/ha

Élevage :
fermentations en cuves d'acier inoxydable et en cuves de béton revêtues ; vieillissement en fûts (35 % de bois neuf) pour une moitié de la récolte, en cuves d'acier inoxydable pour l'autre ; collage et filtration

ROCHER BELLEVUE FIGEAC – BON

Grand cru – équivaut à un bon cru bourgeois
Propriétaire : Société civile RBF
Adresse : 33330 Saint-Émilion
Adresse postale : 14, rue d'Aviau – 33000 Bordeaux
Tél. et Fax 05 56 81 19 69
Visites : sur rendez-vous uniquement
Contacts : Pierre et Charlotte Dutruilh

Superficie : 7,3 ha (Saint-Émilion, sur le plateau de Bellevue)
Vins produits :
Château Rocher Bellevue Figeac – 36 000 b ; Pavillon La Croix Figeac – 8 500 b
Encépagement : 75 % merlot, 25 % cabernet franc et cabernet sauvignon
Densité de plantation : 5 500-6 000 pieds/ha – *Age moyen des vignes :* 29 ans
Rendement moyen : 45 hl/ha

Élevage :
fermentations et cuvaisons de 28-35 jours en cuves d'acier inoxydable ; achèvement des malolactiques en fûts neufs pour 40 % de la récolte ; vieillissement de 15-18 mois en fûts (40 % de bois neuf) ; collage ; pas de filtration

A maturité : dans les 3 à 8 ans suivant le millésime

Depuis le milieu des années 80, les Domaines Cordier gèrent la vinification et la commercialisation des vins de cette propriété. Ceux-ci ont certes bénéfié des judicieux conseils de l'œnologue Georges Pauli, mais ils sont loin d'être de longue garde. Cela s'explique par le fait que le vignoble, situé sur le plateau tout près de Figeac et de la limite de Pomerol, est fortement complanté en merlot, ce qui donne des vins séveux, savoureux, fruités et ronds, qu'il faut boire assez rapidement, dans les 7 ou 8 ans. Je ne saurais trop recommander aux amateurs d'être prudents avec les millésimes plus anciens.

1997 • **85-86** Ressemblant à s'y méprendre à son aîné d'un an, le 1997 est cependant un peu plus gras, avec un fruité confituré. Il est également plus faible en acidité. Ce sont deux vins bien faits, dans un style commercial et sans détour, et qui présentent davantage de similitudes que de différences. **A boire dans les 5 ou 6 ans.** (1/99)

1996 • **85** Rubis foncé de robe, le 1996 se révèle souple et ouvert, fruité et évolué, d'ores et déjà accessible. **A boire dans les 5 ou 6 ans.** (1/99)

ROLLAND-MAILLET – BON

Grand cru
Propriétaire : SCEA des Domaines Rolland-Maillet
Adresse : 33330 Saint-Émilion
Adresse postale : SCEA des Domaines Rolland-Maillet
Maillet – 33500 Pomerol
Tél. 05 57 51 23 05 – Fax 05 57 51 66 08
Visites : sur rendez-vous uniquement
Contact : Dany Rolland

Superficie : 3,35 ha (Saint-Émilion)
Vin produit : Château Rolland-Maillet – 20 000 b (pas de second vin)
Encépagement : 75 % merlot, 25 % cabernet franc
Densité de plantation : 4 000 pieds/ha – *Age moyen des vignes :* 30 ans

Élevage :
fermentations et cuvaisons de 25-35 jours
en petites cuves d'acier inoxydable thermorégulées ;
vieillissement de 18 mois en fûts de 1 et 2 ans ; ni collage ni filtration

A maturité : dans les 3 à 9 ans suivant le millésime

1996 • **85** Cette propriété, appartenant à Michel Rolland, propose généralement des Saint-Émilion bien faits et accessibles. Vêtu de rubis foncé, le 1996 séduit par son nez de cerise noire et de terre. Moyennement corsé, il exprime tout en rondeur un caractère mûr, fruité et savoureux. **A boire dans les 5 ou 6 ans.** (1/99)

LA ROSE-POURRET

Grand cru

Propriétaire : Bernadette Warion

Adresse : 33330 Saint-Émilion

Tél. 05 57 24 71 13 – Fax 05 57 74 43 93

Visites : sur rendez-vous uniquement

Contact : Philippe Warion

Superficie : 8 ha (Saint-Émilion)

Vins produits :

Château La Rose-Pourret – 40 000 b ; Château Vieux Tertre – 10 000 b

Encépagement : 70 % merlot, 20 % cabernet franc, 10 % cabernet sauvignon

Densité de plantation : 6 000 pieds/ha – *Age moyen des vignes :* 35 ans

Rendement moyen : 46 hl/ha

Élevage :

fermentations et cuvaisons de 21-30 jours
en cuves de béton revêtues thermorégulées ;
vieillissement de 15-18 mois en fûts (30-40 % de bois neuf) ;
collage ; légère filtration

ROYLLAND

Grand cru

Propriétaire : Bernard Oddo

Adresse : 33330 Saint-Émilion

Tél. 05 57 24 68 27 – Fax 05 57 24 65 25

Visites : sur rendez-vous uniquement

Contact : Anne Masset

Superficie : 10 ha (Saint-Émilion)

Vin produit : Château Roylland – 50 000 b (pas de second vin)

Encépagement : 85 % merlot, 15 % cabernet franc

Densité de plantation : 6 000 pieds/ha – *Age moyen des vignes :* 25-30 ans

Rendement moyen : 45 hl/ha

Élevage :

fermentations et cuvaisons de 28-56 jours
en cuves de béton et en cuves d'acier inoxydable
avec système de contrôle des températures ;
vieillissement après les malolactiques de 18 mois en fûts (50 % de bois neuf)
pour 60 % de la récolte, en cuves pour le reste ;
soutirage bimestriel ; collage au blanc d'œuf ; pas de filtration

1997 Ce vin rubis foncé présente un doux fruité à l'attaque, mais il s'amenuise par la suite. Il faut le boire ces **5 ou 6 prochaines années.** (1/99)
•
83-85

1996 • **86** Rubis foncé de robe, avec un doux nez de petits fruits, d'herbes séchées, de tabac herbacé et de doux chêne, le Roylland 1996 révèle en bouche une maturité et une opulence de bon aloi. C'est une belle réussite pour le millésime. **A boire dans les 8 à 10 ans.** (1/99)

SAINT-GEORGES CÔTE PAVIE – BON

Grand cru classé
Propriétaires : Jacques et Marie-Gabrielle Masson
Adresse : 33330 Saint-Émilion
Tél. 05 57 74 44 23
Visites : sur rendez-vous uniquement
Contact : Jacques Masson

Superficie :
5,5 ha (Saint-Émilion, sur le coteau entre Pavie et La Gaffelière)
Vin produit :
Château Saint-Georges Côte Pavie – 30 000 b (pas de second vin depuis 1992)
Encépagement : 80 % merlot, 20 % cabernet franc
Densité de plantation : 5 500 pieds/ha – *Age moyen des vignes :* 25-30 ans
Rendement moyen : 46 hl/ha

Élevage :
fermentations et cuvaisons de 20 jours en cuves thermorégulées ;
vieillissement de 18-20 mois en fûts (25 % de bois neuf) ;
collage à l'albumine ; légère filtration

Cette minuscule propriété de Saint-Émilion jouit d'une excellente situation sur le coteau de Pavie ; elle est bordée d'une part par le vignoble de Pavie, de l'autre par celui de La Gaffelière.

Les seuls millésimes que j'ai dégustés – les 1988, 1989 et 1990 – étaient ronds, généreusement dotés et accessibles. Malgré leur manque de complexité, ils se distinguaient par leur fruité trapu et sans détour de fruits noirs généreusement marqué de chêne neuf et de notes herbacées. Ces vins sont, à mon sens, capables d'une garde de 8 à 12 ans. Une propriété à suivre.

SAINT-LÔ

Grand cru
Propriétaire : Vatana et Fils
Adresse : 33330 Saint-Pey-d'Armens
Adresse postale : Consulat de Thaïlande
26, avenue Carnot – 33000 Bordeaux
Tél. 06 09 72 11 24 – Fax 05 57 22 11 70
Visites : du lundi au vendredi (9 h-12 h et 14 h-16 h 30)
Contact : Jean-François Vergne – Tél. 05 57 47 15 22

Superficie :
13 ha (Saint-Pey-d'Armens, Saint-Hippolyte et Saint-Laurent-des-Combes)
Vin produit : Château Saint-Lô – 50 000 b (pas de second vin)
Encépagement : 85 % merlot, 15 % cabernet franc
Densité de plantation : 5 500 pieds/ha – *Age moyen des vignes :* 17 ans
Rendement moyen : 48 hl/ha

Élevage :
fermentations et cuvaisons de 15 jours environ ;
vieillissement de 18 mois en fûts (50 % de bois neuf) ; collage et filtration

SANSONNET
Grand cru – équivaut à un cru bourgeois
Propriétaire : Sopalia (Reims)
Adresse : 33330 Saint-Émilion
Tél. 05 57 51 03 65 – Fax 05 57 25 00 20
Visites : sur rendez-vous uniquement

Superficie : 7 ha (Saint-Émilion)
Vins produits :
Château Sansonnet – 30 000 b ; Domaine de la Salle – 10 000-15 000 b
Encépagement : 65 % merlot, 20 % cabernet franc, 15 % cabernet sauvignon
Densité de plantation : 5 500 pieds/ha – *Age moyen des vignes :* 35 ans
Rendement moyen : 45 hl/ha

Élevage :
fermentations et cuvaisons de 15-20 jours ; vieillissement de 15-18 mois en fûts (1/3 de bois neuf) ; collage au blanc d'œuf ; légère filtration

---

A maturité : dans les 4 à 14 ans suivant le millésime

TAUZINAT L'HERMITAGE
Grand cru – équivaut à un cru bourgeois
Propriétaire : SCE Vignobles Bernard Moueix
Adresse : 33330 Saint-Pey-d'Armens
Adresse postale : Château Taillefer – 33500 Libourne
Tél. 05 57 25 50 45 – Fax 05 57 25 50 45
Visites : sur rendez-vous uniquement
Contact : Catherine Moueix

Superficie : 9,5 ha (Saint-Hippolyte et Saint-Christophe-des-Bardes)
Vins produits : Château Tauzinat l'Hermitage – 48 000 b ; Grand Treuil – 12 000 b
Encépagement : 90 % merlot, 10 % cabernet franc
Densité de plantation : 6 500 pieds/ha – *Age moyen des vignes :* 35 ans
Rendement moyen : 50 hl/ha

Élevage :
fermentations et cuvaisons de 28-35 jours en cuves thermorégulées ; vieillissement de 12 mois en fûts (15 % de bois neuf) ; collage ; pas de filtration

A maturité : dans les 3 à 8 ans suivant le millésime

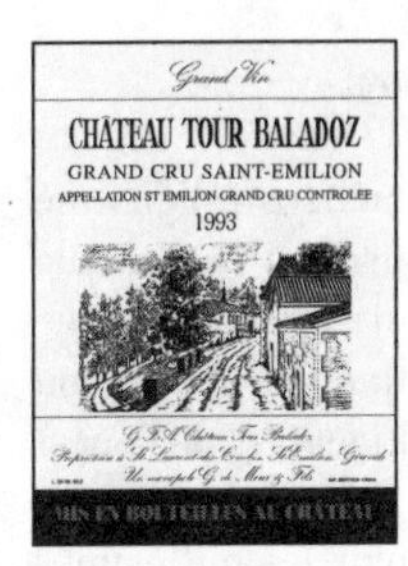

TOUR BALADOZ

Grand cru
Propriétaire : SCEA Château Tour Baladoz
Gérant : Jacques de Schepper
Adresse : 33330 Saint-Laurent-des-Combes
Tél. 05 57 88 94 17 ou 05 57 74 40 94 – Fax 05 57 88 39 14
Visites : sur rendez-vous uniquement
Contact : Jean-Michel Garcion

Superficie : 9 ha (Saint-Laurent-des-Combes)
Vins produits :
Château Tour Baladoz – 40 000 b ; Château Tour Saint-Laurent – 13 000 b
Encépagement : 80 % merlot, 15 % cabernet franc, 5 % cabernet sauvignon
Densité de plantation : 6 000 pieds/ha – *Age moyen des vignes :* 28 ans
Rendement moyen : 45 hl/ha

Élevage :
fermentations et cuvaisons de 28-35 jours en cuves d'acier inoxydable avec système de refroidissement par ruissellement ; vieillissement de 4-8 mois en cuves, puis de 10-18 mois en fûts (60-85 % de bois neuf) ; collage ; pas de filtration

LA TOUR FIGEAC – BON

Grand cru classé – équivaut à un bon cru bourgeois
Propriétaire : SC La Tour Figeac
Adresse : 33330 Saint-Émilion
Tél. 05 57 51 77 62 – Fax 05 57 25 36 92
Visites : sur rendez-vous uniquement
Contact : Otto Max Rettenmaier

Superficie :
14,5 ha (Saint-Émilion, tout près de Pomerol, entre Figeac et Cheval Blanc)
Vins produits :
Château La Tour Figeac – 73 000 b ; Saint-Émilion générique – 9 000 b
Encépagement : 60 % merlot, 40 % cabernet franc
Densité de plantation : 7 000 pieds/ha – *Age moyen des vignes :* 35 ans
Rendement moyen : 45 hl/ha

Élevage :

fermentations et cuvaisons de 21-35 jours
en cuves d'acier inoxydable thermorégulées ;
achèvement des malolactiques en fûts pour une partie de la récolte,
en cuves pour le reste ;
vieillissement de 12-18 mois en fûts (30-50 % de bois neuf) ;
collage et filtration rares

A maturité : dans les 3 à 10 ans suivant le millésime

De nombreuses propriétés de Saint-Émilion, qui étaient autrefois rattachées à l'énorme domaine de Figeac (avant son démembrement, en 1879), incluent aujourd'hui ce vocable dans leur dénomination. Il en va ainsi pour La Tour Figeac, aisément repérable grâce à la tour qui se trouve au milieu de son vignoble et dont il tient une partie de son nom. Le domaine est bordé d'un côté par Cheval Blanc, au sud par Figeac et à l'ouest par l'appellation Pomerol.

La vinification à la propriété est généralement d'un très bon niveau, mais les millésimes du milieu et de la fin des années 80 ont accusé une certaine baisse. Cependant, la qualité est à nouveau au rendez-vous depuis que le château a été racheté, en 1994, par la famille Rettenmaier ; le 1996 en témoigne bien.

1998 • **86-88** Ce vin corpulent, séveux et savoureux arbore une robe rubis foncé et libère de généreux parfums de cerise noire et de cassis. Il compense son léger manque de complexité par une profondeur, une richesse et des proportions d'excellent aloi. Il pourrait être renoté à la hausse s'il développait davantage de nuances. **A boire entre 2000 et 2012.** (3/99)

LA TOUR DU PIN FIGEAC – GIRAUD-BÉLIVIER

Grand cru classé – équivaut à un cru bourgeois
Propriétaire : GFA Giraud-Bélivier
Adresse : 33330 Saint-Émilion
Tél. 05 57 51 63 93 – Fax 05 57 51 74 95
Visites : sur rendez-vous uniquement
Contact : Sylvie Giraud

Superficie : 11 ha (nord-ouest de Saint-Émilion, près de Cheval Blanc)
Vin produit : Château La Tour du Pin Figeac – 64 000 b (pas de second vin)
Encépagement : 75 % merlot, 25 % cabernet franc
Densité de plantation : 5 800 pieds/ha – *Age moyen des vignes :* 30 ans
Rendement moyen : 46 hl/ha

Élevage :

fermentations et cuvaisons de 21-28 jours en cuves de béton ;
vieillissement de 12 mois par rotation en fûts pour 2/3 de la récolte,
en cuves pour le reste ; collage au blanc d'œuf ; pas de filtration

---

A maturité : dans les 3 à 9 ans suivant le millésime

TRIMOULET

Grand cru – équivaut à un cru bourgeois
Propriétaire : Michel Jean
Adresse : 33330 Saint-Émilion
Tél. 05 57 24 70 56 – Fax 05 57 74 41 69
Visites : sur rendez-vous uniquement
Contact : Michel Jean

Superficie : 16 ha (Saint-Émilion)
Vins produits : Château Trimoulet – 50 000 b ; Emilius de Trimoulet – 55 000 b
Encépagement : 60 % merlot, 35 % cabernet franc, 5 % cabernet sauvignon
Densité de plantation : 6 000 pieds/ha – *Age moyen des vignes :* 30 ans
Rendement moyen : 50 hl/ha

Élevage :
fermentations de 8-10 jours et cuvaisons de 21 jours
en cuves de béton thermorégulées ;
vieillissement de 12 mois en fûts (30-40 % de bois neuf) ;
collage ; pas de filtration

A maturité : dans les 3 à 7 ans suivant le millésime

DU VAL D'OR

Grand cru
Propriétaire : GFA Vignobles Bardet
Adresse : 17, La Cale – 33330 Vignonet
Tél. 05 57 84 53 16 – Fax 05 57 74 93 47
Visites : sur rendez-vous uniquement

Superficie : 11 ha (Vignonet)
Vin produit :
Château du Val d'Or – 75 000 b (pas de second vin)
Encépagement : 80 % merlot, 15 % cabernet franc, 5 % cabernet sauvignon
Densité de plantation : 6 000 pieds/ha – *Age moyen des vignes :* 30 ans
Rendement moyen : 50 hl/ha

Élevage :
fermentations et cuvaisons de 35-56 jours
en cuves de béton et en cuves d'acier inoxydable ;
vieillissement de 18-24 mois en fûts (1/3 de bois neuf) ;
collage et filtration

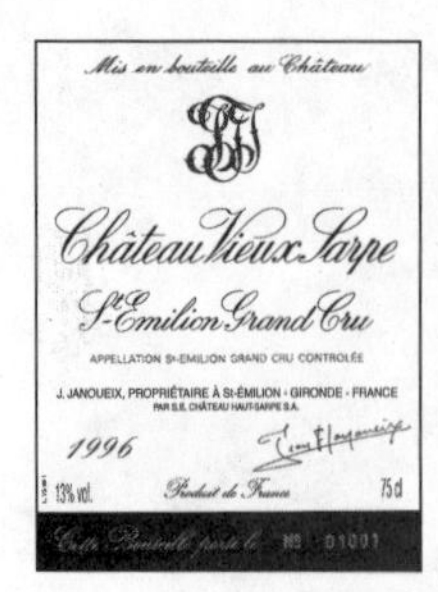

VIEUX SARPE

Grand cru

Propriétaires : Jean et Françoise Janoueix

Adresse : 33330 Saint-Émilion

Adresse postale : Maison Janoueix

37, rue Pline-Parmentier – BP 192 – 33506 Libourne Cedex

Tél. 05 57 51 41 86 – Fax 05 57 51 53 16

Visites : sur rendez-vous uniquement

Contact : Maison Janoueix

Superficie : 11 ha

(à l'est de Saint-Émilion, sur le plateau calcaire entre Trotte Vieille et Haut-Sarpe)

Vins produits : Château Vieux Sarpe – 35 000 b ; Château Haut-Badette – 27 000 b

Encépagement : 70 % merlot, 20 % cabernet franc, 10 % cabernet sauvignon

Densité de plantation : 6 000 pieds/ha – *Age moyen des vignes :* 40 ans

Rendement moyen : 45 hl/ha

Élevage :

fermentations et cuvaisons de 21-28 jours en cuves d'acier inoxydable et en cuves de béton thermorégulées ; vieillissement après les malolactiques de 24 mois en fûts (30 % de bois neuf) ; collage au blanc d'œuf ; pas de filtration

Les informations ci-dessus concernent le Château Vieux Sarpe avant le millésime 1996. Après le dernier classement de Saint-Émilion, 9 ha du Château Vieux Sarpe, qui faisaient autrefois partie de Haut-Sarpe (grand cru classé), ont été repris par cette dernière propriété, dont la superficie est maintenant de 21 ha. Le Château Haut-Sarpe avait été acheté par Joseph Janoueix en 1930, et le Château Vieux Sarpe (détaché de cette dernière propriété depuis le début du XIXe siècle) par Jean-François Janoueix en 1950.

Depuis le millésime 1996, le second vin du Château Haut-Sarpe s'appelle Château Vieux Sarpe (et non Le Second de Haut-Sarpe), et les 2 ha restants du Château Vieux Sarpe font le Château Haut-Badette (nom du second vin avant 1996).

YON-FIGEAC

Grand cru classé – équivaut à un cru bourgeois

Propriétaire : Denis Londeix

Adresse : 3-5, Yon – 33330 Saint-Émilion

Tél. 05 57 42 66 66 – Fax 05 57 64 36 20

Visites : sur rendez-vous uniquement

Contact : Marie Fabre

Superficie : 25 ha (sols sableux de Saint-Émilion)

Vins produits :

Château Yon-Figeac – 105 000 b ; Château Yon-Saint-Martin – 25 000 b

Encépagement : 80 % merlot, 20 % cabernet franc

Densité de plantation : 5 500 pieds/ha – *Age moyen des vignes :* 25 ans

Rendement moyen : 45 hl/ha

Élevage :
macération préfermentaire à froid de 4-5 jours ;
fermentations et cuvaisons de 21-28 jours
en cuves d'acier inoxydable thermorégulées ;
achèvement des malolactiques en fûts pour une partie de la récolte,
en cuves pour le reste ; vieillissement de 12-15 mois en fûts neufs ;
collage au blanc d'œuf ; pas de filtration

A maturité : dans les 3 à 10 ans suivant le millésime

Ce château aux belles tourelles se situe au nord-ouest de Saint-Émilion, sur des sols légers et sableux qui donnent généralement des vins soyeux, au caractère très prononcé de fruits noirs et rouges. Je ne pense pas que ce cru soit capable d'une très longue garde, mais j'avoue n'en avoir jamais dégusté d'exemple de plus de 7 ans d'âge.

BARSAC ET SAUTERNES

Les régions viticoles de Barsac et de Sauternes se trouvent à moins de trois quarts d'heure de voiture de Bordeaux. La production de leurs liquoreux, aussi laborieuse qu'onéreuse, doit presque chaque année faire face à d'énormes problèmes liés au climat et à la main-d'œuvre. En outre, pendant une bonne partie de ce siècle, les viticulteurs ont eu plus ou moins de difficultés à vendre ces vins moelleux et doux, souvent voluptueux et extrêmement riches, aux arômes exotiques ; en effet, depuis quelques années, les consommateurs recherchent surtout des vins secs. Ajoutez à cela qu'il est rare que l'on compte plus de trois très bons millésimes par décennie, et vous comprendrez que les producteurs se soient quelque peu laissés aller au pessimisme et qu'ils aient cru que leur temps était révolu. De nombreux propriétaires ont vendu ou se sont mis à produire également des vins blancs secs pour résoudre leurs problèmes de liquidités.

Cependant, d'autres, tout aussi nombreux, se sont obstinés, envers et contre tout. Conscients que leurs vins comptent parmi les plus fantastiques de la planète, ils ont misé sur une conjonction favorable des astres, sur la bienveillance du climat et sur un réveil de la clientèle – qui, pensaient-ils, allait en fin prendre conscience de l'excellence de leurs blancs liquoreux, pour le moins terriblement sous-évalués. Et il semble qu'en fin de compte leur entêtement ait fini par payer : il n'est pas impossible, en effet, que la seconde moitié de la décennie 80 soit perçue rétrospectivement, par les historiens du vin, comme le début d'une grande renaissance des appellations Barsac et Sauternes.

Ce renversement de tendance est dû à plusieurs facteurs. Tout d'abord, les dieux se sont mis de la partie, puisque trois millésimes qui deviendront peut-être légendaires – 1986, 1988 et 1989 – ont entraîné un regain d'intérêt de la part des amateurs pour les vins de la région. La décennie 90 a elle aussi débuté sous de bons auspices, avec un millésime aussi somptueux que puissant.

De plus, de nombreux domaines, qui avaient stagné dans la médiocrité pendant toute une période, ont commencé à produire des vins réellement intéressants. La véritable résurrection du célèbre Château La Tour Blanche, qui appartient au ministère de l'Agri-

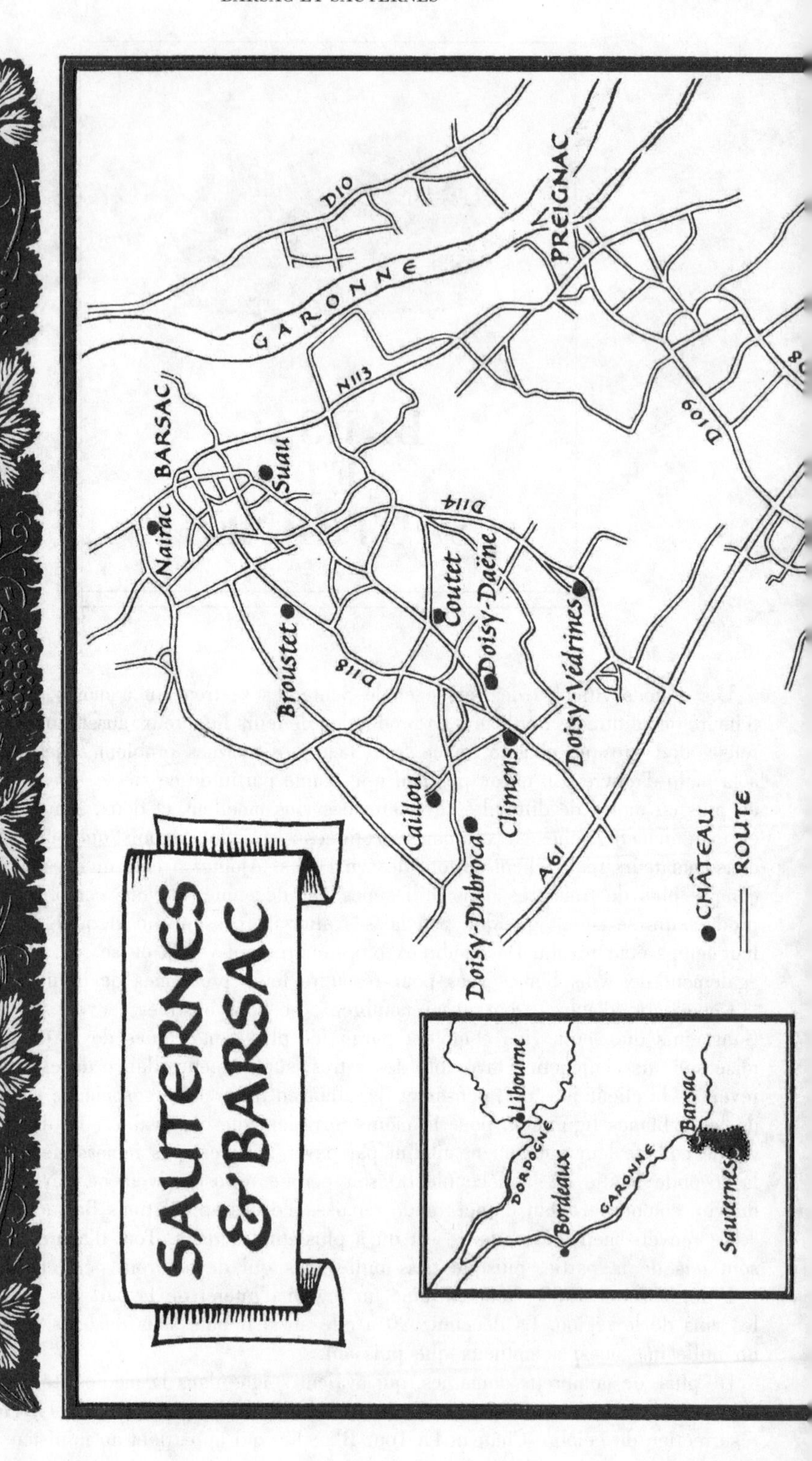
SAUTERNES & BARSAC
GARONNE
D10
PREIGNAC
N113
BARSAC
Suau
Nairac
D114
D109
Coutet
Doisy-Daëne
Doisy-Védrines
Broustet
D118
Caillou
Climens
Doisy-Dubroca
A61
CHÂTEAU
ROUTE
Libourne
DORDOGNE
Bordeaux
GARONNE
Barsac
Sauternes

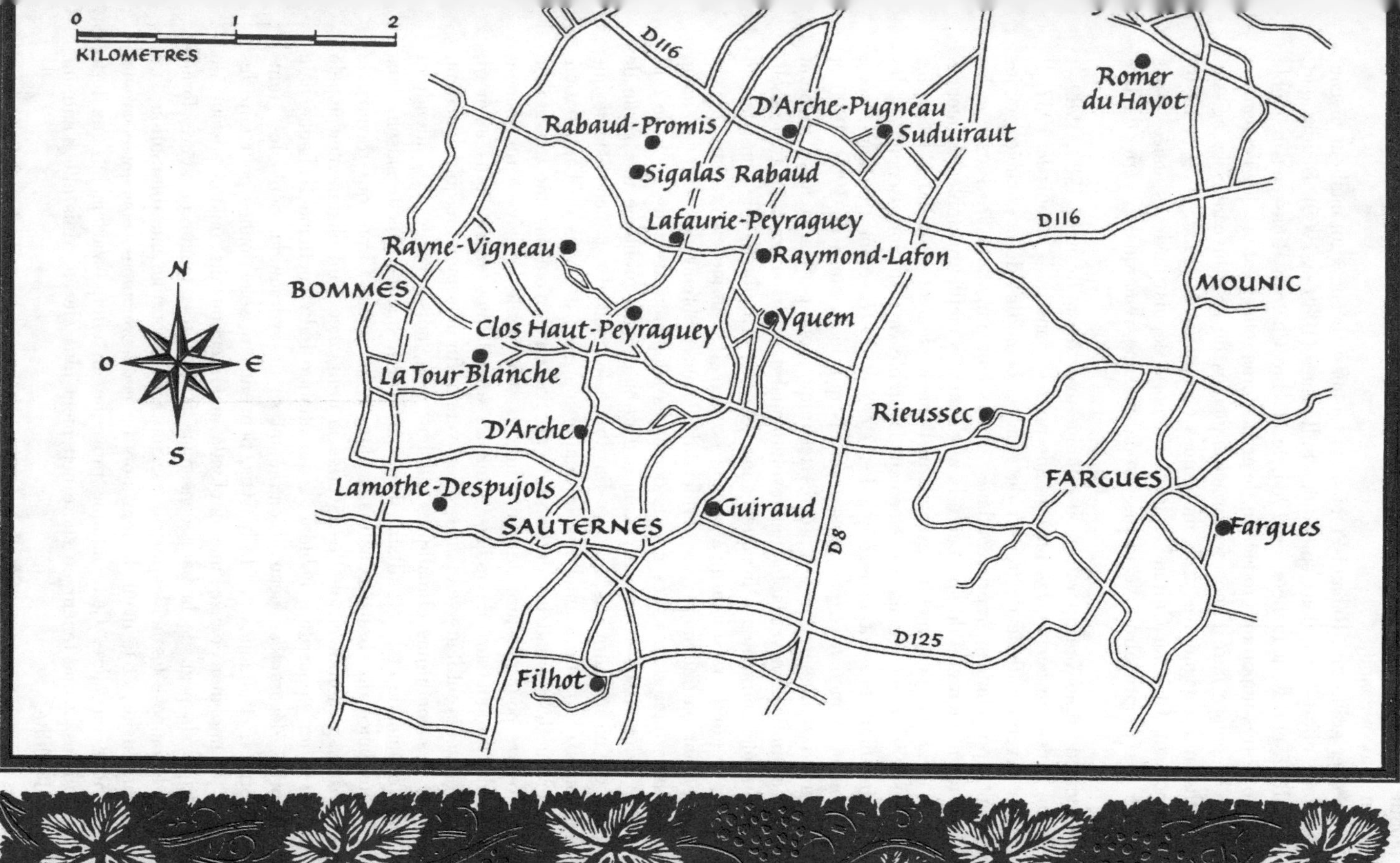
0
1
2
KILOMETRES
D116
Romer du Hayot
Rabaud-Promis
D'Arche-Pugneau
Suduiraut
Sigalas Rabaud
D116
Lafaurie-Peyraguey
Rayne-Vigneau
Raymond-Lafon
N
BOMMES
MOUNIC
Clos Haut-Peyraguey
Yquem
O
E
La Tour Blanche
Rieussec
D'Arche
S
FARGUES
Lamothe-Despujols
Guiraud
SAUTERNES
Fargues
D8
D125
Filhot

culture, montre que le gouvernement français lui-même est convaincu que le Sauternais mérite d'être mieux reconnu.

Un autre premier grand cru, Rabaud-Promis, est lui aussi revenu à un meilleur niveau, voyant aboutir ses efforts avec deux splendides millésimes (1988 et 1989). D'autre part, les Domaines Rothschild ont racheté, en 1984, le célèbre Château Rieussec ; il semble donc que même ce très important producteur de grands crus rouges estime que l'expansion de son empire ne puisse faire l'impasse sur les liquoreux de haut niveau. S'il s'agissait d'un pari, Rothschild a gagné avec trois millésimes exceptionnels (1988, 1989 et 1990).

Au même moment, Château Guiraud, qui s'était repris depuis plusieurs années, sous l'impulsion de ses propriétaires canadiens, produisait une remarquable série de très grands vins.

Ce mouvement de renouveau paraît avoir culminé avec les millésimes 1988, 1989 et 1990, que l'on considère comme les plus grands pour le Sauternais depuis le 1937. Il est aujourd'hui devenu difficile de trouver de grandes bouteilles de ces années, et les producteurs ont, apparemment, repris confiance. Après leur purgatoire, les Barsac et les Sauternes pourraient bien être de nouveau à la mode sur les meilleures tables du monde.

Cela dit, si le climat s'est montré exceptionnellement clément de 1986 à 1990, les années 1991 et 1995 n'ont pas été extrêmement favorables à la région. Cependant, les premières dégustations laissent penser que les 1996 et 1997 seront très bons, voire excellents, quoique, à mon avis, pas aussi profonds que leurs aînés de 1989, 1990 et 1991. Il faut aussi souligner que les progrès techniques ont permis la mise au point d'un procédé de vinification véritablement révolutionnaire, la cryoextraction. Cette technique peut se révéler miraculeuse lorsque l'année est peu favorable – elle consiste tout simplement à refroidir le raisin jusqu'à ce que l'eau se transforme en cristaux, ce qui permet, en séparant partiellement ces derniers du moût, d'obtenir des vins beaucoup plus riches et plus intéressants. Les grands domaines adopteront-ils cette méthode ? Et les vins qui en seront issus seront-ils capables d'affronter sans problème une garde de 10 à 25 ans ? On ne le saura pas avant la fin du siècle, mais il est incontestable que la cryoextraction a contribué à améliorer la qualité moyenne des vins de l'appellation.

Il faut avouer que les viticulteurs de Barsac et de Sauternes n'ont pas une très grande marge de manœuvre pour produire de bons vins. Ils sont sur le qui-vive à un moment où la plupart des producteurs de rouges, dans les appellations situées plus au nord, ont commencé ou achèvent leurs vendanges. C'est vers la fin de septembre qu'ils guettent, dans l'angoisse, les conditions climatiques qui leur sont indispensables. Ils attendront le temps doux et humide et le brouillard, théoriquement fréquents, à cette saison, dans la région. L'alternance des brumes matinales dues à la rivière Ciron, qui traverse le Sauternais, et des après-midi ensoleillés favorise la croissance d'un champignon appelé *Botrytis cinerea* – ou « pourriture noble » –, qui attaque individuellement chaque baie arrivée à maturité, dévorant sa peau et entraînant sa déshydratation. Seuls les grains parfaitement formés, et attaqués par le botrytis, peuvent être sélectionnés pour faire les liquoreux. Ce champignon cause une profonde modification du raisin, surtout du sémillon : il frippe la peau de la baie, consomme 50 % de sa teneur en sucre, forme du glycérol et décompose les acides tartriques. Son action entraîne une diminution d'un quart du volume du jus, et le moût devient alors un nectar onctueux, concentré, aromatique et très riche en sucre. Cette attaque provoque en effet, bizarrement, une forte concentration du jus et une teneur en sucre nettement plus élevée. Mais elle n'entraîne aucune perte d'acidité.

Le processus est relativement long et irrégulier. Il faut souvent de 1 à 2 mois pour qu'une partie significative de la récolte soit affectée par le botrytis. Certaines années, lorsque le champignon se forme très faiblement, le vin manque d'arômes et de complexité. Et, même lorsqu'il se développe, ses progrès sont lents et irréguliers. C'est pourquoi il est nécessaire que les vendangeurs effectuent de nombreux passages dans les vignes (ce que l'on appelle les « tries »), pour ramasser les baies (pas les grappes !) « botrytisées ». Inutile de préciser qu'il s'agit là d'un travail fastidieux et peu productif. Dans les meilleurs domaines, les vendangeurs procèdent à six tries successives (parfois même plus) durant cette période (généralement en octobre et novembre). Le célébrissime Château d'Yquem, quant à lui, fait effectuer jusqu'à dix tries. Mais, outre les dépenses et le temps qu'elle demande, cette méthode met aussi le vigneron à la merci des éléments. Les fortes pluies, les averses de grêle ou le gel – qui ne sont pas rares dans le Bordelais en cette fin de saison – peuvent à tout moment transformer une vendange prometteuse en un véritable désastre.

Puisque les conditions nécessaires à l'élaboration du vin sont si particulières dans le Sauternais, il n'est pas surprenant qu'un grand millésime pour les vins rouges de Bordeaux puisse se révéler médiocre pour les liquoreux. Les années 1982 et 1961 le prouvent bien, puisqu'elles ont été excellentes pour les vins rouges, mais tout au plus moyennes pour les Sauternes et les Barsac. En revanche, 1962, 1967, 1980 et 1988 ont été, selon la plupart des observateurs, très bonnes ou même superbes pour cette région, alors que 1967 et 1980 ont été des millésimes médiocres pour les rouges.

Comme les Médoc, les Sauternes et les Barsac ont fait l'objet d'un classement en 1855. D'Yquem, le vin le plus prestigieux de la région, a reçu le titre de premier grand cru ; en descendant dans la hiérarchie, on trouve, successivement, les premiers crus (aujourd'hui au nombre de onze, puisque plusieurs vignobles ont été divisés) et les deuxièmes crus (qui ne sont plus que douze, au lieu de quatorze, puisque l'un n'existe plus et que deux autres ont fusionné).

Le consommateur doit savoir, en outre, que trois crus bourgeois non classés, Raymond-Lafon, De Fargues et Gilette, atteignent le niveau des meilleurs domaines (hormis D'Yquem) bien qu'ils n'aient pas été classés en 1855. En revanche, un certain nombre de premiers crus et de deuxièmes crus ne sont pas à même d'élaborer leurs vins selon la tradition – qui implique, nous l'avons vu, l'entretien d'équipes de vendange sur une période de 4 à 8 semaines. Plusieurs d'entre eux ne méritent plus leur rang, et je l'ai signalé dans les pages qui suivent.

Quant au Château d'Yquem, il domine indiscutablement les autres crus – au propre, par ses tours, comme au figuré, par sa qualité. Il produit un vin merveilleusement riche, distingué, unique. A mon avis, c'est tout simplement le meilleur du Bordelais. Les domaines du Médoc classés premiers crus doivent compter chaque année avec des challengers puissants pouvant atteindre leur niveau : pour ce qui concerne la rive droite, les trois grands, Petrus, Cheval Blanc et Ausone, sont parfois égalés et même dépassés par d'autres domaines de leurs appellations respectives. D'Yquem, en revanche, n'a pas de concurrent (à l'exception, peut-être, de Coutet et de Suduiraut lorsqu'ils élaborent leurs extraordinaires Cuvée Madame... mais en quantité microscopique !). Ce n'est pas que les meilleures propriétés de Barsac et de Sauternes, telles que Climens, Rieussec ou Suduiraut, ne puissent pas produire de très grands vins ; c'est plutôt que D'Yquem élabore son splendide nectar pour un prix de revient tellement élevé qu'il serait suicidaire, pour les autres domaines, de vouloir l'imiter sur ce point.

Lorsque j'ai écrit la première édition de cet ouvrage (en 1984), j'étais sceptique quant à l'avenir de la plupart des propriétés de la région, à l'exception d'une poignée d'entre elles. Cependant, à l'heure actuelle, les perspectives sont complètement transformées par la série de grands millésimes de la seconde moitié de la décennie. De nombreux producteurs ont retrouvé une certaine prospérité économique (et sont parfois même à l'abri d'un accident) – ce dont ils n'auraient pas osé rêver voilà dix ans. Bien entendu, leurs vins, même avec un procédé aussi révolutionnaire que la cryoextraction, sont toujours les plus difficiles à élaborer – il suffirait d'ailleurs sans doute d'une mauvaise série de millésimes ou d'une contre-performance de la nouvelle technique pour refroidir sérieusement leur bel enthousiasme. Cependant, pour l'instant, le baromètre de l'optimisme est presque au beau fixe dans ce qui a été, pendant longtemps, peut-être la région la plus sinistrée du Bordelais.

BARSAC ET SAUTERNES – REPÈRES

Situation : à 40 km environ au sud-est de Bordeaux.
Superficie sous culture de vignes : 2 000 ha en Sauternes et 400 ha en Barsac.
Communes : Barsac, Bommes, Fargues, Preignac et Sauternes.
Production annuelle moyenne : 3 925 000 bouteilles de Sauternes, 1 740 000 bouteilles de Barsac.
Crus classés : 26 crus classés, dont 1 premier cru supérieur – Château d'Yquem –, 11 premiers crus et 14 deuxièmes crus.
Principaux cépages : sémillon et sauvignon blanc, ainsi que de toutes petites quantités de muscadelle.
Principaux types de sol : de profonds lits de graves recouverts d'une très épaisse couche de calcaire. Dans les parties les moins prisées de l'appellation, on trouve également des sols argileux ou sableux.

AVIS AUX AMATEURS

Niveau général de l'appellation : bon à superbe.
Les plus aptes à une longue garde : Climens, Coutet Cuvée Madame, Gilette, Rieussec, Suduiraut, D'Yquem.
Les plus élégants : Climens, Coutet, Doisy-Védrines, Rieussec, La Tour Blanche.
Les plus concentrés : Coutet Cuvée Madame, Cru d'Arche-Pugneau, Lafaurie-Peyraguey, Raymond-Lafon, Suduiraut, D'Yquem.
Le meilleur rapport qualité/prix : Bastor-Lamontagne, Cru d'Arche-Pugneau, Haut-Claverie, Les Justices, Rabaud-Promis, La Tour Blanche.
Les plus exotiques : Cru d'Arche-Pugneau, Raymond-Lafon.
Les plus secrets dans leur jeunesse : ces vins révèlent rarement leur vrai caractère avant 4 à 6 ans d'âge.
Les plus sous-estimés : Rabaud-Promis, La Tour Blanche.
Les étoiles montantes : Cru d'Arche-Pugneau, Rabaud-Promis, La Tour Blanche.
Meilleurs millésimes récents : 1990, 1989, 1988, 1986, 1983, 1976, 1975, 1967, 1962, 1959
Note : le 1996 et les 1997 semblent prometteurs, mais aucun de ces millésimes ne sera du niveau des grandioses 1988, 1989 ou 1990.

MON CLASSEMENT

EXCEPTIONNEL

Climens
Coutet Cuvée Madame
Gilette
Rieussec
Suduiraut Cuvée Madame
D'Yquem [1]

EXCELLENT

Coutet
Cru d'Arche-Pugneau
De Fargues
Guiraud
Lafaurie-Peyraguey
Raymond-Lafon
Suduiraut
La Tour Blanche

TRÈS BON

Doisy Dubroca
Doisy-Védrines
Haut-Claverie
Rabaud-Promis
Sigalas Rabaud

BON

D'Arche, Bastor-Lamontagne, Broustet, Clos Haut-Peyraguey, Doisy Daëne, Filhot, Les Justices, Lamothe, Lamothe Guignard, Liot, De Malle, Nairac, Piada, De Rayne Vigneau, Romer du Hayot, Roûmieu-Lacoste

AUTRES PROPRIÉTÉS NOTABLES DE BARSAC ET SAUTERNES

Caillou, Cru Barréjats, Lamourette, de Rolland, Saint-Marc, Suau

COMMENTAIRES DE DÉGUSTATION

D'ARCHE – BON

2e cru classé en 1855 – devrait être maintenu
Propriétaire : SA Château d'Arche
Adresse : 33210 Sauternes
Adresse postale : SCEA Vignobles Pierre Perromat 33540 Gornac
Tél. 05 56 61 97 64 – Fax 05 56 61 95 67
Visites : sur rendez-vous uniquement
Contact : Jérôme Cosson

Superficie : 28 ha (Sauternes)
Vins produits : Château d'Arche – 45 000 b ; Cru de Braneyre – 10 000 b
Encépagement : 90 % sémillon, 10 % sauvignon
Densité de plantation : 6 000 et 6 500 pieds/ha – *Age moyen des vignes :* 35 ans
Rendement moyen : 15 hl/ha

Élevage :
fermentations de 15 jours en petites cuves d'acier inoxydable thermorégulées ; vieillissement de 4 mois minimum en fûts (1/3 de bois neuf) ; collage si nécessaire ; filtration

---

1. Bien que l'appellation compte certains crus exceptionnels, D'Yquem n'a pas vraiment de concurrent et peut être considéré comme constituant, à lui seul, une classe à part.

A maturité : dans les 5 à 15 ans suivant le millésime

Les vins du Château d'Arche se sont nettement améliorés dans le courant des années 80, mais sont encore proposés à des prix extrêmement raisonnables, compte tenu de leur qualité. Ils sont généralement très onctueux et richement fruités ; cela tient non seulement à leur forte proportion de sémillon, mais également au fait qu'ils sont issus de vendanges tardives et d'une vinification de très haut vol, menée par un propriétaire consciencieux. En effet, il peut y avoir de 7 à 10 tries pour une récolte.

1997 • **86-87** Voici une propriété où le 1997 se révèle plus mûr, plus complexe, plus apte à une longue garde et davantage marqué par le botrytis que le 1996. Il s'agit d'un excellent Sauternes, élégant et moyennement corsé, doté de remarquables arômes de fumé, d'ananas et d'orange. Mûr et crémeux, il est net et moyennement doux, et devrait évoluer de belle manière ces **12 à 15 prochaines années, voire au-delà.** (1/99)

1996 • **85** Plus léger que le 1997, mais très fruité et d'une belle précision, le 1996 est moyennement doux, sans détour et quelque peu dépourvu de complexité. **A boire jusqu'en 2010.** (1/99)

1990 • **87 ?** Peut-être un peu trop mûr et trop alcoolique, le 1990 du Château d'Arche est relativement puissant, mais son point faible pourrait être son manque d'acidité. Sous condition qu'il se redresse, il pourrait se révéler bon, voire très bon, très musclé et ardent, avec un fruité énorme et épais, marqué par la mâche. On peut espérer qu'il évoluera encore. **A boire entre 2000 et 2015.** (11/94)

1989 • **86** Le 1989 semblait au départ lourd et peu précis, tant au fût qu'après la mise en bouteille. Cependant, il s'est étoffé (ce qui augure bien de l'évolution du 1990), déployant maintenant un fruité bien évolué, mûr et musclé, marqué par la mâche. Faible en acidité, il est aussi moyennement sucré. **A boire jusqu'en 2012.** (1/94)

1986 • **88** Ce vin merveilleusement fait et intense, au nez fabuleux d'ananas crémeux, se révèle onctueux et corsé en bouche, où il déploie, outre une belle douceur, une finale persistante, riche à la limite du visqueux. Il est bien évolué pour le millésime. **A boire jusqu'en 2005.** (4/91)

1986 • **88** Voici un autre millésime bien réussi de cette propriété. Quoique moins riche et moins épais que le 1988, il se montre plus racé du point de vue des arômes. Très corsé et concentré, il dévoile, par paliers, de légendaires notes d'orange mielleuse et d'ananas mâtinées de touches de noix de coco. La finale, longue et vive, est bien marquée par le botrytis. **A boire jusqu'en 2006.** (3/90)

Millésimes anciens

Le 1983 est savoureux, mais le 1981 et le 1982 sont moins intéressants. J'ai également dégusté un 1969 étonnamment bon. On peut raisonnablement affirmer que Pierre Perromat, qui a repris les rênes de la propriété en 1981, a réussi dans les années 80 des vins bien meilleurs que les millésimes précédents.

BASTOR-LAMONTAGNE – BON

Non classé – équivaut à un 2e cru
Propriétaire : Foncier Vignobles
Adresse : 33210 Preignac
Tél. 05 56 63 27 66 – Fax 05 56 76 87 03
Visites : du lundi au vendredi
(8 h 30-12 h 30 et 14 h-18 h)
Contact : Michel Garat (administrateur)

Superficie : 58 ha (Preignac)
Vins produits :
Château Bastor-Lamontagne – 100 000 b ; Les Remparts de Bastor – 40 000 b
Encépagement : 80 % sémillon, 20 % sauvignon
Densité de plantation : 7 000 pieds/ha – *Age moyen des vignes :* 35 ans
Rendement moyen : 22 hl/ha

Élevage :
fermentations de 21 jours en fûts pour 25 % de la récolte,
en cuves d'acier inoxydable thermorégulées pour le reste ;
vieillissement de 12-20 mois en fûts (25 % de bois neuf) ;
collage si nécessaire ; filtration

A maturité : dans les 3 à 15 ans suivant le millésime

Bastor-Lamontagne appartient aujourd'hui à Foncier Vignobles, qui possède également le Château Beauregard en Pomerol et le Château Saint-Robert dans les Graves. Cette propriété située à Preignac (l'une des cinq communes de l'appellation Sauternes), non loin du grand domaine de Suduiraut, couvre 58 ha, dont 52 d'un seul tenant ; son vignoble se situe essentiellement sur un sol silico-graveleux. Elle appartint jusqu'en 1710 au roi de France, successeur en Guyenne du roi d'Angleterre, dont les biens furent confisqués en 1453, et doit vraisemblablement une partie de son nom au sieur Vincent de la Montaigne (conseiller au parlement de Bordeaux), qui l'acheta en 1711. Cependant, malgré sa vocation viticole très marquée dès cette époque, le domaine naîtra véritablement à lui-même avec la famille Larrieu, qui régnera sur le château jusqu'en 1904.

Bastor-Lamontagne a toujours été l'un de mes crus préférés, surtout lorsque je cherche un Sauternes à un prix raisonnable plutôt qu'un des grands (nettement plus chers) de l'appellation. Cette propriété n'a jamais, à ma connaissance, mal vinifié un millésime. (Lorsque le botrytis n'est pas au rendez-vous, comme ce fut le cas en 1992 et en 1993, le vin n'est pas mis en bouteille sous l'étiquette de la propriété.) Tous les Bastor-Lamontagne que j'ai goûtés depuis le milieu des années 70 se sont révélés judicieusement élaborés, dotés d'un fruité opulent et pur, et d'un caractère velouté et riche. Ce ne sont pas des Sauternes boisés, dans la mesure où le domaine n'utilise que 25 % de fûts neufs. En revanche, ils se montrent délicieux, généreux et doux, capables d'une garde de 10 à 15 ans. Ce sont précisément leur régularité et leur prix très raisonnable qui font tout leur intérêt. Depuis 1969, la propriété élabore un second vin, Les Remparts de Bastor, issu des jeunes vignes et des premières tries.

1997 • **87-89** Ce vin moyennement corsé, frais et concentré séduit par d'excellents arômes de fruits tropicaux (notamment d'ananas) nuancés de senteurs de lanoline. Son caractère massif est joliment étayé par une heureuse acidité sous-jacente. Il s'agit d'un excellent Sauternes dans sa catégorie, qui devrait bien vieillir. **A boire entre 2003 et 2020.** (1/99)

1996 • **87** Plus léger et moins gras que le 1997, le 1996 présente les légendaires arômes d'abricot, d'ananas et de lanoline caractéristiques du sémillon (cépage dominant de l'assemblage). Ce vin assez massif, moyennement corsé et frais sera des plus accessibles et des plus agréables **entre 2000 et 2012.** (1/99)

1989 • **85** Typique du millésime, le 1989 de Bastor-Lamontagne est très faible en acidité et mûr, avec une robe moyennement dorée, mais étonnamment évoluée, et un fruité extrêmement généreux et rugueux que je ne lui connaissais pas jusqu'ici. **A boire jusqu'en 2010.** (4/91)

1988 • **87** L'excellent 1988 est bien marqué par le botrytis, comme l'atteste son nez mielleux d'ananas et d'orange. La bouche, étoffée et merveilleusement pure, manifeste une précision et une persistance somptueuses. Ce vin modérément doux conviendra tant à l'apéritif qu'au dessert. **A boire jusqu'en 2012.** (4/91)

1986 • **86** Voici un autre excellent millésime de cette propriété. Outre son nez séduisant de caramel, d'orange et d'épices entremêlé de senteurs florales, le 1986 de Bastor-Lamontagne révèle un caractère corsé et opulent, aussi alcoolique que glycériné. Un vin mielleux et somptueux, bien marqué par le botrytis. **A boire jusqu'en 2008.** (3/89)

1983 • **87** Voluptueux et opulent, le 1983 suinte littéralement d'un fruité mûr aux notes d'ananas et de botrytis. Son caractère moyennement corsé et sa finale tout à la fois longue, riche et soyeuse titillent agréablement le palais. Un vin précoce, mais terriblement savoureux, à boire **maintenant.** (3/88)

1982 • **85** Étonnamment bon pour le millésime, ce vin merveilleux et richement fruité est modérément doux et bien équilibré. Doté d'un caractère bien affirmé, il est précoce et déjà prêt. **A boire jusqu'en 2006.** (1/85)

1980 • **82** Le 1980 se distingue particulièrement par ses arômes d'ananas mûr et de melon frais présentés dans un ensemble moyennement massif, mais opulent et joliment concentré. Quoique moins bon que le 1982 ou le 1983, il n'en demeure pas moins réussi et d'un très bon rapport qualité/prix. **A boire jusqu'en 2006.** (1/84)

1976 • **85** Bien réussi dans ce millésime favorable aux Barsac et aux Sauternes, le 1976 de Bastor-Lamontagne est encore capable d'une certaine garde, bien qu'étant à son apogée. Il présente, tant au nez qu'en bouche, des arômes onctueux et mûrs d'orange et d'abricot, et révèle un caractère corpulent qui accompagne bien sa richesse aromatique. **A boire jusqu'en 2005.** (3/86)

1975 • **85** Un nez crémeux de citron et de fruits tropicaux, suivi d'un ensemble mûr et moyennement corsé, étayé par une faible acidité, annonce le Bastor-Lamontagne 1975. Tous ces éléments contribuent à donner un vin modérément doux et bien structuré. **A boire jusqu'en 2015.** (2/83)

BROUSTET – BON

2e cru classé en 1855 – devrait être maintenu
Propriétaire : Didier Laulan
Adresse : 33720 Barsac
Tél. 05 56 27 16 87 – Fax 05 56 27 05 93
Visites : sur rendez-vous uniquement
Contact : Didier Laulan

Superficie : 16 ha (Barsac)
Vin produit : Château Broustet – 20 000 b (pas de second vin)
Encépagement : 75 % sémillon, 15 % sauvignon, 10 % muscadelle
Densité de plantation : 6 600 pieds/ha – *Age moyen des vignes :* 35 ans
Rendement moyen : 15 hl/ha

Élevage :
fermentations de 20 à 25 jours en petites cuves d'acier inoxydable thermorégulées de 25-50 hl ; vieillissement de 12 mois en fûts (20 % de bois neuf), puis de 12 mois en cuves d'acier inoxydable ; collage et filtration

---

A maturité : dans les 5 à 20 ans suivant le millésime, voire au-delà

Broustet est l'un des Barsac les moins connus, et on le trouve fort rarement sur le marché, du fait de sa très faible production. Propriété de la famille Fournier de 1885 à 1992, le domaine a ensuite été vendu à Didier Laulan.

De nombreuses améliorations ont été effectuées à Broustet depuis le milieu des années 80. Si les fermentations se déroulent toujours en cuves d'acier inoxydable, la proportion de fûts neufs pour l'élevage a en revanche été augmentée.

La propriété produit également un vin blanc sec.

1997 • **78-82** Légèrement corsé et aqueux, le Broustet 1997 manque quelque peu de race. Moyennement doux et modérément corsé, il déploie des senteurs de cocktail de fruits, et sa finale est nette. Ce vin sera agréable dans sa jeunesse, mais également capable d'une garde de 10 ans environ. **A boire jusqu'en 2011.** (1/99)

1996 • **84** Voici un autre vin manquant de complexité, mais plus fruité que son cadet d'un an, plus élégant et plus complexe aussi. Assez carré, il est marqué par le botrytis et par des arômes d'ananas et d'orange confite. **A boire dans les 10 à 15 ans.** (1/99)

1989 • **86** Le 1989 devra être consommé rapidement, car il est déjà ample, gras, charnu et juteux. Étonnamment élégant pour le millésime, mais très alcoolique et quelque peu dépourvu de complexité, il est plus doux que le 1988, mais n'a ni son caractère ni son ampleur aromatique. **A boire jusqu'en 2002.** (4/91)

1988 • **88** Plus complexe que le 1989, le 1988 est également servi par une meilleure acidité. Son bouquet relevé de pêche et d'abricot crémeux ainsi que son acidité accompagnent bien son caractère riche, puissant et intense, en lui conférant une belle élégance et de la précision. C'est le meilleur Broustet que je connaisse. **A boire jusqu'en 2008.** (4/91)

1980 • **82** Plutôt réussi, ce vin trapu et bien marqué par le botrytis présente un fruité crémeux d'ananas et une finale tout à la fois souple, mûre et généreuse. **A boire jusqu'en 2009.** (1/85)

1978 • **80** Le 1978 présente des arômes nets, vifs et fruités, dissimulés par un boisé agressif. La bouche, relativement corsée, est un peu creuse et moins savoureuse et douce qu'elle ne le devrait. L'ensemble est ample et boisé, mais se porterait mieux d'un peu plus de fruit mûr. **A boire jusqu'en 2008.** (2/84)

1975 • **85** Le 1975 est l'un des meilleurs Broustet que je connaisse. Plutôt puissant, avec un fruité doux et opulent d'ananas, de pêche et de pomme, il se montre assez corsé en bouche. La finale, persistante et vive, est étonnamment tonique. **A boire.** (4/82)

1971 • **78** Ce vin commence à passer et à perdre de sa fraîcheur et de sa vigueur. Moyennement corsé et épicé, peut-être un peu trop boisé, il manifeste en bouche une bonne concentration et y développe des arômes légèrement sucrés. **A boire – déjà en déclin.** (4/78)

CAILLOU

2e cru classé en 1855 – devrait être maintenu

Propriétaire : Marie-José Pierre-Bravo

Adresse : 33720 Barsac

Tél. 05 56 27 16 38 – Fax 05 56 27 09 60

Visites : sur rendez-vous uniquement

Contact : Marie-José Pierre-Bravo

Superficie : 13 ha (Barsac)

Vins produits : Château Caillou – 25 000 b ; Château Haut-Mayne – 5 000 b

Encépagement : 90 % sémillon, 10 % sauvignon

Densité de plantation : 5 500 pieds/ha – *Age moyen des vignes :* 25 ans

Rendement moyen : 17 hl/ha

Élevage :

fermentations et cuvaisons de 21-28 jours en cuves d'acier inoxydable ; vieillissement de 18 mois en fûts neufs ; collage au blanc d'œuf ; filtration

A maturité : dans les 5 à 10 ans suivant le millésime

Cette propriété, relativement méconnue, se trouve à l'est de Barsac, sur la D 118. Achetée aux enchères, en 1909, par Joseph Ballan, elle est actuellement gérée par sa petite-fille, Marie-José Pierre-Bravo. Le vignoble est implanté sur un sol argilo-calcaire, et les deux tours jumelles du château, relativement modeste, sont visibles de la route.

Jusqu'ici, Caillou a dû se contenter d'une réputation mitigée ; cependant, certains critiques spécialisés considèrent qu'il est sous-estimé, et qu'il produit de très bons Barsac dans un style plutôt léger. Les fermentations se déroulent en cuves d'acier inoxydable, et l'élevage se fait en petits fûts de chêne neufs après filtration. Les vins de Caillou ne m'ont jamais fait une très grosse impression, bien qu'un 1947, dégusté en 1987, se soit montré en pleine forme. Cependant, les millésimes récents témoignent d'une nette amélioration. Les millésimes 1988 et suivants sont en effet plus sérieux et plus complexes que leurs prédécesseurs – en raison, peut-être, de l'augmentation de la proportion de fûts neufs pour l'élevage, passée progressivement de 20 à 100 %.

1997 • **86-87** Faible en acidité, l'onctueux 1997 regorge d'arômes de fruits tropicaux et de miel. Moyennement corsé, il révèle en bouche un caractère extrêmement doux, gras et peut-être un peu écœurant. Il faudrait qu'il s'affermisse et qu'il développe davantage de précision. Son potentiel est de **10 à 15 ans.** (1/99)

1996 • **85** Moyennement corsé et carré, le 1996 est net et dominé par le fruit. Sa finale est modérément douce. **A boire jusqu'en 2012.** (1/99)

1990 • **88** Avec son nez mielleux de cerise, d'abricot et d'orange mûre, le 1990 se montre moyennement corsé, d'une acidité étonnante, et présente une finale épaisse marquée par la mâche. Il est aussi impressionnant que peut l'être un vin de cette propriété. **A boire jusqu'en 2005.** (11/94)

1989 • **84** Le 1989, qui n'est pas mon préféré, apparaît gras, doux et trapu, sans grande complexité ni précision, et son faible niveau d'acidité le rend plus diffus à mesure qu'il vieillit. **A boire jusqu'en 2004.** (11/94)

1988 • **86** Quant au 1988, épais, riche et mûr, il exhale un fruité marqué par des senteurs d'ananas confit et se montre moyennement corsé en bouche, avec un caractère plus élégant que les 1989 et 1990. **A boire jusqu'en 2004.** (11/94)

1986 • **77** Dépourvu d'intérêt, voire insipide, le 1986 manque de profondeur et présente une finale courte et atténuée. Il est difficile de savoir ce qui a cloché dans cet excellent millésime. **A boire jusqu'en 2006.** (3/90)

1985 • **82** Le 1985 est discret et séduit par ses arômes légèrement intenses d'ananas et d'orange. Plutôt léger, mais pas très marqué par le botrytis, il doit être consommé **sans plus attendre.** (3/90)

CLIMENS – EXCEPTIONNEL

1er cru classé en 1855 – mérite son rang (grandiose)
Propriétaire : famille Lurton
Adresse : 33720 Barsac
Tél. 05 56 27 15 33 – Fax 05 56 27 21 04
Visites : sur rendez-vous uniquement
Contacts : Christian Broustaut et Bérénice Lurton

Superficie : 29 ha (partie culminante de Barsac)
Vins produits : Château Climens – 40 000 b ; Les Cyprès de Climens – variable
Encépagement : 100 % sémillon – *Densité de plantation :* 6 600 pieds/ha
Age moyen des vignes : 35 ans – *Rendement moyen :* 16 hl/ha

Élevage :
fermentations et vieillissement de 12-18 mois en fûts (1/3 de bois neuf) ;
pas de collage ; filtration

A maturité : dans les 7 à 25 ans suivant le millésime

Le Château d'Yquem est incontestablement le cru le plus célèbre de la région de Sauternes et de Barsac, et c'est lui qui produit le liquoreux le plus concentré et le plus cher de l'Hexagone. Cependant, je trouve que c'est Climens qui accompagne le mieux les plaisirs de la table, tout en étant merveilleusement complexe – sensationnel. Depuis 1971, il appartient à la famille Lurton, qui contrôle un véritable empire viticole dans le Bordelais, dont les domaines Brane-Cantenac, Durfort-Vivens et Desmirail à Margaux. Toutes ces propriétés produisent certes de bons vins, mais elles ne jouissent en aucune manière, dans leur appellation, du prestige qui est celui de Climens à Barsac.

Depuis plus de deux siècles, en effet, ce domaine est considéré comme l'un des deux grands de la commune. Le château, relativement modeste, a un seul étage et pour seule particularité architecturale ses deux tours carrées latérales au toit d'ardoise ; entouré d'un vignoble de 29 ha, il se trouve à la sortie nord du petit bourg de La Pinesse, sur le plateau le plus élevé de l'appellation Barsac, à environ 25 m au-dessus du niveau de la mer. Nombreux sont les spécialistes à avoir souligné l'importance de cette situation élevée, qui assure un excellent drainage au terrain, donnant par là-même à Climens un avantage décisif sur les crus situés plus bas.

Alors que l'on peut retrouver, sans trop de difficultés, l'origine des noms des châteaux du Bordelais, il n'y a aucune certitude dans le cas de Climens. Pendant la plus grande partie du XIXe siècle, il a appartenu à la famille Lacoste, qui diffusait son vin sous l'étiquette Château Climens-Lacoste. A cette époque, le vignoble couvrait une superficie d'environ 28 ha et produisait 6 000 caisses par an. Cependant, à la fin du siècle dernier, le phylloxéra ravagea le vignoble – comme dans la plus grande partie du Bordelais. En 1871, Climens fut racheté par Alfred Ribet, propriétaire d'un autre domaine de Sauternes appelé Château Pexoto, qui fut par la suite rattaché au Château Sigalas-Rabaud.

En 1885, M. Ribet vendit la propriété à Henri Gounouilhou, et les descendants de ce dernier la dirigèrent jusqu'à son rachat par les Lurton, en 1971. Ce même Henri Gounouilhou, directeur de *Sud-Ouest*, le grand quotidien de la région, a non seulement amélioré la qualité de Climens, mais a également largement œuvré pour qu'il soit reconnu dans le public, et ses successeurs ont poursuivi son action. Les légendaires 1929, 1937 et 1947 ont permis à Climens de surpasser en réputation son voisin Coutet, et même de rivaliser avec D'Yquem.

Quant à Brigitte et Bérénice Lurton, elles ont encore fait progresser le renom de cette extraordinaire propriété. Le seul changement qu'elles aient apporté au vignoble a consisté à supprimer la petite quantité de muscadelle plantée sur le sol de graves et de sables rouges. L'encépagement actuel, entièrement constitué de sémillon, permet, de l'avis des propriétaires, de tirer le meilleur du terroir. Les Lurton ont exclu le sauvignon blanc, dans la mesure où le vin qui en est issu a tendance à perdre ses arômes après quelques années. L'âge moyen des vignes est relativement important, de l'ordre de 35 ans ; seulement 3 à 4 % du vignoble est replanté chaque année. En outre, le rendement, de 16 hl/ha, demeure l'un des plus bas de toute l'appellation à l'heure actuelle ; en effet, alors que la plupart des châteaux les plus importants ont doublé leurs rendements, Climens maintient une production d'un peu plus de 3 300 caisses annuelles, et cela bien que le vignoble compte près de 0,8 ha de plus qu'au milieu du XIXe siècle. Ces chiffres en disent long sur l'exceptionnelle qualité et sur la concentration recherchées.

Le vin est fermenté et élevé pendant 12 à 18 mois en fûts de chêne, avec 1/3 de bois neuf. On estime que c'est la proportion juste permettant une alliance idéale entre les arômes fruités et doux d'ananas et d'abricot du vin et les notes vanillées du bois neuf.

Le meilleur atout de Climens est qu'il s'impose comme le cru le plus merveilleusement élégant de la région. Il est certain que, pour la puissance, le moelleux et l'opulence, ce Barsac ne pourra jamais rivaliser avec le grand D'Yquem, ni même avec Rieussec,

Suduiraut ou la rare et somptueuse Cuvée Madame du Château Coutet. Cependant, si l'on mesure la grandeur d'un vin à l'aune de l'équilibre et de la finesse, Climens n'a pas d'égal et fait largement honneur à sa réputation de liquoreux le plus gracieux de l'appellation. Alors que beaucoup de Sauternes ne sont pas loin d'être écœurants, Climens, dans les grands millésimes, allie le caractère exotique, délicieux et riche de ses arômes d'ananas onctueux à une acidité sous-jacente et piquante ; ce qui contribue non seulement à sa précision et à sa grande fraîcheur, mais aussi à la profondeur de son bouquet délicieusement entêtant.

1997 • **90-94** Le très classique 1997 se distingue par une explosion d'arômes fabuleusement purs d'ananas, d'agrumes, de beurre, de minéral et de fleurs. Sans être puissant ni massif, il présente un caractère moyennement corsé, étonnant de précision, d'élégance et de pureté. Ce vin légèrement doux devrait être agréable dès sa jeunesse ; il évoluera parfaitement ces 15 à 30 prochaines années. Mon instinct me souffle qu'il n'est pas aussi somptueux que le 1990 ni aussi complexe que ses aînés de 1988 ou de 1989. Il s'agit néanmoins d'un Barsac de très haut niveau. **A boire entre 2003 et 2025.** (1/99)

1996 • **88-90** Plus léger que le cru précédent, le 1996 dégage un nez de fruits blancs, de citron et d'autres agrumes nuancé de minéral et d'épices. Moyennement corsé, il présente un fruité vif, bien étayé par une heureuse acidité. L'ensemble est assez doux et finit sur une note tonique. **A boire entre 2003 et 2015.** (1/99)

1990 • **95** Le 1990 se déguste toujours merveilleusement bien – mieux, même, que je ne l'aurais pensé – et se pose maintenant en sérieux rival du fabuleux 1988. Ses arômes absolument superbes (ananas, acacia, vanille et miel) introduisent en bouche un vin riche, très corsé et très alcoolique, d'une puissance inhabituelle pour ce cru, qui présente aussi un bon niveau d'acidité, ainsi qu'un superbe fruité et une grande richesse en extrait. **A boire entre 2000 et 2030.** (11/94)

1989 • **90** Pour des raisons que j'ignore, le 1989 est simplement extraordinaire, mais pas éblouissant. Bien qu'il n'ait pas la complexité de son aîné d'un an, il est charnu, musclé, riche et intense. En bouche, il se révèle très corsé, plus doux que d'habitude, avec un bon niveau d'acidité pour le millésime. S'il acquiert davantage de complexité et de tenue, ma notation actuelle pourra paraître insuffisante. **A boire jusqu'en 2010.** (11/94)

1988 • **96** Outre un abondant fruité d'orange et d'ananas confits, qu'il déploie par couches à la fois au nez et en bouche, le 1988 de Climens recèle une acidité de bon ressort et se montre très marqué par le botrytis. Sa finale est fabuleusement longue et d'une belle précision. Quel grand vin ! **A boire jusqu'en 2015.** (11/94)

1986 • **96** Ce vin irrésistible, tout aussi bon que le 1988, est probablement le meilleur Climens depuis le spectaculaire 1971. D'une couleur légèrement dorée, avec un ample bouquet de chêne neuf, d'orange, d'ananas et d'autres fruits tropicaux, il révèle en bouche une richesse qui impressionne d'autant plus qu'elle s'inscrit dans un ensemble d'une précision et d'une netteté remarquables. Aussi marqué par le botrytis que le 1988, il se montre relativement léger et vif, malgré son intensité et sa belle richesse en extrait. Un Climens étonnant, à son meilleur niveau. **A boire jusqu'en 2010.** (1/91)

1985 • **85** Bien que le millésime ait souffert d'un manque de botrytis, le 1985 de Climens est séduisant, fruité, floral et mielleux, mais quelque peu dépourvu de complexité. Moyennement corsé, il est cependant riche, précoce et savoureux. **A boire jusqu'en 2003.** (11/90)

1983 • **92** Le 1983 s'améliore régulièrement en bouteille et se montre plus grandiose encore que je ne l'aurais imaginé lorsqu'il était encore en fût. Outre les très classiques senteurs d'ananas et de chêne épicé qui contribuent généralement à la profondeur de ce cru, ce vin opulent et extrêmement riche révèle en bouche un caractère généreusement glycériné, mais très tonique du fait de l'heureuse acidité qui l'étaye. Un Barsac stupéfiant et merveilleusement fait, simplement éclipsé par les grandioses 1986 et 1988. **A boire jusqu'en 2009.** (11/90)

1982 • **80** Je n'ai goûté le 1982 que deux fois, mais il n'a jamais révélé l'acidité de bon aloi et la structure que l'on est en droit d'attendre d'un vin de cette propriété. Quelque peu diffus, doux et mou, sans l'acidité qui aurait permis d'équilibrer l'ensemble, il ne pouvait que vieillir rapidement. **A boire – en sérieux déclin.** (3/86)

1980 • **90** Ce merveilleux Climens est extraordinaire avec son bouquet exotique de premier ordre – fruits tropicaux, ananas et melon. Malgré son caractère riche, la bouche n'est pas lourde, offrant des arômes vifs, moyennement corsés et opulents, mais également veloutés et mûrs. Ce vin superbe est l'une des plus belles réussites du millésime. **A boire jusqu'en 2000.** (12/90)

1979 • **85** Belle réussite que ce 1979, avec sa robe pâle, dorée et nuancée de vert. Moins concentré et moins marqué par le botrytis que le 1980, il est plus léger et plus sec, mais assez riche. Vous apprécierez ce Barsac racé et gracieux avec une entrée ou avec le dessert. **A boire jusqu'en 2000.** (3/88)

1978 • **86** Légèrement plus concentré que son cadet d'un an, le 1978 est tout comme lui dépourvu de l'ampleur qui distingue les vins très marqués par le botrytis. En effet, la pourriture noble fut rare cette année-là. Cependant, l'ensemble est charnu, gras et fruité, modérément doux et très corsé, avec un bouquet exceptionnel de noix grillée, de fleurs et de pomme caramélisée. Un Climens élégant. **A boire jusqu'en 2008.** (2/85)

1977 • **80** Bien réussi dans un millésime assez médiocre, le Climens 1977 arbore une robe légèrement dorée nuancée de vert, et, bien que manquant de richesse et de profondeur, se révèle étonnamment vif et frais, avec des arômes de fruits tropicaux. Élégant, il évoque un bon Graves sec. **A boire – peut-être déjà en déclin.** (3/84)

1976 • **87** Assez gras et bien évolué pour un Climens, le 1976 est actuellement fabuleux. Doté d'un fruité charmeur, il exhale d'amples senteurs de fruits mûrs, de miel frais et de chêne vanillé légèrement marquées de notes herbacées. Moyennement corsé, étayé par une acidité assez modérée, il doit être apprécié pour son côté charnu et souple. **A boire jusqu'en 2020.** (3/88)

1975 • **89** Encore remarquablement jeune et fermé, le Climens 1975 est pâle de robe, avec un bouquet serré de noix de coco, de fleurs et de fruits mûrs. Outre un équilibre parfait, la bouche révèle une excellente richesse étayée par une heureuse acidité, ainsi qu'une finale alcoolique, riche et très, très longue. L'ensemble, très corsé et très puissant pour un Climens, est encore terriblement fermé et peu évolué ; il est indiscutablement armé pour le très long terme. **A boire jusqu'en 2020.** (3/90)

1973 • **84** Bien réussi dans ce millésime que l'on connaît généralement pour ses vins légers, le 1973 de Climens doit être apprécié tant qu'il conserve sa fraîcheur et son fruit vif, tonique et intense. Moyennement corsé, plutôt sec pour un Barsac, il est suffisamment aromatique et bien doté en acidité pour être encore intéressant. **A boire jusqu'en 2015.** (3/84)

1972 • **80** La première fois que je l'ai dégusté, j'ai été surpris par la qualité de ce vin. Bien qu'issu d'un millésime épouvantable, il est mûr, légèrement marqué par le botrytis, avec une texture charnue et un bel équilibre d'ensemble. **A boire – peut-être en déclin.** (3/84)

1971 • **94** J'ai dégusté certains Climens légendaires (le 1947 et le 1949 me viennent instantanément en mémoire), mais le 1971 est l'un de mes favoris parmi les millésimes parfaitement mûrs de ce cru. Ce vin classique, puissant, mais discret, allie une belle délicatesse à des arômes riches et opulents. Superbe d'équilibre, il présente une finale longue et vive, et déploie, malgré sa douceur modérée, un caractère délicieux et léger du fait de sa faible acidité. C'est très certainement l'un des meilleurs Barsac que je connaisse. Il se distingue notamment par de généreux arômes d'ananas et de miel. **A boire jusqu'en 2001.** (12/97)

1970 • **70** Le Climens 1970 est simplement bien fait. Terne, un peu pataud et lourd, il arbore une robe pâle et plutôt jolie, mais l'ensemble est assez léger et manque de tenue – les Britanniques diraient que l'« attaque » n'est pas bonne. C'est dans l'ensemble un vin assez quelconque. (5/82)

1967 • **83** Ai-je été malchanceux ? Je ne pense pas avoir goûté de 1967 de Climens de tout premier ordre. Puissant et richement concentré, ce millésime n'est pas, en effet, l'exemple le mieux équilibré que je connaisse de ce cru. Il n'en demeure pas moins ample et bien étoffé, et, si la finale est rugueuse et dépourvue de finesse, l'ensemble est satisfaisant. **A boire jusqu'en 2007.** (12/79)

1962 • **89** La robe du 1962 commence à s'assombrir et à prendre une teinte ambrée et dorée. Ce vin, qui est certainement l'une des belles réussites de la propriété dans les années 60, exhale un nez odorant et absolument fascinant de caramel fondu et de sucre brun doré au beurre. La bouche dévoile des arômes riches, opulents et onctueux, qui demeurent vifs du fait de l'heureuse acidité qui les étaye. Le Climens 1962 peut parfaitement rivaliser avec son jumeau du Château d'Yquem. **A boire jusqu'en 2010.** (1/85)

Millésimes anciens

Nonobstant les légendaires 1929 et 1937 (notés 92 et 90 et dégustés côte à côte en novembre 1988), ainsi que les 1947 et 1949, il me semble que Climens n'a jamais été plus performant (en qualité et en régularité) que de nos jours, soit près de trente ans après son rachat par Lucien Lurton. Le 1947 – dont j'ai goûté plusieurs bouteilles endommagées par de mauvaises conditions de stockage avant d'en trouver une qui soit à la hauteur de sa grande réputation – a été noté 94 en novembre 1990. Le 1949, dégusté en avril 1991, méritait également la note de 94.

Dans les années 50, seul le 1959 (noté 90 en janvier 1989) est mémorable. La propriété a produit ses vins les plus grandioses après 1970.

CLOS HAUT-PEYRAGUEY – BON

1er cru classé en 1855 – équivaut à un cru bourgeois
Propriétaire : GFA du Clos Haut-Peyraguey
Adresse : 33210 Bommes
Adresse postale : Château Haut-Bommes – 33210 Bommes
Tél. 05 56 76 61 53 – Fax 05 56 76 69 65
Visites : tous les jours ; sur rendez-vous pour les groupes
Contacts : Jacques et Jacqueline Pauly

Superficie : 17 ha (Bommes)
Vins produits :
Château Clos Haut-Peyraguey – 24 000 b ; Château Haut-Bommes – 11 000 b
Encépagement : 90 % sémillon, 10 % sauvignon
Densité de plantation : 6 600 pieds/ha – *Age moyen des vignes :* 35 ans
Rendement moyen : 14 hl/ha

Élevage :
fermentations et vieillissement de 24 mois en fûts (25 % de bois neuf) ; collage ; pas de filtration

---

A maturité : dans les 5 à 12 ans suivant le millésime

Le Clos Haut-Peyraguey se situe au plus haut point du plateau de Bommes, sur un coteau entre 50 et 70 m d'altitude, face au Château d'Yquem. L'histoire de ce domaine se confondait, au XVIIIe siècle, avec celle du Château Peyraguey, dont le nom signifie « colline » ou « promontoire ». Lors du partage de ce dernier cru en 1879, la partie la plus élevée en fut détachée et baptisée Clos Haut-Peyraguey. Le vignoble qui l'entoure, dont les pentes sont ouvertes au nord-est, est assis sur des sols sablo-graveleux et sur un sous-sol argileux.

Depuis 1914, le Clos Haut-Peyraguey appartient à la famille Pauly, déjà propriétaire du Château Haut-Bommes, qui le jouxte. Il est géré depuis 1969 par Jacques Pauly et son épouse Jacqueline. Si les vins des années 60, 70 et du début des années 1980 étaient assez quelconques, ceux de la fin de cette dernière décennie et du début de la suivante ont en revanche révélé une nette amélioration de la qualité.

1997 • **85-87** Bien qu'il soit moins concentré que la plupart de ses jumeaux, ce 1997 m'a séduit par son caractère moyennement corsé, frais et vif, par son élégance et ses arômes d'orange et d'autres agrumes confits. Modérément doux et bien marqué par le botrytis, il tiendra 10 à 12 ans. (1/99)

1996 • **85** Le 1996 n'est pas totalement sec. Moyennement corsé et très pur, il offre un nez d'abricot et de cocktail de fruits, qui introduit en bouche un ensemble au boisé fondu (et pas imposant). La finale est racée et épicée. Je conseille de le déguster dans les 10 à 12 ans, bien qu'il puisse à mon sens se maintenir plus longtemps. **A boire jusqu'en 2016.** (1/99)

1990 • **90** Le 1990 est riche et très corsé, avec une texture onctueuse et puissante. Ce Sauternes spectaculaire, ostentatoire et alcoolique évoluera de belle manière. **A boire entre 2004 et 2020.** (11/94)

1989 • **86** Le 1989 souffre de la comparaison avec les deux millésimes qui l'encadrent, en grande partie parce qu'il est plus sec, avec un caractère de cire assez proche de celui d'un Tokay-Pinot gris. Même s'il se présente bien, il semble moins ample que le très aromatique 1988 ou le très riche 1990. Il tiendra bien 20 ans, mais il n'a pas le même fruité que le 1989 et le 1990, et deviendra moins intéressant au fur et à mesure qu'il commencera à se dessécher. (11/94)

1988 • **89** Le 1988, dont le bouquet et les arômes sont supérieurs à ceux du 1989 et du 1990, déploie un nez marquant de chèvrefeuille, de pêche, d'abricot et d'ananas doux. Très corsé et élégant, il tiendra bien 15 ans. **A boire entre 2005 et 2020.** (11/94)

1986 • **85** Quoique plus léger que la plupart de ses jumeaux, le 1986 est séduisant et fruité, avec un caractère moyennement corsé, persistant et bien équilibré. Ses arômes de pêche et d'abricot sont bien marqués par le botrytis. **A boire jusqu'en 2015.** (3/89)

1985 • Simple, sans détour et unidimensionnel, le 1985 est dépourvu de complexité et de tenue. Je n'ai pu y déceler la moindre note de botrytis. **A boire – sans doute en sérieux déclin.** (6/87)

COUTET – EXCELLENT
CUVÉE MADAME – EXCEPTIONNEL

1er cru classé en 1855 – devrait être maintenu
Propriétaires : Philippe et Dominique Baly
Adresse : 33720 Barsac
Tél. 05 56 27 15 46 – Fax 05 56 27 02 20
Visites : sur rendez-vous uniquement
Contact : Dany Constantin

Superficie : 38,5 ha (Barsac)
Vins produits :
Château Coutet – 35 000 b ; Chartreuse de Château Coutet – 10 000 b
Encépagement : 75 % sémillon, 23 % sauvignon, 2 % muscadelle
Densité de plantation : 5 600 pieds/ha – *Age moyen des vignes :* 35 ans
Rendement moyen : 12 hl/ha

Élevage :
fermentations de 21-42 jours et vieillissement de 16-18 mois en fûts (75 % de bois neuf) ; collage et filtration

---

A maturité : dans les 5 à 25 ans suivant le millésime

Le Château Coutet, l'un des plus anciens domaines du Sauternais, date vraisemblablement de la fin du XIIIe siècle, si l'on en juge par sa tour similaire à celle des établissements militaires de l'occupation anglaise en Guyenne. Au XVIIIe siècle, la propriété appartenait à la famille de Lur-Saluces et côtoyait ainsi le prestigieux Château d'Yquem, mais aussi Filhot et De Malle, au sein d'un ensemble qui faisait de cette famille le plus grand producteur de liquoreux de la région, sinon du monde. En 1922, Coutet fut racheté par Louis Guy, fabricant de presses hydrauliques et de matériel viticole, qui fut l'initiateur de la célèbre Cuvée Madame, élaborée à l'époque en hommage à son épouse. Depuis 1977, Marcel Baly et ses fils Philippe et Dominique président aux destinées du domaine.

Le vignoble de Coutet, le plus grand de Barsac, est d'un seul tenant, sur un plan à 12 m d'altitude. Situé à proximité du Ciron (petit cours d'eau favorisant les brouillards nécessaires à la formation du botrytis), il est essentiellement composé d'un sol rougeâtre argileux, mais aussi de graves fines déposées par la Garonne, sur un sous-sol calcaire. Les vins qui en sont issus, réputés élégants, un peu moins liquoreux et moins puissants que leurs pairs, sont généralement bien faits et racés, et accompagnent une plus grande variété de plats que plusieurs de leurs homologues, souvent plus intenses, extrêmement concentrés et boisés. Si les vins produits immédiatement après le rachat de la propriété par Marcel Baly, en 1997, m'ont paru légers et quelconques, les millésimes 1983 et suivants se sont en revanche révélés de premier ordre chaque année. Il semblerait bien que Coutet veuille contester la suprématie du roi D'Yquem en s'imposant comme le premier des Barsac.

La propriété produit également de toutes petites quantités d'un vin onctueux et d'une incroyable richesse, que l'on trouve rarement sur le marché, mais dont il faut souligner l'excellence : la Cuvée Madame. Avec D'Yquem, la Cuvée Madame est l'un des deux meilleurs crus de l'appellation. Elle est issue d'une parcelle spécifique de près de 2,5 ha, d'une moyenne d'âge de 35 ans. La vendange est récoltée baie par baie lorsqu'elle est parfaitement mûre et d'une concentration homogène. Le ramassage se fait généralement en une seule trie, les fermentations durent 3 à 6 semaines en fûts de chêne neuf, et le vieillissement est de 24 mois. Les vins sont collés et filtrés. La Cuvée Madame n'a été produite qu'en 1943, 1949, 1950, 1959, 1971, 1975, 1981, 1986, 1988, 1989 et 1990. Disponible à hauteur de 1 200 bouteilles seulement, c'est un pur nectar, malheureusement difficile à trouver. Les 1971, 1981, 1986, 1988 et 1989 sont, avec le D'Yquem 1921, les liquoreux les plus grandioses que je connaisse de cette région.

La propriété propose encore, à prix raisonnable, un vin blanc sec et frais qu'il faut boire avant qu'il n'ait 4 ou 5 ans d'âge.

1997 • **90-91** Voici une belle alliance classique d'élégance, de richesse et d'intensité. Outre un nez très expressif et floral d'agrumes et de miel nuancé d'orange, de thé noir de Chine, d'ananas et de chêne épicé, le 1997 de Coutet présente une bouche moyennement corsée et exprime tout en finesse des arômes fabuleusement précis de miel. L'ensemble, bien étayé par une heureuse acidité rafraîchissante, devrait être agréable dès sa jeunesse. **A boire entre 2002 et 2020.** (1/99)

1996 • **87-88** Plus léger et plus frais que le cru précédent, le 1996 se distingue par une robe légèrement dorée nuancée de vert. Ce vin moyennement corsé et mûr s'annonce par un nez de pain grillé mâtiné de notes d'agrumes et de fruits tropicaux, qui lui-même introduit en bouche un ensemble assez corsé et assez doux, à la finale nette et pure. Il sera aussi agréable à l'apéritif qu'avec le repas ou en guise de vin de dessert. **A boire entre 2001 et 2018.** (1/99)

1990 • **88** Très corsé, le 1990 est doux, riche et mielleux, mais il n'a ni la précision ni la complexité du 1989. **A boire entre 2005 et 2050.** (11/94)

1990 • **98** Cuvée Madame – C'est le plus riche de la merveilleuse trilogie des 1988, 1989 et 1990. Outre un bouquet profond de chêne neuf grillé et fumé aux notes de pêche et d'abricot mielleux, le 1990 présente des senteurs de noix de coco nuancées de crème brûlée. Ce vin spectaculaire, richement extrait et très corsé est merveilleusement étayé par une heureuse acidité sous-jacente. **A boire entre 2002 et 2030.** (11/94)

1989 • **90** Coutet est l'une des rares propriétés dont le 1989 soit supérieur au 1988 et au 1990. Il est aussi le plus riche, le plus doux et le plus gras des trois. Moyennement corsé et d'une excellente concentration, il déploie un nez pur d'ananas. **A boire entre 2000 et 2015.** (3/96)

1989 • **95** Cuvée Madame – Vêtu d'un doré profond et resplendissant, le 1989 est puissant et massif, avec des arômes de café, de crème anglaise, de pain grillé et de fruits tropicaux crémeux nuancés de noix de coco. Onctueux, débordant de gras et de richesse en extrait, il exprime une bouche moyennement corsée, mais extraordinaire d'équilibre, qui allie magnifiquement puissance et complexité. Ce vin étonnamment épais ne souffre que de la comparaison avec son aîné et son cadet d'un an. **A boire jusqu'en 2030.** (11/94)

1988 • **89+** Plus sec et plus légèrement corsé que ses deux cadets, le 1988 est également moins massif. Il exhale de séduisantes senteurs épicées et vanillées d'agrumes, et déploie un caractère moyennement corsé, dont les nuances de terre m'ont empêché de lui décerner une meilleure note. **A boire entre 2001 et 2018.** (11/94)

1988 • **99** Cuvée Madame – Fait du même métal que ses aînés et ses cadets, le 1988 de la Cuvée Madame atteint des sommets, grâce à son onctuosité et à ses intenses notes de botrytis, et du fait aussi que son caractère massif et corpulent est mieux étayé par une heureuse acidité que celui du 1989 et du 1990. Il est difficile pour ceux qui n'ont encore jamais dégusté la Cuvée Madame d'imaginer un ensemble aussi crémeux, aussi riche, aussi puissant et aussi parfumé, dépourvu de lourdeur. Encore jeune (plus que le 1989 et le 1990), il déploie en bouche, par paliers, des arômes tout à la fois opulents, visqueux et très corsés, aux notes de crème brûlée, de pêche, d'abricot et de poire. La finale est longue de plus de 40 secondes. Ce pourrait bien être le vin de la propriété le plus irrésistible que je connaisse à ce jour. **A boire entre 2000 et 2035.** (11/94)

1986 • **87** Le 1986 est un très bon Coutet. Assez précoce, avec un bouquet bien évolué de fruits tropicaux, de miel et de fleurs printanières, il se révèle très corsé et riche, dévoilant en bouche des arômes d'abricot et de pêche très marqués par le botrytis et étayés par une acidité tonique. La finale, capiteuse et longue, est elle aussi équilibrée grâce à l'acidité de l'ensemble. **A boire jusqu'en 2005.** (11/91)

1986 • **96** Cuvée Madame – Incroyablement luxuriant et onctueux, ce 1986 est aussi richement extrait qu'un très grand D'Yquem, sans toutefois les mêmes arômes prononcés de chêne neuf. Moins évolué que la cuvée générique, il regorge littéralement d'arômes de fruits tropicaux présentés dans un ensemble puissant. Ce vin extraordinairement riche, intense et imposant requiert une garde de 10 ans encore pour révéler toute sa complexité et sa subtilité. **A boire jusqu'en 2020.** (3/97)

1985 • **84** La plupart des Sauternes et Barsac de ce millésime pèchent par leur caractère monolitique et par leur manque de complexité, en particulier lorsqu'on les compare aux 1986 et aux 1988, davantage marqués par le botrytis. Néanmoins, le Coutet 1985 convient aux amateurs appréciant ce type de vin à l'apéritif et accompagne très bien certaines entrées. C'est un vin frais, généreusement fruité, qui manque seulement de la complexité que l'on attend généralement de ce cru. **A boire jusqu'en 2000.** (3/90)

1983 • **87** Sans être le plus ample, le plus concentré ou le plus opulent du millésime, ce vin se voit attribuer une bonne note en raison de son élégance, de sa race et de sa classe incontestables, ainsi que de la vivacité de sa texture. D'une excellente maturité, avec une fraîcheur tonique qui fait son charme, ce Barsac dépourvu de lourdeur sera parfait **jusqu'en 2005.** (3/89)

1981 • **78** Étonnamment mûr, le 1981 est agréable, mais il manque de richesse et de complexité. Cependant, il offre des senteurs fruitées et sans détour de citron et de melon, et déploie en bouche des flaveurs modérément douces et quelque peu brèves. **A boire jusqu'en 2025.** (6/84)

1981 • **96** Cuvée Madame – Ce vin légèrement doré se distingue par ses senteurs amples et mielleuses d'orange, de grillé, de noix de coco et d'autres fruits tropicaux. Tapissant le palais de ses flaveurs épaisses et onctueuses, il est étayé par une acidité suffisante, qui lui confère la précision et le ressort voulus. Un vin colossal. **A boire jusqu'en 2008.** (12/90)

1980 • **80** Bien fait, mais plutôt inintéressant, le 1980 de Coutet manque singulièrement de richesse et de profondeur, même pour un vin léger. Il sera néanmoins agréable à l'apéritif et s'accommodera de desserts légers et pas trop sucrés. **A boire jusqu'en 2015.** (3/86)

1979 • **83** Voici l'une des plus belles réussites de Coutet à un moment où la propriété traversait une période difficile. Vêtu d'un or assez léger, le 1979 dégage un bouquet épicé et floral d'agrumes et d'autres fruits, et révèle en bouche, outre un caractère élégant et moyennement massif, une finale nette et vive. **A boire jusqu'en 2010.** (7/82)

1978 • **75** Léger et manquant d'étoffe, ce vin moyennement corsé et modérément doux est fruité et plaisant, mais il n'est pas très marqué par le botrytis et finit court. **A boire jusqu'en 2010.** (5/82)

1976 • **86** Figurant parmi les meilleurs Coutet de la décennie, ce vin étonnamment ample et alcoolique (il titre 15 ° d'alcool naturel), se distingue par un nez mûr d'abricot, d'épices, de fleurs et de citron. Très corsé, gras et savoureux en bouche, il est bien étayé par l'acidité fraîche et tonique qui est la griffe de ce cru. **A boire jusqu'en 2015.** (3/86)

1975 • **86** Tout aussi bon et aussi expressif que le 1976, le 1975 est cependant plus léger et plus typique du cru dans ses proportions. Gracieux et frais en bouche, il révèle une excellente concentration. **A boire jusqu'en 2002.** (3/86)

1971 • **87** Sans être terriblement puissant, le 1971 s'impose en bouche, révélant une merveilleuse acidité fraîche et tonique, qui étaye parfaitement ses arômes de miel et d'abricot. **A boire jusqu'en 2020.** (3/86)

1971 • **98** Cuvée Madame – Des vins comme celui-ci sont impossibles à décrire fidèlement. Déjà spectaculaire lorsque je l'avais dégusté au milieu des années 70, ce vin n'a cessé de progresser, chaque bouteille se révélant meilleure que la précédente. Les parfums absolument extraordinaires de la Cuvée Madame 1971 – fleurs printanières, fruits crémeux, herbes et vanille – sont rehaussés de senteurs de crème brûlée, et l'ensemble est net et tonique, malgré son extraordinaire intensité, du fait de la très belle acidité qui l'étaye. Ce vin stupéfiant de richesse en extrait est, à l'évidence, bien marqué par le botrytis. N'hésitez pas à faire des pieds et des mains pour pouvoir le déguster. **A boire jusqu'en 2005.** (3/88)

1970 • **72** Assez quelconque, ce vin est dilué, avec des arômes bizarres et végétaux aux notes de goudron. Il manque aussi de profondeur. (2/79)

1967 • **70** Quelle déception que le Coutet 1967, alors que le millésime est excellent en Sauternes et en Barsac ! Extrêmement léger et un peu herbacé, il ressemble davantage à un Graves sec qu'à un vin doux. (12/80)

DOISY DAËNE - BON

2e cru classé en 1855 – devrait être maintenu
Propriétaires : Pierre et Denis Dubourdieu
Adresse : 33720 Barsac
Tél. 05 56 27 15 84 – Fax 05 56 27 18 99
Visites : sur rendez-vous uniquement
Contact : Jeanine Dubourdieu

Superficie : 15 ha (Barsac)
Vins produits :
Château Doisy Daëne (100 % sémillon) – 50 000-60 000 b ;
Château Doisy Daëne Sec
(70 % sauvignon, 20 % sémillon, 10 % muscadelle) – 30 000 b
Encépagement : 70 % sémillon, 20 % sauvignon, 10 % muscadelle
Densité de plantation : 7 200 pieds/ha – *Age moyen des vignes :* 35 ans
Rendement moyen : 20 hl/ha

Élevage :
fermentations et vieillissement de 24 mois en fûts (1/3 de bois neuf) ;
soutirage trimestriel ; collage à la bentonite ; filtration

A maturité : dans les 3 à 12 ans suivant le millésime

Cette propriété – sans doute l'une des plus ambitieusement gérées et des plus novatrices du Bordelais – produit un Barsac d'une excellente tenue, peut-être un peu sous-évalué dans le contexte actuel de l'appellation. Sans aller jusqu'à dire qu'il mériterait d'être classé premier cru, il est certainement, à mon avis, l'un des meilleurs deuxièmes crus. Le vignoble, situé sur le plateau calcaire de Haut-Barsac, est essentiellement composé de sables argileux (les sables rouges de Barsac) surmontant un banc de calcaire fissuré.

Propriété de la famille Dubourdieu depuis 1924, Doisy Daëne porte, aujourd'hui encore, le nom de M. Daëne, propriétaire de Doisy lors du classement de 1855. Depuis 1945, le domaine est géré par Pierre Dubourdieu, qui est actuellement secondé par son fils Denis, ingénieur agronome, également professeur à l'Institut d'œnologie de Bordeaux, qui a largement contribué à révolutionner la vinification des vins blancs de la région bordelaise, avec sa fameuse macération pelliculaire (contact des peaux avec le jus et fermentation à très basse température). Cette méthode permet d'obtenir des vins remarquablement frais et fruités, qui ne requièrent qu'un sulfitage très léger.

Doisy Daëne se montre étonnamment plaisant dans sa jeunesse, induisant par là-même en erreur de nombreux amateurs, qui pensent qu'il est incapable d'évoluer. Bien que le style de vinification soit aujourd'hui différent de ce qu'il était en 1924 ou en 1959, je me souviens d'avoir trouvé ces deux derniers vins, en 1984, encore vifs, frais et extrêmement fruités. Ce cru demeure l'un des plus raisonnablement cotés de l'appellation. Ceux qui apprécient les liquoreux jeunes s'y intéresseront de près.

La propriété produit aussi, mais très rarement, une cuvée spéciale, très riche et liquoreuse, appelée L'Extravagance. Elle propose enfin le meilleur vin blanc sec de l'appellation : en effet, le Doisy Daëne sec est tout à la fois étoffé, frais, tonique et fruité, et – surtout – d'un excellent rapport qualité/prix.

1997 • 88-90 L'impressionnant 1997 dégage un nez modérément intense de noix de coco mâtiné de fumé, de cerise, de citron et d'ananas confit. Extraordinaire de pureté, il libère en bouche un fabuleux fruité, et déploie une finale charnue et bien glycérinée. Il paraît faible en acidité. Ce vin pourrait être renoté à la hausse s'il développait davantage de complexité. (1/99)

1997 • 96-99 L'Extravagance – Cette cuvée prestige est spectaculaire tant en 1996 qu'en 1997. Entièrement issu de sémillon, le 1997 affiche 20 % de sucre résiduel et dissimule parfaitement ses 14,5 % d'alcool. Véritablement gigantesque en bouche, il s'y développe par paliers, révélant d'onctueux arômes de fruits tropicaux confits merveilleusement infusés de notes de chêne neuf. L'ensemble est très doux et fortement marqué par le botrytis. Ce cru est un véritable tour de force en matière de vinification ; il tiendra parfaitement 50 à 100 ans. **A boire entre 2007 et 2050+.** (1/99)

1996 • 86 Plus racé que le 1997, le 1996 est modérément doux et assez massif. Dominé par le minéral, il déploie un caractère à la fois complexe et mielleux, ainsi qu'une finale fraîche et vive. **A boire dans les 10 à 12 ans.** (1/99)

1996 • 98 L'Extravagance – Entièrement issu de sauvignon blanc, l'Extravagance 1996 se présente vêtu d'or profond. Fabuleusement frais et onctueux, il déploie des notes de pamplemousse subtilement nuancées de boisé (malgré les 200 % de bois neuf utilisés pour les 100 à 125 caisses produites). Ce vin énorme, moins massif et moins ample cependant que le 1997, est marqué par une acidité plus importante. C'est un véritable tour de force, au potentiel de garde de 50 ans et plus. **A boire entre 2007 et 2050+.** Je signale aux amateurs que ce cru n'est disponible qu'en caisses bois de... une bouteille. (1/99)

1990 • 91 La cuvée générique se révèle en 1990 plus complexe et plus riche que par le passé : c'est un vin exquis, puissant et opulent – le plus riche et le plus intense Doisy Daëne que je connaisse. D'une couleur dorée assez soutenue, il dégage un nez mielleux influencé par le botrytis, et se montre très alcoolique et puissant, avec une finale capiteuse. Ses flaveurs vigoureuses et sa puissance sont bien étayées par une acidité juste suffisante. **A boire dans les 15 ans, voire au-delà.** (11/94)

1990 • 95 L'Extravagance – En 1990, Doisy Daëne a produit 100 caisses de sa cuvée prestige L'Extravagance, absolument sensationnelle. Très marqué par le botrytis, d'une concentration et d'une richesse en extrait imposantes, ce vin est remarquablement équilibré, malgré sa puissance massive. Il est peu probable que vous trouviez de ce nectar (présenté dans de très lourds flacons de 375 ml) en dehors de Bordeaux. Sa robe dorée, assez soutenue, son intensité et sa puissance extraordinaires donnent à penser qu'il restera magnifique ces **20 prochaines années, voire au-delà.** (11/94)

1989 • 89 Le 1989 se montre aujourd'hui sous un meilleur jour que lors de précédentes dégustations, déployant de généreux arômes de fruits confits, un caractère élégant et une grande richesse. Trapu et profond, il est moyennement corsé, avec une acidité faible, et n'est pas aussi botrytisé que le 1990 ou le 1988. **A boire jusqu'en 2025.** (11/94)

1988 • **89** Le 1988 est plus léger que le 1989 ou le 1990. Moyennement corsé, il présente un nez très aromatique d'ananas, de pêche et de pomme, avec une touche de chèvrefeuille qui lui apporte une certaine complexité. Vif et sec, il est d'ores et déjà parfait, et le demeurera **jusqu'en 2020.** (11/94)

1986 • **88** Quoique moins visqueux et moins marqué par la mâche que le 1983, le 1986 demeure admirable de richesse, trapu et intense, avec un fruit vif, pur et d'une belle précision. Très corsé, il déploie une finale persistante et mielleuse. **A boire jusqu'en 2005.** (3/90)

1985 • **82** Je n'ai pas trouvé que ce vin, pourtant gras mais dépourvu de complexité, était très marqué par le botrytis. **A boire.** (3/90)

1983 • **90** Le 1983 de Doisy Daëne a été vendangé près d'un mois après D'Yquem ; il s'impose comme la plus belle réussite de la propriété ces vingt dernières années. Son bouquet ample et mûr d'ananas, de pêche et de fleurs printanières est incontestablement séduisant, et sa bouche, tout à la fois concentrée, onctueuse et corsée, n'est ni trop alcoolique ni trop lourde. Je pense que ce vin continuera d'évoluer de belle manière du fait de son acidité de bon niveau. **A boire jusqu'en 2005.** (3/90)

1982 • **82** Le Doisy Daëne est l'un des meilleurs 1982. Mûr et fruité, avec des arômes d'orange fraîche, ce vin moyennement corsé et persistant est bien étayé par une acidité fraîche et tonique. La bouche est modérément douce, et la finale solide. **A boire jusqu'en 2006.** (3/87)

1981 • **78** Quelque peu aqueux et peut-être excessivement boisé, ce vin fruité, souple et modérément concentré n'est guère marqué par le botrytis et se révèle court en bouche. **A boire jusqu'en 2008.** (1/85)

1980 • **82** Outre un nez étonnamment évolué, mais très parfumé, de fleurs et d'ananas, le Doisy Daëne 1985 présente une robe légèrement dorée, qui ouvre sur une bouche souple et assez douce. Ses arômes gras et charnus doivent leur caractère léger à l'heureuse acidité qui les étaye. **A boire jusqu'en 2007.** (6/84)

1979 • **84** Plutôt serré et discret, le 1979 est cependant mûr, avec un caractère riche et corsé, et des arômes boisés et généreusement vanillés. Le tout est soutenu par une bonne acidité. **A boire jusqu'en 2000.** (11/85)

1978 • **83** Le 1978 n'est pas très impressionnant. Issu d'une vendange très tardive (fin novembre), il est moins intense que le 1979, mais présente un nez élégant, fruité et épicé. La bouche, ferme et douce, est étayée par une acidité de bon niveau. **A boire jusqu'en 2006.** (6/84)

1975 • **78** Le bouquet du 1975 est quelque peu desservi par des arômes de soufre que l'on retrouve dans la plupart des bouteilles. L'ensemble, riche et crémeux, présente un fruité de miel et d'ananas, et une finale savoureuse et douce. Ce vin est incontestablement meilleur en bouche qu'au nez. **A boire jusqu'en 2010.** (11/82)

DOISY DUBROCA – TRÈS BON
2e cru classé en 1855
devrait être promu 1er cru
Propriétaire : Louis Lurton
Adresse : 33720 Barsac
Adresse postale : Château Haut-Nouchet – 33650 Martillac
Tél. 05 56 72 69 74
Visites : sur rendez-vous uniquement
Contact : Louis Lurton

Superficie : 3,28 ha (Barsac)

Vins produits : Château Doisy Dubroca – 6 000 b ; Demoiselle de Doisy – 1 800 b
Encépagement : 100 % sémillon – *Densité de plantation :* 6 600 pieds/ha
Age moyen des vignes : 20 ans – *Rendement moyen :* 19 hl/ha

Élevage :
fermentations et vieillissement de 12 mois en fûts (1/3 de bois neuf) ;
collage et filtration

A maturité : dans les 7 à 20 ans suivant le millésime

Je n'ai dégusté que de rares millésimes récents de Doisy Dubroca, dont la ressemblance avec Climens n'est pas fortuite. En effet, la vinification des deux crus a longtemps été assurée par la même équipe technique.

Aussi grandiose qu'ait pu être Doisy Dubroca dans les millésimes 1986, 1988 et 1989, ce cru constitue toujours une excellente affaire, en raison de sa faible production et du fait qu'il n'est pas encore très connu des consommateurs. Il circule parmi les initiés...

1989 • **89** Le 1989 de Doisy Dubroca s'annonce par un nez d'agrumes, d'ananas et de cire. Ce vin onctueux et riche, mieux pourvu en acidité et plus précis que la plupart de ses jumeaux, se révèle très corsé, rond et généreux en bouche, où il manifeste encore une belle concentration. Vous apprécierez cette merveille **jusqu'en 2008.** (4/91)

1988 • **92** Ressemblant à s'y méprendre au grandiose Climens de la même année, le Doisy Dubroca 1988 provoque par son bouquet racé, mais imposant, de fleurs printanières et d'ananas, marqué de notes sous-jacentes d'agrumes et de minéral. La bouche, très concentrée, est remarquable de précision et de netteté (du fait d'une bonne acidité), et la finale est étonnamment longue, tonique et vive. Ce vin allie magnifiquement puissance et finesse. **A boire jusqu'en** 2010. (4/91)

1986 • **90** Des senteurs fabuleusement opulentes d'ananas rôti et de chêne neuf annoncent un ensemble riche et moyennement corsé, généreusement doté d'arômes de pêche et d'abricot et marqué de notes de botrytis. Ce vin étoffé et persistant est maintenant à son apogée. **A boire jusqu'en 2005.** (4/91)

DOISY-VÉDRINES – TRÈS BON

2e cru classé en 1855 – devrait être maintenu
Propriétaire : Pierre Castéja
Adresse : route de Boudos – 33720 Barsac
Tél. 05 56 27 15 13 – Fax 05 56 27 26 76
Visites : sur rendez-vous uniquement
Contact : Pierre Castéja

Superficie : 27 ha (Haut-Barsac)
Vin produit : Château Doisy-Védrines – 24 000 b (pas de second vin)
Encépagement : 80 % sémillon, 17 % sauvignon, 3 % muscadelle
Densité de plantation : 6 600 pieds/ha – *Age moyen des vignes :* 30 ans
Rendement moyen : 16 hl/ha

Élevage :
fermentations de 21 jours en cuves thermorégulées ;
vieillissement de 18 mois en fûts (70 % de bois neuf) ;
collage et filtration

A maturité : dans les 4 à 16 ans suivant le millésime

Ce domaine de Barsac est le proche voisin (au sud-est) des deux plus grands domaines de l'appellation, Climens et Coutet. Malheureusement, sa très petite production ne permet pas à beaucoup d'amateurs de découvrir l'excellence de son liquoreux. En revanche, le blanc sec et le rouge produits à la propriété, et diffusés sous le nom de Chevalier de Védrines, sont mieux connus du public. Ces deux vins, accessibles et faciles d'approche, sont délicieux pour leur niveau. Quant au Doisy-Védrines liquoreux, il est nettement plus gras, plus riche et plus intense que son homonyme partiel et proche voisin Doisy Daëne. Il atteint généralement son apogée 5 à 7 ans après le millésime, mais il peut vieillir plus longuement dans les bonnes années.

Le domaine est actuellement géré par le célèbre Pierre Castéja, dont la famille, qui possède Doisy-Védrines depuis 1840, contrôle également la maison de négoce Joanne. Il est secondé par son fils Olivier, œnologue de formation. C'est l'un des rares producteurs de Barsac qui n'hésite pas à déclasser son entière récolte quand la qualité n'est pas au rendez-vous. C'est ainsi que Doisy-Védrines n'a pas diffusé de 1963, 1964, 1965, 1968 et 1974, tous de piètres millésimes. En outre, il effectue autant de tries que nécessaire (jusqu'à neuf en 1983 !) pour ne ramasser que les raisins botrytisés.

Depuis 1983, la propriété s'est également attachée à moderniser son outil de vinification. Le renouvellement du parc à barriques est désormais systématique (50 à 70 % de fûts neufs chaque année) ; la cuverie a été équipée d'une batterie de petites cuves thermorégulées, permettant, outre une vinification parcellaire, l'ajustement de la température des raisins avant l'entonnage pour la fermentation ; des pressoirs hydrauliques ont été remplacés par des pressoirs pneumatiques programmables, et un appareil de contrôle de la richesse en sucre, installé à la sortie du pressoir, permet de sélectionner les jus en fonction de leur degré potentiel et de les orienter par électrovannes dans différentes citernes de réception ; enfin, les chais de vieillissement (tant de première que de deuxième année) ont été climatisés, et deux chambres de cryoextraction ont été installées, afin d'éliminer les excès d'eau lorsque les vendanges se déroulent dans des conditions climatiques peu favorables.

1990 • 87 Bien qu'un peu monolithique, le 1990 ne laisse aucun doute sur son caractère onctueux, épais et doux. D'un doré léger, avec de généreux arômes d'agrumes et de miel nuancés de fumé et de vanille, il se montre moyennement corsé en bouche, étayé par une heureuse acidité et par des notes de botrytis. Un vin massif et trapu, à la finale charnue. **A boire jusqu'en 2015.** (3/97)

1989 • 88 Moyennement doré, ce vin très corsé et doux libère un nez de botrytis, de crème brûlée et de fruits tropicaux crémeux, et déploie en bouche, par paliers, des arômes généreusement gras, charnus, mielleux et de bonne mâche. L'ensemble, luxuriant et spectaculaire, est étayé par une bonne acidité, et présente une finale opulente, très épicée et très alcoolique. **A boire jusqu'en 2012.** (3/97)

1988 • 86 Ce vin jeune (davantage, en fait, que les 1989 et 1990, plus amples et plus épais) est plutôt élégant, et présente, tant au nez qu'en bouche, des arômes de crème brûlée, d'agrumes et d'ananas crémeux. Moyennement corsé et modérément doux, il déploie une finale de qualité et révèle une acidité de bon niveau. Un vin prometteur et jeune, capable d'une longue garde. **A boire jusqu'en 2018.** (3/97)

1986 • 90 Puissant et complexe, le superbe 1986 est presque aussi ample que le grandiose 1989. Il révèle cependant une acidité plus tonique et déploie, pour l'heure, un bouquet plus complexe de fleurs et de miel. La bouche, incontestablement ample et onctueuse, libère des arômes de fruits tropicaux. **A boire jusqu'en** 2005. (11/90)

1985 • 75 Ce vin est étonnamment médiocre, même pour un millésime trop peu marqué par le botrytis. Sans détour et vif, il ne présente aucun caractère mielleux ou onctueux, et se montre également court, compact et dénué de complexité. **A boire jusqu'en 2008.** (11/90)

1983 • 87 Le 1983 a atteint son apogée. Charnu, rond et savoureux, il est extrêmement fruité, souple et d'une onctuosité étonnante, mais manque de tenue et de précision, du fait de son acidité insuffisante. Il n'en demeure pas moins trapu, opulent, très doux et doté de nombreuses qualités. **A boire jusqu'en 2007.** (11/90)

1980 • 84 Fascinant par son nez gras et épicé d'abricot et de noix de coco, le 1980 se montre très mûr et doux, presque confituré, avec une finale douce, alcoolique et d'une bonne tenue. Il compense son léger manque de finesse par son fruit généreux et bien marqué par la mâche. **A boire jusqu'en 2006.** (2/85)

1978 • 80 Charmeur, mais bien plus léger que ne l'est ce cru de coutume, le 1978 n'est pas très marqué par le botrytis, mais il déploie un fruité frais et net de citron et d'ananas, et présente une finale de bonne tenue. **A boire jusqu'en 2007.** (2/82)

1976 • 84 Typique de Doisy-Védrines par son caractère trapu, gras et corpulent, le 1976 regorge d'un fruit mûr et visqueux, bien marqué par le botrytis. Très corsé, avec une heureuse acidité sans laquelle il serait lourd et pataud, il tiendra bien **jusqu'en 2010.** (9/82)

1975 • 86 Le bouquet serré et réticent du Doisy-Védrines 1975 ne se révèle qu'au mouvement du verre. En revanche, son caractère intense, très corsé, extrêmement fruité et mûr ne fait aucun doute. Ses arômes onctueux et opulents d'abricot et de melon sont admirablement étayés par une belle acidité et par des notes de chêne épicé. **A boire jusqu'en 2003.** (3/89)

DE FARGUES – EXCELLENT

Non classé – mériterait d'être promu 1er cru
Propriétaire : famille Lur-Saluces
Adresse : 33210 Fargues-de-Langon
Tél. 05 57 98 04 20 – Fax 05 57 98 04 21
Visites : du lundi au vendredi (9 h-12 h et 14 h-18 h)
Contact : François Amirault

Superficie : 13 ha (Fargues-de-Langon)
Vins produits :
Château de Fargues – 12 000-15 000 b ; Guilhem de Fargues (sec) – 3 000 b
Encépagement : 80 % sémillon, 20 % sauvignon
Densité de plantation : 6 600 pieds/ha – *Age moyen des vignes :* 35 ans
Rendement moyen : 9 hl/ha

Élevage :
fermentations et vieillissement de 42 mois en fûts de 1 an (pas de bois neuf) ; collage si nécessaire ; pas de filtration

A maturité : dans les 8 à 25 ans suivant le millésime

La famille Lur-Saluces possédait déjà le Château de Fargues en 1472, soit près de trois cents ans avant d'acheter D'Yquem. Bien que ce cru n'ait pas été inclus dans le classement officiel, il se révèle de tout premier ordre, ce qui n'a rien d'étonnant quand on sait qu'il a bénéficié des mêmes soins et de la même vinification que son illustre compagnon. Dans certains millésimes, il s'impose même comme le deuxième meilleur vin de l'appellation, et nombreux sont ceux qui, lors de dégustations à l'aveugle, le confondent avec le roi D'Yquem. A dire vrai, il n'a pas le potentiel de garde de ce dernier, mais, lorsqu'il est encore jeune, la ressemblance entre les deux crus est frappante. Il est intéressant de souligner que le vignoble du Château de Fargues se situe très à l'est de celui du Château d'Yquem, et qu'il est vendangé environ 10 jours plus tôt. En outre, les rendements sont ici plus faibles, ce qui permet à certains de dire que, si un pied de vigne donne 1 verre de vin à D'Yquem, il ne le remplit qu'aux deux tiers à De Fargues.

Compte tenu de son prix (un tiers de celui du premier grand cru), De Fargues constitue à l'évidence une très bonne affaire. Malheureusement, la production est minuscule, ce qui ne permet qu'à de rares amateurs de se familiariser avec l'excellence de ce vin.

1986 • 93 Voici le meilleur jeune De Fargues que j'aie dégusté. Cela n'a rien d'extraordinaire quand on sait la somptueuse réussite du Château d'Yquem cette année-là. Outre un bouquet regorgeant de senteurs d'ananas, de crème brûlée, de noix de coco et de café, ce vin présente une bouche fabuleusement riche et très corsée, généreusement dotée d'arômes d'ananas et d'autres fruits tropicaux nuancés de botrytis. Opulente et onctueuse, elle tient sa précision et sa netteté de l'heureuse acidité qui étaye l'ensemble, et la finale, enivrante, se distingue par son caractère capiteux et épicé. **A boire jusqu'en 2010.** (3/90)

1985 • 87 Tout à la fois ample, trapu et corpulent, le 1985 n'est pas marqué par le botrytis, mais il est charnu, musclé et capiteux. Son fruité opulent et précoce, joliment nuancé de généreuses notes de chêne neuf grillé et fumé, le rend irrésistible ; l'ensemble tient sa grande fraîcheur d'une heureuse acidité sous-jacente. **A boire jusqu'en 2002.** (3/90)

1983 • **92** S'il ne peut en aucun cas rivaliser avec l'extraordinaire D'Yquem de la même année, le De Fargues 1983 est un Sauternes sensationnel, qui ressemble étonnamment à son prestigieux jumeau. S'annonçant par un nez fascinant, énorme et crémeux, de caramel, de fumé, de crème brûlée et d'ananas, il se montre puissant, très doux, riche et extrêmement étoffé en bouche. L'ensemble est rehaussé de belles notes de chêne grillé. Ce vin ample, très corsé et intense a encore un bel avenir devant lui. **A boire jusqu'en 2008.** (3/90)

1981 • **90** Le 1981 s'est bonifié, se révélant même meilleur que le D'Yquem de la même année – aussi étonnant que cela puisse paraître. D'une richesse spectaculaire, très doux et très alcoolique, il arbore maintenant une robe moyennement dorée et se montre très marqué par le botrytis. Son caractère onctueux, épais et visqueux et sa faible acidité suggèrent qu'il doit être consommé très prochainement. **A boire jusqu'en 2000.** (3/90)

1980 • **91** Voici un millésime très réussi pour De Fargues. Très puissant, opulent et exotique, le 1980 exhale un bouquet sensationnel de noix de coco, d'abricot, d'amande grillée et de chêne épicé. La bouche, très corsée et d'une richesse luxuriante, évoque D'Yquem par ses arômes, sa texture et sa viscosité. C'est un vin que j'ai dégusté en deux occasions en 1989, toujours avec des notes et des commentaires enthousiastes. **A boire jusqu'en 2000.** (3/89)

1979 • **85** Moins puissant et moins riche que de coutume, le De Fargues 1979 arbore une robe or pâle, et déploie un bouquet grillé et fruité aux notes de boisé et d'agrumes. Moyennement corsé et assez marqué par le botrytis, il est étayé par une bonne acidité et présente une finale nette, épicée, riche et alcoolique. **A boire jusqu'en 2009.** (3/86)

1976 • **90** Un nez aussi explosif que pénétrant, aux notes de caramel et d'abricot, annonce le De Fargues 1976. L'ensemble qui suit en bouche est très corsé, avec des arômes visqueux, doux et mûrs de fruits tropicaux et de noix fumée. Ce vin ample et robuste ne présente aucun signe de déclin, bien qu'il soit parfaitement mûr. **A boire jusqu'en 2005.** (2/91)

1975 • **91** C'est l'un des meilleurs De Fargues que je connaisse. Évoquant D'Yquem par son bouquet de noix de coco, de noix grillée, de fruits exotiques mûrs et de chêne épicé, il se révèle plus serré et moins évolué en bouche que le 1976. En outre, sa robe est d'un or moins léger, et il est doté d'une acidité plus importante. Cependant, tous deux sont également concentrés et riches. **A boire jusqu'en 2010.** (2/91)

1971 • **90** Incroyable de richesse, le 1971 est tout à la fois onctueux, gras, épicé et de bonne mâche. Ce vin énorme, qui suinte littéralement de notes de noix de coco, d'abricot et d'amande, se distingue par son fruité visqueux, par sa belle corpulence et par son caractère alcoolique, qui pourrait vous faire tourner la tête. Un Sauternes classique, ample, intense et parfaitement mûr. **A boire jusqu'en 2010.** (12/80)

FILHOT – BON

2e cru classé en 1855 – devrait être maintenu
Propriétaire : GFA Château Filhot
Adresse : 33210 Sauternes
Tél. 05 56 76 61 09 – Fax 05 56 76 67 91
Visites : sur rendez-vous uniquement
Contact : Henri de Vaucelles

Superficie : 60,4 ha (Sauternes)
Vin produit : Château Filhot – 120 000 b (second vin prévu)
Encépagement : 55 % sémillon, 40 % sauvignon, 5 % muscadelle
Densité de plantation : 6 000 pieds/ha – *Age moyen des vignes :* 26 ans
Rendement moyen : 13-14 hl/ha

Élevage :
fermentations de 14 jours en cuves d'acier inoxydable thermorégulées à 21-22 °C ; vieillissement de 24-36 mois en cuves d'acier inoxydable et en fûts de plus de 5 ans ; collage à la bentonite ; légère filtration

A maturité : dans les 4 à 12 ans suivant le millésime

Le vignoble de Filhot fut créé dans les années 1630 à 1650, et le château lui-même fut construit en 1709 par Romain Filhot, conseiller au parlement de Bordeaux, qui imposa, à l'époque, l'usage de la dénomination « Sauternes » en lieu et place de celle de « vin de Langon » pour désigner les vins liquoreux de la région. Après la Révolution, le domaine échut à la famille de Lur-Saluces par dévolution successorale. Ce fut Romain de Lur-Saluces qui, en 1840, réunit les domaines Filhot et Pinceau de Rey, et qui, en 1845, modifia la bâtisse selon les plans de l'architecte Poitevin, l'entourant d'un magnifique parc à l'anglaise dessiné par Fischer.

Classé en 1855 sous son nom, le Château Filhot est diffusé jusqu'à la fin du XIXe siècle sous l'étiquette Château Sauternes, et reprend son ancien nom – qui est aussi sa dénomination actuelle – en 1901. Les propriétaires, la famille de Vaucelles, tiennent aujourd'hui la propriété de leur aïeule, la comtesse Durieu de Lacarelle, née Lur-Saluces, qui la racheta à son frère en 1935. Depuis 1974, c'est Henri de Vaucelles, avec son épouse et son fils Gabriel, qui préside aux destinées du domaine.

Filhot est certainement l'une des plus belles propriétés du Sauternais. Son vignoble de 60 ha, qui s'étend sur toute la largeur sud du village de Sauternes, est situé sur des coteaux de graves, d'argile et de sable sur plateau calcaire, orientés au sud et au sud-ouest. Bordé par le massif forestier des Landes, il est traversé par le Ciron, qui favorise les brouillards responsables de la formation du botrytis. Le terroir présente un potentiel énorme ; cependant, ce n'est que depuis le milieu des années 80 qu'il tient son rang.

Filhot est généralement plus fruité, plus parfumé et plus léger que la plupart de ses homologues, plus amples. Cela tient au fait qu'il est composé d'une forte proportion de sauvignon blanc et n'est vieilli qu'en vieux fûts – ce qui n'explique pas pour autant son manque de régularité et les nombreux vins quelconques, voire médiocres, produits dans les années 60, 70 et au début de la décennie 80.

1996 • **87** Élégant et moyennement corsé, le Filhot 1996 présente des senteurs de coing, de marmelade d'orange et d'ananas dans un ensemble modérément doté. Assez doux, extrêmement pur et mûr, il est savoureux et harmonieux. **A boire dans les 10 à 15 ans.** (1/99)

1990 • **90** A Filhot, où l'on préfère les fermentations en cuves aux fermentations en fûts, le 1990 se révèle le meilleur vin que je connaisse de la propriété. Ses arômes merveilleusement mûrs de fruits tropicaux confits accompagnent un caractère moyennement corsé, une belle pureté et une excellente acidité. Très marqué par la pourriture noble, ce vin offre une finale longue et acidulée. Il séduit particulièrement par sa belle alliance de richesse, d'acidité et de vivacité. **A boire entre 2000 et 2012.** (11/94)

1989 • **86** Très doux et très épais, le 1989 est un peu lourd et semble évoluer rapidement. Il devrait révéler un fruité doux et confit. **A boire dans les 4 à 6 ans.** (11/94)

1988 • **88** Le 1988 se montre aujourd'hui sous un meilleur jour que lors de précédentes dégustations, déployant un nez merveilleusement pur d'ananas mielleux, ainsi que des flaveurs riches et moyennement corsées. Il recèle également une excellente acidité sous-jacente et un caractère de terroir lui apportant de la complexité. La finale est nette, riche et vive. Ce vin, qui est déjà prêt, évoluera bien ces 10 à 15 prochaines années. **A boire entre 2002 et 2014.** (11/94)

1986 • **87** Vêtu d'une robe légèrement dorée et exhalant un nez floral d'ananas et de fruits tropicaux, le Filhot 1986 se montre assez corsé et fabuleusement pur en bouche, où il déploie, outre une belle élégance, de vifs arômes marqués de botrytis. Ce vin moyennement doux conviendra parfaitement à l'apéritif. **A boire jusqu'en 2008.** (3/90)

1985 • **78** Doux au point d'être lourd, le Filhot 1985 est mou, gras et dépourvu de structure – très quelconque et terne. **A boire jusqu'en 2007.** (3/90)

1983 • **83** Séduisant et léger, bien qu'il ne soit pas très marqué par le botrytis, le Filhot 1983 est moyennement corsé, avec des arômes sans détour, mûrs et presque visqueux de fleurs. L'ensemble manque de précision et de complexité. **A boire jusqu'en 2005.** (4/86)

GILETTE – EXCEPTIONNEL

Cru bourgeois – devrait être promu 1er cru
Propriétaire : Christian Médeville
Adresse : 33210 Preignac
Tél. 05 56 76 28 44 – Fax 05 56 76 28 43
Visites : du lundi au jeudi (9 h-13 h et 14 h-18 h), le vendredi (9 h-13 h et 14 h-17 h)
Contact : Andrée Médeville

Superficie : 4,5 ha (Preignac)
Vin produit : Château Gilette – 6 000 b (pas de second vin)
Encépagement : 90 % sémillon, 8 % sauvignon, 2 % muscadelle
Densité de plantation : 6 600 pieds/ha – *Age moyen des vignes :* 45 ans
Rendement moyen : 10 hl/ha

Élevage :
fermentations en cuves d'acier inoxydable ; vieillissement de 15 mois en cuves ;
diffusion plusieurs années après la mise ; pas de collage ; filtration

A maturité : dans les 20 à 40 ans suivant le millésime

Le Château Gilette est géré de manière très particulière. Bien qu'il n'ait pas été inclus dans le classement officiel, c'est l'un des meilleurs Sauternes, dont le vignoble, situé à plusieurs kilomètres de celui du Château d'Yquem, jouxte la D109, sur un sol sableux au sous-sol d'argile et de pierre. Aussi curieux et incroyable que cela puisse paraître dans le monde actuel, Christian Médeville, le propriétaire, élève ses vins près de 20 ans en cuve avant de les mettre en bouteille. C'est ainsi que le 1955 n'a été mis en bouteille qu'en 1984, soit 29 ans après le millésime. Ces vins sont généralement excellents, avec un caractère mûr et crémeux ; ils sont très prisés des grands chefs, notamment de Pierre Troisgros, dont la carte compte de vieux millésimes de ce cru.

Les vins diffusés tardivement sous l'étiquette « Crème de Tête » se distinguent par leur bel équilibre, leur remarquable fraîcheur, leur robe d'un ambre doré profond et leur fruité généreux et visqueux. Après leur long vieillissement en cuves, ils paraissent souvent plus jeunes qu'ils ne le sont en réalité. Si mon instinct ne me trompe pas, les vins de Gilette sont capables d'une garde de 15 à 25 ans après leur mise sur le marché.

1975 • 93 Crème de Tête – Stupéfiant pour le millésime, ce vin diffusé en 1997 présente une robe d'un doré profond et exhale un nez épicé et vanillé. Regorgeant de généreux arômes frais et vifs d'agrumes mielleux, de poire et d'ananas crémeux, il est probablement plus doux qu'il n'y paraît, mais il laisse en bouche l'impression d'un vin presque sec, du fait de la bonne acidité qui l'étaye. Très corsé, d'une richesse éblouissante et d'une fraîcheur exceptionnelle, ce Sauternes d'une précision inégalée déploie une finale longue de plus de 30 secondes. Il est étonnamment jeune, aussi complexe que merveilleux. **A boire jusqu'en 2010.** (3/97)

1971 • 88 Crème de Tête – Réservé, austère et discret, le 1971 exhale un nez serré, mais séduisant, de terre, de café torréfié, d'herbes et de fruits doux et crémeux. Moyennement corsé, il gratifie le palais d'arômes serrés, mais rehaussés d'une bonne acidité et marqués par le botrytis. Sans être très généreux, ce vin racé et policé devrait bien tenir **15 ans ou plus.** (3/97)

1970 • 88 Crème de Tête – Une robe profonde et dorée précédant un nez d'abricot crémeux introduit en bouche un vin corsé, étonnamment frais et jeune pour son âge. Le Crème de Tête 1970 est, à l'évidence, capable de se conserver quelques années encore. Certes, il n'a pas la complexité des autres grands millésimes de ce cru, mais il impressionne par son caractère étoffé. **A boire jusqu'en 2005.** (3/90)

1967 • 96 Crème de Tête – Tout le monde s'accorde à dire que le D'Yquem 1967 est inégalable, mais je serais heureux de pouvoir le déguster à côté de ce Crème de Tête fabuleusement riche, au bouquet somptueusement intense de caramel et de noisette crémeuse, qu'il marie à des senteurs de fruits confits (ananas, orange, abricot). L'ensemble, d'une richesse luxuriante, est onctueux et de bonne mâche, avec une belle acidité lui conférant équilibre et précision. C'est un vin magnifique, qui demeure miraculeusement frais à 23 ans d'âge. Il devrait évoluer en se bonifiant ces 20, voire ces 30 prochaines années. Un Sauternes outrageusement séduisant ! **A boire jusqu'en 2025.** (3/90)

1962 • 90 Crème de Tête – Libérant un nez très complexe et mielleux regorgeant de luxuriantes senteurs de pêche et d'abricot (dues au botrytis), ce 1962 très corsé déploie en bouche d'opulents arômes de crème brûlée étayés par une belle acidité. L'ensemble est sensuel et luxuriant. **A boire jusqu'en 2015.** (3/90)

1961 • 87 Crème de Tête – Je n'ai jamais dégusté de bon Sauternes de ce millésime ; l'appellation a en fait bénéficié de la belle réputation des rouges. En effet, les vins blancs de 1961 sont loin d'être du niveau des 1959 ou des 1962, et, si la plupart sont très bons, ils sont aussi relativement secs et très alcooliques, dénués de charme et de gras. Quoique excellent, ce vin me paraît moins riche et moins opulent que le 1962. Presque sec, il accompagnera bien un plat à base de foie gras. **A boire jusqu'en 2001.** (3/90)

1959 • 94 Crème de Tête – Un véritable pot de miel ! D'un or moyennement profond, avec un bouquet énorme de noix fumée, de café, de moka et de noix de coco, ainsi que de luxuriantes senteurs d'abricot et de pêche, ce vin étonne par sa richesse et par son caractère très glycériné et très corpulent. Sa finale, longue et alcoolique, est stupéfiante d'intensité et incroyablement capiteuse. Bien qu'il semble parfaitement mûr, ce 1959 est encore remarquablement frais et jeune. **A boire jusqu'en 2010.** (3/90)

1955 • 87 Crème de Tête – Parfaitement mûr, mais étonnamment frais et vivace, le 1955 arbore une robe d'un doré soutenu, et exhale un bouquet riche et mielleux. Très corsé, il déploie une finale longue et mûre. **A boire jusqu'en 2005.** (11/90)

1953 • 86 Crème de Tête – Légèrement moins riche et moins gras que le 1955, le 1953 est épicé et boisé, avec un bouquet évoquant l'ananas mûr et le caramel fondu. Très corsé, encore frais et vif, il impressionne par sa richesse et son onctuosité. **A boire jusqu'en 2001.** (11/90)

1950 • 89 Très corsé et d'une excellente maturité, ce vin gras et doux se distingue par sa finale longue, profonde et veloutée. Belle révélation pour son âge, il est ample et massif. **A boire jusqu'en 2005.** (1/85)

GUIRAUD – EXCELLENT

1er cru classé en 1855 – devrait être maintenu
Propriétaire : SA du Château Guiraud
Adresse : 33210 Sauternes
Tél. 05 56 76 71 01 – Fax 05 56 76 67 52
Visites : sur rendez-vous uniquement
Contact : Noëlle Eymery

Superficie : 98 ha (Sauternes)
Vins produits :
Château Guiraud – 96 000 b ; Le Dauphin du Château Guiraud – 18 000 b
Encépagement : 65 % sémillon, 35 % sauvignon
Densité de plantation : 6 660 pieds/ha – *Age moyen des vignes :* 30 ans
Rendement moyen : 10 hl/ha

Élevage :
fermentations et vieillissement de 18-36 mois en fûts (50 % de bois neuf) ; collage et filtration

A maturité : dans les 5 à 20 ans suivant le millésime

Le Château Guiraud doit son nom au négociant Pierre Guiraud, qui l'acheta en 1766. La propriété demeura dans sa famille pendant quatre-vingts ans, avant d'être vendue aux enchères par son petit-fils, dont les affaires connaissaient quelques difficultés. Elle passa ensuite entre diverses mains, dont celles de Pierre Schröder, négociant bordelais, avant d'appartenir en 1933 à Paul Rival, qui la reçut comme cadeau pour son 20e anniversaire. Fort de sa formation d'ingénieur agronome, celui-ci administra Guiraud jusqu'en 1981, date à laquelle il le revendit à la société canadienne Dolphin National Vineyard Limited, dont les parts majoritaires sont détenues par la famille Narby.

Le Château Guiraud est certainement la propriété la plus étendue du Sauternais, avec 128 ha d'un seul tenant, dont 98 ha complantés en vignes blanches. Le vignoble est essentiellement composé de graves sableuses (80 % de la superficie), mais également de graves argileuses. Les sous-sols sont, quant à eux, plutôt hétérogènes, ce qui explique la nécessité de drainer les parcelles à planter. Outre son célèbre liquoreux (issu de près de 83 ha de vignes, avec 65 % de sémillon et 35 % de sauvignon), la propriété produit également un blanc sec appelé « G » de Guiraud sur un peu plus de 15 ha complantés en sauvignon (70 %) et en sémillon (30 %).

Le vin doux a subi une métamorphose récemment. Dès son arrivée à la propriété, l'ambitieux Hamilton Narby entreprit la rénovation de la demeure, créa un chai de vinification et de stockage à la place de l'ancienne bergerie, et prit – surtout – la décision d'employer à Guiraud les mêmes techniques qu'à D'Yquem, à savoir le ramassage baie par baie, ainsi que la fermentation et le long vieillissement en fûts de chêne. Les amateurs ont donc suivi avec attention l'évolution de ce cru, en espérant que Xavier Planty, l'administrateur de la propriété, saurait réaliser les rêves de son employeur.

Guiraud m'étonne toujours par sa grande richesse, malgré sa forte proportion de sauvignon blanc (35 %). Certes, l'utilisation d'une forte proportion de fûts neufs pour l'élevage ainsi que les vendanges tardives et par tries successives – assurant le ramassage d'un raisin parfaitement mûr – y contribuent, mais elles n'expliquent pas totalement l'intensité de ce cru. Les millésimes postérieurs à 1983 sont particulièrement réussis, et Guiraud s'impose souvent comme l'un des cinq ou six meilleurs crus de l'appellation.

1997 • **88-90** Arborant une robe or moyen et libérant un nez aux généreuses senteurs de marmelade d'orange, de beurre fondu et de litchi, le Guiraud 1997 est gras et carré en bouche, où il développe des arômes de maïs crémeux. Très corsé, corpulent et onctueux, il n'a pas la complexité, la précision ni la fraîcheur du 1996, mais il est incontestablement ample, bien doté et puissant. **A boire entre 2002 et 2025.** (1/99)

1996 • **91** Le 1996 de Guiraud est l'une des grandes réussites du Sauternais pour le millésime. Son nez somptueux de mandarine nuancé de caramel et de maïs crémeux introduit en bouche un vin vêtu d'or profond et doté de très remarquables arômes de thé noir de Chine, de marmelade d'orange, de miel et d'agrumes. L'ensemble, aussi puissant qu'élégant, est très persistant en bouche. N'oubliez pas que l'année fut particulièrement favorable au sauvignon blanc et que ce 1996 est composé à 45 % de ce cépage et pour le reste de sémillon. **A boire entre 2000 et 2025.** (1/99)

1990 • 91 Lors de récentes dégustations, c'est le 1990 de Guiraud qui a emporté la palme, déployant de manière spectaculaire des arômes richement extraits de fumé, d'orange et d'ananas crémeux, de généreuses notes de chêne neuf, des flaveurs et une texture épaisses et massives. Ce vin énorme n'est cependant pas trop imposant, grâce à une acidité suffisante. **A boire dans les 15 à 20 ans.** (11/94)

1989 • 86 Le 1989 manque de structure et, bien que riche et énorme, s'apparente à une masse de sucre, d'alcool et de bois. Il s'agit d'une performance très décevante, même si l'on peut espérer qu'il acquerra avec l'âge davantage de précision dans le dessin, et qu'il reviendra au niveau que laissaient supposer les échantillons tirés du fût. **A boire jusqu'en 2020.** (11/94)

1988 • 89+ Plus serré et moins évolué que dans mes souvenirs, le 1988 dégage aujourd'hui un nez racé et épicé de fruits mûrs légèrement marqué par le botrytis, ainsi que des arômes assez corsés et bien infusés de chêne neuf. Il montre également un séduisant caractère de fumé et de fruits confits, et déploie une finale vive. Ce 1988 est néanmoins plus timide et plus fermé que ne le sont habituellement les vins de la propriété. **A boire dans les 20 à 30 ans.** (11/94)

1986 • 92 Les amateurs fortunés auront plaisir à comparer l'évolution du 1986, du 1988 et du 1989 de Guiraud. Le 1986 fut en son temps la plus belle réussite de la propriété. Je pense cependant que le 1988 le surpassera, du fait de son acidité plus importante et de son meilleur équilibre. Le 1986 est extrêmement concentré et parfumé, généreusement marqué par le botrytis et doté d'arômes crémeux et onctueux de pêche, d'abricot et d'ananas. De belles notes de chêne neuf encadrent l'ensemble, cependant étayé par une acidité moins importante que celle du 1988. La finale est bien équilibrée et d'une longueur exceptionnelle. Ce vin massif et concentré se développera superbement. **A boire jusqu'en 2009.** (3/90)

1985 • 85 Bien fait, très doux et très mûr, le 1985 se distingue particulièrement par ses arômes de chêne neuf fumé et grillé. Il n'est pas très marqué par le botrytis, et se révèle moins fin et moins complexe que le 1983 ou le 1986. Cependant, ce vin sans détour plaira à ceux qui apprécient le Sauternes en apéritif. **A boire jusqu'en 2012.** (3/90)

1983 • 88 Légèrement doré, avec un bouquet intense et mûr d'abricot et d'ananas nuancé de vanille (dû au bois neuf), ce vin très corsé, opulent et riche manifeste en bouche une excellente concentration et un équilibre superbe. Sa finale, persistante, est tonique et alcoolique. **A boire jusqu'en 2005.** (3/90)

1982 • 78 Ample et imposant en bouche, le 1982 présente un fruité collant et visqueux, presque trop lourd. Manquant de finesse, il n'a pas non plus l'acidité nécessaire pour le tonifier. C'est un vin riche, mais fatigant. **A boire jusqu'en 2006.** (6/84)

1981 • 80 Un séduisant bouquet fruité nuancé d'herbes et marqué de notes de chêne neuf, d'épices et d'ananas annonce le Guiraud 1981. C'est un vin moyennement corsé et fruité, qui manque cependant d'ampleur et de complexité. **A boire jusqu'en 2008.** (5/84)

1980 • 75 Étonnamment terne, avec un boisé agressif, le Guiraud 1980 est fruité, mais plat. **A boire jusqu'en 2008.** (6/84)

1979 • **84** Ferme, avec un bouquet réticent d'orange fraîche et d'épices vanillées, le 1979 se montre moyennement corsé, persistant et concentré, avec une acidité de bon aloi. **A boire jusqu'en 2006.** (3/84)

1976 • **87** Vêtu d'un ambre doré profond, le Guiraud 1976 exhale un bouquet rôti et mûr évoquant l'orange caramélisée et l'amande. Très corsé, doux et riche, avec une finale alcoolique, il est à son apogée. **A boire jusqu'en 2009.** (3/84)

1975 • **86** Plus pâle de robe que le 1976, le 1975 dégage un nez mielleux de pêche et d'orange entremêlé de senteurs de chêne neuf. La bouche, grasse et corsée, est nuancée d'amande, de beurre et de caramel. Un Guiraud riche et impressionnant. **A boire jusqu'en 2015.** (3/87)

LAFAURIE-PEYRAGUEY – EXCELLENT

1er cru classé en 1855 – devrait être maintenu
Propriétaire : Domaines Cordier
Adresse : Bommes – 33210 Langon
Adresse postale : Domaines Cordier
53, rue du Dehez – 33290 Blanquefort
Tél. 05 56 95 53 00 – Fax 05 56 95 53 01
Visites : sur rendez-vous uniquement
Contact : Marie-Stéphane Malbec

Superficie : 41 ha (Bommes)
Vins produits :
Château Lafaurie-Peyraguey – 40 000 b ; La Chapelle de Lafaurie – 20 000 b
Encépagement : 90 % sémillon, 5 % sauvignon, 5 % muscadelle
Densité de plantation : 6 600 pieds/ha – *Age moyen des vignes :* 35 ans
Rendement moyen : 13 hl/ha

Élevage :
fermentations et vieillissement de 24-30 mois en fûts (1/3 de bois neuf) ; soutirage trimestriel ; collage au blanc d'œuf ; filtration

---

A maturité : dans les 5 à 25 ans suivant le millésime

Le Château Lafaurie-Peyraguey, l'un des plus anciens du Sauternais, est aussi, pour ce qui est de l'édifice lui-même, l'un des plus extraordinaires de la région. Le porche et les tours d'enceinte datent du XIIIe siècle, tandis que le corps du logis fut reconstruit au XVIIe siècle, et l'ensemble est entouré de murs qui lui confèrent un air hispano-byzantin. On pense qu'il s'agissait à l'origine d'une fortification permettant de dominer la campagne alentour. La propriété doit son nom à M. Lafaurie, qui l'acheta en 1794. Elle fut acquise en 1917 par les Cordier.

Si l'on s'en tient à sa performance des dix dernières années, Lafaurie-Peyraguey est désormais l'un des cinq ou six meilleurs crus de l'appellation, alliant une richesse onctueuse et une grande finesse à un fruit crémeux et à des arômes profonds. En effet, après une période de médiocrité, ce cru s'est imposé dans les années 80 comme un Sauternes irrésistible, luxuriant, riche et complexe. Vinifié sous la direction de Georges Pauli, il a bénéficié d'une réduction de la proportion de sauvignon blanc dans le vignoble, d'un pourcentage plus élevé de fûts neufs pour l'élevage, ainsi que d'une sélection plus sévère (la propriété produit un deuxième vin, La Chapelle de Lafaurie). C'est ainsi que Lafaurie-Peyraguey propose une belle série de réussites à compter de 1981, avec des temps forts en 1983, 1986, 1988 et 1989.

Depuis la fin des années 80, la propriété produit également un vin blanc sec, qu'elle diffuse sous l'étiquette Le Brut de Lafaurie. Si je n'apprécie pas particulièrement les blancs secs, trop lourds, issus de cette région, celui-ci est probablement, avec celui de Doisy Daëne, le meilleur que j'aie goûté. Composé à 40 % de sauvignon blanc, à 40 % de sémillon et à 20 % de muscadelle, il est absolument délicieux, parfumé et étonnamment riche, mais totalement sec et vif.

1997 • **90-92** Le 1997 se distingue par ses fabuleux arômes de noix de coco, d'orange confite, de mandarine, d'ananas, de mangue et de fruits tropicaux. Moyennement corsé et extrêmement riche, sans toutefois être aussi puissant ni aussi massif que ses aînés de 1988 ou 1990, il paraît faible en acidité (en bouche seulement, pas selon les analyses) et déploie une finale longue de 40 secondes environ. Ce vin superbe, tout à la fois épais, onctueux et marqué par le botrytis, sera parfait **entre 2002 et 2025.** (1/99)

1996 • **90** Tout aussi extraordinaire que le cru précédent, le 1996 se distingue par des senteurs de Grand Marnier nuancées de pain grillé, de noix de coco et d'autres fruits exotiques. Dense et moyennement corsé, plus structuré que son cadet d'un an, il déploie en bouche, par paliers, un beau fruité et une finale pure et visqueuse. **A boire entre 2004 et 2025.** (1/99)

1990 • **92** Ce vin s'est considérablement bonifié. Diffus, épais et alcoolique, manquant de complexité lorsqu'il était en fût et juste après la mise, il se présente maintenant vêtu d'une couleur maïs doré profonde, et libère de sensationnelles notes d'agrumes crémeux, d'ananas et de poire, entremêlés de fumé et de crème brûlée. Massif et très corsé, avec une texture onctueuse et puissante, et des arômes juteux qui tapissent le palais tant ils sont riches en extrait, gras et visqueux, ce Sauternes massif tiendra bien une trentaine d'années. **A boire entre 2004 et 2030.** (12/97)

1989 • **89** Pris en sandwich entre deux millésimes magnifiques, le Lafaurie-Peyraguey 1989 pourrait se révéler extraordinaire, avec un bon potentiel de garde. Il a simplement souffert d'être dégusté aux côtés de son aîné et de son cadet. Excellent, presque exceptionnel, il est plus discret et moins visqueux que le 1988 et le 1990, avec des arômes très vifs de fruits tropicaux mielleux rehaussés d'une petite touche d'Amontillado qui contribue à leur complexité. L'ensemble, très corsé, étayé par une belle acidité, est moins marqué par le botrytis que je ne l'aurais pensé. Doté d'une très grande richesse en extrait, il est plus monolithique et plus boisé que le 1988 et le 1990, mais très persistant, avec une finale profonde. **A boire entre 2002 et 2025.** (12/97)

1988 • **95** D'une richesse massive, mais frais et vif, le 1988 se distingue par ses irrésistibles arômes fleuris et veloutés de crème à la vanille, d'orange et d'abricot, ainsi que par ses notes de crème brûlée. L'ensemble tient sa merveilleuse netteté de la belle acidité qui l'étaye. Bien marqué par le botrytis, il est corsé, extrêmement concentré, fascinant de puissance et d'élégance conjuguées. **A boire entre 2001 et 2030.** (12/97)

1986 • **92** Un magnifique bouquet d'ananas, de noix grillée, de chèvrefeuille et d'autres fleurs jaillit littéralement du verre contenant le Lafaurie-Peyraguey 1986. Ce vin riche – véritable essence d'abricot et de fruits tropicaux – est tonique, net et précis du fait de son bon niveau d'acidité. La finale est douce, mielleuse et persistante. Ce vin magnifique est l'un de mes préférés dans ce millésime. **A boire jusqu'en 2010.** (11/96)

1985 • 86 Du fait d'un manque certain de botrytis, le 1985 est sans détour, fruité, gras, mais frais. Il conviendra mieux à l'apéritif qu'au dessert. Bien qu'il soit capable de tenir encore, je suggère de le déguster rapidement. **A boire jusqu'en 2000.** (3/91)

1983 • 92 L'équipe de Cordier a toutes les raisons d'être fière de ce 1983 complexe, parfaitement mûr et d'une concentration splendide. Terriblement intense, visqueux et mûr, il exprime par paliers des arômes crémeux d'abricot dans un ensemble onctueux, mais ni lourd ni fatigant. C'est en fait un vin vif, au fruité exubérant. **A boire jusqu'en 2000.** (3/91)

1982 • 84 Plus léger que le 1983 et très peu marqué par le botrytis, le 1982 est frais et fruité, avec des arômes de melon et de fleurs. La bouche, moyennement corsée et modérément douce, est épicée et nette. **A boire jusqu'en 2008.** (3/87)

1981 • 88 Assez exceptionnel, le 1981 de Lafaurie-Peyraguey libère des arômes mûrs d'abricot ; il se montre riche, visqueux, de bonne mâche et bien étayé par une heureuse acidité, et sa finale est longue, douce et glycérinée. Ce vin marqué par le botrytis est incontestablement l'une des belles réussites du millésime. **A boire jusqu'en 2005.** (6/84)

1980 • 84 Sans être du niveau du 1981 ou du 1983, le 1980 est assurément bien fait. Moyennement massif pour un Sauternes, il présente un bon fruité mûr d'ananas et d'épices, étayé par une acidité modérée. **A boire jusqu'en 2008.** (3/83)

1979 • 85 Premier d'une série de belles réussites pour la propriété (les vins suivants sont cependant plus riches), le 1979 séduit par son merveilleux bouquet épicé d'ananas. L'ensemble, modérément doux, à la finale vive et nette, est bien marqué par le botrytis et par une bonne acidité. **A boire jusqu'en 2008.** (3/82)

1976 • 75 Ce vin n'a pas réellement de défaut, mais il est terne et unidimensionnel, et manque incontestablement de caractère et de profondeur. Un petit Sauternes. **A boire jusqu'en 2006.** (11/82)

1975 • 67 Très atypique, le 1975 se distingue par des notes d'olives et de terre, qui ne paraissent pas nettes ni mûres. La bouche, légère et étonnamment maigre, finit assez piètrement. Il y a incontestablement eu un problème à la propriété en 1975. (12/80)

1970 • 74 Plaisant et agréable, mais très court en bouche, le 1979 n'est ni doux ni très concentré. Il est décevant pour un Sauternes de son rang. **A boire jusqu'en** 2005. (12/80)

LAMOTHE - BON

2e cru classé en 1855 – équivaut à un cru bourgeois
Propriétaire : Guy Despujols
Adresse : 33210 Sauternes
Tél. 05 56 76 67 89 – Fax 05 56 76 63 77
Visites : sur rendez-vous de préférence
(10 h-12 h 30 et 14 h 30-18 h)
Contacts : Guy et Marie-France Despujols

Superficie : 7,5 ha (Sauternes)
Vins produits :
Château Lamothe – 14 000 b ; Les Tourelles de Lamothe – 3 000 b
Encépagement : 85 % sémillon, 10 % sauvignon, 5 % muscadelle
Densité de plantation : 7 400 pieds/ha – *Age moyen des vignes :* 40 ans
Rendement moyen : 22,5 hl/ha

Élevage :
fermentations de 15-30 jours en petits fûts de 45 hl ;
vieillissement de 20-30 mois en cuves pour 75 % de la récolte,
en fûts (30-60 % de bois neuf) pour le reste ; collage et filtration

---

A maturité : dans les 3 à 12 ans suivant le millésime

Suite au partage de la propriété, connue au XIXe siècle sous le nom de Lamothe-d'Assault, deux domaines se sont constitués, qui ont repris dans leur dénomination le vocable Lamothe, suivi pour l'un du patronyme de la famille propriétaire. Les vins de Lamothe (Despujols) sont relativement légers, mais ils méritent d'être découverts, car certains millésimes, tel 1986, révèlent d'heureuses surprises. Du fait de sa forte proportion de sémillon, ce cru est parfumé et souple, avec un fruité précoce. Il m'a semblé que la qualité s'était améliorée depuis la fin des années 80.

1997 • ? Les deux échantillons de 1997 qui m'ont été présentés révélaient des arômes peu expressifs marqués de moisi et de champignon. J'ai essayé d'imaginer ce que serait ce vin sans ces dernières nuances ; il m'a paru moyennement corsé, doté d'un fruité mielleux et d'un caractère minéral sous-jacent, mais il est sans détour et unidimensionnel. **A boire jusqu'en 2012.** (1/99)

1996 • **86** Léger et maigre, avec des arômes de fruits tropicaux présentés dans un ensemble moyennement corsé, le Lamothe 1996 est plaisant et sans détour, agréable à boire sans cérémonie. Il tiendra **10 à 12 ans.** (1/99)

1990 • **88** Gras, avec des arômes énormes et mûrs de fruits confits, le 1990 est très intense et faible en acidité, très corsé et marqué par la mâche. **A boire jusqu'en 2006.** (11/94)

1989 • **87** Bien que très proche du 1990, le 1989 s'est récemment montré plus riche, plus intense et plus net que lors d'une précédente dégustation. Bien gras, il révèle un faible niveau d'acidité, une texture onctueuse et un merveilleux fruité, très intense, de fruits tropicaux. **A boire jusqu'en 2008.** (11/94)

1988 • **72** Je ne comprends pas ce qui s'est passé à Lamothe en 1988, dans un millésime aussi superbe. En effet, le vin est terne, muet, dépourvu de fraîcheur, de caractère et de fruit. Il s'est révélé tel lors de trois dégustations. **A boire jusqu'en 2008.** (4/91)

1986 • **88** Bien que ce cru soit irrégulier et souvent assez quelconque, son 1986 s'impose comme l'une des révélations du millésime. De merveilleuses senteurs de miel marquées d'une bouffée de chêne grillé introduisent en bouche un ensemble opulent, intense, riche et corsé, mais également bien glycériné et merveilleux d'équilibre. Ce vin est incontestablement, avec le 1990, le meilleur que je connaisse de la propriété. **A boire jusqu'en 2005.** (3/90)

1985 • **85** Gras, ample, étonnamment intense et riche, le 1985 présente davantage de corpulence et de caractère que la plupart de ses jumeaux. Il est très peu marqué par le botrytis, mais offre un généreux fruité dans un ensemble trapu et sans détour. **A boire.** (3/90)

LAMOTHE GUIGNARD – BON

2e cru classé en 1855 – devrait être maintenu
Propriétaires : Philippe et Jacques Guignard
Adresse : 33210 Sauternes
Tél. 05 56 76 60 28 – Fax 05 56 76 69 05
Visites : du lundi au vendredi (8 h-12 h et 14 h-18 h)
Contacts : Philippe et Jacques Guignard

Superficie : 17 ha (Sauternes)
Vin produit :
Château Lamothe Guignard – 20 000-40 000 b (pas de second vin)
Encépagement : 90 % sémillon, 5 % sauvignon, 5 % muscadelle
Densité de plantation : 6 600 pieds/ha – *Age moyen des vignes :* 35 ans
Rendement moyen : 17 hl/ha

Élevage :
fermentations en petites cuves ; vieillissement de 12-15 mois en fûts (25 % de bois neuf) ; collage et filtration

A maturité : dans les 5 à 15 ans suivant le millésime

Philippe et Jacques Guignard se sont attelés à redorer le blason de cette propriété dès qu'ils l'ont achetée, en 1981. Je conseille vivement aux amateurs de suivre l'évolution de ce cru, dont les vins se révèlent très prometteurs.

Situé à plusieurs kilomètres de celui du Château d'Yquem, non loin de la D125, le vignoble de Lamothe Guignard est relativement proche de Guiraud, de La Tour Blanche et de Lafaurie-Peyraguey (pour ne citer que les premiers crus). Les nouveaux propriétaires élèvent les vins avec une plus forte proportion de fûts neufs que de coutume et vendangent en plusieurs tries, afin de ne récolter que les baies bien botrytisées. Malgré des résultats impressionnants, ce cru est encore sous-coté.

1997 • **84-86 ?** Monolithique, gras et manquant quelque peu de structure, le 1997 de Lamothe Guignard est très marqué par le botrytis. La bouche, moyennement corsée, offre un fruité de miel, de noix de coco et de raisin sec, mais elle manque de précision et de complexité. Ce vin requiert du temps pour révéler sa vraie nature. (1/99)

1996 • **87** Moins marqué par le botrytis que le cru précédent, le 1996 est dominé par les arômes herbacés de melon et de miel qui caractérisent le sauvignon blanc. Moyennement corsé, il s'exprime davantage en pureté et en finesse qu'en puissance et en force. Vous apprécierez ce vin assez massif dès sa jeunesse et dans les 15 **ans.** (1/99)

1990 • **91** Puissant et onctueux, le 1990 est épais, avec de la mâche, un aspect alcoolique et capiteux, un fruité abondant et un caractère exubérant. Plus aromatique et plus complexe, il se révèle aussi plus ample et plus précis dans le dessin qu'il y a quelques années. **A boire jusqu'en 2006.** (11/94)

1989 • **91** Le 1989 se montre lui aussi plus complexe aujourd'hui que de prime abord, avec plus de caractère. Bien qu'il soit très alcoolique (15 %), il est massif et riche, bien extrait, et paraît doté de manière impressionnante, débordant d'arômes d'abricot, d'orange, d'ananas et de citron mielleux et crémeux. Son acidité remarquable confère à ce vin énorme ressort et vivacité. Le Lamothe Guignard 1989 a été l'une des révélations de cette année. **A boire jusqu'en 2005.** (11/94)

1988 • **89+** Des trois millésimes 1988, 1989 et 1990, celui-ci est le moins évolué et le plus longiligne, avec des arômes de cire et de miel semblables à ceux d'un Tokay-Pinot gris, et des flaveurs riches et moyennement corsées qui semblent fermées et étouffées à cause de son bon niveau d'acidité. Plutôt timide pour un vin de cette propriété, il n'est pas aussi ostentatoire ni aussi musclé que le 1989 ou le 1990. **A boire jusqu'en 2005.** (11/94)

1986 • **87** Outre un nez merveilleux et modérément intense d'ananas, le Lamothe Guignard 1986 se distingue par ses flaveurs riches, veloutées et très marquées par le botrytis, ainsi que par sa finale longue et soyeuse. Ce n'est certes pas l'un des vins du millésime les plus aptes à une longue garde. **A boire.** (3/90)

1985 • **84** Voici, une fois encore, un 1985 qui révèle les difficultés du millésime en Sauternais. Sans détour, mais assez gras, ce vin inintéressant et monolithique est doux, bien doté, étoffé et lourd, et manque tout autant de tenue que de complexité. **A boire jusqu'en 2002.** (3/90)

DE MALLE – BON

2e cru classé en 1855 – devrait être maintenu
Propriétaire : comtesse de Bournazel
Adresse : 33210 Preignac
Tél. 05 56 62 36 86 – Fax 05 56 76 82 40
Visites : sur rendez-vous uniquement
Contact : comtesse de Bournazel

Superficie : 49 ha (Preignac)
Vins produits : Château de Malle – 40 000 b ; Château Sainte-Hélène – 10 000 b
Encépagement : 70 % sémillon, 27 % sauvignon, 3 % muscadelle
Densité de plantation : 6 300 pieds/ha – *Age moyen des vignes :* 25 ans
Rendement moyen : 18 hl/ha

Élevage :
fermentations et cuvaisons de 14-28 jours
et vieillissement de 24 mois en fûts (1/3 de bois neuf) ;
collage et filtration

A maturité : dans les 5 à 15 ans suivant le millésime

Le magnifique Château de Malle appartient à la même famille depuis plus de cinq siècles maintenant. Cette propriété riche en histoire (elle appartint aux Lur-Saluces, également propriétaires des Châteaux d'Yquem et de Fargues ; Louis-Amédée de Lur-Saluces, filleul du roi Louis XV, fit apprécier ce cru à la cour ; le domaine accueillit le duc de Wellington – avant Waterloo –, et ses vins fêtèrent la prise de Hanovre par l'armée française en 1757) couvre 200 ha, dont 50 ha voués à la vigne. Chose assez rare, elle s'étend à la fois sur l'appellation Sauternes et sur celle des Graves. Le vignoble se trouve en effet sur la commune de Preignac (l'une des cinq communes du Sauternais), ainsi qu'à Fargues et à Toulenne, sur des sols très silicieux et argilo-graveleux.

Le domaine produit six vins : outre le Château de Malle et son second vin, le Château Sainte-Hélène (Sauternes), il propose deux vins blancs secs (le Chevalier de Malle en appellation Bordeaux et le M de Malle en Graves) et deux vins rouges (le Château de Cardaillan et le Château Tours de Malle en Graves), tous étant de très bon niveau.

Je conseille aux amateurs découvrant la région de faire le détour pour visiter le superbe château du XVIIe siècle classé monument historique en 1949. Ceux qui ne sont pas spécialement férus d'architecture apprécieront le Sauternes qui en est issu et qui compte au nombre des plus élégants. Certes, il est parfois un peu léger, mais la plupart des millésimes, vinifiés dans un style discret et tout en finesse, sont d'une excellente facture. J'ajouterai que le 1990 est la plus belle réussite que je connaisse de la propriété ; il semblerait que de nombreux initiés me rejoignent sur ce point.

1997 • 88-90 Un bouquet exotique et flamboyant de marmelade d'orange, d'agrumes mielleux, de caramel, de noix de coco et de pain grillé jaillissant littéralement du verre annonce le De Malle 1997. Ce vin, qui pourrait bien se révéler extraordinaire, est très corsé et exprime une bouche onctueuse, très généreusement fruitée et bien étayée par une heureuse acidité tonique. **A boire entre 2004 et 2020.** (1/99)

1996 • 87 Fortement marqué par le sauvignon blanc (alors qu'il est généralement composé à 75 % de sémillon), le De Malle 1996 est moyennement corsé et bien plus doux que le 1997, plus visqueux. Doté d'une importante acidité, il se distingue par ses notes d'ananas et par sa finale nette et modérément persistante. **A boire entre 2002 et 2016.** (1/99)

1990 • 90 Très corsé et d'une incroyable douceur, le 1990 montre également une belle pureté, et déploie un généreux fruité riche et mielleux, bien étayé par d'importants arômes de chêne neuf. Bien qu'il n'ait ni la complexité ni la richesse aromatique du 1988, il s'agit incontestablement d'une réussite extraordinaire pour le millésime, qui, compte tenu de son prix très raisonnable, s'impose de surcroît comme une excellente affaire. **A boire entre 2002 et 2012.** (11/94)

1989 • 87 Plutôt simple, le 1989 s'est montré sous un bon jour lors de ma dernière dégustation. Moyennement corsé, il présente un fruité riche et mûr, une acidité suffisante pour montrer du ressort et déployer une finale charnue. **A boire jusqu'en 2010.** (11/94)

1988 • 91 Le 1988 s'est récemment révélé dans une forme éblouissante. Plus proche de la maturité que le 1990, il libère un bouquet absolument divin de cerise et de noix de coco, déployant de manière ostentatoire de remarquables arômes d'ananas confit et de chêne grillé. Moyennement corsé et d'une pureté magnifique, il est merveilleusement frais et mûr. **A boire entre 2000 et 2012.** (11/94)

1986 • 84 Moyennement corsé et délicieusement fruité, le 1986 est relativement léger, ce qui ne l'empêche pas d'offrir un beau déploiement d'arômes de salade de fruits. Il est très frais, mais moins marqué par le botrytis que je ne l'aurais pensé, compte tenu du millésime. **A boire jusqu'en 2010.** (3/90)

1985 • 79 J'ai trouvé ce vin insipide et unidimensionnel ; il présente des arômes légèrement doux, sans détour et dépourvus de complexité. **A boire jusqu'en 2005.** (3/90)

NAIRAC – BON

2e cru classé en 1855 – devrait être maintenu
Propriétaire : Nicole Tari-Heeter
Adresse : 33720 Barsac
Tél. 05 56 27 16 16 – Fax 05 56 27 26 50
Visites : sur rendez-vous uniquement
Contact : Nicolas Heeter

Superficie : 17 ha (Barsac)
Vin produit : Château Nairac – 10 000 b (pas de second vin)
Encépagement : 90 % sémillon, 6 % sauvignon, 4 % muscadelle
Densité de plantation : 8 000 pieds/ha – *Age moyen des vignes :* 40 ans
Rendement moyen : 7 hl/ha

Élevage :
fermentations de 30-90 jours et vieillissement de 30 mois en fûts (30-100 % de bois neuf) ; collage et filtration

---

A maturité : dans les 5 à 15 ans suivant le millésime

Le Château Nairac tient son nom du négociant bordelais qui fit construire cet élégant édifice à l'entrée du village de Barsac, à la fin de l'Ancien Régime. En 1776, ce propriétaire chargea l'architecte Mollié de dessiner le jardin destiné à mettre en valeur la façade du bâtiment visible du « Grand Chemin de Bordeaux à Toulouse » (les plans furent retrouvés dans les cartons du célèbre Victor Louis) ; ce jardin fut retracé en 1992. Le vignoble se situe sur des graves garonnaises siliceuses, le sous-sol est marno-calcaire.

Nairac est certainement l'une des propriétés les mieux gérées de Barsac – et avec le plus de passion. Il fut acheté en 1971 par Tom Heeter, d'origine américaine, et par son épouse, Nicole Tari. Le premier avait fait son apprentissage à Giscours (Margaux), où il avait d'ailleurs rencontré son épouse, qui est également l'une des copropriétaires du domaine. Depuis leur divorce, c'est Nicole qui a repris les rênes de Nairac ; elle y est efficacement secondée par son fils Nicolas. Est-ce une coïncidence ? Depuis que ce dernier s'occupe de l'exploitation, les rendements sont parmi les plus bas de l'appellation (7 hl/ha en moyenne), ce qui explique le caractère plus concentré des millésimes récents, comme le 1996. Dans les années 80, le cru a bénéficié des conseils d'Émile Peynaud, ce qui lui a permis de s'imposer au nombre des meilleurs Barsac. Actuellement, les chais et les communs datant du XVIIe siècle sont en cours de rénovation.

1997 • **88-90** Composé à 90 % de sémillon (le millésime fut favorable à ce cépage), le Nairac 1997 est doté de manière impressionnante. Très corsé et extrêmement doux, il libère un nez de miel, de liqueur de cerise et de chêne neuf et grillé, et déploie en bouche, par paliers, un caractère très gras et de bonne mâche. La finale, persistante, est aussi intense qu'épaisse. Ce vin très marqué par le botrytis paraît faible en acidité. Son potentiel devrait lui permettre de prétendre à une note extraordinaire. **A boire entre 2005 et 2020.** (1/99)

1989 • **87** Lorsque je l'ai dégusté au fût, le Nairac 1989 m'a paru excessivement boisé, et même un peu trop gras et trop alcoolique. Cependant, il a évolué de belle manière, et présente maintenant, outre de généreux arômes de chêne neuf grillé et vanillé, une texture et un nez opulents et riches, ainsi que des arômes persistants, capiteux et onctueux. L'ensemble doit sa précision et sa tenue d'excellent aloi à l'acidité qui l'étaye. Ce vin évolue rapidement, comme l'indique sa robe d'un or moyennement profond. **A boire jusqu'en 2003.** (4/91)

1988 • **?** Ce vin s'est toujours montré terne et muet, avec un fruité atténué. Il était déjà ainsi en fût et n'a pas changé en bouteille. J'ai du mal à expliquer qu'il soit aussi peu évolué et aussi peu expressif. **A boire entre 2003 et 2018.** (4/91)

1986 • **89** Le 1986 est l'un des meilleurs Nairac que je connaisse. Extrêmement riche, puissant et concentré, avec un fruité d'ananas généreusement glycériné, il se montre très corsé en bouche, où il déploie une finale persistante, sensuelle et souple. L'ensemble est étayé par une très bonne acidité et par des notes de botrytis, si bien que l'on peut penser qu'il tiendra encore assez longtemps. **A boire jusqu'en 2010.** (3/90)

1985 • **81** Comme la plupart de ses jumeaux de l'appellation, le 1985 de Nairac n'est pas suffisamment marqué par le botrytis. Hormis ce défaut, il présente un fruité sans détour d'orange et d'ananas, généreusement marqué de chêne neuf et grillé. **A boire jusqu'en 2006.** (3/89)

1983 • **86** Ce vin extrêmement parfumé se distingue par ses senteurs de fleurs et de fruits tropicaux, et par les arômes amples et riches de salade de fruits qu'il développe en bouche. Très corsé, avec une finale mielleuse et opulente, il sera parfait **jusqu'en 2002.** (3/90)

1982 • **85** Le 1982 de Nairac est probablement la réussite du millésime en Barsac. Outre sa robe légèrement dorée, il présente un bouquet boisé, épicé et vanillé d'ananas, et déploie en bouche des arômes moyennement corsés, étonnamment concentrés et persistants. Un Barsac plutôt massif et plaisant. **A boire jusqu'en 2005.** (3/89)

1981 • **83** Le 1981 est certes bien fait, mais, comme la plupart de ses jumeaux, il n'est pas suffisamment marqué par le botrytis. Peut-être un peu trop charnu, à la limite du terne, ce vin moyennement corsé est rehaussé par une acidité modérée. **A boire jusqu'en 2005.** (11/84)

1980 • **84** Vêtu d'une robe légèrement dorée, le 1980, parfaitement mûr, est bien équilibré et très marqué par le botrytis. Outre un bouquet boisé et des arômes épicés de fruits tropicaux, il présente un caractère moyennement corsé, une acidité souple et une finale savoureuse et glycérinée. **A boire jusqu'en 2005.** (11/84)

1979 • **83** Bien fait, mais plutôt léger pour un Nairac, le 1979 est élégant, suffisamment concentré, avec une finale nette, vive et modérément douce. **A boire jusqu'en 2005.** (11/84)

1976 • **86** Figurant parmi les meilleurs Nairac, le 1976 se distingue par son bouquet puissant et boisé de fruit mûr aux notes prononcées de chêne épicé et vanillé. La bouche, très corsée, est persistante, opulente et concentrée, bien marquée par le botrytis. **A boire jusqu'en 2005.** (11/84)

1975 • **84** Plus léger que le 1976, moins puissant et moins séduisant aussi, le 1975 révèle plutôt un charme discret. Doté d'un fruité frais et vif, étayé par une bonne acidité, il manifeste une belle présence en bouche, et déploie une finale longue et modérément douce. Un vin bien fait. **A boire.** (11/84)

RABAUD-PROMIS – TRÈS BON

1er cru classé en 1855 – devrait être maintenu depuis 1986

Propriétaire : GFA du Château Rabaud-Promis

Adresse : 33210 Bommes

Tél. 05 56 76 67 38 – Fax 05 56 76 63 10

Visites : sur rendez-vous uniquement

Contact : Philippe Déjean (administrateur)

Superficie : 33 ha (Bommes)

Vin produit : Château Rabaud-Promis – 60 000 b (pas de second vin)

Encépagement : 80 % sémillon, 18 % sauvignon, 2 % muscadelle

Densité de plantation : 6 660 pieds/ha – *Age moyen des vignes :* 35-40 ans

---

Élevage :
24-30 mois en fûts

A maturité : dans les 5 à 20 ans suivant le millésime

En 1903, le vaste domaine de Rabaud fut scindé en deux propriétés, qui prirent l'une le nom de Rabaud-Promis, l'autre celui de Sigalas Rabaud, ce dernier étant le plus connu. Curieusement, les deux entités furent réunies vingt-six après le partage, pour être de nouveau séparées en 1952.

Jusqu'en 1986, les vins de ce domaine étaient très certainement les crus classés les plus décevants qui soient. Cependant, depuis cette date, ils ont progressé plus que tout autre. Alors qu'ils étaient vieillis en cuves de béton et ne faisaient l'objet d'aucune sélection, ils sont aujourd'hui entièrement élevés en fûts.

Les amateurs avisés tireront le meilleur parti de cette situation, car il se passera certainement quelques années encore avant que les prix de ce cru n'augmentent en proportion de la qualité. Si les excellents 1986, 1988, 1989 et 1990 reflètent bien ce qui se fait à la propriété, il y a de fortes chances pour que Rabaud-Promis s'impose comme l'un des Sauternes les plus corsés, les plus sensuels et les plus intenses qui soient.

1990 • **90** Massif et ample, abondamment doté et mielleux, le 1990 est également très épicé, et, bien que manquant d'acidité, il se montre énorme et corsé. **A boire entre 2000 et 2020.** (11/94)

1989 • **92** Riche et d'une grande complexité aromatique, le 1989 est énorme et massif. Il montre également une belle précision dans le dessin, offrant une fraîcheur et un ressort qui plaident merveilleusement en sa faveur. **A boire entre 2000 et 2015.** (11/94)

1988 • **93** Le 1988 est plus classique que le 1989 ou le 1990. Généreusement doté et doux, avec une texture onctueuse, il est très botrytisé et présente un taux d'acidité plus élevé. Son nez merveilleusement riche libère des arômes d'ananas confit, de noix de coco et d'orange. Il déploie aussi un fruité généreux et riche, et montre une excellente précision dans le dessin. **A boire entre 2003 et 2018.** (11/94)

1986 • **89** Ce millésime marque le retour de la propriété à un niveau digne de son classement. Très corsé, avec un intense bouquet de caramel, d'ananas et d'abricot, le Rabaud-Promis 1986 déploie de généreux arômes glycérinés et témoigne d'une bonne acidité lui conférant de la précision dans le dessin. Sa finale est riche et boisée. Ce vin continuera à évoluer de belle manière. **A boire jusqu'en 2010.** (3/90)

1985 • **83** Un nez séduisant de fleurs, d'ananas et de café, suivi d'un ensemble sans détour, relativement puissant et très fruité, distingue le Rabaud-Promis 1985. Malheureusement, l'ensemble est dépourvu de la complexité et de la précision qui sont essentiels à ces grands liquoreux. **A boire jusqu'en 2005.** (3/90)

1983 • **84** Ce vin se révèle meilleur que je ne l'aurais pensé. Gras, rond, très corsé et doté d'un fruit intense, il se révèle un peu lourd et mou, manquant autant de botrytis que d'acidité. Il a été élaboré à une époque où les vins de la propriété étaient vieillis en cuves plutôt qu'en fûts, ce qui explique peut-être le manque de précision. **A boire jusqu'en 2005.** (3/90)

RAYMOND-LAFON – EXCELLENT

Non classé – devrait être promu 1er cru
Propriétaire : famille Meslier
Adresse : 33210 Sauternes
Tél. 05 56 63 21 02 – Fax 05 56 63 19 58
Visites : sur rendez-vous uniquement
Contact : Marie-Françoise Meslier

Superficie : 18 ha, dont 16 ha sous culture (Sauternes, Bommes et Preignac)

Vins produits :
Château Raymond-Lafon – 20 000 b ; Château Lafon-Laroze – variable

Encépagement : 80 % sémillon, 20 % sauvignon

Densité de plantation : 6 660 pieds/ha – *Age moyen des vignes :* 35 ans

Rendement moyen : 9 hl/ha

Élevage :
fermentations de 21-35 jours et vieillissement de 36 mois en fûts neufs ; collage ; pas de filtration

A maturité : dans les 8 à 25 ans suivant le millésime

Ce domaine mérite l'attention de tous les amoureux de Sauternes, et tout particulièrement de ceux qui rêvent d'un vin se rapprochant de la splendeur et de la beauté du Château d'Yquem tout en coûtant trois fois moins cher.

Le vignoble de Raymond-Lafon, contigu à D'Yquem et entouré des premiers crus de l'appellation, fut créé au XIXe siècle par Raymond Lafon. C'est en raison de sa création récente qu'il ne fut pas classé en 1855, mais il jouit d'une excellente réputation. A l'heure actuelle, il occupe une superficie de 16 ha, la plupart des parcelles étant regroupées autour du château, sur les communes de Sauternes, Bommes et Preignac. On considère même qu'en 1921, grand millésime s'il en fût, ce cru (que je n'ai pu goûter !) surpasse le plus célèbre et le plus prestigieux des Sauternes – D'Yquem (que j'ai goûté !). Malheureusement, le domaine a ensuite été négligé, et il a fallu attendre 1972 pour que Pierre Meslier, qui gérait D'Yquem (il a pris sa retraite en 1990), achète la propriété et œuvre à redorer peu à peu un blason ayant autrefois brillé de mille feux. Actuellement, ce sont Marie-Françoise, Charles-Henri et Jean-Pierre Meslier, les trois enfants de Pierre Meslier, qui assurent la direction de la propriété.

Les rendements à Raymond-Lafon sont très faibles – de l'ordre de 9 hl/ha – ; ils sont donc inférieurs à ceux de son prestigieux voisin. En revanche, l'assemblage et les techniques de vinification sont identiques, et on y pratique une sélection tout aussi rigoureuse (20 à 80 % de la récolte est habituellement déclassée). Ce cru a inauguré une série de réussites avec un très grand 1975 et a confirmé encore récemment avec un 1990 monumental.

A l'heure actuelle, Raymond-Lafon est un passe de devenir l'un des très grands de son appellation. Malheureusement, il est difficile de se procurer ce vin, tant la production est faible – et les clients de la famille Meslier fidèles.

1997 • **86-87** De très purs arômes de fruits tropicaux vanillés et épicés se dégagent de ce vin moyennement corsé et modérément doux. Malgré sa belle ampleur, il manque cependant d'un peu de profondeur et de persistance. **A boire entre 2003 et 2005.** (6/99)

1996 • **90** S'annonçant par de très intenses et très complexes senteurs de noix de coco, d'ananas et de fumé, le 1996 se montre moyennement corsé et modérément doux en bouche. C'est un vin onctueux, doté d'un fruité terriblement pur et marqué de ce qu'il faut de boisé. Vous apprécierez cet ensemble riche et complexe **entre 2005 et 2020.** (6/99)

1990 • **95** Il semblerait que le 1990 s'impose comme le plus complet des millésimes récents de Raymond-Lafon. Arborant un or moyennement soutenu, il se montre massif et présente des arômes corsés et mielleux. **A boire entre 2002 et 2025.** (3/96)

1989 • **91+** Ce vin dégage, outre des arômes d'ananas, de fruits tropicaux confits et de chêne neuf et grillé, des senteurs exotiques et spectaculaires, qui sont moins prononcées et moins botrytisées dans le 1990 ou le 1988. Il est, comme ces deux millésimes, opulent, très corsé et merveilleusement riche, avec une douceur modérée ; la finale, très glycérinée et très alcoolique, est fabuleusement extraite. **A boire entre 2000 et 2025.** (3/96)

1988 • **92+** Le 1988 offre un profil aromatique plus fin et une structure plus serrée que le 1989 ou le 1990. Exactement comme ces deux derniers vins, il peut être dégusté prochainement, mais il sera meilleur encore dans les **20 ans qui viennent.** (11/94)

1987 • **84** Très léger, avec des arômes fruités, sans détour et légèrement doux, le 1987 sera agréable, mais sans plus, à l'apéritif. Il n'a pas, en effet, la corpulence, la douceur ou la complexité qui lui permettraient d'accompagner un dessert. **A boire jusqu'en 2005.** (4/91)

1986 • **92** Bien qu'ils soient très proches, je doute que le 1986 puisse éclipser le grandiose 1983, dont il n'a ni la puissance ni le caractère massif. Il se révèle néanmoins très botrytisé, avec des arômes profonds et pénétrants d'ananas caramélisé, de vanille, de grillé et de pêche crémeuse. Plus longiligne, il est également très corsé et d'une richesse opulente, et présente une finale crémeuse et intense. L'ensemble est étayé par une heureuse acidité. Il sera intéressant de comparer ces deux vins au fur et à mesure de leur évolution, mais je subordore que le 1986 vieillira plus précocement que le 1983. **A boire jusqu'en 2012.** (3/90)

1985 • **87** C'est l'un des meilleurs 1985 du Sauternais. Riche et étoffé, il présente un excellent fruité, malgré son manque de botrytis, et regorge littéralement d'arômes d'agrumes, de pêche, de poire et d'abricot, rehaussés de vagues notes d'amande rôtie. Ce vin délicieux devrait évoluer avec grâce **jusqu'en 2002.** (3/90)

1983 • **93** Ce vin magnifique et légèrement doré exhale des arômes merveilleusement purs de fruits tropicaux (ananas mûr) et de melon, et exprime une bouche très corsée et d'une richesse luxuriante. Développant par paliers un fruité doux et visqueux, il se distingue également par sa finale stupéfiante et par son bel équilibre d'ensemble. Il évolue à pas lents. **A boire jusqu'en 2020.** (11/90)

1982 • **86** Dans ce millésime compromis par les pluies, Raymond-Lafon n'a mis en bouteille que le tiers de sa production, soit le volume issu de raisins ramassés avant les pluies. Gras, très fruité, doux et riche, le 1982 est très corsé et velouté en bouche, bien marqué par le botrytis et par une acidité assez modérée. **A boire jusqu'en 2004.** (3/87)

1981 • **87** Le 1981 libère un fabuleux bouquet de chêne épicé et vanillé, de citron, de miel, d'ananas et de fleurs aussi ample qu'intense, qui accompagne une bouche savoureuse et riche, douce et bien glycérinée, très alcoolique également, à la finale longue, nette et souple. **A boire jusqu'en 2005.** (3/87)

1980 • **90** Ce millésime fut aussi grandiose pour Raymond-Lafon que pour De Fargues et D'Yquem. Outre son bouquet très intense de chêne épicé et de fruits tropicaux mûrs, le Raymond-Lafon 1986 présente des arômes onctueux, puissants, très riches et très corsés, qui se développent en bouche par paliers, révélant un fruit généreux, bien étayé par une acidité fraîche et tonique. **A boire jusqu'en 2005.** (3/85)

1978 • **89** De bonne facture sans être extraordinaire, le 1978 de Raymond-Lafon est, à mon sens, la réussite du millésime en Sauternais. Tout en étant moins marqué par le botrytis que le 1975 ou le 1980, il révèle, outre une très belle texture, un caractère corsé et des arômes visqueux et veloutés, étayés par une acidité fraîche. La finale est nette et vive. Ce n'est pas l'exemple le plus ample que je connaisse de ce cru, mais c'est certainement l'un des plus gracieux. **A boire jusqu'en 2000.** (1/85)

1975 • **90** Comme de nombreux Sauternes du millésime, ce vin a évolué très lentement. Arborant une robe légèrement dorée et nuancée de vert, il est opulent, riche et crémeux, avec un bouquet serré, mais ample, de fruit mûr. Très corsé, riche et doux, mais d'une belle tenue en raison de sa bonne acidité, il est riche et massif, et présente un potentiel énorme. A boire jusqu'en 2005. (3/86)

DE RAYNE VIGNEAU – BON

1er cru classé en 1855 – devrait être maintenu depuis 1986

Propriétaire : SC du Château de Rayne Vigneau

Adresse : 33210 Bommes

Adresse postale : 17, cours de la Martinique – BP 90
33027 Bordeaux Cedex

Tél. 05 56 11 29 00 – Fax 05 56 79 23 57

Visites : sur rendez-vous et pour les professionnels uniquement

Contact : Brigitte Cruse

Superficie : 78,3 ha (Bommes)

Vins produits :

Château de Rayne Vigneau – 110 000 b ; Madame de Rayne – 40 000 b

Encépagement : 71 % sémillon, 27 % sauvignon, 2 % muscadelle

Densité de plantation : 6 000 pieds/ha – *Age moyen des vignes :* 29 ans

Rendement moyen : 18,5 hl/ha

Élevage :

fermentations de 21 jours en cuves d'acier inoxydable thermorégulées (dans certains millésimes, une partie de la récolte fermente en fûts) ; vieillissement de 18-24 mois en fûts (50 % de bois neuf) ; collage et filtration

---

A maturité : dans les 5 à 20 ans suivant le millésime

Le Château de Rayne Vigneau doit son nom à ses propriétaires successifs. En effet, la famille Vigneau apparaît comme la première titulaire de cette seigneurie ; des écrits de 1635 mentionnent un certain Gabriel de Vigneau, dont le fils Étienne épousa Jeanne Sauvage, fille du seigneur d'Yquem, et prit en mains les destinées du domaine en 1681. En 1834, Mme de Rayne, née Catherine de Pontac, acheta le domaine de Vigneau. C'est sous ce dernier nom que le cru fut classé en 1855, mais c'est Albert de Pontac, petit neveu de Mme de Rayne, qui le baptisa du nom double qu'on lui connaît aujourd'hui. Malheureusement, la famille fut obligée de se séparer du vignoble et des installations agricoles en 1961, et la propriété (château non compris) fut achetée en 1971 par la maison de négoce Mestrezat, qui est également propriétaire du Château Grand-Puy Ducasse, cru classé de Pauillac.

Pendant une bonne partie du XIXe siècle, le Château de Rayne Vigneau a eu la réputation de n'être second à nul autre qu'à D'Yquem. Rares, en effet, sont les propriétés aussi bien situées géographiquement : le vignoble – 78 ha d'un seul tenant sur une croupe dominant le Sauternais – repose sur un sol graveleux sablonneux, avec sous-sol argileux, qui recélerait, chose fort curieuse, d'étonnantes richesses sous forme d'agates, d'améthystes, d'onyx, de saphirs...

Cependant, au XXe siècle, la renommée de ce cru a beaucoup souffert d'une vinification négligée ou quelconque. Depuis 1971, le domaine est dirigé et son vin diffusé par la maison Mestrezat. Celle-ci paraît avoir à cœur, depuis le début des années 80, de produire des vins de très grande qualité. Aucun effort n'a d'ailleurs été ménagé pour atteindre ce but. La moitié du vignoble a été restructurée, les méthodes de culture traditionnelles ont été remises en vigueur, et les chais, les premiers du Sauternais à être entièrement thermorégulés, sont équipés dans les règles de l'art (pressoirs pneumatiques, arrivée de vendanges avec convoyage par tapis). L'élaboration d'un second vin, Madame de Rayne, permet d'optimiser les sélections. En outre, les vins sont actuellement vieillis 18 à 24 mois en fûts de chêne, avec 50 % de bois neuf, alors qu'auparavant la proportion de fûts neufs était minime, et la sélection inexistante.

A partir de 1985, Rayne Vigneau s'est bien amélioré, et ses 1986, 1988 et 1990 sont les plus belles réussites que je lui connaisse à ce jour.

1997 • **86-88** Voici un Sauternes plutôt inintéressant, coulant et de style terriblement commercial. Moyennement corsé et modérément doux, le 1997 est très fruité, mais dépourvu de complexité, avec un nez d'ananas sirupeux. **A boire entre 2003 et 2017.** (1/99)

1996 • **87** Plus complexe, le 1997 est moyennement corsé et déploie un nez de melon confit et d'ananas. Vous apprécierez ce vin très pur et d'une belle maturité dans les **10 à 15 ans.** (1/99)

1990 • **87** Ce vin doux, épais et juteux n'a pas la complexité de ses jumeaux, mais peut-être en développera-t-il davantage en vieillissant, car il est plus sucré, plus lourd et plus charnu que ses aînés. D'une couleur légèrement dorée, il est crémeux et mielleux, sans la précision, la netteté et le caractère botrytisé des plus belles réussites de l'appellation. Malgré cela, vous apprécierez beaucoup ce vin sans détour. **A boire entre 2000 et 2012.** (3/97)

1989 • **89** Moyennement corsé, complexe et tout en finesse, le 1989 exhale un nez fleuri de pêche et de miel, et développe en bouche des arômes frais et doux, étayés par une faible acidité. Un vin de style commercial. **A boire jusqu'en 2008.** (11/94)

1988 • **91** Le 1988 est l'un des meilleurs crus que je connaisse de la propriété. Son nez intense et mielleux de poire, de fleurs et d'abricot évoque un Muscat de Beaumes-de-Venise, et sa bouche, d'une richesse et d'une précision exceptionnelles grâce à un bon niveau d'acidité, est merveilleusement nuancée de chêne neuf et grillé. La finale est tout à la fois élégante, vive et d'une excellente tenue. Vous apprécierez ce vin bien fait, imposant, mais impeccable d'équilibre, **jusqu'en 2006.** (3/90)

1987 • **82** Sans détour, gras et richement fruité, le 1987 de Rayne Vigneau se montre souple, mais également doux et quelque peu disjoint. Il est cependant plaisant en son genre. Bien qu'il manque de précision, d'acidité et de notes de botrytis, il sera parfait à l'apéritif. **A boire jusqu'en 2003.** (11/90)

1986 • **90** Le 1986 fut probablement, en son temps, la plus belle réussite de la propriété depuis des années. Élégant, mais concentré, très parfumé et judicieusement infusé de chêne neuf, ce vin d'une grande finesse en impose avec ses arômes de poire et d'ananas, son bel équilibre et son caractère très affirmé. **A boire jusqu'en 2001.** (11/90)

1985 • **85** Présentant, tant au nez qu'en bouche, des arômes mûrs d'ananas judicieusement marqués de chêne neuf, ce vin relativement épais et monolithique manque quelque peu d'acidité et se révèle monochromatique. Il est certes savoureux et juteux, mais un peu dénué de complexité. **A boire jusqu'en 2004.** (11/90)

1983 • **82** Ce Sauternes libère au mouvement du verre de légers arômes d'ananas et de botrytis. La bouche est mûre, plaisante par son caractère velouté et crémeux. Ce vin moyennement doux, étayé par une acidité fraîche, est assez quelconque dans le contexte du millésime, mais plutôt réussi pour Rayne Vigneau. (11/90)

1982 • **75** Avec ses arômes unidimensionnels, fruités et doux, le 1982 manque quelque peu de complexité, mais il est plaisant du fait de son caractère mûr et de sa bonne acidité, qui contribue à son équilibre d'ensemble. **A boire.** (11/90)

1981 • **75** Libérant de séduisantes senteurs d'ananas et d'amande grillée, le 1981 est souple, fruité et modérément doux en bouche, mais sa finale est aqueuse et n'a ni l'étoffe ni la concentration requises pour susciter le moindre intérêt. **A boire – peut-être en déclin.** (2/85)

1979 • **74** Sans détour, fruité et assez doux, le 1979 n'est cependant pas suffisamment marqué par le botrytis. Léger – comme à l'habitude –, manquant de muscle et de concentration, il se distingue par ses arômes solides et pas mûrs de pêche et de menthe. **A boire.** (6/83)

1976 • **78** Léger pour le millésime, le 1976 de Rayne Vigneau révèle cependant un bon fruité mûr et moyennement corsé aux notes d'abricot, ainsi qu'une finale assez douce et d'une bonne tenue. Il faut le boire sans cérémonie. **A consommer.** (2/84)

1975 • **65** Ce vin décevant présente un niveau d'acidité trop élevé, une texture maigre et peu généreuse, ainsi que des arômes légers, végétaux et dilués. Je me demande ce qui n'a pas fonctionné dans cet excellent millésime. (6/84)

1971 • **75** Ce vin moyennement corsé présente un fruité doux et délicat aux notes d'ananas, mais est desservi par un caractère un peu trop alcoolique. Ce vin évoluera en perdant davantage son équilibre. **A boire jusqu'en 2007.** (2/80)

RIEUSSEC – EXCEPTIONNEL

1er cru classé en 1855 – mérite son rang depuis 1984
Propriétaire : Domaines Barons de Rothschild
Adresse : 33210 Fargues-de-Langon
Adresse postale : Domaines Barons de Rothschild
33, rue de la Baume – 75008 Paris
Tél. 01 53 89 78 00 – Fax 01 53 89 78 01
Visites : sur rendez-vous uniquement
Contact : Patricia Mudaly

Superficie : 75 ha (Fargues-de-Langon)
Vins produits : Château Rieussec – 80 000 b ; Clos Labère – 80 000 b
Encépagement : 90 % sémillon, 7 % sauvignon, 3 % muscadelle
Densité de plantation : 7 000 pieds/ha – *Age moyen des vignes :* 33 ans
Rendement moyen : 20 hl/ha

Élevage :
fermentations et vieillissement de 24 mois en fûts (70 % de bois neuf) ;
collage au blanc d'œuf ; filtration

A maturité : dans les 6 à 25 ans suivant le millésime

C'est en arrivant au cœur de l'appellation Sauternes que l'on découvre le château Rieussec, avec sa tour, bien en vue, sur une hauteur. Le vignoble, qui s'étend sur les coteaux de Fargues et de Sauternes, surplombe la rive gauche de la Garonne ; c'est le plus élevé de l'appellation, après celui du Château d'Yquem. Il est d'un seul tenant, ce qui est assez inhabituel pour une propriété du Bordelais. Rieussec a toujours bénéficié d'une très belle réputation, mais, après son rachat par Albert Vuillier, en 1971, la qualité s'améliora encore, grâce à des tries plus nombreuses permettant de ne récolter que les baies parfaitement botrytisées, grâce aussi à une plus forte proportion de bois neuf. Certains critiques spécialisés estiment cependant que les vins élaborés à cette époque prenaient une couleur trop profonde en vieillissant (notamment le 1976).

En 1984, Albert Vuillier vendit une participation majoritaire aux Domaines Barons de Rothschild, qui ne ménagèrent ni leurs efforts ni leur argent pour améliorer encore la qualité de ce cru, en ne sacrifiant à aucun compromis. Depuis 1986, les vins atteignent un très haut niveau, se classant régulièrement parmi les six meilleurs de l'appellation. Les collectionneurs fortunés pourront débattre pendant des décennies pour déterminer lequel, du 1988, du 1989 ou du 1990, mérite la palme du Rieussec le plus profond.

Il est en tout cas peu probable que la prise de contrôle de la propriété par les Rothschild modifie en quoi que ce soit le style de ce vin puissant, dont la richesse s'accompagne parfois d'un caractère rôti. Rieussec est généralement profondément coloré et alcoolique, et d'une viscosité de bon aloi. Comme de nombreux domaines de Sauternes et de Barsac, il produit également de petites quantités d'une Crème de Tête, intensément concentrée et d'une richesse sensuelle. Si vous avez la chance de vous en voir proposer une bouteille, ne la laissez pas passer.

La propriété propose enfin un vin blanc sec, baptisé « R » – outre le fait que ce type de vin est très intéressant d'un point de vue comptable (il assure des liquidités à la propriété), celui-ci est l'un des plus réputés du Sauternais.

1997 • **90-92** Le 1997 bénéficie d'une forte proportion (environ 90 %) de sémillon, cépage qui réussit fort bien dans ce millésime. Arborant une robe légèrement dorée, il exhale de très puissantes senteurs de Grand Marnier nuancées de fleurs, de chêne neuf et fumé et de noix de coco. Le boisé est bien fondu dans un ensemble très doux, corsé et onctueux, qui s'exprime tout en rondeur. C'est un vin merveilleusement pur et proportionné, qui compte au nombre des rares 1997 capables de rivaliser avec les meilleurs 1988, 1989 et 1990 de l'appellation. **A boire entre 2002 et 2025.** (1/99)

1996 • **89** Moins gras et moins flamboyant que son cadet d'un an, le Rieussec 1997 est également moins marqué par le botrytis. Ses arômes d'orange, de caramel et de miel nuancés d'irrésistibles notes de coing ou de kumquat introduisent en bouche un ensemble complexe, mais moins gras que le 1997. Vous apprécierez ce vin moyennement corsé et persistant à son meilleur niveau **entre 2000 et 2020.** (1/99)

1990 • **90** Précoce et flatteur, le 1990 déploie un nez de fruits tropicaux, et se montre énorme, épicé, riche et très alcoolique en bouche. On décèle également une belle acidité sous-jacente, qui lui donne sa netteté et sa vivacité d'ensemble. Ce vin sera prêt plus tôt que le 1989, mais sera à peu près d'aussi longue garde. **A boire jusqu'en 2020.** (11/94)

1989 • **92** Après s'est montré disjoint pendant un certain temps, ce vin présente désormais davantage de tenue. D'un paille profond, avec un nez intense de crème brûlée, de tarte aux pommes, de poire et d'ananas doux et mûrs, il se montre très corsé, riche, gras et alcoolique en bouche. Très doux et faible en acidité, il est également onctueux, massif, d'une richesse luxuriante, et deviendra certainement plus policé en vieillissant. **A boire entre 2000 et 2025.** (11/97)

1988 • **93+** Le 1988 demeure très peu évolué. Très corsé et très puissant, extrêmement riche et dense, il se pourrait même qu'il s'agisse du moins évolué de tous les 1988 de Sauternes et de Barsac. Avec son nez séduisant de noix de coco, d'orange et de vanille, et ses senteurs de miel, il présente des flaveurs richement extraites. Son acidité et sa jeunesse donnent à penser qu'il requiert une garde supplémentaire de 5 à 8 ans, et il devrait se conserver ces **30 prochaines années.** (5/98)

1986 • **91** Étonnamment complexe et élégant, mais moins musclé et moins gras que le 1983 ou le 1989, le 1986 regorge d'arômes d'amande fumée, de pêche et d'abricot mielleux. Bien qu'assez élégante, la bouche n'exprime pas la tonicité que l'on attend généralement de ce cru. Il s'agit néanmoins d'un Sauternes irrésistible, qui devrait vieillir de belle manière. **A boire jusqu'en 2010.** (11/90)

1985 • **86** Très bon pour le millésime, le 1985 est riche, rond et ouvert, avec un généreux fruité doux et confit. Cependant, du fait de son manque de botrytis, il ne présente pas la complexité adéquate, et, bien qu'il soit charnu et savoureux, il manque d'intérêt. **A boire jusqu'en 2005.** (11/90)

1983 • **92** D'une couleur légèrement dorée à peine nuancée de vert, ce 1983 (issu d'un excellent millésime) est très certainement l'un des exemples les mieux réussis de ce cru. Bien structuré, avec une excellente acidité et une texture profonde, longue, riche, très corsée et visqueuse à la fois, il ne présente pas la moindre lourdeur ou mollesse, malgré son caractère puissant et riche. Fabuleux d'équilibre, avec une finale persistante et spectaculaire, il s'impose incontestablement comme l'un des très grands succès du millésime. **A boire jusqu'en 2005.** (3/88)

1982 • **82** Dans ce piètre millésime pour les liquoreux, Rieussec a réussi (grâce à une sélection des plus sévères) un vin merveilleusement fruité et épicé, moyennement corsé, bien qu'assez léger, et qui libère de délicats arômes de fruits tropicaux. **A boire.** (3/86)

1981 • **86** Comptant au nombre des meilleurs liquoreux en 1981, le Rieussec est une réussite. Très parfumé, épicé, il exhale un bouquet de premier ordre, richement fruité et entremêlé de senteurs d'abricot et de beurre fondu. Malgré son ampleur et sa richesse, l'ensemble témoigne d'un bel équilibre et se montre sous un très bon jour. **A boire jusqu'en 2006.** (3/86)

1980 • **80** Plutôt terne et même un peu lourd, le 1980 de Rieussec est cependant correctement fait, assez riche, épicé et très corsé. Bien marqué par une heureuse acidité et par des notes de botrytis, il est parfumé, mais ne s'impose pas comme l'une des réussites du millésime. **A boire jusqu'en 2009.** (3/84)

1979 • **84** Ce vin léger n'a ni l'intensité ni la richesse du 1981 ou du 1983, mais il est élégant, bien fait, pas très puissant et suffisamment léger pour être servi en apéritif. **A boire jusqu'en 2006.** (3/84)

1978 • **82** Il s'en fallait de peu que ce vin ne fût des plus réussis, mais il est simplement bon. Trop alcoolique, un peu trop lourd et trop ample, il présente de beaux arômes riches et onctueux au caractère mielleux, mais très peu marqués par le botrytis. **A boire jusqu'en 2003.** (6/84)

1976
•
90

1976 est l'un des millésimes les plus controversés de Rieussec. D'une couleur dorée très profonde, il est, aux dires de certains, un peu oxydé et sur le déclin. Cependant, à mon sens, nonobstant sa robe très foncée, il libère des arômes remarquables laissant deviner qu'il a encore un bel avenir. Son nez énorme d'amande rôtie, de caramel, de chocolat et de sucre brun est à peine nuancé d'acidité volatile – défaut qui rebutera certainement les puristes. Mais l'ensemble, très corsé et d'une incroyable richesse, se distingue par sa texture crémeuse et sensuelle, ainsi que par ses arômes exotiques et énormes (il titre 15° d'alcool naturel). Ce vin ne conviendra qu'au dessert. Les rendements furent cette année-là de l'ordre de 2,5 hl/ha, ce qui équivaut à environ un tiers de verre de vin par pied de vigne. C'est un Sauternes massif, peut-être même un peu trop ample, mais je l'adore. **A boire jusqu'en 2005.** (12/90)

1975
•
90

Encore remarquablement jeune et lent à évoluer, le 1975 est puissant, concentré et riche, capable d'une garde de plusieurs décennies. Ses arômes de citron, de fruits tropicaux et de chêne vanillé chatouillent agréablement le nez, et l'on perçoit en bouche des flaveurs moyennement corsées, serrées et riches, d'un équilibre superbe. Ce vin évolue très lentement. **A boire jusqu'en 2025.** (12/90)

1971
•
85

Parfaitement mûr, le Rieussec 1971 exhale un nez assez intense et crémeux d'abricot mûr et de boisé. Il est doux, mûr et corsé, avec une finale vive et épicée. **A boire jusqu'en 2007.** (10/80)

1970
•
82

Plus lourd en bouche et un peu moins élégant que le 1971, le 1970 se révèle corpulent, riche et doux, presque visqueux et marqué par la mâche. Sa robe modérément ambrée et dorée indique qu'il est à son apogée, mais son acidité et son équilibre d'ensemble permettent de lui prêter 4 ou 5 ans encore. **A boire jusqu'en 2005.** (6/83)

1967
•
84

Rieussec a réussi un excellent 1967. Cela fait plusieurs années que je ne l'ai pas dégusté, et je pense qu'il a atteint son apogée vers le milieu des années 70. Plus léger et moins corpulents que les millésimes plus récents de ce cru, il se montre richement fruité et épicé, et déploie des arômes de noix grillée et rôtie. **A boire jusqu'en 2007.** (9/79)

ROMER DU HAYOT – BON

2e cru classé en 1855 – devrait être maintenu
Propriétaire : SCE Vignobles du Hayot
Adresse : 33720 Barsac
Tél. 05 56 27 15 37 – Fax 05 56 27 04 24
Visites : du lundi au vendredi (8 h-12 h et 14 h-18 h)
Contact : André du Hayot

Superficie : 16 ha (Preignac et Fargues-de-Langon)
Vin produit : Château Romer du Hayot – 50 000 b (pas de second vin)
Encépagement : 70 % sémillon, 25 % sauvignon, 5 % muscadelle
Densité de plantation : 6 500 pieds/ha – *Age moyen des vignes :* 35 ans
Rendement moyen : 25 hl/ha

Élevage :
fermentations en cuves d'acier inoxydable thermorégulées ;

vieillissement de 18 mois en cuves pour une partie de la récolte, en fûts (1/3 de bois neuf) pour le reste ; collage et filtration

A maturité : dans les 3 à 15 ans suivant le millésime

Au XVIIIe siècle, cette petite propriété, située sur une croupe argilo-graveleuse tout près du Château de Malle, appartenait à un certain M. Montalier et était connue sous le nom de Montalier-Romer. Quatre générations de viticulteurs s'y succédèrent avant qu'André du Hayot ne l'acquière et ne la rebaptise Romer du Hayot.

Malheureusement, le château et les chais furent rasés à l'occasion du percement de l'autoroute des Deux Mers. Les vins sont donc élevés au Château Andoyse du Hayot, autre propriété d'André du Hayot. Le vignoble, lui, est resté intact.

J'apprécie généralement les vins de ce domaine, dont le style de vinification privilégie le caractère moyennement corsé, frais, fruité et modérément doux du cru. Le vieillissement est assez court, si bien que l'ensemble n'est jamais trop marqué de notes de chêne épicé.

Malgré son caractère léger, Romer du Hayot est intéressant et vieillit de belle manière. Les 1983, 1979, 1976 et 1975 sont réussis, et les prix demeurent, fort heureusement, raisonnables.

1997 • **86-87+** Je ne serais pas surpris que ce vin moyennement corsé se révèle meilleur que ne le suggère la note que je lui ai pour l'instant attribuée. Séduisant par ses senteurs modérément intenses de liqueur de poire, d'ananas et d'abricot, il est généreusement marqué par le botrytis, et déploie une finale tout à la fois longue, douce, onctueuse et épaisse. Malheureusement, l'ensemble pèche par manque de structure et de précision. Il devrait cependant bien évoluer et tenir ces **15 prochaines années.** (1/99)

1996 • **89** Le très classique 1996 se présente comme un vin pur, au boisé bien fondu, doté d'arômes de chêne grillé, de fumé, d'ananas confit et minéral et de cocktail de fruits. L'ensemble, moyennement corsé et extraordinaire de pureté, exprime une bouche ronde, riche et fumée, bien étayée par une heureuse acidité tonique. **A boire jusqu'en 2015.** (1/99)

1990 • **86** Le 1990 de Romer du Hayot exhale un nez moyennement intense d'ananas et déploie des arômes modérément corsés, mûrs et doux en bouche. Sa finale est nette et fraîche. Vous dégusterez ce vin accessible et sans détour **jusqu'en 2007.** (11/94)

1989 • **85 ?** Le 1989 m'est apparu trop sulfureux au nez, présentant en bouche des notes piquantes et sales de terre. Mais on décèle derrière ces défauts un vin simple, moyennement corsé et modérément doux. (11/94)

1988 • **?** Le 1988, dont j'avais auparavant remarqué les arômes rances, ne s'est pas amélioré – au contraire. Bien qu'il présente une maturité et une concentration de bon niveau, ses senteurs sont franchement déplaisantes. (11/94)

1986 • **86** Parfaitement mûr, le 1986 est savoureux et complexe, mais également persistant et d'une belle richesse, comme en témoigne le caractère botrytisé de ses arômes mielleux de pêche, de poire et d'abricot. **A boire jusqu'en 2003.** (3/90)

1985 • **78** Doux, rond, parfumé et unidimensionnel, le 1985 présente en bouche des arômes moyennement corsés, trapus, mais dénués de complexité. Il n'est pas vraiment intéressant. **A boire jusqu'en 2003.** (3/89)

SIGALAS RABAUD – TRÈS BON

1er cru classé en 1855 – devrait être maintenu

Propriétaires : héritiers Lambert

Adresse : Bommes – 33210 Langon

Adresse postale : Domaines Cordier

53, rue du Dehez – 33290 Blanquefort

Tél. 05 56 95 53 00 – Fax 05 56 95 53 01

Visites : sur rendez-vous uniquement

Contact : Marie-Stéphane Malbec

Superficie : 14 ha (Bommes)

Vins produits : Château Sigalas Rabaud – 30 000 b ; Le Cadet de Sigalas – 8 000 b

Encépagement : 85 % sémillon, 15 % sauvignon

Densité de plantation : 6 660 pieds/ha – *Age moyen des vignes :* 45 ans

Rendement moyen : 18 hl/ha

Élevage :

fermentations en fûts à basse température (moins de 18 °C) ;

vieillissement de 20 mois en fûts (1/3 de bois neuf) ; soutirage trimestriel ;

collage au blanc d'œuf ; filtration

A maturité : dans les 5 à 25 ans suivant le millésime

Constitué par la famille du même nom à la fin du XVIIe siècle, le Domaine de Rabaud fut acheté, après le classement de 1855, par Henri Drouilhet de Sigalas, qui accola son patronyme à la dénomination d'origine. En 1903, le fils de ce dernier céda la partie occidentale du vignoble pour ne conserver que les pentes les plus graveleuses et les coteaux les plus élevés, exposés au midi, propices à une excellente maturation de la vendange. Ce sont actuellement les enfants de la marquise de Lambert des Granges, arrière-petite-fille d'Henri de Sigalas, qui président aux destinées du domaine. En 1994, ils en ont confié la gestion technique et administrative aux Domaines Cordier, leurs voisins immédiats, propriétaires de Lafaurie-Peyraguey.

Sigalas Rabaud m'a longtemps paru difficile à jauger. Il jouit incontestablement d'une situation idéale sur les coteaux de Haut-Bommes, mais la dégustation de ce cru m'a souvent donné l'impression d'un certain laisser-aller – du moins jusqu'au milieu des années 80, quand il a commencé à s'améliorer.

Les vins de cette propriété sont généralement assez légers ; à leur meilleur niveau, ils se révèlent plus élégants que la plupart de leurs homologues, riches, alcooliques et parfois trop amples. Sigalas Rabaud est aujourd'hui, à mon sens, l'un des Sauternes les plus fruités et les plus exubérants, qui doit plaire davantage à certains amateurs que les géants boisés, capiteux, épais et visqueux dont regorge l'appellation. La propriété produit également, depuis 1995, un second vin appelé Le Cadet de Sigalas.

1997 • **87-89** Tout à la fois mielleux, opulent et précoce, le Sigalas Rabaud 1997 se distingue par son généreux fruité d'orange, d'ananas et de mangue, marqué par une faible acidité. En fait, le fruit dissimule pratiquement toutes les autres nuances de ce vin riche et corsé, visqueux, sensuel et sans retenue, qui séduira incontestablement les amateurs en quête d'un plaisir immédiat. **A boire jusqu'en** 2015. (1/99)

1996 • **87** Forgé par un climat plus frais que le 1997, le 1996 présente des notes plus prononcées de coing, de kiwi et d'ananas crémeux. Moyennement corsé, moins visqueux que son cadet d'un an, il est étayé par une heureuse acidité tonique et sous-jacente, et déploie une finale nette et vive, aux notes minérales. **A boire dans les 10 à 15 ans.** (1/99)

1990 • **91** Le 1990 est probablement le meilleur Sigalas Rabaud depuis plusieurs années. Ses douces senteurs de pain grillé, de caramel et de crème brûlée sont dominées par une véritable explosion de notes d'agrumes mielleux et de fruits tropicaux. La bouche, très corsée, douce et onctueuse, présente des arômes de pêche purs et épais évoquant le viognier. Ce vin alcoolique, puissant et de bonne mâche devrait révéler davantage de finesse et de subtilité en prenant de l'âge. **A boire entre 2002 et 2020.** (3/97)

1989 • **88** Bien évolué, avec une robe dorée assez foncée, le 1989 est moyennement corsé, un peu disjoint, et présente un fruité mûr de caramel et d'abricot, nuancé de terre et de boisé et étayé par une faible acidité. C'est un vin puissant et musclé, impressionnant d'ampleur, mais assez acerbe en finale, moins riche et moins complet que le 1988 ou le 1990. **A boire jusqu'en 2015.** (3/97)

1988 • **89** Typique du millésime, le 1988 est racé et tout en finesse, avec de merveilleux arômes doux, rôtis et mielleux de melon, de fruits tropicaux et de vanille. Plus retenu, moins ample, moins musclé et moins doux que le 1989 ou le 1990, il est moyennement massif, élégant et complexe, capable d'une garde **de 15 ans ou plus.** (3/97)

1986 • **90** Complexe et élégant, bien marqué par le botrytis, le 1986 présente des senteurs mielleuses, fleuries et épicées, qui jaillissent littéralement du verre. Merveilleusement proportionné, et étayé par une bonne acidité, ce vin déploie de riches flaveurs de miel, de poire et d'ananas, ainsi qu'une finale souple, mais persistante, alcoolique et d'une belle précision. **A boire jusqu'en 2002.** (11/90)

1985 • **84** Moyennement corsé, racé et élégant, le 1985 de Sigalas Rabaud manque de complexité du fait de son caractère très peu botrytisé, mais est agréable à déguster. **A boire jusqu'en 2007.** (11/90)

1983 • **86** Outre son bouquet intensément fruité évoquant l'ananas, ce vin concentré et d'une excellente profondeur présente un caractère onctueux étayé par une acidité tonique et fraîche. Ce Sauternes bien fait est aussi assez doux. **A boire jusqu'en 2010.** (1/85)

1982 • **75** Ce vin loyal et marchand est moyennement corsé et bien fruité, avec une finale plaisante ; mais, comme la plupart de ses jumeaux de l'appellation, il manque de complexité. **A boire jusqu'en 2005.** (1/85)

1981 • **80** Léger, mais charmeur, le 1981 se distingue par son bouquet odorant, fruité, herbacé et presque fleuri. Moyennement massif, il est typique du cru. **A boire jusqu'en 2007.** (6/84)

1980 • **75** Terne et manquant de complexité, le 1980 est léger, pas très concentré et dénué du fruité intense qui fait le charme de ce cru. **A boire jusqu'en 2006.** (2/84)

1979 • **78** Assez séduisant, dans un style léger et frais, le 1979 exhale un bouquet modérément intense, fruité, épicé et mentholé, qui introduit un ensemble moyennement corsé, assez doux, pas très marqué par le botrytis, mais bien étayé par une acidité tonique. Un charmeur. **A boire jusqu'en 2007.** (9/83)

1976 Léger, fruité, typique du cru, le 1976 est moyennement corsé, avec de subtils
• parfums d'ananas, une bonne acidité et des arômes modérément doux et bien
80 équilibrés. **A boire jusqu'en 2004.** (7/80)

1975 Ce vin, pourtant très prisé au château, évoque davantage un Auslese de Moselle
• qu'un Sauternes. Fleuri, plutôt simple et compact, il est maigre et atypique
? du cru, et pèche par son caractère trop sulfureux. (3/86)

1971 Ce vin léger, mais gracieux, libère un bouquet fruité et mielleux aussi net
• que frais. Moyennement corsé et modérément doux, il est aussi fruité en bouche
82 qu'au nez, et tient son bel équilibre de la bonne acidité qui l'étaye. **A boire.** (3/81)

1967 Ce vin, qui commence à perdre de son fruit et de sa fraîcheur, est l'un de
• mes Sigalas Rabaud préférés. A l'opposé du Sauternes boisé, massif et puissant,
85 il est modérément doux, avec un bouquet mielleux d'ananas et un caractère moyennement corsé, concentré, mais étonnamment léger. Typique du cru, il doit être consommé **rapidement.** (3/87)

SUAU

2e cru classé en 1855 – équivaut à un cru bourgeois
Propriétaire : Roger Biarnes
Adresse : 33720 Barsac
Adresse postale : Château de Navarro – 33720 Illats
Tél. 05 56 27 20 27 – Fax 05 56 27 26 53
Visites : du lundi au vendredi (9 h-18 h)
Contact : Nicole Biarnes

Superficie : 8 ha (Barsac)
Vin produit : Château Suau – 19 000 b (pas de second vin)
Encépagement : 80 % sémillon, 10 % sauvignon, 10 % muscadelle
Densité de plantation : 6 000 pieds/ha – *Age moyen des vignes :* 29 ans
Rendement moyen : 20 hl/ha

Élevage :
fermentations de 21-28 jours en cuves d'acier inoxydable thermorégulées ; vieillissement de 24 mois en cuves pour une moitié de la récolte, en fûts (1/3 de bois neuf) pour l'autre ; collage et filtration

---

A maturité : dans les 3 à 10 ans suivant le millésime

Cette petite propriété, cachée sur une route de Barsac, est très peu connue. L'essentiel de sa production est vendu directement à des particuliers. Les vins doivent généralement être consommés dans les 10 ans.

1997 Les arômes du 1997 m'ont, de prime abord, évoqué l'abricot imprégné de
• cognac. Le nez manque de finesse, mais la bouche, moyennement corsée et
86-87 quelque peu lourde, est pure, riche, rustique, bien étoffée et marquée par le botrytis. Peut-être l'ensemble requiert-il tout simplement un peu de temps pour s'affirmer ? (1/99)

1996 • **85** Contrairement au cru précédent, le 1996 est bien fait, dans un style plus léger. Dégageant des senteurs d'agrumes, de maïs, de pomme et de pêche blanche, il est modérément doux, assez léger, et sera parfait ces **10 prochaines années.** (1/99)

1990 • **89** Le 1990 est le vin de la propriété le plus concentré et le plus puissant que je connaisse. Énorme et très corsé, il déployait au départ un caractère monolithique qui a désormais fait place à plus de précision et de complexité au nez. Cet excellent vin devrait bien tenir **jusqu'en 2004.** (11/94)

1989 • **87** Moyennement corsé, le 1989 est élégant, ce qui n'est pas typique de ce millésime gras et massif. Très fin, il déploie également un merveilleux fruité d'abricot et d'ananas, ainsi qu'un caractère vif et frais. Ce vin n'est pas fait pour durer. **A boire jusqu'en 2007.** (11/94)

1988 • **78** N'ayant jamais tenu le 1988 en haute estime, je ne suis pas surpris que soit aujourd'hui confirmée sa médiocre performance. (11/94)

1986 • **85** Dans les millésimes récents, c'est le meilleur Suau que je connaisse. Son bouquet d'orange et d'ananas est intéressant et fait très bonne impression de prime abord. L'ensemble est souple, onctueux et très précoce. **A boire jusqu'en 2005.** (11/90)

1985 • **79** Ce vin unidimensionnel, trapu et musclé est relativement gras, mais assez dénué de complexité ou de caractère. **A boire jusqu'en 2005.** (11/90)

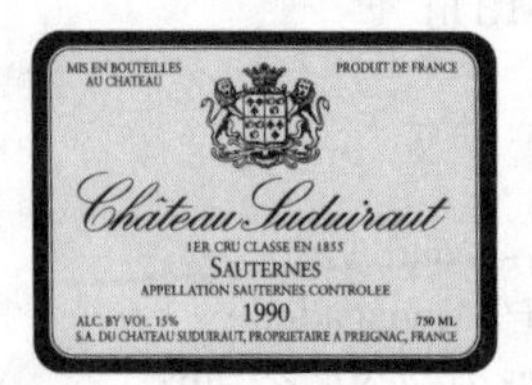

SUDUIRAUT - EXCELLENT

1er cru classé en 1855 – devrait être maintenu
Propriétaire : AXA Millésimes
Adresse : 33210 Preignac
Tél. 05 56 63 61 90 – Fax 05 56 63 61 93
Visites : sur rendez-vous uniquement
Contact : Alain Pascaud

Superficie : 88 ha (Preignac, jouxtant D'Yquem)
Vins produits :
Château Suduiraut – 70 000-140 000 b ; Castelnau de Suduiraut – 24 000 b
Encépagement : 90 % sémillon, 10 % sauvignon
Densité de plantation : 7 000 pieds/ha – *Age moyen des vignes :* 25 ans
Rendement moyen : 15 hl/ha

Élevage :
fermentations de 10-30 jours et vieillissement de 18-24 mois en fûts (30 % de bois neuf) ; collage à la bentonite ; filtration

A maturité : dans les 5 à 25 ans suivant le millésime

Ce domaine, entièrement détruit par le duc d'Épernon au XVIe siècle, fut reconstruit par le comte Blaise de Suduiraut. Exemple parfait de l'architecture du XVIIIe siècle, le château est entouré de jardins dessinés par Le Nôtre. Le vignoble, essentiellement situé sur la commune de Preignac, se trouve à deux pas du Château d'Yquem, un peu plus bas sur la route ; il jouxte au nord les vignes de ce prestigieux voisin. Son sol est composé de graves argileuses.

Suduiraut s'impose souvent parmi les grands de l'appellation, les 1959, 1967, 1976, 1982, 1988, 1989 et 1990 démontrant avec éclat son extraordinaire potentiel. A son meilleur niveau, le vin est très riche et délicieux – on le confond souvent avec D'Yquem dans les dégustations à l'aveugle. Cependant, sa troublante irrégularité m'a toujours laissé perplexe ; dans la première partie des années 70, notamment, Suduiraut s'est fréquemment montré nettement au-dessous du seuil minimal acceptable.

Dans les grands millésimes, Suduiraut requiert une garde de 10 ans environ pour atteindre son apogée, mais il est capable de se maintenir 25 ans sans problème. Très coloré, joliment parfumé et d'une richesse sensuelle – parfois même massive –, ce cru, bien que moins régulier encore que Climens ou Rieussec, par exemple, semble se trouver sur la bonne voie.

En 1982 et 1989, le château a produit une Crème de Tête Cuvée Madame somptueuse, mais rare et chère. Comme la Cuvée Madame du Château Coutet, elle est capable de rivaliser avec D'Yquem, mais la production est faible – moins de 1 000 caisses.

1997 • 89-90 Doté d'une acidité étonnamment fraîche et tonique pour un vin aussi massif, le 1997 de Suduiraut laisse en bouche l'impression d'un ensemble intense, corpulent et modérément doux. Se distinguant par un généreux fruité crémeux et mielleux, il affiche une belle précision et impressionne par sa puissance. Il pourrait prétendre à une note extraordinaire après la mise en bouteille s'il développait davantage de complexité. **A boire entre 2004 et 2022.** (1/99)

1996 • 86 Plus vert, plus maigre et plus piquant que son cadet d'un an, le Suduiraut 1996 présente des arômes assez quelconques, dominés par des notes de chêne épicé. **A boire entre 2001 et 2014.** (1/99)

1990 • 88 La robe du 1990, d'un or moyennement soutenu, est prématurément évoluée, ce qui ne laisse pas d'inquiéter quant à la longévité de ce vin. Très intense et onctueux, il est épais et juteux, mais son caractère trop alcoolique et rugueux ne me permet pas de lui attribuer une meilleure note. **A boire entre 2003 et 2028.** (11/94)

1989 • 89 Le 1989 est bien équilibré, mais son fruité peine à contrebalancer son caractère agressif et hautement alcoolique. Il manque pour l'heure de précision dans le dessin, et une garde en cave lui sera peut-être bénéfique, car il est admirable de richesse en extrait. **A boire entre 2002 et 2020.** (11/94)

1989 • 96 Cuvée Madame – Quel Sauternes extraordinaire ! Fabuleux de concentration, avec une texture onctueuse et un titre alcoométrique voisin de 14 ou 15°, ce vin gigantesque s'impose comme l'un des monuments du millésime. Ceux qui privilégient la puissance et la finesse apprécieront davantage le 1988, mais les amateurs de force brute et d'ensembles très amples ne trouveront rien qui puisse égaler la Cuvée Madame 1989. **A boire entre 2000 et 2025.** (4/91)

1988 • 88 ? Le 1988 présente une couleur classique, légèrement dorée avec des touches verdâtres. Bien qu'il ne soit pas aussi massif que les deux 1989, il offre une meilleure acidité et plus de douceur, se montrant aussi plus alcoolique. Il manque actuellement de structure, et seul le temps le resserrera. Ce vin est impressionnant lorsque ses qualités sont disséquées une à une, mais il est moins remarquable lorsqu'il est évalué dans l'ensemble. **A boire entre 2004 et 2025.** (11/94)

1986 • **87** J'attendais du Suduiraut 1986 qu'il fût exceptionnel, mais il ne l'est pas. Il est simplement très bon. Très corsé et très riche – il s'en fallait de peu qu'il ne fût profond –, il regorge d'arômes charnus et mielleux d'ananas, de noix de coco et de fruit crémeux ; tout en étant musclé, il n'a pas la complexité de la plupart de ses jumeaux. Se pourrait-il qu'il ne soit pas suffisamment botrytisé ? **A boire jusqu'en 2008.** (3/90)

1985 • **79** Étonnamment léger et sans détour, le 1985 est terne, voire insipide, fruité, mais dépourvu de complexité – bref, décevant, compte tenu de la réputation du cru. **A boire jusqu'en 2007.** (3/90)

1983 • **87** Voici un bon Suduiraut. D'un or moyennement foncé, il déploie un nez mielleux et riche de fleurs, mais, bien qu'étant corsé, se révèle moins profond que ses jumeaux de l'appellation. L'ensemble, élégant et gracieux, se distingue aussi par ses doux arômes et par son caractère bien affirmé. Cela dit, j'aurais espéré mieux de ce cru, compte tenu du millésime. **A boire jusqu'en 2005.** (3/90)

1982 • **90** Cuvée Madame – Si le millésime est excellent pour les rouges, il est assez quelconque pour les liquoreux. Cependant, la Cuvée Madame de Suduiraut est un succès éblouissant. Le régisseur estimait même qu'il s'agissait de la plus belle réussite de la propriété depuis les grandioses 1967 et 1959. Issu des seuls raisins rentrés avant les pluies, ce vin est très concentré, profond, mielleux et opulent, très persistant, avec cette richesse crémeuse à la limite du visqueux propre à Suduiraut. L'ensemble est superbe d'équilibre, et il aurait été en tout point parfait n'était son léger manque de botrytis. **A boire jusqu'en 2010.** (3/90)

1981 • **84** Séduisant et élégant, le 1981 n'a pas la richesse du 1982 ou du 1983, mais il est agréable du fait de son caractère précoce, épicé et mûr, et ce bien qu'il soit moins concentré et moins puissant que de coutume. Il est bien fait et modérément doux. **A boire jusqu'en 2005.** (3/84)

1979 • **86** Figurant parmi les belles réussites de 1979, le Suduiraut est étonnamment riche, profond et puissant pour le millésime. Sa robe d'un or moyennement foncé précède un nez mûr et grillé de caramel et d'abricot, qui lui-même introduit en bouche un ensemble corsé, doté d'un fruité généreux et visqueux, à la finale persistante. **A boire jusqu'en 2004.** (3/84)

1978 • **83** Proche du 1979, en moins doux et en moins riche, l'élégant 1978 est assez corsé et révèle une texture étonnamment légère pour un Suduiraut, ainsi qu'une bonne acidité. **A boire jusqu'en 2007.** (3/86)

1976 • **92** Le 1976 est à mon avis le Suduiraut le plus grandiose des années 70 et le seul millésime qui, avec le 1989, puisse rivaliser avec le magnifique 1959 de la propriété. D'un ambre doré moyennement foncé, ce vin corsé et massif déploie un bouquet très intense de chêne vanillé, d'ananas mûr et de caramel fondu. Profond et visqueux, il est opulent et luxuriant, et montre une très belle présence en bouche. **A boire jusqu'en 2010.** (3/90)

1975 • **78** Produit à un moment où la propriété n'était pas au meilleur de sa forme, le 1975 (issu d'un excellent millésime) affiche une belle maturité, mais il est étonnamment léger, un peu trop simple et dépourvu de complexité pour un cru de son rang. La finale laisse également à désirer. **A boire jusqu'en 2015.** (6/82)

1971 • **75** Plaisant, mais serré et maigre, le 1979 est cependant agréable – buvable –, mais quelle déception pour un cru de son rang ! Je ne l'ai pas dégusté récemment et subordore qu'il est **en déclin.** (2/78)

1970 C'est un bon Suduiraut, mais mou et trop alcoolique, malgré son caractère
• profond et concentré. Il pèche également par son manque de complexité. A
80 boire jusqu'en 2012. (8/81)

1969 Étonnamment riche, fruité et ample, le Suduiraut est l'un des liquoreux du
• Bordelais qui ont été mieux réussis en 1969 que leurs homologues en rouge.
78 A boire – peut-être en déclin. (6/77)

1967 Dans cette année classique, Suduiraut a produit un vin riche, corsé, ample
• et visqueux, qui est maintenant à parfaite maturité. Outre ses merveilleuses
89 senteurs de miel, d'amande et de caramel, il présente des flaveurs riches et douces, aussi profondes que savoureuses, ainsi qu'un caractère musclé et une finale agressive. Il n'est certes pas du niveau du 1976 ou du 1959, mais c'est certainement l'un des meilleurs exemples du cru entre ces deux millésimes. A boire. (3/88)

Millésimes anciens

J'ai plusieurs fois évoqué le grandiose 1959, que j'ai régulièrement noté entre 92 et 94 à chacune de mes dégustations, la dernière en date ayant eu lieu en décembre 1989. Parmi les autres vieux millésimes ayant fait l'objet d'un commentaire, je citerai l'excellent 1945 (noté 90 en novembre 1986) et le 1947 (noté 93 en juillet 1987). Je n'ai jamais dégusté de Suduiraut antérieur à la Seconde Guerre mondiale, mais les 1928 et 1899 sont, semble-t-il, légendaires. Parmi les autres millésimes que je connais, 1949 et 1955 ne m'ont pas particulièrement marqué.

LA TOUR BLANCHE – EXCELLENT

1er cru classé en 1855 – devrait être maintenu
Propriétaire : ministère de l'Agriculture
Adresse : 33210 Bommes
Tél. 05 57 98 02 73 – Fax 05 57 98 02 78
Visites : du lundi au vendredi
Contacts : Jean-Pierre Jausserand et Didier Fréchinet

Superficie : 36 ha (Bommes)
Vins produits :
Château La Tour Blanche – 40 000 b ; Les Charmilles de Tour Blanche – 6 000 b
Encépagement : 77 % sémillon, 17 % sauvignon, 6 % muscadelle
Densité de plantation : 6 000 pieds/ha – *Age moyen des vignes :* 24 ans
Rendement moyen : 11 hl/ha

Élevage :
fermentations en fûts neufs pour le sémillon, en cuves pour les autres cépages ;
vieillissement de 20 mois en fûts neufs pour le sémillon,
en cuves pour les autres cépages ; collage et filtration

A maturité : dans les 5 à 30 ans suivant le millésime

Le Château La Tour Blanche se situe juste après D'Yquem dans le classement des Sauternes de 1855. Daniel Osiris Iffia, le dernier propriétaire, décédé en 1907, fit don de son bien à l'Institut Pasteur, qui le transmit à l'État en 1909. En effet, cet homme, qui réalisa de nombreux travaux avec Pasteur et Ulysse-Gayon, se révéla social avant l'heure et fit donation de son domaine sous réserve que l'on y crée une école pour l'enseignement gratuit de la viticulture et de la vinification. Depuis 1960, tout en restant un domaine du cru, La Tour Blanche n'a pas failli à sa vocation éducative et délivre, au terme d'un cycle d'apprentissage de deux ans, des diplômes de viticulture et d'œnologie. Exploité successivement en fermage et en métayage entre 1925 et 1954, le cru a été repris en faire-valoir direct par le ministère de l'Agriculture depuis le 1er novembre 1954.

Jusqu'au milieu des années 80, les vins de La Tour Blanche étaient au moins médiocres, mais 1988 a marqué un tournant radical dans la marche de la propriété. Cette année-là, le sémillon fut entièrement vinifié en barriques, et, depuis le millésime suivant, les fermentations ont lieu en fûts neufs. Les chais sont maintenant climatisés, et les rendements ont été réduits aux alentours de 11 hl/ha. Tout bien considéré, La Tour Blanche s'impose, depuis les années 90, comme l'une des étoiles montantes de l'appellation. Fort heureusement, les prix n'ont pas (encore) rattrapé la courbe ascendante de la qualité.

1997 • 90-92 Vêtu d'une robe moyennement dorée, le 1997 de La Tour Blanche est fabuleusement parfumé et généreux. Dense et très corsé, il dégage un nez mielleux et très particulier de fruits crémeux et rôtis, de coing, d'orange et de minéral. La bouche révèle un fruit riche et fabuleusement extrait, et l'ensemble, tout à la fois corsé, doux et onctueux, s'impose comme l'une des grandes réussites du millésime. **A boire entre 2003 et 2025.** (1/99)

1996 • 89 Plus léger, le 1996 présente, outre une robe légèrement dorée, un nez crémeux d'agrumes et de pierre à fusil nuancé de noix de coco, de poire, d'orange et d'ananas. La bouche, moyennement corsée et modérément douce, atteste un caractère racé et des plus élégants. **A boire jusqu'en 2015.** (1/99)

1990 • 92 Moins aromatique, mais plus riche et plus corsé que le 1988, le 1990 n'a rien perdu de son caractère élégant, mielleux et botrytisé. Riche et gras, c'est un Sauternes classique, qui demeure sous-évalué si l'on tient compte de la renaissance de cette propriété de bon renom. Il se conservera parfaitement pendant encore **30 ans ou plus.** (11/94)

1989 • 90 Moyennement corsé, le 1989 révèle un fruité intense et mielleux, ainsi qu'une finale riche et imposante. Énorme et puissant, il est aussi doux et lourd, avec des arômes pénétrants de miel et de fleurs. Ce vin généreusement doté, d'une structure pas très serrée, se conservera facilement encore **15 ans.** (11/94)

1988 • 92 Incroyablement riche et très botrytisé, le 1988 de La Tour Blanche est crémeux, avec des arômes mielleux de fruits tropicaux (ananas) merveilleusement infusés de chêne grillé. Montrant une acidité de bon ressort, il développe une finale riche, très corsée et longue. Ce vin, qui commence tout juste à évoluer, tiendra facilement **25 à 30 ans encore.** (11/94)

1986 • 82 Après l'avoir goûté du fût, je pensais que ce vin serait meilleur, mais il se révèle plutôt sans détour, compact et monolithique, avec un bon fruité, mais dénué de la profondeur et du caractère botrytisé qui marquent les vins de ce millésime. Il est bon, mais sans rien d'extraordinaire. **A boire jusqu'en 2003.** (3/90)

1985 • **84** Les Sauternes 1985 sont généralement moins impressionnants que les 1986, mais celui de La Tour Blanche est plus concentré, plus intense et plus persistant. Néanmoins, il manque particulièrement de complexité et de botrytis. A boire jusqu'en 2001. (3/90)

Millésimes anciens

Le meilleur vieux millésime que je connaisse de ce cru est le très bon 1975, noté 89 en 1990. Il était encore jeune à plus de 15 ans d'âge.

D'YQUEM – EXCEPTIONNEL

1er grand cru classé en 1855 – devrait être maintenu (peut être considéré comme hors catégorie)
Propriétaire : SC du Château d'Yquem
Adresse : 33210 Sauternes
Tél. 05 57 98 07 07 – Fax 05 57 98 07 08
Visites : sur rendez-vous uniquement
Contact : Valérie Lailheugue

Superficie : 105 ha (Sauternes)
Vin produit : Château d'Yquem – 100 000 b (pas de second vin)
Encépagement : 80 % sémillon, 20 % sauvignon
Densité de plantation : 6 600 pieds/ha – *Age moyen des vignes :* 27 ans
Rendement moyen : 10 hl/ha

Élevage :
fermentations et vieillissement de 42 mois en fûts neufs ; collage ; légère filtration

---

A maturité : dans les 10 à 70 ans suivant le millésime

Implanté au cœur même du Sauternais, le Château d'Yquem est idéalement situé, au sommet d'une petite colline dominant les vignobles avoisinants de nombreux premiers crus. De 1785 à 1997, le domaine est demeuré entre les mains d'une même famille, et c'est le comte Alexandre de Lur-Saluces, le dernier de la lignée, qui l'a géré depuis le décès de son oncle, en 1968. En 1997, certains associés ont vendu leurs parts au très important groupe Moët-Hennessy, mais la transaction a fait l'objet d'une contestation judiciaire par Alexandre de Lur-Saluces. En avril 1999, un accord est intervenu entre ce dernier et LVMH, au terme duquel Alexandre de Lur-Saluces sera nommé président du conseil d'administration de la SA Château d'Yquem à naître et demeurera gérant de la société civile. La participation du groupe LVMH s'établit désormais à 64 % environ du Château d'Yquem.

L'excellence du cru devrait inspirer peu de changements aux nouveaux propriétaires – Bernard Arnault s'étant engagé à poursuivre la politique en vigueur au domaine. Il faut noter toutefois que des installations techniques souterraines ont été récemment aménagées, avec, notamment, une chaîne d'embouteillage climatisée extrêmement perfectionnée, qui permet d'effectuer la mise dans des conditions optimales.

La grandeur et le caractère exceptionnel de ce cru résultent de la conjonction de divers facteurs. Il y a tout d'abord sa situation et le microclimat qui y est lié. Ensuite, la famille de Lur-Saluces a installé un système de drainage perfectionné comportant près de 100 km de canalisations. Enfin, on s'est ici toujours évertué, envers et contre tout, à produire le meilleur vin possible, quelles que soient les contingences financières ou les difficultés – et c'est surtout par là qu'il fait la différence.

A D'Yquem, on répète avec orgueil qu'un pied de vigne ne produit qu'un seul verre de vin. Les raisins sont ramassés à parfaite maturité, un par un, par 150 vendangeurs qui, bien souvent, restent au domaine durant six à huit semaines, effectuant un minimum de quatre tries (passages) dans le vignoble. En 1964, ils durent quadriller le vignoble treize fois... pour rentrer du raisin qui fut considéré comme impropre ; cette année-là, le domaine ne produisit pas de liquoreux. Rares sont les viticulteurs pouvant se permettre de déclasser leur entière récolte ; c'est cependant ce qu'a fait D'Yquem en 1964, 1972 et 1974.

Le vin affiche un extraordinaire potentiel de garde. Mais, comme il est riche, opulent et doux, les gens le boivent généralement avant qu'il n'atteigne sa dixième année. C'est dommage, car il faut à D'Yquem de 15 à 20 ans pour déployer toutes ses splendeurs, et les meilleurs millésimes conservent leur fraîcheur et leur sensualité pendant au moins un demi-siècle. Le plus grand millésime que j'aie bu est le 1921. Il était remarquablement frais et vivace, d'une générosité et d'une richesse que je n'oublierai jamais.

La recherche à tout prix de la meilleure qualité ne s'arrête pas dans le vignoble. En effet, le vin est vieilli plus de 3 ans en fûts de chêne neuf, ce qui entraîne une perte de volume de 20 % environ, due à l'évaporation. Et, au moment de la mise en bouteille, on effectue encore une sélection sévère des meilleures pièces. Dans les années d'excellent niveau, telles 1975, 1976 et 1980, 20 % des fûts sont éliminés. Dans les années difficiles, telle 1979, 60 % du vin est déclassé, et, en 1978, la récolte fut déclarée à 85 % impropre à être vendue sous l'étiquette D'Yquem. A ma connaissance, aucun autre domaine ne pratique une sélection aussi draconienne. Le vin est très légèrement filtré pour ne pas perdre de sa richesse.

La propriété produit également un blanc sec célèbre, appelé « Y ». C'est un vin racé, dont le bouquet évoque celui du liquoreux, mais il est boisé et sec en bouche, étonnamment corsé et très alcoolique. Ce vin puissant doit, à mon avis, être servi avec un plat riche, comme le foie gras.

A la différence de bien d'autres crus renommés du Bordelais, D'Yquem n'est pas vendu en primeur. Il est habituellement diffusé 4 ans après la vendange à un prix très élevé, mais, compte tenu de la somme de travail, des risques encourus et de la sévérité de la sélection, on peut dire que c'est l'un des quelques vins de grande classe qui méritent leur prix astronomique.

1991
•
91

Magnifiquement vinifié, le 1991 du Château d'Yquem arbore une robe moyennement dorée, qui introduit un nez fabuleux de crème brûlée, de café torréfié, d'ananas doux et crémeux et de bien d'autres fruits encore. Très corsé, onctueux et riche, il ne révèle pas, cependant, la complexité ni l'énorme corpulence des 1988, 1989 ou 1990. Bien qu'extraordinaire et classique, il semble voué à évoluer dans l'ombre de ses trois glorieux aînés. **A boire entre 2005 et 2040.** (1/99)

1990
•
99

Magnifique réussite de ce millésime puissant et massif, le 1990 s'impose comme le plus riche des liquoreux produits en région bordelaise dans les trois fabuleux millésimes que sont 1988, 1989 et 1990. Plus fin et plus élégant que la majorité de ses jumeaux (au moins à ce stade de leur évolution), il s'annonce par une robe moyennement dorée, qui accompagne un nez extraordinairement doux de fruits tropicaux confits, de pêche, d'abricot et de noix de coco. On décèle également de très belles notes de chêne grillé judicieusement infusées dans l'ensemble. La bouche, massive, exprime par paliers un fruité extrêmement doux et très mûr, marqué par le botrytis. C'est un vin remarquable de pureté et d'harmonie, étayé par une acidité étonnamment bien fondue, qui développe tout en rondeur un caractère à la fois puissant, corsé et des plus riches. Il est tentant de le comparer à ses gigantesques aînés de 1983 et 1989 ; d'ailleurs, il s'impose incontestablement comme l'un des Château d'Yquem les plus riches que je connaisse, avec un potentiel de garde de 50 à 100 ans. Il se pourrait qu'il évolue plus rapidement que le 1986, le 1988 ou le 1989, mais tous demeureront splendides au-delà de leur cinquantenaire. Fabuleux ! **A boire entre 2003 et 2050+.** (1/99)

1989 • **97+** Le liquoreux favori des milliardaires est, une fois encore, et comme on pouvait s'y attendre, magnifiquement réussi. Ample, onctueux et d'une richesse massive, ce 1989 devrait évoluer de belle manière. Bien qu'il n'ait pas l'irrésistible finesse ni la complexité du 1988 ou du 1986, il se révèle plus riche et plus lourd, évoquant le 1976, avec davantage de gras. L'ensemble est très alcoolique et très riche ; outre ses amples senteurs de fumé, de noix de coco enrobée de miel, d'ananas et d'abricot très mûrs, il présente une structure bien dissimulée, comme d'ailleurs tous les jeunes millésimes de ce cru. En effet, ce vin est tellement extrait et tellement riche, mais aussi tellement accessible dans sa jeunesse, qu'on a du mal à croire qu'il tiendra 50 ans ou plus. Le 1989 est certainement le D'Yquem le plus riche de sa décennie ; il surpasse même en complexité le très puissant et massif 1983. Reste à savoir s'il développera l'extraordinaire complexité aromatique des très prometteurs 1986 et 1989. **A boire dans les 50 ans, voire au-delà.** (11/97)

1988 • **99** Très peu évolué, le 1988 ressemble à l'extraordinaire 1975. Outre son nez de miel, de fumé, d'orange, de noix de coco et d'ananas, il révèle un caractère puissant et très corsé, et déploie en bouche, par paliers, des arômes richement extraits et très botrytisés, ainsi qu'une finale sensationnelle. **A boire entre 2004 et 2060.** (12/97)

1986 • **98** Voici un autre vin fascinant. Plus botrytisé que le colossal 1983, mais moins puissant et moins alcoolique, le 1986 évoque le 1975, en plus précoce et en plus concentré. De nombreux négociants très respectés du Bordelais considèrent qu'il s'agit du millésime le plus grandiose produit à la propriété depuis le légendaire 1937. Outre le fait qu'il emballe littéralement le dégustateur avec son nez époustouflant d'ananas, de noisette caramélisée et d'abricot mûr, il est irrésistible par sa concentration et semblerait ne pas connaître de limite pour ce qui est de l'ampleur et de la profondeur de ses arômes. Très corsé, puissant, mais impeccable d'équilibre, le D'Yquem 1986 représente, exactement comme le 1983, un véritable tour de force en matière de vinification. **A boire entre 2000 et 2040.** (4/91)

1985 • **89** Quoique puissant, riche et d'une concentration exceptionnelle, D'Yquem n'a pas en 1985 la complexité qu'on lui connaît généralement, du fait du manque de botrytis de ce millésime chaud et sec. Néanmoins, ce vin massif et onctueux, vêtu d'une robe légèrement dorée, gratifie le palais de généreux arômes crémeux. Il est difficile de déterminer quand il atteindra son apogée, mais je suis pratiquement certain qu'il est capable de tenir au moins 25 ans encore.

Cependant, je doute qu'il s'impose comme un grandiose exemple de ce cru. **A boire jusqu'en 2025.** (3/90)

1984 • 87 Étonnamment bon dans un millésime particulièrement ingrat, le 1984 a été vendangé entre le 15 octobre et le 13 novembre, date de la dernière trie. 75 % seulement de la récolte fit le grand vin. Exhalant un bouquet très marqué de chêne grillé et regorgeant de senteurs d'amande fumée, d'ananas cristallisé, de miel et de caramel, le 1984 est, en bouche, moins flamboyant, moins gras et moins puissant que de coutume, mais il n'en demeure pas moins riche et corsé, avec un caractère bien affirmé. Je doute qu'il ait le potentiel de garde des meilleurs millésimes, mais il me semble capable de tenir encore. **A boire jusqu'en 2008.** (3/90)

1983 • 96 Le 1983, qui s'impose certainement comme l'exemple le plus concentré de ce cru ces vingt dernières années, se distingue par son époustouflant déploiement de richesse en extrait et par son caractère somptueusement glycériné. Les vendanges furent précoces cette année-là à D'Yquem, commençant le 29 septembre et finissant le 18 novembre. La plupart des observateurs avisés estiment que le 1983 évoluera moins rapidement que le 1986, et qu'il aura une longévité d'un siècle environ. Compte tenu de l'incroyable potentiel de garde de ce cru, ces suppositions n'ont rien de farfelu. A l'heure actuelle, ce vin est ample, avec d'énormes arômes de miel, d'ananas, de noix de coco, de caramel. Il dévoile en bouche une richesse en extrait massive, ainsi qu'une onctuosité à peine rehaussée par de l'acidité et par des notes de bois neuf. Je ne pense pas que l'ensemble ait beaucoup évolué depuis la mise. Personnellement, j'attendrai quelques années encore pour ouvrir ma première bouteille. **A boire entre 2005 et 2050.** (12/90)

1982 • 92 Ce millésime, compromis dans le Sauternais par de fortes pluies qui gorgèrent les raisins, est cependant bien réussi à D'Yquem et à Suduiraut, propriété voisine. En effet, ces deux crus avaient rentré l'essentiel de leur récolte avant le déluge, et D'Yquem attendit pour vendanger le reste que les baies aient séché sur pied ; la dernière trie fut donc effectuée le 7 novembre. Très précoce, charnu et savoureux, le 1982 déploie des arômes d'ananas mielleux, de pêche et d'abricot très peu marqués par le botrytis. La bouche, massive et épaisse, n'est pas aussi impressionnante que celle du 1983, et ne révèle pas la même persistance ni la même complexité. Il s'agit tout de même d'un millésime grandiose, qui a un peu souffert du fait que le 1983 et le 1986 lui ont ravi la vedette. **A boire jusqu'en 2020.** (12/90)

1981 • 90 Bien qu'il soit extraordinaire, le 1981 ne sera probablement jamais considéré comme une des gloires du domaine. Vêtu d'une robe légèrement dorée, il exhale un nez modérément intense et épicé de chêne vanillé, de melon frais et de fruits tropicaux, étayé par une acidité moyenne. Le milieu de bouche révèle un caractère charnu, visqueux, assez précoce, et la finale est remarquablement persistante et nette. Ce vin évoluera assez rapidement. **A boire jusqu'en 2015.** (3/87)

1980 • 93 Voici le parfait exemple d'un millésime plus propice aux liquoreux de Sauternes et Barsac qu'aux rouges. Cette année-là, D'Yquem produisit son vin le plus réussi depuis les gigantesques 1975 et 1976. Vêtu d'une robe moyennement dorée, le 1980 exhale un nez ample et opulent de miel, de boisé, de fleurs et de fruits tropicaux. Riche et concentré, il est très marqué par le botrytis et étayé par une heureuse acidité, et sa finale est stupéfiante. C'est un beau succès, qui évolue à pas lents. **A boire jusqu'en 2035.** (12/90)

1979 • **88** Quoique extrêmement séduisant, le 1979 me paraît manquer de quelque chose. D'une couleur légèrement dorée, il libère le bouquet mûr, crémeux, boisé et épicé typique du cru, mais se révèle plus réservé en bouche que de coutume. Très corsé et intense, il manifeste un bel équilibre, mais sa finale est un peu courte. Il n'a pas la puissance ni la richesse des meilleurs millésimes. La récolte fut déclassée à 60 % cette année-là. **A boire jusqu'en 2020.** (12/90)

1978 • **87** S'il fut propice aux rouges (la vendange fut tardive, mais de bonne qualité), le millésime 1978 se révéla, en revanche, difficile pour les liquoreux de Sauternes et Barsac, qui pâtirent d'un temps trop sec, donc d'un botrytis insuffisant. Certes, les vins sont riches, corsés et visqueux, mais ils manquent de caractère et, pour la plupart, se révèlent ternes. D'Yquem, la réussite de l'appellation, est riche et mielleux, admirablement concentré, très alcoolique et corpulent, mais malheureusement dénué du bouquet majestueux et des arômes complexes que seul le botrytis peut donner. Seulement 15 % de la récolte fut retenue pour le grand vin. **A boire jusqu'en 2008.** (12/90)

1977 • **85** Dans ce millésime pourtant médiocre, D'Yquem se révèle mûr, avec des arômes grillés et crémeux d'ananas bien marqués par le boisé. La récolte fut à 70 % éliminée, et le vin produit cette année-là est presque aussi bon que le très sous-estimé 1973. **A boire jusqu'en 2000.** (2/84)

1976 • **96** Ce vin s'améliore constamment. Son bouquet fabuleux d'épices, de fruit crémeux, d'ananas, de banane, de noix de coco et de melon très mûr ne saurait laisser indifférent. L'ensemble, très corsé, visqueux et sensuel, s'est révélé délicieux dès la mise en bouteille, du fait de sa faible acidité et de son caractère précoce. C'est l'un des rares millésimes de ce cru qui soient aussi plaisants à un très jeune âge. La récolte fut déclassée à 20 %. **A boire jusqu'en 2025.** (5/97)

1975 • **99** Le 1975 pourrait bien s'imposer comme le Château d'Yquem le plus grandiose des temps modernes. Lorsqu'il sera parfaitement mûr – dans 25 à 30 ans –, il pourra rivaliser avec les extraordinaires 1921 et 1937. Ce vin, qui évolue à pas lents, est bien moins évolué que certains millésimes récents tels que 1983 et 1986. Néanmoins, il affiche une concentration fabuleuse et un équilibre parfait, et déploie les légendaires arômes de chêne vanillé, de fruits tropicaux, d'ananas, de pêche mielleuse et d'amande grillée typiques du cru. Malgré sa richesse en extrait massive, l'ensemble est bien étayé par une acidité fraîche, qui lui confère sa belle précision. C'est un vin étonnant de puissance et de finesse, doté d'une finale inimaginable pour quiconque n'en a pas fait l'expérience. Ce véritable monument pourrait bien être renoté à la hausse (et à la perfection) dans les 10 ans. **A boire entre 2005 et 2060.** (5/97)

1973 • **86** Étonnamment réussi dans un millésime médiocre pour les liquoreux de l'appellation, le 1973 est trop boisé et trop épicé, mais il est bien équilibré, avec un caractère gras et concentré. Cependant, il est moins doux et moins marqué par le botrytis que le 1975 ou le 1976, par exemple. Seulement 12 % de la récolte fit le grand vin cette année-là. **A boire jusqu'en 2015.** (3/84)

1971 • **91** Est-ce de la malchance ? J'ai goûté de nombreuses bouteilles défectueuses du 1971, qui est pourtant un millésime extraordinaire ; je subodore que de mauvaises conditions de stockage et de transport sont à blâmer. Les meilleures bouteilles exhalent de généreuses senteurs mûres et concentrées de fruits tropicaux et de botrytis, et révèlent un ensemble profondément doré, très corsé, avec des arômes gras et épicés de caramel et de rôti. Riche et ample, ce vin évolue rapidement pour un D'Yquem, et, bien que remarquable, pourrait se révéler un peu surestimé. **A boire jusqu'en 2010.** (6/98)

1970 • **90** Moins évolué que le 1971 – et, à mon avis, un tout petit peu moins intéressant et moins complexe –, le 1970 est ample, riche, corsé et assez alcoolique, avec des arômes parfumés très intéressants, étayés par une acidité fraîche. Contrairement au 1971, qui est à son apogée, ce vin-ci peut évoluer encore longuement : s'il est impressionnant, il ne révèle pas encore tout son potentiel. **A boire jusqu'en 2025.** (11/84)

1967 • **96** Se fondant uniquement sur la grandeur du Château d'Yquem 1967, nombreux sont ceux qui ont été prompts à déclarer qu'il s'agissait d'un millésime unanimement grand pour les liquoreux de Sauternes et Barsac. Il s'agit en vérité d'une année de très bon niveau, mais très irrégulière. Quant à D'Yquem, il frise tout simplement la perfection. D'un ambre doré moyennement foncé, avec un bouquet très intense de vanille, d'épices, de miel, d'ananas mûr et de noix de coco, ce vin onctueux et très mûr déploie en bouche, par paliers, un fruit opulent et doux, bien équilibré aussi, ainsi qu'une finale massive et puissante. Presque trop ample et trop riche pour accompagner un plat, ce 1967 devrait être apprécié seul, en dessert. **A boire jusqu'en 2035.** (6/98)

1966 • **85** Très bon, mais médiocre pour le cru, le 1966 n'est pas aussi riche ni aussi intense qu'on l'aurait souhaité, mais il se révèle tout de même ample et plaisant, malgré son côté un peu pataud et trop boisé. **A boire jusqu'en 2000.** (1/82)

1962 • **90** Ce vin est excellent, presque extraordinaire, mais je pense qu'il a davantage impressionné d'autres critiques, qui ont vu en lui l'un des exemples les plus grandioses de ce cru. Certes, il est riche et crémeux, avec des arômes épicés et boisés de fruits tropicaux, ainsi que des flaveurs de caramel et de fruits rôtis, mais il est astringent, sec et légèrement rugueux en finale, ce qui ne m'a pas permis de lui attribuer une meilleure note. **A boire jusqu'en 2025.** (11/82)

1961 • **84** Bien que 1961 soit médiocre en Sauternes et Barsac, les liquoreux de cette année ont bénéficié de la belle réputation et de la grande qualité des rouges. J'ai toujours trouvé le D'Yquem 1961 musclé, dépourvu d'équilibre, avec un bouquet nuancé de brûlé, et des arômes agressifs et trop boisés, sans la maturité et la richesse qui font la gloire de ce cru. Le vin commence à se dessécher et à se montrer assez curieux. **A boire jusqu'en 2010.** (4/82)

Millésimes anciens

Nul ne saurait contester que les millésimes de ce cru les plus profonds et les plus mûrs du XXe siècle sont le 1921 (noté 100 en deux occasions, le plus récemment en septembre 1996) et le 1937 (noté entre 96 et 99 en trois occasions à la fin des années 80). Outre ces deux années, j'ai eu la chance de déguster d'autres beaux flacons, mais aucun qui fût comparable. En ordre de préférence, j'ai aimé le 1928 (noté 97 en avril 1991), le 1929 (noté 97 en mars 90), le 1959 (noté entre 94 et 96 en trois occasions à la fin des années 80) et le 1945 (noté 91 en octobre 1995). Le 1945 est incontestablement magnifique ; cependant, la bouteille goûtée en octobre 1995 révélait un vin bruni et légèrement madérisé, encore très parfumé, mais en passe de se dessécher. Il faut néanmoins souligner que, en matière de vins de plus de 20 ans âge, l'adage selon lequel il n'y a pas de grands vins, mais seulement de grandes bouteilles, prend toute sa force. Bien que je n'aie dégusté le 1947 (l'année de ma naissance) qu'en une seule occasion, j'ai été étonné par son caractère sec, et par le fait qu'il était dénué du gras et de la douceur qui caractérisent les grandes réussites du château.

Quant aux millésimes du siècle dernier, j'ai eu le privilège d'en déguster quatre en octobre 1995. Vêtu d'un or très foncé, le 1825 (noté 89) était presque sec et avait perdu son fruit. Les arômes de crème brûlée qu'il présentait en bouche et en finale étaient étayés par un haut niveau d'acidité. Très sec, avec des arômes de terre, le 1814 (noté 67) présentait une robe or foncé et des arômes assez peu engageants de moisi, qui dissimulaient le peu de fruité qui lui restait. En revanche, le 1811 (noté 100), dont la robe était or foncé, se révélait fabuleusement intense, avec un nez doux, onctueux, épais et merveilleusement extrait. Aussi précis qu'il est possible de l'être, évoquant une crème brûlée liquide, il déployait une finale longue de plus d'une minute. C'est vraiment le type de vin qui a fait la réputation du Château d'Yquem – il est tout simplement stupéfiant, et souvenez-vous qu'il est issu de la fameuse « année de la comète ». Le 1847 (noté 100) aurait dû, si cela était possible, être mieux noté encore. Massif, étonnamment jeune de robe, il se distinguait par de remarquables arômes de miel et de botrytis, par une richesse stupéfiante et par une finale longue de plus de 40 secondes. On peut se demander si les millésimes des temps modernes seront capables d'une aussi longue garde. Je pense que oui, mais je doute que mes lecteurs vivent suffisamment longtemps pour savoir ce que vaudront les 1975, 1976, 1983, 1986, 1988, 1989 et 1990 à plus de 148 ans d'âge.

AUTRES PRODUCTEURS DE BARSAC ET DE SAUTERNES

ANDOYSE DU HAYOT

Non classé

Propriétaire : SCE Vignobles du Hayot

Adresse : 33720 Barsac

Tél. 05 56 27 15 37 – Fax 05 56 27 04 24

Visites : du lundi au vendredi (8 h-12 h et 14 h-18 h)

Contact : Fabienne du Hayot

Superficie : 20 ha (Barsac)

Vin produit : Château Andoyse du Hayot – 65 000 b (pas de second vin)

Encépagement : 70 % sémillon, 25 % sauvignon, 5 % muscadelle

Densité de plantation : 6 500 pieds/ha – *Age moyen des vignes :* 35 ans

Rendement moyen : 25 hl/ha

Élevage :

fermentations en cuves d'acier inoxydable thermorégulées ;
vieillissement de 18 mois en cuves pour une partie de la récolte,
en fûts (1/3 de bois neuf) pour le reste ; collage et filtration

CANTEGRIL

Non classé
Propriétaires : Pierre et Denis Dubourdieu
Adresse : 33720 Barsac
Tél. 05 56 27 15 84 – Fax 05 56 27 18 99
Visites : sur rendez-vous uniquement
Contact : Pierre Dubourdieu

Superficie : 20 ha (Barsac)
Vin produit : Château Cantegril – 50 000-60 000 b (pas de second vin)
Encépagement : 70 % sémillon, 20 % sauvignon, 10 % muscadelle
Densité de plantation : 7 500 pieds/ha – *Age moyen des vignes :* 35 ans
Rendement moyen : 22 hl/ha

Élevage :
fermentations et vieillissement de 24 mois en fûts (1/3 de bois neuf) ; soutirage trimestriel ; collage à la bentonite ; filtration

CRU D'ARCHE-PUGNEAU – EXCELLENT

Non classé
Propriétaire : Jean-Francis Daney
Adresse : 24, Le Biton – Boutoc – 33210 Preignac
Tél. 05 56 63 50 55 – Fax 05 56 63 39 69
Visites : du lundi au vendredi (9 h-20 h), sur rendez-vous de préférence
Contacts : Jean-Pierre et Jean-Francis Daney

Superficie : 13 ha (Bommes, Preignac, Sauternes et Barsac)
Vins produits :
Cru d'Arche-Pugneau – 25 000 b ;
Cru d'Arche-Pugneau Trie Exceptionnelle (cuvée prestige) – 10 000 b
Encépagement : 75 % sémillon, 20 % sauvignon, 5 % muscadelle
Densité de plantation : 7 000 pieds/ha – *Age moyen des vignes :* 40 ans
Rendement moyen : 16 hl/ha

Élevage :
fermentations de 15-40 jours et vieillissement de 36 mois en fûts (pas de bois neuf) ; collage et filtration

Cette propriété mérite assurément l'attention des amateurs, car les vins qui en sont issus sont d'une excellente facture et parfaitement capables de rivaliser avec certains des meilleurs crus classés de Sauternes et Barsac. Je conserve le souvenir de quelques millésimes remarquables, dégustés vers la fin des années 80 et notés aux alentours de 95. Même le 1991 est stupéfiant. Je conseille particulièrement aux amateurs la cuvée spéciale, appelée Cru d'Arche-Pugneau Trie Exceptionnelle, qui n'a pas grand-chose à envier à D'Yquem ou à la Cuvée Madame du Château Coutet pour ce qui est de la richesse et de l'intensité. Cette propriété très peu connue fait des vins exceptionnels.

CRU BARRÉJATS

Non classé
Propriétaires : Mireille Daret et Philippe Andurand
Adresse : Clos de Gensac – Mareuil – 33210 Pujols-sur-Ciron
Tél. et Fax 05 56 76 69 06
Visites : sur rendez-vous uniquement
Contact : Mireille Daret

Superficie : 2,7 ha (Barsac, entre Climens et Caillou)
Vins produits :
Cru Barréjats – 2 400-3 600 b ; Accabailles de Barréjats – 1 200-3 000 b
Encépagement : 85 % sémillon, 10 % sauvignon, 5 % muscadelle
Densité de plantation : 6 600 pieds/ha – *Age moyen des vignes :* 40 ans
Rendement moyen : 16 hl/ha

Élevage :
fermentations et vieillissement de 18-36 mois en fûts neufs ; collage et filtration

1997 • **86** Vêtu d'une robe légèrement dorée, le 1997 dégage un nez évolué et modérément intense de doux abricot et de miel. Moyennement corsé et bien vinifié, il est faible en acidité, charnu et corpulent, mais quelque peu dépourvu de complexité. **A boire jusqu'en 2010** (6/99)

1996 • **87** Arborant une robe or assez foncée, le 1996 exhale un nez modérément intense de boisé, de caramel et de blé doux. La bouche, épicée, évoque le miel et la crème brûlée, et l'ensemble révèle un caractère assez corsé, assez doux et persistant. **A boire entre 2001 et 2012.** (6/99)

CRU PEYRAGUEY

Non classé
Propriétaire : famille Mussotte
Adresse : 10, Miselle – 33210 Preignac
Tél. 05 56 44 43 48 – Fax 05 56 01 71 89
Visites : sur rendez-vous uniquement
Contact : Hubert Mussotte

Superficie : 7 ha (Preignac, Bommes et Sauternes)
Vin produit : Château Cru Peyraguey – 17 250 b (pas de second vin)
Encépagement : 80 % sémillon, 20 % sauvignon
Densité de plantation : 7 000 pieds/ha – *Age moyen des vignes :* 25 ans
Rendement moyen : 22 hl/ha

Élevage :
fermentations en cuves pour une partie de la récolte, en fûts neufs pour le reste ; vieillissement de 24 mois en fûts (proportion variable de bois neuf) ; collage et filtration non systématiques

DUDON

Cru bourgeois
Propriétaires : Michel et Évelyne Allien
Adresse : 33720 Barsac
Tél. 05 56 27 29 38 – Fax 05 56 27 29 38
Visites : sur rendez-vous uniquement
Contact : Évelyne Allien

Superficie : 11,7 ha (Haut-Barsac, non loin de Coutet)
Vins produits : Château Dudon – 18 000 b ; Château Gallien – 6 000 b
Encépagement : 83 % sémillon, 15 % sauvignon, 2 % muscadelle
Densité de plantation : 6 000 pieds/ha – *Age moyen des vignes :* 27 ans

---

Élevage :
fermentations de 21-35 jours et vieillissement de 18 mois en fûts (30 % de bois neuf) ; collage et filtration légers

GRAVAS

Cru bourgeois
Propriétaire : famille Bernard
Adresse : 33720 Barsac
Tél. 05 56 27 06 91 – Fax 05 56 27 29 83
Visites : tous les jours
Contact : Pierre Bernard

Superficie : 11 ha (Barsac)
Vin produit : Château Gravas – 30 000 b (pas de second vin)
Encépagement : 90 % sémillon, 10 % muscadelle
Densité de plantation : 6 600 pieds/ha – *Age moyen des vignes :* 40 ans
Rendement moyen : 25 hl/ha

Élevage :
fermentations de 4 mois en cuves ; vieillissement de 18 mois en fûts (1/3 de bois neuf) pour la moitié de la récolte, en cuves pour l'autre ; collage et filtration

GUITERONDE DU HAYOT

Non classé
Propriétaire : SCE Vignobles du Hayot
Adresse : 33720 Barsac
Tél. 05 56 27 15 37 – Fax 05 56 27 04 24
Visites : du lundi au vendredi (8 h-12 h et 14 h-18 h)
Contact : Fabienne du Hayot

Superficie : 35 ha (Barsac)
Vin produit : Château Guiteronde du Hayot – 100 000 b (pas de second vin)
Encépagement : 70 % sémillon, 25 % sauvignon, 5 % muscadelle

Densité de plantation : 6 500 pieds/ha – *Age moyen des vignes :* 35 ans
Rendement moyen : 25 hl/ha

Élevage :
fermentations en cuves d'acier inoxydable thermorégulées ;
vieillissement de 18 mois en cuves pour une partie de la récolte,
en fûts (1/3 de bois neuf) pour le reste ; collage et filtration

HAUT-BERGERON
Non classé
Propriétaire : Robert Lamothe et Fils
Adresse : 33210 Preignac
Tél. 05 56 63 24 76 – Fax 05 56 63 23 31
Visites : du lundi au samedi (8 h-12 h et 14 h-19 h)
Contacts : Patrick et Hervé Lamothe

Superficie :
23,7 ha (Sauternes, Preignac, Bommes et Barsac)
Vins produits : Château Haut-Bergeron – 28 000 b ; Château Fontebride – 20 000 b ;
Cuvée 100 (cuvée prestige 100 % sémillon) – 650 b
Encépagement : 90 % sémillon, 5 % sauvignon, 5 % muscadelle
Densité de plantation : 8 000 pieds/ha ; Cuvée 100 – 9 000 pieds/ha
Age moyen des vignes : 60 ans ; Cuvée 100 – 100 ans
Rendement moyen : 19 hl/ha ; Cuvée 100 – 12 hl/ha

Élevage :
fermentations et vieillissement de 18-24 mois en fûts (50 % de bois neuf) ;
collage et filtration ;
Cuvée 100 – fermentations de 60 jours en fûts neufs ;
vieillissement de 30 mois en fûts neufs ;
collage ; pas de filtration

HAUT-CLAVERIE – TRÈS BON
Cru bourgeois
Propriétaire : SCEA Sendrey Frères
Adresse : 33210 Preignac
Tél. 05 56 63 12 65 – Fax 05 56 63 51 16
Visites : sur rendez-vous uniquement
Contact : Philippe Sendrey

Superficie : 14 ha (Preignac)
Vin produit : Château Haut-Claverie – 36 000 b (pas de second vin)
Encépagement : 85 % sémillon, 10 % sauvignon, 5 % muscadelle
Densité de plantation : 5 800 pieds/ha – *Age moyen des vignes :* 30 ans
Rendement moyen : 25 hl/ha

Élevage :
fermentations de 18 jours en cuves d'acier inoxydable ; cuvaisons de 21-28 jours en cuves de ciment ; vieillissement de 15-20 mois en fûts de 1 an ; collage ; légère filtration

---

A maturité : dans les 5 à 15 ans suivant le millésime

Située au sud du village de Fargues, cette propriété, peu connue mais d'une excellente tenue, propose des vins qui, régulièrement, se distinguent dans les dégustations à l'aveugle en se montrant à la hauteur des meilleurs. Leur prix demeure cependant raisonnable. Le secret de cette réussite tient non seulement au microclimat favorable qui baigne le vignoble, mais également au fait que les vins sont issus de vendanges tardives, de tries multiples et d'une vinification des plus soignées. Haut-Claverie pourrait bien être l'une des étoiles montantes de l'appellation.

DU HAUT-PICK
Non classé
Propriétaire : Foncier Vignobles
Adresse : Domaine de Lamontagne – 33210 Preignac
Tél. 05 56 63 27 66 – Fax 05 56 76 87 03
Visites : sur rendez-vous uniquement
Contact : Michel Garat

Superficie : 9 ha (Preignac)
Vin produit : Château du Haut-Pick – 27 000 b (pas de second vin)
Encépagement : 100 % sémillon – *Densité de plantation :* 7 000 pieds/ha
Age moyen des vignes : 35 ans – *Rendement moyen :* 23 hl/ha

Élevage :
fermentations de 21 jours en cuves d'acier inoxydable thermorégulées ; vieillissement de 12-15 mois en fûts pour 25 % de la récolte, en cuves pour le reste ; collage et filtration si nécessaire

LES JUSTICES – BON
Cru bourgeois
Propriétaire : Christian Médeville
Adresse : 33210 Preignac
Adresse postale : Château Gilette – 33210 Preignac
Tél. 05 56 76 28 44 – Fax 05 56 76 28 43
Visites : du lundi au jeudi (9 h-13 h et 14 h-18 h), le vendredi (9 h-13 h et 14 h-17 h)
Contact : Andrée Médeville

Superficie : 8 ha (Preignac)
Vin produit : Château Les Justices – 21 000 b (pas de second vin)
Encépagement : 88 % sémillon, 10 % sauvignon, 2 % muscadelle

Densité de plantation : 6 600 pieds/ha – *Age moyen des vignes :* 35 ans
Rendement moyen : 21 hl/ha

Élevage :
fermentations en cuves d'acier inoxydable ;
vieillissement de 6 mois en cuves, puis de 10-12 mois en fûts (20 % de bois neuf) ;
collage et filtration

LAFON
Non classé
Propriétaire : Pierre Dufour
Adresse : 33210 Sauternes
Tél. et Fax 05 56 63 30 82
Visites : sur rendez-vous uniquement
Contact : Olivier Fauthoux

Superficie : 10 ha (Sauternes, Bommes, Preignac et Fargues)
Vin produit : Château Lafon – 32 000 b (pas de second vin)
Encépagement : 95 % sémillon, 5 % sauvignon
Densité de plantation : 6 500 pieds/ha – *Age moyen des vignes :* 35 ans
Rendement moyen : 22 hl/ha

Élevage :
fermentations de 15-20 jours en cuves d'acier inoxydable thermorégulées ;
vieillissement de 18 mois en fûts de 1 an ; collage ; pas de filtration

LAMOURETTE
Cru bourgeois – devrait être maintenu
Propriétaire : Anne-Marie Léglise
Adresse : 33210 Bommes
Tél. 05 56 76 63 58 – Fax 05 56 76 60 85
Visites : sur rendez-vous uniquement
Contact : Anne-Marie Léglise

Superficie : 9 ha (Bommes)
Vins produits : Château Lamourette – 15 000 b – Château Cazenave – 7 000 b
Encépagement : 90 % sémillon, 5 % sauvignon, 5 % muscadelle
Densité de plantation : 6 500 pieds/ha – *Age moyen des vignes :* 25 ans
Rendement moyen : 25 hl/ha

Élevage :
fermentations de 21 jours en cuves d'acier inoxydable thermorégulées ;
vieillissement de 18 mois en cuves d'acier inoxydable et en cuves de ciment ;
collage et filtration

Voici un vin sans détour, souple et fruité, destiné à être consommé dès sa diffusion. Le meilleur millésime que je connaisse de ce cru est le 1986, très racé.

LIOT – BON

Non classé – devrait être maintenu

Propriétaire : Jean-Gérard David

Adresse : 33720 Barsac

Tél. 05 56 27 15 31 – Fax 05 56 27 14 42

Visites : sur rendez-vous uniquement

Contacts : Jean-Gérard et Éléna David

Superficie : 20 ha (Barsac)

Vins produits : Château Liot – 40 000 b ; Château du Levant – 20 000 b

Encépagement : 80 % sémillon, 10 % sauvignon, 10 % muscadelle

Densité de plantation : 7 500 pieds/ha – *Age moyen des vignes :* 30-40 ans

Rendement moyen : 23 hl/ha

Élevage :

fermentations de 21 jours en cuves de ciment ;

vieillissement de 15-18 mois en fûts (15 % de bois neuf) ; collage et filtration

---

A maturité : dans les 3 à 10 ans suivant le millésime

Cette propriété peu connue, mais très bien menée, se situe sur le plateau argilo-calcaire de Haut-Barsac. Les millésimes que j'ai dégustés – 1983, 1985 et 1986 – se sont révélés bien faits et purs, tout à la fois fruités, riches, ronds et sans détour, mais également terriblement doux. Le vignoble, qui jouxte celui de Climens, présente un potentiel énorme. A en juger par les quelques exemples que je connais de ce cru, il vaut mieux le déguster dans sa jeunesse.

MAURAS

Cru bourgeois

Propriétaire : Société vinicole de France

Adresse : 33210 Sauternes

Adresse postale : Château Grava – 33350 Haux

Tél. 05 56 67 23 89 – Fax 05 56 67 08 38

Visites : sur rendez-vous uniquement

Contact : Patrick Duale

Superficie : 15 ha (extrême nord de l'appellation, au-dessus de Rabaud-Promis)

Vins produits : Château Mauras – 45 000 b ; Clos du Ciron – 40 000 b

Encépagement : 67 % sémillon, 30 % sauvignon, 3 % muscadelle

Densité de plantation : 6 000 pieds/ha – *Age moyen des vignes :* 25-30 ans

Rendement moyen : 20-25 hl/ha

DU MAYNE

Non classé
Propriétaire : famille Sanders
Adresse : 33720 Barsac
Tél. 05 56 27 16 07 – Fax 05 56 27 16 02
Visites : du lundi au vendredi, aux heures ouvrables
Contact : Jean Sanders – Tél. 05 56 63 19 54

Superficie : 8 ha (Barsac, à proximité de Suau)
Vin produit : Château du Mayne – 19 000 b (pas de second vin)
Encépagement : 60 % sémillon, 40 % sauvignon
Densité de plantation : 7 800 pieds/ha – *Age moyen des vignes :* plus de 30 ans
Rendement moyen : 17 hl/ha

Élevage :
fermentations en cuves ; vieillissement de 12 mois en fûts (20 % de bois neuf) ;
collage ; pas de filtration

MONT-JOYE

Non classé
Propriétaires : Frank et Marguerite Glaunes
Adresse : quartier Miaille – 33720 Barsac
Adresse postale : Domaine du Pas Saint-Georges
33190 Casseuil
Tél. 05 56 71 12 73 – Fax 05 56 71 12 41
Visites : sur rendez-vous uniquement
Contacts : Frank et Marguerite Glaunes

Superficie : 13 ha (Barsac)
Vins produits :
Château Mont-Joye – 12 000 b ;
Château Jacques-le-Haut (cuvée spéciale) – 5 000-10 000 b
Encépagement : 75 % sémillon, 15 % sauvignon, 10 % muscadelle
Densité de plantation : 6 600 pieds/ha – *Age moyen des vignes :* 35 ans
Rendement moyen : 20 hl/ha

Élevage :
fermentations en fûts pour une partie de la récolte, en cuves revêtues pour le reste ;
vieillissement de 24 mois par rotation entre les cuves et les fûts neufs ;
collage et filtration ;
Cuvée spéciale – fermentations de 18 jours en fûts ;
vieillissement de 12-24 mois en fûts (30 % de bois neuf) ;
collage et filtration

MONTEILS

Cru bourgeois
Propriétaire : famille Le Diascorn
Adresse : 33210 Preignac
Tél. 05 56 76 12 12 – Fax 05 56 76 28 63
Visites : sur rendez-vous de préférence
Contact : Hervé Le Diascorn

Superficie : 11 ha (Preignac)
Vin produit : Château Monteils – 30 000 b (pas de second vin)
Encépagement : 75 % sémillon, 20 % sauvignon, 5 % muscadelle
Densité de plantation : 5 500 pieds/ha – *Age moyen des vignes :* 25 ans
Rendement moyen : 21 hl/ha

Élevage :
fermentations en petites cuves d'acier inoxydable ;
vieillissement de 18 mois en cuves de béton revêtues pour une part de la récolte,
en fûts neufs pour le reste ; collage et filtration

DE MYRAT

2e cru classé en 1855
Propriétaire : Jacques de Pontac
Adresse : 33720 Barsac
Tél. 05 56 27 15 06 – Fax 05 56 27 11 75
Visites : du lundi au vendredi (10 h-12 h et 14 h-18 h)
Contact : Xavier de Pontac

Superficie : 22 ha (Barsac)
Vin produit :
Château de Myrat – 25 000 b (pas de second vin)
Encépagement : 86 % sémillon, 10 % sauvignon, 4 % muscadelle
Densité de plantation : 7 000 pieds/ha – *Age moyen des vignes :* 10 ans
Rendement moyen : 14 hl/ha

Élevage :
fermentations de 18 jours et vieillissement de 20-24 mois en fûts
(30 % de bois neuf) ; collage et filtration

Construit au XVIIIe siècle, le Château de Myrat, qui est l'une des plus belles demeures de la région, se situe dans un parc aux arbres centenaires. Il appartient depuis longtemps à la famille de Pontac, dont l'un des ancêtres, Arnaud de Pontac – grande figure du vignoble – créa, avec Haut-Brion, la notion de « cru » dans le Bordelais.

Chose extraordinaire : le Château de Myrat n'a pas diffusé la moindre goutte de vin de 1976 à 1990 inclus. Et pour cause, ce deuxième cru classé n'avait plus un seul pied de vigne. En effet, le marché des vins liquoreux était difficile dans les années 60 et 70, et le comte de Pontac, persuadé que les Barsac n'avaient plus d'avenir, fit arracher son entier vignoble. Mais il était dit que l'histoire du domaine ne s'arrêterait pas là : au décès du comte, en 1988, ses fils Xavier et Jacques décidèrent de faire renaître la propriété. Et avec quelle énergie ! Apprenant qu'ils étaient encore (pour quelques semaines seulement) titulaires de droits de replantation sur le vignoble (alors d'une durée de douze ans), ils entreprirent de le reconstituer, et c'est ainsi que, six semaines plus tard, 22 ha d'un seul tenant sur le plateau de Haut-Barsac furent entièrement complantés. Essuyant pour ses débuts une série de millésimes catastrophiques (gel, pluies, etc), De Myrat prit vraiment ses marques à partir de 1994. Le 1997, que j'ai récemment dégusté, est d'un bon niveau.

1997 • **82-84** Composé à 88 % de sémillon, à 8 % de sauvignon blanc et à 4 % de muscadelle, le De Myrat 1997 est légèrement corsé, moins doux et moins marqué par le botrytis que la plupart de ses jumeaux. Vif, nuancé d'agrumes, il sera agréable à l'apéritif ou, plus généralement, à boire sans cérémonie. Son potentiel est de **10 ans environ.** (1/99)

1996 • **?** J'ai été dérouté par les très étranges senteurs de diesel que présentait le 1996. J'apprécie les notes de pétrole dans certains vins, et notamment dans le Riesling d'Alsace ; cependant, celui-ci est trop fortement marqué par ce caractère. J'attends de pouvoir le regoûter pour le noter. (1/99)

PERNAUD

Cru bourgeois
Propriétaire : GFA du Château Pernaud
Adresse : 33720 Barsac
Tél. 05 56 27 26 52 – Fax 05 56 27 32 08
Visites : sur rendez-vous uniquement
Contact : Jean-Gabriel Jacolin

Superficie : 15,7 ha (Sauternes et Barsac)
Vins produits :
Château Pernaud – 9 000-12 000 b ; Château Pey-Arnaud – 5 000-15 000 b
Encépagement : 80 % sémillon, 15 % sauvignon, 5 % muscadelle
Densité de plantation : 7 000 pieds/ha – *Age moyen des vignes :* 30-35 ans
Rendement moyen : 21,5 hl/ha

Élevage :
fermentations en cuves d'acier inoxydable thermorégulées ;
vieillissement de 18 mois minimum en fûts (5-10 % de bois neuf) ;
collage si nécessaire ; filtration

PIADA – BON

Cru bourgeois – équivaut à un 2e cru
Propriétaire : Jean-Frédéric Lalande
Adresse : 33720 Barsac
Tél. 05 56 27 16 13 – Fax 05 56 27 26 30
Visites : tous les jours (8 h-11 h et 14 h-18 h)
Contact : Jean-Frédéric Lalande

Superficie : 10 ha (Barsac)
Vins produits : Château Piada – 17 000 b ; Clos du Roy – 16 000 b
Encépagement : 95 % sémillon, 3 % sauvignon, 2 % muscadelle
Densité de plantation : 7 900 pieds/ha – *Age moyen des vignes :* 40 ans
Rendement moyen : 25 hl/ha

Élevage :
achèvement des fermentations et vieillissement de 12 mois en fûts (25 % de bois neuf) ; soutirage trimestriel ; pas de collage ; filtration

---

A maturité : dans les 3 à 12 ans suivant le millésime

Cette propriété, dont la vocation viticole remonte au XIIIe siècle, est l'une des plus anciennes de la région. Elle produit généralement des vins richement fruités, ronds et crémeux, ce qui n'a rien d'étonnant sachant que la récolte est élevée en fûts de chêne. Le vin de Piada est délicieux dans sa jeunesse, mais je doute qu'il puisse se conserver longuement. Les meilleurs millésimes récents que je connaisse sont 1986 et 1988.

DE ROLLAND

Cru bourgeois – devrait être maintenu
Propriétaire : SCA Château de Rolland
Adresse : 33720 Barsac
Tél. 05 56 27 15 02 – Fax 05 56 27 28 58
Visites : sur rendez-vous uniquement
Contact : Monique Guignard

Superficie : 20 ha (Barsac)
Vin produit : Château de Rolland – 48 000 b (pas de second vin)
Encépagement : 60 % sémillon, 20 % sauvignon, 20 % muscadelle
Densité de plantation : 6 000 pieds/ha – *Age moyen des vignes :* 25 ans
Rendement moyen : 25 hl/ha

Élevage :
fermentations de 28 jours en cuves d'acier inoxydable thermorégulées ; vieillissement de 18 mois en fûts (pas de bois neuf) ; collage et filtration

---

A maturité : dans les 3 à 10 ans suivant le millésime

ROÛMIEU-LACOSTE – BON

Cru bourgeois – équivaut à un 2e cru
Propriétaire : Hervé Dubourdieu
Adresse : 33720 Barsac
Tél. 05 56 27 16 29 – Fax 05 56 27 02 65
Visites : sur rendez-vous uniquement
Contact : Hervé Dubourdieu

Superficie : 12 ha (Haut-Barsac)
Vins produits : Château Roûmieu-Lacoste – 10 000 b ; Château Ducasse – 10 000 b
Encépagement : 100 % sémillon
Densité de plantation : 6 800 pieds/ha – *Age moyen des vignes :* 55 ans
Rendement moyen : 15 hl/ha

Élevage :
fermentations en fûts pour une moitié de la récolte, en cuves pour l'autre ; vieillissement de 10-16 mois en fûts (30 % de bois neuf) ; collage ; pas de filtration

---

A maturité : dans les 5 à 12 ans suivant le millésime

Il n'est pas surprenant que les vins de Roûmieu-Lacoste soient de grande qualité. En effet, ils sont issus d'un vignoble jouxtant celui du célèbre Château Climens, mais également de très vieilles vignes et d'une vinification extrêmement soigneuse qui est la marque des Dubourdieu. Comme il sied aux Barsac, les vins de Roûmieu-Lacoste sont relativement légers, mais très complexes, avec un riche fruité d'ananas à peine nuancé de chêne grillé. Il vaut mieux les consommer dans les 10 à 12 ans suivant le millésime.

SAINT-AMAND

Non classé
Propriétaire : Anne-Mary Fachetti-Ricard
Adresse : 33210 Preignac
Tél. 05 56 76 84 89 – Fax 05 56 76 24 87
Visites : du lundi au jeudi (14 h-18 h), sur rendez-vous de préférence
Contact : Anne-Mary Fachetti-Ricard

Superficie : 20 ha (Preignac)
Vin produit : Château Saint-Armand – 2 000-2 500 b (pas de second vin)
Encépagement : 85 % sémillon, 14 % sauvignon, 1 % muscadelle
Densité de plantation : 5 000 pieds/ha – *Age moyen des vignes :* 30-50 ans
Rendement moyen : 15 hl/ha

Élevage :
fermentations de 7 jours en cuves epoxy ;
vieillissement de 24 mois ; collage et filtration

SAINT-MARC

Non classé – devrait être maintenu
Propriétaire : Didier Laulan
Adresse : 33720 Barsac
Tél. 05 56 27 16 87 – Fax 05 56 27 05 93
Visites : sur rendez-vous uniquement
Contact : Didier Laulan

Superficie : 15 ha (Barsac)
Vin produit : Château Saint-Marc – 30 000 b (pas de second vin)
Encépagement : 80 % sémillon, 10 % sauvignon, 10 % muscadelle
Densité de plantation : 6 600 pieds/ha – *Age moyen des vignes :* 35 ans
Rendement moyen : 23 hl/ha

Élevage :
fermentations en petites cuves d'acier inoxydable thermorégulées (27 et 50 hl) ;
vieillissement de 18 mois en cuves d'acier inoxydable ; collage et filtration

---

A maturité : dans les 3 à 10 ans suivant le millésime

SIMON
Non classé
Propriétaire : GFA du Château Simon
Adresse : 33720 Barsac
Tél. 05 56 27 15 35 – Fax 05 56 27 24 79
Visites : tous les jours (8 h-12 h et 14 h-16 h),
sur rendez-vous de préférence
Contact : Jean-Hugues Dufour

Superficie : 17 ha (Barsac et Preignac)
Vins produits : Château Simon – 25 000 b ; Château Piaut – 22 000 b
Encépagement : 90 % sémillon, 8 % sauvignon, 2 % muscadelle
Densité de plantation : 7 000 pieds/ha – *Age moyen des vignes :* 30 ans
Rendement moyen : 21 hl/ha

Élevage :
fermentations en cuves d'acier inoxydable ;
vieillissement de 12 mois en fûts (10-30 % de bois neuf) ; pas de collage ; filtration

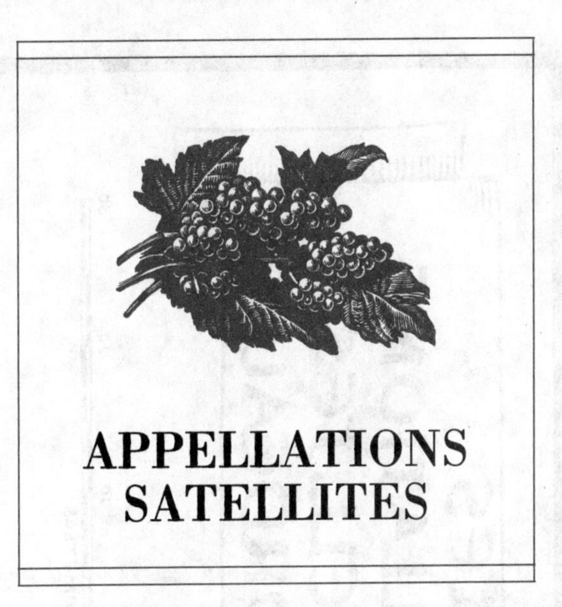

APPELLATIONS SATELLITES

De grandes quantités de vins sont produites dans un certain nombre d'appellations moins renommées de Bordeaux. Ces crus sont en grande partie commercialisés en France et n'ont rencontré aucun succès aux États-Unis, compte tenu de l'attachement obsessionnel des Américains aux marques de luxe et aux appellations prestigieuses. Toutefois, pour les vrais connaisseurs, ils peuvent représenter des affaires exceptionnelles, en particulier dans les bons millésimes comme 1982, 1985, 1989 et 1990, où les excellentes conditions climatiques et l'utilisation judicieuse de la technologie moderne ont permis à plusieurs propriétés de produire de très bons vins, qu'elles proposent à des prix tout à fait raisonnables.

Lors de mes deux séjours annuels dans le Bordelais, je passe beaucoup de temps à déguster les vins des appellations satellites, relativement méconnues, afin de distinguer les meilleurs. Dans les pages qui suivent, le lecteur trouvera une liste des domaines les plus importants de ces aires de production, et je recommande chaudement qu'il se mette en quête de ces vins très bons ou excellents.

Les appellations sont classées selon ce qui est, à mon avis, leur ordre de mérite. Je souhaite que ce chapitre puisse être un guide efficace pour l'amateur économe.

FRONSAC ET CANON-FRONSAC

Aux XVIIIe et XIXe siècles, les vignobles épars des coteaux et des combes de la région de Fronsac et de Canon-Fronsac, situés à quelques kilomètres seulement de Libourne, étaient plus connus que ceux de Pomerol ; et les vins qui en étaient issus se vendaient plus cher que ceux de Saint-Émilion. Cependant, l'accès à Pomerol devenant plus aisé, et les négociants ayant presque tous leurs bureaux à Libourne, les vignobles de Pomerol et de Saint-Émilion ont par la suite été plus et mieux exploités que ceux de Fronsac

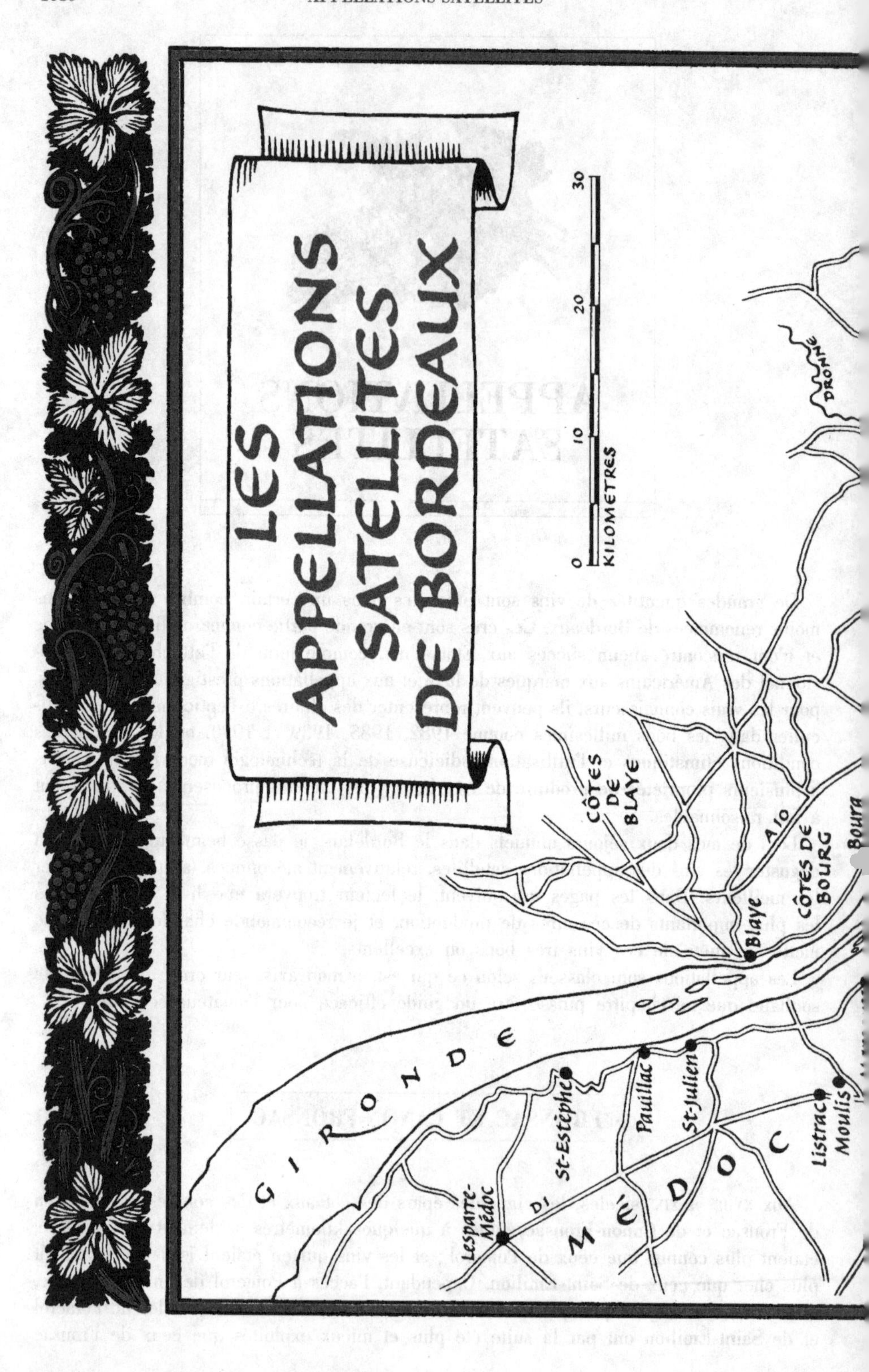
LES APPELLATIONS SATELLITES DE BORDEAUX
0
10
20
30
KILOMETRES
DRONNE
CÔTES DE BLAYE
A 10
CÔTES DE BOURG
Bourg
Blaye
GIRONDE
MÉDOC
Lesparre-Médoc
St-Estèphe
Pauillac
St-Julien
Listrac
Moulis

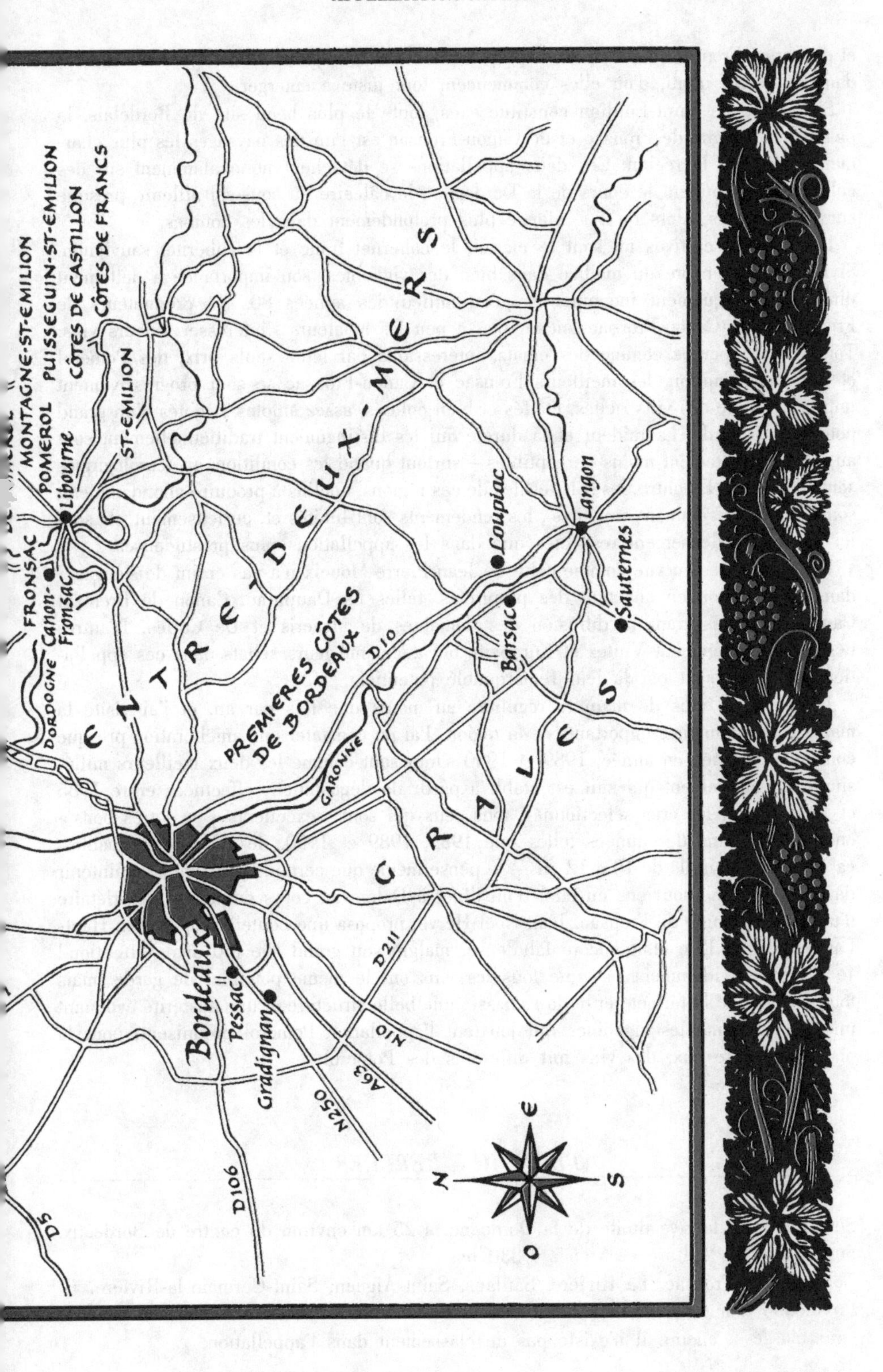
FRONSAC
Canon-Fronsac
MONTAGNE-ST-EMILION
POMEROL
PUISSEGUIN-ST-EMILION
CÔTES DE CASTILLON
CÔTES DE FRANCS
Libourne
ST-EMILION
DORDOGNE
ENTRE-DEUX-MERS
PREMIERES CÔTES DE BORDEAUX
GARONNE
D10
Loupiac
Langon
Barsac
Sauternes
GRAVES
Bordeaux
Pessac
Gradignan
D211
N10
A63
N250
D106
D5
N
E
S
O

et de Canon-Fronsac. C'est ce qui explique que ces deux régions viticoles soient tombées dans un relatif oubli, d'où elles commencent tout juste à émerger.

Si la ville de Saint-Émilion constitue sans doute le plus beau site du Bordelais, la paisible campagne de Fronsac et de Canon-Fronsac est l'un des paysages les plus charmeurs de toute la région. Ces deux appellations se détachent nonchalamment sur des collines qui dominent le cours de la Dordogne ; le calcaire du sous-sol affleure presque sur les hauteurs, alors qu'il s'enfonce plus profondément dans les combes.

Les cépages cultivés ici sont le merlot, le cabernet franc et le cabernet sauvignon. Si l'on trouve encore du malbec dans bien des vignobles, son importance a nettement diminué. Pratiquement inconnus jusqu'au milieu des années 80, les producteurs de Fronsac et de Canon-Fronsac ont vu peu à peu les amateurs s'intéresser à leurs vins. Tout d'abord perçus comme des ersatz, intéressants par leurs seuls prix, des Pomerol et des Saint-Émilion, les meilleurs Fronsac et Canon-Fronsac se sont progressivement imposés comme des vins riches, étoffés et bien colorés, assez amples et dotés d'un grand potentiel de garde. La raideur et la dureté qui les distinguaient traditionnellement sont aujourd'hui nettement moins perceptibles – surtout quand les conditions météorologiques sont favorables. En outre, les sols fertiles de ces régions, enclins à produire abondamment, sont plus intelligemment exploités ; les rendements sont limités et, curieusement, ils sont ici plus scrupuleusement respectés que dans les appellations plus prestigieuses.

Un négoce très en vue comme celui de Jean-Pierre Moueix n'a pas craint de s'engager dans cette région en achetant des propriétés, telles La Dauphine, Canon de Brem et Canon, et en assurant la diffusion des domaines de Mazeris et De Carles. D'autres négociants, notamment Vintex et Europvin, ont augmenté leurs achats dans ces appellations, reconnaissant par là leur remarquable potentiel.

Je goûte ces vins de manière régulière au moins une fois par an, et j'ai visité la majorité des domaines importants de la région. J'ai pu constater une amélioration presque constante, d'année en année, 1989 et 1990 s'imposant comme les deux meilleurs millésimes. Le classement qui suit est établi à partir de dégustations effectuées entre 1985 et 1996. Parmi les crus sélectionnés, tous ceux qui sont « excellents » ou « très bons » ont produit, dans des années telles que 1985, 1989 et 1990, des vins remarquables, capables d'une garde de 10 à 12 ans – je pense même que certains pourront se maintenir davantage. Je me souviens en effet d'un dîner à Dalem au cours duquel le propriétaire d'un autre domaine de Fronsac, Jean-Noël Hervé, proposa une bouteille de Moulin Haut-Laroque 1928. Elle était encore fabuleuse, malgré son grand âge (60 ans). Attention ! Je n'affirme évidemment pas que tous les vins ont le même potentiel de garde, mais tous révèlent de la fermeté et de la richesse, une belle structure et une austérité évoquant un Médoc. Même les vignobles qui jouxtent l'appellation Pomerol produisent, pour la majorité d'entre eux, des vins fort différents des Pomerol.

FRONSAC – REPÈRES

Situation : sur la rive droite de la Dordogne, à 25 km environ du centre de Bordeaux.
Superficie sous culture de vignes : 830 ha.
Communes : Fronsac, La Rivière, Saillans, Saint-Aignan, Saint-Germain-la-Rivière.
Production annuelle moyenne : 550 000 caisses.
Crus classés : aucun, il n'existe pas de classement dans l'appellation.

Principaux cépages : le merlot prédomine, suivi du cabernet franc, du cabernet sauvignon et de toutes petites quantités de malbec.
Types de sol : argile et calcaire, et un peu de grès. La plupart des vignobles de Fronsac sont situés à des niveaux relativement bas.

MON CLASSEMENT

EXCELLENT

Fontenil, Haut-Carles, Moulin Haut-Laroque, La Vieille Cure, Villars

TRÈS BON

Dalem, La Dauphine, Rouet

BON

Cardeneau, De Carles, Clos du Roy,
La Croix, La Grave, Jeandeman, Meyney, De la Rivière, Les Trois Croix

CANON-FRONSAC – REPÈRES

Situation : sur la rive droite de la Dordogne, à 25 km environ du centre de Bordeaux.
Superficie sous culture de vignes : 300 ha.
Communes : toutes les propriétés se situent dans les communes de Fronsac et de Saint-Michel-de-Fronsac.
Production annuelle moyenne : 195 000 caisses.
Crus classés : aucun.
Principaux cépages : le merlot, suivi du cabernet franc, du cabernet sauvignon et de toutes petites quantités de malbec.
Types de sol : argile et calcaire ; la plupart des propriétés se situent sur la partie haute des coteaux de la région.

MON CLASSEMENT

EXCELLENT

Canon-Moueix, Canon de Brem, Cassagne Haut-Canon La Truffière, La Croix-Canon, Moulin Pey-Labrie, Du Pavillon

TRÈS BON

Barrabaque, Canon, La Fleur Cailleau, Grand-Renouil, Mazeris, Pey-Labrie

BON

Bodet, Mazeris-Bellevue, Vrai Canon Bouché, Vray-Canon-Boyer

LES MEILLEURS CHÂTEAUX

CANON (Canon-Fronsac)

Propriétaires : Henriette Moreau et Jean de Conninck
Adresse : BP 125 – 33501 Libourne Cedex
Tél. 05 57 51 06 07 – Fax 05 57 51 59 61
Superficie : 10 ha
Encépagement : 90 % merlot, 5 % cabernet franc, 5 % cabernet sauvignon
Production : 48 000 b – *Potentiel :* 5-15 ans

CANON DE BREM (Canon-Fronsac)

Propriétaire : Établissements Jean-Pierre Moueix
Adresse postale : 54, quai du Priourat – BP 129 – 33502 Libourne Cedex
Tél. 05 57 51 78 96 – Fax 05 57 51 79 79
Superficie : 4,8 ha – *Encépagement :* 60 % merlot, 40 % cabernet franc
Production : 24 000 b – *Potentiel :* 5-15 ans

1998 • **88-90** Le Canon de Brem 1998 m'a littéralement époustouflé par son milieu de bouche étonnamment doux et riche. Évoquant un mélange de liqueurs de mûre et de cerise, il est moyennement corsé, mais stupéfiant de pureté et de complexité. Ce vin pourrait se voir attribuer une note extraordinaire s'il se révélait en bouteille aussi bon que le laisse penser l'échantillon que j'ai dégusté. **A boire entre 2002 et 2012.** (3/99)

1997 • **85-86** Profondément coloré, avec des senteurs et des arômes très doux, ce vin moyennement corsé est dominé par des notes d'herbes séchées, de minéral et de cerise noire. Sa finale est modérément tannique. Il vieillira bien **5 ou 6 ans.** (1/99)

1996 • **83** Ce vin rubis foncé, racé et moyennement corsé est structuré et élégant, mais il manque de profondeur et de fruit. **A boire dans les 3 à 7 ans.** (1/99)

CANON-MOUEIX (Canon-Fronsac)

Propriétaire : Établissements Jean-Pierre Moueix
Adresse postale : 54, quai du Priourat – BP 129 – 33502 Libourne Cedex
Tél. 05 57 51 78 96 – Fax 05 57 51 79 79
Superficie : 5,2 ha – *Encépagement :* 70 % merlot, 30 % cabernet franc
Production : 24 000 b – *Potentiel :* 5-15 ans

1998 • **88-91** Voici un prodigieux Canon-Fronsac. Opaque et pourpre de robe, ce 1998 révèle, par paliers, des arômes somptueux et concentrés de cerise noire nuancés de cassis, de minéral et de terre. Très corsé, concentré et fabuleux d'équilibre, ce vin massif requiert une garde de 4 ou 5 ans, son potentiel lui permettant de se maintenir **20 ans environ.** C'est l'un des meilleurs crus de cette appellation. Espérons qu'il sera aussi bon en bouteille qu'il l'est en fût. (3/99)

1997 • **86-88** Le 1997 est un très bon vin. Doté d'un fruité doux, il est assez faible en acidité, alliant des arômes de cerise noire et de groseille nuancés de minéral à un caractère élégant, moyennement corsé et bien concentré. **A boire dans les 10 ans.** (1/99)

1996 • **86** Rubis foncé de robe, le 1996 révèle, outre une excellente profondeur, un caractère moyennement corsé et d'une grande maturité. Il libère au nez de doux arômes de petits fruits, de poivre et d'herbes séchées. Quoique bien fait, il est un peu court en finale. Un bon Canon-Fronsac, à apprécier ces **5 ou 6 prochaines années.** (1/99)

DE CARLES (Fronsac)

Propriétaire : GFA Château de Carles
Adresse : route de Galgon – 33141 Saillans
Tél. 05 57 84 32 03 – Fax 05 57 84 31 91
Contact : Stéphane Droulers – Tél. 01 45 03 33 60 – Fax 01 45 03 31 17
Superficie : 20 ha
Encépagement : 65 % merlot, 30 % cabernet franc, 5 % autres cépages
Production : 90 000 b – *Potentiel :* 5-15 ans

CASSAGNE HAUT-CANON LA TRUFFIÈRE (Canon-Fronsac)

Propriétaire : famille Dubois
Adresse : 224, avenue Foch – 33500 Libourne
Tél. 05 57 51 63 98 – Fax 05 57 51 62 20
Superficie : 14 ha
Encépagement : 60 % merlot, 20 % cabernet franc, 20 % cabernet sauvignon
Production : 26 000 b – *Potentiel :* 3-10 ans

LA CROIX-CANON (Canon-Fronsac)

Propriétaire : Établissements Jean-Pierre Moueix
Adresse postale : 54, quai du Priourat – BP 129 – 33502 Libourne Cedex
Tél. 05 57 51 78 96 – Fax 05 57 51 79 79
Superficie : 14 ha – *Encépagement :* 75 % merlot, 25 % cabernet sauvignon
Production : 58 000 b – *Potentiel :* 4-15 ans

1998 • **89-91** Une texture onctueuse, des senteurs et des arômes de framboise et d'eau-de-vie se mêlent en un Canon-Fronsac stupéfiant. Riche et complexe, La Croix-Canon 1998 se montre très corsé et fabuleusement pur en bouche, suintant littéralement d'un fruité concentré de cassis et de framboise. Une réussite époustouflante ! **A boire entre 2003 et 2016.** (3/99)

1997 • **86-88** Il s'agit probablement du meilleur Canon-Fronsac que j'aie dégusté dans ce millésime. Sa robe d'un rubis foncé prélude à des arômes explosifs de cerise, de prune et de cassis. L'ensemble qui suit en bouche, moyennement corsé et très pur, étonne par sa persistance. Sa faible acidité confère à ce vin beaucoup de richesse et d'ampleur. **A boire dans les 10 ans.** (1/99)

1996 • **86** Ce terroir magnifique nous gratifie d'un 1996 rubis profond au nez élégant, complexe et racé de confiture de cerise, entremêlé de notes florales et épicées. Moyennement corsé et modérément tannique, ce vin révèle un doux fruité à l'attaque, et présente une texture et une finale d'excellent aloi. **A boire dans les 6 ou 7 ans.** (1/99)

DALEM (Fronsac)

Propriétaire : Michel Rullier
Adresse : 33141 Saillans – Tél. 05 57 84 34 18 – Fax 05 57 74 39 85
Superficie : 12 ha
Encépagement : 70 % merlot, 20 % cabernet franc, 10 % cabernet sauvignon
Production : 78 000 b – *Potentiel :* 4-12 ans

1998 • **85-87** Ce délicieux Fronsac dominé par le fruit se distingue par sa belle maturité et par de généreuses notes de cassis confituré et d'épices. Moyennement corsé, il sera parfait ces **10 prochaines années.** (3/99)

LA DAUPHINE (Fronsac)

Propriétaire : Établissements Jean-Pierre Moueix
Adresse postale : 54, quai du Priourat – BP 129 – 33502 Libourne Cedex
Tél. 05 57 51 78 96 – Fax 05 57 51 79 79
Superficie : 10 ha – *Encépagement :* 85 % merlot, 15 % cabernet franc
Production : 48 000 b – *Potentiel :* 4-10 ans

1998 • **87-88** Le 1998 est l'un des exemples de ce cru les plus somptueux que j'aie dégustés. Évoquant la liqueur de cerise, ce vin d'un rubis-pourpre profond se présente comme un ensemble bien gras et savoureux. Moyennement corsé et exubérant, étayé par une faible acidité, il mérite incontestablement l'attention des amateurs. **A boire jusqu'en 2008.** (3/99)

1997 • **85-86** Le 1997 est richement fruité, mais plus gras et plus charnu que son aîné. Moyennement corsé, il révèle, tant au nez qu'en bouche, des arômes de cerise, et offre une finale souple et de bonne facture. (1/99)

1996 • **86** Une robe rubis foncé et des arômes sans détour, mais souples et plaisants, de cerise, de prune mûre, d'herbes séchées et de minéral annoncent le 1996 de La Dauphine. C'est un vin tendre et légèrement corsé, fruité et bien vinifié, qu'il faut apprécier ces **4 ou 5 prochaines années.** (1/99)

FONTENIL (Fronsac)

Propriétaires : Michel et Dany Rolland
Adresse : 33141 Saillans – Tél. 05 57 51 23 05 – Fax 05 57 51 66 08
Superficie : 7 ha – *Encépagement :* 85 % merlot, 15 % cabernet franc
Production : 42 000 b – *Potentiel :* 4-14 ans

1998 • **86-87** Cette propriété, qui est également la résidence de Michel et Dany Rolland, propose des Fronsac impeccablement vinifiés et réguliers à haut niveau. Rubis-pourpre profond de robe, le 1998 exhale des senteurs expressives de fumé, de chêne neuf grillé, de cerise noire, de cassis et de réglisse. Il séduira par sa texture opulente, par sa belle profondeur et par ses tannins souples, qui contribuent à son caractère précoce. **A boire dans les 7 ou 8 ans.** (3/99)

HAUT-CARLES (Fronsac)

Propriétaire : GFA Château de Carles
Adresse : route de Galgon – 33141 Saillans
Tél. 05 57 84 32 03 – Fax 05 57 84 31 91
Contact : Stéphane Droulers – Tél. 01 45 03 33 60 – Fax 01 45 03 31 17
Superficie : 7 ha – *Encépagement :* 99 % merlot, 1 % autres cépages
Production : 30 000 b – *Potentiel :* 5-15 ans

1998 • **87-88** Une robe d'un pourpre-noir dense, accompagnant des arômes de cerise noire, de cassis et de sous-bois humide, annonce le Haut-Carles 1998. Ce vin tout à la fois moyennement corsé, puissant et d'une belle intensité tiendra parfaitement **10 à 15 ans.** (3/99)

MAZERIS (Canon-Fronsac)

Propriétaire : Christian de Cournuaud
Adresse : 33126 Saint-Michel-de-Fronsac
Tél. 05 57 24 96 93 – Fax 05 57 24 98 25
Superficie : 14 ha – *Encépagement :* 75 % merlot, 25 % malbec
Production : 54 000 b – *Potentiel :* 5-15 ans

1998 • **86-88** Ce cru se distingue généralement par ses arômes de framboise, de terre et de terroir. Regorgeant de tannins poudreux, il manifeste un caractère riche, peu évolué et poussiéreux. Opaque et pourpre de robe, il est admirable de structure et de puissance. Accordez-lui une garde de 3 ou 4 ans, pour mieux l'apprécier dans les **10 ans qui suivront.** (3/99)

1997 • **85-86+** Bien réussi, le 1997 de Mazeris est moyennement corsé et mûr. Sa robe d'un rubis-pourpre foncé accompagne un excellent fruité. Il tiendra parfaitement **8 à 10 ans.** (1/99)

1996 • **84** On retrouve dans le 1996 les arômes de framboise et de fruits noirs marqués de notes minérales typiques de ce cru, également peu évolué, structuré et destiné à une très longue garde. Ce Mazeris révèle toutefois une maigreur plus prononcée que de coutume et davantage de tannins agressifs. On peut penser qu'il se desséchera, mais il est bien fait – mieux, même, que la moyenne des crus de l'année –, dans un style moyennement corsé, musclé et tannique. **A boire entre 2001 et 2007.** (1/99)

MOULIN HAUT-LAROQUE (Fronsac)

Propriétaire : Jean-Noël Hervé
Adresse : 33141 Saillans – Tél. 05 57 84 32 07 – Fax 05 57 84 31 84
Superficie : 14 ha
Encépagement :
65 % merlot, 20 % cabernet franc, 10 % cabernet sauvignon, 5 % malbec
Production : 72 000 b – *Potentiel :* 5-20 ans

MOULIN PEY-LABRIE (Canon-Fronsac)

Propriétaires : Grégoire et Bénédicte Hubau
Adresse : 33126 Fronsac – Tél. 05 57 51 14 37 – Fax 05 57 51 53 45
Superficie : 8 ha
Encépagement :
75 % merlot, 15 % cabernet sauvignon, 5 % cabernet franc, 5 % malbec
Production : 48 000 b – *Potentiel :* 5-15 ans

1998 • **86-87** Dominé par le fruit, ce vin vêtu de pourpre profond se montre riche et moyennement corsé en bouche. Très mûr, il révèle de généreux arômes de douce mûre et de cerise nuancés de minéral, et déploie, par paliers, une finale étonnamment persistante. **A boire dans les 10 à 15 ans.** (3/99)

PEY-LABRIE (Canon-Fronsac)

Propriétaire : SC Éric Vareille
Adresse : 12, Peylabrie – 33126 Fronsac
Tél. 05 57 51 65 17 – Fax 05 57 25 35 87
Superficie : 5,6 ha
Encépagement : 70 % merlot, 20 % cabernet sauvignon, 10 % cabernet franc
Production : 24 000 b – *Potentiel :* 4-12 ans

LA VIEILLE CURE (Fronsac)

Propriétaire : SNC La Vieille Cure
Adresse : 1, rue Coutreau – 33141 Saillans
Tél. 05 57 84 32 05 – Fax 05 57 74 39 83
Superficie : 19 ha
Encépagement : 80 % merlot, 15 % cabernet franc, 5 % cabernet sauvignon
Production : 96 000 b – *Potentiel :* 4-12 ans

1998 • **86-88** Étonnamment structuré et tannique pour cette propriété (fortement complantée en merlot), le 1998 de La Vieille Cure présente un fruité d'excellent aloi, aux abondants arômes de mûre et de cerise confiturées. L'ensemble, généreusement boisé, est moyennement corsé et d'une grande précision. Ce cru est régulier à haut niveau, et son 1998 est l'un des vins les plus musclés et les plus aptes à une longue garde qu'il ait produits. **A boire entre 2001 et 2010.** (3/99)

LALANDE-DE-POMEROL

Au nord de Pomerol et de Néac se trouve l'appellation satellite de Lalande-de-Pomerol, dont le vignoble, d'une superficie de plus de 900 ha, aux sols relativement légers, graveleux et sableux, est exclusivement voué aux rouges. Bordée au nord par la Barbanne, Lalande-de-Pomerol produit des vins dont les meilleurs rivalisent sans peine avec des Pomerol de niveau moyen, et certains crus, tels Belles-Graves, La Croix Saint-André et le domaine du Chapelain, sont même considérés comme excellents suivant les critères de qualité des Pomerol.

Bien que le prix de ces crus ait augmenté ces dernières années, les meilleurs d'entre eux représentent encore d'excellentes affaires pour des vins de merlot.

LALANDE-DE-POMEROL – MON CLASSEMENT

EXCELLENT

Belles-Graves, Domaine du Chapelain, La Croix Saint-André, Grand Ormeau

TRÈS BON

De Bel-Air, Bertineau Saint-Vincent, De Chambrun, Jean du Gué Cuvée Prestige, La Fleur-Saint-Georges, Siaurac, Tournefeuille

BON

Des Annereaux, Clos des Templiers, Garraud, Haut-Chatain, Haut-Surget, Les Hauts-Conseillants, Laborde, Moncets

LES MEILLEURS CHÂTEAUX

DE BEL-AIR

Propriétaire : Jean-Pierre Musset
Adresse : 33500 Lalande-de-Pomerol
Tél. 05 57 51 40 07 – Fax 05 57 74 17 43
Superficie : 16 ha
Encépagement :
75 % merlot, 15 % cabernet franc, 5 % cabernet sauvignon, 5 % malbec
Production : 96 000 b – *Potentiel :* 3-12 ans

BELLES-GRAVES

Propriétaire : SC du Château Belles-Graves
Adresse : 33500 Néac
Tél. 05 57 51 09 61 – Fax 05 57 51 01 41
Superficie : 16 ha – *Encépagement :* 60 % merlot, 40 % cabernet franc
Production : 90 000 b – *Potentiel :* 3-10 ans

BERTINEAU SAINT-VINCENT

Propriétaires : Michel et Dany Rolland
Adresse postale :
SCEA des Domaines Rolland – Château Le Bon Pasteur – Maillet – 33500 Pomerol
Tél. 05 57 51 10 94 – Fax 05 57 25 05 54
Superficie : 4,2 ha – *Encépagement :* 75 % merlot, 25 % cabernet franc
Production : 20 000 b – *Potentiel :* 3-10 ans

DE CHAMBRUN

Propriétaire : Jean-Philippe Janoueix
Adresse postale : BP 192 – 33506 Liburne Cedex
Tél. 05 57 25 91 19 – Fax 05 57 51 53 16
Superficie : 1,46 ha – *Encépagement :* 90 % merlot, 10 % cabernet franc
Production : 6 000 b – *Potentiel :* 3-10 ans

1997 • **86-88** Le 1997 est un vin impressionnant de cette propriété bien gérée. Il est diffusé 800 caisses de ce cru de premier ordre. Rubis foncé de robe, il exhale de puissants arômes de mûre, de chêne grillé et de terre. En bouche, on décèle un ensemble profond, tannique et ample de carrure. Vous apprécierez ce beau vin dans les **10 ans** qui suivront une garde de 1 ou 2 ans. (1/99)

1996 • **87** Ce cru – l'un des meilleurs de Lalande-de-Pomerol – mérite décidément l'attention des amateurs. L'excellent 1996 se présente vêtu d'un rubis-pourpre profond et déploie, tant au nez qu'en bouche, de doux arômes de mûre et de cerise confiturées. Moyennement corsé, impressionnant par son caractère gras, il révèle, outre des tannins soyeux, une finale tout à la fois longue, concentrée et opulente. C'est certainement la plus belle réussite de l'appellation en 1996. **A boire jusqu'en 2010.** (1/99)

DOMAINE DU CHAPELAIN

Propriétaire : GFA du Château L'Enclos
Adresse postale : Château L'Enclos – 33500 Pomerol
Tél. 05 57 51 04 62 – Fax 05 57 51 43 15
Superficie : 1 ha – *Encépagement :* 100 % merlot
Production : 6 000 b – *Potentiel :* 5-10 ans

LA CROIX SAINT-ANDRÉ

Propriétaire : famille Carayon
Adresse : 1, avenue de la Mairie – 33500 Néac
Tél. 05 57 25 93 79 – Fax 05 57 25 93 44
Superficie : 16,5 ha – *Encépagement :* 80 % merlot, 20 % cabernet franc
Production : 70 000 b – *Potentiel :* 4-12 ans

LA FLEUR-SAINT-GEORGES

Propriétaire : Hubert de Boüard de Laforest
Adresse : 12, rue Bertineau – 33500 Néac
Tél. 05 57 25 25 13 – Fax 05 57 51 65 24
Superficie : 17 ha – *Encépagement :* 75 % merlot, 25 % cabernet franc
Production : 120 000 b – *Potentiel :* 3-8 ans

GRAND ORMEAU

Propriétaire : Jean-Claude Deton
Adresse : 33500 Lalande-de-Pomerol
Tél. 05 57 25 30 20 – Fax 05 57 25 22 80
Superficie : 11,6 ha
Encépagement : 65 % merlot, 25 % cabernet franc, 10 % cabernet sauvignon
Production : 60 000 b – *Potentiel :* 4-10 ans

SIAURAC

Propriétaire : Olivier Guichard
Adresse : 33500 Néac
Tél. 05 57 51 64 58 – Fax 05 57 51 41 56
Superficie : 32,8 ha
Encépagement : 60 % merlot, 35 % cabernet franc, 5 % cabernet sauvignon
Production : 80 000 b – *Potentiel :* 3-10 ans

TOURNEFEUILLE

Propriétaires : familles Petit et Cambier
Adresse : 33500 Néac
Tél. 05 57 51 18 61 – Fax 05 57 51 00 04
Superficie : 15,5 ha
Encépagement : 70 % merlot, 25 % cabernet franc, 5 % cabernet sauvignon
Production : 100 000 b – *Potentiel :* 5-12 ans

CÔTES DE BOURG

Sur la rive droite de la Garonne, à quelques minutes en bateau de la prestigieuse appellation Margaux, se trouvent les Côtes de Bourg, très étendues avec plus de 4 000 ha de vignobles. Ces derniers sont même plus anciens que ceux du Médoc, car cette région était d'une grande importance stratégique sous les Plantagenêts. Le point de vue sur les coteaux qui jouxtent la rivière est superbe, et la chambre de commerce locale a essayé de promouvoir cette cité en nommant Bourg « la Suisse de la Gironde ». A mon avis, elle devrait attirer l'attention sur les meilleurs crus de cette appellation, qui sont en général des vins séduisants, très évolués, très fruités, avec beaucoup de rondeur ;

de même qu'elle devrait mettre en valeur le ravissant village portuaire de la région et la vieille ville à flanc de coteau de Bourg-sur-Gironde.

L'appellation Côtes de Bourg, située au nord de celle de Fronsac et au sud des Côtes de Blaye, est composée de sols assez divers. Essentiellement calcaires, ils comportent aussi, en proportion variée, de l'argile, des graves et du sable. Nettement plus fertiles que dans le Médoc, ils contraignent les producteurs à surveiller leurs rendements pour les maintenir dans des limites raisonnables et conserver à leurs vins une certaine concentration. Le cépage dominant est le merlot, suivi du cabernet franc, du cabernet sauvignon, du malbec et, pour une faible part, du petit verdot.

La plupart des crus de cette appellation ont un niveau moyen ou très moyen ; généralement dénués de concentration (à cause de rendements trop élevés), ils présentent souvent des tannins excessifs et trop verts (en raison de vendanges trop précoces). Cependant, une douzaine de domaines produisent régulièrement de bons vins, au potentiel de garde de 10 ans ou plus. Cette aire viticole pourrait prendre de l'importance dans les années qui viennent, compte tenu des prix pratiqués par les appellations plus prestigieuses. En effet, les vins des Côtes de Bourg sont généralement abordables.

CÔTES DE BOURG – REPÈRES

Situation : sur la rive droite de la Dordogne, à un peu moins de 30 km de Bordeaux.
Superficie sous culture de vignes : 3 728 ha.
Communes : Bayon, Bourg, Comps, Gauriac, Lansac, Mombrier, Prignac-et-Marcamps, Saint-Ciers-de-Canesse, Saint-Seurin-de-Bourg, Saint-Trojan, Samonac, Tauriac, Teuillac, Villeneuve.
Production annuelle moyenne : 350 000 caisses (dont 1 % de blanc).
Crus classés : pas de classement, mais l'appellation compte plus de 300 propriétés et 4 caves coopératives.
Principaux cépages : pour les rouges, le merlot prédomine, suivi du cabernet franc et du cabernet sauvignon, avec de toutes petites quantités de malbec ; pour les blancs, sémillon, sauvignon blanc et muscadelle.
Types de sol : on trouve toutes sortes de sol, allant de l'argile et du calcaire aux graves, en passant par le grès.

MON CLASSEMENT

EXCELLENT

Roc de Cambes, Tayac Cuvée Prestige

TRÈS BON

De Barbe, Brûlesécaille, Guerry, Haut-Macô, Mercier, Tayac Cuvée Réservée

BON

Clos La Barette, Croûte-Courpon, Falfas, La Grolet, Gros Moulin, Les Heaumes, Moulin des Graves, Moulin-Vieux, Nodoz, Rousselle, Rousset, Soulignac de Robert, Tayac, La Tour-Séguy

LES MEILLEURS CHÂTEAUX

DE BARBE

Propriétaire : Richard André
Adresse : 33710 Villeneuve
Tél. 05 57 42 64 00 – Fax 05 57 64 94 10
Superficie : 70 ha
Encépagement : 70 % merlot, 25 % cabernet sauvignon, 5 % malbec
Production : 450 000 b – *Potentiel :* 3-8 ans

BRÛLESÉCAILLE

Propriétaire : GFA Rodet-Recapet
Adresse : 33710 Tauriac
Tél. 05 57 68 40 31 – Fax 05 57 68 21 27
Superficie : 20 ha
Encépagement : 55 % merlot, 35 % cabernet sauvignon, 10 % cabernet franc
Production : 100 000 b – *Potentiel :* 3-8 ans

GUERRY

Propriétaire : Bertrand de Rivoyre
Adresse : 26, route du Guerrit – 33710 Tauriac
Tél. 05 57 68 20 78 – Fax 05 57 68 41 31
Superficie : 22,5 ha
Encépagement :
35 % merlot, 35 % cabernet sauvignon, 25 % malbec, 5 % cabernet franc
Production : 130 000 b – *Potentiel :* 4-12 ans

HAUT-MACÔ

Propriétaire : SCEA Bernard et Jean Mallet
Adresse : 33710 Tauriac
Tél. 05 57 68 81 26 – Fax 05 57 68 91 97
Superficie : 49 ha
Encépagement : 50 % merlot, 40 % cabernet sauvignon, 10 % cabernet franc
Production : 300 000 b – *Potentiel :* 3-7 ans

MERCIER

Propriétaire : Philippe Chéty
Adresse : 33710 Trojan
Tél. 05 57 42 66 99 – Fax 05 57 42 66 96
Superficie : 23 ha
Encépagement :
45 % merlot, 30 % cabernet sauvignon, 17 % cabernet franc, 8 % malbec
Production : 170 000 b – *Potentiel :* 3-10 ans

ROC DE CAMBES

Propriétaire : François Mitjavile
Adresse : 33710 Bourg
Tél. 05 57 68 25 58 – Fax 05 57 74 42 11
Superficie : 10 ha
Encépagement : 75 % cabernet sauvignon, 20 % merlot, 5 % cabernet franc
Production : non communiquée – *Potentiel :* 3-10 ans

Cette propriété – incontestablement la meilleure de son appellation – propose généralement des vins délicieux aux arômes chocolatés. J'ai dégusté en février dernier un magnum du 1989 dans l'un de mes restaurants chinois préférés de Washington – le vin était encore en parfaite forme.

1997 • **87-88** Fait du même métal que le 1996, en plus mûr, le 1997 est également moins tannique. Faible en acidité, il séduit par les arômes de fumé, de petits fruits et de chocolat qu'il présente tant au nez qu'en bouche. **A boire dans les 7 ou 8 ans.** (1/99)

1996 • **88** Vêtu de rubis foncé, le 1996 exhale un doux nez de chocolat et de moka nuancé en arrière-plan de notes de fruits rouges et mûrs. Quoique manquant de complexité, il est souple et velouté. Ce 1996 moyennement corsé, délicieux et des plus plaisants sera parfait dans les **5 ou 6 ans.** (1/99)

1995 • **88** L'extraordinaire 1995 arbore une robe opaque de couleur pourpre, et déploie un nez stupéfiant de cerise noire, de terre, de cuir, de fruits rouges et de moka. Moyennement corsé et d'une excellente concentration, il libère des tannins sous-jacents et fermes, avec une bonne acidité. Il titre, de manière assez remarquable, 13°7 d'alcool naturel. **A boire jusqu'en 2007.** (11/97)

1994 • **86** Moins impressionnant en bouteille que lorsqu'il était encore en fût, le 1994 révèle une belle robe rubis et un nez épicé et doux aux notes de terre et de truffe. Moyennement corsé, savoureux, souple et mûr en bouche, il déploie une finale plaisante, mais il est désormais bien moins gras et moins concentré qu'avant la mise. **A boire jusqu'en 2003.** (1/97)

1993 • **86** Élaboré par François Mitjavile, propriétaire de Tertre Roteboeuf, le Roc de Cambes 1993 est un vin délicieux – qui représente aussi une excellente affaire sous l'angle du rapport qualité/prix. Arborant une impressionnante robe rubis-pourpre foncé, il libère un nez énorme de fumé, de chocolat et de fruits rouges. Dense et opulent en bouche, il s'y montre aussi moyennement corsé, avec une finale souple. Ce vin serait un excellent choix sur une carte de restaurant. **A boire.** (11/94)

1992 • **84** Rond et velouté, le 1992 déploie, tant au nez qu'en bouche, des arômes très fruités et très mûrs, nuancés de chêne épicé. Souple et moyennement corsé, il sera plaisant à déguster sans cérémonie ces **2 ou 3 prochaines années.** (3/98)

1991 • **82** Le 1991 présente une robe rubis moyen et libère des arômes mûrs de baies rouges. Moyennement corsé, il révèle des tannins doux et déploie une finale lisse. **A boire d'urgence – en déclin.** (11/96)

1990 • **90** Je suis un fervent amateur de Roc de Cambes, qui pourrait bien s'imposer comme le « Tertre Roteboeuf du pauvre ». Le 1990, que j'avais initialement noté 89, m'a heureusement surpris par sa belle évolution lors d'une dégustation récente. Parfaitement mûr, il est capable de tenir encore. Il arbore une robe d'un grenat-foncé profond et dégage un nez fumé, crémeux et rôti de cerise noire confiturée, qui introduit en bouche un ensemble extraordinaire de concentration, mais également tout à la fois doux, rond et souple. La finale, faible en acidité, est opulente. Voici donc une preuve, si besoin en était, que les vins issus d'appellations moins prestigieuses peuvent se révéler tout aussi délicieux que leurs homologues plus racés et cinq ou six fois plus chers. **A boire jusqu'en 2003.** (11/96)

1989 • **89** Exactement comme le 1990, auquel il est légèrement inférieur, le 1989 m'a surpris par sa belle évolution (il avait initialement été noté 88). Outre sa robe fortement ambrée sur le bord (révélatrice d'un pH élevé), ce vin présente un nez de tabac et d'épices aux notes charnues et animales. Généreusement fruité, il déploie une finale souple et ronde. Quoique tout aussi mûr que le 1990, il est moins fruité et moins persistant. Les amateurs qui ont ces vins en cave ont tout lieu d'être heureux de leur investissement, car leur cote a sensiblement augmenté. **A boire jusqu'en 2004.** (6/98)

TAYAC

Propriétaire : Pierre Saturny et Fils
Adresse : 33710 Saint-Seurin-de-Bourg
Tél. 05 57 68 40 60 – Fax 05 57 68 29 93
Superficie : 30 ha
Encépagement :
45 % cabernet sauvignon, 25 % merlot à queue rouge,
25 % merlot, 5 % cabernet franc
Production : 200 000 b – *Potentiel :* 5-15 ans
(la Cuvée Prestige n'est produite que dans les meilleures années)

BLAYE

Juste au nord de la ville de Bourg s'étendent les quelque 2 700 ha de vignobles du Blayais, dont les meilleurs bénéficient de l'appellation Premières Côtes de Blaye. Bien que l'on produise beaucoup de vin blanc dans la région, l'appellation est essentiellement connue pour ses rouges. A leur meilleur niveau, ces vins, qui ressemblent fort aux Côtes de Bourg, sont précoces, ronds et richement fruités, et se distinguent avantageusement parmi ceux de gamme moyenne.

Tout comme le Bourgeais, le Blayais est une très vieille région vinicole qui, autrefois, était plus renommée que le Médoc. Ses origines remontent à l'époque romaine, lorsque la région servit de rempart contre les éventuels envahisseurs de la ville de Burdigala (Bordeaux). Aujourd'hui, la route touristique reliant Bourg à Blaye est certainement l'une des plus charmantes de toute la région. Elle conduit à cette superbe citadelle du XVIIe siècle (classée monument historique) qu'est la ville de Blaye. Les amateurs de bonne chère noteront, sans doute avec surprise, que, si un jour les autorités autorisent la pêche à l'esturgeon et le commerce du caviar, Blaye sera le centre de cette industrie, dans la mesure où la Gironde toute proche est un habitat traditionnel de ce poisson.

Le vignoble de Blaye se situe pour l'essentiel sur les coteaux dominant la Gironde et ouverts au sud. Le sol y est plutôt calcaire, avec des épisodes argileux et, parfois, siliceux. C'est une terre très fertile, qui exige une grande vigilance quant aux rendements. Les cépages sont en principe ceux que l'on retrouve dans les Côtes de Bourg ; le merlot prédomine, suivi du cabernet franc, du cabernet sauvignon et du malbec. Les meilleurs rouges des Côtes de Blaye sont extrêmement bien vinifiés et richement fruités, et doivent être consommés dans les 5 ou 6 ans suivant le millésime. On trouve également des cépages blancs intéressants, en particulier le sémillon, le sauvignon blanc, la muscadelle, le merlot blanc, la folle blanche, le colombard, le chenin blanc et l'ugni blanc.

BLAYE – REPÈRES

Situation : sur la rive droite de la Gironde, à environ 50 km au sud de Bordeaux.
Superficie sous culture de vignes : 2 000 ha.
Communes : l'appellation recouvre plus de 40 communes.
Production annuelle moyenne : 2 250 000 caisses, dont 90 % de rouge et 10 % de blanc.
Crus classés : aucun. L'appellation comprend 520 propriétés et 6 caves coopératives regroupant plus de 500 membres.
Principaux cépages : pour les rouges, c'est le merlot qui prédomine ; pour les blancs, le sauvignon et le sémillon, ainsi que de toutes petites quantités de muscadelle et de colombard.
Types de sol : argile mêlée de calcaire, de sable et de graves.

MON CLASSEMENT

EXCELLENT

Bel-Air La Royère, Haut-Bertinerie, La Tonnelle

TRÈS BON

Haut-Sociondo, Les Jonqueyres, Pérenne, Peyraud, Segonzac

BON

Bellevue, La Bretonnière, Graulet, Peraud, Des Petits-Arnauds

MOYEN

Barbé, Chante-Alouette-la-Roseraie, Clairac, Le Cône-Taillasson-de-Lagarcie, L'Escadre, La Grange, Loumède, Magdeleine-Bouhou, Mayne-Boyer-Chaumet, Les Moines, Pardaillan, Peybonhomme-les-Tours, Peymelon, Ricaud, Sociondo, Les Videaux

LES MEILLEURS CHÂTEAUX

BEL-AIR LA ROYÈRE

Propriétaires : Corinne et Xavier Loriot
Adresse : Les Ricards – 33390 Cars
Tél. 05 57 42 91 34 – Fax 05 57 42 32 87
Superficie : 4,5 ha – *Encépagement :* 80 % merlot, 20 % malbec
Production : 14 000 b – *Potentiel :* 2-8 ans

1997
•
87-88+

Voici l'un des vins du Blayais les plus remarquables que je connaisse ; j'ai appris qu'il avait bénéficié des conseils de Jean-Luc Thunevin, du Château de Valandraud. Comme le savent les amateurs avisés, les crus de cette région se distinguent traditionnellement par leur caractère ouvert, fruité, souple et unidimensionnel. Le Bel-Air La Royère n'est rien de tout cela : tout de pourpre-noir vêtu, il dégage un nez renversant de réglisse, de cassis et de douces épices, et se révèle en bouche concentré, riche, ample et de bonne mâche. Faible en acidité, il est doté d'un fruit et d'un gras admirables, et déploie une finale impressionnante. Il sera prêt dès sa diffusion, mais tiendra bien jusqu'à 7 ou 8 ans d'âge. Une révélation ! (1/99)

HAUT-BERTINERIE

Propriétaire : Daniel Bantegnies
Adresse : 33620 Cubnezais
Tél. 05 57 42 64 00 – Fax 05 57 64 94 10
Superficie : rouge – 18 ha ; blanc – 10 ha
Encépagement : rouge – 50 % cabernet sauvignon, 40 % merlot, 10 % cabernet franc, blanc – 100 % sauvignon
Production : rouge – 20 000 b ; blanc – 66 000 b
Potentiel : rouge – 3-10 ans ; blanc – 1-2 ans

HAUT-SOCIONDO

Propriétaire : Louis Martinaud
Adresse : 33390 Cars
Tél. 05 57 42 03 22 – Fax 05 57 42 99 97
Superficie : 16 ha
Encépagement : 80 % merlot, 10 % cabernet sauvignon, 10 % malbec
Production : 100 000 b – *Potentiel :* 2-3 ans

LES JONQUEYRES

Propriétaires : Isabelle et Pascal Montaut
Adresse : 33390 Saint-Paul
Tél. 05 57 42 34 88 – Fax 05 57 42 93 80
Superficie : 14 ha
Encépagement : 90 % merlot, 5 % cabernet sauvignon, 5 % cabernet franc
Production : 33 000 b – *Potentiel :* 2-7 ans

PÉRENNE

Propriétaire : Bernard Magrez
Adresse : BP 58 – 33390 Saint-Gênes-de-Blaye
Tél. 05 57 42 18 25 – Fax 05 57 42 15 86
Superficie : 62 ha – *Encépagement :* 70 % merlot, 30 % cabernet sauvignon
Production : 120 000 b – *Potentiel :* 2-5 ans

PEYRAUD

Propriétaire : Vignobles Guy Rey
Adresse : 33390 Cars
Tél. 05 57 42 36 90 – Fax 05 57 42 02 46
Superficie : 18 ha
Encépagement :
50 % merlot, 30 % cabernet sauvignon, 15 % cabernet franc, 5 % malbec
Production : 120 000 b – *Potentiel :* 2-5 ans

SEGONZAC

Propriétaire : Jacques Marnet
Tél. 05 57 42 18 16 – Fax 05 57 42 24 80
Superficie : 30 ha
Encépagement :
60 % merlot, 20 % cabernet sauvignon, 10 % malbec,
5 % cabernet franc, 5 % petit verdot
Potentiel : 3-6 ans

LA TONNELLE

Propriétaire : Guy Rouchi
Adresse : 7, chemin des Moines – 33390 Blaye
Tél. 05 57 42 02 62
Superficie : 9 ha – *Encépagement :* 75 % merlot, 25 % cabernet franc
Production : 30 000 b – *Potentiel :* 2-5 ans

PUISSEGUIN-SAINT-ÉMILION

Puisseguin-Saint-Émilion est la plus orientale des appellations satellites. Son domaine s'est étendu de manière assez considérable et recouvre maintenant près de 730 ha. Son nom, d'origine celtique, veut dire « la colline aux vins puissants ».

La moitié de la production de l'appellation est assurée par la cave coopérative locale, qui la diffuse sous l'étiquette Roc de Puisseguin, mais la plupart des domaines qui procèdent à leur propre mise produisent des vins dignes d'attention, qui doivent être bus dans les 5 ou 6 ans. Ils sont nettement moins chers que la majorité des Saint-Émilion.

Les millésimes de Puisseguin suivent à peu près la courbe de ceux du Libournais ; les amateurs de bonnes affaires se mettront donc en quête des 1982, 1989, 1990 et 1995.

PUISSEGUIN-SAINT-ÉMILION – REPÈRES

Situation : sur la rive droite de la Dordogne, à environ 40 km au nord-est de Bordeaux et à 10 km à l'est de Libourne.
Superficie sous culture de vignes : 730 ha.
Commune : Puisseguin.
Production annuelle moyenne : 520 000 caisses.
Crus classés : aucun. L'appellation comprend 73 propriétés et une très importante cave coopérative.
Principaux cépages : c'est le merlot qui prédomine, suivi du cabernet franc et de toutes petites quantités de cabernet sauvignon.
Types de sol : essentiellement calcaire et argileux, avec un peu de grès.

MON CLASSEMENT

BON

Durand-Laplagne, De Roques, Vieux Château Guibeau

MOYEN

Beauséjour, Cassat, La Croix de Mouchet, Fayan, Gontet Robin, De Môle, Du Moulin, Rigaud, Roc de Boissac, Soleil, Teyssier, La Tour-Guillotin

LES MEILLEURS CHÂTEAUX

DURAND-LAPLAGNE

Propriétaire : Vignobles Bessou
Adresse : 33570 Puisseguin
Tél. 05 57 74 63 07 – Fax 05 57 74 59 58
Superficie : 45 ha
Encépagement : 70 % merlot, 15 % cabernet franc, 15 % cabernet sauvignon
Production : 360 000 b – *Potentiel :* 3-7 ans

DE ROQUES

Propriétaire : Michel Sublett
Adresse : 33570 Puisseguin
Tél. 05 57 74 69 56 – Fax 05 57 74 56 80
Superficie : 35 ha

Encépagement : 60 % merlot, 30 % cabernet franc, 10 % cabernet sauvignon
Production : 300 000 b – *Potentiel :* 3-10 ans

VIEUX CHÂTEAU GUIBEAU

Propriétaire : GFA Château Guibeau
Adresse : 33570 Puisseguin
Fax 05 57 74 58 52
Superficie : 41 ha
Encépagement : 70 % merlot, 15 % cabernet franc, 15 % cabernet sauvignon
Potentiel : 2-7 ans

LUSSAC-SAINT-ÉMILION

Situé dans la partie nord-est de la région viticole de Saint-Émilion, Lussac recouvre près de 1 400 ha de vignobles, dont plus de la moitié sont contrôlés par la cave coopérative locale. L'appellation compte également plusieurs propriétés produisant des vins souples, délicieux, ronds et fruités, destinés à être consommés dans les 5 ou 6 ans suivant le millésime.

Les sols sont principalement calcaires, sableux par endroits. Lussac, comme d'autres appellations satellites, est une mine de bonnes affaires.

LUSSAC-SAINT-ÉMILION – REPÈRES

Situation : sur la rive droite de la Dordogne, à 40 km environ au nord-est de Bordeaux et à 10 km au nord-est de Libourne.
Superficie sous culture de vignes : 1 395 ha.
Commune : Lussac.
Production annuelle moyenne : 775 000 caisses.
Crus classés : aucun. L'appellation compte 215 propriétés et une cave coopérative regroupant 90 membres.
Principaux cépages : merlot et cabernet franc.
Types de sol : on trouve différents types de sol à Lussac – sableux, graveleux, argileux ou argilo-calcaire.

MON CLASSEMENT

TRÈS BON

Bel-Air, De Bellevue, Cap de Merle, Carteyron, Du Courlat, Lyonnat, Mayne-Blanc, Villadière

BON

De Barbe-Blanche, Croix de Rambeau, Lucas, De Tabuteau, Tour de Grenet, La Tour de Ségur, Les Vieux Chênes

LES MEILLEURS CHÂTEAUX

BEL-AIR

Propriétaire : Jean-Noël Roi
Adresse : 33570 Lussac
Tél. 05 57 74 60 40 – Fax 05 57 74 52 11
Superficie : 21 ha
Encépagement : 70 % merlot, 20 % cabernet franc, 10 % cabernet sauvignon
Production : 120 000 b – *Potentiel :* 3-7 ans

DE BELLEVUE

Propriétaire : GFA Chatenoud Charles et Fils
Adresse : 33570 Lussac
Tél. 05 57 74 60 25 – Fax 05 57 74 53 69
Superficie : 12 ha
Encépagement : 90 % merlot, 5 % cabernet franc, 5 % cabernet sauvignon
Production : 90 000 b – *Potentiel :* 3-10 ans

CAP DE MERLE

Propriétaire : Jacques Bessou
Adresse : 33570 Lussac – Tél. 05 57 74 64 48
Superficie : 8 ha – *Encépagement :* 75 % merlot, 25 % cabernet franc
Production : 36 000 b – *Potentiel :* 2-7 ans

DU COURLAT

Propriétaire : Pierre Bourotte
Adresse : 33570 Lussac
Tél. 05 57 51 62 17 – Fax 05 57 51 28 28
Superficie : 17 ha
Encépagement : 70 % merlot, 20 % cabernet franc, 10 % cabernet sauvignon
Production : 100 000 b – *Potentiel :* 2-6 ans

LYONNAT

Propriétaire : GFA Vignobles Jean Milhade
Adresse : 33570 Lussac
Tél. 05 57 55 48 90 – Fax 05 57 84 31 27
Superficie : 45 ha

Encépagement : 70 % merlot, 15 % cabernet franc, 15 % cabernet sauvignon
Production : 250 000 b – *Potentiel :* 5-12 ans

MAYNE-BLANC

Propriétaire : EARL Jean Boncheau
Adresse : 33570 Lussac
Tél. 05 57 74 60 56 – Fax 05 57 74 51 77
Superficie : 17 ha
Encépagement : 60 % merlot, 30 % cabernet sauvignon, 10 % cabernet franc
Production : 70 000 b – *Potentiel :* 2-6 ans

MONTAGNE-SAINT-ÉMILION

Montagne-Saint-Émilion, qui se trouve non loin du secteur des graves, au nord du Pomerol et de Saint-Émilion, est situé sur des coteaux argilo-calcaires et sur un plateau essentiellement calcaire, avec quelques affleurements rocheux.

Les meilleurs vins de l'appellation sont généralement issus des coteaux sud de l'appellation, d'où l'on jouit d'une vue splendide sur la Barbanne, qui traverse Pomerol et Lalande-de-Pomerol. Montagne produit régulièrement quelques-uns des vins les plus profonds et les plus riches de toutes les appellations satellites du Bordelais. Sachant que les crus les mieux réussis sont du niveau d'un bon grand cru de Saint-Émilion, on peut incontestablement y réaliser de belles affaires.

MONTAGNE-SAINT-ÉMILION – REPÈRES

Situation : sur la rive droite de la Dordogne, à un peu plus de 35 km de Bordeaux.
Superficie sous culture de vignes : 1 550 ha.
Commune : Montagne.
Production annuelle moyenne : 950 000 caisses.
Crus classés : aucun. L'appellation compte 220 propriétés et une cave coopérative regroupant 30 membres.
Principal cépage : merlot.
Type de sol : argilo-calcaire.

MON CLASSEMENT

EXCELLENT

Roudier

TRÈS BON

Calon, La Croix-Beauséjour, Faizeau, Maison-Blanche, La Tour Musset, Des Tours, Vieux Château Saint-André

MOYEN

Barraud, Beauséjour, Bonneau, Chevalier Saint-Georges, Corbin, Coucy, La Croix de Mouchet, Gachon, Gilet, Grand-Baril, Guadet-Plaisance, De Maison Neuve, Montaiguillon, Négrit, La Papeterie, Petit Clos du Roy, Rouchet-Gardet

LES MEILLEURS CHÂTEAUX

CALON

Propriétaire : Jean-Noël Boidron
Adresse : 33570 Montagne
Tél. 05 57 74 62 62 – Fax 05 57 51 56 30
Superficie : 38 ha
Encépagement : 80 % merlot, 15 % cabernet franc, 5 % cabernet sauvignon
Production : 260 000 b – *Potentiel :* 5-15 ans

LA CROIX-BEAUSÉJOUR

Propriétaire : Olivier Laporte
Adresse : 33570 Montagne
Tél. 05 57 74 69 62 – Fax 05 57 74 59 21
Superficie : 8 ha
Encépagement : 70 % merlot, 15 % cabernet franc, 15 % malbec
Production : 50 000 b – *Potentiel :* 5-12 ans

FAIZEAU

Propriétaire : Geneviève Raynaud
Adresse : 33570 Montagne
Tél. 05 57 24 68 94 – Fax 05 57 24 60 37
Superficie : 10 ha – *Encépagement :* 100 % merlot
Production : 30 000 b – *Potentiel :* 2-8 ans

MAISON-BLANCHE

Propriétaire : Gérard Despagne
Adresse : 33570 Montagne
Tél. 05 57 74 62 18 – Fax 05 57 74 58 98
Superficie : 32 ha
Encépagement : 70 % merlot, 20 % cabernet franc, 10 % cabernet sauvignon
Production : 100 000 b – *Potentiel :* 4-12 ans

ROUDIER

Propriétaire : Jacques Capdemourlin
Adresse : 33570 Montagne

Tél. 05 57 74 62 06 – Fax 05 57 74 59 34
Superficie : 30 ha
Encépagement : 65 % merlot, 25 % cabernet franc, 10 % cabernet sauvignon
Production : 180 000 b – *Potentiel :* 5-12 ans

LA TOUR MUSSET

Propriétaire : Tour Saint-Christophe SA
Adresse : 33570 Montagne
Tél. 05 57 97 75 75 – Fax 05 56 72 13 23
Superficie : 30 ha – *Encépagement :* 66 % merlot, 34 % cabernet franc
Production : 220 000 b – *Potentiel :* 2-7 ans

DES TOURS

Propriétaire : Marne et Champagne
Adresse : 33570 Montagne
Tél. 05 57 74 58 38 – Fax 05 57 74 58 36
Superficie : 75 ha – *Encépagement :* 95 % merlot, 5 % cabernet sauvignon
Production : non communiquée – *Potentiel :* 2-5 ans

VIEUX CHÂTEAU SAINT-ANDRÉ

Propriétaire : Jean-Claude Berrouet
Adresse : 33570 Montagne – Tél. 05 57 55 05 80
Superficie : 10 ha
Encépagement : 75 % merlot, 20 % cabernet franc, 5 % cabernet sauvignon
Production : 40 000 b – *Potentiel :* 3-12 ans

SAINT-GEORGES-SAINT-ÉMILION

Les viticulteurs de Saint-Georges-Saint-Émilion bénéficient depuis 1972 de l'autorisation de faire naviguer leurs vins sous l'appellation Montagne-Saint-Émilion. Cependant, ils sont nombreux à avoir conservé leur identité, en revendiquant toujours le label Saint-Georges-Saint-Émilion.

L'appellation comprend plusieurs propriétés d'un bon niveau, dont le Château Saint-Georges et le Château Saint-André Corbin, plus petit.

SAINT-GEORGES-SAINT-ÉMILION – REPÈRES

Situation : sur la rive droite de la Dordogne, à environ 35 km au nord-est de Bordeaux.
Superficie sous culture de vignes : 180 ha.
Commune : Saint-Georges-Saint-Émilion fait partie de la commune de Montagne.
Production annuelle moyenne : 95 000 caisses.

Crus classés : aucun. L'appellation compte une vingtaine de propriétés.
Principal cépage : merlot.
Type de sol : argilo-calcaire.

MON CLASSEMENT

TRÈS BON

Saint-André Corbin, Saint-Georges

MOYEN

Belair-Montaiguillon, Macquin-Saint-Georges, Tour-du-Pas-Saint-Georges

LES MEILLEURS CHÂTEAUX

SAINT-ANDRÉ CORBIN

Propriétaire : Robert Carré
Adresse : 33570 Montagne
Tél. 05 57 51 00 48 – Fax 05 57 25 22 56
Superficie : 19 ha – *Encépagement :* 75 % merlot, 25 % cabernet franc
Production : 70 000 b – *Potentiel :* 4-12 ans

SAINT-GEORGES

Propriétaire : famille Desbois
Adresse : 33570 Montagne
Tél. 05 57 74 62 11 – Fax 05 57 74 58 62
Superficie : 50 ha
Encépagement : 60 % merlot, 20 % cabernet franc, 20 % cabernet sauvignon
Production : 300 000 b – *Potentiel :* 4-15 ans

CÔTES DE CASTILLON

Les Côtes de Castillon sont situées à l'est de Puisseguin-Saint-Émilion, à une bonne quarantaine de kilomètres de Bordeaux. L'appellation doit son nom à la commune de Castillon-la-Bataille, ainsi baptisée en mémoire de la bataille qui marqua la fin de la guerre de Cent Ans (1453), avec la défaite de l'armée anglaise et la mort de son général, Talbot.

C'est l'une des plus anciennes régions viticoles du Bordelais ; on y trouve trace de cette activité dès l'époque romaine. Les sols, siliceux, graveleux et très fertiles dans les parties basses, deviennent argileux et graveleux à flanc de coteau. Dans les zones plus élevées, ils sont essentiellement calcaires, avec aussi de l'argile, de la marne et du grès. D'après le syndicat de l'appellation, la cave coopérative locale assure près de 65 % de la production totale des Côtes de Castillon. Depuis que l'appellation a été délimitée, en 1955, les vins qui en sont issus connaissent un certain succès auprès des amateurs rebutés par les prix des Saint-Émilion.

Certes, les Côtes de Castillon ne sont pas de très grands bordeaux, mais un certain nombre d'entre eux sont souples, ronds et délicieusement fruités, parfois même complexes ; ils constituent donc de bonnes affaires.

CÔTES DE CASTILLON – REPÈRES

Situation : sur la rive droite de la Dordogne, à environ 40 km à l'est de Bordeaux. Les Côtes de Castillon sont bordées au nord par l'appellation Côtes de Francs, au sud par la Dordogne et à l'ouest par Saint-Émilion.
Superficie sous culture de vignes : 3 000 ha.
Communes : l'appellation recouvre 8 communes, dont la plupart incluent le vocable « Castillon » dans leur dénomination. Les principales sont Belvès-de-Castillon, Castillon-la-Bataille, Saint-Gènes-de-Castillon, Saint-Magne-de-Castillon, Saint-Philippe-d'Aiguilhe, Sainte-Colombe et Les Salles-de-Castillon.
Production annuelle moyenne : 1 650 000 caisses.
Crus classés : aucun, mais l'appellation compte 250 propriétés et une cave coopérative regroupant 150 membres.
Principaux cépages : merlot, suivi du cabernet franc.
Types de sol : argilo-calcaire sur les coteaux, plus graveleux et plus sableux dans les parties basses.

MON CLASSEMENT

TRÈS BON

Cap de Faugères, De Pitray, Vieux Champs de Mars

BON

De Belcier, Côte Montpezat, Puycarpin, La Terrasse

MOYEN

D'Aiguilhe, Beynat, Blanzac, Du Bois, Des Desmoiselles, Faugères, Fontbaude, La Fourquerie, Haut-Tuquet, Lartigue, Maisières-Aubert, Moulin-Neuf, Moulin Rouge, Palanquey, Robin, Rocher Bellevue, Roquevieille, Terrasson

LES MEILLEURS CHÂTEAUX

CAP DE FAUGÈRES

Propriétaire : Corinne Guisez
Adresse postale : Château Faugères – 33330 Saint-Étienne-de-Lisse
Tél. 05 57 40 34 99 – Fax 05 57 40 36 44
Superficie : 27 ha
Encépagement : 50 % merlot, 38 % cabernet franc, 12 % cabernet sauvignon
Production : 125 000 b – *Potentiel :* 2-8 ans

DE PITRAY

Propriétaire : Alix de Boigne
Adresse : 33350 Gardegan
Tél. 05 57 40 63 38 – Fax 05 57 40 66 24
Superficie : 31 ha – *Encépagement :* 70 % merlot, 30 % cabernet franc
Production : 200 000 b – *Potentiel :* 2-8 ans

VIEUX CHAMPS DE MARS

Propriétaire : Régis Moro
Adresse : 33350 Saint-Philippe-d'Aiguilhe
Tél. 05 57 40 63 49 – Fax 05 57 40 61 41
Superficie : 17 ha
Encépagement : 80 % merlot, 10 % cabernet franc, 10 % cabernet sauvignon
Production : 30 000 b – *Potentiel :* 2-8 ans

CÔTES DE FRANCS

Bien que l'on y trouve trace d'une activité viticole dès le XIe siècle, la région des Côtes de Francs n'a été délimitée qu'en 1976 ; c'est donc l'une des appellations les plus récentes des environs de Saint-Émilion. Elle recouvre environ 895 ha de vignes, dont 20 % sont vouées aux cépages blancs – sémillon, sauvignon et muscadelle.

Mais c'est surtout par le vin rouge que cette appellation se distingue ; en effet, ce terroir est une extension vers l'est de Puisseguin-Saint-Émilion et de Lussac-Saint-Émilion, et les sols y sont remarquables, puisque le bas des coteaux et les vallons sont très argileux, alors que les coteaux eux-mêmes sont argilo-calcaires, avec des affleurements de marne et de craie. Les principaux cépages sont le cabernet sauvignon, le cabernet franc, le malbec et le merlot. Ce vignoble est l'un des seuls de tout le Bordelais à être entièrement ouvert à l'est.

CÔTES DE FRANCS – REPÈRES

Situation : sur la rive droite de la Dordogne, à l'ouest de Puisseguin et de Lussac, et à 50 km environ du centre de Bordeaux.
Superficie sous culture de vignes : 895 ha.
Production annuelle moyenne : 240 000 caisses, dont 90 % de rouge et 10 % de blanc.
Crus classés : aucun. L'appellation compte 30 propriétés et une cave coopérative qui regroupe 30 membres.
Principal cépage : merlot.
Type de sol : argilo-calcaire.

MON CLASSEMENT

TRÈS BON

De Francs, Marsau, La Prade, Puygueraud

BON

Les Charmes-Godard

LES MEILLEURS CHÂTEAUX

DE FRANCS

Propriétaire : GFA du Château de Francs
Adresse : 33570 Montagne
Tél. 05 57 40 65 97 – Fax 05 57 40 63 04
Superficie : 31 ha
Encépagement : rouge – 80 % merlot, 20 % cabernet franc ;
blanc – 50 % sauvignon, 40 % sémillon, 10 % muscadelle
Production : rouge – 135 000 b ; blanc – 17 000 b – *Potentiel :* 3-8 ans

MARSAU

Propriétaire : Jean-Marie Chadronnier
Adresse : La Bernarderie – 33570 Francs
Tél. et Fax 05 57 40 67 23
Superficie : 8 ha – *Encépagement :* 100 % merlot
Production : 25 000 b – *Potentiel :* 2-8 ans

LA PRADE

Propriétaire : Patrick Valette
Adresse postale : Château Rougerie – 33420 Camiac-et-Saint-Denis
Tél. 05 57 24 24 17 – Fax 05 57 24 00 35
Superficie : 4,5 ha
Encépagement : 70 % merlot, 20 % cabernet sauvignon, 10 % cabernet franc
Production : 27 600 b – *Potentiel :* 2-6 ans

PUYGUERAUD

Propriétaire : SCEA Héritiers Thienpont
Adresse : 33570 Saint-Cibard
Tél. 05 57 56 07 47 – Fax 05 57 56 07 48
Superficie : 32 ha
Encépagement :
55 % merlot, 25 % cabernet franc, 15 % cabernet sauvignon, 5 % malbec
Production : 60 000 b – *Potentiel :* 3-8 ans

LOUPIAC ET SAINTE-CROIX-DU-MONT

Les producteurs de vins doux de ces deux régions auront, à mon avis, un rôle de plus en plus important à jouer du fait de l'augmentation excessive du prix des vins de Barsac et de Sauternes. Situés sur la rive droite de la Garonne, à environ 38 km au sud de Bordeaux, Loupiac et Sainte-Croix-du-Mont font face au Sauternais, qui est de l'autre côté du fleuve, et bénéficient d'une exposition sud optimale. Ces deux appellations d'origine contrôlée ont été délimitées en 1936, et plusieurs observateurs estiment que l'excellente exposition de leurs meilleurs vignobles et leur sous-sol argilo-calcaire favorisent la production de liquoreux. De plus, les brumes matinales, essentielles pour la formation de la pourriture noble, y sont fréquentes. Si les amateurs s'intéressent en priorité aux vins blancs doux produits dans ces appellations, il faut tout de même souligner qu'elles proposent également des vins blancs secs, ainsi qu'un peu de vin rouge.

LOUPIAC – REPÈRES

Situation : sur la rive droite de la Garonne, à environ 40 km au sud-est de Bordeaux et à 10 km de Langon.
Superficie sous culture de vignes : 350 ha.
Commune : Loupiac.
Production annuelle moyenne : 115 000 caisses.
Crus classés : aucun. L'appellation compte 70 propriétés.
Principaux cépages : sémillon, sauvignon blanc et muscadelle.
Types de sol : argilo-calcaire et argilo-graveleux, avec du grès.

SAINTE-CROIX-DU-MONT – REPÈRES

Situation : à 40 km environ au sud-est de Bordeaux et à moins de 10 km de Langon.
Superficie sous culture de vignes : 440 ha.
Commune : Sainte-Croix-du-Mont.
Production annuelle moyenne : 175 000 caisses.
Crus classés : aucun. L'appellation compte 90 propriétés.
Principaux cépages : sémillon, sauvignon blanc et muscadelle.
Type de sol : argilo-calcaire.

MON CLASSEMENT

TRÈS BON

Bourdon-Loupiac, Clos Jean, Crabitan-Bellevue Cuvée Spéciale, Du Cros, Loubens, Loupiac-Gaudiet, Domaine du Noble, La Rame

LES MEILLEURS CHÂTEAUX

CLOS JEAN

Propriétaire : Lionel Bord
Adresse : 33410 Loupiac
Tél. 05 56 62 99 83 – Fax 05 56 62 93 55
Superficie : 11 ha – *Encépagement :* 80 % sémillon, 20 % sauvignon
Production : 60 000 b – *Potentiel :* blanc doux – 4-15 ans ; blanc sec – 1-3 ans

CRABITAN-BELLEVUE

Propriétaire : GFA Bernard Solane et Fils
Adresse : 33410 Loupiac
Tél. 05 56 62 01 53 – Fax 05 56 76 72 09
Superficie : 45 ha
Encépagement : 92 % sémillon, 6 % sauvignon, 2 % muscadelle
Production : 150 000-200 000 b – *Potentiel :* 5-12 ans

DU CROS

Propriétaire : Michel Boyer
Adresse : 33410 Loupiac
Tél. 05 56 62 99 31 – Fax 05 56 62 12 59
Superficie : 45 ha Loupiac et 10 ha Bordeaux Blanc
Encépagement :
blanc doux – 70 % sémillon, 20 % sauvignon, 10 % muscadelle ;
blanc sec – 100 % sauvignon
Production : blanc doux – 50 000 b ; blanc sec – 50 000 b
Potentiel : blanc doux – 3-10 ans ; blanc sec – 1-3 ans

LOUBENS

Propriétaire : Arnaud de Sèze
Adresse : 33410 Sainte-Croix-du-Mont
Tél. 05 56 62 01 25 – Fax 05 56 62 01 28
Superficie : 17 ha – *Encépagement :* 95 % sémillon, 5 % sauvignon
Production : 40 000 b – *Potentiel :* 5-10 ans

LOUPIAC-GAUDIET

Propriétaires : Marc Ducau et Daniel Sanfourche
Adresse : 33410 Loupiac-de-Cadillac
Tél. 05 56 62 99 88 – Fax 05 56 62 60 13
Superficie : 28 ha – *Encépagement :* 90 % sémillon, 10 % sauvignon
Production : 30 000 b – *Potentiel :* 3-12 ans

DOMAINE DU NOBLE

Propriétaire : EARL Dejean
Adresse : 33410 Loupiac
Tél. 05 56 62 98 30 – Fax 05 56 76 91 31
Superficie : 15 ha – *Encépagement :* 85 % sémillon, 15 % sauvignon
Production : 60 000 b – *Potentiel :* 3-10 ans

LA RAME

Propriétaire : Yves Armand
Adresse : 33410 Sainte-Croix-du-Mont
Tél. 05 56 62 01 50 – Fax 05 56 62 01 94
Superficie : 20 ha – *Encépagement :* 85 % sémillon, 15 % sauvignon
Production : 80 000 b – *Potentiel :* 5-15 ans

AUTRES APPELLATIONS

L'attention des amateurs se focalise surtout sur les grands noms et les régions prestigieuses. Pourtant, il existe de nombreux producteurs réguliers à haut niveau dans les appellations moins connues.

A chacun de mes passages dans la région, j'ai pris l'habitude de déguster ce que j'appelle les « petits vins ». La sélection qui suit (en rouge et en blanc) représente à mon avis l'élite des appellations comme l'Entre-Deux-Mers, les Premières Côtes de Bordeaux ou le Bordeaux générique. Ils sont généralement excellents, pas très chers et élaborés par des propriétaires extrêmement motivés – parfois même obsédés par la qualité. Je recommande vivement au lecteur de les rechercher : ils atteignent souvent un niveau équivalent à celui de vins coûtant deux fois plus chers.

VINS BLANCS

Bauduc-Les Trois Hectares (Bordeaux)
Bonnet (Entre-Deux-Mers)
Bonnet Cuvée Réservée (Entre-Deux-Mers)
Bourdicotte (Entre-Deux-Mers)
Carpia (Bordeaux)
Cayla (Bordeaux)
Cayla Le Grand Vent (Bordeaux)
La Closière (Bordeaux)
Fondarzac (Entre-Deux-Mers)
Fongrave (Entre-Deux-Mers)
Launay (Entre-Deux-Mers)
Moulin de Launay (Entre-Deux-Mers)
Numéro 1-Dourthe (Bordeaux)
Reynon Vieilles Vignes (Bordeaux)

De Racaud (Cadillac)
Roquefort (Entre-Deux-Mers)
Thieuley (Bordeaux)
Thieuley Cuvée Francis Courselle (Bordeaux)
Toulet (Bordeaux)
La Tour Mirambeau (Entre-Deux-Mers)
Turcaud (Entre-Deux-Mers)

VINS ROUGES

Balestard – Jean-Charles Casteix (Bordeaux)
Bonjouan (Bordeaux Supérieur)
Bouilh (Bordeaux Supérieur)
De Bru (Bordeaux)
Cablanc (Bordeaux)
Carsin (Premières Côtes de Bordeaux)
Cazalis (Bordeaux)
De Chastelet (Premières Côtes de Bordeaux)
Clos Chaumont (Premières Côtes de Bordeaux)
La Cour d'Argent (Bordeaux Supérieur)
Courteillac (Bordeaux)
La Croix de Roche (Bordeaux Supérieur)
La Doyenne (Premières Côtes de Bordeaux)
Fontenille (Bordeaux Supérieur)
Fussignac (Bordeaux Supérieur)
Le Grand Verdus (Bordeaux Supérieur)
La Grande-Chapelle (Bordeaux Supérieur)
Hostens-Picant (Sainte-Foy-Bordeaux)
Jonqueyres (Bordeaux Supérieur)
La Joye (Bordeaux Supérieur)
La Maréchale (Bordeaux Supérieur)
Parenchère (Bordeaux Supérieur)
Parenchère Cuvée Raphaël Gazaniol (Premières Côtes de Bordeaux)
Peyrat Cuvée La Fontaine (Premières Côtes de Bordeaux)
Pintey (Bordeaux Supérieur)
Piras (Premières Côtes de Bordeaux)
Plaisance Cuvée Tradition (Bordeaux)
De Plassan (Bordeaux)
Prieuré-Sainte-Anne (Premières Côtes de Bordeaux)
Recougne (Bordeaux Supérieur)
Reignac Cuvée Spéciale (Bordeaux Supérieur)
Reynon (Premières Côtes de Bordeaux)
La Terrasse (Bordeaux Supérieur)
Terres d'Agnès (Bordeaux Supérieur)
Thieuley (Bordeaux)
De la Tour (Bordeaux Supérieur)
Tour de l'Espérance (Bordeaux Supérieur)
La Tuilerie du Puy (Bordeaux Supérieur)

LE CLASSEMENT DES VINS DE BORDEAUX

Tant dans l'esprit du commerçant que dans celui du consommateur, les bordeaux n'ont de valeur que par la place qu'ils occupent dans un classement officiel basé sur la qualité des vins. Ces classements peuvent servir l'intérêt de l'amateur, comme ils peuvent parfois le contrarier. Les quelques châteaux qui ont eu la chance d'être jugés dignes d'y figurer se sont trouvés à l'abri d'un bouleversement de leur position ou de la considération qui leur était accordée. Ils ont donc pu fixer leurs prix en fonction de ceux que pratiquent leurs pairs ; et, pour une bonne partie d'entre eux, ils ont monopolisé l'attention des chroniqueurs et des écrivains spécialisés dans le vin.

Cependant, comme tend à le démontrer cet ouvrage, certains domaines n'ont pas toujours été à la hauteur du rang qu'ils occupent dans la hiérarchie officielle. Quant aux autres, si nombre d'entre eux produisent depuis longtemps des vins de qualité, la rémunération qu'ils en ont tirée s'est trouvée sensiblement réduite du fait qu'ils ne figuraient pas dans les classements de 1855, de 1955 ou de 1959 (les principaux). Ajoutons que les journalistes et les écrivains spécialisés leur portaient bien moins d'attention qu'à leurs homologues, considérés comme plus prestigieux. Toutefois, l'aubaine – si elle est encore réalisable – ne peut provenir que des excellents vins de ces châteaux moins connus.

LE CLASSEMENT DE 1855 ET LES AUTRES

De tous les classements des bordeaux basés sur un critère de qualité, celui des vins du Médoc établi en 1855 est le plus important. Parmi les milliers de propriétés viticoles du Bordelais, 61 furent choisis en Médoc, 1 dans la région des Graves, sur le critère de leurs prix de vente et de la situation de leurs vignobles. Depuis 1855, une seule modification a été apportée à ce classement : le Château Mouton Rothschild a été élevé en 1973 au rang de premier cru. Le classement de 1855 comportait cinq échelons, avec, à l'origine, 4 premiers crus (aujourd'hui 5 en raison de la promotion de Mouton Rothschild), 15 deuxièmes crus, 14 troisièmes crus, 10 quatrièmes crus et 18 cinquièmes crus. Il peut être considéré comme étant un bon guide général des meilleurs bordeaux, mais il comporte cependant de nombreux défauts, que j'ai décrits de manière détaillée dans cet ouvrage.

Alors que le classement des vins du Médoc ne s'appliquait qu'à des domaines producteurs de vin rouge, un autre fut opéré la même année pour les domaines de Barsac et du Sauternais, s'appliquant, celui-ci, aux vins blancs liquoreux de la région. Le Château d'Yquem fut distingué comme premier grand cru, et l'on établit après lui une liste de 23 châteaux répartis entre premiers crus et deuxièmes crus.

D'autres classements, s'inspirant toujours d'un critère de qualité, sont plus récents. Ils ne semblent cependant pas plus précis ni plus fiables que leurs devanciers. En 1959, ce fut au tour des vins de la région des Graves, à la limite sud de la ville de Bordeaux, d'être hiérarchisés : 13 châteaux producteurs de vins rouges et 8 producteurs de vins blancs reçurent le statut de cru classé. Ensuite, en 1955, les Saint-Émilion furent classés en deux catégories : premiers grands crus classés et grands crus classés. Ce classement a été revu en 1959, en 1969 et en 1985. Le dernier en date est de 1996.

La petite région de Pomerol, au nord-ouest de Saint-Émilion, n'a jamais connu de classement, mais cela n'a certainement pas nui à la qualité et à la réputation de ses vins. Petrus reste le cru le plus cher et le plus recherché de tous les bordeaux. Et, après lui, une douzaine d'autres Pomerol au moins pratiquent des prix équivalant à ceux des deuxièmes crus du Médoc.

Un autre classement de vins de Bordeaux mérite qu'on lui accorde une certaine attention : c'est celui des crus bourgeois du Médoc. Injustement appelés « petits châteaux » par beaucoup d'amateurs, ces propriétés de toutes dimensions n'ont jamais rivalisé en prestige ni en réputation avec les célèbres crus classés. Malgré la qualité de leur vinification, de l'administration ou des soins apportés à leurs vignobles, les crus bourgeois ont été longtemps considérés comme mineurs. Et, s'il est vrai que ce qualificatif s'impose pour la plupart d'entre eux, un nombre croissant de ces domaines produisent aujourd'hui des vins de très haute qualité, comparables à certains crus classés. De plus, ils offrent aux consommateurs avisés un excellent rapport qualité/prix.

Il y a eu depuis les années 30 plusieurs tentatives visant à promouvoir efficacement des centaines de châteaux du Médoc de moindre renom. En 1932, la liste fut dressée de 444 crus bourgeois divisés en trois catégories, dont 6 crus bourgeois supérieurs exceptionnels, 99 crus bourgeois supérieurs et 339 crus bourgeois.

Au cours des années qui suivirent, plusieurs de ces vignobles furent absorbés par les propriétés qui leur étaient contiguës ou abandonnèrent la culture de la vigne. Dans l'intention de remettre la liste à jour, un nouveau classement fut établi en 1966 par le Syndicat des crus bourgeois. Plus récemment, en 1978, fut dressée une nouvelle liste de 126 châteaux : 18 crus grands bourgeois exceptionnels, 40 crus grands bourgeois et 68 crus bourgeois.

Le processus de sélection utilisé laissait cependant la porte ouverte à la contestation sur un certain nombre de points. En effet, seules les propriétés adhérentes étaient comprises dans le classement, et c'est ainsi que des crus bourgeois de bonne renommée, tels De Pez à Saint-Estèphe et Gloria à Saint-Julien, s'en trouvaient exclus, ayant refusé de se joindre au mouvement. En définitive, même si l'on admet que le classement de

1978 a certains côtés positifs, le fait qu'une dizaine de crus bien connus, producteurs de vins excellents, n'y figurent pas laisse perplexe.

Le Bordelais dispose d'un système de classement très élaboré pour sa multitude de châteaux, et il est sûr que la plupart méritent le rang qui leur a été attribué. Mais il faut également reconnaître qu'il existe des propriétés qui n'ont pas été reconnues officiellement, bien que leur qualité se maintienne d'année en année à un excellent niveau.

La finalité de ces classements « historiques » était de promouvoir les vins de Bordeaux tout en les plaçant dans une hiérarchie bien précise. Le système est basé sur la nature du terroir, sur la qualité et la réputation du cru. Mais bien des domaines changent de propriétaire, ou de maître de chai ; et, alors que certains crus – et ce, quelles que soient les circonstances – s'attachent à faire le mieux possible, d'autres, par négligence, incompétence, voire cupidité, produisent des vins médiocres ne correspondant pas à leur rang.

Les classements ne sont examinés dans cet ouvrage que du point de vue du consommateur ou de l'acheteur. La qualité des vins produits par chaque propriété entre 1961 et 1998 y a été étudiée dans le détail. J'ai analysé la qualité plutôt que l'historique de tous les domaines les plus importants et de nombreux autres, moins renommés, mais sérieux. J'ai mis l'accent sur :

– le style et la qualité du vin en général ;
– la qualité relative et la performance entre 1961 et 1998 ;
– le rapport qualité/prix.

Les jugements, les commentaires et les appréciations tels qu'ils sont exprimés ne reflètent que mon opinion personnelle. Ils s'appuient sur les nombreuses dégustations comparatives effectuées et sur les connaissances acquises au cours des séjours que j'ai effectués dans le Bordelais depuis 1970.

Il est incontestable que l'analyse du plaisir que procure tel ou tel vin est une affaire tout à fait personnelle et subjective. Mais il est important de souligner qu'une dégustation analytique opérée par un amateur, ou par un professionnel sans préjugés, crée un consensus quant à la qualité des vins, qu'il s'agisse des meilleurs comme des plus mauvais. Il y a en vérité des critères qui définissent la qualité des bordeaux, ainsi qu'il en existe pour tous les plus grands vins du monde. Ce livre se veut un guide des crus du Bordelais, donnant les points de repère.

BORDEAUX – LE CLASSEMENT OFFICIEL DE 1855

PREMIERS CRUS

Château Lafite Rothschild Pauillac
Château Latour Pauillac
Château Margaux Margaux
Château Haut-Brion[1] Pessac Graves

DEUXIÈMES CRUS

Château Mouton Rothschild[2] Pauillac
Château Rauzan-Ségla Margaux
Château Rauzan-Gassies Margaux
Château Léoville Las Cases Saint-Julien
Château Léoville Poyferré Saint-Julien
Château Léoville Barton Saint-Julien
Château Durfort-Vivens Margaux
Château Lascombes Margaux

1. Bien qu'étant un Graves, ce vin fut unanimement reconnu et classé comme l'un des quatre premiers crus.
2. Mouton Rothschild fut promu premier cru en 1973.

Château Gruaud Larose Saint-Julien
Château Brane-Cantenac Margaux
Château Pichon-Longueville Baron Pauillac
Château Pichon-Longueville Comtesse de Lalande Pauillac
Château Ducru-Beaucaillou Saint-Julien
Château Cos d'Estournel Saint-Estèphe
Château Montrose Saint-Estèphe

TROISIÈMES CRUS

Château Giscours Margaux
Château Kirwan Margaux
Château d'Issan Margaux
Château Lagrange Saint-Julien
Château Langoa Barton Saint-Julien
Château Malescot Saint-Exupéry Margaux
Château Cantenac Brown Margaux
Château Palmer Margaux
Château La Lagune Haut-Médoc
Château Desmirail Margaux
Château Calon-Ségur Saint-Estèphe
Château Ferrière Margaux
Château Marquis d'Alesme-Becker Margaux
Château Boyd-Cantenac Margaux

QUATRIÈMES CRUS

Château Saint-Pierre Saint-Julien
Château Branaire Saint-Julien
Château Talbot Saint-Julien
Château Duhart-Milon Pauillac
Château Pouget Margaux
Château La Tour Carnet Haut-Médoc
Château Lafon-Rochet Saint-Estèphe
Château Beychevelle Saint-Julien
Château Prieuré-Lichine Cantenac-Margaux
Château Marquis de Terme Margaux

CINQUIÈMES CRUS

Château Pontet-Canet Pauillac
Château Batailley Pauillac
Château Grand-Puy-Lacoste Pauillac
Château Grand-Puy Ducasse Pauillac
Château Haut-Batailley Pauillac
Château Lynch-Bages Pauillac
Château Lynch-Moussas Pauillac
Château Dauzac Margaux
Château Mouton Baronne Philippe (maintenant d'Armailhac) Pauillac
Château du Tertre Margaux
Château Haut-Bages Libéral Pauillac
Château Pédesclaux Pauillac
Château Belgrave Haut-Médoc
Château Camensac Haut-Médoc
Château Cos Labory Saint-Estèphe
Château Clerc Milon Pauillac
Château Croizet-Bages Pauillac
Château Cantemerle Haut-Médoc

SAUTERNES-BARSAC – CLASSEMENT OFFICIEL DE 1855

PREMIER GRAND CRU

Château d'Yquem

PREMIERS CRUS

Château Guiraud
Château La Tour Blanche
Château Lafaurie-Peyraguey
Château de Rayne Vigneau
Château Sigalas Rabaud
Château Rabaud-Promis
Clos Haut-Peyraguey
Château Coutet
Château Climens
Château Suduiraut
Château Rieussec

SECONDS CRUS

Château d'Arche
Château Filhot
Château Lamothe
Château de Myrat
Château Doisy-Védrines
Château Doisy Daëne
Château Suau
Château Broustet
Château Caillou
Château Nairac
Château de Malle
Château Romer

GRAVES - CLASSEMENT OFFICIEL DE 1959

PREMIER GRAND CRU

Château Haut-Brion Pessac

CRUS CLASSÉS EN ROUGE

Château Bouscaut Cadaujac
Château Carbonnieux Léognan
Domaine de Chevalier Léognan
Château de Fieuzal Léognan
Château Haut-Bailly Léognan
Château La Mission Haut-Brion Pessac
Château La Tour Haut-Brion Talence
Château Latour-Martillac[1] Martillac
Château Malartic-Lagravière Léognan
Château Olivier Léognan
Château Pape Clément Pessac
Château Smith-Haut-Lafitte Martillac

CRUS CLASSÉS EN BLANC

Château Bouscaut Cadaujac
Château Carbonnieux Léognan
Domaine de Chevalier Léognan
Château Couhins Villenave-d'Ornon
Château Latour-Martillac[1] Martillac
Château Laville Haut-Brion Talence
Château Malartic-Lagravière Léognan
Château Olivier Léognan

SAINT-ÉMILION - CLASSEMENT OFFICIEL DE 1996

PREMIERS GRANDS CRUS CLASSÉS

(A) Château Ausone
Château Cheval Blanc
(B) Château Angélus
Château Beau-Séjour Bécot
Château Beauséjour (-Duffau-Lagarrosse)
Château Belair
Château Canon
Château Clos Fourtet
Château Figeac
Château La Gaffelière
Château Magdelaine
Château Pavie
Château Trottevieille

GRANDS CRUS CLASSÉS

Château L'Arrosée
Château Balestard La Tonnelle
Château Bellevue
Château Bergat
Château Berliquet
Château Cadet-Bon
Château Cadet-Piola
Château Canon-la-Gaffelière
Château Cap de Mourlin
Château Chauvin

1. Alors orthographié La Tour-Martillac.

Château Clos des Jacobins
Château Corbin
Château Corbin-Michotte
Château Couvent des Jacobins
Château Curé-Bon
Château Dassault
Château Faurie de Souchard
Château Fonplégade
Château Fonroque
Château Franc-Mayne
Château Grand Mayne
Château Grand-Pontet
Château Les Grandes Murailles
Château Guadet-Saint-Julien
Château Haut-Corbin
Château Haut-Sarpe
Château Clos des Jacobins
Château La Clotte
Château La Clusière
Château La Couspaude
Château La Dominique
Château Lamarzelle
Château La Serre
Château La Tour Figeac
Château La Tour du Pin Figeac (Giraud-Bélivier)
Château La Tour-du-Pin Figeac (Moueix)
Château Laniote
Château Larcis Ducasse
Château Larmande
Château Laroque
Château Laroze
Château Matras
Château Moulin du Cadet
Château Clos de l'Oratoire
Château Pavie Decesse
Château Pavie Macquin
Château Petit-Faurie-de-Soutard
Château Ripeau
Château Saint-Georges Côte Pavie
Château Clos Saint-Martin
Château Soutard
Château Tertre Daugay
Château Troplong Mondot
Château Villemaurine
Château Yon-Figeac

CRUS BOURGEOIS DU MÉDOC – CLASSEMENT DU SYNDICAT DE 1978

CRUS GRANDS BOURGEOIS EXCEPTIONNELS

Château d'Agassac (Ludon)
Château Andron Blanquet (Saint-Estèphe)
Château Beau-Site (Saint-Estèphe)
Château Capbern Gasqueton (Saint-Estèphe)
Château Caronne Sainte-Gemme (Saint-Laurent)
Château Chasse-Spleen (Moulis)
Château Cissac (Cissac)
Château Citran (Avensan)
Château Le Crock (Saint-Estèphe)
Château Dutruch Grand Poujeaux (Moulis)
Château Fourcas Dupré (Listrac)
Château Fourcas Hosten (Listrac)
Château du Glana (Saint-Julien)
Château Haut-Marbuzet (Saint-Estèphe)
Château Marbuzet (Saint-Estèphe)
Château Meyney (Saint-Estèphe)
Château Phélan Ségur (Saint-Estèphe)
Château Poujeaux (Moulis)

CRUS GRANDS BOURGEOIS

Château Beaumont (Cussac)
Château Bel Orme (Saint-Seurin-de-Cadourne)
Château Brillette (Moulis)
Château La Cardonne (Blaignan)
Château Colombier-Monpelou (Pauillac)
Château Coufran (Saint-Seurin-de-Cadourne)
Château Coutelin-Merville (Saint-Estèphe)
Château Duplessis (Moulis)
Château La Fleur Milon (Pauillac)
Château Fontesteau (Saint-Sauveur)

Château Greysac (Bégadan)
Château Hanteillan (Cissac)
Château Lafon (Listrac)
Château de Lamarque (Lamarque)
Château Lamothe-Cissac (Cissac)
Château Larose-Trintaudon (Saint-Laurent)
Château Laujac (Bégadan)
Château Liversan (Saint-Sauveur)
Château Loudenne (Saint-Yzans-de-Médoc)
Château de Malleret (Le Pian)
Château Martinens (Margaux)
Château Le Meynieu (Vertheuil)
Château Morin (Saint-Estèphe)
Château Moulin à Vent (Moulis)
Château Les Ormes de Pez (Saint-Estèphe)
Château Les Ormes Sorbet (Couquèques)
Château Patache d'Aux (Bégadan)
Château Paveil-de-Luze (Soussans)
Château Peyrabon (Saint-Sauveur)
Château Pontoise-Cabarrus (Saint-Seurin-de-Cadourne)
Château Potensac (Potensac)
Château Reysson (Vertheuil)
Château Ségur (Parempuyre)
Château Sigognac (Saint-Yzans-de-Médoc)
Château Sociando-Mallet (Saint-Seurin-de-Cadourne)
Château du Taillan (Le Taillan)
Château La Tour de By (Bégadan)
Château La Tour du Haut Moulin (Cussac)
Château Tronquoy-Lalande (Saint-Estèphe)
Château Verdignan (Saint-Seurin-de-Cadourne)

CRUS BOURGEOIS

Château Aney (Cussac)
Château Balac (Saint-Laurent)
Château La Bécade (Listrac)
Château Bellerive (Valeyrac)
Château Bellerose (Pauillac)
Château Les Bertins (Valeyrac)
Château Bonneau (Saint-Seurin-de-Cadourne)
Château Le Boscq (Saint-Christoly)
Château du Breuilh (Cissac)
Château La Bridane (Saint-Julien)
Château de By (Bégadan)
Château Cailloux de By (Bégadan)
Château Cap Léon Veyrin (Listrac)
Château Carcanieux (Queyrac)
Château Castera (Cissac)
Château Chambert (Saint-Estèphe)
Château La Clare (Saint-Estèphe)
Château Clarke (Listrac)
Château La Closerie (Moulis)
Château de Conques (Saint-Christoly)
Château Duplessis Fabre (Moulis)
Château Fonpiqueyre (Saint-Sauveur)
Château Fonréaud (Listrac)
Château Fort de Vauban (Cussac)
Château La France (Blaignan)
Château Gallais-Bellevue (Potensac)
Château Grand Duroc-Milon (Pauillac)
Château Grand Moulin (Saint-Seurin-de-Cadourne)
Château Haut-Bages Monpelou (Pauillac)
Château Haut-Canteloup (Couquèques)
Château Haut-Garin (Bégadan)
Château Haut-Padarnac (Pauillac)
Château Houbanon (Prignac)
Château Hourtin-Ducasse (Saint-Sauveur)
Château de Labat (Saint-Laurent)
Château Lamothe Bergeron (Cussac)
Château Landat (Cissac)
Château Landon (Bégadan)
Château Larivière (Blaignan)
Château Lartigue de Brochon (Saint-Seurin-de-Cadourne)
Château Lassalle (Potensac)
Château Lavalière (Saint-Christoly)
Château Lestage (Listrac)
Château MacCarthy (Saint-Estèphe)
Château du Monthil (Bégadan)
Château Moulin de la Roque (Bégadan)
Château du Moulin Rouge (Cussac)
Château Panigon (Civrac)
Château Pibran (Pauillac)
Château Plantey-de-la-Croix (Saint-Seurin-de-Cadourne)
Château Pontet (Blaignan)

Château Ramage La Bâtisse (Saint-Sauveur)
Château Romefort (Cussac)
Château La Roque de By (Bégadan)
Château La Rose Maréchale (Saint-Seurin-de-Cadourne)
Château Saint-Bonnet (Saint-Christoly)
Château Saint-Roch (Saint-Estèphe)
Château Saransot-Dupré (Listrac)
Château Soudars (Avensac)
Château Tayac (Soussans)
Château La Tour Blanche (Saint-Christoly)
Château La Tour Haut-Caussan (Blaignan)
Château La Tour du Mirail (Cissac)
Château La Tour Saint-Bonnet (Saint-Christoly)
Château La Tour Saint-Joseph (Cissac)
Château des Tourelles (Blaignan)
Château Vernous (Lesparre)
Château Vieux Robin (Bégadan)

QUELS SONT LES MEILLEURS ?

Le classement de 1855 des vins du Médoc et ceux qui ont suivi pour les Graves et les Saint-Émilion ont établi une hiérarchie rigide qui, aujourd'hui encore, détermine le prix des crus classés. Paradoxalement, ces listes ne devraient plus avoir qu'un intérêt historique, tant il est vrai qu'elles ne permettent plus d'apprécier le niveau réel d'un cru.

Le lecteur trouvera ci-après mon classement des meilleurs bordeaux. Reprenant les cinq divisions du classement officiel de 1855, il se fonde sur le niveau de qualité des crus entre 1961 et 1998. Cependant, l'évolution et les critères actuels de chaque propriété, comme les millésimes produits de 1982 à 1998, ont davantage pesé que les performances entre 1961 et 1981. Pourquoi ? Tout simplement parce que le Bordeaux vit aujourd'hui son âge d'or. La région est prospère, et de plus en plus de domaines produisent des vins toujours meilleurs, grâce à des installations mieux adaptées et aux conseils, plus judicieux, des spécialistes.

Ce classement comprend 161 domaines. J'y ai en effet inclus les vins de toutes les grandes appellations du Bordelais, qui, tel Saint-Émilion, Pomerol, les Graves (à l'exception de Haut-Brion), Fronsac et Canon-Fronsac, avaient été exclues en 1855. Il ne faut donc pas s'étonner que le nombre des élus excède largement celui du classement officiel des vins du Médoc.

Bien évidemment, ce classement n'engage que ma responsabilité. Les jugements que j'ai portés sont personnels et s'appuient sur les dégustations que j'ai faites, car j'ai goûté plusieurs fois tous les principaux millésimes de tous les crus figurant ci-après. J'ai également visité la plupart des domaines, examinant avec la plus extrême attention le rang que je leur attribue. Rien de ce que j'ai affirmé n'est arbitraire. Je n'ai tenu compte d'aucun préjugé. Si des difficultés m'ont opposé à certains propriétaires, leurs crus n'en ont pas été pour autant déclassés. D'autres, qui m'inspirent pourtant sympathie et respect, me voient porter sur leurs vins une appréciation défavorable. C'est un risque, mais j'espère que mon analyse, reflétant le point de vue du consommateur, rendra service à ceux qui se croient injustement rétrogradés. De même, je souhaite que tous ceux qui font ici l'objet de compliments se sentent encouragés à constamment maintenir et améliorer la qualité de leur production.

MON CLASSEMENT DES MEILLEURS BORDEAUX ROUGES

NIVEAU PREMIER CRU (21)

Château Angélus (Saint-Émilion)
Château Ausone (Saint-Émilion)
Château Cheval Blanc (Saint-Émilion)
Château Clinet (Pomerol)
Château Cos d'Estournel (Saint-Estèphe)
Château Ducru-Beaucaillou (Saint-Julien)
Château L'Évangile (Pomerol)
Château Haut-Brion (Graves)
Château Lafite Rothschild (Pauillac)
Château Lafleur (Pomerol)
Château Latour (Pauillac)
Château Léoville Las Cases (Saint-Julien)
Château Margaux (Margaux)
Château La Mission Haut-Brion (Graves)
Château La Mondotte (Saint-Émilion)
Château Mouton Rothschild (Pauillac)
Château Palmer (Margaux)
Château Petrus (Pomerol)
Château Pichon-Longueville Comtesse de Lalande (Pauillac)
Château Le Pin (Pomerol)
Château de Valandraud (Saint-Émilion)

NIVEAU DEUXIÈME CRU (23)

Château Beauséjour (Duffau-Lagarrosse) (Saint-Émilion)
Château Canon-la-Gaffelière (Saint-Émilion)
Château Certan de May (Pomerol)
Château La Conseillante (Pomerol)
Château L'Église-Clinet (Pomerol)
Château Figeac (Saint-Émilion)
Château La Fleur de Gay (Pomerol)
Château La Gomerie (Saint-Émilion)
Château Gruaud Larose (Saint-Julien)
Château La Lagune (Ludon)
Château Léoville Barton (Saint-Julien)
Château Léoville Poyferré (Saint-Julien)
Château Lynch-Bages (Pauillac)
Château La Mondotte (Saint-Émilion)
Château Montrose (Saint-Estèphe)
Château Pape Clément (Graves)
Château Pichon-Longueville Baron (Pauillac)
Château Rauzan-Ségla (Margaux)
Château Smith Haut Lafitte (Pessac-Léognan)
Château Le Tertre Rotebœuf (Saint-Émilion)
Château Troplong Mondot (Saint-Émilion)
Château Trotanoy (Pomerol)
Château Vieux Château Certan (Pomerol)

NIVEAU TROISIÈME CRU (26)

Château L'Arrosée (Saint-Émilion)
Château Beau-Séjour Bécot (Saint-Émilion)
Château Branaire (Saint-Julien)
Château Calon-Ségur (Saint-Estèphe)
Château Cantemerle (Macau)
Château Clos de l'Oratoire (Saint-Émilion)
Château Domaine de Chevalier (Graves)
Château La Dominique (Saint-Émilion)
Château Duhart-Milon (Pauillac)
Château La Fleur-Petrus (Pomerol)
Château La Gaffelière (Saint-Émilion)
Château Giscours (Margaux)
Château Grand Mayne (Saint-Émilion)
Château Grand-Puy-Lacoste (Pauillac)
Château Haut-Bailly (Graves)
Château Haut-Marbuzet (Saint-Estèphe)
Château Lagrange (Saint-Julien)
Château Larmande (Saint-Émilion)
Château Latour à Pomerol (Pomerol)
Château Magdelaine (Saint-Émilion)
Château Malescot Saint-Exupéry (Margaux)
Château Monbousquet (Saint-Émilion)
Château Pontet-Canet (Pauillac)
Château Rol Valentin (Saint-Émilion)
Château Sociando-Mallet (Médoc)
Château Talbot (Saint-Julien)

NIVEAU QUATRIÈME CRU (18)

Château Beychevelle (Saint-Julien)
Château Le Bon Pasteur (Pomerol)
Château Les Carmes Haut-Brion (Graves)
Château Chasse-Spleen (Moulis)
Château Clerc Milon (Pauillac)
Château La Couspaude (Saint-Émilion)
Château Ferrand Lartigue (Saint-Émilion)
Château De Fieuzal (Graves)
Château Les Forts de Latour (Pauillac)
Château Le Gay (Pomerol)
Château Gloria (Saint-Julien)
Château Lafon-Rochet (Saint-Estèphe)
Château La Louvière (Graves)
Château Moulin Saint-Georges (Saint-Émilion)
Château Pavie Macquin (Saint-Émilion)
Château Quinault l'Enclos (Saint-Émilion)
Château Saint-Pierre (Saint-Julien)
Château Soutard (Saint-Émilion)

NIVEAU CINQUIÈME CRU (73)

Château D'Angludet (Margaux)
Château D'Armailhac (Pauillac)
Château Bahans Haut-Brion (Graves)
Château Balestard La Tonnelle (Saint-Émilion)
Château Barde-Haut (Saint-Émilion)
Château Batailley (Pauillac)
Château Belair (Saint-Émilion)
Château Brane-Cantenac (Margaux)
Château Cadet-Piola (Saint-Émilion)
Château Canon (Saint-Émilion)
Château Canon de Brem (Canon-Fronsac)
Château Canon-Moueix (Canon-Fronsac)
Château Cantenac Brown (Margaux)
Château Cassagne Haut-Canon La Truffière (Canon-Fronsac)
Château Certan-Giraud (Pomerol)
Château Chambert-Marbuzet (Saint-Estèphe)
Château Charmail (Médoc)
Château Citran (Médoc)
Château Clos des Jacobins (Saint-Émilion)
Château Clos La Madeleine (Saint-Émilion)
Château Clos René (Pomerol)
Château Couvent des Jacobins (Saint-Émilion)
Château La Croix du Casse (Pomerol)
Château La Croix de Gay (Pomerol)
Château Croque Michotte (Saint-Émilion)
Château Curé-Bon (Saint-Émilion)
Château Dalem (Fronsac)
Château La Dauphine (Fronsac)
Château Durfort-Vivens (Margaux)
Château Domaine de l'Église (Pomerol)
Château L'Enclos (Pomerol)
Château La Fleur de Jaugue (Saint-Émilion)
Château Fontenil (Fronsac)
Château Fourcas Loubaney (Listrac)
Château Le Gay (Pomerol)
Château Gazin (Pomerol)
Château Gombaude-Guillot (Pomerol)
Château Grand-Pontet (Saint-Émilion)
Château Grand-Puy Ducasse (Pauillac)
Château La Grave à Pomerol (Pomerol)
Château Gressier Grand Poujeaux (Moulis)
Château Haut-Bages Libéral (Pauillac)
Château Haut-Batailley (Pauillac)
Château D'Issan (Margaux)
Château Kirwan (Margaux)
Château Labégorce Zédé (Margaux)
Château Lanessan (Haut-Médoc)
Château Langoa Barton (Saint-Julien)
Château Larcis-Ducasse (Saint-Émilion)
Château Lascombes (Margaux)
Château Marquis de Terme (Margaux)
Château Maucaillou (Moulis)
Château Meyney (Saint-Estèphe)
Château Moulin Haut-Laroque (Fronsac)
Château Moulin Pey-Labrie (Canon-Fronsac)
Château Les Ormes de Pez (Saint-Estèphe)
Château Pavie (Saint-Émilion)
Château Pavie Decesse (Saint-Émilion)
Château Pavillon Rouge du Château Margaux (Margaux)
Château Petit Village (Pomerol)
Château Potensac (Médoc)

Château Poujeaux (Moulis)
Château Prieuré-Lichine (Margaux)
Château Roc de Cambes (Côtes de Bourg)
Château Siran (Margaux)
Château Tayac Cuvée Prestige (Côtes de Bourg)
Château Du Tertre (Margaux)
Château La Tour Haut-Brion (Graves)
Château Tour Haut-Caussan (Médoc)
Château Tour du Haut Moulin (Haut-Médoc)
Château La Tour du Pin Figeac-Moueix (Saint-Émilion)
Château Trottevieille (Saint-Émilion)
Château La Vieille Cure (Fronsac)

QU'EST-CE QU'UN GRAND BORDEAUX ?

Les traditionalistes évoquent souvent avec lyrisme le « bon vieux temps », affirmant qu'« on ne fait plus aujourd'hui de bordeaux comme avant ». En réalité, pour les bordeaux, les circonstances n'ont jamais été plus favorables, du point de vue tant climatique que financier. Mieux encore, Bordeaux n'avait certainement jamais encore connu une vinification d'aussi haut niveau ni proposé d'aussi grands vins qu'aujourd'hui.

La caractéristique première des vins de la région, rouges ou blancs, est leur exceptionnelle longévité. Dans les grandes années, leur aptitude au vieillissement demeure inégalée, et, même dans les moins bons millésimes, ils requièrent une garde de 5 à 8 ans pour s'épanouir pleinement. Les facteurs déterminant cette longévité sont, par ordre croissant d'importance, les cépages, le terroir, le climat et les méthodes de vinification ; ils font l'objet d'une explication ci-après.

LES CÉPAGES ROUGES

Les bordeaux rouges sont principalement issus de trois cépages, et plus rarement de deux autres, d'ailleurs de moins en moins utilisés aujourd'hui. Le choix des cépages influe considérablement sur le style du vin. Des siècles d'expérience ont permis de déterminer, dans chaque propriété, ceux qui conviennent le mieux au terroir.

Les vins rouges du Médoc sont généralement composés à 60 ou 65 % de cabernet sauvignon, à 10 ou 15 % de cabernet franc, à 20 ou 25 % de merlot et à 3 ou 8 % de petit verdot. Chaque propriété a son propre encépagement ; certains utilisent principalement le merlot, d'autres davantage de cabernet franc ou de cabernet sauvignon, d'autres encore augmentent la proportion de petit verdot. En règle générale, les sols graveleux, légers et bien drainés sont mieux adaptés au cabernet sauvignon qu'au merlot – ce qui explique que l'appellation Margaux soit fortement complantée du premier cépage. En revanche, les sols plus argileux et plus lourds de Saint-Estèphe conviennent mieux au merlot, qui y est d'ailleurs prédominant. Certes, il existe des exceptions. Ainsi, le Château Palmer, de Margaux, utilise beaucoup de merlot dans son assemblage final, tout comme le Château Pichon-Longueville Comtesse de Lalande, à Pauillac. Toutefois, le cabernet sauvignon et le merlot sont les deux cépages les mieux adaptés à une production de qualité dans le Médoc. Le premier est largement répandu, car il se développe et mûrit facilement dans les sols graveleux et bien drainés tels qu'on les trouve dans les meilleurs domaines de la région. Le merlot y est également fort apprécié car, dans l'assemblage avec le cabernet sauvignon – tannique, ferme et profondément coloré –, il équilibre la texture plus rude de ce dernier cépage par son caractère tendre, souple et charnu.

Si telle propriété utilise une forte proportion de cabernet sauvignon, son vin présentera vraisemblablement une robe intense, sera étoffé, corsé, tannique et apte à une longue garde. Si telle autre préfère le merlot, elle produira des vins plus ronds, au charme plus précoce.

En revanche, le cabernet franc est fort peu utilisé en Médoc. S'il ne donne pas autant de couleur que le cabernet sauvignon et le merlot, il offre une palette aromatique complexe (menthe, herbes et épices notamment) dont les Bordelais considèrent qu'elle confère au vin de la « finesse ». Le petit verdot n'est guère planté, car il mûrit tardivement et n'atteint sa pleine maturité que très rarement. Il est cependant souvent mis à profit dans les crus comptant une forte proportion de merlot, car il confère une structure tannique à des ensembles qui, autrement, seraient par trop souples et trop tendres.

Chaque cépage fleurit et mûrit à son rythme. Le merlot est généralement le plus précoce, suivi du cabernet franc, puis du cabernet sauvignon, enfin du petit verdot. Rares sont les amateurs réalisant que les variations climatiques (telles les gelées de printemps) survenant au moment de la pousse peuvent compromettre un cépage et en favoriser un autre. Ainsi, le merlot qui fleurit précocement est souvent affecté par les gelées de printemps, et c'est également lui qui craint le plus la pourriture lorsque le temps est humide ou pluvieux, car sa peau est moins résistante que celle du petit verdot ou du cabernet sauvignon.

L'incidence de ces facteurs peut être capitale pour certaines propriétés où le merlot domine. Il arrive en effet que ce cépage soit ramassé dans d'excellentes conditions, alors que le cabernet sauvignon des terroirs tardifs est gorgé par les pluies automnales. C'est ainsi que, en 1964, Petrus et Trotanoy, qui sont essentiellement composés de merlot, sont mieux réussis que les très décevants Médoc à base de cabernet sauvignon, tels Mouton Rothschild ou Lafite Rothschild. En effet, les premiers ont été vendangés dans des conditions parfaites, bien avant le cabernet sauvignon de la rive gauche, qui a pâti des pluies torrentielles.

Sur la rive droite de la Gironde se trouvent les appellations de Saint-Émilion et de Pomerol, fortement complantées en merlot et en cabernet franc. Les sols y sont plutôt lourds et assez mal drainés, en raison de leur forte teneur en argile. Le cabernet sauvignon, qui ne se plaît guère dans ce type de terroir, n'y est que très peu présent, hormis dans certains endroits particuliers, sur des terres graveleuses et bien drainées. En revanche, le merlot et le cabernet franc se développent parfaitement dans les sols relativement lourds. A de – nombreuses – exceptions près, l'encépagement le plus courant dans le Saint-Émilionnais est 50 % de merlot, 50 % de cabernet franc et de cabernet sauvignon, la proportion entre ces deux derniers cépages étant variable. En Pomerol, c'est le merlot qui prédomine, et, sauf dans quelques rares domaines, tels Clos l'Église et

Vieux Château Certan, le cabernet sauvignon n'y est guère planté. L'encépagement type d'un vignoble de Pomerol est 70-80 % de merlot et 20-30 % de cabernet franc. Il n'est dont pas surprenant que les Saint-Émilion et les Pomerol s'épanouissent bien plus rapidement que les Médoc, et qu'ils soient à la fois plus fruités, plus souples et plus gras.

Dans la région des Graves, dont le sol est naturellement graveleux – comme l'indique son nom –, l'écoulement des eaux ne pose pas de problème. Le cabernet sauvignon y est prisé, tout comme en Médoc, mais la proportion de merlot et de cabernet franc y est plus forte que dans cette dernière appellation, si bien que les vins s'y révèlent plus légers. Ainsi, lorsque l'année est pluvieuse, les Graves sont souvent meilleurs que les vins des autres appellations, car ils sont issus de vignobles mieux drainés ; le millésime 1987 en témoigne bien.

Il est également important de connaître l'encépagement de chaque cru. On peut ainsi se faire une idée des régions qui réussiront le mieux en une année donnée, avant même que les critiques ne révèlent les conclusions de leurs dégustations. Ces prédictions sont possibles si l'on est au courant du déroulement du cycle végétatif et des vendanges, et si l'on connaît les réactions des différents cépages aux conditions climatiques au moment de la floraison, de la maturation et de la récolte.

Dans le Bordelais, il est rare qu'une année se montre également favorable aux quatre cépages rouges. Ainsi, récemment, en 1982, 1985, 1989, 1990 et 1995, tous les cépages ont certes bien réussi, mais on admet que le merlot et le petit verdot ont frisé la perfection. Ces millésimes se caractérisent par l'opulence et la maturité du merlot, et les vins se révèlent plus alcooliques, plus charnus et plus souples que dans les années favorables au cabernet sauvignon. Ce dernier cépage a connu son heure de gloire en 1986 et en 1996, car, ces années-là, le merlot, extrêmement prolifique, donna des vins généralement fluides et dépourvus de structure. En revanche, les Médoc à base de cabernet sauvignon sont superbes et reflètent bien le caractère parfaitement mûr du cépage dont ils sont issus.

CABERNET SAUVIGNON

Extrêmement coloré, très astringent et très tannique, le cabernet sauvignon contribue à la structure, à la puissance, à la couleur, au caractère et à la longévité de la plupart des Médoc. Il mûrit relativement tard, résiste à la pourriture grâce à sa peau épaisse et se distingue par ses arômes prononcés de cassis, parfois mâtinés de subtiles senteurs herbacées qui développent des notes de cèdre en vieillissant. Pratiquement tous les châteaux du Bordelais assemblent le cabernet sauvignon avec d'autres cépages rouges. Le pourcentage moyen de cabernet sauvignon varie entre 40 et 85 % en Médoc, 40 et 60 % dans les Graves, 10 à 50 % en Saint-Émilion, 0 et 20 % en Pomerol.

MERLOT

Utilisé dans l'encépagement de presque tous les crus du Bordelais en raison de son aptitude à produire un vin rond, généreux, charnu, souple et alcoolique, le merlot arrive à maturité une à deux semaines avant le cabernet sauvignon. En Médoc, il atteint des sommets à Palmer et à Pichon-Lalande (pour ne citer que ceux-là), qui l'emploient en proportion élevée. Mais c'est en Pomerol qu'il est dominant et qu'il connaît vraiment le succès. Son pourcentage moyen dans l'encépagement est de l'ordre de 5 à 45 % en Médoc, de 20 à 40 % dans les Graves, de 25 à 80 % en Saint-Émilion et de 35 à 100 % en Pomerol. Les vins à base de merlot sont moins tanniques et plus faibles en acidité que ceux qui sont majoritairement issus de cabernet sauvignon. En règle générale, les premiers évoluent aussi beaucoup plus rapidement que les seconds.

CABERNET FRANC

Parent du cabernet sauvignon – mais il mûrit légèrement plus tôt –, le cabernet franc (appelé bouchet en Saint-Émilion et en Pomerol) est utilisé en proportion modeste pour contribuer à la complexité et au bouquet au vin. Il dégage des arômes piquants, souvent très épicés et parfois herbacés, évoquant l'olive. Il n'a pas le caractère charnu et souple du merlot, ni l'astringence, la puissance et le potentiel colorant du cabernet sauvignon. Le pourcentage moyen de cabernet franc utilisé dans l'encépagement est de 0 à 30 % en Médoc, de 5 à 35 % dans les Graves, de 25 à 66 % en Saint-Émilion, de 5 à 50 % en Pomerol.

PETIT VERDOT

Cépage rouge utile, mais généralement difficile en raison de son mûrissement tardif, le petit verdot donne au vin une couleur intense, des tannins structurants et un caractère sucré – donc alcoolique, lorsqu'il atteint sa pleine maturité, comme ce fut le cas dans le Bordelais en 1982, 1989, 1990 et 1996. En revanche, quand il n'est pas mûr, il est responsable du caractère acide et agressif du vin. Rares sont les Médoc qui incluent ce cépage à hauteur de plus de 5 % dans leur assemblage. En Pomerol et en Saint-Émilion, ce cépage est très peu utilisé.

MALBEC

Le malbec (également appelé pressac en Saint-Émilion et en Pomerol) est le cépage rouge principal le moins utilisé. Pratiquement tombé en disgrâce, il a généralement été remplacé par des cépages plus prisés, et son avenir dans le Bordelais semble assez compromis.

LES CÉPAGES BLANCS

Le Bordelais produit à la fois des vins blancs secs et des vins blancs liquoreux. Des trois cépages les plus utilisés, le sauvignon blanc et le sémillon font les deux types de vin, tandis que la muscadelle contribue, en petites proportions, aux vins doux uniquement.

SAUVIGNON

Employé pour les Graves blancs et secs comme pour les liquoreux de Barsac et du Sauternais, le sauvignon caractérise un vin en lui conférant des arômes piquants et parfois herbacés, ainsi que des flaveurs vives et austères. Rares sont les propriétés des Graves qui utilisent ce cépage seul ; en effet, il est généralement assemblé avec le sémillon. Le sauvignon blanc est moins prisé pour les Sauternes que pour les Graves.

SÉMILLON

Très sensible à la célèbre « pourriture noble », essentielle à l'élaboration des vins liquoreux, le sémillon contribue à la texture riche, onctueuse et intense des vins blancs secs des Graves, comme à celle des riches vins liquoreux du Sauternais. Quand il est jeune, le sémillon est très fruité, mais les vins qui en sont issus acquièrent de l'ampleur et de l'onctuosité au vieillissement. C'est pour cette raison que les Sauternes et les Barsac contiennent une plus forte proportion de ce cépage que les Graves blancs et secs.

MUSCADELLE

La muscadelle est le plus rare des cépages blancs plantés en Bordelais. Très fragile et très sensible aux maladies, elle donne au vin, quand elle est saine et bien mûre, d'intenses arômes floraux. Elle n'est utilisée qu'en très petites proportions par certains crus de Barsac et de Sauternes, mais n'est guère prisée dans les Graves.

LE TERROIR

Les meilleurs viticulteurs du Bordelais affirment généralement que « le vin se fait dans le vignoble » et non dans les chais. Il est, à cet égard, intéressant de comparer l'attitude de leurs collègues californiens qui, jusque récemment, accordaient la primauté aux conditions climatiques, au talent du vinificateur et aux procédés techniques. Si un nombre croissant de producteurs de Californie s'intéressent désormais au sol, la religion des Bordelais en la matière est depuis longtemps faite : nul ici ne songerait à contester que la grandeur des vins de la région tient au terroir, pas au génie du vinificateur ni à la technologie.

La célèbre région du Médoc est un triangle de terre, limité à l'ouest par l'océan Atlantique, à l'est par la Gironde et au sud par la ville de Bordeaux. Les meilleurs vignobles du Médoc s'étendent sur la moitié orientale de cette région généralement plate, aux pentes légèrement inclinées vers la Gironde. Très peu propice à d'autres formes d'agriculture, le sol du Médoc est très graveleux et sableux, avec un sous-sol qui peut aussi bien être de l'argile épaisse (produisant des vins plus lourds, moins fins) que du calcaire (plus léger) ou des graves (produisant des vins plus fins et plus légers).

Le sol très graveleux est une caractéristique géologique majeure des vignobles bordelais ; il assure un excellent drainage et permet aux racines de la vigne de pénétrer profondément dans le sous-sol afin d'y chercher éléments nutritifs, eau et sels minéraux.

Comme son nom l'indique, la région des Graves, au sud de Bordeaux, est constituée d'un sol rocheux sur un lit de graves plus profond que celui du Médoc. C'est à ce sol que l'on doit les arômes de terre et de minéral distinguant les vins de l'appellation. Saint-Émilion et Pomerol sont situés à une trentaine de kilomètres à l'est de la ville de Bordeaux.

Saint-Émilion présente différents types de terroir bien distincts. Autour de la charmante cité médiévale, les vignobles sont situés sur des « côtes », ou coteaux, qui étaient autrefois les berges d'une rivière. Le sol y est surtout calcaire, crayeux et argileux. Parmi les châteaux célèbres des côtes de Saint-Émilion, on citera Ausone, Canon, Pavie et Belair.

A quelques kilomètres au nord-ouest de la ville s'étend le secteur des graves de Saint-Émilion, avec des affleurements graveleux et sableux en limite de l'appellation Pomerol. Les crus de Saint-Émilion situés dans cette zone donnent des vins différents de ceux qui sont issus des sols argilo-calcaires des côtes. Cheval Blanc et Figeac sont les deux propriétés les plus connues du secteur. S'il y a bien entendu des exceptions à l'intérieur de chaque sous-région, on peut malgré tout définir deux principaux types de Saint-Émilion, celui des graves et celui des côtes – et cette différence est directement liée à la nature géologique du sol.

La terre de Pomerol ressemble fort à celle de la région limitrophe des graves de Saint-Émilion, avec quelques variations. Le cru le plus célèbre, Petrus, se trouve sur un plateau dont le sol argileux et lourd est bien différent de celui des autres vignobles de l'appellation.

Les différences subtiles dans la composition du sol et leur influence sur le style et le caractère d'un vin sont parfaitement illustrées par trois exemples de vignobles contigus. En Médoc, aux confins des communes de Pauillac et de Saint-Julien, il existe trois propriétés réputées – le premier cru de Pauillac Latour, le deuxième cru de Saint-Julien Léoville Las Cases et le deuxième cru de Pauillac Pichon-Longueville Baron – dont les vignobles sont adjacents. Les rendements, le pourcentage de chaque cépage, la méthode de vinification, l'âge moyen des vignes et enfin le temps d'élevage en fûts n'y sont pas très différents. Et, cependant, chacun des trois crus développe des arômes, un style, une texture et une évolution qui lui sont propres. Car ils sont issus de terroirs différents.

En Pomerol, il suffit de comparer le vignoble le plus célèbre de cette appellation, Petrus, implanté sur un sol d'argile grasse, riche en fer, avec celui de son voisin le plus proche, La Fleur-Petrus, qui contient peu d'argile, mais davantage de sable et de graves. Les deux vins ne se ressemblent pas, bien qu'ils bénéficient de soins identiques sous la responsabilité du même personnel.

Sans aucun doute, le terroir est un élément déterminant qui influence le caractère et le style des vins de Bordeaux. Je pense cependant que le terroir seul ne suffit pas à faire un grand vin, comme nombre de Bordelais voudraient le faire croire. Un climat favorable, des pratiques viticoles traditionnelles réduisant au minimum l'emploi d'engrais chimiques, une taille sévère et, bien sûr, une vinification et un élevage méticuleux sont autant de facteurs importants dans l'élaboration d'un grand vin. Même une excellente équipe de vinificateurs, disposant de la meilleure technologie et s'appuyant sur le meilleur terroir, graveleux et bien drainé, ne saurait produire un bon vin si un climat favorable ne permet pas aux raisins d'atteindre une maturité parfaite.

LE CLIMAT

Les grands millésimes de bordeaux sont toujours forgés par un climat anormalement chaud, sec et ensoleillé pendant le cycle végétatif. Les très grandes années comme 1900, 1921, 1929, 1945, 1947, 1949, 1959, 1961, 1982, 1989, 1990 et 1995 ont toutes connu des conditions climatiques semblables – chaleur, soleil et sécheresse. Certains propriétaires de très importants châteaux ont récemment affirmé que les années désastreuses comme 1963, 1965 et 1968 ne se reproduiraient jamais plus, grâce aux progrès techniques récents. Ils semblent oublier qu'un bon vin ne peut être issu de raisins insuffisamment mûrs, aux notes végétales. Le Bordelais, comme toute autre région viticole, a besoin de soleil, de chaleur et de temps sec pour produire de grands vins.

Quand les propriétés de la région doivent attendre octobre pour vendanger, cela signifie généralement que la période de croissance de la vigne a été anormalement fraîche, ou, pire encore, humide. Il est aisé de constater, au vu du tableau ci-dessous, que les vendanges commencent toujours en septembre quand le millésime est d'une qualité exceptionnelle.

1870 – 10 septembre	1949 – 27 septembre	1985 – 29 septembre
1893 – 18 août	1953 – 28 septembre	1986 – 23 septembre
1899 – 24 septembre	1959 – 20 septembre	1989 – 31 août
1900 – 24 septembre	1961 – 22 septembre	1990 – 12 septembre
1921 – 15 septembre	1970 – 27 septembre	1995 – 20 septembre
1929 – 23 septembre	1975 – 22 septembre	1996 – 16 septembre
1945 – 13 septembre	1978 – 7 octobre	
1947 – 15 septembre	1982 – 13 septembre	

A titre de comparaison sont indiquées ci-après les dates du début des vendanges pour quelques-uns des plus mauvais millésimes.

1951 – 9 octobre	1965 – 2 octobre	1984 – 5 octobre
1954 – 10 octobre	1968 – 20 septembre	1991 – 30 septembre
1956 – 14 octobre	1969 – 6 octobre	1992 – 29 septembre
1957 – 4 octobre	1972 – 7 octobre	1993 – 26 septembre
1963 – 7 octobre	1977 – 3 octobre	

Le schéma est simple. Dans les grandes années forgées par un temps chaud, sec et ensoleillé, les raisins mûrissent régulièrement et rapidement, et les vendanges peuvent démarrer tôt. En revanche, les mauvaises années ne bénéficient pas de bonnes conditions climatiques, les raisins mûrissent mal et sont cueillis alors qu'ils sont gorgés d'eau et pas encore parfaitement mûrs.

Il existe cependant quelques exceptions notables aux conditions climatiques définissant les bons ou les mauvais millésimes. En 1979, les vendanges furent assez tardives (3 octobre), mais les vins rouges furent excellents. Depuis quelques années, de nombreux producteurs essaient de vendanger des raisins légèrement marqués de surmaturité. Or, la règle traditionnelle régissant les vendanges – dite des 100 jours – établit que les raisins doivent être vendangés 100 jours après la floraison. Actuellement, dans une recherche de vins plus corsés, plus riches et moins acides, les 100 jours sont devenus 110, et même 120. Cela signifie peut-être que les vendanges d'octobre (comme celles de 1979) seront désormais moins rares et se dérouleront dans de meilleures conditions que par le passé, quand elles étaient annonciatrices de mauvaise qualité.

Les conditions climatiques idéales pour les bordeaux rouges ne sont pas de règle pour la production des vins liquoreux de Barsac et du Sauternais. Dans cette région, les grands millésimes requièrent des matinées brumeuses et humides, suivies d'après-midi secs et ensoleillés. Ces alternances quotidiennes permettent à la « pourriture noble » (botrytis) de se développer sur les raisins. Il est intéressant de noter que chaque baie est affectée par le botrytis d'une manière spécifique. Sur certaines, la pourriture se développe rapidement, tandis que d'autres ne seront touchées que quelques semaines plus tard. Les propriétés doivent faire vendanger à la main les raisins atteints, et ce par tries successives, s'ils veulent obtenir la meilleure qualité. C'est en effet le botrytis qui contribue à concentrer le moût et qui permet de produire des liquoreux d'une richesse incroyable, aux très caractéristiques arômes de vendanges tardives. Bien sûr, les récoltes en Barsac et en Sauternais s'effectuent toujours bien plus tard que celles des rouges du Médoc, des Graves, de Saint-Émilion et de Pomerol. Elles ont en fait lieu quand les conditions climatiques du Bordelais sont les plus risquées, de fin octobre à fin novembre.

Une semaine ou plus de pluies diluviennes peut anéantir les chances d'une bonne récolte dans la région de Sauternes et de Barsac. Très souvent, la vendange est endommagée par des pluies automnales qui emportent la pourriture noble, diluent les raisins et diminuent ainsi leur concentration. Lors des vingt dernières années, seuls les millésimes 1971, 1975, 1976, 1983, 1986, 1988, 1989, 1990 et 1996 ont bénéficié de conditions climatiques uniformes et propices à la production de grands vins liquoreux dans cette région.

VINIFICATION ET ÉLEVAGE DES BORDEAUX

La vinification des vins rouges démarre au moment où les raisins fraîchement récoltés sont pressés et libèrent leur jus. Les différents stades de ce procédé sont les suivants : les vendanges ; l'égrappage et le foulage des raisins ; le transfert du moût dans des cuves de fermentation (par pompage) ; la fermentation du jus de raisin et la transformation du sucre en alcool ; la cuvaison (macération de la peau et des pépins avec le jus pour donner au vin plus d'extrait et de couleur) ; l'entonnage dans des fûts de chêne de 225 litres ou en cuves pour une deuxième fermentation, dite malolactique ; la mise en fût pour le vieillissement ; la mise en bouteille.

Dans le Bordelais, les vendanges des vins blancs et rouges s'étendent sur 3 semaines environ, tandis que celles des liquoreux peuvent durer jusqu'à 2 mois. Les raisins qui font les vins blancs secs mûrissent généralement plus tôt et sont vendangés les premiers. Vient ensuite le tour du merlot, puis celui des autres cépages rouges, cabernet franc et cabernet sauvignon, et enfin du petit verdot. Il est intéressant de remarquer que le merlot est le plus précoce. En 1964, 1967, 1987 et 1994, les vignobles où ce cépage dominait (surtout ceux de Saint-Émilion et de Pomerol) furent vendangés plus tôt et produisirent des vins bien meilleurs que ceux du Médoc, où il fallut attendre la maturation du cabernet sous les trombes des pluies d'automne. En de telles années, alors que les pluies causent d'importants dégâts aux récoltes dans le Médoc, les crus de la rive droite (Saint-Émilion et Pomerol) ont pratiquement terminé leurs vendanges. Cette dernière région peut ainsi se prévaloir de résultats brillants dans des millésimes comme 1964, 1967, 1987 et 1994, alors que le Médoc avait produit des vins de qualité médiocre, issus d'un cabernet sauvignon gorgé d'eau.

L'ÉLABORATION DES ROUGES

La décision la plus critique est très certainement la fixation de la date du début des vendanges. Une erreur de jugement est irréversible ; elle peut, en outre, réduire à néant toute une année de travail. Les baies doivent être ramassées à parfaite maturité, faute de quoi elles produiront des vins desservis par une acidité trop importante ou par des arômes herbacés. A supposer que la vendange qui arrive au cuvier soit parfaitement mûre, elle fera encore l'objet, dans les meilleures propriétés, d'un tri manuel avant de passer par le fouloir-égrappoir.

La plupart des châteaux prétendent obtenir de meilleurs résultats en demandant à leurs vendangeurs de retirer ou de laisser les grappes abîmées sur le pied de vigne. Il est certain que, chaque année, le ramassage doit être fait avec beaucoup de soin, mais, lorsqu'il y a beaucoup de pourriture, les châteaux les plus sérieux demandent à leurs vendangeurs d'effectuer une sélection très sévère (tri) et de retirer les baies abîmées au moment où ils cueillent les grappes.

Le vinificateur doit d'abord décider si les raisins seront égrappés partiellement ou totalement. Aujourd'hui, la plupart des châteaux égrappent complètement. Ce procédé va de pair avec la tendance actuelle du Bordelais à produire des vins riches et souples, qui peuvent être bus jeunes tout en étant capables de bien vieillir.

Une fois que les raisins ont été égrappés par un fouloir-égrappoir, les baies partiellement écrasées sont transférées dans des cuves pour la fermentation.

La tendance de ces trente dernières années a été de remplacer les vieilles cuves de fermentation, en bois et en ciment, par des cuves en acier inoxydable, plus faciles à nettoyer et à entretenir, qui permettent également un meilleur contrôle des températures. Cela est très important, notamment lorsque les raisins sont vendangés sous une chaleur torride, comme en 1982. Cependant, les grandes cuves traditionnelles en bois et en béton sont encore très répandues.

Une fois la vendange (raisins et jus) en cuves commence la fermentation alcoolique, provoquée par les levures naturelles, auxquelles on ajoute parfois des levures industrielles. La fermentation est le processus qui transforme le sucre du raisin en alcool. Elle doit être surveillée avec la plus extrême attention, car la température plus ou moins élevée de cette fermentation influe sur le style du vin.

A ce stade, certaines propriétés mettent en œuvre des procédés faisant appel à une technologie très avancée et souvent très onéreux. C'est ainsi que plusieurs d'entre elles pratiquent la concentration (par osmose inverse ou sous vide), qui permet d'extraire l'eau des raisins gorgés, ce qui est surtout utile dans les années pluvieuses. Fort répandues depuis le milieu des années 80, ces techniques sont particulièrement fiables en ce qu'elles ne dénaturent pas les arômes et les moûts du vin, tout en lui enlevant une certaine proportion d'eau. J'ai souvent discuté, avec des œnologues bordelais, des conséquences de ces méthodes de concentration sur le vin lui-même. Il est généralement admis que les résultats sont des plus impressionnants (notamment la technique d'osmose inverse), mais il faudrait un recul de dix à vingt ans pour bien mesurer l'influence des procédés en question. Néanmoins, les premiers constats sont prometteurs.

La plupart des vinificateurs admettent comme règle une température de fermentation comprise entre 25 et 30 °C, bien que certains la laissent grimper aux alentours de 32-33 °C. Une forte température permet d'extraire le maximum de tannins et de matière colorante. Cependant, au-dessus de 35 °C, le risque de voir se développer les bactéries acétiques est décuplé ; celles-ci confèrent généralement aux vins une désagréable odeur de vinaigre. En outre, à cette chaleur, les levures naturelles sont détruites, entraînant par-là même l'arrêt des fermentations. En règle générale, les propriétés admettant des températures de fermentation élevées ont le dessein de produire des vins tanniques et riches en extrait. Celles qui s'appliquent à ne pas dépasser les 25 °C recherchent un vin moins tannique, plus léger et plus fruité. Cependant, les premières doivent rester extrêmement vigilantes.

Il importe en effet que les cuves où s'opère la fermentation soient surveillées jour et nuit ; si la température augmente dangereusement, les moûts doivent être immédiatement refroidis. Avec les cuves d'acier inoxydable, ce refroidissement peut être obtenu simplement en faisant couler de l'eau fraîche le long des parois. Mais, lorsqu'il s'agit de cuves de bois ou de béton, il est nécessaire, à l'aide de pompes, de faire circuler l'eau dans un réseau de tuyauteries équipées d'un système de refroidissement.

Pendant la vinification, un « chapeau » composé des peaux, des rafles et des pépins se forme et flotte à la surface de la cuve. Il faut veiller à le maintenir humide, en l'immergeant parfois, afin de stimuler au maximum l'extraction des tannins et de la matière colorante de la peau des raisins, mais également pour éviter le développement de bactéries. L'opération qui consiste à pomper le jus de raisin pour en asperger le dessus du chapeau s'appelle « remontage ».

Tout au début de la fermentation, le vinificateur est appelé à prendre une décision qui n'est pas sans importance quant au style du vin qui en résultera : faut-il, ou non, chaptaliser ? La chaptalisation est simplement l'addition de sucre au moût du raisin pour augmenter la teneur en alcool de l'ensemble. Ce procédé est fréquemment utilisé en Bordelais, car il est rare que les raisins vendangés soient parvenus à pleine maturité. L'objectif étant de produire un vin qui titre environ 12 % d'alcool, la chaptalisation permet souvent de relever de 1 ou 2 degrés le titre alcoométrique naturel. Seuls des millésimes comme 1961, 1982, 1989, 1990 et 1996 (pour le cabernet sauvignon) n'ont pas été chaptalisés, tant la qualité des raisins était exceptionnelle.

Quand tout le sucre du moût, et éventuellement celui qu'on y a ajouté, s'est transformé en alcool, la première fermentation est terminée. A ce stade de la vinification se pose la deuxième question cruciale : celle du temps de cuvaison, c'est-à-dire la période pendant laquelle la peau restera au contact du vin. C'est la durée de cette macération qui détermine pour l'essentiel si le vin sera riche, bien coloré, tannique, apte à une longue conservation, ou s'il sera souple, précoce et destiné à être consommé rapidement. La plupart des grands châteaux du Bordelais adoptent un temps de macération de 7 à 14 jours, ce qui porte au total à 21 jours en moyenne la durée du contact entre le jus et la matière solide.

Après la cuvaison, le jeune vin est séparé de ses lies, composées des peaux et des pépins (ce qu'on appelle le marc), et transféré dans des cuves propres ou dans des fûts de chêne. Le vin qui est écoulé est le vin de goutte. Les peaux sont ensuite pressées, et le vin qui en résulte (appelé vin de presse) est très coloré, tannique, rude et marqué par la mâche ; il est souvent partiellement assemblé avec le vin de goutte. Certains vinificateurs, qui ne cherchent pas à faire un vin ferme et tannique, ne s'autorisent pas de vin de presse dans l'assemblage final. D'autres, en quête de muscle et de fermeté, ajoutent au vin de goutte 10 à 20 % de vin de presse. D'autres enfin, amateurs de puissance et de robustesse, réalisent l'assemblage intégral de l'un et de l'autre. En règle générale, la décision varie en fonction du millésime. En 1975 ou en 1986, l'addition de la totalité du vin de presse aurait généralement rendu le vin trop tannique et trop robuste. Mais, dans les millésimes légers, où les vins sont dénués de puissance, de fermeté et de couleur, comme ce fut le cas en 1973 et en 1980, une proportion plus grande de vin de presse, très coloré et très tannique, est intégrée au vin de goutte.

La deuxième fermentation, dite malolactique, est celle pendant laquelle l'acide malique, piquant, se transforme en acide lactique, plus doux et plus crémeux. C'est le stade suivant dans l'évolution du jeune vin rouge. Dans certaines propriétés, la fermentation malolactique se déroule consécutivement à la fermentation alcoolique, mais, dans la plupart, la fermentation malolactique dure plusieurs mois (depuis octobre jusqu'à la fin janvier). Certaines années, elle peut même traîner jusqu'au printemps ou à l'été de l'année suivante, mais cela est très rare. Cette fermentation revêt une très grande importance pour les vins rouges, car elle leur donne du caractère et de la rondeur. On note une tendance, amorcée au milieu des années 80 et amplifiée dans les années 90, au déroulement des fermentations malolactiques en fûts et non en cuves. Cette pratique, répandue en Bourgogne, est révolutionnaire dans le Bordelais, où les propriétés sont généralement très étendues, et où les fermentations ont toujours eu lieu en cuves (la méthode requiert en effet, outre une importante main-d'œuvre, une attention constante). Il semblerait cependant que les fermentations malolactiques en fûts contribuent à donner une richesse crémeuse au vin, tout en permettant au boisé de mieux se fondre dans l'ensemble. Les crus utilisant ce procédé sont souvent très réussis.

Faut-il utiliser ou non des fûts de chêne neuf pour l'élevage du vin ? Cette question fait l'objet de débats passionnés parmi les vinificateurs. Dans le Bordelais, les prestigieux premiers crus que sont Lafite Rothschild, Mouton Rothschild, Latour, Margaux et Haut-Brion, ainsi que le célèbre trio de la rive droite, Cheval Blanc, Ausone et Petrus, utilisent 100 % de fûts neufs pour presque tous les millésimes. Les autres châteaux de haut niveau adoptent une proportion variant entre 33 et 60 %, ce qui permet généralement une alliance heureuse entre le fruit, les tannins et le boisé. Cependant, pour supporter une forte proportion de chêne neuf, le vin doit être suffisamment riche ; faute de quoi il sera dominé par des arômes trop prononcés de chêne vanillé. Beaucoup de 1973 et 1980, légers et fruités, dépourvus d'ampleur et de richesse, ont souvent mal supporté leur élevage en fûts de chêne. Le bois neuf apporte en effet des tannins et des arômes de vanille assez prononcés ; il convient donc d'en user judicieusement.

Cependant, la prospérité que connaissent certaines propriétés du Bordelais depuis une dizaine d'années les a incitées à investir massivement dans un équipement moderne et dans des fûts neufs. Si les 1982, au fruit massif et concentré, ont bien supporté le bois neuf, il n'en a pas toujours été de même pour des millésimes plus délicats et moins intensément concentrés, tels 1981 et même 1989. Je me suis souvent demandé, au cours de mes dégustations, si le chêne neuf n'était pas parfois plus nuisible qu'utile. Il me semble également que de nombreux domaines, d'un niveau immédiatement inférieur à celui des premiers crus, utilisent couramment 50 à 70 % de bois neuf ; on peut alors se demander si les bordeaux ne risquent pas de devenir des vins par trop boisés. Il est vrai que les fûts neufs évitent les problèmes sanitaires inhérents aux vieux fûts ; cependant, les vinificateurs devraient comprendre que les rendements excessifs (tels ceux observés dans la région depuis le milieu de la décennie 80) et un manque de richesse en extrait ne peuvent en aucun cas être masqués par les puissants arômes du chêne neuf.

Le vin rouge de Bordeaux vieillit longuement en fûts de chêne – c'est même là une de ses caractéristiques les plus intéressantes. Cet élevage dure généralement de 12 à 24 mois, ou même 30 mois – mais, semble-t-il, de moins en moins longtemps. Cette précipitation à mettre en bouteille et à diffuser les vins confinerait-elle à l'obsession ? La plupart des vinificateurs ont à cœur de préserver la fraîcheur et le fruit de l'ensemble, tout en réduisant le risque d'oxydation, de dessèchement ou d'excès de bois. Ainsi les 1995 et 1996 ont-ils été mis en bouteille respectivement de mai à juillet 1997 et 1998, et il est aujourd'hui rare qu'une propriété procède à la mise à la fin de l'automne ou en hiver, comme c'était le cas il y a une vingtaine d'années. De nombreux châteaux fort connus se prononcent cependant en faveur d'un élevage plutôt long ; c'est ainsi que Margaux, Haut-Brion, Clinet et Calon-Ségur ne mettent en bouteille que des vins ayant un minimum de 24 mois d'élevage.

Le temps de vieillissement est généralement plus court pour les millésimes comme 1976, 1979, 1981, 1992, 1993 et 1997, où les vins manquent de concentration et de profondeur. Il sera plus prolongé dans des années comme 1975, 1982, 1983, 1986, 1990, 1995 et 1996, lorsque les vins sont plus étoffés, plus riches, colorés et concentrés. Le principe est simple : des vins légers et fragiles acquièrent facilement un boisé excessif, alors que des vins robustes et riches peuvent et doivent rester plus longtemps en contact avec le chêne. Cependant, ce sont évidemment des raisons commerciales et pratiques qui pèsent pour généraliser la mise en bouteille dans les 24 mois qui suivent les vendanges – sauf circonstances particulières.

Pendant la première année d'élevage, le vin nouveau est généralement soutiré quatre fois. Cette pratique est indispensable pour le clarifier. Elle permet en effet de séparer le vin limpide des lies qui se déposent au fond du fût. Si le soutirage n'est pas effectué suffisamment régulièrement et soigneusement, le vin acquiert une odeur d'œuf pourri due à l'hydrogène sulfuré dégagé par les lies. Cette pratique représente un travail énorme, mais les vinificateurs pensent que ces lies en suspension dans le vin, et qui finissent par se déposer, confèrent aux bordeaux toute leur complexité aromatique.

La filtration du vin nouveau avant l'entonnage représente à cet égard un important progrès technologique. Ce procédé, fort courant en Californie, débarrasse le vin de ses particules solides ; celui-ci est par conséquent plus clair et requiert des soutirages moins fréquents – une fois par an. Les adeptes de cette méthode estiment que le vin est alors plus net et plus pur, qu'il nécessite moins de manipulations et qu'il est de ce fait moins sujet à l'oxydation. Ils peuvent, en outre, effectuer un entonnage dès le mois d'octobre, gagnant ainsi 3 ou 4 mois de vieillissement par rapport à leurs homologues, ce qui peut être utile pour les dégustations en primeur. Les opposants à la méthode rétorqueront que le procédé dépouille le vin des éléments solides contribuant à sa complexité aromatique. Ils estiment en effet que la méthode ne vaut que parce qu'elle autorise une économie de main-d'œuvre et permet au vin de se montrer plus tôt sous un meilleur jour.

Les vins sont généralement collés en cours d'élevage. Cette méthode permet d'obtenir des vins nets, clairs et dépourvus des petites particules nuageuses qui s'y trouvent en suspension. Le collage traditionnel est effectué avec du blanc d'œuf qui capte lesdites particules, et se dépose ensuite au fond du fût avec les autres précipités. Cependant, les vins excessivement collés perdent de leur caractère, de leur persistance et de leur corpulence. Aujourd'hui, les vins sont clarifiés juste avant la mise en bouteille, dans de grandes cuves, et la plupart des propriétés ont abandonné le blanc d'œuf frais au profit de substances plus efficaces, telles la bentonite ou la gélatine. Dans le Bordelais, les vins sont rarement collés plus de deux fois en cours d'élevage, mais il n'en demeure pas moins qu'ils sont ainsi souvent dépouillés de leurs arômes, l'opération n'étant pas menée avec suffisamment de délicatesse.

Outre une vinification soigneuse et l'élevage en fûts de chêne, les meilleurs crus pratiquent une sélection sévère, afin de déterminer les cuvées qui feront le grand vin et celles qui feront le second vin ou qui seront vendues en vrac au négoce. La première sélection se fait dans le vignoble. C'est ainsi que les jeunes et les vieilles vignes sont en principe vinifiées séparément. En effet, même le néophyte remarquera la différence entre un vin issu de pieds de 5 ans d'âge et un autre issu de pieds vieux de 25 ans. Si les vignes jeunes produisent souvent des vins colorés, ceux-ci n'ont pas, en revanche, la profondeur, la richesse et la concentration de leurs homologues issus de vignes plus âgées. C'est pour cette raison que les propriétés sérieuses ne mélangent jamais les deux. Cependant, certains domaines persistent à assembler les deux vins, et la qualité finale s'en ressent bien évidemment.

Outre le processus de sélection dans le vignoble, la plupart des châteaux procèdent à une sélection dans les chais. Au mois de janvier ou de février suivant le millésime, les responsables des propriétés, aidés de leur œnologue-conseil, procèdent à la dégustation de tous les lots pour ensuite décider des cuvées qui navigueront sous l'étiquette du grand vin et de celles qui feront le second vin ou seront vendues en vrac. A l'issue de cette dégustation, l'assemblage est effectué (c'est le mélange des différents cépages, jusqu'ici élevés séparément, dans des proportions déterminées). Ce n'est pas un hasard si les châteaux pratiquant les sélections les plus rigoureuses sont aussi ceux qui produisent les meilleurs bordeaux. Presque tous les domaines procèdent à l'assemblage au mois de décembre ou de janvier qui suit les vendanges.

A moins qu'il n'y ait un problème (le plus courant étant un défaut de propreté entraînant le développement de bactéries) pendant l'élevage, le vin est ensuite transféré des fûts aux cuves, où il subit son dernier collage avant d'être mis en bouteille.

L'idée de la mise en bouteille au château (précisée sur l'étiquette) est assez récente. Jusqu'à la fin des années 60, la plupart des propriétés expédiaient leur production en fûts à leurs importateurs étrangers (belges et anglais, en particulier), qui procédaient eux-mêmes à la mise. Outre le fait qu'une telle pratique pouvait encourager les fraudes, elle favorisait également le mauvais traitement du vin, dans des conditions d'hygiène discutables.

Aujourd'hui, les châteaux, qu'ils soient crus bourgeois ou crus classés, disposent tous d'installations modernes leur permettant de mettre leur entière récolte en bouteille sur place. L'opération peut durer de 1 à 3 mois (pour les propriétés les plus importantes). Cependant, Bordeaux offre la garantie qu'un millésime donné n'est jamais (ou très rarement) mis en bouteille sur un laps de temps plus long, ce qui assure l'uniformité de la mise et évite des différences d'une bouteille à l'autre, lorsque celles-ci sont conservées dans des conditions identiques.

Au moment de la mise en bouteille, le vinificateur doit prendre une dernière décision, qui peut affecter le caractère et la qualité du vin fini. De nombreuses propriétés sont équipées de filtres micropores de fabrication allemande permettant de débarrasser les vins des éventuelles particules ayant échappé aux soutirages et aux collages. Fort heureusement, la plupart d'entre eux n'utilisent qu'un filtre de cellulose assez lâche, et je ne connais pas, personnellement, de cru de bon niveau qui pratique une filtration stérile. Certains vinificateurs estiment que la filtration garantit que le vin est sain et net ; d'autres rétorquent que cette manipulation est superflue et qu'elle a pour seule conséquence de dépouiller le vin de ses arômes et de son potentiel.

Les deux écoles ont leurs adeptes, et il n'est pas facile de déterminer qui a raison. Il ne faut évidemment pas oublier de souligner la réticence des détaillants et des restaurateurs à présenter au consommateur un vin ayant du dépôt (c'est souvent considéré comme un défaut) ; ce qui a conduit de nombreuses propriétés à réagir de manière excessive en dépouillant leurs vins de leur substantifique moelle par une filtration intempestive. Fort heureusement, cependant, les meilleurs domaines s'en tiennent à une filtration relativement légère, simplement destinée à débarrasser le vin des plus grosses particules, quand ils ne refusent pas tout simplement de filtrer, espérant que le consommateur finira par se rendre compte que, loin d'être un défaut, le dépôt est au contraire un signe de bonne santé du vin.

Puisque la filtration est une tendance relativement récente en œnologie (elle date des années 70), on doit considérer qu'il faut attendre pour savoir si, véritablement, cette pratique est dommageable du point de vue de la complexité, de la richesse et du potentiel de garde du vin. Toutefois, si le vin est biologiquement stable et net, comme c'est le cas pour la majorité des bordeaux, un collage et une filtration excessifs semblent inutiles. J'ai participé à suffisamment de dégustations à l'aveugle, confrontant des vins filtrés et non filtrés, pour me prononcer résolument contre la filtration ; ceux qui prétendent que cette pratique ne fait rien perdre à un vin sont des fous... ou des menteurs !

Une fois mis en bouteille, le vin reste au repos 2 à 4 mois avant d'être expédié. On estime, en effet, que la mise en bouteille « bouscule » le vin et lui cause un « stress », dont il se remet après quelques mois de garde. Ayant goûté des bordeaux juste après leur mise en bouteille, je puis confirmer la chose.

L'ÉLABORATION DES BLANCS

La qualité d'un grand vin blanc sec tient avant tout à sa fraîcheur et à sa nervosité ; sans ces deux qualités, il est mou et lourd. Nul, dans tout le Bordelais, n'a fait autant progresser la vinification des blancs que Denis Dubourdieu. C'est ce grand sorcier qui a mis au point la fermentation à froid (entre 15 et 17 °C) et la macération pelliculaire (contact prolongé du moût avec les peaux afin d'extraire un maximum d'arômes). Avec la généralisation de ces techniques, nombreux sont les blancs secs qui se révèlent désormais plus intéressants, plus savoureux, avec un caractère bien affirmé et des arômes très intenses. Ils sont issus non seulement de la prestigieuse région des Graves, mais aussi des appellations comme les Premières Côtes de Bordeaux et l'Entre-Deux-Mers.

Le caractère du vin est fonction de son mode d'élevage, en cuve d'acier inoxydable ou en fût de chêne. Dans les deux cas, il faut prendre garde à l'oxydation ; on y parvient facilement en le traitant à l'anhydride sulfureux, un antioxydant puissant. De nombreux crus prestigieux, tels le Domaine de Chevalier, Haut-Brion, Laville Haut-Brion et De Fieuzal, pratiquent le débourbage du vin jeune, qui consiste à le séparer des matières en suspension. Les viticulteurs recherchant un style plus commercial ont recours à la centrifugeuse, à moins qu'ils ne procèdent à une filtration intensive pour obtenir un vin exempt de particules. Cependant, à mon avis, le débourbage permet d'élaborer des vins plus complexes et plus intéressants.

Le fait qu'il achève ou non ses fermentations malolactiques détermine également le caractère d'un bordeaux blanc. On favorise les malolactiques notamment en chauffant les cuves, ce qui entraîne la transformation de l'acide malique en acide lactique, plus crémeux et plus souple. Alors que les bourgognes blancs, dans leur majorité, achèvent leurs fermentations malolactiques, celles-ci sont bloquées par sulfitage pour les bordeaux (c'est ainsi que de nombreux millésimes des années 80, faibles en acidité, ont dicté le blocage des fermentations malolactiques).

Lorsqu'ils sont stables, la plupart des blancs secs sont mis en bouteille dans les 3 à 6 mois suivant les vendanges, afin de conserver leur fraîcheur et leur nervosité. Ceux qui présentent un grand potentiel de garde sont généralement élevés en fûts de chêne neuf pendant une période qui va de 1 mois à 18 mois dans certains cas (Domaine de Chevalier, par exemple). Les bordeaux blancs secs sont habituellement collés et filtrés à la mise. Cependant, pour les plus prestigieux d'entre eux (De Fieuzal, Laville Haut-Brion, Haut-Brion blanc, Domaine de Chevalier), ces pratiques sont réduites au minimum pour qu'ils ne perdent pas leur complexité aromatique.

La production des vins blancs liquoreux de Sauternes et de Barsac demande plus de travail et comporte plus de risques. Pour les meilleurs crus, il est presque toujours nécessaire d'effectuer plusieurs tries dans les vignes, afin de ne ramasser que les grappes qui ont été touchées par la pourriture noble, le *Botrytis cinerea.* Ce type de vendange (parfois faite grain par grain) ne permet pas de dépasser un rendement de l'ordre de 25 hl/ha. Quand on compare ces chiffres aux 80 à 100 hl/ha qu'obtiennent communément beaucoup de producteurs de vin rouge, on comprend mieux les difficultés rencontrées par les viticulteurs de cette région. Le raisin récolté est pressé, et la fermentation se poursuit jusqu'à ce que l'on atteigne 14 ou 15 % d'alcool. A ce stade, il reste encore du sucre non fermenté dans le vin. C'est la conjugaison d'un caractère alcoolique et d'une texture liquoreuse à des arômes riches et typiques dus à la pourriture noble qui donne à ces vins blancs leur superbe personnalité.

La cryoextraction, introduite à Sauternes et à Barsac vers la fin des années 80, est une technique des plus intéressantes. Très controversée, elle consiste à refroidir les raisins pour transformer leur eau en particules de glace avant le pressurage ; cette eau est ainsi retenue, et le moût devient plus concentré et plus riche. D'importantes propriétés, telles Rayne-Vigneau, Rieussec et Rabaud-Promis, utilisent ce procédé. Une machine à cryoextraction existe même à D'Yquem. Bien qu'elle soit encore à un stade expérimental, cette technique a déjà donné des résultats remarquables. Ceux qui prétendent qu'il ne s'agit que d'un « gadget » pour simplifier le travail pourraient bien avoir des surprises. Avec la cryoextraction, en effet, le raisin touché par le botrytis peut exprimer toutes ses potentialités ; les risques de dilution sont éliminés, et le moût est superbement concentré.

Après la fermentation, les vins liquoreux des meilleurs domaines sont, le plus souvent, élevés en fûts de chêne, avec une assez forte proportion de bois neuf. Au château d'Yquem, l'élevage dure au moins 3 ans, et tous les fûts sont neufs. A Climens, à Suduiraut et dans les autres châteaux de premier plan, le pourcentage de chêne neuf va de 50 à 100 %. Quelques domaines, en revanche, et notamment Gilette, refusent d'utiliser le chêne neuf, tout en produisant des grands vins.

La plupart des liquoreux sont collés et légèrement filtrés à la mise en bouteille.

GUIDE DU CONSOMMATEUR

LA CONSERVATION DU VIN

Le vin doit être conservé dans de bonnes conditions si l'on veut pouvoir pleinement l'apprécier. Les amateurs savent qu'une cave souterraine sans vibrations, sombre, humide et à une température constante de 12 à 13 °C est idéale pour le vieillissement. Cependant, peu de gens disposent des caves profondes d'un vieux château pour y déposer leurs précieuses bouteilles. Les vins supportent aussi bien des conditions un peu moins favorables, cela dit. Pour ma part, j'ai dégusté quelques excellentes bouteilles de vieux bordeaux en parfait état de conservation qui avaient séjourné dans des caves ou des placards où la température atteignait 20 à 21 °C. Toutefois, pour être certain que le vin ne déclinera pas prématurément, il faut respecter quatre règles simples.

RÈGLE N° 1

Assurez-vous que les bouteilles sont dans un endroit frais. Pour conserver des vins au-delà de 10 ans, la température ne doit pas dépasser 18 °C. Si elle excède cette limite, ils vieilliront plus rapidement, mais ne seront pas affectés. En revanche, si la température moyenne est inférieure à 18 °C, vous n'avez aucun souci à vous faire. A 12 ou 13 °C, la température idéale, les vins évoluent si lentement que vos petits-enfants en profiteront certainement plus que vous-même. La constance en la matière est le facteur clé, et tout changement doit se faire graduellement. En règle générale, les vins blancs sont beaucoup plus fragiles que les rouges, plus sensibles aussi aux modifications de température et aux extrêmes. En conséquence, les vins blancs secs seront tenus aussi près que possible de 13 °C, tandis que les liquoreux de Sauternes et Barsac peuvent tenir et bien vieillir aux alentours de 18 °C.

RÈGLE N° 2

Le local de conservation doit être inodore, sombre et exempt de vibrations. Un taux d'humidité de 50 à 80 % est idéal, mais les étiquettes s'abîment alors rapidement. Une hygrométrie inférieure à 50 % entraîne le dessèchement des bouchons.

RÈGLE N° 3

Les bordeaux issus de millésimes corsés, riches, concentrés et puissants voyagent et vieillissent beaucoup mieux que ceux qui sont plus légers et aqueux. Ces derniers, assez fragiles, dénués de tannins et de concentration, supportent assez mal le transport – outre-Atlantique, par exemple (ce fut le cas des 1971, 1976, 1977 et 1980) –, alors que les premiers résistent mieux à la traversée. C'est le cas des 1970, 1975, 1978, 1982, 1983, 1985, 1986, 1988, 1989, 1990, 1995 et 1996. Si vous recherchez des vins à conserver en cave, n'oubliez pas que les plus fragiles sont ceux qui évolueront plus rapidement, même s'ils sont conservés dans de bonnes conditions.

RÈGLE N° 4

Enfin, je conseille toujours d'acheter les vins dès leur diffusion, à condition, bien sûr, qu'ils aient été déjà goûtés et choisis. En effet, de nombreux détaillants ne sont pas encore suffisamment attentifs à leur conservation, bien que la situation se soit très nettement améliorée en ce domaine au cours des dernières années. Il demeure, malheureusement, que de nombreux grands crus sont régulièrement abîmés par de mauvaises conditions de stockage ou de transport. L'amateur essaiera de réduire les risques en prenant possession des bouteilles le plus tôt possible après leur mise sur le marché. C'est en effet le seul moyen d'être à peu près certain d'avoir des vins en bon état.

LE SERVICE DU VIN

Il n'y a pas de grands secrets pour servir le vin. Il faut simplement un bon tire-bouchon, des verres propres et sans odeur, et, éventuellement, une carafe pour la décantation. En outre, il faut savoir dans quel ordre servir les différents vins, et s'il y a lieu de les aérer.

Les vins de Bordeaux présentent parfois des dépôts, généralement à partir de 6 ou 7 ans d'âge. Il convient alors de les décanter. Cette opération consiste à verser le vin dans une carafe pour le séparer des particules qui se sont déposées au fond de la bouteille, que l'on aura préalablement remontée de la cave en la maniant avec d'infinies précautions pour éviter que le vin ne se trouble. La décantation peut paraître une opération délicate ; à vrai dire, il suffit d'une carafe très propre et d'une main assurée. Si votre main tremble, vous pouvez acheter un appareil à décanter. C'est un accessoire merveilleux, mais coûteux, et qui rend le procédé amusant, facile et très efficace. Il est primordial que la carafe soit d'abord rincée avec une eau non chlorée ou minérale. Cette précaution est indispensable, car la carafe comme les verres rangés dans un buffet ou une armoire s'imprègnent d'imperceptibles odeurs de l'environnement, et ces arômes se libèrent de façon plus ou moins évidente lorsqu'on verse du vin. En outre, il est fréquent que les verres conservent une très mince pellicule de savon quand le rinçage, manuel ou mécanique, est insuffisant. Pour mieux exprimer le caractère indispensable de ces précautions, je peux confier que j'ai assisté à de nombreux dîners où le merveilleux bouquet de cèdre et de cassis d'un Pauillac de 15 à 20 ans d'âge avait été altéré par des odeurs de cuisine ou de détergent pour machine à laver accumulées dans le verre.

Une fois le vin décanté dans une carafe propre, vous devez aussi réfléchir à la température à laquelle il doit être servi, décider s'il doit être ou non aéré et, s'il y a plusieurs crus, déterminer dans quel ordre ils seront présentés.

Aérer un vin est une opération sujette à polémique. Certains connaisseurs affirment qu'il est très important d'aérer un vin, alors que d'autres disent que c'est tout simplement inutile. Qui a raison ? J'ai opéré de nombreux tests pour savoir si le fait de l'aérer avait quelque influence sur le vin. Je ne suis pas encore arrivé à une conclusion totalement fiable, mais j'ai pu faire quelques observations. La décantation suffit sans doute à aérer la plupart des bordeaux. Avant de servir des vins jeunes, musclés, riches et tanniques, 20 à 90 minutes en carafe au contact de l'air ambiant suffisent parfois à les rendre plus souples. Cependant, le fruit intense qui jaillit spontanément de la bouteille à l'instant où on l'ouvre pour la décantation s'affadit nécessairement un peu. Ainsi, si la décantation a l'avantage d'assouplir les bordeaux étoffés et riches, il présente l'inconvénient de leur faire perdre un peu de leur fruité. J'ai également pu constater que les vins plus légers et peu tanniques perdaient de leur caractère lorsqu'on les avait longuement aérés. De tels vins sont plus fragiles et moins riches, et ils ont alors tendance à s'affadir. Quant aux vieux bordeaux, une aération de 15 à 20 minutes leur suffit largement. Je recommande d'ouvrir, de décanter et de servir immédiatement les millésimes très vieux ou très légers. Quand, au contact de l'air, le vin commence à faiblir, rien ne peut lui restituer sa force.

Cependant, il y a toujours des exceptions à ces règles, et je pense en particulier à des 1945 et à quelques 1961, qui semblent n'atteindre leur apogée que 4 ou 5 heures après la décantation. Toutefois, en règle générale, il vaut mieux faire tourner le vin dans le verre, et ainsi l'aérer, sans attendre trop longtemps pour le servir. Il perd en effet facilement toute expression, alors même qu'il était merveilleusement parfumé au moment de l'ouverture du flacon. J'ai également pu remarquer que les 1982 les plus massifs se révélaient mieux au terme d'une aération de 12 à 14 heures, en raison de leur ampleur et de leur densité.

La température à laquelle on déguste un bordeaux est également très importante. Je suis toujours étonné de voir que, très souvent, on le sert trop chaud. Tous les ouvrages spécialisés conseillent de présenter les bons vins rouges à température « ambiante ». Cependant, la chaleur de certaines salles à manger ne convient pas aux bons crus, qui y acquièrent souvent, outre un caractère plat et atténué, un bouquet diffus. En outre, la teneur en alcool paraît plus élevée que la normale. La température idéale pour les bordeaux rouges se situe aux alentours de 18 °C, et, pour les bordeaux blancs, entre 11 et 13 °C. Vous serez très injuste envers vos meilleurs crus si vous ne les servez pas à cette température. Il ne faut pas hésiter à rafraîchir un bordeaux rouge (dans un seau d'eau glacée) pendant 10 minutes, si besoin est. Par un jour de canicule, à Bordeaux ou dans la vallée du Rhône, j'ai souvent demandé que mon Pomerol ou mon Châteauneuf-du-Pape soit rafraîchi pendant une dizaine de minutes, plutôt que de le boire à 23 °C, ou plus.

Enfin, dans un dîner, les bordeaux doivent être servis dans un ordre précis. Les règles sont faciles à suivre. Les vins rouges peu étoffés ou même un grand cru d'un millésime léger doivent précéder les vins plus étoffés et plus riches, faute de quoi les premiers pâtiront de la comparaison. Servir un Margaux aussi délicat qu'un D'Issan 1979 après un Lafleur 1975 serait déloyal envers le premier. De plus, il faut généralement aller du plus jeune au plus vieux ; certes, c'est un principe qu'il ne faut pas appliquer aveuglément, mais il vaut mieux que les vins jeunes et astringents précèdent les millésimes plus vieux et plus moelleux.

LES VINS ET LES METS

L'art d'harmoniser un bordeaux avec un mets ou un type spécifique de nourriture est trop souvent supplanté par le formalisme ou l'académisme, au préjudice à la fois du plat et du breuvage. Les journaux et magazines, et même les livres, édictent des règles en la matière, vouant tout manquement aux gémonies. Le résultat est que, au moment de choisir leurs vins pour un dîner, bien des gens se creusent inutilement la tête au lieu de se préparer à boire et à manger en paix avec des amis. Le célèbre restaurateur français Henri Béreau le disait bien : « Le succès d'un repas dépend du bon choix... des convives. »

Il est en fait assez facile d'harmoniser les plats et les bordeaux. Il existe quelques grands principes, éprouvés depuis des lustres, qui commandent par exemple de servir les vins jeunes avant les vieux, les secs avant les doux, les blancs avant les rouges et les rouges avec la viande alors que les blancs vont avec le poisson. Toutefois, ces grands principes subissent des exceptions, et les règles établies sont assouplies. Voici à mon avis les vraies questions qu'il faut se poser.

– Les plats offrent-ils des arômes simples ou complexes ?

Les vins de merlot ou de cabernet sauvignon produisent en général des vins majestueux, d'une complexité et d'une profondeur exceptionnelles. Pour cette raison, ils ne s'harmonisent qu'avec des mets au goût relativement simple. Tous deux se marient parfaitement avec des plats de viande grillée ou sautée et de pommes de terre, du filet de bœuf, de l'agneau rôti... En vieillissant, les vins de cabernet sauvignon et de merlot deviennent encore plus complexes et ne tolèrent que des mets « sobres » respectant leurs arômes. Les Bordelais le savent ; c'est un principe qu'ils respectent aussi bien au restaurant qu'à la maison. En règle générale, les vins sont servis avec, comme plats principaux, de l'agneau ou du bœuf simplement cuisinés. La règle à suivre est évidente : à vins simples, mets complexes, à vins complexes, mets simples.

– Quel est le style de vin dans le millésime que vous avez choisi ?

Plusieurs grands chefs m'ont dit préférer des bordeaux de petites années pour accompagner leur cuisine. C'est évidemment parce qu'ils estiment que les mets sont plus importants que les vins ; or les bordeaux des grands millésimes ont tendance à accaparer la vedette, faisant de l'ombre même aux plats savamment élaborés. Ces chefs demandent à leurs sommeliers de réaliser leurs achats et de conseiller leurs clients dans cette optique. Ils préféreront donc un bordeaux 1980, 1987 ou 1992 plutôt qu'un 1982, un 1986, un 1989 ou un 1990, très concentrés. D'une manière générale, on réservera les vins légers, mais très bons, des années moyennes pour accompagner une cuisine délicate et subtile, alors que les grands vins seront escortés de nourritures plus simples.

L'ACHAT DES VINS DE BORDEAUX EN PRIMEUR

Le parcours d'un acheteur moyen, pourtant copieusement truffé de chausse-trappes, devient beaucoup plus complexe et risqué dès que l'on se frotte à la loterie des vins en primeur.

En apparence, cette pratique consiste tout simplement à investir de l'argent dans une ou plusieurs caisses d'un vin, à un « prix futur » prédéterminé, avant sa mise en bouteille. Vous placez donc de l'argent dans un vin non encore diffusé, en espérant que sa valeur aura sensiblement augmenté quand il sera mis sur le marché. Si vous achetez le bon vin, du bon millésime et au bon moment, vous ferez une économie substantielle. En revanche, vous serez très déçu en constatant, 12 ou 18 mois après un achat en primeur, que le vin coûte le même prix, voire moins cher, une fois qu'il est apparu sur le marché, et parfois aussi qu'il est moins bon que vous ne l'aviez espéré.

Depuis des années, la vente en primeur est pratiquement limitée aux vins de Bordeaux, bien qu'elle apparaisse épisodiquement dans d'autres régions. C'est au printemps qui suit les vendanges que les châteaux ou les domaines proposent une partie de leur production en primeur. La première « tranche » donne une assez bonne indication des dispositions des professionnels à l'égard du vin nouveau, de l'orientation du marché et du prix public.

Les marchands et les négociants s'étant portés acquéreurs du millésime offrent des parts aux exportateurs, aux grossistes et aux détaillants pour qu'elles soient proposées en primeur aux amateurs, traditionnellement au printemps qui suit les vendanges. Par exemple, le millésime 1997, charmeur, mais loin d'être profond, a été proposé en primeur en avril 1998. L'achat d'un vin à ce moment ne va pas sans de nombreux risques. La qualité et le style du millésime sont connus à 90 %, grâce aux dégustations des vins, alors dans leur petite enfance, organisées pour les professionnels. Cependant, rançon du succès, de plus en plus de journalistes – certains étant qualifiés et d'autres pas – se mêlent de juger les bordeaux. On imagine le résultat quand on sait que beaucoup d'entre eux ont pour seul objectif de chanter les louanges du millésime, en se montrant même plus dithyrambiques que les agences chargées de la promotion des vins de Bordeaux par la profession.

Les amateurs devraient donc lire le point de vue de divers critiques faisant autorité et se poser les questions suivantes, indispensables pour critiquer les critiques : le dégustateur est-il qualifié pour goûter aussi bien les vins jeunes que les vieux millésimes ? Combien de temps passe-t-il réellement, dans l'année, à goûter les bordeaux en visitant les propriétés et en étudiant le millésime ? Exprime-t-il son point de vue de manière totalement indépendante, sans aucun lien avec les commerçants ou les publicitaires ? A-t-il vraiment approfondi les données météorologiques, les conditions qui ont présidé aux vendanges, le degré de maturité des différents cépages, les réactions des divers types de sol aux réalités climatiques ?

Au moment où les vins sont proposés en primeur, les producteurs et les commerçants rivalisent généralement d'enthousiasme. On dit souvent, sur le mode narquois, que les meilleurs vins jamais faits sont ceux qui viennent d'être mis sur le marché. Les commerçants cherchent évidemment à vendre leur vin – et le consommateur doit s'attendre à se voir proposer « de grands vins d'un grand millésime à de petits prix ». Les déclarations de ce style ne peuvent qu'inspirer la suspicion tant vis-à-vis des détaillants que des journalistes. En revanche, il faut aussi stigmatiser l'attitude irresponsable des critiques qui refusent de reconnaître la bonne qualité d'un millésime quand elle est pourtant manifeste. En résumé, il n'y a que quatre bonnes questions à se poser pour acheter du bordeaux en primeur.

1. *S'agit-il d'un vin de grande qualité, voire exceptionnel, d'un millésime excellent, voire grandiose ?*

Aucun millésime ne peut être apprécié de manière manichéenne. Même dans une très grande année, certaines appellations sont décevantes et certains vins médiocres. A l'inverse, quelques bordeaux peuvent être superbes alors que le millésime n'a rien d'exceptionnel. La connaissance des performances habituelles des divers châteaux est donc essentielle pour acheter intelligemment. Si l'on considère les vingt-cinq dernières années, les seuls millésimes indiscutablement grands ont été : 1982 pour les Pomerol, les Saint-Émilion, les Saint-Julien, les Pauillac, les Saint-Estèphe et les Graves ; 1986 pour les vins du nord du Médoc, c'est-à-dire les Saint-Julien, les Pauillac, les Saint-Estèphe, et pour les blancs liquoreux de Sauternes et de Barsac ; 1988 pour les Sauternes et Barsac également ; 1989 pour les Pomerol et les liquoreux du Sauternais ; 1990 pour les Saint-Julien, les Pauillac, les Saint-Estèphe, les Pomerol, les Saint-Émilion, les Barsac et les Sauternes ; 1995 pour les Saint-Julien, les Pauillac, les Saint-Estèphe, les Graves, les Pomerol et les Saint-Émilion ; 1996 pour les Margaux, les Saint-Julien, les Pauillac et les Saint-Estèphe.

Il n'y a aucune raison d'acheter en primeur autre chose que les meilleurs vins d'un millésime donné, dans la mesure où les prix n'augmenteront pas dans la période qui va de la vente en primeur à la mise en bouteille. L'exception concerne uniquement, répétons-le, les vins et les millésimes de haute qualité. Si les bordeaux ne coûtent pas au moins 25 à 30 % de plus quand ils arrivent sur le marché, il est préférable d'investir son argent ailleurs que dans les achats en primeur.

Il ne faut pas oublier que les 1990 (un millésime dont la cote s'est envolée ces dernières années) ont été proposés en primeur moins chers que les 1989, et que leur prix n'a commencé à augmenter qu'un an environ après la mise en bouteille. En effet, le marché était saturé au moment de leur diffusion. Les 1989, portés au pinacle comme étant du « millésime du siècle », avaient déjà englouti les finances des plus importants acheteurs, qui n'ont pu investir massivement dans les 1990. Cependant, une fois les vins mis en bouteille et dégustés, la cote de ces derniers a commencé à décupler en 1994 et en 1995, et la tendance est toujours à la hausse, car il s'agit incontestablement d'une année grandiose.

Ce qui s'est passé pour les millésimes 1975 et 1978 doit être médité. Ceux qui, en 1976, ont acheté le 1975 en primeur ont réalisé une bonne affaire. En effet, lors de leur mise sur le marché en 1978, les vins les plus renommés, tels Lafite Rothschild et Latour, ont vu leur prix multiplié par plus de deux, et celui des deuxièmes crus, notamment de quelques splendeurs comme Léoville Las Cases, La Lagune et Ducru-Beaucaillou, par un peu moins de deux. Entre-temps, le caractère remarquable et le grand potentiel du millésime étaient devenus manifestes pour tout le monde. Par la suite, les acheteurs de ces vins en primeur ont pu se féliciter derechef, puisque les prix ont continué à monter, pour atteindre jusqu'à sept ou huit fois leur niveau de 1977 ; à l'heure actuelle, ils se sont toutefois stabilisés, parce que l'évolution de certains crus a commencé à susciter quelques doutes ; je ne serais pas surpris qu'ils finissent par chuter – et c'est là encore un risque qu'il faut mesurer.

Les bordeaux 1978, proposés en primeur en 1989, se présentaient différemment. L'année avait été très bonne, avec des vins proches des excellents 1970, en moins intenses. Les prix en primeur furent donc très élevés, d'autant plus que la demande était très forte. Ceux qui ont acheté à cette époque ont certes pu se féliciter d'être propriétaires de très bons vins ; cependant, lors de la diffusion sur le marché, au printemps 1981, les prix au détail étaient pratiquement identiques à ceux de la vente en primeur. Compte tenu de l'inflation et des intérêts, les acheteurs de 1980 ont donc été perdants.

Pour ce qui concerne les millésimes 1979, 1980, 1981, 1982, 1983 et 1985, seul le 1982 a représenté une bonne affaire pour les acheteurs en primeur. Le 1980 n'a pas été proposé en primeur, parce qu'il était assez médiocre. Pour les 1979 et 1981, les prix ont été sensiblement les mêmes en primeur et lors de la mise sur le marché (sauf pour les meilleurs des 1981). Les 1982 ont fait un bond énorme entre le printemps 1983, date de la vente en primeur, et le printemps 1985, date de la mise sur le marché ; depuis lors, ils n'ont cessé de grimper, la demande, au niveau mondial, restant très forte. Les vins rares, dont la production est limitée, les Pomerol par exemple, atteignent des cotes vertigineuses ; c'est particulièrement vrai pour Petrus, dont la bouteille de 1982 atteint maintenant plus de 8 000 F. Ce qui est d'ailleurs absurde, dans la mesure où beaucoup n'arriveront pas à maturité avant une décennie. D'autres excellents 1982 ont vu leur cote augmenter démesurément, tels Trotanoy, Certan de May et L'Évangile.

La lutte acharnée des amateurs avertis pour se procurer des 1982 en primeur et l'extraordinaire battage qui a été fait autour de ce millésime ont laissé espérer à beaucoup de gens que les années suivantes pourraient permettre de réaliser d'aussi belles affaires. Tel n'a pas été le cas, surtout parce que le Bordelais a connu trop de millésimes abondants et de bonne qualité au début des années 80. Les meilleurs 1986 constituent une petite exception ; en effet, leurs prix continuent de grimper, car il s'agit d'un grand millésime au remarquable potentiel de garde.

2. *Les prix des vins en primeur sont-ils suffisamment bas pour qu'il y ait un quelconque intérêt à ne pas attendre la mise sur le marché, deux ou trois ans plus tard ?*

Beaucoup de facteurs entrent en jeu, et il est très difficile de répondre. Il arrive que les vins soient moins chers en primeur une année donnée que l'année précédente. C'est ce qui s'est passé en 1986 et en 1990. Compte tenu de la crise économique mondiale, il n'est pas certain que la demande reste forte au niveau international. En 1991, lors du lancement des primeurs 1990, le dollar américain était assez faible, bien qu'en hausse, et les États-Unis étaient en pleine période de crise. D'autres marchés importants – la France et le Royaume-Uni – connaissaient également une situation difficile, l'Asie n'était pas un acteur aussi puissant financièrement qu'aujourd'hui, et même l'Allemagne, pourtant gros acheteur, subissait les répercussions de l'économie moribonde héritée de l'ex-Allemagne de l'Est. En outre, le marché avait déjà absorbé deux millésimes (1988 et 1989) de très haut niveau. Aussi grandioses qu'ils aient été, les 1990 auraient pu être acquis pour le même prix trois ans après.

Mais de tels cycles sont de courte durée. Il suffit, pour s'en convaincre, de se rappeler la frénésie qui s'est emparée des acheteurs pour les millésimes 1995 et 1996. Ce sont peut-être les primeurs les plus chers qu'on ait jamais vus ; les 1996 valaient même 10 % de plus que les 1995. Cependant, le marché international était florissant (hormis quelques difficultés en Asie), et la demande de produits de haut niveau insatiable. Les Bordelais n'ont donc eu aucun mal à vendre ces deux récoltes avant même qu'elles aient été mises en bouteille. Les prix ont ensuite continué d'augmenter, nonobstant le fait qu'ils étaient déjà très élevés au départ.

3. *L'achat en primeur est-il le seul moyen de se procurer de grands vins de châteaux renommés dont la production est faible ?*

Il est incontestable, même si la qualité du millésime n'est pas certaine et que les prix risquent de baisser, que l'achat en primeur est la seule manière d'être sûr d'avoir dans sa cave certains vins très prisés. En effet, plusieurs petits domaines, particulièrement de Pomerol et de Saint-Émilion, ne produisent que de très petites quantités, alors que leurs inconditionnels sont fort nombreux, sous toutes les latitudes. C'est ainsi qu'en Pomerol, Le Pin, Clinet, La Conseillante, L'Évangile, La Fleur de Gay, Lafleur, Gombaude-Guillot et Le Bon Pasteur ont tous produit, au cours des années 80, des vins très recherchés, difficiles à trouver sur le marché. A Saint-Émilion, certains vins de domaines assez peu connus, mais pas précisément petits, tels Angélus, L'Arrosée, La Gomerie, Grand Mayne, Pavie Macquin, La Dominique, Tertre Roteboeuf, Troplong Mondot et De Valandraud sont relativement rares après la mise en bouteille. C'est pourquoi ceux qui les aiment, dans tous les pays, les réservent en les achetant en primeur. Ce type d'achat est donc pleinement justifié, à condition qu'il s'agisse effectivement de vins dont la production est faible, mais la qualité très bonne.

4. *Faut-il acheter des demi-bouteilles, des magnums, des doubles magnums, des jéroboams ou des impériales ?*

On passe souvent sous silence l'un des avantages de l'achat en primeur, à savoir qu'il permet de faire mettre le vin dans des bouteilles de la capacité que l'on souhaite. Il faut certes payer un supplément, mais c'est malgré tout intéressant si l'on a des enfants et que l'on pense déjà aux futurs anniversaires, ou que l'on veuille se payer le luxe d'acheter des demi-bouteilles (ce qui n'est pas forcément absurde quand on souhaite déguster souvent).

Enfin, si vous avez décidé d'acheter les vins en primeur, mesurez bien tous les risques. Le marchand avec lequel vous traitez peut faire faillite, et vos bons de souscription ne vous donneront guère que le droit de figurer sur la liste des centaines de créanciers. Si la faillite touche le fournisseur du marchand, vous rentrerez dans vos frais, mais vous ne verrez jamais votre vin. Il faut donc choisir un intermédiaire financièrement solide et suffisamment connu. Enfin, n'achetez en primeur que chez un marchand qui a reçu confirmation pour des quantités bien spécifiées ; n'hésitez pas à demander à voir les documents, car certains vendent avant même d'avoir reçu confirmation des quantités qui leur sont allouées.

Pour certains amateurs enthousiastes, acheter en primeur le bon vin, du bon millésime, au bon moment, leur garantit la disposition de précieux flacons valant quatre ou cinq fois le prix initialement investi. Rappelons cependant, et l'Histoire le montre bien, que, sur les vingt-cinq dernières années, seuls une poignée de millésimes ont vu leur prix augmenter de manière sensible dans les deux ou trois ans suivant la récolte.

GUIDE DU VISITEUR

HOTELS ET RESTAURANTS

MÉDOC

Pauillac

Hôtel France et Angleterre – 3, quai Albert-Pichon
Tél. 05 56 59 01 04 – **Fax** 05 56 59 02 31
29 chambres – **300 F** par personne. Demandez une chambre dans l'annexe, plus tranquille. **Le restaurant** est étonnamment bon, et la liste des vins bien faite. A 50 km **environ de Bordeaux.**

Château Cordeillan-Bages – Tél. 05 56 59 24 24 – Fax 05 56 59 01 89
Ce luxueux hôtel-restaurant (une étoile Michelin) abrite également l'école du vin créée **par Jean-Michel Cazes,** propriétaire de Lynch-Bages. L'hôtel est spacieux et tranquille. **Le restaurant, d'une excellente tenue,** propose une carte des vins absolument stupéfiante. **C'est l'endroit idéal** où loger et faire un bon repas lorsqu'on veut découvrir Saint-Julien, **Pauillac et Saint-Estèphe.** Attention ! Attendez-vous à une note aux alentours de 550 **à 1 000 F par personne** pour une nuit ; comptez la même somme pour un repas pour **deux. Jouxte Lynch-Bages,** dans la partie sud de Pauillac, à proximité de la D2.

Margaux

Le Pavillon de Margaux – 3, rue Georges-Mendel
Tél. 05 57 88 77 54 – **Fax** 05 57 88 77 73
A 20 minutes seulement de Bordeaux, cet excellent restaurant est l'un des meilleurs **points de chute qui soient** pour les amateurs de vin également friands d'une cuisine **française aussi inventive** que généreuse. Tout, ici, est admirablement orchestré par Cathy

Laurent, et l'on retrouve, parmi les actionnaires, le constructeur Philippe Porcheron, Charles Laurent ainsi que le propriétaire de la célèbre brasserie L'Ami Louis, de Paris. C'est vraiment une étape incontournable dans le Médoc.

Relais de Margaux (à un peu plus de 20 km de Bordeaux)
Tél. 05 57 88 38 30 – Fax 05 57 88 31 73
Cet hôtel luxueux de 61 chambres (850 à 1 550 F la nuit) a connu des hauts et des bas depuis son ouverture, dans le courant des années 80. Si les chambres sont splendides, le restaurant, en revanche, est trop cher, et la cuisine guindée et irrégulière. La carte des vins est bien faite, mais la culbute (jusqu'à 400 %) sur les prix est excessive.

Arcins

Le Lion d'Or (dans le village, à proximité de la D2) – Tél. 05 56 58 96 79
Situé au bord de la D2 à Arcins (à quelques kilomètres au nord de Bordeaux), le restaurant de Jean-Paul Barbier est l'endroit à la mode du Médoc. Le chef, talentueux et débordant d'enthousiasme, incite les clients à apporter eux-mêmes les bouteilles destinées à accompagner sa cuisine simple et campagnarde. Les portions sont généreuses, les lieux assez bruyants, mais, si vous arrivez accompagné d'un viticulteur bien connu ou d'une bonne bouteille, il y a de fortes chances pour que le chef vous tienne un peu compagnie. La chère est bonne dans cet endroit charmant ; cela dit, si vous souhaitez passer une soirée tranquille, il vaut mieux aller ailleurs. Cependant, on peut déguster ici d'excellentes spécialités locales comme l'alose ou le fameux agneau de Pauillac. Les prix sont modérés. Fermé dimanche et lundi.

Gaillan-en-Médoc

Château Layauga (à 3 km de Lesparre)
Tél. 05 56 41 26 83 – Fax 05 56 41 19 52
Ce restaurant plein de charme (qui propose également 7 chambres) a connu une belle ascension vers la fin des années 80 et s'est vu décerner une étoile Michelin en 1991. La cuisine y est excellente – on peut notamment apprécier d'excellents plats de poisson, ainsi que des spécialités locales telles l'agneau de Pauillac ou la fameuse lamproie à la bordelaise, dont la sauce est faite avec le sang du poisson. Aussi peu engageant que cela puisse paraître, il s'agit en réalité d'un mets remarquable ; c'est, en outre, l'un des rares plats de poisson qui accompagnent bien un bordeaux rouge riche et ample.

BORDEAUX

Hôtel Burdigala – 115, rue Georges-Bonnac
Tél. 05 56 90 16 16 – Fax 05 56 93 15 06
Cet hôtel – l'un des plus récents de Bordeaux – est particulièrement prisé des hommes d'affaires. Idéalement situé en plein centre-ville, non loin de la place Gambetta, il propose 68 chambres et 15 suites, ainsi qu'un excellent restaurant. Compter 930 à 1 500 F par nuit et par personne.

Hôtel Normandie – 7, cours du 30-Juillet
Tél. 05 56 52 16 80 – Fax 05 56 51 68 91
Situé dans le centre de Bordeaux, à quelques encâblures du Grand Théâtre et de la maison du Vin, l'hôtel Normandie a toujours été le point de chute idéal pour les critiques viticoles ; en effet, il se trouve à proximité des allées de Tourny et à deux pas des trois principaux magasins de vins fins de la ville. Les chambres y sont spacieuses,

mais certainement moins bien équipées que celles des hôtels plus récemment construits. Cependant, l'endroit ne manque pas de charme. Attention, si vous êtes en voiture, car il est relativement difficile de se garer dans le quartier. Le prix des chambres (320 à 720 F la nuit) en fait l'un des hôtels les plus raisonnables de Bordeaux.

Hôtel Sainte-Catherine – 27, rue du Parlement-Sainte-Catherine
Tél. 05 56 81 95 12 – Fax 05 56 44 50 51
Moins connu que d'autres, cet hôtel agréable et pas trop grand est bien situé, en plein cœur de Bordeaux. Les chambres coûtent environ 600 F pour une nuit. Cet endroit discret conviendra particulièrement à ceux qui recherchent une certaine intimité.

Mercure Château Chartrons – 81, cours Saint-Louis
Tél. 05 56 43 15 00 – Fax 05 56 69 15 21
Situé au nord du centre-ville, cet hôtel vaste et moderne propose 144 chambres (environ 600 F pour une nuit), ainsi qu'un parking très accessible.

Claret – 85, parvis des Chartrons (au sein de la Cité mondiale du vin)
Tél. 05 56 01 79 79 – Fax 05 56 01 79 00
Cet hôtel jouit d'une excellente situation en plein Bordeaux, au sein de la Cité mondiale du vin, qui se voulait la vitrine promotionnelle du vin du Bordeaux, mais qui s'est malheureusement révélée un échec.

Le Chapon fin – 5, rue Montesquieu – Tél. 05 56 79 10 10 – Fax 05 56 79 09 10
Voici l'un des meilleurs restaurants de France, et je me demande bien pourquoi Garcia n'a pas reçu une deuxième étoile au Michelin. Il est vrai que j'y suis connu et que je bénéficie peut-être d'un meilleur accueil que les clients anonymes. J'ai toujours apprécié la cuisine de Garcia, partout où il a exercé. C'est lui qui est à l'origine du renouveau de La Réserve, le célèbre hôtel-restaurant de Pessac, avant qu'il ne passe de l'autre côté de la gare de Bordeaux pour ouvrir Clavel. Il officie maintenant au Chapon fin, ce restaurant fin de siècle aux allures de caverne, non loin de la place des Grands-Hommes. L'ambiance y est très agréable, la carte des vins excellente, et la cuisine remarquable. Le chef est généreux, et je n'ai jamais quitté son restaurant sans un sentiment de parfaite satisfaction. Les prix sont élevés, mais pas déraisonnables. Fermé le dimanche et le lundi.

La Chamade – 20, rue des Piliers-de-Tutelle
Tél. 05 56 48 13 74 – Fax 05 56 79 29 67
Ce restaurant en sous-sol, situé dans le vieux Bordeaux, non loin de la place de la Bourse, propose de la bonne cuisine. C'est l'un des lieux que je préfère pour le dîner du dimanche, alors que la plupart des restaurants du centre-ville sont fermés. Si vous y allez, ne manquez surtout pas l'excellente entrée baptisée « Salade de La Chamade ». Les prix sont modérément chers. Chef Carrère.

Jean Ramet – 7, place Jean-Jaurès – Tél. 05 56 44 12 51 – Fax 05 56 52 19 80
Il ne faut pas manquer le petit restaurant de Jean Ramet, situé en bas de la rue qui mène au Grand Théâtre, tout près de la Gironde, sur la place Jean-Jaurès. La cuisine mérite une deuxième, voire une troisième étoile, mais Ramet ne les aura jamais, car sa salle est trop petite (elle n'accueille que 27 personnes). Le chef, qui a fait son apprentissage sous la houlette de grands noms comme Pierre Troisgros, Michel Guérard et René Lasserre, est un vrai sorcier. Je ne saurais assez vous recommander ce restaurant aux prix modérés. Fermé samedi midi et dimanche.

La Tupina – 6, rue de la Porte-de-la-Monnaie
Tél. 05 56 91 56 37 – Fax 05 56 31 92 11
Ce restaurant aux prix modérés, qui se trouve dans la vieille ville de Bordeaux, est dirigé par Jean-Pierre Xiradakis, l'une des grands figures locales. Cet homme est sans nul doute passionné de vins, mais il aime avant tout son restaurant, qui propose une cuisine régionale (sud-ouest de la France). Vous pouvez donc vous attendre à des plats substantiels, riches et généreux, comme le canard et le foie gras. La carte des vins met l'accent sur les producteurs peu connus, mais remarquables, le restaurant proposant également une sélection de grands armagnacs. Cet établissement, assez difficile à trouver, se trouve près de l'abbatiale Sainte-Croix, entre la rue Sauvageau et la porte de la Monnaie. Fermé le dimanche.

Le Pavillon des boulevards – 120, rue Croix-de-Seguey
Tél. 05 56 81 51 02 – Fax 05 56 51 14 58
Depuis la fin des années 80, ce restaurant a fait ses débuts en fanfare (une étoile Michelin) et s'impose aujourd'hui comme l'un des établissements les plus huppés de Bordeaux. La cuisine a des saveurs d'Orient, et ceux qui sont fatigués de la nouvelle cuisine trouveront celle du Pavillon des boulevards un peu trop recherchée. Mais l'incontestable talent de Denis Franc se manifeste dans chaque plat, et les prix sont plutôt modérés. Fermé le dimanche.

Le Père Ouvrard – 12, rue du Maréchal-Joffre – Tél. 05 56 44 11 58
C'est probablement le « troquet » le plus typique que je connaisse (imaginez un restaurant qui affiche à l'entrée « Menu de canard » et où vous êtes accueilli par de vrais canards en cage sur le trottoir... parmi lesquels les clients peuvent choisir leur victime). Tenu par un jeune couple sympathique (Stéphane et Marie Ouvrard), il propose des plats classiques et absolument superbes dans un cadre décontracté.

L'Oiseau bleu – 65, cours de Verdun – Tél. 05 56 81 09 39
Je n'ai pas personnellement goûté la cuisine de Vincent Poussard – qui fut de 1990 à 1994 le chef de la Présidence, à l'Élysée –, mais on m'a dit beaucoup de bien de son établissement. Inventif, le maître queux propose une carte volontairement restreinte où se distinguent notamment une superbe pissaladière de rougets et une très savoureuse macaronade de foie poelé. Les desserts sont, m'a-t-on dit, d'une grande finesse, et les prix raisonnables (menus à 150, 180 et 215 F). L'accueil, par Sylvie Poussard, est charmant.

ENVIRONS DE BORDEAUX

Bordeaux-Lac (à 10 mn du centre-ville)

Sofitel Aquitania – Tél. 05 56 69 66 66 – Fax 05 56 69 66 00
Novotel – Tél. 05 56 50 99 70 – Fax 05 56 43 00 66
J'ai, pour ma part, beaucoup fréquenté les hôtels Sofitel Aquitania et Novotel. Bordeaux-Lac est un centre commercial sans rien de particulier, situé au nord de la ville, mais c'est un point de chute idéal si on a une voiture. Les hôtels offrent des chambres aseptisées pourvues de tout le confort – eau chaude, téléphone et fax en bon état de marche. Le Sofitel est le plus cher des deux, puisque la chambre y coûte 500 à 1 300 F la nuit, contre 450 à 500 F au Novotel. Les chambres ne présentent guère de différences, sauf des minibars dans celles du Sofitel. Les deux établissements offrent des parkings commodes, ce qui, à mon avis, représente un gros avantage. D'autre part, les vignobles du Médoc, de Pomerol et de Saint-Émilion ne sont qu'à 20 minutes en voiture.

Bouliac (à 20 mn de Bordeaux)

Le Saint-James, place C.-Holstein – Tél. 05 57 97 06 00 – Fax 05 56 20 92 58
Depuis une bonne dizaine d'années, le Saint-James, sous la direction du déconcertant Jean-Marie Amat, est considéré comme le meilleur restaurant de la région. C'est le seul à avoir obtenu deux étoiles au Michelin (une aujourd'hui) ; en outre, sa cuisine originale et non conformiste a été portée aux nues par le guide Gault-Millau. J'y ai mangé plus d'une douzaine de fois et ai généralement trouvé la table remarquable, mais il m'est arrivé aussi d'être déçu, le service me paraissant souvent apathique et indifférent. Pour parler franchement, je trouve ce lieu surestimé, trop cher, et je n'ai toujours pas digéré que le sommelier, sous prétexte de « goûter » le vin, et boive dix bons centilitres. Néanmoins, le chef est talentueux, et, quand il est dans un bon jour, sa table vaut le détour. Un hôtel de luxe a été récemment ouvert, juste à côté. Les prix sont extrêmement élevés. Pour ceux qui ne connaissent pas Bordeaux, le meilleur moyen de s'y rendre consiste à traverser la Garonne, puis à prendre la D 113 vers le sud. A 7 ou 8 km, vous trouverez sur votre gauche des panneaux indiquant Bouliac et le Saint-James.

Pessac (à 10 mn du centre-ville)

Hôtel La Réserve – avenue Bourgailh – Tél. 05 56 07 13 28 – Fax 05 56 07 13 28
Lorsque Garcia était chef à La Réserve, ce restaurant était le meilleur de la région. Mais il est parti, et l'établissement a perdu de sa rigueur et de sa réputation. Il a passé une bonne partie de la dernière décennie à tenter de regagner le terrain perdu. Situé en plein bois, dans un cadre paisible, il constitue un point de chute idéal pour ceux qui veulent visiter Haut-Brion et La Mission Haut-Brion. Il a, en outre, l'avantage d'être tout proche de Bordeaux et de donner un accès immédiat aux régions de Sauternes et de Barsac. Les chambres coûtent de 500 à 750 F la nuit. Bien que le restaurant donne quelques signes de renouveau, il est encore loin derrière les meilleurs de Bordeaux. Vous irez à La Réserve en prenant la sortie 13 sur la rocade (l'hôtel est ensuite bien indiqué).

Langon (à 59 km au sud de Bordeaux)

Claude Darroze – 95, cours du Général-Leclerc
Tél. 05 56 63 00 48 – Fax 05 56 63 41 15
Mes repas chez Claude Darroze comptent parmi mes meilleurs souvenirs de la gastronomie française. Ce restaurant est situé au centre de Langon, et vous pourrez vous y arrêter en allant à Sauternes et à Barsac. Outre la superbe cuisine, vous y trouverez aussi 16 chambres à des prix assez raisonnables (350 à 480 F). Darroze sert le foie gras et les truffes en saison, et également l'agneau et le poisson. Sa cuisine est subtile, très imaginative, et mérite incontestablement l'étoile attribuée par le Michelin. La carte des vins est, elle aussi, remarquable et pas trop chère. Si vous aimez l'armagnac, vous pourrez y déguster les très grands bas-armagnacs, sélectionnés par Francis Darroze, le frère de votre hôte. Pour trouver l'établissement en venant de Bordeaux, prenez la sortie de Langon sur la A62 et suivez les flèches centre-ville. Vous ne pouvez pas le manquer.

Langoiran (à 25 mn de Bordeaux)

Restaurant Saint-Martin (sur la berge de la Garonne) – Tél. 05 56 67 02 67
Vous cherchez un charmant petit hôtel-restaurant dans un vieux village que seuls connaissent les gens de la région... Découvrez le Restaurant Saint-Martin. Il se trouve sur le bord de la Garonne et propose une cuisine de terroir, mais originale et bien préparée, pour un prix raisonnable. La carte des vins est remarquable. Pour y aller, prenez l'auto-

route A62, sortez à Labrède et suivez la direction de Portets, puis tournez à gauche vers Langoiran. En arrivant dans ce charmant et paisible village, vous franchirez la Garonne sur un vieux pont pas très rassurant. Les chambres sont proposées à des prix très raisonnables, entre 225 et 300 F la nuit.

Saint-Émilion (40 km à l'est de Bordeaux)

Hostelliere de Plaisance – place du Clocher
Tél. 05 57 55 07 55 – Fax 05 57 74 41 11
C'est le tout premier hôtel de Saint-Émilion, la ville fortifiée qui est à mon avis le site le plus beau et le plus intéressant de tout le Bordelais. Il est situé sur la place du Clocher, qui domine la ville. Les chambres, confortables, coûtent entre 500 et 1 100 F. La table est bonne, et la carte des vins propose bien entendu de superbes Saint-Émilion.

Le Logis des Remparts – rue Guadet – Tél. 05 57 24 70 43 – Fax 05 57 74 47 44
Ce n'est pas un restaurant, mais un excellent hôtel si vous ne pouvez loger à Plaisance. Les 17 chambres coûtent de 450 à 750 F.

Logis de la Cadène – place Marché-au-Bois – Tél. 05 57 24 71 40
C'est le restaurant que je préfère à Saint-Émilion. Le Logis de la Cadène se trouve au cœur de la ville, et la famille Chailleau y sert, avec un zèle chaleureux, une cuisine familiale fort copieuse. La carte des vins y est intéressante, et je vous conseille surtout les petites merveilles que sont les millésimes de La Clotte, grand cru classé de Saint-Émilion produit par les maîtres des lieux. C'est l'un des meilleurs crus de l'appellation, mais on le trouve rarement sur le marché, tout simplement parce que la clientèle locale du restaurant en consomme la plus grande partie... Prix modérés.

Château Grand Barrail – route de Libourne
Tél. 05 57 55 37 00 – Fax 05 57 55 37 49
Cette ancienne exploitation viticole est située au cœur du vignoble de Saint-Émilion, juste en dehors de Libourne, sur les bords de la D243. C'est un établissement prestigieux, qui propose 28 chambres entre 1 150 et 1 600 F. Il conviendra particulièrement aux clients fortunés désireux de passer une nuit en plein milieu des vignes.

Bourg et Blaye

Hôtel La Citadelle – Tél. 05 57 42 17 10 – Fax 05 57 42 10 34
Cet hôtel, dirigé par M. Chaboz, est superbement situé dans cette vaste citadelle qu'est la ville de Blaye et jouit d'une vue imprenable sur la Gironde. Le restaurant sert de bonnes spécialités locales à des prix raisonnables. Les 21 chambres (de 300 à 500 F) offrent un bon rapport qualité/prix. Vous trouverez en outre un tennis et une piscine.

ESCAPADES

Brantôme (à environ 100 km au nord-est de Bordeaux)

Moulin de L'Abbaye – Tél. 05 53 05 80 22 – Fax 05 53 05 75 27
Si vous souhaitez découvrir ce vieux moulin, idéalement situé sur une tranquille rivière au cœur de la Dordogne, n'oubliez surtout pas votre porte-monnaie. Brantôme est une

très belle ville. De Bordeaux, il faut près de 2 heures pour l'atteindre, mais le voyage ne manque pas d'agrément : vous passerez la Garonne, prendrez la N 89 par Libourne et traverserez les vignobles de Pomerol et de Lalande-de-Pomerol en direction de Périgueux. Une fois à Périgueux, vous ne serez plus qu'à un quart d'heure de Brantôme. L'hôtel compte 16 chambres (entre 800 et 1 200 F) et 3 très beaux appartements. La cuisine est excellente, parfois remarquable (une étoile Michelin). Mais pourquoi les prix de la carte des vins sont-ils tellement surévalués ?

Champagnac-de-Belair (à 2 h de Bordeaux)

Moulin du Roc – Tél. 05 53 02 86 00 – Fax 05 53 54 21 31
A 5 km au nord-est de Brantôme, sur la D 78, se trouve le paisible village de Champagnac-de-Belair, avec ce vieux moulin construit près d'une rivière sinueuse. C'est l'hôtel-restaurant le plus pittoresque de la région. Si vous souhaitez passer une nuit de rêve, ou si vous en avez l'occasion, louez l'un des 4 appartements du Moulin du Roc. Il vous en coûtera plus de 1 000 F, mais c'est un endroit merveilleux ; le charme et la tranquillité de cet établissement, dirigé à la perfection par Mme Gardillou, sont inégalables. La table est remarquable (une étoile au Michelin), mais très chère. Seule la carte des vins m'a déçu, à cause des prix exagérés. On peut cependant oublier ce détail quand on dîne et dort au paradis.

Eugénie-les-Bains (à 2 h de Bordeaux, vers le sud)

Les Prés d'Eugénie – Tél. 05 58 05 06 07 – Fax 05 58 51 10 10
Si je devais choisir le lieu de mon dernier repas, je crois bien que j'opterais pour ce magnifique établissement. Il se trouve à environ 30 km au sud de Mont-de-Marsan. Le chef, Michel Guérard, est connu dans le monde entier, et son restaurant figure depuis longtemps parmi les trois-étoiles du Michelin. Et si j'estime, pour ma part, que, dans cette élite, certains devraient être rétrogradés, je trouve aussi que d'autres atteignent un tel niveau que le célèbre guide pourrait créer pour eux une catégorie spéciale, avec quatre étoiles. Les Prés d'Eugénie y auraient leur place : l'invention, l'originalité et la qualité conjugués au formidable talent de Michel Guérard donnent des plats qui comptent parmi les plus extraordinaires expériences gastronomiques que mon épouse et moi-même avons connues. Le restaurant est évidemment très cher, mais les chambres sont assez raisonnables (1 400 à 1 800 F la nuit). Si vous souhaitez faire une folie, optez pour un appartement (plus de 2 000 F), et, si vous avez du temps, de l'argent et de l'appétit, prenez au moins deux repas chez ce grand homme.

Arcachon (à 60 km de Bordeaux)

Arc-Hôtel-sur-Mer – 39, boulevard de la Plage
Tél. 05 56 83 06 85 – Fax 05 56 83 53 72
Le Nautic, 20 boulevard de la Plage – Tél. 05 56 83 01 48 – Fax 05 56 83 04 67
De Bordeaux, il est relativement facile de rejoindre Arcachon par l'autoroute A63 puis par la A66, à moins que vous ne préfériez prendre la N 250. Ces deux excellents hôtels, en bordure de plage, proposent des chambres modernes, pour 350 à 700 F la nuit. Je connais moins les restaurants d'Arcachon que ceux des vignobles et de Bordeaux, mais j'ai apprécié les repas servis Chez Yvette, 59, rue du Général-Leclerc (Tél. 05 56 08 05 11). Vous pourrez y déguster du poisson et les superbes huîtres élevées dans les parcs tout proches.

A CONNAÎTRE ÉGALEMENT

CAVISTES DE BORDEAUX

L'Intendant – 2, allées de Tourny – Tél. 05 56 43 26 39 – Fax 05 56 43 26 45
Les prix pratiqués chez les cavistes de Bordeaux sont généralement assez élevés. Cette cave présente un cadre étonnant et offre une sélection exceptionnelle de crus du bordelais. Elle se trouve dans l'une des rues les plus chics de Bordeaux, juste après le Grand Théâtre, et propose une quantité extraordinaire de vins et de millésimes. La cave vaut la peine d'être visitée, ne serait-ce que pour son décor et pour son escalier en colimaçon. Il faudra au moins une heure aux amateurs passionnés pour découvrir toute la sélection. C'est l'une des plus grandes caves à vins, non seulement de France, mais du monde entier. Elle ne vend que du bordeaux.

Badie – 62, allées de Tourny – Tél. 05 56 52 23 72 – Fax 05 56 81 31 16
Situé non loin de L'Intendant, Badie est dirigé par les mêmes propriétaires, mais sa sélection de vins est moins complète. C'est cependant un bon établissement, renommé pour ses prix intéressants et son personnel compétent.

Badie Champagne – Tél. 05 56 52 15 66 – Fax 05 56 81 31 16
Ce magasin propose l'une des plus grandes sélections de champagnes au monde. A voir absolument (450 références).

La Vinothèque – 8, cours du 30-Juillet – Tél. 05 56 52 32 05
La Vinothèque propose de bons vins à des prix assez élevés, ainsi que de nombreux accessoires. Elle est cependant un peu éclipsée par L'Intendant, Badie et Bordeaux Magnum.

Bordeaux Magnum – 3, rue Gobineau – Tél. 05 56 48 00 06
Malgré son nom, Bordeaux Magnum n'est pas tant spécialisé dans les grands formats que dans les vins de très grande classe.

LIBRAIRIES DE BORDEAUX

Librairie Mollat – 15, rue Vital-Carles – Tél. 05 56 56 40 40
Cette librairie, l'une des plus grandes et des meilleures de France, se situe dans le quartier piétonnier de la vieille ville. Outre une collection de livres sur le vin absolument fabuleuse, elle propose pléthore d'ouvrages sur les sujets les plus divers.

Virgin Mégastore – place Gambetta – Tél. 05 56 56 05 70
Ce magasin dernier cri, équipé dans les règles de l'art, conviendra parfaitement à ceux qui recherchent le disque laser ou l'ouvrage introuvables. Les Bordelais, qui sont fiers d'avoir en leur ville le deuxième Virgin Megastore de France (le premier étant situé sur les Champs-Élysées), lui font honneur et le fréquentent assidûment. Vous y trouverez également une petite cafétéria où la nourriture est étonnamment bonne et le café remarquable.

Fnac – Centre Saint-Christoly – Tél. 05 56 00 21 30
Un choix impressionnant dans tous les domaines de la littérature, et un fonds des plus importants concernant la cuisine et les vins.

VISITE DES CHÂTEAUX DU BORDELAIS

Pour voir tout ce qu'il y a de plus intéressant, il faut préparer votre visite en demandant des rendez-vous dans les propriétés, par lettre par fax ou par téléphone.

Il n'est guère possible de visiter plus de quatre châteaux par jour – et ce programme est peut-être déjà trop chargé si vous-même et vos compagnons êtes réellement passionnés. Organisez votre périple pour visiter successivement des châteaux voisins. Ainsi, si vous avez rendez-vous à Margaux aux alentours de 9 h 30, comptez 45 à 60 minutes pour la visite, ainsi que 30 à 35 minutes de route depuis Bordeaux. Et, si l'étape suivante est à Pauillac ou à Saint-Estèphe vers 11 heures, vous n'y serez certainement pas à l'heure en comptant le trajet de 30 à 40 minutes depuis Margaux.

Dans les pages suivantes, vous trouverez quelques itinéraires qui permettent de visiter les châteaux les plus intéressants (en prévoyant un temps suffisant pour chacun d'eux). Vous pouvez espérer déguster les deux millésimes les plus récents (il est préférable de le demander au moment de la prise de rendez-vous), mais n'hésitez pas à solliciter un échantillon d'un vin plus ancien, déjà en bouteille. Si vous n'êtes pas une personnalité célèbre, il y a peu de chances que l'on ouvre pour vous une bouteille antérieure à 4 ou 5 ans. La visite comprend généralement le château lui-même, le chai et une courte dégustation. En général, on recrache le vin ; les seaux de sciure traditionnels ou de grands crachoirs superbes et modernes servent à cet effet dans les magnifiques salles de dégustation que vous trouverez dans certains châteaux.

Dans le Médoc, il faut visiter Mouton Rothschild et son remarquable musée, Prieuré-Lichine, demeure du regretté Alexis Lichine et seul château à être ouvert sept jours sur sept, et bien entendu les domaines dont vous possédez de nombreux millésimes dans votre propre cave.

Il n'est généralement pas possible de visiter à l'heure du déjeuner et en période de vendanges. Au cours des années 80, celles-ci, plutôt précoces, ont eu lieu entre la mi-septembre et la mi-octobre.

ITINÉRAIRES RECOMMANDÉS

ITINÉRAIRE 1 (Margaux)

8 h 45 – Départ de Bordeaux
9 h 30 – Château Giscours
10 h 30 – Château Margaux
14 heures – Château Palmer
15 h 30 – Château Prieuré-Lichine

Déjeuner au Lion d'Or à Arcins, petit village à quelques kilomètres au nord de Margaux.

ITINÉRAIRE 2 (Pauillac)

8 h 15 – Départ de Bordeaux
9 h 30 – Château Latour
11 heures – Château Pichon-Longueville Comtesse de Lalande
14 heures – Château Lynch-Bages
15 h 30 – Château Pichon-Longueville Baron
17 heures – Château Mouton Rothschild

Déjeuner à Cordeillan-Bages, au sud de Pauillac et à 5 minutes en voiture de n'importe lequel de ces châteaux.

ITINÉRAIRE 3 (Saint-Julien)

8 h 30 – Départ de Bordeaux
9 h 30 – Château Beychevelle
11 heures – Château Ducru-Beaucaillou
14 heures – Château Talbot
15 h 30 – Château Léoville Las Cases
Déjeuner à Cordeillan-Bages.

ITINÉRAIRE 4 (Saint-Estèphe et Pauillac)

8 h 15 – Départ de Bordeaux
9 h 30 – Château Lafite Rothschild
11 heures – Château Cos d'Estournel
14 heures – Château Montrose
15 h 30 – Château Calon-Ségur
Il est préférable de loger à Cordeillan-Bages, à Pauillac, pour visiter Saint-Estèphe, Saint-Julien et Pauillac.

ITINÉRAIRE 5 (Graves)

8 h 30 – Départ de Bordeaux
9 h 30 – Château Haut-Brion et La Mission Haut-Brion
11 heures – Château Pape Clément
14 h 30 – Domaine de Chevalier
16 heures – Château Haut-Bailly
Déjeuner à La Réserve, à Pessac, où vous pouvez également loger si vous souhaitez faire l'économie de 15 à 20 minutes de trajet.

ITINÉRAIRE 6 (Barsac et Sauternes)

8 h 30 – Départ de Bordeaux
9 h 30 – Château d'Yquem
11 heures – Château Suduiraut
14 heures – Château Rieussec
15 heures – Château Climens
Faites un bon déjeuner chez Darroze, à Langon. Si vous y logez, vous ne serez qu'à un quart d'heure en voiture du Sauternais.

ITINÉRAIRE 7 (Saint-Émilion)

8 h 30 – Départ de Bordeaux
9 h 30 – Château Cheval Blanc
11 heures – Château Couvent des Jacobins
14 heures – Châteaux Ausone et Belair
15 heures – Château Pavie
Déjeunez à Saint-Émilion, à Plaisance ou au Logis de la Cadène. Si vous logez dans un hôtel de Saint-Émilion, il vous faudra moins de 10 minutes pour vous rendre dans n'importe quelle propriété de Saint-Émilion ou de Pomerol.

ITINÉRAIRE 8 (Pomerol)

8 h 30 – Départ de Bordeaux
9 h 30 – Château Petrus
11 heures – Vieux Château Certan
14 heures – Château de Sales
15 h 30 – Château La Conseillante

Déjeunez à Saint-Émilion, à Plaisance ou au Logis de la Cadène. Si vous logez dans un hôtel de Saint-Émilion, il vous faudra moins de 10 minutes pour vous rendre dans n'importe quelle propriété de Saint-Émilion ou de Pomerol.

En arrivant à Bordeaux, vous pourrez utilement vous rendre à la Maison du vin (1, cours du 30-Juillet ; tél. 05 56 52 82 82), en plein centre-ville, où vous trouverez une multitude de renseignements sur le vignoble, ainsi que des cartes bien faites.

Si vous souhaitez prendre rendez-vous par écrit dans les différentes propriétés, ci-après une liste les codes postaux des principales communes viticoles du Bordelais :

33250 Saint-Estèphe
33250 Pauillac
33250 Saint-Julien-Beychevelle
33460 Margaux
33602 Pessac (Graves-Pessac)
33850 Léognan (Graves-Léognan)
33210 Langon
33720 Podensac (Barsac)
33330 Saint-Émilion
33500 Pomerol

Ces codes postaux recouvrent l'essentiel des régions viticoles. Cependant, pour visiter les propriétés appartenant à certaines maisons de négoce, il est préférable d'écrire directement à ces dernières. Voici donc les adresses des principaux négociants, également propriétaires d'exploitations viticoles.

Maison Cordier – pour la visite de Talbot, Meyney, Cantemerle, Lafaurie-Peyraguey et Le Clos des Jacobins – 10, quai de Paludate – 33800 Bordeaux.

Établissements Jean-Pierre Moueix – pour la visite de Petrus, Trotanoy, Magdelaine, La Fleur-Petrus, Latour à Pomerol et La Grave à Pomerol – 54, quai du Priourat – 33500 Libourne.

GLOSSAIRE

Les termes en italique renvoient à une entrée de ce glossaire qu'il peut être utile de consulter pour préciser la définition.

Accessible – Voir *Évolué.*

Acerbe – Que le vin soit jeune ou vieux, s'il est trop dur, on dit qu'il est acerbe. C'est un défaut.

Acétique, acide – Même quand ils sont bien faits, les vins contiennent une certaine quantité d'acide acétique. Si cette quantité est excessive, ils dégagent une odeur de vinaigre.

Acide – Les vins ont besoin d'une saveur acide pour exprimer un goût frais et nerveux ; mais un excès d'acidité les rend aigres et *mordants.*

Acidité – Le niveau d'acidité d'un vin est important, car il détermine sa vigueur et son agrément. Le vin contient naturellement des acides citrique, tartrique, malique et lactique. Les vins des années chaudes manifestent en général un niveau d'acidité moins élevé, tandis que ceux des années fraîches et pluvieuses sont plus acides. L'acidité d'un vin préserve sa fraîcheur et sa nervosité, mais un excès d'acidité constitue un défaut qui masque ses arômes et le fait paraître comprimé.

Agressif – Ce terme s'applique généralement à des vins ayant un niveau élevé d'acidité ou des tannins durs, ou les deux.

Anguleux – Les vins anguleux manquent de rondeur, de générosité et de plénitude. Des vins trop acides, ou d'années pauvres, sont souvent décrits comme anguleux.

Arômes – C'est le parfum d'un jeune vin avant qu'il ait eu le temps de développer des nuances ; celles-ci sont alors appelées *bouquet.* Le terme s'applique donc généralement à un vin jeune, peu développé.

Arrière-goût – Comme ce terme le suggère, c'est le goût laissé par le vin dans la bouche après qu'on l'a avalé. Ce mot est synonyme de *longueur* ou de *finale.* La longueur du vin en bouche est proportionnelle à sa qualité (à condition que ce soit un goût agréable).

Astringent – Des vins astringents ne sont pas forcément bons ou mauvais. Ils sont rêches et rudes au goût, soit parce qu'ils sont tout simplement trop jeunes, trop tanniques et qu'ils ont besoin de temps pour se développer, soit parce qu'ils n'ont pas été bien vinifiés. Le niveau de tannins d'un vin détermine son astringence.

Austère – Les vins austères ne sont généralement pas très agréables à boire. Ils sont durs, plutôt secs, et manquent de richesse et de générosité. Cependant, certains bordeaux prometteurs, qui se révèlent austères dans leur jeunesse, peuvent montrer davantage de générosité au terme d'une certaine garde.

Baie, goût de – Les vins – surtout les jeunes bordeaux – qui ne sont pas trop imprégnés d'arômes boisés de fûts de chêne expriment un goût fort de baie, suggérant la mûre, la framboise, la cerise noire, la fraise ou l'airelle.

Basse-cour, odeur de – Arôme déplaisant de cour de ferme, donné au vin par des fûts sales et, souvent, par des installations qui ne sont pas maintenues dans un état de parfaite propreté.

Bois, goût de – Pour un vin, un bouquet et un goût de chêne sont souhaitables dans une certaine limite. Quand son fruit est masqué par une trop grande influence des fûts dans lesquels il a vieilli, on dit que le vin a un goût de bois ou boisé. C'est un défaut.

Boisé – La majorité des bordeaux vieillissent de 12 à 30 mois dans des fûts de chêne de diverses tailles. Les meilleurs domaines utilisent un pourcentage élevé de fûts neufs, qui imprègnent le vin d'un arôme de vanille et de pain grillé. Si le vin n'est pas riche et concentré, les arômes boisés peuvent l'influencer à l'excès. Mais si le vin est riche et concentré, et si le vinificateur fait un usage judicieux des fûts de chêne neuf, le fruit se conjugue merveilleusement avec les arômes boisés.

Botrytis cinerea – C'est un champignon qui attaque la peau des raisins dans des conditions climatiques spécifiques (périodes d'humidité alternant avec un temps ensoleillé). Ce champignon provoque une surconcentration du raisin, due à sa déshydratation. Le *Botrytis cinerea* est indispensable aux grands vins blancs liquoreux de Barsac et de Sauternes.

Bouchon, goût de – Un vin « bouchonné » est défectueux. On découvre dans son bouquet, dénué de fruit, une odeur de bouchon moisi, qui rappelle le carton mouillé.

Bouquet – Lorsque le vin vieillit en bouteille, l'arôme évolue et devient le bouquet, qui, on l'espère, est beaucoup plus complexe que l'arôme du raisin.

Brettanomyces – La particularité de ces levures naturelles est de produire des composés phénolés. Les brettanomyces peuvent se développer sur un terrain nourricier (sucre résiduel, par exemple). Elles confèrent au vin des arômes giboyeux de sueur et de cuir fin.

Brillant – Ce terme s'applique à la robe du vin. Un vin brillant reflète de la lumière. Il n'est ni trouble ni voilé.

Brunissement – En vieillissant, le vin rouge évolue de rubis-pourpre à rubis foncé, rubis moyen, rubis avec un ton ambré sur le bord du disque et rubis nuancé de brun. Quand le vin brunit, il est généralement épanoui et ne s'améliorera plus. On dit aussi qu'il est *tuilé*.

Capiteux – Un vin capiteux a une trop forte teneur en alcool et laisse une sensation brûlante dans la bouche quand on l'avale. Les vins dont la teneur en alcool dépasse 14°5 sont capiteux, surtout quand ils n'ont pas le *fruité* requis.

Cassis – Un parfum prononcé de cassis est plus généralement associé à certains vins rouges du Rhône. Il peut varier en intensité, de léger à très profond et riche.

Cèdre – Les bordeaux rouges ont souvent un bouquet qui exprime un parfum de bois de cèdre plus ou moins intense. C'est l'un des aspects complexes du *bouquet*.

Charnu – Synonyme de *plein* et de *consistant*. Ce terme signifie que le vin est très corsé, très alcoolique, très richement extrait et très glycériné. Les Pomerol et les Saint-Émilion sont généralement plus charnus que les Médoc. Voir aussi *Mâche*.

Complexe – C'est un des termes les plus subjectifs utilisés pour décrire les vins. Un vin est complexe quand le dégustateur le trouve toujours intéressant à boire. En général, les vins complexes déploient une grande variété de parfums et de flaveurs, ce qui leur donne un attrait particulier.

Concentré – Synonyme de *profond*. Les grands vins, qu'ils soient légers, modérément ou très corsés, doivent développer des arômes concentrés, ce qui signifie que le vin dispose d'une abondance et d'une richesse de fruit qui déterminent son charme.

Confit – Quand les vins ont un fruit très intense, très mûr, on peut les qualifier de confits. Ils sont alors très concentrés, savoureux et superbes de richesse en extrait. Les grands millésimes comme 1961 et 1982 présentent un caractère confit.

Consistant – Voir *Charnu*.

Corps – L'impression de poids et de plénitude qu'un vin laisse en bouche est donnée par son corps. Les vins qui ont beaucoup de corps sont en général alcooliques, concentrés et glycérinés.

Corsé – Les vins riches en extrait, alcool et glycérine sont dits corsés. Ils laissent en bouche une impression de corpulence et de plénitude.

Creux – C'est un synonyme de *superficiel*. Les vins creux manquent de profondeur et de concentration.

Défectueux – Si un vin ne révèle pas son vrai caractère et s'il est imparfait ou abîmé, on dit qu'il est défectueux.

Délestage – Voir *Remontage*.

Délicat – Comme ce mot l'implique, un vin délicat est léger, subtil, réputé pour son caractère réticent plutôt qu'extraverti et robuste. Les vins blancs sont généralement plus délicats que les vins rouges.

Diffus – Ce terme qualifie les vins qui ont un parfum et un goût peu structurés. Souvent, des vins servis à une température trop élevée deviennent diffus.

Dur – Les vins aux tannins abrasifs, astringents, ou avec un niveau d'acidité élevé sont qualifiés de durs. Les jeunes vins peuvent être durs, mais ils ne doivent jamais être rêches ni acerbes.

Élégant – Bien que cet adjectif s'applique davantage aux vins blancs qu'aux vins rouges, les rouges légers, gracieux et bien équilibrés peuvent être élégants.

Épais – On dit parfois des vins riches, mûrs, concentrés et faibles en acidité qu'ils sont épais.

Épicé – Les vins exhalent souvent un bouquet épicé dans lequel se fondent des arômes de poivre, de cannelle et d'autres épices bien connues. Les notes d'épices orientales évoquent généralement la sauce soja, le gingembre, les sauces à base de prune et/ou l'huile de sésame.

Équilibre – L'une des caractéristiques les plus recherchées dans un vin est un bon équilibre, grâce auquel la concentration de fruit, le niveau des tannins et l'acidité sont en harmonie totale. Les vins ainsi vinifiés vieillissent généralement avec élégance.

Étoffé – Un vin étoffé est très ample, très corsé, et laisse en bouche une impression d'intensité et de concentration. Les bordeaux des meilleurs millésimes sont riches, concentrés et profonds – étoffés.

Éventé – Les vins éventés sont ternes et lourds. Ils sont dépourvus d'acidité et, de ce fait, manquent de fraîcheur.

Évolué – On dit qu'un vin est évolué quand son charme et son caractère se révèlent pleinement. Même s'il n'est pas complètement épanoui, un vin évolué est généralement agréable à boire. On dit qu'il est accessible.

Extrait – Désigne tout ce qui compose un vin, hormis l'eau, le sucre, l'alcool et l'acidité.

Exubérant – Comme les personnes extraverties, les vins peuvent se révéler exubérants, avec un fruité de bon ressort et très vigoureux.

Fermé – On dit qu'un vin est fermé quand il n'exprime pas son potentiel, car il est trop jeune. Les jeunes bordeaux se referment souvent 12 à 18 mois après leur mise en bouteille ; selon l'année et les conditions de conservation, ils se maintiennent ainsi parfois plus d'une décennie.

Feuille, odeur de – Ce terme est proche de *herbacé*, mais il se rapporte à l'odeur des feuilles plutôt qu'à celle des herbes. Un vin qui exhale une forte odeur de feuilles est un vin *végétal* ou *vert.*

Finale – Voir *Arrière-goût* et *Longueur.*

Floral – Les vins issus de muscat ou de riesling présentent souvent un bouquet au caractère floral. Certains Sauternes affichent parfois ce caractère, très rare chez les bordeaux rouges.

Frais – Pour les vins jeunes et vieux, la fraîcheur est un trait agréable et souhaitable. On dit qu'un vin est frais quand il est vif et bien fait. Le contraire de frais est *terne.*

Fruité – Un très bon vin devrait avoir un fruit assez concentré pour être qualifié de fruité. Heureusement, les meilleurs bordeaux ont plus qu'un caractère fruité.

Fumé, odeur de, goût de – A cause du terroir ou des fûts dans lesquels ils vieillissent, certains vins ont une touche spécifique de bois brûlé. Les Graves présentent parfois un goût et une odeur de fumé.

Gras – Quand le Bordelais connaît une année très chaude, les vins atteignent une très grande maturité ; ils sont alors très riches et très concentrés, avec un niveau d'acidité faible ou moyen. Ces vins sont alors qualifiés de gras et sont très recherchés. Un gras excessif est un défaut. On dit alors que le vin est *mou.*

Herbacé – Beaucoup de vins ont un arôme caractéristique d'herbes, qui peut évoquer le thym, la lavande, le romarin, l'origan, le fenouil ou le basilic.

Inexpressif – Ce terme est utilisé dans un sens très péjoratif. Contrairement aux vins fermés, qui ont besoin de temps pour révéler leur richesse et leur intensité, les vins inexpressifs risquent de ne jamais évoluer.

Intensité – C'est l'une des principales qualités d'un grand vin. Les vins vraiment intenses doivent également témoigner d'un équilibre impeccable, sous peine d'être lourds ou mous. Vifs, parfumés et de bon ressort, ils se développent en bouche par paliers et y dévoilent une texture irrésistible. L'intensité contribue au caractère d'un cru : ce n'est pas un défaut.

Kieselghur – Ce système de filtration fait appel à des plaques filtrantes en diatomées, et non en cellulose, ou en amiante (avant que ce matériau ne soit interdit).

Longueur – La longueur en bouche est l'impression de persistance que laisse le vin une fois qu'il a été avalé. On dit aussi *finale.* Les vins très longs persistent en bouche assez longtemps, de 30 secondes à plusieurs minutes. Pour les vins jeunes, c'est la longueur en bouche qui permet de différencier un vin exceptionnel d'un autre qui serait simplement bon. C'est donc une qualité tout à fait souhaitable.

Luxuriant – Les amateurs de chocolat ou de glace éprouvent un réel plaisir à la dégustation d'une énorme et riche crème glacée à la vanille, généreusement nappée de caramel et de véritable chantilly. L'amateur de vin savoure de la même manière un vin au bouquet énorme et à la texture charnue, généreusement doté d'un opulent fruité qui se développe en bouche par paliers.

Macération carbonique – Cette méthode de vinification permet d'obtenir des vins tendres, fruités et très accessibles. Les grappes de raisin sont mises entières dans la cuve, qui est ensuite remplie de gaz carbonique. C'est une méthode qui privilégie le fruité d'un vin par rapport à sa structure et à ses tannins.

Macération préfermentaire – Cette technique, utilisée tant pour les rouges que pour les blancs, consiste à laisser en contact prolongé (souvent environ une semaine) les baies et le jus des raisins, avant le début des fermentations, de manière à obtenir des vins se voulant plus fruités, plus richement extraits et plus complexes aussi que de coutume. Afin d'empêcher le démarrage des fermentations, la vendange est refroidie, généralement avec de la neige carbonique. Certains producteurs sont adeptes d'une température très basse, qui fait éclater les membranes des cellules de la pellicule des baies, ce qui favoriserait une meilleure extraction, en particulier des anthocyanes.

Mâche – Ce terme s'applique à un vin dont la texture est assez dense et onctueuse, en raison de sa teneur élevée en alcool et en glycérine. Dans les très bonnes années, on dit que les vins très richement extraits ont de la mâche. Ils sont charnus en bouche.

Maigre – Les vins maigres sont légers et manquent de générosité et de chair, mais ils peuvent néanmoins être agréables et plaisants.

Massif – Dans les grandes années, quand les raisins mûrissent très bien et sont très concentrés, certains vins peuvent se révéler tellement étoffés, corsés, riches, qu'on les qualifie de massifs. Des vins aussi grandioses que le Latour 1961 ou les Petrus 1961 et 1982 sont des exemples classiques de vins massifs. Voir aussi *Pesant.*

Mielleux – Trait commun des liquoreux de Sauternes et de Barsac, qui ont souvent un parfum et un goût de miel.

Mince – Synonyme de *superficiel.* Un caractère mince est indésirable pour un vin ; cela signifie qu'il est aqueux et qu'il manque de corps.

Moelleux – Les vins moelleux sont relativement concentrés, gras, presque épais, avec une grande densité d'extrait et de fruit, beaucoup de glycérine et une teneur en alcool élevée. S'ils ont assez d'acidité pour les équilibrer, ces vins peuvent être très savoureux et intéressants. S'ils manquent d'acidité, ils sont souvent mous et lourds.

Monocépage – Vin issu d'un cépage unique.

Mordant – Les vins pointus, acides, maigres, verts sont mordants. En général, un vin mordant manque d'agrément.

Mou – Vin trop gras qui manque de structure et qui exprime des arômes trop lourds.

Mûr – Un vin est qualifié de mûr quand les raisins dont il est issu ont atteint un niveau maximal de maturation. Des raisins qui ne sont pas mûrs produisent des vins verts ; des raisins trop mûrs donnent des vins dépourvus d'acidité.

Musclé – Un vin peut être solide, musclé, corsé, avec beaucoup de poids et de flaveurs, mais ce n'est pas toujours le vin le plus élégant ni le plus raffiné.

Nez – L'ensemble des arômes que l'on perçoit au nez et en rétro-olfaction.

Onctueux – Les vins riches, opulents, intenses, qui dévoilent par paliers un fruité concentré, tendre, velouté, sont dits onctueux. C'est souvent le cas des Sauternes et des Barsac.

Opulent – Les vins opulents sont veloutés, tendres, richement fruités, concentrés ou gras. Un vin opulent ne peut jamais être astringent ou dur.

Osmose inverse – Cette technique de concentration partielle des moûts de raisin repose sur l'utilisation des propriétés des membranes semiperméables. Le procédé consiste à appliquer au-dessus de la matière à concentrer une pression supérieure à sa pression osmotique, ce qui a pour effet de faire migrer des molécules d'eau pure à travers la membrane, qui retient par ailleurs toutes les autres composantes de l'ensemble. C'est ainsi que s'opère la concentration.

Oxydé – Si un vin a été trop exposé à l'air durant sa vinification ou son vieillissement, il perd sa fraîcheur : son odeur comme son goût sont éventés. On dit alors qu'il est oxydé.

Pain grillé, arôme de – Certains vins exhalent un arôme de pain grillé dû aux fûts dans lesquels ils vieillissent, et dont on brûle les parois intérieures.

Parfumé – Ce terme s'applique généralement beaucoup plus aux vins blancs aromatiques qu'aux vins rouges. Certains vins blancs secs et liquoreux peuvent avoir un bouquet fortement parfumé.

Pesant – Ce terme est souvent utilisé comme synonyme de *massif*. Selon moi, un vin massif est simplement étoffé, riche, très concentré, mais équilibré, alors qu'un vin pesant est massif et fatigant à boire.

Pigeage – Cette technique consiste à déstructurer le chapeau (de peaux de raisins) qui se forme en haut de la cuve, au début des fermentations. Pratiqué plusieurs fois par jour, ou parfois moins fréquemment, le pigeage permet d'extraire les arômes, les tannins et la matière colorante des moûts en fermentation.

Plein en bouche – Les vins étoffés, riches, concentrés, pleins d'extrait, de fruit, de glycérine et d'alcool ont une texture qui remplit la bouche. Un vin plein en bouche est gras et charnu, et a de la mâche.

Poivré – Cette caractéristique est typique de certains bordeaux qui ont un arôme de poivre noir et une saveur mordante.

Précision – Le bouquet et les arômes d'un vin doivent être précis. Cela signifie que ses senteurs et ses flaveurs se conjuguent parfaitement dans une découpe impeccable. Dans le cas contraire, le vin ressemble à une image qui n'est pas mise au point ; il est diffus, indécis et flou.

Profond – Synonyme de *concentré*, ce mot exprime la richesse d'un vin plein en bouche et bien pourvu en extrait.

Prune – Les vins riches et concentrés ont souvent un arôme et un goût de prune mûre.

Pruneau – Les vins faits à partir de raisins en surmaturité prennent parfois un goût de pruneau. C'est plutôt un défaut.

Rafle, goût de – Synonyme de *végétal*, ce terme est employé plus fréquemment pour qualifier un vin resté trop longtemps en contact avec les rafles, et qui a pris, de ce fait, un caractère *vert* et végétal.

Raide – Trait indésirable ; les vins raides sont amers et déplaisants, avec un caractère agressif et dur.

Raisin, goût de – Les vins de vendanges tardives, destinés à être consommés à la fin d'un repas, ont souvent un goût de raisin. Cela est recherché pour certains vins de Porto et de Xérès. Pour les vins secs, destinés à accompagner un repas, c'est plutôt un défaut majeur.

Remontage – Généralement effectuée en cours de fermentation, cette opération consiste à pomper le liquide de la partie basse de la cuve pour en arroser uniformément le chapeau (constitué du marc, des peaux, etc.), de manière à en extraire les composants essentiels du vin : le fruit, les tannins, les anthocyanes. Quand la cuve est entièrement vidée de son contenu liquide, on parle de *délestage*.

Riche – On dit qu'un vin est riche quand il a beaucoup d'extrait sec et d'arômes, et qu'il révèle un fruit intense.

Ronce, goût de – Ce terme me rappelle plus le Zinfandel californien que les bordeaux. Il suggère un vin plutôt agressif et épicé.

Rond – C'est une qualité souhaitable pour un vin. On trouve de la rondeur dans les vins très épanouis qui ont abandonné leurs tannins jeunes et astringents, et aussi dans de jeunes vins peu tanniques et faibles en acidité destinés à une consommation rapide.

Savoureux – Terme général qui qualifie un vin rond, plein de saveur et agréable à boire.

Sensuel – Certains vins méritent une analyse approfondie – repliés sur eux-mêmes, ils suscitent plutôt une approche intellectuelle. D'autres, en revanche, provoquent un plaisir immense confinant à l'euphorie. Ce sont des sensuels, que d'aucuns critiqueront pour leur caractère ostentatoire, mais qui sont, en fait, extrêmement gratifiants, fascinants, terriblement séduisants. Le nirvana...

Serré – Ce terme définit les jeunes vins qui sont bien faits, ont un bon niveau d'acidité et de bons tannins, et révèlent un équilibre prometteur ; ils devront s'ouvrir et se développer.

Solide – Un vin charnu et qui a de la mâche peut être qualifié de solide.

Souple – Un vin souple est tendre, opulent, velouté, rond et savoureux. C'est une caractéristique très souhaitable car elle suggère que le vin est harmonieux.

Soutirage – Transfert d'un vin d'un contenant (fût ou cuve) à un autre vide et propre, pour séparer la phase limpide des sédiments qui sont au fond du premier récipient, mais aussi pour aérer le vin, qui absorbe alors de l'oxygène et se débarrasse de l'excès de gaz carbonique.

Soyeux – Synonyme de *velouté* ou de généreux : les vins soyeux sont tendres, parfois gras, mais jamais durs ni maigres.

Superficiel – Un vin décharné, inconsistant, manquant de concentration est dit superficiel.

Surmaturité – C'est l'état des raisins qui ont été cueillis très tardivement. Une surmaturité excessive peut donner des vins manquant d'acidité : ils seront lourds et déséquilibrés. Le phénomène est plus fréquent dans les régions viticoles très chaudes que dans le Bordelais.

Tabac – De nombreux Graves rouges dégagent des senteurs de tabac frais en train de brûler. C'est un parfum merveilleux pour un vin.

Tannique – Les tannins d'un vin, extraits de la peau du raisin et des rafles, sont, de même que l'acidité et l'alcool, les garants de sa longévité. Le tannin donne au vin de la fermeté et de la dureté dans les premières années, mais il se dissipe graduellement. Un vin est souvent tannique quand il est jeune et pas encore bon à boire.

Tendre – Un vin tendre est rond, fruité, faible en acidité, et ne présente pas de tannins durs ou agressifs.

Terne – Voir *Frais.*

Terre fraîche, arôme de – Ce terme peut être utilisé dans un sens négatif ou positif. Je préfère dire qu'il suggère un arôme agréable de sol frais, riche et sain. Un parfum aux notes de terre est beaucoup plus intense que celui dit de bois ou de truffe.

Tronçais (chêne du) – La forêt du Tronçais, dans le centre de la France, donne une variété de chêne fort prisée pour la confection des fûts.

Tuilé – Voir *Brunissement.*

Végétal – Le caractère végétal est un défaut : les vins qui ont une odeur et un goût végétaux sont généralement faits avec des raisins verts. Certains vins dégagent un bouquet subtil et peu marqué de potager, ce qui les rend agréables et complexes ; mais, quand ce bouquet domine, c'est une anomalie.

Velouté – Terme descriptif de la texture d'un vin ; il est synonyme d'*opulent* ou de *soyeux*. Le velouté marque richesse, souplesse et moelleux. C'est une qualité très attrayante.

Vert – Les vins verts sont issus de raisins qui ne sont pas mûrs, ils manquent de richesse et de générosité, et expriment un caractère végétal. Les bordeaux peuvent présenter un tel caractère dans des millésimes médiocres comme 1972 et 1977.

Vif – Synonyme de *frais* et d'*exubérant*. Jeune, un vin vif est d'habitude facile et agréable à boire, avec un bon niveau d'acidité et un caractère rafraîchissant.

Volatil – Un vin volatil dégage une odeur de vinaigre due à un excès de bactéries acétiques. C'est un très grave défaut.

INDEX

Les chiffres en gras renvoient aux « fiches » concernant les châteaux ou aux développements principaux concernant les appellations.

C

D

G

H

I

J

M

S

V

W

Y

Z

REMERCIEMENTS

Je tiens à remercier, à des titres divers, les personnes suivantes : Hanna, Johanna et Éric Agostini, Jean-Michel Arcaute, Jim Arsenault, Ruth et le regretté Bruce Bassin, Jean-Claude Berrouet, Bill Blatch, Jean-Marc Blum, Thomas B. Böhrer, Monique et le regretté Jean-Eugène Borie, Christopher Cannan, Dick Carretta, Anne Chapoutot, Françoise Clemenceau, Bob Cline, Jean Delmas, Michel et Jean-Hubert Delon, Jacques Depoizier, le Dr Albert H. Dudley III, Barbara Edelman, Michael Etzel, Paul Evans, Terry Faughey, Joel Fleischman, Han Cheng Fong, Maryse Fragnaud, Dan Green, Michel Guérard, Philippe Guyonnet-Duperat, Josué Harari, Alexandra Harding, Kenichi Hori, le Dr David Hutcheon, Barbara G. et Steve R. R. Jacoby, Jean-Paul Jauffret, Nathaniel, Archie et Denis Johnston, Ed Jonna, Guy et Tina Jullien, Brenda Keller, Allen Krasner, Françoise Laboute, Susan et Bob Lescher, Christian, Jean-François et Jean-Pierre Moueix, Jerry Murphy, Bernard Nicolas, Jill Norman, Les Œnarchs (Bordeaux), Les Œnarchs (Baltimore), Daniel Oliveros, Bob Orenstein, Frank Polk, Bruno Prats, le Dr Alain Raynaud, Martha Reddington, Dominique Renard, Huei Robertson, Helga et Hardy Rodenstock, Dany et Michel Rolland, Carlo Russo, Tom Ryder, Ed Sands, Érik Samazeuilh, Bob Schindler, Ernie Singer, Park B. Smith, Jeff Sokolin, Elliott Staren, Daniel Tastet-Lawton, Jean-Luc Thunevin, Alain Vauthier, Steven Verlin, Peter Vezan, Robert Vifian, Sona Vogel, Jean-Claude Vrinat, Karen et Joseph Weinstock, Jeanyee Wong, Dominique et Gérard Yvernault, Murray Zeligman.

Toute ma reconnaissance va à ceux qui ont collaboré à l'élaboration de cet ouvrage dans l'édition américaine : Joan Passman, le Dr Jay Miller, sans oublier Florence Falkow, Pierre-Antoine Rovani et son père Yves Rovani, qui m'ont apporté une aide considérable.

Je me dois aussi de remercier tout spécialement Laurence et Bernard Godec, des Éditions Solar, et leur président Georges Leser, qui, le premier, en 1990, eut l'idée de me publier en France : Américain amoureux fou de ce pays, de son peuple, de sa culture, de son histoire, de son âme, j'éprouve une joie immense à y voir mes ouvrages traduits.

Les mots me manquent pour exprimer ma gratitude à Hanna Agostini. Elle avait la charge de traduire ce livre, mais elle a également vérifié les nombreuses données qu'il contient. Il n'aurait sans doute jamais vu le jour sans sa collaboration, sans son talent, et il serait juste que je partage avec elle tout crédit qui pourrait m'être accordé pour cet ouvrage.

REMERCIEMENTS

Les informations données dans cet ouvrage sont pour une large part le fruit du travail accompli pour la publication de la revue bimestrielle *The Wine Advocate*, dirigée et rédigée par Robert Parker, et qui se veut un authentique guide d'achat des meilleurs vins du monde – et donc un précieux outil de défense du consommateur en la matière.

Tarifs d'abonnement au *Wine Advocate* édition originale, pour la France et le reste de l'Europe : 85 dollars US pour 1 an ; 155 pour 2 ans ; 225 pour 3 ans.
Toute demande d'abonnement doit être adressée à :
The Wine Advocate, P.O. Box 311, Monkton, MD 21111.
Fax : 00 1 410 357 4504.
Pour la version française, découper ou photocopier le bulletin d'abonnement ci-dessous.

Il existe également un site Internet :
http : //www.wine-advocate.com
(serveur géré par la société BdeNet, Bordeaux.
Tél. : 05 56 48 39 01. Contact : Ludovic Bouquin)

✂ ....

BULLETIN D'ABONNEMENT

❑ 1 an (6 numéros bimestriels) 500 F / 3 125 FB / 125 CHF
❑ 2 ans (12 numéros bimestriels) 950 F / 5 925 FB / 240 CHF
❑ 3 ans (18 numéros bimestriels) 1 350 F / 8 440 FB / 340 CHF

A .... le .... Signature

DESTINATAIRE
Nom : ....
Adresse : ....
Code postal : .... Ville : ....
Téléphone : .... Fax : ....

ADRESSE DE FACTURATION
Nom (ou raison sociale) : ....
Adresse : ....
Code postal : .... Ville : ....

Paiement par carte de crédit (Visa, Mastercard ou American Express) :

N° : .... Date d'expiration : ....

Paiement par chèque à l'ordre de *The Wine Advocate*, à adresser, avec ce bulletin d'abonnement, à :

THE WINE ADVOCATE – 24, place Amélie Raba-Léon – 33000 Bordeaux
Tél. 05 56 56 42 70 – Fax 05 56 02 24 21

Quels que soient le soin et l'attention portés à un ouvrage de cette importance, des erreurs ou des imprécisions peuvent à tout moment s'y glisser. Par ailleurs, des domaines peuvent changer de propriétaire, leurs coordonnées, leur superficie, leur mode d'exploitation s'en trouver modifiés, etc.
L'auteur et l'éditeur sauraient gré à tout lecteur en mesure de leur signaler ce genre d'information de le faire, par fax, au numéro suivant : 01 44 16 05 19 (référence *Parker*). Merci d'avance.

Achevé d'imprimer sur les presses de MAME Imprimeurs à Tours (n° 99062013)
Flashage numérique CTP